GROSSES WÖRTERBUCH

ENGLISCH

ENGLISCH–DEUTSCH
DEUTSCH–ENGLISCH

Compact Verlag

© 2003 Compact Verlag München
Alle Rechte vorbehalten. Nachdruck, auch auszugsweise,
nur mit ausdrücklicher Genehmigung des Verlages gestattet.

Chefredaktion: Ilse Hell
Redaktion: Julia Kotzschmar

Produktion: Henning Liebke
Umschlaggestaltung: Inga Koch
ISBN 3-8174-7236-6
7272362

Besuchen Sie uns im Internet: www.compactverlag.de

Inhalt

Benutzerhinweise

In dieser neu bearbeiteten Ausgabe ermöglichen über 100.000 treffende Übersetzungen, Anwendungsbeispiele und Redewendungen zu rund 75.000 Stichwörtern den schnellen Zugriff auf einen umfassenden Grund- und Fachwortschatz der modernen Hoch- und Umgangssprache.

Alphabetisierung

Die Stichwörter sind streng alphabetisch geordnet: Getrennt geschriebene und durch Bindestrich getrennte Stichwörter werden dabei behandelt, als würden sie zusammengeschrieben. Nur die „phrasal verbs" (häufig benutzte Zusammensetzungen von Verben mit Präpositionen oder Adverbien im Englischen, z. B. *give up*) stehen der Übersichtlichkeit halber direkt nach dem entsprechenden Verb und sind mit einem Punkt (•) gekennzeichet.

Die Buchstaben ä, ö, ü werden wie a, o, u alphabetisiert; ß wird wie ss eingeordnet.

Einige Stichwörter werden durch zusätzliche Informationen in Klammern genauer bestimmt (z. B. Angabe der Endung der Femininform). Diese Ergänzungen in Klammern werden bei der Alphabetisierung jedoch nicht berücksichtigt.

Gliederung der Stichwörter

Abkürzungen, die einer Erläuterung oder mehrerer Übersetzungen bedürfen (z. B. CD-ROM), werden als Stichwörter aufgeführt – andere gängige Abkürzungen befinden sich im Anhang auf den Seiten 596–599.

Homonyme (Wörter, die gleich lauten, aber eine unterschiedliche Herkunft und Bedeutung haben, z. B. *Mark* (Währung/Grenzgebiet/Gewebe)) werden mit hochgestellten Zahlen gekennzeichnet.

Um einen raschen Zugriff auf das gesuchte Wort zu ermöglichen, steht jedes Stichwort als eigener Eintrag. *afternoon* und *afterwards* stehen zum Beispiel nicht zusammen mit *after* in einem Abschnitt, sondern sind selbstständige Stichwörter mit Lautschriftangabe.

Sowohl die maskuline als auch die feminine Form eines Substantives wird stets angegeben. Bei Bildung der Femininform mit Wortstammveränderung (z. B. *Bauer/Bäuerin*) und bei Bildung der Femininform durch Ersetzen der Maskulinendung (z. B. *Zeuge/Zeugin*) erhält das feminine Substantiv einen eigenen Eintrag.

Bei substantivierten Adjektiven (z. B. *Jugendliche(r)*) und erstarrten Partizipien (z. B. *Geliebte(r)*) wird im Deutschen ebenfalls sowohl die Maskulin- als auch die Femininform angegeben. Sie werden wie Adjektive dekliniert: *ein Jugendlicher, eine Jugendliche; mit einem Geliebten, mit einer Geliebten usw.*

Adjektive werden – mit Ausnahme von solchen wie *erste(r,s), jüngste(r,s)* – nur in der männlichen Form angegeben.

Adverbien im Englischen, die von einem Adjektiv abgeleitet werden, werden nicht als einzelne Einträge aufgeführt, es sei denn die adverbiale Bedeutung unterscheidet sich von der adjektivischen. Die Bildung der englischen Adverbien kann im Anhang nachgelesen werden.

Aufbau eines Eintrags

Innerhalb eines Stichworteintrages wird das fett gedruckte Stichwort nicht wiederholt, sondern durch eine Tilde (~) ersetzt, es sei denn, es steht in einer Form, die eine andere Schreibweise nach sich zieht. Im Eintrag *book* z. B. steht statt *books* einfach ~*s*, bei *Buch* ist die Pluralform *Bücher* ausgeschrieben. Diese Ausnahme bezieht sich auch auf die Großschreibung eines sonst kleingeschriebenen Wortes (z. B. am Satzanfang einer Wendung). Die Tilde bezieht sich nie auf eventuelle Klammerergänzungen im Stichwort.

Innerhalb eines Stichworteintrags sind die einzelnen Übersetzungen nach Wortart und Häufigkeit geordnet. Bedeutungsgleiche (synonyme) Übersetzungen werden durch Komma voneinander getrennt. Nicht bedeutungsgleiche Übersetzungen werden entsprechend der Häufigkeit ihrer Verwendung durchnummeriert und mit Strichpunkt abgetrennt.

Englische Verben werden in diesem Buch im Infinitiv ohne *to* aufgeführt. Eine Ausnahme bilden Wendungen mit *to be*, z. B. *to be in hiding.*

Sind Auslassungszeichen (...) direkt an ein Wort angehängt (z. B. bei Präfixen), bedeutet dies, dass das Wort als Teil einer Zusammensetzung wiedergegeben wird. Beispiel:

south [saʊθ] *adj* südlich, Süd...

Neben der Übersetzung *südlich* sind auch Wortzusammensetzungen mit *Süd...* möglich: z. B. *Süddeutschland, Südafrika usw.*

Lautschrift

Der Stichwortangabe folgt jeweils in eckigen Klammern die dazugehörige Aussprache. Die Lautschrift richtet sich nach der international gebräuchlichen Phonetik. Eine Übersicht über die Lautschriftzeichen befindet sich auf Seite VIII. Das Betonungszeichen (') steht jeweils vor der Silbe, die betont werden muss. Die Lautschrift eines englischen Stichwortes orientiert sich an der britischen Hochsprache ("Received Pronunciation").

Steht in einem Eintrag eine zusätzliche Lautschriftangabe, bedeutet dies, dass alle folgenden Bedeutungen entsprechend dieser Phonetikangabe ausgesprochen werden.

Wortart

Nach Stichwort und Lautschrift wird die Wortart des fett gedruckten Stichwortes in abgekürzter Form angegeben. Sie ist kursiv gedruckt. Die Abkürzungen werden auf Seite VII erläutert. Gibt es für ein Stichwort mehrere Bedeutungen mit unterschiedlichen Wortarten, so werden diese durch Strichpunkt voneinander getrennt aufgeführt.

Hat ein Stichwort sowohl eine maskuline als auch eine feminine Form oder werden für ein Wort zwei unterschiedliche Genera gleich häufig verwendet, so stehen die entsprechenden Angaben kursiv hinter dem betreffenden Wort.

Alle unregelmäßigen Verben sind mit der Abkürzung *v irr* gekennzeichnet. Die unregelmäßigen Formen der Verben beider Sprachen werden im Anhang (Seiten 580–583 sowie 592–595) aufgeführt. Aufgelistet werden ausschließlich die Formen des Stammverbs (die Formen zur *repay* sieht man bei *pay* nach, die Formen zu *ausschließen* stehen bei *schließen*).

Redewendungen

Die zahlreichen Wendungen und sprichwörtlichen Redensarten sind dem bedeutungstragenden Wort der Wendung – in der Regel dem Substantiv – zugeordnet.

Britisches und amerikanisches Englisch

Wichtige Unterschiede und Unregelmäßigkeiten in der Rechtschreibung werden aufgeführt (*kerb/curb*). Ob Wörter oder Wortformen nur im britischen *(UK)* oder nur im amerikanischen *(US)* Englisch gebräuchlich sind, wird hinter dem Wort gekennzeichnet.

Können Verben sowohl mit *-ise* als auch mit *-ize* geschrieben werden (*realise/ realize, criticise/criticize*), ist in diesem Buch lediglich die Schreibweise mit *-ize* angegeben.

Anhang

Die Kurzgrammatiken im Anhang ermöglichen es auch Anfängern, den vorhandenen Wortschatz stilsicher anzuwenden. So findet der Benutzer schnell eine Antwort auf jedes grundlegende grammatische Problem.

Im Text verwendete Abkürzungen

adj	Adjektiv	*LING*	Linguistik
adv	Adverb	*LIT*	Literatur
AGR	Landwirtschaft	*m*	männlich
ANAT	Anatomie	*MATH*	Mathematik
ARCH	Architektur	*MED*	Medizin
art	Artikel	*MET*	Metallurgie
ART	Kunst	*METEO*	Meteorologie
ASTR	Astronomie	*MIL*	Militär
BIO	Biologie	*MIN*	Bergbau/Mineralogie
BOT	Botanik	*MUS*	Musik
CHEM	Chemie	*n*	Neutrum
CINE	Film	*NAUT*	Schifffahrt
ECO	Wirtschaft	*num*	Zahlwort
etw	etwas	*PHIL*	Philosophie
f	weiblich	*o.s.*	oneself
fam	umgangssprachlich	*PHYS*	Physik
fig	bildlich	*pl*	Plural
FIN	Finanzwelt	*POL*	Politik
FOTO	Fotografie	*pref*	Präfix
GAST	Gastronomie	*prep*	Präposition
GEO	Geografie	*pron*	Pronomen
GEOL	Geologie	*PSYCH*	Psychologie
GRAMM	Grammatik	*rel*	relativ
HIST	Geschichte	*REL*	Religion
INFORM	Informatik	*sb*	Substantiv
interj	Interjektion	*s.o.*	someone
interr	interrogativ	*sth*	something
irr	unregelmäßig	*SPORT*	Sport
jdm	jemandem	*sup*	Superlativ
jdn	jemanden	*TECH*	Technik
jds	jemandes	*TEL*	Kommunikationswesen
jmd	jemand	*THEAT*	Theater
JUR	Recht	*v*	Verb
konj	Konjunktion	*ZOOL*	Zoologie

Lautschrift

Konsonanten

Baum	b	big	Post, ab	p	pass
mich	ç		Rand	r	road
denn	d	day	nass, besser	s	sun, cellar
fünf, vier	f	fish, photo	Schule, Sturm	ʃ	shot
gut	g	get	Tisch, Sand	t	tap
Hemd	h	hat		θ	think
ja, Million	j	yes		ð	that
Kind	k	keep, cat	Weg	v	vote
Lob	l	life		w	wish
mir	m	me	lachen	x	
nein	n	no, knit	sein	z	zoo, is
links, lang	ŋ	hang	Genie	ʒ	pleasure

Vokale

blass	a	
Bahn, Saal	aː	
	ɑː	jar, heart
	æ	back
egal	e	yes
weh, See	eː	
hätte, fett	ɛ	
Säge	ɛː	
gefallen	ə	above
	ɜː	turn, whirl
ist	ɪ	if
Diamant	i	
Liebe	iː	be, meet
Moral	o	
Boot, To	oː	
von	ɔ	
	ɔː	short, warm
	ɒ	dog
ökonomisch	ø	
Öl	øː	
völlig	œ	
Zunge	u	
Zug	uː	blue, mood
	ʊ	put, hood, would
	ʌ	run, shove
Stück	y	
Typ	yː	

Diphthonge

heiß	aɪ	by, buy, lie
Maus	au	
	aʊ	round, now
	eɪ	late, day
	ɛə	chair, stare
	əʊ	mow, go
	ɪə	near, here
neu, Häuser	ɔy	
	ɔɪ	joy, boil
	ʊə	sure, pure

Nasale (nur bei Fremdwörtern)

Orange	ã	fiancée
Cousin	ɛ̃	
Saison	ɔ̃	bouillon

Englisch – Deutsch

A

a [eɪ, ə] *art 1.* ein/eine; *prep 2. (per)* pro

abandon [ə'bændən] *v 1. (leave, leave behind)* verlassen; *2. (a plan)* aufgeben; *3. (relinquish)* preisgeben; *4. (an animal)* aussetzen; *sb 5.* with ~ mit Leib und Seele

abase [ə'beɪs] *v* demütigen, erniedrigen

abash [ə'bæʃ] *v* beschämen

abate [ə'beɪt] *v* nachlassen, abflauen

abattoir ['æbətwɑː] *sb* Schlachthaus *n*

abbey ['æbɪ] *sb* REL Abtei *f*

abbot ['æbət] *sb* REL Abt *m*

abbreviate [ə'briːvɪeɪt] *v* abkürzen

abbreviation [əbriːvɪ'eɪʃən] *sb* Abkürzung *f*

abdicate ['æbdɪkeɪt] *v (monarch)* POL abdanken

abdication [æbdɪ'keɪʃən] *sb (of a monarch)* POL Abdankung *f*

abduct [əb'dʌkt] *v* entführen

abduction [əb'dʌkʃən] *sb* Entführung *f*

aberration [æbə'reɪʃən] *sb 1.* Abweichung *f; 2. (mental)* Verirrung *f*

abhor [əb'hɔː] *v* verabscheuen

abhorrence [əb'hɔrəns] *sb* Abscheu *m*

abhorrent [əb'hɔrənt] *adj* abscheulich

abide [ə'baɪd] *v irr ~ by* sich halten an

ability [ə'bɪlɪtɪ] *sb* Fähigkeit *f*, Befähigung *f*

abject ['æbdʒekt] *adj 1. (sunk to a low condition)* elend, niedrig; *2. (grovelling)* kriecherisch

able ['eɪbl] *adj 1.* fähig; *2. to be ~ to do* etw können in der Lage sein, etw zu tun; *3. (gifted)* begabt; *4. (efficient)* tüchtig

abnegate ['æbnɪgeɪt] *v* sich versagen

abnormal [æb'nɔːməl] *adj 1.* anormal; *2. (deviant)* abnorm

abolish [ə'bɔlɪʃ] *v* abschaffen, aufheben

abolition [æbə'lɪʃən] *sb* Abschaffung *f*

A-bomb ['eɪbɔm] *sb (atomic bomb)* Atombombe *f*

abominable [ə'bɔmɪnəbl] *adj* abscheulich

aboriginal [æbə'rɪdʒɪnl] *adj* primitiv, ursprünglich, indigen, eingeboren

Aborigine [æbə'rɪdʒɪniː] *sb* australischer Ureinwohner *m*

abort [ə'bɔːt] *v* MED abtreiben

abortion [ə'bɔːʃən] *sb 1. (operation)* MED Abtreibung *f*, *2.* MED Fehlgeburt *f*

about [ə'baʊt] *adv 1. (approximately)* ungefähr, etwa; *2. (round, around)* herum, umher; *leave things lying ~* Sachen herumliegen lassen;

to be up and ~ wieder auf den Beinen sein; *3. to be ~ to do sth* im Begriff sein, etw zu tun; *prep 4. (all round)* um, um ... herum; *5. (concerning)* über, von; *What is it ~?* Worum handelt es sich? *6. (around a certain time)* gegen, um

above [ə'bʌv] *prep 1.* über, oberhalb; *2. (fig)* über; *~ all* vor allem; *~ average* überdurchschnittlich; *get ~ o.s.* eingebildet sein; *adv 3. (overhead)* oben; *4. (in a higher position)* darüber; *adj 5. (~mentioned)* oben genannt, oben erwähnt

abreast [ə'brest] *adv 1.* nebeneinander; *2. (fig) keep ~ of sth* auf dem Laufenden bleiben

abridge [ə'brɪdʒ] *v* kürzen, abkürzen

abroad [ə'brɔːd] *adv 1. (in another country)* im Ausland; *2. (to another country)* ins Ausland

abrupt [ə'brʌpt] *adj 1.* abrupt, plötzlich, jäh; *2. (descent)* unvermittelt; *3. (brusque)* schroff

abruption [ə'brʌpʃən] *sb* Abbruch *m*

absence ['æbsəns] *sb 1.* Abwesenheit *f*, Fehlzeiten *f/pl*; *2. (lack)* Fehlen *n*, Mangel *m*

absent ['æbsənt] *adj* abwesend

absentee [æbsən'tiː] *sb* Abwesende(r) *m/f*

absent-minded ['æbsənt'maɪndɪd] *adj 1. (habitually forgetful)* zerstreut; *2. (lost in thought)* geistesabwesend, gedankenverloren

absolute ['æbsəluːt] *adj 1.* absolut, unbedingt; *2. (utter)* völlig, vollkommen

absolution [æbsə'luːʃən] *sb* REL Absolution *f*

absolutism ['æbsəluːtɪzəm] *sb* POL Absolutismus *m*

absolve [əb'zɔlv] *v* REL lossprechen

absorb [əb'zɔːb] *v 1.* absorbieren, aufsaugen; *2. (knowledge)* aufnehmen

absorbing [əb'zɔːbɪŋ] *adj (fig)* fesselnd

absorption [əb'zɔːpʃən] *sb 1.* Absorption *f*, Aufsaugung *f*; *2.* intensive Beschäftigung *f*

abstain [əb'steɪn] *v ~ from sth* sich etw enthalten, etw lassen, sich etw versagen

abstemious [əb'stiːmɪəs] *adj* abstinent

abstention [əb'stenʃən] *sb 1.* Enthaltung *f*; *2. (from voting)* Stimmenthaltung *f*

abstinence ['æbstɪnəns] *sb* Abstinenz *f*

abstract ['æbstrækt] *adj 1.* abstrakt; *2.* gegenstandslos; *sb 3. (summary)* Abriss *m*

abstraction [æb'strækʃən] *sb* Abstraktion *f*

absurd [əb'sɜːd] *adj* absurd, lächerlich

absurdity [əb'sɜːdɪtɪ] *sb* Unsinn *m*

abundance [ə'bʌndəns] *sb* Fülle *f*

abundant [ə'bʌndənt] *adj* reichlich, üppig

abuse [ə'bjuːz] *v 1.* missbrauchen, misshandeln, falsch anwenden; *2. (insult)* beschimpfen; [ə'bjuːs] *sb 3.* Missbrauch *m*

abut [ə'bʌt] *v* angrenzen

abyss [ə'bɪs] *sb* Abgrund *m*

academic [ækə'demɪk] *adj 1.* akademisch; *2. (intellectual)* wissenschaftlich; *sb 3.* Dozent(in) *m/f*, Akademiker(in) *m/f*

academy [ə'kædemɪ] *sb* Akademie *f*

accede [æk'siːd] *v 1. (agree)* zustimmen; *(reluctantly)* einwilligen; *2. ~ to the throne* den Thron besteigen

accelerate [æk'seləreɪt] *v* beschleunigen

acceleration [æksele'reɪʃən] *sb* Beschleunigung *f*

accent ['æksent] *sb 1.* Akzent *m; 2. (~ed syllable)* Betonung *f*

accentuate [æk'sentjʊeɪt] *v* hervorheben, betonen, akzentuieren

accept [ək'sept] *v 1.* annehmen, akzeptieren; *sb ECO 2. (a fact)* hinnehmen; *3. (receive, take receipt of)* entgegennehmen

acceptable [ək'septəbl] *adj* annehmbar

acceptance [ək'septəns] *sb 1. (receipt)* Annahme *f; 2. (of a person, of an idea)* Anerkennung *f; 3. (agreement)* Annahme *f*, Akzeptanz *f; 4. (of a bill of exchange)* Akzept *n*

access ['ækses] *sb 1.* Zugang *m*, Zutritt *m; 2. INFORM* Zugriff *m*

accessible [æk'sesəbl] *adj* zugänglich, erreichbar

accessory [æk'sesərɪ] *sb 1. JUR* Mitschuldige(r) *m/f*, Mitwisser(in) *m/f*

accident ['æksɪdənt] *sb 1.* Unfall *m*, Unglück *n; by ~* aus Versehen; *2. (chance)* Zufall *m; by ~* durch Zufall

accidental [æksɪ'dentl] *adj* zufällig

acclaim [ə'kleɪm] *sb 1.* Beifall *m; v 2.* feiern

acclimate ['æklɪmeɪt] *v 1. (US)* gewöhnen; *2. (US) ~ o.s.* sich eingewöhnen

accommodate [ə'kɔmədeɪt] *v 1.* sich anpassen; *2.* unterbringen

accommodation [əkɔmə'deɪʃən] *sb 1.* Anpassung *f; 2. (lodging)* Unterkunft *f*

accompaniment [ə'kʌmpənɪmənt] *sb 1.* Beiwerk *n; 2. MUS* Begleitung *f*

accompany [ə'kʌmpənɪ] *v* begleiten

accomplice [ə'kɔmplɪs] *sb* Komplize/Komplizin *m/f*, Mittäter(in) *m/f*

accomplish [ə'kɔmplɪʃ] *v 1. (achieve)* schaffen; *2. (a task)* bewältigen, vollbringen

accomplishment [ə'kɔmplɪʃmənt] *sb 1. (an achievement)* Leistung *f; 2.* Erfüllung *f*

accord [ə'kɔːd] *sb (fig)* Einstimmigkeit *f; of one's own ~* von selbst

accordance [ə'kɔːdəns] *sb in ~ with* entsprechend, gemäß; *to be in ~ with* entsprechen

according [ə'kɔːdɪŋ] *prep 1. ~ to (as stated by)* laut; *2. ~ to (in accordance with)* nach, gemäß; *~ to plan* planmäßig; *3. ~ to (depending on)* je nach

accordion [ə'kɔːdɪən] *sb MUS* Akkordeon *n*, Ziehharmonika *f*

account [ə'kaʊnt] *v 1. ~ for (substantiate) FIN* belegen; *2. ~ for (explain)* erklären; *sb 3. (at a bank, at a firm) ECO* Konto *n; ~ for reimbursements of expenses* Aufwandsausgleichskonto; *~ in foreign currency* Fremdwährungskonto; *4. (report)* Erzählung *f*, Bericht *m; 5. (explanation)* Rechenschaft *f; 6. on ~ of* wegen, aufgrund, in Anbetracht; *on no ~* keinesfalls; *7. take sth into ~* etw berücksichtigen

accountable [ə'kaʊntəbl] *adj* verantwortlich, *hold s.o. ~ for sth* jdn für etw verantwortlich machen

accountancy [ə'kaʊntənsɪ] *sb* Buchhaltung *f*, Buchführung *f*

accountant [ə'kaʊntənt] *sb* Buchhalter(in) *m/f*

account balance [ə'kaʊntbæləns] *sb* Kontostand *m*

account number [ə'kaʊnt 'nʌmbə] *sb ECO* Kontonummer *f*

accredit [ə'kredɪt] *v 1. (a representative)* akkreditieren; *2. (US: a school)* anerkennen

accretion [ə'kriːʃən] *sb 1. (growth)* Zunahme *f*, Wachstum *n; 2. (growing together)* Verschmelzung *f*

accumulate [ə'kjuːmjʊleɪt] *v 1. (amass)* ansammeln, anhäufen, häufen; *2. (pile up)* sich ansammeln

accumulation [əkjuːmjʊ'leɪʃən] *sb* Ansammlung *f*, Anhäufung *f*, Häufung *f*

accumulator [ə'kjuːmjʊleɪtə] *sb TECH* Akku *m*

accuracy ['ækjʊrəsɪ] *sb* Genauigkeit *f*, Exaktheit *f*, Richtigkeit *f*

accurate ['ækjʊrɪt] *adj* genau, exakt, akkurat

accusal [ə'kjuːzl] *sb* Anklage *f*

accusation [ækjuː'zeɪʃən] *sb 1. JUR* Anklage *f*, Anschuldigung *f*, Beschuldigung *f; 2. (reproach)* Vorwurf *m*

accusative [ə'kjuːzətɪv] *sb (~ case) LING* Akkusativ *m*

accuse [ə'kjuːz] *v 1. JUR* anklagen; *2. ~ of* beschuldigen

accused [ə'kjuːzd] *sb* the ~ JUR der/die Angeklagte *m/f*

accuser [ə'kjuːzə] *sb* JUR Ankläger(in) *m/f*

accustom [ə'kʌstəm] *v* 1. ~ o.s. to sth sich an etw gewöhnen; 2. ~ s.o. to sth jdm etw angewöhnen

ace [eɪs] *sb* 1. *(card)* Ass *n*; hold all the ~s *(fam)* alle Trümpfe in der Hand halten; 2. *(unreturned serve)* SPORT Ass *n*; 3. *(expert)* Ass *n*; *adj* 4. Spitzen...

acerbic [ə'sɜːbɪk] *adj* sauer, bitter

ache [eɪk] *v* 1. schmerzen, wehtun; *sb* 2. Schmerz *m*

achieve [ə'tʃiːv] *v* 1. vollbringen, leisten; 2. *(reach)* erreichen, erlangen, erzielen

achievement [ə'tʃiːvmənt] *sb (feat)* Errungenschaft *f*, Kunststück *n*, Leistung *f*

acid ['æsɪd] *sb* 1. Säure *f*; 2. *(fam: narcotic)* Acid *n*; *adj* 3. beißend

acidic [ə'sɪdɪk] *adj* sauer

acidity [ə'sɪdɪti] *sb* Säure *f*, Säuregehalt *m*

acid rain ['æsɪd reɪn] *sb* saurer Regen *m*

acid test ['æsɪd'test] *sb* 1. CHEM Säuretest *m*; 2. *(fig)* Feuerprobe *f*

acknowledge [ək'nɒlɪdʒ] *v* 1. anerkennen; 2. eingestehen; 3. bestätigen

acknowledgement [ək'nɒlɪdʒmənt] *sb* 1. Anerkennung *f*; 2. *(confirmation)* Bestätigung *f*

acne ['æknɪ] *sb* MED Akne *f*

acorn ['eɪkɔːn] *sb* BOT Eichel *f*

acoustic [ə'kuːstɪk] *adj* akustisch

acoustics [ə'kuːstɪks] *sb* Akustik *f*

acquaint [ə'kweɪnt] *v* 1. *(with a plan)* informieren; 2. ~ s.o. with sth jdn mit etw bekannt machen

acquaintance [ə'kweɪntəns] *sb* 1. *(person)* Bekannte(r) *m/f*; 2. *(with s.o.)* Bekanntschaft *f*

acquainted [ə'kweɪntɪd] *adj* 1. to be ~ with kennen, vertraut sein mit; 2. get ~ with sich bekannt machen mit, kennen lernen

acquiesce [ækwiː'es] *v* 1. einwilligen; 2. hinnehmen, dulden

acquire [ə'kwaɪə] *v* 1. erwerben, erlangen; 2. *(skills, knowledge)* sich aneignen

acquisition [ækwɪ'zɪʃən] *sb* Erwerb *m*

acquisitive [ə'kwɪzɪtɪv] *adj* besitzgierig, habgierig

acquit [ə'kwɪt] *v* JUR freisprechen

acquittal [ə'kwɪtl] *sb* JUR Freispruch *m*

acreage ['eɪkərɪdʒ] *sb* Land *n*

acrimony ['ækrɪmənɪ] *sb* 1. *(of a remark)* Schärfe *f*; 2. *(of a person)* Verbitterung *f*

acrobat ['ækrəbæt] *sb* Akrobat(in) *m/f*

acrobatic [ækrəʊ'bætɪk] *adj* akrobatisch

acrobatics [ækrə'bætɪks] *pl* Akrobatik *f*

across [ə'krɒs] *prep* 1. *(the street)* quer über; *adv* 2. hinüber, herüber

act [ækt] *v* 1. *(function)* handeln, tätig sein; ~ upon sth, ~ on sth aufgrund von etw handeln; 2. *(behave)* sich verhalten; 3. ~ for *(~ on behalf of)* vertreten; 4. THEAT spielen; He's only ~ing. *(fig)* Er tut nur so. *sb* 5. Tat *f*, Akt *m*, Handlung *f*; to be in the ~ of doing something gerade dabei sein, etw zu tun; 6. THEAT Akt *m*; 7. get one's ~ together *(fam)* sich am Riemen reißen; 8. Acts *pl* REL die Apostelgeschichte *f*

action ['ækʃən] *sb* 1. Tat *f*, Handlung *f*, Aktion *f*; 2. *(measure)* Maßnahme *f*; 3. MIL Einsatz *m*, Gefecht *n*; out of ~ außer Gefecht; 4. Action *f (fam)*

activate ['æktɪveɪt] *v* aktivieren

active ['æktɪv] *adj* 1. aktiv, emsig; 2. lebendig, lebhaft; 3. betriebsam, geschäftig

activist ['æktɪvɪst] *sb* Aktivist *m*

activity [æk'tɪvɪtɪ] *sb* 1. Tätigkeit *f*; 2. Aktivität *f*; 4. *(goings-on, hustle and bustle)* Treiben *n*, Betrieb *m*; 3. *(mental ~)* Betätigung *f*

actor ['æktə] *sb* Schauspieler *m*, Darsteller *m*

actress ['æktrɪs] *sb* Schauspielerin *f*

actual ['æktjʊəl] *adj* 1. eigentlich; 2. *(real)* tatsächlich, wirklich, effektiv

actually ['æktjʊəlɪ] *adv* 1. eigentlich; 2. tatsächlich, wirklich

actuate ['æktʃʊeɪt] *v* bedienen, antreiben

acute [ə'kjuːt] *adj* 1. *(shortage, pain, appendicitis)* akut; 2. *(of mind)* scharfsinnig, messerscharf; 3. MATH spitz

adapt [ə'dæpt] *v* 1. ~ o.s. sich anpassen; 2. ~ sth angleichen, anpassen

adaptable [ə'dæptəbl] *adj* anpassungsfähig

adaptation [ə'dæp'teɪʃən] *sb* Anpassung *f*

add [æd] *v* 1. hinzufügen; 2. *(contribute)* beitragen; 3. *(numbers)* addieren; 4. ~ up to betragen, sich belaufen auf; 5. ~ up, zusammenzählen; 6. ~ on *(to a building)* ausbauen

addendum [ə'dendəm] *sb* Zusatz *m*, Nachtrag *m*

addict ['ædɪkt] *sb* Süchtige(r) *m/f*

addicted [ə'dɪktɪd] *adj* süchtig

addiction [ə'dɪkʃən] *sb* Sucht *f*

addition [ə'dɪʃən] *sb* 1. Zusatz *m*, Beigabe *f*; 2. in ~ außerdem; 3. MATH Addition *f*

additional [ə'dɪʃənl] *adj* zusätzlich, weiter

address [ə'dres] *v* 1. *(a letter)* adressieren; 2. *(speak to)* ansprechen; 3. ~ o.s. to sich wenden an; *sb* 4. *(where one lives)* Adresse *f*; 5. *(speech)* Ansprache *f*; 6. *(to a jury)* JUR Plädoyer *n*

addressee [ædre'siː] *sb* Empfänger *m*

adept [ə'dept] *adj* geschickt
adequacy ['ædɪkwəsɪ] *sb* Angemessenheit *f*
adequate ['ædɪkwɪt] *adj* ausreichend
adhere [əd'hɪə] *v* 1. ~ *to* kleben, haften; 2. ~ *to (a rule)* einhalten; 3. ~ *to (a course of action)* beibehalten
adherent [əd'hɪərənt] *sb* Anhänger *m*
adhesive [əd'hi:sɪv] *adj* klebend
adjective ['ædʒektɪv] *sb* GRAMM Adjektiv *n*
adjoin [ə'dʒɔɪn] *v* angrenzen
adjoining [ə'dʒɔɪnɪŋ] *adj* angrenzend; ~ *room* Nebenraum *m*
adjourn [ə'dʒɜ:n] *v* vertagen
adjure [ə'dʒʊə] *v* beschwören
adjust [ə'dʒʌst] *v* 1. *(a device)* einstellen, regulieren; 2. *(rearrange)* umstellen; 3. ~ *to* sich einstellen auf; 4. *(settle differences)* schlichten
adjustment [ə'dʒʌstmənt] *sb* 1. *(to sth)* Anpassung *f*; 2. *(of a device)* Einstellung *f*, Regulierung *f*; 3. *(coordination)* Abstimmung *f*
adjutant ['ædʒʊtənt] *sb* MIL Adjutant *m*
administer [əd'mɪnɪstə] *v* 1. *(run a business)* verwalten; 2. *(give)* erteilen; 3. *(medicine)* MED eingeben; 4. ~ *an oath* vereidigen
administration [ədmɪnɪs'treɪʃən] *sb* 1. Verwaltung *f*; 2. *(government)* POL Regierung *f*
administrative [əd'mɪnɪstrətɪv] *adj* Verwaltungs...
administrator [əd'mɪnɪstreɪtə] *sb* Verwalter(in) *m/f*, Verwaltungsbeamte(r) *m/f*
admirable ['ædmərəbl] *adj (praiseworthy)* bewundernswert, *(excellent)* vortrefflich
admiral ['ædmərəl] *sb* MIL Admiral *m*
admiration [ædmə'reɪʃən] *sb* Bewunderung *f*
admire [əd'maɪə] *v* bewundern
admirer [əd'maɪərə] *sb* Verehrer(in) *m/f*
admissible [əd'mɪsəbl] *adj* zulässig
admission [əd'mɪʃən] *sb* 1. *(entry)* Zutritt *m*; 2. *(as a member)* Aufnahme *f*; 3. *(price of ~)* Eintritt *m*; 4. *(confession)*, Eingeständnis *n*
admit [əd'mɪt] *v* 1. *(acknowledge)* zugeben; 2. *(as a member)* aufnehmen; 3. *(let in)* einlassen; 4. *(recognize as valid)* anerkennen; 5. *(to hospital)* einweisen
admittance [əd'mɪtəns] *sb* 1. *(to a group)* Aufnahme *f*; 2. *(to premises)* Einlass *m*
admonish [əd'mɒnɪʃ] *v* 1. *(reprove)* ermahnen, tadeln; 2. *(warn)* mahnen
admonition [ædmɒ'nɪʃən] *sb* 1. *(reproach)* Ermahnung *f*; 2. *(warning)* Mahnung *f*
adolescent [ædəʊ'lesnt] *adj* 1. jugendlich; *sb* 2. Jugendliche(r) *m/f*

Adonis [ə'dɒnɪs] *sb (fig: handsome man)* Adonis *m*
adopt [ə'dɒpt] *v* 1. *(a child)* adoptieren; 2. *(fig)* übernehmen; 3. *(a law)* POL annehmen
adoption [ə'dɒpʃən] *sb* 1. Annahme *f*, Übernahme *f*; 2. *(of a child)* Adoption *f*
adoration [ædə'reɪʃən] *sb* Anbetung *f*
adore [ə'dɔ:] *v* 1. *(worship)* anbeten; 2. *(to be fond of)* lieb haben
adornment [ə'dɔ:nmənt] *sb* Verzierung *f*
adulatory ['ædjʊleɪtərɪ] *adj* schmeichlerisch
adult [ə'dʌlt] *sb* 1. Erwachsene(r) *m/f*; ['ædʌlt] *adj* 2. erwachsen
adulterate [ə'dʌltəreɪt] *v* 1. *(corrupt)* verderben; 2. *(food)* panschen
adulteration [ədʌltə'reɪʃən] *sb* Verfälschung *f*
adultery [ə'dʌltərɪ] *sb* Ehebruch *m*
adulthood [ə'dʌlthʊd] *sb* Erwachsensein *n*
advance [əd'vɑ:ns] *v* 1. fortschreiten, vorankommen; 2. ~ *upon* herankommen an; 3. *(to be promoted)* aufsteigen; 4. *(further sth)* fördern; 5. *(promote s.o.)* befördern; *sb* 6. *(moving forward)* Vorstoß *m*; 7. *(of money)* Vorschuss *m*; 8. *(amorous)* Annäherungsversuch *m*; *make ~s to s.o.* sich an jdn heranmachen; 9. *in ~* im Voraus
advanced [əd'vɑ:nst] *adj* 1. fortgeschritten; 2. ~ *in years* bejahrt
advancement [əd'vɑ:nsmənt] *sb* 1. *(progress)* Fortschritt; *m*; 2. *(promotion)* Beförderung *f*; 3. *(career ~)* Aufstieg *m*; 4. *(support)* Förderung *f*
advantage [əd'vɑ:ntɪdʒ] *sb* 1. Vorteil *m*; *take ~ of sth* etw ausnutzen; 2. *(use)* Nutzen *m*; 3. *(point in one's favour)* Pluspunkt *m*; 4. *(a lead over s.o.)* Vorsprung *m*
advent ['ædvənt] *sb* Kommen *n*
Advent ['ædvənt] *sb* Advent *m*
adventure [əd'ventʃə] *sb* Abenteuer *n*
adventurer [əd'ventʃərə] *sb* Abenteurer *m*
adventurous [əd'ventʃərəs] *adj* 1. abenteuerlich; 2. *(person)* abenteuerlustig
adverb ['ædvɜːb] *sb* GRAMM Adverb *n*
adverbial [æd'vɜːbɪəl] *adj* adverbial
adversary ['ædvəsərɪ] *sb* Gegner(in) *m/f*
adverse ['ædvɜːs] *adj* ungünstig, widrig
adversity [əd'vɜːsɪtɪ] *sb* Widrigkeit *f*, Missgeschick *n*, Unglück *n*
advertise ['ædvətaɪz] *v* 1. Werbung machen für, anzeigen, ankündigen; 2. *(place an advertisement)* annoncieren, inserieren; ~ *a vacancy* eine Stelle ausschreiben

advertisement [əd'vɜːtɪzmənt] *sb* 1. Werbung *f,* Reklame *f;* 2. *(in the newspaper)* Anzeige *f,* Annonce *f,* Inserat *n;* 3. *(announcement)* Bekanntmachung *f;* 4. an ~ for sth (fig: a fine representative) ein Aushängeschild *n*

advertiser ['ædvətaɪzə] *sb* 1. *(in a paper)* Anzeigenkunde/Anzeigenkundin *m/f;* 2. *(on television)* Werbekunde/Werbekundin *m/f*

advertising ['ædvətaɪzɪŋ] *sb* Werbung *f,* Reklame *f*

advice [əd'vaɪs] *sb* 1. Rat *m;* give s.o. some ~ jdm einen Rat geben; piece of ~ Ratschlag *m;* 2. *(counsel)* Beratung *f*

advise [əd'vaɪz] *v* 1. *(give advice)* raten, beraten, empfehlen; 2. ~ against abraten; 3. *(inform)* verständigen, benachrichtigen

advised [əd'vaɪzd] *adj* beraten, informiert

adviser [əd'vaɪzə] *sb* Berater(in) *m/f*

advisory [əd'vaɪzəri] *adj* beratend

advocate ['ædvəkeɪt] *v* 1. verfechten, befürworten; ['ædvəkɪt] *sb* 2. Verfechter(in) *m/f*

aegis ['iːdʒɪs] *sb* Ägide *f,* Schutz *m,* Obhut *f*

aeon ['iːən] *sb* Ewigkeit *f*

aerate ['eəreɪt] *v* belüften, lüften

aerial ['eərɪəl] *adj* 1. Luft..., in der Luft befindlich; *sb* 2. *(antenna)* TECH Antenne *f*

aerodynamic [eərəudaɪ'næmɪk] *adj* aerodynamisch

aeronautics [eərə'nɔːtɪks] *sb* Luftfahrt *f*

aeroplane ['eərəupleɪn] *sb* Flugzeug *n*

aerosol can ['eərəsɒl kæn] *sb* Spraydose *f*

aesthetic [iːs'θetɪk] *adj* ästhetisch

aesthetics [iːs'θetɪks] *sb* Ästhetik *f*

affair [ə'feə] *sb* 1. *(matter)* Angelegenheit *f,* Sache *f;* 2. *(love ~)* Affäre *f*

affect [ə'fekt] *v* 1. *(concern)* betreffen, angehen; 2. *(influence)* sich auswirken; 3. *(emotionally)* bewegen; 4. *(feign)* vortäuschen

affectation [æfek'teɪʃən] *sb* Verstellung *f*

affected [ə'fektɪd] *adj* *(put-on: person, accent, behaviour)* affektiert, gekünstelt, geziert

affection [ə'fekʃən] *sb* Liebe *f,* Zuneigung *f*

affectionate [ə'fekʃənɪt] *adj* zärtlich, liebevoll, anhänglich

affiliate [ə'fɪlɪət] *sb* 1. ECO Tochtergesellschaft *f;* [ə'fɪlɪeɪt] *v* 2. angliedern

affiliation [əfɪlɪ'eɪʃən] *sb* 1. Zugehörigkeit *f;* 2. POL Anschluss *m*

affinity [ə'fɪnɪtɪ] *sb* (liking) Neigung *f;* an ~ for eine Neigung zu

affirm [ə'fɜːm] *v* 1. versichern, beteuern; 2. *(answer in the affirmative)* bejahen

affirmation [æfə'meɪʃən] *sb* Versicherung *f,* Beteuerung *f*

affirmative [ə'fɜːmətɪv] *adj* positiv

affix [ə'fɪks] *v* befestigen, anheften, anfügen

afflict [ə'flɪkt] *v* plagen, heimsuchen

affliction [ə'flɪkʃən] *sb* 1. Bedrängnis *f,* Heimsuchung *f;* 2. MED Gebrechen *n*

affluence ['æfluəns] *sb* Wohlstand *m,* Reichtum *m*

affluent ['æfluənt] *adj* wohlhabend, reich

affluent society ['æfluənt sə'saɪətɪ] *sb* Wohlstandgesellschaft *f*

afford [ə'fɔːd] *v* 1. sich leisten; 2. *(provide)* bieten

affordable [ə'fɔːdəbl] *adj* erschwinglich

affront [ə'frʌnt] *v* beleidigen

afloat [ə'fləut] *adj* 1. schwimmend; 2. *(rumour)* in Umlauf

afraid [ə'freɪd] *adj* to be ~ Angst haben; to be ~ to do sth sich scheuen, etw zu tun

Africa ['æfrɪkə] *sb* GEO Afrika *n*

African ['æfrɪkən] *sb* 1. Afrikaner(in) *m/f; adj* 2. afrikanisch

after ['ɑːftə] *prep* 1. nach; ~ all schließlich, immerhin; *adv* to be ~ s.o. hinter jdm hinterherlaufen; *konj* 2. nachdem; *adv* 3. *(afterwards)* dann, nachher, danach; 4. *(behind)* hinterher

afterglow ['æːftəgləu] *sb* Abendrot *n,* Nachglühen *n*

afternoon [ɑːftə'nuːn] *sb* Nachmittag *m;* Good ~! Guten Tag!

afters ['ɑːftəz] *sb* (fam) (UK) Dessert *n*

aftertaste ['ɑːftəteɪst] *sb* Nachgeschmack *m,* Beigeschmack *m*

afterwards ['ɑːftəwədz] *adv* nachher, später, danach

again [ə'gen] *adv* 1. wieder, nochmals, erneut; ~ and ~ immer wieder; now and ~ hin und wieder, ab und zu; then ~ (on the other hand) andererseits; half ~ as much eineinhalbmal so viel; *konj* 2. *(moreover)* ferner

against [ə'genst] *prep* 1. (right next to, making contact with) gegen, direkt an; 2. *(contrary to, versus)* gegen, wider, entgegen; ~ one another gegeneinander; 3. *(compared with)* gegenüber; as ~ im Vergleich zu

age [eɪdʒ] *v* 1. altern; *sb* 2. Alter *n;* come of ~ mündig werden, volljährig werden; 3. *(era)* Zeitalter *n,* Zeit *f;* in this day and ~ heutzutage

ageless ['eɪdʒlɪs] *v* zeitlos, nicht alternd

agency ['eɪdʒənsɪ] *sb* 1. Agentur *f;* 2. *(government ~)* Amt *n,* Behörde *f*

agenda [ə'dʒendə] *sb* Tagesordnung *f;* hidden ~ geheime Pläne *pl*

agent ['eɪdʒənt] *sb* Agent(in) *m/f,* Makler(in) *m/f,* Vermittler(in) *m/f*

aggrandize [ə'grændaɪz] v vergrößern
aggravate ['ægrəveɪt] v 1. (make angry) ärgern, reizen; 2. (make worse) verschlimmern
aggravation [ægrə'veɪʃən] sb 1. (irritation) Ärger m; 2. (worsening) Verschlimmerung f
aggression [ə'greʃən] sb Aggression f
aggressive [ə'gresɪv] adj aggressiv
aggressiveness [ə'gresɪvnɪs] sb Aggressivität f
aggressor [ə'gresə] sb MIL Angreifer m
aggrieve [ə'griːv] v verletzen, kränken
agile ['ædʒaɪl] adj flink, behende, gelenkig
agitate ['ædʒɪteɪt] v 1. (excite) erregen, aufregen, hetzen; 2. (liquid) aufwühlen
agitation [ædʒɪ'teɪʃən] sb Aufregung f
aglow [ə'gləʊ] adj glühend
ago [ə'gəʊ] adv her, vor; two years ~ vor zwei Jahren; long ~ vor langer Zeit
agonize ['ægənaɪz] v ~ over sich quälen mit
agony ['ægənɪ] sb Qual f, Pein f, Leid n
agoraphobia [ægərə'fəʊbjə] sb Platzangst f
agree [ə'griː] v 1. übereinstimmen, zustimmen; 2. (come to an ~ment) sich einigen, vereinbaren; 3. zusammen passen, sich vertragen; It didn't ~ with me. Es ist mir nicht bekommen.
agreeable [ə'griːəbl] adj 1. angenehm; to be ~ to sth mit etw einverstanden sein; 2. nett
agreed [ə'griːd] adj vereinbart; Agreed! Abgemacht!
agreement [ə'griːmənt] sb 1. Vereinbarung f, Übereinkunft f; come to an ~ sich einigen; 2. POL Abkommen n
agricultural [ægrɪ'kʌltʃərəl] adj AGR landwirtschaftlich
agriculture ['ægrɪkʌltʃə] sb AGR Landwirtschaft f, Ackerbau m
ahead [ə'hed] adv voraus, vorn; get ~ Karriere machen; look ~ in die Zukunft blicken; keep one step ~ of s.o. jdm einen Schritt voraus sein
ahem [ə'hm] interj Hm!
ahold [ə'həʊld] adj grab ~ of sth etw packen
ahoy [ə'hɔɪ] interj Ahoi!
aid [eɪd] v 1. helfen; 2. ~ and abet JUR Beihilfe leisten; sb 3. Hilfe f, Mithilfe f; come to s.o.'s ~ jdm zu Hilfe kommen; 4. (item) Hilfsmittel n
AIDS [eɪdz] sb MED Aids n
ail [eɪl] v kränkeln; What ~s you? Was hast du denn?
aim [eɪm] v 1. ~ at zielen auf; 2. ~ at sth (fig) etw bezwecken, nach etw trachten; sb 3. Ziel n,

Richtung f; 4. (goal) Ziel n, Zweck m, Absicht f
air [εə] v 1. (~ out) lüften; 2. (broadcast) senden; sb 3. Luft f; clear the ~ (fig) die Luft bereinigen; to be up in the ~ in den Sternen stehen, ungewiss sein; walk on ~ auf Wolken schweben; 4. (affected manner) Allüre f; put on ~s, give o.s. ~s sich zieren, vornehm tun; ~s and graces Allüren f; 5. (demeanour) Auftreten n, Miene f
air bag ['εəbæg] sb TECH Airbag m
air bed ['εəbed] sb Luftmatratze f
airbrush ['εəbrʌʃ] sb Spritzpistole f
air-conditioning ['εəkəndɪʃənɪŋ] sb 1. Klimatisierung f; 2. (~ unit) Klimaanlage f
aircraft ['εəkrɑːft] sb Flugzeug n
airfield ['εəfiːld] sb Flugplatz m
air force ['εəfɔːs] sb MIL Luftwaffe f
airline ['εəlaɪn] sb Fluggesellschaft f
airliner ['εəlaɪnə] sb Verkehrsflugzeug n
air mail ['εəmeɪl] sb Luftpost f
airplane ['εəpleɪn] sb Flugzeug n
air pocket ['εəpɒkɪt] sb Luftloch n
air pollution ['εəpəluːʃən] sb Luftverschmutzung f
airport ['εəpɔːt] sb Flughafen m
airstrip ['εəstrɪp] sb Startbahn f, Landebahn f
airtight ['εətaɪt] adj 2. (fig) hieb- und stichfest; 1. luftdicht
airy ['εərɪ] adj 1. (room, garment) luftig; 2. (person) eingebildet, arrogant
aisle [aɪl] sb Gang m
alacrity [ə'lækrɪtɪ] sb Bereitwilligkeit f, Eifer m
alarm [ə'lɑːm] v 1. (warn) alarmieren; 2. (frighten) erschrecken, ängstigen; sb 3. Alarm m, Warnsignal n; 4. (device) Alarmanlage f; 5. (surprise) Schreck m
alarm clock [ə'lɑːm klɒk] sb Wecker m
alarming [ə'lɑːmɪŋ] adj Besorgnis erregend
albatross ['ælbətrɒs] sb ZOOL Albatros m
album ['ælbəm] sb Album n
albumen ['ælbjumɪn] sb BIO Eiweiß n
alcohol ['ælkəhɒl] sb Alkohol m
alcoholic [ælkə'hɒlɪk] adj 1. alkoholisch; sb 2. Alkoholiker(in) m/f
alcoholism ['ælkəhɒlɪzəm] sb MED Alkoholismus m
alder ['ɔːldə] sb BOT Erle f
alderman ['ɔːldəmən] sb Ratsherr m
ale [eɪl] sb GAST Ale n
alert [ə'lɜːt] v 1. warnen; ~ s.o. to sth jdn auf etw aufmerksam machen; adj 2. munter, wach-

sam, rege; *sb 3. (state of readiness)* Alarmbereitschaft *f; on the ~* in Alarmbereitschaft; *4. (signal)* Alarm *m*

A-Levels ['eɪlevlz] *pl (UK)* Abitur *n*

algae ['ældʒiː] *pl* BOT Alge(n) *f/pl*

algebra ['ældʒɪbrə] *sb* MATH Algebra *f*

alias ['eɪlɪəs] *adv 1.* alias; *sb 2.* Deckname *m*

alibi ['ælɪbaɪ] *sb* Alibi *n*

alien ['eɪlɪən] *adj 1. (from another country)* ausländisch; *2. (fig)* andersartig; *3. (from outer space)* außerirdisch; *sb 4. (foreigner)* Ausländer(in) *m/f; 5.* außerirdisches Wesen *n*

alienate ['eɪlɪəneɪt] *v* entfremden

alight [ə'laɪt] *v* absteigen, aussteigen

alignment [ə'laɪnmənt] *sb* Ausrichtung *f,* Aufstellung *f*

alike [ə'laɪk] *adv* gleich, sehr ähnlich

aliment ['ælɪmənt] *sb* Lebensmittel *n*

alimony ['ælɪməʊnɪ] *sb* Unterhalt *m*

aliterate [eɪ'lɪtərɪt] *sb* Analphabet(in) *m/f*

alive [ə'laɪv] *adj 1.* lebend, am Leben; *2. (lively)* lebendig; *~ and kicking (fam)* gesund und munter; *adv 3. to be ~ with* wimmeln von

alkaline ['ælkəlaɪn] *adj* CHEM alkalisch

all [ɔːl] *adj 1.* all, sämtlich, ganz; *~ of a sudden* ganz plötzlich; *~ over (everywhere)* überall; *~ over (finished)* alles aus; *~ day* den ganzen Tag; *~ right* in Ordnung; *~ alone* ganz allein; *~ along* die ganze Zeit; *today of ~ days* ausgerechnet heute; *2. ~ kinds of, ~ sorts of* allerlei, allerhand; *adv 3. ~ round, ~ the way round* überall, ringsumher, ringsherum; *4. ~ the same* trotzdem, immerhin; *5. ~ right* in Ordnung; *pron 6.* alles; *It's ~ the same to me.* Das ist mir ganz gleich. *~ in ~* alles in allem, insgesamt; *first of ~* zuerst; *7. (everybody)* alle

allegation [ælɪ'geɪʃən] *sb* Behauptung *f*

allege [ə'ledʒ] *v* behaupten

allegiance [ə'liːdʒəns] *sb* Treue *f*

allegory ['ælɪgərɪ] *sb* LIT Allegorie *f*

allergic [ə'lɜːdʒɪk] *adj* MED allergisch

allergy ['ælədʒɪ] *sb* MED Allergie *f*

alleviate [ə'liːvɪeɪt] *v* erleichtern, mildern

alley ['ælɪ] *sb* Gasse *f*

alliance [ə'laɪəns] *sb 1.* Verbindung *f; 2. (in historical contexts)* Allianz *f; 3.* POL Bund *m*

allied ['ælaɪd] *adj* verbündet; *the Allied Forces (in World War II)* die Verbündeten (im Zweiten Weltkrieg)

alligator ['ælɪgeɪtə] *sb* ZOOL Alligator *m*

all-inclusive [ɔːl ɪn'kluːsɪv] *adj* allumfassend; *an ~ holiday* eine Pauschalreise

alliteration [əlɪtə'reɪʃən] *sb* LIT Stabreim *m,* Alliteration *f*

allocate ['æləkeɪt] *v* verteilen, zuweisen

allocation [æləʊ'keɪʃən] *sb* Verteilung *f,* Zuteilung *f, (of tasks)* Vergabe *f*

allot [ə'lɒt] *v* verteilen, zuweisen

allotment [ə'lɒtmənt] *sb* Verteilung *f,* Zuteilung *f,* Zuweisung *f*

allow [ə'laʊ] *v 1.* erlauben, gestatten; *2. (grant)* gewähren; *3. ~ for* berücksichtigen

allowance [ə'laʊəns] *sb 1.* Taschengeld *n,* Zuschuss *m; 2.* Gehaltszulage *f; 3. (ration)* Ration *f; 4. (paid by the state)* Beihilfe *f; 5. (permission)* Bewilligung *f; 6. make ~s pl* Nachsicht üben

all-round [ɔːl'raʊnd] *adj* Allround...

All Saints' Day [ɔːl'seɪntsdeɪ] *sb* REL Allerheiligen *n*

allude [ə'luːd] *v ~ to* anspielen auf etw

allure [ə'ljʊə] *sb* Anziehungskraft *f*

allusion [ə'luːʒən] *sb* Anspielung *f*

ally [ə'laɪ] *v 1. ~ o.s. with* sich verbünden mit; ['ælaɪ] *sb 2.* Verbündete(r) *m/f.*

almanac ['ɔːlmənæk] *sb* LIT Almanach *m*

almighty [ɔːl'maɪtɪ] *adj 1.* allmächtig; *sb 2. the ~* REL der Allmächtige *m*

almond ['ɑːmənd] *sb* BOT Mandel *f*

almost ['ɔːlməʊst] *adv* fast, beinahe

alms [ɑːmz] *sb* Almosen *pl*

alone [ə'ləʊn] *adj 1.* allein, einsam; *Leave me ~! Lass mich in Ruhe! 2. let ~ (much less)* geschweige denn

along [ə'lɒŋ] *prep 1.* entlang, längs; *adv 2. all ~* die ganze Zeit; *3.* entlang, längs; *4. (onwards)* vorwärts, weiter; *5. I'll be ~ in a minute.* Ich komme gleich. *6. go ~ with sth* etw zustimmen, bei etw mitmachen; *7. bring s.o. ~ with* jdn mitbringen; *~ with* zusammen mit

alongside [əlɒŋ'saɪd] *prep 1.* neben, längsseits; *adv 2.* daneben

aloof [ə'luːf] *adj* distanziert, zurückhaltend

aloud [ə'laʊd] *adv* laut

alphabet ['ælfəbet] *sb* Alphabet *n*

alpine ['ælpaɪn] *adj* alpin

Alps [ælps] *pl* GEO Alpen *pl*

already [ɔːl'redɪ] *adv* schon, bereits

Alsatian [æl'seɪʃən] *sb (UK)* ZOOL deutscher Schäferhund *m*

also ['ɔːlsəʊ] *adv* auch, ebenfalls, außerdem

altar ['ɔːltə] *sb* REL Altar *m*

alter ['ɔːltə] *v* ändern, verändern, umändern

alteration [ɔːltə'reɪʃən] *sb 1.* Änderung *f,* Veränderung *f,* Abänderung *f; 2. ~s pl (to a building)* Umbau *m*

altercation [ɔːltə'keɪʃən] *sb* Auseinandersetzung *f*

alternate ['ɔːltəneɪt] v 1. ~ with s.o. sich abwechseln, ablösen; 2. ~ sth abwechseln lassen, wechseln; [ɔl'tɜːnɪt] adj 3. miteinander abwechselnd; on ~ days jeden zweiten Tag; 4. (alternative) alternativ
alternation [ɔːltə'neɪʃən] sb Abwechslung f, Wechsel m
alternative [ɔːl'tɜːnətɪv] adj 1. alternativ; sb 2. (choice) Alternative f, Wahl f; I have no other ~. Ich habe keine andere Wahl.
although [ɔːl'ðəʊ] konj obwohl, obgleich
altitude ['æltɪtjuːd] sb Höhe f
alto ['æltəʊ] sb (voice) MUS Alt m, Altstimme f
altogether [ɔːltə'geðə] adv 1. (all in all) insgesamt, zusammen; 2. (completely) völlig
altruism ['æltruɪzəm] sb Altruismus m, Nächstenliebe f
altruistic [æltrʊ'ɪstɪk] adj altruistisch
aluminium [æljʊ'mɪnɪəm] sb (UK) CHEM Aluminium n
aluminum [ə'luːmɪnəm] sb (US) CHEM Aluminium n
always ['ɔːlweɪz] adv 1. immer, stets; 2. (every time) jedesmal; 3. (constantly) ständig; 4. (at any time) jederzeit
amalgam [ə'mælgəm] sb 1. Amalgam n; 2. Mischung f
amass [ə'mæs] v anhäufen
amateur ['æmətə] sb Amateur(in) m/f
amaze [ə'meɪz] v erstaunen, in Erstaunen versetzen; to be ~d staunen, sich wundern
amazement [ə'meɪzmənt] sb Erstaunen n
amazing [ə'meɪzɪŋ] adj erstaunlich
ambassador [æm'bæsədə] sb 1. POL Botschafter m; 2. (envoy) POL Abgesandte(r) m/f
ambience ['æmbɪəns] sb Atmosphäre f
ambiguity [æmbɪ'gjuːɪtɪ] sb Zweideutigkeit f
ambiguous [æm'bɪgjʊəs] adj zweideutig
ambition [æm'bɪʃən] sb 1. (ambitious nature) Ehrgeiz m; 2. (a specific desire) Ambition f
ambitious [æm'bɪʃəs] adj ehrgeizig, ambitioniert, ambitiös
ambivalence [æm'bɪvələns] sb Ambivalenz f, Zwiespältigkeit f
ambivalent [æm'bɪvələnt] adj ambivalent
amble ['æmbl] v umherschlendern
ambulance ['æmbjʊləns] sb Krankenwagen m, Rettungswagen m, Ambulanz f
ambulate ['æmbjʊleɪt] v herumwandern
ambush ['æmbʊʃ] v 1. ~ s.o. jdn aus dem Hinterhalt überfallen; sb 2. Hinterhalt m
amen ['ɑː'men] interj Amen

amend [ə'mend] v 1. (text, a law) ändern, abändern; 2. (add) ergänzen
amendment [ə'mendmənt] sb (to a bill) JUR Abänderung f, Änderung f
America [ə'merɪkə] sb GEO Amerika n
American [ə'merɪkən] adj 1. amerikanisch; sb 2. Amerikaner(in) m/f
amid [ə'mɪd] prep inmitten, mitten in
ammunition [æmjʊ'nɪʃən] sb Munition f
amnesia [æm'niːzɪə] sb MED Amnesie f
amnesty ['æmnɪstɪ] sb JUR Amnestie f
among [ə'mʌŋ] prep unter, zwischen; ~ themselves unter sich
amongst [ə'mʌŋst] prep (see „among")
amorous ['æmərəs] adj 1. zärtlich; 2. (in love) verliebt
amortization [əmɔːtɪ'zeɪʃən] sb ECO Amortisierung f, Tilgung f
amount [ə'maʊnt] v 1. ~ to sich belaufen auf; sb 2. (of money) Betrag m, Summe f, Geldbetrag m; 3. (quantity) Menge f, Quantität f
amphitheatre ['æmfɪθɪətə] sb THEAT Amphitheater m
ample ['æmpl] adj reichlich
amplifier ['æmplɪfaɪə] sb TECH Verstärker m
amplify ['æmplɪfaɪ] v 1. TECH verstärken; 2. (be more specific) näher erläutern
amplitude ['æmplɪtjuːd] sb Weite f, Fülle f
amputate ['æmpjʊteɪt] v MED amputieren
amulet ['æmjʊlɪt] sb Amulett n
amuse [ə'mjuːz] v 1. belustigen, unterhalten; 2. ~ o.s. sich unterhalten, sich vergnügen
amusement [ə'mjuːzmənt] sb Unterhaltung f, Vergnügen n, Spaß m
amusing [ə'mjuːzɪŋ] adj amüsant, witzig, unterhaltsam
an [æn, ən] art 1. ein, eine(r,s); prep 2. (per) pro
anaesthesia [ænɪs'θiːzɪə] sb MED Anästhesie f, Betäubung f, Narkose f
anaesthetist [ə'niːsθətɪst] sb MED Anästhesist(in) m/f
anal ['eɪnəl] adj anal, Anal...
analog ['ænəlɒg] adj INFORM analog
analogous [ə'næləgəs] adj analog
analyse ['ænəlaɪz] v analysieren
analysis [ə'nælɪsɪs] sb Analyse f
analytical [ænə'lɪtɪkl] adj analytisch
anarchist ['ænəkɪst] sb POL Anarchist(in) m/f
anarchy ['ænəkɪ] sb POL Anarchie f
anatomy [ə'nætəmɪ] sb MED Anatomie f
ancestor ['ænsestə] sb Vorfahr m, Ahne m
ancestry ['ænsɪstrɪ] sb Abstammung f

anchor ['æŋkə] v 1. ankern; sb 2. Anker m
anchorage ['æŋkərɪdʒ] sb (place for anchoring) Ankerplatz m, Liegeplatz m
anchorman ['æŋkəmæn] sb (TV) Moderator m
anchorwoman ['æŋkəwʊmən] sb (TV) Moderatorin
anchovy ['æntʃəvɪ] sb ZOOL Sardelle f
ancient ['eɪnʃənt] adj alt, altertümlich, antik
ancillary [æn'sɪlərɪ] adj zweitrangig; ~ services Hilfsdienste pl
and [ænd] konj und; ~ so forth und so weiter
androgynous [æn'drɔdʒɪnəs] adj zweigeschlechtig
anecdote ['ænɪkdəʊt] sb Anekdote f
angel ['eɪndʒəl] sb Engel m
anger ['æŋgə] sb Ärger m, Zorn m, Wut f
angina [æn'dʒaɪnə] sb MED Angina f
angle ['æŋgl] sb 1. MATH Winkel m; 2. at an ~ schräg, schief; 3. (perspective) Standpunkt m
angler ['æŋglə] sb Angler m
Anglican ['æŋglɪkən] adj REL anglikanisch
Anglicism ['æŋglɪsɪzm] sb LING Anglizismus m
angry ['æŋgrɪ] adj böse, zornig, ärgerlich
anguish ['æŋgwɪʃ] sb Qual f, Angst f
angular ['æŋgjʊlə] adj winklig, eckig
animal ['ænɪməl] sb Tier n
animate ['ænɪmeɪt] v (enliven) beleben
animated ['ænɪmeɪtɪd] adj (lively) lebhaft
animated cartoon ['ænɪmeɪtɪd kɑː'tuːn] sb CINE Zeichentrickfilm m
animation [ænɪ'meɪʃən] sb (lively quality) Lebhaftigkeit f, Belebung f
animosity [ænɪ'mɔsɪtɪ] sb Feindseligkeit f
anise ['ænɪs] sb Anis m
ankle ['æŋkl] sb ANAT Knöchel m, Fußgelenk n
annals ['ænlz] pl Annalen pl
annex [ə'neks] v 1. POL annektieren; ['æneks] sb 2. (building extension) Anbau m; 3. (to a document) Anhang m
annexation [ænek'seɪʃən] sb POL Annexion f
anniversary [ænɪ'vɜːsərɪ] sb 1. Jubiläum n; 2. (day) Jahrestag m
annotation [ænəʊ'teɪʃən] sb Anmerkung f
announce [ə'naʊns] v 1. ankündigen, bekannt geben; 2. (on the radio) ansagen
announcement [ə'naʊnsmənt] sb 1. Ankündigung f, Meldung f; 2. (on the radio, on TV) Ansage f; 3. (loudspeaker) Durchsage f
announcer [ə'naʊnsə] sb Ansager(in) m/f
annoy [ə'nɔɪ] v ärgern, belästigen, reizen

annoyance [ə'nɔɪəns] sb 1. (an ~) Störung f, Belästigung f; 2. (annoyed state) Ärger m
annual ['ænjʊəl] adj jährlich, alljährlich
annuity [ə'njuːɪtɪ] sb Rente f
annul [ə'nʌl] v 1. annullieren; 2. (a law) aufheben; 3. (a will) umstoßen
Annunciation [ənʌnsɪ'eɪʃən] sb REL Mariä Verkündigung f
annunciator [ə'nʌnsɪeɪtə] sb Sprecher m, Ansager m
anode ['ænəʊd] sb TECH Anode f
anomalous [ə'nɔmələs] adj anomal
anomaly [ə'nɔməlɪ] sb Anomalie f
anonymity [ænə'nɪmɪtɪ] sb Anonymität f
anonymous [ə'nɔnɪməs] adj anonym
another [ə'nʌðə] adj 1. ein anderer/eine andere/ein anderes, ein weiterer/eine weitere/ein weiteres; 2. (yet ~) noch ein, noch eine(r)
answer ['ɑːnsə] v 1. antworten, beantworten; 2. ~ for sth etw verantworten; sb 3. Antwort f; 4. (solution) Lösung f
• **answer back** v frech antworten
answerable ['ɑːnsərəbl] adj verantwortlich; to be ~ to s.o. for sth jdm für etw bürgen
answering machine ['ɑːnsərɪŋməʃiːn] sb Anrufbeantworter m
ant [ænt] sb ZOOL Ameise f; have ~s in one's pants (fam) Hummeln im Hintern haben
antagonism [æn'tægənɪzm] sb Feindschaft f
antagonist [æn'tægənɪst] sb Widersacher(in) m/f, Gegner(in) m/f
antagonistic [æntægə'nɪstɪk] adj feindlich
antagonize [æn'tægənaɪz] v ~ s.o. jdn gegen sich aufbringen
Antarctic [ænt'ɑːktɪkə] sb the ~ GEO die Antarktis f
Antarctic Circle [ænt'ɑːktɪk 'sɜːkl] sb GEO südlicher Polarkreis m
anteater ['æntiːtə] sb ZOOL Ameisenbär m
antecedent [æntɪ'siːdənt] sb 1. GRAMM Beziehungswort n; 2. Vorläufer m (fig)
antelope ['æntɪləʊp] sb ZOOL Antilope f
ante meridiem [æntɪ'mərɪdɪəm] adj vormittags
antenna [æn'tenə] sb 1. TECH Antenne f; 2. ZOOL Fühler m
anterior [æn'tɪərɪə] adj vorhergehend, vorherig
anthem ['ænθəm] sb MUS Hymne f
anthology [æn'θɔlədʒɪ] sb LIT Anthologie f
antibiotic [æntɪbaɪ'ɔtɪk] sb MED Antibiotikum n
anticipant [æn'tɪsɪpənt] adj in Erwartung

anticipate [æn'tɪsɪpeɪt] v 1. voraussehen; 2. *(expect)* erwarten; 3. *(act sooner)* vorwegnehmen, zuvorkommen

anticipation [æntɪsɪ'peɪʃən] sb Vorfreude f, Erwartung f

anticlimax [æntɪ'klaɪmæks] sb Frustration f, Enttäuschung f

antics ['æntɪks] pl Marotten pl

antidote ['æntɪdəut] sb Gegenmittel n

antimatter ['æntɪmætə] sb PHYS Antimaterie f

antipathy [æn'tɪpəθɪ] sb Antipathie f

antiquarian [æntɪ'kwɛərɪən] adj *(books)* antiquarisch

antiquated ['æntɪkweɪtɪd] adj veraltet

antique [æn'ti:k] adj 1. antik; sb 2. ~s pl Antiquitäten pl

antiquity [æn'tɪkwɪtɪ] sb HIST Altertum n

anti-Semitism [æntɪ'semɪtɪzm] sb Antisemitismus m

antithesis [æn'tɪθɪsɪs] sb 1. genaues Gegenteil n; 2. PHIL Antithese f

antonym ['æntənɪm] sb LING Antonym n

anus ['eɪnəs] sb ANAT After m, Anus m

anvil ['ænvɪl] m TECH Amboss m

anxiety [æŋ'zaɪətɪ] sb *(fear)* Angst f; *(concern)* Besorgnis f, Unruhe f

anxious ['æŋkʃəs] adj 1. ängstlich, bange, unruhig; 2. *(for sth)* begierig, sehnsuchtsvoll

any ['enɪ] 1. irgendein(e), irgendwelche, etwas; *not* ~ kein/keine; 2. *(no matter which)* jede(r,s); pron 3. *Do you have* ~? Haben Sie welche? *if* ~ *of you can speak English* wenn einer von euch Englisch sprechen kann; *There are few if* ~. Es gibt nur wenige, wenn überhaupt welche. adv 4. *Can't this car go* ~ *faster?* Kann dieses Auto nicht schneller fahren? *I don't do that* ~ *more.* Das mache ich nicht mehr.

anybody ['enɪbɒdɪ] pron irgendjemand, jemand

anyhow ['enɪhaʊ] adv sowieso, ohnehin

anyone ['enɪwʌn] adj irgendjemand, jemand

anything ['enɪθɪŋ] adj irgendetwas, etwas

anyway ['enɪweɪ] adv sowieso, ohnehin

anywhere ['enɪwɛə] adv irgendwo, irgendwohin

apart [ə'pɑːt] adv 1. auseinander; 2. *(separate)* einzeln; 3. *tell sth* ~ etw auseinanderhalten, etw unterscheiden; 4. *(to one side)* abseits, beiseite; 5. ~ *from* abgesehen von, bis auf

apartheid [ə'pɑːtaɪd] sb POL Apartheid f

apartment [ə'pɑːtmənt] sb 1. *(US)* Wohnung f; 2. *(UK: suite of rooms)* Appartement n; 3. *(UK: single room)* Einzelzimmer n

apathetic [æpə'θetɪk] adj apathisch

apathy ['æpəθɪ] sb Apathie f

ape [eɪp] sb 1. ZOOL Affe m; v 2. nachäffen

apex ['eɪpeks] sb 1. Gipfel m, Spitze f; 2. *(fig)* Höhepunkt m

apiary ['eɪpɪərɪ] sb ZOOL Bienenhaus n

apocalypse [ə'pɒkəlɪps] sb Apokalypse f

apologize [ə'pɒlədʒaɪz] v sich entschuldigen

apology [ə'pɒlədʒɪ] sb Entschuldigung f

apostle [ə'pɒsl] sb REL Apostel m

apostrophe [ə'pɒstrəfɪ] sb GRAMM Apostroph m

apothecary [ə'pɒθɪkərɪ] sb Apotheker(in) m/f

appalling [ə'pɔːlɪŋ] adj entsetzlich

apparatus [æpə'reɪtəs] sb Apparat m

apparent [ə'pærənt] adj 1. scheinbar, anscheinend; 2. *(obvious)* offenbar

apparition [æpə'rɪʃən] sb Gespenst n, Geist m, Erscheinung f

appeal [ə'piːl] v 1. *(apply for support)* appellieren, sich wenden an, auffordern; ~ *to s.o. for sth* jdn dringend um etw bitten; 2. ~ *to* gefallen, zusagen, ansprechen; 3. *(contest)* Berufung einlegen, anfechten; sb 4. Aufruf m; 5. *(power of attraction)* Anziehungskraft f, Reiz m; 6. JUR Berufung f, *(actual trial)* Revision f

appear [ə'pɪə] v 1. erscheinen, auftauchen; 2. *(seem)* scheinen; 3. *(on stage)* auftreten; 4. *(be published)* erscheinen, herauskommen; 5. *(come to light)* zum Vorschein kommen

appearance [ə'pɪərəns] sb 1. Erscheinen n, Auftritt m; 2. *(way sth seems)* Anschein m, Schein m; 3. *(look)* Aussehen n, Ansehen n

appease [ə'piːz] v Zugeständnisse machen, besänftigen

appellation [æpə'leɪʃən] sb Bezeichnung f

append [ə'pend] v hinzufügen

appendix [ə'pendɪks] sb 1. ANAT Blinddarm m; 2. *(to a book)* Anhang m

appetite ['æpɪtaɪt] sb 1. Appetit m; 2. *(fig: desire)* Lust f, Verlangen n

applaud [ə'plɔːd] v applaudieren

applause [ə'plɔːz] sb Applaus m, Beifall m

apple ['æpl] sb BOT Apfel m; *to be the* ~ *of s.o.'s eye (fig)* jds ein und alles sein

apple-pie [æpl'paɪ] sb GAST gedeckter Apfelkuchen m

appliance [ə'plaɪəns] sb Gerät n, Vorrichtung f

applicant ['æplɪkənt] sb Bewerber(in) m/f, Antragsteller(in) m/f

application [æplɪ'keɪʃən] sb 1. Antrag m, Bewerbung f, Gesuch n; *letter of* ~ Bewerbungsschreiben *n;* 2. *(use)* Verwendung *f,* Anwendung *f;* 3. *(software ~) INFORM* Anwendungsprogramm *n*

application form [æplɪ'keɪʃən fɔːm] *sb* Anmeldeformular *n*

apply [ə'plaɪ] *v* 1. *(be in effect)* zutreffen, gelten; 2. *(make an application)* sich bewerben, beantragen, anmelden; 3. *(spread on)* auftragen; *(lotion)* eincremen; 4. *(put to use)* anwenden

appoint [ə'pɔɪnt] *v* 1. ernennen, bestellen, einsetzen; 2. *(arrange, fix)* bestimmen

appointment [ə'pɔɪntmənt] *sb* 1. *(arranged meeting)* Termin *m,* Verabredung *f;* 2. *(to office)* Ernennung *f,* Berufung *f,* Bestellung *f*

apportion [ə'pɔːʃən] *v* aufteilen, verteilen

apposition [æpə'zɪʃən] *sb* Apposition *f*

appraisal [ə'preɪzəl] *sb* 1. Bewertung *f,* Schätzung *f;* 2. *(fig)* Beurteilung *f*

appraise [ə'preɪz] *v* abschätzen, einschätzen

appreciable [ə'priːʃɪəbl] *adj* beträchtlich

appreciate [ə'priːʃeɪt] *v* 1. schätzen, würdigen; 2. *(be aware of)* erkennen

appreciation [ə'priːʃɪ'eɪʃən] *sb* 1. *(esteem)* Wertschätzung *f,* Würdigung *f;* 2. *(understanding)* Verständnis *n*

apprehend [æprɪ'hend] *v* ergreifen, festnehmen

apprehensible [æprɪ'hensɪbl] *adj* verständlich, begreiflich

apprehension [æprɪ'henʃən] *sb* 1. *(fear)* Befürchtung *f;* 2. *(arrest)* Festnahme *f*

apprentice [ə'prentɪs] *sb* Lehrling *m,* Auszubildende(r) *m/f*

apprenticeship [ə'prentɪsʃɪp] *sb* 1. Lehre *f,* Lehrstelle *f;* 2. *(period)* Lehrzeit *f*

approach [ə'prəʊtʃ] *v* 1. sich nähern; 2. *(~ a person)* angehen; 3. *(fig: in quality)* herankommen; 4. *(fig: the end)* entgegengehen; *sb* 5. Herannahen *n;* 6. *(road)* Zufahrt *f;* 7. *(by an airplane)* Anflug *m;* 8. *(method)* Ansatz *m;* 9. *(to a person)* Annäherungsversuch *m;* 10. *(approximation)* Annäherung *f*

approbation [æprə'beɪʃən] *sb* Billigung *f*

appropriate [ə'prəʊprɪeɪt] *v* 1. zuweisen; 2. *~ sth (for o.s.)* sich etw aneignen; [ə'prəʊprɪɪt] *adj* 3. *(suitable)* passend; 4. *(relevant)* entsprechend

appropriation [ə'prəʊprɪ'eɪʃən] *sb* Aneignung *f*

approval [ə'pruːvəl] *sb* 1. Beifall *m,* Anklang *m;* 2. *(consent)* Billigung *f,* Genehmigung *f,* Zustimmung *f*

approve [ə'pruːv] *v* 1. billigen, genehmigen, zustimmen; 2. *~ of* gutheißen, billigen

approximate [ə'prɒksɪmɪt] *adj* ungefähr, annähernd

approximation [ə'prɒksɪ'meɪʃən] *sb* Annäherung *f*

apricot ['eɪprɪkɒt] *sb BOT* Aprikose *f*

April ['eɪprɪl] *sb* April *m; ~ Fool's Day* der 1. April

apt [æpt] *adj* 1. passend, treffend; 2. *(mentally quick)* gelehrig, begabt; 3. *(liable)* geneigt

aptitude ['æptɪtjuːd] *sb* Befähigung *f,* Begabung *f,* Eignung *f*

aquarium [ə'kweərɪəm] *sb* Aquarium *n*

Aquarius [ə'kweərɪəs] *sb ASTR* Wassermann *m*

aqueduct ['ækwɪdʌkt] *sb* Aquädukt *m*

Arab ['ærəb] *sb* Araber(in) *m/f*

Arabia [ə'reɪbɪə] *sb GEO* Arabien *n*

arbiter ['ɑːbɪtə] *sb* Richter *m,* Gebieter *m*

arbitrary ['ɑːbɪtrərɪ] *adj* eigenmächtig, willkürlich

arbitrate ['ɑːbɪtreɪt] *v* schlichten

arbitration [ɑːbɪ'treɪʃən] *sb* Schlichtung *f*

arbitrator ['ɑːbɪtreɪtə] *sb* Vermittler(in) *m/f,* Schlichter(in) *m/f*

arbor ['ɑːbə] *sb (US) see "arbour"*

arbour ['ɑːbə] *sb BOT* Laube *f*

arc [ɑːk] *sb* Bogen *m*

arcade [ɑː'keɪd] *sb* 1. *ARCH* Bogengang *m;* 2. *(video ~)* Spielhalle *f*

arch [ɑːtʃ] *v* 1. *(one's back)* krümmen; *adj* Erz...; *sb* 3. Bogen *m*

archaeologist [ɑːkɪ'ɒlədʒɪst] *sb* Archäologe/Archäologin *m/f*

archaeology [ɑːkɪ'ɒlədʒɪ] *sb* Archäologie *f*

archaic [ɑː'keɪɪk] *adj* archaisch, altertümlich

archangel ['ɑːkeɪndʒəl] *sb REL* Erzengel *m*

archbishop [ɑːtʃ'bɪʃəp] *sb REL* Erzbischof *m*

archery ['ɑːtʃərɪ] *sb SPORT* Bogenschießen *n*

architect ['ɑːkɪtekt] *sb* Architekt(in) *m/f*

architecture ['ɑːkɪtektʃə] *sb* Architektur *f*

archive ['ɑːkaɪv] *sb* Archiv *n*

arctic ['ɑːktɪk] *adj* arktisch

Arctic Circle ['ɑːktɪk 'sɜːkl] *sb GEO* Nördlicher Polarkreis *m*

ardent ['ɑːdənt] *adj* leidenschaftlich

ardour ['ɑːdə] *sb* Inbrunst *f,* Glut *f*

arduous ['ɑːdjʊəs] *adj* anstrengend, mühsam, beschwerlich

area ['eərɪə] *sb* 1. Gebiet *n,* Raum *m;* 2. *(vicinity)* Gegend *f;* 3. *(grounds)* Gelände *n;* 4. *(measure)* Fläche *f;* 5. *(of town)* Gegend *f,* Viertel *n,* Bezirk *m;* 6. *(fig)* Bereich *m,* Gebiet *n*

area code ['ɛərɪəkəʊd] *sb (US)* TEL Vorwahl *f*

arena [ə'riːnə] *sb* Arena *f*, Stadion *n*

Argentina [ɑːdʒən'tiːnə] *sb* GEO Argentinien *n*

argue ['ɑːgjuː] *v* 1. streiten; *(with one another)* sich streiten; *Don't ~ (with me)!* Keine Widerrede! 2. *(a case)* diskutieren, erörtern

argument ['ɑːgjumənt] *sb* 1. Wortstreit *m*, Streit *m*, Auseinandersetzung *f*; 2. *(reason)* Argument *n*, *(line of reasoning)* Beweisführung *f*; 3. *(discussion)* Diskussion *f*

aria ['ɑːrɪə] *sb* MUS Arie *f*

arid ['ærɪd] *adj* dürr, trocken

Aries ['ɛəriːz] *sb* ASTR Widder *m*

arise [ə'raɪz] *v irr* 1. entstehen, aufkommen; 2. *(get up)* sich erheben, aufstehen; 3. *(clouds of dust)* sich bilden; 4. *~ from* stammen von

aristocracy [ærɪs'tɔkrəsɪ] *sb* 1. *(system)* Aristokratie *f*; 2. *(class)* Adel *m*

aristocrat ['ærɪstəkræt] *sb* Aristokrat *m*

aristocratic [ærɪstə'krætɪk] *adj* adlig

arithmetic [ə'rɪθmətɪk] *sb* Arithmetik *f*

ark [ɑːk] *sb* Arche *f*

arm [ɑːm] *v* 1. bewaffnen, ausrüsten; 2. ~ o.s. *(fig: prepare o.s.)* sich wappnen; 3. MIL aufrüsten; *sb* 4. ANAT Arm *m*; *keep s.o. at ~'s length* jdn auf Distanz halten; *within ~'s reach* in Reichweite; 5. *~s pl (weapons)* Waffen *pl*

armature ['ɑːmətjʊə] *sb* TECH Anker *m*

armchair ['ɑːmtʃɛə] *sb* Sessel *m*

armed forces [ɑːmd 'fɔːsɪz] *pl* the ~ MIL das Militär *n*

armistice ['ɑːmɪstɪs] *sb* MIL Waffenstillstand *m*

armour ['ɑːmə] *sb* 1. Rüstung *f*; 2. *(tank divisions)* MIL Panzertruppen *pl*; 3. ZOOL Panzer *m*

arms race ['ɑːmzreɪs] *sb* POL Wettrüsten *n*

army ['ɑːmɪ] *sb* Armee *f*, Militär *n*, Heer *n*

aroma [ə'rəʊmə] *sb* Aroma *n*, Duft *m*

aromatic [ærə'mætɪk] *adj* aromatisch

around [ə'raʊnd] *adv* 1. herum; *all ~* auf allen Seiten; *prep* 2. um, um ... herum; 3. *(approximately)* ungefähr, etwa; 4. *(~ a certain time)* gegen

arouse [ə'raʊz] *v* 1. *(wake s.o. up)* wecken; 2. *(fig: excite)* erregen

arrange [ə'reɪndʒ] *v* 1. *(see to)* arrangieren, dafür sorgen; 2. *(set in order)* ordnen; 3. vereinbaren, ausmachen, absprechen

arrangement [ə'reɪndʒmənt] *sb* 1. *(agreement)* Vereinbarung *f*, Abmachung *f*; 2. *(order)* Ordnung *f*, Anordnung *f*, Gliederung *f*

arrears [ə'rɪəz] *pl* Rückstände *pl*; *in ~* im Rückstand

arrest [ə'rest] *v* 1. festnehmen, verhaften; *sb* 2. Festnahme *f*, Verhaftung *f*

arrival [ə'raɪvəl] *sb* Ankunft *f*, Anreise *f*

arrive [ə'raɪv] *v* 1. ankommen, eintreffen, anreisen; 2. *~ at (a decision)* gelangen zu; 3. *(letter)* eingehen

arrogance ['ærəgəns] *sb* Arroganz *f*

arrogant ['ærəgənt] *adj* arrogant

arrow ['ærəʊ] *sb* 1. Pfeil *m*

arsenal ['ɑːsənəl] *sb* MIL Arsenal *n*

arterial [ɑː'tɪərɪəl] *adj* arteriell

artery ['ɑːtərɪ] *sb* 1. ANAT Arterie *f*, Pulsader *f*, Schlagader *f*; 2. *(road)* Verkehrsader *f*

artichoke ['ɑːtɪtʃəʊk] *sb* BOT Artischocke *f*

article ['ɑːtɪkl] *sb* 1. *(item)* Gegenstand *m*; 2. *(in a newspaper)* Artikel *m*, Beitrag *m*; 3. *(in a contract)* Paragraph *m*; 5. *~s of incorporation* Satzung *f*; 6. ECO Ware *f*, Artikel *m*

articulate [ɑː'tɪkjuleɪt] *v* 1. *(put into words)* ausdrücken, artikulieren; [ɑː'tɪkjulɪt] *adj* 2. *(person)* sich klar ausdrückend; 3. *(sentence)* klar

articulation [ɑːtɪkjʊ'leɪʃən] *sb* 1. Aussprache *f*, Artikulation *f*; 2. TECH Gelenk *n*

artifice ['ɑːtɪfɪs] *sb* List *f*, Ränke *pl*

artificial [ɑːtɪ'fɪʃəl] *adj* 1. künstlich, Kunst..., unecht; 2. *(faked)* gekünstelt, unecht

artificial intelligence [ɑːtɪ'fɪʃəl ɪn'telɪdʒəns] *sb* INFORM künstliche Intelligenz *f*

artillery [ɑː'tɪlərɪ] *sb* MIL Artillerie *f*

artist ['ɑːtɪst] *sb* Künstler(in) *m/f*

artistic [ɑː'tɪstɪk] *adj* künstlerisch

as [æz] *konj* 1. *(at the same time ~)* als, während, indem; 2. *(since)* da; *adv* 3. *(manner)* wie; *Do ~ you please.* Machen Sie, was Sie wollen. 4. *~ yet* bislang, bisher; 5. *~ it is (anyway)* ohnehin; 6. *~ it were* sozusagen; 7. *~ well* auch, ebenfalls; 8. *~ well ~ (in addition to)* sowie; 9. *(comparison)* wie; *~ usual* wie üblich; *three times ~ big* dreimal so groß; 10. *~ ... ~* so ... wie; 11. *~ far ~* soweit; *~ far ~ I am concerned (for my part)* meinerseits; *(for all I care)* meinetwegen; 12. *~ follows* folgendermaßen; 13. *~ for you* was dich betrifft; *prep* 14. *(in the role of)* als

ascend [ə'send] *v* hinaufsteigen, steigen

ascendancy [ə'sendənsɪ] *sb* Vormacht *f*

ascension [ə'senʃən] *sb* Aufstieg *m*

Ascension Day [ə'senʃən deɪ] *sb* REL Christi Himmelfahrt *f*

ascent [ə'sent] *sb* Aufstieg *m*

ascertain [æsə'teɪn] v ermitteln
ascetic [ə'setɪk] sb Asket(in) m/f
asceticism [ə'setɪsɪzəm] sb Askese f
ascribe [ə'skraɪb] v ~ sth to sth etw etw zuschreiben
ash [æʃ] sb Asche f
ashamed [ə'ʃeɪmd] adj beschämt
ashtray ['æʃtreɪ] sb Aschenbecher m
Ash Wednesday [æʃ 'wenzdeɪ] sb REL Aschermittwoch m
Asia ['eɪʃə] sb GEO Asien n
Asian ['eɪʃən] adj 1. asiatisch; sb 2. Asiate/Asiatin m/f
Asiatic [eɪʃɪ'ætɪk] adj asiatisch
aside [ə'saɪd] adv 1. beiseite, zur Seite; 2. ~ from (US) außer; sb 3. Nebenbemerkung f
ask [ɑːsk] v 1. fragen; ~ a question eine Frage stellen; ~ after s.o. nach jdm fragen; 2. ~ for bitten um; ~ for trouble Streit suchen; to be ~ing for it (fam) es nicht anders wollen; 3. (require, demand) verlangen, fordern
• **ask around** v herumfragen, sich umhören
• **ask in** v herein bitten
asleep [ə'sliːp] adj to be ~ schlafen; fall ~ einschlafen
asocial [eɪ'səʊʃəl] adj unsozial, ungesellig
asparagus [əs'pærəgəs] sb BOT Spargel m
aspect ['æspekt] sb (of a matter) Aspekt m, Gesichtspunkt m, Seite f
asperity [ə'sperɪtɪ] sb Rauhheit f
asphalt ['æsfælt] sb Asphalt m
aspirant ['æspɪrənt] sb Anwärter(in) m/f, Aspirant(in) m/f
aspiration [æspɪ'reɪʃən] sb Streben n, Ehrgeiz m
aspire [ə'spaɪə] v ~ to sth nach etw streben
ass [æs] sb 1. Esel m; 2. (fig) Dummkopf m
assail [ə'seɪl] v überfallen, angreifen
assassinate [ə'sæsɪneɪt] v ermorden
assassination [əsæsɪ'neɪʃən] sb Ermordung f; ~ attempt Mordanschlag m, Attentat n
assault [ə'sɔːlt] v 1. angreifen, überfallen; 2. (sexually) sich vergehen an; sb 3. Überfall m
assemble [ə'sembl] v 1. (come together) sich versammeln; 2. (bring people together) zusammenrufen; (~ a team) zusammenstellen; 3. (an object) zusammenbauen, montieren
assembly [ə'semblɪ] sb 1. Versammlung f; 2. (of an object) Montage f
assembly line [ə'semblɪ laɪn] sb Fließband n, Montageband n
assent [ə'sent] sb Zustimmung f, Zusage f
assert [ə'sɜːt] v 1. behaupten, beteuern; 2. ~ o.s. sich behaupten, sich durchsetzen

assertion [ə'sɜːʃən] sb Behauptung f
assess [ə'ses] v bewerten, einschätzen
assessment [ə'sesmənt] sb Beurteilung f
assessor [ə'sesə] sb Beisitzer(in) m/f
asset ['æset] sb 1. Vermögenswert m; 2. (fig) Vorzug m, Plus n, Vorteil m
assets ['æsets] pl 1. Vermögen n, Guthaben n; 2. (on a balance sheet) FIN Aktiva pl
assign [ə'saɪn] v 1. (a task) anweisen, beauftragen; 2. (sth to a purpose) bestimmen; 3. (classify) zuordnen; 4. JUR übereignen
assignment [ə'saɪnmənt] sb 1. (instruction) Anweisung f; 2. (assigned task), Auftrag m; 3. (allotment) Zuordnung f; 4. JUR Übertragung f
assimilate [ə'sɪmɪleɪt] v aufnehmen, integrieren
assimilation [əsɪmɪ'leɪʃən] sb Aufnahme f, Assimilation f
assist [ə'sɪst] v helfen, unterstützen
assistance [ə'sɪstəns] sb Hilfe f, Unterstützung f, Beistand m
assistant [ə'sɪstənt] sb Assistent(in) m/f
assize [ə'saɪz] sb JUR Geschworene(r) m/f
associate [ə'səʊsɪɪt] sb 1. Kollege/Kollegin m/f, Mitarbeiter(in) m/f; 2. (partner in a firm) Gesellschafter(in) m/f; [ə'səʊʃɪeɪt] v 3. ~ with s.o. mit jdm Umgang haben, mit jdm verkehren; 4. ~ sth with sth etw mit etw assoziieren
association [əsəʊsɪ'eɪʃən] sb 1. Vereinigung f; 2. articles of ~ Gesellschaftsvertrag m; 3. (club) Verein m; 4. (cooperation) Zusammenarbeit f; 5. (associating with s.o.) Umgang m
associative [ə'səʊʃɪətɪv] adj assoziativ
assort [ə'sɔːt] v sortieren
assortment [ə'sɔːtmənt] sb Sortiment n
assume [ə'sjuːm] v 1. annehmen; 2. (presuppose) voraussetzen; 3. (take over) übernehmen
assumed name [ə'sjuːmd neɪm] sb Pseudonym n
assumption [ə'sʌmpʃən] sb 1. Annahme f; 2. (presupposition) Voraussetzung f; 3. (of office) Übernahme f
Assumption [ə'sʌmpʃən] sb REL Mariä Himmelfahrt f
assurance [ə'ʃʊərəns] sb 1. (act of assuring) Zusicherung f; 2. (confidence) Zuversicht f; 3. (UK: insurance) Lebensversicherung f
assure [ə'ʃʊə] v 1. ~ s.o. of sth jdn einer Sache versichern, jdm etw zusichern; ~ s.o. that ... jdm versichern, dass ... 2. (ensure) sichern
asterisk ['æstərɪsk] sb Sternchen n
asteroid ['æstərɔɪd] sb ASTR Asteroid m

asthma ['æsmə] *sb MED* Asthma *n*

astonish [əs'tɒnɪʃ] *v* in Erstaunen versetzen

astonishment [ə'stɒnɪʃmənt] *sb* Erstaunen *n*, Staunen *n*, Verwunderung *f*

astound [ə'staʊnd] *v* jdn erstaunen

astray [ə'streɪ] *adv* go ~ vom Weg abkommen; *lead s.o.* ~ *(fig)* jdn irreführen

astrology [əs'trɒlədʒɪ] *sb* Astrologie *f*

astronaut ['æstrənɔːt] *sb* Astronaut(in) *m/f*

astronautics [æstrə'nɔːtɪks] *sb* Raumfahrt *f*

astronomer [ə'strɒnəmə] *sb* Astronom(in) *m/f*

astronomical [æstrə'nɒmɪkəl] *adj (fig)* astronomisch

astronomy [ə'strɒnəmɪ] *sb* Astronomie *f*

astute [ə'stjuːt] *adj* schlau, scharfsinnig

asylum [ə'saɪləm] *sb* Asyl *n*

at [æt] *prep 1. (position)* an, bei, zu; ~ home zu Hause; ~ university an der Universität; *2. (toward)* auf, nach, gegen; *3.* ~ all überhaupt, gar; *not* ~ all gar nicht, überhaupt nicht; *4. (a certain time)* um; *5.* ~-sign *INFORM* Klammeraffe, at-Symbol

atheism ['eɪθɪɪzəm] *sb* Atheismus *m*

atheist ['eɪθɪɪst] *sb* Atheist(in) *m/f*

athlete ['æθliːt] *sb* Athlet(in) *m/f*

athletic [æθ'letɪk] *adj* sportlich

athletics [æθ'letɪks] *sb 1. SPORT* Sport *m; 2. (UK: track and field)* Leichtathletik *f*

Atlantic [ət'læntɪk] *sb GEO* Atlantik *m*

atlas ['ætləs] *sb* Atlas *m*

atmosphere ['ætməsfɪə] *sb 1. (Earth's)* Atmosphäre *f; 2. (fig: mood)* Atmosphäre *f*

atom ['ætəm] *sb PHYS* Atom *n*

atomic [ə'tɒmɪk] *adj* atomar, atomisch

atomic energy [ə'tɒmɪk 'enədʒɪ] *sb* Atomenergie *f*

atomizer ['ætəmaɪzə] *sb* Zerstäuber *m*

atone [ə'təʊn] *v* ~ *for* büßen für

atonement [ə'təʊnmənt] *sb* Buße *f*

atrocious [ə'trəʊʃəs] *adj* scheußlich

atrocity [ə'trɒsɪtɪ] *sb 1.* Scheußlichkeit *f; 2. (atrocious act)* Gräueltat *f*, Untat *f*

attach [ə'tætʃ] *v 1.* befestigen, anheften; *2. to be ~ed to s.o. (fig)* an jdm hängen; *3. (connect up)* anschließen; *4. JUR* beschlagnahmen

attaché case [ə'tæʃeɪ keɪs] *sb* Aktenkoffer *m*

attached [ə'tætʃt] *adj* verbunden; *grow* ~ *to s.o.* jdn liebgewinnen

attachment [ə'tætʃmənt] *sb 1.* Befestigung *f*, Anschluss *m; 2. (fondness)* Anhänglichkeit *f; 3. (to a tradition, to a country)* Verbundenheit *f;*

4. (accessory) Zubehörteil *n; 5. JUR* Beschlagnahme *f*, *6. INFORM* Attachment *n*, Anlage *f*

attack [ə'tæk] *v 1.* angreifen; *2. (ambush, mug)* überfallen; *3. (a task)* in Angriff nehmen; *sb 4.* Angriff *m; 5. MED* Anfall *m*

attain [ə'teɪn] *v* erreichen, erzielen

attempt [ə'tempt] *v 1.* versuchen; *2. (undertake)* unternehmen; *sb 3.* Versuch *m*

attend [ə'tend] *v 1. (be present)* anwesend sein; *2. (school, church)* besuchen

• **attend to** *v 1. (see to)* sich kümmern um, erledigen, sorgen für; *2. (serve)* bedienen, betreuen, abfertigen; *3. (heed)* beachten

attendance [ə'tendəns] *sb 1.* Anwesenheit *f*, Beteiligung *f*, Besuch *m; 2. (number present)* Teilnehmerzahl *f*, *(spectators)* Besucherzahl *f*

attendant [ə'tendənt] *sb* Diener(in) *m/f*, *(in a museum)* Wärter(in) *m/f*

attention [ə'tenʃən] *sb 1.* Aufmerksamkeit *f*, Beachtung *f; pay* ~ *to sth* etw beachten; *Pay* ~*!* Pass auf! *2. stand at* ~ *MIL* stillstehen

attentive [ə'tentɪv] *adj* achtsam

attenuate [ə'tenjʊeɪt] *v (reduce)* mildern

attest [ə'test] *v 1.* beglaubigen; *2.* ~ *to* bezeugen

attestation [ætes'teɪʃən] *sb* Beglaubigung *f*, Bescheinigung *f*

attic ['ætɪk] *sb* Dachboden *m*, Speicher *m*

attitude ['ætɪtjuːd] *sb 1.* Einstellung *f; 2. (manner)* Verhalten *n; 3. (pose)* Pose *f*

attorney [ə'tɜːnɪ] *sb 1.* Rechtsanwalt/Rechtsanwältin *m/f; 2. power of* ~ Vollmacht *f; 3. (authorized representative) JUR* Bevollmächtigte(r) *m/f*

attract [ə'trækt] *v* anziehen

attraction [ə'trækʃən] *sb 1.* Anziehungskraft *f; 2. (appeal)* Anziehungskraft *f*, Reiz *m*

attractive [ə'træktɪv] *adj* attraktiv

attribute [ə'trɪbjuːt] *v 1.* zuschreiben; ['ætrɪbjuːt] *sb 2.* Eigenschaft *f*, Attribut *n*

attribution [ætrɪ'bjuːʃən] *sb* Zuweisung *f*

attrition [ə'trɪʃən] *sb* Reibung *f*

auction ['ɔːkʃən] *v 1.* versteigern; *sb 2.* Auktion *f*, Versteigerung *f*

audacious [ɔː'deɪʃəs] *adj 1. (bold)* kühn, verwegen; *2. (impudent)* dreist, keck

audacity [ɔː'dæsɪtɪ] *sb 1. (impudence)* Dreistigkeit *f; 2. (daring)* Kühnheit *f*

audience ['ɔːdɪəns] *sb* Publikum *n*

audit ['ɔːdɪt] *v 1. FIN* prüfen; *sb 2. ECO* Buchprüfung *f*, *(final* ~*)* Abschlussprüfung *f*

audition [ɔː'dɪʃən] *sb 1.* Vorsprechprobe *f*, Vorsprechen *n; Vorsingen *n; Vorspielen *n; v 2.*

vorsprechen; vorsingen; vorspielen; 3. (~ s.o.)
vorsprechen/vorsingen/vorspielen lassen
auditor ['ɔːdɪtə] sb Wirtschaftsprüfer m
auditorium [ɔːdɪ'tɔːrɪəm] sb Hörsaal m
augment [ɔːg'ment] v 1. (strengthen) verstärken; 2. (increase) vergrößern
augmentation [ɔːgmen'teɪʃən] sb Zunahme f, Erhöhung f
august [ə'gʌst] adj verehrenswert, erhaben
August ['ɔːgəst] sb August m
aunt [ɑːnt] sb Tante f
aura ['ɔːrə] sb Aura f
aurora [ɔː'rɔːrə] sb ASTR Polarlicht n
auspice ['ɔːspɪs] sb Schirmherrschaft f
auspicious [ɔːs'pɪʃəs] adj viel versprechend
Australia [ɒs'treɪlɪə] sb GEO Australien n
Australian [ɒs'treɪlɪən] adj 1. australisch; sb 2. Australier(in) m/f
Austria ['ɒstrɪə] sb GEO Österreich n
Austrian ['ɒstrɪən] sb 1. Österreicher(in) m/f; adj 2. österreichisch
authentic [ɔː'θentɪk] adj authentisch, echt
authenticate [ɔː'θentɪkeɪt] v beglaubigen
authentication [ɔːθentɪ'keɪʃən] sb Beglaubigung f
authenticity [ɔːθen'tɪsɪtɪ] sb Echtheit f
author ['ɔːθə] sb 1. Autor(in) m/f, Schriftsteller(in) m/f, (of a study, of a report) Verfasser(in) m/f; 2. (fig) Urheber(in) m/f
authoritarian [ɔːθɒrɪ'teərɪən] adj autoritär
authoritative [ɔː'θɒrɪteɪtɪv] adj 1. (having authority) maßgeblich; 2. (inspiring respect) Respekt einflößend
authority [ɔː'θɒrɪtɪ] sb 1. (power) Autorität f, (of a ruler) Staatsgewalt f; 2. (entitlement) Befugnis f, (specifically dedicated) Vollmacht f; 3. (government) Amt n; 4. (an expert) Sachverständige(r) m/f; 5. (respected expertise) Glaubwürdigkeit f
authorization [ɔːθəraɪ'zeɪʃən] sb Ermächtigung f, Bevollmächtigung f
authorize ['ɔːθəraɪz] v ermächtigen, genehmigen, bevollmächtigen
authorized ['ɔːθəraɪzd] adj berechtigt, befugt
authorship ['ɔːθəʃɪp] sb Urheberschaft f
auto ['ɔːtəʊ] sb Auto n
autobiography [ɔːtəbaɪ'ɒgrəfɪ] sb LIT Autobiographie f
autocracy [ɔː'tɒkrəsɪ] sb POL Alleinherrschaft f
autocratic [ɔːtə'krætɪk] adj selbstherrlich, willkürlich
autograph ['ɔːtəgrɑːf] sb Autogramm n

automate ['ɔːtəmeɪt] v automatisieren
automatic [ɔːtə'mætɪk] adj automatisch
automatic teller machine [ɔːtə'mætɪk 'teləməʃiːn] sb (ATM) (US) Geldautomat m
automaton [ɔː'tɒmətən] sb Roboter m
automobile ['ɔːtəməbiːl] sb Auto(mobil) n
autonomous [ɔː'tɒnəməs] adj autonom
autonomy [ɔː'tɒnəmɪ] sb Autonomie f
autopsy ['ɔːtɒpsɪ] sb MED Autopsie f
autumn ['ɔːtəm] sb Herbst m
available [ə'veɪləbl] adj 1. verfügbar; 2. erhältlich, lieferbar
avalanche ['ævəlɑːnʃ] sb Lawine f
avarice ['ævərɪs] sb Habgier f, Geiz m
avaricious [ævə'rɪʃəs] adj habgierig
avenge [ə'vendʒ] v rächen
avenue ['ævənjuː] sb 1. Allee f, Straße f; 2. (of approach) Zugang m
average ['ævərɪdʒ] adj 1. durchschnittlich; sb 2. Durchschnitt m; on the ~ durchschnittlich
averse [ə'vɜːs] adj abgeneigt
aversion [ə'vɜːʃən] sb Abneigung f
avert [ə'vɜːt] v 1. (fig) verhüten, abwehren, abwenden; 2. (turn away) abwenden
aviation [eɪvɪ'eɪʃən] sb Flugwesen n
avid ['ævɪd] adj 1. begeistert; 2. gierig
avoid [ə'vɔɪd] v vermeiden, meiden
avoidance [ə'vɔɪdəns] sb 1. Vermeidung f; 2. tax ~ Steuerhinterziehung f
avowal [ə'vauəl] sb Bekenntnis n
await [ə'weɪt] v 1. erwarten; 2. (impend) bevorstehen; 3. (wait for) abwarten, harren
awake [ə'weɪk] v irr 1. aufwachen; 2. (wake s.o. up) aufwecken; adj 3. wach; 4. (fig) munter
award [ə'wɔːd] v 1. zuerkennen; 2. (present an ~) verleihen; sb 3. Auszeichnung f, Preis m
aware [ə'weə] adj bewusst
awareness [ə'weənɪs] sb Bewusstsein n
away [ə'weɪ] adv 1. weg, fort; 2. right ~ sofort, auf der Stelle
awe [ɔː] sb 1. Ehrfurcht f; v 2. Ehrfurcht einflößen
awesome ['ɔːsəm] adj Ehrfurcht gebietend
awful ['ɔːfəl] adj furchtbar, schrecklich
awkward ['ɔːkwəd] adj 1. (clumsy) ungeschickt; 2. (situation) peinlich, unangenehm
awkwardness ['ɔːkwədnɪs] sb 1. Unbeholfenheit f; 2. Peinlichkeit f
awning ['ɔːnɪŋ] sb Markise f
awry [ə'raɪ] adj schief
axe [æks] v 1. (fig) streichen, abbauen, (s.o.) entlassen; sb 2. Axt f
axiom ['æksɪəm] sb Axiom n
axis ['æksɪs] sb Achse f

B

babble ['bæbl] v 1. plappern; 2. (stream) plätschern

baboon [bə'buːn] sb Pavian m

baby ['beɪbɪ] sb Baby n

baby-minder ['beɪbɪmaɪndə] sb Tagesmutter f, Kinderfrau f

babysit ['beɪbɪsɪt] v irr babysitten

babysitter ['beɪbɪsɪtə] sb Babysitter m

baby-tooth ['beɪbɪ tuːθ] sb Milchzahn m

bachelor ['bætʃələ] sb Junggeselle m

back [bæk] sb 1. (person's) Rücken m; turn one's ~ on s.o. (fig) jdm den Rücken kehren, sich von jdm abwenden; get off s.o.'s ~ (fig) jdn in Ruhe lassen; go behind s.o.'s ~ jdn hintergehen; 2. (of sth) Rückseite f, Kehrseite f; 3. ~ of the hand Handrücken m; like the ~ of my hand wie meine Westentasche; 4. (~rest) Lehne f, Rückenlehne f; adv 5. zurück, rückwärts, wieder zurück; ~ and forth hin und her; adj 6. hintere(r,s); v 7. (support) unterstützen; 8. (bet on) setzen auf; 9. (a car: drive backwards) zurückfahren; 10. (~ out, ~ down) kneifen, sich drücken

• **back up** v 1. (drive backwards) rückwärts fahren; 2. (support s.o.) unterstützen

backbencher ['bæk'bentʃə] sb POL Abgeordnete(r) im britischen Parlament m/f

backbiting ['bækbaɪtɪŋ] sb Verleumdung f

backbone ['bækbəʊn] sb Rückgrat n

backbreaker ['bækbreɪkə] sb Schinder m

backchat ['bæktʃæt] sb (fam: backtalk) Widerrede f

backdate [bæk'deɪt] v zurückdatieren

back door [bæk dɔː] sb 1. Hintertür f; 2. (fig) Hintertürchen n

backfire ['bækfaɪə] v 1. fehlzünden; 2. (fig) ins Auge gehen

background ['bækgraʊnd] sb 1. Hintergrund m; 2. (of a person) Herkunft f

backhander [bæk'hændə] sb (fam: bribe) Schmiergeld n

backing ['bækɪŋ] sb (support) Unterstützung f, Rückhalt m, Rückendeckung f

backlash ['bæklæʃ] sb Gegenreaktion f

backlog ['bæklɒg] sb Rückstand m

backpack ['bækpæk] sb Rucksack m

back pay [bæk peɪ] sb Nachzahlung f

back room [bæk'rʊm] sb Hinterzimmer n

back seat [bæk siːt] sb Rücksitz m; take a ~ (fig) in den Hintergrund treten

back-seat driver ['bæksiːt 'draɪvə] sb (fam) Besserwisser m

backside ['bæksaɪd] sb (fam) Hintern m

backspace ['bækspeɪs] sb Rücktaste f

backstage [bæk'steɪdʒ] adv hinter der Bühne; go ~ hinter die Kulissen gehen

backstairs ['bækstɛəz] adj Hintertreppe f

backstroke ['bækstrəʊk] sb Rückenschwimmen n

backtalk ['bæktɔːk] sb (fam) Widerrede f

backup ['bækʌp] sb 1. INFORM Backup n, Sicherungskopie f; 2. SPORT Reservespieler m

backward ['bækwəd] adj 1. rückwärts gerichtet; 2. (fam) rückständig; 3. (fam: retarded) zurückgeblieben

backwards ['bækwədz] adv 1. rückwärts, zurück; 2. bend over ~ (fig) sich übergroße Mühe geben, sich einen abbrechen

back yard [bæk jaːd] sb Hinterhof m; in your own ~ (fig) vor deiner eigenen Tür

bacon ['beɪkən] sb GAST Speck m

bacteria [bæk'tɪərɪə] sb Bakterie f

bad [bæd] adj 1. schlecht; to be ~ at sth etw schlecht können; go from ~ to worse immer schlechter werden; make the best of a ~ job das Beste aus einer Situation machen; Not ~! Nicht übel! 2. (deplorable) schlimm; 3. (serious) schwer, schlimm; 4. (spoiled food) schlecht, verdorben; 5. (wicked) böse; 6. (misbehaved) ungezogen; 7. (cheque) ungedeckt; 8. (smell) schlecht, übel; 9. (news) schlecht, schlimm; 10. (sick) unwohl, krank; 11. want sth ~ly etw dringend brauchen

badge [bædʒ] sb 1. Abzeichen n

badger [bædʒə] sb ZOOL Dachs m

badminton ['bædmɪntən] sb Federball n; Badminton n

bad-tempered [bæd'tempəd] adj übellaunig; schlecht gelaunt

baffle ['bæfl] v verblüffen

baffling ['bæflɪŋ] adj verwirrend

bag [bæg] sb Tüte f, Sack m, Tasche f, (with drawstrings) Beutel m; in the ~ (fig) so gut wie sicher; That's not my ~. Das ist nicht mein Bier. old ~ (fam: woman) alte Schachtel f; ~ and baggage (fig) Kind und Kegel

baggage ['bægɪdʒ] sb Gepäck n

baggage claim ['bægɪdʒ kleɪm] sb Gepäckausgabe f

bagpipes ['bægpaɪps] pl Dudelsack m

bah [bɑ:] *interj* pah

Bahamas [bə'hɑːməz] *pl the ~ GEO* die Bahamas *pl*

bail [beɪl] *sb JUR* Kaution *f; out on ~* gegen Kaution auf freiem Fuß

bailiff ['beɪlɪf] *sb JUR* Gerichtsvollzieher *m*

bait [beɪt] *sb 1.* Köder *m; v 2. (torment)* quälen

bake [beɪk] *v* backen

baker ['beɪkə] *sb* Bäcker *m*

bakery ['beɪkərɪ] *sb* Bäckerei *f*

baking powder ['beɪkɪŋpaʊdə] *sb* Backpulver *n*

baking sheet ['beɪkɪŋʃiːt] *sb* Backblech *n*

balance ['bæləns] *sb 1.* Gleichgewicht *n, 2.* Ausgeglichenheit *f; 3. (remainder)* Rest *m; 4. (account ~) ECO* Saldo *m; 5. ~ of payments FIN* Zahlungsbilanz *f; 6. ~ of trade FIN* Handelsbilanz *f; 7. (scales)* Waage *f; v 8. (person)* balancieren; *9. (bring into ~)* ausbalancieren, ins Gleichgewicht bringen

balanced ['bælənst] *adj* ausgewogen, ausgeglichen

balance-sheet ['bæləns ʃiːt] *sb FIN* Bilanz *f,* Handelsbilanz *f*

balcony ['bælkənɪ] *sb* Balkon *m*

bald [bɔːld] *adj* kahl, glatzköpfig

bald eagle [bɔːld 'iːgl] *sb* weißköpfiger Seeadler *m*

bale¹ [beɪl] *sb ~ of hay* Heubündel *n*

bale² [beɪl] *v 1. ~ out (water)* ausschöpfen; *2. ~ out (of an aircraft)* abspringen

balk [bɔːk] *v 1. (horse)* scheuen; *2. (fig) ~ at sth* vor etw zurückschrecken

ball¹ [bɔːl] *sb 1.* Ball *m,* Kugel *f; on the ~ (fam)* auf Draht; *set the ~ rolling* den Stein ins Rollen bringen; *keep the ~ rolling* etw in Gang halten; *have a ~* einen Mordsspaß haben; *play ~ (fig)* mitspielen; *2. (of wool)* Knäuel *n; 3. ~ of the foot ANAT* Ballen *m; 4. ~s pl (fam: testicles)* Eier *pl*

ball² [bɔːl] *sb (dance)* Ball *m*

ballast ['bæləst] *sb* Ballast *m*

ballet ['bæleɪ] *sb THEAT* Ballett *n*

ball-game ['bɔːlgeɪm] *sb* Ballspiel *n; That's a whole new ~.* Das ist eine ganz andere Sache.

ballistic [bə'lɪstɪk] *adj* ballistisch

balloon [bə'luːn] *sb 1.* Ballon *m; 2. (toy)* Luftballon *m; 3. (hot air ~)* Heißluftballon *m*

ballot ['bælət] *sb* Stimmzettel *m*

ballot-box ['bælətbɒks] *sb POL* Wahlurne *f*

ballroom ['bɔːlruːm] *sb* Ballsaal *m*

balsam ['bɔːlsəm] *sb* Balsam *m*

Baltic Sea ['bɔːltɪk] *sb GEO* Ostsee *f*

balustrade [bælə'streɪd] *sb ARCH* Balustrade *f,* Brüstung *f*

bamboo [bæm'buː] *sb BOT* Bambus *m*

bamboozle [bæm'buːzl] *v 1. (fam: trick)* reinlegen; *2. (confuse)* durcheinander bringen, verwirren, verblüffen

ban [bæn] *v 1.* verbieten; *sb 2.* Verbot *n*

banal [bə'nɑːl] *adj* banal

banality [bə'nælɪtɪ] *sb* Banalität *f*

banana [bə'nɑːnə] *sb 1.* Banane *f; 2. go ~s (fam)* verrückt werden

band¹ [bænd] *sb 1. (group)* Schar *f, (of robbers)* Bande *f; 2. (musicians)* Kapelle *f,* Band *f*

band² [bænd] *sb (strip)* Band *n,* Schnur *f*

bandage ['bændɪdʒ] *sb 1. MED* Verband *m; v 2. (apply a ~ to) MED* verbinden

bandit ['bændɪt] *sb* Bandit *m,* Räuber *m*

bandstand ['bændstænd] *sb* Podium *f*

bandwagon ['bændwægən] *sb (US)* Festwagen *m; to jump on the ~* sich an etw dranhängen

bandy¹ ['bændɪ] *v ~ sth about (fig: a rumour)* etw weitererzählen

bandy² ['bændɪ] *adj* krumm, schief

bane [beɪn] *sb* Fluch *m,* Bann *m*

bang [bæŋ] *v 1. (thump)* knallen; *~ one's head against* sich den Kopf anschlagen an; *2. (engine)* krachen; *3. (fam: have sex)* bumsen; *sb 4. (noise)* Knall *m; 5. ~s pl (hair)* Pony *m; adj 6. ~ on (fam) (UK)* goldrichtig, haargenau

banger ['bæŋə] *sb 1. (UK: firework)* Knallkörper *m; 2. (UK: sausage)* Wurst *f*

bangle ['bæŋgl] *sb 1. (worn on the arm)* Armreif *m; 2. (worn on the leg)* Fußreif *m*

banish ['bænɪʃ] *v* verbannen, ausweisen

banishment ['bænɪʃmənt] *sb* Verbannung *f*

banisters ['bænɪstəz] *pl* Geländer *n*

banjo ['bændʒəʊ] *sb* Banjo *n*

bank¹ [bæŋk] *sb 1. FIN* Bank *f; v 2. ~ on* seine Hoffnung setzen auf

bank² [bæŋk] *sb 1. (of a river)* Ufer *n; 2. (slope)* Böschung *f*

bank account ['bæŋk ə'kaʊnt] *sb FIN* Bankkonto *n*

bankbook ['bæŋkbʊk] *sb* Kontobuch *n*

banker ['bæŋkə] *sb* Bankier *m*

banker's order ['bæŋkəzɔːdə] *sb FIN* Dauerauftrag *m*

bank holiday ['bæŋkhɒlɪdeɪ] *sb* gesetzlicher Feiertag *m*

banknote ['bæŋknəʊt] *sb FIN* Banknote *f*

bank robbery ['bæŋkrɒbərɪ] *sb* Banküberfall *m*

bankrupt ['bæŋkrʌpt] *adj* bankrott

bankruptcy ['bæŋkrəptsɪ] *sb FIN* Bankrott *m,* Konkurs *m*

bank statement ['bæŋksteɪtmənt] *sb* Kontoauszug *m*

banner ['bænə] *sb* Banner *n*, Fahne *f*

banns [bænz] *pl* Aufgebot *n*

banquet ['bæŋkwɪt] *sb* Bankett *n*

banter ['bæntə] *v* scherzen

baptism ['bæptɪzm] *sb* REL Taufe *f*

Baptist ['bæptɪst] *sb* Baptist *m*

baptize [bæp'taɪz] *v* REL taufen

bar [bɑː] *v* 1. *(a door)* verriegeln; 2. *(~ up) (a window)* vergittern; 3. *(prohibit)* verbieten; *sb* 4. *(rod)* Stange *f*; 5. *(on a door)* Riegel *m*; 6. *~s pl (of a prison)* Gitter *n*; *behind ~s* hinter Gittern, hinter schwedischen Gardinen; 7. *(of soap)* Stück *n*; 8. *candy ~ (US)* Schokoladenriegel *m*; 9. *(place that serves drinks)* Kneipe *f*; 10. *(counter)* Theke *f*, Ausschank *m*

barb [bɑːb] *sb* 1. Stachel *m*, Spitze *f*; 2. *(fig: remark)* spitze Bemerkung *f*

Barbados [bɑː'beɪdɒs] *sb* GEO Barbados *n*

barbarian [bɑː'beərɪən] *sb* Barbar *m*

barbaric [bɑː'bærɪk] *adj* barbarisch

barbecue ['bɑːbɪkjuː] *v* 1. GAST grillen; *sb* 2. *(occasion)* Barbecue *n*, Grillparty *f*

barber ['bɑːbə] *sb* Herrenfriseur *m*

barber shop ['bɑːbəʃɒp] *sb (US)* Herrenfriseur *m*, Frisörsalon *m*

bar code [bɑː kəʊd] *sb* INFORM Strichkode *m*

bare [beə] *adj* 1. nackt, bloß; 2. *(tree, countryside)* kahl; 3. *(wire)* blank; *v* 4. *~ one's heart* sein Herz ausschütten; *~ one's teeth* die Zähne zeigen

barefaced ['beəfeɪst] *adj (lie)* dreist

barefoot ['beəfut] *adv* barfuß

barely ['beəlɪ] *adv* kaum, knapp, gerade noch

bargain ['bɑːgɪn] *v* 1. feilschen, handeln; 2. *~ for (expect)* rechnen mit; *sb* 3. *(transaction)* Handel *m*, Geschäft *n*; *drive a hard ~* hart feilschen; *strike a ~* sich einigen; 4. preiswertes Angebot

barge [bɑːdʒ] *sb* 1. Lastkahn *m*; *v* 2. *~ in* hineinplatzen

baritone ['bærɪtəʊn] *sb* MUS Bariton *m*

bark¹ [bɑːk] *v* 1. bellen, kläffen; *~ up the wrong tree* auf dem falschen Dampfer sein; *sb* 2. Bellen *n*, Gebell *n*; *His ~ is worse than his bite.* Bellende Hunde beißen nicht.

bark² [bɑːk] *sb* BOT Baumrinde *f*

barkeeper ['bɑːkiːpə] *sb (US)* Barmann *m*

barley ['bɑːlɪ] *sb* BOT Gerste *f*

barn [bɑːn] *sb* Scheune *f*

barnyard ['bɑː njɑːd] *sb* Bauernhof *m*

barometer [bə'rɒmɪtə] *sb* Barometer *n*

baron ['bærən] *sb* Baron *m*

baroness ['bærənɪs] *sb* Baroness *f*

baronet ['bærənet] *sb* Baronet *m*

baroque [bə'rɒk] *adj* ART barock

barracks ['bærəks] *pl* MIL Kaserne *f*

barrage ['bærɑːʒ] *sb* 1. *(fig)* Hagel *m*; 2. MIL Sperrfeuer *n*

barrel ['bærəl] *sb* 1. Fass *n*, Tonne *f*; 2. *(of a gun)* Gewehrlauf *m*

barrel organ ['bærələːgən] *sb* Drehorgel *f*

barren ['bærən] *adj* 1. unfruchtbar; 2. *(bare, empty)* kahl, dürr

barrenness ['bærənnɪs] *sb* 1. Unfruchtbarkeit *f*; 2. *(fig)* Dürre *f*

barricade ['bærɪkeɪd] *v* 1. versperren, sperren; 2. *~ off* absperren; *sb* 3. Barrikade *f*

barrier ['bærɪə] *sb* Schranke *f*, Barriere *f*, Sperre *f*

barring ['bɑːrɪŋ] *prep* falls ... nicht, außer

barrister ['bærɪstə] *sb* Rechtsanwalt *m*

barrow ['bærəʊ] *sb* Karren *m*

bartender ['bɑːtendə] *sb* Barkeeper *m*

barter ['bɑːtə] *v* 1. tauschen; *sb* 2. Tausch *m*

base¹ [beɪs] *v* 1. *(locate)* stationieren; *The firm is ~d in Leeds.* Die Firma hat ihren Sitz in Leeds. 2. *~ on* stützen auf; *(hopes)* setzen auf; *to be ~d on sth (fig)* sich auf etw stützen; *sb* 3. Unterteil *m*, Fuß *m*, Basis *f*; 4. *(of operations)* Stützpunkt *m*; 5. CHEM Base *f*

base² [beɪs] *adj* gemein, niedrig

baseball ['beɪsbɔːl] *sb* Baseball *m*

baseless ['beɪslɪs] *adj* grundlos

basement ['beɪsmənt] *sb* Keller *m*

baseness ['beɪsnɪs] *sb* Gemeinheit *f*

base rate [beɪs reɪt] *sb* FIN Leitzins *m*

bash [bæʃ] *v* 1. heftig schlagen; *I ~ed my head on the door frame.* Ich habe mir den Kopf an dem Türrahmen angeschlagen. *sb* 2. *(party)* Party *f*

bashful ['bæʃful] *adj* schüchtern, scheu

bashfulness ['bæʃfulnɪs] *sb* Schüchternheit *f*, Scheu *f*

basic ['beɪsɪk] *adj* 1. grundlegend, grundsätzlich, fundamental; 2. *(essential)* wesentlich

basically ['beɪsɪklɪ] *adv* im Grunde

basilica [bə'zɪlɪkə] *sb* Basilika *f*

basin ['beɪsɪn] *sb* Becken *n*

basis ['beɪsɪs] *sb* Basis *f*, Grundlage *f*

bask [bɑːsk] *v* sich sonnen

basket ['bɑːskɪt] *sb* Korb *m*

basketball ['bɑːskɪtbɔːl] *sb* SPORT Basketball *m*

Basque [bæsk] *sb* 1. Baske/Baskin *m/f*; 2. *(language)* Baskisch *n*

bass¹ [beɪs] *sb MUS* Bass *m*
bass² [bæs] *(fish)* Barsch *m*
bassoon [bə'suːn] *sb MUS* Fagott *n*
bastard ['bɑːstəd] *sb* 1. *(fam: illegitimate child)* Bastard *m*, uneheliches Kind *n;* 2. *(fam: as an insult to any person)* Mistkerl *m*
bastion ['bæstɪən] *sb* Bastion *f*
bat¹ [bæt] *sb ZOOL* Fledermaus *f; as blind as a ~* blind wie ein Maulwurf; *like a ~ out of hell (fam)* wie ein geölter Blitz
bat² [bæt] *sb SPORT* Schlagholz *n*
batch [bætʃ] *sb* Stoß *m*, Ladung *f*
bath [bɑːθ] *sb* Bad *n; take a ~* ein Bad nehmen
bathe [beɪð] *v* baden
bathing cap ['beɪðɪŋ] *sb* Badekappe *f*
bathing costume ['beɪðɪŋkɒstjuːm] *sb* Badeanzug *m*
bathing trunks ['beɪðɪŋ trʌŋks] *pl* Badehose *f*
bathrobe ['bɑːθrəʊb] *sb* Bademantel *m*
bathroom ['bɑːθrʊm] *sb* Badezimmer *n*
bathtub ['bɑːθtʌb] *sb* Badewanne *f*
baton ['bætən] *sb* 1. Kommandostab *m;* 2. *SPORT* Staffelstab *m*
battalion [bə'tælɪən] *sb* Bataillon *n*
battery ['bætərɪ] *sb* Batterie *f*
battle ['bætl] *v* 1. kämpfen, fechten, streiten; *sb* 2. *MIL* Schlacht *f;* 3. *(fig)* Kampf *m*
bawdy ['bɔːdɪ] *adj* derb
bawl [bɔːl] *v* 1. *(cry)* heulen; 2. *(an order)* brüllen; 3. *~ out (scold)* ausschimpfen
bay¹ [beɪ] *sb* Bucht *f*
bay² [beɪ] *sb keep s.o. at ~* sich jdn vom Leibe halten; *keep sth at ~* etw unter Kontrolle halten
bay³ [beɪ] *v* bellen
bay leaf [beɪ liːf] *sb BOT* Lorbeerblatt *n*
bazaar [bə'zɑː] *sb* Basar *m*
be [biː] *v irr* 1. sein; *She wants to ~ an engineer.* Sie möchte Ingenieurin werden. 2. *(passive voice)* werden; *I was told* mir wurde gesagt, man sagte mir; 3. *(~ situated)* sein, sich befinden, liegen; 4. *(exist)* sein, existieren, bestehen; 5. *(~ prevalent)* herrschen; 6. *to ~ to* sollen
beach [biːtʃ] *sb* Strand *m*
beacon ['biːkən] *sb* Leuchtfeuer *n*
bead [biːd] *sb* 1. Perle *f;* 2. *draw a ~ on sth* auf etw zielen
beak [biːk] *sb ZOOL* Schnabel *m*
beaker ['biːkə] *sb* Becher *m*
beam [biːm] *v* 1. strahlen; *~ at s.o.* jdn anstrahlen; 2. *(a TV programme)* ausstrahlen; *sb* 3. Balken *m;* 4. *(of light)* Strahl *m*

bean [biːn] *sb* Bohne *f; spill the ~s about sth (fam)* etw ausplaudern
bear¹ [beə] *v irr* 1. *(carry)* tragen; 2. *~ in mind* berücksichtigen; 3. *(a child)* gebären; 4. *(endure)* leiden, ertragen; 5. *This ~s watching.* Das muss man im Auge behalten. 6. *(head in a direction)* sich halten; *~ left* sich links halten
• **bear with** *v irr* tolerieren; *Please ~ me!* Bitte habt Geduld mit mir!
bear² [beə] *sb* 1. *ZOOL* Bär *m;* 2. *FIN* Baissespekulant *m*
bearable ['beərəbl] *adj* erträglich
beard [bɪəd] *sb* Bart *m*
beardless ['bɪədlɪs] *adj* 1. bartlos; 2. *(fig: young)* unerfahren, noch grün hinter den Ohren
bearer ['beərə] *sb* 1. *(of a message, of a cheque)* Überbringer *m;* 2. Träger *m*
bearing ['beərɪŋ] *sb* 1. *(posture)* Haltung *f;* 2. *(behaviour)* Verhalten; 3. *(direction)* Richtung *f; (fig)* Orientierung *f; lose one's ~s* die Orientierung verlieren; 4. *(connection)* Bezug *m;* 5. *(influence)* Auswirkung *f;* 6. *TECH* Lager *n*
beast [biːst] *sb* Tier *n*, Bestie *f*
beastly ['biːstlɪ] *adj* gemein, brutal
beat [biːt] *sb* 1. Schlag *m; (repeated ~ing)* Schlagen *n;* 2. *(patrol)* Runde *f; adj* 3. *(exhausted)* kaputt; *v irr* 4. *(heart)* klopfen; 5. *(sth)* schlagen; *Beats me!* Keine Ahnung! 6. *(a carpet)* klopfen; 7. *(hammer metal)* hämmern; 8. *(a drum) MUS* trommeln; 9. *(~ up eggs)* schlagen; 10. *(defeat)* schlagen, besiegen; 11. *(s.o. to sth)* zuvorkommen; 12. *(surpass)* überbieten; 13. *~ it (fam)* abhauen; *Beat it!* Hau ab!
• **beat down** *v irr* 1. *(rain)* herunterprasseln, *(sun)* herunterbrennen; 2. *(one's opposition)* kleinkriegen; 3. *(prices)* herunterdrücken
• **beat up** *v beat s.o. up* jdn verprügeln
beaten ['biːtn] *adj* gebahnt, befestigt; *off the ~ path* abgelegen
beatify [biː'ætɪfaɪ] *v REL* selig sprechen
beating ['biːtɪŋ] *sb* 1. *(defeat)* Schlappe *f;* 2. *(series of blows)* Prügel *pl*
beautiful ['bjuːtɪfʊl] *adj* schön
beautify ['bjuːtɪfaɪ] *v* verschönern
beauty ['bjuːtɪ] *sb* Schönheit *f*
beaver ['biːvə] *sb ZOOL* Biber *m*
because [biː'kɒz] *konj* 1. weil, da, denn; *prep* 2. *~ of* wegen, infolge von
beck [bek] *sb* Wink *m; to be at someone's ~ and call* zu jds voller Verfügung stehen
beckon ['bekən] *v* heranwinken
become [bɪ'kʌm] *v irr* 1. werden; 2. *(befit)* sich schicken für
becoming [bɪ'kʌmɪŋ] *adj* kleidsam

bed [bed] *sb* 1. Bett *n; get up on the wrong side of the ~ (fig)* mit dem linken Fuß zuerst aufstehen; 2. *(flower ~)* Beet *n;* 3. *(of a river)* Bett *n;* 4. *(of ore)* Lager *n;* 5. *(of a lorry)* Pritsche *f*

bed and breakfast [bedənd'brekfəst] *sb* Frühstückspension *f*

bedaub [bɪ'dɔːb] *v* beschmieren, anmalen

bedclothes ['bedkləʊz] *pl* Bettwäsche *f*

bedding ['bedɪŋ] *sb* 1. *(bedclothes)* Bettzeug *n;* 2. *(litter)* Streu *f*

bedevil [bɪ'devɪl] *v* komplizieren

bed-linen ['bedlɪnɪn] *sb* Bettwäsche *f*

bedraggle [bɪ'drægl] *v* beschmutzen

bedridden ['bedrɪdən] *adj* bettlägerig

bedroom ['bedruːm] *sb* Schlafzimmer *n*

bed-sheet ['bedʃiːt] *sb* Betttuch *n*

bedside table ['bedsaɪd 'teɪbl] *sb* Nachttisch *m*

bedspread ['bedspred] *sb* Bettdecke *f*

bedstead ['bedsted] *sb* Bettgestell *n*

bee [biː] *sb* ZOOL Biene *f; as busy as a ~* fleißig wie eine Ameise

beech [biːtʃ] *sb* BOT Buche *f*

beef [biːf] *sb* GAST Rindfleisch *n*

beehive ['biːhaɪv] *sb* Bienenstock *m,* Bienenkorb *m*

beekeeper ['biːkiːpə] *sb* Bienenzüchter *m*

beeline ['biːlaɪn] *sb make a ~ for sth* auf etw schnurstracks zugehen

beeper ['biːpə] *sb* Piepser *m*

beer [bɪə] *sb* Bier *n, (glass of ~)* Glas Bier *n*

beeswax ['biːzwæks] *sb* Bienenwachs *n; None of your ~! (fam)* Das geht dich nichts an!

beetle ['biːtl] *sb* ZOOL Käfer *m*

beetroot ['biːtruːt] *sb* rote Bete *f*

befall [bɪ'fɔːl] *v irr ~ s.o.* jdm widerfahren

befit [bɪ'fɪt] *v* sich ziemen für

before [bɪ'fɔː] *konj* 1. ehe, bevor; *prep* 2. *(in front of)* vor; 3. vor, früher als; 4. *(in the presence of)* vor, in Gegenwart von; *adv* 5. schon, zuvor, vorher

beforehand [bɪ'fɔːhænd] *adv* im Voraus

befriend [bɪ'frend] *v ~ s.o.* sich mit jdm anfreunden

beg [beg] *v* betteln; *~ s.o. for sth* jdn um etw anflehen

beget [bɪ'get] *v irr* zeugen

beggar ['begə] *sb* Bettler *m*

begin [bɪ'gɪn] *v irr* anfangen, beginnen

beginner [bɪ'gɪnə] *sb* Anfänger *m*

beginning [bɪ'gɪnɪŋ] *sb* Anfang *m,* Beginn *m*

begonia [bɪ'gəʊnɪə] *sb* BOT Begonie *f*

begrudge [bɪ'grʌdʒ] *v* missgönnen

beguile [bɪ'gaɪl] *v* betören

behalf [bɪ'hɑːf] *sb on ~ of* im Namen von; *(as an authorized representative of)* im Auftrag von

behave [bɪ'heɪv] *v* sich verhalten, sich (anständig) benehmen

behaviour [bɪ'heɪvjə] *sb* Benehmen *n,* Betragen *n,* Verhalten *n*

behest [bɪ'hest] *v at s.o.'s ~* auf jds Geheiß

behind [bɪ'haɪnd] *prep* 1. hinter; *adv* 2. *(at the rear)* hinten; 3. *(~ this, ~ it)* dahinter; *from ~* von hinten; *stay ~* zurückbleiben; 4. *(in school, ~ the times)* zurück; *sb* 5. *(fam: rear end)* Hintern *m*

behold [bɪ'həʊld] *v irr* erblicken; *Behold!* Siehe da!

being ['biːɪŋ] *sb* 1. *(creature)* Wesen *n;* 2. *(existence)* Dasein *n*

belated [bɪ'leɪtɪd] *adj* verspätet

belch [beltʃ] *v* aufstoßen, rülpsen

beleaguer [bɪ'liːgə] *v* belagern

belfry ['belfrɪ] *sb* Glockenturm *m; have bats in the ~ (fam)* einen Sprung in der Schüssel haben

Belgian ['beldʒən] *sb* 1. Belgier *m; adj* 2. belgisch

Belgium ['beldʒəm] *sb* GEO Belgien *n*

belie [bɪ'laɪ] *v* Lügen strafen, entkräften

belief [bɪ'liːf] *sb* 1. *(firm opinion)* Überzeugung *f,* Glaube *m;* 2. REL Glaube *m*

believable [bɪ'liːvəbl] *adj* glaubhaft

believe [bɪ'liːv] *v* glauben; *~ in* glauben an

believer [bɪ'liːvə] *sb* REL Gläubige(r) *m/f*

belittle [bɪ'lɪtl] *v* herabsetzen, verkleinern

bell [bel] *sb* Glocke *f;* 2. Klingel *f*

belligerent [bɪ'lɪdʒərənt] *adj* 1. *(person)* streitsüchtig; 2. *(nation)* kriegerisch

bellow ['beləʊ] *v* brüllen

bellows ['beləʊz] *sb* Blasebalg *m*

belly ['belɪ] *sb* Bauch *m*

belly button ['belɪbʌtən] *sb (fam)* Bauchnabel *m*

belong [bɪ'lɒŋ] *v* 1. gehören; *~ together* zusammengehören 2. *~ to (a club)* angehören

belongings [bɪ'lɒŋɪŋz] *pl* Habe *f,* Besitz *m*

beloved [bɪ'lʌvɪd] *adj* 1. geliebt; *sb* 2. Geliebte(r) *m/f*

below [bɪ'ləʊ] *prep* 1. unterhalb, unter; *adv* 2. unten; 3. *(underneath)* darunter

belt [belt] *sb* 1. Gürtel *m; hit s.o. below the ~* jdm einen Tiefschlag versetzen; *tighten one's ~* den Gürtel enger schnallen; *get sth under one's ~ (fam)* sich etw reinziehen; 2. *(strap)* Gurt *m;* 3. TECH Riemen *m; v* 4. *~ s.o. (fam)* jdm einen Schlag versetzen

• **belt up** *v (fam)* die Klappe halten

bemoan [bɪ'məʊn] *v* beklagen, beweinen

bemuse [bɪ'mjuːz] v verwirren

bench [bentʃ] sb Bank f

bend [bend] v irr 1. (river) eine Kurve machen; 2. ~ over, ~ down sich bücken; 3. (fig: submit) sich beugen; 4. (sth) biegen, krümmen; ~ the knee das Knie beugen; ~ out of shape verbiegen; sb 5. Biegung f, Krümmung f; 6. (in a road) Kurve f; 7. go round the ~ (fig) verrückt werden

beneath [bɪ'niːθ] prep 1. unter, unterhalb; adv 2. darunter

benediction [benɪ'dɪkʃən] sb Segen m

benefactor ['benɪfæktə] sb Wohltäter m

beneficial [benɪ'fɪʃəl] adj nützlich

beneficiary [benɪ'fɪʃərɪ] sb Nutznießer m, Begünstigte(r) m/f

benefit ['benɪfɪt] v 1. (from sth) Nutzen ziehen, profitieren; 2. (~ s.o., ~ sth) gut tun; sb 3. Vorteil m, Nutzen m; give s.o. the ~ of the doubt im Zweifelsfalle zu jds Gunsten entscheiden; 4. (charity event) Benefizveranstaltung f; 5. (insurance ~), Unterstützung f

benevolence [bɪ'nevələns] sb Güte f

benevolent [bɪ'nevələnt] adj wohlwollend

benign [bɪ'naɪn] adj gütig

bent [bent] adj 1. krumm; 2. ~ on versessen auf

bequeath [bɪ'kwiːð] v vermachen

bequest [bɪ'kwest] sb 1. Vermächtnis n; 2. (to a museum) Stiftung f

berate [bɪ'reɪt] v schelten

bereave [bɪ'riːv] v berauben, entreißen

bereavement [bɪ'riːvmənt] sb schmerzlicher Verlust m

beret [ber'eɪ] sb Baskenmütze f

berry ['berɪ] sb BOT Beere f

berserk [bə'zɜːk] adj wild

beseech [bɪ'siːtʃ] v anflehen, flehen

beset [bɪ'set] v irr bedrängen, überkommen

beside [bɪ'saɪd] prep neben; to be ~ o.s. außer sich sein; ~ the point nicht zur Sache gehörig

besides [bɪ'saɪdz] adv 1. außerdem, sonst, obendrein; prep 2. außer

besiege [bɪ'siːdʒ] v bestürmen, bedrängen

best [best] adj 1. beste(r,s); at ~ höchstens, bestenfalls; adv 2. am Besten; I'd ~ be going. Es wäre das Beste, ich ginge. sb 3. the ~ der/die/das Beste; have the ~ of both worlds die Vorteile beider Möglichkeiten gleichzeitig genießen; to be all for the ~ zu jds Besten sein; get the ~ of s.o. jdn besiegen; All the ~! Alles Gute! do one's ~ sein Bestes geben; v 4. (surpass) übertreffen; 5. (defeat) schlagen

bestial ['bestɪəl] adj bestialisch, tierisch

bestow [bɪ'stəʊ] v schenken, erweisen

bestseller [best'selə] sb Bestseller m

bet [bet] v irr 1. wetten; sb 2. Wette f; the best ~ das Sicherste

betray [bɪ'treɪ] v verraten

betrayal [bɪ'treɪəl] sb Verrat m

better ['betə] adj 1. besser; sb 2. get the ~ of s.o. jdn unterkriegen

between [bɪ'twiːn] prep 1. zwischen; ~ us, ~ you and me unter uns; adv 2. in ~ dazwischen

beverage ['bevərɪdʒ] sb Getränk n

bewail [bɪ'weɪl] v beklagen, betrauern

beware [bɪ'weə] v Beware! Geben Sie acht! ~ of ... Passen Sie auf ... auf. ~ of dog Warnung vor dem Hunde

bewilder [bɪ'wɪldə] v verwirren, verblüffen

bewilderment [bɪ'wɪldəmənt] sb Verwirrung f, Fassungslosigkeit f, Verblüffung f

bewitch [bɪ'wɪtʃ] v verzaubern

beyond [bɪ'jɒnd] prep jenseits, über ... hinaus; ~ repair nicht mehr zu reparieren; ~ belief unglaublich; live ~ one's means über seine Verhältnisse leben; That's ~ me! Das ist mir zu hoch!

biannual [baɪ'ænjʊəl] adj halbjährlich

bias ['baɪəs] sb Voreingenommenheit f

bias(s)ed ['baɪəst] adj voreingenommen, befangen, parteiisch

Bible ['baɪbl] sb Bibel f

biblical ['bɪblɪkəl] adj REL biblisch

bibliographer [bɪblɪ'ɒgrəfə] sb Bibliograph/Bibliographin m/f

bibliography [bɪblɪ'ɒgrəfɪ] sb Bibliografie f

bicker ['bɪkə] v sich zanken

bicycle ['baɪsɪkl] sb Fahrrad n, Zweirad n

bicyclist ['baɪsɪklɪst] sb Radfahrer m

bid [bɪd] v irr 1. bieten; ~ s.o. farewell jdm Lebewohl sagen; sb 2. Angebot n

bidder ['bɪdə] sb Bieter m

bidding ['bɪdɪŋ] sb Bieten n, Gebot n; do s.o.'s ~ wie geheißen tun

bide [baɪd] v irr verweilen; to ~ one's time den richtigen Augenblick abwarten

biennial [baɪ'enɪəl] adj zweijährlich

bier [bɪə] sb Bahre f

big [bɪg] adj 1. groß; That's really ~ of you. Das ist sehr anständig von dir. adv 2. talk ~ (fam) angeben

bigamist ['bɪgəmɪst] sb Bigamist/Bigamistin m/f

bigamy ['bɪgəmɪ] sb Bigamie f

big bang theory [bɪg 'bæŋθɪərɪ] sb ASTR Urknalltheorie f

bigot ['bɪgət] *sb* engstirniger Mensch *m*
bigotry ['bɪgətrɪ] *sb* Engstirnigkeit *f*
big top ['bɪgtɒp] *sb* Hauptzelt *n*
bike [baɪk] *sb (fam)* Rad *n*
bikini [bɪ'ki:nɪ] *sb* Bikini *m*
bilateral [baɪ'lætərəl] *adj* zweiseitig, bilateral, beiderseitig
bilberry ['bɪlbərɪ] *sb* Heidelbeere *f*
bilingual [baɪ'lɪŋgwəl] *adj* zweisprachig
bilious ['bɪlɪəs] *adj (fig)* reizbar
bill¹ [bɪl] *v* 1. *(charge)* in Rechnung stellen; *sb* 2. Rechnung *f*; 3. *(US: banknote)* Banknote *f*; 4. POL Gesetzentwurf *m*, Gesetzesvorlage *f*; 5. ~ of sale Verkaufsurkunde; 6. give s.o. a clean ~ of health jdm gute Gesundheit bescheinigen
bill² [bɪl] *sb* ZOOL Schnabel *m*
billboard ['bɪlbɔːd] *sb* Reklametafel *f*
billfold ['bɪlfəʊld] *sb (US)* Brieftasche *f*
billiards ['bɪlɪədz] *sb* Billard *n*
billion ['bɪlɪən] *sb* 1. *(UK: a million millions)* Billion *f*; 2. *(US: a thousand millions)* Milliarde *f*
billow ['bɪləʊ] *v* sich blähen, sich bauschen
billy goat ['bɪlɪ gəʊt] *sb* Ziegenbock *m*
bimonthly ['baɪ'mʌnθlɪ] *adj* zweimonatlich
bin [bɪn] *sb* Kasten *m*, Tonne *f*
bind [baɪnd] *v irr* 1. binden; 2. *(oblige)* verpflichten; 3. *(a book)* einbinden
binder ['baɪndə] *sb (for papers)* Hefter *m*
binding ['baɪndɪŋ] *adj* 1. verbindlich; *sb* 2. *(of a book)* Bucheinband *m*; 3. *(for skis)* Skibindung *f*
binoculars [bɪ'nɒkjʊləz] *pl* Fernglas *n*
biochemistry [baɪəʊ'kemɪstrɪ] *sb* Biochemie *f*
biodegradable [baɪəʊdɪ'greɪdəbl] *adj* biologisch abbaubar
biographical [baɪə'græfɪkl] *adj* biografisch
biography [baɪ'ɒgrəfɪ] *sb* Biografie *f*
biological [baɪə'lɒdʒɪkəl] *adj* biologisch
biologist [baɪ'ɒlədʒɪst] *sb* Biologe *m*
biology [baɪ'ɒlədʒɪ] *sb* Biologie *f*
biophysics [baɪəʊ'fɪzɪks] *sb* Biophysik *f*
biosphere ['baɪəsfɪə] *sb* Biosphäre *f*
biotechnology [baɪəʊtek'nɒlədʒɪ] *sb* Biotechnologie *f*
bipartisan [baɪ'pɑːtɪzn] *adj* POL Zweiparteien...
bipolar [baɪ'pəʊlə] *adj* zweipolig
birch [bɜːtʃ] *sb* BOT Birke *f*
bird [bɜːd] *sb* Vogel *m*; A little ~ told me. Mein kleiner Finger hat es mir gesagt. That's for the ~s. Das ist für die Katz.

birdseed ['bɜːdsiːd] *sb* Vogelfutter *n*
birth [bɜːθ] *sb* 1. Geburt *f*; give ~ to zur Welt bringen; He's German by ~. Er ist gebürtiger Deutscher. 2. *(parentage)* Abstammung *f*, Herkunft *f*
birth control ['bɜːθkəntrəʊl] *sb* Geburtenkontrolle *f*, Geburtenregelung *f*
birthday ['bɜːθdeɪ] *sb* Geburtstag *m*; Happy Birthday! Herzlichen Glückwunsch zum Geburtstag! in one's ~ suit im Adamskostüm
birthmark ['bɜːθmɑːk] *sb* Muttermal *n*
birthplace ['bɜːθpleɪs] *sb* Geburtsort *m*
birth rate ['bɜːθ reɪt] *sb* Geburtenrate *f*
biscuit ['bɪskɪt] *sb* 1. *(UK)* GAST Keks *m*, Plätzchen *n*; 2. *(US)* GAST weiches Brötchen *n*
bisect [baɪ'sekt] *v* MATH halbieren
bisexual [baɪ'seksjʊəl] *adj* bisexuell
bishop ['bɪʃəp] *sb* 1. Bischof *m*; 2. *(in chess)* Läufer *m*
bishopric ['bɪʃəprɪk] *sb* REL Bistum *n*
bison ['baɪsn] *sb* ZOOL Bison *m*
bit [bɪt] *sb* 1. Stückchen *n*; ~ by ~ Stück für Stück; every ~ as good as ... genauso gut wie ... 2. *(section)* Teil; 3. a ~ ein bisschen; quite a ~ ziemlich viel
bitch [bɪtʃ] *sb* 1. *(fam: woman)* Hexe *f*; 2. ZOOL Hündin *f*; *v* 3. *(fam)* meckern
bite [baɪt] *v irr* 1. beißen; Once bitten, twice shy. Ein gebranntes Kind scheut das Feuer. 2. ~ back a remark sich eine Bemerkung verkneifen; 3. *(insect)* stechen; *sb* 4. Biss *m*; 5. *(mouthful)* Bissen *m*; 6. *(insect ~)* Stich *m*
• bite off *v irr* abbeißen; ~ more than one can chew den Mund zu voll nehmen (fig)
biting ['baɪtɪŋ] *adj* 1. beißend; 2. *(remark)* bissig, spitz
bitter ['bɪtə] *adj* 1. bitter; to the ~ end bis zum bitteren Ende 2. *(cold)* bitterkalt, eisig; 3. *(person)* verbittert; 4. *(taste)* bitter, herb
bitterness ['bɪtənɪs] *sb* Bitterkeit *f*
bizarre [bɪ'zɑː] *adj* bizarr
blab [blæb] *v* 1. *(give away)* ausplaudern; 2. *(chatter)* plappern
black [blæk] *adj* 1. schwarz; in ~ and white schwarz auf weiß; ~ mark Tadel *m*; *sb* 2. *(person)* Schwarze(r) *m/f*; *v* 3. ~ out ohnmächtig werden
blackberry ['blækberɪ] *sb* Brombeere *f*
blackbird ['blækbɜːd] *sb* ZOOL Amsel *f*
blackboard ['blækbɔːd] *sb* Tafel *f*, Wandtafel *f*, *(in a classroom)* Schultafel *f*
black book [blæk bʊk] *sb* schwarze Liste *f*; to be in s.o.'s ~s bei jdm schlecht angeschrieben sein

blackcurrant ['blækkʌrənt] *sb BOT* schwarze Johannisbeere *f*
blacken ['blækən] *v* 1. schwarz machen; 2. *(fig)* anschwärzen
black eye [blæk aɪ] *sb (fig)* blaues Auge *n*
blackguard ['blækgɑːd] *sb* Halunke *m*
blackleg ['blækleg] *sb* Streikbrecher *m*
blacklist ['blæklɪst] *sb* schwarze Liste *f*
blackmail ['blækmeɪl] *v* 1. ~ s.o. jdn erpressen; *sb* 2. Erpressung *f*
black market [blæk 'mɑːkɪt] *sb* Schwarzmarkt *m*
blackout ['blækaʊt] *sb* Stromausfall *m*
blacksmith ['blæksmɪθ] *sb* Schmied *m*
blade [bleɪd] *sb* 1. *(of a weapon)* Klinge *f*; 2. ~ *of grass* Halm *m*; *v* 3. inlineskaten
blame [bleɪm] *v* 1. tadeln; *She has only herself to ~.* Das hat sie sich selbst zuzuschreiben. *to be to ~* schuld sein; *sb* 2. Schuld *f*; *(censure)* Tadel *m*; *lay the ~ on s.o.* jdm die Schuld in die Schuhe schieben
blameless ['bleɪmlɪs] *adj* tadellos
blameworthy ['bleɪmwɜːðɪ] *adj* schuldig
blanch [blɑːntʃ] *v* 1. *(person)* erbleichen, blass werden; 2. *(vegetables)* blanchieren
bland [blænd] *adj* 1. glatt; 2. *(taste)* fade; 3. *(lacking distinction)* nichts sagend
blank [blæŋk] *sb* 1. *(~ cartridge)* Platzpatrone *f*; 2. *(document)* Formular *n*, *(in a document)* leerer Raum *m*; 3. *draw a ~* eine Niete ziehen, nicht weiterkommen; *adj* 4. leer; *My mind went ~.* Ich hatte einen Blackout. *(fam)* 5. *(expressionless)* ausdruckslos; 6. *FIN* Blanko...
blanket ['blæŋkɪt] *sb* 1. Bettdecke *f*; 2. *a wet ~ (fig)* ein Spielverderber; *adj* 3. alles einschließend, umfassend, pauschal
blare [bleə] *v (radio)* plärren, *(trumpet)* schmettern, *(horn)* laut hupen
blaspheme [blæs'fiːm] *v REL* Gott lästern
blasphemous ['blæsfɪməs] *adj* blasphemisch, gotteslästerlich
blasphemy ['blæsfəmɪ] *sb REL* Gotteslästerung *f*
blast [blɑːst] *v* 1. *(with explosive)* sprengen; 2. *(fig: sharply criticize)* vernichtend kritisieren; 3. ~ *off* in den Weltraum schießen; *sb* 4. Explosion *f*; 5. *(of wind)* Windstoß *m*; 6. *(of noise)* Schmettern *n*
blast-off ['blɑːstɒf] *sb* Abschuss *m*
blatant ['bleɪtənt] *adj* offenkundig
blaze [bleɪz] *v* 1. lodern; *sb* 2. Feuer *n*, Glut *f*
blazer ['bleɪzə] *sb* Blazer *m*, Klubjacke *f*
bleach [bliːtʃ] *v* 1. bleichen, entfärben; *sb* 2. Bleichmittel *n*

bleak [bliːk] *adj* 1. kahl, öde; 2. *(fig)* trostlos, freudlos; 3. *(weather)* rau
bleary ['blɪərɪ] *adj* trübe, verschwommen
bleat [bliːt] *v* meckern; blöken
bleed [bliːd] *v irr* bluten
bleeding ['bliːdɪŋ] *sb MED* Blutung *f*
blemish ['blemɪʃ] *sb* Makel *m*
blench [blentʃ] *v* bleich werden, erbleichen
blend [blend] *sb* 1. Mischung *f*; *v* 2. vermengen, vermischen, verschmelzen
blender ['blendə] *sb* Mixer *m*
bless [bles] *v* segnen; *Bless you! (after s.o. sneezes)* Gesundheit!
blessed ['blesɪd] *adj REL* selig
blessing ['blesɪŋ] *sb* Segen *m*
blight [blaɪt] *sb* Schatten *m*, Fluch *m*
blighter ['blaɪtə] *sb (fam) (UK)* mieser Kerl *m*
blind [blaɪnd] *v* 1. blenden; *adj* 2. blind; *turn a ~ eye to s.o.* bei jdm ein Auge zudrücken; 3. *(curve)* unübersichtlich; *sb* 4. *(sun~)* Markise *f*
blind alley [blaɪnd 'ælɪ] *sb* Sackgasse *f*
blindfold ['blaɪndfəʊld] *sb* 1. Augenbinde *f*; *v* 2. jdm die Augen verbinden; *I could do that ~ed.* Das mache ich mit links.
blindness ['blaɪndnɪs] *sb* Blindheit *f*
blind spot ['blaɪndspɒt] *sb* 1. *(of the retina)* blinder Fleck *m*; 2. *(area where one is unable to see)* toter Winkel *m*
blink [blɪŋk] *v* zwinkern, blinzeln
blinker ['blɪŋkə] *sb (light) TECH* Blinklicht *n*, Blinker *m*
bliss [blɪs] *sb* Glückseligkeit *f*
blissful ['blɪsful] *adj* glückselig, selig
blister ['blɪstə] *sb (on skin, on paint)* Blase *f*
blithering ['blɪðərɪŋ] *adj* blödsinnig
blizzard ['blɪzəd] *sb* Schneesturm *m*
bloat [bləʊt] *v* aufblasen, anschwellen lassen
blob [blɒb] *sb* Tropfen *m*, Klecks *m*
bloc [blɒk] *sb* Block *m*
block [blɒk] *v* 1. blockieren, sperren; 2. *SPORT* abblocken; 3. ~ *off* absperren; *sb* 4. Block *m*, Klotz *m*; 5. *(US: of houses)* Häuserblock *m*
blockade [blɒ'keɪd] *sb* Blockade *f*
blockage ['blɒkɪdʒ] *sb* Blockierung *f*
block party ['blɒkpɑːtɪ] *sb* Straßenparty *f*
blond(e) [blɒnd] *adj* blond
blood [blʌd] *sb* Blut *n*; *bad ~* böses Blut; *related by ~* blutsverwandt; *give ~* Blut spenden; *in cold ~* kaltblütig
bloodcurdling ['blʌdkɜːdlɪŋ] *adj* Grauen erregend
blood donor ['blʌddəʊnə] *sb* Blutspender *m*
blood group [blʌd gruːp] *sb* Blutgruppe *f*

bloodhound ['blʌdhaʊnd] *sb* 1. Bluthund *m*; 2. *(fig: detective)* Schnüffler *m*
bloodless ['blʌdlɪs] *adj* blutlos, unblutig
blood pressure ['blʌdpreʃə] *sb MED* Blutdruck *m*
bloodshed ['blʌdʃed] *sb* Blutvergießen *n*
bloodshot ['blʌdʃɒt] *adj* blutunterlaufen
bloodstain ['blʌdsteɪn] *sb* Blutfleck *m*
bloodstream ['blʌdstriːm] *sb* Blutkreislauf *m*, Blut *n*
blood sugar ['blʌdʃʊgə] *sb* Blutzucker *m*
blood test ['blʌdtest] *sb* Blutuntersuchung *f*, Blutprobe *f*
bloody ['blʌdɪ] *adj* 1. blutig; 2. *(fig)(UK)* verdammt
bloom [bluːm] *v* 1. blühen; *sb* 2. Blüte *f*
bloomer ['bluːmə] *sb* grober Schnitzer *m*
blooming ['bluːmɪŋ] *adj* 1. blühend; 2. *(fig) (UK)* verflixt
blossom ['blɒsəm] *v* 1. blühen, aufblühen; *sb* 2. Blüte *f*
blot [blɒt] *sb* Fleck *m*; *to be a ~ on s.o.'s record* ein Fleck auf der weißen Weste sein
blotch [blɒtʃ] *sb* Klecks *m*, Fleck *m*
blouse [blaʊz] *sb* Bluse *f*
blow¹ [bləʊ] *v irr* 1. blasen, wehen; 2. *(money)* verpulvern; 3. *~ a fuse* eine Sicherung durchbrennen; 4. *~ one's nose* sich schnäuzen; 5. *(fam: mess up)* verkorksen; 6. *~ hot and cold* sein Fähnchen nach dem Wind drehen
• **blow away** *v irr* 1. wegfliegen; 2. *(fam: kill)* wegpusten
• **blow in** *v irr (fam: person)* hereinschneien
• **blow out** *v irr* auspusten
• **blow over** *v irr* vorbeigehen
• **blow up** *v irr* 1. sprengen; 2. aufblasen; 3. *(photo)* vergrößern; 4. *(fig)* in die Luft gehen
blow² [bləʊ] *sb* Schlag *m*, Hieb *m*, Stoß *m*; *come to ~s* sich prügeln
blow-dry ['bləʊdraɪ] *v* föhnen
blubber ['blʌbə] *v* 1. heulen, flennen; *sb* 2. Walfischspeck *m*
bludgeon ['blʌdʒən] *v* verprügeln
blue [bluː] *adj* 1. blau; *until you're ~ in the face* bis Sie schwarz werden *feel ~* trübsinnig sein; *sb* 2. *like a bolt from the ~* wie ein Blitz aus heiterem Himmel; 3. *the ~s pl* Melancholie *f*
blueberry ['bluːberɪ] *sb BOT* Heidelbeere *f*
blue moon [bluː muːn] *sb once in a ~* alle heiligen Zeiten einmal
bluff¹ [blʌf] *v* 1. bluffen; *sb* 2. Bluff *m*
bluff² [blʌf] *sb GEOL* Felsvorsprung *m*
bluish ['bluːɪʃ] *adj* bläulich

blunder ['blʌndə] *sb* Schnitzer *m*
blunt [blʌnt] *v* 1. abstumpfen; *adj* 2. stumpf; 3. *(brutally frank)* schonungslos
blur [blɜː] *v* verschleiern; trüben
blurb [blɜːb] *sb* Klappentext *m*
blurred [blɜːd] *adj* verschwommen
blurt [blɜːt] *v ~ out* herausplatzen mit
blush [blʌʃ] *v* rot werden, erröten
blusher ['blʌʃə] *sb (make-up)* Rouge *n*
bluster ['blʌstə] *v* toben
boa [bəʊə] *sb ZOOL* Boa *f*
boar [bɔː] *sb ZOOL* Eber *m*
board [bɔːd] *v* 1. *(train, bus)* einsteigen in; *sb* 2. Brett *n*; 3. *(meals)* Verpflegung *f*; *room and ~, bed and ~* Unterkunft mit Verpflegung *f*; 4. *(~ of directors)* ECO Vorstand *m*, Direktorium *n*; *He is on the ~.* Er gehört dem Vorstand an. 5. *on ~* an Bord; 6. *across the ~* generell; 7. *above ~* ehrlich
boarding ['bɔːdɪŋ] *sb (the provision of board)* Kost *f*, Verpflegung *f*
boarding card ['bɔːdɪŋkɑːd] *sb* Bordkarte *f*
boarding-house ['bɔːdɪŋ haʊs] *sb* Pension *f*
boarding-school ['bɔːdɪŋskuːl] *sb* Internat *n*, Pensionat *n*
boardroom ['bɔːdruːm] *sb* Sitzungssaal *m*
boardwalk ['bɔːdwɔːk] *sb (US)* Holzsteg *m*
boast [bəʊst] *v* 1. *~ about* prahlen mit, sich brüsten mit, tönen von; *sb* 2. Prahlerei *f*
boastful ['bəʊstfʊl] *adj* prahlerisch
boat [bəʊt] *sb* Boot *n*; Kahn *m*; Schiff *n*
bobbin ['bɒbɪn] *sb* Spule *f*, Rolle *f*
bobby pin ['bɒbɪpɪn] *sb* Haarklemme *f*
bodice ['bɒdɪs] *sb* Mieder *n*
bodiless ['bɒdɪlɪs] *adj* körperlos
bodily harm ['bɒdɪlɪ hɑːm] *sb JUR* Körperverletzung *f*
body ['bɒdɪ] *sb* 1. Körper *m*, Leib *m*; *the ~ of Christ* der Leib des Herrn; 2. *(dead ~)* Leiche *f*; 3. *(main ~)* Hauptteil *m*; 4. *(group of people)* Gruppe *f*, Gesellschaft *f*; *(administrative)* Körperschaft *f*; 5. *(~work) (of a car)* TECH Karosserie *f*; 6. *(of an airplane)* Rumpf *m*; 7. CHEM, PHYS, MATH Körper *m*
body-building ['bɒdɪ bɪldɪŋ] *sb* Bodybuilding *n*
bodyguard ['bɒdɪgɑːd] *sb* Leibwächter *m*
body language ['bɒdɪlæŋgwɪdʒ] *sb* Körpersprache *f*
bodywork ['bɒdɪwɜːk] *sb* Karosserie *f*
bog [bɒg] *sb* 1. Sumpf *m*; 2. *(UK: toilet)* Klo *n* (fam); *v* 3. *get ~ged down (fig)* sich festfahren
bogus ['bəʊgəs] *adj* unecht, falsch

boil¹ [bɔɪl] v kochen, sieden
• **boil down** v ~ to sth (fig) auf etw hinauslaufen
boil² [bɔɪl] sb MED Furunkel m
boiled ['bɔɪld] adj gekocht
boiler ['bɔɪlə] sb 1. (of a steam engine) Dampfkessel m; (of central heating) Heizkessel m; 2. (in a household) Boiler m
boiling ['bɔɪlɪŋ] adj kochend, siedend
boisterous ['bɔɪstərəs] adj ausgelassen
bold [bəʊld] adj 1. kühn; 2. dreist; 3. wagemutig
boldness ['bəʊldnɪs] sb 1. Kühnheit f; 2. (impudence) Dreistigkeit f
bolster ['bəʊlstə] v stärken, verstärken
bolt [bəʊlt] v 1. (run away) durchbrennen, ausreißen, davonlaufen; 2. (a door) verriegeln; sb 3. TECH Bolzen m, Schraube f; 4. (on a door) Riegel m; 5. (of lightning) Blitzstrahl m; like a ~ out of the blue (fam) wie ein Blitz aus heiterem Himmel; ~ upright kerzengerade
• **bolt down** v bolt sth down etw hinunterschlingen
bomb [bɒm] v 1. MIL bombardieren; 2. (US: fail) ein Flop sein (fam), danebengehen; 3. Bombe f; sb 4. (US: failure) Durchfall m (fam); 5. (UK: success) Bombenerfolg m
bombard [bɒm'bɑːd] v bombardieren
bombastic [bɒm'bæstɪk] adj schwülstig, bombastisch
bomber ['bɒmə] sb MIL Bomber m
bombshell ['bɒmʃel] sb (fig) Bombe f, plötzliche Überraschung f
bonanza [bə'nænzə] sb (fam) Goldgrube f
bond [bɒnd] sb 1. ~s pl (chains) Fesseln pl; 2. FIN Obligation f, festverzinsliches Wertpapier n; 3. CHEM Bindung f; 4. (fig) Band n
bondage ['bɒndɪdʒ] sb Sklaverei f
bonded warehouse ['bɒndɪd 'weəhaʊs] sb ECO Zollagerhaus n
bondholder ['bɒndhəʊldə] sb Pfandbriefinhaber m
bone [bəʊn] sb 1. Knochen m, Bein n; have a ~ to pick with s.o. mit jdm ein Hühnchen zu rupfen haben; I feel it in my ~s. Ich spüre es in den Knochen. make no ~s about sth kein Hehl aus etw machen; 2. ~ of contention Zankapfel m, Streitobjekt n, Stein des Anstoßes m
bonfire ['bɒnfaɪə] sb 1. Feuer n; 2. (for a celebration) Freudenfeuer n
bonnet ['bɒnɪt] sb 1. (woman's) Haube f; (baby's) Häubchen n; (in Scotland: man's ~) Mütze f; 2. have a bee in one's ~ eine fixe Idee haben; 3. (UK: of a car) Motorhaube f

bonny ['bɒnɪ] adj hübsch, schön
bonus ['bəʊnəs] sb 1. (something extra) Zugabe f; 2. (monetary) Prämie f, Gratifikation f
bony ['bəʊnɪ] adj (person) klapperdürr, knochig
boo [buː] v 1. (s.o.) ausbuhen, auspfeifen; sb 2. Buhruf m
boob [buːb] sb 1. (UK: mistake) Schnitzer m; 2. (fam: woman's breast) Brust f; 3. (fam: person) Trottel m
book [bʊk] v 1. (reserve) buchen, reservieren, vorbestellen; to be ~ed up ausgebucht sein; 2. (a traffic offender) aufschreiben; sb 3. Buch n; in my ~ wie ich es sehe; throw the ~ at s.o. jdn verdonnern (fam); by the ~ ganz korrekt; a closed ~ (fig) ein Buch mit sieben Siegeln; an open ~ (fig) ein offenes Buch; 4. ~s pl FIN Bücher pl; keep the ~s die Bücher führen
bookcase ['bʊkkeɪs] sb Bücherregal n
booking ['bʊkɪŋ] f Buchung f, Bestellung f
bookkeeper ['bʊkiːpə] sb ECO Buchhalter m
bookkeeping ['bʊkiːpɪŋ] sb Buchhaltung f, Buchführung f
booklet ['bʊklɪt] sb Broschüre f, Büchlein n
bookmaker ['bʊkmeɪkə] sb (person taking bets) Buchmacher m
bookmark ['bʊkmɑːk] sb 1. Lesezeichen n; 2. INFORM Bookmark n
book review ['bʊkrɪvjuː] sb Buchbesprechung f
bookseller ['bʊkselə] sb Buchhändler m
bookshelf ['bʊkʃelf] sb Bücherbrett n
bookshop ['bʊkʃɒp] sb Buchhandlung f
bookworm ['bʊkwɜːm] sb Bücherwurm m
boom [buːm] v 1. dröhnen, donnern, brausen; 2. (prosper) einen Aufschwung nehmen; Business is ~ing. Das Geschäft blüht. sb 3. (upswing) Aufschwung m, Boom m; 4. (sound) Dröhnen n, Donnern n, Brausen n
boomerang ['buːməræŋ] sb Bumerang m
boon [buːn] sb Wohltat f, Segen m
boor [bʊə] sb ungehobelter Kerl m
boorish ['bʊərɪʃ] adj flegelhaft
boost [buːst] v 1. fördern; 2. (production) ankurbeln; sb 3. Auftrieb m; give s.o. a ~ jdm Auftrieb geben
boot [buːt] sb 1. Stiefel m; get the ~ (fam) rausgeschmissen werden; too big for one's ~s (fig) größenwahnsinnig; The ~ is on the other foot. Das Blatt hat sich gewendet. 2. (UK: of a car) Kofferraum m; v 3. ~ s.o. out jdn hinauswerfen
booth [buːθ] sb Stand m, Bude f

bootlace ['buːtleɪs] *sb* Schnürsenkel *m*
bootlegger ['buːtlegə] *sb* Schmuggler *m*
bootless ['buːtlɪs] *adj* sinnlos, vergebens
bootstrap ['buːtstræp] *sb* Schuhband *n;*
pull o.s. up by one's ~s sich an den eigenen
Haaren aus dem Sumpf ziehen
booty ['buːtɪ] *sb* Beute *f*
booze [buːz] *v* 1. *(fam)* saufen, bechern; *sb* 2.
Schnaps *m*, Alkohol *m*
boozer ['buːzə] *sb (fam)* Säufer *m*, Trinker *m*
border ['bɔːdə] *sb* 1. *(between countries,
boundary)* Grenze *f;* 2. *(edge)* Rand *m;* 3.
(edging) Einfassung *f*, Umrandung *f*, Leiste *f;*
v 4. grenzen, begrenzen, einfassen
borderland ['bɔːdəlænd] *sb* Grenzgebiet *n*
borderline ['bɔːdəlaɪn] *adj* an der Grenze
bore [bɔː] *v* 1. langweilen; *~ to death* zu
Tode langweilen; 2. TECH bohren; *sb* 3. *to be
a ~* langweilig sein *(person)* ein Langweiler
sein
boredom ['bɔːdəm] *sb* Langeweile *f*
borer ['bɔːrə] *sb* Bohrer *m*
boring ['bɔːrɪŋ] *adj* langweilig
born [bɔːn] *adj* geboren; *to be ~* geboren
werden
borrow ['bɒrəʊ] *v* borgen, sich leihen; *He's
living on ~ed time.* Seine Zeit ist abgelaufen.
borrower ['bɒrəʊə] *sb* 1. Ausleiher *m;* 2.
(with a bank) Kreditnehmer *m*
bosom ['buːzəm] *sb* Busen *m*, Brust *f*
boss [bɒs] *sb* Chef *m*, Boss *m*
botany ['bɒtənɪ] *sb* Botanik *f*
both [bəʊθ] *pron* 1. beide; *adj* 2. beide; *adv* 3.
~ ... and ... sowohl ... als (auch) ...
bother ['bɒðə] *v* 1. *~ about* sich kümmern
um; 2. *(s.o.)* stören, belästigen, ärgern; *He can't
be ~ed with it.* Er kann sich nicht damit abgeben. *sb* 3. Ärger *m*, Plage *f*, Schererei *f*
bothersome ['bɒðəsəm] *adj* lästig, nervig
bottle ['bɒtl] *v* 1. in Flaschen abfüllen; *sb* 2.
Flasche *f*
bottle bank ['bɒtl bæŋk] *sb* Altglascontainer *m*
bottleneck ['bɒtlnek] *sb (fig)* Engpass *m*
bottom ['bɒtəm] *sb* 1. *(of a glass, of a box)*
Boden *m; The ~ has fallen out of the market.* Der
Markt ist zusammengebrochen. *Bottoms up!
(fam)* Auf Ex! 2. *(the lowest part)* der unterste
Teil *m; from the ~ of my heart* aus tiefstem
Herzen; 3. Unterseite *f;* 4. *(of a canyon, of the
sea)* Grund *m;* 5. *(fam: buttocks)* Hintern *m*, Po
m; 6. *to be at the ~ of sth* einer Sache zu Grunde liegen; *get to the ~ of sth* einer Sache auf den
Grund gehen; *v* 7. *~ out* auf dem Tiefpunkt sein

bough [baʊ] *sb* Ast *m*
boulder ['bəʊldə] *sb* Geröllblock *m*
bounce [baʊns] *v* 1. aufprallen; 2. *(bound)*
springen; 3. *(cheque)* platzen; 4. *~ off* abprallen;
5. *(sth)* prellen; *sb* 6. *(one ~)* Aufprall *m*
•**bounce back** *v (fig)* sich sofort wieder erholen
bouncer ['baʊnsə] *sb (US)* Türsteher *m*
bouncing ['baʊnsɪŋ] *adj* kräftig, vital
bound¹ [baʊnd] *v* 1. *(leap)* springen, hüpfen; *sb* 2. *(leap)* Sprung *m*
bound² [baʊnd] *adj* 1. gebunden; 2. *It was ~
to happen.* Es musste so kommen.
bound³ [baʊnd] *adj ~ for* unterwegs nach
boundary ['baʊndərɪ] *sb* Grenze *f*
boundless ['baʊndlɪs] *adj* grenzenlos
bounteous ['baʊntɪəs] *adj* großzügig
bountiful ['baʊntɪfʊl] *adj* großzügig
bouquet ['buːkeɪ] *sb* 1. BOT Strauß *m*, Bukett
n; 2. *(of wine)* Blume *f*
bout [baʊt] *sb* 1. Kampf *m;* 2. *(of illness)*
MED Anfall *m*
bow¹ [bəʊ] *sb* 1. *(that shoots arrows)* Bogen
m; 2. *(knot)* Schleife *f*
bow² [baʊ] *sb (of a ship)* NAUT Bug *m*
bow³ [baʊ] *v* 1. sich verneigen; 2. *(fig: ~ to
pressure)* beugen; 3. *(one's head)* senken; *sb* 4.
Verbeugung *f*, Verneigung *f*
•**bow out** *v (leave)* sich verabschieden
bowdlerize ['baʊdləraɪz] *v* zensieren
bower ['baʊə] *sb* Laube *f*
bowl [bəʊl] *v* 1. rollen, werfen; *~ over* umwerfen; 2. *(US: go bowling)* Bowling spielen; *sb*
3. Schüssel *f;* 4. *(for punch)* Bowle *f*
bow-legged ['bəʊlegɪd] *adj* O-beinig
bowler ['bəʊlə] *sb* 1. *(hat)* Melone *f;* 2.
SPORT Werfer *m*
bowling ['bəʊlɪŋ] *sb* Bowling *n*
bowling alley ['bəʊlɪŋ 'ælɪ] *sb* SPORT
Bowlingbahn *f*
bow tie [bəʊ taɪ] *sb* Fliege *f*
box¹ [bɒks] *v* SPORT boxen
box² [bɒks] *v* 1. *(put in boxes)* verpacken; *sb*
2. Kasten *m*, Kiste *f;* 3. *(made of thin cardboard)* Schachtel *f;* 4. *(housing)* TECH Gehäuse *n;* 5. THEAT Loge *f*
boxer ['bɒksə] *sb* Boxer *m*
boxing ['bɒksɪŋ] *sb* SPORT Boxen *n*
Boxing Day ['bɒksɪŋ deɪ] *sb* der zweite
Weihnachtsfeiertag *m*
box number ['bɒksnʌmbə] *sb* Postfach *n*
box office ['bɒksɒfɪs] *sb* Theaterkasse *f*,
Kinokasse *f; a ~ success* ein Kassenschlager *m*
boxroom ['bɒksruːm] *sb* Abstellraum *m*

boy [bɔɪ] *sb* Knabe *m*, Junge *m*, Bursche *m*

boycott ['bɔɪkɒt] *sb 1.* Boykott *m; v 2.* boykottieren

boyfriend ['bɔɪfrend] *sb* Freund *m*

boyhood ['bɔɪhʊd] *sb* Kindheit (eines Jungen) *f*

boyish ['bɔɪʃ] *adj 1.* jungenhaft; *2. (woman)* knabenhaft, burschikos

boy scout [bɔɪ skaʊt] *sb* Pfadfinder *m*

bra [brɑ:] *sb (fam)* BH *m*, Büstenhalter *m*

brace [breɪs] *v ~ o.s. for sth (fig)* sich auf etw gefasst machen

bracelet ['breɪslɪt] *sb* Armband *n*

braces ['breɪsɪz] *pl 1. (UK)* Hosenträger *m; 2. (for teeth)* Zahnspange *f*

bracket ['brækɪt] *sb 1. (symbol)* Klammer *f; 2. (hardware)* Winkelträger *m; 3. (group)* Klasse *f*, Stufe *f*

brag [bræg] *v* prahlen, angeben

braggart ['brægət] *sb* Prahler *m*

braid [breɪd] *v 1.* flechten; *sb 2. (of hair)* Zopf *m; 3. (trimming)* Borte *f*

Braille [breɪl] *sb* Blindenschrift *f*

brain [breɪn] *sb* ANAT Gehirn *n*, Hirn *n; have ~s (fam: to be smart)* etw im Kopf haben

brainchild ['breɪntʃaɪld] *sb* Geistesprodukt *n*

brainless ['breɪnlɪs] *adj* hirnlos, schwachsinnig

brainstorm ['breɪnstɔ:m] *sb* Geistesblitz *m*

brainstorming ['breɪnstɔ:mɪŋ] *sb* Brainstorming *n*

brains trust [breɪnz trʌst] *sb* Expertenausschuss *m*

brainwashing ['breɪnwɒʃɪŋ] *sb* Gehirnwäsche *f*

brake [breɪk] *v 1.* bremsen; *sb 2.* Bremse *f*

bramble ['bræmbl] *sb* BOT Brombeere *f*

bran [bræn] *sb* Kleie *f*

branch [brɑ:ntʃ] *sb 1.* Zweig *m; 2. (point where sth ~es)* Abzweigung *f; 3. (growing straight from the trunk)* Ast *m; 4. (area)* Zweig *m*, Sparte *f*, Branche *f; 5. (~ office)* Filiale *f*, Zweigstelle *f; v 6. ~ off (road)* abzweigen; *7. ~ out* sich ausdehnen

brand [brænd] *v 1. (fig: stigmatize)* brandmarken; *sb 2. (name)* Marke *f*, Schutzmarke *f; 3. (kind)* Sorte *f; 4. (on cattle)* Brandzeichen *n*

brandish ['brændɪʃ] *v* schwingen

brand-new [brænd'nju:] *adj* nagelneu

brandy ['brændɪ] *sb* Weinbrand *m*

brash [bræʃ] *adj* nassforsch, forsch

brass [brɑ:s] *sb 1.* MET Messing *n; 2. (fam)* MIL hohe Offiziere *pl*

brass band [brɑ:s bænd] *sb* MUS Blaskapelle *f*

brassière ['bræzɪə] *sb* Büstenhalter *m*

brassy ['bræsɪ] *adj* dreist

brat [bræt] *sb* Balg *n*, Gör *n*

bravado [brə'vɑ:dəʊ] *sb* gespielte Tapferkeit

brave [breɪv] *adj* tapfer, mutig

bravery ['breɪvərɪ] *sb* Tapferkeit *f*, Mut *m*

bravo ['brɑ:vəʊ] *interj* bravo

brawl [brɔ:l] *sb 1.* Schlägerei *f*, Keilerei *f; v 2.* sich schlagen

brawn [brɔ:n] *sb* Muskelkraft *f*

brawny ['brɔ:nɪ] *adj* kräftig, muskulös

bray [breɪ] *v* schreien, wiehern

brazen ['breɪzn] *adj* unverschämt, schamlos

Brazil [brə'zɪl] *sb* GEO Brasilien *n*

Brazilian [brə'zɪlɪən] *sb 1.* Brasilianer *m; adj 2.* brasilianisch

breach [bri:tʃ] *v 1. (a contract)* brechen, verletzen; *2. (defences)* durchbrechen; *sb 3.* Übertretung *f*, Verstoß *m*, Verletzung *f; ~ of trust* Vertrauensbruch *m; ~ of contract* Vertragsbruch *m; 4. (of defences)* Bresche *f*, Lücke *f*

bread [bred] *sb* Brot *n*

bread crumbs [bred krʌmz] *sb* GAST Paniermehl *n*

breadth [bredθ] *sb* Breite *f*, Weite *f*

breadwinner ['bredwɪnə] *sb* Brötchenverdiener *m*

break [breɪk] *v irr 1.* brechen; *~ s.o.'s heart* jdm das Herz brechen; *~ the news to s.o.* jdm etw eröffnen; *~ with* brechen mit; *~ even* seine Kosten decken; *2. (glass)* zerbrechen; *3. (a window)* einschlagen; *4. (in two)* entzweigehen; *5. (stop functioning)* kaputtgehen; *(put out of working order)* kaputtmachen; *7. ~ a habit* sich etw abgewöhnen; *8. ~ new ground* Neuland betreten; *sb 9.* Bruch *m; ~ of day* Tagesanbruch *m; 10. (pause)* Pause *f; take a ~* Pause machen; *11. (US: opportunity)* Chance *f*, Gelegenheit *f*

•**break apart** *v irr* auseinander brechen

•**break down** *v irr 1. (machine)* versagen, stehen bleiben; *2. (cry, have a breakdown)* zusammenbrechen

•**break in** *v irr 1. (enter illegally)* einbrechen; *2. (a horse)* zureiten; *3. (shoes)* einlaufen

•**break off** *v irr* abbrechen

•**break open** *v irr (sth)* aufbrechen

•**break out** *v irr* ausbrechen; *I broke out in a cold sweat.* Mir brach der Angstschweiß aus.

•**break through** *v irr* durchbrechen

•**break up** *v irr 1. (fig: couple)* Schluss machen; *2. (sth)* zerbrechen, zerkleinern, zerschlagen; *3. Break it up! (fig)* Auseinander!

breakable ['breɪkəbl] *adj* zerbrechlich
breakage ['breɪkɪdʒ] *sb* Bruch *m*
breakaway ['breɪkəweɪ] *sb* Lossagung *f*
breakdown ['breɪkdaʊn] *sb* 1. *(analysis)* Aufgliederung *f*; 2. *(of a machine)* Versagen *n*, Betriebsstörung *f*; 3. *(of a car)* Panne *f*; 4. MED Zusammenbruch *m*
breakfast ['brekfəst] *sb* 1. Frühstück *n*; *v* 2. frühstücken
break-in ['breɪkɪn] *sb* Einbruch *m*
breakneck ['breɪknek] *adj* halsbrecherisch
breakthrough ['breɪkθruː] *sb* Durchbruch *m*
breakwater ['breɪkwɔːtə] *sb* Wellenbrecher *m*
breast [brest] *sb* Brust *f*; Busen *m*
breast-feed ['brestfiːd] *v irr* stillen
breast-stroke ['breststrəʊk] *sb* SPORT Brustschwimmen *n*
breath [breθ] *sb* 1. Atem *m*; *catch one's ~* Luft holen; *out of ~* außer Atem; *bad ~* Mundgeruch *m*; *say sth under one's ~* etw flüstern; *He's wasting his ~.* Er redet umsonst. *It took my ~ away.* Es verschlug mir den Atem. 2. Atemzug *m*; *take a deep ~* einmal tief atmen
breathe [briːð] *v* atmen
breather ['briːðə] *sb (fam)* Atempause *f*; *take a ~* sich verschnaufen
breathing ['briːðɪŋ] *sb* Atmung *f*
breathing space ['briːðɪŋ speɪs] *sb* Atempause *f*
breathless ['breθlɪs] *adj* atemlos
breathtaking ['breθteɪkɪŋ] *adj* atemberaubend
breed [briːd] *v irr* 1. *(multiply)* sich vermehren; 2. *(sth)* züchten; 3. *(cause)* verursachen; *sb* 4. Art *f*
breeding ['briːdɪŋ] *sb* 1. Zucht *f*, Züchtung *f*; 2. *(fig: manners)* Benehmen *n*
breeze [briːz] *sb* 1. Brise *f*, Luftzug *m*, Hauch *m*; 2. *(fam: easy task)*, Kinderspiel *n*
breezy ['briːzɪ] *adj* 1. windig; 2. *(jovial)* frohen Mutes
brevity ['brevɪtɪ] *sb* Kürze *f*
brew [bruː] *v* 1. *(beer)* brauen; 2. *(tea)* kochen; 3. *(trouble)* sich zusammenbrauen
• **brew up** *v (fam: make tea)* Tee machen
brewery ['bruːərɪ] *sb* Brauerei *f*
bribe [braɪb] *v* 1. bestechen, schmieren; *sb* 2. Bestechungsgeld *n*, Schmiergeld *n*
bribery ['braɪbərɪ] *sb* Bestechung *f*
bric-à-brac ['brɪkəbræk] *sb* Nippes *pl*
brick [brɪk] *sb* Ziegel *m*, Backstein *m*; *drop a ~ (fam)* einen Schnitzer machen
bricklayer ['brɪkleɪə] *sb* Maurer *m*

brickyard ['brɪkjɑːd] *sb* Ziegelei *f*
bride [braɪd] *sb* Braut *f*
bridegroom ['braɪdgruːm] *sb* Bräutigam *m*
bridesmaid ['braɪdzmeɪd] *sb* Brautjungfer *f*
bridge [brɪdʒ] *v* 1. *(fig)* überbrücken; *sb* 2. Brücke *f*; *burn one's ~s behind one* alle Brücken hinter sich abbrechen; 3. *(dental)* MED Brücke *f*
bridle ['braɪdl] *sb* Zügel *m*
brief [briːf] *v* 1. *~ s.o.* jdn einweisen; *adj* 2. kurz; *sb* 3. JUR Instruktionen *pl*
briefcase ['briːfkeɪs] *sb* Aktentasche *f*
brigade [brɪ'geɪd] *sb* MIL Brigade *f*
bright [braɪt] *adj* 1. hell; 2. *(intelligent)* klug, schlau; 3. *(colours)* leuchtend; 4. *(cheerful)* fröhlich; 5. *(weather)* klar, heiter
brighten ['braɪtən] *v* aufhellen, aufheitern
brightness ['braɪtnɪs] *sb* Helligkeit *f*, Heiterkeit *f*
brilliance ['brɪljəns] *sb* 1. Glanz *m*, Helligkeit *f*; 2. *(mental)* Brillanz *f*, Scharfsinn *m*
brilliant ['brɪljənt] *adj (fig)* glänzend, brillant, genial
brim [brɪm] *sb* Rand *m*
bring [brɪŋ] *v irr* 1. bringen; 2. *~ o.s. to do sth* sich dazu durchringen, etw zu tun; 3. *~ a charge against s.o.* gegen jdn Anklage erheben
• **bring about** *v irr* verursachen, anstiften
• **bring along** *v irr* mitbringen
• **bring back** *v irr* zurückbringen
• **bring down** *v irr* 1. herunterbringen; 2. *(lower, reduce)* herabsetzen; 3. *bring s.o. down* jdn zur Strecke bringen
• **bring forward** *v irr* FIN übertragen
• **bring in** *v irr (call in)* einschalten
• **bring off** *v irr* zustande bringen, vollenden
• **bring on** *v irr (cause)* verursachen
• **bring out** *v irr* herausbringen
• **bring over** *v irr* überzeugen
• **bring round** *v irr* bring s.o. round (to an opinion) jdn umstimmen, jdn bekehren
• **bring to** *v irr* bring s.o. to jdn zu Bewusstsein bringen
• **bring up** *v irr* 1. *(children)* aufziehen; *(educate)* erziehen; 2. *(a subject)* anschneiden
brink [brɪŋk] *sb* Rand *m*
briny ['braɪnɪ] *adj* salzhaltig, salzig
briquette [brɪ'ket] *sb* Brikett *n*
brisk [brɪsk] *adj* 1. *(pace)* flott, zügig, rasch; 2. *(business)* lebhaft, rege
briskness ['brɪsknɪs] *sb* Lebhaftigkeit *f*
bristle ['brɪsl] *v* 1. *(with anger)* zornig werden; *sb* 2. *(of a brush)* Borste *f*

Britain ['brɪtn] *sb GEO* Großbritannien *n*
British ['brɪtɪʃ] *adj* britisch
Briton ['brɪtən] *sb* Brite/Britin *m/f*
Brittany ['brɪtəni] *sb GEO* Bretagne *f*
brittle ['brɪtl] *adj* spröde, zerbrechlich
broach [brəʊtʃ] *v (a subject)* anschneiden
broad [brɔːd] *adj 1. (spatially)* breit; *2. (fig)* weit; *in ~ daylight* am helllichten Tage
broadcast ['brɔːdkɑːst] *v irr 1.* senden, übertragen; *sb 2.* Übertragung *f*, Sendung *f*
broaden ['brɔːdn] *v* verbreitern; *~ one's mind* seinen Horizont erweitern
broad-minded ['brɔːd'maɪndɪd] *adj* tolerant, großzügig, aufgeschlossen
broadside ['brɔːdsaɪd] *sb 1. NAUT* Breitseite *f*; *2. (fig: verbal attack)* Angriff *m*, Attacke *f*
brochure ['brəʊʃʊə] *sb* Broschüre *f*
broil [brɔɪl] *v (~ sth) GAST* grillen, auf dem Rost braten
broke [brəʊk] *adj (fam)* pleite, blank
broken ['brəʊkən] *adj* kaputt, zerbrochen
broker ['brəʊkə] *v* Makler *m*
brokerage ['brəʊkərɪdʒ] *sb* Maklergeschäft *n*, Maklergebühr *f*, Provision *f*
bromide ['brəʊmaɪd] *sb (fig: platitude)* Plattitüde *f*, Allgemeinplatz *m*
bronze [brɒnz] *sb MET* Bronze *f*
brooch [brəʊtʃ] *sb* Brosche *f*
brood [bruːd] *v* brüten, grübeln, sinnieren
brook [brʊk] *sb* Bach *m*
broom [bruːm] *sb* Besen *m*, Kehrbesen *m*
broth [brɒθ] *sb* Fleischbrühe *f*, Brühe *f*
brothel ['brɒθl] *sb* Bordell *n*
brother ['brʌðə] *sb* Bruder *m*
brotherhood ['brʌðəhʊd] *sb 1.* Brüderlichkeit *f*; *2. (association)* Bruderschaft *f*
brother-in-law ['brʌðərɪnlɔː] *sb* Schwager *m*
brotherly ['brʌðəlɪ] *adj* brüderlich
brow [braʊ] *sb 1. (forehead)* Stirn *f*; *by the sweat of one's ~* im Schweiße seines Angesichts; *2. (eye-~)* Augenbraue *f*
browbeat ['braʊbiːt] *v* einschüchtern, tyrannisieren
brown [braʊn] *v 1.* bräunen; *2. GAST* anbraten, bräunen; *adj 3.* braun
brownie point ['braʊnɪ pɔɪnt] *sb (fam)* Pluspunkt *m*
browse [braʊz] *v (in a store)* sich umsehen
browser ['braʊzə] *sb INFORM* Browser *m*
bruise [bruːz] *v 1. (receive a bruise)* einen blauen Fleck bekommen; *2. (s.o.)* einen blauen Fleck geben; *sb 3.* blauer Fleck *m*, Quetschung *f*, Bluterguss *m*

bruiser ['bruːzə] *sb* Schläger *m*, Rowdy *m*
brunt [brʌnt] *sb* volle Wucht *f*, Hauptlast *f*
brush [brʌʃ] *v 1.* bürsten; *~ one's teeth* sich die Zähne putzen; *2. (sweep)* kehren; *sb 3.* Bürste *f*; *4. (paint ~, shaving ~)* Pinsel *m*; *5. (undergrowth)* Unterholz *n*; *6. have a ~ with s.o.* mit jdm kurz in Berührung kommen
• **brush against** *v* streifen
• **brush aside** *v* beiseite schieben
• **brush off** *v* brush s.o. off jdn abwimmeln
• **brush up** *v (on sth)* aufpolieren (fam), auffrischen (fam)
brusque [bruːsk] *adj* brüsk, schroff
brutal ['bruːtl] *adj* brutal, unmenschlich
brutality [bruː'tælɪtɪ] *sb* Brutalität *f*
brutalize ['bruːtəlaɪz] *v* brutalisieren
brute [bruːt] *sb* brutaler Kerl *m*, Biest *n*
brutish ['bruːtɪʃ] *adj* tierisch, brutal
bubble ['bʌbl] *sb 1.* Blase *f*; *2. ~ and squeak (UK) GAST* Resteeintopf; *v 3.* sprudeln
buccaneer [bʌkə'nɪə] *sb* Seeräuber *m*
buck [bʌk] *v 1. (horse)* bocken; *sb 2. pass the ~* den Schwarzen Peter zuschieben, abwälzen; *3. (US: dollar)* Dollar *m*; *4. (male deer) ZOOL* Bock *m*
• **buck up** *v 1. (come to life)* aufleben; *2. (hurry up)* sich beeilen; *3. (fam: buddy) (US)* Buck up! Kopf hoch!
bucket ['bʌkɪt] *sb 1.* Eimer *m*, Kübel *m*; *kick the ~ (fam)* abkratzen; *v 2. ~ down* gießen
buckle ['bʌkl] *v 1. (fasten a ~)* zuschnallen, anschnallen; *sb 2.* Spange *f*, Schnalle *f*
• **buckle down** *v (fam)* sich ranhalten
bud¹ [bʌd] *v 1.* knospen; *sb 2. BOT* Knospe *f*
bud² [bʌd] *sb (fam: buddy) (US)* Kumpel *m*
budding ['bʌdɪŋ] *adj (fam: artist)* angehend
buddy ['bʌdɪ] *sb (US)* Kumpel *m*
budge [bʌdʒ] *v 1. (o.s.)* sich im Geringsten bewegen; *2. (sth, s.o.)* vom Fleck bewegen
budgerigar ['bʌdʒərɪgɑː] *sb ZOOL* Wellensittich *m*
budget ['bʌdʒɪt] *v 1. ~ for sth* einplanen, einkalkulieren; *sb 2.* Etat *m*, Budget *n*
buff [bʌf] *sb 1. (enthusiast)* Fan *m*, Fex *m*; *2. in the ~* splitternackt; *v 3. TECH* schwabbeln
buffalo ['bʌfələʊ] *sb ZOOL* Büffel *m*
buffer ['bʌfə] *sb* Puffer *m*
buffet¹ ['bʊfeɪ] *sb GAST* Büfett *n*
buffet² ['bʌfɪt] *v (knock about)* stoßen
buffet car ['bʊfeɪ kɑː] *sb* Speisewagen *m*
buffoon [bə'fuːn] *sb* Hanswurst *m*
bug [bʌg] *v 1. TEL* verwanzen, abhören; *2. (US: bother)* nerven; *sb 3. ZOOL* Wanze *f*, Käfer *m*, Insekt *n*; *4. (listening device)* Wanze *f*; *5. INFORM* Bug *m*, Fehler *m*

bugbear ['bʌgbɛə] *sb* Schreckgespenst *n*
bugger ['bʌgə] *sb (person)* Kerl *m; (contemptibly: person)* Scheißkerl *m; (fam: thing)* Scheißding *n*
bugging affair ['bʌgɪŋ ə'fɛər] *sb* POL Lauschangriff *m*
buggy ['bʌgɪ] *sb 1. leichter Pferdewagen *m;* 2. (US: baby ~)* Kinderwagen *m*
bugle ['bju:gl] *sb* MUS Horn *n*
build [bɪld] *v irr 1.* bauen, erbauen, errichten; *2. (fig: business, career, relationship)* aufbauen; *sb 3.* Körperbau *m,* Statur *f,* Wuchs *m*
• **build in** *v irr* einbauen
• **build into** *v irr 1. (build in)* in etwas hineinbauen; *2. build sth into sth* etw zu etw machen
• **build on** *v irr* anbauen
• **build up** *v irr (fig: publicize)* aufbauen, groß herausstellen
builder ['bɪldə] *sb 1. (worker)* Bauarbeiter *m;* 2. (contractor)* Bauunternehmer *m,* Erbauer *m*
building ['bɪldɪŋ] *sb 1. (Gebäude *n,* Bau *m,* Haus *n;* 2. (act of constructing),* Bauen *n*
building site ['bɪldɪŋ saɪt] *sb* Baustelle *f*
building society ['bɪldɪŋ sə'saɪətɪ] *sb (UK)* Bausparkasse *f*
built-in ['bɪlt'ɪn] *adj* Einbau..., eingebaut
built-up [bɪlt'ʌp] *adj* inszeniert
bulb [bʌlb] *sb 1.* BOT Knolle *f;* 2. (light ~)* Glühbirne *f*
bulge [bʌldʒ] *v 1. (~ out)* anschwellen, voll sein; *sb 2.* Bauchung *f,* Beule *f*
bulimia [bju:'lɪmɪə] *sb* MED Bulimie *f*
bulk [bʌlk] *sb 1. (size)* Größe *f,* Masse *f;* 2. (large shape)* massige Gestalt *f;* 3. (majority)* Großteil *m*
bulky ['bʌlkɪ] *adj 1.* sperrig; *2. (person)* massig
bull [bʊl] *sb 1.* ZOOL Stier *m; like a ~ in a china shop* wie ein Elefant im Porzellanladen; *take the ~ by the horns (fig)* den Stier bei den Hörnern packen; *2.* FIN Haussespekulant *m*
bulldoze ['bʊldəʊz] *v 1.* planieren; *2. (fig)* erzwingen
bulldozer ['bʊldəʊzə] *sb* Bulldozer *m*
bullet ['bʊlɪt] *sb* Kugel *f*
bulletin ['bʊlɪtɪn] *sb* Bulletin *n,* Bericht *m*
bulletin board ['bʊlɪtɪn bɔːd] *sb (US)* Anschlagbrett *n*
bull-headed ['bʊlhedɪd] *adj* stur
bullion ['bʊljən] *sb 1. (gold)* Goldbarren *m;* 2. (silver)* Silberbarren *m*
bullock ['bʊlək] *sb* ZOOL Ochse *m*
bully ['bʊlɪ] *v 1.* schikanieren, tyrannisieren; *sb 2.* Rabauke *m,* Tyrann *m*

bumble bee ['bʌmblbiː] *sb* Hummel *f*
bump [bʌmp] *v 1. (sth)* stoßen, anstoßen, anprallen; *sb 2.* Unebenheit *f;* 3. (swelling)* Beule *f;* 4. (collision)* heftiger Stoß *m,* Bums *m*
• **bump into** *v ~ s.o.* jdm zufällig begegnen
• **bump off** *v (fam: kill)* abmurksen
bumper ['bʌmpə] *sb (of a car)* Stoßstange *f*
bumptious ['bʌmpʃəs] *adj* angeberisch
bumpy ['bʌmpɪ] *adj* holperig, uneben
bunch [bʌntʃ] *sb 1.* Bündel *n; (of flowers)* Strauß *m;* 2. (fam)* Haufen *m*
bundle ['bʌndl] *sb 1.* Bündel *n; (fig) ~ of nerves* Nervenbündel *n;* 2. v.* bündeln
• **bundle up** *v* ['bʌndl'ʌp] *v 1.* bündeln; *2. (wrap up warmly)* warm einpacken
bungalow ['bʌŋgələʊ] *sb* Bungalow *m*
bungle ['bʌŋgl] *v* verpfuschen, stümpern
bungler ['bʌŋglə] *sb* Pfuscher *m,* Stümper *m*
bungling ['bʌŋglɪŋ] *adj (attempt)* stümperhaft; *(person)* unfähig
bunk [bʌŋk] *sb* Koje *f,* Bett *n*
bunk bed [bʌŋk bed] *sb* Etagenbett *n*
bunker ['bʌŋkə] *sb* MIL Bunker *m*
bunkum ['bʌŋkəm] *sb* Quatsch *m,* Unsinn *m*
bunny ['bʌnɪ] *sb* Hase *m,* Häschen *n*
bunting ['bʌntɪŋ] *sb* NAUT Fahnentuch *n*
buoy [bɔɪ] *sb 1.* Boje *f;* v 2.* Auftrieb geben, beleben
buoyancy ['bɔɪənsɪ] *sb 1. (power to float)* Schwimmfähigkeit *f;* 2. (cheerfulness)* Lebhaftigkeit *f,* Schwung *m*
buoyant ['bɔɪənt] *adj (fig)* heiter, schwungvoll
burble ['bɜːbl] *v 1. (stream)* plätschern, gurgeln; *2. (person)* quasseln, brabbeln
burden ['bɜːdn] *v 1.* belasten; *~ s.o. with sth* jdm etw aufbürden; *sb 2.* Last *f;* 3.* Belastung *f;* 4. *~ of proof* JUR Beweislast *f*
burdensome ['bɜːdnsəm] *adj* schwer, mühsam
bureau ['bjuːrəʊ] *sb 1. (of the government)* Amt *n,* Behörde *f;* 2. (UK: desk)* Sekretär *m; (US: chest of drawers)* Kommode *f*
bureaucracy [bjuː'rɒkrəsɪ] *sb* Bürokratie *f*
burette [bjʊ'ret] *sb* Bürette *f*
burgeon ['bɜːdʒən] *v (fig)* aufleben, aufblühen
burglar ['bɜːglə] *sb* Einbrecher *m*
burglary ['bɜːglərɪ] *sb* Einbruch *m*
burgle ['bɜːgl] *v* einbrechen in
burial ['berɪəl] *sb* Beerdigung *f,* Begräbnis *n*
burlesque [bɜː'lesk] *sb* Burleske *f*
burly ['bɜːlɪ] *adj* stämmig

burn [bɜːn] *v irr* 1. brennen, verbrennen; 2. *GAST* anbrennen; 3. *(sun)* glühen; *sb* 4. *MED* Brandwunde *f*, Verbrennung *f*
• **burn down** *v irr* abbrennen
• **burn off** *v irr* abbrennen
• **burn out** *v irr* ausbrennen; *burn o.s. out (fig)* sich kaputtmachen
• **burn up** *v irr (rocket)* verglühen
burner ['bɜːnə] *sb* Brenner *m*
burning ['bɜːnɪŋ] *adj* brennend, glühend
burnish ['bɜːnɪʃ] *v* polieren
burnout ['bɜːnaʊt] *sb He's suffering from ~.* Er ist ausgebrannt. *(fam)*
burnt [bɜːnt] *adj* verbrannt, angebrannt
burp [bɜːp] *v* 1. rülpsen, aufstoßen; *sb* 2. Rülpser *m* (fam), Aufstoßen *n*
burrow ['bʌrəʊ] *v* 1. graben, wühlen; *sb* 2. *(lair)* Bau *m*, Höhle *f*
bursar ['bɜːsə] *sb* Schatzmeister *m*
burst [bɜːst] *v irr* 1. bersten, platzen, zerspringen; ~ *into tears* in Tränen ausbrechen; ~ *out laughing* in Gelächter ausbrechen; ~ *with pride* vor Stolz platzen; 2. ~ *into flames* in Flammen aufgehen, auflodern; 3. ~ *open* sprengen, aufbrechen; 4. ~ *in* hineinplatzen; *sb* 5. *(sudden surge)* Ausbruch *m*, Anfall *m*; ~ *of laughter* Lachsalve *f*; ~ *of speed* Spurt *m*
bury ['berɪ] *v* begraben, beerdigen
bus [bʌs] *sb* Bus *m*, Omnibus *m*
bus driver ['bʌsdraɪvə] *sb* Busfahrer *m*
bush [bʊʃ] *sb* 1. Busch *m*, Strauch *m*; ~*es pl* Gebüsch *n*; *beat about the ~ (fam)* wie die Katze um den heißen Brei herumschleichen; 2. *the ~ (in Australia, in Africa)* Busch *m*
bushel ['bʊʃl] *sb* Scheffel *m*
business ['bɪznɪs] *sb* 1. Geschäft *n*; *He means ~.* Er meint es ernst. *combine ~ with pleasure* das Angenehme mit dem Nützlichen verbinden; 2. *(trade) ECO* Geschäft *n*, Gewerbe *n*; 3. *(matter)* Sache *f*, Angelegenheit *f*; *That's none of your ~.* Das geht dich nichts an. *get down to ~* zur Sache kommen; *mind one's own ~* sich um die eigenen Angelegenheiten kümmern
business card ['bɪznɪs kɑːd] *sb* Geschäftskarte *f*
businesslike ['bɪznɪslaɪk] *adj* geschäftsmäßig, sachlich, nüchtern
businessman ['bɪznɪsmæn] *sb ECO* Geschäftsmann *m*
business park ['bɪznɪs pɑːk] *sb* Gewerbegebiet *n*
businesswoman ['bɪznɪswʊmən] *sb* Geschäftsfrau *f*

bus stop ['bʌsstɒp] *sb* Bushaltestelle *f*
bust[1] [bʌst] *v* 1. kaputtgehen; *sb* 2. *(fam: failure, dud)* Flasche *f*
bust[2] [bʌst] *sb* 1. *ART* Büste *f*; 2. *ANAT* Busen *m*
bustle ['bʌsl] *sb* geschäftiges Treiben *n*
bust-up ['bʌstʌp] *sb (fam)* Streit *m*
busy ['bɪzɪ] *adj* 1. beschäftigt, tätig, emsig; 2. *(telephone line) (US) TEL* besetzt; *v* 3. ~ *o.s.* sich betätigen
busybody ['bɪzɪbɒdɪ] *sb* Gschaftlhuber *m*
but [bʌt] *konj* 1. aber, dagegen, doch; 2. *(~ rather)* sondern; *not only ... ~ also* ... nicht nur ... sondern auch ...; 3. ~ *then* immerhin, anderseits; *prep* 4. *(except for)* außer
butcher ['bʊtʃə] *v* 1. *(~ an animal)* schlachten; 2. *(~ a person)* abschlachten; *sb* 3. Metzger *m*
butler ['bʌtlə] *sb* Butler *m*
butt [bʌt] *v* 1. mit dem Kopf stoßen; 2. *(fam)* ~ *in* sich einmischen; *sb* 3. *(of a rifle)* Kolben *m*; 4. *(of a cigarette)* Stummel *m*; 5. *(fam: buttocks)* Hintern *m*; 6. *(of a joke)* Zielscheibe *f*
butter ['bʌtə] *sb* 1. Butter *f*; *v* 2. *(fam)* ~ *s.o. up* jdm Honig ums Maul schmieren
buttercup ['bʌtəkʌp] *sb* Butterblume *f*
butterfly ['bʌtəflaɪ] *sb* 1. *ZOOL* Schmetterling *m*
buttocks ['bʌtəks] *pl* Hinterbacken *pl*
button ['bʌtn] *v* 1. knöpfen, zuknöpfen; ~ *one's lip (fam)* die Klappe halten; *sb* 2. *(on clothing)* Knopf *m*; 3. *(push-~)* Taste *f*
buy [baɪ] *v irr* 1. kaufen; 2. *(fam: believe)* abkaufen; *sb* 3. *(fam)* Kauf *m*
• **buy off** *v irr buy s.o. off* jdn abfinden
• **buy out** *v irr* 1. *(s.o.)* auszahlen; 2. *(s.o.'s stock)* aufkaufen
buyer ['baɪə] *sb* Käufer *m*, Abnehmer *m*
buzz [bʌz] *v* 1. *(insect)* summen; *Buzz off!* Hau ab! *sb* 2. *give s.o. a ~ (fam)* jdn anrufen
buzzer ['bʌzə] *sb* Summer *m*
by [baɪ] *prep* 1. *(near, next to)* bei, an, neben; 2. *(past)* vorbei, vorüber; 3. *(because of)* durch, von; 4. *(a certain method)* per; ~ *car* mit dem Auto; ~ *air* auf dem Luftwege; *What do you mean ~ that?* Was wollen Sie damit sagen? 5. *(done ~ this person)* von; 6. ~ *a certain time* bis; 7. ~ *the way* übrigens; *adv* 8. ~ *and* ~ allmählich; 9. ~ *and large* im Großen und Ganzen
bye [baɪ] *interj* tschüss, auf Wiedersehen
bylaws ['baɪlɔːz] *pl* Satzung *f*
bypass ['baɪpɑːs] *v* 1. *(city)* umfahren; *sb* 2. Umgehungsstraße *f*, Umleitung *f*
bystander ['baɪstændə] *sb* Zuschauer *m*
byte [baɪt] *sb INFORM* Byte *n*

C

cab [kæb] *sb* Taxi *n*
cabaret ['kæbəreɪ] *sb THEAT* Kabarett *n*
cabbage ['kæbɪdʒ] *sb* Kohl *m*, Kraut *n*
cabin ['kæbɪn] *sb 1.* Hütte *f*, Häuschen *n*; *2. NAUT* Kabine *f*, Kajüte *f*
cabinet ['kæbɪnet] *sb 1.* Schrank *m*; *2. POL* Kabinett *n*
cable ['keɪbl] *sb 1.* Kabel *n*, Tau *n*, Seil *n*; *v 2.* telegraphieren
cable car ['keɪbl kɑː] *sb* Seilbahn *f*
cable television ['keɪbl 'telɪvɪʒən] *sb* Kabelfernsehen *n*
cacao [kə'kɑːəʊ] *sb BOT* Kakao *m*
cache [kæʃ] *sb* Versteck *n*
cache memory ['kæʃmeməri] *sb INFORM* Cache-Speicher *m*
cackle ['kækl] *v* gackern
cactus ['kæktəs] *sb BOT* Kaktus *m*
café ['kæfeɪ] *sb* Café *n*
cafeteria [kæfɪ'tɪərɪə] *sb* Cafeteria *f*
cage [keɪdʒ] *sb* Käfig *m*
cajole [kə'dʒəʊl] *v ~ s.o. into doing sth* jdn dazu verleiten, etw zu tun
cake [keɪk] *sb GAST* Kuchen *m*, Torte *f*; *That takes the ~! (negatively)* Das ist die Höhe! *a piece of ~ (fig)* ein Kinderspiel *n*
calamity [kə'læmɪtɪ] *sb* Katastrophe *f*
calculate ['kælkjʊleɪt] *v 1.* rechnen; *2. (sth)* berechnen, kalkulieren
calculation [kælkjʊ'leɪʃən] *sb* Berechnung *f*, Kalkulation *f*, Rechnung *f*
calculator ['kælkjʊleɪtə] *sb (pocket ~)* Taschenrechner *m*
calendar ['kælendə] *sb* Kalender *m*
calf [kɑːf] *sb 1. ZOOL* Kalb *n*; *2. ANAT* Wade *f*
California [kælɪ'fɔːnɪə] *sb* Kalifornien *n*
call [kɔːl] *sb 1. (telephone ~)* Anruf *m*; *make a ~* telefonieren; *2. (summons)* Aufruf *m*; *to be on ~* Bereitschaftsdienst haben; *3. (by a referee) SPORT* Entscheidung *f*; *4. close ~* knappes Entkommen *n*; *v 5.* rufen; *(on the telephone)* anrufen; *6. (give sth or s.o. a name)* nennen, bezeichnen; *to be ~ed* heißen, sich nennen; *Let's ~ it a day!* Schluss für heute! *7. (a meeting)* einberufen
• **call back** *v* zurückrufen
• **call for** *v 1. (demand)* anfordern; *2. ~ s.o. (shout)* nach jdm rufen; *3. (collect s.o.)* jdn abholen

• **call in** *v 1. (troops, the police)* einschalten, hinzuziehen, aufbieten; *2. FIN* einziehen, aus dem Verkehr ziehen
• **call off** *v (cancel)* absagen
• **call on** *v 1. (visit)* besuchen, aufsuchen; *2. to be called on (in school)* abgefragt werden, drankommen
• **call out** *v* ausrufen, herausrufen; *call sth out to s.o.* jdm etw zurufen
• **call up** *v 1. MIL* einberufen, einziehen; *2. INFORM* aufrufen
• **call upon** *v* auffordern, aufrufen
call-box ['kɔːlbɒks] *sb (UK)* Telefonzelle *f*
caller ['kɔːlə] *sb 1. (on the telephone)* Anrufer *m*; *2. (visitor)* Besucher *m*
calm [kɑːm] *v 1. ~ s.o.* jdn beruhigen, jdn besänftigen; *adj 2.* ruhig, still, geruhsam; *sb 3.* Stille *f*, Ruhe *f*; *4. (in the weather)* Windstille *f*, Flaute *f*
• **calm down** *v (o.s.)* sich beruhigen
calmness ['kɑːmnɪs] *sb* Ruhe *f*
calorie ['kælərɪ] *sb* Kalorie *f*
camel ['kæml] *sb* Kamel *n*
camera ['kæmərə] *sb* Kamera *f*, Fotoapparat *m*
camomile ['kæməʊmaɪl] *sb BOT* Kamille *f*
camouflage ['kæməflɑːʒ] *v 1.* tarnen; *sb 2.* Tarnung *f*
camp [kæmp] *v 1.* zelten, campen, kampieren; *sb 2.* Lager *n*, Lagerplatz *m*, Camp *n*
campaign [kæm'peɪn] *v 1. (candidate) POL* im Wahlkampf stehen; *2. (supporters)* Wahlwerbung betreiben; *sb 3. MIL* Feldzug *m*, Kampagne *f*; *4.* Kampagne *f*, Aktion *f*
camper ['kæmpə] *sb 1. (person)* Camper *m*; *2. (US: motor home)* Wohnmobil *n*; *3. (US: travel trailer)* Wohnwagen *m*
camping ['kæmpɪŋ] *sb* Camping *n*
camping ground ['kæmpɪŋgraʊnd] *sb* Campingplatz *m*, Zeltplatz *m*
campus ['kæmpəs] *sb 1. (of a university)* Campus *m*, Universitätsgelände *n*; *2. (of a school)* Schulgelände *n*
can¹ [kæn] *v irr 1. (be able to)* können; *2. (be allowed to)* dürfen, können
can² [kæn] *v 1. (preserve in cans)* in Büchsen konservieren, eindosen; *2. (fam: fire)* jdn rausschmeißen; *sb 3.* Kanister *m*; *4. (US: tin)* Büchse *f*, Dose *f*, Konservendose *f*
Canada ['kænədə] *sb* Kanada *n*

Canadian [kə'neɪdɪən] *sb 1.* Kanadier *m*; *adj 2.* kanadisch

canal [kə'næl] *sb* Kanal *m*

canary [kə'neərɪ] *sb* Kanarienvogel *m*

cancel ['kænsəl] *v 1.* streichen, durchstreichen; ~ *each other out (fig)* sich gegenseitig aufheben; *2. (a command)* widerrufen, aufheben; *3. (call off)* absagen; *4. (an order for goods)* abbestellen, stornieren; *5. (a contract)* annullieren, kündigen; *6. (ticket, stamp)* entwerten; *7. (an invitation)* zurücknehmen, jdn ausladen; *8. to be ~led* nicht stattfinden

cancer ['kænsə] *sb MED* Krebs *m*

Cancer ['kænsə] *sb (Zodiac sign)* Krebs *m*

candid ['kændɪd] *adj* offen, ehrlich

candidacy ['kændɪdəsɪ] *sb* Kandidatur *f*

candidate ['kændɪdeɪt] *sb 1.* Kandidat *m*, Anwärter *m*; *2. (exam ~)* Prüfling *m*

candle ['kændl] *sb* Kerze *f*; *She can't hold a ~ to him. (fig)* Sie kann ihm nicht das Wasser reichen. *burn the ~ at both ends (fig)* sich Tag und Nacht keine Ruhe gönnen

candy ['kændɪ] *sb (US)* Süßigkeiten *pl*

cane [keɪn] *sb 1. (stick)* Stock *m*, *(walking stick)* Spazierstock *m*; *2. BOT* Rohr *n*

cannibal ['kænɪbəl] *sb* Kannibale *m*, Menschenfresser *m*

cannon ['kænən] *sb* Kanone *f*

canoe [kə'nuː] *sb* Kanu *n*

canon ['kænən] *sb REL, MUS* Kanon *m*

can opener ['kænəupənə] *sb (US)* Büchsenöffner *m*, Dosenöffner *m*

canteen [kæn'tiːn] *sb 1. (restaurant)* Kantine *f*; *2. (flask)* Feldflasche *f*

canvas ['kænvəs] *sb 1.* Segeltuch *n*; *2. (artist's ~)* Leinwand *f*

canyon ['kænjən] *sb GEO* Felsschlucht *f*

cap [kæp] *sb 1.* Mütze *f*, Kappe *f*, *(nurse's ~)* Haube *f*; *~ and gown* Barett und Talar; *2. (bottle ~, lid)* Deckel *m*, Verschluss *m*

capability [keɪpə'bɪlɪtɪ] *sb* Fähigkeit *f*

capable ['keɪpəbl] *adj* fähig, tüchtig; *to be ~ of sth* zu etw fähig sein

capacitate [kə'pæsɪteɪt] *v* befähigen

capacity [kə'pæsɪtɪ] *sb 1. (ability)* Fähigkeit *f*; *2. (role)* Eigenschaft *f*; *in an advisory ~* in beratender Funktion; *3. (content)* Rauminhalt *m*, Inhalt *m*, Umfang *m*; *4. TECH* Kapazität *f*

cape [keɪp] *sb 1.* Cape *n*, Umhang *m*; *2. GEO* Kap *n*

caper ['keɪpə] *sb 1. (escapade)* Eskapade *f*, Streich *m*; *2. GAST* Kaper *f*

capital ['kæpɪtl] *sb 1. (city)* Hauptstadt *f*; *2. FIN* Kapital *n*; *adj 3. ~ letter* Großbuchstabe *m*

capital crime ['kæpɪtl kraɪm] *sb JUR* Kapitalverbrechen *n*

capitalism ['kæpɪtəlɪzm] *sb POL* Kapitalismus *m*

capitalist ['kæpɪtəlɪst] *sb* Kapitalist *m*

capital punishment ['kæpɪtl 'pʌnɪʃmənt] *sb JUR* Todesstrafe *f*

capitol ['kæpɪtəl] *sb* Kapitol *n*

capitulate [kə'pɪtjuleɪt] *v* kapitulieren

capitulation [kəpɪtju'leɪʃən] *sb* Kapitulation *f*

Capricorn ['kæprɪkɔːn] *sb* Steinbock *m*

capsize ['kæpsaɪz] *v NAUT* kentern

captain ['kæptɪn] *sb* Kapitän *m*

captivate ['kæptɪveɪt] *v* bezaubern, faszinieren, gefangen nehmen (*fig*)

captive ['kæptɪv] *sb 1.* Gefangene(r) *m/f*; *adj 2.* gefangen; *to be held ~* gefangen gehalten

capture ['kæptʃə] *v 1. (prisoner)* gefangen nehmen; *2. (treasure)* erobern; *3. (a ship)* kapern; *4. (fig) (s.o.'s likeness)* einfangen, *(s.o.'s interest)* erregen; *sb 5.* Eroberung *f*

car [kɑː] *sb* Auto *n*, Wagen *m*

caravan ['kærəvæn] *sb 1. (desert ~)* Karawane *f*; *2. (UK: motor vehicle)* Wohnwagen *m*

carbonation [kɑːbə'neɪʃən] *sb (in a drink)* Kohlensäure *f*

carbon dioxide ['kɑːbən daɪ'ɒksaɪd] *sb CHEM* Kohlendioxyd *n*

carcass ['kɑːkəs] *sb 1. (of an animal)* Kadaver *m*; *2. (of a person)* Leiche *f*

card [kɑːd] *sb* Karte *f*; *put one's ~s on the table (fig)* seine Karten auf den Tisch legen; *hold all the ~s (fig)* alle Trümpfe in der Hand haben; *play one's ~s right* geschickt taktieren

cardigan ['kɑːdɪɡən] *sb* Strickjacke *f*

cardinal ['kɑːdɪnl] *sb REL* Kardinal *m*

card index ['kɑːdɪndeks] *sb* Kartei *f*

cardphone ['kɑːdfəun] *sb* Kartentelefon *n*

care [keə] *v 1.* sich sorgen; *2. (mind)* sich etwas daraus machen; *for all I ~* meinetwegen, von mir aus; *I don't ~.* Das ist mir egal. *sb 3.* Sorge *f*, Kummer *m*; *take ~ to do sth* sich bemühen, etw zu tun; *4. (for the elderly, for children)* Fürsorge *f*, Versorgung *f*, Betreuung *f*; *take ~ of s.o.* sich um jdn kümmern; *5. (custody)* Obhut *f*, Gewahrsam *m*; *6. (attention to cleanliness)* Pflege *f*; *7. (carefulness)* Vorsicht *f*, Sorgfalt *f*; *Take ~! (fam)* Mach's gut! *8. take ~ of o.s.* auf sich aufpassen; *9. take ~ of sth* sich um etw kümmern

• **care for** *v 1. (look after)* sich kümmern um, versorgen, sorgen für; *2. (keep in good condition)* pflegen

career [kəˈrɪə] *sb* Karriere *f*, Laufbahn *f*

carefree [ˈkɛəfriː] *adj* sorglos

careful [ˈkɛəfʊl] *adj* 1. sorgfältig, sorgsam, genau; 2. *(cautious)* vorsichtig, achtsam

careless [ˈkɛəlɪs] *adj* nachlässig, unvorsichtig, leichtsinnig

caress [kəˈres] *v* 1. liebkosen, streicheln, hätscheln; *sb* 2. Liebkosung *f*

caretaker [ˈkɛəteɪkə] *sb* Hausmeister *m*

cargo [ˈkɑːgəʊ] *sb* Ladung *f*, Fracht *f*

Caribbean [kærɪˈbiːən] *sb* GEO Karibik *f*

caricature [ˈkærɪkətjʊə] *v* 1. karikieren; *sb* 2. Karikatur *f*

carnival [ˈkɑːnɪvəl] *sb* Karneval *m*, Volksfest *n*

carol [ˈkærəl] *sb* Lied *n*; *Christmas* ~ Weihnachtslied

carousel [kærəˈsel] *sb* Karussell *n*

carp [kɑːp] *v* 1. nörgeln, meckern; *sb* 2. ZOOL Karpfen *m*

carpenter [ˈkɑːpɪntə] *sb* Zimmermann *m*; *(for furniture)* Tischler *m*

carpet [ˈkɑːpɪt] *sb* Teppich *m*

car phone [kɑː fəʊn] *sb* Autotelefon *n*

carping [ˈkɑːpɪŋ] *adj* nörglerisch

carriage [ˈkærɪdʒ] *sb* 1. *(vehicle)* Kutsche *f*, Wagen *m*; 2. *(person's bearing)* Haltung *f*; 3. ~ *paid* ECO frachtfrei, franko

carrier [ˈkærɪə] *sb* 1. Träger *m*; 2. *(shipping firm)* Spediteur *m*

carrot [ˈkærət] *sb* Karotte *f*, Möhre *f*

carry [ˈkærɪ] *v* 1. tragen; 2. *(the cost of sth)* FIN bestreiten; 3. *(to be approved) to be carried* durchgehen, genehmigt werden; 4. *(have on one's person)* bei sich haben; 5. *(ship goods)* ECO befördern; 6. ~ *too far* übertreiben; 7. *get carried away* sich hinreißen lassen; 8. ~ *weight (fig)* wichtig sein
• **carry off** *v* wegtragen
• **carry on** *v* 1. weitermachen, weiterarbeiten; *Carry on!* Weitermachen! Nur weiter! 2. ~ *with s.o. (have an affair)* es mit jdm treiben; 3. *(fam: make a scene)* eine Szene machen; 4. *(continue a certain thing)* fortsetzen
• **carry out** *v* ausführen, durchführen
• **carry through** *v* zu Ende bringen

cart [kɑːt] *sb* Karren *m*; *put the* ~ *before the horse (fig)* das Pferd am Schwanz aufzäumen

cartel [kɑːˈtel] *sb* ECO Kartell *n*

carton [ˈkɑːtən] *sb* Karton *m*

cartoon [kɑːˈtuːn] *sb* 1. Karikatur *f*; 2. *(film, TV)* Zeichentrickfilm *m*

cartoonist [kɑːˈtuːnɪst] *sb* 1. Karikaturist *m*; 2. *(film, TV)* Trickzeichner *m*

cartridge [ˈkɑːtrɪdʒ] *sb* Patrone *f*

carve [kɑːv] *v* 1. schnitzen; 2. *(meat)* tranchieren, aufschneiden

carvery [ˈkɑːvərɪ] *sb* Schnitzerei *f*, Skulptur *f*

car wash [ˈkɑːwɒʃ] *sb* Autowaschanlage *f*

case¹ [keɪs] *sb* 1. *(matter)* Fall *m*, Sache *f*; *as the* ~ *may be* je nachdem; *a* ~ *in point* ein treffendes Beispiel; *in that* ~ in dem Falle; *in any* ~ jedenfalls; *in each* ~ jeweils; 2. *in* ~ im Falle, falls; *just in* ~ für alle Fälle

case² [keɪs] *sb* 1. *(for glasses, for cigarettes)* Etui *n*; 2. *(for a weapon)* Hülse *f*; 3. *(for a musical instrument)* Kasten *m*; 4. *(briefcase)* Mappe *f*; 5. *(casing)* Gehäuse *n*; 6. *(packing* ~*)* Kiste *f*; 7. *(display* ~*)* Vitrine *f*, Schaukasten *m*

cash [kæʃ] *v* 1. einlösen, einkassieren; *sb* 2. Bargeld *n*; ~ *on delivery* per Nachnahme; *to be out of* ~ pleite sein, blank sein *(fam)*
• **cash in** *v* 1. *(chips)* einlösen; 2. ~ *on sth* aus etw Kapital schlagen

cash-box [ˈkæʃbɒks] *sb* Geldkassette *f*

cash card [kæʃ kɑːd] *sb* Bankautomatenkarte *f*

cash desk [ˈkaʃdesk] *sb* Kasse *f*

cashier [kæˈʃɪə] *sb* Kassierer *m*; ~*'s check (US)* Bankscheck *m*

cash payment [kæʃ ˈpeɪmənt] *sb* FIN Barzahlung *f*

cash point [ˈkæʃpɔɪnt] *sb* Kasse *f*

casino [kəˈsiːnəʊ] *sb* Spielkasino *n*

cassette [kəˈset] *sb* Kassette *f*

cassette recorder [kəˈsetrɪkɔːdə] *sb* Kassettenrecorder *m*

cast [kɑːst] *v irr* 1. werfen; *(a fishing line)* auswerfen; ~ *one's vote* seine Stimme abgeben; 2. THEAT besetzen; 3. *(mould)* Gussform *f*; 4. *(plaster* ~*)* Gipsverband *m*

casting [ˈkɑːstɪŋ] *sb* Besetzung *f*

castle [ˈkɑːsl] *sb* 1. Burg *f*, Schloss *n*; 2. *(chess piece)* Turm *m*

castrate [kæsˈtreɪt] *v* kastrieren

castration [kæsˈtreɪʃn] *sb* Kastration *f*

casual [ˈkæʒʊəl] *adj* 1. *(attitude)* gleichgültig; 2. *(remark)* beiläufig; 3. *(acquaintance, glance)* flüchtig; 4. *(informal)* salopp

casualty [ˈkæʒjʊltɪ] *sb* 1. Verunglückte(r) *m/f*; 2. MIL Gefallene(r) *m*

cat [kæt] *sb* ZOOL Katze *f*; *let the* ~ *out of the bag (fig)* die Katze aus dem Sack lassen; *He thinks he's the* ~*'s pyjamas.* Er hält sich für was besonderes.

catalogue [ˈkætəlɒg] *v* 1. katalogisieren; *sb* 2. Katalog *m*, Verzeichnis *n*

catalyst ['kætəlɪst] *sb* Katalysator *m*

catapult ['kætəpʌlt] *sb* 1. Katapult *m/n*, Wurfmaschine *f*; *v* 2. katapultieren

catastrophe [kə'tæstrəfɪ] *sb* Katastrophe *f*

catastrophic [kætəs'trɒfɪk] *adj* katastrophal

catch [kætʃ] *v irr* 1. fangen, auffangen; ~ *s.o.'s eye*, ~ *s.o.'s attention* jds Aufmerksamkeit auf sich lenken; 2. (~ *hold of*) erfassen, greifen; 3. (*take by surprise*) erwischen; ~ *s.o. in the act* jdn auf frischer Tat ertappen; (*a criminal*) schnappen, erwischen; 4. (*a plane, a train, a bus*) erreichen; 5. (*fam: understand something said*) mitkriegen; 6. (*a disease*) davontragen, zuziehen; *sb* 7. Fang *m*; 8. (*latch*) Verriegelung *f*, Riegel *m*; 9. (*fastening device*) Verschluss *m*

• **catch on** *v irr* 1. (*fam*) schalten, kapieren; 2. (*fam: become popular*) Mode werden

• **catch up** *v irr* 1. ~ *to s.o.* jdn einholen; 2. *to be caught up in sth* in etw verwickelt sein; 3. ~ *on* nachholen, aufarbeiten

catcher ['kætʃə] *sb* Fänger *m*

catchword ['kætʃwɜːd] *sb* Schlagwort *n*

catechism ['kætɪkɪzəm] *sb REL* Katechismus *m*

categorical [kætɪ'gɒrɪkl] *adj* kategorisch

category ['kætɪgərɪ] *sb* Kategorie *f*

catering ['keɪtərɪŋ] *sb* Bewirtung *f*

caterpillar ['kætəpɪlə] *sb ZOOL* Raupe *f*

cathedral [kə'θiːdrəl] *sb* Kathedrale *f*

cathode ['kæθəʊd] *sb* Kathode *f*

Catholic ['kæθəlɪk] *sb* 1. *REL* Katholik *m*; *adj* 2. *REL* katholisch

Catholicism [kə'θɒlɪsɪzəm] *sb REL* Katholizismus *m*

catnap ['kætnæp] *sb* Nickerchen *n*

cattle ['kætl] *sb* Vieh *n*, Rindvieh *n*

cauliflower ['kɒlɪflaʊə] *sb* Blumenkohl *m*

causal ['kɔːzl] *adj* ursächlich, kausal

cause [kɔːz] *v* 1. verursachen, anstiften, bewirken; ~ *s.o. to do sth* jdn veranlassen, etw zu tun; *sb* 2. Ursache *f*; ~ *and effect* Ursache und Wirkung; 3. (*reason*) Grund *m*, Anlass *m*, Veranlassung *f*; *There's no* ~ *for alarm.* Es besteht kein Anlass zur Aufregung. 4. (*ideal*) Sache *f*; *make common* ~ *with* gemeinsame Sache machen mit; *lost* ~ aussichtslose Sache

causeway ['kɔːzweɪ] *sb* Damm *m*

caution ['kɔːʃən] *v* 1. warnen; 2. (*officially*) verwarnen; *sb* 3. Vorsicht *f*, Behutsamkeit *f*; 4. (*warning*) Warnung *f*; (*official* ~) Verwarnung *f*; *interj* 5. Achtung!

cautious ['kɔːʃəs] *adj* vorsichtig

cavalier [kævə'lɪə] *sb* 1. Kavalier *m*; *adj* 2. unbekümmert

cave [keɪv] *sb* 1. Höhle *f*; *v* 2. ~ *in* einstürzen; 3. ~ *in* (*fig: yield*) nachgeben

cavern ['kævən] *sb* Höhle *f*

cavernous ['kævənəs] *adj* tief, hohl

caviar(e) ['kævɪɑː] *sb GAST* Kaviar *m*

cavity ['kævɪtɪ] *sb* 1. Hohlraum *m*, Höhlung *f*; 2. (*in tooth*) Loch *n*

CD player [siː'diːpleɪə] *sb* CD-Spieler *m*

CD-ROM [siːdiː'rɒm] *sb INFORM* CD-ROM *f*

cease [siːs] *v* 1. aufhören, enden; 2. (*fire, payments*) einstellen

cease-fire ['siːsfaɪə] *sb* Waffenstillstand *m*, Waffenruhe *f*

cedar ['siːdə] *sb BOT* Zeder *f*

ceiling ['siːlɪŋ] *sb* Decke *f*; *hit the* ~ (*fam*) an die Decke gehen

celebrate ['selɪbreɪt] *v* feiern, begehen; (*Catholic mass*) zelebrieren

celebration [selɪ'breɪʃən] *sb* Fest *n* Feier *f*,

celebrity [sɪ'lebrɪtɪ] *sb* Berühmtheit *f*, berühmte Persönlichkeit *f*

celerity [sɪ'lerɪtɪ] *sb* Geschwindigkeit *f*

celestial [sɪ'lestɪəl] *adj* himmlisch, Himmels...

celibacy ['selɪbəsɪ] *sb REL* Zölibat *n/m*

cell [sel] *sb* Zelle *f*

cellar ['selə] *sb* Keller *m*

cellist ['tʃelɪst] *sb MUS* Cellist *m*

cello ['tʃeləʊ] *sb MUS* Cello *n*

cellular phone [seljʊlə'fəʊn] *sb* Funktelefon *n*

cellulose ['seljʊləʊs] *sb* Zellstoff *m*, Zellulose *f*

Celsius ['selsɪəs] *adj* Celsius

cement [sɪ'ment] *v* 1. zementieren; 2. (*fig*) festigen; *sb* 3. Zement *m*; 4. (*concrete*) Beton *m*

cemetery ['semɪtrɪ] *sb* Friedhof *m*

censor ['sensə] *v* 1. *POL* zensieren; *sb* 2. Zensor *m*

censorship ['sensəʃɪp] *sb POL* Zensur *f*

census ['sensəs] *sb* Zensus *m*, Volkszählung *f*

cent [sent] *sb US* Cent *m*

centenary [sen'tiːnərɪ] *sb* 1. (*centennial*) hundertster Jahrestag *m*, hundertster Geburtstag *m*; 2. (*century*) Jahrhundert *n*

center (*US: see „centre"*)

centigrade ['sentɪgreɪd] *adj degrees* ~ Grad Celsius

centimetre ['sentɪmiːtə] *sb* Zentimeter *m*
central ['sentrəl] *adj* zentral, Zentral…, Haupt…
Central America ['sentrəl ə'merɪkə] *sb* GEO Mittelamerika *n*
central bank ['sentrəl bæŋk] *sb* FIN Zentralbank *f*
Central Europe ['sentrəl 'juərəp] *sb* GEO Mitteleuropa *n*
central heating ['sentrəl 'hiːtɪŋ] *sb* Zentralheizung *f*
centralism ['sentrəlɪzəm] *sb* Zentralismus *m*
centre ['sentə] *sb* 1. Zentrum *n*, Mittelpunkt *m*; *v* 2. ~ on (*fig*) sich drehen um
centric ['sentrɪk] *adj* zentral
centrifuge ['sentrɪfjuːʒ] *sb* Zentrifuge *f*
century ['sentʃʊrɪ] *sb* Jahrhundert *n*
ceramic [sɪ'ræmɪk] *sb* Keramik *f*
cereal ['sɪərɪəl] *sb* 1. (*breakfast* ~) Frühstücksflocken *pl*; 2. ~s *pl* AGR Getreide *n*
ceremonial [serɪ'məʊnɪəl] *adj* zeremoniell
ceremony ['serɪmənɪ] *sb* Zeremonie *f*
certain ['sɜːtən] *adj* 1. (*thing*) sicher, bestimmt, gewiss; 2. (*person*) sicher, überzeugt, gewiss; *make* ~ sich vergewissern; *I know for* ~. Ich bin mir ganz sicher. *That's for* ~. Das ist sicher. 3. (*not named*) gewiss; *a* ~ *Mr. Presley* ein gewisser Herr Presley
certainly ['sɜːtənlɪ] *adv* bestimmt
certainty ['sɜːtəntɪ] *sb* 1. (*sure fact*) Sicherheit *f*, Bestimmtheit *f*, Gewissheit *f*; 2. (*in one's mind*) Überzeugung *f*
certificate [sə'tɪfɪkɪt] *sb* Bescheinigung *f*, Urkunde *f*, Attest *n*
certification [sɜːtɪfɪ'keɪʃən] *sb* Bescheinigung *f*, Beurkundung *f*, Beglaubigung *f*
certified ['sɜːtɪfaɪd] *adj* bescheinigt, bestätigt, beglaubigt
certify ['sɜːtɪfaɪ] *v* 1. bescheinigen, bestätigen; *this is to* ~ hiermit wird bescheinigt; 2. beglaubigen
certitude ['sɜːtɪtjuːd] *sb* Gewissheit *f*, Sicherheit *f*
chain [tʃeɪn] *v* 1. (*sth*) mit einer Kette befestigen; (*door*) durch eine Kette sichern; 2. (*s.o., an animal*) anketten; *sb* 3. Kette *f*
chair [tʃeə] *sb* 1. Stuhl *m*, Sessel *m*; 2. (*professorship*) Lehrstuhl *m*; 3. (*chairmanship*) Vorsitz *m*
chairman ['tʃeəmən] *sb* 1. Vorsitzende(r) *m/f*; 2. (~ *of the board*) ECO Vorstandsvorsitzende(r) *m/f*

chalk [tʃɔːk] *sb* 1. Kreide *f*; *as different as* ~ *and cheese* grundverschieden; 2. ~ *up* (*fam*) ankreiden
challenge ['tʃælɪndʒ] *v* 1. (*s.o.*) herausfordern; 2. (*authority*) anfechten; 3. (*dispute, take issue with*) anfechten, bestreiten; 4. JUR anfechten; 5. (*make demands on*) fordern, reizen; *sb* 6. Herausforderung *f*; 7. (*to reach a goal*) Aufruf *m*, Aufforderung *f*; 8. (*to a duel*) Forderung *f*; 9. JUR Anfechtung *f*
challenger ['tʃælɪndʒə] *sb* Herausforderer *m*
chamber ['tʃeɪmbə] *sb* 1. (*room*) Raum *m*, Zimmer *n*, Kammer *f*; 2. (*of a revolver, of Parliament*) Kammer *f*; 3. (*of the heart*) ANAT Herzkammer *f*, Kammer *f*; 4. ~s *pl* (*of a solicitor*) Kanzlei *f*
chamber music ['tʃeɪmbəmjuːzɪk] *sb* Kammermusik *f*
chamber orchestra ['tʃeɪmbə 'ɔːkɪstrə] *sb* MUS Kammerorchester *n*
chamois ['ʃæmwɑː] *sb* 1. (*for cleaning windows*) Fensterleder *n*; 2. ZOOL Gämse *f*
champagne [ʃæm'peɪn] *sb* Sekt *m*; (*French* ~) Champagner *m*
champion ['tʃæmpɪən] *sb* 1. SPORT Meister *m*, Champion *m*; 2. (*of a cause*) Vorkämpfer *m*, Verfechter *m*
championship ['tʃæmpɪənʃɪp] *sb* SPORT Meisterschaft *f*
chance [tʃɑːns] *sb* 1. (*possibility*) Chance *f*, Aussicht *f*, Möglichkeit *f*; *by any* ~ zufällig; *She doesn't stand a* ~. Sie hat keine Chance. 2. (*coincidence*) Zufall *m*; *by* ~ zufällig; *game of* ~ Glücksspiel *n*; *leave sth to* ~ etw dem Zufall überlassen; 3. (*risk*) Risiko *n*; *take no* ~s nichts riskieren; 4. *game of* ~ Glücksspiel *n*; *v* 5. riskieren; 6. ~ *upon sth* etw zufällig finden; *adj* 7. zufällig
chancel ['tʃɑːnsəl] *sb* ARCH Chor *m*
chancellor ['tʃɑːnsələ] *sb* POL Kanzler *m*
chancellorship ['tʃɑːnsələʃɪp] *sb* POL Kanzleramt *n*
change [tʃeɪndʒ] *v* 1. (*undergo a* ~) sich ändern, sich verändern; 2. (*to another bus, train, plane*) umsteigen; 3. (*put on different clothes*) sich umziehen, sich umkleiden; 4. (*sth*) ändern, verändern, wandeln; 5. (*transform*) verwandeln, umwandeln; 6. (*by substitution*) wechseln; ~ *hands* den Besitzer wechseln; ~ *the sheets* die Bettwäsche wechseln; ~ *the subject* das Thema wechseln; ~ *places with s.o.* den Platz mit jdm tauschen; 7. (*a tyre*) auswechseln; 8. (*money: into smaller de-*

nominations) wechseln; 9. *(money: into another currency)* umtauschen; 10. *(a baby)* wickeln, trockenlegen; *sb* 11. Veränderung *f*, Änderung *f*; ~ *for the better* Besserung *f*, Verbesserung *f*; 12. *(transformation)* Verwandlung *f*; 13. *(replacement)* Wechsel *m*; 14. *(variety)* Abwechslung *f*; 15. *(money)* Wechselgeld *n*; 16. *(small ~)* Kleingeld *n*
• **change over** *v* 1. *(to a new system)* sich umstellen; 2. *(television)* umschalten
changeover ['tʃeɪndʒəʊvə] *sb* Wechsel *m*, Umstellung *f*
changing-room ['tʃeɪndʒɪŋruːm] *sb* Umkleideraum *m*, Umkleidekabine *f*
channel ['tʃænl] *sb* 1. *(TV)* Kanal *m*, Programm *n*; 2. *(strait)* Rinne *f*; *the English Channel* der Ärmelkanal *m*
Channel Islands ['tʃænl 'aɪləndz] *sb* GEO Kanalinseln *pl*
channel surfing ['tʃænls3ːfɪŋ] *sb* Zapping *n*, ständiges Umschalten *n*
chant [tʃɑːnt] *v* 1. *(sth)* rhythmisch rufen; *sb* 2. Gesang *m*; 3. *(by sports fans)* Sprechchor *m*
chaos ['keɪɒs] *sb* Chaos *n*
chaotic [keɪ'ɒtɪk] *adj* chaotisch
chap [tʃæp] *sb (fam) (UK)* Kerl *m*, Typ *m*
chapel ['tʃæpəl] *sb* REL Kapelle *f*
chapter ['tʃæptə] *sb* Kapitel *n*
character ['kærɪktə] *sb* 1. *(nature of sth)* Charakter *m*; 2. *(nature of a person)* Wesen *n*; *It is out of ~.* Es paßt nicht. Es ist untypisch. 3. *(strength of ~)* Charakter *m*; 4. *(fam: fellow)* Typ *m*; 5. *(fictional ~)* Figur *f*, Gestalt *f*; 6. INFORM Zeichen *n*
characteristic [kærɪktə'rɪstɪk] *adj* 1. charakteristisch, bezeichnend, typisch; *sb* 2. charakteristisches Merkmal *n*, Eigenschaft *f*
characterization [kærɪktəraɪ'zeɪʃən] *sb* Beschreibung *f*, Charakterisierung *f*
characterize ['kærɪktəraɪz] *v* 1. *(describe)* beschreiben; 2. *(to be characteristic of)* charakterisieren, kennzeichnen, prägen
charade [ʃə'rɑːd] *sb* 1. Scharade *f*; 2. *(fig)* Farce *f*
charge [tʃɑːdʒ] *v* 1. *(attack)* stürmen, angreifen; 2. *(accuse)* anschuldigen, beschuldigen, bezichtigen; 3. ~ *s.o. with a task* jdn mit einer Arbeit beauftragen; 4. *(ask in payment)* berechnen, anrechnen; *(set as the price)* fordern; ~ *s.o. for sth* jdn mit etw belasten, jdm etw in Rechnung stellen; 5. *(arrange to be billed for)* in Rechnung stellen lassen, anschreiben lassen; ~ *sth to s.o.* etw auf

Rechnung eines anderen kaufen; 6. *(a battery)* laden, aufladen; *sb* 7. *(attack)* Angriff *m*; *sound the ~* zum Angriff blasen; 8. *(accusation)* Anschuldigung *f*, Beschuldigung *f*, Belastung *f*; 9. *(official accusation)* JUR Anklage *f*; *(in a civil case)* Klage *f*; *press ~s against s.o.* gegen jdn Anzeige erstatten; 10. *(fee)* Gebühr *f*; *free of ~* kostenlos; 11. *(electric ~)* Ladung *f*; *get a ~ out of sth (fig)* an etw mächtig Spaß haben; 12. *(explosive ~)* Sprengladung *f*, Ladung *f*; 13. *in ~* verantwortlich; *put s.o. in ~ of sth* jdm die Leitung übertragen; *Who's in ~ here?* Wer ist hier der Verantwortliche?
charisma [kə'rɪzmə] *sb (fig)* Ausstrahlung *f*, Charisma *n*
charismatic [kærɪz'mætɪk] *adj* charismatisch
charitable ['tʃærɪtəbl] *adj* 1. *(organization)* Wohltätigkeits …, gemeinnützig, wohltätig; 2. *(lenient, not harsh)* freundlich, nachsichtig
charity ['tʃærɪtɪ] *sb* 1. *(benevolence)* Nächstenliebe *f*; 2. *(organization)* karitative Organisation *f*; 3. *(philanthropy)* Almosen *pl*
charm [tʃɑːm] *v* 1. *(delight)* bezaubern, entzücken, reizen; *sb* 2. Charme *m*, Reiz *m*, Anziehungskraft *f*; 3. *(object)* Amulett *n*
charming ['tʃɑːmɪŋ] *adj* charmant, entzückend, bezaubernd
chart [tʃɑːt] *sb* 1. Tabelle *f*; 2. *(map)* Karte *f*; 3. *(diagram)* Schaubild *n*
charter ['tʃɑːtə] *v (plane, bus, ship)* chartern, mieten
charter flight ['tʃɑːtəflaɪt] *sb* Charterflug *m*
charter member ['tʃɑːtə'membə] *sb* Gründungsmitglied *n*
charwoman ['tʃɑːwʊmən] *sb* Putzfrau *f*
chase [tʃeɪs] *v* 1. jagen, verfolgen; *(~ women)* nachlaufen; 2. ~ *away* fortjagen, wegjagen, verjagen; *sb* 3. Verfolgungsjagd *f*, *(hunt)* Jagd *f*
chasm ['kæzəm] *sb* Kluft *f*, Abgrund *m*
chastity ['tʃæstɪtɪ] *sb* Keuschheit *f*
chat [tʃæt] *v* 1. plaudern, schwatzen; 2. INFORM chatten
• **chat up** *v (fam)* anmachen, anquatschen
chat show [tʃæt ʃəʊ] *sb* Talkshow *f*
chatter ['tʃætə] *v* 1. *(teeth)* klappern; 2. *(talk)* plappern
chatterbox ['tʃætəbɒks] *sb (fam)* Quasselstrippe *f*
chauffeur ['ʃəʊfə] *sb* Chauffeur *m*, Fahrer *m*
chauvinist ['ʃəʊvɪnɪst] *sb male ~* männlicher Chauvinist *m*

cheap [tʃiːp] *adj* billig
cheat [tʃiːt] *v 1.* betrügen, *(in a game)* mogeln; *2. (be unfaithful)* fremdgehen; *3. (in school)* abschreiben; *4. (s.o.)* betrügen; *sb 5.* Betrüger *m*, Schwindler *m*
check [tʃek] *v 1. (make sure)* nachprüfen; *(figures)* nachrechnen; *2. (examine)* prüfen, kontrollieren, nachsehen; *3. (US: coat)* abgeben; *4. (hinder)* hemmen; *sb 5.* hold in ~ in Schach halten, dämmen; *6.* keep sth in ~ etw in Schranken halten, etw zügeln; *7. (examination)* Kontrolle *f*, Überprüfung *f*; *8. (US: cheque)* Scheck *m*; *9. (US: bill)* Rechnung *f*
• **check in** *v* sich anmelden, *(at an airport)* einchecken
• **check out** *v 1. (US: of a hotel)* abreisen; *2. (investigate)* nachprüfen
checker ['tʃekə] *sb (cashier)* Kassierer *m*
checkers ['tʃekəz] *sb (US)* Damespiel *n*
checkmate ['tʃekmeit] *sb* Schachmatt *n*
checkpoint ['tʃekpɔint] *sb* Kontrollpunkt *m*
check-up ['tʃekʌp] *sb MED* Untersuchung *f*, Check-up *m*; Nachuntersuchung *f*
cheek [tʃiːk] *sb* Backe *f*, Wange *f*
cheeky ['tʃiːkɪ] *adj* frech, dreist, keck
cheer [tʃɪə] *v 1.* jubeln, Beifall spenden, jauchzen; *2.* ~ for s.o. jdm, jdm Beifall spenden, jdm anfeuernd zurufen; *3. (sth)* bejubeln; *sb 4.* Beifallsruf *m*; Three ~s for him! Ein dreifaches Hoch auf ihn! *interj 5.* Cheers! (your health) Prost!
• **cheer up** *v 1. (grow cheerful)* wieder fröhlich werden; Cheer up! Kopf hoch! *2.* cheer s.o. up jdn aufheitern
cheerful ['tʃɪəful] *adj* fröhlich, heiter
cheerio ['tʃɪərɪ'əʊ] *interj (UK)* tschüss
cheerless ['tʃɪəlɪs] *adj* trostlos, trübsinnig
cheers [tʃɪəz] *interj* Prost!
cheese [tʃiːz] *sb GAST* Käse *m*
cheetah ['tʃiːtə] *sb ZOOL* Gepard *m*
chef [ʃef] *sb* Küchenchef *m*
chemical ['kemɪkəl] *sb 1.* Chemikalie *f*; *adj 2.* chemisch
chemise [ʃə'miːz] *sb* Unterhemd *n*
chemist ['kemɪst] *sb 1. (scientist)* Chemiker *m*; *2. (UK: dispensing ~)* Apotheker *m*
chemistry ['kemɪstrɪ] *sb* Chemie *f*
chemist's shop ['kemɪsts ʃɒp] *sb* Apotheke *f*
cheque [tʃek] *sb (UK)* Scheck *m*; pay by ~ mit einem Scheck bezahlen
cheque card ['tʃekkɑːd] *sb* Scheckkarte *f*
chequered ['tʃekəd] *adj 1.* kariert; *2. (fig: past, career)* bewegt

cherish ['tʃerɪʃ] *v 1. (hold dear)* schätzen; *2. (take care of)* sorgen für
cherry ['tʃerɪ] *sb BOT* Kirsche *f*
chess [tʃes] *sb* Schach *n*
chest [tʃest] *sb 1. (box, case)* Truhe *f*, Kiste *f*; *2.* ~ of drawers Kommode *f*; *3. ANAT* Brust *f*, Brustkasten *m*
chestnut ['tʃesnʌt] *sb* Kastanie *f*
chesty ['tʃestɪ] *adj (hoarse)* rau, heiser
chew [tʃuː] *v* kauen; ~ the fat (fig) plaudern; ~ over sth (fam) etw bequatschen; ~ over sth (in one's mind) sich etw durch den Kopf gehen lassen
chewing gum ['tʃuːɪŋ gʌm] *sb* Kaugummi *m*
chic [ʃiːk] *adj* schick
chicken ['tʃɪkən] *sb 1.* Huhn *n*; count one's ~s before they're hatched den Tag vor dem Abend loben; *adj 2. (fam: cowardly)* feig; *v 3.* ~ out kneifen, den Schwanz einziehen (fam)
chicken-pox ['tʃɪkənpɒks] *sb MED* Windpocken *pl*
chide [tʃaɪd] *v irr* schelten, tadeln
chief [tʃiːf] *adj 1.* Haupt...; *sb 2.* Leiter *m*, Chef *m*, Anführer *m*; *3.* Häuptling *m*
child [tʃaɪld] *sb* Kind *n*; with ~ schwanger; ~'s play (fig) ein Kinderspiel *n*
childcare ['tʃaɪldkeə] *sb* Kinderbetreuung *f*
childhood ['tʃaɪldhʊd] *sb* Kindheit *f*
childish ['tʃaɪldɪʃ] *adj* kindisch
childlike ['tʃaɪldlaɪk] *adj* kindlich
child minder ['tʃaɪldmaɪndə] *sb* Tagesmutter *f*, Kinderfrau *f*
chill [tʃɪl] *sb 1. (feeling)* Kaltgefühl *n*; cast a ~ upon abkühlen; *2. (in the air)* Frische *f*
chilly ['tʃɪlɪ] *adj* kalt, frostig, kühl
chimney ['tʃɪmnɪ] *sb* Schornstein *m*, Schlot *m*, Kamin *m*; smoke like a ~ rauchen wie ein Schlot
chimney-sweep ['tʃɪmnɪ swiːp] *sb* Schornsteinfeger *m*, Kaminkehrer *m*
chimpanzee [tʃɪmpæn'ziː] *sb ZOOL* Schimpanse *m*
chin [tʃɪn] *sb* Kinn *n*; keep one's ~ up sich nicht unterkriegen lassen; take it on the ~ (fig) eine böse Pleite erleben
china ['tʃaɪnə] *sb* Porzellan *n*
China ['tʃaɪnə] *sb GEO* China *n*
chinaware ['tʃaɪnəweə] *sb (porcelain)* Porzellan *n*
Chinese [tʃaɪ'niːz] *sb 1. (language)* Chinesisch *n*; *2. (person)* Chinese/Chinesin *m/f*; *adj 3.* chinesisch

chink [tʃɪŋk] *sb* Riss *m*, Spalte *f*; *the ~ in his armour* sein schwacher Punkt

chip [tʃɪp] *v* 1. *(become ~ped)* angeschlagen werden; *sb* 2. Splitter *m*; *(of wood)* Span *m*; *a ~ off the old block* ganz der Vater; 3. INFORM Chip *n*; 4. *(poker ~)* Chip *m*, Spielmarke *f*; *when the ~s are down* wenn es drauf ankommt; 5. *(fig) (US)* cash in one's ~s abkratzen; 6. *~s pl (UK)* GAST Pommes frites *pl*; 7. *(US)* GAST Chip *m*
• **chip in** *v* beitragen

chirp [tʃɜːp] *v* 1. *(birds)* zwitschern; 2. *(crickets)* zirpen

chisel ['tʃɪzl] *sb* Meißel *m*, Beitel *m*

chit [tʃɪt] *sb* Gutschein *m*

chit-chat ['tʃɪttʃæt] *sb* Geschwätz *n*

chives [tʃaɪvz] *pl* GAST Schnittlauch *m*

chlorine ['klɔːriːn] *sb* CHEM Chlor *n*

chocolate ['tʃɒklɪt] *sb* Schokolade *f*

choice [tʃɔɪs] *sb* 1. *(variety to choose from)* Auswahl *f*; 2. *(chance to choose, act of choosing)* Wahl *f*; make a ~, take one's ~ wählen, eine Wahl treffen; have Hobson's ~ überhaupt keine Wahl haben; You have no ~. Sie haben keine andere Wahl. *adj* 3. vorzüglich; *(words)* gewählt

choir ['kwaɪə] *sb* Chor *m*

choirmaster ['kwaɪəmɑːstə] *sb* MUS Chorleiter *m*

choke [tʃəʊk] *v* 1. ersticken, sich verschlucken; ~ on ersticken an; 2. *(~ s.o.)* würgen, erwürgen, erdrosseln; 3. ~ back *(tears, laughter)* unterdrücken; 4. TECH drosseln

choleric ['kɒlerɪk] *adj* cholerisch

choose [tʃuːz] *v irr* 1. *(make a choice)* wählen; 2. *(select sth)* aussuchen, auswählen

chop [tʃɒp] *sb* 1. *(karate)* Karateschlag *m*; *n* 2. GAST Kotelett *n*; *v* 3. *(wood)* hacken; *(food)* klein schneiden
• **chop down** *v (a tree)* fällen
• **chop off** *v* abhacken, abschlagen
• **chop up** *v* zerhacken, zerkleinern

chopper ['tʃɒpə] *sb (US: helicopter)* Hubschrauber *m*

chord [kɔːd] *sb* MUS Akkord *m*

chore [tʃɔː] *sb* 1. ~s *pl* Hausarbeit *f*; 2. *(fig)* lästige Pflicht *f*

chorea [kɒ'rɪə] *sb* MED Veitstanz *m*

choreograph ['kɒrɪəgrɑːf] *v* choreografieren

choreographer [kɒrɪ'ɒgrəfə] *sb* Choreograf *m*

choreography [kɒrɪ'ɒgrəfɪ] *sb* Choreografie *f*

chorus ['kɔːrəs] *sb* 1. MUS *(refrain)* Refrain *m*; 2. *(group)* Chor *m*

Christ [kraɪst] *sb* REL Christus *m*; *before ~ (B.C.)* vor Christi Geburt (v.Chr.)

christen ['krɪsn] *v* REL taufen

Christendom ['krɪsndəm] *sb* REL Christenheit *f*

christening ['krɪsnɪŋ] *sb* REL Taufe *f*

Christian ['krɪstʃən] *sb* 1. REL Christ *m*; *adj* 2. REL christlich

Christianity [krɪstɪ'ænɪtɪ] *sb* REL Christentum *n*

Christian name ['krɪstʃən neɪm] *sb* Vorname *m*

Christmas ['krɪsməs] *sb* Weihnachten *n*

Christmas carol ['krɪsməs 'kærəl] *sb* Weihnachtslied *n*

Christmas Eve ['krɪsməs iːv] *sb* Heiligabend *m*

Christmas pudding ['krɪsməs 'pʊdɪŋ] *sb* GAST Plumpudding *m*

Christmas tree ['krɪsməs triː] *sb* Weihnachtsbaum *m*, Christbaum *m*

chrome [krəʊm] *sb* CHEM Chrom *n*

chromosome ['krəʊməsəʊm] *sb* BIO Chromosom *n*

chronic ['krɒnɪk] *adj* chronisch

chronicle ['krɒnɪkl] *sb* 1. Chronik *f*; *v* 2. aufzeichnen

chronological [krɒnə'lɒdʒɪkəl] *adj* chronologisch; *sb* ~ order zeitliche Reihenfolge

chuck [tʃʌk] *v (toss)* schmeißen, werfen
• **chuck in** *v (fam)* an den Nagel hängen, das Handtuch werfen
• **chuck out** *v (fam)* rauswerfen, wegwerfen

chuckle ['tʃʌkl] *v* glucksen, lachen

chum [tʃʌm] *sb (fam)* Kumpel *m*, Kamerad *m*

chummy ['tʃʌmɪ] *adj* 1. *(with one another)* dick befreundet; 2. *(person: overly ~)* plump vertraulich

chunk [tʃʌŋk] *sb* Klotz *m*, Brocken *m*

chunter ['tʃʌntə] *v* murren, grummeln

church [tʃɜːtʃ] *sb* Kirche *f*

church service ['tʃɜːtʃsɜːvɪs] *sb* REL Gottesdienst *m*

churlish ['tʃɜːlɪʃ] *adj* mürrisch, ungehobelt

churn [tʃɜːn] *v* 1. *(butter)* buttern; 2. *(fam: stomach)* den Magen umdrehen

chute [ʃuːt] *sb* Rutsche *f*, Rutschbahn *f*

cigar [sɪ'gɑː] *sb* Zigarre *f*

cigarette [sɪgə'ret] *sb* Zigarette *f*

cinders ['sɪndəz] *pl* Asche *f*

cinema ['sɪnəmə] *sb* 1. CINE Kino *n*; 2. *(films in general)* CINE Film *m*

cinnamon ['sɪnəmən] *sb* Zimt *m*
cipher ['saɪfə] *sb (code)* Chiffre *f*, Code *m*
circle ['sɜːkl] *sb 1.* Kreis *m*; *come full ~* zum Ausgangspunkt zurückkehren; *the inner ~* der innere Kreis; *v 2.* kreisen
circuit ['sɜːkɪt] *sb 1. (journey around)* Rundgang *m*, Rundreise *f*; *2. (electrical)* Stromkreis *m*; *(device)* Schaltung *f*
circular ['sɜːkjʊlə] *adj 1.* rund, kreisförmig; *sb 2. (advertisement)* Wurfsendung *f*
circulate ['sɜːkjʊleɪt] *v 1. (blood, money)* fließen; *2. (news: get around)* in Umlauf sein, kursieren, sich verbreiten; *3. (at a party)* die Runde machen; *4. (spread sth) (a rumour)* in Umlauf setzen; *(a memo)* zirkulieren lassen
circulation [sɜːkjʊ'leɪʃən] *sb 1.* Kreislauf *m*, Zirkulation *f*; *out of ~* außer Kurs; *She's back in ~.* *(fam)* Sie mischt wieder mit. *2. (of a rumour)* Verbreitung *f*, Kursieren *n*; *3. (number of copies sold)* Auflagenziffer *f*
circulatory system ['sɜːkjʊlətərɪ 'sɪstəm] *sb* ANAT Kreislauf *m*, Blutkreislauf *m*
circumference [sɜː'kʌmfərəns] *sb* Umkreis *m*
circumfuse [sɜːkəm'fjuːz] *v* verbreiten, erfüllen
circumspect [sɜːkəm'spekt] *adj* umsichtig
circumstance ['sɜːkəmstəns] *sb* Umstand *m*; *under no ~s* auf keinen Fall; *under the ~s* unter diesen Umständen; *~ s pl (financial state)* Vermögensverhältnisse *pl*
circus ['sɜːkəs] *sb 1.* Zirkus *m*; *2. (UK: square)* Platz *m*
citation [saɪ'teɪʃən] *sb 1.* JUR Vorladung *f*; *2. (honor)* ehrenvolle Erwähnung *f*
cite [saɪt] *v* zitieren, anführen
citizen ['sɪtɪzn] *sb 1.* Bürger *m*; *2. (of a country)* Staatsangehörige(r) *m/f*
citizenship ['sɪtɪznʃɪp] *sb* Staatsangehörigkeit *f*
city ['sɪtɪ] *sb* Stadt *f*
city council ['sɪtɪ 'kaʊnsl] *sb* Stadtrat *m*
city hall ['sɪtɪhɔːl] *sb* Rathaus *n*
civic ['sɪvɪk] *adj 1.* städtisch; *2.* JUR bürgerlich
civic centre ['sɪvɪksentə] *sb* Stadtverwaltung *f*
civil ['sɪvl] *adj 1. (polite)* höflich, manierlich; *2.* JUR zivil, bürgerlich
civil code ['sɪvl kəʊd] *sb* JUR bürgerliches Gesetzbuch *n*
civil engineer ['sɪvl endʒə'nɪə] *sb* Bauingenieur *m*

civilian [sɪ'vɪlɪən] *sb* Zivilist *m*
civility [sɪ'vɪlɪtɪ] *sb* Höflichkeit *f*
civilization [sɪvɪlaɪ'zeɪʃən] *sb* Zivilisation *f*, Kultur *f*
civilized ['sɪvɪlaɪzd] *adj* zivilisiert; *(cultured)* kultiviert
civil law ['sɪvl lɔː] *sb* Zivilrecht *n*
civil rights [sɪvl'raɪts] *pl* POL bürgerliche Ehrenrechte *pl*
civil servant ['sɪvl 'sɜːvənt] *sb* Beamte/Beamtin *m/f*, Staatsbeamte(r) *m/f*
civil service ['sɪvl 'sɜːvɪs] *sb* MIL Staatsdienst *m*
civil war [sɪvl'wɔː] *sb* Bürgerkrieg *m*
clack [klæk] *v* klappern
claim [kleɪm] *v 1. (assert)* behaupten; *2. (demand)* fordern, Anspruch erheben auf, beanspruchen; *sb 3. (assertion)* Behauptung *f*; *4. (demand)* Anspruch *m*, Forderung *f*; *lay ~ to sth* auf etw Anspruch erheben
clamber ['klæmbə] *v* klettern
clammy ['klæmɪ] *adj* klamm, feuchtkalt
clamp [klæmp] *sb 1.* Klemme *f*; *v 2. ~ down* einschreiten, durchgreifen
clan [klæn] *sb* Clan *m*, Sippe *f*
clang [klæŋ] *sb* Klirren *n*
clangour ['klæŋgə] *sb* Klirren *n*
clank [klæŋk] *v* klirren
clap [klæp] *v (applaud)* Beifall klatschen
clapperboard ['klæpəbɔːd] *sb* CINE Klappe *f*
claptrap ['klæptræp] *sb* Gewäsch *n*
clarification [klærɪfɪ'keɪʃən] *sb* Klärung *f*, Klarstellung *f*
clarify ['klærɪfaɪ] *v* klären
clarinet [klærɪ'net] *sb* MUS Klarinette *f*
clarity ['klærɪtɪ] *sb* Klarheit *f*
clash [klæʃ] *v 1. (collide)* zusammenstoßen, zusammenprallen; *2. (swords)* klirren; *3. (clothes)* nicht zusammenpassen, sich beißen *(fam)*; *4. (argue)* aneinander geraten; *sb 5.* Zusammenstoß *m*, Kollision *f*
clasp [klɑːsp] *v 1. ~ one's hands* die Hände falten; *~ s.o.'s hand* jds Hand ergreifen; *sb 2. (device)* Spange *f*, Klammer *f*
class [klɑːs] *sb 1. (group)* Klasse *f*, Gruppe *f*; *2. (in school)* Klasse *f*; *3. (e.g. ~ of 1997)* Jahrgang *m*; *4. (social ~)* Klasse *f*, Stand *m*, Rang *m*; *the ruling ~* die herrschende Klasse; *5. (kind)* Klasse *f*, Sorte *f*, Qualität *f*; *in a ~ by itself* weitaus das Beste; *6. He's got ~.* Er hat Format.
classic ['klæsɪk] *sb* Klassiker *m*; *~s pl (study of the ~s)* Altphilologie *f*

classical ['klæsɪkəl] *adj 1.* klassisch, grie-
chisch-römisch; *2. (education)* humanistisch
classicism ['klæsɪsɪzəm] *sb* Klassik *f,* hu-
manistische Bildung *f*
classification [klæsɪfɪ'keɪʃən] *sb* Klassifizierung *f,* Klassifikation *f,* Einteilung *f*
classify ['klæsɪfaɪ] *v* klassifizieren, einteilen, einstufen
classmate ['klɑːsmeɪt] *sb* Mitschüler *m,*
Klassenkamerad *m*
classroom ['klɑːsruːm] *sb* Klassenzimmer *n*
clatter ['klætə] *v* klappern
clause [klɔːz] *sb 1.* LING Satz *m,* Satzteil *m,*
Satzglied *n; 2.* JUR Klausel *f*
claw [klɔː] *sb 1.* ZOOL Kralle *f,* Klaue *f; 2.
(of a crab)* Schere *f; v 3.* ~ *sth back* etw zurückerobern, etw zurückerkämpfen
clay [kleɪ] *sb* Ton *m,* Lehm *m*
clean [kliːn] *v 1.* sauber machen, reinigen,
putzen; *2. (gut)* ausnehmen; *adj 3.* sauber,
rein; *4. (not used)* sauber, frisch; *(paper)* unbeschrieben; *5. (fair)* SPORT sauber, fair; *6.
(fam)* come ~ alles beichten
• **clean off** *v* abwaschen, abputzen
• **clean out** *v (empty)* ausräumen, ausplündern; *(leave penniless)* ausnehmen
• **clean up** *v 1. (tidy)* aufräumen; *2. (clean)*
sauber machen
clear [klɪə] *adj 1. (visually distinct, in focus)*
klar, deutlich; *(photograph)* scharf; *2. (transparent)* klar, durchsichtig; *3. (obvious, evident, understandable)* klar, eindeutig, deutlich; *make o.s.* ~ sich klar ausdrücken; *to be
~ to s.o.* jdm klar sein; *as ~ as day (fig)* sonnenklar; *4. (day)* klar, wolkenlos; *5. (open,
free)* frei; *keep the roads* ~ die Straßen offen
halten; ~ *of all suspicion* frei von jedem
Verdacht; *6. (unblemished)* rein; *with a ~ conscience* mit gutem Gewissen; *7. (sound)* klar,
hell, vernehmbar; *8. (completely over, ~
through)* völlig, glatt; *v 9. (remove obstacles
from)* reinigen, befreien, räumen; *10. (letter
box, dustbin)* leeren; *11. (the table)* abräumen,
abdecken; *12. (a slum)* sanieren; *13.* ~ *one's
throat* sich räuspern; *14. (approve)* abfertigen;
15. ~ *sth through customs* etw zollamtlich
abfertigen; *16. (exonerate)* freisprechen; ~
one's name seinen Namen reinwaschen
• **clear away** *v* wegräumen; *(dishes)* abräumen
• **clear off** *v 1. (debt)* zurückzahlen; *2. (mortgage)* abzahlen; *3. (a backlog of work)* aufarbeiten; *4. (fam: leave)* abhauen (fam)

• **clear out** *v 1. (leave)* sich absetzen; *2.
(empty sth)* ausräumen
• **clear up** *v 1. (weather)* sich aufklären; *2. (~
a mystery)* aufklären, lösen; *3. (tidy)* aufräumen; *4. (a point, a situation)* klären
clearance ['klɪərəns] *sb 1. (go-ahead)*
Freigabe *f; 2. (by customs)* Abfertigung *f; 3.
(of a debt)* volle Bezahlung *f; 4. (of a slum)*
Sanierung *f*
clearance sale ['klɪərəns seɪl] *sb* Ausverkauf *m,* Räumungsverkauf *m*
cleave [kliːv] *v irr* spalten
cleft [kleft] *sb* Spalte *f,* Kluft *f*
clemency ['klemənsɪ] *sb* Nachsicht *f*
clement ['klemənt] *adj* mild, gütig
clementine ['kleməntiːn] *sb* BOT Clementine *f*
clergy ['klɜːdʒɪ] *sb* REL Geistlichkeit *f,*
Klerus *m*
clergyman ['klɜːdʒɪmən] *sb* REL Geistli-
che *m/f,* Pfarrer *m*
cleric ['klerɪk] *sb* Geistlicher *m*
clerical ['klerɪkl] *adj 1.* Büro..., Schreib...
2. REL geistlich
clerical work ['klerɪkəl wɜːk] *sb* Büroarbeit *f*
clerk [klɑːk] *sb 1. (office ~)* Büroangestell-
te(r) *m/f; ~ of the court* Urkundsbeamte(r) *m;
2. (US: shop assistant)* Verkäufer(in) *m/f*
clever ['klevə] *adj 1. (bright)* schlau, gescheit, gelehrig; *2. (ingenious)* geschickt,
klug, raffiniert; *3. (witty)* geistreich
cleverness ['klevənɪs] *sb* Geschicklichkeit *f,* Klugheit *f,* Schläue *f*
click [klɪk] *v 1.* knicken, knacken; *2. (fam:
fall into place)* funken
client ['klaɪənt] *sb 1.* Kunde/Kundin *m/f,*
Auftraggeber *m; 2.* JUR *(of a solicitor)* Klient
m; (of a barrister) Mandant *m*
clientele [kliːɑːn'tel] *sb* Kundschaft *f,* Kun-
denkreis *m*
cliff [klɪf] *sb* Klippe *f,* Felsen *m*
climate ['klaɪmɪt] *sb* Klima *n*
climb [klaɪm] *v 1.* klettern; *2. (prices)* steigen; *3. (in altitude)* aufsteigen, steigen; *4.
(mountain)* klettern, besteigen, erklimmen; *5.
~ up* hinaufsteigen, heraufsteigen; *6. ~ down*
herunterklettern, heruntersteigen; *sb 7.* Be-
steigung *f,* Aufstieg *m*
climber ['klaɪmə] *sb 1. (mountaineer)* Berg-
steiger *m; 2.* BOT Kletterpflanze *f*
cling [klɪŋ] *v irr 1. ~ to (hold on tightly to)*
sich klammern an, sich festklammern an; *2. ~
to (stick to)* anhaften, haften an, kleben

clinic ['klɪnɪk] *sb* Klinik *f*
clinical ['klɪnɪkəl] *adj* klinisch
clink [klɪŋk] *v* 1. klirren; *sb* 2. *(fam: prison)* Knast *m*, Kittchen *n*
clip [klɪp] *v* 1. *(cut out)* ausschneiden; 2. *(UK: ~ a ticket)* knipsen; 3. *(cut)* scheren; *(fingernails)* schneiden; *sb* 4. *(fastener)* Klammer *f*; 5. *(of ammunition)* Ladestreifen *m*; 6. *(speed)* Tempo *n*
cloak [kləʊk] *sb* Mantel *m*, Umhang *m*
cloakroom ['kləʊkruːm] *sb* 1. *(for coats)* Garderobe *f*; 2. *(UK: lavatory)* Waschraum *m*
clobber ['klɒbə] *v* verprügeln
clock [klɒk] *sb* 1. Uhr *f*; ten o'clock zehn Uhr; *round the ~* rund um die Uhr; *work against the ~* gegen die Zeit arbeiten; *v* 2. SPORT stoppen
clockwise ['klɒkwaɪz] *adv* im Uhrzeigersinn
clockwork ['klɒkwɜːk] *sb* Uhrwerk *n*; *like ~* wie am Schnürchen
clog [klɒg] *v* verstopfen
cloister ['klɔɪstə] *sb* REL Kloster *n*
clone [kləʊn] *sb* Klon *m*
clonk [klɒŋk] *v* hauen, schlagen
close [kləʊs] *adj* 1. nah(e); *~ to the highway* in der Nähe der Landstraße; *~ at hand* nahe bevorstehend; 2. *(friends)* eng, fest, vertraut; *They're very ~.* Sie sind eng befreundet. 3. *(painstaking)* genau, gründlich; 4. *(almost unsuccessful or almost even)* knapp; *That was ~!* Das war knapp! 5. *(shave)* glatt; *adv* 6. nah(e), dicht, eng; *~ by* in der Nähe; *v* 7. *(come nearer)* näher kommen, sich nähern; 8. *(sth)* zumachen, schließen, verschließen; 9. *(a deal)* abschließen; 10. *(bring to an end)* schließen, beendigen; *sb* 11. Ende *n*, Schluss *m*; *bring to a ~* abschließen/beendigen
• **close down** schließen, einstellen, beenden
• **close in** 1. sich heranarbeiten; 2. *(night)* hereinbrechen
closet ['klɒzɪt] *sb* (US) Schrank *m*, Wandschrank *m*
close-up ['kləʊsʌp] *sb* 1. *(photograph)* Nahaufnahme *f*; 2. *(in a film)* Großaufnahme *f*
closing time ['kləʊzɪŋ taɪm] *sb* 1. Geschäftsschluss *m*, Büroschluss *m*, Ladenschluss *m*; 2. *(for a pub)* Sperrstunde *f*
closure ['kləʊʒə] *sb* Schließung *f*, Schließen *n*, Stilllegung *f*
clot [klɒt] *v* 1. gerinnen, Klumpen bilden; *sb* 2. *(of blood)* MED Blutgerinnsel *n*

cloth [klɒθ] *sb* 1. *(material)* Stoff *m*; *a man of the ~* REL ein geistlicher Herr; 2. *(a ~)* Tuch *n*, Lappen *m*
clothe [kləʊð] *v* bekleiden, anziehen
clothes [kləʊz] *pl* Kleider *pl*, Kleidung *f*
clothesline ['kləʊzlaɪn] *sb* Wäscheleine *f*
clothes-peg ['kləʊzpeg] *sb* (UK) Wäscheklammer *f*
clothing ['kləʊðɪŋ] *sb* Kleidung *f*, Bekleidung *f*
cloud [klaʊd] *v* 1. trüben; *~ the issue* die Sache vernebeln; *sb* 2. Wolke *f*; *~ of dust* Staubwolke *f*; *under a ~* mit angeschlagenem Ruf; *to be on ~ nine (fam)* im siebten Himmel sein; *have one's head in the ~s (permanently)* in höheren Regionen schweben; *(momentarily)* geistesabwesend sein
cloudburst ['klaʊdbɜːst] *sb* Wolkenbruch *m*, Platzregen *m*
cloudy ['klaʊdɪ] *adj* 1. wolkig, bewölkt; 2. *(a liquid)* trüb
clover ['kləʊvə] *sb* BOT Klee *m*; *(~leaf)* Kleeblatt *n*
clown [klaʊn] *sb* 1. Clown *m*, Kasper *m*, Hanswurst *m*; 2. *(in a circus)* Clown *m*; *v* 3. *~ around* herumkaspern, herumblödeln, herumalbern
club [klʌb] *sb* 1. *(society)* Verein *m*, Klub *m*; 2. *(weapon)* Keule *f*, Knüppel *m*
clubby ['klʌbɪ] *adj* freundschaftlich, vertraulich
club member [klʌb 'membə] *sb* Klubmitglied *n*
cluck [klʌk] *v* glucken, gackern
clue [kluː] *sb* Hinweis *m*, Anhaltspunkt *m*, Spur *f*; *I don't have a ~.* Ich habe nicht die geringste Ahnung.
clueless ['kluːlɪs] *adj* ahnungslos, unbedarft, ratlos
clump [klʌmp] *sb* *(clod)* Klumpen *m*
clumsy ['klʌmzɪ] *adj* 1. *(ungainly, uncoordinated)* ungeschickt, plump, unbeholfen; 2. *(tactless)* ungeschickt, plump, unbeholfen; 3. *(not skillfully done)* schwerfällig, unbeholfen, stümperhaft; 4. *(unwieldy)* plump, klobig
cluster ['klʌstə] *v* 1. sich sammeln, sich drängen; *sb* 2. Gruppe *f*, Haufen *m*, Traube *f*
clutch [klʌtʃ] *v* 1. *~ at* greifen nach; 2. *(hold tightly)* umklammert halten, festhalten; 3. *(grab)* packen, umklammern; *sb* 4. *(of a car)* Kupplung *f*; 5. *(grip)* Griff *m*
clutter ['klʌtə] *sb* Unordnung *f*, Durcheinander *n*

coach [kəʊtʃ] *v 1. (a team)* trainieren; ~ *s.o. in sth* jdm etw einpauken; *sb 2. SPORT* Trainer *m; 3. (carriage)* Kutsche *f*

coal [kəʊl] *sb* Kohle *f; haul s.o. over the ~s,* rake *s.o. over the ~s* jdm eine Standpauke halten; *carry ~s to Newcastle (UK)* Eulen nach Athen tragen

coalition [kəʊə'lɪʃən] *sb 1.* Vereinigung *f; 2. POL* Koalition *f*

coal-mine ['kəʊlmaɪn] *sb* Kohlenbergwerk *n*

coast [kəʊst] *v 1. (bicycle)* im Freilauf fahren; *(car)* im Leerlauf fahren; *2. (fig)* mühelos vorankommen; *sb 3.* Küste *f; the ~ is clear (fam)* die Luft ist rein

coat [kəʊt] *v 1. (apply a thin layer)* anstreichen; *2. TECH* beschichten; *sb 3. (for outdoors)* Mantel *m; 4. (part of a suit)* Jacke *f,* Jackett *n; 5. (animal's)* Fell *n,* Pelz *m; 6. (layer)* Schicht *f,* Belag *m,* Lage *f*

coat-hanger ['kəʊthæŋə] *sb* Kleiderbügel *m*

cob [kɒb] *sb (of corn)* Kolben *m,* Maiskolben *m; corn on the ~* Mais am Kolben *m*

cobble ['kɒbl] *v (mend)* flicken

cobbler ['kɒblə] *sb* Schuster *m*

cobblestone ['kɒblstəʊn] *sb* Kopfstein *m*

cobweb ['kɒbweb] *sb 1.* Spinnwebe *f; 2. (network)* Spinnennetz *n*

cock [kɒk] *v 1. (a gun)* spannen; *2. (ears)* spitzen; *3. (a cap)* keck aufs Ohr setzen; *sb 4. (rooster)* Hahn *m; ~ of the walk* der Größte
• **cock up** *v (fam) (UK)* verhauen, versauen

cockroach ['kɒkrəʊtʃ] *sb* Küchenschabe *f,* Kakerlake *f*

cocktail ['kɒkteɪl] *sb* Cocktail *m*

cocoa ['kəʊkəʊ] *sb* Kakao *m*

coconut ['kəʊkənʌt] *sb* Kokosnuss *f*

coconut palm ['kəʊkənʌt pɑːm] *sb BOT* Kokospalme *f*

cocoon [kə'kuːn] *sb* Kokon *m*

cod [kɒd] *sb (~fish) ZOOL* Kabeljau *m,* Dorsch *m*

coddle ['kɒdl] *v* verwöhnen, verhätscheln, umsorgen

code [kəʊd] *v 1.* chiffrieren, verschlüsseln; *2. INFORM* kodieren; *sb 3. (secret ~)* Chiffre *f,* Kode *m; 4. JUR* Gesetzbuch *n,* Kodex *m; 5. (principles)* Kodex *m; ~ of honour* Ehrenkodex *m; 6. INFORM* Code *m*

code name ['kəʊdneɪm] *sb* Deckname *m*

codeword ['kəʊdwɜːd] *sb* Kodewort *n*

coerce [kəʊ'ɜːs] *v* nötigen, zwingen

coercion [kəʊ'ɜːʃən] *sb* Zwang *m*

coffee ['kɒfɪ] *sb* Kaffee *m*

coffee bar ['kɒfɪ bɑː] *sb* Café *n*

coffee pot ['kɒfɪ pɒt] *sb* Kaffeekanne *f*

coffee set ['kɒfɪ set] *sb* Kaffeeservice *n*

coffee shop ['kɒfɪ ʃɒp] *sb (US)* Café *n*

coffer ['kɒfə] *sb* Kasten *m,* Truhe *f*

coffin ['kɒfɪn] *sb* Sarg *m*

cognac ['kɒnɪæk] *sb* Kognak *m*

cohabit [kəʊ'hæbɪt] *v* unverheiratet zusammenleben

cohabitation [kəʊhæbɪ'teɪʃən] *sb* eheähnliche Gemeinschaft *f*

cohesion [kəʊ'hiːʒən] *sb* Zusammenhalt *m,* Geschlossenheit *f*

coil [kɔɪl] *v 1.* aufwickeln, aufrollen; ~ *sth round sth* um etw herum etw wickeln; *sb 2.* Rolle *f; 3. TECH* Spule *f*

coin [kɔɪn] *sb 1.* Münze *f,* Geldstück *n; the other side of the ~ (fam)* die Kehrseite der Medaille; *pay s.o. back in his own ~ (fig)* es jdm mit gleicher Münze heimzahlen; *v 2.* prägen

coincide [kəʊɪn'saɪd] *v 1.* zusammentreffen, zusammenfallen; *2. (agree)* übereinstimmen

coincidence [kəʊ'ɪnsɪdəns] *sb 1.* Zufall *m; 2. (occurrence at the same time)* Zusammentreffen *n*

coincidental [kəʊɪnsɪ'dentəl] *adj* zufällig

coin-op ['kɔɪnɒp] *sb (fam: coin-operated machine)* Münzautomat *m*

coke [kəʊk] *sb MIN* Koks *m*

col [kɒl] *sb GEO* Gebirgssattel *m,* Pass *m*

colander ['kɒləndə] *sb* Sieb *n*

cold [kəʊld] *adj 1.* kalt; ~ *comfort* ein schwacher Trost; *as ~ as ice* eiskalt; *2. (unfriendly)* kalt, kühl, frostig; *give s.o. the ~ shoulder* jdm die kalte Schulter zeigen; *3. out ~* bewusstlos; *sb 4.* Kälte *f; to be left out in the ~ (fam)* links liegen gelassen werden; *5. MED* Erkältung *f; catch a ~* sich erkälten

cold-hearted [kəʊld'hɑːtɪd] *adj* kaltherzig

cold start [kəʊld stɑːt] *sb INFORM* Kaltstart *m*

Cold War [kəʊld wɔː] *sb the ~ POL* der Kalte Krieg *m*

cole [kəʊl] *sb 1. (cabbage) BOT* Kohl *m; 2. (rape) BOT* Raps *m*

coleslaw ['kəʊlslɔː] *sb* Krautsalat *m*

coliseum [kɒlɪ'siːəm] *sb* Sporthalle *f,* Stadion *n*

collaborate [kə'læbəreɪt] *v* zusammenarbeiten, mitarbeiten

collaboration [kəlæbə'reɪʃən] sb Zusammenarbeit f, Mitarbeit f

collaborator [kə'læbəreɪtə] sb 1. (associate) Mitarbeiter m; 2. POL Kollaborateur/Kollaborateurin m/f

collapse [kə'læps] v 1. zusammenbrechen; 2. (building) einstürzen; 3. (lung) MED zusammenfallen; 4. (fail) zusammenbrechen, scheitern, versagen; sb 5. MED Zusammenbruch m, Kollaps m; 6. (failure) Zusammenbruch m, Scheitern n, Untergang m; 7. (cave-in) Zusammenbruch m, Einsturz m, Einbruch m

collar ['kɒlə] sb 1. Kragen m; hot under the ~ wütend; 2. (dog ~) Halsband n; 3. TECH Manschette f, Ring m

collate ['kɒʊleɪt] v zusammenstellen

collation [kɒ'leɪʃən] sb 1. (comparison of manuscripts) Vergleich m, Überprüfung f; 2. (light meal) Imbiss m

colleague ['kɒliːg] sb Kollege/Kollegin m/f, Mitarbeiter(in) m/f

collect [kə'lekt] v 1. (accumulate) sich ansammeln, sich sammeln; (dust) sich absetzen; 2. (get payment) kassieren, einkassieren; 3. ~ o.s. sich aufraffen, sich sammeln, sich fassen; 4. (sth) sammeln; 5. (taxes) einnehmen, einziehen; 6. (debts) einziehen; 7. ~ one's thoughts seine Gedanken zusammennehmen; 8. (fetch) abholen

collect call [kə'lekt kɔːl] sb (US) R-Gespräch n

collection [kə'lekʃən] sb 1. (stamp ~, coin ~) Sammlung f; 2. (line of fashions) Kollektion f; 3. (assortment) Sortiment n, Ansammlung f; 4. (in church) REL Kollekte f; 5. (of taxes) Einziehen n, (of debts) Eintreiben n

collective [kə'lektɪv] adj kollektiv, gesamt

collectivity [kɒlek'tɪvɪtɪ] sb Kollektiv n

collectivize [kə'lektɪvaɪz] v kollektivieren

collector [kə'lektə] sb 1. (of stamps, of coins) Sammler m; 2. TECH Kollektor m

college ['kɒlɪdʒ] sb 1. (part of a university) College n; go to ~ studieren; 2. (fam: university) Universität f; 3. (of music, technology, agriculture) Fachhochschule f

collide [kə'laɪd] v zusammenstoßen, kollidieren, zusammenprallen

colliery ['kɒljərɪ] sb Bergwerk n, Zeche f

colligate ['kɒlɪgeɪt] v verbinden

collision [kə'lɪʒən] sb 1. Zusammenstoß m, Kollision f; on a ~ course auf Kollisionskurs; 2. (multi-car pileup) Massenkarambolage f

colloquial [kə'ləʊkwɪəl] adj umgangssprachlich

colloquium [kə'ləʊkwɪəm] sb Kolloquium n

Cologne [kə'ləʊn] sb GEO Köln n

colon ['kəʊlən] sb 1. GRAMM Doppelpunkt m; 2. ANAT Dickdarm m

colonel ['kɜːnl] sb Oberst m

colonialism [kə'ləʊnɪəlɪzm] sb POL Kolonialismus m

colonist ['kɒlənɪst] sb Siedler m, Kolonist m

colonization [kɒlənaɪ'zeɪʃən] sb Kolonisation f

colonize ['kɒlənaɪz] v kolonisieren

colony ['kɒlənɪ] sb Kolonie f

colosseum [kɒlə'sɪəm] sb Kolosseum n

colour ['kʌlə] v 1. färben; sb 2. Farbe f; change ~ die Farbe wechseln; show one's true ~s sein wahres Gesicht zeigen; see s.o.'s true ~s jds wahres Gesicht erkennen; come through with flying ~s etw mit Bravour meistern; 3. (skin) Hautfarbe f

coloured ['kʌləd] adj farbig, bunt

colourful ['kʌləful] adj 1. farbenfreudig, bunt; 2. (fig) farbig; (personality) schillernd

colouring ['kʌlərɪŋ] sb 1. (complexion) Gesichtsfarbe f; 2. (substance) Farbstoff m

colourless ['kʌləlɪs] adj farblos

coloury ['kʌlərɪ] adj farbenfroh

colt [kəʊlt] sb Fohlen n

column ['kɒləm] sb 1. ARCH Säule f, Pfeiler m; 2. (of a newspaper page) Spalte f; 3. MIL Kolonne f

columnist ['kɒləmnɪst] sb Kolumnist/Kolumnistin m/f

comb [kəʊm] v 1. kämmen; 2. (fig: search) durchkämmen; sb 3. Kamm m

• **comb out** v aussortieren, entfernen

combat ['kɒmbæt] v 1. (sth) bekämpfen, kämpfen gegen; sb 2. Kampf m

combination [kɒmbɪ'neɪʃən] sb Kombination f, Verknüpfung f

combine [kəm'baɪn] v 1. kombinieren, verbinden, vereinigen; ['kɒmbaɪn] 2. sb ECO Konzern m

combustible [kəm'bʌstɪbl] adj 1. brennbar; sb 2. Brennstoff m

come [kʌm] v irr kommen; ~ what may komme, was wolle; Come again? Wie bitte? How ~? Wieso denn? First ~ first served. Wer zuerst kommt, mahlt zuerst.

• **come about** v irr passieren, zustande kommen

• **come across** v irr 1. (make an impression) wirken; 2. (meet) zufällig treffen, begegnen; (~ an object) zufällig finden

• **come after** *v irr 1. (follow in sequence)* nachkommen; *2. (pursue)* hinterherkommen

• **come along** *v irr 1. (accompany)* mitkommen; *Come along!* Komm schon! *2. (appear on the scene)* dazukommen, auftauchen, ankommen; *3. (develop)* Fortschritte machen, vorankommen

• **come apart** *v irr* auseinander fallen

• **come at** *v irr* anpacken, angehen

• **come away** *v irr* weggehen

• **come back** *v irr 1.* zurückkommen, wiederkommen; *2. (fig: make a comeback)* ein Comeback machen; *3. (into memory)* wieder einfallen

• **come between** *v irr* dazwischenkommen

• **come by** *v irr 1.* etw auftreiben, *(coincidentally)* zu etw kommen

• **come down** *v irr 1. (rain, snow)* fallen; *2. (prices)* sinken; *3. (stairs)* herunterkommen; *4. (fig)* herunterkommen (fam); *~ in the world* sozial absteigen; *5. ~ with sth* an etw erkranken; *6. ~ to (be a question of)* ankommen auf

• **come forward** *v irr 1.* hervortreten; *2. (present o.s.)* sich melden

• **come from** *v irr* kommen aus, stammen aus

• **come in** *v irr 1. (enter)* hereinkommen; *Come in!* Herein! *2. (arrive)* eingehen, eintreffen, ankommen; *3. (tide)* kommen; *4. (come into play)* That's where you ~. Da bist du dran. *That will ~ handy.* Das kann man noch gut gebrauchen. *Where does he ~?* Welche Rolle spielt er dabei? *5. Come in! (please answer)* Bitte melden!

• **come into** *v irr (inherit)* erben; *to ~ money* ein Vermögen erben

• **come of** *v irr* werden aus; *What has ~ him?* Was ist aus ihm geworden?

• **come off** *v irr 1. (take place)* stattfinden; *2. (~ successfully)* erfolgreich verlaufen; *3. (come loose)* abgehen, abspringen; *4. Come off it!* Hör schon auf damit! *5. (~ well, ~ badly)* abschneiden

• **come on** *interj v irr 1.* Komm schon! *(You're lying!)* Na, na! *2. ~ to s.o. (fam: make advances)* jdn anmachen

• **come out** *v irr 1.* herauskommen, heraustreten; *2. (on the market)* erscheinen, herauskommen; *3. MATH* aufgehen

• **come over** *v irr 1. (come by)* vorbeikommen; *Come on over!* Schau doch mal vorbei! *2. What's ~ him?* Was ist denn über den gekommen?

• **come round** *v irr 1. (visitor)* vorbeikommen, vorbeischauen; *2. (change one's opinion)* es sich anders überlegen

• **come to** *v irr 1. (regain consciousness)* wieder zu sich kommen; *2. (total)* betragen, sich belaufen auf, ausmachen; *3. (~ power, ~ s.o.'s ears)* gelangen

• **come up** *v irr 1.* hochkommen, heraufkommen; *2. (fig)* aufsteigen; *~ in the world* es zu etw bringen; *3. (~ for discussion)* angeschnitten werden; *4. ~ with sth* sich etw ausdenken

comeback ['kʌmbæk] *sb 1.* Comeback *n;* *2. SPORT* Aufholjagd *f;* *3. (witty reply)* schlagfertige Antwort *f*

comedian [kə'miːdɪən] *sb* Komiker *m*

comedy ['kɒmɪdɪ] *sb (a ~)* Komödie *f*

comet ['kɒmɪt] *sb ASTR* Komet *m*

comfort ['kʌmfət] *v 1.* trösten, aufrichten; *sb 2.* Komfort *m,* Bequemlichkeit *f,* Behaglichkeit *f;* *3. (consolation)* Trost *m; take ~ from the fact that ...* sich damit trösten, dass ...

comfortable ['kʌmfətəbl] *adj 1.* bequem, komfortabel, behaglich; *2. (well-off)* wohlhabend; *3. feel ~ with sth* sich bei etw wohl fühlen

comforter ['kʌmfətə] *sb 1. (UK: for baby to suck)* Schnuller *m; 2. (US: quilt)* Deckbett *n; 3. (one who consoles)* Tröster *m*

comic ['kɒmɪk] *adj 1.* komisch; *sb 2. (comedian)* Komiker *m*

comics ['kɒmɪks] *pl (in the newspaper)* Comics *pl*

comma ['kɒmə] *sb* Komma *n*

command [kə'mɑːnd] *v 1. (order)* befehlen, anordnen; *2. (have at one's disposal)* verfügen über, beherrschen; *3. (have control over)* kommandieren; *4. ~ respect* Achtung gebieten; *sb 5. (order)* Befehl *m,* Kommando *n; 6. (authority) MIL* Kommando *n,* Befehlsgewalt *f; take ~* das Kommando übernehmen; *second in ~* zweiter Befehlshaber; *7. (mastery)* Beherrschung *f; have a good ~ of sth* etw gut können

commander [kə'mɑːndə] *sb MIL* Kommandant *m,* Befehlshaber *m*

commandment [kə'mɑːndmənt] *sb REL* Gebot *n; break a ~* gegen ein Gebot verstoßen

commando [kə'mɑːndəʊ] *sb 1. (unit)* Kommandoeinheit *f; 2. (soldier)* Angehöriger einer Kommandoeinheit *m*

commemorate [kə'meməreɪt] *v* gedenken

commemoration [kəmemə'reɪʃən] *sb* Gedenken *n*, Gedächtnisfeier *f*

commence [kə'mens] *v* beginnen

commend [kə'mend] *v (praise)* loben

commendable [kə'mendəbl] *adj* lobenswert, anerkennenswert, dankenswert

commendation [kɒmen'deɪʃən] *sb* Lob *n*

comment ['kɒment] *v 1. ~ on* sich äußern über, Anmerkungen machen zu, kommentieren; *sb 2.* Bemerkung *f*, Anmerkung *f*, Kommentar *m*; *No ~!* Kein Kommentar!

commentary ['kɒməntəri] *sb* Kommentar *m*

commentate ['kɒmənteɪt] *v* kommentieren

commentator ['kɒmənteɪtə] *sb* Kommentator *m*

commerce ['kɒmɜːs] *sb ECO* Handel *m*

commercial [kə'mɜːʃəl] *adj 1.* kommerziell, kaufmännisch, geschäftlich; *sb 2. (advertisement)* Werbespot *m*

commercial break [kə'mɜːʃəl breɪk] *sb* Werbepause *f*

commercialism [kə'mɜːʃəlɪzəm] *sb* Kommerz *m*, Kommerzialisierung *f*

commiserate [kə'mɪzəreɪt] *v ~ with* mitfühlen mit

commiseration [kəmɪzə'reɪʃn] *sb* Anteilnahme *f*, Mitgefühl *n*

commissar ['kɒmɪsɑː] *sb* Kommissar *m*

commission [kə'mɪʃən] *v 1. (a person)* beauftragen; *(a thing)* in Auftrag geben; *~ s.o. to do sth* jdn damit beauftragen, etw zu tun; *sb 2. (to do sth)* Auftrag *m; 3. (form of pay)* Provision *f; 4. out of ~* außer Betrieb; *5. (committee)* Kommission *f*, Ausschuss *m*

commissioner [kə'mɪʃənə] *sb* (Regierungs-) Kommissar *m*

commit [kə'mɪt] *v 1. ~ o.s. to* sich festlegen auf; *2. ~ s.o. (to an institution)* jdn in eine Pflegeanstalt einweisen; *~ to memory* auswendig lernen; *3. (sth)(perpetrate)* begehen, verüben

commitment [kə'mɪtmənt] *sb 1. (dedication)* Engagement *n*, Einsatz *m; 2. (obligation)* Verpflichtung *f*, Bindung *f*

committee [kə'mɪtɪ] *sb* Komitee *n*, Ausschuss *m*, Kommission *f*

commode [kə'məʊd] *sb 1. (chest of drawers)* Kommode *f; 2. (washstand)* Waschtisch *m*, Waschtoilette *f*

commodities [kə'mɒdɪtɪz] *pl 1. (manufactured ~)* Bedarfsartikel *m; 2. (on the stock exchange)* Rohstoffe *pl*

commodity [kə'mɒdɪtɪ] *sb* Ware *f*, Artikel *m*

common ['kɒmən] *adj 1. (shared by many)* gemeinsam, allgemein; *it's ~ knowledge* es ist allgemein bekannt; *in ~* gemeinsam; *2. (ordinary)* gewöhnlich; *3. (frequently seen)* üblich, gängig, gebräuchlich; *4. (low-class)* gewöhnlich, grob, gemein

commonly ['kɒmənlɪ] *adv* normalerweise, üblicherweise

Common Market ['kɒmən 'mɑːkɪt] *sb FIN* gemeinsamer Markt *m*

common sense [kɒmən'sens] *sb* gesunder Menschenverstand *m*

commonwealth ['kɒmənwelθ] *sb* Staat *m*, Gemeinwesen *n; Commonwealth of Independent States (CIS) POL* Gemeinschaft Unabhängiger Staaten (GUS) *f*

communal ['kɒmjʊnl] *adj* Gemeinde...

commune ['kɒmjuːn] *sb* Kommune *f*

communicate [kə'mjuːnɪkeɪt] *v 1. (with one another)* kommunizieren, sich verständigen; *2. (news, ideas)* vermitteln, mitteilen

communication [kəmjuːnɪ'keɪʃən] *sb 1. (message, letter)* Mitteilung *f; 2. (communicating)* Verständigung *f*, Kommunikation *f*

communicative [kə'mjuːnɪkətɪv] *adj* mitteilsam, gesprächig

communion [kə'mjuːnɪən] *sb 1. REL (Catholic)* Kommunion *f; 2. (Protestant)* Abendmahl *n; take ~* die Kommunion empfangen/das Abendmahl empfangen

communism ['kɒmjʊnɪzm] *sb POL* Kommunismus *m*

communist ['kɒmjʊnɪst] *sb 1. POL* Kommunist *m; adj 2. POL* kommunistisch

community [kə'mjuːnɪtɪ] *sb 1.* Gemeinde *f*, Gemeinschaft *f*, Gemeinwesen *n; 2. the ~* die Allgemeinheit *f*

commute [kə'mjuːt] *v 1. (travel back and forth)* pendeln; *2. JUR* umwandeln

commuter [kə'mjuːtə] *sb* Pendler *m*

compact [kəm'pækt] *adj 1.* kompakt, dicht; ['kɒmpækt] *sb 2. (agreement)* Vereinbarung *f*

compact disc ['kɒmpækt dɪsk] *sb* CD *f*

companion [kəm'pænjən] *sb 1. (person with one)* Begleiter *f; 2. (friend)* Kamerad *m*, Genosse *m*, Gefährte/Gefährtin *m/f*

companionship [kəm'pænjənʃɪp] *sb* Gesellschaft *f*

company ['kʌmpənɪ] *sb 1.* Gesellschaft *f; keep s.o. ~* jdm Gesellschaft leisten; *to be in good ~ (fam)* in guter Gesellschaft sein; *part ~*

with sich trennen von; *2. (firm)* Firma *f,* Unternehmen *n,* Gesellschaft *f; 3.* MIL Kompanie *f; 4. THEAT* Truppe *f*

compare [kəm'peə] *v* vergleichen; *~d with* im Vergleich zu; *it ~s badly* es schneidet vergleichsweise schlecht ab

comparison [kəm'pærɪsən] *sb* Vergleich *m; in ~ with* im Vergleich zu; *by way of ~* vergleichsweise

compartment [kəm'pɑːtmənt] *sb 1.* Abteilung *f,* Fach *n; 2. (of a train)* Abteil *n*

compass ['kʌmpəs] *sb 1.* Kompass *m; 2. ~ es pl (for drawing circles)* Zirkel *m*

compassion [kəm'pæʃən] *sb* Mitleid *n,* Erbarmen *n,* Mitgefühl *n*

compatibility [kəmpætə'bɪlɪtɪ] *sb 1.* Vereinbarkeit *f; 2. INFORM* Kompatibilität *f; 3. MED* Verträglichkeit *f*

compel [kəm'pel] *v* zwingen

compendium [kəm'pendɪəm] *sb* Kompendium *n,* Zusammenstellung *f*

compensate ['kɒmpenseɪt] *v 1. (recompense)* FIN entschädigen; *2. TECH* ausgleichen; *3. PSYCH* kompensieren; *4. (US: pay in wages)* bezahlen; *5. ~ for (in money, in goods)* ersetzen, vergüten, wettmachen; *~ a loss* jdm einen Verlust ersetzen; *6. ~ for (counterbalance, offset)* ausgleichen

compensation [kɒmpen'seɪʃən] *sb 1. (damages)* Entschädigung *f,* Ersatz *m,* Schadenersatz *m; in ~* als Entschädigung; *2. (settlement)* JUR Abfindung *f; 3. (US: pay)* Vergütung *f,* Entgelt *n; 5. (counterbalance)* Ausgleich *m; 4. PSYCH* Kompensation *f*

compete [kəm'piːt] *v 1.* konkurrieren; *2. ~ with s.o. for sth* mit jdm um etw wetteifern; *3. (contend)* SPORT kämpfen; *~ for the championship* um die Meisterschaft kämpfen; *4. (participate in the competition)* teilnehmen

competence ['kɒmpɪtəns] *sb 1. (authority, responsibility)* Kompetenz *f,* Zuständigkeit *f*

competent ['kɒmpɪtənt] *adj 1.* fähig, tüchtig; *JUR 2. (responsible)* zuständig; *3. (witness)* zulässig

competition [kɒmpɪ'tɪʃən] *sb 1.* Konkurrenz *f; to be in ~ with s.o.* mit jdm konkurrieren, mit jdm wetteifern; *2. (a ~)* Wettbewerb *m,* Wettkampf *m; 3. (write-in contest)* Preisausschreiben *n*

competitive [kəm'petɪtɪv] *adj 1. (able to hold its own)* konkurrenzfähig, wettbewerbsfähig; *2. (nature, person)* vom Konkurrenzdenken geprägt; *(market)* mit starker Konkurrenz

competitor [kəm'petɪtə] *sb 1.* Konkurrent *m,* Gegner *m; 2.* SPORT *(participant)* Teilnehmer *m,* Wettkämpfer *m*

compilation [kɒmpɪ'leɪʃən] *sb* Zusammenstellung *f,* Sammlung *f*

compile [kəm'paɪl] *v* zusammenstellen

compiler [kəm'paɪlə] *sb* Verfasser *m*

complacent [kəm'pleɪsnt] *adj* selbstgefällig, selbstzufrieden

complain [kəm'pleɪn] *v* sich beklagen, sich beschweren; *~ about* klagen über

complainant [kəm'pleɪnənt] *sb* JUR Kläger *m*

complaint [kəm'pleɪnt] *sb 1.* Beschwerde *f,* Klage *f; 2.* MED Beschwerden *pl,* Leiden *n; 3. ECO* Reklamation *f,* Beanstandung *f; 4. JUR* Strafanzeige *f*

complement ['kɒmplɪmənt] *v* ergänzen

complete [kəm'pliːt] *v 1. (finish)* beenden, abschließen, absolvieren; *2. (a form)* ausfüllen; *3. (make whole)* vervollständigen, ergänzen, vollenden; *adj 4. (finished)* fertig; *5. (entire)* ganz, vollständig, komplett; *~ with* komplett mit; *6. (utter, absolute)* völlig, total, vollkommen; *7. (with nothing missing, comprehensive)* vollzählig, lückenlos, umfassend

completion [kəm'pliːʃən] *sb 1. (making whole)* Vervollständigung *f; 2. (finishing)* Vollendung *f,* Beendigung *f,* Abschluss *m*

complex ['kɒmpleks] *adj 1.* kompliziert, verwickelt; *sb 2.* Komplex *m*

complicate ['kɒmplɪkeɪt] *v* komplizieren

complicated ['kɒmplɪkeɪtɪd] *adj* kompliziert

complication [kɒmplɪ'keɪʃən] *sb* Komplikation *f,* Erschwernis *f*

compliment ['kɒmplɪmənt] *sb 1.* Kompliment *n; 2. ~s pl* Grüße *pl; with the ~s of Mr. Jones* mit den besten Empfehlungen von Herrn Jones

complimentary [kɒmplɪ'mentərɪ] *adj 1. (free)* kostenlos; *2. (using compliments)* schmeichelhaft

comply [kəm'plaɪ] *v 1. ~ with (a rule)* befolgen; *2. ~ with (a request)* nachkommen, entsprechen

component [kəm'pəʊnənt] *sb 1.* Bestandteil *m; 2. TECH* Komponente *f,* Bauelement *n,* Bestandteil *m*

compose [kəm'pəʊz] *v 1.* MUS komponieren; *2. (a letter)* aufsetzen; *3. (a poem)* verfassen; *4. (~ type)* setzen; *5. to be ~d of* bestehen aus, sich zusammensetzen aus; *6. ~ o.s.* sich sammeln, sich fassen

composer [kəm'pəuzə] *sb* 1. *MUS* Komponist *m*; 2. *(of a letter)* Verfasser *m*

composition [kɒmpə'zɪʃən] *sb* 1. *(of a letter)* Abfassen *n*; *(of music)* Komponieren *n*; *(of a poem)* Verfassen *n*; 2. *(makeup)* Zusammensetzung *f*; 3. *CHEM* Zusammensetzung *f*, Verbindung *f*; 4. *(essay)* Aufsatz *m*; 5. *MUS* Komposition *f*

composure [kəm'pəuʒə] *sb* Fassung *f*, Gelassenheit *f*, Beherrschung *f*

compound [kɒm'paund] *v* 1. *(make worse)* verschlimmern; ['kɒmpaund] *adj* 2. zusammengesetzt, Verbund... *sb* 3. *CHEM* Verbindung *f*; 4. *GRAMM* Kompositum *n*

comprehend [kɒmprɪ'hend] *v* *(understand)* begreifen, verstehen

comprehension [kɒmprɪ'henʃən] *sb* 1. *(understanding)* Verständnis *n*; 2. *(capacity to understand)* Fassungsvermögen *n*; *That's beyond my ~.* Das geht über mein Fassungsvermögen.

comprehensive school [kɒmprɪ'hensɪv sku:l] *sb* *(UK)* Gesamtschule *f*

compress ['kɒmpres] *sb* 1. *MED* Kompresse *f*, feuchter Umschlag *m*; [kəm'pres] *v* 2. *PHYS* verdichten

compression [kəm'preʃən] *sb* Kompression *f*, Druck *m*

compressor [kəm'presə] *sb* *TECH* Kompressor *m*, Verdichter *m*

comprisal [kəm'praɪzl] *sb* Zusammenfassung *f*

comprise [kəm'praɪz] *v* umfassen

compromise ['kɒmprəmaɪz] *sb* 1. Kompromiss *m*; *v* 2. *(agree on a compromise)* einen Kompromiss schließen; 3. *(put at risk)* kompromittieren, gefährden; ~ *o.s.* sich kompromittieren

compulsion [kəm'pʌlʃən] *sb* Zwang *m*, Nötigung *f*

compulsory [kəm'pʌlsərɪ] *adj* obligatorisch, Pflicht...

compunction [kəm'pʌŋkʃən] *sb* Bedenken *pl*, Gewissensbisse *pl*

computation [kɒmpju'teɪʃən] *sb* Berechnung *f*, Kalkulation *f*

compute [kəm'pju:t] *v* 1. *(make calculations)* rechnen; 2. *(sth)* berechnen, errechnen

computer [kəm'pju:tə] *sb* Computer *m*, Rechner *m*

computer graphics [kəm'pju:tə 'græfɪks] *sb* Computergraphik *f*

comrade ['kɒmrɪd] *sb* 1. Kamerad *m*, Genosse *m*; 2. *POL* Genosse *m*

con [kɒn] *v* *(swindle)* reinlegen; ~ *s.o. into doing sth* jdn durch Schwindel dazu bringen, etw zu tun; ~ *s.o. out of* jdn betrügen um

conceal [kən'si:l] *v* 1. verbergen, verheimlichen, verhehlen; 2. *(physically)* verstecken

concede [kən'si:d] *v* 1. *(capitulate)* kapitulieren, nachgeben; 2. *(admit)* zugeben, einräumen, zugestehen

conceit [kən'si:t] *sb* Einbildung *f*, Eingebildetheit *f*

conceited [kən'si:təd] *adj* eingebildet

conceive [kən'si:v] *v* 1. *(imagine)* sich vorstellen; 2. *(a child)* empfangen; 3. *(a plan)* sich ausdenken

concentrate ['kɒnsəntreɪt] *v* 1. konzentrieren; *sb* 2. Konzentrat *n*

concentration [kɒnsən'treɪʃən] *sb* 1. Konzentration *f*; 2. *CHEM* Konzentration *f*, Dichte *f*

concentration camp [kɒnsən'treɪʃən kæmp] *sb* *POL* Konzentrationslager *n*

concept ['kɒnsept] *sb* Begriff *m*

conception [kən'sepʃən] *sb* 1. *(idea)* Auffassung *f*, Vorstellung *f*; 2. *BIO* Empfängnis *f*

concern [kən's3:n] *v* 1. ~ *o.s. with sth* sich mit etw beschäftigen, sich für etw interessieren; 2. *(worry)* beunruhigen; 3. *to be ~ed about* sich kümmern um; 4. *(to be about)* sich handeln um, gehen um; 5. *(affect)* betreffen, angehen, anbelangen; *as far as I'm ~ed* was mich betrifft, meinetwegen; *It doesn't ~ me.* Es geht mich nichts an. *sb* 6. *(anxiety)* Besorgnis *f*; *There's no cause for ~.* Es besteht kein Grund zur Sorge. 7. *(matter)* Angelegenheit *f*; 8. *(firm)* ECO Konzern *m*

concerned [kən's3:nd] *adj* 1. *(involved)* betroffen; 2. *(troubled, anxious)* besorgt, beängstigt

concerning [kən's3:nɪŋ] *prep* bezüglich, über

concert ['kɒnsət] *sb* *MUS* Konzert *n*

concession [kən'seʃən] *sb* 1. Zugeständnis *n*, Konzession *f*; 2. *ECO* Konzession *f*

conciliate [kən'sɪlɪeɪt] *v* 1. *(reconcile)* aussöhnen; 2. *(placate)* besänftigen

conciliation [kənsɪlɪ'eɪʃən] *sb* Versöhnung *f*

concise [kən'saɪs] *adj* knapp, bündig

conclude [kən'klu:d] *v* 1. *(come to an end)* enden, schließen, aufhören; 2. *(sth)(bring to an end)* beenden, zu Ende führen, abschließen; 3. *(a deal)* abschließen, schließen; 4. *(decide)* beschließen, entscheiden; 5. *(infer)* schließen, folgern, entnehmen

conclusion [kən'kluːʒən] *sb* 1. *(end)* Abschluss *m; bring to a ~* zum Abschluss bringen; 2. *(inference)* Schlussfolgerung *f*, Schluss *m; draw a ~* einen Schluss ziehen; *jump to ~s* voreilige Schlüsse ziehen

conclusive [kən'kluːsɪv] *adj* entscheidend, überzeugend, schlüssig

concoct [kən'kɒkt] *v* 1. zusammenbrauen; 2. *(fig)* aushecken, sich ausdenken

concord ['kɒnkɔːd] *sb* Übereinstimmung *f*, Einklang *m*, Harmonie *f*

concourse ['kɒŋkɔːs] *sb* 1. Auflauf *m*, Menge *f; 2. (at an airport)* Halle *f*

concrete ['kɒŋkriːt] *sb* 1. Beton *m; adj* 2. betoniert, Beton... 3. *(fig)* konkret; *v* 4. TECH betonieren

concur [kən'kɜː] *v (agree)* übereinstimmen; *(with a statement)* beipflichten

concurrence [kən'kʌrəns] *sb* 1. *(accordance)* Übereinstimmung *f; 2. (of events)* Zusammentreffen

concuss [kən'kʌs] *v* erschüttern

concussion [kən'kʌʃən] *sb* MED Gehirnerschütterung *f*

condemn [kən'dem] *v* 1. verurteilen; 2. *(fig)* verdammen, verurteilen

condemnation [kɒndem'neɪʃən] *sb* 1. Verurteilung *f; 2. (of a building)* Kondemnation *f*

condensation [kɒnden'seɪʃən] *sb* 1. CHEM Kondensation *f; 2. (liquid formed)* Kondenswasser *n*

condense [kən'dens] *v* 1. *(book, article)* kürzen; 2. CHEM verdichten, kondensieren

condition [kən'dɪʃən] *sb* 1. *(state)* Zustand *m*, Verfassung *f*, Beschaffenheit *f; out of ~* in schlechter Verfassung; 2. SPORT Kondition *f*, Form *f; 3. (a ~)* MED Leiden *n*, Beschwerden *pl; 4. ~s pl (circumstances)* Umstände *pl*, Verhältnisse *pl*, Lage *f; 5. (stipulation)* Bedingung *f*, Voraussetzung *f*, Kondition *f; on ~ that...* unter der Bedingung, dass... *v* 6. *(bring into good ~)* in Form bringen; 7. PSYCH konditionieren

condole [kən'dəʊl] *v ~ with s.o.* jdm kondolieren

condolence [kən'dəʊləns] *sb* Beileid *n; offer s.o. one's ~s* jdm sein Beileid aussprechen

condom ['kɒndəm] *sb* Kondom *n*

condonation [kɒndəʊ'neɪʃən] *sb* Vergebung *f*, Schulderlass *m*

condone [kən'dəʊn] *v* dulden

conduce [kən'djuːs] *v* fördern

conduct [kən'dʌkt] *v* 1. *~ o.s.* sich benehmen, sich verhalten; 2. *(direct)* führen, leiten, verwalten; 3. *(guide)* führen; 4. PHYS leiten; ['kɒndʌkt] *sb* 5. *(behaviour)* Verhalten *n*, Benehmen *n*, Betragen *n; 6. (management)* Führung *f*, Leitung *f; 7. safe ~* sicheres Geleit *n, (document)* Geleitbrief *m*

conduction [kən'dʌkʃən] *sb* Leitung *f*

conductor [kən'dʌktə] *sb* 1. MUS Dirigent *m; 2. (US: of a train)* Zugführer *m; 3.* TECH Leiter *m*

cone [kəʊn] *sb* 1. *(for ice cream)* Waffeltüte *f; 2.* MATH Kegel *m*

confect [kən'fekt] *v* herstellen

confection [kən'fekʃən] *sb* Konfekt *n*, Naschwerk *n*

confectionery [kən'fekʃənərɪ] *sb* 1. *(shop)* Konditorei *f; 2.* GAST Konditorwaren *pl*

confederacy [kən'fedərəsɪ] *sb* Staatenbund *m*, Konföderation *f*

confederate [kən'fedərɪt] *sb* Bündnispartner *m*, Verbündete(r) *m/f*

confederation [kənfedə'reɪʃən] *sb* POL 1. *(alliance)* Bund *m; 2. (system of government)* Konföderation *f*

confer [kən'fɜː] *v* 1. *(consult together)* sich beraten, sich besprechen; 2. *(bestow)* verleihen, übertragen

conference ['kɒnfərəns] *sb* 1. Konferenz *f*, Besprechung *f*, Sitzung *f; in ~* bei einer Besprechung; 2. *(convention)* Konferenz *f*, Tagung *f*

confess [kən'fes] *v* 1. eingestehen, zugeben, gestehen; 2. REL beichten

confession [kən'feʃən] *sb* 1. Geständnis *n*, Bekenntnis *n; 2.* REL Beichte *f*

confessional [kən'feʃənəl] *sb* REL Beichtstuhl *m*

confessor [kən'fesə] *sb* Beichtvater *m*

confide [kən'faɪd] *v ~ in s.o.* sich jdm anvertrauen

confidence ['kɒnfɪdəns] *sb* 1. Vertrauen *n*, Zutrauen *n; take s.o. into one's ~* jdn ins Vertrauen ziehen; 2. *(self-~)* Zuversicht *f*, Selbstvertrauen *n*

confident ['kɒnfɪdənt] *adj* zuversichtlich, sicher, überzeugt

confidential [kɒnfɪ'denʃəl] *adj* vertraulich, geheim

confidentiality [kɒnfɪdenʃɪ'ælɪtɪ] *sb* Vertraulichkeit *f*, Schweigepflicht *f*

configuration [kənfɪgjʊ'reɪʃən] *sb* 1. Struktur *f*, Gestalt *f*, Bau *m; 2.* INFORM Konfiguration *f*

confine [kən'faɪn] v 1. ~ o.s. to sich beschränken auf; 2. (limit) beschränken, begrenzen; 3. (to a place) einsperren
confinement [kən'faɪnmənt] sb 1. JUR (imprisonment) Haft f, Arrest m, Gefangenschaft f; solitary ~ Einzelhaft f; 2. MED Entbindung f
confirm [kən'fɜːm] v 1. bestätigen; 2. (one's resolve) bestärken, bekräftigen; 3. REL konfirmieren; (Catholic) firmen
confirmation [kɒnfə'meɪʃən] sb 1. Bestätigung f; 2. REL Konfirmation f; (Catholic) REL Firmung f
confiscate ['kɒnfɪskeɪt] v beschlagnahmen, einziehen, sicherstellen
confiscation [kɒnfɪs'keɪʃən] sb Beschlagnahme f, Einziehung f
conflict ['kɒnflɪkt] sb 1. Konflikt m; ~ of interest Interessenkonflikt m; [kən'flɪkt] v 2. ~ with sth zu etw im Widerspruch stehen
conform [kən'fɔːm] v ~ to (socially) sich anpassen an; (a rule) sich richten nach
conformity [kən'fɔːmɪtɪ] sb 1. Übereinstimmung f; 2. (social) Anpassung f
confound [kən'faʊnd] v (baffle) verblüffen; ~ it! Verdammt! Verflixt noch mal!
confront [kən'frʌnt] v 1. ~ s.o. with sth jdn mit etw konfrontieren; 2. (danger, the enemy) gegenübertreten; 3. (an issue) begegnen; 4. (find o.s. facing) gegenüberstehen
confrontation [kɒnfrən'teɪʃən] sb 1. Gegenüberstellung f, Konfrontation f; 2. (argument, clash) Auseinandersetzung f
confuse [kən'fjuːz] v 1. (bewilder, perplex) verwirren, durcheinander bringen; 2. (mix up) verwechseln, durcheinander bringen
confused [kən'fjuːzd] adj 1. (person) verwirrt, durcheinander, konfus; 2. (idea, situation) verworren, wirr, undeutlich
confusing [kən'fjuːzɪŋ] adj verwirrend
confusion [kən'fjuːʒən] sb 1. (perplexity) Verwirrung f; 2. (mixing up) Verwechslung f; 3. (disorder) Durcheinander n, Gewirr n
congeal [kən'dʒiːl] v 1. erstarren, fest werden, (get frozen) gefrieren, (blood) gerinnen; 2. (~ sth) erstarren lassen, (freeze) einfrieren
congenial [kən'dʒiːnɪəl] adj (person) sympathisch, gemütlich, verträglich
congest [kən'dʒest] v überfüllen, anfüllen, verstopfen
congestion [kən'dʒestʃən] sb Verstopfung f
conglomeration [kənglɒmə'reɪʃən] sb Konglomerat n, Ansammlung f, Gemisch n

congratulate [kən'grætjʊleɪt] v gratulieren, beglückwünschen
congratulations [kəngrætjʊ'leɪʃənz] pl Glückwunsch m; Congratulations! Ich gratuliere!
congregate ['kɒŋgrɪgeɪt] v sich versammeln
congregation [kɒŋgrɪ'geɪʃən] sb REL Gemeinde f
congress ['kɒŋgres] sb Kongress m, Tagung f
Congress ['kɒŋgres] sb (US) Kongress m
Congressman ['kɒŋgresmən] sb Kongressabgeordneter m
congruent ['kɒŋgrʊənt] adj 1. MATH deckungsgleich, kongruent; 2. (in agreement, corresponding) übereinstimmend
conjugate ['kɒndʒʊgeɪt] v GRAMM konjugieren, beugen
conjugation [kɒndʒʊ'geɪʃən] sb GRAMM Konjugation f
conjunction [kən'dʒʌŋkʃən] sb GRAMM Konjunktion f
conjuncture [kən'dʒʌŋktʃə] sb Zusammentreffen n
connect [kə'nekt] v 1. verbinden, verknüpfen; 2. (~ up) TECH anschließen; 3. TEL verbinden; 4. to be ~ed (to be related) zusammenhängen; 5. (with a blow) treffen; 6. (to another train) Anschluss haben
connection [kə'nekʃən] sb 1. Verbindung f; 2. (link, relationship) Zusammenhang m, Beziehung f; 3. (through acquaintance) Beziehung f, Verbindung f; have ~s Beziehungen haben; 4. TECH Verbindung f, Anschluss m; 5. TEL Verbindung f
connotation [kɒnə'teɪʃən] sb Konnotation f, Bedeutung f
conquer ['kɒŋkə] v 1. erobern, besiegen; 2. (fig: doubts, a disease) bezwingen, überwinden
conqueror ['kɒŋkərə] sb Eroberer m
conquest ['kɒŋkwest] sb Eroberung f
conscience ['kɒnʃəns] sb Gewissen n
conscientious [kɒnʃɪ'enʃəs] adj gewissenhaft, pflichtbewusst
consciousness ['kɒnʃəsnɪs] sb Bewusstsein n, Besinnung f; lose ~ das Bewusstsein verlieren; regain ~ wieder zu sich kommen
conscript ['kɒnskrɪpt] sb MIL Rekrut m
conscription [kən'skrɪpʃən] sb MIL 1. (universal ~) Wehrpflicht f; 2. (conscripting) Einberufung f
consecrate ['kɒnsɪkreɪt] v REL weihen

consecration [kɒnsɪ'kreɪʃən] sb 1. REL Weihe f; 2. (in mass) REL Wandlung f

consecutive [kən'sekjʊtɪv] adj aufeinander folgend, fortlaufend

consensus [kən'sensəs] sb Übereinstimmung f, Einigkeit f

consent [kən'sent] v 1. zustimmen, einwilligen; sb 2. Zustimmung f, Einwilligung f, Genehmigung f; age of ~ Mündigkeit f

consequence ['kɒnsɪkwəns] sb 1. (importance) Bedeutung f, Wichtigkeit f; It's of no ~. Das spielt keine Rolle. 2. (effect) Konsequenz f, Folge f, Wirkung f; take the ~s die Folgen tragen

consequent ['kɒnsɪkwənt] adj sich daraus ergebend, daraus folgend

conservation [kɒnsə'veɪʃən] sb 1. Erhaltung f; 2. (of nature) Naturschutz m; 3. (of the environment) Umweltschutz m

conservationist [kɒnsə'veɪʃənɪst] sb Umweltschützer m

conservation technology [kɒnsə'veɪʃən tek'nɒlədʒɪ] sb Umwelttechnik f

conservatism [kən'sɜːvətɪzəm] sb Konservatismus m

conservative [kən'sɜːvətɪv] adj 1. konservativ; 2. (cautious) vorsichtig; sb 3. Konservativer m

conservatory [kən'sɜːvətrɪ] sb 1. MUS Musikhochschule f; 2. (for plants) Wintergarten m

conserve [kən'sɜːv] v konservieren

consider [kən'sɪdə] v 1. (reflect upon) überlegen, nachdenken über, erwägen; 2. (take into account) denken an, berücksichtigen, bedenken; all things ~ed alles in allem; 3. (have in mind) in Betracht ziehen, erwägen; 4. (deem) betrachten als, halten für, schätzen

considerable [kən'sɪdərəbl] adj beträchtlich, erheblich, beachtlich

considerate [kən'sɪdərɪt] adj rücksichtsvoll, aufmerksam, fürsorglich

consideration [kənsɪdə'reɪʃən] sb 1. (deliberation) Überlegung f, Erwägung f; 2. take sth into ~ etw berücksichtigen; 3. (sth taken into ~) Erwägung f, Faktor m; 4. (thoughtfulness) Rücksicht f

considering [kən'sɪdərɪŋ] prep wenn man bedenkt, im Hinblick auf, angesichts

consign [kən'saɪn] v 1. ECO versenden, verschicken; 2. ~ to (commit to) bestimmen für

consignee [kɒnsaɪ'niː] sb Adressat m, Empfänger m

consist [kən'sɪst] v ~ of bestehen aus

consistency [kən'sɪstənsɪ] sb 1. Konsequenz f, Folgerichtigkeit f, Übereinstimmung f; 2. (of a substance) Konsistenz f

consistent [kən'sɪstənt] adj konsequent, gleich bleibend, einheitlich

consolation [kɒnsə'leɪʃən] sb 1. Trost m, Trostpflaster n; 2. (act of consoling) Trösten n

console[1] [kən'səʊl] v trösten

console[2] ['kɒnsəʊl] sb (control panel) Kontrollpult n

consolidate [kən'sɒlɪdeɪt] v (combine) vereinigen, zusammenschließen

consolidation [kənsɒlɪ'deɪʃən] sb (bringing together) Zusammenlegung f, Vereinigung f, Zusammenschluss m

consonant ['kɒnsənənt] sb LING Konsonant m

consort [kən'sɔːt] sb Gatte/Gattin m/f

conspicuous [kən'spɪkjʊəs] adj auffällig, auffallend, deutlich sichtbar

conspiracy [kən'spɪrəsɪ] sb Verschwörung f, Komplott n

conspirator [kən'spɪrətə] sb Verschwörer m

conspire [kən'spaɪə] v sich verschwören

constable ['kʌnstəbl] sb (UK) Polizist m

constancy ['kɒnstənsɪ] sb Beharrlichkeit f, Beständigkeit f, Konstanz f

constant ['kɒnstənt] adj 1. (unchanging) gleich bleibend, konstant, fest; 2. (continuous) andauernd, ständig, unaufhörlich

constellate ['kɒnstɪleɪt] v sich konstellieren, sich formieren

constellation [kɒnstə'leɪʃən] sb Sternbild n, Konstellation f

consternate ['kɒnstəneɪt] v beunruhigen, entsetzen

consternation [kɒnstɜː'neɪʃən] sb Sorge f, Bestürzung f

constituency [kən'stɪtjʊensɪ] sb POL Wahlkreis m

constituent [kən'stɪtjʊent] sb (component) Bestandteil m

constitute ['kɒnstɪtjuːt] v 1. (make up) bilden; 2. (amount to) darstellen

constitution [kɒnstɪ'tjuːʃən] sb 1. POL Verfassung f, Grundgesetz n, Satzung f; 2. (of a person) Konstitution f, Körperbau m

constitutional [kɒnstɪ'tjuːʃənl] adj 1. (consistent with the constitution) verfassungsmäßig; sb 2. (walk) Spaziergang m

constraint [kən'streɪnt] sb 1. (compulsion) Zwang m, Nötigung f; 2. (restriction) Beschränkung f

constrict [kən'strɪkt] *v* einengen, einschränken

construct [kən'strʌkt] *v 1.* bauen, errichten, konstruieren; *2. (a work of fiction)* aufbauen

construction [kən'strʌkʃən] *sb 1. (constructing)* Bau *m*, Konstruktion *f*, Errichtung *f; under ~* im Bau; *2. (of a work of fiction)* Aufbau *m*

construction site [kən'strʌkʃən saɪt] *sb* Baustelle *f*

construe [kən'struː] *v (interpret)* auslegen, auffassen

consul ['kɒnsl] *sb* POL Konsul *m*

consulate ['kɒnsjʊlɪt] *sb* POL Konsulat *n*

consult [kən'sʌlt] *v 1.* konsultieren, befragen, um Rat fragen; *~ one's watch* auf die Uhr sehen; *2. (files)* einsehen; *~ the dictionary* im Wörterbuch nachschlagen

consultant [kən'sʌltənt] *sb* Berater *m*

consultation [kɒnsəl'teɪʃən] *sb* Beratung *f*, Rücksprache *f*

consume [kən'sjuːm] *v 1. (use up)* verbrauchen, verzehren; *to be ~d with jealousy* von Eifersucht verzehrt werden; *2. (food)* verzehren, konsumieren

consumer [kən'sjuːmə] *sb* Verbraucher *m*, Konsument *m*

consumer goods [kən'sjuːmə gʊdz] *pl* ECO Verbrauchsgüter *pl*, Konsumgüter *pl*

consummate ['kɒnsʌmeɪt] *v 1. (a marriage)* vollziehen; [kən'sʌmɪt] *2. adj* vollendet

consumption [kən'sʌmpʃən] *sb* Verbrauch *m*, Konsum *m*, Verzehr *m*

contact ['kɒntækt] *v 1.* sich in Verbindung setzen mit, Kontakt aufnehmen zu; *sb 2. (communication)* Verbindung *f; to be in ~ with s.o.* mit jdm in Verbindung stehen; *lose ~ with s.o.* die Verbindung zu jdm verlieren; *3. (person to ~)* Kontaktperson *f*, Verbindungsmann *m*, Ansprechpartner *m; 4. (useful acquaintance)* Verbindung *f; make ~s* Verbindungen anknüpfen; *5. (touching)* Berührung *f*

contagion [kən'teɪdʒən] *sb* MED Ansteckung *f*

contagious [kən'teɪdʒəs] *adj 1.* MED ansteckend, direkt übertragbar; *2. (fig)* ansteckend

contain [kən'teɪn] *v 1. (have inside)* enthalten, beinhalten; *(control) (o.s.)* sich beherrschen; *(opponent)* in Schach halten; *(inflation)* in Grenzen halten; *3. (have room for)* fassen, umfassen

container [kən'teɪnə] *sb 1.* Behälter *m*, Gefäß *n; 2.* ECO Container *m*

contaminate [kən'tæmɪneɪt] *v* verunreinigen, vergiften, verseuchen

contamination [kəntæmɪ'neɪʃən] *sb* Verunreinigung *f*, Verseuchung *f*, Vergiftung *f*, Kontaminierung *f*

contemplate ['kɒntəmpleɪt] *v* nachdenken über, erwägen, denken an

contemporary [kən'tempərərɪ] *adj 1. (present-day)* zeitgenössisch, heutig; *2. (of the same time)* zeitgenössisch, der damaligen Zeit; *sb 3. (of s.o. in the past)* Zeitgenosse *m; 4. (age-wise)* Altersgenosse *m*

contempt [kən'tempt] *sb 1.* Verachtung *f*, Geringschätzung *f; hold in ~* verachten; *beneath ~* unter aller Kritik; *2. ~ of court* JUR Missachtung des Gerichts *f*

contend [kən'tend] *v 1. (assert)* behaupten; *2. (compete)* kämpfen; *~ with s.o. for sth* mit jdm um etw kämpfen

content¹ [kən'tent] *adj 1.* zufrieden; *v 2. ~ o.s. with* sich zufrieden geben mit, sich begnügen mit, sich abfinden mit; *3. (s.o.)* zufrieden stellen; *sb 4. one's heart's ~* nach Herzenslust

content² ['kɒntent] *1.* Inhalt *m; ~s pl* Inhalt *m; 2.* CHEM Gehalt *n*

contention [kən'tenʃən] *sb 1. (dispute)* Streit *m; 2. (argument)* Behauptung *f*

contentment [kən'tentmənt] *sb* Zufriedenheit *f*

contest¹ [kən'test] *v 1. (dispute)* bestreiten, angreifen; *2. ~ a seat* POL um einen Wahlkreis kämpfen; *3.* MIL kämpfen um; *4.* JUR anfechten;

contest² ['kɒntest] *sb 1.* Kampf *m; 2. (a competition)* Wettbewerb *m; 3.* SPORT Wettkampf *m*

context ['kɒntekst] *sb* Zusammenhang *m*, Kontext *m; out of ~* aus dem Zusammenhang gerissen

continent ['kɒntɪnənt] *sb 1.* Kontinent *m*, Erdteil *m; 2. (mainland)* Festland *n; the Continent (UK)* Kontinentaleuropa *n*

continental [kɒntɪ'nentl] *adj* kontinental

contingent [kən'tɪndʒənt] *adj 1. ~ upon* abhängig von; *sb 2. (group)* Gruppe *f; 3.* MIL Kontingent *n*

continual [kən'tɪnjʊəl] *adj 1. (frequently recurring)* immer wiederkehrend, häufig, oft wiederholt; *2. (unceasing)* ununterbrochen

continuation [kəntɪnjʊ'eɪʃən] *sb 1.* Fortsetzung *f; 2. (prolonging)* Fortdauer *f*

continue [kən'tɪnjuː] v 1. ~ to be ... weiterhin ... bleiben, nach wie vor ... sein; 2. (~ to exist) andauern, fortbestehen; 3. (weather) anhalten; 4. (carry on with sth) weitermachen, fortfahren, fortsetzen; ~ in office im Amt bleiben; 5. (resume) fortsetzen; "to be ~d" Fortsetzung folgt

continuity [kɒntɪ'njuːɪtɪ] sb 1. Stetigkeit f; 2. (of a story) der rote Faden m (fam)

continuous [kən'tɪnjuəs] adj 1. andauernd, ständig, fortwährend; 2. (line) ununterbrochen, durchgezogen; 3. TECH kontinuierlich

contorted [kən'tɔːtɪd] adj verzerrt

contortion [kən'tɔːʃən] sb 1. Verrenkung f; 2. (of a face) Verzerrung f

contour ['kɒntuə] sb Kontur f, Umriss m

contract [kən'trækt] v 1. (physically) sich zusammenziehen, sich verengen; 2. ~ an illness sich eine Krankheit zuziehen; 3. ~ to do sth sich vertraglich verpflichten, etw zu tun; 4. ~ sth out ECO etw außer Haus machen lassen; ['kɒntrækt] sb 5. Vertrag m; to be under ~ unter Vertrag stehen; 6. (order) Auftrag m

contraction [kən'trækʃən] sb 1. Zusammenziehung f; 2. (of one's pupils) Verengung f; 3. GRAMM Kurzform f

contractor [kən'træktə] sb Auftragnehmer m

contradict [kɒntrə'dɪkt] v widersprechen

contradiction [kɒntrə'dɪkʃən] sb Widerspruch m, Widerrede f; ~ in terms Widerspruch in sich

contrary ['kɒntrərɪ] prep 1. ~ to wider, gegen, entgegen; adj 2. (conflicting) gegensätzlich; 3. (opposite) entgegengesetzt; sb 4. Gegenteil n; on the ~ im Gegenteil

contrast [kən'trɑːst] v 1. (differ) im Gegensatz stehen; (colours) sich abheben; 2. ~ sth with sth einen Vergleich anstellen zwischen etw und etw; ['kɒntrɑːst] sb 3. Gegensatz m, Kontrast m; 4. FOTO Kontrast m

contribute [kən'trɪbjuːt] v 1. beitragen; 2. (to charity) spenden; 3. (food, supplies) beisteuern; 4. (to be a contributing factor) mitwirken

contribution [kɒntrɪ'bjuːʃən] sb 1. Beitrag m; make a ~ to sth einen Betrag zu etw leisten; 2. (donation) Spende f

contributor [kən'trɪbjuːtə] sb 1. Beitragender m; 2. (to charity) Spender m; 3. (to a magazine) Mitarbeiter m

contrition [kən'trɪʃən] sb Reue f

contrive [kən'traɪv] v (devise) ersinnen, sich ausdenken, entwerfen

control [kən'trəʊl] v 1. ~ o.s. sich beherrschen, sich bezähmen, sich mäßigen; 2. (sth) Kontrolle haben über, kontrollieren; 3. (regulate) kontrollieren; 4. (traffic) regeln; 5. (steer) steuern, lenken; 6. (keep within limits) in Schranken halten, in Rahmen halten, beschränken; sb 7. Kontrolle f; get under ~ unter Kontrolle bringen; get out of ~ außer Kontrolle geraten; 8. (authority) Gewalt f, Macht f, Herrschaft f; have no ~ over sth keinen Einfluss auf etw haben; 9. (check) Kontrolle f; 10. (of a situation) Beherrschung f; lose ~ of o.s. die Beherrschung verlieren; have the situation under ~ Herr der Lage sein; 11. TECH Steuerung f; 12. (knob, switch) Regler m, Schalter m; to be at the ~s die Steuerung haben

controller [kən'trəʊlə] sb 1. Kontrolleur m; 2. TECH Regler m

controlling [kən'trəʊlɪŋ] adj 1. beherrschend, dominant; 2. have a ~ interest in sth ECO eine Mehrheitsbeteiligung an etw besitzen

controversial [kɒntrə'vɜːʃəl] adj umstritten, strittig, kontrovers

controversy ['kɒntrəvɜːsɪ] sb Kontroverse f, Streit m

controvert ['kɒntrəvɜːt] v bestreiten, anfechten

convalesce [kɒnvə'les] v genesen

convalescence [kɒnvə'lesəns] sb Genesung f

convene [kən'viːn] v 1. (come together) zusammenkommen, sich versammeln; 2. (call together) einberufen, versammeln

convenience [kən'viːnɪəns] sb 1. Annehmlichkeit f; at your ~ wann es Ihnen paßt; for your ~ zum gefälligen Gebrauch; 2. public ~ öffentliche Toilette f

convenient [kən'viːnɪənt] adj 1. günstig, passend, geeignet; ~ly located (shop) verkehrsgünstig; 2. (functional) brauchbar, praktisch, zweckmäßig

convent ['kɒnvənt] sb REL Frauenkloster n

convention [kən'venʃən] sb 1. (conference) Fachkongress m, Tagung f; 2. POL Konvent m; (US) Parteiversammlung f; 3. (agreement) Abkommen n; 4. (social rule) Konvention f

converge [kən'vɜːdʒ] v 1. zusammenlaufen, sich einander nähern; 2. MATH konvergieren

convergence [kən'vɜːdʒəns] sb Konvergenz f, Annäherung f

conversation [kɒnvə'seɪʃən] *sb* Gespräch *n*, Unterhaltung *f*, Konversation *f*; *make ~ (small talk)* Konversation machen
converse ['kɒnvɜːs] *v* sich unterhalten, sprechen
conversely [kɒn'vɜːslɪ] *adv* umgekehrt
conversion [kən'vɜːʃən] *sb* 1. Umwandlung *f*, Verwandlung *f*; 2. *(of a buiding)* Umbau *m*; 3. *TECH (of a device)* Umstellung *f*; 4. *(of measures)* Umrechnung *f*; 5. *REL* Bekehrung *f*
convert [kən'vɜːt] *v* 1. umwandeln, verwandeln; 2. *(measures)* umrechnen; 3. *TECH* umrüsten, umstellen; *(building)* umbauen; 4. *REL* bekehren; 5. *FIN* konvertieren, umwandeln; ['kɒnvɜːt] *sb* 6. *REL* Bekehrter *m*
convertible [kən'vɜːtɪbl] *v* 1. verwandelbar; *sb* 2. Kabriolett *n*
convey [kən'veɪ] *v* 1. *(transport)* befördern; 2. *(an opinion)* vermitteln; 3. *(a message)* übermitteln; 4. *JUR* übertragen
conveyance [kən'veɪəns] *sb* 1. *(of a message)* Übermittlung *f*; 2. *JUR* Übertragung *f*
convict [kən'vɪkt] *v* 1. für schuldig erklären, überführen; ['kɒnvɪkt] *sb* 2. Sträfling *m*
conviction [kən'vɪkʃən] *sb* 1. *(belief)* Überzeugung *f*; *courage of one's ~s* Zivilcourage *f*; 2. *JUR* Verurteilung *f*, Schuldspruch *m*, Überführung *f*
convince [kən'vɪns] *v* überzeugen
convolve [kən'vɒlv] *v* zusammenrollen
convoy ['kɒnvɔɪ] *sb* 1. *MIL* Geleit *n*; 2. *(of lorries)* Lastwagenkolonne *f*
convulse [kən'vʌls] *v* erschüttern, schütteln
cook [kʊk] *v* 1. kochen, zubereiten; 2. *~ the books (fam)* die Bücher fälschen; *sb* 3. Koch/Köchin *m/f*
cooker ['kʊkə] *sb* 1. Kocher *m*; 2. *(UK: stove)* Herd *m*
cookery ['kʊkərɪ] *sb* *GAST* Kochen *n*, Kochkunst *f*
cookery-book ['kʊkərɪbʊk] *sb* Kochbuch *n*
cookie ['kʊkɪ] *sb* *(US) GAST* Keks *m*, Plätzchen *n*
cool [kuːl] *v* 1. abkühlen; 2. *(sth)* kühlen; *~ it! (fam)* Reg dich ab! *adj* 3. *(temperature)* kühl; 4. *(fig: unfriendly)* kühl; 5. *(calm)* besonnen, gelassen; 6. *(fam)* cool; *sb* 7. *Keep your ~! Bleib ganz ruhig! lose one's ~ (US) aus der Fassung geraten
• **cool down** *v (fig)* sich beruhigen
• **cool off** *v* abkühlen

cooperate [kəʊ'ɒpəreɪt] *v* zusammenarbeiten; *(comply)* mitmachen
cooperation [kəʊɒpə'reɪʃən] *sb* Zusammenarbeit *f*, Kooperation *f*
cooperative [kəʊ'ɒpərətɪv] *adj (prepared to comply)* kooperativ, kollegial
coordinate [kəʊ'ɔːdɪneɪt] *v* 1. koordinieren, gleichschalten, aufeinander abstimmen; [kəʊ'ɔːdɪnɪt] *sb* 2. Koordinate *f*
coordination [kəʊɔːdɪ'neɪʃən] *sb* Koordination *f*
coordinator [kəʊ'ɔːdɪneɪtə] *sb* Koordinator *m*
cop [kɒp] *sb (fam)* Bulle *m*, Polyp *m*
co-partner [kəʊ'pɑːtnə] *sb* Partner *m*, Teilhaber *m*
cope [kəʊp] *v ~ with* bewältigen, fertig werden mit, zurechtkommen mit
copier ['kɒpɪə] *sb (machine)* Kopierer *m*
copilot ['kəʊpaɪlət] *sb* Kopilot *m*
copper ['kɒpə] *sb* 1. *CHEM* Kupfer *n*; 2. *(fam: policeman)* Polizist *m*, Bulle *m* (fam)
copy ['kɒpɪ] *v* 1. *(write out again)* abschreiben; 2. *(reproduce)* kopieren, nachbilden; 3. *(imitate)* nachmachen; 4. *(a classmate's work)* abschreiben, spicken; *sb* 5. Kopie *f*; 6. *(written out separately)* Abschrift *f*; 7. *(of a photo)* Abzug *m*, Abdruck *m*; 8. *(of a book, newspaper, or magazine)* Exemplar *n*; 9. *(text of an advertisement or article)* Text *m*
copyright ['kɒpɪraɪt] *sb* Copyright *n*, Urheberrecht *n*
coral ['kɒrəl] *sb* *ZOOL* Koralle *f*
cord [kɔːd] *sb* 1. Schnur *f*, Strick *m*, Kordel *f*; 2. *(electrical)* Schnur *f*; 3. *~s pl* Kordstoff *m*
corded ['kɔːdɪd] *adj* gerippt
cordial ['kɔːdjəl] *adj* höflich, herzlich
core [kɔː] *sb* 1. Kern *m*, Kernhaus *n*; *to the ~ (fig)* durch und durch; *v* 2. entkernen
cork [kɔːk] *sb* 1. *(stopper)* Korken *m*, Stöpsel *m*; 2. *BOT* Kork *m*
corkscrew ['kɔːkskruː] *sb* Korkenzieher *m*
corn [kɔːn] *sb* 1. *BOT* Getreide *n*, Korn *n*; 2. *(US) BOT* Mais *m*; 3. *MED* Hühnerauge *n*
corned beef [kɔːnd'biːf] *sb* *GAST* Corned Beef *n*
corner ['kɔːnə] *v* 1. *(trap)* in die Enge treiben; *~ the market* monopolisieren; *sb* 2. Ecke *f*; *out of the ~ of one's eye* aus dem Augenwinkel; *round the ~* um die Ecke; *drive s.o. into a ~* jdn in die Ecke treiben; 3. *(in a road)* Kurve *f*; 4. *(out-of-the-way place)* Winkel *m*
cornfield ['kɔːnfiːld] *sb* Kornfeld *n*, *(US)* Maisfeld *n*

cornflakes [kɔːnfleɪks] *pl* GAST Cornflakes *pl*

coronation [kɒrəˈneɪʃən] *sb* Krönung *f*

corporal[1] [ˈkɔːpərəl] *sb* MIL Unteroffizier *m*

corporal[2] [ˈkɔːpərəl] *adj* körperlich

corporation [kɔːpəˈreɪʃən] *sb* ECO (UK) Handelsgesellschaft *f*, (US) Aktiengesellschaft *f*

corpse [kɔːps] *sb* Leiche *f*, Leichnam *m*

corpulent [ˈkɔːpjʊlənt] *adj* beleibt, korpulent

corpus [ˈkɔːpəs] *sb* 1. *(important part of sth)* Großteil *m*; 2. *(dead body)* Leiche *f*

Corpus Christi [ˈkɔːpəs ˈkrɪstɪ] *sb* REL Fronleichnam *m*

corrade [kɒˈreɪd] *v* GEO abtragen

correct [kəˈrekt] *v* 1. korrigieren, verbessern, berichtigen; *Correct me if I'm wrong.* Sie können mich gern berichtigen. *adj* 2. *(right)* richtig; 3. *(suitable)* korrekt

correction [kəˈrekʃən] *sb* Verbesserung *f*, Korrektur *f*

correctness [kəˈrektnɪs] *sb* Richtigkeit *f*, Korrektheit *f*

correlation [kɒrɪˈleɪʃən] *sb* *(relationship)* direkter Zusammenhang *m*, Wechselbeziehung *f*, Korrelation *f*

correlative [kɒˈrelətɪv] *adj* entsprechend

correspond [kɒrɪsˈpɒnd] *v* 1. *(exchange letters)* korrespondieren, in Briefwechsel stehen; 2. *~ to* entsprechen

correspondence [kɒrɪsˈpɒndəns] *sb* 1. *(letter writing)* Korrespondenz *f*; 2. *(a ~)* Briefwechsel *m*

correspondent [kɒrɪsˈpɒndənt] *sb* 1. *(reporter)* Korrespondent *m*, Berichterstatter *m*; 2. *(letter-writer)* Briefschreiber *m*

corridor [ˈkɒrɪdə] *sb* Korridor *m*, Gang *m*, Flur *m*

corrosion [kəˈrəʊʒən] *sb* Korrosion *f*

corrupt [kəˈrʌpt] *v* 1. verderben; *adj* 2. verdorben, schlecht, verworfen; 3. *(bribable)* korrupt

corruption [kəˈrʌpʃən] *sb* 1. Korruption *f*; 2. *(corrupt nature)* Verdorbenheit *f*

cosmetic [kɒzˈmetɪk] *adj* kosmetisch

cosmetics [kɒzˈmetɪks] *pl* Kosmetik *f*

cosmic [ˈkɒzmɪk] *adj* kosmisch

cosmonaut [ˈkɒzmənɔːt] *sb* Kosmonaut(in) *m*

cosmopolitan [kɒzməˈpɒlɪtən] *adj* 1. kosmopolitisch; *sb* 2. Kosmopolit *m*

cosmos [ˈkɒzmɒs] *sb* Kosmos *m*, Weltall *n*

cosset [ˈkɒsɪt] *v* verhätscheln

cost [kɒst] *v irr* 1. kosten; *How much does it ~?* Wie viel kostet es? *It'll ~ you.* (fam) Das kostet dich was. *sb* 2. Kosten *pl*; *at no ~* kostenlos; 3. *(fig)* Preis *m*; *at all ~s, at any ~* um jeden Preis

costly [ˈkɒstlɪ] *adj* teuer, kostspielig

costume [ˈkɒstjuːm] *sb* Kostüm *n*

cosy [ˈkəʊzɪ] *adj* behaglich, gemütlich

cot [kɒt] *sb* 1. *(for a baby: UK)* Kinderbett *n*, Gitterbett *n*; 2. *(US)* Feldbett *n*

cottage [ˈkɒtɪdʒ] *sb* Cottage *n*, Häuschen *n*

cottage cheese [kɒtɪdʒˈtʃiːz] *sb* Hüttenkäse *m*

cotton [ˈkɒtn] *sb* Baumwolle *f*

cotton wool [ˈkɒtn wʊl] *sb* Baumwolle *f*

couch [kaʊtʃ] *sb* Couch *f*, Liege *f*

couchette [kuːˈʃet] *sb* Liegewagen *m*

cougar [ˈkuːgə] *sb* Puma *m*

cough [kɒf] *v* 1. husten; *sb* 2. Husten *m*

• **cough up** *v* 1. aushusten; 2. *(fam: money)* rausrücken

could [kʊd] *v (see "can")*

council [ˈkaʊnsl] *sb* REL Konzil *n*

councilman [ˈkaʊnslmən] *sb* 1. Ratsmitglied *n*; 2. *(town ~)* Stadtrat *m*

council tax [ˈkaʊnsl tæks] *sb* (UK) Gemeindesteuer *f*

counsel [ˈkaʊnsl] *sb* 1. Rat *m*; *v* 1. beraten; 2. *(a course of action)* raten; *sb* 3. JUR Anwalt *m*; *~ for the defence* Verteidiger *m*; *~ for the prosecution* Anklagevertreter *m*; 4. Ratschlag *m*, Rat *m*, Beratung *f*

counsellor [ˈkaʊnsələ] *sb* Berater *m*

count [kaʊnt] *sb* 1. Zählung *f*; *lose ~* sich verzählen; 2. *(in boxing)* SPORT Auszählen *n*; 3. *lose ~ of sth* den Überblick über etw verlieren; 4. *(nobleman)* Graf *m*; *v* 5. zählen; 6. *(to be important)* wichtig sein; *that doesn't ~* das zählt nicht; 7. *(to be included)* mitgezählt werden, mitgerechnet werden; 8. *(consider)* betrachten; *not ~ing* abgesehen von

• **count against** *v* *~ sth* gegen etw sprechen

• **count in** *v* mitzählen, mitrechnen; *Count me in!* Ich bin dabei!

• **count out** *v* 1. *(money)* abzählen; 2. SPORT auszählen; 3. *(fam)* *I think we can count him out.* Ich glaube nicht, dass wir mit ihm rechnen können.

countdown [ˈkaʊntdaʊn] *sb* Countdown *m*

counter [ˈkaʊntə] *v* 1. kontern, *(reply)* entgegnen; *sb* 2. Ladentisch *m*, Tresen *m*, Theke *f*; *under the ~* illegal, unter dem Ladentisch; 3. TECH Zähler *m*

counteract [kaʊntərˈækt] *v* 1. entgegenwirken; 2. *(neutralisieren)* neutralisieren

counterbalance [kaʊntə'bæləns] *v* ausgleichen

counterfeit ['kaʊntəfɪt] *v 1.* fälschen; *sb 2.* Fälschung *f; adj 3.* gefälscht; ~ *money* Falschgeld *n*

counterfeiter ['kaʊntəfɪtə] *sb* Fälscher *m*

countermeasure ['kaʊntəmeʒə] *sb* Gegenmaßnahme *f*

counterpart ['kaʊntəpɑːt] *sb 1. (complement)* Gegenstück *n; 2. (equivalent)* Gegenüber *(fam)*

counter-revolution [kaʊntərevə'luːʃən] *sb* Konterrevolution *f,* Gegenrevolution *f*

countersign [kaʊntə'saɪn] *v* gegenzeichnen

countess ['kaʊntɪs] *sb* Gräfin *f*

country ['kʌntrɪ] *sb* Land *n*

country dance [kʌntrɪ'dɑːns] *sb* Volkstanz *m*

countryside ['kʌntrɪsaɪd] *sb* Land *n,* Landschaft *f*

county ['kaʊntɪ] *sb 1. (UK)* Grafschaft *f; 2. (US)* Landkreis *m,* Kreis *m,* Verwaltungsbezirk *m*

county town ['kaʊntɪ taʊn] *sb* Hauptstadt einer Grafschaft *f*

couple ['kʌpl] *v 1.* paaren; *~d with* verbunden mit; *2. TECH* kuppeln; *sb 3.* Paar *n; 4. a ~ (fam: some)* ein paar, einige; *(two)* zwei; *5. (lovers)* Liebespaar *n; 6. (married ~)* Ehepaar *n*

coupon ['kuːpɒn] *sb 1. (voucher)* Gutschein *m; 2. FIN* Kupon *m*

courage ['kʌrɪdʒ] *sb* Mut *m*

courageous [kə'reɪdʒəs] *adj* mutig, tapfer

courgette [kʊə'ʒet] *sb BOT* Zucchini *m*

courier ['kʊrɪə] *sb 1.* Eilbote *m; 2. (diplomatic ~)* Kurier *m*

course [kɔːs] *sb 1. (development)* Lauf *m,* Ablauf *m,* Verlauf *m; take its ~* seinen Lauf nehmen; *in due ~* zur gegebenen Zeit; *a matter of ~* eine Selbstverständlichkeit; *2. of ~* natürlich, selbstverständlich; *sb 3. (path)* Kurs *m; 4. (race ~)* Kurs *m,* Piste *f; 5. stay the ~* durchhalten; *6. (direction of travel)* Kurs *m,* Richtung *f; to be off ~* vom Kurs abgekommen sein; *7. ~ of a river* Flusslauf *m; 8. (programme)* Kurs *m,* Lehrgang *m; 9. (of a meal)* Gang *m; main ~* Hauptgericht *n*

court [kɔːt] *v 1. (a woman)* umwerben; *sb 2. (~ of law)* Gericht *n; take s.o. to ~* jdn verklagen; *3. (royal)* Hof *m; 4. SPORT* Platz *m,* Spielfeld *n*

courteous ['kɜːtɪəs] *adj* höflich

courtesy ['kɜːtəsɪ] *sb* Höflichkeit *f*

courtly ['kɔːtlɪ] *adj* höflich, galant

court order [kɔːt 'ɔːdə] *sb JUR* Gerichtsbeschluss *m*

courtroom ['kɔːtruːm] *sb* Gerichtssaal *m*

courtship ['kɔːtʃɪp] *sb* Werbung *f*

courtyard ['kɔːtjɑːd] *sb* Hof *m*

cousin ['kʌzn] *sb 1. (male)* Cousin *m,* Vetter *m; 2. (female)* Kusine *f,* Base *f*

covenant ['kʌvənənt] *sb 1.* Vertrag *m; 2. (in the Bible) REL* Bund *m*

cover ['kʌvə] *v 1.* bedecken, zudecken; *2. (re-cover furniture)* beziehen, überziehen; *3. ~ over* überdecken; *4. FIN (a loan, a check)* decken; *(costs)* bestreiten; *(insure)* versichern; *5. SPORT* decken; *6. MIL* decken; *7. (hide)* verbergen; *(a mistake)* verdecken; *~ one's tracks* seine Spuren verwischen; *8. ~ up (a mistake, a scandal)* vertuschen; *9. (include)* einschließen, umfassen, enthalten; *10. (a story)* berichten über; *11. (distance)* zurücklegen; *12. ~ for s.o. (protect s.o.)* jdn decken, *(help out)* für jdn einspringen; *13. ~ a lot of ground (travel)* weit herumkommen, *(to be comprehensive)* umfassend sein; *sb 14. (sheet, blanket)* Decke *f; 15. (tarpaulin)* Plane *f; 16. (of a magazine)* Umschlag *m,* Titelseite *f; 17. (of a book)* Einband *m; read sth from ~ to ~* etw von der ersten bis zur letzten Seite lesen; *18. (false identity)* Tarnung *f; blow one's ~* auffliegen *(fam); 19. (lid)* Deckel *m; 20. MIL* Deckung *f; take ~* in Deckung gehen; *21. under separate ~* mit getrennter Post

coverage ['kʌvrɪdʒ] *sb 1. (in the media)* Berichterstattung *f; 2. (insurance ~) ECO* Versicherung *f*

covering ['kʌvərɪŋ] *sb 1.* Abdeckung *f,* Verkleidung *f,* Hülle *f; 2. (shelter)* Schutz *m*

cow [kaʊ] *sb* Kuh *f*

coward ['kaʊəd] *sb* Feigling *m*

cowardice ['kaʊədɪs] *sb* Feigheit *f*

cowboy ['kaʊbɔɪ] *sb* Cowboy *m*

cower ['kaʊə] *v 1.* sich ducken; *2. (squatting)* kauern

cowl [kaʊl] *sb* Kapuze *f*

coyote [kaɪ'əʊtɪ] *sb* Kojote *m*

cozy *(US)(see "cosy")*

crab [kræb] *sb ZOOL* Krabbe *f,* Krebs *m*

crabbed ['kræbɪd] *adj 1. (ill-humoured)* übellaunig, mürrisch; *2. (illegible)* unverständlich, unleserlich

crack [kræk] *sb 1.* Sprung *m,* Riss *m,* Ritze *f; 2. (sound)* Knacks *m,* Knall *m; 3. (gibe)* Stichelei *f; 4. (fam: ~ cocaine)* Crack *n; 5. at the ~ of dawn* bei Tagesanbruch, *(fig: very ear-*

ly) sehr früh; *v 6. (become ~ed)* zerspringen, springen, Risse bekommen; *8. get ~ing (fam)* Dampf machen, loslegen; *9. (make a ~ in)* einen Sprung machen in; *10. (fig: a safe, a code)* knacken; *11. (make a ~ing sound)* knacken, krachen; *12. (a whip)* knallen mit; *13. (nuts)* knacken; *14. ~ a bottle* eine Flasche köpfen; *15. ~ a joke* einen Witz reißen

• **crack down** *v ~ on* scharf vorgehen gegen
• **crack up** *v 1. (fam: lose one's sanity)* durchdrehen, überschnappen; *2. (fam: with laughter)* sich kaputtlachen

cracker ['krækə] *sb (biscuit)* Kräcker *m*
cracking ['krækɪŋ] *adj (fam) (UK)* super, toll; *We had a ~ day out.* Wir hatten einen phantastischen Ausflug.
crackle ['krækl] *v* knattern, knistern
cradle ['kreɪdl] *sb* Wiege *f*
craft [krɑːft] *sb 1. (trade)* Handwerk *n*, Gewerbe *n*; *2. (handicraft)* Kunst *f; arts and ~s* Kunstgewerbe *n*
craftsman ['krɑːftsmən] *sb* Handwerker *m*
crafty ['krɑːftɪ] *adj* schlau, raffiniert, listig, clever
cram [kræm] *v 1.* voll stopfen; *2. (fam: study)* pauken, büffeln
cramp [kræmp] *sb 1. MED* Krampf *m; v 2.* behindern
cranberry ['krænbərɪ] *sb* Preiselbeere *f*
crane [kreɪn] *sb 1. TECH* Kran *m; 2. ZOOL* Kranich *m*
crash [kræʃ] *v 1. (have an accident)* verunglücken, einen Unfall haben; *(plane)* abstürzen; *2. (into one another)* zusammenkrachen; *3. (wreck)* einen Unfall haben mit; *~ a party* uneingeladen zu einer Party kommen; *sb 4.* Unglück *n*, Unfall *m*, Zusammenstoß *m; 5. (airplane ~)* Absturz *m; v 6. (noise)* Krach *m*
crash course ['kræʃkɔːs] *sb* Intensivkurs *m*, Schnellkurs *m*
crash helmet ['kræʃhelmɪt] *sb* Sturzhelm *m*
crate [kreɪt] *sb* Kiste *f*, Kasten *m*
crater ['kreɪtə] *sb* Krater *m*
cravat [krə'væt] *sb* Halstuch *n*
craven ['kreɪvn] *adj* feige
crawfish ['krɔːfɪʃ] *sb* Languste *f*
crawl [krɔːl] *v 1.* kriechen, krabbeln; *2. to be ~ing with* wimmeln von
crawler ['krɔːlə] *sb (fam: servile person)* Schleimer *m*, Kriecher *m*
crayfish ['kreɪfɪʃ] *sb ZOOL 1. (freshwater)* Flusskrebs *m; 2. (salt-water)* Languste *f*

crazy ['kreɪzɪ] *adj 1.* verrückt, wahnsinnig; *go ~* verrückt werden; *2. ~ about* versessen auf, begeistert von
creak [kriːk] *v* knarren, quietschen
cream [kriːm] *sb 1. GAST* Sahne *f*, Rahm *m; 2. (lotion)* Creme *f; 3. (fig: best)* Auslese *f*, Elite *f; v 4. ~ off* abschöpfen; *5. (fig)* absahnen
creamy ['kriːmɪ] *adj* sahnig
crease [kriːs] *v 1. (become ~d)* knittern; *2. (make a ~ in) (clothes)* eine Falte machen in, *(paper)* einen Kniff machen in; *3. (unintentionally)* zerknittern, verknittern; *sb 4.* Falte *f*, Kniff *m; 5. (ironed)* Bügelfalte *f*
create [kriː'eɪt] *v* schaffen, verursachen
creation [kriː'eɪʃən] *sb 1. (making)* Schaffung *f*, Verursachung *f*, Erschaffung *f; the Creation* die Schöpfung; *2. (thing created)* Schöpfung *f*, Kreation *f*, Werk *n*
creative [kriː'eɪtɪv] *adj* kreativ
creativity [kriːeɪ'tɪvɪtɪ] *sb* Kreativität *f*, schöpferische Kraft *f*
creator [kriː'eɪtə] *sb* Schöpfer *m*
creature ['kriːtʃə] *sb* Wesen *n*, Lebewesen *n*, Geschöpf *n*
credence ['kriːdns] *sb* Glaube *m*
credibility [kredɪ'bɪlɪtɪ] *sb* Glaubwürdigkeit *f*, Glaubhaftigkeit *f*
credible ['kredɪbl] *adj* glaubwürdig
credit ['kredɪt] *sb 1. FIN* Kredit *m; 2. (balance) FIN* Guthaben *n*, Haben *n; 3. (recognition)* Anerkennung *f; get ~ for* Anerkennung finden für; *take the ~ for* etw das Verdienst für etw in Anspruch nehmen; *4. (honour)* Ehre *f; to be a ~ to s.o.* jdm Ehre machen; *5. ~s pl (opening ~) CINE* Vorspann *m; (closing ~)* Nachspann *m; v 6. FIN* gutschreiben; *7. (attribute)* zuschreiben; *~ s.o. with sth* jdm etw zuschreiben
credit card ['kredɪt kɑːd] *sb* Kreditkarte *f*
credo ['kriːdəʊ] *sb* Kredo *n*, Glaubensbekenntnis *n*
creed [kriːd] *sb 1. (set of principles)* Kredo *n; 2. REL* Glaubensbekenntnis *n*, Glaube *m*, Konfession *f*
creek [kriːk] *sb 1. (UK: inlet)* kleine Bucht *f; 2. (US: brook)* Bach *m; to be up the ~ (fam)* in der Klemme sitzen
creel [kriːl] *sb* Korb *m*
creep [kriːp] *v irr 1.* schleichen, kriechen; *~ up on* sich heranschleichen an; *2. (vertically)* sich ranken, klettern; *3. make s.o.'s flesh ~* jdm eine Gänsehaut einjagen; *sb 4. (fam)* Widerling *m*, fieser Typ *m; 5. give s.o. the ~s* jdm Angst und Bange machen

cremate [krɪ'meɪt] *v* verbrennen, einäschern
cremation [krɪ'meɪʃən] *sb* Feuerbestat-
tung *f,* Einäscherung *f*
crematorium [kremə'tɔːrɪəm] *sb* Krematorium *n*
crest [krest] *sb 1. (of a wave, of a hill)*
Kamm *m; 2. (coat of arms)* Wappen *n*
crestfallen ['krestfɔːlən] *adj* niedergeschlagen, geknickt
crevasse [krɪ'væs] *sb* Spalte *f,* Gletscherspalte *f*
crevice ['krevɪs] *sb* Felsspalte *f*
crew [kruː] *sb* Mannschaft *f,* Crew *f,* Besatzung *f*
crib [krɪb] *sb 1. (cradle)* Krippe *f; 2. (US)*
Kinderbett *n,* Gitterbett *n; v 3. (in school)*
(fam) spicken
cricket ['krɪkɪt] *sb 1. ZOOL* Grille *f; 2.
SPORT* Kricket *n*
crime [kraɪm] *sb 1. (in general)* Verbrechen
pl; 2. (a ~) Straftat *f,* Verbrechen *n*
criminal ['krɪmɪnl] *sb 1.* Kriminelle(r) *m/f,*
Verbrecher *m,* Straftäter *m; adj 2.* kriminell,
verbrecherisch, strafbar
criminal code ['krɪmɪnl kəʊd] *sb JUR*
Strafgesetzbuch *n*
criminality [krɪmɪnælɪtɪ] *sb* Kriminalität *f*
criminalize ['krɪmɪnəlaɪz] *v* kriminalisie-
ren
criminal law ['krɪmɪnl lɔː] *sb JUR* Strafrecht *n*
crimp [krɪmp] *sb put a ~ in sth* etw hemmen, etw behindern
crimple ['krɪmpl] *v* zerknittern, zerknaut-
schen
crimson ['krɪmzn] *adj* purpurrot
cringe [krɪndʒ] *v 1.* zurückschrecken; *2.
(fig)* schaudern; *I ~ at the thought.* Mich
schaudert bei dem Gedanken.
crinkle ['krɪŋkl] *v* knittern
crisis ['kraɪsɪs] *sb* Krise *f*
crisp [krɪsp] *adj 1. (bread, bacon)* knusprig;
2. (air) frisch; *3. (remark, manner)* knapp; *sb 4.
~s pl (UK)* Kartoffelchips *pl*
crispbread ['krɪspbred] *sb* Knäckebrot *n*
crispness ['krɪspnɪs] *sb 1. (food)* Knus-
prigkeit *f,* Knackigkeit *f,* Frische *f; 2. (vivacity)* Frische *f,* Lebendigkeit *f*
crisps ['krɪsps] *pl (UK) GAST* Kartoffelchips *pl*
crispy ['krɪspɪ] *adj* knusprig
criterion [kraɪ'tɪərɪən] *sb* Kriterium *n*
critic ['krɪtɪk] *sb* Kritiker *m*

critical ['krɪtɪkəl] *adj 1. (fault-finding)* kritisch; *2. (crucial)* kritisch, entscheidend; *3.
(dangerous)* kritisch, bedenklich
criticism ['krɪtɪsɪzəm] *sb* Kritik *f*
criticize ['krɪtɪsaɪz] *v* kritisieren
critique [krɪ'tiːk] *sb* Kritik *f*
croak [krəʊk] *v 1. (frog)* quaken, *(raven)*
krächzen; *2. (fam: die)* abkratzen
crocodile ['krɒkədaɪl] *sb* Krokodil *n*
crook [krʊk] *sb 1. (shepherd's)* Hirtenstab
m; 2. (thief, swindler) Gauner *m,* Ganove *m*
crop [krɒp] *sb 1. AGR* Ernte *f,* Ertrag *m; v
2. ~ up (fam)* auftauchen, aufkommen
cross [krɒs] *sb 1.* Kreuz *n; make the sign of
the ~* das Kreuzzeichen machen; *v 2. (to be
~ed)* sich kreuzen, sich schneiden, sich überschneiden; *3. (put one across the other)* kreuzen, verschränken; *~ a t* den T-Strich setzen;
4. BIO kreuzen; *5. (go across)* überqueren,
überschreiten, durchqueren; *it ~ed my mind*
es kam mir in den Sinn; *6. ~ out* ausstreichen,
durchstreichen; *7. (a cheque: UK) FIN* zur Ver-
rechnung ausstellen; *adj 8.* böse, sauer
crossing ['krɒsɪŋ] *sb 1. (trip across)* Überquerung *f; (on a ship)* Überfahrt *f; 2. (place
where one can cross)* Übergang *m; 3. (cross-
roads)* Kreuzung *f*
crossroads ['krɒsrəʊdz] *sb 1.* Straßenkreuzung *f; 2. (fig)* Scheideweg *m*
cross section ['krɒssekʃən] *sb* Querschnitt *m*
cross-street ['krɒsstriːt] *sb* Querstraße *f*
crosswalk ['krɒswɔːk] *sb (US)* Fußgängerüberweg *m*
crosswise ['krɒswaɪz] *adv* quer
crossword puzzle ['krɒswɜːdpʌzl] *sb*
Kreuzworträtsel *n*
crouch [kraʊtʃ] *v 1.* hocken; *2. (in fear)* kauern
crow [krəʊ] *sb 1. ZOOL* Krähe *f; eat ~ (fam)*
demütig einen Fehler zugeben; *v 2.* krähen; *3.
(fam: boast)* triumphieren
crowd [kraʊd] *sb 1.* Menschenmenge *f; 2.
(spectators)* Zuschauermenge *f,* Publikum *n;
3. (crush)* Gedränge *n,* Andrang *m; 4. (clique)*
Haufen *m; v 5.* drängen
crown [kraʊn] *sb 1.* Krone *f; v 2.* krönen
crown court [kraʊn kɔːt] *sb (UK) JUR*
Schwurgericht *n*
crown prince [kraʊn prɪnts] *sb (heir to the
crown)* Kronprinz *m*
crucifix ['kruːsɪfɪks] *sb REL* Kruzifix *n*
crucifixion [kruːsɪ'fɪkʃən] *sb REL* Kreuzigung *f*

crucify ['kru:sɪfaɪ] *v* kreuzigen
crude [kru:d] *adj 1. (vulgar)* grob, derb, ordinär; *2. (unsophisticated)* primitiv, grob; *3. (unprocessed)* roh
cruel ['kruəl] *adj* grausam, gemein, unbarmherzig
cruelty ['kruəltɪ] *sb 1.* Grausamkeit *f; 2.* ~ *to animals* Tierquälerei *f*
cruise [kru:z] *v 1. (in a ship)* kreuzen; *(in a plane)* fliegen; *(in a car)* fahren; *2. INFORM* ~ *the internet* surfen; *sb 3.* Kreuzfahrt *f,* Vergnügungsfahrt *f*
cruiser ['kru:zə] *sb NAUT* Kreuzer *m*
crumb [krʌm] *sb* Krümel *m,* Brösel *m*
crumble ['krʌmbl] *v 1.* zerbröckeln, zerfallen, abbröckeln; *2. (fig)* sich auflösen, schmelzen, schwinden; *sb 3. (cause to ~)* zerkrümeln, zerbröckeln, bröckeln
crummy ['krʌmɪ] *adj (fam)* mies
crumple ['krʌmpl] *v (~ up)* zerknittern
crunch [krʌntʃ] *v 1. (make a ~ing sound)* knirschen, krachen; *sb 2. (sound)* Krachen *n,* Knirschen *n*
crunchy ['krʌntʃɪ] *adj* knusprig
crusade [kru:'seɪd] *sb* Kreuzzug *m*
crush [krʌʃ] *v 1.* zerdrücken, zerquetschen, zermalmen; *2. (to death)* erdrücken; *3. (stones)* zerkleinern; *4. (garlic, ice)* stoßen; *5. (fig)* niederschlagen, vernichten, unterdrücken; *sb 6.* Gedränge *n; 7. (fam: infatuation)* Schwärmerei *f; have a* ~ *on s.o.* in jdn verknallt sein
crust [krʌst] *sb* Kruste *f*
crusty ['krʌstɪ] *adj 1. (having a crust)* knusprig; *2. (remark)* hart, scharf, grob
crutch [krʌtʃ] *sb* Krücke *f*
cry [kraɪ] *v 1. (weep)* weinen; ~ *o.s. to sleep* sich in den Schlaf weinen; *2. (call)* rufen; *3. (scream)* schreien; *4.* ~ *out* aufschreien; ~ *sth out to s.o.* jdm etw zuschreien; *sb 5. (call)* Ruf *m; a far* ~ *from (fig)* weit entfernt von; *6. (scream)* Schrei *m*
crypt [krɪpt] *sb* Gruft *f*
cryptic ['krɪptɪk] *adj* rätselhaft, hintergründig
crystal ['krɪstl] *sb* Kristall *m*
cub [kʌb] *sb ZOOL* Junge(s) *n*
cube [kju:b] *sb 1.* Würfel *m; 2. (power of three)* dritte Potenz *f*
cubic meter ['kju:bɪk 'mi:tə] *sb* Kubikmeter *m*
cuckoo ['kuku:] *sb ZOOL* Kuckuck *m*
cuckoo clock ['kuku:klɒk] *sb* Kuckucksuhr *f*

cucumber ['kju:kʌmbə] *sb* Gurke *f; as cool as a* ~ beherrscht, ruhig
cuddle ['kʌdl] *v 1. (~ up)* schmusen, sich kuscheln; *2. (s.o.)* hätscheln, schmusen mit
cue [kju:] *sb 1. CINE* Zeichen zum Aufnahmebeginn *n; 2. THEAT* Stichwort *n; 3. MUS* Einsatz *m*
cuff [kʌf] *sb (on clothing)* Manschette *f,* Aufschlag *m; off the* ~ aus dem Stegreif
cull [kʌl] *v* pflücken, sammeln, einsammeln
culminate ['kʌlmɪneɪt] *v* ~ *in* gipfeln in
culmination [kʌlmɪ'neɪʃən] *sb* Gipfel *m*
culpable ['kʌlpəbl] *adj* schuldig
culprit ['kʌlprɪt] *sb 1.* Schuldiger *m, (fig)* Übeltäter *m; 2. JUR* Täter *m*
cult [kʌlt] *sb* Kult *m*
cultivate ['kʌltɪveɪt] *v 1.* kultivieren, bebauen, anbauen; *2. (fig)* pflegen, kultivieren
cultivated ['kʌltɪveɪtɪd] *adj* kultiviert
cultivation [kʌltɪ'veɪʃən] *sb 1. AGR* Kultivierung *f,* Anbau *m; 2. (fig)* Pflege *f*
cultural ['kʌltʃərəl] *adj* kulturell, Kultur...
culture ['kʌltʃə] *sb* Kultur *f*
cultured ['kʌltʃəd] *adj 1. (person)* kultiviert; *2. (produced artificially)* gezüchtet
culture shock ['kʌltʃə ʃɒk] *sb* Kulturschock *m*
cumber ['kʌmbə] *v* belasten, erschweren, behindern
cumulate ['kju:mjuleɪt] *v* anhäufen
cumulative ['kju:mjulətɪv] *adj* gesamt
cunning ['kʌnɪŋ] *adj 1. (person)* listig, gerissen, schlau; *2. (idea)* schlau; *sb 3.* Listigkeit *f,* Schlauheit *f*
cup [kʌp] *sb 1.* Tasse *f; 2. (mug, tumbler)* Becher *m; 3. (trophy, goblet)* Pokal *m*
cupboard ['kʌbəd] *sb* Schrank *m, (containing food)* Speiseschrank *m, (containing dishes)* Geschirrschrank *m*
curable ['kjurəbəl] *adj* heilbar
curate ['kjurɪt] *sb REL* Vikar *m,* Kurat *m*
curb [kɜ:b] *v 1. (fig)* zügeln, einschränken, bändigen; *sb 2. (US: kerb)* Bordstein *m*
curdle ['kɜ:dl] *v 1. (become ~d)* gerinnen; *2. (~ sth)* gerinnen lassen
curds [kɜ:dz] *pl GAST* Quark *m*
cure [kjuə] *v 1.* heilen; *sb 2. (fig)* Mittel *n; 3. (remedy) MED* Heilmittel *n; 4. (recovery)* Heilung *f; 5. (at a spa)* Kur *f*
curiosity [kjuərɪ'ɒsɪtɪ] *sb 1.* Neugier *f; 2. (item)* Kuriosität *f,* Rarität *f*
curious ['kjuərɪəs] *adj 1. (inquisitive)* neugierig, wissbegierig; *2. (odd)* merkwürdig, kurios, seltsam; ~*ly enough* merkwürdigerweise

curl [kɜːl] *sb 1.* Locke *f; v 2.* locken, kräuseln
• **curl up** *v 1.* sich zusammenkuscheln; *2. (animal)* sich zusammenkugeln
curler ['kɜːlə] *sb* Lockenwickler *m*
curly ['kɜːlɪ] *adj* lockig, kraus, gelockt, gewellt
currency ['kʌrənsɪ] *sb* FIN Währung *f*
currency union ['kʌrənsɪ 'juːnɪən] *sb* POL Währungsunion *f*
current ['kʌrənt] *adj 1.* gegenwärtig, jetzig, laufend; *sb 2. (of electricity)* Strom *m; 3. (of water)* Strömung *f,* Strom *m; 4. (of air)* Luftstrom *m*
currently ['kʌrəntlɪ] *adv* momentan, zurzeit
curriculum [kə'rɪkjʊləm] *sb* Lehrplan *m*
curriculum vitae [kə'rɪkjʊləm 'vaːtiː] *sb (UK)* Lebenslauf *m*
curry ['kʌrɪ] *v 1. ~ favour with s.o.* sich bei jdm einschmeicheln; *sb 2.* GAST Curry *m/n*
curse [kɜːs] *v 1. (swear)* fluchen; *2. (put a ~ on)* verfluchen; *sb 3.* Fluch *m*
cursive ['kɜːsɪv] *sb* Kursivschrift *f*
cursor ['kɜːsə] *sb* INFORM Cursor *m*
curt [kɜːt] *adj* kurz, knapp
curtail [kɜː'teɪl] *v* kürzen, verkürzen
curtain ['kɜːtn] *sb* Vorhang *m,* Gardine *f*
curvaceous [kɜː'veɪʃəs] *adj* kurvenreich
curvature ['kɜːvətʃə] *sb* Krümmung *f*
curve [kɜːv] *sb 1.* Kurve *f; her ~s (fam)* ihre Kurven; *2. (of a river)* Biegung *f; 3. (of an archway)* Bogen *m; 4. (curvature)* Krümmung *f; v 5. (road)* einen Bogen machen
cushion ['kʊʃən] *sb 1.* Kissen *n,* Polster *n; v 2. (a fall, an impact)* dämpfen
cuss word [kʌs wɜːd] *sb* Schimpfwort *n*
custard ['kʌstəd] *sb* GAST Pudding *m*
custodian [kʌs'təʊdɪən] *sb 1.* Aufseher *m,* Wächter *m; 2. (fig: of an ideal)* Hüter *m*
custody ['kʌstədɪ] *sb 1. (keeping)* Obhut *f; 2.* JUR Sorgerecht *n; 3. (police detention)* Gewahrsam *m; take into ~* in Gewahrsam nehmen; *protective ~* Schutzhaft *f*
custom ['kʌstəm] *adj 1.* maßgefertigt, spezialgefertigt; *sb 2. (convention)* Sitte *f,* Brauch *m; 3. (habit)* Gewohnheit *f,* Gepflogenheit *f; as was his ~* wie er es zu tun pflegte
customary ['kʌstəmərɪ] *adj* üblich, gebräuchlich, herkömmlich
customer ['kʌstəmə] *sb* Kunde/Kundin *m/f*
customer service ['kʌstəmə 'sɜːvɪs] *sb* Kundendienst *m*
customs ['kʌstəmz] *pl* Zoll *m*

customs inspection ['kʌstəmz ɪn'spekʃən] *sb* Zollkontrolle *f*
customs official ['kʌstəmz ə'fɪʃəl] *sb* Zollbeamte(r) *m*
cut [kʌt] *v irr 1.* schneiden; *~ one's nails* sich die Nägel schneiden; *~ to pieces* zerstückeln; *It ~s both ways.* Das ist ein zweischneidiges Schwert. Das trifft auch umgekehrt zu. *2. (glass, gems)* TECH schleifen; *3. (the grass)* mähen; *4. (~ into)* anschneiden; *5. (carve)* schnitzen; *6. (reduce)* herabsetzen, vermindern, verkürzen; *7. ~ s.o. short* jdn unterbrechen; jdm über den Mund fahren; *8. ~ class (fig)* schwänzen; *sb 9.* Schnitt *m; 10. (of meat)* Stück *n; 11.* MED Schnittwunde *f; 12. (reduction)* Kürzung *f,* Verringerung *f,* Einschränkung *f; 13. (share)* Anteil *m,* Teil *m; adj 14. to be ~ and dried (to be boring)* nicht besonders aufregend sein, trocken sein, *(to be obvious)* eine klare Sache sein
• **cut across** *v irr ~ sth* quer durch etw gehen
• **cut back** *v irr (reduce)* kürzen
• **cut down** *v irr 1. (reduce expenditures, ~ on cigarettes)* sich einschränken; *2. (a tree)* fällen
• **cut in** *v irr 1. (interrupt)* sich einschalten; *2. (at a dance)* abklatschen (fam)
• **cut off** *v irr* abschneiden, abschlagen
• **cut open** *v irr* aufschneiden
• **cut out** *v irr 1. (remove by cutting)* ausschneiden; *to be ~ for sth* für etw wie geschaffen sein, das Zeug zu etw haben; *2. (stop doing)* aufhören mit; *Cut it out!* Hör auf damit!
cutback ['kʌtbæk] *sb* Verringerung *f*
cute [kjuːt] *adj (sweet)* süß, niedlich
cutlery ['kʌtlərɪ] *sb (flatware)* Essbesteck *n*
cutlet ['kʌtlɪt] *sb* GAST Schnitzel *n*
cutter ['kʌtə] *sb 1.* NAUT Kutter *m, (US: coastguard ~)* Küstenwachboot *n; 2.* TECH Schneidewerkzeug *n*
cuttlefish ['kʌtlfɪʃ] *sb* ZOOL Tintenfisch *m*
cybercafé ['saɪbə kæfeɪ] *sb* Internet-Café *n*
cyberspace ['saɪbə speɪs] *sb* INFORM Cyberspace *m*
cycle ['saɪkl] *sb 1.* Zyklus *m,* Kreislauf *m; 2. (bicycle)* Rad *n; 3. (fam: motorbike)* Maschine *f* (fam); *v 4. (ride a bicycle)* Rad fahren
cyclist ['saɪklɪst] *sb* Radfahrer *m*
cylinder ['sɪlɪndə] *sb* Zylinder *m*
cynical ['sɪnɪkl] *adj* zynisch
cyst [sɪst] *sb* MED Zyste *f*
czar [zɑː] *sb* HIST Zar *m*

D

dab [dæb] v 1. tupfen, betupfen; sb 2. (small amount) Klecks m; adj 3. to be a ~ hand at sth in etw besonders tüchtig sein

dabble ['dæbl] v ~ in sth (fig) sich oberflächlich mit etw befassen

dad [dæd] sb Vati m, Papa m; his ~ sein Vater

daft [dɑːft] adj bekloppt, verrückt

dagger ['dægə] sb Dolch m; look ~s at s.o. (fam) jdn mit Blicken töten

daily ['deɪlɪ] adj 1. täglich; sb 2. (newspaper) Tageszeitung f

dainty ['deɪntɪ] adj zierlich

dairy ['dɛərɪ] sb Molkerei f

daisy ['deɪzɪ] sb BOT Gänseblümchen n; to be pushing up the daisies (fam) sich die Radieschen von unten betrachten

dam [dæm] sb 1. Damm m; 2. ~ up v eindämmen, dämmen

damage ['dæmɪdʒ] v 1. schaden, beschädigen, schädigen; sb 2. Schaden m, Beschädigung f; 3. ~s pl (compensation for ~s) Schadenersatz m

damaged ['dæmɪdʒd] adj beschädigt, schadhaft

damaging ['dæmədʒɪŋ] adj schädlich

dame [deɪm] sb (US) (fam) Weib n

damn [dæm] v 1. REL verdammen; 2. (condemn) verurteilen; interj 3. verdammt

damnable ['dæmnəbl] adj verdammungswürdig

damned [dæmd] adj verdammt

damp [dæmp] adj feucht

dampen ['dæmpən] v 1. anfeuchten, befeuchten; 2. TECH dämpfen

damp-proof ['dæmppruːf] adj feuchtigkeitsresistent

dance [dɑːns] v 1. tanzen; sb 2. Tanz m

dance floor [dɑːns flɔː] sb Tanzfläche f

dancer ['dɑːnsə] sb Tänzer m

dandruff ['dændrəf] sb Haarschuppen pl, Schuppen pl

danger ['deɪndʒə] sb Gefahr f

danger money ['deɪndʒəmʌnɪ] sb Gefahrenzulage f

dangerous ['deɪndʒərəs] adj gefährlich

danger zone ['deɪndʒə zəʊn] sb Gefahrenzone f

Danish ['deɪnɪʃ] adj 1. dänisch; sb 2. (pastry) GAST Plundergebäck n

dare [dɛə] v 1. es wagen, sich trauen, sich getrauen; I ~ say ich glaube wohl; How ~ you! Was fällt dir ein! 2. ~ s.o. to do sth jdn herausfordern, etw zu tun

daredevil ['dɛədevl] sb Draufgänger m

daring ['dɛərɪŋ] adj 1. wagemutig, kühn, verwegen; 2. (deed) gewagt

dark [dɑːk] adj 1. dunkel, finster; 2. (gloomy) düster; sb 3. to be in the ~ (fig) im Dunkeln tappen

darken ['dɑːkən] v 1. verdunkeln; 2. (face) sich verfinstern

darkness ['dɑːknɪs] sb Dunkelheit f, Finsternis f

darling ['dɑːlɪŋ] sb 1. (form of address) Liebling m, Schatz m, Schätzchen n; adj 2. (cute) goldig

dart [dɑːt] v 1. flitzen, sausen; sb 2. Pfeil m, Wurfpfeil m

dash [dæʃ] v 1. (rush) sausen, stürzen; ~ off a letter schnell einen Brief schreiben; 2. (throw violently) schleudern; ~ to pieces zerschmettern; ~ s.o.'s hopes jdn enttäuschen, jds Hoffnungen zerschlagen; Dash it all! (fam) Verflucht! Verflixt! sb 3. (punctuation) Gedankenstrich m; (in Morse code) Strich m

dashboard ['dæʃbɔːd] sb (US) Armaturenbrett n

data ['deɪtə] pl Daten pl, Angaben pl

data bank ['deɪtəbæŋk] sb INFORM Datenbank f

database ['deɪtəbeɪs] sb Datenbank f

datable ['deɪtəbl] adj datierbar

data entry ['deɪtə 'entrɪ] sb INFORM Datenerfassung f

data processing ['deɪtə 'prəʊsesɪŋ] sb INFORM Datenverarbeitung f

data protection ['deɪtə prə'tekʃən] sb Datenschutz m

data transmission ['deɪtə trænz'mɪʃən] sb Datenfernübertragung f

date [deɪt] sb 1. Datum n; to ~ bis heute; to be up to ~ auf dem neuesten Stand sein; to be out of ~ veraltet sein; ~ of birth Geburtsdatum n; international ~ line Datumsgrenze f; 2. (appointment) Termin m; 3. (with girlfriend/boyfriend) Verabredung f, Rendezvous n; (person) Verabredungspartner/Verabredungspartnerin m/f; v 4. datieren; 5. (take out on a ~) ausgehen mit; (regularly) gehen mit

dated ['deɪtɪd] *adj* überholt, altmodisch

dateless ['deɪtlɪs] *adj 1. (undated)* undatiert; *2. (of permanent interest)* zeitlos

dateline ['deɪtlaɪn] *sb* Datumszeile *f*

date rape ['deɪtreɪp] *sb* Vergewaltigung durch jdn, mit dem man verabredet war *f*

dating ['deɪtɪŋ] *sb* Rendezvous *pl*

dative ['deɪtɪv] *adj* GRAMM Dativ…

daughter ['dɔːtə] *sb* Tochter *f*

daughter-in-law ['dɔːtərɪnlɔː] *sb* Schwiegertochter *f*

daunt [dɔːnt] *v* einschüchtern, entmutigen

dawdle ['dɔːdl] *v* trödeln, bummeln

dawn [dɔːn] *sb 1.* Morgendämmerung *f*, Tagesanbruch *m*, Morgengrauen *n*; *v 2.* dämmern, tagen, anbrechen; *~ on s.o.* jdm dämmern, jdm klar werden

dawn raid [dɔːn reɪd] *sb* Überraschungsangriff *m*

day [deɪ] *sb* Tag *m*; *these ~s* heutzutage; *one of these ~s* irgendwann; *call it a ~* für heute Schluss machen, Feierabend machen; *save the ~* die Lage retten; *the other ~* neulich; *in those ~s* damals; *all ~ (long)* den ganzen Tag; *~ of the week* Wochentag *m*; *clear as ~* sonnenklar; *This is not my ~.* Das ist heute eben nicht mein Tag! *~ after ~* Tag für Tag; *~ in and ~ out* den lieben langen Tag; *forever and a ~* für immer und ewig; *Good ~!* Guten Tag!

daybreak ['deɪbreɪk] *sb* Tagesanbruch *m*

day care center ['deɪkɛəsentə] *sb (US)* Kindertagesstätte *f*

daycentre ['deɪsentə] *sb* Tagesstätte *f*

daze [deɪz] *v* betäuben, verwirren, lähmen

dazzle ['dæzl] *v 1.* blenden; *2. (fig)* blenden, verwirren

dazzling ['dæzlɪŋ] *adj* blendend, glänzend

dead [ded] *adj 1.* tot; *~ and buried (fig)* aus und vorbei, tot und begraben; *to be ~ on one's feet* sich kaum noch auf den Beinen halten können, todmüde sein; *to be ~ to the world* tief und fest schlafen; *over my ~ body* nur über meine Leiche; *2. (plant, limbs)* abgestorben; *adv 3. (absolutely) ~ tired* todmüde; *~ centre* genau in der Mitte; *~ drunk* total betrunken; *~ certain, ~ sure* todsicher; *~ serious* todernst; *4. stop ~* plötzlich stehen bleiben; *to be ~ set on sth* total wild auf etw sein; *5. cut s.o. ~* jdn links liegen lassen; *sb 6. the ~ of winter* der tiefste Winter; *in the ~ of night* mitten in der Nacht

deadbeat ['dedbiːt] *sb (fam: loafer)* Gammler *m*

dead end [ded'end] *sb* Sackgasse *f*

deadhead ['dedhed] *sb 1. (owner of a free ticket)* Freikarteninhaber *m;* *2. (person travelling without a ticket)* Schwarzfahrer *m*, blinder Passagier *m*

deadline ['dedlaɪn] *sb* letzter Termin *m*, Frist *f*; *set a ~* eine Frist setzen; *meet the ~* die Frist einhalten

deadly ['dedlɪ] *adj* tödlich, mörderisch

deadpan ['dedpæn] *adj 1.* mit ausdruckslosem Gesicht; *2. (humour)* trocken

Dead Sea [ded siː] *sb the ~* GEO das Tote Meer *n*

dead weight [ded weɪt] *sb* Totgewicht *n*, Eigengewicht *n*

deaf [def] *adj* taub; *fall on ~ ears* kein Gehör finden; *~ and dumb* taubstumm; *turn a ~ ear to sth* sich etw gegenüber taub stellen

deafening ['defnɪŋ] *adj* ohrenbetäubend

deaf-mute ['defmjuːt] *sb* MED Taubstumme(r) *m/f*

deafness ['defnɪs] *sb* MED Taubheit *f*

deal [diːl] *sb 1.* Geschäft *n*, Handel *m*, Abkommen *n*; *make a ~ with s.o.* mit jdm ein Geschäft machen; *It's a ~!* Abgemacht! *Big ~! (US)* Na und? *no big ~ (US)* keine große Sache; *2. a good ~ (a lot)* eine Menge, ziemlich viel; *v irr 3. (cards)* geben; *4. ~ in sth* mit etw handeln

dealership ['diːləʃɪp] *sb* Händlerbetrieb *m*

dear [dɪə] *adj 1. (loved)* lieb, teuer; *2. (lovable)* lieb, süß; *3. ~ me, oh ~* du liebe Zeit, meine Güte, ach je; *4. (in a letter) Dear …* liebe(r) …, *(formal)* sehr geehrte(r) … *sb 5.* Schatz *m*, Liebling *m*; *There's a ~!* Sei so lieb!

death [deθ] *sb* Tod *m*; *He will be the ~ of me. (he annoys me)* Er bringt mich noch ins Grab. *(he's funny)* Er ist einfach zum Totlachen. *put s.o. to ~* jdn hinrichten; *bore s.o. to ~* jdn zu Tode langweilen; *scare s.o. to ~* jdn zu Tode erschrecken

deathly ['deθlɪ] *adj* tödlich; *a ~ silence* Totenstille *f;* *~ ill* todkrank

death penalty ['deθpenəltɪ] *sb* JUR Todesstrafe *f*

death rate [deθ reɪt] *sb* Sterblichkeitsziffer *f*

debase [dɪ'beɪs] *v 1. (a person)* demütigen, erniedrigen; *2. (reduce in value)* mindern, herabsetzen, verschlechtern

debatable [dɪ'beɪtəbl] *adj* fraglich

debate [dɪ'beɪt] *sb 1.* Debatte *f*, Diskussion *f*, Erörterung *f;* *v 2.* debattieren, diskutieren

debit ['debɪt] *v 1.* FIN debitieren, belasten; *sb 2.* FIN Soll *n*, Belastung *f*

debit card ['debit kɑːd] *sb* Kundenkredit-karte *f*

debit entry ['debit 'entri] *sb ECO* Lastschrift *f*

debt [det] *sb* Schuld *f*; *to be in* ~ verschuldet sein; *to be in s.o.'s* ~ *(fig)* in jds Schuld stehen; *repay a* ~ eine Schuld begleichen

debtor ['detə] *sb* Schuldner *m*

debut ['deɪbjuː] *sb* Debüt *n*

decade ['dekeɪd] *sb (ten years)* Jahrzehnt *n*, Dekade *f*

decaffeinated [dɪ'kæfɪneɪtɪd] *adj* koffeinfrei, entkoffeiniert

decant [dɪ'kænt] *v* dekantieren, abgießen, umfüllen

decapitate [dɪ'kæpɪteɪt] *v* enthaupten

decay [dɪ'keɪ] *v* 1. verfallen, zerfallen; *(flesh)* verwesen; 2. *(tooth)* schlecht werden, faulen, kariös werden

decease [dɪ'siːs] *v JUR* sterben

deceased [dɪ'siːsd] *adj* 1. verstorben; 2. *the* ~ *(one person)* der/die Verstorbene *m/f*, *(more than one person)* die Verstorbenen *pl*

deceit [dɪ'siːt] *sb* Betrug *m*, Täuschung *f*

deceitful [dɪ'siːtful] *adj* betrügerisch, falsch, hinterlistig

deceive [dɪ'siːv] *v* täuschen, trügen

December [dɪ'sembə] *sb* Dezember *m*

decency ['diːsənsɪ] *sb* Anstand *m*, Schicklichkeit *f*

decent ['diːsənt] *adj* anständig

decentralization [diːsentrəlaɪ'zeɪʃn] *sb* Dezentralisierung *f*

deception [dɪ'sepʃən] *sb* Täuschung *f*

decibel ['desɪbel] *sb* Dezibel *n*

decide [dɪ'saɪd] *v* entscheiden, beschließen

decided [dɪ'saɪdɪd] *adj (clear)* entschieden, deutlich

decidedly [dɪ'saɪdɪdlɪ] *adv* entschieden

decimal ['desɪməl] *sb* Dezimalzahl *f*

decimal place ['desɪməl pleɪs] *sb* Dezimalstelle *f*

decimal point ['desɪməl pɔɪnt] *sb* Komma (bei Dezimalzahlen) *n*

decipher [dɪ'saɪfə] *v* 1. entziffern; 2. *(fig)* enträtseln, entziffern

decision [dɪ'sɪʒən] *sb* Entscheidung *f*, Entschluss *m*, Beschluss *m*; *make a* ~ eine Entscheidung treffen

decision-making [dɪ'sɪʒənmeɪkɪŋ] *sb* Entscheidungsfindung *f*

decisive [dɪ'saɪsɪv] *adj* 1. *(factor, moment)* entscheidend, ausschlaggebend; 2. *(person)* entschlossen, entschieden

deck [dek] *sb* 1. Deck *n*; *v* 2. ~ *out* ausschmücken, schmücken

deck hand [dek hænd] *sb NAUT* Matrose *m*

declaration [deklə'reɪʃən] *sb* Erklärung *f*

declare [dɪ'kleə] *v* 1. erklären; ~ *war on s.o.* jdm den Krieg erklären; 2. *(to customs)* verzollen

decline [dɪ'klaɪn] *v* 1. abnehmen; 2. *(health)* sich verschlechtern; 3. *(significance)* geringer werden; 4. *(business, prices)* zurückgehen; 5. *(not accept)* ablehnen; 6. *GRAMM* deklinieren; *sb* 7. Niedergang *m*, Untergang *m*, Rückgang *m*

decode [dɪ'kəud] *v* dekodieren, entschlüsseln, dechiffrieren

decoder [dɪ'kəudə] *sb* Dekoder *m*

decompose [diːkəm'pəuz] *v (to be ~d) CHEM* zerlegt werden

decongestant [diːkən'dʒestənt] *sb* abschwellendes Mittel *n*

deconstruct [diːkən'strʌkt] *v* sprachlich von Grund auf analysieren

decontamination [diːkəntæmɪ'neɪʃən] *sb* Entgiftung *f*, Entseuchung *f*

decorate ['dekəreɪt] *v* 1. schmücken, ausschmücken; 2. *(a cake)* verzieren; 3. *(an apartment)* einrichten, ausstatten; 4. *MIL* dekorieren, auszeichnen

decoration [dekə'reɪʃən] *sb* 1. Schmuck *m*, Dekoration *f*, Verzierung *f*; 2. *(act of decorating)* Ausschmückung *f*, Verzierung *f*; 3. *MIL* Orden *m*, Dekoration *f*, Auszeichnung *f*

decrease [diː'kriːs] *v* 1. abnehmen, sich vermindern, nachlassen; 2. *(sth)* verringern, vermindern, reduzieren; ['diːkriːs] *sb* 3. Abnahme *f*, Verminderung *f*, Verringerung *f*, Rückgang *m*

decriminalize [diː'krɪmɪnəlaɪz] *v* entkriminalisieren

dedicate ['dedɪkeɪt] *v* weihen, widmen; ~ *o.s. to sth* sich einer Sache widmen

deduce [dɪ'djuːs] *v* folgern, schließen; ~ *from* schließen aus

deduct [dɪ'dʌkt] *v* abziehen, absetzen

deduction [dɪ'dʌkʃən] *sb* 1. *(conclusion)* Schlussfolgerung *f*; 2. *(act of deducing)* Folgern *n*; 3. *(from a price)* Nachlass *m*; 4. *(from one's wage) ECO* Abzug *m*; 5. *(act of deducting)* Abzug *m*, Abziehen *n*

deductive [dɪ'dʌktɪv] *adj* deduktiv, schließend, folgernd

deed [diːd] *sb* 1. *(action)* Tat *f*, Handlung *f*; *in word and* ~ in Wort und Tat; 2. *(document)* Urkunde *f*

deep [di:p] *adj 1.* tief; ~ *in debt* tief verschuldet; *go off the* ~ *end (fam)* auf die Palme gehen; ~ *in thought* in Gedanken vertieft; ~ *sleep* tiefer Schlaf, fester Schlaf; ~ *space* der äußere Weltraum *m*; *2. (profound)* tiefsinnig

deepen ['di:pən] *v 1.* sich vertiefen, tiefer werden; *2. (sth)* vertiefen

deep-freeze ['di:p'fri:z] *sb (appliance)* Tiefkühltruhe *f*

deep-fry ['di:pfraɪ] *v GAST* frittieren, in schwimmendem Fett braten

deeply ['di:plɪ] *adv* tief; *drink* ~ unmäßig trinken; ~ *interested* höchst interessiert

deep-rooted [di:p'ru:tɪd] *adj* tiefverwurzelt

deep-sea fishing [di:p si: 'fɪʃɪŋ] *sb* Hochseefischerei *f*

deer [dɪə] *sb ZOOL* Hirsch *m*; *(roe ~)* Reh *n*

deface [dɪ'feɪs] *v* verunstalten

defeat [dɪ'fi:t] *v 1.* besiegen, schlagen; *(a proposal)* ablehnen; *sb 2. (loss)* Niederlage *f*; *(~ of a bill)* Ablehnung *f*; *3. (of hopes, of plans)* Vereitelung *f*

defect ['di:fekt] *sb* Fehler *m*, Defekt *m*, Mangel *m*; *character* ~ Charakterfehler *m*

defective [dɪ'fektɪv] *adj 1.* fehlerhaft, mangelhaft; *2. (machine)* fehlerhaft, schadhaft, defekt

defence [dɪ'fens] *sb* Verteidigung *f*, Schutz *m*, Abwehr *f*

defenceless [dɪ'fenslɪs] *adj* wehrlos, hilflos, schutzlos

defend [dɪ'fend] *v* verteidigen, schützen; ~ *against* verteidigen gegen, schützen vor

defendant [dɪ'fendənt] *sb (in a criminal case)* Angeklagte(r) *m/f*, *(in a civil case)* Beklagte(r) *m/f*

defender [dɪ'fendə] *sb* Verteidiger *m*

defending champion [dɪ'fendɪŋ 'tʃæmpɪən] *sb SPORT* Titelverteidiger *m*

defense [dɪ'fens] *sb (see „defence")*

defensive [dɪ'fensɪv] *adj 1.* defensiv; *sb 2.* Defensive *f*, Abwehraktion *f*; *on the* ~ in der Defensive

deferential [defə'renʃəl] *adj* ehrerbietig, respektvoll

deferred payment [dɪ'fɜ:d 'peɪmənt] *sb ECO* Ratenzahlung *f*

defiance [dɪ'faɪəns] *sb* Trotz *m*; *in* ~ *of s.o.* jdm zum Trotz

defiant [dɪ'faɪənt] *adj 1. (rebellious)* trotzig; *2. (provoking)* herausfordernd

deficiency [dɪ'fɪʃənsɪ] *sb 1. (shortage)* Mangel *m*, Fehlen *n*; *2. FIN* Defizit *n*, Fehlbetrag *m*, Ausfall *m*; *3. (defect)* Mangelhaftigkeit *f*, Schwäche *f*

deficient [dɪ'fɪʃənt] *adj* unzulänglich, mangelhaft

deficit ['defɪsɪt] *sb* Defizit *n*, Fehlbetrag *m*

defile [dɪ'faɪl] *v 1. (desecrate)* schänden, entweihen; *2. (sully)* beschmutzen, verunreinigen

define [dɪ'faɪn] *v 1. (a word)* definieren; *2. (explain)* erklären; *3. (show in outline)* betonen; *4. (set)* definieren, bestimmen, festlegen

definite ['defɪnɪt] *adj 1.* bestimmt, klar, deutlich; *2. (concrete)* definitiv, endgültig

definitely ['defɪnɪtlɪ] *adv* bestimmt, unbedingt

definition [defɪ'nɪʃən] *sb 1. (of a word)* Definition *f*; *2. (of a picture)* Bildschärfe *f*; *3. (setting, fixing)* Bestimmung *f*

deflate [di:'fleɪt] *v (sth)* Luft herauslassen aus

deflation [di:'fleɪʃən] *sb* Luftablassen *n*

deformed [dɪ'fɔ:md] *adj* deformiert, missgestaltet, verunstaltet

deformity [dɪ'fɔ:mɪtɪ] *sb* Deformität *f*, Verunstaltung *f*, Missgestalt *f*

defraud [dɪ'frɔ:d] *v* betrügen; ~ *the revenue (UK)* Steuern hinterziehen

defray [dɪ'freɪ] *v (costs)* tragen, bestreiten

defrost [di:'frɒst] *v 1. (food)* auftauen; *2. (refrigerator)* abtauen

defroster [di:'frɒstə] *sb* Defroster *m*

deft [deft] *adj* gewandt, geschickt, flink

defuse [dɪ'fju:z] *v* entschärfen

defy [dɪ'faɪ] *v 1.* trotzen; ~ *s.o.* jdm trotzen; *2. (make impossible)* widerstehen, Schwierigkeiten machen; ~ *description* jeder Beschreibung spotten; *3. (challenge)* herausfordern

degenerate [dɪ'dʒenəreɪt] *v 1.* degenerieren, entarten, ausarten; [dɪ'dʒenərɪt] *sb 2.* degenerierter Mensch *m*

degeneration [dɪdʒenə'reɪʃən] *sb* Degeneration *f*, Entartung *f*

degradable [dɪ'greɪdəbl] *adj* abbaubar

degradation [degrə'deɪʃən] *sb* Erniedrigung *f*, Degradierung *f*

degrade [dɪ'greɪd] *v* erniedrigen, degradieren

degree [dɪ'gri:] *sb 1. (unit of measurement)* Grad *m*; *2. (step)* Grad *m*; *by* ~*s* allmählich; *3. (extent)* Maß *n*; *to some* ~ einigermaßen; *4. (academic)* akademischer Grad *m*; *get one's* ~ seinen akademischen Grad erhalten

dehydrate [di:'haɪdreɪt] *v* Wasser entziehen, trocknen

de-ice [diːˈaɪs] v enteisen

deject [dɪˈdʒekt] v deprimieren

delay [dɪˈleɪ] v 1. (linger, move slowly) zögern, sich aufhalten; 2. (sth, s.o.) (hold up) aufhalten, hinhalten; 3. (postpone) verschieben, aufschieben, hinausschieben; 4. to be ~ed aufgehalten werden; sb 5. Verspätung f, Verzögerung f, Aufschub m

delectable [dɪˈlektəbl] adj köstlich

delegate [ˈdelɪgeɪt] v 1. (a task) delegieren, übertragen; 2. (a person) abordnen, delegieren, bevollmächtigen; 3. [ˈdelɪgɪt] sb POL Delegierte(r) m/f, Bevollmächtigte(r) Vertreter m

delegation [delɪˈgeɪʃən] sb 1. (group) Delegation f, Abordnung f; 2. (of a task) Delegation f

deliberate [dɪˈlɪbəreɪt] v 1. (ponder) überlegen, erwägen; [dɪˈlɪbərɪt] adj 2. (intentional) absichtlich, bewusst; 3. (cautious) bedächtig, besonnen; 4. (slow) bedächtig, gemächlich, langsam

deliberately [dɪˈlɪbərɪtlɪ] adv absichtlich, bewusst, mit Vorbedacht

delicate [ˈdelɪkɪt] adj 1. zart, zerbrechlich, fein; ~ adjustment Feineinstellung f; 2. (requiring skilful handling) heikel, delikat; 3. (food) delikat

delicious [dɪˈlɪʃəs] adj köstlich, lecker; (delightful) herrlich

delight [dɪˈlaɪt] v 1. ~ in sich erfreuen an, große Freude haben an; 2. (s.o.) erfreuen, entzücken; sb 3. Vergnügen n, Freude f

delinquent [dɪˈlɪŋkwənt] adj 1. straffällig; (in one's duties) pflichtvergessen; sb 2. Delinquent m

delirious [dɪˈlɪrɪəs] adj 1. rasend, wahnsinnig; 2. MED im Delirium

deliver [dɪˈlɪvə] v 1. liefern, zustellen, überbringen; 2. (by car) ausfahren; 3. (on foot) austragen; 4. (a message) überbringen; 5. (~ the post each day) zustellen; 6. (~ up: hand over) aushändigen, übergeben, überliefern; 7. MED (child) zur Welt bringen; (mother) entbinden; 8. (rescue) befreien, erlösen, retten; 9. (utter) (a speech) halten; 10. (a verdict) aussprechen; 11. (an ultimatum) stellen; 12. (a blow) versetzen

deliverance [dɪˈlɪvərəns] sb Befreiung f, Erlösung f, Rettung f

delivery [dɪˈlɪvərɪ] sb 1. Lieferung f, Auslieferung f, (of the post) Zustellung f; 2. (of a speech) Vortragsweise f; 3. MED Entbindung f; 4. (of a blow) Landung f

delivery note [dɪˈlɪvərɪ nəʊt] sb ECO Lieferschein m

delivery room [dɪˈlɪvərɪ ruːm] sb MED Kreißsaal m, Entbindungssaal m

delta [ˈdeltə] sb (island in a river) Delta n

delusion [dɪˈluːʒən] sb 1. Illusion f, Täuschung f, Selbsttäuschung f; labour under a ~ sich täuschen; 2. ~s of grandeur pl Größenwahn m

delusive [dɪˈluːsɪv] adj trügerisch, irreführend

deluxe [dɪˈlʌks] adj Luxus …

delve [delv] v ~ into sich vertiefen in, erforschen, sich eingehend befassen mit

demand [dɪˈmɑːnd] v 1. verlangen, fordern; 2. (task) erfordern, verlangen; sb 3. Verlangen n, Forderung f, Anspruch m; 4. ECO Nachfrage f, Bedarf m; 5. in ~ gefragt, begehrt

demanding [dɪˈmɑːndɪŋ] adj anspruchsvoll, anstrengend

dematerialize [diːməˈtɪərɪəlaɪz] v 1. sich entmaterialisieren; 2. (~ sth) entmaterialisieren

demean [dɪˈmiːn] v ~ o.s. sich erniedrigen

demeanour [dɪˈmiːnə] sb Benehmen n, Haltung f

dementia [dɪˈmenʃə] sb MED Demenz f, Schwachsinn m; senile ~ senile Demenz

demilitarize [diːˈmɪlɪtəraɪz] v POL entmilitarisieren

demilitarized zone [dɪˈmɪlɪtəraɪzd zəʊn] sb POL entmilitarisierte Zone f

democracy [dɪˈmɒkrəsɪ] sb POL Demokratie f

democrat [ˈdeməkræt] sb Demokrat m

democratic [deməˈkrætɪk] adj POL demokratisch

demographic [deməˈgræfɪk] adj demographisch

demolish [dɪˈmɒlɪʃ] v 1. abreißen, abbrechen; 2. (fig) zunichte machen, vernichten

demolition [deməˈlɪʃən] sb Abbruch m

demon [ˈdiːmən] sb 1. Dämon m; 2. (fig) Teufelskerl m

demonstrate [ˈdemənstreɪt] v 1. (show) zeigen, beweisen, demonstrieren; 2. (~ the operation of sth) vorführen, demonstrieren; 3. POL demonstrieren

demonstration [demənˈstreɪʃən] sb 1. Zeigen n, Beweis m, Demonstration f; 2. POL Demonstration f

demonstrative [dɪˈmɒnstrətɪv] adj GRAMM Demonstrativ …, hinweisend

demoralize [dɪ'mɒrəlaɪz] v demoralisieren, entmutigen

demote [dɪ'məʊt] v degradieren

demotion [dɪ'məʊʃən] sb Degradierung f

demure [dɪ'mjʊə] adj 1. (coy) spröde; 2. (sober) nüchtern; 3. (sedate) gesetzt

den [den] sb 1. (animal's ~) Höhle f, Bau m; 2. (room in a house) Bude f, (study) Arbeitszimmer n; 3. (fig) Höhle f; ~ of iniquity Lasterhöhle f; ~ of thieves Räuberhöhle f

denial [dɪ'naɪəl] sb 1. (of an accusation) Verneinung f, Leugnen n; (official ~) Dementi n; 2. (refusal) Ablehnung f, Verweigerung f, Absage f; 3. (disowning) Verleugnung f

denim ['denɪm] sb Jeansstoff m

dense [dens] adj 1. dicht; (fog) dick; 2. (fam: stupid) beschränkt, schwer von Begriff

density ['densɪtɪ] sb Dichte f

dent [dent] sb 1. Beule f, Delle f; make a ~ in (fig) ein Loch reißen in; v 2. (sth) einbeulen; (fig: ~ s.o.'s pride) anknacksen

dentist ['dentɪst] sb Zahnarzt m

dentures ['dentʃəz] pl Gebiss n; (partial ~) Zahnprothese f

denuclearize [dɪ'njuːklɪəraɪz] v entnuklearisieren

deny [dɪ'naɪ] v 1. (an accusation) bestreiten, abstreiten, leugnen; 2. (refuse) verweigern, verneinen; ~ o.s. sth sich etw versagen; 3. (disown) verleugnen

deodorant [diː'əʊdərənt] sb Deodorant n

depart [dɪ'paːt] v 1. weggehen; 2. (train, bus) abfahren; 3. (airplane) abfliegen; 4. (on a trip) abreisen; (by car) wegfahren; 5. ~ from (deviate from) abweichen von

department [dɪ'paːtmənt] sb 1. Abteilung f; 2. POL Ministerium n

department store [dɪ'paːtmənt stɔː] sb Kaufhaus n, Warenhaus n

departure [dɪ'paːtʃə] sb 1. (person's) Weggang m, (on a trip) Abreise f; 2. (of a train, of a bus) Abfahrt f; 3. (of an airplane) Abflug m; 4. (fig: from custom) Abweichen n

depend [dɪ'pend] v 1. ~ on abhängen von, ankommen auf; it all ~s je nachdem, das kommt ganz darauf an; 2. ~ on (rely on) sich verlassen auf

dependable [dɪ'pendəbl] adj zuverlässig

dependent [dɪ'pendənt] adj 1. abhängig; sb 2. Abhängiger m

depict [dɪ'pɪkt] v darstellen, beschreiben, schildern

depilatory [dɪ'pɪlətərɪ] sb Enthaarungsmittel n

deplete [dɪ'pliːt] v 1. (reduce) vermindern, verringern; 2. (exhaust) erschöpfen; 3. MED entleeren

deplorable [dɪ'plɔːrəbl] adj bedauernswert, beklagenswert

deploy [dɪ'plɔɪ] v 1. MIL aufmarschieren lassen, aufstellen; 2. (activate) einsetzen

deport [dɪ'pɔːt] v (a foreigner) POL abschieben

deposit [dɪ'pɒzɪt] v 1. absetzen, ablegen; 2. (money) deponieren, einzahlen; sb 3. (to a bank account) Einzahlung f; have thirty marks on ~ ein Guthaben von dreißig Mark haben; 4. (returnable security) Kaution f; 5. (bottle ~) Pfand n

deposit account [dɪ'pɒzɪtəkaʊnt] sb FIN Sparkonto n

depot ['depəʊ] sb Depot n

deprave [dɪ'preɪv] v verderben

depraved [dɪ'preɪvd] adj verderbt

depravity [dɪ'prævɪtɪ] sb Verderbtheit f

depress [dɪ'pres] v 1. (a person) deprimieren; 2. (press down) niederdrücken, drücken

depressed [dɪ'prest] adj 1. deprimiert, niedergeschlagen; 2. (industry) ECO Not leidend; (market) schleppend

depression [dɪ'preʃən] sb 1. (person's) Depression f; 2. ECO Wirtschaftskrise f; 3. (in the ground) Vertiefung f, Senkung f

deprivation [deprɪ'veɪʃən] sb 1. (depriving) Beraubung f, Entzug m; 2. (lack) Mangel m

deprive [dɪ'praɪv] v 1. to be ~d of sth etw entbehren müssen; ~d persons unterprivilegierte Personen; 2. ~ s.o. of sth jdm etw entziehen, jdm etw vorenthalten

depth [depθ] sb 1. Tiefe f; get out of one's ~ (fig) ins Schwimmen geraten; in the ~s of despair in tiefster Verzweiflung; 2. ~ of field FOTO Tiefenschärfe f

deputy ['depjʊtɪ] adj 1. stellvertretend, Vize... sb 2. Stellvertreter m; (US: ~ sheriff) Hilfssheriff m

derail [dɪ'reɪl] v entgleisen lassen; to be ~ed entgleisen

derange [dɪ'reɪndʒ] v stören, verwirren

derelict ['derɪlɪkt] adj 1. (in one's duties) pflichtvergessen; 2. (abandoned) verlassen; sb 3. (homeless person) Obdachlose m/f

derive [dɪ'raɪv] v 1. (satisfaction) gewinnen; 2. (a word) ableiten; 3. ~ from sich ableiten von; (power) herkommen von, herrühren von

dermatitis [dɜːmə'taɪtɪs] sb MED Hautentzündung f, Dermatitis f

dermatologist [dɜːmə'tɒlədʒɪst] *sb MED* Dermatologe *m*, Hautarzt *m*

derogatory [dɪ'rɒgətərɪ] *adj* abfällig, abschätzig

descend [dɪ'send] *v 1. (move down, get down)* heruntergehen, hinuntergehen; *(from a horse)* absteigen; 2. *(lead downward)* heruntergehen, hinuntergehen, herunterführen; 3. *(sth)* hinuntergehen, hinuntergehen; ~ *upon* hereinbrechen über; *(visit)* überfallen; 4. *to be ~ed from* abstammen von

descendant [dɪ'sendənt] *sb* Nachkomme *m*

descendent [dɪ'sendənt] *adj 1. (descending from an ancestor)* abstammend; 2. *(going down)* absteigend

descent [dɪ'sent] *sb 1. (slope)* Abfall *m*; 2. *(going down)* Hinuntergehen *n*, Heruntergehen *n*; 3. *(from a mountain)* Abstieg *m*; 4. *(of an airplane)* Landung *f*; 5. *(moral ~)* Absinken *n*; 6. *(ancestry)* Abstammung *f*, Herkunft *f*; *of noble* ~ von adliger Abstammung

describe [dɪs'kraɪb] *v 1. (tell about)* beschreiben, schildern; 2. ~ *as (call)* bezeichnen als; 3. *MATH* beschreiben

description [dɪs'krɪpʃən] *sb 1.* Beschreibung *f*, Schilderung *f*; 2. *(characterization)* Bezeichnung *f*

desegregate [diː'segrəgeɪt] *v* die Rassenschranken aufheben in

desert ['dezət] *sb 1.* Wüste *f; adj 2. (uninhabited)* verlassen, menschenleer; [dɪ'zɜːt] *v 3.* verlassen, im Stich lassen; 4. *MIL* desertieren; *(to the enemy)* überlaufen; 5. *(spouse) JUR* böswillig verlassen

deserter [dɪ'zɜːtə] *sb MIL* Deserteur *m*; *(to the enemy)* Überläufer *m*

deserve [dɪ'zɜːv] *v* verdienen

deserving [dɪ'zɜːvɪŋ] *adj* verdienstvoll

design [dɪ'zaɪn] *v 1.* entwerfen, zeichnen; 2. *(machine, bridge)* konstruieren; 3. *to be ~ed for sth* für etw vorgesehen sein; *sb 4. (planning)* Entwurf *m*; *(of a machine, of a bridge)* Konstruktion *f*; 5. *(as a subject)* Design *n*; 6. *(pattern)* Muster *n*; 7. *(intention)* Absicht *f*; *have* ~*s on sth* es auf etw abgesehen haben; *by* ~ absichtlich

designate ['dezɪgneɪt] *v 1.* bestimmen; 2. *(name)* kennzeichnen, bezeichnen

designer [dɪ'zaɪnə] *sb 1.* Entwerfer *m*; 2. *(fashion* ~*)* Modeschöpfer *m*, Designer *m*; 3. Bühnenbildner *m*

designing [dɪ'zaɪnɪŋ] *adj (crafty, scheming)* intrigant, hinterhältig

desire [dɪ'zaɪə] *v 1.* wünschen, begehren, wollen; *leave much to be* ~*d* viel zu wünschen übrig lassen; *sb 2.* Wunsch *m*; 3. *(longing)* Sehnsucht *f*; 4. *(sexual)* Verlangen *n*, Begehren *n*, Begierde *f*

desk [desk] *sb 1.* Schreibtisch *m*, Pult *n*; 2. *(in a store)* Kasse *f*

desk-bound ['deskbaʊnd] *adj* an den Schreibtisch gefesselt

desk clerk ['deskklɑːk] *sb (at a hotel)* Empfangschef *m*

desktop ['desktɒp] *sb* Arbeitsfläche *f*

desktop publishing ['desktɒp 'pʌblɪʃɪŋ] *sb INFORM* Desktop-Publishing *n*

desolate ['desəlɪt] *adj 1.* verlassen, einsam, öde; 2. *(feeling)* trostlos

despair [dɪs'peə] *v 1.* verzweifeln, alle Hoffnung aufgeben; *sb 2.* Verzweiflung *f*, Hoffnungslosigkeit *f; in* ~ verzweifelt

desperate ['despərɪt] *adj 1. (person)* verzweifelt; 2. *(criminal)* zum Äußersten entschlossen; 3. *(situation)* verzweifelt, auswegslos, hoffnungslos; 4. *(urgent)* dringend

desperation [despə'reɪʃən] *sb* Verzweiflung *f*

despite [dɪs'paɪt] *prep* trotz

dessert [dɪ'zɜːt] *sb* Nachtisch *m*, Dessert *n*

dessertspoon [dɪ'zɜːtspuːn] *sb* Dessertlöffel *m*

destined ['destɪnd] *adj to be* ~ *for sth* für etw bestimmt sein

destiny ['destɪnɪ] *sb* Schicksal *n*

destitute ['destɪtjuːt] *adj 1.* mittellos; 2. *(of sth)* ermangelnd, ohne, bar

destroy [dɪs'trɔɪ] *v 1.* zerstören, vernichten; 2. *(an animal)* töten; 3. *(vermin)* vertilgen; 4. *(break, make unusable)* ruinieren, kaputtmachen, unbrauchbar machen; 5. *(fig: s.o.'s hopes)* zunichte machen; 6. *(fig: s.o.'s reputation)* ruinieren

destroyer [dɪs'trɔɪə] *sb MIL* Zerstörer *m*

destruct [dɪs'trʌkt] *v* zerstören

destruction [dɪs'trʌkʃən] *sb* Zerstörung *f*, Vernichtung *f*, Verwüstung *f*

detach [dɪ'tætʃ] *v 1. (take off)* abnehmen, ablösen; 2. *(part of a document)* abtrennen; 3. *(unfasten)* loslösen

detached [dɪ'tætʃt] *adj 1. (house)* Einfamilienhaus *n*; 2. *(fig: aloof)* abgehoben, arrogant

detail ['diːteɪl] *v 1.* ausführlich berichten über; *(list)* einzeln aufzählen; *sb 2.* Detail *n*; *attention to* ~ Aufmerksamkeit für das Detail *f*; *in* ~ ausführlich, im Einzelnen; 3. *(particular)* Einzelheit *f; go into* ~*s* auf Einzelheiten eingehen; *4. (insignificant ~)* unwichtige Einzelheit *f*, Kleinigkeit *f*

detain [dɪ'teɪn] *v 1.* aufhalten, zurückbehalten; *2. JUR* in Haft nehmen

detect [dɪ'tekt] *v 1.* entdecken, herausfinden; *2. (see, notice)* wahrnehmen, feststellen; *(a crime)* aufdecken

detective [dɪ'tektɪv] *sb* Detektiv *m*, *(police ~)* Kriminalbeamte(r) *m/f*

detective agency [dɪ'tektɪv 'eɪdʒənsɪ] *sb* Detektei *f*, Detektivbüro *n*

detector [dɪ'tektə] *sb TECH* Detektor *m*

detention [dɪ'tenʃən] *sb 1.* Haft *f*; *(in school)* Nachsitzen *n*; *2. MIL* Arrest *m*; *3. (act)* Festnahme *f*

detention centre [dɪ'tenʃənsentə] *sb* Justizvollzugsanstalt *f*

detergent [dɪ'tɜːdʒənt] *sb* Reinigungsmittel *n*, Waschmittel *n*

deteriorate [dɪ'tɪərɪəreɪt] *v* sich verschlechtern, sich verschlimmern, verderben

determinable [dɪ'tɜːmɪnəbl] *adj* bestimmbar, entscheidbar

determination [dɪtɜːmɪ'neɪʃən] *sb 1. (resolve)* Entschlossenheit *f*, Bestimmtheit *f*; *2. (determining)* Determinierung *f*; *3. (specifying)* Bestimmung *f*, Festsetzung *f*; *4. (decision)* Entschluss *m*, Beschluss *m*

determine [dɪ'tɜːmɪn] *v 1. (resolve)* sich entschließen, beschließen; *2. (fix, set)* festsetzen, festlegen; *3. (be a decisive factor in)* bestimmen, determinieren

determined [dɪ'tɜːmɪnd] *adj* entschlossen, fest, entschieden

detestable [dɪ'testəbl] *adj* abscheulich, hassenswert

detonate ['detəneɪt] *v 1.* zünden, explodieren; *2. (sth)* explodieren lassen, zur Explosion bringen

detonation [detə'neɪʃən] *sb* Detonation *f*

detour ['diːtʊə] *v 1. (take a detour)* einen Umweg machen; *2. (sth)* umleiten; *sb 3.* Umweg *m*; *(fig: from a subject)* Abschweifung *f*; *4. (road)* Umgehungsstraße *f*; *5. (detouring of traffic)* Umleitung *f*

detoxicate [diː'tɒksɪkeɪt] *v* entgiften

detoxification centre [diːtɒksɪfɪ'keɪʃən sentə] *sb* Entzugsklinik *f*

detrimental [detrɪ'mentəl] *adj ~ to* schädlich, nachteilig für, abträglich

deuce [djuːs] *sb (tennis) SPORT* Einstand *m*

devaluation [dɪvæljʊ'eɪʃən] *sb FIN* Abwertung *f*

devastate ['devəsteɪt] *v* verwüsten

devastating ['devəsteɪtɪŋ] *adj* verheerend, vernichtend

develop [dɪ'veləp] *v 1.* sich entwickeln; *2. (sth)* entwickeln; *(~ something already begun)* weiterentwickeln; *3. (a plot of land, a neighbourhood)* erschließen; *4. (an illness)* sich zuziehen, bekommen

developing [dɪ'veləpɪŋ] *adj 1.* sich entwickelnd; *2. ~ country POL* Entwicklungsland *n*

development [dɪ'veləpmənt] *sb 1.* Entwicklung *f*, Ausführung *f*, Entfaltung *f*; *2.* Wachstum *n*, Aufbau *m*

development area ['dɪveləpmənt 'ɛərɪə] *sb* Entwicklungsgebiet *n*

deviation [diːvɪ'eɪʃən] *sb* Abweichen *n*, Abweichung *f*

device [dɪ'vaɪs] *sb 1.* Gerät *n*, Vorrichtung *f*, Apparat *m*; *2. (scheme)* List *f*; *leave s.o. to his own ~s* jdn sich selbst überlassen

devil ['devl] *sb* Teufel *m*; *Speak of the ~!* Wenn man vom Teufel spricht! *a ~ of a job* eine Heidenarbeit; *What the ~?* Was zum Teufel? *poor ~ (fam)* armer Teufel; *There'll be the ~ to pay. (fam)* Es wird einen fürchterlichen Aufruhr geben.

devil-may-care [devlmeɪ'kɛə] *adj* leichtsinnig

devious ['diːvɪəs] *adj 1. (person)* verschlagen; *2. (path)* gewunden

devoid [dɪ'vɔɪd] *adj ~ of* bar, ohne

devote [dɪ'vəʊt] *v 1.* widmen; *2. (resources)* bestimmen

devotion [dɪ'vəʊʃən] *sb 1.* Hingabe *f*; *(to one's friend, to one's spouse)* Ergebenheit *f*; *2. REL* Andacht *f*; *3. (setting aside)* Bestimmung *f*

devour [dɪ'vaʊə] *v 1.* verschlingen, fressen; *2. (fig: a book)* verschlingen

devout [dɪ'vaʊt] *adj REL* fromm, andächtig

dew [djuː] *sb* Tau *m*

dewy-eyed ['djuːɪaɪd] *adj* mit umflorten Augen

dexterity [deks'terɪtɪ] *sb* Geschicklichkeit *f*, Gewandtheit *f*

diabetes [daɪə'biːtiːz] *sb MED* Diabetes *m*, Zuckerkrankheit *f*

diabetic [daɪə'betɪk] *sb MED* Diabetiker *m*

diabolical [daɪə'bɒlɪkəl] *adj* diabolisch, teuflisch

diagnose ['daɪəgnəʊz] *v* diagnostizieren

diagnosis [daɪəg'nəʊsɪs] *sb* Diagnose *f*

diagonal [daɪ'ægənl] *adj 1.* diagonal, schräg, schräg laufend; *sb 2.* Diagonale *f*

diagram 71 **dimple**

diagram ['daɪəgræm] v 1. zeichnen, graphisch darstellen; sb 2. Diagramm n, Schaubild n, Schema n

dial [daɪl] v 1. wählen; sb 2. (of a clock) Zifferblatt n; 3. (of a gauge) Skala f; 4. (radio ~) Skalenscheibe f

dialect ['daɪəlekt] sb Dialekt m, Mundart f

dialling code ['daɪlɪŋ kəʊd] sb (UK) Vorwahl f

dialogue ['daɪəlɒg] sb Dialog m

dial tone ['daɪltəʊn] (US) Amtszeichen n

diamond ['daɪmənd] sb 1. Diamant m; 2. (shape) Raute f; 3. (suit of cards) Karo n

diaper ['daɪpə] sb (US) Windel f

diarrhoea [daɪə'riːə] sb MED Durchfall m, Diarrhöe f

diary ['daɪərɪ] sb 1. (appointment book) Terminkalender m; 2. Tagebuch n

dicey ['daɪsɪ] adj (fam) riskant

dictate [dɪk'teɪt] v 1. diktieren; sb 2. Diktat n, Gebot n; the ~s of reason das Gebot der Vernunft

dictator [dɪk'teɪtə] sb POL Diktator m

dictionary ['dɪkʃənrɪ] sb Wörterbuch n, Lexikon n

die [daɪ] v 1. sterben; 2. (plant) eingehen; 3. (motor) absterben; 4. to be dying to do sth brennend gern etw tun wollen, sich danach sehnen, etw zu tun; 5. (disappear) vergehen; (memory) verschwinden; (custom) aussterben; 6. ~ away schwächer werden; 7. ~ down schwächer werden, nachlassen; 8. ~ out aussterben; sb 9. Würfel m; 10. TECH Gesenk n, Gussform f

• **die away** v sich legen, sich beruhigen

• **die out** v aussterben

die-cast [daɪ'kɑːst] v im Spritzgussverfahren herstellen

diehard ['daɪhɑːd] sb 1. unnachgiebiger Mensch m; adj 2. This record would only interest ~ Elton John fans. Diese Platte würde nur die allergrößten Elton John Fans interessieren.

diesel ['diːzəl] sb (car) Diesel m, (fuel) Dieselöl n

diet ['daɪət] sb 1. Nahrung f, Ernährung f; 2. (special ~) Diät f; 3. (to lose weight) Schlankheitskur f, Diät f; go on a ~ eine Schlankheitskur machen

differ ['dɪfə] v 1. sich unterscheiden; 2. (hold a different opinion) anderer Meinung sein

difference ['dɪfrəns] sb 1. Unterschied m; that makes a ~ das macht was aus; 2. (of opinion) Meinungsverschiedenheit f, Differenz f

different ['dɪfrənt] adj andere(r,s), anders, verschieden; ~ to/~ from anders als

differentiate [dɪfə'renʃɪeɪt] v unterscheiden

difficult ['dɪfɪkəlt] adj schwierig, schwer, kompliziert; make things ~ for s.o. es jdm schwer machen

difficulty ['dɪfɪkəltɪ] sb Schwierigkeit f

dig [dɪg] v irr 1. graben; 2. (a trench, a tunnel) ausheben; 3. (poke) bohren; 4. (fam: like) stehen auf; 5. (fam: understand) kapieren; 6. (fam: look at) sich angucken; sb 7. (archeological) Ausgrabung f, (site) Ausgrabungsstätte f

• **dig in** v irr 1. (entrench o.s.) sich eingraben; 2. (fam: have some food) das Essen reinhauen (fam)

• **dig out** v irr (fam) ausgraben

• **dig up** v irr 1. (earth) aufwühlen; 2. (a lawn) umgraben; 3. (find or remove from underground) ausgraben; 4. (fam: information) auftun

digest [dɪ'dʒest] v 1. verdauen; ['daɪdʒest] sb 2. Auslese f, Auswahl f

digestion [dɪ'dʒestʃən] sb Verdauung f

digit ['dɪdʒɪt] sb 1. MATH Ziffer f, Stelle f; 2. ANAT (finger) Finger m; (toe) Zehe f

digital ['dɪdʒɪtəl] adj digital

dignified ['dɪgnɪfaɪd] adj würdig, würdevoll

dignity ['dɪgnɪtɪ] sb Würde f

digs [dɪgz] pl Bude f (fam), Zimmer n

dilapidated [dɪ'læpɪdeɪtɪd] adj verfallen, baufällig

dilate ['daɪleɪt] v (pupils) sich erweitern

dilemma [dɪ'lemə] sb Dilemma n, Klemme f

diligent ['dɪlɪdʒənt] adj fleißig, eifrig

dilute [daɪ'luːt] v verdünnen, (fig) schwächen

dim [dɪm] v 1. (a light) verdunkeln, abblenden; adj 2. (light) trüb, schwach; 3. (memory) verschwommen, schwach; 4. (outline) undeutlich, verschwommen, unscharf; 5. (fig: future, outlook) trüb; 6. (fam: stupid) schwer von Begriff

dimension [daɪ'menʃən] sb 1. Dimension f; 2. (measurement) Abmessung f, Maß n, Dimension f; 3. ~s pl Ausmaß n, Umfang m, Größe f

diminish [dɪ'mɪnɪʃ] v 1. (to be ~ed) sich vermindern, abnehmen; 2. (sth) verringern, vermindern, verkleinern

dimple ['dɪmpl] sb 1. Vertiefung f; 2. (on one's cheek or chin) Grübchen n

dine [daɪn] v speisen; ~ *out* außer Haus essen

diner ['daɪnə] sb 1. *(person dining)* Tischgast m; 2. *(establishment)* Esslokal n

dinghy ['dɪŋgɪ] sb 1. *(small boat)* Dingi n; 2. *(rubber raft)* Schlauchboot n

dingy ['dɪndʒɪ] adj schmuddelig

dinky ['dɪŋkɪ] adj 1. *(UK)* schnuckelig; 2. *(US: little)* klein

dinner ['dɪnə] sb 1. Abendessen n; 2. *(lunch)* Mittagessen n

dinner jacket ['dɪnədʒækɪt] sb *(UK)* Smoking m

dinner party ['dɪnəpɑːtɪ] sb Abendgesellschaft f, Tischgesellschaft f

dinner service ['dɪnəsɜːvɪs] sb Tafelgeschirr n

dinosaur ['daɪnəsɔː] sb Dinosaurier m

dioxide [daɪˈɒksaɪd] sb CHEM Dioxyd n

dip [dɪp] v 1. *(pointer on a scale)* sich senken, sich neigen; 2. *(bread)* tunken; 3. *(sth into liquid)* tauchen, eintauchen; ~ *one's hand into one's pocket* in die Tasche greifen; sb 4. GAST Dip m; 5. *(swim)* kurzes Baden n

•**dip into** v 1. kurz eintauchen in; 2. *(funds)* Reserven angreifen

diploma [dɪpˈləʊmə] sb Diplom n

diplomacy [dɪpˈləʊməsɪ] sb POL Diplomatie f

diplomat ['dɪpləmæt] sb POL Diplomat m

diplomatic immunity [dɪpləˈmætɪk ɪmˈjuːnɪtɪ] sb POL Immunität f

dipstick ['dɪpstɪk] sb Messstab m

direct [dɪˈrekt] v 1. *(aim, address)* richten; ~ *s.o.'s attention to sth* jds Aufmerksamkeit auf etw lenken; 2. *(order)* anweisen, befehlen; 3. *(supervise)* leiten, lenken, führen; 4. *(traffic)* regeln; 5. CINE Regie führen bei; 6. THEAT inszenieren; adj 7. direkt, unmittelbar

direct access [dɪˈrekt ˈækses] sb IN-FORM Direktzugriff m

direct current [dɪˈrekt ˈkʌrənt] sb TECH Gleichstrom m

direct debit [dɪˈrekt ˈdebɪt] sb *(UK)* FIN Einzugsermächtigung f

direct hit [daɪˈrekt hɪt] sb Volltreffer m

direction [dɪˈrekʃən] sb 1. Richtung f; *sense of ~* Orientierungssinn m; 2. *(management)* Leitung f, Führung f; 3. *~s pl* Anweisungen pl; *(to get somewhere)* Auskunft f; *(for use)* Gebrauchsanweisung f; *ask s.o. for ~s (ask the way)* jdn nach dem Weg fragen, *(request instructions)* jdn um Anweisungen bitten

directly [dɪˈrektlɪ] adv 1. direkt, unmittelbar; ~ *opposed* genau entgegengesetzt; 2. *(frankly)* direkt; 3. *(in just a moment)* sofort

director [dɪˈrektə] sb 1. Direktor m, Leiter m; 2. CINE Regisseur m

directory [dɪˈrektərɪ] sb *(telephone ~)* Telefonbuch n; *(trade ~)* Branchenverzeichnis n

directory enquiries [dɪˈrektərɪ ɪnˈkwaɪərɪːz] sb *(UK)* Telefonauskunft f

dirt [dɜːt] sb 1. Schmutz m, Dreck m; *treat s.o. like ~* jdn wie den letzten Dreck behandeln; *throw ~ at s.o. (fig)* jdn mit Schmutz bewerfen; 2. *(soil)* Erde f; *hit the ~ (fam)* sich zum Boden werfen; 3. *(scandal)* Schmutz m, schmutzige Wäsche pl

dirt-cheap [dɜːtˈtʃiːp] adj spottbillig

dirty ['dɜːtɪ] adj 1. schmutzig, dreckig; ~ *work* Drecksarbeit f; *give s.o. a ~ look* jdm einen bösen Blick zuwerfen; 2. *(obscene)* unanständig, schmutzig; ~ *old man* fieser alter Kerl; 3. *(despicable)* gemein, niederträchtig; *do the ~ on s.o. (UK)* jdn gemein behandeln; ~ *trick* fauler Trick; 4. SPORT unfair; v 5. beschmutzen, verschmutzen

disability [dɪsəˈbɪlɪtɪ] sb *(physical ~)* MED Behinderung f

disable [dɪsˈeɪbl] v unbrauchbar machen

disabled [dɪsˈeɪbld] adj 1. behindert, arbeitsunfähig, erwerbsunfähig; 2. *(machine)* unbrauchbar; 3. *the ~* die Behinderten pl

disadvantage [dɪsədˈvɑːntɪdʒ] sb 1. Nachteil m; v 2. *put at a ~* benachteiligen

disagree [dɪsəˈgriː] v 1. nicht übereinstimmen; 2. *(with a suggestion)* nicht einverstanden sein; 3. ~ *with s.o. (food)* jdm nicht bekommen

disagreeable [dɪsəˈgriːəbl] adj 1. unangenehm; 2. *(person)* unsympathisch

disagreement [dɪsəˈgriːmənt] sb 1. Uneinigkeit f; 2. *(discrepancy)* Diskrepanz f; 3. *(quarrel)* Meinungsverschiedenheit f, Streit m

disappear [dɪsəˈpɪə] v verschwinden

disappearance [dɪsəˈpɪərəns] sb Verschwinden n

disappoint [dɪsəˈpɔɪnt] v enttäuschen

disappointment [dɪsəˈpɔɪntmənt] sb Enttäuschung f

disapprove [dɪsəˈpruːv] v 1. dagegen sein; 2. ~ *of sth* etw missbilligen

disarmament [dɪsˈɑːməmənt] sb POL Abrüstung f

disarmament conference [dɪsˈɑːməmənt ˈkɒnfərəns] sb POL Abrüstungskonferenz f

disassemble [dɪsə'sembl] v auseinander nehmen, zerlegen

disaster [dɪ'zɑːstə] sb Unglück n, Katastrophe f

disaster area [dɪ'zɑːstərɛərɪə] sb Katastrophengebiet n

disastrous [dɪ'zɑːstrəs] adj katastrophal, verheerend, unheilvoll

disbelief [dɪsbə'liːf] sb Unglaube m, Zweifel m

disbelieve [dɪsbɪ'liːv] v nicht glauben, bezweifeln

disc [dɪsk] sb 1. runde Scheibe f; 2. ANAT Bandscheibe f; 3. (record) Schallplatte f

discard [dɪ'skɑːd] v ablegen, aufgeben, ausrangieren

disc brake [dɪsk breɪk] sb TECH Scheibenbremse f

disciple [dɪ'saɪpl] sb Jünger m, Schüler m

disciplinary ['dɪsɪplɪnərɪ] adj Disziplinar-

discipline ['dɪsɪplɪn] v 1. disziplinieren; sb 2. Disziplin f

disc jockey [dɪskdʒɒkɪ] sb Diskjockey m

disclaim [dɪs'kleɪm] v ausschlagen, ablehnen

disclose [dɪs'kləʊz] v 1. bekannt geben, bekannt machen, offenbaren; 2. (a secret) aufdecken, enthüllen

disco [dɪskəʊ] sb Disko f

discography [dɪs'kɒgrəfɪ] sb Schallplattenverzeichnis n

discomfort [dɪs'kʌmfət] sb Unbehagen n

disconcert [dɪskən'sɜːt] v beunruhigen, aus der Fassung bringen

disconnect [dɪskə'nekt] v 1. trennen; 2. (utilities) abstellen; 3. (telephone call) unterbrechen

disconsolate [dɪs'kɒnsəlɪt] adj untröstlich, niedergeschlagen

discontent [dɪskən'tent] sb Unzufriedenheit f

discontinue [dɪskən'tɪnjuː] v 1. aufgeben, abbrechen, aussetzen; 2. (a line of products) auslaufen lassen; 3. (a subscription) abbestellen

discotheque ['dɪskəʊtek] sb Diskothek f

discount [dɪs'kaʊnt] v 1. (dismiss, disregard) unberücksichtigt lassen; 2. ['dɪskaʊnt] sb ECO Preisnachlass m, Rabatt m, Abschlag m; sell sth at a ~ etw mit Rabatt verkaufen; 3. FIN Diskont m; v 4. (a bill, a note) FIN diskontieren

discount house ['dɪskaʊnt haʊs] sb Discountgeschäft n

discount rate ['dɪskaʊnt reɪt] sb FIN Diskontsatz m

discourage [dɪs'kʌrɪdʒ] v 1. entmutigen; 2. (deter) abhalten, (advances) zu verhindern suchen; 3. (dissuade) ~ s.o. from doing sth jdm abraten, etw zu tun; (successfully) jdn davon abbringen, etw zu tun

discouraged [dɪs'kʌrɪdʒd] adj entmutigt; (generally) mutlos

discourteous [dɪs'kɜːtɪəs] adj unhöflich

discover [dɪs'kʌvə] v 1. entdecken; 2. (~ a mistake, ~ that sth is missing) feststellen; 3. (a secret) herausfinden

discoverer [dɪs'kʌvərə] sb Entdecker m

discovery [dɪs'kʌvərɪ] sb Entdeckung f

discreet [dɪs'kriːt] adj diskret, taktvoll, verschwiegen

discrepancy [dɪs'krepənsɪ] sb Diskrepanz f, Unstimmigkeit f

discrete [dɪs'kriːt] adj diskret

discretion [dɪs'kreʃən] sb 1. (tact) Diskretion f; 2. (prudence) Besonnenheit f; 3. (freedom to decide) Gutdünken n, Ermessen n; use your own ~ handle nach eigenem Ermessen; at one's ~ nach Belieben

discriminate [dɪ'skrɪmɪneɪt] v 1. unterscheiden; 2. (unfairly) Unterschiede machen; ~ against s.o. jdn diskriminieren

discrimination [dɪskrɪmɪ'neɪʃən] sb (differential treatment) Diskriminierung f

discuss [dɪs'kʌs] v besprechen, diskutieren, reden über

discussion [dɪs'kʌʃən] sb Diskussion f, Erörterung f, (meeting) Besprechung f

disdain [dɪs'deɪn] v 1. (s.o.) verachten; 2. (sth) verachten, verschmähen; sb 3. Verachtung f, Geringschätzung f

disdainful [dɪs'deɪnfʊl] adj verachtungsvoll, geringschätzig

disease [dɪ'ziːz] sb Krankheit f

diseased [dɪ'ziːzd] adj MED krank, (tissue, cell) krankhaft

disembodied [dɪsɪm'bɒdɪd] adj körperlos

disengage [dɪsɪn'geɪdʒ] v 1. loskommen; 2. (from fighting) sich absetzen; 3. (sth) loskuppeln, ausschalten; ~ the clutch auskuppeln

disfavour [dɪs'feɪvə] sb Ungnade f, Missfallen n; fall into ~ in Ungnade fallen; regard with ~ mit Missfallen betrachten

disfigure [dɪs'fɪgə] v verunstalten, (a face) entstellen

disgrace [dɪs'greɪs] v 1. Schande bringen über, Schande machen; 2. ~ o.s. sich blamie-

ren; *sb 3.* Schande *f; fall into ~* in Ungnade fallen; *4. (cause of ~)* Schande *f,* Blamage *f,* Schandfleck *m*
disgraceful [dɪs'greɪsful] *adj* schändlich
disguise [dɪs'gaɪz] *v 1.* unkenntlich machen, tarnen, verkleiden; *2. (handwriting, a voice)* verstellen; *3. (feelings, the truth)* verhüllen, verbergen, verhehlen; *4. ~ o.s.* sich verkleiden; *sb 5.* Verkleidung *f; in ~* verkleidet
disgust [dɪs'gʌst] *v 1.* anekeln, anwidern; *2. (anger)* empören; *sb 3.* Ekel *m; 4. (loathing)* Empörung *f*
disgusting [dɪs'gʌstɪŋ] *adj* widerlich, abscheulich; *(nauseating)* ekelhaft
dish [dɪʃ] *sb 1.* Schüssel *f,* Platte *f,* Teller *m; 2. ~es pl (crockery)* Geschirr *n; do the ~es (US)* Geschirr spülen; *3. (meal)* Gericht *n,* Speise *f*
• **dish out** *v* austeilen
• **dish up** *v 1.* anrichten, auftragen; *2. (fam: ~ lies, ~ information)* auftischen
dishonest [dɪs'ɒnɪst] *adj 1.* unehrlich; *2. (scheme)* unlauter
dishonesty [dɪs'ɒnɪstɪ] *sb* Unehrlichkeit *f,* Unredlichkeit *f*
dishonourable [dɪs'ɒnərəbl] *adj* unehrenhaft; *~ discharge* unehrenhafte Entlassung *f*
dishwasher ['dɪʃwɒʃə] *sb 1. (machine)* Geschirrspülmaschine *f; 2. (person)* Tellerwäscher *m*
dishy ['dɪʃɪ] *adj (fam)* schick, toll
disillusionment [dɪsɪ'luːʒənmənt] *sb* Ernüchterung *f,* Enttäuschung *f*
disinclined [dɪsɪn'klaɪnd] *adj ~ to do sth* abgeneigt, etw zu tun
disinfect [dɪsɪn'fekt] *v* desinfizieren
disinfectant [dɪsɪn'fektənt] *sb* Desinfektionsmittel *n*
disinfection [dɪsɪn'fekʃən] *sb* Desinfektion *f*
disinherit [dɪsɪn'herɪt] *v* enterben
disintegrate [dɪsɪn'tɪgreɪt] *v 1. (fall apart, be broken apart)* zerfallen, sich auflösen, auseinander fallen; *2. (sth)* zerfallen lassen, auflösen, zersetzen
disintegration [dɪsɪntɪ'greɪʃən] *sb* Zerfall *m,* Auflösung *f*
disinterest [dɪs'ɪntrɪst] *sb* Desinteresse *n,* Gleichgültigkeit *f*
disjointed [dɪs'dʒɔɪntɪd] *adj* zusammenhangslos
disk [dɪsk] *sb 1. (see "disc"); 2. INFORM* Platte *f*

disk crash [dɪsk kræʃ] *sb INFORM* Diskcrash *m,* Störung eines Laufwerkes *f*
disk drive ['dɪskdraɪv] *sb INFORM* Laufwerk *n*
diskette [dɪs'ket] *sb INFORM* Diskette *f*
dislike [dɪs'laɪk] *v 1.* nicht mögen; *~ doing sth* etw ungern tun; *sb 2.* Abneigung *f*
dislocate ['dɪsləʊkeɪt] *v MED* verrenken
disloyal [dɪs'lɔɪəl] *adj* untreu, treulos, verräterisch
dismal ['dɪzməl] *adj 1.* düster; *2. (failure)* kläglich; *3. (person)* trübselig, trübsinnig
dismantle [dɪs'mæntl] *v 1. (take apart)* auseinander nehmen, zerlegen; *2. (permanently)* demontieren
dismay [dɪs'meɪ] *v 1.* bestürzen; *sb 2.* Bestürzung *f,* Entsetzen *n*
dismiss [dɪs'mɪs] *v 1.* entlassen, gehen lassen; *2. (brush aside)* abtun; *(a suggestion)* zurückweisen; *(form one's mind)* verbannen
dismissive [dɪs'mɪsɪv] *adj* abweisend
disobedience [dɪsə'biːdɪəns] *sb 1.* Ungehorsam *m; 2. civil ~* ziviler Ungehorsam *m*
disobedient [dɪsə'biːdɪənt] *adj* ungehorsam
disobey [dɪsə'beɪ] *v 1. (s.o.)* nicht gehorchen; *2. (a law)* nicht befolgen
disorder [dɪs'ɔːdə] *sb 1.* Durcheinander *n; 2. MED* Störung *f,* Erkrankung *f*
disorderly [dɪs'ɔːdəlɪ] *adj 1. (untidy)* unordentlich; *2. (unruly)* aufrührerisch; *3. ~ conduct JUR* ungebührliches Benehmen *n*
disorient [dɪs'ɔːrɪənt] *v* desorientieren, verwirren
disorientate [dɪs'ɔːrɪenteɪt] *v* desorientieren
disown [dɪs'əʊn] *v 1.* verleugnen; *2. (one's child)* verstoßen
disparaging [dɪ'spærɪdʒɪŋ] *adj* abschätzig, geringschätzig
disparity [dɪ'spærɪtɪ] *sb* Ungleichheit *f,* Verschiedenheit *f*
dispatch [dɪ'spætʃ] *v 1.* senden, schicken, absenden; *2. (deal with)* erledigen; *3. (kill)* töten, ins Jenseits befördern; *sb 4. (promptness)* Eile *f; 5. (report)* Bericht *m; 6. (sending)* Versand *m,* Absendung *f*
dispensable [dɪs'pensəbl] *adj* entbehrlich, verzichtbar
dispense [dɪs'pens] *v 1.* verteilen, austeilen; *(medication)* abgeben; *2. ~ justice* Recht sprechen; *3. ~ with* verzichten auf
dispenser [dɪs'pensə] *sb (machine)* Automat *m*

displace [dɪs'pleɪs] v 1. verlagern, verdrängen; ~d person Verschleppte(r) m/f; 2. (replace) ersetzen

displacement [dɪs'pleɪsmənt] sb 1. Verlagerung f; 2. NAUT Verdrängung f

display [dɪs'pleɪ] v 1. (show) zeigen, beweisen; 2. (goods) ausstellen, auslegen; sb 3. Zeigen n, Zurschaustellung f, Vorführung f; to be on ~ ausgestellt sein; 4. (of goods) Ausstellung f, Auslage f; 5. (ostentatious ~) Aufwand m; 6. INFORM Display n

displeased [dɪs'pliːzd] adj unzufrieden

disposable [dɪs'pəʊzəbl] adj 1. (to be thrown away) wegwerfbar; 2. (available) verfügbar; ~ income verfügbares Einkommen n

disposal [dɪs'pəʊzəl] sb 1. (throwing away) Wegwerfen n; 2. (waste ~ unit) Müllschlucker m; 3. (removal) Beseitigung f; 4. (control) Verfügungsrecht n; place sth at s.o.'s ~ jdm etw zur Verfügung stellen; have sth at one's ~ über etw verfügen; to be at s.o.'s ~ jdm zur Verfügung stehen; 5. (positioning) Aufstellung f

dispose [dɪs'pəʊz] v 1. ~ of (get rid of) loswerden; (an opponent) aus dem Weg schaffen; 2. (difficulties) erledigen; 3. ~ of (have at one's disposal) verfügen über

disposition [dɪspə'zɪʃən] sb 1. (temperament) Veranlagung f; 2. (arrangement) Anordnung f

dispute [dɪ'spjuːt] v 1. (debate) disputieren über; 2. (argue against) bestreiten, anfechten; 3. (a claim) anfechten; sb 4. Disput m, Kontroverse f; beyond ~ unzweifelhaft; 5. (quarrel) Streit m

disqualification [dɪskwɒlɪfɪ'keɪʃən] sb SPORT Disqualifikation f

disqualify [dɪs'kwɒlɪfaɪ] v 1. für untauglich erklären; 2. SPORT disqualifizieren

disregard [dɪsrɪ'gɑːd] v 1. nicht beachten, ignorieren; (authority) missachten; sb 2. Nichtbeachtung f, Ignoranz f; 3. (for danger) Geringschätzung f

disrepair [dɪsrɪ'peə] sb Verfall m, Baufälligkeit f; fall into ~ verfallen

disrespect [dɪsrɪs'pekt] sb Respektlosigkeit f, (rudeness) Unhöflichkeit f

disrespectable [dɪsrɪ'spektəbl] adj nicht respektabel

disrespectful [dɪsrɪs'pektfʊl] adj respektlos, (rude) unhöflich

disrupt [dɪs'rʌpt] v stören, unterbrechen

disruption [dɪs'rʌpʃən] sb Störung f, Unterbrechung f

dissatisfied [dɪs'sætɪsfaɪd] adj unzufrieden

dissatisfy [dɪs'sætɪsfaɪ] v nicht zufrieden stellen, missfallen

dissect [dɪ'sekt] v 1. sezieren; 2. (a plant) präparieren

dissemble [dɪ'sembl] v 1. sich verstellen, heucheln; 2. (~ sth) verbergen

disservice [dɪs'sɜːvɪs] sb do s.o. a ~ jdm einen schlechten Dienst erweisen

dissident ['dɪsɪdənt] adj 1. anders denkend; sb 2. POL Dissident m

dissimilar [dɪ'sɪmɪlə] adj verschieden, unähnlich

dissipate ['dɪsɪpeɪt] v sich zerstreuen, sich auflösen

dissociate [dɪ'səʊʃɪeɪt] v ~ o.s. from sich distanzieren von

dissolution [dɪsə'luːʃən] sb Auflösung f

dissolve [dɪ'zɒlv] v 1. sich lösen, sich auflösen; 2. (sth) auflösen

dissuade [dɪ'sweɪd] v ~ s.o. from doing sth jdn davon abbringen, etw zu tun

distance ['dɪstəns] v 1. ~ o.s. from sth sich von etw distanzieren; sb 2. Entfernung f, Ferne f; at a ~ of ten metres in zehn Meter Entfernung; in the ~ in der Ferne; 3. (~ covered, ~ to cover) Strecke f, Weg m; within walking ~ zu Fuß erreichbar; go the ~ (fig) durchhalten; 4. (of a race) SPORT Distanz f; 5. (gap) Abstand m, Distanz f, Zwischenraum m; keep one's ~ Abstand halten; 6. (fig: avoidance of familiarity) Distanz f; keep one's ~ (fig) auf Distanz bleiben; keep s.o. at a ~ jdn auf Distanz halten

distant ['dɪstənt] adj 1. fern, entfernt, weit; 2. (in time) fern; 3. (relationship) entfernt; 4. (aloof) distanziert, kühl, reserviert

distaste [dɪs'teɪst] sb Widerwille; ~ for Widerwille gegen

distasteful [dɪs'teɪstfʊl] adj unangenehm

distinct [dɪs'tɪŋkt] adj 1. deutlich, klar; 2. (noticeable) spürbar; 3. (characteristic) ausgeprägt; 4. (different) verschieden; 5. (separate) getrennt

distinction [dɪs'tɪŋkʃən] sb 1. (difference) Unterschied m; draw a ~ between, make a ~ between einen Unterschied machen zwischen; 2. (act of distinguishing) Unterscheidung f; 3. (refinement) Vornehmheit f; 4. (eminence in one's field) hoher Rang m; 5. (award) Auszeichnung f

distinctive [dɪs'tɪŋktɪv] adj unverwechselbar, unverkennbar, kennzeichnend

distinguish [dɪ'stɪŋgwɪʃ] v 1. (tell apart) auseinander halten, unterscheiden; 2. (make out) erkennen; 3. (make different) unterscheiden; to be ~ed by sth sich durch etw unterscheiden; 4. ~ o.s. sich auszeichnen

distinguishable [dɪ'stɪŋgwɪʃəbl] adj 1. (discernible) erkennbar; 2. (noticeable) deutlich; 3. (able to be told apart) unterscheidbar

distinguished [dɪ'stɪŋgwɪʃt] adj 1. bedeutend, von Rang, berühmt; 2. (refined) distinguiert, vornehm

distort [dɪs'tɔːt] v 1. verzerren; 2. (words, facts) verdrehen; 3. (judgement) trüben

distract [dɪ'strækt] v ablenken

distracted [dɪ'stræktɪd] adj 1. unaufmerksam, zerstreut; 2. (in despair) verzweifelt

distress [dɪ'stres] v 1. peinigen, quälen, beunruhigen; sb 2. Verzweiflung f; 3. (grief) Kummer m, Leid n, Sorge f; 4. (poverty) Elend n, Not f; 5. (danger) Not f

distress call [dɪ'stres kɔːl] sb Notruf m

distressed [dɪ'strest] adj beunruhigt, bekümmert, betrübt

distressing [dɪs'tresɪŋ] adj Besorgnis erregend, bedrückend

distribute [dɪ'strɪbjuːt] v 1. verteilen, austeilen; 2. (goods) ECO vertreiben; 3. (dividends) FIN ausschütten; 4. (films) verleihen

distribution [dɪstrɪ'bjuːʃən] sb 1. Verteilung f, Austeilung f; 2. (way sth is distributed) Einteilung f; 3. (of dividends) FIN Ausschüttung f; 4. (of goods) ECO Vertrieb m; 5. CINE Verleih m

district ['dɪstrɪkt] sb 1. Gebiet n, Gegend f; 2. (of a town) Stadtteil m, Viertel n, Bezirk m; 3. (administrative ~) Bezirk m, Verwaltungsbezirk m

district attorney ['dɪstrɪkt ə'tɜːnɪ] sb (US) Staatsanwalt m

district court ['dɪstrɪkt kɔːt] sb (US) JUR Bezirksgericht n

distrust [dɪs'trʌst] v 1. misstrauen; sb 2. Misstrauen n

disturb [dɪ'stɜːb] v 1. (interrupt, interfere with) stören; "Please do not ~." „Bitte nicht stören."; 2. (make uneasy) beunruhigen

disturbance [dɪ'stɜːbəns] sb 1. Störung f; 2. (commotion) Ruhestörung f; (political, social) Unruhe f; 3. (uneasiness) Unruhe f

disturbed [dɪ'stɜːbd] adj 1. (worried) beunruhigt; 2. (waters) unruhig; 3. (mentally imbalanced) geistig gestört

disturbing [dɪ'stɜːbɪŋ] adj beunruhigend

disuse [dɪs'juːs] sb Nichtgebrauch m

disused [dɪs'juːzd] adj nicht mehr benutzt, nicht mehr gebraucht, (railway line) stillgelgt, (building) leerstehend

dive [daɪv] v 1. (into a pool, into a lake) springen, (under water) tauchen, (submarine) untertauchen; 2. (like a goalkeeper) einen Hechtsprung machen; 3. (airplane) einen Sturzflug machen; sb 4. (by a swimmer) Sprung m; 5. (by a plane) Sturzflug m; 6. (sideways leap) Hechtsprung m; 7. take a ~ (boxer) ein K.O. vortäuschen; 8. (fam: seedy pub) Spelunke f

dive-bomb ['daɪvbɒm] v MIL im Sturzflug angreifen

diver ['daɪvə] sb Taucher m; (from a springboard) Kunstspringer m; (from a high platform) Turmspringer m

diverse [daɪ'vɜːs] adj unterschiedlich, verschieden

diversion [daɪ'vɜːʒən] sb 1. (trick to distract attention) Ablenkung f, Ablenkungsmanöver n; 2. (pastime) Zeitvertreib m; 3. (detouring) Umleitung f

diversity [daɪ'vɜːsɪtɪ] sb Vielfalt f

divert [daɪ'vɜːt] v 1. (attention) ablenken; 2. (traffic) umleiten; 3. (a conversation) in eine andere Richtung lenken

divide [dɪ'vaɪd] v 1. (separate) trennen; 2. MATH dividieren, teilen; ~ eleven by five elf durch fünf teilen/dividieren; 3. (~ among) verteilen; 4. (~ up) teilen; (distribute) aufteilen; 5. (cause disagreement among) entzweien

divine [dɪ'vaɪn] adj göttlich

diving board ['daɪvɪŋ bɔːd] sb SPORT Sprungbrett n

diving suit ['daɪvɪŋ suːt] sb Taucheranzug m

divinity [dɪ'vɪnɪtɪ] sb Gottheit f, göttliches Wesen n

divisible [dɪ'vɪzɪbl] adj teilbar; ~ by teilbar durch

division [dɪ'vɪʒən] sb 1. Teilung f, Aufteilung f, Einteilung f; 2. MATH Teilen n, Division f; 3. (part) Teil m; 4. (of a firm) Abteilung f; 5. SPORT Liga f; 6. MIL Division f; 7. (that which divides) Trennung f; 8. (discord) Uneinigkeit f

divorce [dɪ'vɔːs] v 1. (s.o.) sich scheiden lassen von; get ~d sich scheiden lassen; 2. (fig) trennen; sb 3. Scheidung f

divulge [daɪ'vʌldʒ] v 1. preisgeben; 2. (a secret) ausplaudern

dizzy ['dɪzɪ] adj schwindlig

DNA [diːen'eɪ] sb (deoxyribonucleic acid) BIO DNS f

do [duː] *v irr 1.* tun, machen; *What can I ~ for you?* Was kann ich für Sie tun? *How ~ you ~? (pleased to meet you)* Es freut mich, Sie kennen zu lernen. *Nothing ~ing. (fam)* Nichts zu machen. *2. ~ the dishes (US)* Geschirr spülen; *3. (be suitable)* passen; *4. (be sufficient)* reichen, genügen; *That will ~.* Das genügt. *sb 5. make ~ with* sich mit etw behelfen

• **do away** *v irr ~ with sth* etw beseitigen
• **do in** *v irr 1. (fam: kill)* umbringen; *2. (fam: ruin)* fertig machen, ruinieren
• **do up** *v irr 1. (fasten)* zumachen; *2. (a room)* herrichten; *3. (a package)* zusammenpacken; *4. ~ one's face* sich schminken
• **do with** *v irr 1. (potentially use)* gebrauchen können; *2. have to ~* mit ... zu tun haben; *What has that got to ~ it?* Was hat das damit zu tun?
• **do without** *v irr* auskommen ohne, entbehren, verzichten auf

doctor ['dɒktə] *sb 1. (physician)* MED Arzt *m*/Ärztin *f; 2. (person with a doctorate)* Doktor *m; v 3. (fam: tamper with)* frisieren; *(document)* verfälschen

doctorate ['dɒktərɪt] *sb* Doktorwürde *f*

document ['dɒkjʊmənt] *v 1.* beurkunden, dokumentieren; *sb 2.* Dokument *n,* Urkunde *f,* Unterlage *f*

documentary [dɒkjʊ'mentərɪ] *adj 1.* dokumentarisch, urkundlich; *~ evidence* Urkundenbeweis *m; sb 2.* CINE Dokumentarfilm *m,* Tatsachenfilm *m*

dodge [dɒdʒ] *v 1.* ausweichen, *(tax)* umgehen; *2. (military service)* sich drücken vor

dodger ['dɒdʒə] *sb (person)* Schlawiner *m*

dodgy ['dɒdʒɪ] *adj (fam)* vertrackt, verzwickt

dog [dɒg] *sb* Hund *m; go to the ~s (fam)* vor die Hunde gehen; *lucky ~ (fam)* Glückspilz *m; as sick as a ~* speiübel; *lead a ~s life* ein Hundeleben führen; *a hair of the ~ that bit you (fam)* einen Schluck Alkohol gegen den Kater; *set a ~ on s.o.* einen Hund auf jdn hetzen; *the top ~ (fam)* der große Boss

dog-catcher ['dɒgkætʃə] *sb* Hundefänger *m*

dog collar ['dɒgkɒlə] *sb* Hundehalsband *n*

dog-eared ['dɒgɪəd] *adj (page)* mit Eselsohren

dogfight ['dɒgfaɪt] *sb (aerial battle)* Luftkampf *m*

dogged ['dɒgɪd] *adj* verbissen

doggy bag ['dɒgɪ bæg] *sb* Tüte für Essensreste *f*

doghouse ['dɒghaʊs] *sb* Hundehütte *f; in the ~ (fam) (US)* in Ungnade

do-gooder ['duːgʊdə] *sb* Weltverbesserer *m*

dogsbody ['dɒgzbɒdɪ] *sb (UK)* Mädchen für alles *n (fig)*

dog-tired ['dɒg'taɪəd] *adj (fam)* hundemüde

do-it-yourself ['duːɪt jɒ'self] *sb* Heimwerken *n,* Hobbybasteln *n*

dole [dəʊl] *sb (fam)* Stempelgeld *n; to be on the ~* stempeln gehen

doll [dɒl] *sb* Puppe *f*

dolled [dɒld] *adj ~ up (fam)* aufgedonnert

dolphin ['dɒlfɪn] *sb* ZOOL Delphin *m*

domain [dəʊ'meɪn] *sb 1.* Domäne *f; 2.* INFORM Domain *f*

domestic [də'mestɪk] *adj 1.* häuslich; *~ animal* Haustier *n; 2.* POL Innen..., Inland...

domestic policy [də'mestɪk 'pɒlɪsɪ] *sb* POL Innenpolitik *f*

domestic servant [də'mestɪk 'sɜːvənt] *sb* Hausangestellte *m/f,* Dienstbote *m*

dominance ['dɒmɪnæns] *sb* POL Vorherrschaft *f,* Dominanz *f*

dominant ['dɒmɪnənt] *adj 1.* dominierend; *2. (gene)* BIO dominant

dominate ['dɒmɪneɪt] *v* dominieren

domination [dɒmɪ'neɪʃən] *sb* Herrschaft *f*

domineer [dɒmɪ'nɪə] *v* tyrannisieren

domineering [dɒmɪ'nɪərɪŋ] *adj* herrisch

donate [dəʊ'neɪt] *v* schenken, stiften, spenden

donation [dəʊ'neɪʃən] *sb 1. (thing donated)* Spende *f,* Stiftung *f,* Gabe *f; 2. (the act of donating)* Spenden *n,* Stiften *v*

done [dʌn] *adj* getan, erledigt, fertig

donkey ['dɒŋkɪ] *sb* Esel *m*

donor ['dəʊnə] *sb* Spender *m,* Stifter *m*

doom [duːm] *v 1.* verurteilen, verdammen; *sb 2.* Schicksal *n; 3. (ruin)* Verhängnis *n,* böses Geschick *n*

doomed [duːmd] *adj* verurteilt

door [dɔː] *sb* Tür *f; he lives two ~s down* er wohnt zwei Häuser weiter; *show s.o. the ~ (fam)* jdm die Tür weisen; *from ~ to ~* von Haus zu Haus; *out of ~s* draußen; *behind closed ~s* hinter verschlossenen Türen; *at death's ~* den Tod vor den Augen

doorbell ['dɔːbel] *sb* Türglocke *f,* Türklingel *f*

door handle ['dɔːhændl] *sb* Türgriff *m,* Türklinke *f*

doorman ['dɔːmæn] *sb* Portier *m*

doormat ['dɔːmæt] *sb* 1. Fußmatte *f;* 2. *(fig)* Fußabtreter *m*

doorstep ['dɔːstep] *sb* Eingangsstufe *f; on s.o.'s ~* vor jds Tür

dope [dəʊp] *v* 1. dopen; *sb* 2. *(drugs)* Stoff *m,* Rauschgift *n;* 3. *(idiot)* Trottel *m,* Idiot *m;* 4. *(fam: information)* Information *f*

dopey ['dəʊpɪ] *adj (fam)* benebelt, weggetreten

dork [dɔːk] *sb (fam)* komische Type *f*

dosage ['dəʊsɪdʒ] *sb* Dosierung *f*

dose [dəʊs] *v* 1. *MED* dosieren; *sb* 2. *MED* Dosis *f; (fig)* Ration *f*

dot [dɒt] *sb* 1. Punkt *m,* Tupfen *m; on the ~* pünktlich; *v* 2. *(an "i")* mit dem i-Punkt versehen

dotty ['dɒtɪ] *adj (batty)* bekloppt *(fam)*

double ['dʌbl] *v* 1. verdoppeln; *adj* 2. doppelt, *(in pairs)* Doppel... *sb* 3. *(lookalike)* Doppelgänger *m,* Ebenbild *n;* 4. *(stand-in)* Double *n*

• **double back** *v (person)* kehrtmachen, zurückgehen

• **double up** *v* 1. *(bend over)* sich krümmen; 2. *(with laughter)* sich biegen; 3. *(share sth)* etw gemeinsam benutzen

double agent ['dʌbl 'eɪdʒənt] *sb* Doppelagent *m*

double-barrelled [dʌbl 'bærəld] *adj* doppelläufig

double bed ['dʌbl bed] *sb* Doppelbett *n*

double-check [dʌbl'tʃek] *v* noch einmal prüfen

double chin [dʌbl'tʃɪn] *sb* Doppelkinn *n*

double-cross [dʌbl 'krɒs] *v* hintergehen

double date [dʌbl'deɪt] *sb* Rendezvous zweier Paare *n*

double-dealing [dʌbl'diːlɪŋ] *adj* betrügerisch

double feature [dʌbl'fiːtʃə] *sb* Programm mit zwei Hauptfilmen *n*

doubleheader [dʌbl'hedə] *sb* SPORT zwei Spiele, die nacheinander am selben Tag stattfinden

double-jointed [dʌbl'dʒɔɪntɪd] *adj* sehr gelenkig

double-park ['dʌbl pɑːk] *v* in zweiter Reihe parken

double room ['dʌblruːm] *sb* Zweibettzimmer *n,* Doppelzimmer *n*

double-take [dʌbl'teɪk] *sb do a ~* zweimal hingucken müssen

doubt [daʊt] *v* 1. *(have doubts)* zweifeln; 2. *(sth)* bezweifeln; *sb* 3. Zweifel *m; without a ~*

zweifellos; *no ~* ohne Zweifel; *to be in ~ (person)* unschlüssig sein

doubtful ['daʊtful] *adj* 1. *(person)* nicht sicher, zweifelnd; 2. *(thing)* zweifelhaft, ungewiss; 3. *(of questionable character)* zweifelhaft, fragwürdig

doubtless ['daʊtlɪs] *adv* ohne Zweifel, sicherlich

dough [dəʊ] *sb* 1. Teig *m;* 2. *(fam: money)* Kohle *f*

doughnut ['dəʊnʌt] *sb* Krapfen *m,* Berliner (Pfannkuchen) *m*

dour [daʊə] *adj* 1. mürrisch, grämlich; 2. *(stern)* streng

dove [dʌv] *sb* Taube *f*

dowdy ['daʊdɪ] *adj* schlampig, unelegant

down [daʊn] *adv* 1. *(movement)* nach unten, abwärts; *(towards the speaker)* herunter, runter *(fam); (away from the speaker)* hinunter, runter *(fam);* 2. *(position)* unten; *(on the ground)* am Boden; *~ under (fam)* in/nach Australien oder Neuseeland; *(as a ~ payment)* als Anzahlung; *prep* 4. *(along)* entlang; *sb* 5. *(feathers)* Daunen *pl*

downcast ['daʊnkɑːst] *adj* niedergeschlagen

downgrade ['daʊngreɪd] *v* 1. *(s.o.)* degradieren; 2. *(sth)* herabsetzen

downhill ['daʊn'hɪl] *adv* abwärts, bergab; *go ~ (fig)* rapide abwärts gehen

download ['daʊnləʊd] *v* INFORM herunterladen, downloaden

down payment [daʊn 'peɪmənt] *sb* Anzahlung *f*

downpour ['daʊnpɔː] *sb* Regenguss *m,* Platzregen *m*

downstairs [daʊn'steəz] *adv* 1. *(be ~)* unten; 2. *(go ~, come ~)* nach unten; *(from here)* die Treppe hinunter; *(from up there)* die Treppe herunter

down-to-earth [daʊntuː'ɜːθ] *adj* mit beiden Beinen auf dem Boden stehend, realistisch

downtown ['daʊntaʊn] *sb* 1. Innenstadt *f,* Zentrum *n,* Geschäftsviertel *n; adv* 2. *(US: go ~/be ~)* in die/in der Innenstadt, ins/im Geschäftsviertel; *adj* 3. *(US) ~ Chicago* die Innenstadt von Chicago

doze [dəʊz] *v* dösen; *~ off* einnicken

dozen ['dʌzn] *sb* Dutzend *n; by the ~* im Dutzend

drab [dræb] *adj* 1. graubraun; 2. *(fig)* trüb

draft [drɑːft] *v* 1. *(draw)* entwerfen, skizzieren; 2. *(write)* aufsetzen, abfassen; 3. *(US: into* the military) einziehen, einberufen; 4. (fig) (US) berufen; sb 5. Entwurf m; 6. (group of men) MIL Sonderkommando n; 7. (US: conscription) MIL Einberufung zum Wehrdienst f; 8. (US: air) (see"draught")

drag [dræg] v 1. (lag behind) hinterherhinken; 2. (one's feet) schlurfen, (fig) die Sache schleifen lassen; 3. (sth) schleppen, schleifen, ziehen; sb 4. (fam: on a cigarette) Zug m; 5. in ~ (dressed like a woman) in Frauenkleidung; 6. a ~ (fam: sth boring) eine stinklangweilige Sache f, eine fade Sache f
• **drag down** v herunterziehen
• **drag in** v hineinziehen
• **drag on** v sich in die Länge ziehen
• **drag out** v in die Länge ziehen
dragon ['drægən] sb Drache m
dragonfly ['drægənflaɪ] sb Libelle f
drain [dreɪn] v 1. (flow out) ablaufen; 2. (liquid) ableiten; 3. (a glass) austrinken, leeren; 4. (land, swamps) entwässern, dränieren; 5. (a reservoir) trockenlegen; 6. (fig) aufzehren; sb 7. (under a sink) Abfluss m; (in a gutter) Gully m; down the ~ (fig) im Eimer; go down the ~ (fig) vor die Hunde gehen; 8. (~pipe) Rohr n; 9. (fig: strain) Belastung f, Beanspruchung f
draining board ['dreɪnɪŋ bɔːd] sb (beside a sink) Ablauf m
drama ['drɑːmə] sb 1. Drama n; 2. (dramatic quality) Dramatik f
dramatic [drə'mætɪk] adj dramatisch
dramatization [dræmətaɪ'zeɪʃən] sb 1. Dramatisierung f; 2. (for the stage) Bühnenbearbeitung f
dramatize ['dræmətaɪz] v dramatisieren, übertreiben
drape [dreɪp] v drapieren; (a person) hüllen; (a window) mit Vorhängen versehen
drastic ['dræstɪk] adj drastisch
draught beer [drɑːft bɪə] sb Fassbier n
draughty ['drɑːftɪ] adj zugig
draw [drɔː] v irr 1. (pictures) zeichnen, malen; ~ a line eine Linie ziehen; 2. (pull, pull out) ziehen; 3. (a card) ziehen, abheben; 4. (money from a bank) ECO abheben; 5. (a salary) beziehen; 6. (conclusions) ziehen; 7. (attract) anlocken, anziehen; ~ attention to die Aufmerksamkeit lenken auf; 8. (move by pulling) ziehen; (a bolt) zurückschieben; (a bow) spannen; 9. (curtains) zuziehen; (open) aufziehen; 10. ~ s.o. into sth jdn in eine Sache hineinziehen; 11. ~ one's last breath seinen letzten Atemzug tun; sb 12. SPORT Unentschieden n; 13. (lottery, raffle) Ziehung f

• **draw in** v irr 1. (entice) hineinziehen; 2. (shorten) kürzer werden; The nights are starting to ~. Die Nächte werden kürzer.
• **draw near** v irr sich nähern, heranrücken
• **draw out** v irr 1. (take out) herausziehen; 2. (prolong) in die Länge ziehen, hinausziehen
• **draw up** v irr 1. (stop) halten, anhalten; 2. (write up, design) entwerfen, aufsetzen
drawback ['drɔːbæk] sb Nachteil m
drawer [drɔː] sb (in a desk) Schublade f; chest of ~s Kommode f; drop one's ~s (fam) die Hosen herunterlassen
drawing ['drɔːɪŋ] sb 1. (picture) Zeichnung f; 2. (lottery) Ziehung f, Verlosung f
drawl [drɔːl] v schleppend sprechen
dread [dred] v 1. große Angst haben vor, sehr fürchten; sb 2. Furcht f, große Angst f, Grauen n
dreadful ['dredful] adj schrecklich, furchtbar
dreadlocks ['dredlɒks] pl Dreadlocks pl
dream [driːm] 1. Traum m; v irr 2. träumen
• **dream up** v irr sich ausdenken
dreamboat ['driːmbəut] sb (fam: man) Traummann m
dreamy ['driːmɪ] adj 1. verträumt; 2. (fig: lovely) traumhaft
dreary ['drɪərɪ] adj langweilig, fade; (weather) trostlos
dregs [dregz] pl 1. Bodensatz m; 2. (fig: of society) Abschaum m
drench [drentʃ] v durchnässen
dress [dres] v 1. (o.s.) sich anziehen, sich kleiden; 2. (s.o.) anziehen, ankleiden, bekleiden; 3. GAST (a salad) anmachen; (a meal) anrichten; (poultry) bratfertig machen; 4. MED verbinden; 5. (decorate) schmücken; (a shop window) dekorieren; 6. MIL (~ ranks) sich ausrichten; sb 7. (woman's) Kleid n; 8. (clothing, way of dressing) Kleidung f
• **dress up** v 1. (put on nice clothes) sich fein machen, sich schön anziehen; 2. (disguise o.s.) sich verkleiden; ~ as sth sich als etw verkleiden
dressing ['dresɪŋ] sb 1. (salad ~) Dressing n, Salatsoße f; 2. (bandage) MED Verband m
dressing-down [dresɪŋ'daun] sb Standpauke f; give s.o. a ~ jdm eine Standpauke halten
dressy ['dresɪ] adj elegant
dried [draɪd] adj getrocknet; (fruit) Dörr...
drift [drɪft] v 1. treiben; (sand) wehen; 2. (fig: in life) sich treiben lassen; sb 3. Strömung f; 4. (off course) Abtrift f; 5. (mass of ~ed snow or

sand) Verwehung *f; 6. (fig: meaning)* Richtung *f,* Tendenz *f*

drink [drɪŋk] *v irr 1.* trinken; *sb 2.* Getränk *n; food and ~* Essen und Getränke; *3. (single alcoholic beverage)* Drink *m,* Glas *n; have a ~ with s.o.* mit jdm ein Glas trinken
• **drink up** *v irr* austrinken; *Drink up!* Trink aus!
drink-driving ['drɪŋkdraɪvɪŋ] *sb (UK)* Alkohol am Steuer *m*
drinker ['drɪŋkə] *sb* Trinker *m,* Säufer *m*
drinking water ['drɪŋkɪŋwɔːtə] *sb* Trinkwasser *n*
drip [drɪp] *v 1.* tropfen; *to 2. to be ~ping with (fig)* triefen vor; *sb 3. (drop)* Tropfen *m; (sound)* Tropfen *n; 4.* MED Infusionsapparat *m,* Tropf *m*
drive [draɪv] *v irr 1. (a vehicle, in a vehicle)* fahren; *2. (impel, propel)* treiben; *3. (a nail)* einschlagen; *4. (power sth)* antreiben, betreiben; *5. (force to work hard)* hetzen, hart herannehmen; *6. (cause to become)* treiben; *~ s.o. crazy (fam)* jdn verrückt machen; *~ s.o. to despair* jdn zur Verzweiflung bringen; *7. What are you driving at?* Worauf willst du hinaus? *sb 8. (journey)* Fahrt *f; 9. (~way)* Einfahrt *f,* Zufahrt *f,* Auffahrt *f; 10. (campaign)* Aktion *f*
• **drive away** *v irr 1. (car, in a car)* wegfahren; *2. (chase away)* vertreiben, verjagen; *3. (fig: suspicions)* zerstreuen
• **drive back** *v irr 1. (cause to retreat)* zurückdrängen; *2. (car)* zurückfahren
• **drive in** *v irr 1. (a nail)* einschlagen; *2. (car, with a car)* hineinfahren
drive-by shooting [draɪvbaɪˈʃuːtɪŋ] *sb* Attentat aus einem vorbeifahrenden Auto *n*
driver ['draɪvə] *sb 1.* Fahrer *m; 2. (UK: of a locomotive)* Führer *m*
driver's seat ['draɪvəzsiːt] *sb 1.* Fahrersitz *m; 2. in the ~ (fig)* am Ruder
driveway ['draɪvweɪ] *sb* Auffahrt *f*
driving lesson ['draɪvɪŋlesən] *sb* Fahrstunde *f*
driving licence ['draɪvɪŋlaɪsəns] *sb (UK)* Führerschein *m*
driving school ['draɪvɪŋ skuːl] *sb* Fahrschule *f*
drizzle ['drɪzl] *sb 1.* Nieselregen *m,* Sprühregen *m; v 2.* nieseln
drop [drɒp] *v 1. (fall)* fallen, herunterfallen; *2. (fall in ~s)* tropfen; *3. (decrease)* sinken; *4. (let fall)* fallen lassen; *5. ~ s.o. (fig)* jdn fallen lassen; *6. (a bomb)* abwerfen; *7. (send sprawling)* zu Fall bringen; *8. (casually mention)* fal-

len lassen; *(a hint)* machen; *~ s.o. a line* jdm ein paar Zeilen schreiben; *9. (omit)* auslassen; *10. (give up)* aufgeben; *(a subject)* fallen lassen; *11. Drop it!* Lass das! *12. ~ dead* tot umfallen; *Drop dead! (fam)* Scher dich zum Teufel! *sb 13. (fall)* Sturz *m,* Fall *m; 14. (decrease)* Rückgang *m,* Abfall *m; 15. (difference in level)* Höhenunterschied *m*
• **drop away** *v* nachlassen, weniger werden
• **drop by** *v* vorbeikommen
• **drop in** *v* unerwartet vorbeikommen
• **drop off** *v 1. (diminish)* zurückgehen, nachlassen; *~ to sleep* einschlafen, *(for a nap)* einnicken; *2. (deliver sth or s.o.)* absetzen
• **drop out** *v 1. ~ of school* die Schule abbrechen; *2. (fig)* aussteigen
drop-dead ['drɒpded] *adj (fam)* umwerfend
dropout ['drɒpaʊt] *sb 1. (from school)* Schulabbrecher *m; 2. (from society)* Dropout *m,* Aussteiger *m*
drought [draʊt] *sb* Dürre *f*
drown [draʊn] *v* ertrinken, *(~ s.o.)* ertränken; *~ one's sorrows* seine Sorgen ertränken
drowsy ['draʊzɪ] *adj* schläfrig; *(after sleep)* verschlafen
drug [drʌg] *v 1.* betäuben; *(food or drink)* ein Betäubungsmittel beimischen; *MED* Medikamente geben; *sb 2. MED* Medikament *n,* Arzneimittel *n; 3. (illegal narcotic)* Rauschgift *n,* Droge *f; to be on ~s* drogensüchtig sein; *take ~s* Drogen nehmen
drug-addicted ['drʌgədɪktɪd] *adj* drogensüchtig, rauschgiftsüchtig
drug dealer ['drʌgdiːlə] *sb* Rauschgifthändler *m,* Dealer *m*
drugstore ['drʌgstɔː] *sb 1.* Apotheke *f; 2. (selling more than just pharmaceuticals)* Drugstore *m*
drug traffic ['drʌgtræfɪk] *sb* Rauschgifthandel *m*
drum [drʌm] *v 1.* trommeln; *~ sth into s.o.* jdm etw einhämmern; *sb 2. MUS* Trommel *f; 3. the ~s pl MUS* Schlagzeug *n; 4. (container)* Tonne *f*
• **drum up** *v* zusammentrommeln, auftreiben; *~ support* Unterstützung auftreiben; *~ business* Geschäft anbahnen
drumstick ['drʌmstɪk] *sb 1. MUS* Trommelschlägel *m; 2. GAST* Keule *f*
drunk [drʌŋk] *adj* betrunken; *get ~* sich betrinken
drunken ['drʌŋkən] *adj* betrunken
drunkenness ['drʌŋkənnɪs] *sb* Betrunkenheit *f*

dry [draɪ] v 1. trocknen; 2. (~ dishes, ~ one's hands) abtrocknen; adj 3. trocken; run ~ austrocknen; leave s.o. high and ~ jdn sitzen lassen

• **dry out** v austrocknen

• **dry up** v 1. austrocknen; 2. (moisture) trocknen; 3. (fig) versiegen

dry-clean ['draɪkli:n] v chemisch reinigen

dry-cleaner's ['draɪkli:nəz] sb chemische Reinigung f

dryer ['draɪə] sb 1. (for clothes) Wäschetrockner m; 2. (hair ~) Föhn m; 3. (overhead hair ~ in a salon) Trockenhaube f

dryness ['draɪnɪs] sb Trockenheit f

dubbing ['dʌbɪŋ] sb CINE Synchronisation f

dubious ['dju:bɪəs] adj 1. (uncertain) zweifelhaft, ungewiss; (doubting) zweifelnd; 2. (questionable) zweifelhaft, fragwürdig

duck [dʌk] sb 1. Ente f; like water off a ~'s back ohne sichtbaren Erfolg; v 2. sich ducken; 3. (fig: avoid) ausweichen; 4. (push under water) untertauchen

dude [dju:d] sb (fam: guy) Kerl m

due [dju:] adj 1. (owed) fällig; 2. (expected) fällig, erwartet; in ~ time zur rechten Zeit; 3. (suitable) gebührend, angemessen, geziemend; 4. ~ to (fam: because of) aufgrund, infolge von; sb 5. Give him his ~. Das muss man ihm lassen.

due date ['dju:deɪt] sb Fälligkeitstag m

duet [dju:'et] sb MUS Duett n, (instrumental) Duo n

dugout ['dʌgaʊt] sb 1. (boat) Einbaum m; 2. SPORT überdachte Sitze für gerade nicht spielende Baseballspieler pl

dull [dʌl] adj 1. (boring) langweilig, lahm; 2. (blunted) stumpf; 3. (pain, sound) dumpf; 4. (~-witted) langsam, schwerfällig, schwer von Begriff; 5. (colour) trüb; 6. (eyes) glanzlos, trübe; v 7. (blunt) stumpf machen; 8. (the senses) trüben, schwächen; (the mind) abstumpfen; 9. (pain) betäuben

dullness ['dʌlnɪs] sb 1. (of a blade) Stumpfheit f; 2. (of a colour) Trübheit f; 3. (boring quality) zweifelhaft

dumb [dʌm] adj 1. stumm; 2. (fam: stupid) doof, dumm, blöd

dumbfounded ['dʌmfaʊndɪd] adj sprachlos, verblüfft

dumbwaiter ['dʌmweɪtə] sb Speisenaufzug m

dummy ['dʌmɪ] sb 1. (fool) Dummkopf m; 2. (sham object) Attrappe f; 3. (mannequin for clothes) Kleiderpuppe f, Schaufensterpuppe f; 4. (UK: for a baby) Schnuller m

dump [dʌmp] v 1. abladen; 2. (fam: ~ a boyfriend/girlfriend) abschieben; sb 3. (place for trash) Müllabladeplatz m; to be down in the ~s am Boden sein; 4. (fam: hovel) Bruchbude f, Dreckloch n

dumpy ['dʌmpɪ] adj pummelig, untersetzt

dune [dju:n] sb Düne f

dung [dʌŋ] sb Mist m, Dung m, Dünger m

dunk [dʌŋk] v 1. eintunken; 2. SPORT ein Dunking machen; sb 3. SPORT Dunking n

duo ['dju:əʊ] sb Duo n

dupe [dju:p] v reinlegen, betrügen, überlisten

duplicate ['dju:plɪkeɪt] v 1. (one copy) kopieren; (multiple copies) vervielfältigen; 2. (an action) wiederholen; [ɪdju:plɪkɪt] sb 3. Duplikat n, Kopie f, Doppel n

duplication [dju:plɪ'keɪʃən] sb 1. (one copy) Kopieren n, (multiple copies) Vervielfältigung f; 2. (of an action) Wiederholung f

durable ['djʊərəbl] adj 1. (metal) widerstandsfähig; 2. (material, goods) haltbar; 3. (friendship) dauerhaft

duration [djʊ'reɪʃən] sb Länge f, Dauer f

during ['djʊrɪŋ] prep während

dusk [dʌsk] sb Abenddämmerung f, Dämmerung f

dust [dʌst] v 1. abstauben; sb 2. Staub m; bite the ~ (fam) ins Gras beißen

dustbin ['dʌstbɪn] sb (UK) Mülltonne f, Mülleimer m

dustman ['dʌstmən] sb (UK) Müllmann m

dustpan ['dʌstpæn] sb Kehrschaufel f

dust storm [dʌst stɔ:m] sb Staubsturm m

dusty ['dʌstɪ] adj staubig

dutiful ['dju:tɪful] adj pflichtbewusst

duty ['dju:tɪ] sb 1. Pflicht f; 2. (task) Aufgabe f, Pflicht f; 3. (working hours) Dienst m; on ~ Dienst habend; to be off ~ dienstfrei haben; 4. (tax) Zoll m

duty-free [dju:tɪ'fri:] adj zollfrei

duty-free shop [dju:tɪ'fri:ʃɒp] sb Duty-free-Shop m

dwarf [dwɔ:f] v 1. klein erscheinen lassen, in den Schatten stellen; sb 2. Zwerg m

dwell [dwel] v irr (live) wohnen, leben

• **dwell on** v irr verweilen bei

dwelling ['dwelɪŋ] sb Wohnung f

dye [daɪ] v 1. färben; sb 2. Farbstoff m; (for hair) Haarfärbemittel n

dynamic [daɪ'næmɪk] adj dynamisch

dynamite ['daɪnəmaɪt] sb Dynamit n

dynasty ['dɪnəstɪ] sb Dynastie f

E

each [iːtʃ] *adj 1.* jede(r,s); ~ *and every one* jeder Einzelne; *pron 2.* ~ *other* sich, einander; *adv 3.* je; *The postcards are $1 ~.* Die Postkarten kosten je $1.

eagle ['iːgl] *sb ZOOL* Adler *m*

ear [ɪə] *sb 1.* Ohr *n; to be all* ~s ganz Ohr sein; *have s.o.'s* ~ jds Vertrauen genießen; *up to one's* ~s *(fam)* bis über die Ohren; *not believe one's* ~s seinen Ohren nicht trauen; *give* ~ *to s.o.* jdm Gehör schenken; *turn a deaf* ~ *to s.o.* nicht auf jdn hören; *keep an* ~ *to the ground* Augen und Ohren offen halten

earache ['ɪəeɪk] *sb* Ohrenschmerzen *pl*

early ['ɜːlɪ] *adj 1.* früh, frühzeitig; *2. (too ~)* zu früh, vorzeitig

early bird ['ɜːlɪ bɜːd] *sb (fam)* Frühaufsteher *m*

earn [ɜːn] *v 1.* verdienen; *2. (interest) FIN* bringen

earning power ['ɜːnɪŋpaʊə] *sb* Verdienstchancen *pl*

earnings ['ɜːnɪŋz] *sb 1.* Verdienst *m; 2. (of a business)* Einnahmen *pl*

earphones ['ɪəfəʊnz] *pl* Kopfhörer *pl*

earplug ['ɪəplʌg] *sb* Ohrenstöpsel *m*

earring ['ɪərɪŋ] *sb* Ohrring *m*

ear-splitting ['ɪəsplɪtɪŋ] *adj* ohrenzerreißend

earth [ɜːθ] *sb (ground, soil)* Erde *f; bring s.o. down to* ~ jdn auf den Boden der Tatsachen zurückholen

Earth [ɜːθ] *sb ASTR* Erde *f*

earthly ['ɜːθlɪ] *adj* irdisch, weltlich; *I have no* ~ *idea. (fam)* Ich habe keinen blassen Schimmer.

earthquake ['ɜːθkweɪk] *sb* Erdbeben *n*

earthquake insurance ['ɜːθkweɪk ɪn-'ʃʊərəns] *sb* Erdbebenversicherung *f*

earthworm ['ɜːθwɜːm] *sb* Regenwurm *m*

ease [iːz] *sb 1.* Behagen *n; ill at* ~ unbehaglich; *2. (easiness)* Leichtigkeit *f; 3. at* ~ ruhig, entspannt, behaglich; *v 4. (loosen)* lockern, nachlassen; *(pressure)* verringern

easily ['iːzɪlɪ] *adv 1. (without difficulty)* leicht, mühelos, glatt; *2. (without a doubt)* gut und gerne, bei weitem

east [iːst] *sb 1.* Osten *m; adj 2.* östlich, Ost... *adv 3.* nach Osten, ostwärts

Easter ['iːstə] *sb* Ostern *n*

Easter egg ['iːstə eg] *sb* Osterei *n*

eastern ['iːstən] *adj* östlich, Ost...

eastward ['iːstwəd] *adj* nach Osten, Richtung Osten

easy ['iːzɪ] *adj 1.* leicht, einfach; *Take it ~!* Immer mit der Ruhe! *2. (comfortable)* bequem, behaglich; *3. (manner)* ungezwungen, zwanglos; *Easy does it!* Vorsicht! *adv 4. go ~ on s.o.* mit jdm nicht allzu hart sein

easy-going [iːzɪ'gəʊɪŋ] *adj* unbekümmert, gelassen

easy street ['iːzɪ striːt] *sb (fam) to be on* ~ sein Schäfchen im Trockenen haben

eat [iːt] *v irr 1. (person)* essen; *2. (animal)* fressen; *3.* ~ *one's words* seine Worte zurücknehmen

• **eat out** *v irr (at a restaurant)* Essen gehen

• **eat up** *v irr* aufessen, *(animal)* auffressen

eavesdropper ['iːvzdrɒpə] *sb* Lauscher *m*

echo ['ekəʊ] *v 1. (sounds)* widerhallen; *2. (room)* hallen; *3. (repeat s.o.'s words)* jdm etw nachbeten; *sb 4.* Echo *n*

eclipse [ɪ'klɪps] *v 1.* verfinstern; *(fig)* in den Schatten stellen; *sb 2.* ~ *of the moon* Mondfinsternis *f; 3.* ~ *of the sun* Sonnenfinsternis *f*

ecological [iːkəʊ'lɒdʒɪkəl] *adj* ökologisch

ecologist [ɪ'kɒlədʒɪst] *sb* Ökologe/Ökologin *m/f*, Umweltschützer *m*

ecology [ɪ'kɒlədʒɪ] *sb* Ökologie *f*

e-commerce [ɪ'kɒmɜːs] *sb* E-Commerce *m*, Handel über das Internet *m*

economic [iːkə'nɒmɪk] *adj* wirtschaftlich, ökonomisch, Wirtschafts...

economical [iːkə'nɒmɪkəl] *adj* wirtschaftlich, sparsam

Economic and Monetary Union [iːkə'nɒmɪk ənd 'mʌnɪtrɪ 'juːnɪən] *sb* Wirtschaftsund Währungsunion *f*

economics [iːkə'nɒmɪks] *sb (subject)* Volkswirtschaft *f*, Wirtschaftswissenschaften *pl*

economist [iː'kɒnəmɪst] *sb* Volkswirtschaftler *m*

economize [iː'kɒnəmaɪz] *v* sparen

economy [iː'kɒnəmɪ] *sb 1. (system)* Wirtschaft *f; 2. (thrift)* Sparsamkeit *f; 3. (measure to save money)* Einsparung *f*, Sparmaßnahme *f*

ecosphere ['iːkəʊsfɪə] *sb* Ökosphäre *f*

ecstasy ['ekstəsɪ] *sb* Ekstase *f*, Verzückung *f*, Rausch *m*

ecu [eku:] *sb* FIN Ecu *m*

ecumenical [i:kjʊ'menɪkl] *adj* ökumenisch

eddy ['edɪ] *sb* Wirbel *m*, Strudel *m*

edge [edʒ] *sb* 1. *(border, margin)* Rand *m*, Kante *f; the ~ of a lake* das Ufer des Sees; 2. *(cutting ~)* Schneide *f;* 3. *(advantage)* Vorteil *m;* 4. *to be on ~* nervös sein; *set one's teeth on ~* durch Mark und Bein gehen; *v* 5. *(sharpen)* schärfen, schleifen

edgeways ['edʒweɪz] *adv* mit der Seite voran; *I couldn't get a word in ~*. Ich bin überhaupt nicht zu Wort gekommen.

edging ['edʒɪŋ] *sb* Einfassung *f*

edict ['i:dɪkt] *sb* Erlass *m*

edify ['edɪfaɪ] *v (fig)* erbauen, aufrichten

edit ['edɪt] *v* 1. *(text)* redigieren; 2. *(film, tape)* schneiden, cutten, montieren; 3. *(serve as editor of)* herausgeben

editor ['edɪtə] *sb* 1. Redakteur/Redakteurin *m/f;* 2. *(film)* Cutter *m*

editor-in-chief ['edɪtərɪn'tʃi:f] *sb* Chefredakteur/Chefredakteurin *m/f*

educate ['edjʊkeɪt] *v* erziehen, unterrichten, ausbilden

educated ['edjʊkeɪtɪd] *adj* 1. gebildet; 2. *make an ~ guess* eine fundierte Vermutung anstellen

education [edjʊ'keɪʃən] *sb* 1. Erziehung *f*, Ausbildung *f*, Bildung *f;* 2. *(the science of ~)* Pädagogik *f*, Erziehungswissenschaft *f*

educator ['edjʊkeɪtə] *sb* Pädagoge/Pädagogin *m/f*, Erzieher *m*

eerie ['ɪərɪ] *adj* unheimlich, schaurig; *(atmosphere)* gespenstisch

effect [ɪ'fekt] *v* 1. bewirken, zustande bringen; *sb* 2. *(result)* Wirkung *f*, Effekt *m*, Folge *f; have an ~ on* wirken auf; 3. *(repercussion)* Auswirkung *f;* 4. *(force, validity)* Kraft *f*, Gültigkeit *f; come into ~* in Kraft treten; *in ~* in Kraft, gültig; 5. *personal ~s* persönliche Habe *f*

effective [ɪ'fektɪv] *adj* 1. *(getting results)* wirksam, erfolgreich, wirkungsvoll; 2. *(impressive)* wirkungsvoll, effektvoll; 3. *(in effect)* gültig, in Kraft, rechtskräftig

effectivity [efek'tɪvɪtɪ] *sb* Effektivität *f*, Wirksamkeit *f*

efficiency [ɪ'fɪʃənsɪ] *sb* 1. *(of a person)* Tüchtigkeit *f*, Fähigkeit *f;* 2. *(of a method)* Effizienz *f*

efficient [ɪ'fɪʃənt] *adj* 1. *(person)* tüchtig, fähig, effizient; 2. *(method)* effizient; 3. *(machine, firm)* leistungsfähig

effluence ['efluəns] *sb* Abwasser *n*

effort ['efət] *sb* 1. *(attempt)* Bemühung *f*, Versuch *m; a pretty poor ~* eine ziemlich schwache Leistung; 2. *(work, strain)* Anstrengung *f*, Mühe *f*, Einsatz *m*

e.g. [i: dʒi:] *adv (exempli gratia)* z. B. (zum Beispiel)

egad [i:'gæd] *interj* hoppla

egg [eg] *sb* 1. Ei *n; put all one's ~s in one basket* alles auf eine Karte setzen; *a bad ~ (fam)* ein übler Kerl; *as sure as ~s is ~s (fam)* so sicher wie das Amen in der Kirche; *v* 2. *~ on* anstacheln

egghead ['eghed] *sb* Eierkopf *m* (fam), Intellektueller *m*

eggshell ['egʃel] *sb* Eierschale *f*

egg-white ['egwaɪt] *sb* Eiweiß *n*

egg yolk ['egjəʊk] *sb* Eidotter *m*, Eigelb *n*

ego ['i:gəʊ] *sb* 1. *(fam)* Selbstbewusstsein *n*, Selbstgefühl *n;* 2. PSYCH Ich *n*, Selbst *n*, Ego *n*

egoism ['i:gəʊɪzəm] *sb* Egoismus *m*, Selbstsucht *f*

egoist ['i:gəʊɪst] *sb* Egoist/Egoistin *m/f*, selbstsüchtiger Mensch *m*

egotism ['i:gəʊtɪzm] *sb* Egoismus *m*, Ichbezogenheit *f*

egotistical [i:gəʊ'tɪstɪkəl] *adj* egotistisch, ichbezogen

ego trip ['i:gəʊtrɪp] *sb (fam)* Egotrip *m*

Egypt ['i:dʒɪpt] *sb* GEO Ägypten *n*

eh [eɪ] *interj* 1. *(Isn't that right?)* Nicht wahr? 2. *(What did you say?)* Was? Wie bitte?

eight [eɪt] *num* acht

eighteen ['eɪti:n] *num* achtzehn

eightfold ['eɪtfəʊld] *adj* achtfach

either ['aɪðə] *konj* 1. *~ ... or ...* entweder ... oder ...; *adj* 2. *(one or the other)* eine(r,s); 3. *(both)* jede(r,s), beide; *on ~ side* auf beiden Seiten

eject [ɪ'dʒekt] *v* 1. ausstoßen, auswerfen; 2. *(throw s.o. out)* hinauswerfen; *~ from* hinauswerfen aus

ejection [ɪ'dʒekʃən] *sb* 1. Ausstoßung *f*, Hinauswurf *m;* 2. *(from a match)* SPORT Platzverweis *m*

elaborate [ɪ'læbəreɪt] *v* 1. *(describe in detail)* ausführen; 2. *(work out)* ausarbeiten; [ɪ'læbərɪt] *adj* 3. *(plan)* ausgeklügelt; *(meal)* üppig; 4. *(design)* kunstvoll, kompliziert

elaboration [ɪlæbə'reɪʃən] *sb (more specific description)* nähere Ausführung *f*

elapse [ɪ'læps] *v* vergehen, verstreichen; *(deadline)* ablaufen

elastic [ɪ'læstɪk] *adj 1.* elastisch, Gummi...; *sb 2.* Gummi *m*

elasticity [iːlæs'tɪsɪtɪ] *sb* Elastizität *f*

elbow ['elbəʊ] *v 1. (s.o.)* mit dem Ellbogen stoßen; ~ *one's way through* sich durchdrängen; *sb 2.* Ellbogen *m*, Ellenbogen *m; 3. (in a road, in a pipe)* Knie *n*

elder ['eldə] *adj 1.* ältere(r,s); *sb 2. (of a tribe)* Älteste(r) *m/f; 3. (person to be respected)* Respektsperson *f*

eldest ['eldɪst] *adj* älteste(r,s)

elect [ɪ'lekt] *v 1.* POL wählen; *2.* ~ *to do sth* sich dazu entschließen, etw zu tun

electable [ɪ'lektəbl] *adj (fam)* He's considered the most ~ candidate. Er gilt als der Kandidat mit den besten Aussichten, gewählt zu werden.

election [ɪ'lekʃən] *sb* POL Wahl *f*

elective [ɪ'lektɪv] *adj 1. hold* ~ *office* ein gewähltes Amt bekleiden; *sb 2. (US: subject)* Wahlfach *n*

electoral [ɪ'lektərəl] *adj* POL Wahl...

electorate [ɪ'lektərət] *sb* POL Wählerschaft *f*, Wähler *pl*

electric [ɪ'lektrɪk] *adj 1.* elektrisch; *2. (fig)* spannungsgeladen

electric chair [ɪ'lektrɪktʃɛə] *sb the* ~ der elektrische Stuhl *m*

electrician [ɪlek'trɪʃən] *sb* Elektriker *m*, Elektrotechniker *m*

electricity [ɪlek'trɪsɪtɪ] *sb* Elektrizität *f*

electrocute [ɪ'lektrəkjuːt] *v* durch einen Stromschlag töten

electrode [ɪ'lektrəʊd] *sb* Elektrode *f*

electrolyse [ɪ'lektrəʊlaɪz] *v* durch Elektrolyse zerlegen

electromechanical [ɪlektrəʊmɪ'kænɪkl] *adj* elektromechanisch

electronic [ɪlek'trɒnɪk] *adj* elektronisch

electronic mail [ɪlek'trɒnɪk meɪl] *sb* E-mail *n*, elektronische Post *f*

electronics [ɪlek'trɒnɪks] *sb* Elektronik *f*

elegant ['elɪgənt] *adj* elegant

element ['elɪmənt] *sb 1.* Element *n; ~ of uncertainty* Unsicherheitsfaktor *m; ~ of surprise* Überraschungsmoment *n*

elementary [elɪ'mentərɪ] *adj* elementar

elementary school [elɪ'mentərɪ skuːl] *sb* Grundschule *f*

elephant ['elɪfənt] *sb* Elefant *m*

elevate ['elɪveɪt] *v* heben

elevation [elɪ'veɪʃən] *sb 1. (above sea level)* Höhe *f; 2. (elevating)* Hochheben *n; 3. (to a higher rank)* Erhebung *f*, Beförderung *f*

elevator ['elɪveɪtə] *sb 1. (US)* Fahrstuhl *m*, Lift *m*, Aufzug *m*

eleven [ɪ'levn] *num* elf

eleventh-hour [ɪ'levnθ 'aʊə] *adj (fam)* an ~ *bid to save the company* ein Versuch um fünf Minuten vor zwölf, die Firma zu retten

eligible ['elɪdʒəbl] *adj* in Frage kommend, berechtigt; *(for membership)* aufnahmeberechtigt

eliminate [ɪ'lɪmɪneɪt] *v* ausschließen, ausschalten, eliminieren

elimination [ɪlɪmɪ'neɪʃən] *sb* Ausschluss *m*, Ausschaltung *f*, Eliminierung *f; by a process of* ~ durch negative Auslese

elite [eɪ'liːt] *sb* Elite *f*

Elizabethan [ɪlɪzɪ'biːθən] *adj* elisabethanisch

ellipse ['elɪps] *sb* Ellipse *f*

elongated ['iːlɒŋgeɪtɪd] *adj 1. (shape)* länglich; *2. (made longer)* verlängert

eloquence ['eləkwəns] *sb* Redegewandtheit *f*

else [els] *adv 1.* andere(r,s); *everybody* ~ alle anderen; *put sth above all* ~ etw vor alles andere stellen; *2. (further)* sonst, außerdem; *Anything* ~? Sonst noch etwas? *3. or* ~ sonst, oder, wenn nicht; *... or* ~! *(threateningly)* ... sonst passiert was!

elsewhere ['elswɛə] *adv* woanders, anderswo; *(to somewhere else)* anderswohin

elucidation [ɪluːsɪ'deɪʃən] *sb* Erklärung *f*, Aufhellung *f*, Aufklärung *f*

elude [ɪ'luːd] *v* entkommen, entwischen, sich entziehen

emaciated [ɪ'meɪsɪeɪtɪd] *adj* abgemagert, ausgezehrt

e-mail ['iːmeɪl] *sb* INFORM E-Mail *n*, elektronische Post *f*

emanate ['eməneɪt] *v 1.* ~ *from* ausgehen von; *2.* ~ *from (gas, smell)* ausströmen von; *3.* ~ *from (light)* ausstrahlen von

emancipate [ɪ'mænsɪpeɪt] *v* ~ *o.s.* sich emanzipieren

embank [ɪm'bæŋk] *v* eindämmen, eindeichen

embargo [ɪm'baːgəʊ] *sb 1.* POL Embargo *n; 2. (fig)* Sperre *f*

embark [ɪm'baːk] *v 1.* einschiffen; *(goods)* verladen; *2.* ~ *on sth* etw unternehmen, etw anfangen, etw beginnen

embarrass [ɪm'bærəs] *v* in Verlegenheit bringen, in eine peinliche Lage versetzen

embarrassed [ɪm'bærəst] *adj* verlegen

embarrassing [ɪm'bærəsɪŋ] *adj* peinlich

embassy ['embəsɪ] *sb* POL Botschaft *f*

embellishment [ɪm'belɪʃmənt] *sb* 1. Verschönerung *f,* Schmuck *m;* 2. *(fig)* Ausschmückung *f,* Beschönigung *f*

embezzle [ɪm'bezl] *v* veruntreuen, unterschlagen

emblem ['embləm] *sb* Emblem *n,* Symbol *n,* Abzeichen *n*

embody [ɪm'bɒdɪ] *v* 1. verkörpern; 2. *(one's thoughts)* ausdrücken

embrace [ɪm'breɪs] *v* 1. umarmen, in die Arme schließen; 2. *(fig: a philosophy)* annehmen; 3. *(include)* umfassen, erfassen; *sb* 4. Umarmung *f*

emerge [ɪ'mɜːdʒ] *v* 1. auftauchen; 2. *(truth)* herauskommen, sich herausstellen; 3. *~ from* hervorkommen aus, herauskommen aus

emergency [ɪ'mɜːdʒənsɪ] *sb* Notfall *m,* Not *f,* Notlage *f*

emergency exit [ɪ'mɜːdʒənsɪ 'egzɪt] *sb* Notausgang *m*

emergency number [ɪ'mɜːdʒənsɪ 'nʌmbə] *sb* Notrufnummer *f*

emigrant ['emɪgrənt] *sb* Auswanderer *m,* Emigrant/Emigrantin *m/f*

emigrate ['emɪgreɪt] *v* emigrieren, auswandern

emigration [emɪ'greɪʃən] *sb* Auswanderung *f,* Emigration *f*

eminence ['emɪnəns] *sb (distinction)* hohes Ansehen *n*

eminent ['emɪnənt] *adj (person)* berühmt

emirate [eɪ'mɪərət] *sb* Emirat *n*

emissary ['emɪsərɪ] *sb* Abgesandte(r) *m/f*

emission [ɪ'mɪʃən] *sb* 1. Ausstrahlung *f;* 2. *(of rays, of fumes)* Emission *f;* 3. MED Ausfluss *m*

emissive [ɪ'mɪsɪv] *adj* ausstrahlend

emit [ɪ'mɪt] *v* ausstrahlen, emittieren, ausstoßen

emote [iː'məʊt] *v* Gefühle ausdrücken

emotion [ɪ'məʊʃən] *sb* 1. *(feeling)* Gefühl *n,* Emotion *f,* Gefühlsregung *f;* 2. *(state of intense ~)* Gemütsbewegung *f*

emotional [ɪ'məʊʃənl] *adj* 1. emotional, emotionell; *(character)* leicht erregbar; 2. *(experience)* erregend

emotionally [ɪ'məʊʃnəlɪ] *adv* ~ *disturbed* seelisch gestört

empathize ['empəθaɪz] *v* sich einfühlen; ~ *with* sich einfühlen in

emphasis ['emfəsɪs] *sb* 1. Betonung *f,* Gewicht *n,* Nachdruck *m;* 2. *(on a syllable)* Betonung *f*

emphasize ['emfəsaɪz] *v* betonen, hervorheben, unterstreichen

emphatic [ɪm'fætɪk] *adj* nachdrücklich, entschieden

empire ['empaɪə] *sb* Reich *n,* Imperium *m; the British Empire* das Britische Weltreich *n*

empire-building ['empaɪəbɪldɪŋ] *sb* Aufbau eines Imperiums *m*

employ [ɪm'plɔɪ] *v* 1. beschäftigen; *(take on)* anstellen; 2. *(use)* anwenden, einsetzen, verwenden

employed [ɪm'plɔɪd] *adj* berufstätig, beschäftigt

employee [emplɔɪ'iː] *sb* Arbeitnehmer *m,* Angestellte(r) *m/f*

employer [ɪm'plɔɪə] *sb* Arbeitgeber *m*

employment [ɪm'plɔɪmənt] *sb* 1. Arbeit *f,* Stellung *f,* Beschäftigung *f;* 2. *(employing)* Beschäftigung *f; (taking on)* Anstellung *f;* 3. *(use)* Anwendung *f,* Verwendung *f,* Einsatz *m*

employment agency [ɪm'plɔɪmənt 'eɪdʒənsɪ] *sb* Stellenvermittlung *f*

employment exchange [ɪm'plɔɪmənt ɪks'tʃeɪndʒ] *sb (UK)* Arbeitsamt *n*

emptiness ['emptɪnɪs] *sb* 1. Leere *f;* 2. *(state of ~)* Leerheit *f*

empty ['emptɪ] *adj* 1. leer; *v* 2. *(water: flow out)* auslaufen, *(street)* sich leeren; ~ *into (river)* sich ergießen in; 3. *(sth)* leeren; 4. *(a box)* ausräumen

empty-handed ['emptɪ 'hændɪd] *adv* mit leeren Händen

emulate ['emjʊleɪt] *v* nacheifern

enable [ɪ'neɪbl] *v* 1. *(sth)* ermöglichen, möglich machen; 2. ~ *s.o. to do sth* jdn befähigen, etw zu tun, es jdm ermöglichen, etw zu tun, es jdm möglich machen, etw zu tun

enact [ɪ'nækt] *v* 1. *(a law)* erlassen; 2. *(a play)* aufführen

enamel [ɪ'næməl] *sb* 1. Email *n;* 2. *(of the tooth)* Zahnschmelz *m;* 3. *(paint)* Emaillack *m*

enchant [ɪn'tʃɑːnt] *v* 1. verzaubern; 2. *(fig)* bezaubern, entzücken

enchanting [ɪn'tʃɑːntɪŋ] *adj* bezaubernd, entzückend

encircle [ɪn'sɜːkl] *v* 1. umgeben, umfassen; 2. MIL einkreisen

enclose [ɪn'kləʊz] *v* 1. *(shut in)* einschließen; 2. *(surround)* umgeben; 3. *(in a package)* beilegen, beifügen

enclosed [ɪn'kləʊzd] *adv (in a package)* anbei, beiliegend, in der Anlage; *please find* ~ ... in der Anlage erhalten Sie ...

enclosure [ɪn'kləʊʒə] *sb 1. (in a package)* Anlage *f; 2. (enclosed area)* eingezäuntes Grundstück *n; 3. (fence)* Zaun *m; 4. (wall)* Mauer *f; 5. (enclosing)* Einfriedigung *f*, Umzäunung *f*

encode [ɪn'kəʊd] *v* verschlüsseln, chiffrieren, kodieren

encore ['ɒŋkɔː] *sb 1.* Zugabe *f; interj 2.* Noch einmal! Da capo!

encounter [ɪn'kaʊntə] *v 1.* treffen; *2. (a person)* begegnen; *3. (problems, the enemy)* stoßen auf; *sb 4.* Begegnung *f*, Treffen *n; 5. MIL* Zusammenstoß *m*

encourage [ɪn'kʌrɪdʒ] *v 1.* ermutigen, ermuntern; *2. (bad habits)* unterstützen; *3. (a project)* fördern

encyclopaedia [ɪnsaɪkləʊ'piːdɪə] *sb* Enzyklopädie *f*, Lexikon *n*

end [end] *v 1.* enden; *2. (sth)* beenden; *sb 3.* Ende *n; put an ~ to sth* einer Sache ein Ende bereiten; *come to a bad ~* ein böses Ende nehmen; *meet one's ~* den Tod finden; *make ~s meet (fam)* durchkommen; *in the ~* schließlich, am Ende; *4. on ~ (consecutive)* ununterbrochen; *5. (purpose)* Zweck *m*, Ziel *n; the ~ justifies the means* der Zweck heiligt die Mittel

• **end up** *v ~ in* enden mit, enden in

endanger [ɪn'deɪndʒə] *v* gefährden

endeavour [ɪn'devə] *v 1.* sich bemühen; *(try)* versuchen; *sb 2.* Bemühung *f*, Bestreben *n*, Anstrengung *f*

endless ['endlɪs] *adj 1.* endlos, unendlich; *2. (countless)* zahllos

endorsement [ɪn'dɔːsmənt] *sb 1. (approval)* Billigung *f; 2. (on a cheque)* Indossament *n; 3. (UK: on a driving licence)* Strafvermerk auf dem Führerschein *m*

endurable [ɪn'djʊərəbl] *adj* erträglich

endurance [ɪn'djʊərəns] *sb* Durchhaltevermögen *n*, Ausdauer *f*

endurance run [ɪn'djʊərəns rʌn] *sb SPORT* Dauerlauf *m*

endure [ɪn'djʊə] *v 1. (continue to exist)* andauern, fortdauern, fortbestehen; *2. ~ sth (put up with)* ertragen, aushalten; *3. (suffer)* leiden, erleiden

end user ['endjuːzə] *sb ECO* Endverbraucher *m*

enemy ['enɪmɪ] *sb 1.* Feind *m*, Gegner *m; adj 2.* feindlich

energetic [enə'dʒetɪk] *adj* energisch, tatkräftig; *(active)* aktiv

energy ['enədʒɪ] *sb* Energie *f*

enervate ['enəveɪt] *v* entkräften, schwächen; *(mentally)* entnerven

enface [ɪn'feɪs] *v* stempeln, schreiben, drucken (auf die Vorderseite von etw)

enfold [ɪn'fəʊld] *v* einhüllen, umhüllen

enforce [ɪn'fɔːs] *v* durchführen, Geltung verschaffen

enforcement [ɪn'fɔːsmənt] *sb* Durchführung *f*

engage [ɪn'geɪdʒ] *v 1. ~ in sth* sich an etw beteiligen, sich mit etw beschäftigen; *2. (an enemy)* angreifen; *3. ~ s.o. in conversation* jdn in ein Gespräch verwickeln; *4. (employ)* anstellen, einstellen

engaged [ɪn'geɪdʒd] *adj 1. get ~* sich verloben; *2. (UK: in use, not available)* besetzt

engagement [ɪn'geɪdʒmənt] *sb 1. (betrothal)* Verlobung *f; 2. (job)* Anstellung *f*, Stellung *f*

engaging [ɪn'geɪdʒɪŋ] *adj* einnehmend, gewinnend

engine ['endʒɪn] *sb 1.* Maschine *f; 2. (of a car, of a plane)* Motor *m; 3. (locomotive)* Lokomotive *f*

engineer [endʒɪ'nɪə] *sb 1.* Ingenieur *m*, Techniker *m; v 2.* konstruieren; *3. (fig)* einfädeln, organisieren, in die Wege leiten

engineering [endʒɪ'nɪərɪŋ] *sb* Technik *f*, Ingenieurwesen *n*

English ['ɪŋglɪʃ] *adj 1.* englisch; *sb 2.* Englisch *n*

English breakfast ['ɪŋglɪʃ 'brekfəst] *sb GAST* Englisches Frühstück *n* (im Gegensatz zum kontinentalen Frühstück)

engrave [ɪn'greɪv] *v* eingravieren, einmeißeln; *(in wood)* einschnitzen

enhance [ɪn'hɑːns] *v* erhöhen, steigern

enhancement [ɪn'hɑːnsmənt] *sb* Erhöhung *f*, Steigerung *f*

enigma [ɪ'nɪgmə] *sb* Rätsel *n*

enigmatic [enɪg'mætɪk] *adj* rätselhaft

enjoin [ɪn'dʒɔɪn] *v JUR* durch gerichtliche Verfügung untersagen

enjoy [ɪn'dʒɔɪ] *v 1.* genießen, Freude haben an; *He ~s playing basketball.* Er spielt gern Basketball. *2. ~ o.s.* sich amüsieren; *3. (have)* sich erfreuen, genießen, haben

enjoyable [ɪn'dʒɔɪəbl] *adj* unterhaltsam, amüsant, angenehm

enkindle [ɪn'kɪndl] *v* entzünden, entflammen, entfachen

enlarge [ɪn'lɑːdʒ] *v 1. (grow)* sich vergrößern, sich ausdehnen, sich erweitern; *2. ~ upon sth* sich über etw genauer äußern

enlightenment [ɪn'laɪtnmənt] *sb* Aufklärung *f*, Erleuchtung *f*
Enlightenment [ɪn'laɪtnmənt] *sb (Age of ~) HIST* Aufklärung *f*
enlist [ɪn'lɪst] *v 1.* sich melden, sich anwerben lassen; *2. (s.o.)* einziehen, einstellen; *(fig)* gewinnen
enlistment [ɪn'lɪstmənt] *sb* Anwerbung *f*, Einstellung *f*
enmity ['enmɪtɪ] *sb* Feindschaft *f*, Feindseligkeit *f*
enormous [ɪ'nɔːməs] *adj* enorm, ungeheuer, riesig
enough [ɪ'nʌf] *adj 1.* genug, genügend, ausreichend; *adv 2.* genug, genügend; *(quite)* recht; *oddly ~* sonderbarerweise; *sure ~* tatsächlich; *that's not good ~* das reicht nicht; *Enough is ~!* Schluss damit! Jetzt reicht's!
enrich [ɪn'rɪtʃ] *v* bereichern; *(with nutrients)* anreichern
enrol [ɪn'rəʊl] *v 1.* sich einschreiben, sich anmelden; *(at university)* sich immatrikulieren; *2. (s.o.)* einschreiben, aufnehmen
enrolment [ɪn'rəʊlmənt] *sb 1.* Einschreibung *f*, Anmeldung *f*, Immatrikulation *f*; *2. (number of students)* Studentenzahl *f*, Schülerzahl *f*
enshroud [ɪn'ʃraʊd] *v* einhüllen, verhüllen
enslave [ɪn'sleɪv] *v* zum Sklaven machen
enslavement [ɪn'sleɪvmənt] *sb* Versklavung *f*
ensue [ɪn'sjuː] *v* folgen
en suite [ɑ̃ swiːt] *adv 1.* hintereinander, aufeinander folgend; *adj 2. an ~ room* eine Suite *f*, miteinander verbundene Zimmer *pl*
ensure [ɪn'ʃʊə] *v 1.* sicherstellen, sichern; *2. ~ that (make sure that)* dafür sorgen, dass
entail [ɪn'teɪl] *v* mit sich bringen, nach sich ziehen; *(necessitate)* erforderlich machen
entangle [ɪn'tæŋɡl] *v 1. (snare)* verfangen; *(get tangled)* verwirren; *2. (fig)* verwickeln, verstricken
enter ['entə] *v 1. (seen from outside)* hineingehen; *(seen from inside)* hereinkommen; eintreten; *2. (sth) (seen from outside)* hineingehen in, *(seen from inside)* hereinkommen in, *(walk into)* eintreten in; *3. (a contest, a race) (sign up)* melden; *(participate in)* sich beteiligen an; *4. (penetrate sth)* eindringen in; *5. (a country)* einreisen; *6. (join)* eintreten in; *7. THEAT* auftreten; *8. INFORM* eingeben
enterprise ['entəpraɪz] *sb 1. (an undertaking, a firm)* Unternehmen *n*; *2. (in general)* Unternehmertum *n*

enterprising ['entəpraɪzɪŋ] *adj* unternehmungslustig
entertain [entə'teɪn] *v 1.* unterhalten, amüsieren; *2. (as a host)* Gäste haben; *3. (host s.o.)* einladen; *(to a meal)* bewirten
entertainment [entə'teɪnmənt] *sb* Unterhaltung *f*; *(of guests)* Bewirtung *f*
enthusiasm [ɪn'θjuːzɪæzəm] *sb* Begeisterung *f*, Enthusiasmus *m*
enthusiast [ɪn'θjuːzɪæst] *sb* Enthusiast(in) *m/f*, Liebhaber(in) *m/f*
enthusiastic [ɪnθjuːzɪ'æstɪk] *adj* enthusiastisch, begeistert
entire [ɪn'taɪə] *adj 1.* ganz, gesamt, voll; *2. (undamaged)* ganz, unbeschädigt
entirety [ɪn'taɪətɪ] *sb* Gesamtheit *f*, Ganze *n*; *in its ~* in seiner Gesamtheit
entitle [ɪn'taɪtl] *v 1.* betiteln; *2. ~ to (authorize)* berechtigen zu, ein Anrecht geben auf
entitlement [ɪn'taɪtlmənt] *sb* Berechtigung *f*, Anspruch *m*
entity ['entɪtɪ] *sb* Wesen *n*
entomb [ɪn'tuːm] *v* begraben, beerdigen
entourage [ɒntu'rɑːʒ] *sb* Gefolge *n*
entrain [ɪn'treɪn] *v* einsteigen
entrance[1] ['entrəns] *sb 1.* Eingang *m*; *2. (for vehicles)* Einfahrt *f*; *3. (entering)* Eintritt *m*; *4. (admission)* Eintritt *m*; *5. THEAT* Auftritt *m*
entrance[2] [ɪn'trɑːns] *v* in Verzückung versetzen
entrance examination ['entrəns ɪɡzæmɪ'neɪʃən] *sb* Aufnahmeprüfung *f*
entrap [ɪn'træp] *v* verführen, verleiten
entrapment [ɪn'træpmənt] *sb* Verleitung *f*
entreat [ɪn'triːt] *v* dringend bitten, anflehen
entreaty [ɪn'triːtɪ] *sb* flehentliche Bitte *f*
entrench [ɪn'trentʃ] *v 1.* sich verschanzen; *2.* sich festsetzen
entrust [ɪn'trʌst] *v 1.* anvertrauen; *2. ~ s.o. with a task* jdn mit einer Aufgabe betrauen
entry ['entrɪ] *sb 1.* Eintritt *m*, *(by car)* Einfahrt *f*; *2. (into a country)* Einreise *f*; *3. (way in)* Eingang *m*; *(for vehicles)* Einfahrt *f*; *4. (notation)* Eintrag *m*; *(act of entering)* Eintragung *f*; *5. (in a dictionary)* Stichwort *n*; *6. ECO* Buchung *f*
entry form ['entrɪ fɔːm] *sb* Anmeldeformular *n*
enumerate [ɪ'njuːməreɪt] *v* aufzählen
enumerator [ɪ'njuːməreɪtə] *sb* Zähler *m*
envelop [ɪn'veləp] *v* einwickeln, einhüllen
envelope ['envələʊp] *sb* Umschlag *m*

enviable ['enviəbl] *adj* beneidenswert, zu beneiden

environment [in'vaiərənmənt] *sb 1.* Umgebung *f,* Milieu *n; 2. (nature)* Umwelt *f*

environmentalist [invairən'mentəlist] *sb* Umweltschützer *m*

envisage [in'vizidʒ] *v* ins Auge fassen

envision [in'viʒən] *v ~ sth* sich etw vorstellen

envy ['envi] *v 1.* beneiden; *sb 2.* Neid *m*

ephemeral [i'femərəl] *adj* ephemer, flüchtig, kurzlebig

epic ['epik] *adj 1.* episch; *(book, film)* monumental; *(fig)* heldenhaft; *sb 2.* Epos *n*

epidemic [epi'demik] *sb 1.* Epidemie *f,* Seuche *f; adj 2.* epidemisch, seuchenartig

epilator ['epileitə] *sb* Haarentfernungsmittel *n*

epilogue ['epilɒg] *sb* Epilog *m,* Nachwort *n,* Schlusswort *n*

Epiphany [i'pifəni] *sb* REL Dreikönigsfest *n,* Epiphanias *n*

episode ['episəud] *sb 1. (incident)* Episode *f,* Vorfall *m; 2. (of a fictional story)* Folge *f,* Fortsetzung *f*

episodic [epi'sɒdik] *adj* episodisch, episodenhaft

epistemology [ipistə'mɒlədʒi] *sb* Erkenntnistheorie *f*

epitome [i'pitəmi] *sb* Inbegriff *m*

epitomize [i'pitəmaiz] *v* verkörpern; *Her outfit ~s bad taste.* Ihre Kleidung ist der Inbegriff schlechten Geschmacks.

equable ['ekwəbl] *adj* gleichmäßig, ausgeglichen

equal ['i:kwəl] *v 1.* gleichen, *(match)* gleichkommen; *adj 2.* gleich; *all other things being ~* unter sonst gleichen Umständen; *sb 3.* Gleichgestellte(r) *m/f; He is without ~.* Er sucht seinesgleichen.

equality [i:'kwɒliti] *sb* Gleichheit *f*

equalize ['i:kwəlaiz] *v* ausgleichen

equalizer ['i:kwəlaizə] *sb* SPORT Ausgleichspunkt *m; (goal)* Ausgleichstreffer *m*

equally ['i:kwəli] *adv* ebenso, genauso, gleich

equal opportunity ['i:kwəl ɒpə'tju:niti] *sb* Chancengleichheit *f*

equation [i'kwei3ən] *sb* Gleichung *f*

equator [i'kweitə] *sb* GEO Äquator *m*

equidistant [i:kwi'distənt] *adj* in gleichem Abstand, gleich weit entfernt

equilibrate [i:kwi'laibreit] *v* ausgleichen, ins Gleichgewicht bringen

equilibrium [i:kwi'libriəm] *sb* Gleichgewicht *n*

equine ['ekwain] *adj* Pferde...

equip [i'kwip] *v 1.* ausrüsten, austatten, einrichten; *2. to be ~ped with* verfügen über, ausgestattet sein mit

equipment [i'kwipmənt] *sb 1.* Ausrüstung *f; 2. (appliances)* Geräte *pl,* Anlagen *pl,* Apparatur *f; 3. (equipping)* Ausrüstung *f,* Ausstattung *f*

equivalent [i'kwivələnt] *adj 1.* gleichwertig, äquivalent; *(corresponding)* entsprechend; *sb 2.* Äquivalent *n,* Entsprechung *f; (counterpart)* Gegenstück *n; 3. (monetary ~)* Gegenwert *m*

equivocate [i'kwivəkeit] *v* ausweichen

era ['iərə] *sb* Ära *f,* Epoche *f,* Zeitalter *n*

eradication [irædi'keiʃən] *sb* Ausrottung *f,* Vernichtung *f*

erase [i'reiz] *v 1.* ausradieren; *2. (fig: from memory)* auslöschen, streichen; *3. INFORM* löschen

eraser [i'reizə] *sb* Radiergummi *m; (for a blackboard)* Schwamm *m*

erect [i'rekt] *v 1.* bauen, erbauen, errichten; *adj 2.* aufrecht, gerade; *3. (penis)* erigiert

erection [i'rekʃən] *sb 1. (erecting)* Errichtung *f,* Aufrichtung *f,* Bau *m; 2. (physiological)* Erektion *f*

erosion [i'rəuʒən] *sb 1. (by acid)* Ätzung *f; 2.* GEOL Erosion *f; 3. (fig)* Aushöhlung *f*

errand ['erənd] *sb 1.* Besorgung *f; 2. (to deliver a message)* Botengang *m; 3. (task)* Auftrag *m*

erratic [i'rætik] *adj 1.* unberechenbar, unregelmäßig, ungleichmäßig; *2. (person)* sprunghaft, unberechenbar; *(moods)* schwankend

error ['erə] *sb* Irrtum *m,* Fehler *m,* Versehen *n; ~ of omission* Unterlassungssünde *f*

erudition [erə'diʃən] *sb* Gelehrsamkeit *f*

erupt [i'rʌpt] *v 1.* ausbrechen; *2. (person)* einen Wutausbruch haben; *3. (rash)* zum Vorschein kommmen

eruption [i'rʌpʃən] *sb* Ausbruch *m; (of rage)* Wutausbruch *m; (of a rash)* Hautausschlag *m*

escalate ['eskəleit] *v (fighting)* eskalieren

escalation [eskə'leiʃən] *sb (of fighting)* Eskalation *f*

escalator ['eskəleitə] *sb* Rolltreppe *f*

escape [is'keip] *v 1.* flüchten, entfliehen; *2. (break out)* ausbrechen; *3. (from pursuers)* entkommen; *4. (get off)* davonkommen; *5.*

(gas, liquid) ausströmen; *6. (sth) (a fate)* entgehen; *7. Her name ~s me.* Ihr Name ist mir entfallen. *sb 8.* Flucht *f; 9. (breakout)* Ausbruch *m; 10. (gas, liquid)* Ausströmen *n*

escape route [ɪs'keɪp ruːt] *sb* Fluchtweg *m*

escort [ɪ'skɔːt] *v 1.* begleiten, *MIL* eskortieren; [eskɔːt] *sb 2. (one person)* Begleiter *m; 3. (several people)* Geleit *n; 4. MIL* Eskorte *f*

escort service ['eskɔːtsɜːvɪs] *sb* Begleitservice *m*

Eskimo ['eskɪməʊ] *sb* Eskimo/Eskimofrau *m/f*

especially [ɪs'peʃəlɪ] *adv* besonders

espionage ['espɪənɑːʒ] *sb* Spionage *f*

espouse [ɪ'spaʊz] *v* eintreten für

espresso [es'presəʊ] *sb* Espresso *m*

essay ['eseɪ] *sb* Essay *n*, Abhandlung *f*, Aufsatz *m*

essence ['esəns] *sb 1.* Wesen *n*, das Wesentliche *n*, Kern *m*

essential [ɪ'senʃəl] *adj 1. (necessary, important)* notwendig, absolut erforderlich, unentbehrlich; *2. (basic)* wesentlich; *sb 3. the ~s* das Wesentliche *n*, das Wichtigste *n*

establish [ɪ'stæblɪʃ] *v 1. (found)* gründen; *2. (a government)* bilden; *3. (a religion)* stiften; *4. (order)* schaffen, wiederherstellen; *5. (relations)* herstellen, aufnehmen; *6. (power, a reputation)* sich verschaffen; *7. (determine)* ermitteln, feststellen; *8. ~ o.s.* sich etablieren

establishment [ɪ'stæblɪʃmənt] *sb 1. (institution)* Institution *f*, Anstalt *f; 2. the Establishment (fam)* das Establishment *n; 3. (founding)* Gründung *f; 4. (of relations)* Herstellung *f; 5. (of power, of a religion)* Stiftung *f; 6. (determining)* Ermittlung *f*

estate [ɪ'steɪt] *sb 1. (possessions)* Besitz *m*, Eigentum *n; 2. (land)* Gut *n; 3. (dead person's)* Nachlass *m*, Erbmasse *f; 4. (rank)* Stand *m; the fourth ~ (fam)* die Presse *f*

estate agent [ɪ'steɪt 'eɪdʒənt] *sb (UK)* Immobilienmakler *m*

esteem [ɪs'tiːm] *sb 1.* Wertschätzung *f*, Achtung *f; hold s.o. in high ~* jdn hoch schätzen; *v 2. (think highly of)* hoch schätzen, schätzen; *my ~ed colleague* mein verehrter Herr Kollege

esteemed [ɪs'tiːmd] *adj* angesehen, hoch geschätzt

estimate ['estɪmeɪt] *v 1.* schätzen; ['estɪmət] *sb 2.* Schätzung *f; rough ~* grober Überschlag; *3. (of cost)* Kostenvoranschlag *m*

estimated ['estɪmeɪtɪd] *adj* geschätzt

etc. [ɪt'setərə] *adv (et cetera)* usw. (und so weiter)

etch [etʃ] *v* ätzen; *(in metal)* radieren; *(in copper)* kupferstechen; *It was ~ed in his memory.* Es hatte sich in sein Gedächtnis eingeprägt.

eternal [ɪ'tɜːnl] *adj* ewig

eternity [ɪ'tɜːnɪtɪ] *sb* Ewigkeit *f*

ether ['iːθə] *sb* Äther *m*

ethical ['eθɪkəl] *adj (values)* ethisch; *(conduct)* sittlich

ethics ['eθɪks] *pl 1. (morality)* Moral *f; 2. PHIL* Ethik *f*

ethnic ['eθnɪk] *adj* ethnisch

ethnic cleansing ['eθnɪk 'klenzɪŋ] *sb* ethnische Säuberung *f*

ethnic group ['eθnɪk gruːp] *sb* Volksgruppe *f*

ethnicity [eθ'nɪsɪtɪ] *sb* Ethnizität *f*

ethnology [eθ'nɒlədʒɪ] *sb* Ethnologie *f*, vergleichende Völkerkunde *f*

ethos ['iːθɒs] *sb* Ethos *n*, Gesinnung *f*

etiquette ['etɪket] *sb* Etikette *f*

euphemism ['juːfəmɪzm] *sb* Euphemismus *m*, beschönigender Ausdruck *m*

euphoric [juː'fɒrɪk] *adj* euphorisch

euro ['jʊərəʊ] *sb FIN* Euro *m*

eurocurrency ['jʊərəʊkʌrənsɪ] *sb FIN* Eurowährung *f*

euromarket ['jʊərəʊmɑːkɪt] *sb* Euromarkt *m*

Europe ['jʊərəp] *sb GEO* Europa *n*

European [jʊərə'pɪən] *sb 1.* Europäer *m; adj 2.* europäisch

European Community [jʊərə'pɪən kə'mjuːnɪtɪ] *sb POL* Europäische Gemeinschaft *f*

European Parliament [jʊərə'pɪən 'pɑːləmənt] *sb POL* Europaparlament *n*

European Union ['jʊərəpɪən 'juːnɪən] *sb POL* Europäische Union *f*

Eurotunnel ['jʊərəʊtʌnl] *sb* Eurotunnel *m*

evacuate [ɪ'vækjʊeɪt] *v 1. (leave)* räumen; *2. (people)* evakuieren; *(place)* räumen; *3. MED* entleeren

evacuation [ɪvækjʊ'eɪʃən] *sb 1. (clearing) (of people)* Evakuierung *f; (of a place)* Räumung *f; 2. (leaving)* Räumung *f; 3. MED* Entleerung *f*

evade [ɪ'veɪd] *v 1. (a blow, a question, a glance)* ausweichen; *2. (pursuers)* entkommen

evaluate [ɪ'væljʊeɪt] *v 1.* bewerten, beurteilen, einschätzen; *2. (monetary value)* schätzen

evaluation [ɪvælju'eɪʃn] *sb 1.* Bewertung *f*, Beurteilung *f*, Einschätzung *f; 2. (of monetary value)* Schätzung *f*

evaporate [ɪ'væpəreɪt] *v 1.* verdampfen, verdunsten; *2. (fig)* verfliegen, sich in nichts auflösen; *3. (hopes)* schwinden

evaporation [ɪvæpə'reɪʃən] *sb* Verdampfung *f*

eve [iːv] *sb* Vorabend *m*

even ['iːvən] *adv 1.* sogar, selbst, auch; *2.* ~ *now* selbst jetzt, noch jetzt; *(at this moment)* gerade jetzt; *3.* ~ *if,* ~ *though* selbst wenn, wenn auch; *4. not* ~ nicht einmal; *5. (at that moment)* gerade, eben; *6.* ~ *so* dennoch, trotzdem, immerhin; *adj 7. (surface)* eben, flach; *8. (regular)* gleichmäßig; *(temper)* ausgeglichen; *(pulse)* regelmäßig; *9. (number)* gerade; *10. (quantities)* gleich; *11.* ~ *with (at the same height as)* in gleicher Höhe mit; *12. (all debts paid)* ausgeglichen; *to be* ~ *with s.o. (owe s.o. nothing)* mit jdm quitt sein; *v 13. (the score of a game)* SPORT ausgleichen; *14. (a surface)* glatt machen

• **even out** *v* ausgleichen, ebnen

evening ['iːvnɪŋ] *sb* Abend *m; Good* ~! Guten Abend!

evening class ['iːvnɪŋ klɑːs] *sb* Abendschule *f*

event [ɪ'vent] *sb 1.* Ereignis *n,* Vorfall *m,* Begebenheit *f; 2. (case)* Fall *m; in any* ~ auf jeden Fall; *3. (planned function)* Veranstaltung *f; 4.* SPORT Wettkampf *m*

eventuality [ɪventʃʊ'ælɪtɪ] *sb* Möglichkeit *f,* Eventualität *f*

eventually [ɪ'ventʃʊəlɪ] *adv* schließlich

ever ['evə] *adv 1.* je, jemals; *2. (of all time)* aller Zeiten; *3. (more each time)* immer; ~ *larger* immer größer; *4.* ~ *since* seitdem; *5.* ~ *so sehr*

everlasting [evə'lɑːstɪŋ] *adj 1.* immer während; *2.* REL ewig

evermore [evə'mɔː] *adv* immer, stets

every ['evrɪ] *adj 1.* jede(r,s), alle; ~ *third day* jeden dritten Tag; ~ *three days* alle drei Tage; ~ *time* jedes Mal; *2.* ~ *now and then,* ~ *so often* gelegentlich, hin und wieder; *3.* ~ *other* (~ *second one)* jeder Zweite, *(all other)* jeder andere

everybody ['evrɪbɒdɪ] *pron* jeder, alle

everyday ['evrɪdeɪ] *adj* alltäglich

everyone ['evrɪwʌn] *pron* jeder, alle

everything ['evrɪθɪŋ] *pron* alles

everywhere ['evrɪwɛə] *adv 1.* überall; *2. (toward every direction)* überallhin

evidence ['evɪdəns] *sb 1.* Beweis *m,* Beweise *pl; 2. in* ~ sichtbar, offensichtlich; *3.* JUR Beweismaterial *n; (physical piece of* ~*)* Beweisstück *n; 4. (testimony)* Aussage *f; give* ~ *for* JUR aussagen für

evil ['iːvl] *adj 1.* böse, übel; *2. (reputation, influence)* schlecht; *sb 3.* Böse *n,* Übel *n; the lesser of two* ~*s* das geringere Übel

evilness ['iːvlnɪs] *sb* Bosheit *f*

evolution [evə'luːʃən] *sb 1.* Entwicklung *f; 2.* BIO Evolution *f*

evolutionist [evə'luːʃənɪst] *sb* Anhänger der Evolutionstheorie *m*

evolve [ɪ'vɒlv] *v* sich entwickeln

ex [eks] *adj 1. (as a prefix)* ehemalig, Ex-...; *sb 2. (fam:* ~*-husband or* ~*-wife)* Verflossene(r) *m/f*

exact [ɪg'zækt] *adj 1.* genau, exakt; *to be* ~ um genau zu sein; *v 2.* fordern, verlangen; *3. (payment)* eintreiben

exactly [ɪg'zæktlɪ] *adv 1.* genau, exakt; *interj 2.* genau, ganz recht

exactness [ɪg'zæktnɪs] *sb* Genauigkeit *f*

exaggerate [ɪg'zædʒəreɪt] *v* übertreiben

exam [ɪg'zæm] *sb* Prüfung *f*

examination [ɪgzæmɪ'neɪʃən] *sb 1. (close consideration)* Untersuchung *f; 2. (inspection)* Prüfung *f,* Untersuchung *f,* Kontrolle *f; 3.* MED Untersuchung *f; 4. (in school)* Prüfung *f,* Examen *n; 5.* JUR Verhör *n, (in a civil case)* Vernehmung *f*

examine [ɪg'zæmɪn] *v 1.* untersuchen, prüfen; *2. (inspect)* kontrollieren; *3.* MED untersuchen; *4.* JUR verhören, vernehmen

example [ɪg'zɑːmpl] *sb* Beispiel *n; for* ~ zum Beispiel; *set a good* ~ ein gutes Beispiel geben; *make an* ~ *of s.o.* an jdm ein Exempel statuieren

excavate ['ekskəveɪt] *v 1.* ausschachten, *(with a machine)* ausbaggern; *2. (an archaeological site)* ausgraben

exceed [ɪk'siːd] *v 1.* überschreiten, übersteigen; *2. (expectations)* übertreffen

excellence ['eksələns] *sb (high quality)* Vortrefflichkeit *f*

excellent ['eksələnt] *adj* ausgezeichnet, vorzüglich, hervorragend

except [ɪk'sept] *v 1.* ausnehmen; *prep 2.* außer, ausgenommen; ~ *for* abgesehen von, bis auf

exception [ɪk'sepʃən] *sb 1.* Ausnahme *f; make an* ~ *for s.o.* eine Ausnahme für jdn machen; *without* ~ ohne Ausnahme; *2. take* ~ *to* Anstoß nehmen an

excess [ɪk'ses] *sb 1.* Übermaß *n; 2.* ~es *pl* Exzesse *pl*, Ausschweifungen *pl*, Ausschreitungen *pl; 3. (remainder)* Überschuss *m; in* ~ of mehr als

exchange [ɪks'tʃeɪndʒ] *v 1.* tauschen; *2. (letters, glances, words)* wechseln; *3. (currency)* wechseln, umtauschen; *4. (ideas, stories)* austauschen; ~ for austauschen gegen, umtauschen gegen, vertauschen mit; *sb 5.* Tausch *m*, Austausch *m; in* ~ for gegen; *6. (trade-in)* Umtausch *m; 7. (act of exchanging)* FIN Wechsel *n; bill of* ~ Wechsel *m; 8. (place)* Wechselstube *f; 9. (Stock Exchange)* Börse *f*

exchange rate [ɪks'tʃeɪndʒ reɪt] *sb* FIN Umrechnungskurs *m*, Wechselkurs *m*

exchange student [ɪks'tʃeɪndʒ 'stjuː-dənt] *sb* Austauschschüler *m*

excise tax ['eksaɪz tæks] *sb* Verbrauchssteuer *f*

excite [ɪk'saɪt] *v 1.* aufregen; *2. (passion, appetite, imagination)* erregen; *3. (interest, curiosity)* wecken; *4. (make enthusiastic)* begeistern

excited [ɪk'saɪtɪd] *adj* aufgeregt

exciting [ɪk'saɪtɪŋ] *adj 1.* aufregend; *2. (story)* spannend; *3. (sexually)* erregend

exclaim [ɪks'kleɪm] *v* ausrufen

exclamation [eksklə'meɪʃən] *sb* Ausruf *m*, Schrei *m*

exclamation mark [eksklə'meɪʃən mɑːk] *sb* Ausrufezeichen *n*

exclusion [ɪks'kluːʒən] *sb* Ausschluss *m; to the* ~ *of* unter Ausschluss von

exclusive [ɪk'skluːsɪv] *adj 1. (sole)* ausschließlich, einzig, alleinig; *2. (fashionable)* vornehm; *3. (group)* exklusiv

exculpate ['ekskʌlpeɪt] *v* rechtfertigen, freisprechen

excursion [ɪks'kɜːʒən] *sb 1.* Ausflug *m; 2. (detour)* Abstecher *m*

excusable [ɪks'kjuːzəbl] *adj* entschuldbar, verzeihlich

excuse [ɪk'skjuːz] *v 1.* entschuldigen; *2. (pardon)* verzeihen; *3.* ~ *o.s.* sich entschuldigen; *4. Excuse me ... (to get attention)* Entschuldigen Sie ..., *(sorry)* Verzeihung! *(I must go)* Entschuldigen Sie mich bitte. [ɪk'skjuːs] *sb 5. (pretext)* Ausrede *f*, Entschuldigung *f*, Vorwand *m; 6. make (up)* ~s *(for o.s.)* sich herausreden; *(for s.o.)* jdn herausreden

execute ['eksɪkjuːt] *v 1. (a criminal)* hinrichten; *2. (a task)* durchführen, ausführen, erfüllen

execution [eksɪ'kjuːʃən] *sb 1. (of a criminal)* Hinrichtung *f; 2. (of a task)* Durchführung *f*, Ausführung *f*, Erfüllung *f*

executive [ɪg'zekjʊtɪv] *adj 1.* exekutiv, geschäftsführend; *sb 2. (of a firm)* leitende(r) Angestellte(r) *m/f; 3.* POL Exekutive *f*

exemplary [ɪg'zemplərɪ] *adj* vorbildlich, beispielhaft

exempt [ɪg'zempt] *v* befreien

exercise ['eksəsaɪz] *v 1. (use)* ausüben, geltend machen, anwenden; *2. (one's body, one's mind)* üben, trainieren; *3. (use)* Ausübung *f*, Gebrauch *m*, Anwendung *f; 4. (physical ~)* Übung *f; get some* ~ sich etw Bewegung verschaffen; *5. (drill)* Übung *f*

exertion [ɪg'zɜːʃən] *sb 1.* Anwendung *f*, Einsatz *m*, Aufgebot *n; 2. (effort)* Anstrengung *f*

exhale [eks'heɪl] *v (breathe out)* ausatmen

exhaust [ɪg'zɔːst] *v 1.* erschöpfen; *2. (supplies)* aufbrauchen; *3. (a subject)* erschöpfend behandeln; *sb 4.* TECH Auspuff *m; 5. (gases)* Auspuffgase *pl*

exhaust pipe [ɪg'zɔːst paɪp] *sb* Auspuffrohr *n*

exhibit [ɪg'zɪbɪt] *v 1. (merchandise)* ausstellen, auslegen; *2. (a quality)* zeigen, beweisen; *sb 3.* JUR Beweisstück *n*

exhibition [eksɪ'bɪʃən] *sb 1.* Ausstellung *f*, Schau *f; 2. (fig)* Zurschaustellung *f; 3. (act of showing)* Vorführung *f*

exhibitor [ɪg'zɪbɪtə] *sb 1.* Aussteller *m; 2. (of a film)* Kinobesitzer *m*

exhilarate [ɪg'zɪləreɪt] *v* erheitern

exile ['eksaɪl] *v 1.* verbannen; *sb 2. (state of* ~) Exil *n*, Verbannung *f; 3. (person)* Verbannte(r) *m/f*

exist [ɪg'zɪst] *v 1.* existieren, bestehen, vorhanden sein; *2. (live)* existieren, leben

existence [ɪg'zɪstəns] *sb 1.* Existenz *f*, Bestehen *n*, Vorhandensein *n; call into* ~ ins Leben rufen; *2. (life)* Existenz *f*, Leben *n*, Dasein *n; a miserable* ~ ein trostloses Dasein

existing [ɪg'zɪstɪŋ] *adj 1.* bestehend; *2. (present)* gegenwärtig

exit ['egzɪt] *v 1.* THEAT abgehen, abtreten; *2. (US: sth)* verlassen; *sb 3. (leaving)* Abgang *m; make one's* ~ abgehen, abtreten; *4. (from a country)* Ausreise *f; 5. (way out)* Ausgang *m; 6. (for vehicles)* Ausfahrt *f*

exit permit ['egzɪtpɜːmɪt] *sb* Ausreisegenehmigung *f*

exorbitant [ɪg'zɔːbɪtənt] *adj* maßlos, übertrieben, unverschämt

exotic [ɪgˈzɒtɪk] *adj* exotisch

expand [ɪkˈspænd] *v 1. PHYS* sich ausdehnen, expandieren; 2. *ECO* expandieren, sich ausweiten; *(production)* zunehmen; 3. *(cause to ~)* ausdehnen, expandieren, ausweiten

expanded [ɪkˈspændɪd] *adj* ausgedehnt, weit

expansion [ɪksˈpænʃən] *sb* Ausdehnung *f*, Expansion *f*, Ausweitung *f*

expect [ɪkˈspekt] *v 1.* erwarten; 2. *~ sth of s.o.* etw von jdm erwarten; 3. *(suppose)* denken, glauben

expectancy [ɪkˈspektənsɪ] *sb* Erwartung *f*, Aussicht *f*; *life ~* Lebenserwartung *f*

expectant [ɪkˈspektənt] *adj 1.* erwartungsvoll; 2. *(mother)* werdend

expectation [ekspekˈteɪʃən] *sb* Erwartung *f*

expecting [ɪksˈpektɪŋ] *adj (~ a baby)* in anderen Umständen (fam)

expedite [ˈekspɪdaɪt] *v* beschleunigen

expedition [ekspɪˈdɪʃən] *sb* Expedition *f*

expend [ɪkˈspend] *v 1.* verwenden; 2. *(energy, time)* aufwenden; 3. *(money)* ausgeben

expense [ɪkˈspens] *sb 1.* Kosten *pl; at my ~* auf meine Kosten; *spare no ~* keine Kosten scheuen; *at great ~* mit großen Kosten; 2. *~s pl (business ~, travel ~)* Spesen *pl; incur ~* Unkosten haben

expensive [ɪkˈspensɪv] *adj* teuer, kostspielig

experience [ɪkˈspɪərɪəns] *v 1.* erleben, erfahren; 2. *(feel)* empfinden; *sb 3.* Erfahrung *f; from ~* aus eigener Erfahrung; 4. *(event experienced)* Erlebnis *n*

experienced [ɪkˈspɪərɪənst] *adj* erfahren, routiniert

experiment [ɪkˈsperɪmənt] *v 1.* experimentieren; *sb 2.* Versuch *m*, Experiment *n*

expert [ˈekspɜːt] *adj 1.* erfahren, geschickt, fachmännisch; *sb 2.* Sachverständige(r) *m/f*, Experte/Expertin *m/f*, Fachmann/Fachfrau *m/f*

expert witness [ˈekspɜːt ˈwɪtnɪs] *sb JUR* Sachverständige(r) *m/f*

expiration [ekspɪˈreɪʃən] *sb* Ablauf *m*

expiration date [ekspɪˈreɪʃən deɪt] *sb (US)* Verfallsdatum *n*

expire [ɪkˈspaɪə] *v 1.* ablaufen, ungültig werden; 2. *(die)* sein Leben aushauchen, verscheiden

explain [ɪkˈspleɪn] *v 1.* erklären; 2. *(a mystery)* aufklären; 3. *~ o.s.* sich rechtfertigen

explanation [ekspləˈneɪʃən] *sb 1.* Erklärung *f*, Erläuterung *f*, Aufklärung *f*; 2. *(justification)* Erklärung *f*, Rechtfertigung *f*

explode [ɪksˈpləʊd] *v 1.* explodieren; 2. *(sth)* sprengen, zur Explosion bringen, explodieren lassen; 3. *(fig: a theory)* widerlegen; *~ a myth* eine Illusion zerstören

exploit [eksˈplɔɪt] *v 1.* ausbeuten, ausnutzen; 2. *(commercially)* verwerten

exploration [eksplɔːˈreɪʃən] *sb 1.* Erforschung *f*, Erkundung *f*; 2. *(of a topic)* Erforschung *f*, Untersuchung *f*

explore [ɪkˈsplɔː] *v 1.* erforschen, erkunden; 2. *(a question)* erforschen, untersuchen

explosion [ɪkˈspləʊʒən] *sb* Explosion *f*

explosive [ɪkˈspləʊsɪv] *adj 1.* explosiv; 2. Sprengstoff *m*

export [ɪkˈspɔːt] *v 1.* exportieren, ausführen; [ˈekspɔːt] *sb 2.* Export *m*, Ausfuhr *f*

export licence [ˈekspɔːt ˈlaɪsəns] *sb ECO* Ausfuhrgenehmigung *f*

expose [ɪkˈspəʊz] *v 1. (leave vulnerable)* aussetzen; 2. *(uncover)* freilegen, bloßlegen; 3. *(wrongdoing)* aufdecken, enthüllen; 4. *(a criminal, an impostor)* entlarven; 5. *FOTO* belichten

exposition [ekspəˈzɪʃən] *sb 1. (explanation)* Darlegung *f*, Erklärung *f*; 2. *(of text)* Erläuterung *f*; 3. *(exhibition)* Ausstellung *f*, Schau *f*

express [ɪkˈspres] *v 1.* ausdrücken; *adj 2.* ausdrücklich, bestimmt; *for the ~ purpose* eigens zu dem Zweck; *sb 3.* Schnellzug *m*

express delivery [ɪkˈspres dɪˈlɪvərɪ] *sb* Eilzustellung *f*

expression [ɪkˈspreʃən] *sb 1. (of an opinion, of a feeling)* Äußerung *f*, Ausdruck *m*; 2. *(phrase)* Ausdruck *m*; 3. *(facial ~)* Gesichtsausdruck *m*; 4. *(expressive quality)* ART Ausdruck *m*

expressionless [ɪksˈpreʃənlɪs] *adj* ausdruckslos

expressway [ɪkˈspresweɪ] *sb* Schnellstraße *f*

expulsion [ɪksˈpʌlʃən] *sb 1.* Vertreibung *f*; 2. *(from a school)* Verweisung *f*; 3. *(from a country)* Ausweisung *f*

exquisite [ɪkˈskwɪzɪt] *adj* köstlich, vorzüglich, exquisit

extend [ɪksˈtend] *v 1. (reach, stretch)* sich ausdehnen, sich erstrecken, reichen; 2. *(one's arms, one's hand)* ausstrecken; 3. *(verbally)* erweisen, aussprechen; 4. *(prolong)* verlängern; 5. *(enlarge, expand)* ausdehnen, erweitern, vergrößern; 6. (a house) ausbauen; 7. (a wire) spannen, ziehen

extension [ɪks'tenʃən] sb 1. (broadening) Vergrößerung f, Erweiterung f, Ausdehnung f; 2. (lengthening) Verlängerung f; 3. (to a house) Anbau m; 4. TEL Nebenanschluss m, Apparat m

extension cord [ɪks'tenʃən kɔːd] sb Verlängerungskabel n

extensive [ɪks'tensɪv] adj 1. (damage) beträchtlich; 2. (operations, alterations, research) umfangreich; 3. (knowledge) umfassend, umfangreich

extent [ɪk'stent] sb 1. (degree) Grad m, Maß n; to some ~ einigermaßen; to a certain ~ in gewissem Maße; to what ~ inwieweit; 2. (scope) Umfang m, Ausmaß n; 3. (size) Ausdehnung f

exterminate [eks'tɜːmɪneɪt] v 1. ausrotten; 2. (pests) vertilgen

extermination [ekstɜːmɪ'neɪʃən] sb Ausrottung f, Vertilgung f

external [ek'stɜːnl] adj äußere(r,s), äußerlich, Außen... for ~ use only nur äußerlich anzuwenden

extinct [ɪks'tɪŋkt] adj 1. (volcano) erloschen; become ~ erlöschen; 2. (species) BIO ausgestorben; become ~ aussterben; 3. (race, empire) untergegangen

extinguish [ɪk'stɪŋgwɪʃ] v 1. löschen, auslöschen; 2. (hopes) zerstören

extinguisher [ɪk'stɪŋgwɪʃə] sb Feuerlöscher m

extort [ɪk'stɔːt] v erpressen

extortion [ɪks'tɔːʃən] sb Erpressung f

extra ['ekstrə] adj 1. zusätzlich, Extra..., Sonder...; make an ~ effort sich besonders anstrengen; adv 2. (especially) extra, besonders; 3. (costing ~) gesondert berechnet, extra berechnet; sb 4. CINE Statist m; 5. (perquisite) Zusatzleistung f; 6. (feature of a car) Extra n

extract [ɪk'strækt] v 1. herausziehen, herausholen; 2. (from the body) entfernen; 3. (a tooth) ziehen; 4. (permission, a promise) abringen, abnehmen, entlocken; 5. MIN gewinnen; ['ekstrækt] sb 6. Extrakt m; 7. (from a book) Auszug m

extracurricular [ekstrəkə'rɪkjulə] adj außerhalb des Stundenplans

extraordinary [ɪk'strɔːdɪnrɪ] adj 1. außerordentlich; 2. (odd) ungewöhnlich, merkwürdig, seltsam

extraterrestrial [ekstrətɪ'restrɪəl] adj außerirdisch

extra time [ekstrə'taɪm] sb (UK) SPORT Verlängerung f

extravagant [ɪk'strævəgənt] adj 1. (wasteful) verschwenderisch; 2. (tastes) teuer, kostspielig; 3. (wedding) aufwendig; 4. (demand) übertrieben; 5. (behaviour, claims) extravagant

extreme [ɪk'striːm] adj 1. äußerste(r,s); with ~ pleasure mit größtem Vergnügen; 2. (demands, rudeness) maßlos; 3. (drastic) extrem; sb 4. Extrem n; (far end) äußerstes Ende n; carry sth to an ~ etw zu weit treiben; 5. (too far) Übertriebenheit f

extremely [ɪk'striːmlɪ] adv äußerst, höchst, extrem

extroversion [ekstrə'vɜːʃən] sb Extrovertiertheit f

extrovert ['ekstrəuvɜːt] sb Extrovertierte(r) m/f

exult [ɪg'zʌlt] v frohlocken, jubeln, triumphieren

exultation [egzʌl'teɪʃən] sb Jubel m, Frohlocken n

eye [aɪ] sb 1. Auge n; an ~ for an ~ Auge um Auge; see ~ to ~ with s.o. mit jdm einer Meinung sein; give s.o. the ~ jdm einen einladenden Blick werfen; have an ~ for einen Sinn haben für; keep an ~ on ein Auge haben auf; keep one's ~s peeled die Augen offen halten; keep an ~ out for sth nach etw Ausschau halten; set ~s on sth etw sehen; catch s.o.'s ~ jds Aufmerksamkeit auf sich lenken; close one's ~s to sth die Augen vor etw verschließen; with an ~ to mit Rücksicht auf; cry one's ~s out sich die Augen ausweinen; easy on the ~s gefällig, schön anzusehen; never take one's ~s off sth die Augen von etw nicht abwenden; in the twinkling of an ~ im Handumdrehen; look s.o. in the ~ jdm ins Gesicht sehen; make ~s at s.o. jdm schöne Augen machen; 2. ~ of a needle Nadelöhr n; v 3. ansehen, betrachten

eyebrow ['aɪbrau] sb Augenbraue f; raise one's ~s die Stirn runzeln

eye-catching ['aɪkætʃɪŋ] adj auffallend, ins Auge springend

eyelash ['aɪlæʃ] sb Augenwimper f

eye-opener ['aɪəupənə] sb It was a real ~. Das hat mir die Augen geöffnet.

eyesight ['aɪsaɪt] sb Sehkraft f; bad ~ schlechte Augen

eyesore ['aɪsɔː] sb Schandfleck m

eyewitness ['aɪwɪtnɪs] sb Augenzeuge/ Augenzeugin m/f

F

fable ['feɪbl] *sb* Fabel *f*

fabric ['fæbrɪk] *sb 1. (textile)* Stoff *m*, Gewebe *n; 2. (structure)* Struktur *f*

fabulous ['fæbjʊləs] *adj* sagenhaft, fabelhaft, toll

face [feɪs] *v 1. (to be opposite)* gegenüber sein, gegenüberstehen, gegenüberliegen; *2. (window: to be situated)* gehen nach; *3. (have to deal with)* rechnen müssen mit; *let's ~ it* seien wir ehrlich; *to be ~d with sth* mit etw konfrontiert werden; *4. (bravely confront)* gegenübertreten, *(a situation)* sich stellen; *sb 5.* Gesicht *n; lose ~* das Gesicht verlieren; *save ~* das Gesicht wahren; *show one's ~* sich blicken lassen; *~ to ~* von Angesicht zu Angesicht, Auge in Auge; *say sth to s.o.'s ~* jdm etw ins Gesicht sagen; *in the ~ of death* im Angesicht des Todes; *fall flat on one's ~ (fam)* auf die Nase fallen; *6. on the ~ of it* allem Anschein nach, so, wie es aussieht; *7. (expression)* Gesichtsausdruck *m*, Gesicht *n*, Miene *f; make a ~* das Gesicht verziehen; *pull a ~* Grimassen schneiden; *keep a straight ~* ernst bleiben

• face off *v (fig)(US) The two faced off.* Die zwei traten zu einer Machtprobe an.

face-lift ['feɪslɪft] *sb 1.* Gesichtsstraffung *f*, Facelifting *n; 2. (fig)* Verschönerung

face-off ['feɪsɒf] *sb SPORT* Bully *n*

face-saving ['feɪsseɪvɪŋ] *adj a ~ tactic* eine Taktik, um das Gesicht zu wahren

facilitate [fæ'sɪlɪteɪt] *v* erleichtern, fördern

facility [fæ'sɪlɪti] *sb 1. (building)* Anlage *f; 2. (ease)* Leichtigkeit *f*

facsimile [fæk'sɪmɪli] *sb* Faksimile *n*

fact [fækt] *sb 1.* Tatsache *f; as a matter of ~* eigentlich, sogar; *know for a ~ that ...* ganz genau wissen, dass ...; *the ~ of the matter is* Tatsache ist; *in ~* tatsächlich, in der Tat; *in point of ~* eigentlich, *(in reality)* in Wirklichkeit; *2. (reality)* Wirklichkeit *f*, Wahrheit *f*, Realität *f; ~ and fiction* Dichtung und Wahrheit; *3. the ~s of life* sexuelle Aufklärung *f; (tough reality)* harte Wirklichkeit *f; 4. (historical)* Faktum *n*

fact-finding ['fæktfaɪndɪŋ] *adj* Untersuchungs...

factor ['fæktə] *sb 1.* Faktor *m; v 2. ~ in* mit berücksichtigen

factory ['fæktəri] *sb* Fabrik *f*, Werk *n*

faculty ['fækəlti] *sb 1. (ability)* Fähigkeit *f*, Vermögen *n*, Kraft *f; mental faculties* Geisteskräfte *pl; 2. (of a university)* Fakultät *f*

fade [feɪd] *v 1.* verblassen, *(completely)* verbleichen; *2. (fig) (beauty)* verwelken; *(hope, strength)* schwinden; *(memory)* verblassen

fag [fæg] *sb 1. (UK: cigarette) (fam)* Kippe *f; 2. (UK: drudgery) (fam)* Plackerei *f; 3. (US: homosexual) (fam)* Schwuler *m*

fail [feɪl] *v 1.* versagen, scheitern, misslingen; *if all else ~s* wenn alle Stricke reißen; *I ~ to see why* ich sehe nicht ein, warum; *2. (hearing, eyesight)* nachlassen; *3. (be cut off)* ausfallen; *4. ~ to do sth* etw nicht tun; *(neglect)* es versäumen, etw zu tun; *5. (an exam)* durchfallen; *6. (s.o.)(let down)* im Stich lassen; *(disappoint)* enttäuschen; *7. (give a ~ing grade)* durchfallen lassen; *sb 8. without ~* garantiert, ganz bestimmt

failing ['feɪlɪŋ] *sb* Schwäche *f*

failure ['feɪljə] *sb 1.* Misserfolg *m*, Fehlschlag *m*, Scheitern *n; 2. (breakdown)* Ausfall *m*, Versagen *n*, Störung *f; 3. (unsuccessful thing)* Misserfolg *m*, Reinfall *m*, Pleite *f; 4. (person)* Versager *m; 5. (to do sth)* Versäumnis *n*, Unterlassung *f*

fair [fɛə] *adj 1. (just)* gerecht, fair; *~ and square* anständig; *2. (reasonable amount, reasonable degree)* ziemlich; *3. (OK, so-so)* mittelmäßig; *4. (hair)* blond; *the ~ sex* das schöne Geschlecht; *5. (skin)* hell; *6. (sky)* heiter; *7. (day)* schön; *8. Fair enough! (fam)* Einverstanden! *sb 9.* Volksfest *n; (market)* Jahrmarkt *m; 10. (trade show)* Messe *f*

fairy ['fɛəri] *sb 1.* Fee *f*, Elfe *f; 2. (fam: homosexual)* Schwuler *m*

faith [feɪθ] *sb 1.* Vertrauen *n*, Glaube *m; have ~ in s.o.* jdm vertrauen; *have ~ in sth* Vertrauen in etw haben; *2. REL* Glaube *m; 3. (sincerity)* Treue *f*

fake [feɪk] *v 1.* vortäuschen, fingieren; *2. (forge)* fälschen; *3. (a move) SPORT* antäuschen; *sb 4.* Fälschung *f; 5. (jewel)* Imitation *f; adj 6.* falsch, vorgetäuscht, gefälscht

fall [fɔːl] *v irr 1.* fallen, stürzen; *2. (decrease)* fallen, sinken, abnehmen; *3. (hang down)* fallen; *4. ~ under (a category)* gehören in, fallen in; *5. (become) ~ asleep* einschlafen; *~ ill* krank werden; *sb 6.* Fall *m*, Sturz *m; 7. (decline)* Untergang *m*, Niedergang *m; 8.*

(decrease) Fallen *n*, Sinken *n*, Abnahme *f*; 9. *(US: autumn)* Herbst *m*

• **fall apart** *v irr* auseinander fallen

• **fall down** *v irr* 1. *(person)* hinfallen; *(from a height)* hinunterfallen; 2. *(thing)* herunterfallen, hinunterfallen; 3. *(collapse)* einstürzen; 4. ~ *on the job* etw nicht richtig machen, mit etw nicht zurechtkommen

• **fall in** *v irr* 1. hineinfallen; 2. MIL antreten; 3. *(one soldier)* MIL ins Glied zurücktreten

• **fall out** *v irr* 1. *(hair)* ausfallen; 2. MIL wegtreten; 3. *(of a window)* herausfallen; 4. ~ *with s.o.* sich mit jdm zerstreiten

fallout ['fɔːlaʊt] *sb* 1. radioaktiver Niederschlag *m*; 2. *(fig)* Auswirkung *f*

false [fɔːls] *adj* 1. falsch; 2. *(artificial)* falsch, künstlich

false alarm [fɔːls ə'lɑːm] *sb (needless warning)* blinder Alarm *m*

false teeth [fɔːls tiːθ] *pl (set)* künstliches Gebiss *n*

falsify ['fɔːlsɪfaɪ] *v* fälschen, verfälschen

fame [feɪm] *sb* Ruhm *m*, Berühmtheit *f*

familiar [fə'mɪlɪə] *adj* 1. bekannt, gewohnt, vertraut; *to be ~ with sth* etw gut kennen; 2. *(friendly)* familiär

family ['fæmɪlɪ] *sb* Familie *f*; *in the ~ way (fam)* in anderen Umständen

family doctor ['fæmɪlɪ 'dɒktə] *sb* Hausarzt *m*

family tree [fæmɪlɪ'triː] *sb* Stammbaum *m*

famished ['fæmɪʃt] *adj (fig: very hungry)* ausgehungert

famous ['feɪməs] *adj* berühmt

fan [fæn] *v* 1. *(s.o.)* Luft zufächeln; 2. *(fig: sth)* anfachen; *sb* 3. *(hand-held)* Fächer *m*; 4. *(mechanical)* Ventilator *m*, Lüfter *m*; 5. *(enthusiast, supporter)* Fan *m*

fanatic [fə'nætɪk] *sb* Fanatiker *m*

fancy ['fænsɪ] *v* 1. *(imagine)* meinen, sich einbilden, glauben; *Fancy that!* So was! Denk mal an! 2. ~ *o.s.* sth sich für etw halten; 3. *(like)* gern haben, mögen; *adj* 4. verziert, fein, kunstvoll; *sb* 5. *(liking)* Vorliebe *f*, Gefallen *n*; *take a ~ to sth* an etw Gefallen finden; 6. *(imagination)* Phantasie *f*

fang [fæŋ] *sb* 1. *(of a beast of prey)* Fang *m*; 2. *(of a snake)* Giftzahn *m*

fantastic [fæn'tæstɪk] *adj* 1. *(wonderful)* toll, phantastisch; 2. *(improbable)* phantastisch, unwahrscheinlich, absurd

fantasy ['fæntəsɪ] *sb* Phantasie *f*

far [fɑː] *adj* 1. fern, weit entfernt, weit; 2. *(farther away of two)* weiter entfernt; *the ~*

side die andere Seite; *at the ~ end* am anderen Ende; *adv* 3. weit; ~ *be it from me to ...* es liegt mir fern, zu ...; *by* ~ weitaus, bei weitem; *Far from it!* Weit gefehlt! 4. *as* ~ *as* so weit, insofern als; *(spatially)* bis; *I'll come with you as* ~ *as the door.* Ich komme bis zur Tür mit. *as* ~ *as I'm concerned* was mich betrifft; 5. ~ *away*, ~ *off* weit entfernt, weit weg; 6. ~ *and away* bei weitem, mit Abstand, weitaus

fare [feə] *v* 1. ergehen; *How did he* ~? Wie ist es ihm ergangen? *sb* 2. *bus* ~, *train* ~ *(charge)* Fahrpreis *m*; *(money)* Fahrgeld *n*; 3. *air* ~ Flugpreis *m*; 4. *(food)* Kost *f*

far-flung [fɑː'flʌŋ] *adj* weit ausgedehnt

farm [fɑːm] *sb* 1. Bauernhof *m*, Gutshof *m*, Gut *n*; *v* 2. *(land)* bebauen

farmer ['fɑːmə] *sb* Bauer *m*, Landwirt *m*

farmhouse ['fɑːmhaʊs] *sb* Bauernhaus *n*

farmyard ['fɑːmjɑːd] *sb* Hof eines bäuerlichen Betriebes *m*

far-reaching [fɑː'riːtʃɪŋ] *adj* weitreichend

far-sighted [fɑː'saɪtɪd] *adj* 1. MED weitsichtig; 2. *(fig)* weit blickend

farther ['fɑːðə] *adv* weiter, ferner, entfernter

fascinate ['fæsɪneɪt] *v* faszinieren, begeistern, bezaubern

fascination [fæsɪ'neɪʃən] *sb* Faszination *f*, Bezauberung *f*

fascism ['fæʃɪzəm] *sb* Faschismus *m*

fascist ['fæʃɪst] *adj* faschistisch

fashion ['fæʃən] *v* 1. bilden, formen, gestalten; *sb* 2. *(manner)* Art *f*, Weise *f*; 3. *(custom)* Sitte *f*, Brauch *m*; 4. *(in clothing, style)* Mode *f*; 5. *after a* ~ gewissermaßen

fashion victim ['fæʃənvɪktɪm] *sb (fam)* Modeverrückte(r) *m/f*

fast [fɑːst] *v* 1. fasten; *adj* 2. *(quick, speedy)* schnell; *pull a* ~ *one on s.o. (fam)* jdn reinlegen; 3. *to be* ~ *(clock)* vorgehen; 4. *(woman)* flott, leichtlebig; 5. *(secure)* fest, befestigt; *to be* ~ *friends* gute Freunde sein; *to be* ~ *asleep* fest schlafen

fasten ['fɑːsn] *v* 1. *(to be closed, close)* sich schließen lassen; 2. *(sth)* festmachen, befestigen; 3. *(buttons)* zumachen; 4. *(seat belt)* anschnallen; 5. *(fig)* ~ *on (eyes)* heften auf; *(attention)* richten auf; 6. ~ *together* miteinander verbinden

fastener ['fɑːsnə] *sb* Verschluss *m*

fast-food restaurant [fɑːst fuːd 'restərənt] *sb* Schnellimbiss *m*

fast-forward [fɑːst'fɔːwəd] *v* vorspulen

fast lane ['fɑːstleɪn] *sb* Überholspur *f*

fast track ['fɑːsttræk] *sb (fig)* to be on the ~ auf der Überholspur sein

fat [fæt] *adj 1.* dick, fett; *a ~ chance (fam)* herzlich wenig Aussicht; *2. GAST* fett; *sb 3.* Fett *n*

fatal ['feɪtl] *adj* tödlich

fate [feɪt] *sb* Schicksal *n; seal s.o.'s* jds Schicksal besiegeln

fateful ['feɪtful] *adj 1.* schicksalhaft, schicksalsschwer; *2. (disastrous)* verhängnisvoll

father ['fɑːðə] *v 1. (a child)* zeugen; *sb 2.* Vater *m; 3. (priest) REL* Pater *m*

Father Christmas ['fɑːðə 'krɪsməs] *sb* der Weihnachtsmann *m*

father-in-law ['fɑːðərɪnlɔː] *sb* Schwiegervater *m*

fatty ['fætɪ] *adj* fett

fault [fɔːlt] *v 1.* bemängeln; *sb 2.* Schuld *f; to be at ~* schuldig sein, die Schuld tragen; *Whose ~ is it?* Wer ist schuld? *3. (mistake, defect)* Fehler *m,* Defekt *m,* Mangel *m; 4. find ~ with* etw auszusetzen haben an; *5. generous to a ~* übermäßig großzügig

favour ['feɪvə] *v 1. (show partiality to s.o.)* begünstigen; *2. (prefer)* bevorzugen; *~ sth over sth* etw einer Sache vorziehen; *3. (to be in ~ of)* für gut halten; *4. (to be ~able for)* begünstigen; *sb 5. (act of kindness)* Gefallen *m,* Gefälligkeit *f; do s.o. a ~* jdm einen Gefallen tun; *ask a ~ of s.o.* jdm um einen Gefallen bitten; *6. (goodwill)* Gunst *f; stand high in s.o.'s ~s* bei jdm hoch im Kurs stehen; *7. in ~ of* zugunsten von; *to be in ~ of sth* für etw sein; *decide in ~ of sth* sich für jdn entscheiden; *8. out of ~* in Ungnade, *(no longer widely popular)* nicht mehr beliebt; *9. (partiality)* Begünstigung *f,* Bevorzugung *f*

favourite ['feɪvərɪt] *adj 1.* Lieblings... *sb 2.* Liebling *m; 3. (pejorative)* Günstling *m*

fax [fæks] *sb 1. (facsimile transmission)* Fax *n,* Telefax *n; v* faxen

fear [fɪə] *v 1.* fürchten, befürchten; *Never ~!* Keine Angst! *sb 2.* Angst *f,* Furcht *f; 3. (of God)* Scheu *f,* Ehrfurcht *f*

fearsome ['fɪəsəm] *adj* Furcht erregend

feast [fiːst] *v 1.* ein Festgelage halten; *2. ~ on sth* an etw gütlich tun, in etw schwelgen; *(fig)* sich an etw weiden; *~ one's eyes on sth* seine Augen an etw weiden; *sb 3. REL* Fest *n; 4.* Festmahl *n,* Festessen *n*

feather ['feðə] *sb 1.* Feder *f; as light as a ~* federleicht; *v 2. ~ one's nest* seine Schäfchen ins Trockene bringen

featherweight ['feðəweɪt] *sb SPORT* Federgewicht *n,* Federgewichtler *m*

feature ['fiːtʃə] *v 1.* bringen, zeigen; *sb 2. (characteristic)* Merkmal *n,* Kennzeichen *n,* Eigenschaft *f; 3. (facial)* Gesichtszug *m; 4. (story)* Feature *n, (radio, TV)* Dokumentarbericht *m; 5. CINE* Spielfilm *m; 6. (main attraction)* Hauptattraktion *f*

feature-length ['fiːtʃəleŋθ] *adj CINE* mit Spielfilmlänge

fed [fed] *sb the ~s (fam) (US)* das FBI *n*

federation [fedə'reɪʃən] *sb* Föderation *f,* Bund *m*

fee [fiː] *sb 1.* Gebühr *f; 2. (lawyer's ~, consultant's ~)* Honorar *n; 3. (membership ~)* Beitrag *m*

feed [fiːd] *v irr 1.* füttern; *2. (provide food for)* verpflegen; *3. (a family)* ernähren; *4. (a machine)* speisen, versorgen; *5. (insert)* eingeben; *6. to be fed up* die Nase voll haben; *7. (eat) (animal)* fressen; *(fam: person)* futtern; *sb 8. (food for animals)* Futter *n*

feel [fiːl] *v irr 1. (perceive o.s. to be)* sich fühlen; *2. ~ like doing sth* Lust haben, etw zu tun; *3. (think)* meinen; *4. (by touching)* fühlen; *5. (to the touch)* sich anfühlen; *6. (physically sense)* fühlen, spüren; *7. (to be affected by)* leiden unter, empfinden; *sb 8. (the way sth ~s when touched)* Gefühl *n; 9. (intuitive ~)* Gefühl *n,* feiner Instinkt *m*

•feel for *v irr 1. ~ sth (grope for sth)* nach etw tasten; *2. (sympathize with)* mitfühlen mit, Mitgefühl haben mit

feeling ['fiːlɪŋ] *sb 1.* Gefühl *n; 2. (opinion)* Meinung *f,* Ansicht *f; 3. (impression)* Gefühl *n,* Eindruck *m*

feline ['fiːlaɪn] *adj 1.* Katzen...; *sb 2. ZOOL* Katze *f*

fell [fel] *v 1. (a tree)* fällen; *2. (an opponent)* niederstrecken; *adj 3. at one ~ swoop* plötzlich, auf einmal

fellow ['feləʊ] *sb 1.* Kerl *m,* Bursche *m,* Typ *m; 2. (comrade)* Kamerad *m; 3. (at university)* Fellow *m; adj 4.* Mit...; *~ man* Mitmensch *m*

felt [felt] *sb* Filz *m*

female ['fiːmeɪl] *adj 1.* weiblich; *sb 2. (fam: woman)* Weib *n,* Weibsbild *n; 3. (animal)* Weibchen *n*

feminine ['femɪnɪn] *adj* feminin, weiblich

feminist ['femɪnɪst] *sb* Feministin *f*

fence [fens] *sb 1.* Zaun *m; sit on the ~ (fig)* zwischen zwei Stühlen sitzen; *2. (reseller of stolen goods)* Hehler *m; v 3. (stolen goods)* hehlen; *4. SPORT* fechten

• **fence in** v umzäunen, einzäunen; *fence s.o. in (fig)* jds Freiheit einengen

fender-bender ['fendəbendə] *sb (US) (fam)* Autounfall m

ferocious [fə'rəʊʃəs] *adj 1.* wild, grimmig; *2. (vehement)* heftig

ferry ['ferɪ] *sb 1.* Fähre f; *v 2. (across water)* übersetzen; *3. (fig)* befördern

fertilizer ['fɜːtɪlaɪzə] *sb AGR* Dünger m; *(artificial ~)* Kunstdünger m

fervour ['fɜːvə] *sb (intensity of feeling)* Inbrunst f, Leidenschaft f

festival ['festɪvəl] *sb 1.* Festspiele pl, Festival n; *2. REL* Fest n

fetch [fetʃ] *v 1. (pick up, collect)* abholen; *2. (go get)* holen, herbeiholen, herbringen

fetus ['fiːtəs] *sb* Fötus m

feud [fjuːd] *v 1.* sich befehden; *sb 2.* Fehde f

fever ['fiːvə] *sb* Fieber n; *reach ~ pitch* den Siedepunkt erreichen

few [fjuː] *pron 1. a ~* einige, ein paar; *2. quite a ~* ziemlich viele; *adj 3.* wenige; *to be ~* selten sein; *every ~ days* alle paar Tage; *~ and far between* dünn gesät

fiancé/fiancée [fɪ'ãːnseɪ] *sb* Verlobter/ Verlobte m/f

fib [fɪb] *v 1.* schwindeln, flunkern; *sb 2.* kleine Lüge f, Schwindelei f, Flunkerei f

fiction ['fɪkʃən] *sb 1.* Erzählliteratur f, Prosaliteratur f, Belletristik f; *2. (make-believe, invention)* Erfindung f, Dichtung f

fictional ['fɪkʃən] *adj* erdichtet, erfunden

fiddle ['fɪdl] *sb 1. MUS* Fiedel f, Geige f; *play second ~ (fig)* die zweite Geige spielen; *as fit as a ~ (fam)* kerngesund; *2. (UK: swindle)* Schiebung f, Betrug m, Schwindel m; *v 3. ~ with sth (try to improve sth)* an etw herumbasteln; *(in an annoying manner, with no purpose)* an etw herumfummeln

fidget ['fɪdʒɪt] *v* zappeln

field [fiːld] *sb 1.* Feld n; *play the ~ (fam)* sich keine Chance entgehen lassen; *2. (of grass)* Wiese f; *3. SPORT* Platz m, Spielfeld n; *4. (profession, ~ of study)* Gebiet n, Fach n, Bereich m; *5. the ~ (for a salesman)* Außendienst m; *6. ~ of vision* Blickfeld n, Gesichtsfeld n; *v 7. (a ball)* auffangen und zurückwerfen; *8. (a team)* aufs Feld schicken; *9. (fig: questions)* für Fragen zur Verfügung stehen

field day ['fiːlddeɪ] *sb have a ~* seinen großen Tag haben

fiend [fiːnd] *sb 1.* Teufel m; *2. (enthusiast)* Fanatiker m; *3. (dope ~)* Süchtiger m

fierce [fɪəs] *adj 1.* wild, grimmig; *2. (competition)* scharf

fight [faɪt] *v irr 1.* kämpfen; *~ it out* es untereinander ausfechten; *go down ~ing* bis zum bitteren Ende kämpfen; *2. (exchange blows)* sich prügeln, sich schlagen, raufen; *3. (verbally)* sich streiten, sich zanken; *4. (s.o.)* kämpfen gegen, kämpfen mit; *5. (exchange blows with s.o.)* sich schlagen mit, sich prügeln mit; *6. (box against) SPORT* boxen gegen; *7. (oppose)* bekämpfen, ankämpfen gegen; *sb 8.* Kampf m; *9. (fist ~)* Schlägerei f, Prügelei f, Rauferei f; *10. (boxing match) SPORT* Boxkampf m; *11. (argument)* Streit m; *12. (~ing spirit)* Kampfgeist m

fighting ['faɪtɪŋ] *adj a ~ chance* eine faire Chance f

figure ['fɪgə] *v 1. (fam: make sense)* passen; *That ~s.* Das hätte ich mir denken können. *2. (have its place)* eine Rolle spielen; *3. (US: reckon)* glauben, schätzen; *4. ~ on sth (US)* mit etw rechnen; *sb 5. (human form)* Gestalt f, *(shapeliness)* Figur f; *cut a fine ~* gut aussehen, elegant aussehen; *6. (character)* Persönlichkeit f; *a public ~* eine Persönlichkeit des öffentlichen Lebens; *7. ~ of speech* Redewendung f; *8. (number)* Zahl f; *(digit)* Ziffer f; *(sum)* Summe f; *9. (geometric)* Figur f

file [faɪl] *v 1. (put in files)* ablegen, abheften, einordnen; *2. (a petition, a claim)* einreichen, erheben; *sb 3. (row)* Reihe f; *in single ~* im Gänsemarsch; *4.* Akte f; *on ~* bei den Akten; *5. (holder)* Aktenordner m, Aktenhefter m, Sammelmappe f; *6. INFORM* Datei f, Datenblock mit Adresse m

• **file in** v hereinmarschieren, nacheinander hereinkommen

filet ['fɪlɪt] *sb GAST* Filet n

filing cabinet ['faɪlɪŋkæbɪnet] *sb* Aktenschrank m

fill [fɪl] *v 1.* füllen; *2. (a job opening)* besetzen, *(take a job opening)* einnehmen; *3. (a tooth)* füllen, plombieren; *4. (a pipe)* stopfen; *5. (permeate)* erfüllen; *sb 6. eat one's ~* sich satt essen; *have had one's ~ of sth (fig)* von etw die Nase voll haben

• **fill in** v 1. *~ for s.o.* für jdn einspringen; *2. (a form)* ausfüllen, *(information)* eintragen; *3. fill s.o. in on sth* jdn ins Bild setzen; *4. (a hole)* auffüllen

• **fill out** v 1. *(in shape)* fülliger werden; *(face)* voller werden; *2. (a form)* ausfüllen

filling ['fɪlɪŋ] *sb 1. (for a tooth)* Plombe f, Füllung f; *2. GAST* Füllung f; *adj 3.* sättigend

film [fɪlm] v 1. filmen, drehen; *(adapt for the screen)* verfilmen; sb 2. Film m; 3. *(thin layer)* Film m, Schicht f; *(on the eye)* Schleier m; 4. *(membrane)* Membrane f, Häutchen n

film star [fɪlm stɑː] sb Filmstar m

filth [fɪlθ] sb 1. Schmutz m, Dreck m; 2. *(fig)* Schweinerei f; 3. *(disreputable people)* Dreckspack n, Abschaum m

filthy [ˈfɪlθɪ] adj 1. schmutzig, dreckig; ~ rich *(fam)* stinkreich; 2. *(obscene)* unanständig, schweinisch

final [ˈfaɪnl] adj 1. *(last)* letzte(r,s); 2. *(definite)* endgültig; sb 3. SPORT Finale n, Endspiel n

finally [ˈfaɪnəlɪ] adv 1. *(at long last)* endlich; 2. *(lastly)* schließlich, zum Schluss; 3. *(eventually)* schließlich; 4. *(definitely)* endgültig

finance [ˈfaɪnæns] v 1. finanzieren; sb 2. Finanz f, Finanzwesen n; 3. ~s pl Finanzen pl, Vermögenslage f, Finanzlage f

find [faɪnd] v irr 1. finden; 2. *(locate and provide)* besorgen; 3. to be found vorkommen, zu finden sein; 4. ~ o.s. *(in a certain situation)* sich befinden; 5. *(ascertain, notice)* feststellen, herausfinden; 6. *(consider to be)* finden, empfinden; 7. JUR befinden für, erklären für; sb 8. Fund m, Entdeckung f

finder's fee [ˈfaɪndəz fiː] sb Finderlohn m

fine¹ [faɪn] adj 1. fein; 2. *(very good)* fein, prächtig, großartig; 3. *(elegant)* fein, vornehm, elegant; 4. *(OK)* in Ordnung, gut

fine² [faɪn] v 1. mit einer Geldstrafe belegen; sb 2. Geldstrafe f, Bußgeld n

finger [ˈfɪŋgə] sb 1. Finger m; cross one's ~s *(fig)* die Daumen halten; put one's ~ on sth den Kern der Sache treffen; have green ~s *(fig)(UK)* einen grünen Daumen haben; He won't lift a ~. Er macht keinen Finger krumm. v 2. herumfingern an; 3. *(US: accuse)* verpfeifen

fingered [ˈfɪŋgəd] adj ... ~ mit ... Fingern

fingerprints [ˈfɪŋgəprɪnts] pl Fingerabdrücke pl

finish [ˈfɪnɪʃ] v 1. *(come to an end)* enden, zu Ende gehen; 2. SPORT das Ziel erreichen; ~ fourth Vierter werden, den vierten Platz belegen; 3. *(sth)* beenden, abschließen; 4. *(complete)* vollenden, beendigen, fertig stellen; ~ *(reading)* a book ein Buch zu Ende lesen; 5. *(give ~ to)* den letzten Schliff geben; *(furniture)* polieren; sb 6. *(end)* Ende n, Schluss m; 7. SPORT Finish n; *(line)* Ziel n; 8. *(of an object)* Ausführung f; *(polish)* Politur f; *(paintwork)* Lack m

finished [ˈfɪnɪʃt] adj 1. *(done)* fertig; 2. *(exhausted, ruined)* erledigt; 3. *(woodwork, metal)* fertig bearbeitet; *(polished)* poliert; *(varnished)* lackiert

fire [faɪə] v 1. *(fam: dismiss)* feuern (fam); 2. *(a gun)* abschießen; *(a shot)* abfeuern; *(a rocket)* zünden; 3. Fire away! Schieß los! 4. *(pottery)* brennen; sb 5. Feuer n; build a ~ Feuer machen; play with ~ *(fig)* mit dem Feuer spielen; 6. *(house ~, forest ~)* Brand m; catch ~ in Brand geraten; set on ~ anzünden; 7. line of ~ Schusslinie f

fire alarm [ˈfaɪərəlɑːm] sb 1. Feueralarm m; 2. *(device)* Feuermelder m

firearm [ˈfaɪərɑːm] sb Schusswaffe f, Feuerwaffe f

fire brigade [ˈfaɪəbrɪgeɪd] sb Feuerwehr f

fire-fighter [ˈfaɪəfaɪtə] sb *(fireman)* Feuerwehrmann m

fireman [ˈfaɪəmən] sb Feuerwehrmann m

fireproof [ˈfaɪəpruːf] adj feuerfest, feuersicher

fireworks [ˈfaɪəwɜːks] pl Feuerwerk n

firm [fɜːm] adj 1. fest; sb 2. Firma f, Unternehmen n, Betrieb m

first [fɜːst] adj 1. erste(r,s); adv 2. zuerst, *(before anyone else)* als Erster; head ~ Kopf voraus; 3. *(~ of all)* als Erstes, zunächst; 4. *(in reciting a list)* erstens; 5. at ~ zuerst, anfangs, zunächst; 6. *(rather)* lieber, eher

first aid [fɜːstˈeɪd] sb erste Hilfe f

first-class [ˈfɜːstklɑːs] adj erstklassig, ausgezeichnet, prima

first floor [fɜːst flɔː] sb 1. *(UK)* erster Stock m; 2. *(US)* Erdgeschoss n

firsthand [fɜːstˈhænd] adj aus erster Hand, direkt

firstly [ˈfɜːstlɪ] adv erstens, zuerst einmal

first-rate [ˈfɜːstreɪt] adj erstklassig, prima

fiscal [ˈfɪskəl] adj fiskalisch, Finanz...

fish [fɪʃ] sb 1. Fisch m; feel like a ~ out of water sich fehl am Platze fühlen; have other ~ to fry Wichtigeres zu tun haben; a queer ~ ein komischer Kauz m; v 2. fischen; *(with a rod)* angeln; *(~ a river)* abfischen; ~ for sth nach etw angeln; 3. ~ out hervorholen, hervorkramen; 4. ~ for angeln auf; *(fig: ~ for compliments)* fischen nach; *(fig: ~ for information)* aus sein auf

fisherman [ˈfɪʃəmən] sb 1. Fischer m; 2. *(amateur)* Angler m

fish-finger [ˈfɪʃfɪŋgə] sb GAST Fischstäbchen n

fishing [ˈfɪʃɪŋ] sb Fischen n, Angeln n

fishy ['fɪʃɪ] *adj (suspicious)* verdächtig, faul
fist [fɪst] *sb* Faust *f*
fit [fɪt] *v irr* 1. passen; 2. *(match)* entsprechen; 3. *(sth)* passen auf; *(key)* passen in; *(clothes)* passen; *v* 4. *(attach)* anbringen, montieren; 5. ~ *with (provide with)* ausstatten mit; *adj* 6. *(healthy)* gesund, fit; *keep* ~ sich fit halten; 7. *(for sth; capable of sth)* fähig, tauglich; 8. *(suited for)* geeignet; *sb* 9. *(of clothes)* Passform *f*; 10. MED Anfall *m*; *have a* ~ *(fam)* einen Wutanfall bekommen; ~ *of laughter* Lachkrampf *m*
fitness ['fɪtnɪs] *sb* 1. *(for a job)* Eignung *f*; 2. *(physical* ~*)* Fitness *f*
fitting ['fɪtɪŋ] *adj* 1. passend, geeignet, angemessen; *sb* 2. *(trying on)* Anprobe *f*; 3. ~*s pl* Beschläge *pl*, Zubehör *n*
fitting room ['fɪtɪŋ ruːm] *sb (in a shop)* Anproberaum *m*, Umkleideraum *m*
fix [fɪks] *v* 1. *(make firm)* befestigen, festmachen, anheften; 2. *(set, decide)* festsetzen, festlegen, bestimmen; 3. *(attention, gaze)* richten, heften; 4. *(arrange)* arrangieren; 5. *(a sporting event)* manipulieren; 6. *(repair)* reparieren, in Ordnung bringen; 7. *(prepare) (a drink)* mixen; *(a meal)* zubereiten; 8. FOTO fixieren; *sb* 9. *(difficult situation)* Klemme *f*, Patsche *f*; *to be in a* ~ in der Klemme sitzen, in der Patsche sitzen; 10. *(~ed fight, ~ed race)* Schiebung *f*, Bestechung *f*
fixation [fɪk'seɪʃən] *sb* PSYCH Fixierung *f*
fixed [fɪkst] *adj* 1. fest; 2. *(smile, gaze)* starr
fixed assets [fɪkst 'æsets] *pl* FIN feste Anlagen *pl*
fixed costs [fɪkst kɒsts] *pl* ECO Festkosten *pl*
fizz [fɪz] *v* sprudeln
flabbergasted ['flæbəgɑːstɪd] *adj (fam)* platt, verblüfft
flabby ['flæbɪ] *adj (stomach)* schwammig, wabbelig
flag [flæg] *sb* 1. Fahne *f*; 2. *(of a country)* Flagge *f*; *v* 3. *(slacken)* erlahmen, nachlassen
flagpole ['flægpəʊl] *sb* Fahnenstange *f*
flair [fleə] *sb* 1. *(stylishness)* Flair *n*; 2. *(talent)* Talent *n*; 3. *(sense for sth)* Gespür *n*
flake [fleɪk] *sb* 1. Flocke *f*; 2. *(of paint)* Splitter *m*; 3. *(of skin)* Schuppe *f*
flamboyant [flæm'bɔɪənt] *adj (person)* extravagant
flame [fleɪm] *sb* Flamme *f*; *to be in* ~*s in* Flammen stehen
flammable ['flæməbl] *adj* feuergefährlich, leicht entzündlich

flank [flæŋk] *v* 1. flankieren; *sb* 2. Flanke *f*; *(of a building)* Seite *f*
flap [flæp] *v* 1. *(wings)* schlagen, *(sails)* flattern; *sb* 2. Klappe *f*; 3. *(fam: commotion)* Aufregung *f*
flare [fleə] *sb* 1. *(signal)* Leuchtsignal *n*; 2. *(shot from a gun)* Leuchtrakete *f*; *v* 3. *(nostrils)* sich blähen; 4. *(match)* aufleuchten
flash [flæʃ] *v* 1. blinken, blitzen; 2. *(move quickly)* sich blitzartig bewegen, sausen, flitzen; 3. *(a light)* aufleuchten lassen; *(a message)* blinken; ~ *s.o. a glance* jdm einen Blick zuwerfen; 4. *(quickly show)* kurz zeigen; 5. *(show off)* zur Schau tragen, protzen mit; *sb* 6. Aufblitzen *n*, Aufleuchten *n*; *(of lightning)* Blitz *m*; 7. *in a* ~ *(fig)* blitzschnell, im Nu; 8. ~ *in the pan* Eintagsfliege *f*, Strohfeuer *m*; 9. *(of headlights)* Lichthupe *f*; 10. FOTO Blitzlicht *n*; 11. *news* ~ Kurzmeldung *f*
• **flash back** *v* 1. ~ *to* CINE zurückblenden auf; 2. *(fig)* sich zurückversetzen in
flashback ['flæʃbæk] *sb* Rückblende *f*
flashlight ['flæʃlaɪt] *sb (US)* Taschenlampe *f*
flashy ['flæʃɪ] *adj* protzig
flat [flæt] *adj* 1. flach, eben, platt; 2. *(drink)* schal, abgestanden; 3. *(~ on the ground)* hingestreckt, flach am Boden liegend; *knock s.o.* ~ jdn umhauen; 4. *(refusal)* glatt, deutlich; 5. *(market)* ECO lau, lahm, lustlos; 6. *(rate)* Pauschal...; ~ *fee* Pauschalgebühr *f*; *adv* 7. platt; ~ *broke* total pleite; *in five seconds* ~ in genau fünf Sekunden; *in nothing* ~ blitzschnell; 8. *fall* ~ der Länge nach hinfallen; *(fig: fail)* danebengehen; *sb* 9. *(of a hand)* Fläche *f*; 10. *(of a blade)* flache Seite *f*; 11. *(dwelling)(UK)* Wohnung *f*; 12. GEOL Ebene *f*; 13. *(~ tyre)* Panne *f*
flatmate ['flætmeɪt] *sb* Mitbewohner *m*
flatter ['flætə] *v* schmeicheln; *to be* ~*ed* sich geschmeichelt fühlen
flattering ['flætərɪŋ] *adj* schmeichelhaft
flattery ['flætərɪ] *sb* Schmeichelei *f*
flavour ['fleɪvə] *sb* 1. Geschmack *m*; *(fig)* Beigeschmack *m*; *v* 2. Geschmack geben
flaw [flɔː] *sb* 1. Fehler *m*; 2. *(fig)* Mangel *m*
flawless ['flɔːlɪs] *adj* 1. fehlerlos, einwandfrei, tadellos; 2. *(complexion)* makellos; 3. *(gem)* lupenrein
flay [fleɪ] *v* 1. *(skin an animal)* abhäuten; 2. *(whip)* auspeitschen; 3. *(fig: with criticism)* kein gutes Haar lassen an
flea [fliː] *sb* Floh *m*
flea-bitten ['fliːbɪtn] *adj (fig)* vergammelt

fleece [fliːs] *sb 1.* Vlies *n,* Schaffell *n; v 2. (fig)* ~ *s.o.* jdn schröpfen

fleeting ['fliːtɪŋ] *adj 1.* flüchtig; *2. (beauty)* vergänglich

flesh [fleʃ] *sb* Fleisch *n; in the* ~ höchstpersönlich, leibhaftig, in Person

flex [fleks] *v 1. (knees)* beugen; *2.* ~ *one's muscles* die Muskeln anspannen, seine Muskeln spielen lassen

flexible ['fleksəbl] *adj 1.* biegsam, elastisch; *2. (fig)* flexibel

flicker ['flɪkə] *v 1.* flackern, flimmern; *(eyelid)* zucken; *2.* Flackern *n,* Flimmern *n, (of an eyelid)* Zucken *n; 3. a* ~ *of hope* ein Hoffnungsschimmer *m*

flight [flaɪt] *sb 1.* Flug *m; 2. (of birds, of insects)* ZOOL Schwarm *m; 3. (act of fleeing)* Flucht *f; take* ~ die Flucht ergreifen; *4. (of stairs)* Treppe *f*

flight attendant ['flaɪtətendənt] *sb (female)* Stewardess *f; (male)* Steward *m*

flimsy ['flɪmzɪ] *adj 1.* dünn, leicht, schwach; *2. (fig: excuse)* fadenscheinig, schwach

fling [flɪŋ] *v irr 1.* schleudern, werfen; ~ *open a door* eine Tür aufreißen; ~ *o.s. at s.o. (fig)* sich jdm an den Hals werfen; *sb 2.* Wurf *m; have one's* ~ sich austoben; *3.* Anlauf *m*

flint [flɪnt] *sb* Feuerstein *m,* Flint *m*

flip [flɪp] *v 1. (~ over)* wenden, umdrehen; *2. (fam: lose one's mind) (~ out)* ausflippen, durchdrehen; *sb 3. (somersault)* Salto *m*

flip-flop ['flɪpflɒp] *sb do a* ~ *on sth (US)* seine Meinung um 180 Grad ändern

flipper ['flɪpə] *sb 1.* ZOOL Flosse *f; 2. (diver's)* Schwimmflosse *f*

flirt [flɜːt] *v 1.* flirten; ~ *with an idea* mit einem Gedanken liebäugeln; ~ *with disaster* mit dem Feuer spielen; *sb 2.* Flirt *m*

float [fləʊt] *v 1.* schwimmen, im Wasser treiben; *2. (in the air)* schweben; *sb 3. (in a parade)* Festwagen *m; 4. (anchored raft)* Floß *n; 5. (on a fishing line)* Schwimmer *m*

flock [flɒk] *v 1.* in Scharen kommen; ~ *around s.o.* sich um jdn scharen, sich um jdn drängen; *sb 2. (of sheep, of geese)* Herde *f; 3. (of birds)* Schar *f*

flood [flʌd] *v 1.* überschwemmen, überfluten; ~ *the market (fig)* den Markt überschwemmen; *sb 2.* Flut *f; 3. (disaster)* Überschwemmung *f*

floor [flɔː] *sb 1.* Boden *m,* Fußboden *m; 2. dance* ~ Tanzfläche *f; 3. (storey)* Stock *m,* Stockwerk *n,* Geschoss *n; on the second* ~ *(UK)* im zweiten Stock, *(US)* im ersten Stock; *4. (minimum)* Minimum *n*

floored [flɔːd] *adj (speechless)* sprachlos

floor space ['flɔːspeɪs] *sb* Bodenfläche *f*

flop [flɒp] *v 1. (into a chair)* sich plumpsen lassen; *2. (fish)* zappeln; *3. (fam: fail)* danebengehen; *sb 4. (failure)* Flop *m (fam); 5. (person)* Niete *f*

floppy disk ['flɒpɪ'dɪsk] *sb* INFORM Diskette *f*

florist ['flɒrɪst] *sb* Blumenhändler *m,* Florist(in) *m/f*

flotsam ['flɒtsəm] *sb* ~ *and jetsam* Strandgut *n; (floating)* Treibgut *n*

flounce [flaʊns] *v* herumstolzieren

flounder ['flaʊndə] *sb 1.* ZOOL Flunder *f; v 2. (fig)* ins Schwimmen kommen

flour ['flaʊə] *sb* Mehl *n*

flout [flaʊt] *v* missachten

flow [fləʊ] *v 1.* fließen; *2. (tears)* strömen; *3.* ~ *into* münden; *4.* ~ *out of* herausströmen aus; *5. (prose)* fließen sein; *sb 6.* Fluss *m*

flower ['flaʊə] *sb 1.* Blume *f; 2. (blossom)* Blüte *f; v 3.* blühen

flower-bed ['flaʊəbed] *sb* Blumenbeet *n*

flowing ['fləʊɪŋ] *adj 1.* fließend; *2. (hair)* wallend; *3. (style)* flüssig

flu [fluː] *sb (fam)* Grippe *f*

fluctuate ['flʌktjʊeɪt] *v* schwanken

fluency ['fluːənsɪ] *sb (of style)* Flüssigkeit *f; No one knew about her* ~ *in French.* Keiner wusste, dass Sie fließend Französisch sprach.

fluent ['fluːənt] *adj* fließend

fluffy ['flʌfɪ] *adj 1.* flaumig; *2. (toy)* kuschelig

fluid ['fluːɪd] *adj 1.* flüssig; *2. (drawing)* fließend; *sb 3.* Flüssigkeit *f*

flunk [flʌŋk] *v (fam: receive a failing grade)* durchrasseln

fluorescent [fluə'resnt] *adj* fluoreszierend, schillernd

fluorine ['fluəriːn] *sb* CHEM Fluor *n*

flurry ['flʌrɪ] *sb 1. (of snow)* Gestöber *n; 2. (of activity)* Hektik *f*

flush [flʌʃ] *v 1. (face)* rot werden, rot anlaufen; *2. (toilet)* spülen; ~ *down* hinunterspülen; *sb 3. (of a toilet)* Spülung *f; 4. (of excitement)* Welle *f; 5. (poker)* Flush *m; adj 6.* bündig; ~ *against* direkt an

flustered ['flʌstəd] *adj* durcheinander

fly [flaɪ] *v irr 1.* fliegen; *2. (flag)* wehen; *3. (move quickly)* sausen, fliegen; *4. (fig: time)* verfliegen, fliegen; *5.* ~ *into a rage* in Wut geraten; *6. (a flag)* wehen lassen, *(hoist)* hissen;

sb 7. ZOOL Fliege *f; I would like to be a ~ on the wall.* Da würde ich gern Mäuschen spielen. 8. *(on trousers)* Schlitz *m*, Hosenschlitz *m*
• **fly away** *v irr* wegfliegen, fortfliegen
• **fly in** *v irr* einfliegen
flying saucer ['flaɪɪŋ 'sɔːsə] *sb* fliegende Untertasse *f*
flying squad ['flaɪɪŋ skwɒd] *sb (UK)* Überfallkommando *n*
flyweight ['flaɪweɪt] *sb* SPORT Fliegengewicht *n*, Fliegengewichtler *m*
foam [fəʊm] *v* 1. schäumen; *~ at the mouth (fig)* schäumen vor Wut; *sb* 2. Schaum *m*
focus ['fəʊkəs] *v* 1. *~ on* sich konzentrieren auf, sich richten auf; 2. *(sth) (camera)* einstellen; *(light rays)* bündeln; *sb* 3. FOTO Brennpunkt *m*; 4. *(fig)* Brennpunkt *m*, Mittelpunkt *m*; 5. *in ~* FOTO *(camera)* eingestellt, *(photo)* scharf
fog [fɒg] *sb* 1. Nebel *m; v* 2. *~ up, ~ over* beschlagen
foggy ['fɒgɪ] *adj* 1. neblig; 2. *(fig)* unklar
fog light [fɒg laɪt] *sb* Nebelscheinwerfer *m*
foil [fɔɪl] *v* 1. vereiteln, durchkreuzen; *~ s.o.* jdm einen Strich durch die Rechnung machen; *sb* 2. Folie *f*
fold¹ [fəʊld] *v* 1. falten, zusammenfalten; 2. *(close down)* eingehen; 3. *(one's arms)* verschränken; *sb* 4. Falte *f*
folder ['fəʊldə] *sb* 1. Aktendeckel *m*, Mappe *f*, Schnellhefter *m*; 2. *(brochure)* Faltblatt *n*, Broschüre *f*
folk [fəʊk] *pl* Leute *pl; ~s* Leute *pl; my ~s* meine Eltern
follow ['fɒləʊ] *v* 1. folgen; *as ~s* folgendermaßen, wie folgt; 2. *(logically)* folgen, sich ergeben; *It ~s from this ...* Hieraus folgt ... *It doesn't ~!* Das ist nicht unbedingt so! 3. *(advice)* befolgen, folgen; 4. *(pursue)* folgen, verfolgen; 5. *(take an interest in) (news, a TV show, the progress of sth)* verfolgen; *(sports)* sich interessieren für; 6. *(understand)* folgen
follow-through ['fɒləʊθruː] *sb (in tennis)* SPORT Durchschwung *m*
follow-up ['fɒləʊʌp] *sb* 1. Weiterfolgen *n*, Weiterführen *n*; 2. *a ~ letter* ein Nachfassschreiben *n*
fond [fɒnd] *adj* 1. *(loving)* zärtlich, liebevoll; 2. *(wish)* sehnlich; 3. *to be ~ of* mögen, gern haben
food [fuːd] *sb* Essen *n*, Nahrung *f, (for animals)* Futter *n*
food court ['fuːdkɔːt] *sb* Atrium mit Restaurants in einem Einkaufszentrum *n*

fool [fuːl] *sb* 1. Narr *m*/Närrin *f*, Dummkopf *m*, Idiot *m*/Idiotin *f; make a ~ of s.o.* jdn blamieren, jdn zum Narren machen; *make a ~ of o.s.* sich blamieren, sich lächerlich machen; *She's nobody's ~.* Sie lässt sich nichts vormachen; *v* 2. *(trick)* hereinlegen, täuschen; 3. *~ around, ~ about* herumalbern; *(waste time)* herumtrödeln
foolish ['fuːlɪʃ] *adj* dumm, töricht
foolscap ['fuːlskæp] *sb* Papierformat 13 1/2 x 17 Zoll
foot [fʊt] *sb* 1. Fuß *m; on ~* zu Fuß; *My ~!* Quatsch! *set ~ in* eintreten in; *jump to one's feet* aufspringen; *have one's feet on the ground (fig)* mit beiden Beinen auf dem Boden stehen; *land on one's feet (fig)* auf die Beine fallen; *to be back on one's feet (fig)* wieder auf den Beinen sein; *get cold feet* kalte Füße bekommen; *put one's ~ down (fig)* ein Machtwort sprechen, *(forbid)* es strikt verbieten; *put one's ~ in it (fig)* ins Fettnäpfchen treten; *v* 2. *(~ the bill)* bezahlen, begleichen
football ['fʊtbɔːl] *sb* 1. *(game)* Fußball *m*; 2. *(US)* American Football *m*; 3. *(ball)* Fußball *m*; 4. *(US: ball)* Football *m*
footing ['fʊtɪŋ] *sb* 1. Stand *m*, Halt *m; lose one's ~* den Halt verlieren; 2. *(fig)* Basis *f; on equal ~* auf gleicher Basis
footnote ['fʊtnəʊt] *sb* 1. Fußnote *f*; 2. *(fig)* Anmerkung *f*
footpath ['fʊtpɑːθ] *sb* 1. Fußweg *m*; 2. *(UK: pavement)* Bürgersteig *m*
for [fɔː] *prep* 1. für; *What ~?* Wozu? *What did you do that ~?* Warum hast du das getan? *~ and against* für und wider; *go ~ a walk* spazieren gehen; 2. *(in a trade ~)* gegen, für; 3. *(a purpose)* für, zu, um; 4. *(a period of time)* seit, *(during)* während, *(future)* für; *~ a week* eine Woche; *~ weeks* wochenlang; 5. *~ ever* für immer, für alle Zeit; 6. *(toward)* nach; 7. *(because of)* aus, wegen; *to be famous ~ ...* wegen ... berühmt sein; *~ this reason* aus diesem Grund; 8. *(in spite of)* trotz; *~ all that* trotz alledem; *konj* 9. denn
forbid [fəˈbɪd] *v irr* 1. verbieten, untersagen; 2. *(make impossible)* unmöglich machen, ausschließen; *God ~!* Gott behüte!
force [fɔːs] *v* 1. zwingen; *~ s.o.'s hand* jdn zwingen; *~ a smile* gezwungen lächeln; 2. *(obtain by ~)* erzwingen; 3. *(~ open)* aufbrechen; 4. *~ sth on s.o.* jdm etw aufdrängen; *(conditions)* jdm etw auferlegen; *sb* 5. Kraft *f*, Macht *f; ~ of habit* Macht der Gewohnheit *f*; 6. *armed ~s pl* MIL Streitkräfte *pl; join ~s* sich

zusammentun; 7. *(of impact)* Wucht *f*; 8. *in ~ (applicable)* in Kraft, geltend; 9. *in ~ (in numbers)* in großer Menge, in großer Zahl; 10. *(of character)* Stärke *f*; 11. *(coercion)* Gewalt *f*; *by ~* gewaltsam, durch Gewalt

force-fed ['fɔːsfed] *adj* zwangsernährt

forceful ['fɔːsfʊl] *adj* 1. *(person)* energisch, kraftvoll; 2. *(argument)* wirkungsvoll

fore [fɔː] *sb* 1. *come to the ~* ins Blickfeld geraten, in den Vordergrund treten; *adj* 2. vordere(r,s)

forearm ['fɔːrɑːm] *sb* Unterarm *m*

foreboding [fɔː'bəʊdɪŋ] *sb* 1. *(omen)* Omen *n*; 2. *(feeling)* böse Ahnung *f*

forecast ['fɔːkɑːst] *v* 1. vorhersagen, voraussagen; *sb* 2. Voraussage *f*, Vorhersage *f*, Prognose *f*

forehead ['fɔːhed] *sb* ANAT Stirn *f*

foreign ['fɒrən] *adj* 1. ausländisch; 2. *(strange)* fremd

foreign affairs ['fɒrən ə'feəz] *pl* POL Außenpolitik *f*

foreign country ['fɒrən 'kʌntrɪ] *sb* Ausland *n*

foreign currency ['fɒrən 'kʌrənsɪ] *sb* FIN Devisen *pl*

foreigner ['fɒrənə] *sb* Ausländer *m*

foremost ['fɔːməʊst] *adj* erste(r,s), vorderste(r,s); *(person)* führend; *first and ~* zuallererst

forerunner ['fɔːrʌnə] *sb* Vorläufer *m*

foresight ['fɔːsaɪt] *sb* Weitblick *m*

forest ['fɒrɪst] *sb* Wald *m*, Forst *m*

forestry ['fɒrɪstrɪ] *sb* Forstwesen *n*, Forstwirtschaft *f*

forethought ['fɔːθɔːt] *sb* Voraussicht *f*, Vorbedacht *m*

forever [fər'evə] *adv* 1. *(constantly)* immer, ständig; 2. *(US: for ever)* für immer, für alle Zeit

forewarn [fɔː'wɔːn] *v* vorher warnen

foreword ['fɔːwəd] *sb* Vorwort *n*

forfeit ['fɔːfɪt] *v* JUR verwirken

forge [fɔːdʒ] *v* 1. *(metal, a bond, a friendship)* schmieden; 2. *~ ahead* vorwärts kommen; 3. *(counterfeit)* fälschen; *sb* 4. *(workshop)* Schmiede *f*; 5. *(furnace)* Esse *f*

forget [fə'get] *v irr* 1. vergessen; *~ about* vergessen; 2. *~ o.s. (behave improperly)* sich vergessen, aus der Rolle fallen; 3. *Forget it!* Vergiss es! Schon gut! *(there's no chance of that)* Das kannst du vergessen.

forgetful [fə'getfʊl] *adj* 1. vergesslich; 2. *(negligent)* achtlos

forgive [fə'gɪv] *v irr* 1. verzeihen, vergeben; 2. *(a debt)* erlassen

forgotten [fɔː'gɒtn] *adj* vergessen

fork [fɔːk] *sb* 1. Gabel *f*; 2. *(in a road)* Gabelung *f*; *v* 3. sich gabeln

• **fork over** *v (fam: money)* blechen

fork-lift ['fɔːklɪft] *sb* Gabelstapler *m*

form [fɔːm] *v* 1. *(come into being)* sich bilden; *(idea)* Gestalt annehmen; 2. *(take the shape of)* bilden; 3. *(shape)* formen, gestalten; 4. *(a plan)* ausdenken, entwerfen, fassen; 5. *(develop)* entwickeln; *(an opinion)* sich bilden; *(an impression)* gewinnen; 6. *(found, set up)* gründen; *(a government)* bilden; 7. *(a friendship)* knüpfen, schließen; 8. *(constitute)* bilden; *sb* 9. Form *f*; *a ~ of punishment* eine Art der Bestrafung; *it's bad ~* es schickt sich nicht; *take ~* Form nehmen; 10. *(document)* Formular *n*, Vordruck *m*; 11. *(class) (UK)* Klasse *f*

formal ['fɔːməl] *adj* formell, förmlich

format ['fɔːmæt] *v* 1. INFORM formatieren; *sb* 2. *(of a programme)* Struktur *f*

former ['fɔːmə] *adj* 1. *(onetime, previous)* früher, ehemalig, vorig; 2. *(first-mentioned)* erstere(r,s), erstgenannte(r,s)

formerly ['fɔːməlɪ] *adv* früher; *~ known as ...* früher als ... bekannt

formidable ['fɔːmɪdəbl] *adj* 1. *(considerable)* beachtlich, ernst zu nehmend; 2. *(obstacle, task)* gewaltig, ungeheuer, enorm; 3. *(fearsome)* Furcht erregend, schrecklich

formula ['fɔːmjʊlə] *sb* Formel *f*

forsake [fə'seɪk] *v irr* 1. *(give up)* aufgeben; 2. *(abandon)* im Stich lassen

fort [fɔːt] *sb* Fort *n*

forth [fɔːθ] *adv* 1. *(out into view)* hervor, vor, her; *back and ~* hin und her; 2. *(toward outside)* hinaus; 3. *(forward)* voran, vorwärts; 4. *(further)* weiter; *from this day ~* von diesem Tag an; *and so ~* und so weiter; 5. *hold ~* lang reden

forthwith ['fɔːθwɪθ] *adv* sofort, unverzüglich

fortify ['fɔːtɪfaɪ] *v* 1. MIL befestigen; 2. *(a person)* bestärken; 3. *(food)* anreichern

fortnight ['fɔːtnaɪt] *sb* vierzehn Tage *pl*

fortress ['fɔːtrɪs] *sb* Festung *f*

fortunate ['fɔːtʃənɪt] *adj* glücklich

fortune ['fɔːtʃən] *sb* 1. *(luck)* Glück *n*, glücklicher Zufall *m*; *by sheer good ~* rein zufällig; 2. *(fate)* Schicksal *n*, Geschick *n*; *tell ~s* wahrsagen; 3. *(money)* Vermögen *n*; *make a ~* ein Vermögen verdienen

fortune-teller ['fɔ:tʃəntelə] *sb* Wahrsagerin *f; (man)* Wahrsager *m*

forward ['fɔ:wəd] *adv 1.* vorwärts, *(to the front, to a particular point)* nach vorn; *come ~* sich melden; *from this day ~* von jetzt an; *look ~ to sth* sich auf etw freuen; *adj 2. (in front)* vordere(r,s); *3. (behaviour)* dreist; *v 4. (send on)* nachsenden; *5. (dispatch)* befördern; *sb 6.* SPORT Stürmer *m, (in basketball)* Flügelspieler *m*

forwarding ['fɔ:wədɪŋ] *sb* Versand *m*

forwarding address ['fɔ:wədɪŋ ə'dres] *sb* Nachsendeadresse *f*

foster ['fɒstə] *v 1.* fördern; *2. (a hope)* hegen

fosterage ['fɒstərɪdʒ] *sb 1. (child)* Pflegekindschaft *f; 2. (parents)* Pflegeelternschaft *f*

foster child ['fɒstətʃɪld] *sb* Pflegekind *n*

foster parents ['fɒstəpærɪnts] *pl* Pflegeeltern *pl*

foul [faʊl] *adj 1. (smell)* übel, schlecht; *2. (air)* schlecht, stinkig; *3. (weather, mood)* ekelhaft, mies; *4. (language)* unflätig, schmutzig; *5. (breath)* übel riechend; *sb 6.* SPORT Foul *n,* Regelverstoß *m; v 7. (make dirty)* verschmutzen; *8.* SPORT foulen

foul play [faʊl pleɪ] *sb (in a murder)* unnatürlicher Tod *m*

found [faʊnd] *v 1.* gründen; *2. to be ~ed on* beruhen auf, sich stützen auf; *3. (an object)* TECH gießen

foundation [faʊn'deɪʃən] *sb 1. (founding)* Gründung *f,* Errichtung *f; 2. (institution)* Stiftung *f; 3. (of a building)* ARCH Fundament *n,* Grundmauer *f; 4. (fig: basis)* Grundlage *f,* Basis *f*

fountain ['faʊntɪn] *sb 1.* Brunnen *m; 2. (fig: source)* Quelle *f; 3. (jet, spurt)* Fontäne *f*

four-eyes ['fɔ:raɪz] *sb (fam)* Brillenschlange *f (fam)*

four-letter word ['fɔ:letə'wɜ:d] *sb* Vulgärausdruck *m*

fowl [faʊl] *sb* ZOOL Geflügel *n; neither fish nor ~ (fig)* weder Fisch noch Fleisch

fox [fɒks] *sb* ZOOL Fuchs *m; smart as a ~* schlau wie ein Fuchs

foxhole ['fɒkshəʊl] *sb 1.* Fuchsbau *m; 2.* MIL Schützenloch *n*

foxy ['fɒksɪ] *adj 1. (sly)* gerissen; *2. (lady/US)* scharf

fraction ['frækʃən] *sb 1.* MATH Bruch *m; 2. (fig)* Bruchteil *m*

fracture ['fræktʃə] *v 1.* MED brechen; *sb 2.* MED Bruch *m,* Fraktur *f*

fragile ['frædʒaɪl] *adj 1.* zerbrechlich; *"~, handle with care"* „Vorsicht, zerbrechlich"; *2.* TECH brüchig; *3. (fig)* schwach; *(health)* anfällig; *(person)* gebrechlich

fragment ['frægmənt] *sb 1.* Bruchstück *n; 2. (shard)* Scherbe *f; 3. (an unfinished work)* Fragment *n*

fragrance ['freɪgrəns] *sb* Duft *m*

fragrant ['freɪgrənt] *adj* duftend

frail [freɪl] *adj 1.* zart; *2. (old person)* gebrechlich; *3. (health)* anfällig

frame [freɪm] *v 1. ~ sth for sth (fam)* jdm etw anhängen (fam); *2. (a picture)* rahmen; *3. (draw up)* entwerfen; *sb 4.* Rahmen *m; 5. ~ of mind* Stimmung *f,* Verfassung *f; 6.* CINE Einzelbild *n; 7. (person's)* Körperbau *m; 8. (of a comic strip)* Bild *n; 9. ~s (of glasses) pl* Rahmen *m,* Gestell *n*

franchise ['fræntʃaɪz] *sb 1.* ECO Konzession *f; 2.* POL Wahlrecht *n*

frank [fræŋk] *adj 1.* offen, ehrlich; *to be perfectly ~ ...* ehrlich gesagt ...; *sb 2. (fam: sausage)* GAST Würstchen *n*

frankly ['fræŋklɪ] *adv (to be honest)* ehrlich gesagt, offen gestanden

frantic ['fræntɪk] *adj 1. (effort, scream)* verzweifelt; *2. (activity)* rasend; *3. (desire)* übersteigert

fraud [frɔ:d] *sb 1.* Betrug *m; 2. (person)* Schwindler *m*

fraught [frɔ:t] *adj* geladen; *~ with meaning* bedeutungsschwer; *~ with tension* spannungsgeladen

fray [freɪ] *v 1. (sth)* ausfransen, durchscheuern, abnutzen; *Tempers began to ~.* Die Gemüter begannen sich zu erhitzen. *sb 2.* Schlägerei *f; 3.* MIL Kampf *m*

freak [fri:k] *adj 1.* verrückt, irr, anormal; *sb 2. (abnormal person or animal)* Missgeburt *f,* Monstrosität *f; 3. (weird person)* irrer Typ *m,* Spinner *m; 4. (fam: enthusiast of sth)* Narr *m; v 5. ~ out (fam)* ausflippen

freckle ['frekl] *sb* Sommersprosse *f*

free [fri:] *v 1.* befreien; *2. (release)* freilassen; *3. (a knot, a tangle, a snag)* lösen; *adj 4.* frei; *you're ~ to ...* Sie können ruhig ...; *adv 5. (~ of charge)* kostenlos, frei, gratis; *get sth ~* etw umsonst bekommen

freebie ['fri:bi:] *sb* etwas Kostenloses

freedom ['fri:dəm] *sb* Freiheit *f*

free enterprise [fri: 'entəpraɪz] *sb* ECO freies Unternehmertum *n*

free-for-all ['fri:fərɔ:l] *sb 1.* Gerangel *n; 2. (fight)* Massenschlägerei *f*

freelance ['friːlɑːns] *v* 1. freiberuflich tätig sein; 2. *(fam: improvise)* improvisieren; *adj* 3. freiberuflich, freischaffend

freeloader ['friːləʊdə] *sb* Schnorrer *m*

freeway ['friːweɪ] *sb (US)* Autobahn *f*

freeze [friːz] *v irr* 1. *(become frozen)* frieren; *(liquid)* gefrieren; *(lake)* zufrieren; 2. ~ *to death* erfrieren; 3. *(keep still)* in der Bewegung erstarren; *Freeze!* Keine Bewegung! 4. *(assets)* FIN festlegen; 5. *(wages)* stoppen; 6. GAST einfrieren; *sb* 7. Frost *m*, Kälte *f*; 8. *(stoppage, halt)* Stopp *m*

freezer ['friːzə] *sb* 1. *(compartment of a refrigerator)* Gefrierfach *n*, Eisfach *n*, Tiefkühlfach *n*; 2. *(~ chest)* Gefriertruhe *f*

freezing ['friːzɪŋ] *adj* 1. *(weather)* eiskalt; *I'm ~!* Mir ist eiskalt! *sb* 2. *below ~* unter Null

freight [freɪt] *sb* 1. *(goods transported)* Fracht *f*, Frachtgut *n*, Ladung *f*; 2. *(charge)* ECO Fracht *f*, Frachtgebühr *f*

french fries ['frentʃfraɪz] *pl (US)* GAST Pommes frites *pl*

French horn [frentʃ hɔːn] *sb* MUS Horn *n*, Waldhorn *n*

French kiss [frentʃ'kɪs] *sb* Zungenkuss *m*

frenzy ['frenzɪ] *sb* Wahnsinn *m*, Raserei *f*

frequency ['friːkwənsɪ] *sb* 1. Häufigkeit *f*; 2. *(broadcasting ~)* PHYS Frequenz *f*

frequent ['friːkwənt] *adj* häufig

frequent flyer ['friːkwənt 'flaɪə] *sb* häufiger Flugreisende *m/f*

frequently ['friːkwəntlɪ] *adv* oft, häufig

fresh [freʃ] *adj* 1. frisch; *~ water* Süßwasser *n*; 2. *(arrival, ideas, supplies, paper)* neu; *make a ~ start* neu anfangen; 3. *~ from* direkt aus, direkt von, frisch aus; 4. *(cheeky)* frech

freshen ['freʃən] *v* 1. *~ up (o.s.)* sich frisch machen; 2. *~ a drink* nachschenken

fresher ['freʃə] *sb (UK)* Erstsemester *n* (Studienanfänger)

freshman ['freʃmən] *sb* Student im ersten Semester *m*

fret [fret] *v (worry)* sich Sorgen machen

friction ['frɪkʃən] *sb* 1. PHYS Reibung *f*, Friktion *f*; 2. *(fam)* Reibungen *pl*, Reiberei *f*, Spannung *f*

fridge [frɪdʒ] *sb (fam: refrigerator)* Kühlschrank *m*

fried [fraɪd] *adj* gebraten, Brat...

friend [frend] *sb* 1. Freund/Freundin *m/f*; *We're just good ~s.* Wir sind nur gute Freunde. 2. *(acquaintance)* Bekannte(r) *m/f*; 3. *make ~s with s.o.* mit jdm Freundschaft schließen

friendly ['frendlɪ] *adj* freundlich, freundschaftlich

friendship ['frendʃɪp] *sb* Freundschaft *f*

fright [fraɪt] *sb* Schreck *m*

frighten ['fraɪtn] *v* 1. Angst machen, Angst einjagen; 2. *(startle)* erschrecken; 3. *(thought)* ängstigen

•**frighten away** *v* 1. abschrecken; 2. *(deliberately)* verscheuchen

frills [frɪlz] *pl* überflüssige Extras *pl*, Kinkerlitzchen *pl (fam)*

frisbee ['frɪzbiː] *sb* Frisbee *n*

frisk [frɪsk] *v (search)* durchsuchen, filzen

frizzy ['frɪzɪ] *adj (hair)* kraus

frock [frɒk] *sb* 1. Kleid *n*; 2. *(monk's ~)* Kutte *f*

frog [frɒg] *sb* Frosch *m*; *have a ~ in one's throat* einen Frosch im Hals haben

from [frɒm] *prep* 1. von; *~ ... until ...* von ... bis ...; *different ~* anders als; *ten miles ~ Leeds* zehn Meilen von Leeds entfernt; *~ now on* ab jetzt; *Where did you get that ~?* Wo haben Sie das her? 2. *(place of origin)* aus; *the man ~ Manchester* der Mann aus Manchester; 3. *(out of)* aus

front [frʌnt] *sb* 1. Vorderseite *f*; 2. *(forward part)* Vorderteil *n*; 3. ARCH Fassade *f*, Vorderfront *f*; 4. *(outward appearance)* Fassade *f* (fig); 5. *(for criminal activity)* Tarnung *f*, Fassade *f*; 6. *(military, weather)* Front *f*; 7. *in ~* vorne, an der Spitze; 8. *in ~ of* vor; 9. *up ~* vorne; *(toward the front)* nach vorne; *adj* 10. vorderste(r,s), vordere(r,s); *(page, row)* erste(r,s)

frontage ['frʌntɪdʒ] *sb* Front *f*, Vorderseite *f*

front door [frʌnt dɔː] *sb* Haustür *f*, Vordertür *f*

front page [frʌntpeɪdʒ] *sb* Titelseite *f*

front-runner ['frʌntrʌnə] *sb (favourite)* Favorit *m* / Favoritin *f*

frost [frɒst] *sb* 1. Frost *m*; 2. *(on the ground)* Reif *m*; 3. *Jack Frost* Väterchen Frost *n*

frosting ['frɒstɪŋ] *sb* GAST Zuckerguss *m*

frosty ['frɒstɪ] *adj* frostig

frown [fraʊn] *sb* 1. Stirnrunzeln *n*; *v* 2. die Stirn runzeln

frozen ['frəʊzn] *adj* 1. gefroren; *(food)* tiefgekühlt; 2. *(wages)* ECO eingefroren

frugal ['fruːgəl] *adj* 1. sparsam, genügsam; 2. *(meal)* einfach

fruit [fruːt] *sb* 1. *(in general)* Obst *n*; 2. *(one ~)* Frucht *f*; 3. *(fig)* Frucht *f*; *bear ~* Früchte tragen

fruit cocktail [fruːt'kɒkteɪl] *sb* Früchtecocktail *m*

fruitless ['fruːtlɪs] *adj (fig)* erfolglos, fruchtlos, vergeblich

fruit salad [fruːt'sæləd] *sb* GAST Obstsalat *m*

fruity ['fruːtɪ] *adj* fruchtig; *have a ~ taste* nach Obst schmecken

frustrate [frʌ'streɪt] *v 1. ~ s.o.* jdn frustrieren; *2. (plans)* vereiteln

frustrated [frʌ'streɪtɪd] *adj (feeling)* frustriert

frustration [frʌ'streɪʃən] *sb 1. (feeling)* Frustration *f; 2. (thwarting)* Vereitelung *f,* Zerschlagung *f*

fry [fraɪ] *v 1.* GAST braten; *sb 2. small ~* kleine Fische *pl; (children)* kleines Gemüse *n*

fryer ['fraɪə] *sb 1. (pan)* Bratpfanne *f; 2. (suitable for frying)* Bratgut *n*

frying-pan ['fraɪɪŋ pæn] *sb* Bratpfanne *f; out of the ~, into the fire (fig)* vom Regen in die Traufe

f-stop ['efstɒp] *sb* FOTO Blende *f*

fudge [fʌdʒ] *sb 1.* GAST eine Art Fondant *m; v 2. (cheat slightly)* schummeln

fuel [fjʊəl] *sb 1.* Brennstoff *m; (for a plane, for a spacecraft)* Treibstoff *m; 2. (petrol)* Benzin *n; v 3. (sth) (propel)* antreiben; *4. (a furnace)* mit Brennstoff versorgen; *5. (a ship)* auftanken

fulfil [fʊl'fɪl] *v 1.* erfüllen; *2. (a task)* ausführen

fulfilment [fʊl'fɪlmənt] *sb* Erfüllung *f*

full [fʊl] *adj 1.* voll; *~ of o.s.* von sich eingenommen; *2. in ~* ganz, vollständig; *3. (detailed)* ausführlich, genau, vollständig; *4. (skirt)* weitgeschnitten; *5. (had enough to eat)* satt; *adv 6. hit s.o. ~ in the face* jdm mitten ins Gesicht schlagen

full-length ['fʊlleŋθ] *adj 1.* in voller Größe; *2. (portrait)* lebensgroß; *3. (dress)* bodenlang

full stop [fʊl stɒp] *sb* GRAMM Punkt *m*

full-time ['fʊltaɪm] *adj 1.* ganztägig, Ganztags...; *[fʊl'taɪm] adv 2.* ganztags

fully ['fʊlɪ] *adv* völlig, voll und ganz

fume [fjuːm] *v 1. (fig)* wütend sein, kochen (fam); *sb 2. ~s pl* Dämpfe *pl, (of a car)* Abgase *pl*

fun [fʌn] *sb 1.* Spaß *m; for the ~ of it* spaßeshalber, zum Spaß; *Have ~!* Viel Spaß! *That sounds like ~.* Das klingt gut. *make ~ of s.o.* sich über jdn lustig machen; *adj 2.* lustig, spaßig

function ['fʌŋkʃən] *v 1.* funktionieren; *sb 2.* Funktion *f; 3. (duties)* Aufgaben *pl,* Pflichten *pl; 4. (official ceremony)* Feier *f*

fund [fʌnd] *v 1. (put up money for)* das Kapital aufbringen für; *sb 2.* FIN Fonds *m; 3. ~s pl* Mittel *pl,* Gelder *pl; to be short of ~s* knapp bei Kasse sein

fundamental [fʌndə'mentl] *adj 1.* fundamental, grundlegend, wesentlich; *sb 2.* Grundlage *f*

funeral ['fjuːnərəl] *sb* Begräbnis *n,* Beerdigung *f,* Bestattung *f*

funfair ['fʌnfeə] *sb* Volksfest *n*

funky ['fʌŋkɪ] *adj (fam)* irre, verrückt; *(bizarre)* bizarr

funny ['fʌnɪ] *adj 1.* lustig, komisch; *2. (strange)* komisch, seltsam

funny bone ['fʌnɪ bəʊn] *sb (fam)* ANAT Musikantenknochen *m*

fur [fɜː] *sb 1.* Pelz *m,* Fell *n; 2. (coat)* Pelzmantel *m; 3. (on the tongue)* MED Belag *m*

furious ['fjʊərɪəs] *adj 1. (angry)* wütend; *2. (vehement)* heftig; *3. (struggle)* wild

furnace ['fɜːnɪs] *sb* Hochofen *m,* Schmelzofen *m*

furnish ['fɜːnɪʃ] *v 1. (equip)* ausstatten, ausrüsten; *2. (a room)* einrichten, ausstatten, möblieren; *3. (provide)* liefern, beschaffen, geben

furniture ['fɜːnɪtʃə] *sb* Möbel *pl; piece of ~* Möbelstück *n*

further ['fɜːðə] *adj 1.* weiter; *v 2.* fördern

furthermore ['fɜːðəmɔː] *adv* außerdem, überdies, ferner

furthest ['fɜːðɪst] *adv* am weitesten, so weit wie möglich

fury ['fjʊərɪ] *sb 1.* Wut *f; 2. (of a struggle, of a wind)* Heftigkeit *f*

fuse [fjuːz] *v 1.* MET verschmelzen; *2. (fig)* verschmelzen, vereinigen; *sb 3.* TECH Sicherung *f; blow a ~* die Sicherung durchbrennen lassen; *4. (of an explosive)* Zündschnur *f*

fuss [fʌs] *v 1.* sich unnötig aufregen; *sb 2.* Theater *n; make a ~ about sth* viel Aufhebens um etw machen

fussy ['fʌsɪ] *adj (particular)* heikel, wählerisch

future ['fjuːtʃə] *sb 1.* Zukunft *f; 2. in ~* in Zukunft, künftig; *adj 3.* zukünftig, künftig

futures ['fjuːtʃəz] *pl* FIN Termingeschäfte *pl*

fuzz [fʌz] *sb 1. (on a boy's chin, on a peach)* Flaum *m; 2. (sound)* Unschärfen *pl; 3. the ~ (fam: the cops)* die Bullen *pl*

G

gab [gæb] v 1. quasseln; sb 2. have the gift of ~ (fam) ein gutes Mundwerk haben

gadget ['gædʒɪt] sb Vorrichtung f, Gerät n, Dingsda n

Gaelic ['geɪlɪk] sb Gälisch n

gaffer ['gæfə] sb 1. (foreman) Vorarbeiter m, Boss m; 2. (old man) Alter m, Opa m

gag [gæg] sb 1. Knebel m; 2. (joke) Gag m

gaiety ['geɪtɪ] sb Fröhlichkeit f, Heiterkeit f

gain [geɪn] v 1. gewinnen, erwerben, sich verschaffen; 2. (profit) profitieren; 3. ~ weight an Gewicht zunehmen; 4. ~ (ground) on s.o. (close the gap) jdm gegenüber aufholen, (get further ahead) den Vorsprung zu jdm vergrößern; sb 5. (increase) Zunahme f, Zuwachs m; 6. (advantage) Vorteil m; 7. ECO Gewinn m, Profit m; 8. ill-gotten ~s unrechtmäßiger Gewinn m, Sündengeld n (fam)

gal [gæl] sb (fam) Mädel n

gala ['gɑːlə] sb Galaveranstaltung f

galaxy ['gæləksɪ] sb Galaxie f

gale [geɪl] sb Sturm m

gallant ['gælənt] adj (noble, chivalrous) galant, höflich, ritterlich

gallery ['gælərɪ] sb Galerie f

gallon ['gælən] sb (UK: 4.5459 litres/US: 3.7853 liters) Gallone f

gallop ['gæləp] v 1. galoppieren; sb 2. Galopp m

galore [gə'lɔː] adv ... ~ jede Menge ...

gamble ['gæmbl] v 1. um Geld spielen; ~ with sth etw aufs Spiel setzen; ~ away verspielen; ~ sth on sth etw auf etw setzen; 2. (on the outcome of sth) wetten; sb 3. (fig) Risiko n

gambler ['gæmblə] sb Spieler m

game [geɪm] sb 1. Spiel n; play ~s with s.o. (fig) mit jdm sein Spiel treiben; beat s.o. at his own ~ jdn mit seinen eigenen Waffen schlagen; give the ~ away (fam) alles verraten; play the ~ (fig) sich an die Spielregeln halten; The ~ is up. Das Spiel ist aus. 2. (sport) Sport m; 3. (for hunting) Wild n; adj 4. (willing) bereit

game plan ['geɪmplæn] sb 1. Strategie für das Spiel f; 2. (fig) Strategie f

gammon ['gæmən] sb GAST geräucherter Schinken m

gander ['gændə] sb 1. ZOOL Gänserich m; 2. take a ~ at sth auf etw einen Blick werfen

gang [gæŋ] sb 1. (of criminals) Gang f, Bande f; 2. (of workers, chain ~) Kolonne f; 3. (clique) Clique f; v 4. ~ up on s.o. sich gegen jdn zusammenrotten

gangland ['gæŋlænd] sb die kriminelle Unterwelt f

gangster ['gæŋstə] sb Gangster m, Verbrecher m

gap [gæp] sb 1. Lücke f; 2. (chink) Spalt m; 3. (fig: gulf) Kluft f; 4. (time) Zwischenraum m; 5. (lead) Vorsprung m; close the ~ den Vorsprung aufholen

garage ['gærɑːʒ] sb 1. Garage f; 2. (for repairs) Reparaturwerkstatt f

garage band ['gærɑːʒ bænd] sb MUS Amateurrockgruppe f

garbage ['gɑːbɪdʒ] sb 1. Abfall m, Müll m; 2. Unsinn f

garble ['gɑːbl] v durcheinander bringen

garden ['gɑːdn] sb 1. Garten m; 2. ~s pl Gartenanlagen pl

gardening ['gɑːdnɪŋ] sb Gartenbau m, Gartenarbeit f

garden path ['gɑːdən pɑːθ] sb lead s.o. up the ~ (fig) jdn an der Nase herumführen

gargle ['gɑːgl] v gurgeln

garlic ['gɑːlɪk] sb Knoblauch m

garment ['gɑːmənt] sb Kleidungsstück n

garnish ['gɑːnɪʃ] v 1. verzieren; 2. GAST garnieren; sb 3. Garnierung f

gas [gæs] sb 1. Gas n; 2. (US: petrol) Benzin n; get ~ tanken; step on the ~ Gas geben; v 3. ~ up (fam) (US) tanken, auftanken

gas-guzzler ['gæsgʌzlə] sb (US) (fam) Spritschlucker m

gasket ['gæskɪt] sb TECH Dichtung f

gasoline ['gæsəliːn] sb (US) Benzin n

gasp [gɑːsp] v 1. (in surprise) nach Luft schnappen; 2. (continually) keuchen; sb 3. tiefer Atemzug m, Laut des Erstaunens m

gas station ['gæssteɪʃən] sb (US) Tankstelle f

gastronomy [gæs'trɒnəmɪ] sb Gastronomie f

gate [geɪt] sb 1. Tor n; 2. (garden ~) Pforte f; 3. (in an airport) Flugsteig m

gate-crasher ['geɪtkræʃə] sb uneingeladener Gast m

gatehouse ['geɪthaʊs] sb Pförtnerhäuschen n

gateway ['geɪtweɪ] *sb* Tor *n*

gather ['gæðə] *v* 1. *(come together)* sich versammeln, sich ansammeln; 2. *(bring together)* sammeln; *(people)* versammeln; 3. *(flowers)* pflücken; 4. *(fruit)* AGR ernten; 5. *(a harvest)* einbringen; 6. *(infer)* schließen, folgern

gathering ['gæðərɪŋ] *sb* Versammlung *f*, Treffen *n; (spontaneous)* Ansammlung *f*

gauche [gəʊʃ] *adj* unbeholfen, ungeschickt

gaudy ['gɔːdɪ] *adj* 1. prächtig, auffällig; 2. *(colours)* grell

gauge [geɪdʒ] *sb* 1. TECH Messgerät *n*, Messer *m*, Anzeiger *m*; 2. *(fig)* Maßstab *m; v* 3. TECH eichen; 4. *(fig)* schätzen, abschätzen, beurteilen

gaunt [gɔːnt] *adj (person)* hager

gauze [gɔːz] *sb* Gaze *f*, Mull *m*

gawk [gɔːk] *v* glotzen

gawky ['gɔːkɪ] *adj* schlaksig, staksig

gay [geɪ] *adj* 1. *(happy)* fröhlich, lustig; 2. *(colours)* bunt; 3. *(homosexual)* homosexuell, schwul (fam); *sb* 4. *(homosexual)* Homosexuelle(r) *m/f*, Schwuler *m* (fam)

gaze [geɪz] *v* starren

gazette [ge'zet] *sb* 1. *(paper)* Zeitung *f*; 2. *(UK: government publication)* Amtsblatt *n*

gear [gɪə] *sb* 1. *(of a car)* Gang *m; put into ~* einen Gang einlegen; *change ~* schalten; *~s pl* TECH Getriebe *n*; 2. *(fam: garb)* Kluft *f*; 3. *(equipment)* Ausrüstung *f*; 4. *(fam: belongings)* Sachen *pl; v* 5. *(~ in)* TECH eingreifen

gear box [gɪə bɒks] *sb* TECH Getriebe *n*

gee [dʒiː] *interj (US)* Mann! Na so was!

geek [giːk] *sb* Sonderling *m*

geezer ['giːzə] *sb old ~* alter Kauz *m*

gem [dʒem] *sb* 1. Edelstein *m*; 2. *(fig)* Juwel *n*, Glanzstück *n*

gemination [dʒemɪ'neɪʃən] *sb* Verdoppelung *f*

Gemini ['dʒemɪnaɪ] *sb* Zwillinge *pl; I'm a ~.* Ich bin Zwilling.

gemstone ['dʒemstəʊn] *sb* Edelstein *m*

gender ['dʒendə] *sb* Geschlecht *n*, Genus *n*

gender-bender ['dʒendəbendə] *sb* 1. *(fam: man)* weibischer Typ *m*; 2. *(fam: woman)* Mannweib *n*

gender gap ['dʒendə gæp] *sb (fam)* Kluft *f* zwischen den Geschlechtern *f* (fig)

gender-specific ['dʒendə spə'sɪfɪk] *adj* geschlechtsspezifisch

gene [dʒiːn] *sb* BIO Gen *n*, Erbfaktor *m*

genealogical [dʒiːnɪə'lɒdʒɪkəl] *adj* genealogisch

geaneral ['dʒenərəl] *adj* 1. allgemein; *in ~* im Allgemeinen; *the ~ public* die Öffentlichkeit *f; sb* 2. MIL General *m*

general election ['dʒenərəl ɪ'lekʃən] *sb* POL allgemeine Wahlen *pl*

generally ['dʒenərəlɪ] *adv* 1. *(usually)* gewöhnlich, meistens; 2. *(for the most part)* im Allgemeinen, im Großen und Ganzen

general practitioner ['dʒenərəl præk'tɪʃənə] *sb* praktischer Arzt/praktische Ärztin *m/f*, Arzt/Ärztin für Allgemeinmedizin *m/f*

generate ['dʒenəreɪt] *v* erzeugen

generation [dʒenə'reɪʃən] *sb* 1. Generation *f*; 2. *(act of generating)* Erzeugung *f*

generation gap [dʒenə'reɪʃən gæp] *sb* Kluft zwischen den Generationen *f*

generous ['dʒenərəs] *adj* 1. großzügig; 2. *(plentiful)* reichlich, üppig

genetic [dʒɪ'netɪk] *adj* genetisch

genetic engineering [dʒɪ'netɪk endʒɪ'nɪərɪŋ] *sb* Genmanipulation *f*

genius ['dʒiːnɪəs] *sb* 1. *(person)* Genie *n*; 2. *(quality)* Genialität *f*

genocide ['dʒenəʊsaɪd] *sb* Genozid *m*, Völkermord *m*

genteel [dʒen'tiːl] *adj* fein, vornehm

gentle ['dʒentl] *adj* 1. sanft, leicht, zart; 2. *(sound)* leise; 3. *(disposition)* sanftmütig, liebenswürdig, freundlich; 4. *(hint, reminder)* zart

gentry ['dʒentrɪ] *sb* Landadel *m*, niederer Adel *m*

genuine ['dʒenjʊɪn] *adj* 1. echt; 2. *(artifact)* authentisch, echt; 3. *(offer)* ernsthaft, ernst gemeint; 4. *(sympathy, belief)* aufrichtig; 5. *(person, laugh)* ungekünstelt

geographer [dʒɪ'ɒgrəfə] *sb* Geograf *m*

geography [dʒɪ'ɒgrəfɪ] *sb* Geografie *f*, Erdkunde *f*

geologist [dʒɪ'ɒlədʒɪst] *sb* Geologe/Geologin *m/f*

geology [dʒɪ'ɒlədʒɪ] *sb* Geologie *f*

geometric [dʒɪə'metrɪk] *adj* geometrisch

geometry [dʒɪ'ɒmɪtrɪ] *sb* Geometrie *f*

germ [dʒɜːm] *sb* Keim *m*

German measles ['dʒɜːmən 'miːzlz] *pl* MED Röteln *pl*

German shepherd ['dʒɜːmən 'ʃepəd] *sb (US)* Deutscher Schäferhund *m*

germinate ['dʒɜːmɪneɪt] *v* keimen

gerontology [dʒerɒn'tɒlədʒɪ] *sb* MED Gerontologie *f*, Altersforschung *f*

gesture ['dʒestʃə] *v* 1. gestikulieren; *sb* 2. Geste *f*

get [get] *v irr 1. (become)* werden; *2. ~ to know* kennen lernen; *3. (arrive)* kommen; *~ home* nach Hause kommen; *4. ~ going (to be on one's way)* gehen, sich auf den Weg machen; *5. ~ going TECH* in Gang kommen; *(fig)* in Schwung kommen; *6. ~ to do sth* die Möglichkeit haben, etw zu tun; *7. (receive)* bekommen, kriegen, erhalten; *~ an idea* auf eine Idee kommen; *8. (fetch)* holen; *9. (obtain)* sich besorgen, sich beschaffen, finden; *10. (take, transport)* bringen; *~ sth to s.o.* jdm etw zukommen lassen; *11. (understand)* kapieren, mitbekommen, mitkriegen; *Got it?* Alles klar? *Don't ~ me wrong.* Versteh mich nicht falsch.

• **get around** *v irr 1. (get about) (news)* sich herumsprechen; *(rumour)* sich verbreiten; *2. (circumvent)* herumkommen um, umgehen; *3. ~ to doing sth* dazu kommen etw zu tun

• **get at** *v irr 1. (gain access to)* herankommen an; *2. (fam: mean)* hinauswollen auf; *What are you getting at?* Worauf wollen Sie hinaus?

• **get away** *v irr 1.* wegkommen; *2. (criminal)* entkommen; *3. (from sth)* um etw herumkommen; *4. ~ with* davonkommen mit; *5. (abscond with)* entkommen mit

• **get by** *v irr 1. (manage)* auskommen, klarkommen; *2. (get past)* vorbeikommen, durchkommen

• **get even** *v irr ~ with s.o.* mit jdm abrechnen, mit jdm quitt werden, es jdm heimzahlen

• **get on** *v irr 1. (have a good relationship)* sich verstehen, auskommen; *2. ~ with (continue with)* weitermachen mit; *Get on with it!* Nun mach schon!

• **get over** *v irr (recover from)* hinwegkommen über, sich erholen von

• **get through** *v irr* durchkommen

• **get together** *v irr 1.* zusammenkommen; *2. get it together (fam)* sich zusammenreißen

getaway ['getəweɪ] *sb* Flucht *f*, Entkommen *n*

get-together ['gettəgeðə] *sb* Treffen *n*, Zusammenkunft *f*

get-up ['getʌp] *sb* Aufmachung *f*

ghastly ['gɑːstlɪ] *adj* entsetzlich, grässlich

ghetto ['getəʊ] *sb* Getto *n*

ghost [gəʊst] *sb* Geist *m*, Gespenst *n*; *not the ~ of a chance* nicht die geringste Chance

ghost story ['gəʊststɔrɪ] *sb* Gespenstergeschichte *f*, Schauermärchen *n*

ghost town [gəʊst taʊn] *sb* Geisterstadt *f*

ghost train [gəʊst treɪn] *sb* Geisterbahn *f*

ghostwrite ['gəʊstraɪt] *v* für jmd anderen schreiben, als Ghostwriter tätig sein

giant ['dʒaɪənt] *adj 1.* riesig, riesenhaft; *sb 2.* Riese *m; 3. (fig)* Riese *m*, Gigant *m*, Koloss *m*

gibberish ['dʒɪbərɪʃ] *sb 1.* Quatsch *m; 2. (language)* Kauderwelsch *n*

giddy ['gɪdɪ] *adj 1. (dizzy)* schwindlig; *2. (fig)* leichtfertig

giddy-up [gɪdɪ'ʌp] *interj* vorwärts

gift [gɪft] *sb 1.* Geschenk *n*, Gabe *f; 2. (talent)* Begabung *f*, Gabe *f*, Talent *n*

gig [gɪg] *sb (fam: concert) MUS* Mucke *f*, Auftritt *m*, Konzert *n*

gigantic [dʒaɪ'gæntɪk] *adj* gigantisch

giggle ['gɪgl] *v* kichern

gild [gɪld] *v irr* vergolden

gimmick ['gɪmɪk] *sb* Spielerei *f*, Knüller *m* (fam), Trick *m*

gimpy ['gɪmpɪ] *adj (fam) He has a ~ knee.* Er muss wegen seines Knies etwas humpeln.

gin [dʒɪn] *sb* Gin *m*

ginger ['dʒɪndʒə] *sb 1. BOT* Ingwer *m; v 2. ~ up* in Schwung bringen, auf Trab bringen

gingerly ['dʒɪndʒəlɪ] *adv* sachte, vorsichtig

gipsy ['dʒɪpsɪ] *sb* Zigeuner *m*

girl [gɜːl] *sb* Mädchen *n*

girlfriend ['gɜːlfrend] *sb* Freundin *f*

girl guide ['gɜːlgaɪd] *sb (UK)* Pfadfinderin *f*

girlhood ['gɜːlhʊd] *sb* Kindheit *f*

girl scout ['gɜːlskaʊt] *sb (US)* Pfadfinderin *f*

giro account ['dʒaɪrəʊ ə'kaʊnt] *sb (UK) ECO* Girokonto *n*

give [gɪv] *v irr 1.* geben; *2. (as a present)* schenken; *3. (yield, bend)* nachgeben; *4. What ~s?* Was ist los?

• **give out** *v irr 1. (send out)* aussenden, verteilen; *2. (make public)* bekannt machen, herausgeben; *3. (break down)* versagen

• **give up** *v irr 1. (surrender)* aufgeben, abtreten; *2. give o.s. up* sich stellen; *3. (stop doing)* aufhören mit, aufgeben, sein lassen

give-and-take [gɪvənd'teɪk] *sb* Geben und Nehmen *n*

giveaway ['gɪvəweɪ] *sb 1.* Verraten *n; 2. (gift)* Geschenk *n; 3. (of prizes)* Preisraten *n*

given ['gɪvən] *adj 1.* bestimmt; *2. ~ to* neigend zu; *conj 3. (in view of)* angesichts; *4. (presupposing)* vorausgesetzt

glacier ['glæsɪə] *sb* Gletscher *m*

glad [glæd] *adj 1.* froh, erfreut; *to be ~* sich freuen; *2. (news)* froh

gladiator ['glædɪeɪtə] *sb HIST* Gladiator *m*

gladly ['glædlɪ] *adv* gern, gerne

glamorous ['glæmərəs] *adj* glanzvoll, glamourös

glamour ['glæmə] *sb* Glamour *m*, Glanz *m*

glance [glɑːns] *sb* 1. Blick *m*; *v* 2. blicken, einen Blick werfen; ~ at blicken auf

glancing ['glɑːnsɪŋ] *adj* a ~ blow ein Streifschlag

gland [glænd] *sb ANAT* Drüse *f*

glare [gleə] *v* 1. (light) grell leuchten, grell sein; 2. ~ at s.o. jdn böse anstarren; *sb* 3. (light) greller Schein *m*, blendendes Licht *n*; 4. (stare) wütender Blick

glass [glɑːs] *sb* 1. Glas *n*; *adj* 2. gläsern, Glas...

glasses ['glɑːsɪz] *pl* (eye~) Brille *f*

Glaswegian [glæs'wiːdʒən] *sb* 1. Glasgower *m*; *adj* 2. aus Glasgow

glaze [gleɪz] *v* 1. (~ over: eyes) glasig werden; 2. (door, window) verglasen; 3. *TECH* glasieren; 4. *GAST* glasieren; *sb* 5. Glasur *f*; 6. *ART* Lasur *f*

gleam [gliːm] *v* 1. schimmern, glänzen, leuchten; *sb* 2. schwacher Schein *m*, Schimmer *m*; the ~ in her eye das Funkeln ihrer Augen; 3. ~ of hope Hoffnungsschimmer *m*

glee [gliː] *sb* 1. Freude *f*, 2. (malicious) Schadenfreude *f*

glib [glɪb] *adj* 1. zungenfertig, glatt; 2. (superficial) oberflächlich

glide [glaɪd] *v* gleiten

glimpse [glɪmps] *v* 1. flüchtig zu sehen bekommen, einen Blick erhaschen von; *sb* 2. flüchtiger Blick *m*; 3. (small insight into sth) flüchtiger Eindruck *m*, kurzer Einblick *m*

glisten ['glɪsn] *v* glitzern, glänzen

glitter ['glɪtə] *v* 1. glitzern, funkeln; 2. (fig) strahlen, glänzen; *sb* 3. Glitzern *n*; 4. (decoration) Glitzerstaub *m*

gloat [gləʊt] *v* ~ over sich großtun mit, (over s.o.'s misfortune) sich hämisch freuen über

global ['gləʊbl] *adj* global, Welt...

globalization [gləʊbəlaɪ'zeɪʃən] *sb* Globalisierung *f*

global village ['gləʊbəl 'vɪlɪdʒ] *sb* die Welt als Dorf *f*

global warming ['gləʊbl 'wɔːmɪŋ] *sb* globale Erwärmung *f*

globe [gləʊb] *sb* 1. (map) Globus *m*; 2. (sphere) Kugel *f*; 3. the ~ (Earth) die Erde *f*, der Erdball *m*, die Erdkugel *f*

globetrotter ['gləʊbtrɒtə] *sb* Weltenbummler *m*, Globetrotter *m*

globulin ['glɒbjʊlɪn] *sb BIO* Globuline *pl*

gloom [gluːm] *sb* 1. Dunkel *n*, Düsterkeit *f*; 2. (sadness) Trübsinn *m*, düstere Stimmung *f*

glorious ['glɔːrɪəs] *adj* 1. (marvellous) herrlich, prächtig, wunderbar; 2. (saint, victory) glorreich

glory ['glɔːrɪ] *sb* 1. Ruhm *m*; 2. (praise) Ehre *f*; 3. (magnificence) Herrlichkeit *f*

glossary ['glɒsərɪ] *sb* Glossar *n*

glove [glʌv] *sb* Handschuh *m*; fit like a ~ wie angegossen passen; to be hand in ~ with s.o. mit jdm unter einer Decke stecken

glove compartment ['glʌvkəmpɑːtmənt] *sb* Handschuhfach *n*

glow [gləʊ] *v* 1. glühen, leuchten, scheinen; *sb* 2. Glühen *n*, Leuchten *n*, Schein *m*

glue [gluː] *v* 1. kleben, leimen; ~d to the spot angewurzelt; 2. keep one's eyes ~d to sth etw nicht aus den Augen lassen; *sb* 3. Klebstoff *m*, Leim *m*

gluttony ['glʌtənɪ] *sb* Gefräßigkeit *f*, Völlerei *f*, Schlemmerei *f*

G-man ['dʒiːmæn] *sb* (US) FBI-Mann *m*

gnash [næʃ] *v* ~ one's teeth mit den Zähnen knirschen

go [gəʊ] *v irr* 1. gehen; ~ for a walk spazieren gehen; it ~es without saying das versteht sich von selbst; Let ~! Lass los! Let me ~! Lass mich los! Let it ~ at that! Lass es dabei bewenden! There you ~ again! Du fängst ja schon wieder an! Here we ~ again. Jetzt geht das schon wieder los. Go for it! Versuch's mal! 2. (car) fahren; 3. (road) führen; 4. (happen, turn out) gehen, ausgehen; How's it ~ing? Wie geht's? How did it ~? Wie war's? 5. (become) werden; ~ mad wahnsinnig werden; 6. (belong) hingehören, hingekommen; 7. (travel) reisen, fahren; 8. (wear out) kaputtgehen; (eyesight, health) nachlassen; (brakes) versagen; 9. (disappear) verschwinden; 10. to be ~ing to do sth etw tun werden; I was going to do it. Ich wollte es tun. 11. (fam: say) sagen; 12. to ~ (US: food) zum Mitnehmen; *sb* 13. on the ~ auf Achse; 14. have a ~ at sth (fam) etw versuchen; *interj* 15. Go! Los!

• go ahead *v irr* 1. ~ with sth etw fortsetzen, etw fortführen; *interj* 2. Los! Nur zu!

• go away *v irr* weggehen

• go by *v irr* 1. (time) vergehen; 2. (a chance) vorbeigehen; 3. (~ sth) (to be guided by) sich richten nach; (base a decision on) gehen nach; 4. He goes by the name Dave. Er hört auf den Namen Dave.

• **go on** v irr 1. (continue) weitermachen, weitergehen; Go on! Weiter! (keep talking) Fahren Sie fort! 2. (happen) passieren; What's going on here? Was geht hier vor? 3. ~ for (last) dauern; 4. ~ and on (talk nonstop) unaufhörlich reden; 5. (lights) angehen; 6. (to be guided by) sich richten nach, sich stützen auf
• **go out** v irr 1. hinausgehen; 2. (on the town) fortgehen; (on a date) ausgehen; 3. (pamphlet) hinausgehen; 4. (to be extinguished) ausgehen
• **go through** v irr 1. (to be approved) durchgehen; 2. (sth)(search) durchsuchen; 3. (endure) durchmachen; 4. (use up) aufbrauchen; 5. ~ with (actually do) durchziehen, ausführen
• **go with** v irr 1. (accompany) begleiten; 2. ~ s.o. (date regularly) mit jdm ausgehen, mit jdm gehen; 3. ~ sth (fam: opt for sth) sich für etw entscheiden

goal [gəʊl] sb 1. SPORT Tor n; 2. (objective) Ziel n
goalie ['gəʊli] sb (fam) SPORT Keeper m, Schlussmann m
goalkeeper ['gəʊlkiːpə] sb SPORT Torwart m, Torhüter m
goat [gəʊt] sb ZOOL Ziege f; get s.o.'s ~ (fam) jdn auf die Palme bringen
goatee [gəʊ'tiː] sb Spitzbart m
gob [gɒb] sb Klumpen; ~s and ~s of ... eine ganze Menge ...
go-between ['gəʊbɪtwiːn] sb Mittelsmann m, Vermittler m
goblin ['gɒblɪn] sb Kobold m
gobsmacked ['gɒbsmækt] adj (fam)(UK) platt
god [gɒd] sb Gott m
God [gɒd] sb REL Gott m; ~ forbid! Gott behüte! so help me ~ so wahr mir Gott helfe; Thank ~. Gott sei Dank. man of ~ Diener Gottes m
godchild ['gɒdtʃaɪld] sb Patenkind n
goddaughter ['gɒddɔːtə] sb Patentochter f
godfather ['gɒdfɑːðə] sb Pate m
god-fearing ['gɒdfɪərɪŋ] adj REL gottesfürchtig
godmother ['gɒdmʌðə] sb Patin f
godparent ['gɒdpɛərənt] sb Pate/Patin m/f
godson ['gɒdsʌn] sb Patensohn m
go-getter ['gəʊgetə] sb Draufgänger m, Ellbogentyp m
goggle-eyed ['gɒgəlaɪd] adj glotzäugig
goggles ['gɒglz] pl Schutzbrille f
goings-on [gəʊɪŋz'ɒn] pl Vorgänge pl, Dinge pl

gold [gəʊld] adj 1. golden; sb 2. Gold n; 3. (wealth) Geld n
golden ['gəʊldn] adj 1. golden; 2. (fig: opportunity) einmalig
golden rule ['gəʊldən ruːl] adj the ~ die Goldene Regel f
gold medal [gəʊld 'medl] sb Goldmedaille f
golf [gɒlf] sb Golf n
golf bag ['gɒlfbæg] sb Golftasche f
golf ball ['gɒlfbɔːl] sb Golfball m
golf cart [gɒlf kɑːt] sb (vehicle) Golfkarren m
golf club ['gɒlfklʌb] sb 1. (instrument) Golfschläger m; 2. (association) Golfklub m
golf course ['gɒlfkɔːs] sb Golfplatz m
golfer ['gɒlfə] sb SPORT Golfer m
gollop ['gɒləp] v herunterschlingen, herunterwürgen
gone [gɒn] adj 1. weg, weggegangen, fort; 2. (missing) verloren, verschwunden; 3. (used up) weg, verbraucht
good [gʊd] adj 1. gut; feel ~ sich wohl fühlen; it's a ~ thing that es ist gut, dass; the ~ life das süße Leben; as ~ as so gut wie; Good morning! Guten Morgen! 2. (kind) gut, lieb; to be ~ to s.o. lieb zu jdm sein; 3. (well-behaved) brav (fam), artig; 4. (favourable) gut, günstig; 5. to be ~ for (to be capable of) fähig sein zu; ~ for nothing zu nichts nütze; 6. make ~ wieder gutmachen; 7. (considerable) schön, beträchtlich, gut; ~ money (high wages) hoher Lohn; 8. in ~ time als zu seiner Zeit; 9. (thorough) gut, gründlich, tüchtig; have a ~ look at sth sich etw genau ansehen; sb 10. Gute n; to be up to no ~ etw im Schilde führen; 11. (benefit) Wohl n; 12. (use) Nutzen m, Vorteil m; That won't do any ~. Das hilft auch nichts. 13. for ~ für immer, endgültig, ein für alle Mal; 14. ~s pl Güter pl, Waren pl
goodbye [gʊd'baɪ] interj 1. auf Wiedersehen; (said over the telephone) auf Wiederhören; say ~ to s.o. jdm auf Wiedersehen sagen, sich von jdm verabschieden; sb 2. Abschied m
goodness ['gʊdnɪs] sb Güte f; Goodness! Meine Güte! Thank ~! Gott sei Dank!
goody two-shoes ['gʊdɪ 'tuːʃuːz] sb Tugendlamm n
gooey [guːɪ] adj klebrig
goof-off ['guːfɒf] sb (US: person) Drückeberger m
goose [guːs] sb Gans f; cook s.o.'s ~ (fig) jdm die Suppe versalzen

goose bumps ['gu:sbʌmps] *pl* get ~ *(US)* eine Gänsehaut bekommen

goose pimples ['gu:spɪmplz] *pl* get ~ *(UK)* eine Gänsehaut bekommen

goose-step ['gu:sstep] *v* in Stechschritt marschieren

gore [gɔ:] *sb* 1. geronnenes Blut *n*; *v* 2. durchbohren, aufspießen

gorge [gɔ:dʒ] *v* 1. ~ o.s. on sth sich mit etw voll fressen, etw in sich hineinschlingen; *sb* 2. Schlucht *f*

gorgeous ['gɔ:dʒəs] *adj* 1. herrlich, großartig, wunderbar; 2. *(woman)* hinreißend

gory ['gɔ:rɪ] *adj* blutrünstig

gosh [gɒʃ] *interj* Mensch! Mann!

gossip ['gɒsɪp] *v* 1. plaudern, schwatzen; 2. *(maliciously)* klatschen, tratschen; *sb* 3. Klatsch *m*, Tratsch *m*; *(chat)* Schwatz *m*; 4. *(person)* Klatschbase *f*

gossip column ['gɒsɪpkɒləm] *sb* Klatschspalte *f*

gossipmonger ['gɒsɪpmʌŋgə] *sb* Klatschbase *f*

gothic ['gɒθɪk] *adj* gotisch

gourmet ['guəmeɪ] *sb* Feinschmecker *m*, Gourmet *m*

government ['gʌvənmənt] *sb* POL Regierung *f*

governor ['gʌvənə] *sb* 1. *(of a state)* Gouverneur *m*; 2. *(UK: of a bank or prison)* Direktor *m*; 3. *(UK: sir)* *(fam)* Chef *m*

grab [græb] *v* 1. packen; 2. ~ at sth nach etw greifen; 3. *(nab)* schnappen; How does that ~ you? *(fig)* Wie findest du das? *sb* 4. Griff *m*

grace [greɪs] *sb* 1. *(of movement)* Anmut *f*, Grazie *f*; 2. social ~s *pl* gute Umgangsformen *pl*; 3. *(mercy)* Gnade *f*; by the ~ of God durch die Gnade Gottes; 4. to be in s.o.'s good ~s bei jdm gut angeschrieben sein; 5. *(until payment is due)* Aufschub *m*, Zahlungsfrist *f*; 6. *(prayer)* Tischgebet *n*; say ~ das Tischgebet sprechen

gracious ['greɪʃəs] *adj* 1. *(merciful)* gnädig; 2. *(kind)* liebenswürdig; *sb* 3. *(God)* Good ~! Du meine Güte!

grade [greɪd] *v* 1. *(mark schoolwork)* benoten; 2. *(level)* ebnen; 3. *(classify)* klassifizieren, sortieren; *sb* 4. Stufe *f*; 5. *(quality)* Qualität *f*; 6. *(mark in school)* Note *f*; make the ~ es schaffen; 7. *(US: school class)* Klasse *f*; 8. *(US: gradient)* Gefälle *n*

grade school ['greɪdsku:l] *sb* Grundschule *f*

gradient ['greɪdɪənt] *sb* Neigung *f*, Steigung *f*, Gefälle *n*

gradually ['grædjʊəlɪ] *adv* nach und nach, allmählich, schrittweise

graduate ['grædjʊeɪt] *v* 1. *(from a university)* graduieren; *(from a school)* die Abschlussprüfung bestehen; 2. *(colours)* abstufen; 3. *(mark)* einteilen; ['grædjʊɪt] *sb* 4. Absolvent *m*; *(US: from a secondary school)* Schulabgänger *m*

graduation [grædjʊ'eɪʃən] *sb* 1. *(mark)* Einteilung *f*; 2. *(ceremony)* Abschlussfeier *f*; 3. *(from a university)* Graduierung *f*

graffiti [grə'fi:tɪ] *sb* Graffiti *pl*

grain [greɪn] *sb* 1. AGR Getreide *n*, Korn *n*; 2. *(of salt, of sand)* Korn *n*; 3. *(fig)* Spur *f*; *(of truth)* Körnchen *n*; 4. *(of wood, of marble)* Maserung *f*; 5. *(of meat)* GAST Faser *f*; 6. against the ~ gegen den Strich

grammar ['græmə] *sb* Grammatik *f*

gramme [græm] *sb* Gramm *n*

Grammy ['græmɪ] *sb* MUS Grammy *m* (amerikanischer Musikpreis)

grand [grænd] *adj* 1. *(large)* groß; 2. *(total, design)* Gesamt... 3. *(magnificent)* grandios, großartig; 4. *(splendid)* fabelhaft, fantastisch; *sb* 5. *(fam: thousand)* Riese *f*

grandchild ['græntʃaɪld] *sb* Enkel *m*

granddad ['grænddæd] *sb* Opa *m*

granddaughter ['grænddɔ:tə] *sb* Enkelin *f*

grandfather ['grænfɑ:ðə] *sb* Großvater *m*

grandfather clock ['grænfɑ:ðə klɒk] *sb* Standuhr *f*

grandma ['grænmɑ:] *sb* Oma *f*

grandmother ['grænmʌðə] *sb* Großmutter *f*

Grand National [grænd 'næʃənl] *sb* *(UK)* SPORT Grand National *n* (Pferderennen)

grandnephew ['grændnefju:] *sb* Großneffe *m*

grandniece ['grændni:s] *sb* Großnichte *f*

grandpa ['grændpɑ:] *sb* Opa *m*

grandparents ['grændpɛərənts] *pl* Großeltern *pl*

Grand Prix [grã pri:] *sb* Grand Prix *m*

grand prize [grænd praɪz] *sb* Hauptgewinn *m*

grand slam [grænd slæm] *sb* SPORT Grandslam *m*

grandson ['grændsʌn] *sb* Enkel *m*

granny flat ['grænɪ flæt] *sb* *(UK)* Einliegerwohnung *f*

grant [grɑːnt] v 1. gewähren; 2. (permission) erteilen; 3. (a request) stattgeben; 4. (land, pension) zusprechen, bewilligen; 5. take sth for ~ed etw als selbstverständlich betrachten; 6. (admit, agree) zugeben, zugestehen; sb 7. Subvention f; 8. (for studying) Studienbeihilfe f

granulated ['grænjʊleɪtɪd] adj ~ sugar Zuckerraffinade f

graph [grɑːf] sb Diagramm n, grafische Darstellung f

graphic ['græfɪk] adj 1. grafisch; 2. (vivid) anschaulich, plastisch, lebendig

graphic artist ['græfɪk 'ɑːtɪst] sb Grafiker m

graphic equalizer ['græfɪk 'iːkwəlaɪzə] sb Equalizer m

graphics ['græfɪks] pl Grafik f

grasp [grɑːsp] v 1. (grab hold of) ergreifen, packen, fassen; 2. (hold tightly) festhalten; 3. (understand) begreifen, erfassen; 4. ~ at sth nach etw greifen; sb 5. (hold, clutch) Griff m; 6. (understanding) Verständnis n

grass [grɑːs] sb 1. Gras n; let ~ grow under one's feet still stehen, nichts tun; 2. (lawn) Rasen m; "keep off the ~" "Betreten des Rasens verboten"; 3. (fam: marijuana) Gras n

grateful ['greɪtfʊl] adj dankbar

gratification [grætɪfɪ'keɪʃən] sb 1. Befriedigung f; 2. (pleasure) Freude f, Vergnügen n

gratify ['grætɪfaɪ] v 1. (satisfy) befriedigen; 2. (give pleasure) erfreuen

gratitude ['grætɪtjuːd] sb Dankbarkeit f

grave[1] [greɪv] adj 1. ernst; (danger) groß; (news) schlimm; 2. (error) ernst, gravierend; 3. (serious, important) schwer

grave[2] [greɪv] sb Grab n; have one foot in the ~ mit einem Bein im Grabe stehen

grave-digger ['greɪvdɪgə] sb Totengräber m

gravestone ['greɪvstəʊn] sb Grabstein m

graveyard ['greɪvjɑːd] sb Friedhof m

gravity ['grævɪtɪ] sb 1. PHYS Schwerkraft f; 2. centre of ~ Schwerpunkt m; 3. (seriousness) Ernst m, Größe f, Schwere f

gravy ['greɪvɪ] sb 1. (sauce) Soße f; 2. (juice) Fleischsaft m, Bratensaft m

grease [griːs] sb 1. Fett n; 2. (lubricant) Schmierfett n; v 3. fetten, einfetten; 4. TECH schmieren

grease monkey ['griːsmʌŋkɪ] sb (fam) Mechaniker m

greasepaint ['griːspeɪnt] sb Theaterschminke f

greasy ['griːsɪ] adj 1. fettig, schmierig, ölig; 2. (food) fett

greasy spoon ['griːsɪ spuːn] sb (fam) schmuddeliges Restaurant n

great [greɪt] adj 1. groß; a ~ many sehr viele; in ~ detail ganz ausführlich; 2. (wonderful, excellent) prima, wunderbar, großartig; ~ friends dicke Freunde; 3. to be ~ at sth etw sehr gut machen; sb 4. (person) Größe f

great-aunt ['greɪt ɑːnt] sb Großtante f

great-granddaughter [greɪt 'grænddɔːtə] sb Urenkelin f

great-grandfather [greɪt 'grændfɑːðə] sb Urgroßvater m

great-grandmother [greɪt'grændmʌðə] sb Urgroßmutter f

great-grandparents [greɪt'grændpɛərənts] pl Urgroßeltern pl

great-grandson [greɪt'grændsʌn] sb Urenkel m

great-hearted [greɪt 'hɑːtɪd] adj großherzig

great-uncle ['greɪtʌŋkl] sb Großonkel m

greedy ['griːdɪ] adj gierig

green [griːn] adj 1. grün; ~ with envy blass vor Neid; give s.o. the ~ light jdm grünes Licht geben; sb 2. Grün n; 3. (village ~) Wiese f; 4. (field for sports) Rasen m, Platz m; 5. ~s pl GAST grünes Gemüse n

green card ['griːnkɑːd] sb 1. (for motorists) grüne Versicherungskarte f; 2. (US: for foreigners) Arbeits- und Aufenthaltsgenehmigung f

greenhouse ['griːnhaʊs] sb Treibhaus n, Gewächshaus n

greenhouse effect ['griːnhaʊsɪfekt] sb Treibhauseffekt m

greenness ['griːnnɪs] sb 1. Grün n, Grünes n; 2. (fig: inexperience) Unreife f, Unerfahrenheit f

greeting ['griːtɪŋ] sb 1. Gruß m, Begrüßung f; 2. ~s pl Grüße pl; (congratulations) Glückwünsche pl

greeting card ['griːtɪŋ kɑːd] sb Glückwunschkarte f

grenade [grɪ'neɪd] sb Granate f

grey [greɪ] adj 1. grau; 2. (outlook) grau, trüb; sb 3. Grau n; 4. (horse) ZOOL Grauschimmel m

grey matter ['greɪmætə] sb (fig) graue Zellen pl

gridlock ['grɪdlɒk] sb Verkehrsstillstand m

grief [griːf] sb Gram m, Kummer m, Leid n; come to ~ Pech haben; Good ~! Meine Güte!

grief-stricken ['gri:fstrɪkən] *adj* kummervoll

grieve [gri:v] *v 1.* bekümmert sein, sich grämen; *2. (s.o.)* betrüben, bekümmern, wehtun

grievous ['gri:vəs] *adj* schwer, schmerzlich; ~ *bodily harm* JUR schwerer körperlicher Schaden *m*

grill [grɪl] *v 1.* grillen; *2. (interrogate)* in die Zange nehmen; *sb 3.* Grill *m*, Bratrost *m*

grilled [grɪld] *adj* gegrillt

grim [grɪm] *adj 1.* grimmig; *2. (prospects)* trostlos; *(task)* grauenhaft; *(times, truth)* hart

grimace ['grɪməs] *v 1.* Grimassen machen, Grimassen schneiden; *(with disgust, with pain)* das Gesicht verziehen; *sb 2.* Grimasse *f*

grin [grɪn] *v 1.* lächeln, strahlen; ~ *and bear it (fam)* in den sauren Apfel beißen; *2. (stupidly, sarcastically)* grinsen; *sb 3.* Lächeln *n*, Strahlen *n; 4. (stupid ~, sarcastic ~)* Grinsen *n*

grip [grɪp] *v 1.* packen, ergreifen; *sb 2.* Griff *m*, Halt *m; 3. come to ~s with* sich auseinander setzen mit; *4. get a ~ on o.s.* sich zusammenreißen; *5. (piece of luggage)* Reisetasche *f; 6. (hair ~)* Haarspange *f*

grisly ['grɪzlɪ] *adj* grässlich

gristle ['grɪsl] *sb* Knorpel *m*

grit [grɪt] *v 1.* ~ *one's teeth* die Zähne zusammenbeißen; *sb 2.* grober Sand *m; 3. (fig)* Mut *m*, Mumm *m*

gritty ['grɪtɪ] *adj 1.* körnig; *2. (fig)* mutig

groan [grəʊn] *v 1. (person)* stöhnen, ächzen; *2. (hinges, planks)* ächzen, knarren; *sb 3.* Stöhnen *n*, Ächzen *n*

grocer ['grəʊsə] *sb* Lebensmittelhändler *m*

grog [grɒg] *sb* Grog *m*

groggy ['grɒgɪ] *adj* groggy

groovy ['gru:vɪ] *adj (fam)* toll, klasse, stark

gross [grəʊs] *adj 1. (total)* brutto, Brutto...; *2. (coarse, vulgar)* grob, derb; *3. (flagrant)* krass, grob; *4. (fam: disgusting)* eklig

gross domestic product [grəʊs də'mestɪk 'prɒdʌkt] *sb* Bruttoinlandsprodukt *n*

gross national product [grəʊs 'næʃənl 'prɒdʌkt] *sb* ECO Bruttosozialprodukt *n*

grotesque [grəʊ'tesk] *adj* grotesk

ground [graʊnd] *sb 1.* Boden *m; gain ~/lose ~* Boden gewinnen/verlieren; *break new ~ (fig)* Neuland erschließen; *common ~ (fig)* ein gemeinsamer Nenner *m; get off the ~* in Gang kommen, *(get sth off the ~)* in Gang bringen; *hold one's ~, stand one's ~* standhalten, nicht weichen; *2. (field)* Feld *n*, Platz *m; 3. ~s pl (premises)* Gelände *n; 4. ~s pl*

(coffee ~) Kaffeesatz *m; 5. (reason)* Grund *m; v 6. (electricity)* TECH erden; *7. to be ~ed in, to be ~ed on* sich gründen auf, sich basieren auf; *to be well ~ed in* bewandert sein in; *8. (a plane)* Startverbot erteilen

groundbreaking ['graʊndbreɪkɪŋ] *adj (fig) (US)* bahnbrechend

ground floor [graʊnd flɔ:] *sb* Erdgeschoss *n; get in on the ~ (fig)* von Anfang an mit dabei sein

grounding ['graʊndɪŋ] *sb* Fundament *n*, Unterbau *m*

groundwork ['graʊndwɜ:k] *sb (fig)* Grundlage *f*

group [gru:p] *sb 1.* Gruppe *f; v 2.* gruppieren, anordnen, einordnen; ~ *together (in one ~)* zusammentun

group dynamics [gru:p daɪ'næmɪks] *pl* Gruppendynamik *f*

groupie ['gru:pɪ] *sb* Groupie *n*

group therapy [gru:p 'θerəpɪ] *sb* PSYCH Gruppentherapie *f*

grouse [graʊs] *sb 1.* ZOOL Waldhuhn *n; v 2.* meckern, nörgeln

grovel ['grɒvl] *v* kriechen

grow [grəʊ] *v irr 1.* wachsen, größer werden; *2. (number)* zunehmen; *3. (become)* werden; *4. ~ on s.o.* jdm liebwerden; *5. (sth)* ziehen, anbauen, anpflanzen; *6. ~ one's hair* sich die Haare wachsen lassen

• **grow out** *v irr ~ of sth* aus etw herauswachsen, *(fig)* für etw zu alt werden

growing ['grəʊɪŋ] *1. adj* wachsend; *2. (increasing)* zunehmend

grown [grəʊn] *adj* erwachsen, ausgewachsen

grown-up ['grəʊnʌp] *sb* Erwachsene(r) *m/f*

growth [grəʊθ] *sb 1.* Wachstum *n*, Wachsen *n; 2. (of a plant)* Wuchs *m; 3. (increase)* Zunahme *f; 4. (fig: development)* Entwicklung *f; 5.* ECO Zuwachs *m; 6.* MED Gewächs *n*, Tumor *m*

growth industry [grəʊθ 'ɪndəstrɪ] *ECO sb* Wachstumsindustrie *f*

growth rate ['grəʊθreɪt] *sb* ECO Wachstumsrate *f*

grubby ['grʌbɪ] *adj* schmuddelig

grudge [grʌdʒ] *sb* Groll *m; bear s.o. a ~, have a ~ against s.o.* einen Groll gegen jdn hegen

gruesome ['gru:səm] *adj* grausig, grauenhaft, schauerlich

gruff [grʌf] *adj* schroff, barsch, ruppig

grumble ['grʌmbl] *v* murren, schimpfen

grump [grʌmp] v brummen, murren
grumpy ['grʌmpɪ] adj mürrisch
grungy ['grʌndʒɪ] adj (fam) schmuddelig
grunt [grʌnt] v 1. grunzen; 2. (with exertion, with pain) ächzen; 3. (a reply) brummen
guarantee [gærən'tiː] v 1. garantieren, Gewähr leisten; 2. (a loan, a debt) bürgen für; sb 3. Garantie f; 4. (pledge of obligation) Bürgschaft f; 5. (deposit, money as a ~) Kaution f
guard [gɑːd] v 1. bewachen, hüten; ~ against sich hüten vor; 2. (protect) schützen; 3. (fig) behüten, beschützen; 4. SPORT decken; sb 5. Wache f; to be on ~ auf Wache sein; stand ~ Wache stehen; throw s.o. off ~ jdn überrumpeln; under ~ unter Bewachung, 6. (one person) Wächter m, (soldier) Wachtposten m; 7. (prison ~) Gefängniswärter m; 8. (safety device) Schutz m; 9. (UK: rail ~) Schaffner m; 10. (in basketball) SPORT Aufbauspieler m
guarded ['gɑːdɪd] adj 1. (under guard) bewacht; 2. (cautious) vorsichtig
guardian ['gɑːdɪən] sb 1. Hüter m, Wächter m; 2. JUR Vormund m
guardian angel ['gɑːdɪən 'eɪndʒəl] sb Schutzengel m
guess [ges] v 1. raten, schätzen; 2. (successfully) erraten; 3. (suppose) schätzen, vermuten; sb 4. Schätzung f; That's anybody's ~. Das weiß niemand. take a ~ raten, schätzen
guest [gest] sb Gast m; Be my ~! Aber bitte!
guide [gaɪd] v 1. führen, leiten, lenken; sb 2. (person) Führer m; 3. (indication) Anhaltspunkt m; 4. (model) Vorbild n; 5. (manual) Leitfaden m, Handbuch n; (travel ~) Führer m
guide dog ['gaɪddɒg] sb Blindenhund m
guile [gaɪl] sb Arglist f, Tücke f
guillotine ['gɪːjətiːn] sb 1. Guillotine f, Fallbeil n; v 2. guillotinieren, auf der Guillotine hinrichten, auf dem Fallbeil hinrichten
guilt [gɪlt] sb Schuld f
guilt complex ['gɪltkɒmpleks] sb PSYCH Schuldkomplex m
guilt trip ['gɪlttrɪp] sb (fam) (US) lay a ~ on s.o. jdm einen Schuldkomplex einreden
guilty ['gɪltɪ] adj 1. schuldig; find ~ JUR für schuldig befinden, für schuldig erklären; 2. (look) schuldbewusst; 3. a ~ conscience ein schlechtes Gewissen
guinea pig ['gɪnɪ pɪg] sb 1. ZOOL Meerschweinchen n; 2. (fig) Versuchskaninchen n
guitar [gɪ'tɑː] sb MUS Gitarre f
guitarist [gɪ'tɑːrɪst] sb MUS Gitarrist m

gulf [gʌlf] sb 1. GEO Golf m, Meerbusen m; 2. (fig: chasm) Kluft f
gum [gʌm] sb 1. Gummi n; 2. (glue) Klebstoff m; 3. (chewing ~) Kaugummi m; 4. ANAT Zahnfleisch n; v 5. (apply ~ to) gummieren
gumption ['gʌmpʃən] sb (sense) Grips m
gun [gʌn] sb 1. Kanone f, Pistole f, Revolver m; jump the ~ (fig) voreilig handeln; stick to one's ~s nicht weichen, nicht nachgeben; under the ~ (fig) unter Druck; 2. (rifle) Gewehr n; 3. (artillery) MIL Geschütz n; 4. to be a big ~ (fam) ein großes Tier sein; v 5. ~ down erschießen, niederschießen; 6. (an engine) aufheulen lassen
gunfire ['gʌnfaɪə] sb Gewehrfeuer n, Schüsse pl
gung-ho [gʌŋ'həʊ] adj (fam) übereifrig
gun licence ['gʌnlaɪsəns] sb Waffenschein m
gunman ['gʌnmən] sb 1. Bewaffneter m; 2. (by profession) Revolverheld m
gunpoint ['gʌnpɔɪnt] sb at ~ mit vorgehaltener Schusswaffe
gunpowder ['gʌnpaʊdə] sb Schießpulver n
gunrunning ['gʌnrʌnɪŋ] sb Waffenschmuggel m
gunshot ['gʌnʃɒt] sb Kanonenschuss m, Gewehrschuss m
gurgle ['gɜːgl] v (person) glucksen; (liquid) gluckern
guru ['guːruː] sb Guru m
gussy ['gʌsɪ] v ~ up (fam) herausputzen, aufmöbeln
gust [gʌst] sb (of wind) Windstoß m, Bö f
gusty ['gʌstɪ] adj böig, stürmisch
gut [gʌt] v 1. (an animal) ausnehmen; 2. (fire) ausbrennen; sb 3. (paunch) Bauch m; 4. ~s pl ANAT Eingeweide n; I hate his ~s. (fam) Ich hasse ihn wie die Pest. 5. ~s pl (fig: courage) Mumm m, Schneid m; adj 6. (instinctive: reaction, feeling) instinktiv, leidenschaftlich
gutless ['gʌtlɪs] adj (fam) feige
guy [gaɪ] sb Typ m, Kerl m
gymnasium [dʒɪm'neɪzɪəm] sb Turnhalle f
gymnast ['dʒɪmnæst] sb SPORT Turner m
gymnastics [dʒɪm'næstɪks] sb SPORT Turnen n, Gymnastik f
gynaecologist [gaɪnɪ'kɒlədʒɪst] sb MED Gynäkologe/Gynäkologin m/f, Frauenarzt/Frauenärztin m/f
gynaecology [gaɪnɪ'kɒlədʒɪ] sb MED Gynäkologie f, Frauenheilkunde f

H

habit ['hæbɪt] *sb* 1. Gewohnheit *f,* Angewohnheit *f; out of ~* aus Gewohnheit; *make a ~ of sth* etw zur Gewohnheit werden lassen; *break o.s. of a ~* sich etw abgewöhnen; *get into the ~ of doing sth* sich daran gewöhnen, etw zu tun, sich angewöhnen, etw zu tun; *creature of ~* Gewohnheitsmensch *m;* 2. *(addiction)* Sucht *f;* 3. REL Habit *n*

habitable ['hæbɪtəbl] *adj* bewohnbar

habitat ['hæbɪtæt] *sb* ZOOL Habitat *n,* Lebensraum *m*

habit-forming ['hæbɪtfɔːmɪŋ] *adj (drug)* suchterzeugend

hacker ['hækə] *sb (computer ~)* Hacker *m*

hacking cough ['hækɪŋ kɔːf] *sb* trockener Husten *m*

hackle ['hækl] *sb* 1. BIO Nackengefieder *n;* 2. *get s.o.'s ~s up* jdn auf die Palme bringen

hackney ['hæknɪ] *sb (horse for driving)* Kutschpferd *n*

hacksaw ['hæksɔː] *sb* Metallsäge *f*

haddock ['hædək] *sb* ZOOL Schellfisch *m*

haemorrhage ['hemərɪdʒ] *sb* MED Blutung *f*

haggle ['hægl] *v* feilschen

hail¹ [heɪl] *v* 1. *~ from* kommen aus, stammen aus; 2. *(greet, cheer)* zujubeln, freudig begrüßen; 3. *to be ~ed as* gefeiert werden als; 4. *(a taxi) (vocally)* rufen; *(by gesturing)* herbeiwinken

hail² [heɪl] *v* 1. hageln; *sb* 2. Hagel *m*

hailstone ['heɪlstəʊn] *sb* Hagelkorn *n*

hair [heə] *sb* Haar *n; do one's ~* sich die Haare machen; *by a ~ (fig)* ganz knapp; *keep one's ~ on (fig)* ruhig Blut bewahren; *split ~s (fig)* Haarspalterei betreiben

hairbrush ['heəbrʌʃ] *sb* Haarbürste *f*

haircut ['heəkʌt] *sb* Haarschnitt *m; get a ~* sich die Haare schneiden lassen

hairdo ['heəduː] *sb* Frisur *f*

hairdresser ['heədresə] *sb* Frisör(in) *m/f*

hair dryer ['heədraɪə] *sb* Haartrockner *m*

hairpiece ['heəpiːs] *sb* 1. *(for men)* Toupet *n;* 2. *(for women)* Haarteil *n*

hair-raising ['heərreɪzɪŋ] *adj* haarsträubend

hairstyle ['heəstaɪl] *sb* Frisur *f*

hairstylist ['heəstaɪlɪst] *sb* Hairstylist(in) *m/f*

hale [heɪl] *adj* gesund, kräftig, rüstig; *~ and hearty* kerngesund, frisch und munter

half [hɑːf] *adj* 1. halb; *adv* 2. halb; *not ~ bad* gar nicht übel; *~ past two* halb drei; *~ a(n) ...* ein halber/eine halbe/ein halbes ...; 3. *(almost)* fast; *I ~ thought ...* Ich hätte fast gedacht ...; *sb* 4. Hälfte *f; an hour and a ~* anderthalb Stunden; *too clever by ~* überschlau; *in ~* entzwei; *do things by halves* halbe Sachen machen; 5. SPORT Halbzeit *f,* Spielhälfte *f*

half-and-half ['hɑːfændhɑːf] *sb* Mischung zu gleichen Teilen *f* (Ale and Porter)

half-baked ['hɑːfbeɪkt] *adj* 1. *(plan)* nicht durchdacht, blödsinnig; 2. *(person)* noch nicht trocken hinter den Ohren

half-hearted [hɑːf'hɑːtɪd] *adj* halbherzig

halfmoon ['hɑːfmuːn] *sb* Halbmond *m*

halfpenny ['hɑːfpenɪ] *sb* halber Penny *m*

half-price ['hɑːfpraɪs] *adj* um die Hälfte reduziert

half-time ['hɑːftaɪm] *sb* SPORT Halbzeit *f*

halfway [hɑːf'weɪ] *adv* 1. auf halbem Weg, in der Mitte; *meet s.o. ~* jdm auf halbem Weg entgegenkommen; 2. *(fairly, somewhat)* halbwegs, einigermaßen, teilweise

hall [hɔːl] *sb* 1. *(~way)* Gang *m,* Flur *m,* Korridor *m;* 2. *(for concerts)* Saal *m;* 3. *(building)* Halle *f; ~ of fame* Ruhmeshalle *f*

Halloween [hæləʊ'wiːn] *sb* Abend vor Allerheiligen *m*

hall stand [hɔːl stænd] *sb* Garderobe *f*

hallucination [həluːsɪ'neɪʃən] *sb* Halluzination *f*

hallucinogen [hə'luːsɪnədʒen] *sb* Halluzinogen *n*

hallway ['hɔːlweɪ] *sb* Gang *m,* Flur *m,* Korridor *m*

halt [hɔːlt] *v* 1. *(come to a ~)* zum Stillstand kommen, anhalten, stehen bleiben; 2. *(s.o.)* anhalten; *sb* 3. Stillstand *m*

halter ['hɔːltə] *sb* Halfter *n*

halting ['hɔːltɪŋ] *adj* 1. *(verse)* holperig; 2. *(speech)* stockend; 3. *(walk)* unsicher

halve [hɑːv] *v* halbieren

ham [hæm] *sb* 1. Schinken *m; v* 2. *~ it up (fam)* zu dick auftragen

hammer ['hæmə] *v* 1. hämmern; *~ sth into s.o.* jdm etw einbläuen; 2. *(fam: defeat badly)* eine Schlappe beibringen; *sb* 3. Hammer *m*

• **hammer out** *v* 1. hämmern, schlagen; 2. *(dents)* ausbeulen; 3. *(fig)* ausarbeiten, aushandeln

hammer throw ['hæmə θrəʊ] *sb SPORT* Hammerwerfen *n*

hamper ['hæmpə] *v* behindern, hemmen

hamster ['hæmstə] *sb ZOOL* Hamster *m*

hand [hænd] *sb 1.* Hand *f; on ~s and knees* auf allen vieren; *have too much time on one's ~s* zu viel Zeit zur Verfügung haben; *get sth off one's ~s* (fig) etw loswerden; *take sth off s.o.'s ~s* jdm etw abnehmen; *to be close at ~* vor der Tür stehen; *force s.o.'s ~* auf jdn Druck ausüben; *have a ~ in sth* an etw beteiligt sein; *change ~s* den Besitzer wechseln; *try one's ~ at sth* etw versuchen; *well in ~* gut im Griff; *get out of ~* außer Kontrolle geraten *gain the upper ~* die Oberhand gewinnen; *eat out of s.o.'s ~* jdm aus der Hand fressen; *keep one's ~s off sth* die Finger von etw lassen; *lay one's ~s on sth* etw in die Hände bekommen; *shake ~s* sich die Hand geben; *wash one's ~s of sth* nichts mit einer Sache zu tun haben wollen; *It's in your ~s.* (fig) Es liegt in deiner Hand. *2. give s.o. a ~* (help s.o.) jdm helfen; *(applaud s.o.)* jdm Beifall klatschen; *3. cash in ~* Kassenbestand *m; 4. on the one ~* einerseits; *on the other ~* andererseits, dagegen, dafür; *5. (cards in one's ~)* Karten *pl,* Blatt *n; 6. (of a clock)* Uhrzeiger *m; 7. (worker)* Arbeitskraft *f,* Arbeiter *m; an old ~* ein alter Hase; *v 8.* reichen, geben; *you've got to ~ it to him* das muss man ihm lassen

•**hand in** *v* abgeben, einreichen

•**hand on** *v* weitergeben

•**hand out** *v* austeilen, verteilen

handbag ['hændbæg] *sb* Handtasche *f*

handbrake ['hændbreɪk] *sb* Handbremse *f*

handcuffs ['hændkʌfs] *pl* Handschellen *pl*

handgrip ['hændɡrɪp] *sb 1.* Griff *m; 2. (grasping)* Händedruck *m*

handgun ['hændɡʌn] *sb* Handfeuerwaffe *f*

handicap ['hændɪkæp] *sb 1.* Handikap *n; v 2.* benachteiligen

handicapped ['hændɪkæpt] *adj* behindert

handily ['hændɪlɪ] *adv (easily)* leicht

handle ['hændl] *v 1. (use hands on)* anfassen, berühren; *2. (work with, deal with)* sich befassen mit, handhaben; *3. (succeed in dealing with)* fertigwerden mit, erledigen; *sb 4.* Griff *m; (of a door)* Klinke *f; (of a cup)* Henkel *m; fly off the ~* aus der Haut fahren, die Beherrschung verlieren

hand-made [hænd meɪd] *adj* handgearbeitet, von Hand gemacht

hand-me-down ['hændmiːdaʊn] *sb* weitergereichtes Kleidungsstück *n*

handsaw ['hændsɔː] *sb* Handsäge *f,* Fuchsschwanz *m*

handshake ['hændʃeɪk] *sb* Händedruck *m*

handsome ['hændsəm] *adj 1.* gut aussehend; *2. (considerable)* beträchtlich, ansehnlich, stattlich

handwriting ['hændraɪtɪŋ] *sb* Handschrift *f,* Schrift *f*

handwritten ['hændrɪtən] *adj* handgeschrieben

handy ['hændɪ] *adj 1. (useful)* praktisch; *come in ~* gelegen kommen; *2. (skilled)* geschickt, gewandt; *adv 3. (close at hand)* in der Nähe

hang [hæŋ] *v irr 1. (be hanging)* hängen; *(drapes, hair)* fallen; *2. (sth)* hängen; *(a picture)* aufhängen; *3. ~ one's head* den Kopf hängen lassen; *4. ~ o.s.* sich erhängen, sich aufhängen; *sb 5. get the ~ of sth* den Dreh rauskriegen

•**hang on** *v irr 1.* festhalten; *2. (wait)* Hang on! Halt! Moment!

•**hang out** *v irr 1.* bummeln; *(in a certain place)* sich herumtreiben; *~ with s.o.* (fam) mit jdm verkehren; *2. (a sign)* aushängen

•**hang up** *v irr 1. (a telephone)* auflegen, aufhängen; *2. (a picture, a coat)* aufhängen; *3. to be hung up on* (fig: to be obsessed by) einen Komplex haben wegen, besessen sein von

hanging ['hæŋɪŋ] *sb* Erhängen *n,* Hängen *n*

hangover ['hæŋəʊvə] *sb* Kater *m,* Katzenjammer *m*

hanky-panky [hæŋkɪ'pæŋkɪ] *sb 1. (tricks)* Mauscheleien *pl,* Tricks *pl; 2. (sexy behaviour)* Knutscherei *f,* Techtelmechtel *n; (groping)* Gefummel *n*

happen ['hæpən] *v 1.* geschehen, passieren, sich ereignen; *~ to (become of)* geschehen mit, passieren, werden aus; *2. (coincidentally)* zufällig geschehen, sich zufällig ergeben; *as it ~s* zufälligerweise; *3. ~ upon, ~ on* zufällig stoßen auf; *(s.o.)* zufällig treffen

happening ['hæpənɪŋ] *sb* Ereignis *n*

happiness ['hæpɪnɪs] *sb* Glück *n*

happy ['hæpɪ] *adj 1.* glücklich, froh; *2. (coincidence)* geglückt; *3. (satisfied)* zufrieden

happy hour ['hæpɪ aʊə] *sb* Happy Hour *f*

harass ['hærəs] *v* belästigen

harassment ['hærəsmənt] *sb 1.* Belästigung *f,* Bedrängung *f,* Schikane *f,* Bedrängnis *f; 2. MIL* Störaktion *f*

harbour ['hɑːbə] *sb 1.* Hafen *m; v 2. (s.o.)* beherbergen; *3. (suspicions, a grudge)* hegen

hard [hɑːd] *adj* 1. hart; 2. ~ *cash (fam)* Bares *n*; 3. No ~ *feelings?* Du bist nicht sauer? 4. *(difficult)* schwer, schwierig; *learn sth the ~ way* aus bitterer Erfahrung lernen; ~ *of hearing* schwerhörig; 5. *to be ~ on s.o.* jdm arg zusetzen; 6. *give s.o. a ~ time* jdm arg zusetzen, jdm das Leben schwer machen

hard-and-fast ['hɑːdænd'fɑːst] *adj* fest, bindend

hardback ['hɑːdbæk] *sb (~ book)* gebundene Ausgabe *f*

hard core ['hɑːdkɔː] *sb the ~* der harte Kern *m*

harden ['hɑːdn] *v* 1. hart werden; 2. *(sth)* härten; 3. *(s.o.: physically)* abhärten; 4. *(s.o.: emotionally)* verhärten, abstumpfen

hardened ['hɑːdnd] *adj* zäh, abgehärtet, abgebrüht

hard-headed [hɑːd 'hedɪd] *adj* 1. *(stubborn)* starrköpfig; 2. *(practical)* nüchtern, realistisch

hardhearted [hɑːd 'hɑːtɪd] *adj* hartherzig

hard-hitting [hɑːd 'hɪtɪŋ] *adj* hart, kompromisslos

hardship ['hɑːdʃɪp] *sb* 1. Not *f*, Elend *n*; 2. *(one ~)* JUR Härte *f*

hard shoulder [hɑːd 'ʃəʊldə] *sb (UK)* Standspur *f*

hardware ['hɑːdweə] *sb* 1. Eisenwaren *pl*; 2. INFORM Hardware *f*

hard-working [hɑːd'wɜːkɪŋ] *adj* fleißig

hardy ['hɑːdɪ] *adj* 1. zäh, robust; 2. *(brave)* kühn; 3. *(plant)* winterfest

harelip ['heəlɪp] *sb* Hasenscharte *f*

harm [hɑːm] *v* 1. *(s.o.)* verletzen; 2. *(sth)* schaden; *sb* 3. Schaden *m*; 4. *(bodily)* Verletzung *f; No ~ done!* Es ist nichts passiert! *out of ~'s way* in Sicherheit; *do ~ to s.o.* jdm schaden, jdm etw antun

harmful ['hɑːmful] *adj* schädlich

harmless ['hɑːmlɪs] *adj* 1. harmlos, unschädlich, ungefährlich; 2. *(person)* harmlos, unschuldig, arglos; 3. *(question)* harmlos, unverfänglich

harmony ['hɑːmənɪ] *sb* Harmonie *f*

harrowing ['hærəʊɪŋ] *adj* erschreckend, quälend

harsh [hɑːʃ] *adj* 1. hart, rau; 2. *(words)* hart, barsch, schroff; 3. *(taste)* herb, scharf, sauer; 4. *(punishment)* streng

harvest ['hɑːvɪst] *v* 1. ernten; *sb* 2. Ernte *f*; 3. *(fig)* Ertrag *m*, Früchte *pl*

has-been ['hæzbɪn] *sb* jmd, der seine Glanzzeit hinter sich hat

hassle ['hæsl] *sb (bother)* Mühe *f*, Theater *n (fam)*

haste [heɪst] *sb* 1. Eile *f; Make ~!* Beeil dich! 2. *(nervous ~)* Hast *f*

hasten ['heɪsn] *v* 1. sich beeilen; 2. *(sth)* beschleunigen

hasty ['heɪstɪ] *adj* 1. eilig, hastig; 2. *(rash)* vorschnell, voreilig, übereilt

hat [hæt] *sb* Hut *m; at the drop of a ~* auf der Stelle; *take one's ~ off to s.o.* vor jdm den Hut ziehen; *If that happens, I'll eat my ~.* Wenn das passiert, fresse ich einen Besen.

hatch¹ [hætʃ] *v* 1. *(come out of the egg)* ausschlüpfen; 2. *(fig: a plan)* ausbrüten, aushecken, ausdenken

hatch² [hætʃ] *sb* 1. *(hatchway)* Luke *f*; 2. *Down the ~! (fig)* Hoch die Tassen! 3. *(halfdoor)* Halbtür *f*

hate [heɪt] *v* 1. hassen; 2. ~ *to do sth* etw sehr ungern tun; *sb* 3. Hass *m*

hateful ['heɪtful] *adj* abscheulich; *(person)* unausstehlich

hate mail ['heɪtmeɪl] *sb* beleidigende Briefe *pl*

hatred ['heɪtrɪd] *sb* Hass *m*, Abscheu *m*

haughty ['hɔːtɪ] *adj* hochmütig, überheblich

haunt [hɔːnt] *v* 1. *(ghost)* spuken in; 2. *(frequent)* verkehren in; 3. *(memory)* nicht mehr aus dem Kopf gehen; *sb* 4. *(person's)* Lieblingsaufenthalt *m; (pub)* Stammlokal *n*; 5. *(hideout)* Schlupfwinkel *m*

haunted ['hɔːntɪd] *adj This house is ~.* In diesem Haus spukt es.

have [hæv] *v irr* 1. haben; ~ *a child* ein Kind bekommen; *I've been had! (fig)* Man hat mich reingelegt! *He's had it. (fam)* Er ist erledigt. 2. *I'll ~ ... (when ordering sth)* Ich hätte gern ...; 3. ... *haven't you?* ... nicht wahr? ... oder? ... oder nicht? 4. ~ *sth done* etw tun lassen; 5. ~ *to do sth* etw tun müssen; 6. *(permit)* dulden, zulassen

• **have on** *v irr* 1. *(clothing)* tragen, anhaben; 2. *(plan)* vorhaben; 3. *have s.o. on (UK)* jdn auf den Arm nehmen

• **have out** *v irr have it out with s.o.* sich mit jdm auseinander setzen

havoc ['hævək] *sb* Verwüstung *f*, Zerstörung *f; (chaos)* Chaos *n; wreak ~ on* verwüsten, zerstören; *(fig)* verheerend wirken auf

hay [heɪ] *sb* Heu *n; hit the ~ (fam)* sich in die Falle hauen

hay fever ['heɪfiːvə] *sb* MED Heuschnupfen *m*

hazard ['hæzəd] v 1. riskieren, wagen, aufs Spiel setzen; sb 2. (danger) Gefahr f; (risk) Risiko n; 3. (golf) SPORT Hindernis n

hazardous ['hæzədəs] adj gefährlich, riskant, gewagt

he [hi:] pron 1. er; 2. ~ who ... wer ...; derjenige, der ...; derjenige, welcher ...

head [hed] sb 1. Kopf m; to be ~ and shoulders above s.o. jdm haushoch überlegen sein; keep one's ~ above water sich über Wasser halten; turn s.o.'s ~ jdm den Kopf verdrehen; talk one's ~ off sich dumm und dusslig reden; I could do that standing on my ~. Das mache ich mit links. go ~ over heels (fam: fall in love) sich bis über beiden Ohren verlieben; go ~ over heels (do a somersault) einen Purzelbaum schlagen; Heads! (when tossing a coin) Kopf! 2. (mind) Kopf m, Verstand m; keep one's ~ einen kühlen Kopf bewahren; put ideas into s.o.'s ~ jdm Flausen in den Kopf setzen; over s.o.'s ~ zu hoch für jdn; use one's ~ seinen Kopf anstrengen; 3. (leader, boss) Chef m, Leiter m, Führer m; (of a family) Familienoberhaupt n; ~ of state Staatsoberhaupt n; 4. come to a ~ (fig) sich zuspitzen; 5. (of foam) Schaumkrone f

headache ['hedeɪk] sb 1. MED Kopfschmerzen pl; 2. (fig) Problem n; etwas, das Kopfzerbrechen macht

head-butt ['hedbʌt] sb Kopfstoß m

head case ['hedkeɪs] sb (fam) Verrückte(r) m/f

headfirst ['hed'fɜːst] adj kopfüber

headhunter ['hedhʌntə] sb 1. Kopfjäger m; 2. (executive searcher) ECO Headhunter m

headmaster ['hedmɑːstə] sb Schulleiter m, Direktor m

head-on collision ['hedɒn kə'lɪʒən] sb Frontalzusammenstoß m

headphones ['hedfəʊnz] pl Kopfhörer m

headquarters ['hedkwɔːtəz] sb 1. Zentrale f; 2. MIL Hauptquartier n

headset ['hedset] sb Kopfhörer m

head start [hed stɑːt] sb Vorsprung m

headstrong ['hedstrɒŋ] adj eigensinnig, halsstarrig

•**head up** führen, leiten

heady ['hedɪ] adj (impetuous) impulsiv

heal [hi:l] v heilen

health [helθ] sb Gesundheit f

health care ['helθkeə] sb Gesundheitsfürsorge f; ~ reform Gesundheitsreform f

health club ['helθklʌb] sb Fitnessklub m

health food ['helθfu:d] sb Reformkost f

health insurance ['helθɪnʃʊərəns] sb Krankenversicherung f

healthy ['helθɪ] adj gesund

hear [hɪə] v irr hören; make o.s. heard sich Gehör verschaffen; He wouldn't ~ of it. Er wollte davon gar nichts hören.

•**hear out** v irr hear s.o. out jdn ausreden lassen

hearing ['hɪərɪŋ] sb 1. Gehör n; hard of ~ schwerhörig; 2. JUR Verhandlung f, Vernehmung f; 3. POL Hearing n, Anhörung f

hearing aid ['hɪərɪŋ eɪd] sb Hörgerät n

hearse [hɜːs] sb Leichenwagen m

heart [hɑːt] sb 1. Herz n; have a change of ~ seine Meinung ändern; to one's ~'s content nach Herzenslust; one's ~'s desire jds Herzenswunsch m; Cross my ~! Hand aufs Herz! break s.o.'s ~ jdm das Herz brechen; know sth by ~ etw auswendig wissen; set one's ~ on sein Herz hängen an; take sth to ~ sich etw zu Herzen nehmen; eat one's ~ out sich vor Kummer verzehren; 2. (of a matter) Kern m, das Wesentliche n; 3. after my own ~ nach meinem eigenen Geschmack; 4. lose ~ den Mut verlieren; 5. in the ~ of inmitten, mitten in, im Herzen

heartache ['hɑːteɪk] sb Kummer m

heart attack ['hɑːtətæk] sb 1. Herzanfall m; 2. (thrombosis) Herzinfarkt m

heartbeat ['hɑːtbiːt] sb Herzschlag m

heartbreaking ['hɑːtbreɪkɪŋ] adj to be ~ einem das Herz brechen

heartbroken ['hɑːtbrəʊkən] adj mit gebrochenem Herzen, unglücklich

heart failure ['hɑːtfeɪljə] sb MED Herzversagen n

heartily ['hɑːtɪlɪ] adv herzlich, kräftig

heart-throb ['hɑːtθrɒb] sb 1. (fam) Schwarm m; 2. (throb of a heart) Herzklopfen n

heart-to-heart ['hɑːttuhɑːt] sb offenes Gespräch n

heat [hiːt] sb 1. Hitze f, Wärme f; 2. (fam: pressure) Druck m; 3. ZOOL Brunst f; on ~, in ~ brünstig; 4. SPORT Vorlauf m; v 5. (sth) erhitzen, heiß machen; (food) aufwärmen

heater ['hiːtə] sb Heizgerät n, Heizung f

heating ['hiːtɪŋ] sb Heizung f

heat-seeking ['hiːtsiːkɪŋ] adj wärmesuchend

heatstroke ['hiːtstrəʊk] sb Hitzschlag m

heat wave [hiːt weɪv] sb Hitzewelle f

heave [hiːv] v 1. (chest) sich heben und senken; 2. (sth)(lift) hochheben, hochwuchten, hochhieven; 3. *(throw)* schmeißen, werfen; 4. *(a sigh)* ausstoßen; 5. *(fam: vomit)* kotzen, erbrechen; *v irr* 6. *(an anchor) NAUT* lichten; *sb* 7. *(throw)* Wurf *m*

heaven ['hevn] *sb REL* Himmel *m*; Good ~s! Du lieber Himmel! For ~'s sake! Um Himmels willen! Thank ~! Gott sei Dank!

heavy ['hevɪ] *adj* 1. schwer; 2. *(rain, drinker, traffic, beard)* stark; 3. *(tread)* schwerfällig

heavy-handed ['hevɪ 'hændɪd] *adj (rough, boorish)* taktlos, grob

heavy-hearted ['hevɪ 'hɑːtɪd] *adj* mit schwerem Herzen

heavyweight ['hevɪweɪt] *sb* 1. *SPORT* Schwergewichtler *m*; 2. *(fig)* großes Tier *n* (fam)

heckle ['hekl] *v (a speaker)* durch Zwischenrufe stören

hedge [hedʒ] *sb* 1. Hecke *f*; *v* 2. *(fig: when answering a question)* ausweichen; 3. ~ one's bets sich absichern

hedgehog ['hedʒhɒg] *sb* Igel *m*

heed [hiːd] *v* 1. beachten, Acht geben auf, Beachtung schenken; *sb* 2. Beachtung *f*; pay ~ to, take ~ of beachten

heel [hiːl] *sb* 1. *ANAT* Ferse *f*; on the ~s of sth *(fig)* unmittelbar auf etw folgend; down at the ~s schäbig, heruntergekommen; to be head over ~s in love bis über beide Ohren verliebt sein; take to one's ~s die Beine in die Hand nehmen; 2. *(of a shoe)* Absatz *m*

hefty ['heftɪ] *adj* 1. schwer; 2. *(person)* kräftig; 3. *(blow)* saftig (fam)

height [haɪt] *sb* 1. Höhe *f*; 2. *(of a person)* Größe *f*; 3. *(fig)* Höhe *f*, Gipfel *m*

heir [eə] *sb* Erbe *m*; ~ to the throne Thronfolger *m*

heiress ['eərɪs] *sb* Erbin *f*

heirloom ['eəluːm] *sb* Erbstück *n*

helicopter ['helɪkɒptə] *sb* Hubschrauber *m*, Helikopter *m*

hell [hel] *sb* Hölle *f*; catch ~ eins aufs Dach kriegen (fam); give s.o. ~ jdm die Hölle heiß machen (fam); a ~ of a ... ein verdammt guter ... What the ~? Was zum Teufel? What the ~! Was soll's! Go to ~! Fahr zur Hölle!

hellish ['helɪʃ] *adj* höllisch

hello [he'ləʊ] *interj* 1. hallo; 2. *(in surprise)* Nanu!

helmet ['helmɪt] *sb* Helm *m*

help [help] *v* 1. helfen; He can't ~ it. Er kann nichts dafür. 2. ~ o.s. *(to sth)* sich bedienen, zugreifen; 3. ~ out aushelfen; *sb* 4. Hilfe *f*; Help! Hilfe!

helper ['helpə] *sb* Helfer *m*; *(assistant)* Gehilfe/Gehilfin *m/f*

helpful ['helpfʊl] *adj* 1. *(person)* behilflich, hilfsbereit; 2. *(thing)* nützlich

helping hand [helpɪŋ'hænd] *sb* Unterstützung *f*

helpless ['helplɪs] *adj* hilflos

helpline [help laɪn] *sb* Notrufstelle *f* (bei Problemen)

helter-skelter [heltə'skeltə] *adj* 1. wirr, wild; *sb* 2. Durcheinander *n*

hem [hem] *sb* 1. Saum *m*; *v* 2. ~ in *(fig)* einengen; 3. ~ in *MIL* einschließen

he-man ['hiːmæn] *sb* He-Man *m*, sehr männlicher Typ *m*

hemp [hemp] *sb BOT* Hanf *m*

hen [hen] *sb ZOOL* Henne *f*, Huhn *n*

hence [hens] *adv* 1. *(thus)* also, daher, deshalb; 2. *(from now)* von jetzt an, binnen; five years ~ in fünf Jahren

hen-party ['henpɑːtɪ] *sb (UK)* Kaffeeklatsch *m*

henpecked ['henpekt] *adj* ~ husband *(fam)* Pantoffelheld *m*

her [hɜː] *pron* 1. *(accusative)* sie, *(dative case)* ihr; *adj* 2. ihr(e)

herb [hɜːb] *sb* Kraut *n*

herbal ['hɜːbl] *adj* Kräuter..., Pflanzen...

herbivore ['hɜːbɪvɔː] *sb ZOOL* Pflanzenfresser *m*

herd [hɜːd] *sb* 1. Herde *f*; 2. *(of deer)* Rudel *n*; *v* 3. *(drive)* treiben; ~ together zusammentreiben

here [hɪə] *adv* 1. hier; ~ and there hier und da; That's neither ~ nor there. Das gehört nicht zur Sache. Same ~! *(fam)* Ich auch! 2. *(over to me)* her, hierher, hierhin; Come ~! Komm her! 3. Look ~! *(fig: Listen to me!)* Na hören Sie mal!

hereabouts ['hɪərəbaʊts] *adv* in dieser Gegend

hereafter [hiːr'ɑːftə] *adv* 1. in Zukunft; *sb* 2. the ~ das Jenseits *n*

hereby [hɪə'baɪ] *adv* hierdurch, hiermit

hereditary [hɪ'redɪtərɪ] *adj* erblich, Erb...

heretic ['herətɪk] *sb* Ketzer *m*

herewith [hɪə'wɪθ] *adv* hierdurch, hiermit

heritage ['herɪtɪdʒ] *sb* Erbe *n*, Erbschaft *f*

hermit ['hɜːmɪt] *sb* Einsiedler *m*, Eremit *m*

hernia ['hɜːnɪə] *sb MED* Bruch *m*, Hernie *f*

hero ['hɪərəʊ] *sb* Held *m*

heroic [hɪ'rəʊɪk] *adj* 1. heldenhaft, heroisch; 2. *(size)* mächtig

heroin ['herəʊɪn] *sb* Heroin *n*

heroine ['herǝʊɪn] sb Heldin f
hers [hɜːz] pron ihrer/ihre/ihres/ihre
herself [hɜː'self] pron sich; she ~ sie selbst
hesitate ['hezɪteɪt] v 1. zögern, zaudern; 2. (in speaking) stocken
hesitation [hezɪ'teɪʃǝn] sb Zögern n, Zaudern n; without ~ ohne zu zögern
heterosexual [hetǝrǝʊ'seksjʊǝl] adj heterosexuell
hex [heks] sb put a ~ on s.o. jdn verhexen
hexagon ['heksǝgɒn] sb MATH Sechseck n, Hexagon n
hey [heɪ] interj He!
heyday ['heɪdeɪ] sb Glanzzeit f, Blütezeit f
hi [haɪ] interj Guten Tag! Hallo!
hibernate ['haɪbǝneɪt] v überwintern
hibernation [haɪbǝ'neɪʃǝn] sb ZOOL Winterschlaf m, Überwinterung f
hiccup ['hɪkʌp] sb Schluckauf m; have the ~s den Schluckauf haben
hidden ['hɪdn] adj verborgen, geheim
hide¹ [haɪd] v irr 1. sich verstecken, sich verbergen; 2. (sth, s.o.) verstecken, verbergen
hide² [haɪd] sb Haut f, Fell n
hideaway ['haɪdǝweɪ] sb Versteck n
hideout ['haɪdaʊt] sb Versteck n
hiding ['haɪdɪŋ] sb Versteck n; to be in ~ sich versteckt halten; come out of ~ wieder auftauchen; go into ~ untertauchen
higgledy-piggledy ['hɪgldɪ'pɪgldɪ] adj (fam) durcheinander
high [haɪ] adj 1. hoch, hohe(r,s); search ~ and low überall suchen; the ~ season die Hochsaison f; It's ~ time that ... Es wird höchste Zeit, dass ...; aim ~ (fig) sich hohe Ziele setzen; leave s.o. ~ and dry jdn im Stich lassen; 2. (altitude) groß; 3. (fam: on drugs) high; 4. (wind) stark
high chair ['haɪtʃeǝ] sb Hochstuhl m
high-handed [haɪ'hændɪd] adj anmaßend, selbstherrlich, eigenmächtig
high heels [haɪ hiːlz] pl hohe Absätze pl
high life ['haɪlaɪf] sb the ~ glanzvolles Leben n
highlight ['haɪlaɪt] sb 1. (fig) Höhepunkt m, Glanzpunkt m; 2. (in hair) Strähne f; 3. ART Glanzlicht n; v 4. (fig: point to) ein Schlaglicht werfen auf, hervorheben; 5. (fig: make the ~ of) den Höhepunkt bilden
highly ['haɪlɪ] adv 1. höchst, äußerst, sehr; 2. think ~ of s.o. jdn bewundern
high point ['haɪpɔɪnt] sb Höhepunkt m
high-pressure [haɪ'preʃǝ] adj Hochdruck...

high-rise ['haɪraɪz] sb Hochhaus n
high-risk ['haɪrɪsk] adj Hochrisiko...
high school ['haɪskuːl] sb (US) Highschool f, Oberschule f
high society [haɪ sǝ'saɪǝtɪ] sb High Society f, obere Zehntausend pl
high tide [haɪ taɪd] sb Hochwasser n
highway ['haɪweɪ] sb Landstraße f; ~s and byways Straßen und Wege
hijack ['haɪdʒæk] v entführen
hijacking ['haɪdʒækɪŋ] sb (of an aircraft) Flugzeugentführung f
hike [haɪk] v 1. wandern; 2. ~ up (trousers) hochziehen; sb 3. Wanderung f
hiker ['haɪkǝ] sb Wanderer m
hilarious [hɪ'lɛǝrɪǝs] adj zum Schreien, urkomisch, sehr lustig
hill [hɪl] sb Hügel m, Anhöhe f, kleiner Berg m; as old as the ~s uralt, steinalt; to be over the ~ (fig) seine besten Jahre hinter sich haben
him [hɪm] pron 1. (accusative case) ihn; (dative case) ihm; 2. That's ~! Das ist er!
himself [hɪm'self] pron 1. sich; 2. he ~ er selbst
Hindi ['hɪndɪ] sb LING Hindi n
Hindu ['hɪnduː] sb REL Hindu m
hint [hɪnt] v 1. andeuten; ~ at anspielen auf; sb 2. Andeutung f; drop a ~ eine Andeutung machen; take a ~ den Wink verstehen; 3. (piece of advice) Tipp m, Hinweis m; 4. (trace) Spur f
hip¹ [hɪp] sb ANAT Hüfte f
hip² [hɪp] adj (fam) to be ~ voll dabei sein (fam); to be ~ to ... auf dem Laufenden sein über ...
hip-hop ['hɪphɒp] sb MUS Hiphop m
hippie ['hɪpiː] sb Hippie m
hire [haɪǝ] v 1. mieten; 2. (give a job to) anstellen, engagieren; NAUT anheuern; 3. ~ out vermieten, verleihen; sb 4. for ~ zu vermieten; (taxi) frei
his [hɪz] adj 1. sein(e); pron 2. seiner/seine/seines/seine
Hispanic [hɪs'pænɪk] adj 1. spanisch; 2. (Latin American) lateinamerikanisch
hiss [hɪs] v 1. zischen; 2. (~ s.o.) auszischen
history ['hɪstǝrɪ] sb 1. Geschichte f; 2. (background) Vorgeschichte f
hit [hɪt] v irr 1. (strike) schlagen; ~ the deck sich zu Boden werfen; ~ the road sich auf den Weg machen; 2. (target) treffen; 3. (collide against) stoßen, rammen; 4. ~ s.o. (occur to s.o.) jdm aufgehen; 5. (reach) erreichen; 6. ~ the bottle (fig) zur Flasche greifen; 7. ~ it off

with s.o. sich gut mit jdm verstehen, mit jdm bestens auskommen; *sb* 8. *(blow)* Schlag *m;* 9. *(on target)* Treffer *m;* 10. *(success)* Erfolg *m*
• **hit back** *v irr* zurückschlagen
• **hit on** *v irr* 1. stoßen auf; 2. ~ *s.o. (fam) (US)* jdn anmachen
hit-and-run [hɪtənd'rʌn] *sb* Unfall mit Fahrerflucht *m*
hitch-hike ['hɪtʃhaɪk] *v* trampen, per Anhalter fahren
hitch-hiker ['hɪtʃhaɪkə] *sb* Tramper *m,* Anhalter *m*
hives [haɪvz] *pl MED* Nesselausschlag *m,* Nesselsucht *f*
hoarse [hɔːs] *adj* heiser
hoax [həʊks] *v* 1. hereinlegen; *sb* 2. Streich *m,* Trick *m; (false report)* Ente *f*
hobble ['hɒbl] *v* 1. humpeln, hinken; 2. *(~ s.o.) (fig)* hindern
hobby ['hɒbɪ] *sb* Hobby *n;* Steckenpferd *n,* Liebhaberei *f*
hobo ['həʊbəʊ] *sb (US: tramp)* Landstreicher *m*
hocus-pocus [həʊkəs'pəʊkəs] *sb* Hokuspokus *m*
hoist [hɔɪst] *v* hochziehen, hochwinden, hieven
hold [həʊld] *v irr* 1. halten; *Hold your fire!* Nicht schießen! *Hold everything!* Sofort aufhören! 2. *(one's nose, one's ears)* zuhalten; 3. ~ *one's breath* den Atem anhalten; 4. *(a passport)* haben; 5. *(shares) FIN* besitzen; 6. *(contain)* fassen; *(bus, plane)* Platz haben für; 7. *(a meeting, a church service)* abhalten; 8. *(a party, a concert)* veranstalten; 9. *(an office, a post)* innehaben, bekleiden; 10. ~ *one's own* sich behaupten; 11. *(consider)* halten für; ~ *s.o. responsible* jdn verantwortlich machen; *sb* 12. Griff *m; get* ~ *of s.o. (fig)* jdn erwischen; *get a* ~ *on s.o.* jdn unter seinen Einfluss bekommen; *grab* ~ *of sth* etw fassen; *have a good* ~ *over s.o.* jdn in der Hand haben; *take* ~ *of sth* etw ergreifen; 13. *(in mountaineering)* Halt *m;* 14. *NAUT* Laderaum *m*
• **hold back** *v irr* 1. sich zurückhalten; 2. *(sth)* zurückhalten; 3. *(a mob)* aufhalten; 4. *(tears)* unterdrücken; 5. *to be held back (have to repeat a school year)* sitzen bleiben
• **hold on** *v irr* 1. sich festhalten; ~ *to* festhalten; 2. *(endure)* durchhalten; 3. *(wait, stop) Hold on!* Moment!
• **hold out** *v irr* 1. *(refuse to yield)* nicht nachgeben, aushalten; 2. ~ *for* bestehen auf; 3. *(sth)* ausstrecken

• **hold up** *v irr* 1. *(lift up)* hochheben; 2. *(delay)* verzögern; 3. *(fam: rob)* überfallen; 4. ~ *to sth* sich zu etw bekennen; 5. *(weather)* sich halten
holding company ['həʊldɪŋkʌmpənɪ] *sb ECO* Dachgesellschaft *f*
hold-up ['həʊldʌp] *sb* 1. *(robbery)* bewaffneter Überfall *m;* 2. *(delay)* Verzögerung *f*
hole [həʊl] *sb* 1. Loch *n; pick* ~*s in sth (fig)* etw kritisieren; 2. *(rabbit's or fox's)* Bau *m;* 3. *(fig: awkward situation)* Klemme *f;* ~ *v* 4. ~ *up* sich verkriechen
holiday ['hɒlɪdeɪ] *sb* 1. Feiertag *m; (day off)* freier Tag *m;* 2. ~*s pl (UK)* Urlaub *m,* Ferien *pl; on* ~ im Urlaub
holiday resort ['hɒlədeɪ rɪ'zɔːt] *sb* Ferienort *m*
holler ['hɒlə] *v* brüllen
hollow ['hɒləʊ] *adj* 1. hohl; 2. *(promise)* leer; 3. *(victory)* wertlos; 4. *(sound)* hohl, dumpf; *sb* 5. *(in the ground)* Mulde *f;* 6. *(valley)* Senke *f;* 7. *(of a tree)* hohler Teil *m*
holly ['hɒlɪ] *sb BOT* Stechpalme *f*
holocaust ['hɒləkɔːst] *sb* 1. Inferno *n;* 2. *The Holocaust* der Holocaust *m*
holster ['həʊlstə] *sb* Pistolenhalfter *f/n*
holy ['həʊlɪ] *adj REL* heilig; *(bread, water, ground)* geweiht
Holy Week ['həʊlɪ wiːk] *sb* Karwoche *f*
home [həʊm] *sb* 1. Heim *n; feel at* ~ sich wie zu Hause fühlen; *a letter from* ~ ein Brief von Zuhause; *at* ~ zu Hause, daheim; *make o.s. at* ~ sich wie zu Hause fühlen; 2. *(country)* Heimat *f;* 3. *ZOOL* Heimat *f;* 4. *(institution)* Heim *n,* Anstalt *f;* 5. *hit* ~ ins Schwarze treffen; *adv* 6. zu Hause, daheim; 7. *(toward* ~*)* nach Hause, heim; *bring sth* ~ *to s.o. (fig)* jdm etw klarmachen; *nothing to write* ~ *about (fam)* nichts Weltbewegendes
homebanking [həʊm 'bæŋkɪŋ] *sb FIN* Home Banking *n* (Bankgeschäfte über Computer von zu Hause aus)
home-brew ['həʊmbruː] *sb* selbst gebrautes Bier *n*
homeless ['həʊmlɪs] *adj* obdachlos
homely ['həʊmlɪ] *adj* 1. *(UK: homey)* anheimelnd, gemütlich; 2. *(US: unattractive)* unansehnlich, unattraktiv
homepage ['həʊmpeɪdʒ] *sb INFORM* Homepage *f*
homesick ['həʊmsɪk] *adj to be* ~ Heimweh haben
home truth [həʊm truːθ] *sb* bittere Wahrheit *f*

homework ['həʊmwɜːk] *sb 1.* Hausaufgaben *pl*, Schulaufgaben *pl; 2.* do one's ~ *(fig)* sich gründlich vorbereiten

homicide ['hɒmɪsaɪd] *sb 1.* Tötung *f; 2. (murder)* Mord *m*

homophobia [həʊməʊˈfəʊbɪə] *sb* Schwulenhass *m*

homosexual [heʊməʊˈseksjʊəl] *sb 1.* Homosexuelle(r) *m/f; adj 2.* homosexuell

homosexuality [heʊməʊseksjʊˈælɪtɪ] *sb* Homosexualität *f*

honest ['ɒnɪst] *adj 1. (sincere)* ehrlich, offen, aufrichtig; *2. (respectable)* redlich, anständig; *3. (money, profit)* ehrlich verdient

honesty ['ɒnɪstɪ] *sb* Ehrlichkeit *f*, Aufrichtigkeit *f*, Redlichkeit *f*

honey ['hʌnɪ] *sb 1.* Honig *m; 2. (fam: darling)* Schatz *m*

honeymoon ['hʌnɪmuːn] *sb 1.* Flitterwochen *pl; 2. (trip)* Hochzeitsreise *f*

honorary degree ['ɒnərərɪ dəˈgriː] *sb* ehrenhalber verliehener akademischer Grad *m*

honorific [ɒnəˈrɪfɪk] *adj* ehrend, Ehren...

honour ['ɒnə] *sb 1.* Ehre *f*; word of ~ Ehrenwort *n*; guest of ~ Ehrengast *m*; a point of ~ Ehrensache *f; 2.* Your Honour *(judge)* Euer Ehren, *(mayor)* Herr Bürgermeister; *3. (award)* Auszeichnung *f; 4.* ~s *pl (academic)* besondere Auszeichnung *f; 5. (a cheque)* annehmen, einlösen; *6. (a credit card)* anerkennen; *7. (a debt)* begleichen; *8. (a commitment)* stehen zu, *(a contract)* erfüllen; *9. (s.o.)* ehren

honourable ['ɒnərəbl] *adj 1.* ehrenhaft, *(discharge)* ehrenvoll; *2.* the Honourable ... der/die Ehrenwerte ...

honours list ['ɒnəz lɪst] *sb (UK)* Liste der Titel- und Rangverleihungen *f*

hook [hʊk] *sb 1.* Haken *m*; by ~ or by crook so oder so; to be off the ~ aus dem Schneider sein *(fam)*; let s.o. off the ~ jdn verschonen; *v 2. (a fish)* an die Angel bekommen; *3. (fam: a husband)* sich angeln; *4.* ~ one's feet around sth seine Füße um etw schlingen; *5.* ~ sth to sth etw an etw festhaken; *6.* ~ sth up *(device)* etw anschließen; *(dress)* zuhaken; *(trailer)* ankoppeln; *7.* get ~ed on sth *(really like sth)* auf etw stehen *(fam)*; *(drugs)* von etw abhängig werden

hooker ['hʊkə] *sb (fam: prostitute) (US)* Nutte *f*

hooligan ['huːlɪgən] *sb* Rowdy *m*

hooray [həˈreɪ] *interj* hurra

hoot [huːt] *v 1. (derisively)* johlen; *2. (owl)* schreien; *3. (UK: horn)* hupen

hoover ['huːvə] *v (fam)* Staub saugen

hop [hɒp] *v 1.* hüpfen, hopsen; ~ in *(fam)* einsteigen; ~ into bed with s.o. mit jdm ins Bett steigen; ~ Hop to it! *(fam)* Beweg dich! Mach schnell! *sb 2.* kleiner Sprung *m*, Hüpfer *m; 3. (fam: short aeroplane flight)* Katzensprung *m*

hope [həʊp] *v 1.* hoffen; ~ for hoffen auf; ~ for the best das Beste hoffen; ~ against ~ that ... trotz allem die Hoffnung nicht aufgeben, dass ...; *sb 2.* Hoffnung *f*

hopeful ['həʊpfʊl] *adj* hoffnungsvoll

hopeless ['həʊplɪs] *adj 1.* hoffnungslos; *2. (situation)* aussichtslos, hoffnungslos; *3. (incurable: liar, romantic)* unverbesserlich

horizon [həˈraɪzn] *sb* Horizont *m*

horn [hɔːn] *sb 1.* ZOOL Horn *n*; ~s *pl (deer's)* Geweih *n; 2.* MUS Horn *n*; blow one's own ~ sich selbst auf die Schulter klopfen; *3. (of a car)* Hupe *f*

horned [hɔːnd] *adj* gehörnt, Horn...

horny ['hɔːnɪ] *adj (fam)* geil, scharf

horoscope ['hɒrəskəʊp] *sb* Horoskop *n*

horrible ['hɒrɪbl] *adj* fürchterlich, schrecklich

horrid ['hɒrɪd] *adj* scheußlich, fürchterlich, schrecklich

horrific [hɒˈrɪfɪk] *adj* entsetzlich, schrecklich

horror ['hɒrə] *sb 1.* Grauen *n*, Entsetzen *n; 2. (horrifying thing)* Gräuel *m*, Schrecken *m; adj 3.* CINE Horror...

horse [hɔːs] *sb 1.* Pferd *n*; eat like a ~ *(fam)* fressen wie ein Scheunendrescher; straight from the ~'s mouth aus berufenem Mund; Now that's a ~ of a different colour. Aber das ist wieder was anderes. *v 2.* ~ around *(fam)* herumblödeln

horseback ['hɔːsbæk] *sb* on ~ zu Pferd

horsebox ['hɔːsbɒks] *sb* Pferdebox *f*

horseplay ['hɔːspleɪ] *sb* Unfug *m*, Balgerei *f*, Herumalbern *n*

horsepower ['hɔːspaʊə] *sb* Pferdestärke *f*

horseshoe ['hɔːsʃuː] *sb* Hufeisen *n*

horticulture ['hɔːtɪkʌltʃə] *sb* Gartenbau *m*

hospital ['hɒspɪtl] *sb* Krankenhaus *n*, Klinik *f*, Hospital *n*

hospitality [hɒspɪˈtælɪtɪ] *sb* Gastfreundschaft *f*

host [həʊst] *sb 1.* Gastgeber *m; 2. (at a pub, at a hotel)* Wirt *m; 3. (of a game show)* Moderator *m*

hostage ['hɒstɪdʒ] *sb* Geisel *f*; take s.o. ~ jdn als Geisel nehmen

hostel ['hɒstəl] *sb* Heim *n*; youth ~ Jugendherberge *f*

hostess ['həʊstɪs] *sb 1.* Gastgeberin *f*; *2. (in a pub, in a hotel)* Wirtin *f*; *3. (at a night club, at an exhibition)* Hostess *f*

hostility [hɒs'tɪlɪtɪ] *sb 1.* Feindschaft *f*, Feindseligkeit *f*; *2.* hostilities *pl* MIL Feindseligkeiten *pl*

hot [hɒt] *adj 1.* heiß; ~ off the presses, ~ from the press gerade erschienen; ~ under the collar (fig) wütend; *2. (meal, drink)* warm; *3. (spicy)* scharf; *4. (temper)* hitzig; *5. (fam: great)* stark, toll; He's not so ~. Er ist nicht so toll.

hot-blooded [hɒt'blʌdɪd] *adj* heißblütig

hot dog ['hɒtdɒg] *sb* GAST Hotdog *m/n*

hotel [həʊ'tel] *sb* Hotel *n*

hothead ['hɒthed] *sb* Hitzkopf *m*

hotline ['hɒtlaɪn] *sb 1.* Hotline *f*; *2. (between heads of government)* POL heißer Draht *m*

hot seat ['hɒtsi:t] *sb (fig)* Schleudersitz *m*

hot-water bottle [hɒt'wɔːtəbɒtl] *sb* Wärmflasche *f*

hour [aʊə] *sb 1.* Stunde *f*; for ~s stundenlang; five minutes past the ~ fünf Minuten nach voll; the wee ~s die frühen Morgenstunden; every ~ on the ~ jede volle Stunde; *2.* ~s *pl (business* ~) Öffnungszeiten *pl*, Geschäftszeiten *pl*; after ~s nach Büroschluss, nach Ladenschluss

hourly ['aʊəlɪ] *adj* stündlich; ~ wage Stundenlohn *m*

house [haʊs] *sb 1.* Haus *n*; get on like a ~ on fire sich auf Anhieb verstehen; bring the ~ down (fig) den Saal zum Kochen bringen; eat s.o. out of ~ and home jdm die Haare vom Kopf fressen; *2.* on the ~ auf Kosten des Hauses; *3.* House of Commons (UK) POL Unterhaus *n*; House of Lords (UK) Oberhaus *n*; House of Representatives (US) POL Abgeordnetenhaus *n*; [haʊz] *v 4.* unterbringen, einbauen

house arrest ['haʊsə'rest] *sb* Hausarrest *m*

housebreak ['haʊsbreɪk] *v (US: a dog)* stubenrein machen

household name [haʊshəʊld'neɪm] *sb* gängiger Begriff *m*

house-train ['haʊstreɪn] *v* stubenrein machen

housewife ['haʊswaɪf] *sb* Hausfrau *f*

how [haʊ] *adv 1.* wie; How come? Wieso? And ~! Und wie! How about it? Wie wär's? How do you do? Guten Tag! *2.* ~ much wie viel; (to what degree) wie sehr; How much is it? Was kostet es?

however [haʊ'evə] *konj 1.* jedoch, doch, dennoch; *adv 2.* egal wie, wie; However did you manage it? Wie hast du das bloß geschafft?

howl [haʊl] *v 1.* heulen, jaulen; *2. (person)* brüllen, schreien; *sb 3.* Schrei *m*, Heulen *n*

hub [hʌb] *sb 1.* Radnabe *f*; *2. (fig)* Mittelpunkt *m*, Zentrum *n*

hubby ['hʌbɪ] *sb (fam: husband)* Männe *m*, Mann *m*

hubcap ['hʌbkæp] *sb* Radkappe *f*

huddle ['hʌdl] *v (confer)* die Köpfe zusammenstecken

hue¹ [hju:] *sb* ~ and cry Zeter und Mordio

hue² [hju:] *sb (colour)* Farbe *f*, Farbton *m*

huff [hʌf] *sb* in a ~ verstimmt, eingeschnappt

hug [hʌg] *v 1.* umarmen; *2. (keep close to)* sich dicht halten an; *sb 3.* Umarmung *f*

huge [hju:dʒ] *adj* riesig, gewaltig, enorm

hula-hoop ['hu:ləhu:p] *sb* Hula-Hoop-Reifen *m*

hull [hʌl] *sb 1.* NAUT Rumpf *m*; *2.* BOT Hülse *f*

hullaballoo [hʌləbə'lu:] *sb* Lärm *m*, Tumult *m*

hullo [hʌ'ləʊ] *interj 1.* hallo; *2. (in surprise)* Nanu!

human ['hju:mən] *sb 1.* Mensch *m*; *adj 2.* menschlich; I'm only ~. Ich bin auch nur ein Mensch.

human being ['hju:mən 'bi:ɪŋ] *sb* Mensch *m*

humane [hju:'meɪn] *adj* human, menschlich

human interest ['hju:mən 'ɪntrɪst] *sb* die menschliche Seite *f*

humankind [hju:mən'kaɪnd] *sb* die Menschheit *f*

human nature ['hju:mən 'neɪtʃə] *sb* menschliche Natur *f*

human race ['hju:mən reɪs] *sb the* ~ das Menschengeschlecht *n*

human rights ['hju:mən raɪts] *pl* Menschenrechte *pl*

humble ['hʌmbl] *v 1.* demütigen, erniedrigen; *adj 2. (unassuming)* bescheiden; *3. (meek)* demütig; *4. (lowly)* einfach

humid ['hju:mɪd] *adj* feucht

humidity [hju:'mɪdɪtɪ] *sb* Feuchtigkeit *f*, Luftfeuchtigkeit *f*

humiliate [hjuː'mɪlɪeɪt] v demütigen, erniedrigen

humiliation [hjuːmɪlɪ'eɪʃən] sb Demütigung f, Erniedrigung f

humorist ['hjuːmərɪst] sb Humorist/Humoristin m/f

humorous ['hjuːmərəs] adj humorvoll, lustig

humour ['hjuːmə] sb 1. Humor m; 2. (mood) Stimmung f, Laune f

hump [hʌmp] sb 1. ANAT Buckel m; 2. (camel's) ZOOL Höcker m; 3. (hillock) kleiner Hügel m

hunch [hʌntʃ] sb 1. (fig: feeling, idea) Gefühl n, Ahnung f; play a ~ einer Intuition folgen; 2. (hump) ANAT Buckel m

hung [hʌŋ] adj 1. gehängt, aufgehängt; 2. a ~ jury JUR eine Jury, innerhalb derer sich keine Mehrheit findet

hunger ['hʌŋgə] v 1. hungern; ~ for, ~ after hungern nach; sb 2. Hunger m

hunger strike ['hʌŋgəstraɪk] sb Hungerstreik m

hungry ['hʌŋgrɪ] adj hungrig; go ~ hungern; I'm ~. Ich habe Hunger.

hunk [hʌŋk] sb 1. (big piece) großes Stück n; 2. (fam: man) gut gebauter, attraktiver Mann m

hunky-dory [hʌŋkɪ'dɔːrɪ] adj (fam) in Ordnung

hunt [hʌnt] v 1. jagen; (search) suchen; ~ s.o. down jdn zur Strecke bringen; sb 2. Jagd f; (by police) Fahndung f

hurdle ['hɜːdl] v 1. überspringen; sb 2. Hürde f

hurricane ['hʌrɪkeɪn] sb Orkan m; (tropical) Wirbelsturm m

hurried ['hʌrɪd] adj eilig, hastig, übereilt

hurry ['hʌrɪ] v 1. sich beeilen; ~ somewhere irgendwohin eilen; Hurry up! Beeil dich! 2. (s.o.) antreiben; 3. (sth) beschleunigen, schneller machen; (do too quickly) überstürzen; ~ over sth hastig erledigen; sb 4. Hast f, Eile f; in a ~ eilig, hastig; to be in a ~ es eilig haben

hurt [hɜːt] v irr 1. (to be painful) schmerzen, wehtun; 2. (s.o.) wehtun; (injure) verletzen; 3. (sth) schaden; adj 4. verletzt; 5. (look) gekränkt

hurtful ['hɜːtfʊl] adj verletzend

husband ['hʌzbənd] sb Mann m, Ehemann m, Gatte m

hush [hʌʃ] v 1. zum Schweigen bringen; Hush! Pst! 2. ~ sth up etw vertuschen

hush money ['hʌʃmʌnɪ] sb (fam) Schweigegeld n

husky ['hʌskɪ] adj 1. (voice) heiser; 2. (person) stämmig

hustle ['hʌsl] v 1. (move quickly) hasten, sich beeilen; 2. (US: work quickly) rangehen; 3. (push roughly) drängeln; 4. ~ sth somewhere etw rasch wohin schaffen; 5. ~ up (US) herzaubern (fam); sb 6. Hetze f, Eile f, (jostling) Gedränge n

hut [hʌt] sb 1. Hütte f; 2. MIL Baracke f

hydrogen ['haɪdrɪdʒən] sb Wasserstoff m

hydrogen peroxide ['haɪdrɪdʒən pə'rɒksaɪd] sb Wasserstoffsuperoxid n, Wasserstoffperoxid n

hyena [haɪ'iːnə] sb ZOOL Hyäne f

hyetal ['haɪtl] adj Niederschlags...

hygiene ['haɪdʒiːn] sb Hygiene f; personal ~ Körperpflege f

hygienic [haɪ'dʒiːnɪk] adj hygienisch

hymn [hɪm] sb Hymne f

hymnal ['hɪmnəl] sb REL Gesangbuch n

hymn-book ['hɪmbʊk] sb REL Gesangbuch n

hype [haɪp] v 1. (promote, publicize) aggressiv propagieren; sb 2. (publicity) Publizität f, aggressive Propaganda f

hyper ['haɪpə] adj (fam) übernervös

hyperactive [haɪpər'æktɪv] adj äußerst aktiv

hypercritical [haɪpə'krɪtɪkl] adj überkritisch

hypermarket ['haɪpəmɑːkɪt] sb (UK) Großmarkt m, Verbrauchermarkt m

hypersensitive [haɪpə'sensɪtɪv] adj überempfindlich

hypnosis [hɪp'nəʊsɪs] sb Hypnose f

hypnotist ['hɪpnətɪst] sb Hypnotiseur m

hypnotize ['hɪpnətaɪz] v hypnotisieren

hypocrisy [hɪ'pɒkrɪsɪ] sb Heuchelei f

hypocrite ['hɪpəkrɪt] sb Heuchler m

hypocritical [hɪpə'krɪtɪkəl] adj heuchlerisch

hypothermia [haɪpəʊ'θɜːmɪə] sb Unterkühlung f, Kältetod m

hypothetical [haɪpəʊ'θetɪkəl] adj hypothetisch

hysterectomy [hɪstə'rektəmɪ] sb MED Hysterektomie f, Totaloperation f

hysteria [hɪs'tɪərɪə] sb Hysterie f

hysteric [hɪ'sterɪk] sb 1. (person) Hysteriker m; 2. ~s pl PSYCH Hysterie f

hysterical [hɪs'terɪkəl] adj 1. hysterisch; 2. (fam: very funny) wahnsinnig komisch

I

I [aɪ] *pron* ich

ice [aɪs] *sb* 1. Eis *n; keep sth on* ~ eine Sache auf Eis legen; *v* 2. ~ *over,~ up* zufrieren; *(windscreen)* vereisen

Ice Age ['aɪseɪdʒ] *sb* GEOL Eiszeit *f*

iceberg ['aɪsbɜːg] *sb* Eisberg *m*

icebox ['aɪsbɒks] *sb* 1. *(part of a refrigerator)* Eisfach *n;* 2. *(US: refrigerator)* Eisschrank *m,* Kühlschrank *m*

icebreaker ['aɪsbreɪkə] *sb* 1. NAUT Eisbrecher *m;* 2. *(fig) His joke was a real* ~. Sein Witz brach das Eis.

ice cream ['aɪskriːm] *sb* GAST Eis *n,* Speiseeis *n*

iced [aɪst] *adj* 1. *(covered with ice)* vereist; 2. *(cooled by means of ice)* geeist, eisgekühlt; 3. *(covered with icing)* GAST glasiert

ice skate ['aɪsskeɪt] *sb* Schlittschuh *m*

ice-skating ['aɪsskeɪtɪŋ] *sb* 1. Schlittschuhlaufen *n;* 2. SPORT Eiskunstlauf *m*

icicle ['aɪsɪkl] *sb* Eiszapfen *m*

icing ['aɪsɪŋ] *sb* GAST Zuckerguss *m*

icy ['aɪsɪ] *adj* eisig

ID [aɪ'diː] *(see "identification", "identify")*

idea [aɪ'dɪə] *sb* 1. Idee *f,* Einfall *m; What's the big* ~? Was soll denn das? 2. *(concept)* Vorstellung *f,* Ahnung *f,* Ansicht *f; The very* ~! Na so was! *give s.o. an* ~ *of* ... jdm eine ungefähre Vorstellung von ... geben; *I haven't the slightest* ~. Ich habe nicht die geringste Ahnung.

ideal [aɪ'dɪəl] *adj* 1. ideal; *sb* 2. Ideal *n,* Idealvorstellung *f,* Wunschbild *n*

idealistic [aɪdɪə'lɪstɪk] *adj* idealistisch

identical [aɪ'dentɪkəl] *adj* identisch, gleich; ~ *twins* eineiige Zwillinge

identification [aɪdentɪfɪ'keɪʃən] *sb* 1. Identifizierung *f;* 2. *(proof of identity)* Ausweis *m,* Legitimation *f;* 3. *(association)* Identifikation *f*

identity [aɪ'dentɪtɪ] *sb* 1. Identität *f;* 2. *mistaken* ~ Personenverwechslung *f*

identity card [aɪ'dentɪtɪ kɑːd] *sb* Personalausweis *m,* Ausweis *m*

ideology [aɪdɪ'ɒlədʒɪ] *sb* Ideologie *f*

idiom ['ɪdɪəm] *sb (word, phrase)* idiomatische Wendung *f,* Redewendung *f*

idiot ['ɪdɪət] *sb* Idiot *m,* Dummkopf *m*

idle ['aɪdl] *adj* 1. *(not working)* müßig, untätig; 2. *(machine)* stillstehend, außer Betrieb;

3. *(lazy)* faul, träge; 4. *(speculation)* müßig; 5. *(threat, words)* leer; *v* 6. *(engine)* leer laufen

idolatry [aɪ'dɒlətrɪ] *sb* Abgötterei *f,* Götzendienst *m*

idolize ['aɪdəlaɪz] *v* abgöttisch verehren, vergöttern, anbeten

idyllic [ɪ'dɪlɪk] *adj* idyllisch

if [ɪf] *konj* 1. wenn, falls; ~ *only* wenn nur; ~ *so* wenn ja, wenn dem so ist; ~ *need be* nötigenfalls; 2. *(whether)* ob; *I don't know* ~ *she wants to talk to him.* Ich weiß nicht, ob sie mit ihm sprechen will.

iffy ['ɪfɪ] *adj (fam)* fraglich, zweifelhaft

igloo ['ɪgluː] *sb* Iglu *m*

ignite [ɪg'naɪt] *v* 1. sich entzünden, Feuer fangen, *(car)* zünden; 2. *(sth)* entzünden, anzünden; *(car)* zünden

ignition [ɪg'nɪʃən] *sb* 1. Anzünden *n,* Entzünden *n;* 2. *(of a car, of a rocket)* Zündung *f;* 3. *(fam) leave the key in the* ~ den Zündschlüssel stecken lassen; *The key is in the* ~. Der Zündschlüssel steckt.

ignition key [ɪg'nɪʃən kiː] *sb* Zündschlüssel *m*

ignorance ['ɪgnərəns] *sb* 1. Unwissenheit *f;* 2. *(of sth in particular)* Unkenntnis *f*

ignorant ['ɪgnərənt] *adj* 1. unwissend, ungebildet, ignorant; 2. *(of sth in particular)* nicht wissend, nicht kennend

ignore [ɪg'nɔː] *v* ignorieren, nicht beachten

ill [ɪl] *adj* 1. *(sick)* krank; *to be taken* ~ erkranken, krank werden; 2. *(bad)* schlecht, schlimm, übel; *speak* ~ *of s.o.* schlecht von jdm sprechen; ~ *humour* schlechte Laune; ~ *at ease* unbehaglich; ~ *feeling (resentment)* Groll *m,* Verbitterung *f*

illegal [ɪ'liːgəl] *adj* illegal, ungesetzlich

illegible [ɪ'ledʒəbl] *adj* unleserlich

illegitimate [ɪlɪ'dʒɪtɪmɪt] *adj* unrechtmäßig; *(child)* unehelich

illiteracy [ɪ'lɪtərəsɪ] *sb* Analphabetentum *n*

illiterate [ɪ'lɪtərət] *adj* 1. des Lesens und Schreibens unkundig; *sb* 2. Analphabet/Analphabetin *m/f*

illness ['ɪlnɪs] *sb* Krankheit *f*

illogical [ɪ'lɒdʒɪkəl] *adj* unlogisch

illuminating [ɪ'luːmɪneɪtɪŋ] *adj* erhellend, aufschlussreich

illumination [ɪluːmɪ'neɪʃən] *sb* 1. Beleuchtung *f;* 2. *(fig)* Erläuterung *f*

illusion [ɪ'lu:ʒən] *sb* 1. Illusion *f*; 2. *(misperception)* Täuschung *f*

illustration [ɪləs'treɪʃən] *sb* 1. Abbildung *f*, Bild *m*, Illustration *f*; 2. *(fig)* erklärendes Beispiel *n*

image ['ɪmɪdʒ] *sb* 1. Bild *n*; 2. *(mental ~)* Vorstellung *f*, Bild *n*; 3. *(sculpted)* ART Standbild *n*, Figur *f*; 4. *(likeness)* Ebenbild *n*, Abbild *n*; 5. *(public perception)* Image *n*

imagery ['ɪmɪdʒrɪ] *sb* Metaphorik *f*, Vorstellung *f*

imagination [ɪmædʒɪ'neɪʃən] *sb* 1. Fantasie *f*, Vorstellungskraft *f*, Einbildungskraft *f*; *Use your ~!* Lass dir was einfallen! 2. *(self-deceptive)* Einbildung *f*

imagine [ɪ'mædʒɪn] *v* 1. sich vorstellen, sich denken; 2. *(be under the illusion that)* sich einbilden; 3. *(suppose)* annehmen, vermuten

imbalance [ɪm'bæləns] *sb* Unausgeglichenheit *f*

imbecile ['ɪmbəsi:l] *sb* 1. MED Schwachsinniger *m*; 2. *(fam)* Idiot *m*, Blödmann *m*, Dummkopf *m*

imitate ['ɪmɪteɪt] *v* nachahmen, imitieren, nachmachen

imitation [ɪmɪ'teɪʃən] *sb* 1. Imitation *f*, Nachahmung *f*; *adj* 2. unecht, künstlich, Kunst...

imitative ['ɪmɪtətɪv] *adj* nachahmend, imitierend

immaculate [ɪ'mækjʊlɪt] *adj* 1. untadelig, tadellos, makellos; 2. REL *the Immaculate Conception* die unbefleckte Empfängnis *f*

immaterial [ɪmə'tɪərɪəl] *adj* nebensächlich, unwesentlich, bedeutungslos

immature [ɪmə'tjʊə] *adj* unreif

immediately [ɪ'mi:dɪətlɪ] *adv* 1. *(right away)* sofort, umgehend, unverzüglich; 2. *(directly)* direkt, unmittelbar; *konj* 3. *(UK)* sobald

immense [ɪ'mens] *adj* riesig, enorm, ungeheuer

immensity [ɪ'mensɪtɪ] *sb* ungeheure Größe *f*

immigrant ['ɪmɪgrənt] *sb* Einwanderer *m*, Immigrant/Immigrantin *m/f*

immigrate ['ɪmɪgreɪt] *v* einwandern, immigrieren; *~ to* einwandern in

immigration [ɪmɪ'greɪʃən] *sb* Einwanderung *f*, Immigration *f*

imminent ['ɪmɪnənt] *adj* nahe bevorstehend

immobile [ɪ'məʊbaɪl] *adj* unbeweglich

immodesty [ɪ'mɒdɪstɪ] *sb* Unbescheidenheit *f*, Unanständigkeit *f*

immoral [ɪ'mɒrəl] *adj* unmoralisch, unsittlich; *(person)* sittenlos

immorality [ɪmə'rælɪtɪ] *sb* Unmoral *f*, Unsittlichkeit *f*

immortal [ɪ'mɔ:tl] *adj* unsterblich

immortality [ɪmɔ:'tælɪtɪ] *sb* Unsterblichkeit *f*

immortalize [ɪ'mɔ:təlaɪz] *v* unsterblich machen, verewigen

immovable [ɪ'mu:vəbl] *adj* unbeweglich; *(person: steadfast)* fest

immune [ɪ'mju:n] *adj* 1. MED immun; 2. *(fig)* gefeit

immunity [ɪ'mju:nɪtɪ] *sb* Immunität *f*

immunize [ɪ'mjʊnaɪz] *v* immunisieren

impact ['ɪmpækt] *sb* 1. Aufprall *m*; 2. *(of two moving objects)* Zusammenprall *m*; 3. *(force)* Wucht *f*; 4. *(fig)* Auswirkung *f*; *have an ~ on* sich auswirken auf

impart [ɪm'pɑ:t] *v* *(bestow)* verleihen

impartial [ɪm'pɑ:ʃəl] *adj* unparteiisch, unvoreingenommen, unbefangen

impatience [ɪm'peɪʃəns] *sb* Ungeduld *f*

impatient [ɪm'peɪʃənt] *adj* ungeduldig

impeach [ɪm'pi:tʃ] *v* 1. anklagen; *(US: a president)* ein Impeachment einleiten gegen; 2. *(challenge)* anzweifeln, infrage stellen

impeccable [ɪm'pekəbl] *adj* untadelig, tadellos

impediment [ɪm'pedɪmənt] *sb* 1. Hindernis *n*; 2. MED Behinderung *f*; *speech ~* Sprachfehler *m*

impending [ɪm'pendɪŋ] *adj* nahe bevorstehend, drohend

impenetrable [ɪm'penɪtrəbl] *adj* 1. undurchdringlich; 2. *(fig: mystery)* unergründlich

imperfect [ɪm'pɜ:fɪkt] *adj* 1. unvollkommen, mangelhaft; *(goods)* fehlerhaft; 2. *(incomplete)* unvollständig, unvollkommen; *sb* 3. GRAMM Imperfekt *n*, unvollendete Vergangenheit *f*

imperfection [ɪmpə'fekʃən] *sb* *(fault)* Mangel *m*, Fehler *m*

impermeable [ɪm'pɜ:mɪəbl] *adj* undurchlässig

impersonal [ɪm'pɜ:snl] *adj* unpersönlich

impersonate [ɪm'pɜ:səneɪt] *v* 1. *(pass o.s. off as)* sich ausgeben als; 2. *(for comic purposes)* imitieren, nachahmen

impersonator [ɪm'pɜ:səneɪtə] *sb* Imitator *m*

impertinence [ɪm'pɜ:tɪnəns] *sb* Unverschämtheit *f*, Frechheit *f*

impertinent [ɪm'pɜːtɪnənt] *adj* unverschämt, frech

impetuous [ɪm'petjʊəs] *adj* ungestüm, stürmisch, hitzig

implant [ɪm'plɑːnt] *v 1. MED* implantieren; ['ɪmplɑːnt] *sb 2.* Implantat *n*

implantation [ɪmplɑːn'teɪʃən] *sb* Einpflanzung *f*, Implantation *f*

implausible [ɪm'plɔːzəbl] *adj* nicht plausibel, unglaubhaft, unglaubwürdig

implement ['ɪmplɪmənt] *v 1.* durchführen, ausführen; *2. (a law)* anwenden; *sb 3.* Werkzeug *n*, Gerät *n*

implicate ['ɪmplɪkeɪt] *v ~ s.o. in sth* jdn in etw verwickeln

implied [ɪm'plaɪd] *adj* mit inbegriffen, impliziert

impolite [ɪmpə'laɪt] *adj* unhöflich

import [ɪm'pɔːt] *v 1.* einführen, importieren; ['ɪmpɔːt] *sb 2. ECO* Einfuhr *f*, Import *m*; *3. ~s pl (goods)* Einfuhrartikel *m*, Einfuhrwaren *pl*

importance [ɪm'pɔːtəns] *sb* Wichtigkeit *f*, Bedeutung *f*

important [ɪm'pɔːtənt] *adj* wichtig, bedeutend

import duty ['ɪmpɔːtdjuːtɪ] *sb ECO* Einfuhrzoll *m*

impose [ɪm'pəʊz] *v 1. ~ on s.o.* sich jdm aufdrängen, jdm zur Last fallen; *2. (sth)(task, conditions)* auferlegen; *3. (a fine)* verhängen; *4. (a tax)* erheben

imposing [ɪm'pəʊzɪŋ] *adj* eindrucksvoll, imponierend, imposant

impossible [ɪm'pɒsəbl] *adj* unmöglich

impostor [ɪm'pɒstə] *sb* Betrüger *m*, Schwindler *m*, Hochstapler *m*

impotent ['ɪmpətənt] *adj* schwach; *(sexually)* impotent

impound [ɪm'paʊnd] *v 1.* beschlagnahmen; *2. (a car)* abschleppen lassen

impractical [ɪm'præktɪkəl] *adj* unpraktisch

imprecise [ɪmprɪ'saɪs] *adj* ungenau

impregnable [ɪm'pregnəbl] *adj (fortress)* uneinnehmbar

impress [ɪm'pres] *v 1.* beeindrucken, Eindruck machen auf, imponieren; *2. ~ sth on s.o.* jdm etw deutlich klarmachen

impression [ɪm'preʃən] *sb 1.* Eindruck *m*; *to be under the ~ that ...* den Eindruck haben, dass ...; *2. (humorous impersonation)* Nachahmung *f*, Imitation *f*; *3. (wax ~, plaster ~)* Abdruck *m*, Eindruck *m*

impressionable [ɪm'preʃənəbl] *adj* leicht zu beeindrucken, beeinflussbar

impressive [ɪm'presɪv] *adj* eindrucksvoll, beeindruckend, imposant

imprint [ɪm'prɪnt] *v 1.* prägen; *2. (fig)* einprägen; ['ɪmprɪnt] *sb 3.* Abdruck *m; 4. (publisher's)* Impressum *n*

imprison [ɪm'prɪzn] *v* inhaftieren, einsperren

imprisonment [ɪm'prɪznmənt] *sb 1. (imprisoning)* Einsperren *n*, Inhaftierung *f*; *2. (state)* Gefangenschaft *f*; *3. (sentence) JUR* Freiheitsstrafe *f*

improper [ɪm'prɒpə] *adj 1. (wrong)* falsch; *2. (unseemly)* unschicklich; *3. (not fitting)* unpassend

improve [ɪm'pruːv] *v 1. (get better)* sich verbessern, sich bessern; *2. ~ upon* übertreffen, besser machen; *3. (sth)* verbessern; *(refine)* verfeinern; *(sth's appearance)* verschönern

improvement [ɪm'pruːvmənt] *sb* Verbesserung *f*, Besserung *f*, Verschönerung *f*, Veredelung *f*

improvisation [ɪmprəvaɪ'zeɪʃən] *sb* Improvisation *f*

improvise ['ɪmprəvaɪz] *v* improvisieren

improvised ['ɪmprəvaɪzd] *adj* improvisiert

impulse ['ɪmpʌls] *sb 1.* Antrieb *m*, Triebkraft *f*; *2. (fig: thought, urge)* Impuls *m*, plötzliche Regung *f*

impulse buying ['ɪmpʌlsbaɪɪŋ] *sb* Spontankauf *m*

impulsive [ɪm'pʌlsɪv] *adj (fig)* impulsiv

in [ɪn] *prep 1.* in; *~ the street* auf der Straße; *~ the sky* am Himmel; *~ here* hier drin; *~ French* auf Französisch; *written ~ pencil* mit Bleistift geschrieben; *three metres ~ length* drei Meter lang; *adj 2. (fam: ~ fashion)* in; *adv 3. (present)* da; *Is Mr. Morgan ~?* Ist Herr Morgan da? *4. to be ~ on sth* an einer Sache beteiligt sein; *(on a secret)* über etw Bescheid wissen; *5. to be ~ for it (fam)* dran sein, vor Schwierigkeiten stehen

inability [ɪnə'bɪlɪtɪ] *sb* Unfähigkeit *f*

inaccurate [ɪn'ækjʊrɪt] *adj 1.* ungenau; *2. (wrong)* falsch

inactive [ɪn'æktɪv] *adj* untätig

inadequate [ɪn'ædɪkwət] *adj* unzulänglich, ungenügend

inadmissible [ɪnəd'mɪsəbl] *adj* unzulässig

inadvertent [ɪnəd'vɜːtənt] *adj* unbeabsichtigt, unabsichtlich, versehentlich

inadvisable [ɪnəd'vaɪzəbl] *adj* nicht ratsam, nicht zu empfehlen

inalienable [ɪn'eɪlɪənəbl] *adj* unveräußerlich

inane [ɪ'neɪn] *adj* albern, idiotisch

inapplicable [ɪn'æplɪkəbl] *adj* nicht zutreffend, ungeeignet, nicht anwendbar

inappropriate [ɪnə'prəʊprɪət] *adj* unpassend; *(action)* unangemessen

inasmuch [ɪnəz'mʌtʃ] *konj* ~ as da, weil; *(to the extent that)* insofern als

inattentiveness [ɪnə'tentɪvnɪs] *sb* Unaufmerksamkeit *f*

inaudible [ɪn'ɔ:dəbl] *adj* unhörbar

in-between [ɪnbɪ'twi:n] *adj* Mittel..., Zwischen...

inbound ['ɪnbaʊnd] *adj* 1. *NAUT* einlaufend; 2. *(traffic)* stadteinwärts

inbred [ɪn'bred] *adj* 1. *(innate)* angeboren, vererbt; 2. *(from inbreeding)* durch Inzucht erworben

inbreeding ['ɪnbri:dɪŋ] *sb* Inzucht *f*

incalculable [ɪn'kælkjʊləbl] *adj* 1. unermesslich; 2. *(mood)* unberechenbar

incapable [ɪn'keɪpəbl] *adj* unfähig, nicht fähig

incapacitated [ɪnkə'pæsɪteɪtɪd] *adj* 1. *physically* ~ körperlich behindert; 2. *(unable to work)* erwerbsunfähig

incarcerate [ɪn'kɑ:səreɪt] *v* 1. einsperren; 2. *MED (Nerv)* einklemmen

incendiary [ɪn'sendɪərɪ] *adj* 1. Brand..., Feuer...; 2. *(fig: seditious)* aufhetzend

incense ['ɪnsens] *sb* Weihrauch *m*

incensed [ɪn'senst] *adj* aufgebracht, wütend

incentive [ɪn'sentɪv] *sb* Ansporn *m*

incessant [ɪn'sesnt] *adj* unaufhörlich, unablässig, ständig

incest ['ɪnsest] *sb* Inzest *m*, Blutschande *f*

inch [ɪntʃ] *sb* 1. Zoll *m*; ~ *by* ~ Zentimeter um Zentimeter; *v* 2. ~ *forward* sich zentimeterweise vorwärts schieben

incident ['ɪnsɪdənt] *sb* 1. Ereignis *n*, Begebenheit *f*, Vorfall *m*; 2. *(international* ~*)* Zwischenfall *m*

incidental [ɪnsɪ'dentl] *adj* 1. beiläufig; *to be* ~ *to* gehören zu; 2. *(unplanned)* zufällig; 3. ~ *expenses* Nebenkosten *pl*

incidentally [ɪnsɪ'dentəlɪ] *adv* *(by the way)* übrigens

incise [ɪn'saɪz] *v* einschneiden

incite [ɪn'saɪt] *v* aufhetzen, aufwiegeln

incivility [ɪnsɪ'vɪlɪtɪ] *sb* Unhöflichkeit *f*

incline [ɪn'klaɪn] *v* 1. neigen; 2. *to be* ~*d to do sth* etw tun wollen; *(have a tendency to do sth)* dazu neigen, etw zu tun; *to be* ~*d to think that* ... zu der Ansicht neigen, dass ...; *if you feel so* ~*d.* falls Sie Lust haben; ['ɪnklaɪn] *sb* 3. Neigung *f*, Abhang *m*, Gefälle *n*

inclined [ɪn'klaɪnd] *adj* 1. *(disposed)* geneigt, bereit; 2. *(sloping)* schräg, geneigt

include [ɪn'klu:d] *v* 1. einschließen, enthalten, umfassen; 2. *(apply to as well)* einschließen, betreffen, gelten für; 3. *tax* ~*d* einschließlich Steuer, inklusive Steuer; 4. *(add)* aufnehmen

inclusion [ɪn'klu:ʒən] *sb* Einbeziehung *f*, Einschluss *m*, Aufnahme *f*

incoherent [ɪnkəʊ'hɪərənt] *adj* 1. zusammenhangslos, wirr; 2. *(person)* schwer verständlich

income ['ɪnkʌm] *sb* Einkommen *n*, Einkünfte *pl*

income tax ['ɪnkʌm tæks] *sb* Einkommensteuer *f*; ~ *return* Einkommensteuererklärung *f*

incoming ['ɪnkʌmɪŋ] *adj* 1. ankommend, hereinkommend; 2. *(post)* eingehend

incomparable [ɪn'kɒmpərəbl] *adj* unvergleichlich

incompatible [ɪnkəm'pætəbl] *adj* unvereinbar; *(drugs, blood groups)* nicht miteinander verträglich

incompetence [ɪn'kɒmpɪtəns] *sb* 1. Unfähigkeit *f*, Untauglichkeit *f*; 2. *JUR* Unzuständigkeit *f*, Inkompetenz *f*

incomplete [ɪnkəm'pli:t] *adj* unvollständig, unvollendet, unvollkommen

incomprehensible [ɪnkɒmprɪ'hensəbl] *adj* unbegreiflich

inconceivable [ɪnkən'si:vəbl] *adj* 1. unvorstellbar, undenkbar; 2. *(hard to believe)* unbegreiflich, unfassbar

inconclusive [ɪnkən'klu:sɪv] *adj* 1. nicht überzeugend, nicht schlüssig; 2. *(action)* ergebnislos

inconsiderable [ɪnkən'sɪdərəbl] *adj* unbedeutend, unerheblich

inconsiderate [ɪnkən'sɪdərət] *adj* rücksichtslos, unbedacht

inconsistent [ɪnkən'sɪstənt] *adj* 1. *(uneven)* unbeständig; 2. *(contradictory)* widersprüchlich

inconsolable [ɪnkən'səʊləbl] *adj* untröstlich

incontinent [ɪn'kɒntɪnənt] *adj* 1. *(sexually)* unkeusch; 2. *MED* inkontinent

inconvenience [ɪnkən'viːnɪəns] v 1. ~ s.o. jdm lästig sein, jdm Umstände machen; sb 2. Unannehmlichkeit f, Lästigkeit f, Unbequemlichkeit f

inconvenient [ɪnkən'viːnɪənt] adj ungünstig

incorrect [ɪnkə'rekt] adj 1. falsch, unrichtig, irrig; 2. (improper) inkorrekt, ungehörig

increase [ɪn'kriːs] v 1. zunehmen; 2. (amount, number) anwachsen; 3. (sales, demand) steigen; 4. (rage) sich vergrößern; 5. (difficulties) sich vermehren; 6. (sth) vergrößern; (taxes, price, speed) erhöhen; (performance) steigern; ['ɪnkriːs] sb 7. Zunahme f, Erhöhung f, Steigerung f

increasingly [ɪn'kriːsɪŋlɪ] adv immer mehr; it's becoming ~ difficult es wird immer schwieriger

incredible [ɪn'kredəbl] adj unglaublich

incriminate [ɪn'krɪmɪneɪt] v JUR belasten

incubator ['ɪnkjubeɪtə] sb (for babies) Brutkasten m, (for bacteria) Brutschrank m

indebted [ɪn'detɪd] adj to be ~ to s.o. for sth jdm etw zu verdanken haben, für etw in jds Schuld stehen

indecent [ɪn'diːsnt] adj unanständig, anstößig

indecision [ɪndɪ'sɪʒən] sb Unentschlossenheit f

indecisive [ɪndɪ'saɪsɪv] adj 1. unentschlossen, unschlüssig, schwankend; 2. (battle, argument) nicht entscheidend

indeed [ɪn'diːd] adv 1. (really, in fact) tatsächlich, wirklich, in der Tat; 2. (yes, that's true) allerdings, aber sicher; 3. (admittedly) zwar

indefensible [ɪndɪ'fensəbl] adj 1. (fig) nicht zu rechtfertigen, unentschuldbar; 2. MIL nicht zu verteidigen

indefinite [ɪn'defɪnɪt] adj 1. unbestimmt; 2. (vague) unklar, undeutlich

indentation [ɪnden'teɪʃən] sb Einkerbung f, Vertiefung f

independent [ɪndɪ'pendənt] adj unabhängig, selbstständig

in-depth ['ɪndepθ] adj eingehend, gründlich

indescribable [ɪndɪs'kraɪbəbl] adj unbeschreiblich

indestructible [ɪndɪ'strʌktəbl] adj unzerstörbar, unverwüstlich

index ['ɪndeks] sb 1. (number showing ratio) Index m; 2. (card ~) Kartei f; 3. (in a book) Register n

indicate ['ɪndɪkeɪt] v 1. (mark) zeigen, bezeichnen, deuten auf; 2. (gesture, express) andeuten, zeigen, zu verstehen geben; 3. (to be a sign of) erkennen lassen, hinweisen auf, hindeuten auf

indication [ɪndɪ'keɪʃən] sb 1. (sign) Anzeichen n, Hinweis m; 2. (suggestion) Andeutung f; 3. (on a gauge) Anzeige f

indicative [ɪn'dɪkətɪv] adj to be ~ of sth auf etw hinweisen, auf etw hindeuten, auf etw schließen lassen

indifference [ɪn'dɪfrəns] sb 1. Gleichgültigkeit f; 2. (mediocrity) Mittelmäßigkeit f

indifferent [ɪn'dɪfrənt] adj 1. gleichgültig; 2. (mediocre) mittelmäßig

indigenous [ɪn'dɪdʒɪnəs] adj einheimisch

indigestion [ɪndɪ'dʒestʃən] sb Magenverstimmung f

indignant [ɪn'dɪgnənt] adj empört, ungehalten, entrüstet

indirect [ɪndɪ'rekt] adj 1. indirekt; 2. (result) mittelbar

indiscretion [ɪndɪs'kreʃən] sb Indiskretion f

indispensable [ɪndɪs'pensəbl] adj unentbehrlich, unerlässlich; (obligation) unbedingt erforderlich

indisputable [ɪndɪ'spjuːtəbl] adj unbestreitbar

indistinct [ɪndɪ'stɪŋkt] adj unklar, undeutlich

indistinguishable [ɪndɪ'stɪŋgwɪʃəbl] adj ~ from nicht zu unterscheiden von

individual [ɪndɪ'vɪdjuəl] adj 1. einzeln; 2. (distinctive) eigen, individuell; sb 3. Einzelne(r) m/f, Individuum n, Einzelperson f; 4. (pejorative) Person f, Individuum n; a scruffy ~ ein ungepflegter Typ

individualism [ɪndɪ'vɪdjuəlɪzəm] sb Individualismus m

individuality [ɪndɪvɪdju'ælɪtɪ] sb Individualität f, Eigenart f

indoors [ɪn'dɔːz] adv im Hause, zu Hause, drinnen

induce [ɪn'djuːs] v 1. (a reaction) herbeiführen; 2. (labour, birth) einleiten; 3. (electrical current) induzieren; 4. ~ s.o. to do sth (persuade) jdn veranlassen, etw zu tun/ jdn dazu bewegen, etw zu tun/ jdn dazu bringen, etw zu tun

induct [ɪn'dʌkt] v 1. einweihen; 2. (US) MIL einberufen

indulge [ɪn'dʌldʒ] v 1. ~ in sth sich etw gönnen, sich etw genehmigen; (a vice) sich einer Sache hingeben; *2. (s.o.)* nachgeben; *(spoil a child)* verwöhnen

indulgent [ɪn'dʌldʒənt] *adj* nachsichtig

industrial [ɪn'dʌstrɪəl] *adj* industriell, Industrie..., Betriebs...

industrial action [ɪn'dʌstrɪəl 'ækʃən] *sb (UK)* Arbeitskampfmaßnahmen *pl*

industrial estate [ɪn'dʌstrɪəl ɪs'teɪt] *sb (UK)* Industriegebiet *n*

industrialist [ɪn'dʌstrɪəlɪst] *sb* Industrielle(r) *m/f*

industrious [ɪn'dʌstrɪəs] *adj* fleißig, arbeitsam, emsig

industry ['ɪndəstrɪ] *sb 1.* Industrie *f; 2. (industriousness)* Fleiß *m*

inedible [ɪn'edɪbl] *adj* ungenießbar, nicht essbar

ineffectiveness [ɪnɪ'fektɪvnɪs] *sb* Wirkungslosigkeit *f; (of a person)* Unfähigkeit *f*

inefficiency [ɪnɪ'fɪʃənsɪ] *sb 1. (of a method)* Unproduktivität *f; 2. (of a person)* Untüchtigkeit *f; 3. (of a machine, of a company)* Leistungsunfähigkeit *f*

inefficient [ɪnɪ'fɪʃənt] *adj 1. (method)* unproduktiv; *2. (person)* untüchtig; *3. (machine, company)* leistungsunfähig

ineligible [ɪn'elɪdʒəbl] *adj* nicht berechtigt, ohne die nötigen Voraussetzungen

inequable [ɪn'ekwəbl] *adj* ungleichmäßig, unausgeglichen

inert [ɪ'nɜːt] *adj 1. (person)* reglos; *2. PHYS* träge

inexcusable [ɪnɪk'skjuːzəbl] *adj* unverzeihlich

inexpensive [ɪnɪk'spensɪv] *adj* nicht teuer, billig

inexperienced [ɪnɪks'pɪərɪənst] *adj* unerfahren

inexplicable [ɪnɪks'plɪkəbl] *adj* unerklärlich, unverständlich

infant ['ɪnfənt] *sb* Säugling *m*, Baby *n*, kleines Kind *n*

infatuated [ɪn'fætjʊeɪtɪd] *adj* vernarrt

infect [ɪn'fekt] *v 1.* anstecken; *2. (a wound)* infizieren

infection [ɪn'fekʃən] *sb MED* Ansteckung *f*, Infektion *f*

infectious [ɪn'fekʃəs] *adj* ansteckend

infer [ɪn'fɜː] *v* schließen, folgern

inferior [ɪn'fɪərɪə] *adj 1.* niedriger, geringer, geringwertiger; *to be ~ to s.o.* jdm unterlegen sein; *2. (low-quality)* minderwertig

inferiority complex [ɪnfɪərɪ'ɒrɪtɪ 'kɒmpleks] *sb* Minderwertigkeitskomplex *m*

infernal [ɪn'fɜːnl] *adj 1.* Höllen..., höllisch; *2. (fam: blasted)* verdammt, verteufelt

inferno [ɪn'fɜːnəʊ] *sb* Inferno *n*

infertile [ɪn'fɜːtaɪl] *adj* unfruchtbar

infest [ɪn'fest] *v* befallen, heimsuchen

infidelity [ɪnfɪ'delɪtɪ] *sb* Untreue *f*, Treulosigkeit *f*

infiltrate ['ɪnfɪltreɪt] *v 1. (troops)* infiltrieren; *2. (spies)* einschleusen; *3. (an organization)* unterwandern

infinity [ɪn'fɪnɪtɪ] *sb* Unendlichkeit *f*

infirmary [ɪn'fɜːmərɪ] *sb 1.* Krankenzimmer *n; 2. (hospital)* Krankenhaus *n; 3. MIL* Krankenrevier *n*

inflate [ɪn'fleɪt] *v 1.* sich mit Luft füllen; *2. (with air)* aufpumpen; *(by blowing)* aufblasen; *3. (prices) ECO* hochtreiben

inflation [ɪn'fleɪʃən] *sb 1. ECO* Inflation *f; rate of ~ ECO* Inflationsrate *f; 2. (act of inflating)* Aufpumpen *n*, Aufblasen *n*

in-flight ['ɪnflaɪt] *adj* während des Fluges

influence ['ɪnfluəns] *v 1.* beeinflussen; *sb 2.* Einfluss *m*

influential [ɪnflu'enʃəl] *adj* einflussreich

infomercial [ɪnfəʊ'mɜːʃəl] *sb* Werbesendung *f*

inform [ɪn'fɔːm] *v* benachrichtigen, informieren, mitteilen

informal [ɪn'fɔːml] *adj 1.* zwanglos, ungezwungen; *2. (meeting, talks)* nicht förmlich, nicht formell, inoffiziell

informant [ɪn'fɔːmənt] *sb* Informant/Informatin *m/f*

information [ɪnfə'meɪʃən] *sb 1.* Information *f; 2. (provided)* Auskunft *f*, Informationen *pl*

information desk [ɪnfə'meɪʃən desk] *sb* Auskunft *f*

information highway [ɪnfə'meɪʃən 'haɪweɪ] *sb INFORM* Datenautobahn *f*

information science [ɪnfə'meɪʃən 'saɪəns] *sb* Informatik *f*

informative [ɪn'fɔːmətɪv] *adj 1.* aufschlussreich, informativ; *2. (person)* mitteilsam

informed [ɪn'fɔːmd] *adj (expert)* sachkundig

informer [ɪn'fɔːmə] *sb* Informant *m*, Denunziant *m*, Spitzel *m*

infotainment [ɪnfəʊ'teɪnmənt] *sb* Infotainment *n* (Mischung aus Unterhaltung und Information)

infrared [ɪnfrə'red] *adj* infrarot

infrasound ['ɪnfrəsaʊnd] *adj* Infraschall...

infrastructure ['ɪnfrəstrʌktʃə] *sb ECO* Infrastruktur *f*
infrequent [ɪn'friːkwənt] *adj* selten
infuriate [ɪn'fjʊərɪeɪt] *v* wütend machen, aufbringen
infuse [ɪn'fjuːz] *v (fig)* erfüllen
infusion [ɪn'fjuːʒən] *sb 1. MED* Infusion *f;* 2. *(fig)* Einflößung *f*
ingenious [ɪn'dʒiːnɪəs] *adj* genial
ingenuity [ɪndʒɪ'njuːɪtɪ] *sb* Genialität *f; (of a device)* Raffiniertheit *f*
ingest [ɪn'dʒest] *v* aufnehmen
ingestion [ɪn'dʒestʃən] *sb* Nahrungsaufnahme *f*
ingoing ['ɪngəʊɪŋ] *adj* eingehend, hereinkommend
ingrain [ɪn'greɪn] *v* fest verankern, fest verwurzeln
ingrained [ɪn'greɪnd] *adj 1. (habit)* eingefleischt; 2. *(prejudice)* tief verwurzelt
ingratitude [ɪn'grætɪtjuːd] *sb* Undankbarkeit *f*
ingredient [ɪn'griːdɪənt] *sb 1.* Bestandteil *m; 2. GAST* Zutat *f*
ingrowing ['ɪngrəʊɪŋ] *adj* eingewachsen
ingrown ['ɪngrəʊn] *adj* eingewachsen
inhabit [ɪn'hæbɪt] *v* bewohnen, wohnen in, leben in
inhabitant [ɪn'hæbɪtənt] *sb 1.* Bewohner *m; 2. (of a city, of a country)* Einwohner *m*
inhalation [ɪnhə'leɪʃən] *sb* Inhalation *f*
inhalator ['ɪnhəleɪtə] *sb* Inhalator *m*
inhale [ɪn'heɪl] *v 1.* einatmen, inhalieren; 2. *(in smoking)* Lungenzüge machen
inherent [ɪn'hɪərənt] *adj* eigen, innewohnend
inherit [ɪn'herɪt] *v* erben
inheritance [ɪn'herɪtəns] *sb 1.* Erbe *n,* Erbschaft *f,* Erbteil *n; 2. BIO* Vererbung *f*
inheritance tax [ɪn'herɪtəns tæks] *sb* Erbschaftssteuer *f*
inhibition [ɪnhɪ'bɪʃən] *sb* Hemmung *f*
inhumane [ɪnhjuː'meɪn] *adj* inhuman; *(to people)* menschenunwürdig
inhumanity [ɪnhjuː'mænɪtɪ] *sb* Unmenschlichkeit *f*
inimitable [ɪ'nɪmɪtəbl] *adj* unnachahmlich, einzigartig
initially [ɪ'nɪʃəlɪ] *adv* am Anfang, zu Anfang, anfänglich
initiate [ɪ'nɪʃɪeɪt] *v 1. (sth)* einleiten, beginnen; 2. *(into a club)* feierlich aufnehmen; 3. *(into a tribe)* initiieren
initiative [ɪ'nɪʃɪətɪv] *sb* Initiative *f*

inject [ɪn'dʒekt] *v MED* einspritzen, spritzen; ~ *new life into sth (fig)* etw neu beleben
injection [ɪn'dʒekʃən] *sb MED* Injektion *f,* Spritze *f*
injure ['ɪndʒə] *v 1.* verletzen, beschädigen, verwunden; 2. *(feelings, pride)* kränken, verletzen; 3. *(damage)* schaden
injury ['ɪndʒərɪ] *sb 1.* Verletzung *f;* 2. *(fig)* Kränkung *f;* 3. *(damage)* Schaden *m*
injury time ['ɪndʒərɪ taɪm] *sb SPORT* Nachspielzeit *f*
injustice [ɪn'dʒʌstɪs] *sb* Unrecht *n,* Ungerechtigkeit *f*
ink [ɪŋk] *sb 1.* Tinte *f;* 2. *ART* Tusche *f;* 3. *(for publishing)* Druckfarbe *f*
inkle ['ɪŋkl] *sb* Leinenborte *f*
inkling ['ɪŋklɪŋ] *sb* dunkle Ahnung *f*
inky ['ɪŋkɪ] *adj* tintig, Tinten...
Inland Revenue ['ɪnlənd 'revənjuː] *sb (UK)* Finanzamt *n*
in-laws ['ɪnlɔːz] *pl* angeheiratete Verwandte *pl; (spouse's parents)* Schwiegereltern *pl*
inner ['ɪnə] *adj* innere(r,s), Innen...
inner-city ['ɪnəsɪtɪ] *adj* Innenstadt...
innocent ['ɪnəsənt] *adj 1.* unschuldig; 2. *(mistake)* unabsichtlich
innovation [ɪnəʊ'veɪʃən] *sb* Neuerung *f,* Innovation *f*
innovative ['ɪnəveɪtɪv] *adj* auf Neuerungen aus
innuendo [ɪnjʊ'endəʊ] *sb* versteckte Andeutung *f,* Anspielung *f*
inoculate [ɪ'nɒkjʊleɪt] *v* impfen
inoculation [ɪnɒkjʊ'leɪʃən] *sb* Impfung *f*
inoffensive [ɪnə'fensɪv] *adj* harmlos
inoperative [ɪn'ɒpərətɪv] *adj (not working)* außer Betrieb, nicht einsatzfähig
inpatient ['ɪnpeɪʃənt] *sb* stationärer Patient/stationäre Patientin *m/f*
input ['ɪnpʊt] *v INFORM 1.* eingeben; *sb 2.* Eingabe *f*
inquire [ɪn'kwaɪə] *v 1.* ~ *about* sich erkundigen nach, fragen nach; 2. ~ *into* untersuchen
inquiry [ɪn'kwaɪərɪ] *sb 1.* Anfrage *f,* Erkundigung *f,* Nachfrage *f;* 2. *(investigation)* Untersuchung *f*
inquisitive [ɪn'kwɪzɪtɪv] *adj* neugierig, wissbegierig
insane [ɪn'seɪn] *adj 1.* geisteskrank, wahnsinnig; 2. *(fig)* wahnsinnig, irrsinnig
insanity [ɪn'sænɪtɪ] *sb 1.* Geisteskrankheit *f,* Wahnsinn *m; 2. (fig)* Wahnsinn *m,* Irrsinn *m*

inscription [ɪn'skrɪpʃən] *sb* 1. Inschrift *f;* 2. *(in a book)* Widmung *f*

insect ['ɪnsekt] *sb* Insekt *n,* Kerbtier *n*

insect bite ['ɪnsekt baɪt] *sb* MED Insektenstich *m*

insecurity [ɪnsɪ'kjʊərɪtɪ] *sb* Unsicherheit *f*

insensitive [ɪn'sensɪtɪv] *adj* 1. gefühllos; 2. *(to pain)* unempfindlich

insert [ɪn'sɜːt] *v* 1. einfügen, einsetzen, einschieben; 2. *(stick into)* hineinstecken, stecken; ~ *sth into sth* etw in etw stecken; 3. *(an advertisement)* setzen; 4. *(a coin)* einwerfen; ['ɪnsɜːt] *sb* 5. *(in a magazine or newspaper)* Beilage *f*

inside ['ɪn'saɪd] *adj* 1. Innen..., innere(r,s); *prep* 2. in ... (hinein), innerhalb; *adv* 3. innen; 4. *(indoors)* drin, drinnen; 5. *(toward the inside)* nach innen, hinein, herein; *sb* 6. Innenseite *f,* Innenfläche *f,* innere Seite *f;* 7. ~s *pl (fam: stomach)* Eingeweide *pl*

inside information ['ɪnsaɪd ɪnfə'meɪʃən] *sb* interne Informationen *pl*

inside job ['ɪnsaɪd'dʒɒb] *sb* Tat eines Eingeweihten *f*

inside out ['ɪnsaɪdaʊt] *adv* 1. das Innere nach außen, umgestülpt; *turn* ~ umdrehen; *(search thoroughly)* auf den Kopf stellen; *know sth* ~ etw in- und auswendig kennen; 2. *(article of clothing)* verkehrt herum, links

insider [ɪn'saɪdə] *sb* Insider *m,* Eingeweihte(r) *m/f*

insight ['ɪnsaɪt] *sb* 1. Verständnis *n;* 2. *(an* ~) Einblick *m*

insignificant [ɪnsɪg'nɪfɪkənt] *adj* bedeutungslos, belanglos, unwichtig

insincere [ɪnsɪn'sɪə] *adj* unaufrichtig

insinuate [ɪn'sɪnjʊeɪt] *v* 1. *(suggest)* versteckt andeuten, anspielen auf; 2. ~ *o.s. into s.o.'s favour* sich bei jdm einschmeicheln

insist [ɪn'sɪst] *v* 1. bestehen

• **insist on** bestehen auf

insistent [ɪn'sɪstənt] *adj* 1. beharrlich; 2. *(demand, tone)* nachdrücklich

insobriety [ɪnsəʊ'braɪɪtɪ] *sb (intemperance)* Unmäßigkeit *f*

insofar [ɪnsəʊ'fɑː] *konj* ~ *as* so weit

insolent ['ɪnsələnt] *adj* unverschämt, frech

insolvency [ɪn'sɒlvənsɪ] *sb* ECO Zahlungsunfähigkeit *f*

insomnia [ɪn'sɒmnɪə] *sb* Schlaflosigkeit *f*

insomuch [ɪnsəʊ'mʌtʃ] *adv* ~ *as* insofern als

inspect [ɪn'spekt] *v* 1. kontrollieren, prüfen; 2. MIL inspizieren

inspection [ɪn'spekʃən] *sb* 1. Kontrolle *f,* Prüfung *f;* 2. MIL Inspektion *f*

inspector [ɪn'spektə] *sb* Inspektor *m,* Kontrolleur *m,* Aufseher *m*

inspiration [ɪnspə'reɪʃən] *sb* Inspiration *f,* Begeisterung *f*

inspiring [ɪn'spaɪərɪŋ] *adj* anregend, begeisternd, inspirierend

instability [ɪnstə'bɪlɪtɪ] *sb* 1. Instabilität *f;* 2. *(of character)* Labilität *f*

install [ɪn'stɔːl] *v* 1. einbauen, installieren; 2. *(s.o. in office)* einsetzen

instalment [ɪn'stɔːlmənt] *sb* 1. *(payment)* Rate *f;* 2. *(of a series)* Fortsetzung *f; (radio, TV)* Folge *f*

instant ['ɪnstənt] *sb* 1. Augenblick *m,* Moment *m; adj* 2. unmittelbar, sofortig; 3. GAST Instant...

instantaneously [ɪnstən'teɪnɪəslɪ] *adv* sofort, unverzüglich

instant coffee ['ɪnstənt 'kɒfɪ] *sb* Pulverkaffee *m*

instantly ['ɪnstəntlɪ] *adv* sofort

instant replay ['ɪnstənt 'riːpleɪ] *sb* Wiederholung *f*

instead [ɪn'sted] *prep* 1. ~ *of* statt, anstatt; *adv* 2. stattdessen

instep ['ɪnstep] *sb* ANAT Rist *m,* Spann *m*

instinct ['ɪnstɪŋkt] *sb* Instinkt *m*

instinctive [ɪn'stɪŋktɪv] *adj* instinktiv

institute ['ɪnstɪtjuːt] *v* 1. einführen, einleiten; *(found)* einrichten; *sb* 2. Institut *n;* 3. *(home)* Anstalt *f*

institution [ɪnstɪ'tjuːʃən] *sb* 1. Institution *f;* 2. *(home)* Anstalt *f*

instruct [ɪn'strʌkt] *v* 1. unterrichten; 2. *(tell, direct)* anweisen; 3. *(a jury)* JUR instruieren

instructor [ɪn'strʌktə] *sb* Lehrer *m,* Ausbilder *m*

instrument ['ɪnstrʊmənt] *sb* 1. Instrument *n;* 2. *(fig)* Werkzeug *n*

insufficient [ɪnsə'fɪʃənt] *adj* unzulänglich, nicht genügend, ungenügend

insular ['ɪnsjʊlə] *adj* insular, Insel...

insulin ['ɪnsjʊlɪn] *sb* Insulin *n*

insult [ɪn'sʌlt] *v* 1. beleidigen; 2. *(verbally)* beschimpfen, beleidigen; ['ɪnsʌlt] *sb* 3. Beleidigung *f,* Beschimpfung *f*

insurance [ɪn'ʃʊərəns] *sb* Versicherung *f*

insurance agent [ɪn'ʃʊərəns 'eɪdʒənt] *sb* Versicherungsvertreter *m*

insurance coverage [ɪn'ʃʊərəns 'kʌvərɪdʒ] *sb* Versicherungsschutz *m*

insurance policy [ɪn'ʃʊərəns 'pɒlɪsɪ] *sb 1.* Versicherungspolice *f; 2. (fig)* Sicherheitsvorkehrung *f*
insure [ɪn'ʃʊə] *v* versichern
insured [ɪn'ʃʊəd] *adj* versichert
intact [ɪn'tækt] *adj* intakt, unversehrt
integrate ['ɪntɪgreɪt] *v* integrieren
integration [ɪntɪ'greɪʃən] *sb 1.* Integration *f; 2. (racial ~)* Rassenintegration *f*
integrity [ɪn'tegrɪtɪ] *sb 1.* Integrität *f; 2. (wholeness)* Einheit *f*
intellectual [ɪntɪ'lektjʊəl] *adj 1.* intellektuell; *sb 2.* Intellektuelle(r) *m/f*
intelligence [ɪn'telɪdʒəns] *sb 1.* Intelligenz *f; 2. (information)* Informationen *pl; 3. (~ service)* POL Geheimdienst *f*
intelligence agent [ɪn'telɪdʒəns 'eɪdʒənt] *sb* POL Geheimagent *m*
intelligence quotient [ɪn'telɪdʒəns 'kwəʊʃənt] *sb (I.Q.)* Intelligenzquotient *m*
intelligent [ɪn'telɪdʒənt] *adj* intelligent, klug
intelligible [ɪn'telɪdʒəbl] *adj* verständlich, klar
intend [ɪn'tend] *v 1. (to do sth)* beabsichtigen, fest vorhaben, im Sinne haben; *2.* to be *~ed for sth* für etw bestimmt sein
intended [ɪn'tendɪd] *adj* beabsichtigt, gewünscht, geplant
intense [ɪn'tens] *adj 1.* intensiv; *2. (person)* konzentriert, ernst
intensify [ɪn'tensɪfaɪ] *v* verstärken
intensity [ɪn'tensɪtɪ] *sb* Intensität *f*
intensive [ɪn'tensɪv] *adj* intensiv
intensive care unit [ɪn'tensɪv 'keə juːnɪt] *sb* Intensivstation *f*
intention [ɪn'tenʃən] *sb* Absicht *f*, Intention *f*, Vorsatz *m;* with good *~s* mit guten Vorsätzen
intentional [ɪn'tenʃənəl] *adj* absichtlich, vorsätzlich
inter [ɪn'tɜː] *v* beisetzen
interactive [ɪntər'æktɪv] *adj* interaktiv
interchangeable [ɪntə'tʃeɪndʒəbl] *adj* austauschbar, auswechselbar
intercity [ɪntə'sɪtɪ] *adj (UK)* zwischen Städten, Intercity ...; *an ~ train* ein Intercityzug
intercom ['ɪntəkɒm] *sb* Gegensprechanlage *f; (in a school)* Lautsprecheranlage *f; (on a plane)* Bordverständigungsanlage *f*
interconnect [ɪntəkə'nekt] *v* to be *~ed* miteinander verbunden sein; *(fig)* in Zusammenhang miteinander stehen
intercourse ['ɪntəkɔːs] *sb* Verkehr *m*

interest ['ɪntrɪst] *v 1.* interessieren; *sb 2.* Interesse *n; 3.* FIN Zinsen *pl; taxation of ~* Zinsbesteuerung *f; 4. (share, stake)* Anteil *m*, Beteiligung *f*
interest-free ['ɪntrɪst'friː] *adj* ECO zinslos
interesting ['ɪntrɪstɪŋ] *adj* interessant
interest rate ['ɪntrɪst reɪt] *sb* ECO Zinssatz *m*
interference [ɪntə'fɪərəns] *sb 1.* Störung *f; 2. (meddling)* Einmischung *f; 3.* run *~ (US)* SPORT den balltragenden Stürmer abschirmen; *4.* run *~ (fig)* Schützenhilfe leisten
interior [ɪn'tɪərɪə] *adj 1.* Innen...; *2. (domestic)* Binnen...; *sb 3.* the *~* das Innere *n*
interior decorator [ɪn'tɪərɪə 'dekəreɪtə] *sb* Innenausstatter *m*
intermediate [ɪntə'miːdɪət] *adj* Zwischen...; *(class in school)* für fortgeschrittene Anfänger
interment [ɪn'tɜːmənt] *sb* Bestattung *f*, Beerdigung *f*
interminable [ɪn'tɜːmɪnəbl] *adj* endlos
intern ['ɪntɜːn] *sb 1.* Praktikant *m; 2.* MED Assistenzarzt *m*
internal [ɪn'tɜːnl] *adj 1.* innere(r,s); *2. (within an organization)* intern; *3. (within a country)* Innen..., Binnen..., inländisch
international [ɪntə'næʃnəl] *adj* international
international date line ['ɪntənæʃnəl deɪt laɪn] *sb* GEO Datumsgrenze *f*
international law ['ɪntənæʃnəl lɔː] *sb* Völkerrecht *n*
Internet ['ɪntənet] *sb* INFORM Internet *n*
internist ['ɪntɜːnɪst] *sb* MED Internist(in) *m/f*, Arzt/Ärztin für innere Medizin *m/f*
internship ['ɪntɜːnʃɪp] *sb 1.* Praktikum *n*, Volontariat *n; 2.* MED Medizinpraktikum *n*
Interpol ['ɪntəpɒl] *sb* Interpol *f*
interpret [ɪn'tɜːprɪt] *v 1. (explain)* auslegen, interpretieren; *2. (a dream)* deuten; *3. (a role, a piece of music)* interpretieren, wiedergeben; *4. (translate orally)* dolmetschen
interpretation [ɪntɜːprɪ'teɪʃən] *sb* Auslegung *f*, Interpretation *f*, Deutung *f*
interpreter [ɪn'tɜːprɪtə] *sb (of languages)* Dolmetscher *m*
interracial [ɪntər'reɪʃəl] *adj* zwischen den Rassen
interrogate [ɪn'terəgeɪt] *v* verhören, ausfragen
interrupt [ɪntə'rʌpt] *v 1.* unterbrechen; *2. (disturb)* stören

interruption [ɪntə'rʌpʃən] *sb* Unterbrechung *f*, Störung *f*; *without* ~ ununterbrochen
intersection [ɪntə'sekʃən] *sb* 1. Kreuzung *f*; 2. *MATH* Schnittpunkt *m*
interstate ['ɪntəsteɪt] *sb (US)* Autobahn *f*
intervene [ɪntə'vi:n] *v* 1. sich einmischen, einschreiten; *(helping)* eingreifen; 2. *(event)* dazwischenkommen; 3. *(time)* dazwischenliegen; 4. *JUR* intervenieren
interview ['ɪntəvju:] *v* 1. ein Gespräch führen mit; 2. *(journalist)* interviewen; *sb* 3. *(by a journalist)* Interview *n*; 4. *(formal talk)* Gespräch *n*; 5. *(job ~)* Vorstellungsgespräch *n*
interviewer ['ɪntəvju:ə] *sb* 1. *(journalist)* Interviewer *m*; 2. *(for a job)* Leiter eines Vorstellungsgesprächs *m*
intimacy ['ɪntɪməsɪ] *sb* 1. Intimität *f*; 2. *(with a subject)* Vertrautheit *f*
intimate ['ɪntɪmeɪt] *v* 1. andeuten; ['ɪntɪmət] *adj* 2. *(friend)* eng, vertraut; 3. *(sexually)* intim; 4. *(knowledge)* gründlich
intimidating [ɪn'tɪmɪdeɪtɪŋ] *adj* einschüchternd
into ['ɪntʊ] *prep* 1. in, in ... hinein; *translate* ~ *English* ins Englische übersetzen; *divide six* ~ *nineteen* neunzehn durch sechs teilen; 2. *(against)* gegen; 3. *(transformation)* zu
intolerance [ɪn'tɒlərəns] *sb* 1. Intoleranz *f*, Unduldsamkeit *f*; 2. *MED* Überempfindlichkeit *f*
intolerant [ɪn'tɒlərənt] *adj* unduldsam, intolerant
intoxication [ɪntɒksɪ'keɪʃən] *sb* Rausch *m*
intransitive [ɪn'trænzɪtɪv] *adj GRAMM* intransitiv
intrigue [ɪn'tri:g] *sb* Intrige *f*; ~*s pl* Machenschaften *pl*, Ränke *pl*
introduce [ɪntrə'dju:s] *v* 1. *(s.o.)* vorstellen; *(to a subject)* einführen; ~ *o.s.* sich vorstellen; 2. *(reforms, a method, a fashion)* einführen; 3. *(a bill)* POL einbringen; 4. *(an era)* einleiten; 5. *(insert)* einführen
introduction [ɪntrə'dʌkʃən] *sb* 1. *(to a person)* Vorstellung *f*; 2. *letter of* ~ Empfehlungsschreiben *n*, Empfehlungsbrief *m*; 3. *(of a method)* Einführung *f*; 4. *(of a bill)* Einbringen *n*; 5. *(introductory part)* Einleitung *f*; 6. *(elementary course)* Einführung *f*; 7. *(insertion)* Einführung *f*
introductory [ɪntrə'dʌktərɪ] *adj* einleitend, Vor...
intrude [ɪn'tru:d] *v* 1. sich dazwischendrängen; *Am I intruding?* Störe ich? 2. *(a remark)* einwerfen

intruder [ɪn'tru:də] *sb* Eindringling *m*
intrusion [ɪn'tru:ʒən] *sb* Dazwischendrängen *n*, Eindringen *n*
intuition [ɪntjʊ'ɪʃən] *sb* Intuition *f*
intuitive [ɪn'tjʊɪtɪv] *adj* intuitiv
invade [ɪn'veɪd] *v* 1. *MIL* einfallen, einmarschieren in; 2. *(fig)* überlaufen, überschwemmen; 3. *(fig: privacy)* eindringen in
invalid [ɪn'vælɪd] *adj* 1. ungültig; *(argument)* nicht stichhaltig; ['ɪnvəlɪd] 2. *(sick)* krank; *(disabled)* invalide; *sb* 3. *(disabled person)* Invalide *m/f*; *(sick person)* Kranke(r) *m/f*
invalidate [ɪn'vælɪdeɪt] *v* ungültig machen; *(argument, theory)* entkräften
invaluable [ɪn'væljʊəbl] *adj* unschätzbar, unbezahlbar
invariably [ɪn'veərɪəblɪ] *adv* stets, ständig
invasion [ɪn'veɪʒən] *sb* 1. *MIL* Invasion *f*, Einfall *m*; 2. *(fig)* Eingriff *m*
invent [ɪn'vent] *v* erfinden
invention [ɪn'venʃən] *sb* 1. Erfindung *f*; 2. *(inventiveness)* Erfindungsgabe *f*
inventor [ɪn'ventə] *sb* Erfinder *m*
inventory ['ɪnvəntrɪ] *sb* Inventar *n*, Bestandsaufnahme *f*; *take an* ~ *of sth* Inventar von etw aufnehmen
invest [ɪn'vest] *v* investieren; ~ *in* sein Geld investieren in
investigate [ɪn'vestɪgeɪt] *v* 1. nachforschen; *(police)* Ermittlungen anstellen; 2. *(sth)* untersuchen, erforschen, überprüfen
investigation [ɪnvestɪ'geɪʃən] *sb* 1. Untersuchung *f*, Ermittlung *f*, Ermittlungen *pl*; 2. *(scientific)* Forschung *f*, Erforschung *f*
investigator [ɪn'vestɪgeɪtə] *sb* 1. Ermittler *m*; 2. *(from the government)* Untersuchungsbeamter *m*; 3. *private* ~ Privatdetektiv *m*
investment [ɪn'vestmənt] *sb* Investition *f*, Anlage *f*; ~ *banking* Effektenbankgeschäft *n*
investor [ɪn'vestə] *sb FIN* Kapitalanleger *m*, Investor *m*
invincible [ɪn'vɪnsɪbl] *adj* unbesiegbar, unschlagbar, unüberwindlich
invisible [ɪn'vɪzəbl] *adj* unsichtbar
invitation [ɪnvɪ'teɪʃən] *sb* Einladung *f*
invite [ɪn'vaɪt] *v* 1. einladen; 2. *(ask for)* bitten um; 3. *(attract, lead to)* führen zu
inviting [ɪn'vaɪtɪŋ] *adj* einladend
involuntary [ɪn'vɒləntərɪ] *adj* 1. unabsichtlich; 2. *(reaction)* unwillkürlich; 3. *(against one's will)* unfreiwillig
involve [ɪn'vɒlv] *v* 1. *(concern)* betreffen; 2. *(include)* beteiligen; 3. *(entail)* mit sich brin-

gen, zur Folge haben, bedeuten; *4. (entangle)* verwickeln; ~ *s.o. in sth* jdn in etw hineinziehen; *5. to be ~d in sth* etw mit etw zu tun haben, an etw beteiligt sein; *to be ~d with s.o. (sexually)* mit jdm ein Verhältnis haben; *6. get ~d in sth* sich verstricken in

involved [ɪnˈvɒlvd] *adj (intricate, complicated)* kompliziert, verworren

involvement [ɪnˈvɒlvmənt] *sb 1.* Beteiligung *f; 2. (commitment)* Engagement *n*

inward [ˈɪnwəd] *adv 1.* nach innen; *adj 2.* innere(r,s); *(thoughts)* innerste(r,s)

IOU [aɪəʊˈjuː] *sb* Schuldschein *m*

irate [aɪˈreɪt] *adj* zornig

iridescent [ɪrɪˈdesnt] *adj* schillernd

irk [ɜːk] *v* ärgern, verdrießen

iron [ˈaɪən] *v 1.* bügeln; *2. ~ out (fig)* ausbügeln; *adj 3.* eisern; *sb 4.* Eisen *n; strike while the ~ is hot (fig)* das Eisen schmieden, solange es heiß ist; *pump ~ (fam)* Krafttraining betreiben; *5. (for clothes)* Bügeleisen *n*

ironic [aɪˈrɒnɪk] *adj 1. (person)* ironisch; *2. (situation)* paradox

ironing [ˈaɪənɪŋ] *sb* Bügeln *n*

ironing board [ˈaɪənɪŋbɔːd] *sb* Bügelbrett *n*

iron ore [ˈaɪən ɔː] *sb* MIN Eisenerz *n*

ironware [ˈaɪənweə] *sb* Eisenwaren *pl*

ironwork [ˈaɪənwɜːk] *sb* Eisenbeschläge *pl*

irony [ˈaɪərənɪ] *sb* Ironie *f*

irrational [ɪˈræʃənl] *adj* unvernünftig

irrationality [ɪræʃəˈnælɪtɪ] *sb* Irrationalität *f*

irregular [ɪˈregjʊlə] *adj 1.* unregelmäßig; *(shape)* ungleichmäßig; *(surface)* uneben; *2. (conduct)* ungehörig; *3. (contrary to rules)* unvorschriftsmäßig

irregularity [ɪregjʊˈlærɪtɪ] *sb* Unregelmäßigkeit *f*, Ungleichmäßigkeit *f*, Unebenheit *f*

irrelevant [ɪˈreləvənt] *adj* irrelevant, unwesentlich

irreparable [ɪˈrepərəbl] *adj* irreparabel, nicht wieder gutzumachen

irreplaceable [ɪrɪˈpleɪsəbl] *adj* unersetzbar, unersetzlich

irresistible [ɪrɪˈzɪstəbl] *adj* unwiderstehlich

irresponsible [ɪrɪsˈpɒnsəbl] *adj 1. (person)* verantwortungslos; *2. (behaviour)* unverantwortlich

irreversible [ɪrɪˈvɜːsəbl] *adj 1. (decision)* unumstößlich; *2. (damage)* bleibend; *3.* MED, PHYS, CHEM irreversibel

irritability [ɪrɪtəˈbɪlɪtɪ] *sb* Reizbarkeit *f*

irritable [ˈɪrɪtəbl] *adj 1.* gereizt; *2. (by nature)* reizbar

irritate [ˈɪrɪteɪt] *v* ärgern, irritieren; *(deliberately)* reizen

island [ˈaɪlənd] *sb 1.* Insel *f; 2. (traffic ~)* Verkehrsinsel *f*

islander [ˈaɪləndə] *sb* Inselbewohner *m*

isle [aɪl] *sb* Insel *f*

isolate [ˈaɪsəʊleɪt] *v 1. (separate)* absondern, isolieren; *2. (cut off)* isolieren; *3. (pinpoint)* herausfinden

isolated [ˈaɪsəʊleɪtɪd] *adj 1. (single)* einzeln; *2. (remote)* abgelegen; *3. (existence)* zurückgezogen

isolation [aɪsəʊˈleɪʃən] *sb 1. (state)* Isolation *f*, Abgeschiedenheit *f; 2. (act)* Absonderung *f*, Isolierung *f*, Herausfinden *n*

issue [ˈɪʃjuː] *v 1. (liquid, gas)* austreten; *(smoke)* herausquellen; *(sound)* herausdringen; *2. (a command)* ausgeben, erteilen; *3. (currency, military equipment)* ausgeben; *4. (documents)* ausstellen; *5. (stamps, a newspaper, a book)* herausgeben; *sb 6. (handing-out)* Ausgabe *f; (thing supplied)* Lieferung *f; 7. (magazine, currency, stamps)* Ausgabe *f; 8. (of documents)* Ausstellung *f; 9. date of ~* Ausstellungsdatum *n, (of stamps)* Ausgabetag *m; 10. (matter)* Frage *f*, Angelegenheit *f; take ~ with s.o. over sth* jdm in etw widersprechen; *make an ~ of sth* etw aufbauschen; *evade the ~* ausweichen; *11. (result)* Ergebnis *n; force the ~* eine Entscheidung erzwingen

it [ɪt] *pron 1.* er/sie/es; *(direct object)* ihn/sie/es; *(indirect object)* ihm/ihr/ihm; *2. (indefinite subject)* es; *Who is ~?* Wer ist da? *What time is ~?* Wie viel Uhr ist es? *I take ~ that ...* ich nehme an, dass ...; *3. that's ~ (exactly)* Ja, genau! *(I'm fed up)* Jetzt reicht's mir! *(~'s all done)* Das wär's!

itchy [ˈɪtʃɪ] *adj 1.* juckend; *I've got an ~ trigger finger! (fam)* Es juckt mich abzudrücken! *2. (sweater)* kratzig

item [ˈaɪtəm] *sb 1. (object, thing)* Stück *n*, Ding *n*, Gegenstand *m; 2. (on an agenda)* Punkt *m; 3. (news ~)* einzelne Nachricht *f; 4. (in an account book)* ECO Posten *m*

itinerary [aɪˈtɪnərərɪ] *sb (travelroute)* Reiseroute *f*

its [ɪts] *pron 1. (masculine or neutral antecedent)* sein(e); *2. (feminine antecedent)* ihr(e)

Ivory Coast [ˈaɪvərɪ kəʊst] *sb the ~* GEO die Elfenbeinküste *f*

J

jab [dʒæb] v 1. *(with a knife)* stechen; *(with an elbow)* stoßen; *(in boxing)* eine kurze Gerade schlagen; *sb* 2. *(with a knife, with a needle)* Stich *m*; 3. *(with an elbow)* Stoß *m*; 4. *(in boxing)* Jab *m*, kurze Gerade *f*

jackass ['dʒækæs] *sb* 1. ZOOL Eselshengst *m*; 2. *(fam: person)* Esel *m*

jackboot ['dʒækbuːt] *sb* Schafstiefel *m*

jacket ['dʒækɪt] *sb* 1. Jacke *f*; 2. *(blazer)* Jackett *n*, Jacke *f*; 3. *(of a book)* Buchhülle *f*, Schutzumschlag *m*

jackhammer ['dʒækhæmə] *sb* Pressluft- hammer *m*

jack-in-the-box ['dʒækɪndəbɒks] *sb* Kas- tenteufel *m*

jackknife ['dʒæknaɪf] *v (lorry)* sich quer stellen

jackpot ['dʒækpɒt] *sb* 1. Jackpot *m*; 2. *hit the* ~ einen Treffer haben; *(in a lottery)* den Hauptgewinn bekommen; *(fig)* das große Los ziehen

jacuzzi [dʒəˈkuːzɪ] *sb* Whirlpool *m*

jade [dʒeɪd] *sb* 1. Jade *m*; 2. *(colour)* Jade- grün *n*

jaded ['dʒeɪdɪd] *adj* abgestumpft, stumpf- sinnig

jaguar ['dʒægjuə] *sb* ZOOL Jaguar *m*

jail [dʒeɪl] *sb* 1. Gefängnis *n*; *v* 2. einsperren

jailbird ['dʒeɪlbɜːd] *sb (fam)* Knastbruder *m*

jailbreak ['dʒeɪlbreɪk] *sb* Ausbruch aus dem Gefängnis *m*

jailer ['dʒeɪlə] *sb* Gefängniswärter *m*

jalopy [dʒəˈlɒpɪ] *sb* Klapperkiste *f* (Auto)

jam [dʒæm] *v* 1. *(become stuck) (window)* klemmen; *(gun)* Ladehemmung haben; 2. *(cram)* stopfen, hineinzwängen, quetschen; ~*med together* zusammengezwängt; *(people)* zusammengedrängt; 3. ~ *on the brakes* auf die Bremse treten, eine Vollbremsung ma- chen; 4. *(a radio broadcast)* stören; *sb* 5. *(blockage)* Stauung *f*, Stockung *f*; 6. *traffic* ~ Stau *m*; 7. *(fig: tight spot)* Klemme *f*, Patsche *f*; 8. GAST Marmelade *f*, Konfitüre *f*

jamboree [dʒæmbəˈriː] *sb* Fest *n*, Rummel *m* (fam)

jammy ['dʒæmɪ] *adj (fam) (UK)* Glücks...

jam-packed ['dʒæmpækt] *adj (fam)* voll gestopft

janitor ['dʒænɪtə] *sb* Hausmeister *m*

January ['dʒænjʊərɪ] *sb* Januar *m*

Japan [dʒəˈpæn] *sb* Japan *n*

Japanese [dʒæpəˈniːz] *sb* 1. *(person)* Ja- paner *m*; 2. *(language)* Japanisch *n*; *adj* 3. ja- panisch

jape [dʒeɪp] *sb* Scherz *m*, Streich *m*

jar [dʒɑː] *v* 1. erschüttern, einen Stoß verset- zen; *sb* 2. *(container)* Glas *n*, Topf *m*

jargon ['dʒɑːgən] *sb* Jargon *m*, Fachspra- che *f*

jaundice ['dʒɔːndɪs] *sb* MED Gelbsucht *f*

jaundiced ['dʒɔːndɪst] *adj (fig)* voreinge- nommen

jaunt [dʒɔːnt] *sb* Spritztour *f*, Ausflug *m*

jaunty ['dʒɔːntɪ] *adj* unbeschwert, fesch, flott; *with one's hat at a* ~ *angle* den Hut keck über dem Ohr

javelin ['dʒævəlɪn] *sb* SPORT Speer *m*

jaw [dʒɔː] *sb* 1. ANAT Kiefer *m*, Kinnlade *f*; 2. *the* ~*s of death pl (fig)* die Klauen des To- des *pl*; *v* 3. *(fam)* quatschen

jawbone ['dʒɔːbəʊn] *sb* Kieferknochen *m*

jaywalk ['dʒeɪwɔːk] *v* verkehrswidrig über die Straße gehen

jazz [dʒæz] *sb* 1. Jazz *m*; *v* 2. ~ *sth up (fam)* etw aufpeppen

jealous ['dʒeləs] *adj* 1. eifersüchtig; *to be* ~ *of s.o.* auf jdn eifersüchtig sein; 2. *(of s.o.'s success)* missgünstig

jealousy ['dʒeləsɪ] *sb* Eifersucht *f*; *(of s.o.'s success)* Missgunst *f*

jeans [dʒiːnz] *pl* Jeans *f*

jeep [dʒiːp] *sb* Jeep *m*

jeepers ['dʒiːpəz] *interj* Mensch! Na so was!

jejune [dʒɪˈdʒuːn] *adj* fade

jelly ['dʒelɪ] *sb* 1. Gelee *n*; 2. *(dessert) (UK)* GAST Grütze *f*; 3. *(jam) (US)* GAST Marme- lade *f*

jelly baby ['dʒelɪbeɪbɪ] *sb (UK)* Gummibär- chen *n*

jellyfish ['dʒelɪfɪʃ] *sb* ZOOL Qualle *f*

jeopardy ['dʒepədɪ] *sb* Gefahr *f*

jerk [dʒɜːk] *v* 1. einen Ruck geben, *(muscle)* zucken; ~ *to a stop* ruckartig anhalten; 2. *(sth)* ruckweise ziehen, plötzlich reißen; ~ *o.s. free* sich losreißen; *sb* 3. Ruck *m*; 4. *(twitch)* Zuckung *f*; 5. *(fam: person)* Trot- tel *m*

jersey ['dʒɜːzɪ] *sb* 1. Pullover *m*; *(cloth)* Jersey *m*; 2. SPORT Trikot *n*

jet [dʒet] *sb 1. (~ plane)* Düsenflugzeug *n; 2. (of water, of vapour)* Strahl *m; 3. (nozzle)* TECH Düse *f*
jet black [dʒet blæk] *adj* kohlrabenschwarz
jet lag ['dʒetlæg] *sb* Probleme durch die Zeitumstellung *pl*
jetliner ['dʒetlaɪnə] *sb* Düsenlinienflugzeug *n*
jet plane ['dʒetpleɪn] *sb* Düsenflugzeug *n*
jetski ['dʒetskiː] *sb* Jetski *m*
jetty ['dʒetɪ] *sb (pier)* NAUT Landungsbrücke *f*
jewel ['dʒuːəl] *sb 1.* Juwel *n,* Edelstein *m; 2. (piece of jewellery)* Schmuckstück *n*
jeweller ['dʒuːələ] *sb* Juwelier *m*
jewellery ['dʒuːələrɪ] *sb* Schmuck *m,* Juwelen *pl*
jiffy ['dʒɪfɪ] *sb* Augenblick *m; in a ~* im Nu
jig [dʒɪg] *sb* lebhafter Tanz *m; The ~ is up. (fam)* Das Spiel ist aus.
jiggle ['dʒɪgl] *v 1.* wackeln; *2. (sth)* leicht rütteln
jigsaw ['dʒɪgsɔː] *sb* Laubsäge *f*
jigsaw puzzle ['dʒɪgsɔːpʌzl] *sb* Puzzle *n*
jilt [dʒɪlt] *v ~ s.o.* jdm den Laufpass geben
jingle ['dʒɪŋgl] *v* klingeln
jinx [dʒɪŋks] *v 1.* verhexen; *sb 2.* Pech *n*
jitters ['dʒɪtəz] *pl the ~* das große Zittern *n*
jive [dʒaɪv] *sb (US: talk)* Gequassel *n*
job [dʒɒb] *sb 1. (employment)* Stelle *f,* Job *m,* Stellung *f; 2. (piece of work)* Arbeit *f; It was quite a ~.* Das war ganz schön schwierig. *to be paid by the ~* pro Auftrag bezahlt werden; *odd ~s pl* Gelegenheitsarbeiten *pl; 3. (responsibility, duty)* Aufgabe *f; That's not my ~.* Dafür bin ich nicht zuständig.
job centre ['dʒobsentə] *sb (UK)* Arbeitsamt *n*
job description ['dʒɒbdɪskrɪpʃən] *sb* Tätigkeitsbeschreibung *f*
job rotation ['dʒɒbrəʊteɪʃən] *sb* ECO Job Rotation *f,* systematischer Arbeitsplatzwechsel *m*
job sharing ['dʒɒbʃeərɪŋ] *sb* Job Sharing *n,* Teilen einer Arbeitsstelle *n*
jock [dʒɒk] *sb (fam)* Sportler *m*
jockey ['dʒɒkɪ] *sb 1.* Jockey *m; v 2. ~ for position* sich in eine gute Position zu drängeln versuchen, *(fig)* rangeln
jog [dʒɒg] *v 1.* SPORT joggen; *2. ~ s.o.'s memory* jds Gedächtnis nachhelfen
jogger ['dʒɒgə] *sb* Jogger *m*
jogging ['dʒɒgɪŋ] *sb* Jogging *n*

john [dʒɒn] *sb 1. (fam)(US: toilet)* Klo *n; 2. (fam) (US: prostitute's customer)* Freier *m*
join [dʒɔɪn] *v 1. (to be attached)* verbunden sein; *2. (become a member of)* Mitglied werden von, eintreten in; *(army)* gehen zu; *3. ~ s.o. in doing sth* etw zusammen mit jdm tun; *4. ~ in* mitmachen; *5. ~ up with s.o.* sich jdm anschließen; *6. (connect)* verbinden; *~ hands* sich die Hand reichen
joiner ['dʒɔɪnə] *sb (craftsman)* Tischler *m,* Schreiner *m*
joint [dʒɔɪnt] *adj 1.* gemeinsam, gemeinschaftlich, Gemeinschafts...; *~ and several* solidarisch; *sb 2.* ANAT Gelenk *n; 3.* TECH Gelenk *n; 4.* GAST Braten *m; 5. (piece of pipe)* Verbindung *f; 6. (fam: place)* Laden *m; 7. (fam: marijuana)* Joint *m*
jointly ['dʒɔɪntlɪ] *adv* gemeinsam, zusammen, miteinander
joke [dʒəʊk] *v 1.* Witze machen, scherzen; *sb 2.* Witz *m; 3. (statement not meant seriously)* Scherz *m; to be able to take a ~* einen Spaß verstehen können; *4. (practical ~)* Streich *m,* Schabernack *m; play a ~ on s.o.* jdm einen Streich spielen
joker ['dʒəʊkə] *sb 1. (card)* Joker *m; 2.* Spaßvogel *m,* Witzbold *m*
jolly ['dʒɒlɪ] *adj 1.* fröhlich, vergnügt; *adv 2. ~ ... (UK)* ganz schön ...
Jolly Roger ['dʒɒlɪ 'rɒdʒə] *sb* HIST Totenkopfflagge *f*
jolt [dʒəʊlt] *v 1. (sth)* einen Ruck geben; *(fig)* aufrütteln; *sb 2.* Ruck *m; 3. (fig)* Schock *m*
jot [dʒɒt] *v ~ down* schnell notieren, schnell hinschreiben
journal ['dʒɜːnl] *sb 1.* Journal *n; 2. (diary)* Tagebuch *n; 3. (magazine)* Zeitschrift *f; 4. (newspaper)* Zeitung *f*
journalism ['dʒɜːnəlɪzm] *sb* Journalismus *m*
journalist ['dʒɜːnəlɪst] *sb* Journalist(in) *m/f*
journey ['dʒɜːnɪ] *v 1.* reisen; *sb 2.* Reise *f*
journeyman ['dʒɜːnɪmən] *sb* Geselle *m*
joy [dʒɔɪ] *sb* Freude *f*
joyful ['dʒɔɪfʊl] *adj* freudig, froh
joyride ['dʒɔɪraɪd] *sb* Spritztour *f*
joystick ['dʒɔɪstɪk] *sb 1.* Joystick *m; 2. (fam: control in a helicopter)* Steuerknüppel *m*
jubilation [dʒuːbɪ'leɪʃən] *sb* Jubel *m*
jubilee ['dʒuːbɪliː] *sb* Jubiläum *n*
Judaism ['dʒuːdeɪɪzəm] *sb* Judaismus *m*
judge [dʒʌdʒ] *v 1.* urteilen; *2. (sth)* beurteilen; *3. (consider, deem)* halten für, erachten

für; 4. *(estimate)* einschätzen; 5. *(a case)* JUR verhandeln; *sb* 6. JUR Richter *m*; 7. *The Book of Judges* REL das Buch der Richter; 8. SPORT Kampfrichter *m*; 9. *(fig)* Kenner *m*; ~ *of character* Menschenkenner *m*; *I'll be the ~ of that.* Das müssen Sie mich schon selbst beurteilen lassen.

judgement ['dʒʌdʒmənt] *sb* 1. Urteil *n*, Beurteilung *f*; 2. JUR Urteil *n*, Gerichtsurteil *n*; *pass ~ on* ein Urteil fällen über; 3. *(estimation)* Einschätzung *f*; 4. *(ability to judge)* Urteilsvermögen *n*; *Use your best ~.* Handeln Sie nach Ihrem besten Ermessen. 5. *(opinion)* Meinung *f*, Ansicht *f*

judgment *sb* (US: see "judgement")

judo ['dʒuːdəʊ] *sb* Judo *n*

jug [dʒʌg] *sb* Krug *m*, Kanne *f*

juggle ['dʒʌgl] *v* jonglieren

juice [dʒuːs] *sb* Saft *m*

juicy ['dʒuːsɪ] *adj* 1. saftig; 2. *(fig: story)* pikant

jukebox ['dʒuːkbɒks] *sb* Jukebox *f*, Musikautomat *m*

jumble ['dʒʌmbl] *v* 1. durcheinander werfen; 2. *(fig: facts)* durcheinander bringen; *sb* 3. Durcheinander *n*

jumble sale ['dʒʌmbl seɪl] *sb* Flohmarkt *m*, Basar *m*

jump [dʒʌmp] *v* 1. springen; ~ *for joy* Freudensprünge machen; 2. *(move suddenly)* zusammenfahren, zusammenzucken; 3. *(sth)* überspringen; 4. *(fig: skip)* überspringen, auslassen; ~ *the queue* sich vordrängeln; 5. ~ *all over s.o.* *(fam) (US)* jdn zur Schnecke machen; 6. ~ *at sth* sich auf etw stürzen; 7. *(fam: assault)* überfallen; *sb* 8. Sprung *m*, Satz *m*; 9. *(with a parachute)* Absprung *m*; 10. *(fig: increase)* Anstieg *m*; 11. *(hurdle)* Hindernis *n*

•**jump in** *v* hineinspringen, hereinspringen; *Jump in! (into a car)* Steig ein!

•**jump off** *v* herunterspringen, *(of a moving vehicle)* abspringen

•**jump up** *v* hochspringen; *(into a standing position)* aufspringen

jumper ['dʒʌmpə] *sb* 1. *(UK: pullover)* Pullover *m*; 2. *(US: dress)* Trägerkleid *n*

jump leads [dʒʌmp liːdz] *pl* Starthilfekabel *n*

jump-start ['dʒʌmpstɑːt] *v* mittels Starthilfekabel anlassen

jumpy ['dʒʌmpɪ] *adj* nervös, schreckhaft

junction ['dʒʌŋkʃən] *sb* 1. *(of roads)* Kreuzung *f*; 2. *(railway ~)* Knotenpunkt *m*; 3. *(electric)* Anschlussstelle *f*

jungle ['dʒʌŋgl] *sb* Dschungel *m*, Urwald *m*; *the law of the ~* *(fig)* das Gesetz des Dschungels *n*

junior ['dʒuːnɪə] *adj* 1. jünger; *(officer)* rangniedriger; *sb* 2. Jüngere(r) *m/f*; *He is seven years my ~.* Er ist sieben Jahre jünger als ich. 3. *(son with father's first name)* Junior *m*; 4. *(UK: in primary school)* Grundschüler *m*; 5. *(UK: in secondary school)* Unterstufenschüler *m*; 6. *(US: in high school)* Schüler in der elften Klasse; 7. *(US: in college)* Student im dritten Studienjahr *m*

junior partner ['dʒuːnɪə 'pɑːtnə] *sb* jüngerer Teilhaber *m*

junk [dʒʌŋk] *sb* 1. *(discarded objects)* Trödel *m*, alter Kram; 2. *(fam: trash)* Schund *m*, Schrott *m*, Ramsch *m*

junkie ['dʒʌŋkɪ] *sb (fam)* Fixer *m*

junk mail [dʒʌŋk meɪl] *sb* Postwurfsendungen *pl*, Reklame *f*

junkyard ['dʒʌŋkjɑːd] *sb* Schrottplatz *m*

juror ['dʒʊərə] *sb* JUR Geschworene(r) *m/f*

jury ['dʒʊərɪ] *sb* 1. *(for a trial)* die Geschworenen *pl*, die Schöffen *pl*; 2. *(for a competition)* Jury *f*

just [dʒʌst] *adv* 1. *(only)* nur, bloß; ~ *in case* nur für den Fall; ~ *like that* einfach so; 2. *(at that moment, at this moment)* gerade; 3. *(a moment ago)* gerade, eben, soeben; ~ *before* kurz bevor, knapp bevor; ~ *after* kurz nach, gleich nach; 4. ~ *now (a moment ago)* soeben; *(at this moment)* gerade jetzt; 5. *(barely)* gerade noch; 6. ~ *about* so ziemlich; 7. *(absolutely)* einfach, wirklich; 8. *(exactly)* gerade, genau; *It's ~ my size.* Genau meine Größe. 9. ~ *as* genauso, ebenso; *It's ~ as well.* Es ist vielleicht besser so. *adj* 10. gerecht, berechtigt

justice ['dʒʌstɪs] *sb* 1. Gerechtigkeit *f*; 2. *(system)* Gerichtsbarkeit *f*, Justiz *f*; 3. *(judge)* Richter *m*

justifiable [dʒʌstɪ'faɪəbl] *adj* zu rechtfertigen, berechtigt, vertretbar

justification [dʒʌstɪfɪ'keɪʃən] *sb* 1. Rechtfertigung *f*; 2. *(of type)* Justierung *f*

justify ['dʒʌstɪfaɪ] *v* 1. rechtfertigen; 2. *(type)* justieren

just-in-time ['dʒʌstɪntaɪm] *adj* produziert zur sofortigen Auslieferung

juvenile ['dʒuːvənaɪl] *adj* 1. jugendlich; 2. *(childish)* kindisch; *sb* 3. Jugendliche(r) *m/f*

juvenile delinquency ['dʒuːvənaɪl dɪ'lɪŋkwənsɪ] *sb* Jugendkriminalität *f*

juvenile delinquent ['dʒuːvənaɪl dɪ'lɪŋkwənt] *sb* jugendlicher Straftäter *m*

K

kaleidoscope [kə'laɪdəskəʊp] *sb* Kaleidoskop *n*

kangaroo [kæŋgə'ruː] *sb* Känguru *n*

kangaroo court [kæŋgə'ruː kɔːt] *sb* 1. korruptes Gericht *n;* 2. *(unofficial court)* inoffizielles Gericht *n*

karaoke [kærɪ'əʊkɪ] *sb* Karaoke *n*

karate [kə'rɑːtɪ] *sb* Karate *n*

karma ['kɑːmə] *sb REL* Karma *n*

kart [kɑːt] *sb* Gokart *n*

kayak ['kaɪæk] *sb* Kajak *m/n*

kebab [kə'bæb] *sb GAST* Kebab *m*

keen [kiːn] *adj* 1. *(edge, eye, ear, wind)* scharf; 2. *(interest, feeling)* stark; 3. *(hardworking)* eifrig, *(enthusiastic)* begeistert; 4. to be ~ to do sth sehr scharf darauf sein, etw zu tun; 5. I'm not ~ on it. Ich lege keinen Wert darauf. Ich mache mir nichts daraus. Ich habe wenig Lust dazu. 6. to be ~ on s.o. scharf auf jdn sein

keenness ['kiːnnɪs] *sb* Begeisterung *f,* starkes Interesse *n,* Eifer *m*

keep [kiːp] *v irr* 1. *(remain in a certain state)* ~ silent schweigen; ~ calm ruhig bleiben; 2. ~ doing sth *(continue)* etw weiter tun; *(repeatedly)* etw immer wieder tun; *(constantly)* etw dauernd tun; 3. *(continue in a certain direction)* ~ to the right sich rechts halten; 4. *(retain)* behalten; ~ sth to o.s. etw für sich behalten; 5. *(maintain in a certain state)* halten; ~ s.o. informed jdn auf dem Laufenden halten; ~ s.o. busy sich selbst beschäftigen; ~ s.o. waiting jdn warten lassen; ~ an eye on s.o. jdn im Auge behalten; ~ one's distance Abstand halten; 6. *(accounts, a diary)* führen; 7. *(in a certain place)* aufbewahren; 8. *(detain)* aufhalten, zurückhalten; ~ s.o. from doing sth jdn davon abhalten, etw zu tun; a kept woman eine Frau, die ausgehalten wird; 9. *(an appointment)* einhalten; 10. *(a promise)* halten, einhalten, einlösen; 11. *(run a shop, a hotel)* führen; 12. *(tend animals)* halten; 13. *(save, put aside)* aufheben; ~ a secret ein Geheimnis bewahren; *sb* 14. earn one's ~ seinen Unterhalt verdienen *m;* 15. for ~s pl für immer

•**keep at** *v irr* ~ sth an etw festhalten, etw weitermachen

•**keep away** *v irr (from s.o., from sth)* wegbleiben

•**keep back** *v irr* 1. *(from an edge)* zurück bleiben, nicht näherkommen; 2. *(a student)* dabehalten

•**keep down** *v irr* 1. *(remain low)* untenbleiben; 2. *(remain quiet)* Keep it down! Beherrsche dich! 3. keep one's food down sein Essen im Magen behalten *(sich nicht übergeben müssen)*; 4. You can't keep a good man down. Der Tüchtige setzt sich immer durch.

•**keep from** *v irr* ~ doing sth von etw abhalten, von etw zurückhalten

•**keep in** *v irr* dabehalten, nicht weglassen; to be kept in after school nachsitzen müssen

•**keep on** *v irr (continue)* weitermachen, nicht aufhören

•**keep out** *v irr „Keep Out"* „Zutritt verboten"

•**keep to** *v irr* ~ o.s. nicht sehr gesellig sein, ein Einzelgänger sein

•**keep under** *v irr* unterdrücken, unterjochen

•**keep up** *v irr* 1. *(continue) (rain)* andauern; *(determination)* nicht nachlassen; 2. ~ with s.o. mit jdm Schritt halten; ~ with the Joneses sich mit den Nachbarn messen können; 3. *(sth)(not stop)* nicht aufhören mit

keeper ['kiːpə] *sb* 1. *(guard)* Wächter *m,* Aufseher *m;* 2. *(game~)* Jagdhüter *m;* 3. *(goalie)* SPORT Torhüter *m,* Torwart *m;* 4. *(fish)* Fisch, der die gesetzliche Fanggröße erreicht hat *m*

keepnet ['kiːpnet] *sb* Netz zur Aufbewahrung lebender Fische *n*

keepsake ['kiːpseɪk] *sb* Andenken *n,* Erinnerung *f*

keg [keg] *sb* kleines Fass *n,* Fässchen *n*

kelp [kelp] *sb* Seetang *m*

kempt [kempt] *adj* gekämmt, gepflegt

ken [ken] *sb* Horizont *m,* Gesichtskreis *m;* in one's ~ in seinem eigenen Umfeld

kendo ['kendəʊ] *sb* SPORT Kendo *n*

kennel ['kenl] *sb* 1. Hundezwinger *m;* 2. *(boarding ~)* Hundeheim *n,* Tierheim *n*

kerb ['kɜːb] *sb* Bordstein *m,* Randstein *m*

kerb crawling ['kɜːbkrɔːlɪŋ] *sb* Straßenstrich *m*

kerbstone ['kɜːbstəʊn] *sb* Bordstein *m,* Randstein *m*

kernel ['kɜːnl] *sb* Kern *m*

kerosene ['kerəsiːn] *sb* Kerosin *n*

kestrel ['kestrəl] *sb* ZOOL Turmfalke *m*

ketchup ['ketʃəp] *sb* Ketschup *n/m*

kettle ['ketl] *m* Kessel *m; That's a different ~ of fish.* Das ist ganz was anderes.

key [ki:] *sb 1.* Schlüssel *m; 2. (of a typewriter, of a piano)* Taste *f; 3. (explanation of symbols)* Zeichenerklärung *f; 4.* MUS Tonart *f; sing off ~* falsch singen; *v 5. to be ~ed up* angespannt sein, aufgedreht sein
• **key in** *v* eingeben
• **key up** *v* aufdrehen

keyboard ['ki:bɔːd] *sb 1.* Tastatur *f; 2. (of an organ)* MUS Manual *n; 3. (instrument)* MUS Keyboard *n*

key grip ['ki:grɪp] *sb (US)* CINE Erster Studioassistent *m*

keyhole ['ki:həʊl] *sb* Schlüsselloch *n*

keypad ['ki:pæd] *sb* Tastenfeld *n*

keypunch ['ki:pʌntʃ] *sb* Locher *m*

keystone ['ki:stəʊn] *sb 1.* ARCH Schlussstein *m; 2. (fig)* Grundpfeiler *m*

key word [ki: wɜːd] *sb* Schlüsselwort *n*

khaki ['kɑːkɪ] *sb (colour)* Kaki *n*

kibbutz [kɪ'bʊts] *sb* Kibbuz *m*

kibitzer ['kɪbɪtsə] *sb* Besserwisser *m*

kick [kɪk] *sb 1.* Tritt *m,* Stoß *m,* Kick *m; get a ~ out of sth (fam)* an etw mächtig Spaß haben; *just for ~s* nur zum Spaß; *v 2.* treten; *I felt like ~ing myself.* Ich hätte mich ohrfeigen können. *3. (baby)* strampeln; *4. (animal)* ausschlagen; *5. (dancer)* das Bein hochwerfen; *6. (s.o.)* treten; *7. (sth)* einen Tritt versetzen, mit dem Fuß stoßen; *8. (a ball)* kicken; *9. (a goal)* schießen; *10. ~ a habit (fam)* sich etw abgewöhnen
• **kick around** *v ~ an idea (fam)* eine Idee diskutieren
• **kick out** *v (fam)* hinauswerfen
• **kick up** *v ~ a row (UK)* Krach machen

kick boxing ['kɪkbɒksɪŋ] *sb* SPORT Kickboxen *n*

kickdown ['kɪkdaʊn] *sb* Kick-Down *m*

kicker ['kɪkə] *sb* SPORT *1. (in football)* Spieler, der besonders Strafstöße ausführt *m; 2. (in American football)* Spieler, der Feldtore schießt *m*

kick-off ['kɪkɒf] *sb* SPORT Anstoß *m*

kick-start ['kɪkstɑːt] *v* anlassen (Motorrad)

kid [kɪd] *v 1. ~ s.o. (tease)* jdn aufziehen; *(deceive)* jdm etw vormachen; *I was only ~ding!* Ich habe nur Spaß gemacht! *sb 2. (fam: child)* Kind *m,* Kleiner *m* / Kleine *f; ~s' stuff* Kinderkram *m; 3. (fam: man)* None of the ~s who work for me is over thirty. Keiner der Burschen, die für mich arbeiten, ist über dreißig Jahre alt. *4.* ZOOL Kitz *n,* Zicklein *n*

kiddish ['kɪdɪʃ] *adj* kindisch

kid gloves ['kɪdglʌvz] *pl* Glaceehandschuhe *pl; handle s.o. with ~ (fam)* jdn mit Glaceehandschuhen anfassen, jdn mit Samthandschuhen anfassen

kidnap ['kɪdnæp] *v* entführen, kidnappen

kidnapper ['kɪdnæpə] *sb* Entführer *m,* Kidnapper *m*

kidnapping ['kɪdnæpɪŋ] *sb* Entführung *f,* Kidnapping *n,* Menschenraub *m*

kidney ['kɪdnɪ] *sb* ANAT Niere *f*

kidney bean ['kɪdnɪ biːn] *sb* GAST Kidneybohne *f*

kidney-shaped ['kɪdnɪʃeɪpd] *adj* nierenförmig

kidney stone ['kɪdnɪ stəʊn] *sb* MED Nierenstein *m*

kill [kɪl] *v 1.* töten, umbringen; *dressed to ~ (fam)* aufgetakelt wie eine Fregatte; *~ time* die Zeit totschlagen; *My feet are ~ing me. (fig)* Meine Füße tun mir entsetzlich weh. *2. (hunting)* erlegen; *3. (slaughter)* schlachten; *4. (weeds)* vernichten; *5. (a proposal)* zu Fall bringen; *6. (an engine)* abschalten; *7. (pain)* stillen; *sb 8. (act of ~ing)* Tötung *f; 9. (animal ~ed)* Beute *f*
• **kill off** *v 1.* vernichten, töten; *2. (a whole race)* ausrotten

killer ['kɪlə] *sb* Mörder *m,* Killer *m*

killing ['kɪlɪŋ] *sb* Töten *n,* Morden *n*

kill-time ['kɪltaɪm] *sb* Zeitvertreib

kilocalorie ['kɪləʊkælərɪ] *sb* PHYS Kilokalorie *f*

kilogramme ['kɪləʊgræm] *sb (UK)* Kilogramm *n*

kilohertz ['kɪləʊhɜːts] *sb* Kilohertz *n*

kilometre ['kɪləʊmiːtə] *sb* Kilometer *m; ~s per hour* Stundenkilometer

kilowatt ['kɪləʊwɒt] *sb* PHYS Kilowatt *n*

kilt [kɪlt] *sb* Kilt *m,* Schottenrock *m*

kin [kɪn] *sb* Familie *f,* Verwandte *pl,* Verwandtschaft *f; next of ~* nächster Verwandter *m*

kind [kaɪnd] *sb 1.* Art *f,* Sorte *f; two of a ~* zwei vom selben Schlag; *what ~ of ...* was für ein ... *I know your ~.* Ihre Sorte kenne ich. *sth of the ~* so etwas; *nothing of the ~* nichts dergleichen; *all ~s* of alle möglichen, alle Arten von, *(fam: a whole lot of)* jede Menge; *~ of (somewhat)* irgendwie, ein bisschen; *adj 2.* liebenswürdig, nett, freundlich

kindergarten ['kɪndəgɑːtn] *sb* Kindergarten *m*

kindle ['kɪndl] *v* 1. brennen; *(fig)* aufflammen; 2. *(sth)* anzünden, entzünden; *(fig)* entfachen

kindling ['kɪndlɪŋ] *sb* Anmachholz *n*, Brennholz *n*

kindly ['kaɪndlɪ] *adj* 1. lieb, nett, freundlich; 2. *He didn't take ~ to that.* Das hat ihm gar nicht gefallen.

kindness ['kaɪndnɪs] *sb* 1. Freundlichkeit *f*, Liebenswürdigkeit *f; kill s.o. with ~* jdn mit Freundlichkeiten überhäufen; 2. *(act of ~)* Gefälligkeit *f*

kindred ['kɪndrɪd] *adj ~ spirit* Gleichgesinnte(r) *m/f*

kindredness ['kɪndrɪdnɪs] *sb* Verwandtschaft *f*

kinetic [kɪ'netɪk] *adj PHYS* kinetisch

kinetic energy [kɪ'netɪk 'enədʒɪ] *sb PHYS* kinetische Energie *f*

king [kɪŋ] *sb* König *m; The Book of Kings REL* das Buch der Könige

kingbird ['kɪŋbɜːd] *sb* Königsvogel *m*

kingdom ['kɪŋdəm] *sb* 1. Königreich *n; ~ of heaven* Himmelreich *n;* 2. *ZOOL* Reich *n*

kingfisher ['kɪŋfɪʃə] *sb ZOOL* Eisvogel *m*

kingmaker ['kɪŋmeɪkə] *sb HIST* Königsmacher *m*

king-of-arms [kɪŋɒv'ɑːmz] *sb* erster Wappenherold Englands *m*

kingpin ['kɪŋpɪn] *sb (person)* Boss *m*

king-sized ['kɪŋsaɪzd] *adj* 1. Riesen... 2. *(bed)* extra groß

kinky ['kɪŋkɪ] *adj* 1. *(hair)* wellig; 2. *(sexually)* abartig

kiosk ['kiːɒsk] *sb* 1. Kiosk *m;* 2. *(telephone ~)* Telefonzelle *f*

kiss [kɪs] *v* 1. küssen; *sb* 2. Kuss *m; the ~ of death* der Todesstoß *m;* 3. *the ~ of life* Mund-zu-Mund-Beatmung *f*

kiss-and-tell ['kɪsændtel] *adj* in den Zeitungen breit getreten; *a ~ interview* ein Interview über eine Liebesaffäre mit einem Prominenten

kisser ['kɪsə] *sb* 1. *(fam: mouth)* Fresse *f*, Schnauze *f;* 2. *She's a good ~.* Sie kann gut küssen.

kit [kɪt] *sb* 1. *(equipment)* Ausrüstung *f;* 2. *(box of tools)* Werkzeugkasten *m;* 3. *(set)* Satz *m, (parts to be assembled)* Bausatz *m;* 4. *(UK: outfit)* Kluft *f; v* 5. *~ out* ausrüsten, ausstatten, einkleiden

kitbag ['kɪtbæg] *sb* Seesack *m*

kitchen ['kɪtʃɪn] *sb* Küche *f*

kitchen cabinet ['kɪtʃɪn 'kæbɪnet] *sb POL* Küchenkabinett *n*

kitchenette [kɪtʃɪ'net] *sb* Kochnische *f*

kitchen garden ['kɪtʃɪn 'gɑːden] *sb* Küchengarten *m*, Kräutergarten *m*, Gemüsegarten *m*

kitchen sink ['kɪtʃɪn sɪŋk] *sb* Spüle *f*, Spülstein *m*, Ausguss *m; everything but the ~* der ganze Krempel

kitchenware ['kɪtʃɪnweə] *sb* Küchengeräte *pl*

kite [kaɪt] *sb* Drachen *m; Go fly a ~! (fam) (US)* Hau ab und lass mich in Ruhe!

kitten ['kɪtn] *sb ZOOL* Kätzchen *n*, junge Katze *f*

kitty ['kɪtɪ] *sb* 1. *(cat)* Kätzchen *n*, Pussi *f;* 2. *(in a card game)* Spielkasse *f*

kiwi ['kiːwiː] *sb* 1. *BOT* Kiwi *f;* 2. *ZOOL* Kiwi *m*

kleptomania [kleptəʊ'meɪnɪə] *sb PSYCH* Kleptomanie *f*

kleptomaniac [kleptəʊ'meɪnɪæk] *sb PSYCH* Kleptomane *m*/Kleptomanin *f*

klutz [klʌts] *sb (fam)* Tölpel *m*, schwerfälliger Mensch *m*

knack [næk] *sb* 1. Trick *m*, Kniff *m;* 2. *(talent)* Talent *n*, Geschick *n*

knacker ['nækə] *sb (of horses)* Abdecker *m*, Schinder *m*

knacker's yard ['nækəz jɑːd] *sb (fam)(UK)* Schrottplatz *m; ready for the ~* schrottreif

knapsack ['næpsæk] *sb* Rucksack *m*, Ranzen *m*

knave [neɪv] *sb* Schurke *m*, Spitzbube *m*

knead [niːd] *v* 1. kneten; 2. *(muscles)* massieren

knee [niː] *sb* 1. *ANAT* Knie *n; v* 2. mit dem Knie stoßen

knee-deep ['niːdiːp] *adj* knietief

knee-high ['niːhaɪ] *adj* kniehoch, in Kniehöhe

knee jerk ['niːdʒɜːk] *sb (reflex)* Kniesehnenreflex *m*

knee-jerk ['niːdʒɜːk] *adj* reflexartig, automatisch

knee-length ['niːleŋθ] *adj* knielang, bis zum Knie reichend

kneepad ['niːpæd] *sb* Knieschützer *m*

knickerbocker glory ['nɪkəbɒkə 'glɔːrɪ] *sb GAST* Dessert mit Eiskrem *n*

knickers ['nɪkəz] *pl* Schlüpfer *m*

knick-knack ['nɪknæk] *sb (fam)* Kinkerlitzchen *n*

knife [naɪf] *sb* Messer *n; go under the ~ (fam)* unters Messer kommen

knife edge [naɪf edʒ] *sb* Messerschneide *f*

knife grinder ['naɪfgraɪndə] *sb* Messerschleifer *m*

knife-point ['naɪfpɔɪnt] *sb* Messerspitze *f; at ~* mit vorgehaltenem Messer

knit [nɪt] *v* 1. stricken; 2. *~ one's eyebrows* die Stirn runzeln

knitwear ['nɪtwɛə] *sb* Strickwaren *pl*, Wollsachen *pl*

knob [nɒb] *sb* 1. *(door~)* runder Griff *m*; 2. *(on a radio)* Knopf *m*; 3. *(on a walking stick)* Knauf *m*

knock [nɒk] *sb* 1. *(blow)* Stoß *m*, Schlag *m*; 2. *(sound)* Klopfen *n; v* 3. *(at a door)* klopfen; 4. *(engine)* klopfen; 5. *(one's head)* anschlagen, anstoßen; 6. *(strike)* stoßen, *(with sth)* schlagen; 7. *~ sth (fam: criticize)* etw heruntermachen

• **knock about** *v* 1. *(mistreat)* herumstoßen, misshandeln; 2. *(loiter)* herumlungern, sich herumtreiben

• **knock back** *v (fam)* hinter die Binde kippen

• **knock down** *v* 1. *(an object)* umwerfen; 2. *(s.o. by hitting)* niederschlagen; 3. *(the price of one's wares)* heruntergehen (mit dem Preis)

• **knock off** *v* 1. *(quit)* aufhören; *Knock it off!* Hör auf damit! 2. *(copy)* imitieren, nachmachen

• **knock out** *v* 1. *(by hitting)* bewusstlos schlagen, k.o. schlagen; 2. *to be knocked out (of a competition)* ausscheiden

• **knock over** *v* umwerfen, umstoßen

knockoff ['nɒkɒf] *sb* Imitation *f*

knockout ['nɒkaʊt] *sb* 1. Knock-out *m*, K.o. *m*; 2. *(fam: impressive thing)* tolle Sache *f*; 3. *(fam: woman)* toll aussehende Frau *f*

knot [nɒt] *v* 1. einen Knoten machen in; 2. *(~ together)* verknoten, verknüpfen; *sb* 3. Knoten *m; tie the ~ (fam)* den Bund fürs Leben schließen

knotty ['nɒtɪ] *adj* 1. *(wood)* knorrig; 2. *(fig)* verzwickt, verwickelt

know [nəʊ] *v irr* 1. wissen, *(facts, details)* kennen; *as far as I ~* so viel ich weiß; *for all I ~* so viel ich weiß; *you ~* weißt du/wissen Sie; *get to ~ s.o.* jdn kennen lernen; *What do you ~!* Na, sowas! *let s.o. ~* jdm Bescheid sagen; *before you ~ it* ehe man sich's versieht; *(a language)* können; 2. *(recognize)* erkennen; 3. *(to be able to distinguish)* entscheiden können; 4. *(experience)* erleben; *I have ~n it to happen.*

Ich habe das schon erlebt. *sb* 5. *to be in the ~* Bescheid wissen, im Bilde sein

know-all ['nəʊɔːl] *sb (fam)* Besserwisser *m*, Schlauberger *m*

know-how ['nəʊhaʊ] *sb* Know-how *n*, Sachkenntnis *f*

know-it-all ['nəʊɪtɔːl] *sb* Besserwisser *m*

knowledge ['nɒlɪdʒ] *sb* Kenntnis *f*, Wissen *n; to the best of my ~* meines Wissens; *not to my ~* nicht dass ich wüsste

knowledgeable ['nɒlɪdʒəbl] *adj* kenntnisreich, gebildet

known [nəʊn] *adj* bekannt; *make ~* bekannt geben

knuckle ['nʌkl] *sb* 1. ANAT Fingerknöchel *m*, Fingergelenk *n*; 2. GAST Haxe *f*, Hachse *f; v* 3. *~ down (fam)* sich dahinterklemmen, sich reinhängen; 4. *~ under* nachgeben

knuckle-duster ['nʌkldʌstə] *sb (brass knuckles)* Schlagring *m*

knucklehead ['nʌklhed] *sb (fam)* Idiot *m*

knuckle joint ['nʌkl dʒɔɪnt] *sb* Knöchelgelenk *n*

knuckle sandwich ['nʌkl 'sændwɪtʃ] *sb (fam)* Fausthieb *m*

knuckly ['nʌklɪ] *adj* zum Knöchel gehörend

kohlrabi [kəʊl'rɑːbɪ] *sb* GAST Kohlrabi *m*

kook [kuːk] *sb* Spinner *m*

kooky ['kuːkɪ] *adj (fam)* komisch, verrückt

Koran [kɔːˈrɑːn] *sb the ~* REL der Koran *m*

Korea [kə'rɪə] *sb* GEO Korea *n*

Korean [kə'rɪən] *adj* 1. koreanisch; *the ~ War* der Koreakrieg; *sb* 2. Koreaner *m*; 3. LING Koreanisch *n*

kosher ['kəʊʃə] *adj* REL koscher

kowtow ['kaʊtaʊ] *v ~ to s.o.* vor jdm kriechen

krypton ['krɪptɒn] *sb* CHEM Krypton *n*

kudos ['kjuːdɒs] *sb* 1. *(accolades)* Lob *n*; 2. *(prestige)* Ansehen *n*, Ehre *f*

kudu ['kuːduː] *sb* ZOOL Kudu *m*

kulak ['kuːlæk] *sb* HIST Kulak *m*

kumquat ['kʌmkwɒt] *sb* BOT Kumquat *f*

kung fu [kʌŋ'fuː] *sb* Kungfu *n*

kvass [kvɑːs] *sb* GAST Kwass *m*

kvetch [kvetʃ] *v (fam: gripe)* nörgeln, quengeln

kylix ['kaɪlɪks] *sb* Kylix *f* (griechische Trinkschale)

kymograph ['kaɪməgrɑːf] *sb* MED Kymograph *m*

kyphosis [kaɪ'fəʊsɪs] *sb* MED Kyphose *f*

L

lab [læb] *sb (fam)* Labor *n*
label ['leɪbl] *v 1.* etikettieren, mit einem Zettel versehen, mit einem Schildchen versehen; *2. (by writing on)* beschriften, mit einer Aufschrift versehen; *3. (fig)* bezeichnen, abstempeln; *sb 4.* Etikett *n; (sticker)* Aufkleber *m; (on a specimen)* Schild *n; 5. (fam: record company)* Schallplattenfirma *f*
laboratory [lə'bɒrətərɪ] *sb* Laboratorium *n*, Labor *n*
labour ['leɪbə] *sb 1.* Arbeit *f*, Anstrengung *f*, Mühe *f; 2. (workers)* Arbeiter *pl*, Arbeitskräfte *pl; 3.* MED Wehen *pl; go into ~* die Wehen bekommen; *v 4. (do physical work)* arbeiten; *(work hard)* sich abmühen; *~ over sth* sich mit etw abmühen; *5. (move with difficulty)* sich mühsam fortbewegen, sich quälen
labour camp ['leɪbə kæmp] *sb* Arbeitslager *n*
Labrador retriever ['læbrədɔː rɪ'triːvə] *sb* Labradorhund *m*
lack [læk] *v 1.* Mangel haben an, nicht haben, nicht besitzen; *we ~ ...* uns fehlt ...; *he ~s ...* es fehlt ihm ...; *2. to be ~ing* fehlen, nicht vorhanden sein; *sb 3.* Mangel *m*
lacklustre ['læklʌstə] *adj 1.* glanzlos; *2. (fig)* farblos
ladder ['lædə] *sb 1.* Leiter *f; 2. (UK: in a stocking)* Laufmasche *f*
ladies' man ['leɪdiːz mæn] *sb* Frauenheld *m*, Scharmeur *m*
ladies' room ['leɪdiːz ruːm] *sb* Damentoilette *f*
lady ['leɪdɪ] *sb 1.* Dame *f; ladies and gentlemen* meine Damen und Herren; *2. (as a title)* Lady *f*
ladybird ['leɪdɪbɜːd] *sb (UK)* Marienkäfer *m*
ladybug ['leɪdɪbʌg] *sb (US)* Marienkäfer *m*
ladykiller ['leɪdɪkɪlə] *sb* Frauenheld *m*
laid-back [leɪd'bæk] *adj* entspannt
lake [leɪk] *sb* See *m*, Binnensee *m*
lamb [læm] *sb 1.* ZOOL Lamm *n; like ~s to the slaughter* wie ein Lamm zur Schlachtbank; *2. the Lamb of God* REL das Lamm Gottes
lame [leɪm] *adj 1.* lahm, hinkend; *2. (fig)* lahm, müde, schwach
lamp [læmp] *sb 1.* Lampe *f; 2. (in the street)* Laterne *f*

lamppost ['læmppəʊst] *sb* Laternenpfahl *m*
lampshade ['læmpʃeɪd] *sb (cover for a lamp)* Lampenschirm *m*
land [lænd] *sb 1.* Land *n; 2. (property)* Grund und Boden *m*, Land *n*, Grundbesitz *m; 3. (soil)* Boden *m; 4. live off the ~ (by farming)* von den Früchten des Bodens leben; *(by foraging)* sich aus der Natur ernähren; *v 5.* landen; *6. (a fish)* an Land ziehen; *7. (fam: obtain)* kriegen, schnappen, holen; *8. (a blow)* landen
landing ['lændɪŋ] *sb 1.* Landung *f; 2. (on stairs)* Treppenabsatz *m*
landlady ['lændleɪdɪ] *sb* Vermieterin *f*
landlord ['lændlɔːd] *sb* Vermieter *m*
landmark ['lændmɑːk] *sb 1.* Orientierungspunkt *m; 2. (famous building)* Wahrzeichen *n; 3. (fig)* Markstein *m*
landscape ['lændskeɪp] *sb* Landschaft *f*
landslide ['lændslaɪd] *sb (US: landslip)* Erdrutsch *m*
lane [leɪn] *sb 1. (in town)* Gasse *f; 2. (path in the country)* Weg *m; 3. (of a road)* Fahrbahn *f*, Spur *f; 4. (swimming, track and field)* Bahn *f; 5. (shipping route)* Schifffahrtsweg *m*
language ['læŋgwɪdʒ] *sb* Sprache *f; bad ~* unanständige Ausdrücke *pl; strong ~* starke Worte *pl; (bad ~)* derbe Ausdrücke *pl*
lanky ['læŋkɪ] *adj* schlaksig
lantern ['læntən] *sb* Laterne *f*
lap [læp] *sb 1. (to sit on)* Schoß *m; live in the ~ of luxury* ein Luxusleben führen; *2.* SPORT Runde *f; v 3. ~ against (waves)* plätschern an; *4. (s.o.)* SPORT überrunden
•lap up *v 1.* auflecken; *2. (fam: compliments)* liebend gern hören
lap dog ['læpdɒg] *sb* Schoßhund *m*
lapse [læps] *v 1. (expire)* ablaufen; *2. (friendship)* einschlafen; *3. (decline)* verfallen; *~ into silence* ins Schweigen verfallen; *4. (morally)* fehlen; *sb 5. (of time)* Zeitspanne *f*, Zeitraum *m; 6. (expiration)* Ablauf *m; 7. (of a claim)* Verfall *m; 8. (mistake)* Fehler *m*, Versehen *n; 9. (decline)* Absinken *n*, Abgleiten *n; 10. (moral ~)* Fehltritt *m*
laptop ['læptɒp] *sb* INFORM Laptop *m*
larceny ['lɑːsənɪ] *sb* JUR Diebstahl *m*
large [lɑːdʒ] *adj 1.* groß; *~r than life* überlebensgroß; *sb 2. at ~ (roaming free)* auf freiem Fuß; *3. at ~ (in general)* im Allgemeinen

largely ['lɑːdʒlɪ] *adv* größtenteils
large-scale ['lɑːdʒskeɪl] *adj* Groß..., groß, umfangreich
laser ['leɪzə] *sb TECH* Laser *m*
laser printer ['leɪzə 'prɪntə] *sb INFORM* Laserdrucker *m*
lash [læʃ] *v 1. (waves)* ~ *against* peitschen gegen; *2. (whip)* peitschen, auspeitschen; *3. (tie)* festbinden; ~ *to* festbinden an; ~ *together* zusammenbinden; *sb 4. (stroke of a whip)* Peitschenhieb *m; 5. (eye~)* Wimper *f*
lass [læs] *sb* Mädel *n*
last [lɑːst] *adj 1.* letzte(r,s); ~ *but not least* nicht zuletzt; ~ *but one* vorletzte(r,s); ~ *night* gestern Nacht/(in the evening) gestern Abend; *adv 2. (after all others)* als Letzte(r,s); *3. (the most recent time)* das letzte Mal; *sb 4.* der/die/das Letzte; *breathe one's* ~ seinen letzten Atemzug tun; *That was the* ~ *we saw of her.* Danach haben wir sie nicht mehr gesehen; *5. at* ~ endlich; *at long* ~ schließlich und endlich
latch [lætʃ] *sb 1.* Riegel *m; v 2.* verriegeln
late [leɪt] *adj 1.* spät; *in the* ~ *seventies* gegen Ende der siebzigerjahre; *a man in his* ~ *forties* im Endvierziger; *on Friday at the* ~*st* spätestens am Freitag; ~ *in life* im fortgeschrittenen Alter; *It's getting* ~. Es ist schon spät. *2. (deceased)* verstorben; *her* ~ *husband* ihr verstorbener Ehegatte; *adv 3.* spät; *of* ~ in letzer Zeit; *better* ~ *than never* besser spät als gar nicht
lately ['leɪtlɪ] *adv* in letzter Zeit, neuerdings
later ['leɪtə] *adj 1.* später; *adv 2.* später; ~ *on* nachher
latest ['leɪtɪst] *adj 1.* späteste(r,s); *(most recent)* neuste(r,s); *(person)* letzte(r,s); *sb 2.* the ~ der/die/das Neueste; *3. at the* ~ spätestens
latitude ['lætɪtjuːd] *sb 1. GEO* Breitengrad *m; 2. (fig)* Spielraum *m,* Freiheit *f*
laudable ['lɔːdəbl] *adj* lobenswert, löblich
laugh [lɑːf] *v 1.* lachen; ~ *at s.o.* jdn auslachen; ~ *sth off* etw lachend abtun; *This is no* ~*ing matter.* Das ist nicht zum Lachen. *2.* ~ *o.s. silly,* ~ *one's head off* sich kaputtlachen, sich totlachen; *sb 3.* Lachen *n; just for* ~*s pl* nur zum Spaß; *have the last* ~ am Ende Recht behalten; *What a* ~*!* Ist ja zum Brüllen!
• **laugh away** *v* lachend übergehen
• **laugh down** *v* auslachen
• **laugh off** *v* mit einem Lachen abtun
laughable ['lɑːfəbl] *adj* lächerlich, lachhaft
laughing gas ['lɑːfɪŋ gæs] *sb MED* Lachgas *n*

laughing-stock ['lɑːfɪŋstɒk] *sb* Witzfigur *f,* Zielscheibe des Spottes *f*
laughter ['lɑːftə] *sb* Lachen *n,* Gelächter *n*
launch [lɔːntʃ] *v 1. (a rocket)* abschießen; *2. NAUT (a lifeboat)* aussetzen; *(a new ship)* vom Stapel lassen; *3. (a product)* auf den Markt bringen, *(with publicity)* lancieren; *4. (a company)* gründen; *sb 5. (of a rocket)* Abschuss *m; 6. (of a new ship)* Stapellauf *m*
launder ['lɔːndə] *v 1.* waschen und bügeln; *2. (fig: money)* waschen
laundrette [lɔːn'dret] *sb* Waschsalon *m*
laundry ['lɔːndrɪ] *sb 1. (clothes to be washed)* schmutzige Wäsche *f;* Wäsche *f; 2. (place)* Wäscherei *f*
law [lɔː] *sb 1.* Gesetz *n; by* ~ nach dem Gesetz; *2. (system) JUR* Recht *n; under German* ~ nach deutschem Recht; ~ *and order* Recht und Ordnung; *lay down the* ~ das Sagen haben; *3. (as a study)* Jura *pl*
law-abiding ['lɔːəbaɪdɪŋ] *adj* gesetzestreu
law-and-order [lɔː ænd 'ɔːdə] *adj* Recht-und-Gesetz...
lawn [lɔːn] *sb* Rasen *m*
lawsuit ['lɔːsuːt] *sb JUR* Prozess *m,* Klage *f*
lawyer ['lɔːjə] *sb* Anwalt/Anwältin *m/f,* Rechtsanwalt/Rechtsanwältin *m/f*
lay [leɪ] *v irr 1.* legen; ~ *the table* den Tisch decken; *2. (cable, pipes)* verlegen; *3. (a trap)* aufstellen; ~ *a trap for s.o.* jdm eine Falle stellen; *4. (plans)* schmieden; *5. (a bet)* abschließen, *(money)* setzen; *adj 6. laid back (fam) (US)* gelassen; *7. to be laid up* das Bett hüten
layman ['leɪmən] *sb* Laie *m*
lazy ['leɪzɪ] *adj* faul, träge
lead¹ [led] *sb 1. (metal)* Blei *n; 2. (in a pencil)* Grafit *m*
lead² [liːd] *v irr 1.* führen; ~ *the way* vorangehen; *2. (street, passage)* führen; *3. (in a race)* in Führung liegen; *4.* ~ *s.o. to believe that ...* jdm den Eindruck vermitteln, dass ..., jdn glauben machen, dass ...; *sb 5. (position in front)* Führung *f,* Spitze *f; take the* ~ *in* Führung gehen, die Führung übernehmen; *(go first)* vorangehen; *6. (distance ahead, lead ahead)* Vorsprung *m; 7. (detective's clue)* Spur *f; 8. TECH* Leitungskabel *n; 9. CINE (role)* Hauptrolle *f; (person)* Hauptdarsteller *m; 10. (leash)* Leine *f*
leader ['liːdə] *sb 1.* Führer *m; 2. (of a project)* Leiter *m; 3. (of a gang)* Anführer *m*
leading question ['liːdɪŋ 'kwestʃən] *sb* Suggestivfrage *f*

lead poisoning ['ledpɔɪznɪŋ] sb Bleivergiftung f
leaf [liːf] sb 1. Blatt n; turn over a new ~ einen neuen Anfang machen; 2. (of a table) Ausziehplatte f; 3. (of metal) Folie f; v 4. ~ through durchblättern
league [liːg] sb 1. SPORT Liga f; 2. POL Bund m, Bündnis n; 3. to be in ~ with im Bunde sein mit, unter einer Decke stecken mit
leak [liːk] v 1. (roof, container) lecken, undicht sein; 2. (liquid) auslaufen; (in drops) tropfen; 3. (gas) ausströmen, entweichen; (sth) durchlassen; (information) zuspielen; sb 5. (hole) undichte Stelle f; (in a container) Loch n; 6. (escape of liquid) Leck n; spring a ~ ein Leck bekommen; 7. (fig: of information) Durchsickern von Informationen n
lean [liːn] adj 1. mager; 2. (person) schlank, schmal; (unnaturally) hager; v irr 3. lehnen; 4. (rest) sich lehnen; 5. (to be tilted, to be angling) sich neigen; 6. ~ toward sth (opinion) zu etw tendieren, zu etw neigen; 7. (rest sth) aufstützen
learn [lɜːn] v irr 1. lernen; 2. (find out) hören, erfahren
lease [liːs] v 1. (take) pachten, in Pacht nehmen, mieten; 2. (give) verpachten, in Pacht geben, vermieten; sb 3. Pacht f, Miete f; a new ~ on life (fig) ein neues Leben; 4. (contract) Pachtvertrag m, Mietvertrag m
leash [liːʃ] sb Leine f
least [liːst] adj 1. geringste(r,s), wenigste(r,s); sb 2. at ~ mindestens, wenigstens; not in the ~ nicht im Geringsten; to say the ~ gelinde gesagt, um es milde zu sagen; That's the ~ of his worries. Das ist seine geringste Sorge.
leather ['leðə] sb Leder n
leave [liːv] v irr 1. weggehen, (car, bus, train) abfahren, (plane) abfliegen; ~ for fahren nach; 2. (depart from) verlassen; 3. (allow to remain, cause to remain) lassen; ~ alone in Ruhe lassen; ~ s.o. cold (fam) jdn kalt lassen; ~ it at that es dabei belassen; 4. (a message, a scar) hinterlassen; 5. (entrust) überlassen; 6. (after death) hinterlassen; (in a will) vererben; 7. to be left (~ over) übrig bleiben; sb 8. (permission) Erlaubnis f; 9. (time off) Urlaub m; 10. (departure) take one's ~ sich verabschieden; take ~ of one's senses den Verstand verlieren
lecture ['lektʃə] v 1. einen Vortrag halten; (in class) eine Vorlesung halten; 2. (scold s.o.)

eine Standpauke halten, eine Strafpredigt halten; sb 3. Vortrag m; 4. (in class) Vorlesung f; 5. (fig: scolding) Predigt f, Strafpredigt f
ledge [ledʒ] sb 1. Leiste f, Kante f; 2. (of a window: outside) Fenstersims n; (inside) Fensterbrett n; 3. (mountain ~) Vorsprung m, Felsvorsprung m
ledger ['ledʒə] sb ECO Hauptbuch n
leer [lɪə] v ~ at anzüglich angrinsen, schielen nach
left [left] adv 1. links; adj 2. linke(r,s); sb 3. (in boxing) Linke f; 4. on the ~ links, auf der linken Seite, linker Hand
left-hander [left'hændə] sb Linkshänder m
leftover ['leftəʊvə] sb 1. Überbleibsel n; 2. (from a meal) Rest m
leg [leg] sb 1. Bein n; to be on one's last ~s es nicht mehr lange machen; have not a ~ to stand on keinerlei Beweise haben; pull s.o.'s ~ (fam) jdn auf den Arm nehmen; 2. GAST Keule f; 3. (of a race) SPORT Etappe f
legal ['liːgl] adj 1. (lawful) legal; 2. (tender, limit) gesetzlich; 3. (legally valid document, purchase) JUR rechtsgültig; 4. (relating to the law) juristisch, rechtlich, Rechts...
legal action ['liːgl 'ækʃən] sb Klage f; take ~ against s.o. gegen jdn gerichtlich vorgehen
legal aid ['liːgl eɪd] sb Rechtshilfe f
legend ['ledʒənd] sb 1. Legende f; 2. (fictitious) Sage f
legendary ['ledʒəndərɪ] adj legendär, sagenumwoben, berühmt
legible ['ledʒəbl] adj leserlich
legion ['liːdʒən] sb MIL Legion f
legislation [ledʒɪs'leɪʃən] sb Gesetzgebung f; (laws) Gesetze pl
legitimate [lɪ'dʒɪtɪmət] adj 1. (lawful) rechtmäßig, legitim; 2. (child) ehelich; 3. (reasonable) berechtigt; 4. (excuse) begründet
legroom ['legruːm] sb Beinfreiheit f
legwork ['legwɜːk] sb Lauferei f
leisure ['leʒə] sb Freizeit f, Muße f; at your ~ wenn es Ihnen passt; have the ~ to do sth die Muße haben, etw zu tun
leisure centre ['leʒəsentə] sb Freizeitpark m
leisurely ['leʒəlɪ] adj gemächlich, gemütlich
lend [lend] v irr 1. leihen, verleihen; 2. (fig: give) verleihen; ~ itself to sich eignen für
lending library ['lendɪŋlaɪbrərɪ] sb Leihbücherei f

length [leŋθ] *sb* 1. Länge *f;* 2. (~ *of time*) Dauer *f; at ~* ausführlich; 3. *(section)* Stück *n;* 4. *go to any ~s (fig)* über Leichen gehen

lengthways ['leŋθweɪz] *adv* der Länge nach, längs

lengthy ['leŋθɪ] *adj* 1. lang; 2. *(overly long)* langwierig, ermüdend lang, übermäßig lang

lens [lenz] *sb* 1. Linse *f;* 2. *(in spectacles)* Glas *n;* 3. FOTO (~ *itself*) Linse *f; (part of a camera containing the ~)* Objektiv *n*

lentil ['lentl] *sb* BOT Linse *f*

lesbian ['lezbɪən] *adj* 1. lesbisch; *sb* 2. Lesbierin *f*

less [les] *adj* 1. weniger; *adv* 2. weniger; *prep* 3. weniger; 4. ECO abzüglich

lessen ['lesn] *v* 1. sich verringern, abnehmen, sich vermindern; 2. *(sth)* vermindern, verringern, verkleinern; 3. *(belittle)* herabsetzen, schmälern

lesson ['lesn] *sb* 1. *(in school)* Stunde *f;* 2. *(unit of study)* Lektion *f;* 3. *~s pl* Unterricht *m; sb* 4. *(fig)* Lehre *f; teach s.o. a ~* jdm eine Lektion erteilen; *He has learned his ~.* Er hat seine Lektion gelernt.

let [let] *v irr* 1. lassen; *~ s.o. through* jdn durchlassen; *~ s.o. know* jdm Bescheid sagen; *Let's go!* Gehen wir! 2. *(UK: hire out)* vermieten; *"to ~"* „zu vermieten"

• **let off** *v irr* 1. *(a passenger)* aussteigen lassen; 2. *let s.o. off (not punish s.o.)* jdm etw durchgehen lassen; *let s.o. off with a fine* jdn mit einer Geldstrafe davonkommen lassen; 3. *(a shot)* abfeuern; 4. *(a bomb, a firework)* hochgehen lassen; 5. *(vapour)* von sich geben; 6. *(gases)* absondern; 7. *~ steam* Dampf ablassen, *(fig)* sich abreagieren

• **let on** *v irr let sth on (allow sth to be apparent)* sich etw anmerken lassen

lethal ['liːθəl] *adj* tödlich, todbringend

letter ['letə] *sb* 1. *(written message)* Brief *m; (official, business)* Schreiben *n;* 2. *(of the alphabet)* Buchstabe *m; to the ~* buchstabengetreu; *in ~ and in spirit* dem Buchstaben und dem Sinne nach; 3. *~s pl* Literatur *f; man of ~s* Literat *m*

leukemia [luːˈkiːmɪə] *sb* MED Leukämie *f*

level ['levl] *adj* 1. eben; gleichauf; *(at the same height)* auf gleicher Höhe; 2. *(voice)* ruhig; 3. *(fig)* kühl; *keep a ~ head* einen kühlen Kopf bewahren; 4. *do one's ~ best* sein Möglichstes tun; *sb* 5. *(altitude)* Höhe *f;* 6. *(standard)* Niveau *n,* Ebene *f;* 7. *(storey)* Geschoss *n;* 8. *(fig)* Ebene *f;* 9. *on the ~ (fig)* in Ordnung; 10. *(device)* Wasserwaage *f; v* 11. *(ground)*

einebnen, ebnen, planieren; 12. *(a building)* abreißen; 13. *(a weapon)* richten; *~ at* richten auf; 14. *(an accusation)* erheben; *~ at* erheben gegen; 15. *~ with s.o. (fam)* zu jdm ehrlich sein

lever ['liːvə] *sb* 1. Hebel *m;* 2. *(crowbar)* Brechstange *f;* 3. *(fig)* Druckmittel *n*

lewd [luːd] *adj* 1. unanständig, schmutzig; 2. *(lustful)* lüstern

liability [laɪəˈbɪlɪtɪ] *sb* 1. *(burden)* Belastung *f;* 2. *liabilities pl* FIN Verpflichtungen *pl,* Verbindlichkeiten *pl,* Schulden *pl; assets and liabilities* Aktiva und Passiva *pl;* 3. *(responsibility)* Haftung *f;* 4. *(being subject to)* Pflicht *f,* Unterworfensein *n*

liable ['laɪəbl] *adj* 1. *(likely to be) ~ to ... (person: to do sth)* leicht ... (tun) können, *(to have sth happen to one)* in Gefahr sein, ... zu werden; 2. *(subject to)* unterworfen, ausgesetzt; 3. *(responsible)* haftbar

liar ['laɪə] *sb* Lügner *m*

libel ['laɪbəl] *sb* Verleumdung *f*

liberal ['lɪbərəl] *adj* 1. POL liberal; 2. *(supply)* großzügig; 3. *(helping of food)* reichlich; *sb* 4. POL Liberale(r) *m/f*

liberated ['lɪbəreɪtɪd] *adj* befreit

liberation [lɪbəˈreɪʃən] *sb* Befreiung *f*

liberty ['lɪbətɪ] *sb* Freiheit *f; take the ~ of doing sth* sich die Freiheit nehmen, etw zu tun; *I am not at ~ to discuss it.* Es ist mir nicht gestattet, darüber zu sprechen.

librarian [laɪˈbreərɪən] *sb* Bibliothekar(in) *m/f*

library ['laɪbrərɪ] *sb* 1. *(public)* Bibliothek *f,* Bücherei *f;* 2. *(private)* Bibliothek *f;* 3. *(collection of books, of records)* Sammlung *f*

licence ['laɪsəns] *sb* 1. Genehmigung *f,* Erlaubnis *f;* 2. ECO Lizenz *f;* 3. *(freedom)* Freiheit *f*

licence number ['laɪsənsnʌmbə] *sb* Kraftfahrzeugnummer *f*

license ['laɪsəns] *v* 1. eine Lizenz vergeben an; 2. *(a product)* lizensieren, konzessionieren; *(a book)* zur Veröffentlichung freigeben; *sb* 3. *(US: see "licence")*

license plate ['laɪsəns pleɪt] *sb (US)* Nummernschild *n*

lid [lɪd] *sb* 1. Deckel *m;* 2. *blow the ~ off sth (fig)* etw verraten; *(disclose sth)* etw aufdecken; 3. *flip one's ~ (fam) (US)* plötzlich ausrasten, aus der Haut fahren; 4. *(eye~)* Lid *n*

lie¹ [laɪ] *v irr* 1. *(tell a ~)* lügen; *~ to s.o.* jdn anlügen; *sb* 2. Lüge *f; give the ~ to sth* das Gegenteil von etw beweisen

lie² [laɪ] v irr liegen

life [laɪf] sb Leben n; bring s.o. back to ~ jdn wieder beleben; lose one's ~ ums Leben kommen; take s.o.'s ~ jdn umbringen; ~ and limb Leib und Leben; not for the ~ of me nicht um alles in der Welt, niemals; all his ~ sein ganzes Leben lang; in real ~ in der Realität f, the good ~ das süße Leben; come to ~ (fig) lebendig werden; have the time of one's ~ einen Mordsspaß haben; as large as ~ in voller Größe; for ~ fürs Leben, fürs ganze Leben; (prison sentence) lebenslänglich; It's a matter of ~ and death. Es geht um Leben oder Tod

life assurance [laɪfə'ʃuərəns] sb (UK) Lebensversicherung f

lifeboat ['laɪfbəʊt] sb Rettungsboot n

life expectancy [laɪfɪk'spektənsi] sb Lebenserwartung f

lifeguard ['laɪfgɑːd] sb 1. (at the beach) Rettungsschwimmer m; 2. (at a swimming pool) Bademeister m

life insurance ['laɪfɪnʃuərəns] sb Lebensversicherung f

life jacket ['laɪfdʒækɪt] sb Schwimmweste f

lifelong ['laɪflɒŋ] adj lebenslänglich

lifestyle ['laɪfstaɪl] sb Lebensstil m

lift [lɪft] v 1. hochheben; (feet, head) heben; 2. (eyes) aufschlagen; 3. (fig) heben; 4. (a restriction) aufheben; 5. (fam: steal) mitgehen lassen (fam); (plagiarize) klauen; sb 6. (lifting) Heben n; 7. (UK: elevator) Fahrstuhl m, Aufzug m, Lift m; 8. give s.o. a ~ (pep s.o. up) jdn aufmuntern; 9. give s.o. a ~ (give s.o. a ride) jdn mitnehmen; 10. TECH Hub m

ligature ['lɪgətʃə] sb Binde f, Band n

light¹ [laɪt] sb 1. Licht n; shed ~ on sth (fig) Licht auf etw werfen; see the ~ (fig) erleuchtet werden; in ~ of ... in Anbetracht ...; in a good ~ in günstigem Licht; throw a new ~ on sth ein anderes Licht auf etw werfen; show sth in a different ~ etw in einem anderen Licht erscheinen lassen; come to ~ ans Tageslicht kommen; 2. (electric ~) Licht n, Lampe f, Beleuchtung f; 3. Have you got a ~? Haben Sie Feuer? v irr 4. (sth) beleuchten, erleuchten; 5. (with flame) anzünden; adj 6. (not dark) hell; ~ blue hellblau;

light² [laɪt] adj 1. (not heavy) leicht; make ~ work of sth etw mit links machen; 2. (punishment) milde; 3. make ~ of bagatellisieren, auf die leichte Schulter nehmen

lighter ['laɪtə] sb (cigarette ~) Feuerzeug n

lighthouse ['laɪthaʊs] sb Leuchtturm m

lighting ['laɪtɪŋ] sb Beleuchtung f

lightning ['laɪtnɪŋ] sb Blitz m; struck by ~ vom Blitz getroffen

lightweight ['laɪtweɪt] sb 1. SPORT Leichtgewichtler m; 2. (person of no consequence) unbedeutender Mensch m

like¹ [laɪk] v 1. mögen; if you ~ wenn Sie wollen; I ~ it. Es gefällt mir. How do you ~ it? Wie gefällt es dir? Wie findest du es? sb 2. (thing ~d, preference) Geschmack m

like² [laɪk] prep 1. wie; to be ~ s.o. jdm ähnlich sein; ~ mad wie verrückt; feel ~ doing sth Lust haben, etw zu tun; That's just ~ him. Das sieht ihm ähnlich. What does it look ~? Wie sieht es aus? It looks ~ rain. Es sieht nach Regen aus. What's she ~? Wie ist sie? adj 2. (similar) ähnlich; 3. (the same) gleich; sb 4. and the ~ und dergleichen; his ~ seinesgleichen; the ~s of you pl deinesgleichen, euresgleichen

likely ['laɪklɪ] adj wahrscheinlich; A ~ story! Wer's glaubt, wird selig!

liken ['laɪkən] v ~ to vergleichen mit

likewise ['laɪkwaɪz] adv ebenfalls, gleichfalls, ebenso

limb [lɪm] sb 1. ANAT Glied n; 2. (of a tree) Ast m

limber ['lɪmbə] adj 1. biegsam, geschmeidig; 2. ~ up Lockerungsübungen machen

limelight ['laɪmlaɪt] sb Rampenlicht n

limit ['lɪmɪt] v 1. begrenzen, beschränken, einschränken; sb 2. Grenze f, Beschränkung f, Begrenzung f; know no ~s pl keine Grenzen kennen; "off ~s" pl Zutritt verboten; the city ~s die Stadtgrenzen pl; That's about the ~. (fam) Das ist der absolute Hammer.

limited ['lɪmɪtɪd] adj begrenzt, beschränkt; ~ liability company Gesellschaft mit beschränkter Haftung f

limited company ['lɪmɪtɪd 'kʌmpəni] sb ECO Aktiengesellschaft f

limited liability ['lɪmɪtɪd laɪə'bɪlɪtɪ] sb ECO beschränkte Haftung f

limousine ['lɪməziːn] sb Limousine f

line [laɪn] sb 1. Linie f; ~ of vision Gesichtslinie f; come into ~ with sth mit etw übereinstimmen; behind enemy ~s hinter den feindlichen Linien; along these ~s (fig) in dieser Richtung; take a hard ~ eine harte Linie verfolgen; to be along the ~s of ... so etw wie ... sein; draw the ~ at (fig) die Grenze ziehen bei; to be on the ~ (fig: be at stake) auf dem Spiel stehen; 2. (of a train, of travel) Linie f, Strecke f; 3. (straight ~) MATH Gerade f; 4. TEL Lei-

tung *f; Hold the ~!* Bleiben Sie am Apparat!
5. *(row)* Reihe *f; step out of ~ (fig)* aus der Reihe tanzen
• **line up** *v* 1. *(stand in line)* sich in einer Reihe aufstellen; 2. *(queue)* sich anstellen; 3. *(objects)* in einer Reihe aufstellen; 4. *(people)* antreten lassen; 5. *(prepare)* auf die Beine stellen, organisieren, arrangieren
linen ['lɪnɪn] *sb* 1. Wäsche *f; (table ~)* Tischwäsche *f;* 2. *(material)* Leinen *n*
lineup ['laɪnʌp] *sb* SPORT Aufstellung *f*
lingerie ['lænʒəriː] *sb* Damenunterwäsche *f*
lingo ['lɪŋgəʊ] *sb* Fachjargon *m*
lining ['laɪnɪŋ] *sb (of clothes)* Futter *n*
link [lɪŋk] *v* 1. verbinden; *~ arms* sich unterhaken; *to be ~ed with (fig)* in Zusammenhang stehen mit, zusammenhängen mit; *~ up with s.o.* sich jdm anschließen; *sb* 2. Glied *n;* 3. *(fig: connection)* Verbindung *f;* 4. *(cuff ~)* Manschettenknopf *m*
lip [lɪp] *sb* 1. Lippe *f; pay ~ service to* ein Lippenbekenntnis ablegen zu; 2. *(fig: insolence)* Unverschämtheit *f;* 3. *(of a cup, of a crater)* Rand *m*
lip-read ['lɪpriːd] *v irr* von den Lippen ablesen
lipstick ['lɪpstɪk] *sb* Lippenstift *m*
liqueur [lɪ'kjʊə] *sb* Likör *m*
liquid ['lɪkwɪd] *adj* 1. flüssig, Flüssigkeits... *sb* 2. Flüssigkeit *f*
liquidation [lɪkwɪ'deɪʃən] *sb* Liquidation *f,* Realisierung *f,* Tilgung *f*
liquidity [lɪ'kwɪdɪtɪ] *sb* 1. flüssiger Zustand *m;* 2. *(of assets)* FIN Liquidität *f*
liquorice ['lɪkərɪs] *sb* GAST Lakritze *f*
lisp [lɪsp] *v* 1. lispeln; *sb* 2. Lispeln *n*
list¹ [lɪst] *v* 1. in eine Liste eintragen, aufschreiben, notieren; 2. *(verbally)* aufzählen; *sb* 3. Liste *f,* Verzeichnis *n; shopping ~* Einkaufszettel *m*
list² [lɪst] *sb* NAUT Schlagseite *f*
listen ['lɪsn] *v* hören, zuhören; *~ for sth* auf etw horchen
• **listen in** *v (secretly)* mithören
listener ['lɪsnə] *sb* 1. Zuhörer *m;* 2. *(to the radio)* Hörer *m*
liter *sb (US: see "litre")*
literacy ['lɪtərəsɪ] *sb* Fähigkeit, zu lesen und zu schreiben *f*
literary ['lɪtərərɪ] *adj* literarisch, Literatur...
literature ['lɪtrətʃə] *sb* 1. Literatur *f;* 2. *(company ~)* Prospekte *pl*
litigation [lɪtɪ'geɪʃən] *sb* Rechtsstreit *m*

litter ['lɪtə] *v* 1. *to be ~ed with* übersät sein mit; *sb* 2. Abfälle *pl;* 3. *cat ~, kitty ~* Kies *m*
little ['lɪtl] *adj* 1. klein; *adv* 2. wenig; *~ by ~* nach und nach; 3. *a ~* ein wenig, ein bisschen, etwas; *a ~ bit* ein bisschen; *with a ~ effort* mit etwas Anstrengung
live [laɪv] *adj* 1. lebend; 2. *(broadcast)* live; 3. *(ammunition)* scharf; [lɪv] *v* 4. leben; *~ and let ~* leben und leben lassen; *You have to ~ with it.* Du musst dich damit abfinden. 5. *(reside)* wohnen, leben
• **live down** *v* hinwegkommen über; *It will take a long time for him to live that down.* Das wird ihm noch lange nachhängen.
• **live off** *v* leben von, sich ernähren von; *~ s.o.* auf jds Kosten leben
• **live on** *v* weiterleben
livelihood ['laɪvlɪhʊd] *sb* Lebensunterhalt *m,* Auskommen *n; earn one's ~* sein Brot verdienen
lively ['laɪvlɪ] *adj* 1. lebhaft, lebendig; 2. *(pace)* flott
liver ['lɪvə] *sb* Leber *f*
living ['lɪvɪŋ] *adj* 1. lebend, lebendig, Lebens... *sb* 2. *the ~ pl* die Lebenden *pl;* 3. *(livelihood)* Lebensunterhalt *m; cost of ~* Lebenshaltungskosten *pl*
load [ləʊd] *v* 1. laden, beladen; *~ up* aufladen; 2. *(a camera)* einen Film einlegen; 3. *(fig)* überhäufen; 4. *(fam: dice)* präparieren; *sb* 5. Last *f;* 6. *(cargo)* Ladung *f,* Fracht *f;* 7. *~s of pl (fam)* jede Menge, eine Unmasse *f;* 8. *get a ~ of this (look)* guck dir das mal an; *(listen)* hör dir das mal an
loaded ['ləʊdɪd] *adj* 1. *(gun)* geladen; 2. *(fam: dice)* gezinkt; 3. *(fam: rich)* gespickt; 4. *(fam: drunk)* sternhagelvoll; 5. *a ~ question* eine Fangfrage *f*
loading ['ləʊdɪŋ] *sb* Ladung *f,* Fracht *f*
loaf [ləʊf] *v* 1. *(~ about, ~ around)* bummeln, herumlungern, faulenzen; *sb* 2. Laib *m*
loan [ləʊn] *v* 1. leihen; *sb* 2. FIN Darlehen *n,* Anleihe *f*
lobby ['lɒbɪ] *sb* 1. Vorzimmer *n;* 2. *(of a hotel)* Rezeption *f,* Empfang *m; v* 3. Einfluss nehmen
lobster ['lɒbstə] *sb* ZOOL Hummer *m*
local ['ləʊkəl] *adj* 1. örtlich, Orts... *pl* 2. *~s (people who live in the area)* Ortsansässige *pl*
local anaesthetic ['ləʊkəl ænɪs'θetɪk] *sb* Lokalanästhesie *f,* örtliche Betäubung *f*
local authority ['ləʊkl ɔː'θɒrɪtɪ] *sb (UK)* örtliche Behörde *f*
local call ['ləʊkəl kɔːl] *sb* Ortsgespräch *n*

locality [ləʊ'kælɪtɪ] *sb* Gegend *f*
location [ləʊ'keɪʃən] *sb 1. (position, site)* Lage *f*; 2. CINE Drehort *m*
lock [lɒk] *v 1.* schließen; 2. *(wheels)* blockieren; 3. *(gears)* ineinander greifen; 4. *(sth)* abschließen, zuschließen, zusperren; *sb 5.* Schloss *n*; *under ~ and key* hinter Schloss und Riegel; 6. *(fam: sure thing)* It's a ~. Todsicher. 7. *(hold)* Fesselgriff *m*; 8. *(of hair)* Locke *f*; 9. *(canal ~)* Schleuse *f*
• **lock on** *v (radar)* erfassen
• **lock out** *v* aussperren
locker ['lɒkə] *sb* Schließfach *n*
locker room ['lɒkərruːm] *sb 1.* Umkleideraum *m*; 2. SPORT Kabine *f*
locomotion [ləʊkə'məʊʃən] *sb* Fortbewegung *f*
locus ['ləʊkəs] *sb* Ort *m*
lodge [lɒdʒ] *v 1. (stay, live)* wohnen; 2. *(bullet)* stecken bleiben; 3. *(a protest)* einlegen; 4. *(house s.o.)* unterbringen; *sb 5. (ski ~, hunting ~)* Hütte *f*; 6. *(club)* Loge *f*
lodger ['lɒdʒə] *sb* Mieter *m*, Untermieter *m*
lodgment ['lɒdʒmənt] *sb* Einreichung *f*, Erhebung *f*
logbook ['lɒgbʊk] *sb 1.* Buch *n*; *sb 2. (ship's)* Logbuch *n*; *sb 3. (plane's)* Bordbuch *n*
loggerheads ['lɒgəhedz] *pl 1.* to be at ~ with *(people)* Streit haben mit; 2. to be at ~ *(points of view)* in Widerspruch stehen
logic ['lɒdʒɪk] *sb* Logik *f*
logical ['lɒdʒɪkəl] *adj 1.* logisch; 2. *(conclusion)* folgerichtig
logo ['ləʊgəʊ] *sb* Logo *n*, Emblem *n*
loiter ['lɔɪtə] *v 1.* trödeln, bummeln; 2. *(in a suspicious manner)* herumlungern, herumstehen, sich herumtreiben
loneliness ['ləʊnlɪnɪs] *sb* Einsamkeit *f*
lonely ['ləʊnlɪ] *adj* einsam
long [lɒŋ] *adj 1.* lang; *so ~ as* solange; *take a ~ view* über längere Zeit planen; *a ~ memory* ein gutes Gedächtnis; *at ~ last* endlich; *I won't be ~ (in returning).* Ich bin gleich wieder da. *~ odds* geringe Aussichten; *So ~!* Bis später! Tschüss! 2. *(journey)* weit; *adv 3.* lang, lange; *~ ago* vor langer Zeit; *~ dead* schon lange tot; *all day ~* den ganzen Tag; *4. before ~* bald; *v 5. ~ for* sich sehnen nach, herbeisehnen
long-distance call [lɒŋ 'dɪstəns kɔːl] *sb* Ferngespräch *n*
longing ['lɒŋɪŋ] *sb 1.* Sehnsucht *f*, Verlangen *n*; *adj 2.* sehnsüchtig, verlangend
longitude ['lɒndʒɪtjuːd] *sb* Länge *f*

long-term ['lɒŋtɜːm] *adj* langfristig, Langzeit...
long-winded ['lɒŋwɪndɪd] *adj* langatmig
look [lʊk] *v 1.* gucken, schauen, blicken; 2. *(seem)* aussehen; *~ like* aussehen wie; 3. *(glance)* Blick *m*; *Have a ~ at this!* Sieh dir das mal an! 4. *(appearance)* Aussehen *n*; *I don't like the ~ of it.* Die Sache gefällt mir überhaupt nicht. 5. *good ~s pl* gutes Aussehen *n*
• **look after** *v (take care of)* sich kümmern um, sehen nach
• **look at** *v 1.* ansehen, anschauen, angucken; 2. *(view, think of)* betrachten, sehen; 3. *(take into consideration)* sich überlegen
• **look down** *v ~ on* herabsehen auf
• **look forward** *v ~ to* sich freuen auf
• **look into** *v* untersuchen, prüfen
• **look out** *v 1. (be alert)* aufpassen, auf der Hut sein; *Look out!* Pass auf! Vorsicht! 2. *~ for s.o. (see to s.o.'s well-being)* auf jdn aufpassen; 3. *~ for s.o. (look for s.o.)* nach jdm Ausschau halten
• **look up** *v 1.* aufsehen, aufblicken; *~ to s.o. (fig)* zu jdm aufblicken; 2. *(improve)* Things are looking up. Es geht bergauf. 3. *(a word)* nachschlagen; 4. *look s.o. up (pay s.o. a visit)* jdn besuchen
looker ['lʊkə] *sb 1. (fam: woman)* heiße Frau *f*; 2. *(fam: man)* heißer Typ *m*
loophole ['luːphəʊl] *sb* Hintertürchen *n*
loose [luːs] *adj 1.* locker, *(button)* lose; *(clothing)* weit; *have a ~ tongue (fig)* eine lose Zunge haben; *come ~ (button)* abgehen; *(handle)* sich lockern; *break ~* sich losreißen; *turn ~, let ~* frei herumlaufen lassen; *(prisoner)* freilassen; 2. *(immoral)* locker, lose
loose change [luːs tʃeɪndʒ] *sb* Kleingeld *n*
lord [lɔːd] *sb 1.* Herr *m*; 2. *(nobleman)* Lord *m*; *the House of Lords* das Oberhaus *n*; *live like a ~ (fam)* auf großem Fuße leben; *as drunk as a ~ (fam)* sternhagelvoll, stockbesoffen
lose [luːz] *v irr* verlieren; *~ weight* abnehmen
loser ['luːzə] *sb* Verlierer *m*
loss [lɒs] *sb 1.* Verlust *m*; *to be at a ~ for words* keine Worte finden; 2. SPORT Niederlage *f*
lost [lɒst] *adj 1.* verloren; *(child)* verschwunden; *~ in thought* gedankenverloren; *get ~* sich verlaufen, sich verirren; *Get ~! (fam)* Verschwinde! 2. *(cause)* aussichtslos
lost-and-found [lɒstænd'faʊnd] *sb (US)* Fundbüro *n*

lot [lɒt] *sb* 1. *a* ~ viel, sehr; 2. *a* ~, ~s viel(e), eine Menge; 3. *(to be drawn)* Los *n; draw* ~s *pl* losen, Lose ziehen; 4. *(destiny)* Los *n;* 5. *(quantity)* ECO Posten *m;* 6. *(property, plot)* Parzelle *f,* Gelände *n;* 7. *(bunch, group)* They're a bad ~. Das ist ein übles Pack. *That's the* ~. Das ist alles. Das wär's. *the* ~ alles, das Ganze

lotion ['ləʊʃən] *sb* Lotion *f*
lottery ['lɒtərɪ] *sb* Lotterie *f; life is a* ~ das Leben ist ein Glücksspiel
lottery ticket ['lɒtərɪtɪkɪt] *sb* Lotterielos *n*
lotto ['lɒtəʊ] *sb* Lotto *n*
lotus ['ləʊtʌs] *sb* BOT Lotos *m*
lotus position ['ləʊtʌs pə'zɪʃən] *sb* Lotossitz *m*
loud [laʊd] *adj* 1. laut; ~ *and clear* laut und deutlich; 2. *(fig: colour, piece of clothing)* schreiend, auffallend, grell
loudspeaker [laʊd'spiːkə] *sb* Lautsprecher *m*
lout [laʊt] *sb* Flegel *m,* Rüpel *m*
love [lʌv] *v* 1. lieben; *sb* 2. Liebe *f; in* ~ verliebt; *fall in* ~ sich verlieben; *make* ~ *to s.o.* *(sexually)* mit jdm schlafen; *not for* ~ *or money* weder um viel Geld, keineswegs; *There is no* ~ *lost between them.* Sie haben nichts füreinander übrig; 3. *(thing or person* ~d) Liebe *f;* 4. *(darling)* Liebling *m,* Schatz *m*
love letter ['lʌvletə] *sb* Liebesbrief *m*
love life ['lʌvlaɪf] *sb* Liebesleben *n*
lover ['lʌvə] *sb* 1. Liebhaber *m,* Geliebte(r) *m/f;* 2. ~s *pl* Liebespaar *n,* Liebende *pl;* 3. *(fan of sth)* Liebhaber *m,* Freund *m*
low [ləʊ] *adj* 1. niedrig; 2. *(quality)* gering; 3. *(birth, rank, form of life)* nieder; 4. *(note)* tief; 5. *(not loud)* leise; 6. *(reserves)* knapp; 7. *(mean)* niederträchtig; 8. *(trick)* gemein; *adv* 9. *(fly)* tief; *(aim)* nach unten; *sb* 10. *(fig)* Tiefpunkt *m,* Tiefstand *m*
low-calorie ['ləʊkælərɪ] *adj* kalorienarm
lower ['ləʊə] *v* 1. niedriger machen; 2. *(eyes, weapon, voice, price)* senken; 3. *(let down)* herunterlassen, hinunterlassen; 4. *(standard)* herabsetzen; *adj* 5. untere(r,s), Unter...
lowermost ['ləʊəməʊst] *adj* unterste(r,s,)
low-fat ['ləʊfæt] *adj* fettarm
low-pitched ['ləʊpɪtʃt] *adj* tief
low-profile [ləʊ'prəʊfaɪl] *adj* wenig markant
loyal ['lɔɪəl] *adj* treu, loyal
loyalty ['lɔɪəltɪ] *sb* Treue *f,* Loyalität *f*
lozenge ['lɒzɪndʒ] *sb* MED Pastille *f*

lubricant ['luːbrɪkənt] *sb* 1. Schmiermittel *n;* 2. MED Gleitmittel *n*
luck [lʌk] *sb* Glück *n; push one's* ~ sich auf sein Glück verlassen; *bad* ~ Pech *n,* Unglück *n; No such* ~! Schön wär's! *Good* ~! Viel Glück!
luckily ['lʌkɪlɪ] *adv* glücklicherweise
luckless ['lʌklɪs] *adj* glücklos
lucky ['lʌkɪ] *adj* glücklich, Glücks...
ludicrous ['luːdɪkrəs] *adj* lächerlich, haarsträubend
luggage ['lʌgɪdʒ] *sb* Gepäck *n*
lukewarm ['luːkwɔːm] *adj* 1. lauwarm; 2. *(fig)* lau
lullaby ['lʌləbaɪ] *sb* Gutenachtlied *n,* Wiegenlied *n*
lumberjack ['lʌmbədʒæk] *sb* Holzfäller *m*
luminous ['luːmɪnəs] *adj* Leucht..., leuchtend
lump [lʌmp] *sb* 1. Klumpen *m; (of sugar)* Stück *n; have a* ~ *in one's throat* einen Kloß im Hals haben; 2. *(swelling)* Beule *f; (in one's breast)* Knoten *m; v* 3. ~ *together (judge together)* in einen Topf werfen, über einen Kamm scheren
lump sum [lʌmp sʌm] *sb* ECO Pauschalsumme *f,* Pauschalbetrag *m*
lunatic ['luːnətɪk] *sb* 1. Wahnsinnige(r) *m/f,* Irre(r) *m/f; adj* 2. wahnsinnig, irrsinnig, geisteskrank
lunch [lʌntʃ] *sb* Mittagessen *n,* Lunch *m*
lunchtime ['lʌntʃtaɪm] *sb (time of day)* Mittagszeit *f*
lung [lʌŋ] *sb* ANAT Lunge *f*
lupus ['luːpʌs] *sb* MED Lupus *m*
lure [ljʊə] *v* 1. anlocken, ködern; ~ *away* fortlocken; *sb* 2. *(bait)* Köder *m;* 3. *(fig: appeal)* Verlockung *f*
lurk [lɜːk] *v* lauern
luscious ['lʌʃəs] *adj* 1. köstlich, lecker; 2. *(juicy)* saftig; *(girl)* knackig
lush [lʌʃ] *adj* üppig, saftig
lust [lʌst] *v* 1. ~ *after,* ~ *for* gieren nach; *sb* 2. geschlechtliche Begierde *f,* Sinneslust *f;* 3. *(fig)* Verlangen *n*
lusty ['lʌstɪ] *adj* lebhaft, schwungvoll
luxurious [lʌg'zjʊərɪəs] *adj* luxuriös, Luxus...
luxury ['lʌkʃərɪ] *sb* Luxus *m*
lymph [lɪmf] *sb* Lymphe *f*
lynch [lɪntʃ] *v* lynchen
lynching ['lɪntʃɪŋ] *sb* Lynchen *n*
lyric ['lɪrɪk] *sb* 1. ~ *s pl (of a song)* Text *m; adj* 2. LIT lyrisch

M

macaroni [mækə'rəʊnɪ] *sb* Makkaroni *pl*

macaroon [mækə'ruːn] *sb GAST* Makrone *f*

mace [meɪs] *sb 1. (medieval weapon)* Streitkolben *m; 2. (chemical)* chemische Keule *f*

machinate ['mækɪneɪt] *v* intrigieren

machine [mə'ʃiːn] *sb 1.* Maschine *f*, Apparat *m; 2. (vending ~)* Automat *m*

machine gun [mə'ʃiːn gʌn] *sb* Maschinengewehr *n*

machinery [mə'ʃiːnərɪ] *sb* Maschinen *pl*, Maschinenpark *m*

machine tool [mə'ʃiːn tuːl] *sb* Werkzeugmaschine *f*

macho ['mɑːtʃəʊ] *adj* machohaft

macroeconomics ['mækrəʊiːkə'nɒmɪks] *sb ECO* Makroökonomie *f*

mad [mæd] *adj 1.* wahnsinnig, verrückt; *drive s.o. ~* jdn wahnsinnig machen; *like ~* wie verrückt; *go ~* verrückt werden; *~ about* versessen auf, verrückt nach; *2. (fam: angry)* böse, wütend, sauer

mad cow disease [mæd'kaʊdɪziːz] *sb* Rinderwahnsinn *m*

madden ['mædn] *v 1. (drive crazy)* verrückt machen; *2. (make angry)* ärgern

maddening ['mædənɪŋ] *adj* zum Verrücktwerden, ärgerlich

madwoman ['mædwʊmən] *sb* Irre *f*, Verrückte *f*

magazine ['mægəziːn] *sb 1.* Zeitschrift *f*, Magazin *n; 2. (for a gun)* Magazin *n*

magic ['mædʒɪk] *adj 1.* magisch, Wunder..., Zauber...; *sb 2.* Magie *f*, Zauberei *f*

magical ['mædʒɪkəl] *adj* magisch

magician [mə'dʒɪʃən] *sb* Magier *m*, Zauberer *m*

magnetic [mæg'netɪk] *adj* magnetisch, Magnet...

magnetism ['mægnɪtɪzəm] *sb 1.* Magnetismus *m; 2. (fig)* Anziehungskraft *f*

magnetize ['mægnɪtaɪz] *v* magnetisieren

magnificent [mæg'nɪfɪsənt] *adj* großartig, prächtig, herrlich

magnify ['mægnɪfaɪ] *v 1.* vergrößern; *2. (fig: exaggerate)* aufbauschen

magnifying glass ['mægnɪfaɪɪŋglɑːs] *sb* Vergrößerungsglas *n*, Lupe *f*

magnitude ['mægnɪtjuːd] *sb 1.* Größe *f; 2. (fig: importance)* Bedeutung *f*

magnolia [mæg'nəʊlɪə] *sb* Magnolie *f*

magpie ['mægpaɪ] *sb ZOOL* Elster *f*

maid [meɪd] *sb 1. (servant)* Dienstmädchen *n; 2. (cleaning woman)* Putzfrau *f; 3. (at a hotel)* Zimmermädchen *n*

maiden name ['meɪdn neɪm] *sb* Mädchenname *m*

mail [meɪl] *sb 1.* Post *f; by ~* mit der Post; *v 2. (US)* schicken, abschicken

mailman ['meɪlmæn] *sb (US)* Briefträger *m*

mailorder ['meɪlɔːdə] *sb* Postversand, Bestellung durch die Post *f*

main [meɪn] *adj 1.* Haupt... *the ~ thing* die Hauptsache *f; sb 2. (water ~)* TECH Hauptleitung *f*

mainly ['meɪnlɪ] *adv* hauptsächlich, vorwiegend, in erster Linie

maintain [meɪn'teɪn] *v 1. (order, a relationship)* aufrechterhalten; *(a speed, quality)* beibehalten; *2. (a family)* unterhalten, versorgen; *3. (keep in good condition)* in Stand halten; *(a machine)* warten; *4. (claim, contend)* behaupten

maintenance ['meɪntənəns] *sb 1.* Aufrechterhaltung *f*, Beibehaltung *f; 2. (keeping in good condition)* Instandhaltung *f*, Wartung *f; 3. (of a family)* Unterhalt *m*

majesty ['mædʒɪstɪ] *sb* Majestät *f; Your Majesty* Eure Majestät

majority [mə'dʒɒrɪtɪ] *sb 1.* Mehrheit *f; 2. (UK) JUR* Volljährigkeit *f*

make [meɪk] *v irr 1.* machen; *four plus four ~s eight* vier und vier ist acht; *~ like (fam)* so tun, als ob; *~ o.s. useful* sich nützlich machen; *~ o.s. comfortable* es sich bequem machen; *2. (manufacture)* herstellen; *3. (coffee, tea)* kochen; *4. (a speech)* halten; *5. (peace)* schließen; *6. (arrangements, a choice)* treffen; *7. (cause to do or happen)* lassen; *8. ~ s.o. sth (appoint)* jdn zu etw machen; *9. ~ s.o. do sth (cause)* jdn dazu bringen, etw zu tun, *(force)* jdn zwingen, etw zu tun; *10. (reach, achieve)* schaffen, erreichen; *I don't think I can ~ it tomorrow.* Ich glaube, ich kann morgen nicht kommen. *11. ~ a team (be chosen)* in die Mannschaft aufgenommen werden; *12. (a decision)* treffen, fällen; *13. (earn)* verdienen, *(a profit, a fortune)* machen; *14. What do you ~ of it?* Was hältst du davon? *sb 15.* Marke *f*, Fabrikat *n*

• **make do** *v irr* ~ *with sth* mit etw auskommen

• **make off** *v irr* ~ *with sth* sich mit etw davonmachen

• **make up** *v irr 1. (after an argument)* sich versöhnen; *2.* ~ *for sth* etw ausgleichen; ~ *for lost time* verlorene Zeit wieder wettmachen; *3. make it up to s.o.* bei jdm etw wieder gutmachen; *(compensate)* jdn für etw entschädigen; *4. (put together)* zurechtmachen; *(a list)* zusammenstellen; *5. (invent)* erfinden, sich ausdenken; *made up* erfunden; *6. (constitute)* bilden; *to be made up of* bestehen aus; *7.* ~ *one's mind* sich entschließen; *8. (apply make-up to)* schminken; *made up* geschminkt

make-up ['meɪkʌp] *sb 1. (cosmetics)* Make-up *n*, Schminke *f*; *put on* ~ sich schminken; *(on s.o. else)* schminken; *2. (composition)* Zusammenstellung *f*; *3. (character)* Veranlagung *f*

male [meɪl] *adj 1.* männlich; *sb 2. (animal)* ZOOL Männchen *n*; *3. (fam: man)* Mann *m*

male chauvinist pig [meɪl 'ʃəʊvɪnɪst pɪg] *sb (fam)* Chauvinistenschwein *n*

maleness ['meɪlnɪs] *sb* Männlichkeit *f*

malevolence [mə'levələns] *sb* Bosheit *f*, Böswilligkeit *f*

malevolent [mə'levələnt] *adj* böswillig, feindselig

malfunction [mæl'fʌŋkʃən] *v 1.* versagen, schlecht funktionieren; *sb 2.* Versagen *n*, schlechtes Funktionieren *n*; *3.* MED Funktionsstörung *f*

malice ['mælɪs] *sb 1.* Bosheit *f*, Böswilligkeit *f*; *2. with* ~ *aforethought* JUR vorsätzlich

malicious [mə'lɪʃəs] *adj* boshaft, böswillig

mall [mɔːl] *sb* Promenade *f*; *shopping* ~ Einkaufszentrum *n*

mallet ['mælɪt] *sb* Holzhammer *m*

malnourished [mæl'nʌrɪʃt] *adj* unterernährt

malnutrition [mælnjuː'trɪʃən] *sb* Unterernährung *f*

malpractice [mæl'præktɪs] *sb (by a doctor)* JUR Fahrlässigkeit des Arztes *f*

mama [mə'mɑː] *sb (fam)* Mama *f*

mammal ['mæməl] *sb* ZOOL Säugetier *n*

mammary ['mæmərɪ] *adj* Brust..., Milch...

mammogram ['mæməgræm] *sb* MED Mammogramm *n*

mammoth ['mæməθ] *adj 1.* Mammut..., riesig, Riesen...; *sb 2.* ZOOL Mammut *n*

man [mæn] *sb 1.* Mann *m*, Mensch *m*; *to a* ~ bis auf den letzten Mann; *2. (the human*

race) der Mensch *m*; *interj 3. (fam)* Mann! Mensch! *v 4.* besetzen; *(a ship)* bemannen; *(a gun, a pump)* bedienen

manage ['mænɪdʒ] *v 1. (cope)* zurechtkommen, es schaffen; *2.* ~ *to do sth* es schaffen, etw zu tun; *3. (a task)* bewältigen, zurechtkommen mit; *4. (supervise)* führen, verwalten, leiten; *(a team, a band)* managen; *(a child, an animal)* zurechtkommen mit

management ['mænɪdʒmənt] *sb 1.* Führung *f*, Verwaltung *f*, Leitung *f*; *2. (people)* ECO die Geschäftsleitung *f*, die Direktion *f*, die Betriebsleitung *f*

management consultant ['mænɪdʒmənt kən'sʌltənt] *sb* ECO Unternehmensberater *m*

manager ['mænɪdʒə] *sb 1.* ECO Geschäftsführer *m*, Leiter *m*, Direktor *m*; *2. (of a band)* Manager *m*; *3.* SPORT Manager *m*, *(coach)* Trainer *m*

managing director ['mænɪdʒɪŋ dɪ'rektə] *sb* ECO Generaldirektor *m*, Hauptgeschäftsführer *m*

mandarin orange ['mændərɪn 'ɒrɪndʒ] *sb* BOT Mandarine *f*

mandate ['mændeɪt] *sb 1.* POL Mandat *n*; *2. (from the Pope)* päpstlicher Entscheid *m*

mandatory ['mændətərɪ] *adj* obligatorisch; *to be* ~ Pflicht sein

man-eater ['mæniːtə] *sb* Menschenfresser *m*

manger ['meɪndʒə] *sb* Krippe *f*

mangy ['meɪndʒɪ] *adj 1.* räudig; *2. (fig: hotel)* schäbig

manhandle ['mænhændl] *v* unsanft behandeln

manhole ['mænhəʊl] *sb* Straßenschacht *m*

manhood ['mænhʊd] *sb 1. (state)* Mannesalter *n*; *2. (masculinity)* Männlichkeit *f*

manhunt ['mænhʌnt] *sb* Großfahndung *f*

maniac ['meɪnɪæk] *sb* Wahnsinnige(r) *m/f*, Verrückte(r) *m/f*

manic ['mænɪk] *adj* manisch

manic-depressive ['mænɪkdɪ'presɪv] *sb* PSYCH Manisch-depressive(r) *m/f*

manicure ['mænɪkjʊə] *sb* Maniküre *f*

manifold ['mænɪfəʊld] *adj* vielfältig, vielfach

manikin ['mænɪkɪn] *sb 1. (little man)* Knirps *m*, Männchen *n*; *2. (model)* Schneiderpuppe *f*, Modell *n*

manipulate [mə'nɪpjʊleɪt] *v 1.* manipulieren; *2. (handle, operate)* handhaben; *(a machine)* bedienen

manipulation [mənɪpjʊ'leɪʃən] *sb* Manipulation *f*

manipulative [mə'nɪpjʊlətɪv] *adj* manipulierend

manky ['mæŋkɪ] *adj (fam)* schlecht, schmutzig

man-made ['mæn'meɪd] *adj* Kunst..., künstlich

manner ['mænə] *sb 1.* Art *f,* Weise *f,* Art und Weise *f; all ~ of things* alles Mögliche; *2. (behaviour)* Art *f,* Verhalten *n; 3. ~s pl* Benehmen *n,* Umgangsformen *pl,* Manieren *pl*

mannerism ['mænərɪzm] *sb* Angewohnheit *f,* Eigenheit *f,* Manierismus *m*

manoeuvre [mə'nu:və] *v 1.* manövrieren; *sb 2.* Manöver *n*

manslaughter ['mænslɔːtə] *sb* JUR Totschlag *m*

manual ['mænjʊəl] *adj 1.* mit der Hand, Hand..., manuell; *sb 2.* Handbuch *n*

manufacture [mænjʊ'fæktʃə] *v 1.* herstellen; *2. (fig: a story)* erfinden; *sb 3.* Herstellung *f; 4. (products)* Waren *pl,* Erzeugnisse *pl*

manufacturer [mænjʊ'fæktʃərə] *sb* Hersteller *m*

manure [mə'njʊə] *sb 1.* Dung *m,* Mist *m; 2. (artificial)* Dünger *m*

manuscript ['mænjʊskrɪpt] *sb* Manuskript *n*

many ['menɪ] *adj* viel(e); *~ a time* des Öfteren; *as ~* ebenso viel(e); *one too ~* einer zu viel

map [mæp] *sb 1.* Karte *f,* Landkarte *f; (of a town)* Stadtplan *m; put on the ~* Geltung verschaffen *v 2. ~ out (fig)* entwerfen

marathon ['mærəθən] *sb 1.* SPORT Marathonlauf *m; 2. (fig)* Marathon *m*

marble ['mɑːbl] *sb 1.* Marmor *m; 2. (glass ball)* Murmel *f; He's lost his ~s. pl (fam)* Er hat sie nicht mehr alle.

march [mɑːtʃ] *v 1.* marschieren; *sb 2.* Marsch *m; 3. (demonstration)* Demonstration *f*

mare [meə] *sb* ZOOL Stute *f*

margarine [mɑːdʒə'riːn] *sb* GAST Margarine *f*

margin ['mɑːdʒɪn] *sb 1. (on a page)* Rand *m; 2. (latitude)* Spielraum *m; ~ of error* Fehlerspielraum *m; 3.* TECH Spielraum *m*

marginal ['mɑːdʒɪnəl] *adj 1. (slight)* geringfügig; *2. (constituency)* POL mit knapper Mehrheit

marijuana [mærɪ'hwɑːnə] *sb* Marihuana *n*

marina [mə'riːnə] *sb* Jachthafen *m*

marine [mə'riːn] *adj* Meeres..., See...

marital status ['mærɪtl 'steɪtəs] *sb* Familienstand *m*

mark [mɑːk] *v 1. (for identity)* markieren, bezeichnen; *(playing cards)* zinken; *2. (characterize)* kennzeichnen; *3. (schoolwork)* korrigieren; *4. (a football opponent)* SPORT decken; *5. (damage)* beschädigen; *(dirty)* schmutzig machen; *(scratch)* zerkratzen; *sb 6. (indication)* Zeichen *n; On your ~s!* Auf die Plätze! *7. (spot, stain)* Fleck *m; (scratch)* Kratzer *m; 8. (target)* Ziel *n; 9. (in school)* Note *f*
• **mark down** *v 1. (note)* notieren; *2. (prices)* herabsetzen
• **mark off** *v (an area)* abgrenzen

markdown ['mɑːkdaʊn] *sb (amount lowered)* ECO Preissenkung *f,* Preisabschlag *m*

marked ['mɑːkt] *adj 1. (noticeable)* merklich, deutlich; *2. a ~ man* ein Gezeichneter

marker ['mɑːkə] *sb 1. (pen)* Markierstift *m; 2. (indicator)* Markierungszeichen *n*

market ['mɑːkɪt] *sb 1.* Markt *m; 2. (demand)* ECO Absatzmarkt *m,* Markt *m; to be in the ~ for* Bedarf haben an; *3. (stock ~)* FIN Börse *f; v 4.* ECO vertreiben

market research ['mɑːkɪt 'riːsɜːtʃ] *sb* ECO Marktforschung *f*

market share ['mɑːkɪt ʃeə] *sb* ECO Marktanteil *m*

maroon [mə'ruːn] *v 1.* aussetzen; *sb 2. (colour)* Kastanienbraun *n; 3. (UK: firework)* Leuchtkugel *f*

marriage ['mærɪdʒ] *sb 1. (wedding)* Heirat *f,* Hochzeit *f,* Vermählung *f; related by ~* verschwägert; *2. (state of being married)* Ehe *f*

marriage ceremony ['mærɪdʒ 'serɪmənɪ] *sb* Trauung *f*

marriage certificate ['mærɪdʒ sə'tɪfɪkɪt] *sb* Trauschein *m*

marriage counselling ['mærɪdʒkaʊnsəlɪŋ] *sb* Eheberatung *f*

marriage licence ['mærɪdʒlaɪsəns] *sb* Eheerlaubnis *f*

marriage proposal ['mærɪdʒprəpəʊzəl] *sb* Heiratsantrag *m*

married ['mærɪd] *adj* verheiratet; *~ couple* Ehepaar *n*

marry ['mærɪ] *v 1.* heiraten; *2. (join couple in marriage)* trauen

marsh [mɑːʃ] *sb* Sumpf *m*

marshmallow ['mɑːʃmæləʊ] *sb* Marshmallow *n*

martial arts [mɑːʃəl'ɑːts] *pl* asiatische Kampfsportarten *pl*

Martian ['mɑːʃən] *adj 1.* den Mars betreffend, vom Mars kommend; *sb 2.* Marsmensch *m*

martyr ['mɑːtə] *sb* Märtyrer *m*

martyrdom ['mɑːtədəm] *sb* Märtyrertum *n*

marvel ['mɑːvəl] *v 1.* ~ *at* staunen über; *sb 2.* Wunder *n*

marvellous ['mɑːvələs] *adj* wunderbar, fantastisch, fabelhaft

marzipan ['mɑːzɪpæn] *sb* Marzipan *n*

mascara [mæ'skɑːrə] *sb* Wimperntusche *f*

masculine ['mæskjʊlɪn] *adj* männlich; *(woman)* maskulin

mashed potatoes [mæʃt pə'teɪtəʊz] *pl* Kartoffelbrei *m*

mask [mɑːsk] *v 1.* maskieren; *2. (one's feelings)* verbergen; *sb 3.* Maske *f*

mass [mæs] *sb 1.* Masse *f; 2. (of people)* Menge *f; the* ~*es pl* die breite Masse; *3. REL* Messe *f; v 4.* sich sammeln, sich massieren; *5. (s.o.)* massieren; *adj 6.* Massen... ~ *destruction* Massenvernichtung *f*

massacre ['mæsəkə] *sb 1.* Gemetzel *n,* Massaker *n; v 2.* niedermetzeln

massage ['mæsɑːdʒ] *v 1.* massieren; *sb 2.* Massage *f*

massive ['mæsɪv] *adj* riesig, enorm, massiv

mass-market ['mæsmɑːkɪt] *adj* Massenwaren...

mass media [mæs 'miːdɪə] *pl* Massenmedien *pl*

mass number ['mæsnʌmbə] *sb CHEM* Massenzahl *f*

mass-produce [mæsprə'djuːs] *v* serienmäßig herstellen

mast [mɑːst] *sb* Mast *m*

master ['mɑːstə] *v 1.* meistern; *2. (a subject, a technique)* beherrschen; *3. (one's emotions)* bändigen, unter Kontrolle bringen; *sb 4.* Herr *m; 5. (teacher)* Lehrer *m; 6. (employer of an apprentice)* Meister *m; 7. ART* Meister *m; 8.* (~ *copy)* Original *n; 9. (university degree)* Magister *m*

master key ['mɑːstə kiː] *sb* Hauptschlüssel *m,* Generalschlüssel *m*

masterpiece ['mɑːstəpiːs] *sb* Meisterstück *n,* Meisterwerk *n*

masthead ['mɑːsthed] *sb (of a newspaper)* Impressum *n*

masticate ['mæstɪkeɪt] *v* kauen, zerkauen, zermahlen

mat [mæt] *sb 1.* Matte *f, (of cloth)* Deckchen *n; v 2. (hair)* verfilzen

match [mætʃ] *v 1.* zusammenpassen; *2.* ~ *o.s. against s.o.* sich mit jdm messen; *3.* ~ *s.o. against s.o.* jdn gegen jdn aufstellen; *4. (equal)* gleichkommen; *5. (correspond to)* entsprechen, übereinstimmen mit; *sb 6. (corresponding or suitable thing)* Gegenstück *n; to be a good* ~ gut zusammenpassen; *7. (equal) meet one's* ~ seinen Meister finden; *to be a* ~ *for s.o.* jdm gewachsen sein; *8. (that produces flame)* Streichholz *n,* Zündholz *m; set a* ~ *to sth* ein Streichholz an etw halten; *9. SPORT* Wettkampf *m; (team game)* Spiel *n; (tennis)* Match *n*

matchbox ['mætʃbɒks] *sb* Streichholzschachtel *f*

matchstick ['mætʃstɪk] *sb* Streichholz *n*

mate [meɪt] *sb 1. ZOOL (male)* Männchen *n; (female)* Weibchen *n; 2. (fam: spouse)* Mann/Frau *m/f; 3. (fam: friend)* Freund *m,* Kamerad *m,* Kumpel *m; 4. (fellow worker)* Arbeitskollege *m,* Kumpel *m; 5. NAUT* Maat *m; 6. (half of a matched pair)* Gegenstück *n*

material [mə'tɪərɪəl] *sb 1.* Material *n; 2. (cloth)* Stoff *m; 3. (facts)* Stoff *m; 4.* ~*s pl (files, notes)* Unterlagen *pl; adj 5.* materiell; *6. JUR* wesentlich, erheblich

materialistic [mətɪərɪə'lɪstɪk] *adj* materialistisch

materialize [mə'tɪərɪəlaɪz] *v 1. (appear)* erscheinen; *2. (become reality)* sich verwirklichen, zu Stande kommen

maternal [mə'tɜːnl] *adj* mütterlich; ~ *grandmother* Großmutter mütterlicherseits

maternity [mə'tɜːnɪtɪ] *sb* Mutterschaft *f*

maternity leave [mə'tɜːnɪtɪ liːv] *sb* Mutterschaftsurlaub *m*

maternity ward [mə'tɜːnɪtɪ wɔːd] *sb* Entbindungsstation *f*

math [mæθ] *sb (US)* Mathe *f* (fam)

mathematician [mæθəmə'tɪʃən] *sb* Mathematiker *m*

mathematics [mæθə'mætɪks] *sb* Mathematik *f*

maths [mæθs] *sb (UK)* Mathe *f* (fam)

matriarch ['meɪtrɪɑːk] *sb* Matriarchin *f*

matrimony ['mætrɪmənɪ] *sb* Ehe *f*

matron ['meɪtrən] *sb 1. (married woman)* Matrone *f; 2. (head nurse)* Oberschwester *f; 3. (of a boarding school)* Hausmutter *f; 4.* ~ *of honour* verheiratete Brautjungfer *f*

matter ['mætə] *v 1.* von Bedeutung sein; *Why should it* ~ *to you?* Warum sollte dir das etwas ausmachen? *It doesn't* ~. Es macht nichts. *sb 2. (substance)* Materie *f,* Material *n,*

Stoff *m; 3. (affair)* Sache *f,* Angelegenheit *f; for that* ~ eigentlich; *no laughing* ~ nichts zum Lachen; *to make* ~*s worse pl* was die Sache noch schlimmer macht; *4. (topic)* Thema *n; 5. to be a* ~ *of* sich handeln um, gehen um; *a* ~ *of time* eine Frage der Zeit; *6. the* ~ *(the problem)* What's the ~? Was ist los? *7. No* ~! Macht nichts; *no* ~ *how* ... egal, wie ...; *no* ~ *what* ... egal, was ...

matter-of-course ['mætə ɒv kɔːs] *adj* selbstverständlich

matter-of-fact ['mætərəffækt] *adj* nüchtern, sachlich, prosaisch

matter of opinion ['mætə ɒv ə'pɪnjən] *sb* Ansichtssache *f*

mattress ['mætrɪs] *sb* Matratze *f*

mature [mə'tjʊə] *adj 1.* reif; *(child)* vernünftig; *v 2.* reif werden; *(animal)* auswachsen

maturity [mə'tjʊərɪtɪ] *sb 1.* Reife *f; 2.* FIN Fälligkeit *f; date of* ~ FIN Fälligkeitsdatum *n*

maul [mɔːl] *v* übel zurichten

mauve [məʊv] *sb* Mauve *n,* Malvenfarbe *f*

maximal ['mæksɪməl] *adj* maximal

maximum ['mæksɪməm] *sb 1.* Maximum *n; adj 2.* Höchst..., maximal

may [meɪ] *v irr 1.* können; *it might happen* es könnte geschehen; *it* ~ *be that* ... vielleicht, es könnte sein, dass ...; *2. (permission)* dürfen; *Yes, you* ~. Ja, Sie dürfen; *3. (wish) May you be happy!* Sei glücklich!

maybe ['meɪbɪ] *adv* vielleicht

mayonnaise [meɪə'neɪz] *sb* Mayonäse *f*

me [miː] *pron 1. (direct object)* mich; *2. (indirect object)* mir; *3. (fam: I)* ich; *It's* ~. Ich bin's. *Who,* ~? Wer, ich?

meadow ['medəʊ] *sb* Wiese *f*

meagre ['miːgə] *adj* dürftig, kärglich, spärlich

meal [miːl] *sb 1.* Mahlzeit *f; 2. (the food itself)* Essen *n; 3. (powder)* Mehl *n*

mean[1] [miːn] *v irr 1. (signify)* bedeuten, heißen; *2. (have in mind, to be referring to)* meinen; *3. (intend)* beabsichtigen, vorhaben, im Sinn haben; ~ *well* es gut meinen; *4.* ~ *to do sth* etw tun wollen; *(do on purpose)* etw absichtlich tun; *5. (to be serious about)* ernst meinen; *I* ~ *it!* Das ist mein Ernst! *6. (destine) sth is* ~*t to be sth* etw soll etw sein; *to be* ~*t for sth* für etw bestimmt sein

mean[2] [miːn] *adj 1. (vicious)* bösartig; *(look)* gehässig; *2. (small)* gering; *no* ~ *achievement* keine geringe Leistung; *3. (miserly)* geizig, knauserig; *4. (unkind, spiteful)* gemein; *5. (shabby)* schäbig

meaning ['miːnɪŋ] *sb* Bedeutung *f,* Sinn *m*

meaningful ['miːnɪŋfʊl] *adj* sinnvoll, bedeutungsvoll

meanness ['miːnnɪs] *sb 1. (viciousness)* Bösartigkeit *f; 2. (spitefulness)* Gemeinheit *f; 3. (stinginess)* Geiz *m; 4. (shabbiness)* Schäbigkeit *f*

means [miːnz] *sb 1.* Mittel *n; a* ~ *to an end* ein Mittel zum Zweck; *by* ~ *of* durch; *by all* ~ auf alle Fälle; *live beyond one's* ~ über seine Verhältnisse leben; *2. by no* ~ keineswegs, durchaus nicht; *(under no circumstances)* auf keinen Fall; *pl 3. (wherewithal)* Mittel *pl; a man of* ~ ein vermögender Mann; *live beyond one's* ~ über seine Verhältnisse leben

meanwhile ['miːnwaɪl] *adv* inzwischen

measles ['miːzlz] *pl* MED Masern *pl*

measure ['meʒə] *v 1.* messen; *It* ~*s six metres by three.* Es misst sechs mal drei Meter. *2. (sth)* messen, abmessen, *(a room)* ausmessen; *3.* ~ *s.o. for a suit* bei jdm Maß nehmen für einen Anzug; *sb 4.* Maß *n; 5. (amount measured)* Menge *f; for good* ~ obendrein; *6. (fig)* Maßstab *m; 7. (action, step)* Maßnahme *f; take* ~*s to do sth pl* Maßnahmen ergreifen, etw zu tun; *8.* MUS Takt *m*

measurement ['meʒəmənt] *sb 1. (measure)* Maß *n; 2. (act)* Messung *f*

meat [miːt] *sb 1.* Fleisch *n; 2. (fig: essence)* Substanz *f*

mechanical engineering [mɪ'kænɪkəl endʒɪ'nɪərɪŋ] *sb* Maschinenbau *m*

mechanics [mɪ'kænɪks] *sb* Mechanik *f*

meddle ['medl] *v* sich einmischen; ~ *with* sth mit etw herumspielen

meddlesome ['medlsəm] *adj* aufdringlich, neugierig

media ['miːdɪə] *pl* Medien *pl*

media event ['miːdɪə ɪ'vent] *sb* Medienereignis *n*

mediate ['miːdɪeɪt] *v* vermitteln

medical history ['medɪkəl 'hɪstərɪ] *sb (person's)* Krankengeschichte *f*

medication [medɪ'keɪʃən] *sb* Medikamente *pl*

medicine ['medɪsɪn] *sb 1.* Arznei *f,* Medizin *f; give s.o. a taste of his own* ~ *(fig)* es jdm mit gleicher Münze zurückzahlen; *2. (field of* ~*)* Medizin *f*

medieval [medɪ'iːvəl] *adj* mittelalterlich

meditate ['medɪteɪt] *v 1.* nachdenken; *2.* REL meditieren

meditation [medɪ'teɪʃən] *sb 1.* Nachdenken *n; 2.* Meditation *f*

medium ['mi:dɪəm] *adj 1.* mittlere(r,s); *sb 2. (means)* Mittel *n; 3. ~)(TV, radio, press)* Medium *n; 4. ART* Ausdrucksmittel *n; 5. (spiritualist)* Medium *n; 6.* a happy ~ der richtige Mittelweg *m*

meek [mi:k] *adj* sanftmütig

meet [mi:t] *v irr 1.* sich begegnen; *(by arrangement)* sich treffen; *(committee)* zusammenkommen; *2. (join)* sich treffen, aufeinander stoßen; *(intersect)* sich schneiden; *3. (become acquainted)* sich kennen lernen; *4. (s.o.)* treffen, begegnen; ~ s.o. at the station jdn von der Bahn abholen; *5. (get to know)* kennen lernen; pleased to ~ you sehr erfreut, Sie kennen zu lernen; *6. (expectations, deadline)* erfüllen; *7. (demand)* entsprechen; *8. (expenses)* decken; *9. (an obligation)* nachkommen

meeting ['mi:tɪŋ] *sb 1.* Begegnung *f,* Zusammentreffen *n; 2. (arranged ~)* Treffen *n; 3. (business ~)* Besprechung *f; (of a committee)* Sitzung *f; 4. (gathering)* Versammlung *f; 5. SPORT* Meeting *n,* Veranstaltung *f*

megabyte ['megəbaɪt] *sb INFORM* Megabyte *n*

megahertz ['megəhɜ:ts] *sb TECH* Megahertz *n*

megaphone ['megəfəʊn] *sb* Megafon *n*

melancholy ['melənkɒlɪ] *adj 1.* melancholisch, schwermütig; *sb 2.* Melancholie *f,* Schwermut *f*

melanoma [melə'nəʊmə] *sb MED* Melanom *n*

mellow ['meləʊ] *adj 1. (person)* milde, abgeklärt; *2. (fruit, wine)* ausgereift

melodramatic [melɔʊdrə'mætɪk] *adj* melodramatisch

melody ['melədɪ] *sb* Melodie *f*

melt [melt] *v 1.* schmelzen, sich auflösen, zergehen; *2. (fig: person)* dahinschmelzen; *3. (sth)* schmelzen, lösen; *(butter)* zerlassen; *4. (fig: s.o.'s heart)* erweichen

meltdown ['meltdaʊn] *sb* Kernschmelze *f*

melting pot ['meltɪŋ pɒt] *sb* Schmelztiegel *m*

member ['membə] *sb 1.* Mitglied *n,* Angehörige(r) *m/f; 2. ANAT* Glied *n*

membership ['membəʃɪp] *sb 1. (status)* Mitgliedschaft *f,* Zugehörigkeit *f; 2. (number of members)* Mitgliederzahl *f; 3. (fam: members)* Mitglieder *pl*

memoirs ['memwɑ:z] *pl* Memoiren *pl,* Lebenserinnerungen *pl*

memorial [mɪ'mɔ:rɪəl] *adj 1.* Gedächtnis..., Gedenk...; *sb 2.* Denkmal *n*

memorial service [mɪ'mɔ:rɪəl 'sɜ:vɪs] *sb* Gedenkgottesdienst *m*

memory ['memərɪ] *sb 1.* Gedächtnis *n,* Erinnerung *f,* Erinnerungsvermögen *n; 2. (thing remembered)* Erinnerung *f; 3. (of a deceased person)* Andenken *n,* Erinnerung *f;* in ~ of zum Andenken an; *4. INFORM* Speicher *m; (capacity)* Speicherkapazität *f*

menace ['menɪs] *sb 1. (threat)* Bedrohung *f; 2. (danger)* drohende Gefahr *f; v 3.* bedrohen

mend [mend] *v 1. MED* heilen; *2. (sth)* reparieren; *(clothes)* ausbessern; ~ one's ways sich bessern; *sb 3. (in fabric)* ausgebesserte Stelle *f; (in metal)* Reparatur *f; 4.* to be on the ~ auf dem Weg der Besserung sein

mending ['mendɪŋ] *sb* Ausbessern *n,* Flicken *n*

men's room ['menzru:m] *sb* Herrentoilette *f*

menstruation [menstrʊ'eɪʃən] *sb* Menstruation *f*

mental ['mentl] *adj* geistig, seelisch

mental illness [mentl'ɪlnɪs] *sb* Geisteskrankheit *f*

mental patient ['mentlpeɪʃənt] *sb MED* Geisteskranke(r) *m/f*

mention ['menʃən] *v 1.* erwähnen; Don't ~ it! Gern geschehen! not to ~ ... geschweige denn ... ; *sb 2.* Erwähnung *f*

menu ['menju:] *sb 1.* Speisekarte *f; 2. INFORM* Menü *n*

meow [mɪaʊ] *v* miauen

mercenary ['mɜ:sɪnərɪ] *sb* Söldner *m*

merchandise ['mɜ:tʃəndaɪz] *sb* Ware *f*

merciful ['mɜ:sɪfʊl] *adj 1.* barmherzig, gnädig; *2. REL* gnädig

merciless ['mɜ:sɪlɪs] *adj* unbarmherzig, erbarmungslos

mercy ['mɜ:sɪ] *sb 1.* Barmherzigkeit *f,* Erbarmen *n,* Gnade *f;* Have ~! Gnade! Erbarmen! *2.* to be at s.o.'s ~ jdm auf Gedeih und Verderb ausgeliefert sein

mere [mɪə] *adj* bloß

merge ['mɜ:dʒ] *v 1.* zusammenkommen; *(companies)* fusionieren; *2. (sth)* miteinander vereinen, miteinander verschmelzen; ~ sth with sth etw mit etw vereinen

merit ['merɪt] *v 1.* verdienen; *sb 2.* Leistung *f,* Verdienst *n; 3. (advantage, positive aspect)* Vorzug *m*

merry ['merɪ] *adj* fröhlich, vergnügt, lustig

mess [mes] *sb 1.* Durcheinander *n,* Unordnung *f;* make a ~ Unordnung machen; *2.*

(dirty) Schweinerei *f (fam)*; 3. *(predicament)* Schlamassel *m*, Schwierigkeiten *pl; to be in a ~ (fam)* in der Tinte sitzen; 4. *make a ~ of sth (botch sth)* etw verpfuschen; 5. *MIL* Kasino *n; (on a ship)* Messe *f; v* 6. *~ about, ~ around* herumgammeln; 7. *~ with sth* an etw herumspielen; 8. *~ up* durcheinander bringen, in Unordnung bringen; 9. *~ up (bungle)* verpfuschen

message ['mesɪdʒ] *sb* Mitteilung *f*, Nachricht *f*, Botschaft *f; get the ~ (fig)* kapieren; *May I take a ~?* Kann ich etw ausrichten?

messenger ['mesɪndʒə] *sb* Bote *m*

messy ['mesɪ] *adj* 1. *(untidy)* unordentlich; 2. *(dirty)* dreckig, schmutzig; 3. *(fam: unpleasant)* unschön

metal ['metl] *sb* Metall *n*

metalline ['metəlaɪn] *adj* metallisch, metallhaltig

metamorphosis [metə'mɔːfəsɪs] *sb* Metamorphose *f*, Verwandlung *f*

metaphor ['metəfɔː] *sb* Metapher *m*, bildlicher Ausdruck *m*

meteor ['miːtɪə] *sb ASTR* Meteor *m*, Sternschnuppe *f*

meter¹ ['miːtə] *sb* 1. *(measuring device)* Zähler *m*, Messer *m*, Messgerät *n*; 2. *(in a taxi)* Taxameter *n*

meter² ['miːtə] *(US: unit of measurement) (see "metre")*

methane ['meθeɪn] *sb CHEM* Methan *n*

method ['meθəd] *sb* Methode *f*, Verfahren *n*

metric ['metrɪk] *sb* metrisch; *the ~ system* das metrische System *n*

metro ['metrəʊ] *sb (underground)* Metro *f*, Untergrundbahn *f*

metropolis [mɪ'trɒpəlɪs] *sb* Metropole *f*, Weltstadt *f*

metropolitan [metrə'pɒlɪtən] *adj* weltstädtisch, hauptstädtisch

microchip ['maɪkrəʊtʃɪp] *sb* Mikrochip *m*

microeconomics [maɪkrəʊiːkə'nɒmɪks] *sb* Mikroökonomie *f*

microelectronics [maɪkrəʊelek'trɒnɪks] *pl* Mikroelektronik *f*

microfilm ['maɪkrəʊfɪlm] *sb* Mikrofilm *m*

microphone ['maɪkrəfəʊn] *sb* Mikrofon *n*

microscope ['maɪkrəʊskəʊp] *sb* Mikroskop *n*

microsecond ['maɪkrəʊsekənd] *sb* Mikrosekunde *f*

microwave oven ['maɪkrəʊweɪv 'ʌvn] *sb* Mikrowellenherd *m*

midday ['mɪd'deɪ] *sb* Mittag *m*

middle ['mɪdl] *sb* 1. Mitte *f; adj* 2. mittlere(r,s)

middle-aged ['mɪdl'eɪdʒd] *adj* mittleren Alters

middle name ['mɪdl neɪm] *sb* zweiter Vorname *m*

middle school ['mɪdl skuːl] *sb (UK)* Schule für Kinder zwischen neun und dreizehn Jahren *f*

middleweight ['mɪdlweɪt] *sb SPORT* Mittelgewicht *n*, Mittelgewichtler *m*

middling ['mɪdlɪŋ] *adj* mittelmäßig; *fair to ~* mittelprächtig

midget ['mɪdʒɪt] *sb* kleiner Mensch *m*, Zwerg *m*

midlife crisis ['mɪdlaɪf 'kraɪsɪs] *sb* Midlifekrise *f*

midnight ['mɪdnaɪt] *sb* Mitternacht *f*

midterm ['mɪdtɜːm] *sb* Mitte des Semesters *f*

midweek [mɪd wiːk] *sb* Wochenmitte *f*

midwife ['mɪdwaɪf] *sb* Hebamme *f*, Geburtshelferin *f*

midwifery [mɪd'wɪfərɪ] *sb* Geburtshilfe *f*

might [maɪt] *sb* 1. Macht *f*, Gewalt *f*; 2. *(physical strength)* Kraft *f*, Stärke *f*

mighty ['maɪtɪ] *adj* 1. mächtig, gewaltig; *high and ~* arrogant; *adv* 2. *(fam: quite)* mächtig

migraine ['maɪɡreɪn] *sb MED* Migräne *f*

migrant ['maɪɡrənt] *sb* 1. *(person)* Wander... 2. *(bird)* Zug...

migrant worker ['maɪɡrənt 'wɜːkə] *sb* Wanderarbeiter *m*, Gastarbeiter *m*

migrate [maɪ'ɡreɪt] *v* abwandern, wandern; *(birds)* ziehen

migration [maɪ'ɡreɪʃən] *sb* Wanderung *f*; *(of birds)* Zug *m*

mild [maɪld] *adj* mild, sanft, leicht

mile [maɪl] *sb* Meile *f*

mileage ['maɪlɪdʒ] *sb* 1. Meilenzahl *f*; 2. *He got a lot of ~ out of that joke.* Mit dem Witz hatte er immer wieder Erfolg.

milepost ['maɪlpəʊst] *sb* Meilenpfosten *m*

milestone ['maɪlstəʊn] *sb* Meilenstein *m*

militant ['mɪlɪtənt] *adj* militant

military ['mɪlɪtərɪ] *adj* 1. militärisch, Militär...; *sb* 2. *the ~* das Militär *n*

military service ['mɪlɪtərɪ 'sɜːvɪs] *sb* Wehrdienst *m*, Militärdienst *m*

milk [mɪlk] *v* 1. melken; *sb* 2. Milch *f*

milk-float ['mɪlkfləʊt] *sb (UK)* Milchauto *n*

milkman ['mɪlkmæn] *sb* Milchmann *m*

milkshake ['mɪlkʃeɪk] *sb GAST* Milchshake *m*

milk tooth [mɪlk tu:θ] *sb* Milchzahn *m*

Milky Way [mɪlkɪ'weɪ] *sb ASTR* Milchstraße *f*

mill [mɪl] *v 1.* mahlen; *(metal, paper)* walzen; *2.* ~ *about*, ~ *around* umherlaufen; *sb 3.* Mühle *f; 4. (factory)* Fabrik *f; 5. run of the ~ (fam)* stinknormal

millenium [mɪ'lenɪəm] *sb* Jahrtausend *n*, Millenium *n*

millibar ['mɪlɪbɑ:] *sb* Millibar *n*

milligramme ['mɪlɪɡræm] *sb (UK)* Milligramm *n*

millilitre ['mɪlɪliːtə] *sb* Milliliter *m/n*

millimetre ['mɪlɪmiːtə] *sb* Millimeter *m*

million ['mɪljən] *sb* Million *f*

millionaire [mɪljənɛə] *sb* Millionär(in) *m/f*

millisecond ['mɪlɪsekənd] *sb* Millisekunde *f*

mime [maɪm] *sb (person)* Pantomime *m*

mimic ['mɪmɪk] *v 1.* nachahmen; *(derisively)* nachäffen; *sb 2.* Nachahmer *m*, Imitator *m*

mince [mɪns] *v 1.* zerhacken, in kleine Stücke zerschneiden; *2. She doesn't ~ words. (fig)* Sie nimmt kein Blatt vor den Mund.

mind [maɪnd] *v 1. (object)* etwas dagegen haben; *Do you ~ if ...?* Haben Sie etwas dagegen, wenn ...? *I don't ~.* Ich habe nichts dagegen. *Never ~!* Schon gut! *2.* ~ *you* allerdings; *3. (~ sth)(look after)* aufpassen auf; ~ *your own business* kümmere dich um deine eigenen Dinge; *4. (to be careful of)* aufpassen auf; *Mind the step!* Achtung, Stufe! *sb 5.* Geist *m*, Verstand *m; lose one's ~* den Verstand verlieren, verrückt werden; *He was out of his ~.* Er war wie von Sinnen. *to be in one's right ~* bei vollem Verstand sein; *have an open ~* unvoreingenommen sein; *in one's ~'s eye* vor dem inneren Auge; *6. (thoughts)* Gedanken *pl*, Sinn *m; have sth in ~* etw im Sinne haben, etw vorhaben; *have sth on one's ~* etw auf dem Herzen haben; *have half a ~ to do sth* beinahe Lust haben, etw zu tun; *take s.o.'s ~ off sth* jdn etw vergessen lassen.

mind-boggling ['maɪndbɒɡəlɪŋ] *adj* irre, kaum zu glauben

mind-numbing ['maɪndnʌmɪŋ] *adj* benebelnd

mine¹ [maɪn] *v 1. MIN* Bergbau betreiben; *2. (sth)* fördern, abbauen; *3. (put explosive ~s in)* verminen; *sb 4. MIN* Bergwerk *n*, Mine *f*, Grube *f; 5. (explosive) MIL* Mine *f;*

mine² [maɪn] *pron* meine(r,s); *a friend of* ~ ein Freund von mir

mine detector ['maɪndɪtektə] *sb* Minensuchgerät *n*

miner ['maɪnə] *sb* Bergarbeiter *m*, Bergmann *m*, Kumpel *m*

mineral ['mɪnərəl] *sb 1.* Mineral *n; adj 2.* mineralisch, Mineral...

mineral oil ['mɪnərəl ɔɪl] *sb CHEM* Mineralöl *n*

mineral water ['mɪnərəlwɔːtə] *sb* Mineralwasser *n*

mingle ['mɪŋɡl] *v 1.* sich vermischen; *2. (sth)* mischen

mini ['mɪnɪ] *adj* Mini...

miniature ['mɪnɪtʃə] *adj* Miniatur..., Klein...

minibus ['mɪnɪbʌs] *sb* Kleinbus *m*

minicab ['mɪnɪkæb] *sb (UK)* Kleintaxi *n*, Minicar *m*

minidress ['mɪnɪdres] *sb* Minikleid *n*

minimal ['mɪnɪml] *adj* minimal, Mindest...

minimum ['mɪnɪməm] *sb 1.* Minimum *n; adj 2.* minimal, mindest, Mindest...

minimum lending rate ['mɪnɪməm 'lendɪŋ reɪt] *sb (UK) FIN* Diskontsatz *m*

minimum wage ['mɪnɪməm'weɪdʒ] *sb* Mindestlohn *m*

miniskirt ['mɪni:skɜːt] *sb* Minirock *m*

minister ['mɪnɪstə] *sb 1. REL* Pfarrer *m*, Pastor *m; 2. POL* Minister *m; v 3.* ~ *to s.o.* sich um jdn kümmern

mink ['mɪŋk] *sb ZOOL* Nerz *m*

minor ['maɪnə] *adj 1.* kleiner, geringer; *2. (of lesser importance)* unbedeutend, unwichtig; *3. (offence, injuries)* leicht; *sb 4. (US: course of study)* Nebenfach *n; 5. MUS* Moll *n; D-~* d-Moll *n; 6. JUR* Jugendliche(r) *m/f*

minority [maɪ'nɒrɪtɪ] *sb* Minderheit *f*, Minorität *f*

minster ['mɪnstə] *sb (UK)* Münster *n*

mint¹ [mɪnt] *v 1.* prägen; *sb 2.* Münze *f*, Münzanstalt *f*, Münzstätte *f*

mint² [mɪnt] *sb 1. BOT* Minze *f; 2. (sweet)* Pfefferminz *n*

mint condition ['mɪntkən'dɪʃən] *sb* tadelloser Zustand *m*

minus ['maɪnəs] *prep 1.* minus, weniger; *(taxes)* abzüglich; *sb 2.* Minus *n*

minus sign ['maɪnəs saɪn] *sb MATH* Minuszeichen *n*

minute¹ ['mɪnɪt] *sb 1.* Minute *f; in a* ~ *(very soon)* gleich; *2.* ~*s pl (of a meeting)* Protokoll *n*

minute² [maɪ'njuːt] *adj 1. (minuscule)* winzig; *2. (meticulous)* genau

miracle ['mɪrəkəl] *sb* Wunder *n*

miraculous [mɪ'rækjʊləs] *adj* übernatürlich, wunderbar

mirage [mɪ'rɑːʒ] *sb 1.* Luftspiegelung *f,* Fata Morgana *f; 2. (fig)* Trugbild *n*

mirror ['mɪrə] *sb 1.* Spiegel *m; v 2.* widerspiegeln, spiegeln

mirth [mɜːθ] *sb* Freude *f,* Fröhlichkeit *f*

misadventure [mɪsəd'ventʃə] *sb* Missgeschick *n*

misappropriation [mɪsəprəʊprɪ'eɪʃən] *sb* Entwendung *f; (money)* Veruntreuung *f*

misbehave [mɪsbɪ'heɪv] *v 1.* sich schlecht benehmen, sich danebenbenehmen; *2. (child)* ungezogen sein

miscarriage ['mɪskærɪdʒ] *sb 1.* MED Fehlgeburt *f; 2. ~ of justice* Justizirrtum *m*

miscarry ['mɪskærɪ] *v* MED eine Fehlgeburt haben

miscellaneous [mɪsɪ'leɪnɪəs] *adj* verschieden, gemischt, divers

mischance [mɪs'tʃɑːns] *sb* unglücklicher Zufall *m*

mischief ['mɪstʃɪf] *sb (tricks)* Unfug *m*

mischievous ['mɪstʃɪvəs] *adj (playfully)* spitzbübisch, verschmitzt

misconception [mɪskən'sepʃən] *sb* fälschliche Annahme *f*

misdemeanour [mɪsdɪ'miːnə] *sb* JUR Vergehen *n,* minderes Delikt *n*

miser ['maɪzə] *sb (skinflint)* Geizhals *m,* Geizkragen *m*

miserable ['mɪzərəbl] *adj 1. (extremely sad)* unglücklich, traurig; *2. (wretched)* elend, jämmerlich, erbärmlich; *3. feel ~* sich elend fühlen; *4. (contemptible)* miserabel, erbärmlich, jämmerlich; *5. (failure)* kläglich, jämmerlich

misery ['mɪzərɪ] *sb 1. (suffering)* Qualen *pl; 2. (wretchedness)* Elend *n; 3. (sadness)* Kummer *m,* Trauer *f*

misfile [mɪs'faɪl] *v* falsch ablegen

misfortune [mɪs'fɔːtʃən] *sb (ill-fortune)* Missgeschick *n*

misgiving [mɪs'gɪvɪŋ] *sb* Bedenken *n,* Befürchtung *f*

misguided [mɪs'gaɪdɪd] *adj* irrig, unangebracht

mishap ['mɪshæp] *sb* Unglück *n,* Missgeschick *n*

mishear [mɪs'hɪə] *v irr* falsch hören, sich verhören

misinform [mɪsɪn'fɔːm] *v* falsch informieren; *You were ~ed.* Man hat Sie falsch informiert.

misjudge [mɪs'dʒʌdʒ] *v* falsch einschätzen; *(a person)* falsch beurteilen

mislead [mɪs'liːd] *v irr 1.* irreführen; *2. to be misled* sich verleiten lassen

misleading [mɪs'liːdɪŋ] *adj* irreführend

misogynist [mɪ'sɒdʒɪnɪst] *sb (womanhater)* Frauenfeind *m*

mispronounce [mɪsprə'naʊns] *v* falsch aussprechen

miss [mɪs] *v 1.* nicht treffen, fehlen; *2. (sth)* verpassen, versäumen; *~ the train (fig)* den Zug verpassen; *3. (not hit sth, not find sth)* verfehlen; *4. (overlook)* übersehen; *5. (fail to hear)* nicht mitbekommen; *6. ~ the point* das Wesentliche nicht begreifen; *7. (regret the absence of)* vermissen; *sb 8.* Fehlschuss *m,* Fehltreffer *m; 9. (failure)* Misserfolg *m*

• **miss out** *v (fam)* zu kurz kommen; *~ on sth* etw verpassen

Miss [mɪs] *sb* Fräulein *n, (in modern German usage usually)* Frau *f; ~ USA 1997* die Miss USA von 1997

misshapen [mɪs'ʃeɪpən] *adj* missgebildet, missgestaltet

missile ['mɪsaɪl] *sb 1. (projectile)* Geschoss *n,* Wurfgeschoss *n; 2. (rocket)* MIL Rakete *f,* Flugkörper *m*

missing ['mɪsɪŋ] *adj 1.* fehlend, weg, nicht da; *to be ~* fehlen; *2. (lost in the wilderness, ~ in action)* vermisst werden

mission ['mɪʃən] *sb 1.* Auftrag *m;* Mission *f; accomplished!* Auftrag ausgeführt! *2. ~ in life* Lebensaufgabe *f; 3. (people on a ~)* Gesandtschaft *f,* Delegation *f;* POL Mission *f; 4.* MIL Einsatz *m; (assignment)* Befehl *m; 5.* REL Mission *f*

misspell [mɪs'spel] *v irr* falsch buchstabieren, falsch schreiben

missus ['mɪsɪz] *sb (fam) the ~* die bessere Hälfte *f,* die Alte *f* (fam)

mistakable [mɪ'steɪkəbl] *adj* missverständlich, leicht zu verwechseln

mistake [mɪs'teɪk] *sb 1.* Fehler *m,* Irrtum *m; by ~* aus Versehen, versehentlich; *make a ~* einen Fehler machen; *(to be ~n)* sich irren; *v irr 2. (misunderstand)* falsch verstehen, missverstehen; *(s.o.'s motives)* verkennen; *3. ~ sth for sth* etw mit etw verwechseln, etw für etw halten

mistaken [mɪs'teɪkən] *adj* irrtümlich, falsch, verfehlt; *to be ~* sich irren

Mister ['mɪstə] *sb* Herr *m*; *(on an envelope)* Herrn

mistletoe ['mɪsltəʊ] *sb* 1. Mistel *f*; 2. *(one sprig)* Mistelzweig *m*

mistreat [mɪs'triːt] *v* schlecht behandeln; *(violently)* misshandeln

mistress ['mɪstrɪs] *sb* 1. *(lover)* Geliebte *f*, Mätresse *f*; 2. *(feminine word for master)* Herrin *f*

mistrust [mɪs'trʌst] *sb* Misstrauen *n*

mistrustful [mɪs'trʌstfʊl] *adj* misstrauisch

misty ['mɪstɪ] *adj* 1. neblig; 2. *(hazy)* dunstig; 3. *(opaque)* milchig

misunderstand [mɪsʌndə'stænd] *v irr* missverstehen

misunderstanding [mɪsʌndə'stændɪŋ] *sb* Missverständnis *n*

mitten ['mɪtn] *sb* Fausthandschuh *m*, Fäustling *m*

mix [mɪks] *v* 1. *(become ~ed)* sich mischen lassen, sich vermischen; 2. *(go together)* zusammenpassen; 3. *(sth)* mischen, vermischen; ~ *sth into sth* etw unter etw mischen; 4. *(dough)* anrühren, mischen; 5. *(a drink)* mixen, mischen; 6. *(fig)* verbinden; ~ *business with pleasure* das Angenehme mit dem Nützlichen verbinden; *sb* 7. Mischung *f*
• **mix in** *v GAST* unterrühren
• **mix up** *v* 1. vermischen; 2. *(get in a muddle)* durcheinander bringen; 3. *(confuse with sth else)* verwechseln; 4. *to be mixed up in sth* in etw verwickelt sein

mixed bag [mɪkst bæg] *sb (fam)* a ~ Allerlei *n*

mixed doubles ['mɪkst'dʌblz] *pl SPORT* gemischtes Doppel *n*

mixed grill [mɪkst grɪl] *sb GAST* gemischter Grillteller *m*

mixed-up ['mɪkst'ʌp] *adj* durcheinander

mixer ['mɪksə] *sb* 1. *(fam: sociable person)* He's a good ~. Er ist sehr gesellig. 2. *(soft drink good for mixing)* GAST alkoholfreies Getränk zum Mixen von Cocktails *n*; 3. *(US: party)* Kennenlernparty *f*; 4. *TECH* Mischmaschine *f*

mixture ['mɪkstʃə] *sb* 1. Mischung *f*; 2. *MED* Mixtur *f*; 3. *GAST* Gemisch *n*

mix-up ['mɪksʌp] *sb* Verwechslung *f*

moan [məʊn] *v* 1. stöhnen, ächzen; 2. *(grumble)* klagen, jammern; *sb* 3. Stöhnen *n*, Ächzen *n*

mob [mɒb] *sb* 1. Horde *f*; *(violent)* Mob *m*; *(group of criminals)* Bande *f*; *v* 2. herfallen über; *(a rock star)* belagern

mobile ['məʊbaɪl] *adj* 1. beweglich; *(object)* fahrbar; *sb* 2. *TEL* Handy *n*

mobile home ['məʊbɪl həʊm] *sb* Wohnmobil *n*

mock [mɒk] *v* 1. verspotten; 2. *(ridicule by mimicking)* nachäffen; 3. *(defy)* trotzen; *adj* 4. Schein..., Pseudo...

mockery ['mɒkərɪ] *sb* 1. *(mocking)* Spott *m*, Hohn *m*; 2. *(object of ridicule)* Gespött *n*; *make a ~ of* zum Gespött machen; 3. *(travesty)* Farce *f*

mod cons ['mɒdkɒnz] *pl (fam)* moderner Komfort *m*

model ['mɒdl] *sb* 1. Modell *n*; 2. *(perfect example)* Muster *n*; *(role ~)* Vorbild *n*; 3. *(woman)* Mannequin *n*, Model *n*; *(man)* Model *n*; *adj* 4. vorbildlich, musterhaft, Muster...; 5. *(airplane, railway)* Modell...; *v* 6. *(make ~s)* modellieren; 7. *(pose for an artist)* als Modell arbeiten; 8. *(to be a fashion ~)* Model sein; 9. ~ *sth on sth* etw nach etw gestalten

modem ['məʊdəm] *sb* Modem *n/m*

moderation [mɒdə'reɪʃən] *sb* Mäßigung *f*; *in* ~ mit Maß

modern ['mɒdən] *adj* modern; *(times)* heutig

modest ['mɒdɪst] *adj* bescheiden; *(behaviour)* sittsam; *(chaste, proper)* schamhaft

modesty ['mɒdɪstɪ] *sb* Bescheidenheit *f*, Sittsamkeit *f*, Schamgefühl *n*

modification [mɒdɪfɪ'keɪʃən] *sb* Änderung *f*, Abänderung *f*, Modifizierung *f*

modifier ['mɒdɪfaɪə] *sb GRAMM* Bestimmungswort *n*, nähere Bestimmung *f*; *a misplaced* ~ ein falsch verwendetes Bestimmungswort *n*

modify ['mɒdɪfaɪ] *v* ändern, abändern, modifizieren

modulation [mɒdjʊ'leɪʃən] *sb MUS, TECH* Modulation *f*

moggy ['mɒgɪ] *sb (fam)* Mieze *f*

mohair ['məʊhɛə] *sb* Mohär *m*

Mohican [məʊ'hiːkən] *sb* 1. Mohikaner *m*; 2. *the last of the ~s pl (fam)* der letzte Mohikaner; 3. *(haircut)* Irokesenschnitt *m*

moisture ['mɔɪstʃə] *sb* Feuchtigkeit *f*

moisturizer ['mɔɪstʃəraɪzə] *sb* Feuchtigkeitskrem *f*

mole¹ [məʊl] *sb* 1. *ZOOL* Maulwurf *m*; 2. *(fam: spy)* Maulwurf *m*

mole² [məʊl] *(on one's skin)* Muttermal *n*, Leberfleck *m*

mole³ [məʊl] *(pier) NAUT* Mole *f*

mole⁴ [məʊl] *CHEM* Mol *n*

molecule ['mɒlɪkjuːl] *sb CHEM* Molekül *n*

molehill ['məʊlhɪl] *sb* Maulwurfshügel *m*, Maulwurfshaufen *m*; *make a mountain out of a* ~ aus einer Mücke einen Elefanten machen

molest [məʊ'lest] *v* belästigen

mollify ['mɒlɪfaɪ] *v* beruhigen, besänftigen

mollycoddle ['mɒlɪkɒdl] *v* verhätscheln, verzärteln

moment ['məʊmənt] *sb 1.* Augenblick *m*, Moment *m; Just a* ~*!* Einen Augenblick! *~ of truth* Stunde der Wahrheit *f; the* ~ *(sth happens)* ... sobald (etw passiert) ...; *at the* ~ im Augenblick, momentan, gerade; *for the* ~ im Augenblick, vorläufig; *2. PHYS* Moment *n*

momentarily [məʊmən'tærɪlɪ] *adv 1.* einen Augenblick lang, für einen Augenblick; *2. (US: very soon)* jeden Augenblick

momentary ['məʊməntærɪ] *adj* kurz, augenblicklich, vorübergehend

momentous [məʊ'mentəs] *adj* bedeutsam, bedeutungsvoll

momentum [məʊ'mentəm] *sb 1.* Schwung *m; 2. PHYS* Impuls *m*

monarch ['mɒnək] *sb* Monarch *m*, Herrscher *m*

monarchy ['mɒnəkɪ] *sb* Monarchie *f*

monastery ['mɒnəstrɪ] *sb REL* Kloster *n*, Mönchskloster *n*

monastic [mə'næstɪk] *adj* mönchisch

monetary ['mʌnɪtərɪ] *adj* geldlich, Geld...; *POL* Währungs...

monetary unit ['mɒnɪtərɪ 'juːnɪt] *sb* Währungseinheit *f*

money ['mʌnɪ] *sb* Geld *n; get one's* ~*'s worth* für sein Geld bekommen; *make* ~ *(person)* Geld verdienen; *(business)* sich rentieren

money-grubbing ['mʌnɪgrʌbɪŋ] *adj* geldgierig, raffgierig

money-laundering ['mʌnɪlɔːndərɪŋ] *sb* Geldwäsche *f*

moneylender ['mʌnɪlendə] *sb* Geldverleiher *m*

money-maker ['mʌnɪmeɪkə] *sb (product)* Renner *m* (fam), Verkaufserfolg *m*

money order ['mʌnɪɔːdə] *sb* Postanweisung *f*, Zahlungsanweisung *f*

money-spinner ['mʌnɪspɪnə] *sb* Verkaufsschlager *m*

mongrel ['mʌŋgrəl] *sb (dog) ZOOL* Promenadenmischung *f*

monitor ['mɒnɪtə] *v 1.* überwachen; *(a phone conversation)* abhören; *sb 2. (screen)* Monitor *m; 3. (observer)* Überwacher *m; 4. (in school)* Aufsicht *f*

monk [mʌŋk] *sb REL* Mönch *m*

monkey ['mʌŋkɪ] *sb 1. ZOOL* Affe *m; v 2.* ~ *about,* ~ *around* herumalbern; ~ *about with sth* mit etw herumfummeln

monkey business ['mʌŋkɪbɪznɪs] *sb 1. (questionable activities)* krumme Tour *f*, fauler Zauber *m; 2. (fooling around)* Blödsinn *m*, Unfug *m*

monkey-nut ['mʌŋkɪ nʌt] *sb* Erdnuss *f* (fam)

monkey tricks ['mʌŋkɪ trɪks] *pl (fam)* Unfug *m*, dumme Streiche *pl*

monochrome ['mɒnəkrəʊm] *sb* Einfarbigkeit *f*

monocle ['mɒnəkl] *sb* Monokel *n*

monocular [mɒ'nɒkjʊlə] *adj* einäugig

monoculture ['mɒnəʊkʌltʃə] *sb AGR* Monokultur *f*

monolingual [mɒnəʊ'lɪŋgwəl] *adj* einsprachig

monologue ['mɒnəlɒg] *sb* Monolog *m*, Selbstgespräch *n*

monopoly [mə'nɒpəlɪ] *sb* Monopol *n*

monotonous [mə'nɒtənəs] *adj* monoton, eintönig

monster ['mɒnstə] *sb 1.* Ungeheuer *n*, Monster *n*, Monstrum *n; 2. (cruel person)* Unmensch *m*, Ungeheuer *n; 3. (very large thing)* Ungeheuer *n*, Koloss *m*

monstrosity [mɒns'trɒsɪtɪ] *sb (thing)* Monstrosität *f; (quality)* Ungeheuerlichkeit *f*

month [mʌnθ] *sb* Monat *m*

monthly ['mʌnθlɪ] *adj* monatlich, Monats...

monument ['mɒnjʊmənt] *sb 1.* Denkmal *n*, Monument *n; 2. (fig)* Zeugnis *n*

monumental [mɒnjʊ'mentəl] *adj (very significant)* gewaltig; *(error)* kolossal

mood [muːd] *sb 1.* Stimmung *f; 2. (of one person)* Laune *f*, Stimmung *f; in a bad* ~ schlecht gelaunt; *in a good* ~ gut gelaunt

moody ['muːdɪ] *adj 1.* launisch; *2. (sullen)* schlecht gelaunt, übellaunig

moon [muːn] *sb* Mond *m; ask for the* ~ *(fig)* zu viel verlangen; *once in a blue* ~ alle Jubeljahre einmal

moonbeam ['muːnbiːm] *sb* Mondstrahl *m*

moon-faced ['muːnfeɪsd] *adj* mondgesichtig

moonlight ['muːnlaɪt] *sb 1.* Mondlicht *n*, Mondschein *m; v 2. (fam)* nebenher arbeiten

moonlighting ['muːnlaɪtɪŋ] *sb* Nebenjob *m* (neben hauptberuflicher Tätigkeit) *m*

moonshine ['mu:nʃaɪn] *sb 1.* Mondschein *m; 2. (fig: liquor)* schwarz gebrannter Alkohol *m*

moony ['mu:nɪ] *adj (dreamy)* verträumt

moor [muə] *v 1.* festmachen, vertäuen; *sb 2.* Moor *n,* Hochmoor *n,* Heidemoor *n*

Moor [muə] *sb* Maure/Maurin *m/f*

moorage ['muərɪdʒ] *sb* Ankergebühren *pl*

moot [mu:t] *adj* fraglich und doch unwichtig

mop [mɒp] *v 1.* wischen; *sb 2.* Mopp *m; (fig: of hair)* Wust *m*

• **mop up** *v 1.* aufwischen; *2. MIL* säubern

mope [məup] *v* Trübsal blasen, den Kopf hängen lassen

moral ['mɒrəl] *adj 1.* moralisch, sittlich; *2. (showing good ~s)* sittlich gut, moralisch einwandfrei; *sb 3. (lesson)* Moral *f; 4. ~s pl* Moral *f,* Sitten *pl*

morale [mɒ'rɑ:l] *sb* Moral *f,* Stimmung *f*

morality [mə'rælɪtɪ] *sb 1.* Sittlichkeit *f; 2. (system of morals)* Moral *f*

moralize ['mɒrəlaɪz] *v* moralisieren

morass [mə'ræs] *sb* Morast *m,* Sumpf *m*

moratorium [mɒrə'tɔ:rɪəm] *sb* Moratorium *n*

mordant ['mɔ:dnt] *adj* beißend, ätzend

more [mɔ:] *adj 1.* mehr, noch mehr; *one ~ day* noch ein Tag/noch einen Tag; *adv 2.* mehr; *~ and ~* immer mehr; *~ and ~ difficult* immer schwieriger; *~ than* mehr als; *once ~* noch einmal; *not any ~* nicht mehr; *~ or less* mehr oder weniger; *pron 3.* mehr, noch mehr; *the ~ ..., the ~ ...* je mehr ..., desto mehr ...

moreover [mɔ:'rəuvə] *adv* außerdem, überdies, ferner

morgue [mɔ:g] *sb 1.* Leichenschauhaus *n; 2. (of newspaper cuttings)* Archiv *n*

moribund ['mɒrɪbʌnd] *adj* sterbend

Mormon ['mɔ:mən] *sb REL* Mormone /Mormonin *m/f*

morning ['mɔ:nɪŋ] *sb* Morgen *m,* Vormittag *m; Good ~!* Guten Morgen!

Morse code [mɔ:s'kəud] *sb* Morsealphabet *n*

morsel ['mɔ:sl] *sb* Bissen *m,* Happen *m*

mortal ['mɔ:tl] *adj 1.* sterblich; *2. (combat, fear)* tödlich

mortality [mɔ:'tælɪtɪ] *sb* Sterblichkeit *f*

mortality rate [mɔ:'tælɪtɪ reɪt] *sb* Sterblichkeit *f,* Sterblichkeitsziffer *f*

mortgage ['mɔ:gɪdʒ] *sb 1.* Hypothek *f; v 2.* hypothekarisch belasten, eine Hypothek aufnehmen auf

mortify ['mɔ:tɪfaɪ] *v* demütigen, kränken, verletzen

mosquito [mɒs'ki:təu] *sb 1.* Stechmücke *f; 2. (in the tropics)* Moskito *m*

most [məust] *adj 1.* meiste(r,s), größte(r,s), höchste(s,r); *for the ~ part* im Großen und Ganzen; *2. (the majority of)* die meisten; *adv 3.* am meisten; *the ~ beautiful ...* der/die/das schönste ...; *~ of all* am allermeisten; *4. (very)* äußerst, überaus; *pron 5.* die meisten, das meiste; *sb 6. make the ~ of sth* etw voll ausnützen; *(enjoy)* etw gründlich genießen; *7. at ~, at the ~* höchstens

mostly ['məustlɪ] *adv 1. (for the most part)* zum größten Teil; *2. (in most cases)* meistens

motel [məu'tel] *sb* Motel *n*

mother ['mʌðə] *sb* Mutter *f*

mother country ['mʌðə'kʌntrɪ] *sb* Vaterland *n,* Heimat *f*

mother-in-law ['mʌðərɪnlɔ:] *sb* Schwiegermutter *f*

Mother's Day ['mʌðəzdeɪ] *sb* Muttertag *m*

mother tongue ['mʌðə tʌŋ] *sb* Muttersprache *f*

motif [məu'ti:f] *sb* Motiv *n,* Muster *n*

motion ['məuʃən] *v 1. ~ s.o. to do sth* jdm ein Zeichen geben, dass er etw tun solle; *sb 2.* Bewegung *f; go through the ~s of doing sth* etw mechanisch tun; *set in ~* in Gang bringen, in Bewegung setzen; *3. TECH* Gang *m; 4. (proposal)* Antrag *m*

motionless ['məuʃənlɪs] *adj* bewegungslos, regungslos, unbeweglich

motion sickness ['məuʃənsɪknɪs] *sb* Reisekrankheit *f*

motivate ['məutɪveɪt] *v* motivieren

motivation [məutɪ'veɪʃən] *sb* Motivation *f*

motive ['məutɪv] *sb* Beweggrund *m,* Motiv *n*

motor ['məutə] *sb 1.* Motor *m; v 2.* autofahren

motorbike ['məutəbaɪk] *sb* Motorrad *n*

motorcycle ['məutəsaɪkl] *sb* Motorrad *n*

motorist ['məutərɪst] *sb* Autofahrer *m,* Kraftfahrer *m*

motorized ['məutəraɪzd] *adj* motorisiert

motorway ['məutəweɪ] *sb (UK)* Autobahn *f*

motto ['mɒtəu] *sb* Motto *n,* Wahlspruch *m; (personal)* Devise *f*

mould [məuld] *v 1.* formen; *2. TECH* gießen, formen, modellieren; *sb 3.* Form *f; (for casting)* Gussform *f; 4. BOT* Schimmel *m*

moulder ['məuldə] *v* formen, gießen

moulding ['məuldɪŋ] *sb (act of ~)* Formen *n*

mouldy ['məʊldɪ] adj schimm(e)lig, verschimmelt

mount [maʊnt] v 1. (fig: increase) wachsen, steigen; 2. (sth)(climb onto) besteigen, steigen auf; (a ladder) hinaufsteigen; (stairs) hinaufgehen; 3. (put in, put on, stick on) montieren; (a picture) mit einem Passepartout versehen; 4. (an attack, an expedition) organisieren

mountain ['maʊntɪn] sb Berg m; ~s pl Gebirge n

mounting ['maʊntɪŋ] sb 1. (base, support) Befestigung f; 2. (of a picture) Passepartout n; 3. (of a machine) Sockel m; 4. (of a jewel) Fassung f

mourn [mɔ:n] v 1. trauern; 2. (s.o.) trauern um, betrauern; (s.o.'s death) beklagen

mourning ['mɔ:nɪŋ] sb Trauer f

mouse [maʊs] sb 1. ZOOL Maus f; 2. INFORM Maus f, Mouse f

moustache [məs'tɑ:ʃ] sb Schnurrbart m

mouth [maʊθ] sb 1. Mund m; keep one's ~ shut den Mund halten; by word of ~ mündlich, durch Mundpropaganda; have one's heart in one's ~ (fig) sein Herz auf der Zunge tragen; put one's foot in one's ~ (fig) ins Fettnäpfchen treten; put words into s.o.'s ~ jdm etw in den Mund legen; 2. (of an animal) Maul n; 3. (of a river) Mündung f; 4. (of a cave) Öffnung f; v 5. (articulate soundlessly) mit den Lippen formen

mouthful ['maʊθfʊl] sb 1. Bissen m, Brocken m; 2. (fam: long word) ellenlanges Wort n

movable ['mu:vəbl] adj beweglich

move [mu:v] v 1. sich bewegen; (vehicle) fahren; Don't ~! Keine Bewegung! 2. (change residences) umziehen; 3. (go somewhere) gehen; 4. (fam: act) handeln, vorgehen; 5. (sth) bewegen; 6. (put somewhere else) woanders hinstellen; 7. (transport) befördern; 8. (a chess piece) ziehen mit, einen Zug machen mit; 9. (take away) wegnehmen; (one's foot) wegziehen; 10. (transfer) verlegen; 11. (propose) beantragen; sb 12. (movement) Bewegung f; Get a ~ on! Nun mach schon! 13. (to a different job) Wechsel m; 14. (in a game) Zug m; It's my ~. Ich bin dran. 15. (to a new residence) Umzug m; 16. (action) Schritt m; (measure taken) Maßnahme f

• **move in** v 1. (into a house) einziehen; 2. (come closer) sich nähern; (police) anrücken; (arrive on the scene) auf den Plan treten

• **move on** v weitergehen

• **move out** v 1. (of a house) ausziehen; 2. (troops) abziehen; 3. (drive off) abfahren

• **move over** v (move to the side) zur Seite rücken, zur Seite rutschen

• **move up** v (fig) aufsteigen

movement ['mu:vmənt] sb 1. Bewegung f; 2. MUS Satz m

movie ['mu:vɪ] sb (US) Film m; go to the ~s ins Kino gehen

moving ['mu:vɪŋ] adj 1. (emotionally) ergreifend, bewegend, rührend; 2. (able to move) beweglich

mow [məʊ] v irr 1. mähen; 2. ~ down (fig) niedermähen

mower ['məʊə] sb Rasenmäher m

Mr. ['mɪstə] sb Herr m

Mrs. ['mɪsɪz] sb Frau f

Ms. [mɪz] sb Frau f

much [mʌtʃ] adj 1. viel; how ~ wie viel; he's not ~ of a ... er ist kein guter ...; too ~ zu viel; nothing ~ nichts besonderes; as ~ as soviel wie; I thought as ~. Das habe ich mir gedacht. adv 2. viel, sehr; pretty ~ fast; 3. so ~ so viel; (to such a great degree) so sehr; (nothing more than) nichts als

muck [mʌk] sb 1. Dreck m; v 2. ~ about (fam) (UK) herumhängen, herumlungern; 3. ~ in (fam) (UK) mit anpacken; 4. ~ up (botch) verpfuschen

muckraking ['mʌkreɪkɪŋ] sb Sensationsmacherei f (fam)

mud [mʌd] sb Schlamm m, Matsch m; Here's ~ in your eye! Zum Wohl! as clear as ~ (fam) völlig unklar

muddlement ['mʌdlmənt] sb Verwirrung f, Durcheinander n

muddling ['mʌdlɪŋ] adj verwirrend

muff [mʌf] v (botch) verpatzen

mug [mʌg] sb 1. Becher m; (for beer) Krug m; 2. (fam: face) Fratze f; 3. (UK: dupe) Trottel m; v 4. (attack) überfallen, niederschlagen und ausrauben; 5. (make faces) Grimassen schneiden

mulish ['mju:lɪʃ] adj stur, störrisch

mull¹ [mʌl] v erwärmen und wie Glühwein würzen

mull² [mʌl] v ~ over nachdenken über

multi [mʌltɪ] adj ~... viel..., mehr..., Multi...

multi-coloured ['mʌltɪ'kʌləd] adj mehrfarbig

multicultural [mʌltɪ'kʌltʃərəl] adj multikulturell

multiethnic [mʌltɪ'eθnɪk] adj Vielvölker...

multifarious [mʌltɪ'feərɪəs] adj mannigfaltig

multifold ['mʌltɪfəʊld] adj vielfältig

multiform ['mʌltɪfɔːm] *adj* vielgestaltig

multilateral [mʌltɪ'lætərəl] *adj 1.* POL multilateral; *2.* MATH mehrseitig

multilingual [mʌltɪ'lɪŋgwəl] *adj* mehrsprachig

multimedia [mʌltɪ'miːdɪə] *pl* Multimediatechnik *f*

multinational [mʌltɪ'næʃənl] *adj* multinational

multiple ['mʌltɪpl] *adj* mehrfach; *(many)* mehrere

multiplication [mʌltɪplɪ'keɪʃən] *sb* MATH Multiplikation *f;* *(fig)* Vermehrung *f*

multiply ['mʌltɪplaɪ] *v 1.* sich vermehren, sich vervielfachen; *2.* MATH multiplizieren; *3. (sth)* vermehren, vervielfachen

multipurpose [mʌltɪ'pɜːpəs] *adj* Mehrzweck...

multitude ['mʌltɪtjuːd] *sb* Menge *f;* *(a ~, a crowd)* Menschenmenge *f*

multivitamin [mʌltɪ'vaɪtəmɪn] *sb* Multivitaminpräparat *n*

mum [mʌm] *adj 1.* keep ~ den Mund halten; *Mum's the word!* Nichts verraten! *sb 2. (fam: mother) (UK)* Mami *f*

mumble ['mʌmbl] *v* murmeln

mummy ['mʌmɪ] *sb 1. (corpse)* Mumie *f; 2. (mother) (UK)* Mami *f*, Mama *f*

municipal [mjuː'nɪsɪpəl] *adj* städtisch, Stadt..., kommunal

munificent [mjuː'nɪfɪsənt] *adj* großzügig

murder ['mɜːdə] *v 1.* ermorden, umbringen; *sb 2.* Mord *m;* *shout blue ~, scream bloody ~* Zeter und Mordio schreien

murderer ['mɜːdərə] *sb* Mörder *m*

murmur ['mɜːmə] *v 1.* murmeln; *2. (unhappily)* murren; *sb 3.* Murmeln *n; 4. (unhappy)* Murren *n*

muscle ['mʌsl] *sb* Muskel *m*

muscular ['mʌskjʊlə] *adj* Muskel... *(well-muscled)* muskulös

musculature ['mʌskjʊlətʃə] *sb* Muskulatur *f*

museum [mjuː'zɪəm] *sb* Museum *n*

mush [mʌʃ] *sb* Brei *m;* *(fig: sentimentality)* Schmalz *n*

mushroom ['mʌʃruːm] *sb* BOT *1.* Pilz *m; 2. (button ~)* Champignon *m*

music ['mjuːzɪk] *sb* Musik *f;* *face the ~ (fam)* die Suppe auslöffeln; *set sth to ~* etw vertonen

musical ['mjuːzɪkəl] *adj 1.* musikalisch, Musik...; *(tuneful)* melodisch; *sb 2.* THEAT Musical *n*

musical instrument ['mjuːzɪkəl 'ɪnstrəment] *sb* Musikinstrument *n*

musician [mjuː'zɪʃən] *sb* Musiker *m*

muss [mʌs] *v 1.* durcheinander bringen; *2. (hair)* verwuscheln

must [mʌst] *v 1.* müssen; *sb 2. (fam: necessary thing)* Muss *n; It's a ~.* Es ist ein Muss.

mustard ['mʌstəd] *sb* Senf *m*

muster ['mʌstə] *v 1.* aufbieten; *2. (all one's strength)* zusammennehmen; *(courage)* fassen; *sb 3.* pass ~ gebilligt werden

musty ['mʌstɪ] *adj* muffig

mutant ['mjuːtənt] *sb* Mutant *m*

mutate ['mjuːteɪt] *v* BIO mutieren

mutation [mjuː'teɪʃən] *sb 1. (process)* Veränderung *f; 2.* BIO *(process)* Mutation *f; 3. (result)* Mutationsprodukt *n*

mute [mjuːt] *adj 1.* stumm; *sb 2. (person)* Stumme(r) *m/f; v 3.* dämpfen

mutilation [mjuːtɪ'leɪʃən] *sb* Verstümmelung *f*

mutinous ['mjuːtɪnəs] *adj* meuterisch; *(fig)* rebellisch

mutt [mʌt] *sb (dog)* Köter *m*

mutter ['mʌtə] *v 1.* murmeln; *(grumble)* murren; *sb 2.* Gemurmel *n; (grumbling)* Murren *n*

muttering ['mʌtərɪŋ] *sb* Murren *n*, Murmeln *n*

mutual ['mjuːtʊəl] *adj 1. (shared)* gemeinsam; *2. (bilateral)* beiderseitig; *3. (reciprocal)* gegenseitig

mutual fund ['mjuːtʊəl fʌnd] *sb (US)* FIN Investmentfonds *m*

muzzy ['mʌzɪ] *adj* benommen, benebelt

my [maɪ] *pron 1.* mein(e); *interj 2.* Oh ~! Meine Güte!

myriad ['mɪrɪəd] *adj* Unzählige

myself [maɪ'self] *pron 1. (accusative)* mich; *(dative)* mir; *2. (as emphasis)* ich selbst

mysterious [mɪs'tɪərɪəs] *adj* mysteriös, rätselhaft

mystery ['mɪstərɪ] *sb 1.* Geheimnis *n*, Rätsel *n; 2. (~ novel)* Kriminalroman *m; 3.* REL Mysterium *n*

mystic ['mɪstɪk] *adj 1.* mystisch; *sb 2.* Mystiker *m*

mystical ['mɪstɪkəl] *adj* mystisch

mystify ['mɪstɪfaɪ] *v (baffle)* verblüffen, verwirren

myth [mɪθ] *sb 1. (legend)* Sage *f*, Mythos *m; 2. (fig)* Märchen *n*

mythology [mɪˈθəˈlɒdʒɪ] *sb* Mythologie *f*

mythos ['maɪθɒs] *sb* Mythos *m*

N

nag [næg] *v 1.* nörgeln; *2.* ~ *s.o.* jdm zusetzen; *sb 3. (fam: no-good horse)* Gaul *m*

nagger ['nægə] *sb* Nörgler *m*

nail [neɪl] *sb 1.* ANAT Nagel *m; 2.* TECH Nagel *m; as hard as* ~*s* knallhart, eisern; *hit the* ~ *on the head* den Nagel auf den Kopf treffen; *v 3.* nageln

naive [naɪˈiːv] *adj* naiv

naked ['neɪkɪd] *adj 1. (person)* nackt, unbekleidet; *2. (blade)* bloß; *3. (countryside)* kahl; *4. (truth)* nackt

nakedness ['neɪkɪdnɪs] *sb* Nacktheit *f*

name [neɪm] *v 1. (specify)* nennen; *2. (give a* ~*)* nennen, *(a scientific discovery)* benennen, *(a ship)* taufen; *to be* ~*d ... ...* heißen; *3. (appoint)* ernennen; *sb 4.* Name *m; What is your* ~*?* Wie heißen Sie? *My* ~ *is ...* Ich heiße *... in the* ~ *of the law* im Namen des Gesetzes; *call s.o.* ~*s* jdn beschimpfen; *by the* ~ *of* namens; *5. (reputation)* Name *m,* Ruf *m; give s.o. a bad* ~ jdn in Verruf bringen; *make a* ~ *for o.s. as* sich einen Namen machen als

nameable ['neɪməbl] *adj* zu benennen

nameless ['neɪmlɪs] *adj 1. (anonymous)* ungenannt; *2. (unknown)* unbekannt; *3. (indescribable)* unbeschreiblich

namely ['neɪmlɪ] *adv* nämlich

nanny ['nænɪ] *sb* Kindermädchen *n*

nape [neɪp] *sb* ~ *of the neck* Genick *n,* Nacken *m*

napkin ['næpkɪn] *sb (table* ~*)* Serviette *f*

napped [næpd] *adj* genoppt, geraut

nappy ['næpɪ] *sb (UK: fam)* Windel *f*

nark [nɑːk] *v (fam: annoy) (UK)* ärgern

narky ['nɑːkɪ] *adj (fam) (UK)* gereizt

narrate [nəˈreɪt] *v* erzählen

narration [nəˈreɪʃən] *sb* Erzählung *f*

narrative ['nærətɪv] *adj 1.* erzählend, Erzählungs... *sb 2. (account)* Schilderung *f*

narrator [nəˈreɪtə] *sb* Erzähler *m*

narrow ['nærəʊ] *v 1. (become* ~*er)* enger werden, sich verengen; *2. (sth)* enger machen, verengen; *adj 3.* eng; *(path, hips)* schmal; *4. (victory, escape)* knapp; *5. (interpretation)* eng; *6. (scrutiny)* genau; *sb 7.* ~*s pl* Enge *f*

• **narrow down** *v* beschränken; ~ *to* beschränken auf

narrow-boat ['nærəʊ bəʊt] *sb* Kahn *m*

narrowcast ['nærəʊkɑːst] *v* Programm für eine bestimmte Zielgruppe senden

narrow-minded [nærəʊˈmaɪndɪd] *adj* engstirnig, borniert, kleinlich

narrowness ['nærəʊnɪs] *sb* Enge *f*

nastiness ['nɑːstɪnɪs] *sb* Scheußlichkeit *f,* Abscheulichkeit *f,* Schmutzigkeit *f*

nasty ['nɑːstɪ] *adj 1. (unpleasant)* scheußlich, ekelhaft; *2. (serious)* schwer, böse, schlimm; *He had a* ~ *fall.* Er ist böse gefallen. *3. (malicious)* boshaft; *4. (person)* gemein

nation ['neɪʃən] *sb* Nation *f,* Volk *n*

national ['næʃənl] *adj 1.* national, öffentlich, Landes... *sb 2.* Staatsangehörige(r) *m/f*

nationality [næʃəˈnælɪtɪ] *sb* Staatsangehörigkeit *f,* Nationalität *f*

national park ['næʃənl pɑːk] *sb* Nationalpark *m*

National Socialism ['næʃənl ˈsəʊʃəlɪzm] *sb* POL Nationalsozialismus *m*

nationwide [neɪʃənˈwaɪd] *adj* landesweit

native ['neɪtɪv] *adj 1.* einheimisch, Heimat... ~ *speaker* Muttersprachler; *2. (inborn)* angeboren; *sb 3.* Einheimische(r) *m/f;* a ~ *of Germany* ein gebürtiger Deutscher/ eine gebürtige Deutsche; *4. (in a colonial context)* Eingeborene(r) *m/f;* *5. (original inhabitant)* Ureinwohner *m*

native language ['neɪtɪv ˈlæŋgwɪdʒ] *sb* Muttersprache *f*

native speaker ['neɪtɪv ˈspiːkə] *sb* Muttersprachler *m*

NATO ['neɪtəʊ] *sb* POL NATO *f*

natural ['nætʃrəl] *adj 1.* natürlich, Natur... *die a* ~ *death* eines natürlichen Todes sterben; *2. (inborn)* angeboren; *sb 3.* a ~ *(fam) (a perfect match, an ideal situation)* eine klare Sache *f; (a talent)* ein Naturtalent *n*

natural history ['nætʃrəl ˈhɪstərɪ] *sb* Naturgeschichte *f*

naturally ['nætʃrəlɪ] *adv 1.* natürlich; *2. (by nature)* von Natur aus; *interj 3.* natürlich, selbstverständlich

nature ['neɪtʃə] *sb 1.* Natur *f; 2. (sort)* Art *f; 3. (inherent qualities of an object)* Beschaffenheit *f; 4. (personality)* Wesen *n; to be second* ~ *to s.o.* leicht und selbstverständlich für jdn sein

nature reserve ['neɪtʃə rɪˈzɜːv] *sb* Naturschutzgebiet *n*

naughty ['nɔːtɪ] *adj 1.* unanständig, gewagt; *2. (dog)* unartig; *3. (child)* ungezogen

nausea ['nɔːsɪə] *sb 1.* Übelkeit *f*, Brechreiz *m; 2. (fig)* Ekel *m*
nauseate ['nɔːsɪeɪt] *v 1. (s.o.)* anekeln; *2. MED* Übelkeit erregen
nauseating ['nɔːsɪeɪtɪŋ] *adj* Ekel erregend, widerlich
navel ['neɪvəl] *sb* ANAT Nabel *m*
navigable ['nævɪgəbl] *adj* schiffbar
navigate ['nævɪgeɪt] *v 1.* navigieren; *2. (a river)* befahren
navigator ['nævɪgeɪtə] *sb 1.* NAUT Navigationsoffizier *m; 2. (of a plane)* Navigator *m*
navy ['neɪvɪ] *sb* Kriegsmarine *f*
navy blue ['neɪvɪ bluː] *adj* marineblau
Nazism ['nɑːtsɪzəm] *sb* HIST Nazismus *m*
near [nɪə] *v 1.* sich nähern; *~ completion* kurz vor dem Abschluss stehen; *adj 2.* nahe; *in the ~ future* in nächster Zeit, in naher Zukunft; *3. to be ~ at hand* zur Hand sein, in der Nähe sein; *(event)* unmittelbar bevorstehen; *4. (escape)* knapp; *have a ~ miss* knapp davonkommen; *adv 5.* nahe, in der Nähe; *(event)* nahe (bevorstehend); *draw ~* heranrücken; *6. (almost)* fast, beinahe; *prep 7.* nahe an, in der Nähe von; *8. (~ a certain time)* gegen
nearby ['nɪəbaɪ] *adj 1.* nahe gelegen; *adv 2.* in der Nähe, nahe
nearly ['nɪəlɪ] *adv* beinahe, fast
nearsighted ['nɪə'saɪtəd] *adj* kurzsichtig
neat [niːt] *adj 1. (tidy)* ordentlich, sauber; *2. (trick)* schlau; *3. (pleasing)* hübsch, nett; *4. (fam: excellent) (US)* klasse, prima
necessarily [nesɪ'serɪlɪ] *adv* notwendigerweise; *not ~* nicht unbedingt
necessary ['nesɪsərɪ] *adj* notwendig, nötig, erforderlich; *a ~ evil* ein notwendiges Übel; *if ~* nötigenfalls, wenn nötig; *2. (inevitable)* zwangsläufig; *sb 3. necessaries pl* Notwendigkeiten *pl*
necessity [nɪ'sesɪtɪ] *sb 1.* Notwendigkeit *f; of ~* notwendigerweise; *2. (poverty)* Not *f*
neck [nek] *sb 1. (person's, of a bottle)* Hals *m; to be a ~ in the ~ (fam)* einem auf die Nerven gehen; *stick one's ~ out (fam)* viel riskieren; *~ and ~* Kopf an Kopf; *breathe down s.o.'s ~ (fig)* jdm auf die Finger schauen; *risk one's ~* Kopf und Kragen riskieren; *2. (of a dress)* Ausschnitt *m; v 3. (fam: make out)* knutschen
necklace ['neklɪs] *sb* Halskette *f*
neckline ['neklaɪn] *sb* Ausschnitt *m*
need [niːd] *v 1.* brauchen, benötigen; *It ~s to be done.* Es muss gemacht werden. *~ to do*

sth (have to do sth) etw tun müssen; *Need I say more?* Mehr brauche ich ja wohl nicht zu sagen. *You ~n't have bothered.* Das war nicht nötig. *sb 2. (necessity)* Notwendigkeit *f; there's no ~ to ... ...* braucht nicht getan werden; *3. (requirement)* Bedürfnis *n*, Bedarf *m; to be in ~ of sth* etw dringend brauchen; *4. (misfortune)* Not *f*
needle ['niːdl] *sb 1.* Nadel *f; v 2. (fig)* sticheln, durch Sticheleien reizen
needless ['niːdlɪs] *adj* unnötig, überflüssig; *~ to say* selbstverständlich/selbstredend
negative ['negətɪv] *adj 1.* negativ; *(answer)* verneinend; *sb 2.* Verneinung *f; 3.* GRAMM Negation *f; 4.* FOTO Negativ *n*
neglect [nɪ'glekt] *v 1.* vernachlässigen; *2. (an opportunity)* versäumen; *3. (advice)* nicht befolgen; *sb 4.* Vernachlässigung *f; 5. (of a garden)* Verwahrlosung *f; 6. (of a danger, a person, a rule)* Nichtbeachtung *f*
negligence ['neglɪdʒəns] *sb 1.* Nachlässigkeit *f*, Unachtsamkeit *f; 2.* JUR Fahrlässigkeit *f*
negligent ['neglɪdʒənt] *adj 1.* nachlässig, unachtsam; *2.* JUR fahrlässig
negotiate [nɪ'gəʊʃɪeɪt] *v 1.* verhandeln; *2. (sth)* handeln über; *(bring about)* aushandeln; *3. (an obstacle)* überwinden, *(a curve)* nehmen, *(a river)* passieren
negotiation [nɪgəʊʃɪ'eɪʃən] *sb 1.* Verhandlung *f; enter into ~s* in Verhandlungen eintreten; *2. (of an obstacle)* Überwindung *f; (of a curve)* Nehmen *n; (of a river)* Passieren *n*
neighbour ['neɪbə] *sb 1.* Nachbar *m/* Nachbarin *f; 2. (fellow human being)* Nächste(r) *m/f*, Mitmensch *m; v 3. (sth)* angrenzen an
neighbourhood ['neɪbəhʊd] *sb 1.* Nachbarschaft *f; 2. (district)* Gegend *f*, Viertel *n*
neighbouring ['neɪbərɪŋ] *adj* benachbart, angrenzend
neighbourly ['neɪbəlɪ] *adj* nachbarlich, gutnachbarlich
neither ['naɪðə] *adv 1. ~... nor ...* weder ... noch ... *konj 2.* auch nicht; *He wasn't there and ~ was his sister.* Er war nicht da und seine Schwester auch nicht. *adj/ pron 3.* keine(r,s); *~ of them* keiner von beiden
Neolithic [niːəʊ'lɪθɪk] *sb* HIST jungsteinzeitlicher Mensch *m*
neon ['niːɒn] *sb* CHEM Neon *n*
neon sign ['niːɒn saɪn] *sb* Leuchtreklame *f*, Neonschild *n*
nephew ['nefjuː] *sb* Neffe *m*

nerd [nɜːd] *sb (fam) (US)* langweiliger Streber (in der Schule) *m*

nerve [nɜːv] *sb* 1. ANAT Nerv *m*; 2. *get on s.o.'s* ~s jdm auf die Nerven gehen; 3. *(fam: impudence)* Frechheit *f*, Unverschämtheit *f*; 4. *(courage)* Mut *m*; *lose one's* ~ die Nerven verlieren; *v* 5. ~ *o.s.* sich aufraffen

nerve centre ['nɜːvsentə] *sb* Nervenzentrum *n*

nervous ['nɜːvəs] *adj* 1. nervös; 2. ANAT Nerven..., nervös

nervous breakdown ['nɜːvəs 'breɪkdaʊn] *sb* MED Nervenzusammenbruch *m*

nest [nest] *v* 1. nisten; *sb* 2. Nest *n*

nestle ['nesl] *v* es sich bequem machen; *a town ~d in the hills* ein Dorf, das zwischen den Bergen eingebettet liegt

net¹ [net] *v* 1. *(catch in a ~)* mit dem Netz fangen; *(fig: a criminal)* fangen; *sb* 2. Netz *n*; 3. *(for curtains, for clothing)* Tüll *m*

net² [net] *adj* 1. ECO netto, Netto..., Rein...; *v* 2. ECO netto einbringen, *(in wages)* netto verdienen

net income [net 'ɪnkʌm] *sb* Nettoeinkommen *n*

net profit [net 'prɒfɪt] *sb* ECO Reingewinn *m*, Nettogewinn *m*

nettle ['netl] *sb* 1. BOT Brennnessel *f*; *v* 2. *(fig)* ärgern, reizen

net weight [net weɪt] *sb* Nettogewicht *n*, Reingewicht *n*, Eigengewicht *n*

network ['netwɜːk] *sb* 1. Netz *n*; TECH Netzwerk *n*; 2. *(radio, TV)* Sendernetz *n*, Sendergruppe *f*

networker ['netwɜːkə] *sb* INFORM mit dem Computer an ein Netzwerk angeschlossener Heimarbeiter *m*

networking ['netwɜːkɪŋ] *sb* 1. INFORM Rechnerverbund *m*; 2. *(fam: making contacts)* das Anknüpfen von Beziehungen *n*

neural ['njʊərəl] *adj* Nerven...

neurologist [njʊə'rɒlədʒɪst] *sb* Neurologe *m*, Nervenarzt *m*

neurotic [njʊə'rɒtɪk] *adj* neurotisch

neutral ['njuːtrəl] *adj* 1. neutral; *sb* 2. *(gear)* Leerlauf *m*; *put the car in* ~ den Gang herausnehmen

neutrality [njuː'trælɪtɪ] *sb* Neutralität *f*

never ['nevə] *adv* 1. nie, niemals; ~ *before* noch nie; 2. *(not in the least)* durchaus nicht, gar nicht, nicht im Geringsten; *Never fear!* Keine Angst!

never-ending [nevər'endɪŋ] *adj* endlos, nicht enden wollend

nevermore [nevə'mɔː] *adv* nimmermehr, niemals wieder

never-never land ['nevə'nevə lænd] *sb* Traumwelt *f*

nevertheless [nevəðə'les] *konj* dennoch, trotzdem, nichtsdestoweniger

new [njuː] *adj* neu

newborn ['njuːbɔːn] *adj* neugeboren

newly ['njuːlɪ] *adv* frisch

newlywed ['njuːlɪwed] *sb* Frischvermählte(r) *m/f*

news [njuːz] *sb* 1. Neuigkeiten *pl*; *Is there any ~?* Gibt es etwas Neues? *It's ~ to me.* Das ist mir ganz neu. 2. *(report)* Nachricht *f*; 3. *(in the press, TV, radio)* Nachrichten *pl*; *make ~* Schlagzeilen machen

news agency ['njuːzeɪdʒənsɪ] *sb* Nachrichtenagentur *f*, Nachrichtenbüro *n*

news agent ['njuːzeɪdʒənt] *sb* Zeitungshändler *m*

newscaster ['njuːzkɑːstə] *sb* Nachrichtensprecher *m*

news flash ['njuːzflæʃ] *sb* Kurzmeldung *f*

newspaper ['njuːzpeɪpə] *sb* Zeitung *f*

newsprint ['njuːzprɪnt] *sb* Zeitungsdruckpapier *n*

newsreader ['njuːzriːdə] *sb* Nachrichtensprecher *m*

newsstand ['njuːzstænd] *sb* Zeitungskiosk *m*, Zeitungsstand *m*

New Year's Day [njuːjɪəz'deɪ] *sb* Neujahrstag *m*

New Year's Eve [njuːjɪəz'iːv] *sb* Silvester *n*

next [nekst] *adj* 1. nächste(r,s); *this time ~ week* nächste Woche um diese Zeit; *week after* ~ übernächste Woche; ~ *door* nebenan; *Next, please!* Der Nächste bitte! *the ~ best* der/die/das Nächstbeste; *adv* 2. als Nächstes; 3. ~ *to* neben, (all but) fast; ~ *to last* zweitletzte(r,s); 4. *(the ~ time)* das nächste Mal

next-door [nekst dɔː] *adj* nebenan

nice [naɪs] *adj* 1. *(personality)* nett, sympathisch; 2. *(pretty)* hübsch, schön; 3. *(good)* gut; 4. *(weather)* schön, gut; 5. *(very)* ~ *and warm* schön warm; ~ *and easy* ganz leicht; 6. *(subtle)* ~ *distinction* feiner Unterschied

nice-looking [naɪs 'lʊkɪŋ] *adj (fam)* schön, gut aussehend

nicely ['naɪslɪ] *adv* nett, gut; *That will do* ~. Das passt ausgezeichnet.

nick [nɪk] *v* 1. *(give a small cut)* einkerben; *(bullet)* streifen; *sb* 2. *(small cut)* Kerbe *f*; 3. *in the* ~ *of time* gerade noch rechtzeitig; *v* 4.

(UK: catch) schnappen; *(arrest)* einsperren; 5. *(UK: steal)* klauen, mitgehen lassen
nickel ['nɪkl] *sb* 1. CHEM Nickel *n;* 2. *(US: coin)* Nickel *m,* Fünfcentstück *n*
nickname ['nɪkneɪm] *sb* 1. Spitzname *m; v* 2. einen Spitznamen geben, mit einem Spitznamen bezeichnen
nicotine ['nɪkəti:n] *sb* Nikotin *n*
niece [ni:s] *sb* Nichte *f*
nifty ['nɪftɪ] *adj (fam)* 1. *(skilful)* geschickt; 2. *(excellent)* prima
night [naɪt] *sb* 1. Nacht *f; (evening)* Abend *m;* Good ~! Gute Nacht! spend the ~ übernachten; at ~, by ~ bei Nacht, nachts; eleven o'clock at ~ elf Uhr nachts; seven o'clock at ~ sieben Uhr abends; ~ after ~ jede Nacht, Nacht um Nacht
nightcap ['naɪtkæp] *sb* 1. Nachtmütze *f;* 2. *(drink)* Schlaftrunk *m*
night-dress ['naɪtdres] *sb* Nachthemd *n*
nightfall ['naɪtfɔ:l] *sb* Einbruch der Dunkelheit *m*
nightlife ['naɪtlaɪf] *sb* Nachtleben *n*
nightmare ['naɪtmeə] *sb* Albtraum *m*
night owl ['naɪtaʊl] *sb (fig)* Nachteule *f,* Nachtmensch *m*
night school ['naɪtsku:l] *sb* Abendschule *f*
nightstand ['naɪtstænd] *sb (US)* Nachttisch *m*
night-time ['naɪttaɪm] *sb* Nacht *f*
night watchman [naɪt'wɒtʃmən] *sb* Nachtwächter *m*
nil [nɪl] *sb* Nichts *n,* Null *f*
nimble ['nɪmbl] *adj* 1. *(agile)* gelenkig, wendig, beweglich; 2. *(quick)* flink; 3. *(skilful)* geschickt
nincompoop ['nɪŋkəmpu:p] *sb* Trottel *m*
ninny ['nɪnɪ] *sb (fam)* Tropf *m,* Dussel *m*
nip [nɪp] *v* 1. *(bite)* zwicken; 2. *(cold)* angreifen; 3. *(UK: dash)(fam)* sausen, flitzen; *sb* 4. *(pinch)* Kneifen *n,* Kniff *m*
nippy ['nɪpɪ] *adj* 1. *(weather)* frisch, kühl; 2. *(cold)* beißend
nit [nɪt] *sb (egg of a louse)* Nisse *f*
nit-picking ['nɪtpɪkɪŋ] *adj* kleinlich, pingelig
nitty-gritty [nɪtɪ'grɪtɪ] *sb* get down to the ~ zur Sache kommen, bis zum Kern der Sache dringen
nitwit ['nɪtwɪt] *sb* Dummkopf *m*
no [nəʊ] *adv* 1. nein; Oh, ~! Oh, nein! ~ later than ... spätestens ...; *adj* 2. kein; "No Smoking" „Rauchen verboten"; in ~ time im Nu; *sb* 3. Nein *n*

nobility [nəʊ'bɪlɪtɪ] *sb* 1. *(quality)* Adel *m;* 2. *(people)* die Adligen *pl*
noble ['nəʊbl] *adj* 1. *(aristocratic)* adlig; 2. *(fig)* edel; 3. CHEM edel, Edel...
nobody ['nəʊbədɪ] *pron* niemand, keiner; ~ else sonst niemand, niemand anders
nod [nɒd] *v* 1. nicken; ~ off einnicken *(fam);* *sb* 2. Nicken *n*
node [nəʊd] *sb* Knoten *m*
no-frills [nəʊ'frɪlz] *adj* schlicht, einfach gehalten
noise [nɔɪz] *sb* 1. Geräusch *n;* 2. *(loud)* Lärm *m,* Krach *m;* make ~ Krach machen
noiseless ['nɔɪzlɪs] *adj* lautlos, geräuschlos, still
noisy ['nɔɪzɪ] *adj* geräuschvoll, laut, lärmend
no man's land ['nəʊmænzlænd] *sb* Niemandsland *n*
nominal ['nɒmɪnl] *adj* nominell
nominate ['nɒmɪneɪt] *v* 1. nominieren, als Kandidat aufstellen; 2. *(appoint)* ernennen
nomination [nɒmɪ'neɪʃən] *sb* 1. Nominierung *f,* Kandidatenvorschlag *m;* 2. *(appointment)* Ernennung *f*
non-aggression pact [nɒnə'greʃənpækt] *sb* Nichtangriffspakt *m*
non-alcoholic [nɒnælkə'hɒlɪk] *adj* alkoholfrei
non-committal [nɒnkə'mɪtl] *adj* 1. *(person)* zurückhaltend, sich nicht festlegen wollend; 2. *(answer)* unverbindlich, nichts sagend
non-compliance [nɒnkəm'plaɪəns] *sb* 1. *(with rules)* Nichterfüllung *f,* Nichteinhaltung *f;* 2. *(with orders)* Zuwiderhandeln *n*
nondescript ['nɒndɪskrɪpt] *adj* 1. unauffällig, unscheinbar; 2. *(hard to classify)* unbestimmbar
none [nʌn] *pron* 1. keine(r,s), keine; ~ other than kein anderer als; *adv* 2. in keiner Weise, keineswegs; ~ too soon kein bisschen zu früh
nonetheless [nʌnðə'les] *konj* trotzdem, nichtsdestoweniger, dennoch
nonexistent [nɒnɪg'zɪstənt] *adj* nicht existierend, nicht vorhanden
non-fiction ['nɒn'fɪkʃən] *sb* ~ book Sachbuch *n*
non-negotiable [nɒnnɪ'gəʊʃɪəbl] *adj* *(ticket)* unübertragbar
no-no ['nəʊnəʊ] *sb (fam)* That's a ~. Das ist Tabu.
no-nonsense [nəʊ'nɒnsəns] *adj* nüchtern, sachlich
nonplussed [nɒn'plʌst] *adj* verdutzt

non-profit-making [nɒn'prɒfɪtmeɪkɪŋ] *adj (UK)* gemeinnützig

non-returnable [nɒnrɪ'tɜ:nəbl] *adj* ECO Einweg...

nonsense ['nɒnsəns] *sb* Unsinn *m*, Quatsch *m*, Blödsinn *m*; *talk* ~ Quatsch reden

non-smoker ['nɒn'sməukə] *sb* Nichtraucher *m*

non-smoking [nɒn'sməukɪŋ] *adj* Nichtraucher...

nonstop ['nɒn'stɒp] *adj* ohne Halt, pausenlos; *(train)* durchgehend

non-violent [nɒn'vaɪələnt] *adj* gewaltlos

nook [nuk] *sb* Winkel *m*, Ecke *f*

noon [nu:n] *sb* Mittag *m*; *at* ~ um zwölf Uhr mittags

no one ['nəuwʌn] *pron* niemand, keiner

normal ['nɔ:məl] *adj* normal, üblich

normality [nɔ:'mælɪtɪ] *sb* Normalität *f*

normally ['nɔ:məlɪ] *adv* 1. *(usually)* normalerweise, gewöhnlich; 2. *(in a normal way)* normal

north [nɔ:θ] *adj* 1. Nord... *adv* 2. nach Norden; ~ *of* nördlich von; *sb* 3. Norden *m*

North America [nɔ:θ ə'merɪkə] *sb* Nordamerika *n*

northeast [nɔ:θ'i:st] *adj* 1. nordöstlich; *sb* 2. Nordosten *m*, Nordost *m*

nose [nəuz] *sb* 1. Nase *f*; *hold one's* ~ sich die Nase zuhalten; *look down one's* ~ *at s.o.* jdn verachten; *under s.o.'s* ~ *(fig)* direkt vor jds Nase; *pay through the* ~ *for sth* einen Haufen Geld für etw hinblättern; *have a good* ~ *for sth (fig)* einen Riecher für etw haben; *keep one's* ~ *clean* sich nichts zu Schulden kommen lassen; *thumb one's* ~ *at s.o.* jdm eine lange Nase machen; *turned-up* ~ Stupsnase *f*; *stick one's* ~ *into sth (fig)* seine Nase in etw stecken; *as plain as the* ~ *on your face (fam)* klar wie Kloßbrühe, sonnenklar; *cut off one's* ~ *to spite one's face* sich ins eigene Fleisch schneiden; *have one's* ~ *in the air* die Nase hoch tragen; *keep one's* ~ *out of sth* sich aus einer Sache heraushalten; *follow one's* ~ *(fam)* immer der Nase nach gehen; *turn one's* ~ *up at sth* die Nase über etw rümpfen; *v* 2. ~ *around*, ~ *about* herumschnüffeln, Nachforschungen anstellen

nosebleed ['nəuzbli:d] *sb* MED Nasenbluten *n*

nostalgia [nɒs'tældʒɪə] *sb* Nostalgie *f*

nostalgic [nɒs'tældʒɪk] *adj* nostalgisch

nosy parker ['nəuzɪ'pɑ:kə] *sb (fam)* neugierige Person *f*

not [nɒt] *adv* 1. nicht; 2. ~ *at all* gar nicht; *Not at all! (you're welcome)* Bitte! *adv* 3. ~ *a* kein(e)

notable ['nəutəbl] *adj* 1. bemerkenswert, beachtenswert; 2. *(conspicuous)* auffallend; *(difference)* beträchtlich; *sb* 3. *(person)* bedeutende Persönlichkeit *f*

notably ['nəutəblɪ] *adv* 1. auffallend; 2. *(in particular)* vor allem

note [nəut] *v* 1. *(pay attention to)* zur Kenntnis nehmen, beachten; 2. *(remark)* bemerken; 3. ~ *down* notieren, aufschreiben; *sb* 4. *(commentary)* Anmerkung *f*; 5. *make a* ~ *of sth (on paper)* sich etw notieren, etw schriftlich festhalten; 6. *pl* ~*s* Notizen *pl*, Aufzeichnungen *pl*; 7. *(informal message)* Briefchen *n*; 8. *(notice)* *take* ~ *of sth* etw zur Kenntnis nehmen; 9. *(official notation)* Vermerk *m*; 10. *of* ~ bedeutend, erwähnenswert; 11. MUS Note *f*, *(sound)* Ton *m*; 12. FIN Note *f*, Schein *m*; 13. *(tone)* Ton *m*, Klang *m*; *Her voice had a* ~ *of desperation.* Aus ihrer Stimme klang Verzweiflung.

notebook ['nəutbuk] *sb* Notizbuch *n*

notepaper ['nəutpeɪpə] *sb* Briefpapier *n*

noteworthy ['nəutwɜ:ðɪ] *adj* bemerkenswert, beachtenswert

nothing ['nʌθɪŋ] *pron* 1. nichts; ~ *doing* kommt gar nicht infrage; ~ *doing (~ happening)* nichts zu machen; *there is* ~ *like* ... es geht nichts über ...; *There's* ~ *to it.* Da ist nichts dabei. *to say* ~ *of* geschweige denn; *for* ~ vergebens, umsonst; *come to* ~ sich zerschlagen, zunichte werden; ~ *but* nichts als, nur; ~ *else* nichts anderes, sonst nichts; *sb* 2. Nichts *n*; *whisper sweet* ~*s* Süßholz raspeln

notice ['nəutɪs] *v* 1. bemerken, wahrnehmen, feststellen; *sb* 2. *(attention)* Wahrnehmung *f*; *take* ~ *of sth* von etw Notiz nehmen; *escape* ~ unbemerkt bleiben; *bring sth to s.o.'s* ~ jdm etw zur Kenntnis bringen; 3. *(notification)* Bescheid *m*, Benachrichtigung *f*, *(in writing)* Mitteilung *f*; *until further* ~ bis auf weiteres; *at short* ~ kurzfristig; 4. *(of quitting a job, of moving out)* Kündigung *f*; 5. *give s.o.* ~ *(to an employee, to a tenant)* jdm kündigen, *(to an employer, to a landlord)* bei jdm kündigen; 6. *(public announcement)* Bekanntmachung *f*

noticeable ['nəutɪsəbl] *adj* 1. erkennbar, wahrnehmbar, auffällig; 2. *(emotion)* sichtlich, merklich

notice board ['nəutɪs bɔ:d] *sb* Anschlagtafel *n*

notify ['nəʊtɪfaɪ] v benachrichtigen, melden, mitteilen

notion ['nəʊʃən] sb 1. Idee f, Vorstellung f, Begriff m; 2. (instinctive feeling, vague idea) Ahnung f; 3. (intention) Neigung f, Lust f, Absicht f

nought [nɔ:t] sb 1. Nichts n; 2. (number) Null f

noun [naʊn] sb Hauptwort n, Substantiv n

nourish ['nʌrɪʃ] v 1. (s.o.) nähren, ernähren; 2. (fig) nähren

novel ['nɒvəl] adj 1. neu, neuartig; sb 2. Roman m

novelist ['nɒvəlɪst] sb LIT Romanschriftsteller m

novelty ['nɒvəltɪ] sb 1. (newness) Neuheit f; 2. (something new) etwas Neues

novice ['nɒvɪs] sb 1. Neuling m, Anfänger m; 2. REL Novize m/Novizin f; (in the Bible) Neubekehrte(r) m/f

now [naʊ] adv 1. jetzt, nun; up to ~ bis jetzt; from ~ on von nun an; 2. (right away) jetzt, sofort, gleich; 3. (at this very moment) gerade; 4. (these days) heute, heutzutage; 5. ~ and then, ~ and again gelegentlich, ab und zu, von Zeit zu Zeit; konj 6. ~ that nun aber, nun da, da nun; adv 7. just ~ gerade; 8. by ~ mittlerweile, jetzt; interj 9. ~ then nun, also

nowadays ['naʊədeɪz] adv heutzutage

nowhere ['nəʊweə] adv nirgends, nirgendwo; (with verbs of motion) nirgendwohin; get ~ (fig) nichts erreichen; from out of ~ aus dem Nichts; ~ near ... nicht annähernd ... in the middle of ~ dort, wo sich Fuchs und Hase Gute Nacht sagen

nuclear ['nju:klɪə] adj Kern..., Atom..., nuklear

nuclear bomb ['nju:klɪə bɒm] sb Atombombe f

nuclear energy ['nju:klɪər 'enədʒɪ] sb Atomenergie f, Kernenergie f

nude [nju:d] adj 1. nackt; sb 2. ART Akt m

nuisance ['nju:sns] sb 1. Ärgernis n, Plage f, etwas Lästiges; What a ~! Wie ärgerlich! public ~ öffentliches Ärgernis; 2. (person) Quälgeist m, Nervensäge f; make a ~ of o.s. lästig werden

null [nʌl] adj JUR nichtig, ungültig; ~ and void null und nichtig, ungültig

numb [nʌm] v 1. betäuben; (cold) taub machen; adj 2. taub, empfindungslos, gefühllos

number ['nʌmbə] sb 1. Zahl f, (numeral) Ziffer f; one of their ~ einer aus ihrer Mitte; 2. (phone ~, house ~) Nummer f; It was a wrong ~. Er war falsch verbunden. 3. (quantity) Anzahl f; on a ~ of occasions des Öfteren; 4. (song) Nummer f; 5. Numbers REL Numeri pl; v 6. nummerieren; 7. (amount to) zählen; His days are ~ed. Seine Tage sind gezählt.

number plate ['nʌmbəpleɪt] sb Nummernschild n

numeral ['nju:mərəl] sb Ziffer f

numerous ['nju:mərəs] adj zahlreich

nun [nʌn] sb REL Nonne f

nurse [nɜ:s] sb 1. Krankenschwester f, (male ~) Krankenpfleger m; 2. wet ~ Amme f; 3. dry ~ Kinderfrau f, Kindermädchen n; v 4. (be breast-fed) die Brust nehmen; 5. (breast-feed) stillen; 6. (sth) pflegen, (fig: a plan, hopes) hegen

nursery ['nɜ:sərɪ] sb 1. (room in a house) Kinderzimmer n, (in a hospital) Säuglingssaal m, (day ~) Kindertagesstätte f; 2. AGR Gärtnerei f

nursery school ['nɜ:sərɪ sku:l] sb Kindergarten m

nursing ['nɜ:sɪŋ] sb MED (care) Pflege f; (profession) Krankenpflege f

nut [nʌt] sb 1. BOT Nuss f; a hard ~ to crack (fig) eine harte Nuss; 2. (fam: crazy person) Spinner m; 3. ~s pl (fam: testicles) (US) Eier pl (fam); 4. TECH Mutter f, Schraubenmutter f; ~s and bolts (fig) Grundbestandteile

nutcracker ['nʌtkrækə] sb Nussknacker m

nutmeg ['nʌtmeg] sb Muskat m, Muskatnuss f

nutrient ['nju:trɪənt] sb Nährstoff m

nutriment ['nju:trɪmənt] sb Nahrung f

nutrition [nju:'trɪʃən] sb Ernährung f

nutritionist [nju:'trɪʃənɪst] sb Ernährungswissenschaftler m

nutritious [nju:'trɪʃəs] adj nahrhaft, nährend

nuts [nʌts] adj (fam: crazy) to be ~ spinnen; go ~ durchdrehen; drive s.o. ~ jdn verrückt machen

nutshell ['nʌtʃel] sb in a ~ (fam) kurz gesagt

nuzzle ['nʌzl] v 1. (dog) mit der Schnauze reiben an; 2. (person) mit der Nase reiben an; ~ against s.o. sich an jdn schmiegen

nylon ['naɪlɒn] sb 1. Nylon n; 2. ~s pl (fam) Nylonstrümpfe pl

nymph [nɪmf] sb Nymphe f

nymphet [nɪm'fet] sb Nymphchen n

nymphomania [nɪmfəʊ'meɪnɪə] sb Nymphomanie f

nymphomaniac [nɪmfəʊ'meɪnɪæk] sb Nymphomanin f

O

oaf [əʊf] *sb* Lümmel *m*, Flegel *m*

oak [əʊk] *sb* BOT Eiche *f*

oar [ɔː] *sb* Ruder *n; SPORT* Riemen *m*

oasis [əʊˈeɪsɪs] *sb* Oase *f*

oat [əʊt] *sb* ~s *pl* BOT Hafer *m; sow one's wild* ~s *(fig)* sich die Hörner abstoßen

obedient [əˈbiːdɪənt] *adj 1.* gehorsam; *2. (child, dog)* folgsam

obese [əʊˈbiːs] *adj 1.* MED fettleibig; *2. (fig)* fett

obey [əˈbeɪ] *v 1.* gehorchen, folgen; *2. (an order)* Folge leisten, befolgen

obituary [əˈbɪtjʊərɪ] *sb 1. (article)* Nachruf *m; 2. (advertisement)* Todesanzeige *f*

object¹ [ˈɒbdʒɪkt] *sb 1. (thing)* Gegenstand *m*, Ding *n; money is no* ~ Geld spielt keine Rolle; *2. (purpose)* Ziel *n*, Zweck *m; 3.* GRAMM Objekt *n; indirect* ~ Dativobjekt *n*, indirektes Objekt *n; direct* ~ Akkusativobjekt *n*; direktes Objekt *n; 4.* PHIL Objekt *n*

object² [əbˈdʒekt] *v 1.* dagegen sein; *2. (vocally)* protestieren; *3. (raise an objection)* Einwände erheben; *4.* ~ *to (disapprove of)* missbilligen, beanstanden

objection [əbˈdʒekʃən] *sb 1.* Einwand *m; 2.* JUR Einspruch *m*

objective [əbˈdʒektɪv] *adj 1.* objektiv, sachlich; *sb 2.* Ziel *n;* MIL Angriffsziel *n; 3.* FOTO Objektiv *n*

objectively [əbˈdʒektɪvlɪ] *adv* objektiv, sachlich

obligation [ɒblɪˈgeɪʃən] *sb* Verpflichtung *f*, Pflicht *f; without* ~ unverbindlich

oblige [əˈblaɪdʒ] *v 1. (do a favour to)* gefällig sein, einen Gefallen tun; *to be* ~*d to s.o.* jdm sehr verbunden sein; *2. Much* ~*d!* Herzlichen Dank! *3. (compel)* zwingen; *feel* ~*d to do sth* sich verpflichtet fühlen, etw zu tun

obliging [əˈblaɪdʒɪŋ] *adj* verbindlich, gefällig, zuvorkommend

obliterate [əˈblɪtəreɪt] *v 1.* vernichten; *2. (efface)* auslöschen; *3. (a memory)* tilgen

oblivion [əˈblɪvɪən] *sb* Vergessenheit *f; sink into* ~ in Vergessenheit geraten, in der Versenkung verschwinden

oblivious [əˈblɪvɪəs] *adj to be* ~ *to sth* sich einer Sache nicht bewusst sein

obnoxious [əbˈnɒkʃəs] *adj* widerwärtig

obscene [əbˈsiːn] *adj* obszön, unzüchtig, unanständig

obscenity [ɒbˈsenɪtɪ] *sb 1.* Unanständigkeit *f*, Schmutz *m*, Zote *f; 2. (word)* Obszönität *f*

obscure [əbˈskjʊə] *adj 1. (little-known)* unbekannt, obskur; *2. (hard to understand)* dunkel, unklar; *v 3.* verdecken

obscurity [əbˈskjʊərɪtɪ] *sb 1. (state of not being known)* Unbekanntheit *f; sink into* ~ in Vergessenheit geraten; *2. (quality of being hard to understand)* Unklarheit *f*

observant [əbˈzɜːvənt] *adj (attentive, alert)* aufmerksam, achtsam, wachsam

observation [ɒbzəˈveɪʃən] *sb 1.* Beobachtung *f; powers of* ~ Beobachtungsgabe *f; 2. (of rules)* Einhalten *n; 3. (statement)* Bemerkung *f*

observatory [əbˈzɜːvətrɪ] *sb 1. (for outer space)* Observatorium *n*, Sternwarte *f; 2. (for weather)* Observatorium *n*, Wetterwarte *f*

observe [əbˈzɜːv] *v 1. (notice)* bemerken; *2. (watch carefully)* beobachten; *3. (watch a suspect)* überwachen; *4. (remark)* bemerken, feststellen, äußern; *5. (a law, a holiday)* einhalten

observer [əbˈzɜːvə] *sb* Beobachter *m/f*, Zuschauer(in) *m/f*

obsess [əbˈses] *v to be* ~*ed by* besessen sein von

obsession [əbˈseʃən] *sb 1. (state)* Besessenheit *f; 2. (idea)* fixe Idee *f; 3.* PSYCH Zwangsvorstellung *f*

obsessive [əbˈsesɪv] *adj* zwanghaft

obstacle [ˈɒbstəkl] *sb* Hindernis *n*

obstetric [ɒbˈstetrɪk] *adj* Geburtshilfe..., Entbindungs...

obstetrician [ɒbstəˈtrɪʃən] *sb* MED Geburtshelfer *m*

obstinate [ˈɒbstɪnət] *adj* hartnäckig, eigensinnig

obstruct [əbˈstrʌkt] *v 1. (progress, justice, traffic)* behindern; *(movements)* hemmen; *2. (block intentionally)* versperren; *(unintentionally)* blockieren; ~ *s.o.'s view* jdm die Sicht versperren

obstruction [əbˈstrʌkʃən] *sb 1.* Behinderung *f*, Hemmung *f*; Versperrung *f; 2. (obstacle)* Hindernis *n*

obstructive [əbˈstrʌktɪv] *adj* obstruktiv, behindernd

obtain [əbˈteɪn] *v* erlangen, erhalten, erwerben

obtuse [əb'tjuːs] *adj* 1. *MATH* stumpf; 2. *(fig: person)* begriffsstutzig, beschränkt
obvious ['ɒbvɪəs] *adj* offensichtlich, klar, deutlich
occasion [ə'keɪʒən] *sb* 1. *(point in time)* Gelegenheit *f*, Anlass *m*; *rise to the* ~ sich der Lage gewachsen zeigen; *on* ~ gelegentlich; *on several* ~s mehrmals; *for this* ~ für diese besondere Gelegenheit; 2. *sb (opportunity)* Gelegenheit *f*; *on the* ~ *of* anlässlich; 3. *(reason)* Grund *m*, Anlass *m*, Veranlassung *f*; *have* ~ *to* die Veranlassung haben, zu; *v* 4. verursachen
occasionally [ə'keɪʒənəlɪ] *adv* gelegentlich, hin und wieder
occupant ['ɒkjʊpənt] *sb* 1. *(of a house)* Bewohner *m*; 2. *(of a car)* Insasse *m*; 3. *(of a job)* Inhaber *m*
occupation [ɒkjʊ'peɪʃən] *sb* 1. *(employment)* Beruf *m*, Tätigkeit *f*; 2. *(pastime)* Beschäftigung *f*, Betätigung *f*, Tätigkeit *f*; 3. *MIL* Besetzung *f*, Besatzung *f*, Okkupation *f*
occupational [ɒkjʊ'peɪʃənəl] *adj* beruflich, Berufs..., Arbeits...
occupational hazard [ɒkjʊ'peɪʃənəl 'hæzəd] *sb* Berufsrisiko *n*
occupied ['ɒkjʊpaɪd] *adj (WC)* besetzt
occupy ['ɒkjʊpaɪ] *v* 1. *(a house)* bewohnen; 2. *(a seat)* besetzen; 3. *(a room)* belegen; 4. *(a post)* innehaben; 5. *(time)* in Anspruch nehmen; 6. *(busy)* beschäftigen; 7. *(move into)* beziehen; 8. *MIL* besetzen
occur [ə'kɜː] *v* 1. *(take place)* sich ereignen, vorkommen, geschehen; 2. *(be found)* vorkommen; 3. ~ *to s.o.* jdm einfallen
occurrence [ə'kʌrəns] *sb* 1. *(event)* Ereignis *n*, Vorfall *m*, Vorkommnis *n*; 2. *(presence)* Vorkommen *n*, Auftreten *n*
ocean ['əʊʃən] *sb* 1. Ozean *m*, Meer *n*; 2. *(fig)* Meer *n*; ~s *of* jede Menge
oceanography [əʊʃə'nɒgrəfɪ] *sb* Meereskunde *f*
o'clock [ə'klɒk] *adv* Uhr; *seven* ~ sieben Uhr
octagon ['ɒktəgɒn] *sb* Achteck *n*
octave ['ɒktɪv] *sb MUS* Oktave *f*
octopus ['ɒktəpəs] *sb ZOOL* Krake *f*
odd [ɒd] *adj* 1. *(number)* ungerade; 2. *(peculiar)* sonderbar, seltsam, merkwürdig; 3. *(irregular)* gelegentlich; 4. *(single)* einzeln; 5. *(approximately)* etwa; *fifty-~ pounds* etwa fünfzig Pfund, um die fünfzig Pfund; 6. *the ~ man out* der Überzählige *m*; 7. *(left over)* übrig, überzählig, restlich

oddball ['ɒdbɔːl] *sb* seltsamer Mensch *m*
odd jobs [ɒd'dʒɒbz] *pl* Gelegenheitsarbeiten *pl*
odds [ɒdz] *pl* 1. *(chances for or against)* Chancen *pl*; *The* ~ *are in our favour.* Wir haben die besseren Chancen. *The* ~ *are against you.* Deine Chancen stehen schlecht. 2. *(betting* ~*)* Gewinnquote *f*, Odds *pl*; *long* ~ geringe Gewinnchancen; *take the* ~ eine ungleiche Wette eingehen; *The* ~ *are ten to one.* Die Chancen stehen zehn zu eins. 3. *to be at* ~ *with s.o. over sth* mit jdm in etw nicht einig gehen; *(fam)* ~s *and ends* Kram *m*
ode [əʊd] *sb* Ode *f*
odious ['əʊdɪəs] *adj* 1. *(person)* verhasst; 2. *(task)* widerlich
odour ['əʊdə] *sb* Geruch *m*
oestrogen ['iːstrədʒən] *sb BIO* Östrogen *n*
of [ɒv, əv] *prep* 1. von, *(or genitive case); He died* ~ *cancer.* Er starb an Krebs. *to be afraid* ~ Angst haben vor; *I am proud* ~ *him.* Ich bin stolz auf ihn. *today* ~ *all days* ausgerechnet heute; *free* ~ *charge* kostenlos; *a lad* ~ *eleven* ein elfjähriger Knabe; *that fool* ~ *a man* dieser blöde Mensch; *the city* ~ *Munich* die Stadt München; ~ *assistance* behilflich; *there were four* ~ *us* wir waren zu viert; *one* ~ *the best* einer der Besten; *What* ~ *it?* Ja und? 2. *(~ a certain material)* aus
off [ɒf] *prep* 1. von; ~ *the map* nicht auf der Karte; *fall* ~ *a horse* vom Pferd fallen; *The house is* ~ *the road.* Das Haus liegt abseits der Straße. *adv* 2. *(distant)* entfernt, weg; *Christmas is a week* ~. Bis Weihnachten ist es eine Woche. *a long way* ~ weit weg; 3. *(on one's way)* dash ~ losrennen; *Off we go!* Los! *Off with you!* Fort mit dir! *Where are you* ~ *to?* Wo gehst du hin? 4. *(removal)* have one's *pants* ~ die Hosen ausgezogen haben; 5. *(discount)* take ten percent ~ *the price* zehn Prozent vom Preis abziehen; 6. *(not at work)* frei; *take a day* ~ sich einen Tag freinehmen; 7. *on and* ~ mit Unterbrechungen; *adj* 8. *(substandard)* schlecht; 9. *(spoiled, no longer edible) GAST* verdorben, schlecht; 10. *(cancelled)* abgesagt, *(deal)* abgeblasen *(fam)*, *(engagement)* gelöst; 11. *(not activated: switch, machine)* aus, *(tap)* zu; 12. *(deactivated)* ausgeschaltet, *(gas, water)* abgestellt; 13. *to be well* ~ gut gestellt sein
off-duty [ɒf'djuːtɪ] *adj* dienstfrei
offence [ə'fens] *sb* 1. *JUR* Straftat *f*, Delikt *n*; *first* ~ erste Straftat; 2. *(affront, insult)* Anstoß *m*, Ärgernis *n*, Beleidigung *f*; *No* ~

(meant)! Nichts für Ungut! take ~ at sth wegen etw beleidigt sein; *an ~ against good taste* eine Beleidigung des guten Geschmacks; 3. *MIL, SPORT* Angriff *m*

offend [ə'fend] *v (s.o.)* beleidigen, kränken, verletzen; *to be ~ed by sth* sich durch etw beleidigt fühlen

offense *sb (US: see "offence")*

offensive [ə'fensıv] *adj* 1. *(smell)* übel, widerlich, ekelhaft; 2. *(film, book, gesture, language)* anstößig, beleidigend; 3. *(attacking)* angreifend, offensiv, Angriffs...; *sb* 4. Offensive *f*, Angriff *m; take the ~* in die Offensive gehen

offer ['ɒfə] *v* 1. anbieten; *~ to do sth* anbieten, etw zu tun/ sich bereit erklären, etw zu tun; *~ one's hand* jdm die Hand reichen; 2. *(an apology, an opinion)* äußern; 3. *(a view, a price)* bieten; *~ resistance* Widerstand leisten; 4. *(prayers, sacrifice)* darbringen; *sb* 5. Angebot *n*

offering ['ɒfərıŋ] *sb* 1. Spende *f*; 2. *(to God)* Opfer *n*; 3. *(fam: play, book)* Vorstellung *f*

office ['ɒfıs] *sb* 1. Büro *n; (lawyer's)* Kanzlei *f*; 2. *(public position)* Amt *n; take ~* sein Amt antreten; *in ~* im Amt; *hold ~* im Amt sein; 3. *(department)* Abteilung *f*; 4. *(department of the government)* Behörde *f*, Amt *n*; 5. *(one location of a business)* Geschäftsstelle *f*; 6. *good ~s* gute Dienste

officer ['ɒfısə] *sb* 1. *(official)* Beamter/ Beamtin *m/f*, Funktionär *m*; 2. *(of a club)* Vorstandsmitglied *n*; 3. *(police ~)* Polizist *m*, Polizeibeamte(r) *m; yes, ~* jawohl, Herr Wachtmeister; 4. *MIL* Offizier *m*

official [ə'fıʃəl] *adj* 1. offiziell, amtlich; *sb* 2. Beamter/Beamtin *m/f*, Funktionär/Funktionärin *m/f*; 3. *SPORT* Schiedsrichter *m*

off-licence ['ɒflaısəns] *sb (UK)* Wein- und Spirituosenhandlung *f*

off-limits [ɒf 'lımıts] *adj* mit Zugangsbeschränkung

off-load ['ɒfləʊd] *v* ausladen, abladen

off-peak hours ['ɒfpi:k 'aʊəz] *pl* verkehrsschwache Stunden *pl*

off-putting ['ɒfpʊtıŋ] *adj* abstoßend, abweisend, wenig einladend

off season ['ɒfsi:zn] *sb (in tourism)* Nebensaison *f*

offset ['ɒfset] *v irr* 1. ausgleichen; *(make up for)* aufwiegen; *sb* 2. *(printing)* Offsetdruck *m*; 3. *ECO* Ausgleich *m*

offshoot ['ɒfʃu:t] *sb* 1. *(of a plant)* Ausläufer *m*, Ableger *m; (of a tree)* Schössling *m*;

2. *(fig) (of a discussion)* Randergebnis *n; (of a family tree)* Nebenlinie *f*

offside [ɒf'saıd] *adv SPORT* abseits; *to be ~* abseits stehen

offspring ['ɒfsprıŋ] *pl* Nachkommen *pl*

often ['ɒfən] *adv* oft, häufig, oftmals; *more ~ than not* meistens; *every so ~* von Zeit zu Zeit

ogle ['əʊgl] *v* liebäugeln mit

oil [ɒıl] *v* 1. ölen, schmieren; *sb* 2. Öl *n; pour ~ on the flames (fig)* Öl ins Feuer gießen; *burn the midnight ~ (fam)* (beim Lernen) lange aufbleiben; *strike ~* Erdöl finden, auf Öl stoßen; *(fig)* einen guten Fund machen

oil painting ['ɒılpeıntıŋ] *sb ART* 1. *(picture)* Ölgemälde *n*; 2. *(activity)* Ölmalerei *f*

oily ['ɒılı] *adj* fettig, ölig

ointment ['ɒıntmənt] *sb* Salbe *f; a fly in the ~* ein Haar in der Suppe

OK ['əʊ'keı] *interj* 1. okay *(fam); adj* 2. in Ordnung, *(fam)* okay; *That's ~.* Das geht in Ordnung. *v* 3. *(approve)* genehmigen, gutheißen; *sb* 4. *(approval)* Zustimmung *f*, Genehmigung *f*

okay ['əʊ'keı] *(see "OK")*

old [əʊld] *adj* alt; *three-year-~ (child)* Dreijährige(r) *m; any ~ thing* irgendwas; *grow ~* alt werden

old age pensioner [əʊld eıdʒ 'penʃənə] *sb* Rentner *m*

old-established [əʊld ıs'tæblıʃd] *adj* alteingesessen, alt

old-fashioned [əʊld'fæʃənd] *adj* altmodisch

old hand [əʊld hænd] *sb (fam)* erfahrener Mensch *m*, Veteran *m*

old hat [əʊld hæt] *adj to be ~* ein alter Hut sein

old-timer ['əʊldtaımə] *sb (fam)* Oldtimer *m*

old wives' tale [əʊld'waıvzteıl] *sb* Ammenmärchen *n*

olive ['ɒlıv] *sb* 1. Olive *f*; 2. *(colour)* Olive *n*

olive oil ['ɒlıv ɒıl] *sb GAST* Olivenöl *n*

omelette ['ɒmlıt] *sb GAST* Omelett *n; You can't make an ~ without breaking eggs. (fig)* Wo gehobelt wird, da fallen Späne.

omen ['əʊmən] *sb* Omen *n*, Zeichen *n*

omission [əʊ'mıʃən] *sb* 1. *(omitting)* Auslassen *n*; 2. *(thing left out)* Auslassung *f*; 3. *(failure to do sth)* Unterlassung *f; sin of ~* Unterlassungssünde *f*

omit [əʊ'mıt] *v* 1. auslassen; 2. *(not do sth)* es unterlassen, es versäumen

omnipotent [ɒm'nıpətənt] *adj* allmächtig

omnivore [ˈɒmnɪvɔː] sb BIO Allesfresser m
omnivorous [ɒmˈnɪvərəs] adj alles fressend

on [ɒn] prep 1. auf, an; a ring ~ her finger ein Ring am Finger; ~ earth auf Erden; ~ my left links von mir; ~ TV im Fernsehen; I have no money ~ me. Ich habe kein Geld bei mir. ~ foot zu Fuß; live ~ sth von etw leben; to be ~ a pill eine Pille ständig nehmen; to be ~ drugs Drogen nehmen; What's ~ TV tonight? Was kommt heute Abend im Fernsehen? throw sth ~ the floor etw zu Boden werfen; This is ~ me. (fam: I'll pay for this.) Das geht auf meine Rechnung. He had a scar ~ his face. Er hatte eine Narbe im Gesicht. 2. (a certain day) an; ~ Wednesday Mittwoch, am Mittwoch; ~ Wednesdays mittwochs; 3. (about, ~ the subject of) über; a book ~ Romy Schneider ein Buch über Romy Schneider

once [wʌns] adv 1. (one time) einmal; ~ and for all ein für alle Mal; not ~ kein einziges Mal; for ~ dieses eine Mal, ausnahmsweise; ~ again, ~ more noch einmal, erneut; ~ in a while hin und wieder, ab und zu mal; 2. (in the past) einmal; ~ upon a time there was ... es war einmal ... 3. at ~ (right away) sofort, auf der Stelle, gleich; 4. at ~ (at the same time) auf einmal, gleichzeitig; konj 5. sobald, wenn

once-over [wʌnsˈəʊvə] sb 1. give sth the ~ (appraise sth) etw kurz mustern; 2. give sth the ~ (clean sth) Just give it the ~. Wisch es bloß mal schnell ab.

one [wʌn] num 1. eins; ~ and a half eineinhalb, anderthalb; ; adj 2. ein/eine; ~ hundred einhundert; ~ or two ein paar, einige; for ~ thing zunächst einmal; 3. (indefinite) ~ day eines Tages; ~ of these days irgendwann mal; ~ Robert Best ein gewisser Robert Best; 4. (sole) the ~ way of doing it die einzige Möglichkeit, es zu tun; No ~ man could do it. Niemand konnte es allein tun. the ~ and only James Brown der unvergleichliche James Brown; ~ man in ten jeder Zehnte; his ~ thought sein einziger Gedanke; go s.o. ~ better es besser machen als jmd; to be ~ up on s.o. jdm um eine Nasenlänge voraus sein; 5. not ~ ... kein Einziger/keine Einzige/kein Einziges ...; pron 6. eine(r,s); the little ~ der/die/das kleine; He is ~ of us. Er ist einer von uns. the last but ~ der Vorletzte; 7. ~ after the other, ~ by ~ einer nach dem Anderen, einzeln; 8. ~ another einander, sich; 9. the ~ who ... der, der.../die, die.../das, das..., derjenige, der.../diejenige, die.../dasjenige, das...

one-night stand [wʌnnaɪtˈstænd] sb 1. THEAT einmaliges Gastspiel n; 2. (fam: sexual) erotische Beziehung, die nur eine Nacht dauert

oneself [wʌnˈself] pron 1. sich; (personally) sich selbst; 2. by ~ aus eigener Kraft, von selbst; (alone) allein

one-to-one [wʌn tuː wʌn] adj eins-zueins, sich genau entsprechend

one-track [ˈwʌntræk] adj eingleisig; He has a ~ mind. Er hat immer nur dasselbe im Kopf.

one-way street [ˈwʌnweɪstriːt] sb Einbahnstraße f

one-way ticket [wʌnweɪˈtɪkɪt] sb (US) Hinfahrkarte f, einfache Fahrkarte f

onion [ˈʌnjən] sb Zwiebel f

only [ˈəʊnlɪ] adv 1. nur, bloß; It's ~ three o'clock. Es ist erst drei Uhr. not ~ ... but also ... nicht nur ..., sondern auch ... if ~ wenn nur; ~ just gerade, kaum; ~ yesterday erst gestern; adj 2. einzige(r,s); an ~ child ein Einzelkind n

onshore [ˈɒnʃɔː] adj Land~

onto [ˈɒntʊ] prep auf; to be ~ sth hinter etw gekommen sein

onward [ˈɒnwəd] adv 1. vorwärts, weiter; adj 2. vorwärts schreitend, fortschreitend

oops [uːps] interj hoppla

ooze [uːz] v 1. sickern; ~ charm (fig) vor Liebenswürdigkeit triefen; ~ out herausickern, herausquellen; sb 2. (mud) Schlamm m

open [ˈəʊpən] v 1. sich öffnen, aufgehen; 2. ~ on to gehen auf, führen auf; 3. (shop) aufmachen, öffnen; 4. (sth) öffnen, aufmachen; 5. (a book, a newspaper) aufschlagen; 6. (start) beginnen; (a card game) eröffnen; 7. (trial, exhibition, new business) eröffnen; adj 8. offen, auf, geöffnet; ~ to the public für die Öffentlichkeit zugänglich; The job is still ~. Die Stelle ist noch frei. in the ~ im Freien; to be ~ to suggestions Vorschlägen gegenüber offen sein; ~ to question anfechtbar; 9. (frank) offen, aufrichtig; 10. (unguarded) SPORT frei; His teammate was wide ~. Sein Mitspieler war völlig frei. sb 11. bring sth into the ~ etw ans Licht bringen; come into the ~ Farbe bekennen

•**open up** v 1. sich öffnen; Open up! Aufmachen! 2. (fig: opportunities) sich eröffnen; 3. (sth) erschließen; 4. (unlock) aufschließen; 5. (begin firing) das Feuer eröffnen, schießen; 6. (become familiar) auftauen; 7. (disclose information) gesprächiger werden; 8. (increase speed) beschleunigen, schneller werden

open-air ['əupənɛə] *adj* Freilicht..., Freiluft..., Frei...

open day ['əupən deɪ] *sb* Tag der offenen Tür *m*

open-hearted ['əupənhɑːtɪd] *adj* offen

open-minded [əupən'maɪndɪd] *adj* aufgeschlossen, vorurteilslos

opera ['ɒpərə] *sb* Oper *f*

opera house ['ɒpərə haʊs] *sb* MUS Opernhaus *n*

operate ['ɒpəreɪt] *v 1. (carry on one's business)* operieren; *2. (machine)* funktionieren, in Betrieb sein; *3. (system, organization)* arbeiten; *4.* MED operieren; *5. (manage)* betreiben, führen; *6. (a machine)* TECH bedienen; *(a brake, a lever)* betätigen

operating ['ɒpəreɪtɪŋ] *adj* ECO Betriebs..., MED Operations...

operating room ['ɒpəreɪtɪŋ ruːm] *sb* Operationssaal *m*

operation [ɒpə'reɪʃən] *sb 1. (control)* TECH Bedienung *f*, Betätigung *f*; *2. (running)* Betrieb *m*; *put out of ~* außer Betrieb setzen; *3. (enterprise)* Unternehmen *n*, Unternehmung *f*, Operation *f*; *4.* MIL Operation *f*; *5.* MED Operation *f*

operational [ɒpə'reɪʃənəl] *adj 1. (in use)* in Betrieb, im Gebrauch, MIL im Einsatz; *2. (ready for use)* betriebsbereit, einsatzfähig; *3. (pertaining to operations)* ECO Betriebs..., MIL Einsatz...

operator ['ɒpəreɪtə] *sb 1.* TEL Vermittlung *f*, Dame/Herr von der Vermittlung *f/m*; *2. (company)* Unternehmer *m*; *3. (of a machine)* Bedienungsperson *f*, Arbeiter *m*, *(of a lift, of a vehicle)* Führer *m*; *4. (fam)* Kerl *m*; *a slick ~* ein gerissener Bursche

operetta [ɒpə'retə] *sb* Operette *f*

opinion [ə'pɪnjən] *sb 1.* Meinung *f*, Ansicht *f*; *matter of ~* Ansichtssache *f*; *public ~* die öffentliche Meinung; *have a high ~ of* viel halten von; *in my ~* meiner Meinung nach, meines Erachtens, meiner Ansicht nach; *2. (professional advice)* Gutachten *n*; *get a second ~* MED einen zweiten Befund einholen

opinion poll [ə'pɪnjən pəʊl] *sb* Meinungsumfrage *f*

opponent [ə'pəʊnənt] *sb 1.* Gegner *m*, Opponent *m*; *2. (one player)* SPORT Gegenspieler *m*

opportunistic [ɒpətjuː'nɪstɪk] *adj* opportunistisch

opportunity [ɒpə'tjuːnɪtɪ] *sb* Gelegenheit *f*, Möglichkeit *f*, Chance *f*

oppose [ə'pəʊz] *v 1. (sth)* sich widersetzen, bekämpfen; *2. (contrast)* gegenüberstellen

opposite ['ɒpəzɪt] *adj 1. (contrary)* entgegengesetzt; *the ~ sex* das andere Geschlecht *n*; *2. (facing)* gegenüberstehend, gegenüberliegend; *adv 3.* gegenüber, auf der anderen Seite; *prep 4.* gegenüber; *5. play ~ s.o.* THEAT als Partner von jdm spielen; *sb 6.* Gegenteil *n*

opposition [ɒpə'zɪʃən] *sb 1.* Widerstand *m*, Opposition *f*; *2. (those resisting)* Opposition *f*; *3. (contrast)* Gegensatz *m*

oppress [ə'pres] *v 1.* unterdrücken, tyrannisieren; *2. (weigh down)* bedrücken

oppression [ə'preʃən] *sb 1.* Unterdrückung *f*, Tyrannisierung *f*; *2. (depression)* Bedrängnis *f*, Bedrücktheit *f*

oppressive [ə'presɪv] *adj 1.* tyrannisch, hart; *2. (fig)* drückend, bedrückend; *(heat)* schwül

opt [ɒpt] *v ~ for* sich entscheiden für

opthalmology [ɒfθæl'mɒlədʒɪ] *sb* Ophtalmologie *f*, Augenheilkunde *f*

optical illusion ['ɒptɪkl ɪ'luːʒən] *sb* optische Täuschung *f*

optician [ɒp'tɪʃən] *sb* Optiker *m*

optimal ['ɒptɪməl] *adj* optimal

optimist ['ɒptɪmɪst] *sb* Optimist *m*

optimistic [ɒptɪ'mɪstɪk] *adj* optimistisch

option ['ɒpʃən] *sb 1.* Wahl *f*; *2. (one possible course of action)* Möglichkeit *f*

optional ['ɒpʃənəl] *adj 1.* freiwillig; *2. (accessory)* auf Wunsch erhältlich

optometrist [ɒp'tɒmətrɪst] *sb (US)* Optiker *m*

opt-out ['ɒptaʊt] *sb (in television)* Regionalfenster *n*

or [ɔː] *konj* oder; *He can't read ~ write.* Er kann weder lesen noch schreiben. *in four ~ five days* in vier bis fünf Tagen

oral ['ɔːrəl] *adj 1. (verbal)* mündlich; *2.* MED oral, Mund...

orange ['ɒrɪndʒ] *sb 1.* Orange *f*, Apfelsine *f*; *2. (colour)* Orange *n*; *adj 3.* orange

orator ['ɒrətə] *sb* Redner *m*

oratory ['ɒrətərɪ] *sb* Redekunst *f*

orbit ['ɔːbɪt] *v 1.* kreisen; *2. (sth)* umkreisen; *sb 3. (path)* ASTR Umlaufbahn *f*, Kreisbahn *f*; *4. (one circuit)* ASTR Umkreisung *f*; *5. (fig: sphere of influence)* Einflusssphäre *f*

ordeal [ɔː'diːl] *sb* Tortur *f*, Martyrium *n*; *(emotional ~)* Qual *f*, Feuerprobe *f*

order ['ɔːdə] *v 1. (place an ~)* bestellen; *2. (place an ~ for)* bestellen, *(~ to be manufactured)* in Auftrag geben; *3. (command)* befeh-

len, anordnen; ~ *in* hereinkommen lassen; *4.
(arrange)* ordnen; *sb 5. (sequence)* Reihenfolge *f*, Folge *f*, Ordnung *f*; *in ~ of priority* je nach
Dringlichkeit; *6. (proper state)* Ordnung *f; put
sth in ~* etw in Ordnung bringen; *law and ~*
Ruhe und Ordnung; *7. (working condition)* Zustand *m; to be out of ~* nicht funktionieren,
außer Betrieb sein; *8. (command)* Befehl *m*,
Anordnung *f; to be under ~s to do sth* Befehl
haben, etw zu tun; *by ~ of* auf Befehl von, im
Auftrag von; *9. in ~ to* um ... zu; *10. (procedure at a meeting)* a point of ~ eine
Verfahrensfrage; *call the meeting to ~* die
Versammlung zur Ordnung rufen; *to be the ~
of the day (fig)* an der Tagesordnung sein; *11.
(for goods, in a restaurant)* Bestellung *f, (to
have sth made)* Auftrag *m; make to ~* auf
Bestellung anfertigen; *12. (honour)* Orden *m*
order form ['ɔːdəfɔːm] *sb* Bestellschein *m*
ordinal number ['ɔːdɪnəl 'nʌmbə] *sb*
Ordnungszahl *f*
ordinarily ['ɔːdnrɪlɪ] *adv* normalerweise,
gewöhnlich
ordinary ['ɔːdɪnərɪ] *adj 1.* gewöhnlich, normal, üblich; *sb 2. out of the ~* außergewöhnlich
organ ['ɔːgən] *sb 1. ANAT* Organ *n; 2. MUS*
Orgel *f*
organ donor ['ɔːgəndəunə] *sb* Organspender *m*
organic [ɔːˈgænɪk] *adj* organisch
organization [ɔːgənaɪˈzeɪʃən] *sb* Organisation *f*
organizer ['ɔːgənaɪzə] *sb* Organisator *m;
(of an event)* Veranstalter *m*
orientate ['ɔːrɪənteɪt] *v ~ o.s.* sich orientieren
orientation [ɔːrɪənˈteɪʃən] *sb 1.* Orientierung *f; 2. (for newcomers)* Einführung *f*
origin ['ɒrɪdʒɪn] *sb 1.* Ursprung *m*, Herkunft *f; 2. (of a person)* Herkunft *f; 3. (source)*
Quelle *f*
original [əˈrɪdʒɪnl] *adj 1.* ursprünglich; *2.
(version)* original; *3. (creative)* originell; *sb 4.*
Original *n*
originality [ərɪdʒɪˈnælɪtɪ] *sb* Originalität *f*
originate [əˈrɪdʒɪneɪt] *v 1. ~ from* entstehen aus, seinen Ursprung haben in; *2. (sth)*
hervorbringen, erzeugen, verursachen
ornament ['ɔːnəmənt] *sb 1.* Ornament *n;
2. (fig: person)* Zierde *f*
ornamental [ɔːnəˈmentl] *adj* schmü-
ckend, Zier...
orphan ['ɔːfən] *sb* Waise *f*, Waisenkind *n*

orphanage ['ɔːfənɪdʒ] *sb* Waisenhaus *n*
orthodontist [ɔːθəˈdɒntɪst] *sb MED* Kie-
ferorthopäde *m*
orthodox ['ɔːθədɒks] *adj* orthodox
orthopaedic [ɔːθəˈpiːdɪk] *adj* orthopädisch
Oscar-winning ['ɒskəwɪnɪŋ] *sb CINE* mit
einem Oscar ausgezeichnet
ostensible [ɒˈtensəbl] *adj* vorgeblich; *(alleged)* angeblich
ostentation [ɒstenˈteɪsən] *sb* Protzigkeit *f*
ostentatious [ɒstenˈteɪʃəs] *adj* protzig
other ['ʌðə] *adj 1.* andere(r,s); *~ than* außer;
none ~ than kein anderer als; *some ... or ~* irgendein ...; *one ~ person* eine weitere Person;
the ~ day neulich; *2. every ~ (alternate)* je-
de(r,s) zweite; *pron 3.* andere(r,s)
otherwise ['ʌðəwaɪz] *konj 1.* sonst, andernfalls; *adv 2. (differently)* anders; *(in other
respects)* sonst
otter ['ɒtə] *sb ZOOL* Otter *m*
our [auə] *adj* unser
ourselves [auəˈselvz] *pron 1.* uns; *2. (for
emphasis)* selbst
out [aut] *adv 1.* außen; *(~ of doors)* draußen;
have it ~ with s.o. (fig) die Sache mit jdm ausfechten; *hear s.o. ~* jdn bis zum Ende anhören; *~ to do sth* darauf aus, etw zu tun; *two
~ of three* zwei von drei; *2. (indicating motion
seen from outside)* heraus, raus (fam); *3. (indicating motion seen from inside)* hinaus, (fam)
raus; *on the way ~* beim Hinausgehen; *4. to
be ~ (not present)* weg sein, nicht da sein;
She's ~ shopping. Sie ist zum Einkaufen gegangen. *~ and about* unterwegs; *5. (fire,
school, ~ of bounds)* aus; *6. (~ of fashion) (fam)*
out, passee; *7. (not permissible)* ausgeschlossen; *8. (fam: unconscious)* weg, bewusstlos;
pass ~ ohnmächtig werden; *prep 9.* aus; *v 10.
(fam: reveal s.o. is gay)* outen (fam)
outback ['autbæk] *sb (Australian ~) GEO*
das Hinterland *n*
outbreak ['autbreɪk] *sb* Ausbruch *m*
outburst ['autbɜːst] *sb* Ausbruch *m*
outcast ['autkɑːst] *sb (person)* Ausge-
stoßene(r) *m/f*
outcry ['autkraɪ] *sb* Aufschrei *m, (public ~)*
Protestwelle *f*
outdated [autˈdeɪtɪd] *adj* überholt
outdo [autˈduː] *v irr* übertreffen
outdoor ['autdɔː] *adj* Außen..., draußen,
Freiluft...
outdoors [autˈdɔːz] *adv* draußen, im
Freien

outer space [aʊtə'speɪs] *sb* ASTR der Weltraum *m*

outfit ['aʊtfɪt] *v 1.* ausrüsten, ausstatten; *sb 2. (equipment)* Ausrüstung *f,* Ausstattung *f; 3. (uniform)* Uniform *f; 4. (clothing ensemble)* Ensemble *n; 5. (fam: organization)* Verein *m,* Laden *m*

outgoing [aʊt'gəʊɪŋ] *adj 1.* abgehend; *(tenant)* ausziehend; *(government)* abtretend; *2. (personality)* kontaktfreudig

outgrow [aʊt'grəʊ] *v irr 1.* herauswachsen aus; *2. (a habit)* ablegen

outhouse ['aʊthaʊs] *sb 1.* Seitengebäude *n; 2. (US: toilet)* Außenabort *m*

outlaw ['aʊtlɔː] *v 1.* für ungesetzlich erklären, verbieten; *sb 2.* Verbrecher *m*

outlet ['aʊtlet] *sb 1. (electrical ~)* Steckdose *f; 2. (for water)* Abfluss *m; 3. (for gas)* Abzug *m; 4. (for goods)* ECO Absatzmöglichkeit *f; 5. (shop)* Verkaufsstelle *f; 6. (fig: for emotions)* Ventil *n*

outlive [aʊt'lɪv] *v* überleben

outlook ['aʊtlʊk] *sb 1. (view)* Aussicht *f,* Ausblick *m,* Blick *m; 2. (attitude)* Einstellung *f,* Anschauung *f; 3. (prospects)* Aussichten *pl*

outlying ['aʊtlaɪŋ] *adj (outside of town)* umliegend

out-of-doors [aʊtəv'dɔːz] *adv* im Freien, draußen

out-of-pocket [aʊtəv'pɒkɪt] *adj* Bar...

out-of-the-way ['aʊtəvðəweɪ] *adj* abgelegen, versteckt

output ['aʊtpʊt] *sb 1.* Produktion *f; 2.* INFORM Output *m*

outrage [aʊt'reɪdʒ] *v 1. (s.o.)* empören, entrüsten, schockieren; *2. (sense of decency)* verletzen, beleidigen; ['aʊtreɪdʒ] *sb 3. (feeling of ~)* Empörung *f,* Entrüstung *f; 4. (scandalous thing, indecent thing)* Skandal *m; 5. (atrocity)* Gräueltat *f*

outrageous [aʊt'reɪdʒəs] *adj 1.* unerhört, empörend; *(demand)* unverschämt; *2. (attire)* ausgefallen; *3. (cruel)* gräulich

outright ['aʊtraɪt] *adj 1.* völlig, gänzlich, total; *adv 2.* glatt; *(at once)* sofort

outside ['aʊt'saɪd] *adv 1.* außen; *(of a house, of a vehicle)* draußen; *prep 2.* außerhalb; *3. (apart from)* außer; *adj 4.* Außen..., äußere(r,s); *an ~ chance* eine kleine Chance; *sb 5.* das Äußere *n,* Außenseite *f; at the ~* äußerstenfalls

outsider [aʊt'saɪdə] *sb* Außenseiter *m*

outsource [aʊt'sɔːs] *v* ECO an Fremdfirmen vergeben

outsourcing ['aʊtsɔːsɪŋ] *sb* ECO Fremdvergabe *f*

outspoken [aʊt'spəʊkən] *adj* freimütig

outstanding [aʊt'stændɪŋ] *adj 1.* hervorragend, außerordentlich, überragend; *2. (not yet paid)* ECO ausstehend; *3. (not yet done)* unerledigt

outward ['aʊtwəd] *adv 1.* nach außen, auswärts; *adj 2. (outer)* äußere(r,s); *(beauty)* äußerlich; *3. (traffic)* nach außen gerichtet, nach außen führend, Aus...

outwit [aʊt'wɪt] *v* überlisten

oval ['əʊvəl] *adj* oval

oven ['ʌvn] *sb 1.* GAST Backofen *m; 2.* TECH Ofen *m*

over ['əʊvə] *prep 1.* über; *hit s.o. ~ the head* jdm auf den Kopf schlagen; *~ the phone* am Telefon; *~ and above* zusätzlich; *2. (during)* während; *~ the weekend* übers Wochenende; *adv 3. (on the other side)* drüben; *~ there* da drüben; *4. (across: away from the speaker)* hinüber; *(toward the speaker)* herüber; *5. come ~* vorbeikommen; *6. (again)* wieder, nochmals; *~ and ~* immer wieder; *7. (ended)* zu Ende, vorbei; *~ and done with* aus und vorbei; *8. (left ~)* übrig; *9. all ~ (everywhere)* überall; *from all ~ Europe* aus ganz Europa; *10. turn sth ~* etw herumdrehen; *fall ~* umfallen; *bend ~* sich nach vorn beugen

overage ['əʊvərɪdʒ] *sb 1.* Überschuss *m;* [əʊvər'eɪdʒ] *adj 2.* zu alt

overall [əʊvər'ɔːl] *adj 1. (general)* allgemein; *2.* gesamt, Gesamt...; *adv 3.* insgesamt; *(on the whole)* im Großen und Ganzen; ['əʊvərɔːl] *sb 4. (UK)* Kittel *m*

overalls ['əʊvərɔːlz] *pl* Overall *m*

overbalance [əʊvə'bæləns] *v 1.* aus dem Gleichgewicht kommen, das Gleichgewicht verlieren; *2. (~ sth)* aus dem Gleichgewicht bringen, umwerfen, umstoßen

overbearing [əʊvə'beərɪŋ] *adj* anmaßend, herrisch

overboard ['əʊvəbɔːd] *adv* NAUT über Bord

overcharge [əʊvə'tʃɑːdʒ] *v (s.o.)* zu viel berechnen

overcompensate [əʊvə'kɒmpənseɪt] *v ~ for sth* etw überkompensieren

overcrowded [əʊvə'kraʊdɪd] *adj 1.* überfüllt; *2. (overpopulated)* überbevölkert

overdo [əʊvə'duː] *v irr* übertreiben

overdose ['əʊvədəʊs] *sb* Überdosis *f*

overdress [əʊvə'dres] *v* sich zu elegant kleiden

overeat [əʊvər'iːt] *v irr* zu viel essen, sich überessen

overestimate [əʊvər'estɪmeɪt] *v* überschätzen, überbewerten

overexposed [əʊvərɪk'spəʊzd] *adj FOTO* überbelichtet

overflow [əʊvə'fləʊ] *v* 1. überlaufen, überfließen; *(fig)* überquellen; 2. *(sth)* überschwemmen; ['əʊvəfləʊ] *sb* 3. *(outlet)* Überlauf *m*; 4. *(fig: excess)* Überschuss *m*; 5. *(overflowing)* Überfließen *n*

overgrown [əʊvə'grəʊn] *adj* überwachsen; *(too big)* übermäßig gewachsen

overhead [əʊvə'hed] *adv* 1. oben; ['əʊvəhed] *sb* 2. *ECO* Gemeinkosten *pl*, allgemeine Unkosten *pl*

overhead projector ['əʊvəhed prə'dʒektə] *sb* Tageslichtschreiber *m*

overhear [əʊvə'hɪə] *v irr* belauschen, zufällig mit anhören

overjoyed [əʊvə'dʒɔɪd] *adj* überglücklich, äußerst erfreut

overkill ['əʊvəkɪl] *sb (fig)* Zuviel *n*

overland [əʊvə'lænd] *adv* auf dem Landweg, über Land

overlap [əʊvə'læp] *v* 1. sich überschneiden, sich teilweise decken; ['əʊvəlæp] *sb* 2. Überschneidung *f*

overload [əʊvə'ləʊd] *v* 1. überladen; *(with electricity)* überlasten; ['əʊvələʊd] *sb* 2. Überbelastung *f*, *(electricity)* Überlastung *f*

overlook [əʊvə'lʊk] *v* 1. *(not notice)* übersehen, nicht bemerken; 2. *(ignore)* hinwegsehen über; 3. *(have a view of)* überblicken

overlord ['əʊvəlɔːd] *sb* Oberherr *m*

overnight [əʊvə'naɪt] *adv* 1. über Nacht; *adj* 2. Nacht..., Übernachtungs...

overpay [əʊvə'peɪ] *v irr* überbezahlen

overplay [əʊvə'pleɪ] *v* 1. überzogen darstellen; 2. ~ one's hand sich überschätzen, sich zu viel zumuten

overpowering [əʊvə'paʊərɪŋ] *adj* 1. überwältigend; 2. *(smell)* penetrant

overrate [əʊvə'reɪt] *v* überschätzen, überbewerten

overreact [əʊvərɪ'ækt] *v* überreagieren

overriding [əʊvə'raɪdɪŋ] *adj* vorrangig, überwiegend

overrule [əʊvə'ruːl] *v* 1. ablehnen; 2. *(a verdict)* aufheben

overrun [əʊvə'rʌn] *v irr (invade)* einfallen in; *(an enemy position)* überrennen

overseas [əʊvə'siːz] *adv* 1. nach Übersee, in Übersee; *adj* 2. überseeisch, Übersee...

oversee [əʊvə'siː] *v irr* beaufsichtigen, überwachen

overside ['əʊvəsaɪd] *adj* umseitig

oversight ['əʊvəsaɪt] *sb* Versehen *n*

oversleep [əʊvə'sliːp] *v irr* 1. sich verschlafen; 2. *(sth)* verschlafen

overspend [əʊvə'spend] *v irr* zu viel ausgeben, **overspill** Bevölkerungsüberschuss *m*

overtake [əʊvə'teɪk] *v irr* 1. *(pass)* überholen; 2. *(catch up to)* einholen

overtaking lane [əʊvə'teɪkɪŋ leɪn] *sb (UK)* Überholspur *f*

over-the-counter ['əʊvəðəkaʊntə] *adj* nicht rezeptpflichtig

overtime ['əʊvətaɪm] *sb* 1. Überstunden *pl*; 2. *(US) SPORT* Verlängerung *f*; 3. *adv* work ~ Überstunden machen

overweight [əʊvə'weɪt] *adj* übergewichtig

overwhelm [əʊvə'welm] *v* 1. überwältigen; 2. *(fig: with work, with praise)* überhäufen, überschütten

overwork [əʊvə'wɜːk] *v* 1. *(s.o.)* überanstrengen; 2. *(an idea)* überstrapazieren; an ~ed word ein abgedroschenes Wort; 3. ~ o.s. sich überarbeiten

owe [əʊ] *v* schulden, schuldig sein; ~ sth to s.o. (have s.o. to thank for sth) jdm etw verdanken; owing to wegen, infolge, dank

owl [aʊl] *sb ZOOL* Eule *f*

own¹ [əʊn] *v* 1. besitzen, haben; 2. *(admit)* zugeben, zugestehen, *(recognize)* anerkennen
• **own up** *v (admit)* zugeben, sich bekennen, gestehen

own² [əʊn] *adj* 1. eigen; He's his ~ man. Er geht seinen eigenen Weg; *pron* 2. for reasons of his ~ aus persönlichen Gründen; Those are my ~. Die gehören mir. I have money of my ~. Ich habe eigenes Geld. 3. on one's ~ (without help) selbst, (alone) allein; *sb* 4. get one's ~ back sich rächen

owner ['əʊnə] *sb* Besitzer *m*; *(of a house, of a firm)* Eigentümer *m*

ownership ['əʊnəʃɪp] *sb* Besitz *m*; under new ~ unter neuer Leitung

oxidize ['ɒksɪdaɪz] *v CHEM* oxidieren

oxygen ['ɒksɪdʒən] *sb* Sauerstoff *m*

oxymoron [ɒksɪ'mɔːrɒn] *sb* Oxymoron *n*

oyster ['ɔɪstə] *sb ZOOL* Auster *f*

ozone ['əʊzəʊn] *sb CHEM* Ozon *n*

ozone-friendly ['əʊzəʊnfrendlɪ] *adj* die Ozonschicht nicht schädigend

ozone hole ['əʊzəʊn həʊl] *sb* Ozonloch *n*

ozone layer ['əʊzəʊnleɪə] *sb (over the Earth)* Ozonschicht *f*

P

pace [peɪs] v 1. (stride) schreiten; 2. (measure) mit Schritten ausmessen; sb 3. (step) Schritt m; (of a horse) Gangart f; 4. (speed) Tempo n; set the ~ das Tempo vorgeben; keep ~ with Schritt halten mit

pacemaker ['peɪsmeɪkə] sb MED Herzschrittmacher m

pacer ['peɪsə] sb Schrittmacher m

pacific [pə'sɪfɪk] adj friedlich, friedliebend

pacifier ['pæsɪfaɪə] sb (US: for babies) Schnuller m

pacifist ['pæsɪfɪst] sb 1. Pazifist m; adj 2. pazifistisch

pack [pæk] v 1. packen; send s.o. ~ing fortjagen; 2. (a container) voll packen; 3. (a case) packen; (things into a case) einpacken; 4. (cram) packen; (a container) voll stopfen; 5. (soil) festdrücken; 6. (wrap) einpacken; 7. (fam: carry)(US) tragen, dabei haben; ~ one's lunch sich sein Mittagessen mitnehmen; 8. ~ s.o. off jdn fortschicken; sb 9. Packen m, Ballen m, Bündel n; a ~ of lies ein Haufen Lügen; 10. (packet) Paket n; (US: of cigarettes) Schachtel f; 11. (group) (of wolves) Rudel n; (of submarines) Gruppe f; 12. MED Packung f

package ['pækɪdʒ] v 1. verpacken; 2. (display to best advantage) präsentieren; sb 3. Paket n; 4. ECO Packung f

packaging ['pækɪdʒɪŋ] sb Verpackung f

packet ['pækɪt] sb Paket n, Päckchen n, Schachtel f

pad [pæd] v 1. polstern; (fig: a speech) aufblähen; sb 2. (for comfort) Polster n; 3. (for protection) Schützer m; 4. (with ink) Stempelkissen n; 5. (on an animal's foot) Ballen m; 6. (of paper) Block m; 7. (fam: residence) Bude f

padded ['pædɪd] adj 1. gepolstert; sb 2. a ~ cell eine Gummizelle f

paddle ['pædl] sb 1. Paddel n; v 2. paddeln

paddleboat ['pædlbəʊt] sb Paddelboot n

paddling pool ['pædlɪŋ puːl] sb (UK) Plantschbecken n

paddock ['pædək] sb Koppel f

paediatrician [piːdɪə'trɪʃən] sb Kinderarzt/Kinderärztin m/f, Pädiater m

paediatrics [piːdɪ'ætrɪks] sb Kinderheilkunde f, Pädiatrie f

pagan ['peɪgən] sb Heide/Heidin m/f

page [peɪdʒ] sb 1. (of a book) Seite f; take a ~ out of s.o.'s book es jdm gleichtun, jdn

nachahmen; 2. (messenger) Page m; v 3. ~ s.o. jdn ausrufen lassen

pain [peɪn] sb 1. Schmerz m; (mental torment) Qual f; 2. on ~ of death bei Todesstrafe f; 3. ~s pl Mühe f; take ~s to do sth sich Mühe geben, etw zu tun; v 4. schmerzen

painful ['peɪnfʊl] adj 1. schmerzhaft; 2. (memory) schmerzlich; 3. (fig: embarrassingly bad) peinlich

painkiller ['peɪnkɪlə] sb schmerzstillendes Mittel n

paint [peɪnt] v 1. ART malen; 2. (sth) streichen; sb 3. Farbe f; (on a car) Lack m; (makeup) Schminke f

paintbox ['peɪntbɒks] sb Farbkasten m, Malkasten m

paintbrush ['peɪntbrʌʃ] sb Pinsel m

painter ['peɪntə] sb 1. ART Maler m; 2. (of a house) Anstreicher m

painting ['peɪntɪŋ] sb 1. (picture) Bild n, Gemälde n; 2. (activity) Malerei f

paintwork ['peɪntwɜːk] sb Lack m, Anstrich m

pair [peə] sb 1. Paar n; v 2. paarweise anordnen

paisley ['peɪzlɪ] adj türkisch gemustert

pajamas [pə'dʒɑːməz] pl (US) Pyjama m, Schlafanzug m

pal [pæl] sb Kumpel m (fam), Freund m

palace ['pælɪs] sb Palast m

palate ['pælɪt] sb ANAT Gaumen m

palatial [pə'leɪʃəl] adj palastartig, Palast...

pale [peɪl] adj blass, bleich, fahl

paleface ['peɪlfeɪs] sb Bleichgesicht n

paleness ['peɪlnɪs] sb Blässe f, Farblosigkeit f

palette ['pælɪt] sb ART Palette f

palindrome ['pælɪndrəʊm] sb LING Palindrom n

pall [pɔːl] sb 1. Leichentuch n; 2. (fig) trostlose Stimmung f, Trauerstimmung f

pallet ['pælɪt] sb (for shipping, for storage) TECH Palette f

pallor ['pælə] sb Blässe f

palm¹ [pɑːm] sb 1. ANAT Handfläche f, Handteller m; cross s.o.'s ~ with silver jdm Geld geben (für eine Gefälligkeit); v 2. ~ off (sth) andrehen; 3. (s.o., with an explanation) abspeisen

palm² [pɑːm] sb BOT Palme f

palpable ['pælpəbl] *adj* greifbar
palpitation [pælpɪ'teɪʃən] *sb MED* Herzklopfen *n*
pamper ['pæmpə] *v* verwöhnen
pan [pæn] *sb 1.* Pfanne *f; v 2. (US: criticize)*
verreißen; *3. (camera) CINE* schwenken
pancake ['pænkeɪk] *sb GAST* Pfannkuchen *m*
pandemonium [pændɪ'məʊnɪəm] *sb*
Chaos *n*
pane [peɪn] *sb* Glasscheibe *f; window ~*
Fensterscheibe *f*
panel ['pænl] *sb 1. (wood)* Holztafel *f;
(glass)* Glasscheibe *f; (in a door)* Türfüllung *f;
2. (of switches) TECH* Schalttafel *f,* Kontroll-
tafel *f; (of a car)* Armaturenbrett *n; 3. (of ex-
perts, of interviewers)* Gremium *n; v 4.* täfeln
panel discussion ['pænldɪskʌʃən] *sb* Podiumsdiskussion *f*
panelling ['pænəlɪŋ] *sb* Täfelung *f*
panellist ['pænəlɪst] *sb* Diskussionsteil-
nehmer *m*
pang [pæŋ] *sb* Stich *m*
panic ['pænɪk] *v 1.* in Panik geraten; *sb 2.*
Panik *f*
panicky ['pænɪkɪ] *adj* überängstlich, nervös
panic-stricken ['pænɪkstrɪkən] *adj* von
panischem Schrecken ergriffen
panorama [pænə'rɑːmə] *sb* Panorama *n*
pan-pipes ['pænpaɪps] *pl MUS* Panflöte *f*
pansy ['pænzɪ] *sb 1. BOT* Stiefmütterchen
n; 2. (fam: homosexual) Schwuler *m*
pant [pænt] *v 1.* keuchen; *2. (dog)* hecheln
panties ['pæntɪz] *pl (for women)* Damenslip *m*
pantomime ['pæntəmaɪm] *sb 1.* Pantomime *f; 2. (UK)* Weihnachtsmärchen *n*
pantry ['pæntrɪ] *sb* Speisekammer *f,* Vorratskammer *f*
pants [pænts] *pl 1. (US: trousers)* Hose *f; 2.
(UK: underpants)* Unterhose *f*
pantyhose ['pæntɪhəʊz] *sb* Strumpfhose *f*
papal ['peɪpəl] *adj REL* päpstlich
paparazzi [pɑːpə'rɑːtsɪ] *pl* Paparazzi *pl*
paper ['peɪpə] *sb 1.* Papier *n; 2. ~s pl
(writings, documents)* Papiere *pl; 3. (scholar-
ly)* Referat *n; 4. (newspaper)* Zeitung *f*
paperback ['peɪpəbæk] *sb (~ book)* Ta-
schenbuch *n*
paper clip ['peɪpəklɪp] *sb* Büroklammer *f,*
Heftklammer *f*
paper money ['peɪpə 'mʌnɪ] *sb FIN* Pa-
piergeld *n*

paper plate ['peɪpə'pleɪt] *sb* Pappteller *m*
paper-thin [peɪpə'θɪn] *adj* hauchdünn
paperwork ['peɪpəwɜːk] *sb 1.* Schreibar-
beit *f; 2. (in a negative sense)* Papierkram *m*
parable ['pærəbl] *sb LIT* Parabel *f,* Gleichnis *n*
parachute ['pærəʃuːt] *sb 1.* Fallschirm *m;
v 2.* mit dem Fallschirm abspringen
parade [pə'reɪd] *sb 1. (festive procession)*
Umzug *m; 2. MIL* Parade *f; v 3. (through a
town)* durch die Straßen ziehen; *4. (show off)*
zur Schau stellen
paradise ['pærədaɪs] *sb* Paradies *n*
paraffin ['pærəfɪn] *sb CHEM* Paraffin *n*
paragliding ['pærəglaɪdɪŋ] *sb* Gleitschirm-
fliegen *n,* Paragliding *n*
paragon ['pærəgən] *sb* Muster *n; ~ of virtue* Ausbund der Tugend *m*
paragraph ['pærəgrɑːf] *sb* Absatz *m,* Abschnitt *m*
parallel ['pærəlel] *adj 1.* parallel; *2. (situ-
ations)* vergleichbar; *sb 3.* Parallele *f; 4. GEO*
Breitenkreis *m*
paralyse ['pærəlaɪz] *v* paralysieren, lähmen; *(fig: industry)* lahm legen; *to be ~d with
fear* vor Schreck wie gelähmt sein
paralysis [pə'ræləsɪs] *sb MED* Paralyse *f,*
Lähmung *f*
paramedic [pærə'medɪk] *sb* Sanitäter *m,*
ärztliche(r) Assistent/Assistentin *m/f*
parameter [pə'ræmɪtə] *sb 1. MATH* Parameter *m; 2. ~s pl (framework)* Rahmen *m*
paramount ['pærəmaʊnt] *adj* höchste(r,s),
oberste(r,s)
paranoia [pærə'nɔɪə] *sb* Paranoia *f*
paraphernalia [pærəfə'neɪlɪə] *sb* Zubehör *n,* Drum und Dran *n*
paraphrase ['pærəfreɪz] *v* umschreiben,
paraphrasieren
parasite ['pærəsaɪt] *sb* Parasit *m,* Schmarotzer *m*
parcel ['pɑːsl] *sb 1.* Paket *n; 2.* Parzelle *f; a
~ of land* ein Stück Land *n; v 3. ~ out* aufteilen
parched [pɑːtʃt] *adj (lips, throat)* ausge-
trocknet; *(land)* verdorrt
pardon ['pɑːdn] *v 1. JUR* begnadigen; *2.
(forgive)* verzeihen, vergeben; *Pardon me!* Verzeihung! *Pardon me?* Wie bitte? *sb 3. JUR*
Begnadigung *f; general ~* Amnestie *f; 4. (forgiveness)* Verzeihung *f; 5. I beg your ~ (excuse me...)* Verzeihen Sie bitte ..., *(What
did you say?)* Wie bitte? *I beg your ~! (outraged)* Erlauben Sie mal!

pardonable ['pɑːdnəbl] *adj* verzeihlich, entschuldbar

pare [peə] *v* 1. *GAST* schälen; 2. ~ *down* (fig) einschränken

parent ['peərənt] *sb* Elternteil *m;* ~s *pl* Eltern *pl*

parentage ['peərəntɪdʒ] *sb* Herkunft *f*

parent company ['peərənt 'kʌmpəni] *sb ECO* Muttergesellschaft *f*

parenthood ['peərənthʊd] *sb (state of being a parent)* Elternschaft *f*

parings ['peərɪŋz] *pl* Schalen *pl*

parish ['pærɪʃ] *sb* Gemeinde *f*

parishioner [pəˈrɪʃənə] *sb REL* Gemeindeglied *n*

park [pɑːk] *sb* 1. Park *m;* 2. *SPORT* Platz *m; v* 3. parken; 4. (~ *a bicycle, put sth down)* abstellen

parking ['pɑːkɪŋ] *sb* Parken *n; no* ~ Parken verboten

parking brake ['pɑːkɪŋ breɪk] *sb (US)* Feststellbremse *f*

parking light ['pɑːkɪŋ laɪt] *sb (US)* Standlicht *n,* Parklicht *n*

parking lot ['pɑːkɪŋlɒt] *sb* Parkplatz *m*

parking meter ['pɑːkɪŋmiːtə] *sb* Parkuhr *f*

parking space ['pɑːkɪŋspeɪs] *sb* Parklücke *f*

parking ticket ['pɑːkɪŋtɪkɪt] *sb* Strafzettel *m*

parkway ['pɑːkweɪ] *sb* Allee *f,* Chaussee *f*

parliament ['pɑːləmənt] *sb POL* Parlament *n*

parlous ['pɑːləs] *adj* prekär

parody ['pærədɪ] *sb* 1. Parodie *f; v* 2. parodieren

parole [pəˈrəʊl] *v* 1. auf Bewährung entlassen; *sb* 2. Bewährung *f*

parrot ['pærət] *sb* 1. *ZOOL* Papagei *m; v* 2. nachplappern

parry ['pærɪ] *v* parieren, abwehren

parsley ['pɑːslɪ] *sb BOT* Petersilie *f*

part [pɑːt] *v* 1. sich teilen; *(road)* sich gabeln; 2. *(people)* sich trennen; *(temporarily)* auseinander gehen; ~ *with* sich von etw trennen; 3. *(divide)* teilen; *(hair)* scheiteln; 4. *(separate)* trennen; *sb* 5. *(fragment, portion)* Teil *m; for the most* ~ hauptsächlich, weitgehend, meistens; ~ *of town* Stadtteil *m,* Viertel *n; in* ~ teilweise, zum Teil; 6. ~s *(area)* Gegend *f;* 7. *body* ~ Körperteil *m;* 8. *(side, interest, concern)* Seite *f; for his* ~ seinerseits, was ihn betrifft; *on the* ~ *of* seitens, vonseiten; 9. *(role)* Rolle *f; take* ~ *in sth* an etw teilnehmen,

bei etw mitmachen; 10. *(US: in hair)* Haarscheitel *m; adv* 11. teils, teilweise

partake [pɑːˈteɪk] *v irr* ~ *of (food)* zu sich nehmen

partial ['pɑːʃəl] *adj* 1. Teil..., teilweise, partiell; 2. *(biased) (person)* voreingenommen; *(judgement)* parteiisch; 3. *to be* ~ *to sth* eine besondere Vorliebe haben für etw

participant [pɑːˈtɪsɪpənt] *sb* Teilnehmer *m*

participate [pɑːˈtɪsɪpeɪt] *v* sich beteiligen, teilnehmen

participation [pɑːtɪsɪˈpeɪʃən] *sb* Beteiligung *f,* Teilnahme *f*

particle ['pɑːtɪkl] *sb* Teilchen *n*

particular [pəˈtɪkjʊlə] *adj* 1. *(special)* besondere(r,s), bestimmte(r,s); *this* ~ *case* dieser spezielle Fall; 2. *in* ~ besonders, vor allem; *nothing in* ~ nichts Bestimmtes, nichts Besonderes; 3. *(fussy)* eigen; *(choosy)* wählerisch; *sb* 4. ~s *pl* Einzelheiten *pl*

particularity [pətɪkjʊˈlærɪtɪ] *sb* Besonderheit *f,* besonderer Umstand *m,* Einzelheit *f*

particularly [pəˈtɪkjʊləlɪ] *adv* besonders, insbesondere

parting ['pɑːtɪŋ] *sb* 1. Abschied *m;* 2. *(UK: in hair)* Scheitel *m; adj* 3. Abschieds..., abschließend

partition [pɑːˈtɪʃən] *v* 1. *(a room)* aufteilen; 2. *(a country)* teilen; *sb* 3. *(act)* Teilung *f;* 4. *(wall)* Trennwand *f*

partly ['pɑːtlɪ] *adv* zum Teil, teilweise, teils

partner ['pɑːtnə] *sb* 1. Partner *m;* 2. *(in crime)* Komplize/Komplizin *m/f;* 3. *(in a limited company)* ECO Gesellschafter *m*

part payment [pɑːt 'peɪmənt] *sb* Abschlagszahlung *f,* Teilzahlung *f*

part-time [pɑːtˈtaɪm] *adj* 1. Teilzeit...; *adv* 2. auf Teilzeit, stundenweise

party ['pɑːtɪ] *sb* 1. *(celebration)* Fest *n,* Party *f* (fam), Gesellschaft *f;* 2. *JUR* Partei *f;* 3. *(participant)* Teilnehmer *m,* Teilhaber *m,* Beteiligte(r) *m/f; a third* ~ ein Dritter *m/* eine Dritte *f;* 4. *(group)* Gruppe *f,* Gesellschaft *f; MIL* Kommando *n;* 5. *POL* Partei *f*

party pooper ['pɑːtɪpuːpə] *sb* (fam) Spielverderber *m*

pass [pɑːs] *v* 1. *(move past)* vorbeigehen, vorbeifahren; *let s.o.* ~ jdn vorbeilassen; *let a remark* ~ eine Bemerkung durchgehen lassen; 2. *(overtake)* überholen; *"no* ~*ing"* Überholverbot *n;* 3. *(come to an end, disappear)* vorübergehen, vorbeigehen; *(storm)* vorüberziehen; 4. *(move)* gehen; ~ *into oblivion* in Ver-

gessenheit geraten; 5. *(time)* vergehen; ~ *the time* sich die Zeit vertreiben; 6. *come to ~* sich begeben; 7. *(in a card game)* passen; 8. *(move past)* vorbeigehen an, vorbeifahren an; 9. *(cross)* überschreiten, überqueren, passieren; 10. *(approve) (a law)* verabschieden; *(a motion)* annehmen; 11. JUR *(a sentence)* verhängen; *(judgement)* fällen; 12. *(exam)* bestehen; *(give a passing note)* bestehen lassen; 13. *(the time)* verbringen; 14. *(hand to s.o.)* reichen; 15. MED absondern, ausscheiden
• **pass away** *v (die)* entschlafen, hinscheiden
• **pass off** *v pass sth off as sth* etw als etw ausgeben
• **pass out** *v 1. (become unconscious)* in Ohnmacht fallen, umkippen (fam); 2. *(distribute)* austeilen, verteilen
• **pass over** *v (not choose, ignore)* übergehen
passage ['pæsɪdʒ] *sb* 1. *(going through)* Durchgang *m*, Durchfahrt *f*; 2. *(voyage)* Überfahrt *f*, Reise *f*; 3. *(fare)* Überfahrt *f*; 4. *(of time)* Vergehen *n*; 5. *(corridor)* Gang *m*; 6. *(in a book, of a piece of music)* Passage *f*; 7. *(of a bill)* POL Verabschiedung *f*
passageway ['pæsɪdʒweɪ] *sb* Durchgang *m*, Korridor *m*, Passage *f*
passenger ['pæsɪndʒə] *sb* 1. *(on a bus, in a taxi)* Fahrgast *m*; 2. *(on a plane, on a ship)* Passagier *m*; 3. *(on a train)* Reisende(r) *m/f*; 4. *(in a car)* Mitfahrer *m*
passenger seat ['pæsɪndʒəsiːt] *sb* Beifahrersitz *m*
passer-by [pɑːsəˈbaɪ] *sb* Passant(in) *m/f*
passing ['pɑːsɪŋ] *sb* 1. *in ~* beiläufig; 2. *(death)* Hinscheiden *n*; 3. *(of a law)* Durchgehen *n*; *adj* 4. vorübergehend, flüchtig; *(remark)* beiläufig
passion ['pæʃən] *sb* 1. Leidenschaft *f*; 2. REL, ART, MUS Passion *f*
passionate ['pæʃənɪt] *adj* leidenschaftlich
passive ['pæsɪv] *adj* 1. passiv; *sb* 2. GRAMM Passiv *n*
passive smoking ['pæsɪv 'sməʊkɪŋ] *sb* Passivrauchen *n*
passivism ['pæsɪvɪzəm] *sb* Passivität *f*
passport ['pɑːspɔːt] *sb* 1. Pass *m*, Reisepass *m*; 2. *(fig)* Schlüssel *m*
password ['pɑːswɜːd] *sb* Kennwort *n*, Losungswort *n*, Parole *f*
past [pɑːst] *adj* 1. vergangene(r,s); 2. *(previous)* frühere(r,s); *adv* 3. vorbei, vorüber; *prep* 4. *(motion)* an ... vorbei; 5. *(time)* nach, über; *half ~ nine* halb zehn; 6. *(beyond)* über ... hinaus; *I wouldn't put it ~ him. (fam)* Ich

würde es ihm schon zutrauen. *sb* 7. Vergangenheit *f*; *in the ~* früher, in der Vergangenheit
pasta ['pæstə] *sb* Pasta *f*, Teigwaren *pl*
paste [peɪst] *sb* 1. Kleister *m*; 2. GAST Paste *f*; 3. *(jewellery)* Strass *m*; *v* 4. *(affix)* kleben; 5. *~ s.o. (fam: punch)* jdm eins vor den Latz knallen; 6. *~ s.o. (fam: defeat)* jdn in die Pfanne hauen
pastel ['pæstel] *sb* 1. *(chalk)* Pastellkreide *f*; 2. *(colour)* Pastellton *m*; 3. *(drawing)* Pastellzeichnung *f*
pasteurization [pæstəraɪˈzeɪʃən] *sb* Pasteurisierung *f*, Pasteurisation *f*
pasteurize ['pæstəraɪz] *v* pasteurisieren
pastime ['pɑːstaɪm] *sb* Zeitvertreib *m*
pastor ['pɑːstə] *sb* REL Pfarrer *m*, Pastor *m*, Seelsorger *m*
past participle [pɑːst 'pɑːtɪsɪpl] *sb* GRAMM Partizip Perfekt *n*
pastry ['peɪstrɪ] *sb* 1. Teig *m*; 2. *(one ~)* Stückchen *n*, Kuchen *m*, Torte *f*; *pastries pl* Gebäck *n*
past tense [pɑːst tens] *sb* Vergangenheit *f*
pasture ['pɑːstʃə] *sb* Weide *f*; *put out to ~* auf die Weide treiben; *seek greener ~s (fig)* sich nach besseren Möglichkeiten umsehen
pat [pæt] *v* tätscheln; *~ s.o. on the back* jdm auf die Schulter klopfen
pâté ['pæteɪ] *sb* GAST Pastete *f*
patella [pəˈtelə] *sb* ANAT Patella *f*, Kniescheibe *f*
patent ['peɪtənt] *v* 1. patentieren lassen; *sb* 2. Patent *n*
patently ['peɪtntlɪ] *adv* offenkundig, offensichtlich
paternal [pəˈtɜːnəl] *adj* väterlich; *my ~ grandmother* meine Großmutter väterlicherseits
paternity [pəˈtɜːnɪtɪ] *sb* Vaterschaft *f*
paternity suit [pəˈtɜːnɪtɪ suːt] *sb* JUR Vaterschaftsklage *f*
pathetic [pəˈθetɪk] *adj* 1. *(piteous)* Mitleid erregend; 2. *(fam)* erbärmlich, jämmerlich, kläglich
pathological [pæθəˈlɒdʒɪkəl] *adj* pathologisch, krankhaft
pathologist [pəˈθɒlədʒɪst] *sb* MED Pathologe/Pathologin *m/f*
pathology [pəˈθɒlədʒɪ] *sb* *(science)* MED Pathologie *f*
patience ['peɪʃəns] *sb* Geduld *f*
patient ['peɪʃənt] *adj* 1. geduldig; *sb* 2. Patient(in) *m/f*

patriciate [pə'trɪʃɪɪt] *sb* Patriziat *n*, Patrizierklasse *f*
patriot ['peɪtrɪət] *sb* Patriot(in) *m/f*
patriotic [pætrɪ'ɒtɪk] *adj* patriotisch
patrol [pə'trəʊl] *v 1.* auf Patrouille gehen; *2. (policeman)* eine Streife machen; *3. (watchman)* seine Runden machen; *4. (an area)* patrouillieren; *sb 5.* Streife *f*; *6. (by a watchman)* Runde *f*; *7. (by a ship)* Patrouille *f*; *8. (people patrolling)* Patrouille *f*; *(of police)* Streife *f*
patrol car [pə'trəʊl kɑ:] *sb* Streifenwagen *m*
patron ['peɪtrən] *sb 1.* Patron *m*, Schutzherr *m*, Schirmherr *m*; *2. (of an artist)* Förderer *m*, Gönner *m*; *3. (customer)* Kunde/Kundin *m/f*, Gast *m*
patronize ['pætrənaɪz] *v 1. (a business)* besuchen; *2. (the arts)* unterstützen, fördern; *3. (treat condescendingly)* gönnerhaft behandeln, herablassend behandeln
patron saint ['peɪtrən seɪnt] *sb* REL Schutzpatron/Schutzpatronin *m/f*
pattern ['pætən] *sb 1.* Muster *n*; *2. (for sewing)* Schnittmuster *n*; *3. (fig)* Vorbild; *v 4. ~ sth after sth* etw nach etw bilden, etw nach etw gestalten
paunch [pɔ:ntʃ] *sb 1.* Bauch *m*, Wanst *m*; *2.* ZOOL Pansen *m*
paunchy ['pɔ:ntʃɪ] *adj* dick
pause [pɔ:z] *v 1.* eine Pause machen; *2. (in conversation)* innehalten; *3. (hesitate)* zögern; *sb 4.* Pause *f*; *give s.o. ~* jdm zu denken geben
pavement ['peɪvmənt] *sb 1. (UK)* Bürgersteig *m*, Trottoir *n*; *2. (US: paved road)* Straße *f*; *3. (material)* Pflaster *n*
pawn[1] [pɔ:n] *sb 1. (chess piece)* Bauer *m*; *2. (fig)* Schachfigur *f*
pawn[2] [pɔ:n] *v 1.* verpfänden, versetzen; *sb 2. (thing pawned)* Pfand *n*
pay [peɪ] *v irr 1.* bezahlen; *(a bill, interest)* zahlen; *~ for* bezahlen für; *2. (to be profitable)* sich lohnen; *3. ~ for (fig: suffer)* bezahlen für, büßen für; *4. ~ attention* Aufmerksamkeit schenken; *5. ~ s.o. a visit* jdn besuchen, jdm einen Besuch abstatten; *sb 6.* Lohn *m*; *(salary)* Gehalt *n*; MIL Sold *m*
• **pay back** *v irr 1.* zurückzahlen; *2. (a compliment)* erwidern; *3. (an insult)* sich revanchieren, heimzahlen
• **pay off** *v irr 1. (to be profitable) (fam)* sich lohnen; *2. (sth) (a debt)* abbezahlen; *(a mortgage)* ablösen; *3. (s.o.) (creditors)* befriedigen; *(workmen)* auszahlen

paycheck ['peɪtʃek] *sb (US)* Lohnscheck *m*, Gehaltsscheck *m*
payment ['peɪmənt] *sb 1.* Zahlung *f*; *2. (to a person)* Bezahlung *f*
payoff ['peɪɒf] *sb 1. (bribe)* Bestechungsgeld *n*; *2. (revenge)* Abrechnung *f*; *3. (outcome, climax)* Quittung *f*
pay-per-view [peɪpɜ:'vju:] *sb* Pay per view *n*
pay phone ['peɪfəʊn] *sb* Münzfernsprecher *m*; *Is there a ~ near here?* Gibt es hier in der Nähe eine Telefonzelle?
pay rise ['peɪraɪz] *sb* Lohnerhöhung *f*, Gehaltserhöhung *f*
pay-TV [peɪ'ti:vi:] *sb* Pay-TV *n*
pea [pi:] *sb* Erbse *f*
peace [pi:s] *sb 1.* Frieden *m*, Friede *m*; *make ~* Frieden schließen; *make one's ~ with s.o.* sich mit jdm versöhnen; *2. (tranquillity)* Ruhe *f*; *~ of mind* Seelenruhe *f*; *3.* JUR öffentliche Ruhe und Ordnung *f*; *disturb the ~* die öffentliche Ruhe stören
peace conference ['pi:skɒnfərəns] *sb* POL Friedenskonferenz *f*
peaceful ['pi:sfʊl] *adj 1.* friedlich; *2. (undisturbed)* ruhig
peacekeeping ['pi:ski:pɪŋ] *sb* Friedenserhaltung *f*, Friedenssicherung *f*
peace mission ['pi:smɪʃən] *sb* Friedensmission *f*
peacetime ['pi:staɪm] *sb* Friedenszeiten *pl*
peak [pi:k] *sb 1. (of a mountain)* Gipfel *m*; *2. (maximum)* Höhepunkt *m*; *3. (sharp point)* Spitze *f*; *v 4.* den Höchststand erreichen; *adj 5.* Höchst..., Spitzen...
peaked [pi:kt] *adj* spitz
peak hours [pi:k aʊəz] *pl* Hauptverkehrszeit *f*
peakish ['pi:kɪʃ] *adj* ziemlich spitz
peanut ['pi:nʌt] *sb* Erdnuss *f*; *work for ~s (fig)* für einen Apfel und ein Ei arbeiten (fam)
peanut butter ['pi:nʌtbʌtə] *sb* GAST Erdnussbutter *f*
pear [peə] *sb* Birne *f*
pearl [pɜ:l] *sb* Perle *f*
pearly ['pɜ:lɪ] *adj ~ white* perlweiß; *the ~ gates* die Himmelstür
pear tree [peə tri:] *sb* BOT Birnbaum *m*
peasant ['pezənt] *sb (armer)* Bauer *m*
peasantry ['pezntrɪ] *sb* Bauern *pl*, Bauernschaft *f*
peat [pi:t] *sb* Torf *m*
pebble ['pebl] *sb* Kieselstein *m*, Kiesel *m*
pecan [pɪ'kæn] *sb* BOT Pekannuss *f*

peck [pek] v 1. (bird) picken; sb 2. (kiss) flüchtiger Kuss m, Küsschen n; 3. (measure) Viertelscheffel m

peckish ['pekɪʃ] adj (fam) hungrig

peculiar [pɪ'kju:lɪə] adj 1. (strange) seltsam, eigenartig; 2. (own, special) eigentümlich, eigen

pedal ['pedl] v 1. in die Pedale treten; sb 2. Pedal n, Fußhebel m; put the ~ to the metal (fam) (US) Vollgas geben

peddle ['pedl] v 1. hausieren gehen; 2. (sth) hausieren gehen mit

peddler ['pedlə] sb (US) Hausierer m

pedestal ['pedɪstl] sb Sockel m; put s.o. on a ~ jdn in den Himmel heben

pedestrian [pɪ'destrɪən] sb 1. Fußgänger m; adj 2. (fam: mundane) prosaisch

pedestrian crossing [pɪ'destrɪənkrɒsɪŋ] sb (UK) Fußgängerüberweg m

pediatrician [pi:dɪə'trɪʃən] sb Kinderarzt/ Kinderärztin m/f

pedigree ['pedɪgri:] sb Stammbaum m, Ahnentafel f

peek [pi:k] v 1. gucken; sb 2. flüchtiger Blick m

peel [pi:l] v 1. (to be ~ing) sich schälen; (paint) abblättern; (wallpaper) sich lösen; 2. (sth) schälen; sb 3. Schale f

peeler ['pi:lə] sb Schäler m

peep [pi:p] v 1. (make a small noise) piepsen, piepen; 2. (look) gucken

Peeping Tom ['pi:pɪŋ tɒm] sb Spanner m (fam), Voyeur m

peer [pɪə] v 1. starren; ~ over the wall über die Mauer spähen; sb 2. Gleiche(r) m/f; He is without ~. Er sucht seinesgleichen. 3. (nobleman) Angehörige(r) des Hochadels m/f

peer group [pɪə gru:p] sb PSYCH Peergruppe f

peerless ['pɪəlɪs] adj einzigartig, unvergleichlich

peevish ['pi:vɪʃ] adj reizbar, übel gelaunt

peg [peg] v 1. anpflocken; 2. (fam: prices) stützen; sb 3. Pflock m; (for a pegboard) Stift m; (to hang a hat on) Haken m; 4. take s.o. down a ~ or two (fam) jdm einen Dämpfer aufsetzen

• **peg down** v festpflocken

pegboard ['pegbɔ:d] sb Lochbrett n

peg leg ['pegleg] sb (fam) Holzbein n

Pekinese [pi:kɪ'ni:z] sb (dog) Pekinese m

pelican ['pelɪkən] sb Pelikan m

pelican crossing ['pelɪkənkrɒsɪŋ] sb Ampelübergang m

pell-mell ['pel'mel] adv 1. (in a haste) Hals über Kopf; 2. (in disorder) durcheinander, wie Kraut und Rüben

pelt¹ [pelt] v 1. (beat hard) verhauen, prügeln; It's ~ing rain. Es regnet in Strömen. 2. (with rocks) bewerfen

pelt² [pelt] sb Pelz m, Fell n

pelvic ['pelvɪk] adj Becken...

pelvis ['pelvɪs] sb ANAT Becken n

pen¹ [pen] sb (writing instrument) Feder f; (ball-point ~) Kugelschreiber m

pen² [pen] sb (enclosure) Pferch m

penal institution ['pi:nəl ɪnstɪ'tju:ʃən] sb JUR Strafanstalt f

penalty ['penltɪ] sb 1. Strafe f; 2. (fig: disadvantage) Nachteil m

penalty area ['penltɪ 'ɛərɪə] sb SPORT Strafraum m

penalty kick ['penltɪ kɪk] sb SPORT Strafstoß m

pencil ['pensl] sb 1. Bleistift m; v 2. ~ in mit Bleistift schreiben

pencil sharpener ['penslʃɑːpənə] sb Bleistiftspitzer m

pend [pend] v 1. (remain unsettled) offen sein, ungeregelt sein; 2. (hang) hängen

pendant ['pendənt] sb Anhänger m

pendent ['pendənt] adj hängend, Hänge...

pending ['pendɪŋ] adj 1. JUR anhängig; prep 2. bis zu

penetrant ['penɪtrənt] adj eindringend, penetrant

penetrate ['penɪtreɪt] v 1. (sth) eindringen in; 2. (go right through) durchdringen

penetrating ['penɪtreɪtɪŋ] adj 1. durchdringend; 2. (mind) scharfsinnig

pen-friend ['penfrend] sb Brieffreund(in) m/f

penguin ['peŋgwɪn] sb ZOOL Pinguin m

penicillin [penɪ'sɪlɪn] sb MED Penicillin n

peninsula [pɪ'nɪnsjʊlə] sb Halbinsel f

penitence ['penɪtəns] sb Reue f

penitentiary [penɪ'tenʃərɪ] sb Strafanstalt f, Gefängnis n

penknife ['pennaɪf] sb Taschenmesser n

penmanship ['penmənʃɪp] sb Schreibkunst f

pen name [pen neɪm] sb Schriftstellername m, Pseudonym n

penniless ['penɪlɪs] adj ohne einen Pfennig Geld, mittellos

penny ['penɪ] sb Penny m; Centstück n; A ~ for your thoughts! Woran denkst du gerade?

penny-pincher ['penɪpɪntʃə] sb (fam) Pfennigfuchser m

pen pal ['penpæl] *sb* Brieffreund(in) *m/f*
pension ['penʃən] *sb* Rente *f; (from an employer)* Pension *f*
pensioner ['penʃənə] *sb* Rentner *m*
pensive ['pensɪv] *adj* nachdenklich, sinnend, gedankenvoll
pentagon ['pentəgɒn] *sb* 1. *MATH* Fünfeck *n;* 2. *the Pentagon MIL* das Pentagon *n*
penthouse ['penthaʊs] *sb (apartment)* Penthouse *n,* Dachterrassenwohnung *f*
penultimate [pɪ'nʌltɪmɪt] *adj* vorletzte(r,s)
people ['piːpl] *pl* 1. Leute *pl,* Menschen *pl; a thousand ~* tausend Menschen; *she of all ~* ausgerechnet sie; *~ say* man sagt; *sb* 2. *(race, nation)* Volk *n*
pep [pep] *sb* 1. Schwung *m; v* 2. *~ up* Schwung bringen in; *(person)* munter machen
pepper ['pepə] *sb* 1. Pfeffer *m; v* 2. pfeffern; 3. *(fig)* sprenkeln
peppery ['pepərɪ] *adj* gepfeffert
per [pɜː] *prep* pro; *as ~* gemäß
per annum [per'ænəm] *adv* pro Jahr
per cent [pə'sent] *sb* Prozent *n*
percentage [pə'sentɪdʒ] *sb* Prozentsatz *m; (proportion)* Teil *m; on a ~ basis* prozentual, auf Prozentbasis
perceptible [pə'septɪbl] *adj* wahrnehmbar, spürbar
perception [pə'sepʃən] *sb* 1. Wahrnehmung *f;* 2. *(mental image)* Auffassung *f;* 3. *(perceptiveness)* Einsicht *f*
perceptive [pə'septɪv] *adj (astute)* scharfsinnig
perch [pɜːtʃ] *v* 1. sitzen; *sb* 2. *(for a bird)* Stange *f;* 3. *(fig: for a person)* Sitz *m;* 4. *(fish) ZOOL* Flussbarsch *m*
percussion [pə'kʌʃən] *sb MUS* Schlagzeug *n; ~ instrument* Schlaginstrument *n*
perfect [pə'fekt] *v* 1. vervollkommnen; *(technology, a process)* perfektionieren; ['pɜːfɪkt] *adj* 2. perfekt, vollendet; *(ideal)* ideal; 3. *(complete)* völlig
perfectible [pə'fektəbl] *adj* vervollkommnungsfähig, perfektionierbar
perfection [pə'fekʃən] *sb* Vollkommenheit *f,* Perfektion *f; to ~* meisterlich
perfectionist [pə'fekʃənɪst] *sb* Perfektionist(in) *m/f*
perfectly ['pɜːfɪktlɪ] *adv* 1. *(flawlessly)* perfekt, vollendet; 2. *(utterly)* absolut, vollkommen
perfect tense ['pɜːfɪkt tens] *sb GRAM* Perfekt *n*

perform [pə'fɔːm] *v* 1. leisten; *~ well* eine gute Leistung bringen; 2. *THEAT* auftreten; 3. *(a task, a duty)* erfüllen; 4. *(an operation)* durchführen; 5. *(a play) THEAT* aufführen; 6. *(a song)* vortragen; 7. *(a ritual)* vollziehen
performance [pə'fɔːməns] *sb* 1. *(carrying out)* Erfüllung *f,* Durchführung *f;* 2. *(effectiveness)* Leistung *f;* 3. *(of a film) CINE* Vorstellung *f;* 4. *(of a play) THEAT* Aufführung *f;* 5. *(in a role)* Darstellung *f*
performer [pə'fɔːmə] *sb (actor)* Schauspieler *m; (musician)* Musiker *m*
performing [pə'fɔːmɪŋ] *adj* vorstellend, darstellend, ausführend
perfume ['pɜːfjuːm] *sb* Parfüm *n,* Duft *m*
perfunctory [pə'fʌŋktərɪ] *adj* mechanisch, lustlos, der Form halber
perhaps [pə'hæps] *adv* vielleicht
peril ['perɪl] *sb* Gefahr *f*
perilous ['perɪləs] *adj* gefährlich
perimeter [pə'rɪmɪtə] *sb* Peripherie *f*
period ['pɪərɪəd] *sb* 1. Periode *f,* Zeit *f; for a ~ of* auf die Dauer von; 2. *HIST* Spielabschnitt *m; (in ice hockey)* Drittel *n;* 3. *HIST* Zeitalter *n;* 4. *(menstruation)* Periode *f;* 5. *GRAMM* Punkt *m*
periodic [pɪərɪ'ɒdɪk] *adj* periodisch
periodical [pɪərɪ'ɒdɪkəl] *sb (magazine)* Zeitschrift *f*
peripheral [pə'rɪfərəl] *adj* 1. peripher, Rand...; 2. *(fig)* nebensächlich
periphery [pə'rɪfərɪ] *sb* 1. Peripherie *f;* 2. *(fig)* Rand *m*
periscope ['perɪskəʊp] *sb (submarine's) MIL* Sehrohr *n*
perish ['perɪʃ] *v* 1. *(die)* umkommen; *Perish the thought!* Gott behüte! 2. *(goods)* verderben; 3. *(rubber)* altern
perishable ['perɪʃəbl] *adj (goods)* verderblich
perished ['perɪʃt] *adj (fam)* durchgefroren
perk¹ [pɜːk] *sb (fam: perquisite)* Vergünstigung *f*
perk² [pɜːk] *v* 1. *~ up* munter werden, aufleben; 2. *~ up (s.o.)* munter machen; 3. *~ up one's ears* die Ohren spitzen
perky ['pɜːkɪ] *adj* kess, keck
perm [pɜːm] *sb (fam)* Dauerwelle *f*
permanence ['pɜːmənəns] *sb* Dauerhaftigkeit *f,* Beständigkeit *f*
permanency ['pɜːmənənsɪ] *sb* Dauerhaftigkeit *f,* Beständigkeit *f*
permanent ['pɜːmənənt] *adj* 1. bleibend, permanent; 2. *(constant)* ständig

permanently ['pɜːmənəntlɪ] *adv* auf immer, fest

permanent wave ['pɜːmənənt weɪv] *sb* Dauerwelle *f*

permeate ['pɜːmɪeɪt] *v 1.* dringen; *2. (sth)* durchdringen

permissible [pə'mɪsɪbl] *adj* zulässig

permission [pə'mɪʃən] *sb* Erlaubnis *f*

permit [pə'mɪt] *v 1.* erlauben, gestatten; ~ o.s. *sth* sich etw erlauben; ['pɜːmɪt] *sb 2.* Genehmigung *f*, Erlaubnis *f*

pernickety [pə'nɪkɪtɪ] *adj (fam)* pingelig, pedantisch

perpendicular [pɜːpən'dɪkjʊlə] *adj 1.* senkrecht; *sb 2.* MATH Lot *n*, Senkrechte *f*

perpetrate ['pɜːpɪtreɪt] *v* begehen

perpetual [pə'petjʊəl] *adj* ewig, fortwährend, immer während

perpetuate [pə'petjʊeɪt] *v* verewigen, fortbestehen lassen

perplex [pə'pleks] *v* verwirren, verblüffen

perplexed [pə'plekst] *adj* verblüfft, verdutzt

persecute ['pɜːsɪkjuːt] *v* verfolgen

persecution [pɜːsɪ'kjuːʃən] *sb* Verfolgung *f*

persevere [pɜːsɪ'vɪə] *v* nicht aufgeben

persevering [pɜːsɪ'vɪərɪŋ] *adj* beharrlich, standhaft

persist [pə'sɪst] *v 1. (to be tenacious)* beharren; *2. (last, continue)* anhalten, fortdauern

persistent [pə'sɪstənt] *adj 1. (person)* beharrlich; *(obstinate)* hartnäckig; *(importunate)* aufdringlich; *2. (thing)* anhaltend

person ['pɜːsn] *sb* Person *f*, Mensch *m*; in ~ persönlich

personage ['pɜːsənɪdʒ] *sb* Persönlichkeit *f*

personal ['pɜːsnl] *adj* persönlich

personal computer ['pɜːsənl kəm'pjuːtə] *sb* Personal-Computer *m*, PC *m*

personal hygiene ['pɜːsənl 'haɪdʒiːn] *sb* Körperpflege *f*

personal injury ['pɜːsənl 'ɪndʒərɪ] *sb* JUR Körperverletzung *f*

personality [pɜːsə'nælɪtɪ] *sb* Persönlichkeit *f*

personal organizer ['pɜːsənl 'ɔːgənaɪzə] *sb* Terminplaner *m*, Zeitplaner *m*

personal stereo ['pɜːsənl 'sterɪəʊ] *sb* tragbarer Kassetten- oder CD-Spieler mit Kopfhörern *m*, Walkman *m*

personification [pɜːsɒnɪfɪ'keɪʃən] *sb* Verkörperung *f*

personify [pɜː'sɒnɪfaɪ] *v* verkörpern

personnel [pɜːsə'nel] *sb 1.* Personal *n*; *2. (crew)* Besatzung *f*

personnel department [pɜːsə'nel dɪ'pɑːtmənt] *sb* Personalabteilung *f*

perspective [pə'spektɪv] *sb* Perspektive *f*

perspiration [pɜːspə'reɪʃən] *sb 1. (sweating)* Schwitzen *n*; *2. (sweat)* Schweiß *m*

perspire [pə'spaɪə] *v* schwitzen

persuade [pə'sweɪd] *v* überreden

persuasion [pə'sweɪʒən] *sb 1.* Überredung *f*; *2. (belief)* Überzeugung *f*

persuasive [pə'sweɪsɪv] *adj* überzeugend

persuasiveness [pə'sweɪsɪvnɪs] *sb 1. (of an argument)* Überzeugungskraft *f*; *2. (of a person)* Überredungskunst *f*

pert [pɜːt] *adj* keck, schnippisch

pertain [pɜː'teɪn] *v* ~ *to sth* etw betreffen

pertinent ['pɜːtɪnənt] *adj* zur Sache gehörig, sachdienlich

perturb [pə'tɜːb] *v* beunruhigen, verwirren, stören

peruse [pə'ruːz] *v* durchlesen

pervade [pɜː'veɪd] *v* durchdringen, erfüllen

perverse [pə'vɜːs] *adj 1.* pervers, *2. (stubborn)* querköpfig

perversion [pə'vɜːʃən] *sb 1.* Perversion *f*; *2. (of sth)* Verdrehung *f*, Entstellung *f*

pervert ['pɜːvɜːt] *sb 1.* perverser Mensch *m*; [pə'vɜːt] *v 2. (distort)* verzerren; *3. (deprave)* verderben, pervertieren

perverted [pə'vɜːtɪd] *adj* pervers

pesky ['peskɪ] *adj (fam)(US)* lästig, nervig

pessimism ['pesɪmɪzəm] *sb* Pessimismus *m*

pessimist ['pesɪmɪst] *sb* Pessimist(in) *m/f*

pessimistic [pesɪ'mɪstɪk] *adj* pessimistisch

pest [pest] *sb 1.* AGR Schädling *m*; *2. (nuisance)* Plage *f*; *3. (person)* Quälgeist *m*, Nervensäge *f*

pest control ['pestkəntrəʊl] *sb* Schädlingsbekämpfung *f*

pesticide ['pestɪsaɪd] *sb* Schädlingsbekämpfungsmittel *n*

pet [pet] *sb 1. (animal)* Haustier *n*; *v 2.* streicheln; *3. (sexually)* Petting machen mit; *adj 4. (favourite)* Lieblings...

petite [pə'tiːt] *adj (woman)* zierlich

petition [pə'tɪʃən] *v 1.* bitten, ersuchen, eine Bittschrift einreichen; ~ *for divorce* die Scheidungsklage einreichen; *sb 2.* JUR Gesuch *n*, Petition *f*, Bittschrift *f*; *3. (list of signatures)* Unterschriftenliste *f*

petitioner [pɪ'tɪʃənə] *sb* Bittsteller *m*, Antragssteller *m*
petrify ['petrɪfaɪ] *v* 1. versteinern; 2. *petrified with fear* starr vor Schrecken
petrol ['petrəl] *sb (UK)* Benzin *n*
petrol can ['petrəl kæn] *sb (UK)* Benzinkanister *m*
petroleum [pɪ'trəʊliəm] *sb* Erdöl *n*, Petroleum *n*
petrol pump ['petrəl pʌmp] *sb (UK)* Zapfsäule *f*
petrol station ['petrəlsteɪʃən] *sb (UK)* Tankstelle *f*
petrol tank ['petrəl tæŋk] *sb (UK)* Benzintank *m*
petticoat ['petɪkəʊt] *sb* Unterrock *m*
petty ['petɪ] *adj* 1. geringfügig; 2. *(person)* kleinlich, engherzig
petty cash ['petɪ kæʃ] *sb* Portokasse *f*
petulant ['petjʊlənt] *adj* gereizt
pew [pjuː] *sb* Kirchenbank *f*
phantom ['fæntəm] *sb* 1. Phantom *n*; *adj* 2. Phantom...
pharmaceutical [fɑːmə'sjuːtɪkl] *adj* pharmazeutisch
pharmacist ['fɑːməsɪst] *sb* Apotheker *m*
pharmacy ['fɑːməsɪ] *sb* 1. *(shop)* Apotheke *f*; 2. *(science)* Pharmazie *f*
phase [feɪz] *sb* 1. Phase *f*; *v* 2. ~ *in* allmählich einführen; 3. ~ *out* stufenweise auflösen; *(a product)* auslaufen lassen
phenomenon [fɪ'nɒmɪnən] *sb* 1. *(everyday)* Erscheinung *f*; 2. *(remarkable)* Phänomen *n*
philanderer [fɪ'lændərə] *sb* Schürzenjäger *m*, Schäker *m*
philanthropic [fɪlən'θrɒpɪk] *adj* menschenfreundlich, philanthropisch
philanthropy [fɪ'lænθrəpɪ] *sb* Philanthropie *f*, Menschenliebe *f*
philatelist [fɪ'lætəlɪst] *sb* Briefmarkensammler *m*
philharmonic [fɪlhɑː'mɒnɪk] *adj MUS* philharmonisch; ~ *orchestra* Philharmonieorchester *n*
philology [fɪ'lɒlədʒɪ] *sb* Philologie *f*
philosopher [fɪ'lɒsəfə] *sb* Philosoph *m*
philosophical [fɪlə'sɒfɪkəl] *adj* 1. philosophisch; 2. *(fig)* gelassen
philosophy [fɪ'lɒsəfɪ] *sb* Philosophie *f*
phobia ['fəʊbɪə] *sb* Phobie *f*, krankhafte Furcht *f*
phoenix ['fiːnɪks] *sb* Phönix *m*
phonecard ['fəʊnkɑːd] *sb* Telefonkarte *f*

phone-in ['fəʊnɪn] *adj* mit telefonischer Beteiligung der Hörer
phonetics [fəʊ'netɪks] *sb* Phonetik *f*
phoney ['fəʊnɪ] *adj* 1. unecht, falsch; 2. *(story)* erfunden; 3. *(forged)* gefälscht; *sb* 4. *(pretentious person)* Angeber *m*
photo ['fəʊtəʊ] *sb* Foto *n*
photocopier ['fəʊtəʊkɒpɪə] *sb* Fotokopiergerät *n*
photocopy ['fəʊtəʊkɒpɪ] *sb* 1. Fotokopie *f*; *v* 2. fotokopieren
photo finish ['fəʊtəʊ 'fɪnɪʃ] *sb SPORT* Fotofinish *n*
photograph ['fəʊtəgrɑːf] *sb* 1. Fotografie *f*, Aufnahme *f*, Lichtbild *n*; *v* 2. fotografieren, aufnehmen
photographer [fə'tɒgrəfə] *sb* Fotograf(in) *m/f*
photography [fə'tɒgrəfɪ] *sb* Fotografie *f*
photo opportunity ['fəʊtəʊ ɒpə'tjuːnɪtɪ] *sb POL* spontan wirkender, jedoch gestellter Fototermin *m*
phrase [freɪz] *sb* 1. *GRAMM* Phrase *f*, Satzglied *n*, Satzteil *m*; 2. *(commonly used expression)* Redewendung *f*; *v* 3. formulieren, ausdrücken
phrase book ['freɪzbʊk] *sb* Sprachführer *m*
phrasing ['freɪzɪŋ] *sb* Formulierung *f*, Ausdrucksweise *f*
physical ['fɪzɪkəl] *adj* 1. *(of the body)* körperlich; 2. *(of physics)* physikalisch; 3. *(material)* physisch; *sb* 4. *(check-up)* ärztliche Untersuchung *f*
physical condition ['fɪzɪkəl kən'dɪʃən] *sb* Gesundheitszustand *m*
physical education ['fɪzɪkəl edjʊ'keɪʃən] *sb* Leibeserziehung *f*
physical examination ['fɪzɪkəl ɪgzæmɪ'neɪʃən] *sb* ärztliche Untersuchung *f*
physical handicap ['fɪzɪkəl 'hændɪkæp] *sb* körperliche Behinderung *f*
physician [fɪ'zɪʃən] *sb* Arzt/Ärztin *m/f*
physicist ['fɪzɪsɪst] *sb* Physiker *m*
physics ['fɪzɪks] *sb* Physik *f*
physiological [fɪzɪə'lɒdʒɪkl] *adj* physiologisch
physiology [fɪzɪ'ɒlədʒɪ] *sb* Physiologie *f*
physiotherapy [fɪzɪə'θerəpɪ] *sb* Physiotherapie *f*, Heilgymnastik *f*
physique [fɪ'ziːk] *sb* Körperbau *m*
pianist ['pɪənɪst] *sb* Pianist/Pianistin *m/f*
piano ['pjɑːnəʊ] *sb MUS* Klavier *n*; *(grand ~)* Flügel *m*

pick [pɪk] v 1. *(choose)* wählen, aussuchen; ~ *and choose* wählerisch sein; 2. *(sth)(select)* wählen, auswählen; 3. *(a lock) (fam)* knacken, mit einem Dietrich öffnen; 4. *(pull bits off)* zupfen an; *(a scab)* kratzen an; 5. *(flowers, fruit)* pflücken; 6. *(guitar strings)* zupfen; 7. ~ *one's nose* in der Nase bohren; 8. ~ *one's teeth* zwischen den Zähnen herumstochern; 9. ~ *s.o.'s pocket* jdm die Brieftasche stehlen; 10. ~ *a fight* einen Streit vom Zaun brechen; 11. ~ *one's way* seinen Weg suchen; sb 12. *(selection)* Auswahl f; *Take your ~!* Suchen Sie sich etwas aus! *have first* ~ die erste Wahl haben; 13. *(best)* Beste(s) n
•**pick up** v 1. *(improve)* besser werden; 2. *(resume)* weitermachen; ~ *where one left off* da weitermachen, wo man aufgehört hat; *The wind is picking up.* Der Wind frischt auf. 3. *(lift sth)* hochheben; *(lift and hold)* aufheben; *pick o.s. up* aufstehen; ~ *the check (fig)* die Rechnung bezahlen; 4. *(collect, fetch)* abholen; 5. *(fig: a girl)* aufreißen (fam); 6. ~ *speed* beschleunigen
pickaxe ['pɪkæks] sb Spitzhacke f, Pickel m, Picke f
picket ['pɪkɪt] v 1. *(sth) (by striking workers)* Streikposten aufstellen vor; *(by demonstrators)* demonstrieren vor; sb 2. Streikposten m
pickle ['pɪkl] sb 1. GAST Essiggurke f, Gewürzgurke f; 2. *(vinegar solution)* Essigsoße f; 3. *to be in a* ~ *(fam)* in der Patsche sitzen f; v 4. GAST einlegen; 5. *(meat)* pökeln
pick-me-up ['pɪkmiːʌp] sb *(drink)* kleine Stärkung f
pickpocket ['pɪkpɒkɪt] sb Taschendieb m
picnic ['pɪknɪk] sb Picknick n; *It's no* ~. *(fig)* Es ist kein Honigschlecken.
pictograph ['pɪktəɡrɑːf] sb Piktogramm n
picture ['pɪktʃə] sb 1. Bild n; *take a* ~ *of sth* ein Bild von etw machen; *He's out of the* ~. *(fig)* Er spielt keine Rolle mehr. 2. *(painting)* Gemälde n, Bild n; *pretty as a* ~ bildhübsch; 3. *(mental* ~*)* Vorstellung f, Bild n; *I get the* ~. *(fam)* Ich hab's kapiert. 4. *(film)* Film m; v 5. *(imagine)* sich vorstellen; 6. *(by drawing)* darstellen; *(in a book)* abbilden
picture book ['pɪktʃə bʊk] sb LIT Bilderbuch n
picturesque [pɪktʃə'resk] adj malerisch, pittoresk
pie [paɪ] sb GAST Pastete f; *as easy as* ~ *(fam)* kinderleicht; *have one's finger in the* ~ *(fig)* bei einer Sache mitmischen, die Hand im Spiel haben

piece [piːs] sb 1. Stück n; *all in one* ~ unversehrt, heil; 2. *go to* ~*s* in Stücke gehen; *(fig)* zusammenbrechen; 3. *(part)* Teil m; 4. *(chess* ~*)* Figur f; 5. ~ *of paper* Blatt n; 6. *(article)* Artikel m; 7. *(coin)* Münze f; *a fifty-cent* ~ ein Fünfzig-Cent-Stück n; 8. *(fam: gun)* Waffe f; v 9. ~ *together* zusammenstückeln
pier [pɪə] sb 1. Pier m/f; 2. *(of a bridge)* Pfeiler m
pierce [pɪəs] v 1. durchbohren, durchstechen; 2. *(fig)* durchdringen
piercing ['pɪəsɪŋ] adj durchdringend
pig [pɪɡ] sb 1. ZOOL Schwein n; 2. *(fam: greedy person)* Vielfraß m
pigeon ['pɪdʒən] sb ZOOL Taube f
pigeon-toed ['pɪdʒən təʊd] adj *to be* ~ einwärts gerichtete Fußspitzen haben
piggish ['pɪɡɪʃ] adj schweinisch, saumäßig
piggyback ['pɪɡibæk] adv huckepack
piggy bank ['pɪɡi bæŋk] sb Sparschwein n
piglet ['pɪɡlɪt] sb ZOOL Ferkel n
pigskin ['pɪɡskɪn] sb 1. Schweinsleder n; 2. *the* ~ *(football)(US)* das Leder n, das Ei n *(fig)*
pigsty ['pɪɡstaɪ] sb Schweinestall m
pigtail ['pɪɡteɪl] sb Zopf m
pile [paɪl] sb 1. Stapel m, Stoß m; 2. *(fam: large amount)* Haufen m, Menge f; *make one's* ~ *(fam) (UK)* das nötige Geld machen; v 3. stapeln
•**pile in** v ~ *to* hineindrängen in
•**pile up** v 1. sich häufen; 2. *(sth)* stapeln
pile-up ['paɪlʌp] sb *(fam)* Massenkarambolage f
pilfer ['pɪlfə] v stehlen, klauen
pilgrim ['pɪlɡrɪm] sb Pilger m
pilgrimage ['pɪlɡrɪmɪdʒ] sb Pilgerfahrt f
pill [pɪl] sb Pille f, Tablette f
pillar ['pɪlə] sb Pfeiler m; *(round)* Säule f; *a* ~ *of society (fig)* eine Stütze der Gesellschaft
pillarbox ['pɪləbɒks] sb *(UK)* Briefkasten m
pillbox ['pɪlbɒks] sb 1. *(box)* Pillendöschen n; 2. *(fam)* MIL Bunker m; 3. *(hat)* Pillbox m (Damenhut ohne Krempe)
pillow ['pɪləʊ] sb Kissen n, Kopfkissen n
pillow fight ['pɪləʊ faɪt] sb *(fam)* Kissenschlacht f
pillow talk ['pɪləʊ tɔːk] sb Bettgeflüster n
pilot ['paɪlət] v 1. *(a plane)* führen; NAUT lotsen; sb 2. *(of a plane)* Pilot m; 3. NAUT Lotse m; 4. *(~ programme)* Pilotsendung f
pilot lamp ['paɪlət læmp] sb TECH Kontrolllampe f
pimp [pɪmp] sb Zuhälter m

pimple ['pɪmpl] *sb* Pickel *m*

pin [pɪn] *sb* 1. *(for sewing)* Stecknadel *f; to be on ~s and needles (fam)* ein Kribbeln im Bauch haben; 2. *(tie ~, hair ~)* Nadel *f;* 3. *(small nail)* Stift *m;* 4. *(badge)* Anstecknadel *f;* 5. *(brooch)* Brosche *f;* 6. *TECH* Bolzen *m*, Stift *m;* 7. *(bowling ~)* Kegel *m; v* 8. *(s.o.)* festhalten; 9. *~ sth to sth* etw an etw heften; *~ one's hopes on* seine ganze Hoffnung setzen auf

pinch [pɪntʃ] *v* 1. kneifen, zwicken; *(shoe) (to be too tight)* drücken; 2. *(fam: steal)* klauen; 3. *(fam: arrest)* schnappen; *sb* 4. Kneifen *n*, Zwicken *n;* 5. *(small amount)* Prise *f;* 6. *(fam: emergency)* Druck *m*, Not *f*

pine¹ [paɪn] *sb BOT* Kiefer *f*, Pinie *f*

pine² [paɪn] *v ~ for* sich sehnen nach

pine cone [paɪn kəʊn] *sb BOT* Kiefernzapfen *m*

ping-pong ['pɪŋpɒŋ] *sb (fam)* Tischtennis *n*

pink [pɪŋk] *adj* 1. *(colour)* rosa; *sb* 2. *BOT* Nelke *f*

pin money ['pɪnmʌnɪ] *sb* Taschengeld *n*, Nadelgeld *n*

pinpoint ['pɪnpɔɪnt] *v (identify)* genau festlegen

pin-striped ['pɪnstraɪpt] *adj* mit Nadelstreifen

pint [paɪnt] *sb* 1. Pinte *f;* 2. *(of beer)* Halbe *f*

pint-sized ['paɪntsaɪzd] *adj* winzig

pioneer [paɪə'nɪə] *sb* 1. Pionier *m;* 2. *(fig)* Pionier *m*, Bahnbrecher *m*, Vorkämpfer *m*

pip [pɪp] *sb* 1. *(spot)* Punkt *m; (on dice)* Auge *n;* 2. *(disease affecting birds)* Pips *m;* 3. *(seed)* Kern *m*

pipe [paɪp] *sb* 1. Rohr *n*, Röhre *f*, Leitung *f;* 2. *(to smoke)* Pfeife *f; Put that in your ~ and smoke it. (fam)* Schreib dir das hinter die Ohren. 3. *MUS* Pfeife *f; v* 4. *(water, oil)* in Rohren leiten; 5. *~d music* Musik aus dem Lautsprecher *m*

pipe dream ['paɪpdriːm] *sb (fam)* Hirngespinst *n*

pipeline ['paɪplaɪn] *sb* Rohrleitung *f*, Pipeline *f*

piping ['paɪpɪŋ] *sb* 1. *(pipework)* Leitungssystem *n;* 2. *(band of material)* Paspel *f;* 3. *MUS (flute)* Flötenspiel *n; (bagpipes)* Dudelsackpfeifen *n*

piquant ['piːkənt] *adj* pikant

piracy ['paɪrəsɪ] *sb* 1. Piraterie *f*, Seeräuberei *f;* 2. *(plagiarism)* Plagiat *n*

pirate ['paɪərɪt] *sb* 1. *NAUT* Pirat *m*, Seeräuber *m; v* 2. *(an idea)* stehlen

pirate copy ['paɪrɪt 'kɒpɪ] *sb INFORM* Raubkopie *f*

piss [pɪs] *v* 1. *(fam)* pissen; 2. *Piss off!* Verpiss dich! *(fam)*

pissed [pɪst] *adj* 1. *(fam: drunk) (UK)* besoffen; 2. *~ off (US)* sauer, böse

pistol ['pɪstl] *sb* Pistole *f*

pit¹ [pɪt] *sb* 1. Grube *f;* 2. *(of one's stomach)* Magengrube *f;* 3. *(orchestra ~) THEAT* Orchestergraben *m;* 4. *(UK: for the audience) THEAT* Parkett *n;* 5. *(for mechanics at an auto race) SPORT* Box *f; v* 6. *~ s.o. against s.o.* jdn jdm gegenüberstellen

pit² [pɪt] *sb (US: of a cherry)* Stein *m*

pitch [pɪtʃ] *v* 1. *(fall)* fallen, stürzen; 2. *(ship)* stampfen; 3. *(toss)* werfen; *(hay)* gabeln; 4. *(a tent)* aufschlagen; *sb* 5. *MUS* Tonhöhe *f; (of an instrument)* Tonlage *f;* 6. *(throw)* Wurf *m;* 7. *sales ~* Verkaufsmasche *f;* 8. *(UK: field) SPORT* Spielfeld *n;* 9. *(UK: for doing business)* Stand *m*

pitch-black [pɪtʃblæk] *adj* pechschwarz

pitcher ['pɪtʃə] *sb* Krug *m*

pitchfork ['pɪtʃfɔːk] *sb* Heugabel *f*

piteous ['pɪtɪəs] *adj* Mitleid erregend, kläglich

pitfall ['pɪtfɔːl] *sb* Falle *f*, Fallstrick *m*

pithead ['pɪthed] *sb* Übertageanlagen *pl*

pitiable ['pɪtɪəbl] *adj* bemitleidenswert, bedauernswert

pitiful ['pɪtɪfʊl] *adj* 1. *(person: full of pity)* mitleidig, mitleidsvoll; 2. *(pathetic)* jämmerlich, erbärmlich, kläglich

pit stop ['pɪtstɒp] *sb SPORT* Boxenstopp *m*

pittance ['pɪtəns] *sb (a ~)* Hungerlohn *m*

pity ['pɪtɪ] *v* 1. bemitleiden, bedauern; *sb* 2. Mitleid *n*, Mitgefühl *n*, Erbarmen *n; take ~ on s.o.* mit jdm Mitleid haben, sich jds erbarmen; 3. *(regrettable circumstance)* Jammer *m; What a ~!* Wie schade!

pitying ['pɪtɪɪŋ] *adj* mitleidig

pizza ['piːtsə] *sb* Pizza *f*

pizzeria [piːtsə'rɪə] *sb* Pizzeria *f*

placard ['plækɑːd] *sb* Plakat *n*

placate [plə'keɪt] *v* beschwichtigen, besänftigen

place [pleɪs] *v* 1. *(put)* setzen, stellen, legen; *~ trust in s.o.* Vertrauen in jdn setzen; 2. *(suspicion)* anhängen; 3. *~ an order* bestellen; 4. *(a ball) SPORT* platzieren; 5. *(an advertisement)* platzieren; 6. *(remember, identify)* einordnen, unterbringen; *sb* 7. Platz *m*, Stelle *f; at our ~* bei uns zu Hause; *Your ~ or mine?* Gehen wir zu dir oder zu mir? *change ~s with s.o.* mit

jdm den Platz tauschen; *in the first* ~ erstens; *put s.o. in his* ~ jdn zurechtweisen; *all over the* ~ überall; *lose one's* ~ *(in a book)* die Seite verblättern; *take the* ~ *of sth* etw ersetzen; *in* ~ *of* statt, an Stelle; *Put yourself in my* ~. Versetzen Sie sich in meine Lage. *fall into* ~ in Ordnung kommen, klar werden; *take* ~ stattfinden; *to be going* ~s *(fam)* eine Zukunft haben; 8. ~ *of business* Arbeitsstelle *f;* 9. *(first* ~, *second* ~) SPORT Platz *m;* 10. *to be out of* ~ nicht an der richtigen Stelle sein; *feel out of* ~ sich fehl am Platz fühlen, sich nicht wohl fühlen; *to be out of* ~ *(uncalled-for) (remark)* unangebracht sein; *(person)* fehl am Platze sein; 11. *(in a street name)* Platz *m;* 12. *(town)* Ort *m; from* ~ *to* ~ von Ort zu Ort; ~ *of birth* Geburtsort *m*
placebo [plə'si:bəʊ] *sb* MED Placebo *n*
place card ['pleɪskɑːd] *sb* Platzkarte *f,* Tischkarte *f*
placemat ['pleɪsmæt] *sb* Set *n,* Platzdeckchen *n*
placement ['pleɪsmənt] *sb* Platzierung *f*
place name ['pleɪsneɪm] *sb* Ortsname *m*
place setting ['pleɪssetɪŋ] *sb* Gedeck *n*
placid ['plæsɪd] *adj* ruhig
plague [pleɪg] *v 1.* plagen; *sb 2.* MED Seuche *f,* Pest *f; avoid s.o. like the* ~ jdn meiden wie die Pest; 3. *(fig)* Plage *f*
plain [pleɪn] *adj 1. (clear)* klar, deutlich; 2. *(straightforward)* klar; 3. *(simple)* einfach, schlicht; 4. *(person)* unansehnlich; 5. *(sheer)* rein; *sb* 6. Ebene *f,* Flachland *n*
plain clothes [pleɪn kləʊz] *pl* Zivilkleidung *f*
plainly ['pleɪnlɪ] *adv 1. (clearly)* klar, eindeutig; 2. *(obviously)* offensichtlich; 3. *(frankly)* offen
plain-spoken ['pleɪnspəʊkən] *adj* offen, freimütig
plait [pleɪt] *v 1.* flechten; *sb 2.* Zopf *m*
plan [plæn] *sb 1.* Plan *m;* 2. *(of a building)* Grundriss *m; v 3.* planen; ~ *to do sth* vorhaben, etw zu tun
planation [pleɪ'neɪʃən] *sb* Einebnung *f*
plane [pleɪn] *sb 1. (aeroplane)* Flugzeug *n;* 2. MATH Ebene *f;* 3. *(tool)* TECH Hobel *m; v* 4. TECH hobeln
planet ['plænɪt] *sb* Planet *m*
planetarium [plænɪ'teərɪəm] *sb* Planetarium *n*
planform ['plænfɔːm] *sb* Flugzeugumriss *m*
plank [plæŋk] *sb 1.* Brett *n; as thick as two short* ~s *(fam) (UK)* dumm wie Bohnenstroh *n;*

2. NAUT Planke *f; walk the* ~ mit verbundenen Augen über eine Schiffsplanke ins Wasser getrieben werden
planning ['plænɪŋ] *sb* Planung *f*
planning permission ['plænɪŋ pə'mɪʃən] *sb* Baugenehmigung *f*
plant [plɑːnt] *sb 1.* Pflanze *f;* 2. *(factory)* Werk *n;* 3. *(equipment)* Anlagen *pl; v* 4. pflanzen, einpflanzen, anpflanzen; 5. *(place in position)* setzen; *(a bomb)* legen; *(a kiss)* drücken; 6. *(fig: sth incriminating)* deponieren; 7. *(fig: an informer)* einschleusen
plantation [plæn'teɪʃən] *sb* Plantage *f*
plaque [plæk] *sb 1. (tablet)* Gedenktafel *f;* 2. *(on teeth)* Zahnbelag *m*
plaster ['plɑːstə] *sb 1. (for art, for a cast)* Gips *m;* 2. *(for building)* Verputz *m,* Putz *m;* 3. *(sticking* ~*)* Pflaster *n; v* 4. verputzen; ~ *over a hole* ein Loch zugipsen
plaster cast ['plɑːstə kɑːst] *sb 1.* Gipsabdruck *m;* 2. MED Gipsverband *m*
plastered ['plɑːstəd] *adj (fam: drunk)* besoffen
plastic ['plæstɪk] *sb 1.* Kunststoff *m,* Plastik *n; adj* 2. *(made of plastic)* Plastik...; 3. *(flexible)* formbar, plastisch
plastic money ['plæstɪk 'mʌnɪ] *sb (fam)* Plastikgeld *n* (Kreditkarten)
plastic surgeon ['plæstɪk 'sɜːdʒən] *sb* Facharzt/Fachärztin für plastische Chirurgie *m/f*
plate [pleɪt] *sb 1.* Teller *m;* 2. *(warming* ~*)* Platte *f;* 3. TECH Platte *f;* 4. *(illustration)* Tafel *f; v* 5. *(with gold)* vergolden; *(with nickel)* vernickeln
plate glass ['pleɪtglɑːs] *sb* Scheibenglas *n,* Spiegelglas *n*
platform ['plætfɔːm] *sb 1.* Plattform *f;* 2. *(railway* ~*)* Bahnsteig *m;* 3. POL Parteiprogramm *n,* Plattform *f*
platform diving ['plætfɔːm 'daɪvɪŋ] *sb* SPORT Turmspringen *n*
platinum blonde ['plætɪnəm blɒnd] *sb* Platinblondine *f*
platonic [plə'tɒnɪk] *adj* platonisch
platoon [plə'tuːn] *sb* MIL Zug *m*
plausible ['plɔːzəbl] *adj* plausibel; *(excuse)* glaubwürdig
plausive ['plɔːzɪv] *adj (plausible)* plausibel
play [pleɪ] *v 1.* spielen; ~ *into s.o.'s hands (fig)* jdm in die Hände spielen; 2. ~ *around,* ~ *about* spielen; *adj* 3. ~*ed out* erschöpft, ausgebrannt; *sb* 4. Spiel *n; to be at* ~ beim Spielen sein; *come into* ~ ins Spiel kommen; *a* ~

on words ein Wortspiel *n;* 5. *THEAT* Theaterstück *n*

play-acting ['pleɪæktɪŋ] *sb (fam)* Schauspielerei *f*

playback ['pleɪbæk] *sb MUS* Wiedergabe *f*

playbill ['pleɪbɪl] *sb* Theaterprogramm *n*

player ['pleɪə] *sb* Spieler *m*

playground ['pleɪɡraʊnd] *sb* Spielplatz *m; (schoolyard)* Schulhof *m*

playgroup ['pleɪɡruːp] *sb* Spielgruppe *f*

playing card ['pleɪɪŋ kɑːd] *sb* Spielkarte *f*

playoffs ['pleɪɒfs] *pl SPORT* Play-off-Runde *f*

playpen ['pleɪpen] *sb* Laufstall *m,* Laufgitter *n*

playroom ['pleɪruːm] *sb* Spielzimmer *n*

playschool ['pleɪskuːl] *sb* Kindergarten *m*

playtime ['pleɪtaɪm] *sb* Zeit zum Spielen *f,* Schulpause *f*

plaza ['plɑːzə] *sb* Platz *m*

plea [pliː] *sb* 1. Bitte *f;* 2. *(excuse)* Begründung *f;* 3. *JUR* Plädoyer *n*

plead [pliːd] *v* 1. *(beg)* bitten; 2. *JUR ~ not guilty* sich nicht schuldig bekennen; 3. *(sth)* vertreten; *~ s.o.'s case* jdn vertreten; 4. *(as an excuse)* sich berufen auf

pleasant ['pleznt] *adj* 1. angenehm; 2. *(person)* freundlich

pleasantry ['plezntrɪ] *sb* 1. *(polite remark)* Höflichkeit *f;* 2. *(joke)* Scherz *m*

please [pliːz] *interj* 1. bitte; *v* 2. gefallen; *if you ~* wenn ich darum bitten darf; 3. *(satisfy)* zufrieden stellen

pleased [pliːzd] *adj* erfreut; *(satisfied)* zufrieden

pleasurable ['pleʒərəbl] *adj* angenehm

pleasure ['pleʒə] *sb* Vergnügen *n,* Freude *f; take ~ in* Vergnügen finden an; *with ~* sehr gerne

pleat [pliːt] *sb* Falte *f*

pledge [pledʒ] *v* 1. *(promise)* versprechen, zusichern; 2. *(pawn, give as collateral)* verpfänden; *sb* 3. *(promise)* Versprechen *n;* 4. *(in a pawnshop)* Pfand *n*

plenteous ['plentɪəs] *adj* reichlich, üppig, im Überfluss

plentiful ['plentɪfʊl] *adj* reichlich, im Überfluss

plenty ['plentɪ] *sb* eine Menge *f; ~ of* viel, eine Menge

plexiglass ['pleksɪɡlɑːs] *sb* Plexiglas *n*

pliers ['plaɪəz] *pl* Zange *f*

plight [plaɪt] *sb* Notlage *f*

plod [plɒd] *v* schwerfällig gehen, trotten

plonk [plɒŋk] *v* hinwerfen, hinschmeißen

plonker ['plɒŋkə] *sb (fam: person)* Niete *f*

plot [plɒt] *v* 1. *(conspire)* sich verschwören; 2. *(plan)* planen; 3. *(a story)* ersinnen; 4. *(a course)* festlegen; *(draw on a map)* einzeichnen; 5. *(a curve)* aufzeichnen; *sb* 6. *(conspiracy)* Verschwörung *f,* Komplott *n;* 7. *(of land)* Stück Land *n; (in a garden)* Beet *n; (in a graveyard)* Grabstelle *f;* 8. *(of a story)* Handlung *f*

plough [plaʊ] *v* 1. pflügen; *sb* 2. Pflug *m*
• **plough back** *v* 1. *AGR* unterpflügen; 2. *FIN* reinvestieren
• **plough through** *v The lorry skidded from the road and ploughed through a fence.* Der Lastwagen schleuderte von der Straße und durchbrach einen Zaun.

pluck [plʌk] *v* 1. *(fruit)* pflücken; *(a guitar, eyebrows)* zupfen; *(a chicken)* rupfen; *sb* 2. *(courage)* Mut *m,* Schneid *m*

plucky ['plʌkɪ] *adj* tapfer, mutig

plug [plʌɡ] *v* 1. *(a hole)* verstopfen, zustopfen; 2. *(fam: publicize)* Reklame machen für, Schleichwerbung machen für; 3. *~ s.o. (fam: strike)* jdm einen Schlag verpassen; *(shoot)* jdm einen Kugel verpassen; *sb* 4. *(stopper)* Stöpsel *m;* 5. *(of chewing tobacco)* Priem *m;* 6. *(electric)* Stecker *m;* 7. *(fam: bit of publicity)* Schleichwerbung *f*
• **plug in** *v* hineinstecken, einstöpseln, anschließen

plumb [plʌm] *v* 1. *NAUT* loten; 2. *(fig)* ergründen

plumber ['plʌmə] *sb* Installateur *m* (für Wasserleitungen), Klempner *m*

plumbing ['plʌmɪŋ] *sb* 1. *(work)* Klempnerarbeit *f,* Installateurarbeit *f;* 2. *(fittings)* Rohrleitung *f,* Wasserleitung *f; (in a bathroom)* sanitäre Einrichtung *f*

plume [pluːm] *sb* Feder *f*

plump [plʌmp] *adj (person)* mollig, rundlich, pummelig

plunder ['plʌndə] *v* 1. plündern; 2. *(completely)* ausplündern; *sb* 3. *(act)* Plünderung *f;* 4. *(booty)* Beute *f*

plunge [plʌndʒ] *v* 1. *(dive)* tauchen; 2. *~ o.s. into (studies, preparations)* sich stürzen in; 3. *(fall: person, prices)* stürzen; 4. *(into water)* tauchen; 5. *~d into darkness* in Dunkelheit getaucht

plunger ['plʌndʒə] *sb* Sauger *m*

plunk [plʌŋk] *v (pluck)* zupfen

plural ['plʊərəl] *sb* 1. Plural *m; adj* 2. Plural...

plus [plʌs] *prep* 1. plus, und; *ECO* zuzüglich; *sb* 2. *(sign)* Pluszeichen *n;* 3. *(positive factor)* Pluspunkt *m;* 4. *(fig: an extra)* Plus *n; adj* 5. *(fam: more than)* mehr als, über

plush [plʌʃ] *adj* luxuriös

ply [plaɪ] *v (a trade)* ausüben

p.m. [piː em] *adv (post meridiem)* nachmittags; *11 ~ 23* Uhr

pneumatic [njʊˈmætɪk] *adj TECH* pneumatisch

pneumatic tyre [njʊmætɪk taɪə] *sb* Luftreifen *m*

pneumonia [njuːˈməʊnɪə] *sb MED* Lungenentzündung *f,* Pneumonie *f*

poach [pəʊtʃ] *v (game)* wildern

PO box [piːˈɒbɒks] *sb* Postfach *n*

pocket [ˈpɒkɪt] *sb* 1. Tasche *f;* 2. *(fig: finances)* Geldbeutel *m;* to be out of ~ draufzahlen; 3. *(in a suitcase)* Fach *n;* 4. *(small area)* Gebiet *n; ~ of resistance* Widerstandsnest *n; v* 5. einstecken; *(gain)* kassieren

pocketful [ˈpɒkɪtfʊl] *sb* eine Tasche voll

pocket-knife [ˈpɒkɪtnaɪf] *sb* Taschenmesser *n*

pocket money [ˈpɒkɪtmʌnɪ] *sb* Taschengeld *n*

podium [ˈpəʊdɪəm] *sb* Podest *n*

poem [ˈpəʊəm] *sb* Gedicht *n*

poet [ˈpəʊɪt] *sb* Dichter *m,* Poet *m*

poetic [pəʊˈetɪk] *adj* poetisch

poetic justice [pəʊˈetɪk ˈdʒʌstɪs] *sb* poetische Gerechtigkeit *f*

poetry [ˈpəʊɪtrɪ] *sb* 1. *LIT* Dichtung *f;* 2. *(fig)* Poesie *f*

poignant [ˈpɔɪnjənt] *adj* ergreifend

point [pɔɪnt] *v* 1. *(to be aimed)* gerichtet sein; 2. *(indicate)* hinweisen; 3. *(by making a motion)* zeigen, deuten; 4. *(aim)* richten; *sb* 5. Punkt *m; ~ six percent* null Komma sechs Prozent; *make a ~ of doing sth* darauf bedacht sein, etw zu tun; *up to a ~* bis zu einem gewissen Grad; *in ~ of fact* tatsächlich; *s.o.'s good ~s* jds gute Seiten; *s.o.'s strong ~* jds Stärke; *to be on the ~ of doing sth* kurz davor sein, etw zu tun; *You have a ~ there.* Da haben Sie nicht Unrecht. *The ~ is that ...* Die Sache ist die ...; *a sore ~* ein wunder Punkt; 6. *~ of view* Standpunkt *m,* Gesichtspunkt *m,* Perspektive *f;* 7. *~ in time* Zeitpunkt *m; at this ~ (in time)* in diesem Augenblick; *now* jetzt; 8. *a case in ~* ein einschlägiger Fall *m,* ein Beispiel *n; the case in ~* der vorliegende Fall; 9. *(of a chin, of a knife)* Spitze *f;* 10. *(of a star)* Zacke *f;* 11. *(purpose)* Zweck *m,* Sinn *m;*

miss the ~ nicht wissen, worum es geht; *What's the ~?* Was soll's? *There is no ~ in doing that.* Es hat keinen Zweck, das zu tun. *That's not the ~.* Darum geht es nicht. *stick to the ~* bei der Sache bleiben; *beside the ~* unerheblich, nicht zur Sache gehörig; *come to the ~* zum Wesentlichen kommen

•**point out** *v* 1. zeigen auf; 2. *point sth out to s.o. (verbally)* jdn auf etw aufmerksam machen, jdn auf etw hinweisen

point-blank [pɔɪnt blæŋk] *adj* 1. direkt; *(refusal)* glatt; *at ~ range* aus kürzester Entfernung; *adv* 2. aus kürzester Entfernung; *(question)* rundeheraus

pointed [ˈpɔɪntɪd] *adj* 1. spitz; 2. *(arch)* spitzbogig; 3. *(fig: wit, comment)* scharf

point-to-point [ˈpɔɪnttuːˈpɔɪnt] *sb (race) SPORT* Geländejagdrennen *n*

poise [pɔɪz] *v* 1. balancieren, im Gleichgewicht halten; *~d for* bereit zu; *sb* 2. *(posture)* Haltung *f; (grace)* Grazie *f;* 3. *(composure)* sicheres Auftreten *n,* Selbstsicherheit *f*

poison [ˈpɔɪzn] *v* 1. vergiften; *sb* 2. Gift *n*

poison gas [ˈpɔɪznˈgæs] *sb* Giftgas *n*

poisoning [ˈpɔɪznɪŋ] *sb* Vergiftung *f*

poisonous [ˈpɔɪzənəs] *adj* giftig, Gift...

poison pen letter [ˈpɔɪzn pen ˈletə] *sb* verleumderischer anonymer Brief *m*

poke¹ [pəʊk] *v* 1. *(with a stick)* stoßen; *(with a finger)* stupsen; *~ fun at s.o. (fig)* sich über jdn lustig machen; 2. *(one's nose or one's finger somewhere)* stecken; *(one's head somewhere)* vorstrecken; 3. *~ about, ~ around (to be nosy)* stöbern; *(wander aimlessly)* herumbummeln; 4. *(make a hole)* bohren; *sb* 5. *(jab)* Stoß *m,* Schubs *m*

poke² [pəʊk] *sb (bag)* Sack *m,* Beutel *m; buy a pig in a ~ (fam)* die Katze im Sack kaufen

poker [ˈpəʊkə] *sb* Poker *n*

poker face [ˈpəʊkəfeɪs] *sb* Pokergesicht *n*

poky [ˈpəʊkɪ] *adj* 1. *(fam: shabby)* schäbig, heruntergekommen; 2. *(dull)* öde

pole¹ [pəʊl] *sb* 1. Stange *f; (for a flag)* Mast *m;* 2. *(post)* Pfahl *m*

pole² [pəʊl] *sb GEO, PHYS, ASTR* Pol *m*

pole position [ˈpəʊlpəzɪʃən] *sb SPORT* Innenbahn *f*

pole star [ˈpəʊlstɑː] *sb* Polarstern *m*

pole vault [ˈpəʊlvɔːlt] *sb SPORT* Stabhochsprung *m*

police [pəˈliːs] *sb* 1. Polizei *f; v* 2. kontrollieren, überwachen; *adj* 3. polizeilich, Polizei...

police dog [pə'liːs dɒg] *sb* Polizeihund *m*
police force [pə'liːs fɔːs] *sb* Polizei *f*, Polizeitruppe *f*
police officer [pə'liːs 'ɒfɪsə] *sb* Polizist *m*, Polizeibeamte(r)/Polizeibeamtin *m/f*
police station [pə'liːsəsteɪʃən] *sb* Polizeirevier *n*, Polizeiwache *f*
policy ['pɒlɪsɪ] *sb* 1. Politik *f*; foreign ~ Außenpolitik *f*; 2. (principles of conduct) Verfahrensweise *f*, Politik *f*, Taktik *f*; 3. (insurance ~) Police *f*
policyholder ['pɒlɪsɪhəʊldə] *sb* Versicherungsnehmer *m*
polio ['pəʊlɪəʊ] *sb* MED Polio *f*, Kinderlähmung *f*
polish ['pɒlɪʃ] *v* 1. polieren; 2. (fig) verfeinern, den letzten Schliff geben; *sb* 3. (material) (for furniture) Politur *f*; 4. (for shoes) Schuhkrem *f*; 5. (for fingernails) Lack *m*; 6. (for a floor) Wachs *n*; 7. (shine) Glanz *m*; (of furniture) Politur *f*; 8. (fig: of a person) Schliff *m* (fam)
•**polish off** *v* 1. (fam: food) verputzen; (drink) wegputzen; 2. (fam: work) wegschaffen
polished ['pɒlɪʃt] *adj* (fig: manner) geschliffen
polite [pə'laɪt] *adj* höflich
politeness [pə'laɪtnɪs] *sb* Höflichkeit *f*
politic ['pɒlɪtɪk] *adj* 1. (expedient) zweckmäßig, taktisch klug; 2. (political) politisch
political [pə'lɪtɪkl] *adj* politisch
political prisoner [pə'lɪtɪkl 'prɪzənə] *sb* politische(r) Gefangene(r) *m/f*
politician [pɒlɪ'tɪʃən] *sb* Politiker *m*
politicking ['pɒlɪtɪkɪŋ] *sb* politische Aktivitäten *pl*
politics ['pɒlətɪks] *sb* Politik *f*
polka ['pəʊlkə] *sb* Polka *f*
poll [pəʊl] *sb* 1. (opinion ~) Umfrage *f*; 2. (voting) Abstimmung *f*; 3. ~s *pl* (voting place) Wahllokale *pl*; go to the ~s wählen gehen; *v* 4. (in an opinion ~) befragen
pollen count ['pɒlən kaʊnt] *sb* BOT Pollenzahl *f*
polling ['pəʊlɪŋ] *sb* Wahl *f*
polling station ['pəʊlɪŋsteɪʃən] *sb* POL Wahllokal *n*
pollute [pə'luːt] *v* 1. verschmutzen, verunreinigen; 2. (fig: morals) verderben
polluted [pə'luːtɪd] *adj* verschmutzt, verunreinigt, verseucht
pollution [pə'luːʃən] *sb* Verschmutzung *f*; (of the environment) Umweltverschmutzung *f*
polo ['pəʊləʊ] *sb* SPORT Polo *n*

poltergeist ['pɒltəgaɪst] *sb* Poltergeist *m*
polyester [pɒlɪ'estə] *sb* Polyester *n*
polygamy [pɒ'lɪgəmɪ] *sb* Polygamie *f*, Vielehe *f*, Vielweiberei *f*
polygraph ['pɒlɪgrɑːf] *sb* Lügendetektor *m*
polysyllabic [pɒlɪsɪ'læbɪk] *adj* LING mehrsilbig
polytechnic [pɒlɪ'teknɪk] *sb* (UK) Polytechnikum *n*
pomade [pə'mɑːd] *sb* Pomade *f*
pomander [pəʊ'mændə] *sb* Duftkugel *f*
pomegranate ['pɒməgrænɪt] *sb* BOT Granatapfel *m*
pommy ['pɒmɪ] *sb* (fam) Engländer *m*
pomp [pɒmp] *sb* Pomp *m*, Prunk *m*
pompon ['pɒmpɒn] *sb* Quaste *f*
pomposity [pɒm'pɒsɪtɪ] *sb* Aufgeblasenheit *f*, Wichtigtuerei *f*
pompous ['pɒmpəs] *adj* 1. (person) wichtigtuerisch, aufgeblasen; 2. (style) schwülstig
ponce [pɒns] *sb* (fam) Zuhälter *m*
pond [pɒnd] *sb* Teich *m*
ponder ['pɒndə] *v* 1. nachdenken; 2. (sth) überlegen, nachdenken über, erwägen
pony ['pəʊnɪ] *sb* Pony *n*
pony tail ['pəʊnɪ teɪl] *sb* (hairstyle) Pferdeschwanz *m*
pooch [puːtʃ] *sb* Hund *m*
poodle ['puːdl] *sb* Pudel *m*
pooh-pooh ['puːpuː] *v* verächtlich abtun
pool [puːl] *sb* 1. (of liquid) Tümpel *m*; 2. (of rain) Pfütze *f*; 3. (of spilt liquid) Lache *f*; 4. (man-made) Becken *n*; 5. (fund) Kasse *f*; 6. the ~s *pl* (UK) Toto *m/n* 7. (US: game similar to billiards) Poolbilliard *n*; *v* 8. (combine: resources) zusammenlegen; (combine: efforts, knowledge) vereinigen
poor [pʊə] *adj* 1. arm; 2. (pitiable) arm; You ~ thing! 3. (not good) schlecht; 4. (excuse, performance, health, effort) schwach
poorly ['pʊəlɪ] *adv* schlecht
poor mouth ['pʊəmaʊθ] *v* ~ s.o. jdn schlecht machen
pop¹ [pɒp] *v* 1. knallen; (balloon) platzen; (popcorn) aufplatzen; 2. (ears) mit einem Knacken aufgehen; 3. ~ the question (fam) jdn einen Heiratsantrag machen; 4. ~ pills Tabletten nehmen; *sb* 5. (sound) Knall *m*; 6. (carbonated drink) Brause *f*, Limo *f* (fam); 7. (fam) three dollars a ~ je drei Dollar
•**pop in** *v* (make a short visit) vorbeischauen, auf einen Sprung vorbeikommen, hereinplatzen

• **pop up** v (appear suddenly) auftauchen
pop² [pɒp] sb MUS Pop m
pop³ [pɒp] sb (fam: father) Papa m
popcorn ['pɒpkɔːn] sb Popkorn n
poppy ['pɒpɪ] sb BOT Mohn m
poppycock ['pɒpɪkɒk] sb Larifari n, Quatsch m
pop singer ['pɒpsɪŋə] sb MUS Schlagersänger m
popular ['pɒpjʊlə] adj 1. (well-liked) beliebt; 2. (with the public) populär, beliebt; 3. (prevalent) weit verbreitet; 4. (of the people) Volks...; 5. (suitable for the general public) populär; (book) populärwissenschaftlich
popularity [pɒpjʊ'lærɪtɪ] sb Beliebtheit f, Popularität f
population [pɒpjʊ'leɪʃən] sb 1. Bevölkerung f, Einwohnerschaft f; 2. (number of people) Bevölkerungszahl f
porcelain ['pɔːslɪn] sb Porzellan n
porch [pɔːtʃ] sb 1. (of a house) Vorbau m, Vordach n; 2. (US) Veranda f
pore¹ [pɔː] sb ANAT Pore f
pore² [pɔː] v ~ over genau studieren; ~ a book über einem Buch hocken
pork [pɔːk] sb Schweinefleisch n
pork chop ['pɔːktʃɒp] sb GAST Schweinekotelett n
porky ['pɔːkɪ] adj fett
pornographic [pɔːnə'græfɪk] sb pornografisch, Porno...
pornography [pɔː'nɒgrəfɪ] sb Pornografie f
porpoise ['pɔːpəs] sb ZOOL Tümmler m
porridge ['pɒrɪdʒ] sb Haferbrei m
port¹ [pɔːt] sb 1. Hafen m; 2. (city with a ~) Hafenstadt f, Hafen m; 3. (left) NAUT Backbord n
port² [pɔːt] sb (~ wine) Portwein m
porter ['pɔːtə] sb 1. Pförtner m; 2. (at a hotel) Portier m, Hoteldiener m; 3. (at an airport) Gepäckträger m; 4. (accompanying an expedition) Träger m
portfolio [pɔːt'fəʊlɪəʊ] sb 1. (folder) Mappe f; 2. (fig) FIN Portefeuille n
portion ['pɔːʃən] sb 1. Teil m; (share) Anteil m; 2. (of food) Portion f
portrait ['pɔːtrɪt] sb Porträt n
portray [pɔː'treɪ] v 1. darstellen; 2. (describe) schildern
portrayal [pɔː'treɪəl] sb 1. Darstellung f; 2. (description) Schilderung f
pose [pəʊz] v 1. (for a picture) posieren; 2. ~ as sich ausgeben als; 3. (position) aufstellen;

4. (a question) stellen; 5. (a problem) aufwerfen; (a threat) darstellen; sb 6. Pose f
poser ['pəʊzə] sb (fam) Angeber m
posh [pɒʃ] adj (fam) piekfein
position [pə'zɪʃən] v 1. aufstellen, platzieren; (soldiers) postieren; sb 2. Position f; to be out of ~ an der falschen Stelle sein; What ~ do you play? Auf welcher Position spielst du? 3. (posture) Haltung f, Stellung f; 4. (situation) Lage f; 5. (job) Stelle f; 6. (point of view) Standpunkt m, Haltung f, Einstellung f
positive ['pɒzɪtɪv] adj 1. positiv; 2. (certain) sicher; 3. (fam: definite) ausgesprochen; sb 4. FOTO Positiv n
positively ['pɒzɪtɪvlɪ] adv 1. (definitely) sicher; 2. (absolutely) wirklich, echt
possess [pə'zes] v 1. besitzen, haben; 2. to be ~ed by besessen sein von; like a man ~ed wie ein Besessener
possessed [pə'zest] adj besessen
possession [pə'zeʃən] sb 1. (thing owned) Besitz m; all my ~s mein ganzes Hab und Gut n; 2. (owning) Besitz m; take ~ of sth n; etw in Besitz nehmen; 3. (by demons) Besessenheit f
possessive [pə'zesɪv] adj 1. GRAMM possessiv; 2. (fig) (toward belongings) eigen; (toward a person) besitzergreifend
possessor [pə'zesə] sb Besitzer m
possibility [pɒsə'bɪlɪtɪ] sb Möglichkeit f
possible ['pɒsəbl] adj möglich; if ~ falls möglich; make ~ ermöglichen
possibly ['pɒsəblɪ] adv 1. (perhaps) vielleicht, möglicherweise; 2. (emphatic) I cannot ~ do this. Ich kann das unmöglich tun. She did all she ~ could. Sie tat, was sie nur konnte. How can I ~ ... Wie kann ich nur ...
post [pəʊst] v 1. (on a wall, on a notice board) anschlagen; (fig: announce) bekannt machen; 2. keep s.o ~ed jdn auf dem Laufenden halten; 3. (assign) versetzen; 4. (a guard) aufstellen; sb 5. (pole) Pfosten m; (lamp ~) Pfahl m; (tall) Mast m; as deaf as a ~ stocktaub; 6. MIL Posten m; 7. (job) Stelle f, Posten m; 8. (mail) Post f; by return of ~ postwendend; put in the ~ (UK) aufgeben, mit der Post schicken; (put in a letter box) einwerfen
postage ['pəʊstɪdʒ] sb Porto n
postal code ['pəʊstəl kəʊd] sb (UK) Postleitzahl f
postal order ['pəʊstəlɔːdə] sb (UK) Postanweisung f
postal service ['pəʊstəlsɜːvɪs] sb Postdienst m, Post f

postbox ['pəʊstbɒks] sb Briefkasten m
postcard ['pəʊstkɑːd] sb Postkarte f; (picture ~) Ansichtskarte f
postdate [pəʊst'deɪt] v (a document) vordatieren
poster ['pəʊstə] sb Plakat n, Poster n
posterity [pɒs'terɪtɪ] sb die Nachwelt f
postgraduate [pəʊst'grædjʊɪt] sb jmd, der seine Studien nach dem ersten Studienabschluss weiterführt
posthumous ['pɒstjʊməs] adj posthum
postman ['pəʊstmən] sb Briefträger m, Postbote m
postmark ['pəʊstmɑːk] sb Poststempel m
post-mortem [pəʊst'mɔːtəm] sb 1. MED Obduktion f; 2. (fig) nachträgliche Analyse f
post office ['pəʊstɒfɪs] sb Post f, Postamt n
post office box ['pəʊstɒfɪsbɒks] sb Postfach n
postpone [pəʊst'pəʊn] v aufschieben; (for a specified period) verschieben
postponement [pəʊst'pəʊnmənt] sb 1. Aufschub m; 2. (act of postponing) Verschiebung f
postproduction [pəʊstprə'dʌkʃən] sb CINE Nachbearbeitung f
postscript ['pəʊstskrɪpt] sb 1. (to a letter) Postskriptum n; 2. (to a book) Nachwort n; 3. (fig: to an affair) Nachspiel n
posture ['pɒstʃə] sb Haltung f
post-war ['pəʊstwɔː] adj Nachkriegs...
pot [pɒt] v 1. (a plant) eintopfen; sb 2. Topf m; 3. (coffee ~) Kanne f; 4. (in a card game) Topf m; 5. go to ~ (fig) kaputtgehen, ins Wasser fallen; (person) auf den Hund kommen; 6. (fam: marijuana) Gras n
potato [pə'teɪtəʊ] sb Kartoffel f
potato chip [pə'teɪtəʊtʃɪp] sb (US) Kartoffelchip m
potato salad [pə'teɪtəʊ 'sæləd] sb Kartoffelsalat m
potency ['pəʊtənsɪ] sb 1. (of a drink) Stärke f; (of medication) Wirksamkeit f; 2. (of an argument) Stichhaltigkeit f; 3. (of a man) Potenz f
potent ['pəʊtənt] adj 1. stark; (drug) wirksam; 2. (argument) stichhaltig
potential [pəʊ'tenʃəl] adj 1. potenziell; sb 2. Potenzial n
potful ['pɒtfʊl] sb Topf m, Kanne f
potluck ['pɒtlʌk] sb (fam) geselliges Beisammensein, zu dem alle Beteiligten selbst etw zu essen mitbringen n

pot plant ['pɒtplɑːnt] sb Topfpflanze f
pot shot ['pɒtʃɒt] sb Schuss aufs Geratewohl m
pottery ['pɒtərɪ] sb 1. Töpferei f; 2. (pots) Töpferwaren pl
pouch [paʊtʃ] sb Beutel m
poultry ['pəʊltrɪ] sb Geflügel n
pounce [paʊns] v ~ on sich stürzen auf
pound¹ [paʊnd] v 1. (to be ~ing) hämmern; (heart) pochen; (waves) schlagen; 2. (run with heavy footfalls) stampfen; 3. (sth) hämmern; (meat) klopfen; 4. (with bombs) MIL ununterbrochen beschießen
pound² [paʊnd] sb (unit of weight, money) Pfund n
pound³ [paʊnd] sb 1. (for stray dogs) städtischer Hundezwinger m; 2. (for cars) Abstellplatz für abgeschleppte Autos m
pour [pɔː] v 1. strömen; 2. (sth)(liquid) gießen; ~ money into a project Geld in ein Projekt pumpen; 3. (powder, a large amount of liquid) schütten; 4. (a drink) einschenken
• **pour in** v 1. hereinströmen/hineinströmen; 2. (letters, requests) in Strömen eintreffen
• **pour out** v 1. herausströmen/hinausströmen; 2. (sth) ausgießen; (large quantities, powder) ausschütten; 3. (fig) pour one's heart out to s.o. jdm sein Herz ausschütten
poverty ['pɒvətɪ] sb Armut f
poverty-stricken ['pɒvətɪstrɪkən] adj verarmt
powder ['paʊdə] sb 1. Pulver n; 2. (cosmetic ~, talcum ~) Puder m; v 3. ~ one's nose sich die Nase pudern; (fam: go to the bathroom) mal kurz verschwinden
powdered milk [paʊdəd'mɪlk] sb GAST Trockenmilch f
power [paʊə] sb 1. Macht f; I will do everything in my ~. Ich werde tun, was in meiner Macht steht. to be in s.o.'s ~ in jds Gewalt sein; 2. (ability) Fähigkeit f; (of speech, of imagination) Vermögen n; 3. (of an engine, of loudspeakers) TECH Leistung f; 4. (of a lens, of a drug) Stärke f; 5. (physical strength) Kraft f; 6. (of a blow, of an explosion) Stärke f, Gewalt f; 7. (electric ~) TECH Starkstrom m; 8. (fig: of an argument) Überzeugungskraft f; 9. MATH Potenz f; v 10. (sth) antreiben
power cut ['paʊə kʌt] sb 1. Stromausfall m; 2. (in wartime) Stromsperre f
power failure ['paʊəfeɪljə] sb Stromausfall m, Netzausfall m
powerful ['paʊəfʊl] adj 1. (influential) mächtig, einflussreich; 2. (strong: person,

drug, emotions) stark; 3. *(car)* leistungsfähig; 4. *(blow)* heftig; 5. *(argument)* durchschlagend

powerless ['pauəlıs] *adj* 1. *(without strength)* kraftlos; 2. *(without influence, ~ to act)* machtlos

power plant ['pauəplɑːnt] *sb* Kraftwerk *n*, Elektrizitätswerk *n*

power steering [pauə'stiːrıŋ] *sb* Servolenkung *f*

practical ['præktıkəl] *adj* praktisch

practical joke ['præktıkəl dʒəuk] *sb* Streich *m*

practically ['præktıkəlı] *adv* 1. praktisch; 2. *(fam: virtually)* fast

practice ['præktıs] *v* 1. *(verb)(US) (see "practise")*; *sb* 2. *(rehearsal, trial run)* Probe *f*; 3. *(repeated exercise)* Übung *f*; ~ makes perfect Übung macht den Meister; out of ~ aus der Übung; 4. SPORT Training *n*; 5. *(action, not theory)* Praxis *f*; 6. *(habit)* Gewohnheit *f*, *(custom)* Brauch *m*; 7. *(business ~)* Verfahrensweise *f*; 8. *(law ~, medical ~)* Praxis *f*

practise ['præktıs] *v* 1. üben; 2. *(a profession, a religion)* ausüben; 3. *(law, medicine)* praktizieren

practitioner [præk'tıʃənə] *sb* general ~ Arzt für Allgemeinmedizin *m*, praktischer Arzt *m*

pragmatic [præg'mætık] *adj* pragmatisch

pragmatist ['prægmətıst] *sb* Pragmatiker *m*

prairie ['preərı] *sb* Prärie *f*

praise [preız] *v* 1. loben; *sb* 2. Lob *n*

praiseworthy ['preızwɜːðı] *adj* lobenswert

pram [præm] *sb (UK)* Kinderwagen *m*

prance [prɑːns] *v* 1. herumhüpfen; 2. *(strut)* stolzieren; 3. *(horse)* tänzeln

prank [præŋk] *sb* Streich *m*, Schabernack *m*; play a ~ on s.o. jdm einen Streich spielen

prat [præt] *sb (fam: fool)* Trottel *m*

prate [preıt] *v* schwafeln, brabbeln

prattle ['prætl] *v* plappern, schwatzen

pray [preı] *v* beten

prayer [preə] *sb* Gebet *n*

prayer book ['preəbuk] *sb* Gebetbuch *n*

prayerful ['preəful] *adj* von Gebeten erfüllt

pre-accession country [priːæk'seʃn 'kʌntrı] *sb* POL Beitrittskandidat *m*

preach [priːtʃ] *v* 1. predigen; 2. *(fig: the advantages of sth)* propagieren

preacher ['priːtʃə] *sb* Prediger *m*

preachy ['priːtʃı] *adj* moralisierend

prearrange [priːə'reındʒ] *v* vorher abmachen, vorher bestimmen

precarious [prı'keərıəs] *adj* unsicher; *(dangerous)* gefährlich

precaution [prı'kɔːʃən] *sb* Vorsichtsmaßnahme *f*; take ~s Vorsichtsmaßnahmen treffen; as a ~ vorsichtshalber

precedence ['presıdəns] *sb* Vorrang *m*; take ~ over den Vorrang haben vor

precedent ['presıdənt] *sb* Präzedenzfall *m*; without ~ noch nie da gewesen

preceding [prı'siːdıŋ] *adj* vorhergehend

precinct ['priːsıŋkt] *sb* 1. Bezirk *m*; 2. police ~ *(US)* Polizeirevier *n*

precious ['preʃəs] *adj* wertvoll, kostbar, *(stones, metals)* edel

precipitation [prısıpı'teıʃən] *sb* METEO Niederschlag *m*

precise [prı'saıs] *adj* genau

precisely [prı'saıslı] *adv* genau; Precisely! Genau!

precision [prı'sıʒən] *sb* Genauigkeit *f*, Präzision *f*

preclude [prı'kluːd] *v* ausschließen; ~ s.o. from doing sth jdn daran hindern, etw zu tun

precocious [prı'kəuʃəs] *adj* frühreif; *(in a negative sense)* altklug

preconception [priːkən'sepʃən] *sb* vorgefasste Meinung *f*

predate [priː'deıt] *v* 1. *(come before)* vorausgehen; 2. *(a document)* zurückdatieren

predator ['predətə] *sb* Raubtier *n*; *(person)* Plünderer *m*

predecessor ['priːdısesə] *sb* Vorgänger *m*

predestined [priː'destınd] *adj* prädestiniert

predicament [prı'dıkəmənt] *sb* Zwangslage *f*, missliche Lage *f*

predict [prı'dıkt] *v* vorhersagen, voraussagen

prediction [prı'dıkʃən] *sb* Vorhersage *f*, Voraussage *f*

predisposition [priːdıspə'zıʃən] *sb* Neigung *f*

predominant [prı'dɒmınənt] *adj* vorherrschend, überwiegend

pre-empt [priː'empt] *v* zuvorkommen

pre-emptive [priː'emptıv] *adj* präventiv, Präventiv...

prefabricated [priː'fæbrıkeıtıd] *adj* vorgefertigt, Fertig...

preface ['prefıs] *v* 1. *(remarks)* einleiten; *sb* 2. *(to a book)* Vorwort *n*

prefect ['priːfekt] *sb* Präfekt *m*

prefer [prı'fɜː] *v* vorziehen, lieber mögen als, bevorzugen

preference ['prefərəns] *sb* 1. Vorliebe *f; I have no* ~. Mir ist alles recht. 2. *(greater favour)* Vorzug *m; show ~ to s.o.* jdn bevorzugen

pregnancy ['pregnənsɪ] *sb* Schwangerschaft *f; (of an animal)* Trächtigkeit *f*

pregnant ['pregnənt] *adj* 1. schwanger; *(animal)* trächtig; 2. *(fig: remark, pause)* bedeutungsvoll

preheat [priː'hiːt] *v* vorwärmen

prehistoric [priːhɪs'tɒrɪk] *adj* prähistorisch, vorgeschichtlich

prejudge [priː'dʒʌdʒ] *v* vorverurteilen

prejudice ['predʒudɪs] *v* 1. einnehmen, beeinflussen; 2. *(to be detrimental to)* gefährden; *sb* 3. Vorurteil *n*; 4. *(detriment)* JUR Schaden *m*

prejudiced ['predʒudɪst] *adj* voreingenommen

preliminary [prɪ'lɪmɪnərɪ] *adj* Vor..., *(remarks)* einleitend, *(measures)* vorbereitend

premarital [priː'mærɪtl] *adj* vorehelich

premature ['premətʃuə] *adj* 1. frühzeitig; 2. *(decision)* verfrüht; 3. ~ *birth* Frühgeburt *f*

premeditated [priː'medɪteɪtɪd] *adj* vorsätzlich

premier ['premɪə] *adj* 1. führend; *sb* 2. POL Premierminister *m*

premiere [premɪ'eə] *sb* Premiere *f*, Uraufführung *f*, Erstaufführung *f*

premise ['premɪs] *sb* 1. *(logical)* Voraussetzung *f*; 2. ~s *pl* Grundstück *n*; *(of a school, of a factory)* Gelände *n*; *(of a shop)* Räumlichkeiten *pl*

premium ['priːmɪəm] *sb* 1. *(bonus)* Bonus *m*, Prämie *f*; 2. *(insurance* ~) Prämie *f*; 3. *(surcharge)* Zuschlag *m*; 4. *to be at a ~* sehr gesucht sein

prenuptial agreement [priː'nʌpʃəl ə'griːmənt] *sb* Ehevertrag

preoccupation [priːɒkju'peɪʃən] *sb* 1. *(thing preoccupied with)* Hauptbeschäftigung *f*; 2. ~ *with* Beschäftigtsein mit, Vertieftsein in, Inanspruchnahme durch

preoccupied [priː'ɒkjupaɪd] *adj* in Gedanken vertieft

preoccupy [priː'ɒkjupaɪ] *v* beschäftigen

pre-package [priː'pækɪdʒ] *v* abpacken

preparation [prepə'reɪʃən] *sb* Vorbereitung *f*; *(of a meal, of medicine)* Zubereitung *f*

preparatory [prɪ'pærətərɪ] *adj* vorbereitend

prepare [prɪ'peə] *v* 1. vorbereiten; 2. *(a meal, medicine)* zubereiten

prepared [prɪ'peəd] *adj* vorbereitet, *(ready)* bereit

preposition [prepə'zɪʃən] *sb* Präposition *f*

prepositive [priː'pɒzɪtɪv] *adj* Präpositional...

prepossess [priːpə'zes] *v* einnehmen

prepossession [priːpə'zeʃən] *sb* Voreingenommenheit *f*, Vorurteil *n*

preposterous [prɪ'pɒstərəs] *adj* absurd

preppy ['prepɪ] *sb* Popper *m*

prequel ['priːkwəl] *sb* Fortsetzung, bei der die Geschichte zeitlich vor der Originalgeschichte spielt *f*

prerequisite [priː'rekwɪzɪt] *adj* 1. erforderlich, notwendig; *sb* 2. Voraussetzung *f*, Vorbedingung *f*

presage ['presɪdʒ] *v* vorher andeuten

presale ['priːseɪl] *sb* Vorverkauf *m*

preschool ['priːskuːl] *sb* Vorschule *f*

prescribe [prɪs'kraɪb] *v* 1. vorschreiben; 2. MED verschreiben

prescript ['priːskrɪpt] *sb* Vorschrift *f*

prescription [prɪs'krɪpʃən] *sb* MED Rezept *n*

prescriptive [prɪ'skrɪptɪv] *adj* normativ

presence ['prezns] *sb* 1. Gegenwart *f*, Anwesenheit *f*; *in the ~ of* vor; 2. *(bearing)* Auftreten *n*, Haltung *f*; 3. ~ *of mind* Geistesgegenwart *f*; 4. *(stage ~)* Ausstrahlung *f*

present [prɪ'zent] *v* 1. *(put forward)* vorlegen; 2. *(introduce)* vorstellen; 3. *(offer, provide)* bieten; 4. *(hand over)* übergeben, überreichen, *(as a gift)* schenken; 5. ~ *itself (an opportunity, a problem)* sich ergeben; ['preznt] *sb* 6. *(gift)* Geschenk *n; make s.o. a ~ of sth* jdm etw schenken; 7. *(~ time, ~ tense)* Gegenwart *f; at ~* zurzeit, im Moment, im Augenblick; *adj* 8. *(at the ~ time)* gegenwärtig, derzeitig, jetzig; 9. *(existing)* vorhanden; 10. *(in attendance)* anwesend

presentation [prezn'teɪʃən] *sb* 1. *(act of presenting)* Vorlage *f*, Präsentation *f*; 2. *(handing over)* Überreichung *f; (of an award)* Verleihung *f*; 3. *(manner of presenting)* Darbietung *f*, Präsentation *f*; 4. *(of a play, of a programme)* Darbietung *f*, Vorführung *f*; 5. *(introduction)* Vorstellung *f*

present-day ['prezntdeɪ] *adj* heutig, von heute

presenter [prɪ'zentə] *sb* Moderator *m; the ~ of an award* derjenige, der einen Preis überreicht

presently ['prezntlɪ] *adv* 1. *(soon)* bald, gleich; 2. *(at present)* zurzeit

preservation [prezə'veɪʃən] *sb* Erhaltung *f; (keeping)* Aufbewahrung *f*

preserve [prɪ'zɜːv] *v* 1. *(maintain)* erhalten; 2. *(a memory, a reputation)* aufrechterhalten; 3. *(silence)* bewahren; 4. *(keep from harm)* bewahren; 5. *(plants, animals)* schützen; *sb* 6. *(for animals)* Gehege *n;* 7. *~s pl (jam)* Konfitüre *f*

preset [priː'set] *v* vorher einstellen

presidency ['prezɪdənsɪ] *sb* 1. Präsidentschaft *f;* 2. *(of a company)* Vorsitz *m*

president ['prezɪdənt] *sb* 1. Präsident/Präsidentin *m/f;* 2. *(of a company)* Vorsitzende(r) *m/f*

press [pres] *v* 1. drücken; ~ *juice out of a lemon* Saft aus einer Zitrone pressen; 2. *(a button)* drücken auf; 3. *(grapes, flowers)* pressen; 4. ~ *down* hinunterdrücken; 5. *(iron)* bügeln; 6. *(urge)* drängen; ~ *a point* auf seinem Punkt bestehen; 7. *(importune, harass)* bedrängen; *to be ~ed for time* unter Zeitdruck stehen; 8. ~ *ahead with sth,* ~ *forward with sth* mit etw weitermachen; 9. *(squeeze, push)* Druck *m; (in weightlifting)* Drücken *n;* 10. *(machine)* Presse *f; go to* ~ in Druck gehen; 11. *(media)* Presse *f;* 12. *(publishing company)* Verlag *m*

press agency ['preseɪdʒənsɪ] *sb* Presseagentur *f*

press conference ['preskɒnfərəns] *sb* Pressekonferenz *f*

press release ['presrɪliːs] *sb* Presseverlautbarung *f*

press stud ['prestʌd] *sb* Druckknopf *m*

press-up ['presʌp] *sb* Liegestütz *m*

pressure ['preʃə] *sb* Druck *m; put* ~ *on s.o.* Druck auf jdn ausüben

pressure cooker ['preʃəkʊkə] *sb* GAST Schnellkochtopf *m*

pressure group ['preʃə gruːp] *sb* POL Pressuregroup *f*

pressure point ['preʃə pɔɪnt] *sb* Druckpunkt *m*

prestige [pres'tiːʒ] *sb* Prestige *n*

prestigious [pres'tɪdʒəs] *adj* berühmt, renommiert

presume [prɪ'zjuːm] *v* 1. vermuten, annehmen; 2. ~ *to do sth* sich erlauben, etw zu tun; *(to be presumptuous)* sich anmaßen

presumption [prɪ'zʌmpʃən] *sb* 1. Vermutung *f;* 2. *(arrogance)* Unverschämtheit *f,* Anmaßung *f*

presumptuousness [prɪ'zʌmptjʊəsnɪs] *sb* Anmaßung *f*

pretence [prɪ'tens] *sb* 1. *(feigning)* Heuchelei *f;* 2. *(claim)* Anspruch *m; make no* ~ *to sth* keinen Anspruch auf etw erheben; 3. *(pretext)* Vorwand *m; under false* ~s unter Vorspiegelung falscher Tatsachen

pretend [prɪ'tend] *v* 1. *(make believe)* so tun, als ob ...; 2. *(feign)* vortäuschen

pretension [prɪ'tenʃən] *sb* Anmaßung *f*

pretentious [prɪ'tenʃəs] *adj* 1. angeberisch; 2. *(style)* hochtrabend

preterm [priː'tɜːm] *adj* Frühgeburts..., vor dem errechneten Geburtstermin geboren

pretty ['prɪtɪ] *adj* 1. hübsch; *a* ~ *penny* eine hübsche Summe; *to be sitting* ~ es gut haben; *adv* 2. *(fam: rather)* ziemlich; *(fam: very)* ganz; ~ *good* recht gut, nicht schlecht

prevail [prɪ'veɪl] *v* 1. *(win out)* die Oberhand gewinnen, siegen, sich durchsetzen; 2. *(conditions)* herrschen; 3. ~ *upon s.o. to do sth* jdn dazu bewegen, etw zu tun

prevalence ['prevələns] *sb* Vorherrschaft *f,* weite Verbreitung *f,* Häufigkeit *f*

prevalent ['prevələnt] *adj* vorherrschend, weit verbreitet

prevenient [prɪ'viːnɪənt] *adj* vorbeugend

prevent [prɪ'vent] *v* 1. verhindern; 2. ~ *s.o. from doing sth* jdn daran hindern, etw zu tun

prevention [prɪ'venʃən] *sb* Verhinderung *f*

preview ['priːvjuː] *sb* 1. Vorschau *f;* 2. *(of a film: trailer)* Vorschau *f;* 3. *(entire film seen in advance)* Probeaufführung *f*

previous ['priːvɪəs] *adj* 1. *(immediately preceding)* vorherig, vorhergehend; *the* ~ *year* das Jahr davor; 2. *(earlier)* früher; *have a* ~ *engagement* bereits anderweitig verabredet sein; *adv* 3. ~ *to* vor

previously ['priːvɪəslɪ] *adv* vorher; *(formerly)* früher

prey [preɪ] *v* 1. ~ *upon (by animals)* Beute machen auf; *(by criminals)* als Opfer aussuchen; *sb* 2. Beute *f; beast of* ~ ZOOL Raubtier *n; bird of* ~ Raubvogel *m*

price [praɪs] *v* 1. *(fix the* ~ *of sth)* den Preis von etw festsetzen von; *sb* 2. Preis *m*

price-fixing ['praɪsfɪksɪŋ] *sb* Preisfestlegung *f*

priceless ['praɪslɪs] *adj* 1. unschätzbar; 2. *(fig: person, story)* unbezahlbar

price tag [praɪs tæg] *sb* Preisschild *n*

price war ['praɪswɔː] *sb* Preiskrieg *m*

pricey ['praɪsɪ] *adj (fam)* kostspielig

prick [prɪk] *v* 1. stechen, *(a balloon)* anstechen; 2. ~ *up one's ears (fig)* die Ohren spitzen; *sb* 3. Stich *m;* 4. *(fam: penis)* Schwanz *m*

prickle ['prɪkl] *v 1.* stechen; *2. (tingle)* prickeln

pride [praɪd] *v 1.* ~ o.s. on sth auf etw stolz sein; *sb 2.* Stolz *m; 3. (of lions)* Rudel *n*

prier ['praɪə] *sb* Schnüffler *m*

priest [priːst] *sb* REL Priester *m*, Geistliche(r) *m/f*

prim [prɪm] *adj* ~ and proper spröde

primacy ['praɪməsɪ] *sb* Vorrang *m*, Vorrangstellung *f*

prima donna [priːmə'dɒnə] *sb* Primadonna *f*

primarily ['praɪmərəlɪ] *adv* in erster Linie

primary ['praɪmərɪ] *adj* Haupt...

primary colour ['praɪmərɪ 'kʌlə] *sb* Grundfarbe *f*

primary election ['praɪmərɪ ɪ'lekʃən] *sb (US)* POL Vorwahl *f*

primary school ['praɪmərɪskuːl] *sb* Grundschule *f*

primate ['praɪmeɪt] *sb* ZOOL Primat *m*

prime [praɪm] *adj 1.* Haupt... *2. (excellent)* erstklassig; *sb 3.* Blütezeit *f;* the ~ of life im besten Alter; *to be past one's* ~ die besten Jahre hinter sich haben

prime cost [praɪm kɒst] *sb* Selbstkosten *pl,* Gestehungskosten *pl*

prime minister [praɪm 'mɪnɪstə] *sb* POL Premierminister *m*

prime rate [praɪm reɪt] *sb* FIN Sollzinssatz der Geschäftsbanken in den USA für Großkunden *m*

prime time [praɪm taɪm] *sb (US)* Haupteinschaltzeit *f*

primeval [praɪ'miːvl] *adj* urzeitlich

priming ['praɪmɪŋ] *sb 1. (ignition)* Zündmasse *f*, Zündung *f; 2. (paint)* Grundierung *f*

primitive ['prɪmɪtɪv] *adj* primitiv

primrose ['prɪmrəʊz] *sb 1.* BOT Primel *f; 2. (colour)* Blassgelb *n*

prince [prɪns] *sb 1. (king's son)* Prinz *m; 2. (ruler)* Fürst *m*

princedom ['prɪnsdəm] *sb* Fürstentum *n*

princely ['prɪnslɪ] *adj* fürstlich

princess ['prɪnses] *sb* Prinzessin *f*

principal ['prɪnsɪpəl] *adj 1.* Haupt..., hauptsächlich; *sb 2. (~ character)* Hauptperson *f; 3. (of a school)* Direktor *m; 4. (of an investment)* Kapital *n, (of debt)* Kreditsumme *f*

principle ['prɪnsɪpl] *sb* Prinzip *n; It's a matter of ~.* Es geht dabei ums Prinzip.

print [prɪnt] *v 1. (a photo)* abziehen; *2. (not write in cursive)* in Druckschrift schreiben; *3.*

(a book, a design) drucken; *4. (publish)* veröffentlichen; *sb 5. (picture, publication)* Druck *m; out of* ~ vergriffen; *6. (typeface)* Schrift *f; 7. (photo)* Abzug *m; 8. (cotton ~)* bedruckter Kattun *m; 9. (impression)* Abdruck *m*

printed matter ['prɪntɪd 'mætə] *sb* Drucksache *f*

printer ['prɪntə] *sb* Drucker *m*

printer's error ['prɪntəz 'erə] *sb* Druckfehler *m*

printing ['prɪntɪŋ] *sb* Drucken *n*, Druck *m*

print-out ['prɪntaʊt] *sb* Ausdruck *m*

print shop ['prɪntʃɒp] *sb* Druckerei *f*

prior ['praɪə] *adj* früher; ~ to vor

priority [praɪ'ɒrɪtɪ] *sb* Priorität *f; give* ~ *to* vordringlich behandeln

prison ['prɪzn] *sb* Gefängnis *n*

prison cell ['prɪzn sel] *sb* Gefängniszelle *f*

prisoner ['prɪzənə] *sb* Gefangene(r) *m/f; take s.o.* ~ jdn gefangen nehmen

prisoner of war ['prɪzənər əv wɔː] *sb* Kriegsgefangene(r) *m/f*

prison sentence ['prɪznsentəns] *sb* Gefängnisstrafe *f*

privacy ['praɪvəsɪ] *sb 1.* Zurückgezogenheit *f*, Ruhe *f; in the* ~ *of one's home* bei sich zu Hause; *invade s.o.'s* ~ in jds Privatsphäre eingreifen; *2. (of information)* Heimlichkeit *f*, Geheimhaltung *f*

private ['praɪvɪt] *adj 1.* privat, Privat...; *2. (confidential)* vertraulich; *sb 3.* MIL gemeiner Soldat *m*, einfacher Soldat *m*

private bill ['praɪvɪt bɪl] *sb (UK)* Gesetzesinitiative eines Parlamentsmitglieds *f*

private company ['praɪvɪt 'kʌmpənɪ] *sb* Gesellschaft mit beschränkter Haftung *f*

private life ['praɪvɪt laɪf] *sb* Privatleben *n*

private property ['praɪvɪt 'prɒpətɪ] *sb* Privateigentum *n*, Privatbesitz *m*

private sector ['praɪvɪt 'sektə] *sb* privater Sektor *m*

privatization [praɪvətaɪ'zeɪʃən] *sb* Privatisierung *f*

privilege ['prɪvɪlɪdʒ] *sb 1.* Privileg *n; 2. (honour)* Ehre *f*

prize [praɪz] *sb 1.* Preis *m; v 2.* schätzen

prize fight [praɪz faɪt] *sb* SPORT Profiboxkampf *m*

prize money ['praɪzmʌnɪ] *sb* Preisgeld *n*

prize-winner ['praɪzwɪnə] *sb* Preisträger *m*

pro [prəʊ] *sb 1. (fam: professional)* Profi *m; 2. the ~s and cons pl* das Für und Wider *n,* das Pro und Kontra *n*

probability [prɒbə'bɪlɪtɪ] *sb* Wahrscheinlichkeit *f; in all ~* höchstwahrscheinlich, *aller Wahrscheinlichkeit nach*

probably ['prɒbəblɪ] *adv* wahrscheinlich

probation [prə'beɪʃən] *sb 1. (~ period)* Probezeit *f; 2. JUR* Bewährung *f*

probe [prəʊb] *v 1.* suchen, forschen; *2. (sth)* untersuchen, sondieren, erforschen; *sb 3. TECH* Sonde *f; 4. (investigation)* Untersuchung *f*

problem ['prɒbləm] *sb* Problem *n, What's the problem?* Was ist los?

problematic [prɒblɪ'mætɪk] *adj* problematisch

proceed [prə'siːd] *v 1. (go)* sich begeben; *"~ with caution"* vorsichtig fahren; *~ on the assumption that ...* davon ausgehen, dass ...; *2. (set about sth)* vorgehen; *~ against s.o. JUR* gegen jdn gerichtlich vorgehen; *3. (continue)* fortfahren; *things are ~ing as usual* alles geht seinen üblichen Gang; *4. (continue to go)* weitergehen; *(by car)* weiterfahren; ['prəʊsiːd] *sb 5. ~s pl* Erlös *m*, Ertrag *m*

proceeding [prə'siːdɪŋ] *sb* Vorgehen *n*, Verfahren *n; ~s pl JUR* Verfahren *n*

process ['prəʊses] *v 1.* verarbeiten; *2. (film)* entwickeln; *3. (an application)* bearbeiten; *sb 4.* Verfahren *n*, Prozess *m; 5. due ~ of law JUR* rechtliches Gehör *n*

procession [prə'seʃən] *sb 1.* Umzug *m; 2. (solemn)* Prozession *f*

pro-choice [prəʊ'tʃɔɪs] *adj* das Abtreibungsrecht befürwortend

proclaim [prə'kleɪm] *v* proklamieren, erklären

procrastinate [prəʊ'kræstɪneɪt] *v* zaudern

procrastination [prəʊkræstɪ'neɪʃən] *sb* Zaudern *n*, Aufschieben *n*

procreate ['prəʊkrɪeɪt] *v* zeugen

procreation [prəʊkrɪ'eɪʃən] *sb* Zeugung *f*

proctor ['prɒktə] *sb 1. (of an examination)* Aufsichtsführende(r) bei Prüfungen *m/f; 2. (UK: of a university)* Disziplinarbeamte(r) *m/f; 3. JUR* Anwalt/Anwältin an Spezialgerichten *m/f*

procure [prə'kjʊə] *v 1.* beschaffen; *2. (a prostitute)* verkuppeln; *3. (bring about)* herbeiführen

procuring [prə'kjʊərɪŋ] *sb* Kuppelei *f*

prod [prɒd] *v 1.* stoßen; *2. (fig: into action)* anstacheln

prodigal ['prɒdɪgəl] *adj the ~ son* der verlorene Sohn

prodigious [prə'dɪdʒəs] *adj* großartig, wunderbar

prodigy ['prɒdɪdʒɪ] *sb* Wunder; *~child* Wunderkind *n*

produce [prə'djuːs] *v 1.* produzieren, herstellen; *(energy)* erzeugen; *2. (fig: cause)* hervorrufen; *3. (an effect)* erzielen; *4. (a film)* produzieren; *5. THEAT* inszenieren; *6. (bring out)* hervorholen; *(identification)* vorzeigen; *(a witness)* beibringen; ['prɒdjuːs] *sb 7. AGR* Produkte *pl*, Erzeugnis *n*

producer [prə'djuːsə] *sb 1.* Hersteller *m*, Erzeuger *m; 2. CINE* Produzent(in) *m/f*

product ['prɒdʌkt] *sb* Produkt *n*

production [prə'dʌkʃən] *sb ECO* Herstellung *f*, Produktion *f*

productivity [prɒdʌk'tɪvɪtɪ] *sb* Produktivität *f*

product life cycle ['prɒdʌkt 'laɪfsaɪkl] *sb ECO* Lebenszyklus eines Produktes *m*

product placement ['prɒdʌkt 'pleɪsmənt] *sb ECO* Produktplatzierung *f*

profane [prə'feɪn] *adj 1. (blasphemous)* lästerlich; *2. (secular)* profan

profanity [prə'fænɪtɪ] *sb 1.* Profanität *f; 2. (curse)* Fluch *m*

profession [prə'feʃən] *sb 1. (occupation)* Beruf *m; 2. (declaration)* Erklärung *f*, Beteuerung *f*

professional [prə'feʃənl] *adj 1.* beruflich, Berufs...; *2. (competent, expert)* fachmännisch; *3. (using good business practices)* professionell; *sb 4.* Profi *m*

professor [prə'fesə] *sb* Professor *m*

proficiency [prə'fɪʃənsɪ] *sb* Fertigkeit *f*, Können *n*, Tüchtigkeit *f*

proficient [prə'fɪʃənt] *adj* tüchtig, fähig; *to be ~ in sth* in etw bewandert sein

profile ['prəʊfaɪl] *sb 1.* Profil *n; 2. (story about s.o.)* Porträt *n; 3. keep a low ~* sich im Hintergrund halten; *v 4. (draw in ~) ART* im Profil darstellen; *5. (in writing)* porträtieren

profit ['prɒfɪt] *v 1.* profitieren, Nutzen ziehen, Gewinn ziehen; *sb 2. ECO* Gewinn *m*, Profit *m; make a ~ on sth* mit etw einen Gewinn machen; *3. (fig)* Nutzen *m*, Vorteil *m*

profitable ['prɒfɪtəbl] *adj 1.* rentabel; *2. (advantageous)* vorteilhaft

profit centre ['prɒfɪtsentə] *sb ECO* Profitcenter *n*

profit-sharing ['prɒfɪtʃɛərɪŋ] *sb ECO* Gewinnbeteiligung *f*

profit-taking ['prɒfɪtteɪkɪŋ] *sb ECO* Gewinnmitnahme *f*

profound [prəˈfaʊnd] *adj 1. (deep)* tief; *2. (thought)* tiefsinnig, tief schürfend, tiefgründig; *3. (regret)* tief gehend; *4. (knowledge)* gründlich

profusely [prəˈfjuːslɪ] *adv 1. (thank ~)* überschwänglich; *2. (sweat)* übermäßig

profusion [prəˈfjuːʒən] *sb* Fülle *f*

prognosis [prɒgˈnəʊsɪs] *sb* Prognose *f*

programmable [prəʊˈgræməbl] *adj INFORM* programmierbar

programme [ˈprəʊgræm] *v 1.* programmieren; *(fig: person)* vorprogrammieren; *sb 2.* Programm *n*

programmer [ˈprəʊgræmə] *sb INFORM* Programmierer *m*

programming language [ˈprəʊgræmɪŋ ˈlæŋgwɪdʒ] *sb INFORM* Programmiersprache *f*

progress [prəˈgres] *v 1. (make ~)* vorwärts kommen; *2. (develop)* sich entwickeln; *3. (proceed)* weitergehen; [ˈprəʊgres] *sb 4.* Fortschritt *m*; *in ~* im Gange; *make ~* Fortschritte machen; *5. (movement forwards)* Fortschreiten *n*, Vorwärtskommen *n*

progressive [prəˈgresɪv] *adj 1. (increasing)* zunehmend; *2. (favouring progress)* progressiv

progress report [ˈprəʊgres rɪˈpɔːt] *sb* Zwischenbericht *m*

prohibit [prəˈhɪbɪt] *v* verbieten

prohibition [prəʊɪˈbɪʃən] *sb 1.* Verbot *n; 2. (US) HIST* Prohibition *f*

project [ˈprɒdʒekt] *sb 1.* Projekt *n*; [prəˈdʒekt] *v 2. (jut out)* hervorragen, hervorspringen; *3. (costs)* überschlagen; *4. (a film, figures)* projizieren; *5. (propel)* abschießen; *~ one's voice* seine Stimme weit tragen lassen

projection [prəˈdʒekʃən] *sb 1.* Projektion *f; 2. (sticking out)* Vorsprung *m; 3. (prediction)* Vorausplanung *f*

projector [prəˈdʒektə] *sb* Projektor *m*

pro-life [prəʊˈlaɪf] *adj* gegen die Abtreibung

prologue [ˈprəʊlɒg] *sb 1. (of a book)* Vorwort *n; 2. (of a play) THEAT* Prolog *m; 3. (fig)* Vorspiel *n*

prolong [prəˈlɒŋ] *v* verlängern

prom [prɒm] *sb 1. (UK: promenade)* Strandpromenade *f; 2. (US: dance)* High-School-Ball *m*

prominence [ˈprɒmɪnəns] *sb 1. (conspicuousness)* Beliebtheit *f*, Berühmtheit *f; 2. (protuberance)* Vorspringen *n*, Vorragen *n*

prominent [ˈprɒmɪnənt] *adj 1. (noticeable)* auffallend; *2. (person)* prominent; *3. (projecting)* vorstehend

promiscuous [prəˈmɪskjʊəs] *adj to be ~ (sexually)* häufig den Partner wechseln

promise [ˈprɒmɪs] *v 1.* versprechen; *sb 2.* Versprechen *n; 3. (hope, prospect)* Hoffnung *f*, Aussicht *f*

promising [ˈprɒmɪsɪŋ] *adj* viel versprechend

promote [prəˈməʊt] *v 1. (in rank)* befördern; *2. (foster)* fördern; *3. (advertise)* werben für; *4. (organize)* veranstalten

promotion [prəˈməʊʃən] *sb 1. (to a better job)* Beförderung *f; 2. (fostering)* Förderung *f; 3. (advertising, marketing)* Werbung *f*, Promotion *f; 4. (of an event)* Veranstaltung *f*

prompt [prɒmpt] *adj 1.* prompt, sofortig; *2. (punctual)* pünktlich; *v 3. (help with a speech)* vorsagen; *THEAT* soufflieren; *4. (evoke)* wecken; *5. (motivate)* veranlassen

promptly [ˈprɒmptlɪ] *adv* prompt; *(punctually)* pünktlich

prone [prəʊn] *adj 1. (position)* hingestreckt; *lie ~* auf dem Bauch liegen; *2. to be ~ to do sth* dazu neigen, etw zu tun

pronoun [ˈprəʊnaʊn] *sb GRAMM* Pronomen *n*

pronounce [prəˈnaʊns] *v 1. LING* aussprechen; *2. (declare)* erklären für

pronouncement [prəˈnaʊnsmənt] *sb 1.* Erklärung *f; 2. (of innocence or guilt)* Verkündung *f*

pronunciation [prənʌnsɪˈeɪʃən] *sb LING* Aussprache *f*

proof [pruːf] *sb 1.* Beweis *m; 2. (alcohol content)* Alkoholgehalt *m; 3. (of a photo)* Probeabzug *m; adj 4. (resistant)* fest, sicher

prop¹ [prɒp] *sb 1.* Stütze *f; 2. ~ up;* stützen; *~ sth up against sth* etw gegen etw lehnen; *3. ~ up (fig: support)* unterstützen, stützen

prop² [prɒp] *sb THEAT* Requisit *n*

propaganda [prɒpəˈgændə] *sb* Propaganda *f*

propagator [ˈprɒpəgeɪtə] *sb 1. (reproducer)* Fortpflanzer *m; 2. (propagandist)* Verbreiter *m*, Propagandist *m*

propensity [prəˈpensɪtɪ] *sb* Hang *m; ~ for* Hang zu

proper [ˈprɒpə] *adj 1. (seemly)* anständig; *2. (fitting)* richtig; *3. (actual)* eigentlich

property [ˈprɒpətɪ] *sb 1.* Eigentum *n; 2. (characteristic)* Eigenschaft *f; 3. properties pl THEAT* Requisiten *pl*

property tax ['prɒpətɪ tæks] *sb* Grundsteuer *f*

prophesy ['prɒfɪsaɪ] *v* prophezeien

prophet ['prɒfɪt] *sb* Prophet *m*

proportion [prə'pɔːʃən] *sb 1.* Verhältnis *n*, Proportion *f; out of all ~* maßlos übertrieben; *2. (part)* Teil *m; 3. (amount in a mixture)* Anteil *m; 4. ~s pl (size)* Ausmaß *n; v 5. (share out)* verteilen; *6. (size)* proportionieren

proportional [prə'pɔːʃənəl] *adj* proportional; *inversely ~* umgekehrt proportional

proportionate [prə'pɔːʃnɪt] *adj* im richtigen Verhältnis; *to be ~ to* sth etw entsprechen

proposal [prə'pəʊzl] *sb 1.* Vorschlag *m; 2. (of marriage)* Antrag *m*

propose [prə'pəʊz] *v 1. (make a marriage proposal)* einen Heiratsantrag machen; *2. (suggest)* vorschlagen; *3. (intend)* vorhaben

proposition [prɒpə'zɪʃən] *sb 1. (suggestion)* Vorschlag *m; 2. (business)* Sache *f*, Unternehmen *n*

proprietary [prə'praɪɪtərɪ] *adj* besitzend, Besitz...

propriety [prə'praɪɪtɪ] *sb 1.* Anstand *m; 2. (suitability, correctness)* Angemessenheit *f*

propulsion [prə'pʌlʃən] *sb* Antrieb *m*

prose [prəʊz] *sb* Prosa *f*

prosecute ['prɒsɪkjuːt] *v 1. (s.o.)* JUR strafrechtlich verfolgen, strafrechtlich belangen; *2. (carry on)* durchführen

prosecution [prɒsɪ'kjuːʃən] *sb 1.* JUR strafrechtliche Verfolgung *f; 2. (side)* Anklage *f; 3. (carrying out)* Durchführung *f*

prosecutor ['prɒsɪkjuːtə] *sb* JUR Ankläger *m*

prospect ['prɒspekt] *sb* Aussicht *f*

prospective [prə'spektɪv] *adj 1. (possible)* eventuell; *2. (future)* künftig

prosper ['prɒspə] *v* blühen

prosperity [prɒs'perɪtɪ] *sb* Wohlstand *m*

prosperous ['prɒspərəs] *adj* florierend, gut gehend, blühend

prosthesis [prɒs'θiːsɪs] *sb* MED Prothese *f*

prostitute ['prɒstɪtjuːt] *sb* Prostituierte *f; male ~* Strichjunge *m*

prostitution [prɒstɪ'tjuːʃən] *sb* Prostitution *f*

prostrate ['prɒstreɪt] *adj* hingestreckt

protect [prə'tekt] *v* schützen

protection [prə'tekʃən] *sb* Schutz *m*

protective [prə'tektɪv] *adj* beschützend, Schutz...

protector [prə'tektə] *sb 1.* Beschützer *m; 2. (protective wear)* Schutz *m*

protégé ['prɒteʒeɪ] *sb* Schützling *m*, Protégé *m*

protein ['prəʊtiːn] *sb* BIO Eiweiß *n*, Protein *n*

protein deficiency ['prəʊtiːn dɪ'fɪʃənsɪ] *sb* MED Eiweißmangel *m*

protest [prəʊ'test] *v 1.* protestieren; *2. (sth) (dispute)* protestieren gegen; *(affirm, declare)* beteuern; ['prəʊtest] *sb 3.* Protest *m; (demonstration)* Protestkundgebung *f*

protester [prə'testə] *sb (demonstrator)* Demonstrant(in) *m/f*

protocol ['prəʊtəkɒl] *sb* Protokoll *n*

prototype ['prəʊtəʊtaɪp] *sb* Prototyp *m*

protract [prə'trækt] *v* hinausziehen, in die Länge ziehen

protracted [prə'træktɪd] *adj* langwierig

protrude [prə'truːd] *v 1.* vorstehen; *2. (sth)* herausstrecken

protrusion [prə'truːʒən] *sb 1. (that which protrudes)* Vorsprung *m; 2. (act)* Vorstehen *n*, Vorspringen *n*

proud [praʊd] *adj* stolz; *to be ~ of s.o.* stolz auf jdn sein

provable ['pruːvəbl] *adj 1.* beweisbar; *2. (guilt)* nachweisbar

prove [pruːv] *v 1.* beweisen; *~ o.s.* sich bewähren; *2. ~ to be ...* sich als ... erweisen

proven ['pruːvn] *adj* bewährt

proverb ['prɒvɜːb] *sb 1.* Sprichwort *n; 2. Proverbs* REL die Sprüche *pl*

provide [prə'vaɪd] *v 1.* besorgen, beschaffen, liefern; *2. (an opportunity)* bieten; *3. ~d that ...* vorausgesetzt, dass ...; *4. (make available)* zur Verfügung stellen; *~ s.o. with sth* jdn mit etw versorgen; *5. (see to)* sorgen für

• **provide for** *v 1. (one's family)* versorgen; *2. (foresee, stipulate)* vorsehen, vorsorgen

providential [prɒvɪ'denʃəl] *adj 1. (resulting from divine providence)* durch die göttliche Vorsehung; *2. (fortunate)* glücklich

providing [prə'vaɪdɪŋ] *konj ~ that ...* vorausgesetzt, dass ..., gesetzt den Fall, dass ...

province ['prɒvɪns] *sb 1.* Provinz *f; 2. (fig)* Gebiet *n*, Bereich *m*

provincial [prə'vɪnʃəl] *adj* provinziell; *(in a negative sense)* provinzlerisch

provision [prə'vɪʒən] *sb 1. (supplying)* Bereitstellung *f, (for oneself)* Beschaffung *f; 2. ~s pl (supplies)* Vorräte *pl; 3. ~s pl (food)* Nahrungsmittel *pl; 4. (of a contract)* Bestimmung *f; 5. (arrangement)* Vorkehrung *f; make ~s for sth* Vorkehrungen für etw treffen; *6. (allowance)* Berücksichtigung *f*

provisional [prə'vɪʒənəl] *adj* 1. provisorisch; 2. *(measures, legislation)* vorläufig
provisory [prə'vaɪzərɪ] *adj* 1. *(provisional)* provisorisch, vorläufig; 2. *(conditional)* vorbehaltlich
provocation [prɒvə'keɪʃən] *sb* Provokation *f*, Herausforderung *f; at the slightest ~* beim geringsten Anlass
provoke [prə'vəʊk] *v* 1. provozieren, reizen, herausfordern; 2. *(a feeling)* erregen; 3. *(discussion)* herbeiführen; 4. *(criticism)* hervorrufen
provoking [prə'vəʊkɪŋ] *adj* 1. *(inciting)* provozierend; 2. *(vexing)* ärgerlich
prowl [praʊl] *v* 1. herumstreichen; 2. *(sth)* durchstreifen
prowler ['praʊlə] *sb* Herumtreiber(in) *m/f*
proximity [prɒk'sɪmɪtɪ] *sb* Nähe *f*
proxy ['prɒksɪ] *sb* 1. *(power)* Vollmacht *f; by ~* in Vertretung; 2. *(person)* Vertreter *m*
prude [pru:d] *sb to be a ~* prüde sein
prudence ['pru:dəns] *sb* Umsicht *f*
prudery ['pru:dərɪ] *sb* Prüderie *f*
prudish ['pru:dɪʃ] *adj* prüde
prune¹ [pru:n] *v* 1. *(a tree)* beschneiden; *(a hedge)* schneiden; 2. *(an essay, expenditures)* kürzen
prune² [pru:n] *sb* Backpflaume *f*
pry¹ [praɪ] *v* neugierig sein, seine Nase stecken in
pry² [praɪ] *v ~ open (US)* aufbrechen
prying ['praɪɪŋ] *adj* neugierig
psalm [sɑ:m] *sb REL* Psalm *m*
pseudo ['sju:dəʊ] *adj* Pseudo..., Möchtegern..., affektiert, gewollt
pseudonym ['sju:dənɪm] *sb* Pseudonym *n*
psych [saɪk] *v (fam)~ up* ermuntern, aufmuntern, aufbauen
psyche ['saɪkɪ] *sb* Psyche *f*
psychedelic [saɪkə'delɪk] *adj* psychedelisch
psychiatric [saɪkɪ'ætrɪk] *adj MED* psychiatrisch; *(illness)* psychisch
psychiatrist [saɪ'kaɪətrɪst] *sb MED* Psychiater *m*
psychiatry [saɪ'kaɪətrɪ] *sb* Psychiatrie *f*
psychic ['saɪkɪk] *sb* 1. Mensch mit übernatürlichen Kräften *m; adj* 2. übersinnlich
psycho ['saɪkəʊ] *sb (fam)* Psychopath *m*
psychological [saɪkə'lɒdʒɪkəl] *adj* psychologisch; *It's all ~ (it's all in your mind).* Das ist alles nur Einbildung.
psychologist [saɪ'kɒlədʒɪst] *sb* Psychologe/Psychologin *m/f*

psychology [saɪ'kɒlədʒɪ] *sb* 1. Psychologie *f;* 2. *(psychological make-up)* Psyche *f*
psychopath ['saɪkəʊpæθ] *sb* Psychopath(in) *m/f*
psychotherapist [saɪkəʊ'θerəpɪst] *sb* Psychotherapeut(in) *m/f*
psychotherapy [saɪkəʊ'θerəpɪ] *sb* Psychotherapie *f*
psychotic [saɪ'kɒtɪk] *adj* psychotisch
pub [pʌb] *sb* 1. Pub *n*, Lokal *n;* 2. *(in the country)* Wirtshaus *n*
pub-crawl ['pʌbkrɔ:l] *sb (fam)* Kneipenbummel *m*
puberty ['pju:bətɪ] *sb* Pubertät *f*
public ['pʌblɪk] *adj* 1. öffentlich; *in the ~ eye* im Lichte der Öffentlichkeit; *make ~* bekannt machen; *sb* 2. Öffentlichkeit *f; his ~* sein Publikum
public address system ['pʌblɪk ə'dres sɪstəm] *sb* öffentliche Lautsprecheranlage *f*
publican ['pʌblɪkən] *sb (UK)* Gastwirt(in) *m/f*
publication [pʌblɪ'keɪʃən] *sb* 1. Veröffentlichung *f;* 2. *(thing published)* Publikation *f*
public company ['pʌblɪk 'kʌmpənɪ] *sb ECO* Aktiengesellschaft *f*
public enemy ['pʌblɪk 'enemɪ] *sb* Staatsfeind *m*
public holiday ['pʌblɪk 'hɒlɪdeɪ] *sb* gesetzlicher Feiertag *m*
public house ['pʌblɪk haʊs] *sb (UK)* Gaststätte *f*
publicity [pʌb'lɪsɪtɪ] *sb* Werbung *f*, Publicity *f*
public limited company ['pʌblɪk 'lɪmɪtɪd 'kʌmpənɪ] *sb (UK) ECO* Aktiengesellschaft *f*
public relations ['pʌblɪk rɪ'leɪʃənz] *sb* Publicrelations *pl*
public school ['pʌblɪk sku:l] *sb* 1. *(UK)* höhere Privatschule mit Internat *f;* 2. *(US)* staatliche Schule *f*
public sector ['pʌblɪk 'sektə] *sb POL* öffentlicher Sektor *m*
public transport ['pʌblɪk 'trænspɔ:t] *sb* öffentliche Verkehrsmittel *pl*
publish ['pʌblɪʃ] *v* 1. veröffentlichen; 2. *(a thesis)* publizieren; 3. *(serve as publisher of)* herausgeben
publisher ['pʌblɪʃə] *sb* 1. *(person)* Verleger *m*, Herausgeber *m;* 2. *(firm)* Verlag *m*
publishing house ['pʌblɪʃɪŋ haʊs] *sb* Verlag *m*
pudding ['pʊdɪŋ] *sb* Pudding *m*

puddle ['pʌdl] *sb* Pfütze *f*

pudgy ['pʌdʒɪ] *adj* dicklich

puff [pʌf] *v* 1. *(pant)* schnaufen; 2. *(smoke)* ausstoßen; *(a cigar)* paffen *(fam)*; *sb* 3. Schnaufen *n; (on a cigarette)* Zug *m*
• **puff up** *v (swell)* anschwellen

puffy ['pʌfɪ] *adj* aufgequollen, verschwollen

pug [pʌg] *sb ZOOL* Mopps *m*

puke [pju:k] *v (fam)* kotzen

pull [pʊl] *v* 1. ziehen; 2. *(move)* fahren; 3. *(sth)* ziehen; *(tug)* ziehen an; 4. ~ one's punches verhalten schlagen; *(fig)* sich zurückhalten; 5. *(strain a muscle)* zerren; *sb* 6. *(~ed muscle)* Zerrung *f*
• **pull away** *v* ~ from *(increase one's lead on)* sich absetzen von
• **pull down** *v* 1. herunterziehen; 2. *(a building)* abreißen
• **pull in** *v* 1. *(drive in) (to a station)* einfahren; *(to a driveway)* hineinfahren; 2. *(fam: earn)* kassieren
• **pull out** *v* 1. *(withdraw)* aussteigen *(fam); (troops)* abziehen; 2. *(leave: train)* herausfahren; 3. *(sth)* herausziehen
• **pull over** *v (to the side of the road)* zur Seite fahren
• **pull together** *v* pull o.s. together sich zusammenreißen
• **pull up** *v (stop)* anhalten

pull-up ['pʊlʌp] *sb (exercise)* Klimmzug *m*

pulp [pʌlp] *sb* 1. Brei *m;* beat s.o. to a ~ *(fam)* jdn zu Brei schlagen; 2. *(of fruit) GAST* Fruchtfleisch *n*

pulpit ['pʊlpɪt] *sb* Kanzel *f*

pulpy ['pʌlpɪ] *adj* breiig

pulsate [pʌl'seɪt] *v* pulsieren

pulse [pʌls] *sb* 1. *ANAT* Puls *m;* 2. *PHYS* Impuls *m*

pulverize ['pʌlvəraɪz] *v* 1. pulverisieren; 2. *(fam: defeat)* fertig machen

pump [pʌmp] *v* 1. pumpen; ~ bullets into s.o. jdn mit Blei voll pumpen *(fam)*; 2. *(a stomach)* auspumpen; ~ s.o. for information jdn aushorchen; *sb* 3. Pumpe *f*
• **pump up** *v (inflate)* aufpumpen

pun [pʌn] *sb* Wortspiel *n*

punch [pʌntʃ] *v* 1. *(strike)* mit der Faust schlagen, boxen; 2. *(holes)* stechen, stanzen; 3. *(a ticket)* lochen, knipsen; *sb* 4. *(blow)* Faustschlag *m,* Schlag *m;* 5. *(tool for making holes)* Locher *m; (for tickets)* Lochzange *f;* 6. *(drink)* Bowle *f; (hot)* Punsch *m*

punchball ['pʌntʃbɔ:l] *sb* Punchingball

punch bowl ['pʌntʃbəʊl] *sb* Bowle *f*

punch-line ['pʌntʃlaɪn] *sb* Pointe *f*

punctual ['pʌŋktjʊəl] *adj* pünktlich

punctuality [pʌŋktjʊ'ælɪtɪ] *sb* Pünktlichkeit *f*

punctuation [pʌŋktjʊ'eɪʃən] *sb* Interpunktion *f*

punctuation mark [pʌŋktjʊ'eɪʃən mɑ:k] *sb* Satzzeichen *n*

puncture ['pʌŋktʃə] *v* 1. *(tyre)* einen Platten haben; 2. *(sth)* stechen in; *(a tyre)* ein Loch machen in; 3. *MED* punktieren; *sb* 4. Loch *n; (in skin)* Stich *m;* 5. *(flat tyre)* Reifenpanne *f*

punish ['pʌnɪʃ] *v* 1. bestrafen; 2. *(fam: treat roughly)* strapazieren; 3. *(fam: a boxer)* übel zurichten, vorführen

punishable ['pʌnɪʃəbl] *adj* strafbar

punishment ['pʌnɪʃmənt] *sb* 1. *(penalty)* Strafe *f;* 2. *(punishing)* Bestrafung *f;* 3. *(fam)* take ~ stark strapaziert werden; *(boxer)* vorgeführt werden

punk [pʌŋk] *sb* 1. Punk *m;* 2. *(US: thug, hood)* Ganove *m*

pupil ['pju:pl] *sb* 1. Schüler *m;* 2. *ANAT* Pupille *f*

puppet ['pʌpɪt] *sb* Marionette *f*

puppy ['pʌpɪ] *sb* junger Hund *m*

purchase ['pɜ:tʃɪs] *v* 1. kaufen, erwerben; *sb* 2. Kauf *m,* Anschaffung *f*

purchase price ['pɜ:tʃɪs praɪs] *sb* Kaufpreis *m*

pure [pjʊə] *adj* rein

purebred ['pjʊəbred] *adj ZOOL* reinrassig

purge [pɜ:dʒ] *v* 1. reinigen; *(a body)* entschlacken; *(an organization)* säubern; *sb* 2. *POL* Säuberung *f,* Säuberungsaktion *f*

purify ['pjʊərɪfaɪ] *v* reinigen

purity ['pjʊərɪtɪ] *sb* Reinheit *f*

purple ['pɜ:pl] *adj* 1. purpurrot, purpurn; *sb* 2. Purpur *m*

purport [pɜ:'pɔ:t] *v* 1. *(claim)* vorgeben, behaupten; 2. *(mean)* hindeuten auf

purpose ['pɜ:pəs] *sb* 1. *(aim, goal)* Zweck *m;* That defeats the ~. Das verfehlt den Zweck. for all practical ~s praktisch; 2. *(intention)* Absicht *f;* on ~ absichtlich, mit Absicht

purposeful ['pɜ:pəsful] *adj* zielbewusst, entschlossen

purposely ['pɜ:pəslɪ] *adv* absichtlich

purr [pɜ:] *v* schnurren; *(engine)* summen

purse [pɜ:s] *sb* 1. Portemonee *n,* Geldbeutel *m;* 2. *(US: handbag)* Handtasche *f;* 3. *(winnings)* Börse *f; v* 4. ~ one's lips die Lippen schürzen

pursue [pə'sjuː] *v 1.* verfolgen; *(a girl)* nachlaufen; *2. (carry on)* verfolgen; *(an inquiry)* durchführen; *(studies)* nachgehen
pursuit [pə'sjuːt] *sb 1.* Verfolgung *f*; *2. (of pleasure)* Jagd *f*; *3. (hobby)* Freizeitbeschäftigung *f*, Zeitvertreib *m*; *4. (occupation)* Beschäftigung *f*
push [puʃ] *v 1. (in a crowd)* drängen, drängeln; *2. (sth)* schieben; *(violently)* stoßen, schubsen (fam); *3. (a button)* drücken; *4. (s.o.) (put pressure on)* drängen, antreiben; *5. (promote)* propagieren; *sb 6.* Schubs *m*, *(short)* Stoß *m*; *7.* MIL Offensive *f*
•**push away** *v* wegschieben, wegstoßen
•**push back** *v 1.* zurückdrängen, *(with one push)* zurückstoßen; *2. (curtains)* zurückschieben
•**push off** *v 1. (in a boat)* abstoßen; *2. (fam: depart)* abhauen
pushchair ['puʃtʃeə] *sb* Sportwagen *m*
pusher ['puʃə] *sb (drug dealer)* Puscher *m*, Dealer *m*
pushover ['puʃəʊvə] *sb* leichtes Opfer *n*
put [put] *v irr 1.* stellen, setzen; *2. (place)* tun; ~ *sth on one's credit card* etw mit der Kreditkarte bezahlen; *3. stay* ~ *(person)* bleiben, wo man ist, *(object)* festbleiben; *4. (thrust)* stecken; *5. (devote, give over)* setzen; ~ *one's mind to it* die Sache in Angriff nehmen; ~ *s.o. to work* jdn an die Arbeit setzen; ~ *sth to a good use* etw gut verwenden; ~ *sth right* etw richtig stellen; ~ *an end to sth*, ~ *a stop to sth* etw ein Ende setzen; *6. (express)* ausdrücken; *(write)* schreiben; *7. (estimate)* schätzen
•**put away** *v irr 1.* einräumen; *(dirty dishes)* wegräumen; *2. (in prison)* einsperren; *3. (fam: an opponent)* ausschalten; *4. (fam: consume) (food)* verdrücken; *(drinks)* wegkippen; *5. (save)* zurücklegen
•**put back** *v irr 1. (replace)* zurücktun; *2. (postpone)* verschieben
•**put by** *v irr* zur Seite legen, auf die hohe Kante legen
•**put down** *v irr 1.* hinlegen, niederlegen, hinstellen; *2. (a deposit)* machen; *3. (write down)* aufschreiben, notieren; *4. (a rebellion)* niederschlagen; *5.* ~ *to (attribute to)* zuschreiben; *6. (belittle)* herabsetzen; *7. (a plane)* landen
•**put forward** *v irr (propose)* vorbringen, *(s.o.)* vorschlagen
•**put in** *v irr 1.* ~ *for sth* sich um etw bewerben; *2. (sth)* hineintun, hineinsetzen, hinein-

stellen; ~ *a good word for s.o.* ein gutes Wort für jdn einlegen; *3. (install)* einbauen; *4. (insert) (words)* einsetzen, einfügen; *5. (a claim, an application)* einreichen; *6. (time)* zubringen; ~ *an hour's work* eine Stunde arbeiten; *7.* ~ *an appearance* erscheinen
•**put off** *v irr 1. (postpone)* verschieben; *(a decision)* aufschieben; *2. put s.o. off (by making excuses)* jdn hinhalten; *(repel s.o.)* jdn abstoßen
•**put on** *v irr 1. (clothes)* anziehen; *(a hat, glasses)* aufsetzen; *2.* ~ *make-up* sich schminken; *3.* ~ *weight* zunehmen; *4. (a facade)* aufsetzen; *5.* ~ *airs* vornehm tun; *6. (a play)* THEAT aufführen; *7.* ~ *a record* eine Platte auflegen; *8. put s.o. on to sth (inform about)* jdm etw vermitteln; *9. put s.o. on (deceive s.o.)* jdn auf den Arm nehmen
•**put out** *v irr 1. (~ to sea)* NAUT auslaufen; *2. (a fire, a candle)* löschen, ausmachen; *3. (a cat, a drunk)* vor die Tür setzen; *4. (a publication)* herausgeben; *5. (stretch out)(foot, hand)* ausstrecken; *6. put s.o. out (inconvenience s.o.)* jdm Umstände bereiten
•**put together** *v irr 1.* zusammentun; *put two and two together (fig)* seine Schlüsse ziehen; *2. (assemble)* zusammensetzen, zusammenbauen; *3. (a book)* zusammenstellen
•**put up** *v irr 1. (stay)* wohnen; *(for one night)* übernachten; *2.* ~ *with sth* etw dulden, sich etw gefallen lassen; *3. (decorations)* aufhängen; *(a poster)* anmachen; *4. (erect)* errichten; *5. (an umbrella)* aufspannen; *6.* ~ *resistance* Widerstand leisten; *7. put sth up for sale* etw zum Verkauf anbieten; *8. (give s.o. a place to stay)* unterbringen; *9. put s.o. up to sth* jdn zu etw anstiften
putrid ['pjuːtrɪd] *adj (smell)* faulig
putty ['pʌtɪ] *sb* Kitt *m*; *He was* ~ *in her hands.* Er war Wachs in ihren Händen.
puzzle ['pʌzl] *sb 1.* Rätsel *n*; *2. (jigsaw ~)* Puzzlespiel *n*; *v 3.* ~ *over sth* sich über etw den Kopf zerbrechen; *4. (s.o.)* verblüffen
puzzler ['pʌzlə] *sb (puzzling thing)* schwieriger Fall *m*
puzzling ['pʌzlɪŋ] *adj* rätselhaft
pyjamas [pɪ'dʒɑːməz] *pl (UK)* Pyjama *m*, Schlafanzug *m*
pyramid ['pɪrəmɪd] *sb* Pyramide *f*
pyromania [paɪrəʊ'meɪnɪə] *sb* Pyromanie *f*
pyromaniac [paɪrəʊ'meɪnɪæk] *sb* Pyromane/Pyromanin *m/f*
python ['paɪθən] *sb* Pythonschlange *f*

Q

quack [kwæk] v 1. quaken; sb 2. (fam: ~ doctor) Quacksalber m

quad [kwɒd] sb 1. (quadrangle) Hof m; 2. (quadruplet) Vierling m

quadrant ['kwɒdrənt] sb Quadrant m

quadratic [kwɒd'rætɪk] adj MATH quadratisch

quadriga [kwɒ'driːgə] sb Quadriga f

quadrille [kwɒ'drɪl] sb MUS Quadrille f

quadruped ['kwɒdrʊped] sb BIO Vierfüßer m

quadruple [kwɒd'ruːpl] v 1. (sth) vervierfachen; adj 2. vierfach

quagmire ['kwægmaɪə] sb Morast m, Sumpf m

quail [kweɪl] sb Wachtel f

quaint [kweɪnt] adj 1. (picturesque) malerisch, idyllisch; 2. (pleasantly odd) drollig, kurios

quake [kweɪk] v 1. (person) zittern, beben; 2. (earth) beben

quaking ['kweɪkɪŋ] adj zitternd, bebend

quaky ['kweɪkɪ] adj zitterig

qualification [kwɒlɪfɪ'keɪʃən] sb 1. (suitable skill, suitable quality) Qualifikation f, Voraussetzung f; 2. (limitation) Einschränkung f; 3. (UK: document) Zeugnis n

qualified ['kwɒlɪfaɪd] adj 1. (person) qualifiziert, geeignet; 2. (entitled) berechtigt; 3. (restricted) bedingt

qualifier ['kwɒlɪfaɪə] sb 1. SPORT Qualifizierte(r) m/f; 2. (qualifying word) Bestimmungswort n, (qualifying phrase) Bestimmungssatz m

qualify ['kwɒlɪfaɪ] v 1. (fulfil requirements) infrage kommen; ~ for sich eignen zu; 2. (get a degree) sich qualifizieren, seine Ausbildung abschließen; 3. SPORT sich qualifizieren; 4. (a statement: limit) einschränken, (modify) modifizieren; 5. (entitle s.o.) berechtigen

qualitative ['kwɒlɪteɪtɪv] adj qualitativ

quality ['kwɒlɪtɪ] sb 1. (excellence) Qualität f; 2. (characteristic) Eigenschaft f; 3. (nature) Art f; 4. (degree) Qualität f; adj 5. (fam: excellent) erstklassig

quality control ['kwɒlɪtɪ kən'trəʊl] sb Qualitätskontrolle f

quality time ['kwɒlɪtɪtaɪm] sb intensiv genutzte Zeit f

quandary ['kwɒndərɪ] sb Zwangslage f, Bedrängnis n; to be in a ~ nicht wissen, was man tun soll

quant [kwɒnt] sb Kahnstange f

quantitative ['kwɒntɪtətɪv] adj quantitativ

quantity ['kwɒntɪtɪ] sb 1. Quantität f; 2. (amount) Menge f; 3. MATH Größe f; 4. He's an unknown ~ (fig). Er ist ein unbeschriebenes Blatt.

quantity discount ['kwɒntɪtɪ 'dɪskaʊnt] sb ECO Mengenrabatt m

quantum leap [kwɒntəm'liːp] sb PHYS Quantensprung m

quarrel ['kwɒrəl] v 1. sich streiten; (have a minor quarrel) sich zanken; 2. ~ with etw auszusetzen haben an; sb 3. Streit m, Zank m

quarreller ['kwɒrələ] sb Streitsüchtige(r) m/f

quarrelling ['kwɒrəlɪŋ] sb Streiterei f

quarry ['kwɒrɪ] sb 1. (for stones) Steinbruch m; 2. (prey) Beute f; 3. (fig: thing) Ziel n; 4. (fig: person) Opfer n

quart [kwɔːt] sb (UK: 1.14 litres; US: 0.95 litres) Quart n

quartan ['kwɔːtn] adj viertägig, Viertage...

quarter ['kwɔːtə] sb 1. Viertel n; 2. a ~ of an hour eine Viertelstunde f; a ~ to three Viertel vor drei; a ~ past three Viertel nach drei; 3. (of a year) Quartal n, Vierteljahr n; 4. (US: 25 cents) 25-Centstück n; 5. (part of town) Viertel n; 6. ~s (lodgings) Quartier n, Unterkunft f, Wohnung f; to be confined to ~s Stubenarrest haben; 7. at close ~s nahe aufeinander; to be at close ~s in der Nähe sein; 8. (mercy) Schonung f, Pardon m; give no ~ kein Pardon gewähren; v 9. (lodge) unterbringen, einquartieren

quarterback ['kwɔːtəbæk] sb SPORT Quarterback m

quarterfinal ['kwɔːtəfaɪnl] sb SPORT Viertelfinale n

quarter-hour ['kwɔːtəraʊə] sb Viertelstunde f

quarterly ['kwɔːtəlɪ] adj vierteljährlich

quarterstaff ['kwɔːtəstɑːf] sb Schlagstock m

quarto ['kwɔːtəʊ] sb MIL Quartformat n

quartz [kwɔːts] sb MIN Quarz m

quash [kwɒʃ] v unterdrücken, niederschlagen

quaver ['kweɪvə] v 1. beben, zittern; 2. *MUS* Achtelnote f

quayside ['kiːsaɪd] sb Kai m

queasy ['kwiːzɪ] adj (sick) übel; I feel ~. Mir ist übel.

queen [kwiːn] sb 1. Königin f; 2. (chess, cards) Dame f

queen bee [kwiːn biː] sb ZOOL Bienenkönigin f

queenly ['kwiːnlɪ] adj königlich

queer [kwɪə] adj 1. eigenartig, seltsam, komisch; 2. (fam: unwell) unwohl; 3. (fam: homosexual) schwul; sb 4. (fam) Schwuler m

quell [kwel] v unterdrücken, ersticken, niederschlagen

quench [kwentʃ] v löschen

quenchable ['kwentʃəbl] adj löschbar, zu löschen

query ['kwɪərɪ] sb Frage f

quest [kwest] sb Suche f

question ['kwestʃən] sb 1. Frage f; to be a ~ of sich handeln um; there is no ~ of ... es ist nicht die Rede davon, dass ...; that is out of the ~ das kommt nicht infrage; the matter in ~ die fragliche Angelegenheit; v 2. (s.o.) befragen, (by police) vernehmen; (in court) verhören; 3. (sth) bezweifeln, (dispute) infrage stellen

questionable ['kwestʃənəbl] adj fragwürdig

questioning ['kwestʃənɪŋ] sb 1. (interrogation) Verhör n, Vernehmung f; 2. (interview) Befragung f; adj 3. fragend

questionless ['kwestʃənlɪs] adj fraglos

question mark ['kwestʃən mɑːk] sb Fragezeichen n

questionnaire [kwestʃə'neə] sb Fragebogen m

question time ['kwestʃən taɪm] sb Fragestunde f

queue [kjuː] v 1. (~ up) Schlange stehen, sich anstellen; sb 2. Schlange f

quick [kwɪk] adj 1. (rapid) schnell; 2. (~ly done) kurz, flüchtig; to be ~ about sth sich mit etw beeilen; 3. (on one's feet) flink; 4. (mentally) schnell von Begriff; 5. (temper) hitzig, heftig

quicken ['kwɪkən] v beschleunigen, beleben

quickness ['kwɪknɪs] sb Schnelligkeit f, Geschwindigkeit f

quicksand ['kwɪksænd] sb Treibsand m

quicksilver ['kwɪksɪlvə] sb CHEM Quecksilber n

quick-tempered [kwɪk'tempəd] adj jähzornig

quick-witted [kwɪk'wɪtɪd] adj aufgeweckt, (reply) schlagfertig

quid [kwɪd] sb (fam)(UK) Pfund n

quiet ['kwaɪət] v 1. zur Ruhe bringen; 2. (silence) zum Schweigen bringen; 3. (make calm) beruhigen; adj 4. ruhig; 5. (voice, music) leise; 6. (silent) still

• **quiet down** v sich beruhigen

quieten ['kwaɪətn] v beruhigen, zur Ruhe bringen

quiff [kwɪf] sb (UK: tuft of hair) Tolle f, Stirnlocke f

quill [kwɪl] sb 1. ZOOL Feder f; 2. (porcupine's) Stachel m

quilt [kwɪlt] sb Steppdecke f

quintal ['kwɪntl] sb Doppelzentner m

quintuplets [kwɪn'tjuːplɪts] pl Fünflinge pl

quip [kwɪp] v 1. witzeln; sb 2. witziger Einfall m, geistreiche Bemerkung f, Bonmot n

quipster ['kwɪpstə] sb schlagfertiger Mensch m

quirk [kwɜːk] sb 1. Eigenart f; 2. (in a negative sense) Schrulle f; 3. (of fate) Laune f

quirky ['kwɜːkɪ] adj eigenartig

quit [kwɪt] v irr 1. (leave one's job) kündigen; 2. (accept defeat) aufgeben; 3. (sth) (leave) verlassen; 4. (a job) kündigen; 5. (fam: stop) aufhören mit

quite [kwaɪt] adv 1. (to some degree) ziemlich; ~ good recht gut; 2. (entirely) ganz, völlig; 3. (truly) wirklich

quits [kwɪts] adj 1. quitt; 2. call it ~ Schluss machen

quiver ['kwɪvə] v 1. zittern; sb 2. (for arrows) SPORT Köcher m

quiz [kwɪz] sb 1. (~ show) Quiz n; 2. (US: small test) Prüfung f

quizmaster ['kwɪzmɑːstə] sb (game-show host) Quizmaster m

quizzical ['kwɪzɪkl] adj fragend, zweifelnd

quota ['kwəʊtə] sb 1. Quote f; 2. (of goods) Kontingent n

quotation [kwəʊ'teɪʃən] sb 1. (passage cited) Zitat n; 2. (price ~) Kostenvoranschlag m, Preisangabe f; 3. (stock ~) Börsennotierung f

quotation marks [kwəʊ'teɪʃən mɑːks] pl Anführungszeichen pl

quote [kwəʊt] v 1. zitieren; 2. (cite as an example) anführen; 3. (a price) ECO nennen; 4. FIN notieren

R

rabbit ['ræbɪt] *sb ZOOL 1. (US)* Kaninchen *n; 2. (US)* Hase *m*

rabies ['reɪbiːz] *sb MED* Tollwut *f*

race[1] [reɪs] *v 1. (compete in a ~)* laufen, fahren; *2. (rush)* rasen, jagen, rennen; *3. (engine)* hochdrehen; *4. (pulse)* jagen; *5. (s.o.)* um die Wette laufen mit, um die Wette fahren mit, *SPORT* laufen gegen, fahren gegen; *sb 6.* Rennen *n; SPORT (on foot)* Lauf *m*

race[2] [reɪs] *sb (ethnic group)* Rasse *f; the human ~* das Menschengeschlecht *n,* die Menschen *pl*

racehorse ['reɪshɔːs] *sb* Rennpferd *n*

racetrack ['reɪstræk] *sb* Rennstrecke *f, (for horses)* Pferderennbahn *f*

racial discrimination ['reɪʃəl dɪskrɪmɪ-'neɪʃən] *sb* Rassendiskriminierung *f*

racing ['reɪsɪŋ] *sb 1. (activity)* Rennen *n; 2. SPORT* Rennsport *m; adj 3.* Renn...

racism ['reɪsɪzəm] *sb* Rassismus *m*

racist ['reɪsɪst] *sb* Rassist *m*

racket ['rækɪt] *sb 1. (noise)* Krach *m,* Lärm *m; 2. (shady business)* Schwindelgeschäft *n, (making excessive profit)* Wucher *m; 3. SPORT* Schläger *m*

racquet ['rækɪt] *sb* Schläger *m*

radar ['reɪdɑː] *sb* Radar *m/n*

radiant ['reɪdɪənt] *adj* strahlend

radiation [reɪdɪ'eɪʃən] *sb* Strahlung *f,* Ausstrahlung *f*

radiator ['reɪdɪeɪtə] *sb 1. (heater)* Heizkörper *m; 2. (of a car)* Kühler *m*

radio ['reɪdɪəʊ] *sb 1. (broadcasting)* Funk *m,* Rundfunk *m; 2. (~ set)* Radio *n*

radioactivity [reɪdɪəʊæk'tɪvɪtɪ] *sb* Radioaktivität *f*

radius ['reɪdɪəs] *sb* Radius *m,* Halbmesser *m*

raffle ['ræfl] *v 1. ~ off* in einer Tombola verlosen; *sb 2.* Tombola *f,* Verlosung *f*

rag [ræg] *sb 1.* Lumpen *m,* Fetzen *m; from ~s to riches* von Armut zu Reichtum; *2. (for cleaning)* Lappen *m; 3. ~s pl (fam: clothes)* Klamotten *pl*

rage [reɪdʒ] *v 1.* toben, rasen; *2. (sea)* toben; *sb 3.* Wut *f,* Zorn *m; 4. to be all the ~ (fam)* der letzte Schrei sein

raid [reɪd] *v 1.* überfallen; *2. (fig)* plündern; *sb 3. MIL* Angriff *m; 4. (police ~)* Razzia *f; 5. (by bandits)* Raubzug *m*

rail [reɪl] *sb 1. (for a train)* Schiene *f,* Gleis *n; travel by ~* mit der Bahn fahren; *2. (for safety)* Geländer *n; v 3. ~ against s.o.* über jdn schimpfen

railway ['reɪlweɪ] *sb* Eisenbahn *f,* Bahn *f*

railway station ['reɪlweɪ 'steɪʃən] *sb* Bahnhof *m*

rain [reɪn] *v 1.* regnen; *sb 2.* Regen *m; as right as ~ (fig)* in guter Verfassung; *3. (fig: of bullets, of punches)* Hagel *m*

rainbow ['reɪnbəʊ] *sb* Regenbogen *m*

raincoat ['reɪnkəʊt] *sb* Regenmantel *m*

rainfall ['reɪnfɔːl] *sb* Niederschlag *m*

rain forest ['reɪnfɒrɪst] *sb* Regenwald *m*

rainy ['reɪnɪ] *adj* regnerisch, verregnet

raise [reɪz] *v 1.* heben, *(blinds, an eyebrow)* hochziehen; *2. (in height)* erhöhen, *(level)* anheben; *3. ~ s.o. from the dead* jdn von den Toten auferwecken; *4. (salary, price)* erhöhen, anheben; *5. (in a card game)* erhöhen; *6. (get together: an army) MIL* auf die Beine stellen; *7. (money)* aufbringen, auftreiben; *8. (a question)* aufwerfen, vorbringen; *9. (an objection)* erheben; *~ one's voice against sth* seine Stimme gegen etw erheben; *10. (build)* errichten; *11. (children)* aufziehen, großziehen; *12. AGR* anbauen; *13. (contact over radio)* Funkverbindung aufnehmen mit; *sb 14. ECO (in salary)* Gehaltserhöhung *f, (in wages)* Lohnerhöhung *f*

raisin ['reɪzən] *sb* Rosine *f*

rally ['rælɪ] *v 1. sich* sammeln; *2. (regain vigour)* neue Kräfte sammeln; *3. (s.o.)(gather)* versammeln; *4. (motivate)* aufmuntern; *sb 5. (gathering)* Massenversammlung *f; 6. (on the stock market)* Erholung *f; 7. (road race)* Rallye *f*

ram [ræm] *v 1.* stoßen, *(with great force)* rammen; *sb 2. ZOOL* Widder *m,* Schafbock *m; 3. battering ~ HIST* Sturmbock *m*

ramble ['ræmbl] *v 1. (wander about)* wandern; *2. (fam: in speaking)* drauflosreden

ramp [ræmp] *sb* Rampe *f, (for loading)* Laderampe *f*

rampage [ræm'peɪdʒ] *v 1.* herumwüten *(fam); 2. to be on the ~* randalieren

ranch [rɑːntʃ] *sb* Ranch *f*

rancid ['rænsɪd] *adj* ranzig

random ['rændəm] *sb 1. at ~* aufs Geratewohl; *adj 2.* ziellos; *3. (chance)* zufällig

range [reɪndʒ] v 1. ~ from ... to ... von ... bis ... gehen, (temperature) zwischen ... und ... liegen; sb 2. (distance) Entfernung f; at close ~ auf kurze Entfernung; 3. (of a telescope, of a gun) Reichweite f; out of ~ außer Schussweite; 4. (of a plane) Flugbereich m; 5. ~ of vision Sichtweite f; 6. (selection) Reihe f, Auswahl f; 7. mountain ~ Gebirgskette f; 8. (fig) Bereich m; 9. (cooking stove) Kochherd m; 10. (US: grazing land) Freiland n; 11. shooting ~ Schießplatz m

rank [ræŋk] v 1. ~ among gehören zu, zählen zu; 2. (sth) einordnen, (fig) zählen; She is ~ed fourth in the world. Sie steht an vierter Stelle in der Weltrangliste. sb 3. MIL Rang m; 4. (status) Stand m; 5. (row) Reihe f; 6. (formation) MIL Glied

ransom ['rænsəm] sb 1. (paying of a ~) Loskauf m; 2. (sum) Lösegeld n; v 3. (pay a ~) Lösegeld bezahlen für, freikaufen

rap [ræp] v 1. klopfen; 2. MUS rappen (fam); sb 3. (noise, blow) Klopfen n; 4. (fam: guilt) Schuld f, (penalty) Strafe f; take the ~ die Schuld zugeschoben kriegen (fam); 5. beat the ~ sich rauswinden; 6. MUS Rap m

rape [reɪp] v 1. vergewaltigen; sb 2. Vergewaltigung f

rapid ['ræpɪd] adj 1. schnell; pl 2. ~s Stromschnellen pl

rapist ['reɪpɪst] sb Vergewaltiger m

rapper ['ræpə] sb MUS Rapper m (fam)

rare¹ [reə] adj 1. selten; 2. (valuable) rar

rare² [reə] adj (meat) nicht gar; (steak) nicht durchgebraten

rarely ['reəlɪ] adv selten

raspy ['rɑːspɪ] adj (voice) kratzend

rat [ræt] sb 1. Ratte f; smell a ~ (fig) den Braten riechen; v 2. ~ on s.o. (fam: tell on s.o.) jdn verpfeifen

rate [reɪt] v 1. (deserve) verdienen; 2. ~ among ... gelten als ..., zählen zu ... 3. (estimate the worth of) schätzen, einschätzen; sb 4. Rate f, Ziffer f; at the ~ of im Verhältnis von; at any ~ jedenfalls; 5. (speed) Tempo n; 6. (UK: local tax) Gemeindesteuer f; 7. FIN Satz m; 8. (fixed charge) Tarif m; 9. ~ of exchange Umrechnungskurs m

rather ['rɑːðə] adv 1. (more accurately) vielmehr, eher; 2. (preference) lieber; 3. (quite) ziemlich; 4. or ~ beziehungsweise, genauer gesagt

rating ['reɪtɪŋ] sb 1. (assessment) Schätzung f; 2. (category) Klasse f; 3. ~s pl (radio, TV) Einschaltquote f

ratio ['reɪʃɪəʊ] sb Verhältnis n

ration ['ræʃən] v 1. rationieren; sb 2. Ration f; 3. ~s pl Verpflegung f, Lebensmittel pl

rational ['ræʃənl] adj 1. (sensible) vernünftig; 2. (having reason) rational

rat race ['rætreɪs] sb Überlebenskampf m, Konkurrenzkampf m

rattle ['rætl] v 1. klappern; 2. (gunfire) knattern; 3. (chains) rasseln; 4. (sth) schütteln; 5. (fig: make uneasy) aus der Fassung bringen, verunsichern; sb 6. (child's toy) Rassel f, Klapper f; 7. (sound) Klappern n, Rasseln n, Knattern n

rave [reɪv] v 1. delirieren, spinnen; 2. ~ about sth von etw schwärmen

raven ['reɪvən] sb ZOOL Rabe m

ravenous ['rævənəs] adj 1. (appetite) gewaltig; 2. (person) heißhungrig

raving ['reɪvɪŋ] adj wahnsinnig, verrückt

raw [rɔː] adj 1. roh, Roh...; 2. get a ~ deal (fam) schlecht wegkommen; 3. (without skin) aufgeschunden; 4. (inexperienced) neu, unerfahren

raw material [rɔː məˈtɪrɪəl] sb Rohstoff m

razor ['reɪzə] sb 1. Rasiermesser n; 2. (safety ~) Rasierapparat m

re [riː] prefix 1. ~... wieder...; prep 2. (on a letter) betrifft

reach [riːtʃ] v 1. ~ for sth nach etw greifen, nach etw langen; 2. ~ as far as, ~ to sich erstrecken bis, gehen bis, reichen bis; 3. (sth)(a place) erreichen, ankommen an, (a town) ankommen in; ~ s.o.'s ears jdm zu Ohren kommen; 4. (a goal, a total) erreichen; 5. (come up to) reichen bis zu, gehen bis zu; 6. to be able to ~ sth an etw heranreichen können, zu etw hingreifen können; 7. (a conclusion, an agreement) kommen zu, gelangen zu; sb 8. Reichweite f, Tragweite f; within easy ~ leicht erreichbar

react [riːˈækt] v reagieren; ~ to reagieren auf

reaction [riːˈækʃən] sb Reaktion f

read [riːd] v irr 1. lesen; 2. (aloud) vorlesen; 3. (a meter, a thermometer) ablesen, sehen auf; 4. (have as its wording) lauten; 5. (indicate: meter) anzeigen; 6. (understand: radio transmission) verstehen; Do you ~ me? Können Sie mich verstehen? 7. (UK: for an examination) vorbereiten

reader ['riːdə] sb 1. Leser m; 2. (UK: at university) Dozent/Dozentin m/f; 3. (publisher's ~) Verlagslektor m; 4. (schoolbook) Lesebuch n

readily ['redɪlɪ] adv 1. bereitwillig; 2. (easily) leicht

reading ['riːdɪŋ] sb 1. (act of ~) Lesen n; 2. (~ matter) Lektüre f; 3. (recital) Lesung f; 4. (interpretation) Interpretation f; 5. (on a meter) Anzeige f

ready ['redɪ] adj 1. bereit, fertig; 2. (finished) fertig; 3. get sth ~ etw fertig machen, etw bereitmachen, (food, a room) etw vorbereiten; 4. get o.s. ~ sich fertig machen, sich bereitmachen; 5. (prompt) unverzüglich, prompt; have a ~ wit schlagfertig sein; 6. ~ money jederzeit verfügbares Geld

ready-made ['redɪ'meɪd] adj gebrauchsfertig, fertig

real [rɪəl] adj 1. wirklich, wahr; 2. (genuine) echt; adv 3. (fam: very)(US) sehr, äußerst, richtig (fam)

real estate ['rɪəlɪsteɪt] sb Immobilien pl

realistic [rɪə'lɪstɪk] adj 1. realistisch; 2. (true-to-life) wirklichkeitsgetreu

reality [rɪ'ælɪtɪ] sb Wirklichkeit f

realization [rɪəlaɪ'zeɪʃən] sb 1. Erkenntnis f; 2. (of a goal, of a plan) Realisierung f, Verwirklichung f; 3. (of assets) Realisation f, Flüssigmachen n

realize ['rɪəlaɪz] v 1. (recognize) einsehen, erkennen; 2. (achieve) verwirklichen; 3. (assets) FIN realisieren, verflüssigen

really ['rɪəlɪ] adv 1. wirklich, tatsächlich; 2. (quite) wirklich, echt

rear¹ [rɪə] adj 1. hintere(r,s), Hinter... sb 2. hinterer Teil m; bring up the ~ die Nachhut bilden; 3. (fam: buttocks) Hintern m

rear² [rɪə] v 1. (a child) aufziehen; 2. (an animal) züchten; 3. ~ up (horse) sich aufbäumen

rearrange [rɪːə'reɪndʒ] v umstellen

rear-view mirror [rɪəvjuː'mɪrə] sb Rückspiegel m

reason ['riːzn] v 1. ~ with s.o. vernünftig mit jdm reden; 2. ~ that ... folgern, dass ...; sb 3. (cause) Grund m, Ursache f; there is every ~ to believe that ... alles spricht dafür, dass ...; 4. (common sense) Vernunft f; listen to ~ Vernunft annehmen; it stands to ~ that ... es leuchtet ein, dass ...; 5. (mental powers) Verstand m

reasonable ['riːznəbl] adj 1. (sensible) vernünftig; 2. (understanding) verständig; 3. (excuse, offer) akzeptabel; 4. (price) angemessen; 5. (in price) preiswert

reasonably ['riːznəblɪ] adv 1. (fairly, quite) ziemlich, leidlich; 2. (in a reasonable manner) vernünftig

reassure [rɪːə'ʃʊə] v 1. versichern; 2. (relieve s.o.'s mind) beruhigen

reassuring [rɪːə'ʃʊərɪŋ] adj beruhigend

rebel [rɪ'bel] v 1. rebellieren; ['rebl] sb 2. Rebell/Rebellin m/f

rebellion [rɪ'belɪən] sb Rebellion f, Aufstand m

rebound [rɪ'baʊnd] v 1. zurückprallen, abprallen; ['riːbaʊnd] sb 2. SPORT Rebound m

rebuild [riː'bɪld] v irr 1. wieder aufbauen; 2. (convert) umbauen

rebut [rɪ'bʌt] v widerlegen, entkräften

recall [rɪ'kɔːl] v 1. (summon back) zurückrufen; 2. (an ambassador) abberufen; 3. (remember) sich erinnern an, sich entsinnen; sb 4. (memory) Gedächtnis n; total ~ absolutes Gedächtnis n

recap ['riːkæp] v kurz zusammenfassen

recapture [riː'kæptʃə] v 1. zurückerobern; 2. (fig: atmosphere) wieder wach werden lassen

receipt [rɪ'siːt] sb 1. Empfang m; 2. ECO Eingang m, Erhalt m; 3. (piece of paper) Quittung f, (for goods) Empfangsbestätigung f; v 4. quittieren

receive [rɪ'siːv] v 1. bekommen, erhalten; 2. (take delivery of) empfangen; 3. (welcome) empfangen; 4. (a broadcast) empfangen

receiver [rɪ'siːvə] sb 1. Empfänger m; 2. TEL Hörer m; 3. (in bankruptcy) FIN Konkursverwalter m; 4. (of stolen goods) Hehler m

recent ['riːsənt] adj kürzlich, neuerlich, neueste(r,s), jüngste(r,s)

recently ['riːsəntlɪ] adv kürzlich, neulich, vor kurzem

recess ['riːses] sb 1. (in a wall) Nische f; 2. (of Parliament, of Congress) POL Ferien pl; 3. (US: in the school day) Pause f

recession [rɪ'seʃən] sb ECO Rezession f, Konjunkturrückgang m

recessive [rɪ'sesɪv] adj rezessiv

recharge [riː'tʃɑːdʒ] v wiederaufladen

recipe ['resɪpɪ] sb Rezept n, Kochrezept n

reckless ['reklɪs] adj 1. leichtsinnig; 2. (driving, driver) rücksichtslos

reckon ['rekən] v 1. (calculate) rechnen; He's a man to be ~ed with. Er ist nicht zu unterschätzen. 2. (calculate sth) berechnen, errechnen; 3. (suppose) glauben; 4. (estimate) schätzen; 5. (consider) einschätzen

reclaim [rɪ'kleɪm] v 1. (demand back) zurückfordern; 2. (a lost item) abholen

recline [rɪ'klaɪn] v 1. (person) zurückliegen; 2. (seat) sich verstellen lassen

recognition [rekəg'nıʃən] *sb* 1. *(acknowledgement)* Anerkennung *f;* 2. *(identification)* Erkennen *n*
recognizable [rekəg'naızəbl] *adj* erkennbar
recognize ['rekəgnaız] *v* 1. *(know again)* wieder erkennen; 2. *(acknowledge)* anerkennen; 3. *(US: allow to speak)* das Wort erteilen; 4. *(identify)* erkennen; 5. *(realize)* erkennen
recognized ['rekəgnaızd] *adj* anerkannt
recoil [rı'kɔıl] *v* 1. *(person)* zurückspringen, *(in horror)* zurückschrecken, *(in disgust)* zurückschaudern; 2. *(gun)* zurückstoßen; ['riːkɔıl] *sb* 3. *(of a gun)* Rückstoß *m*
recollect [rekə'lekt] *v* ~ *sth* sich an etw erinnern
recommend [rekə'mend] *v* empfehlen; *She has much to ~ her.* Es spricht sehr viel für sie.
recommendable [rekə'mendəbl] *adj* empfehlenswert
recommendation [rekəmen'deıʃən] *sb* 1. Empfehlung *f;* 2. *(letter of ~)* Empfehlungsschreiben *n*
reconcile ['rekənsaıl] *v* 1. *(facts, wishes)* miteinander in Einklang bringen; 2. *(people)* versöhnen; 3. *become ~d to sth* sich mit etw abfinden
reconciliation [rekənsılı'eıʃən] *sb* 1. *(of facts, of opposites)* Vereinbarung *f;* 2. *(of people)* Versöhnung *f*
reconsider [riːkən'sıdə] *v* 1. nochmals überlegen; *He has ~ed his decision.* Er hat es sich anders überlegt. 2. *(a case)* JUR wieder aufnehmen
reconstruct [riːkən'strʌkt] *v* 1. *(a crime)* rekonstruieren; 2. *(a building)* wieder aufbauen
reconstruction [riːkən'strʌkʃən] *sb* 1. *(of a crime)* Rekonstruktion *f;* 2. *(of a building)* Wiederaufbau *m*
record [rı'kɔːd] *v* 1. *(on tape)* aufnehmen; 2. *(write down)* aufzeichnen; *(thoughts)* niederschreiben; 3. *(register)* eintragen; *by ~ed delivery (UK)* per Einschreiben; 4. *(keep minutes of)* protokollieren; 5. *(with a camera)* festhalten; 6. *(meter: register)* registrieren; ['rekɔːd] *sb* 7. MUS Schallplatte *f,* Platte *f;* 8. *(account)* Aufzeichnung *f; To set the ~ straight ...* Um das mal klarzustellen ...; 9. *(of a meeting)* Protokoll *n; on the ~* offiziell; *off the ~* nicht für die Öffentlichkeit bestimmt; 10. *(official document)* Unterlage *f,* Akte *f;* 11. *(history)* Vorgeschichte *f; police ~* Vorstrafen

pl; 12. SPORT Rekord *m, (personal ~)* Bestleistung *f*
record-player ['rekɔːdpleıə] *sb* Plattenspieler *m*
recover [rı'kʌvə] *v* 1. *(get better)* sich erholen; 2. *(regain consciousness)* wieder zu sich kommen; 3. *(goods, a lent item)* zurückbekommen; 4. *(a lost item)* wieder finden; 5. *(a wreck)* bergen
recovery [rı'kʌvərı] *sb* 1. *(of sth)* Wiedererlangung *f;* 2. *(return to good health)* Genesung *f,* Besserung *f;* 3. *economic ~* ECO Konjunkturaufschwung *m*
recreation [rekrı'eıʃən] *sb* 1. Erholung *f,* Entspannung *f;* 2. *(pastime)* Zeitvertreib *m*
recreation ground [rekrı'eıʃən graʊnd] *sb* Freizeitgelände *n*
recriminate [rı'krımıneıt] *v* eine Gegenbeschuldigung vorbringen
recrimination [rıkrımı'neıʃən] *sb* Gegenbeschuldigung *f*
recruit [rı'kruːt] *v* 1. *(members)* werben; 2. *(soldiers)* rekrutieren; *sb* 3. *(to a club)* neues Mitglied *n;* 4. MIL Rekrut *m*
recruitment [rı'kruːtmənt] *sb* 1. Anwerbung *f,* Werbung *f;* 2. *(of soldiers)* Rekrutierung *f*
rectangle ['rektæŋgl] *sb* Rechteck *n*
rectify ['rektıfaı] *v* berichtigen, korrigieren
rector ['rektə] *sb* REL Pfarrer *m*
recuperate [rı'kuːpəreıt] *v* sich erholen
recur [rı'kɜː] *v* 1. *(event, problem)* wiederkehren; 2. *(theme, character, sickness)* wieder auftreten; 3. *(to be repeated)* sich wiederholen
recurrent [rı'kʌrənt] *adj* immer wiederkehrend, immer wieder auftretend
recyclable [rı'saıkləbl] *adj* wiederverwertbar, recycelbar
recycle [riː'saıkl] *v* wieder verwerten, recyceln
recycling [riː'saıklıŋ] *sb* Recycling *n,* Wiederverwertung *f*
red [red] *adj* 1. rot; *see ~ (fig)* rot sehen; *~ in the face (fig)* verlegen; *sb* 2. Rot *n;* 3. *to be in the ~ (fig)* in Schulden stecken
Red Cross [red krɒs] *sb* Rotes Kreuz *n*
redden ['redn] *v* 1. rot werden, sich röten; 2. *(~ sth)* rot machen, rot färben
redecorate [riː'dekəreıt] *v* 1. renovieren; 2. *(repaint)* neu streichen; 3. *(repaper)* neu tapezieren
redefine [riːdı'faın] *v* neu definieren
redevelop [riːdı'veləp] *v* *(a neighbourhood)* sanieren

red-hot ['red'hɒt] *adj* 1. rot glühend; 2. *(fig: very hot)* glühend heiß; 3. *(fig: momentarily very popular)* sehr gefragt

redirect [ri:daɪ'rekt] *v* 1. *(forward)* nachsenden; 2. *(fig: efforts)* eine neue Richtung geben

red-light district [red'laɪtdɪstrɪkt] *sb* Rotlichtbezirk *m*

redraft ['ri:drɑːft] *sb* neu erstellen, neu entwerfen

reduce [rɪ'djuːs] *v* 1. reduzieren; ~ *to a common denominator* auf einen gemeinsamen Nenner bringen; 2. *(swelling)* verringern; 3. *(in rank)* MIL degradieren; 4. *(a price, standards)* herabsetzen; *He is ~d to sweeping the streets.* Er ist zum Straßenkehrer herabgesunken. 5. *(expenses)* kürzen; 6. *(scale down)* verkleinern; 7. *(in length)* verkürzen

reduction [rɪ'dʌkʃən] *sb* 1. Verminderung *f*, Reduzierung *f*, *(of prices)* Herabsetzung *f*; 2. *(copy)* Verkleinerung *f*

redundant [rɪ'dʌndənt] *adj* 1. überflüssig; 2. *(UK: worker)* ECO arbeitslos

reek [riːk] *v* 1. stinken; *sb* 2. Gestank *m*

reel [riːl] *v* 1. taumeln, *(drunk)* torkeln; *sb* 2. *(of film)* Spule *f*; 3. *(of thread, of fishing line)* Rolle *f*

• **reel in** *v* 1. einrollen; 2. *(a fish)* einholen

• **reel off** *v* *(a list, a poem)* herunterrasseln (fam)

re-election [riːɪ'lekʃən] *sb* POL Wiederwahl *f*

re-establish [riːəs'tæblɪʃ] *v* wiederherstellen

refer [rɪ'fɜː] *v* 1. *(pass)* weiterleiten; 2. ~ *s.o. to s.o.* jdn an jdn verweisen, *(to another doctor)* jdn zu jdm überweisen

• **refer to** *v* 1. *(allude to)* sprechen von; 2. *(regard)* sich beziehen auf, *(rule)* gelten für; 3. *(consult a book)* nachschauen in

reference ['refrəns] *sb* 1. *(mention)* Erwähnung *f*, Hinweis *m*; 2. *(indirect allusion)* Anspielung *f*; 3. *(testimonial)* Referenz *f*, Zeugnis *n*; 4. *(US: person giving a ~)* Referenz *f*; 5. *(note to the reader)* Verweis *m*; 6. *with ~ to ... was ... betrifft*, *(in a business letter)* bezüglich

reference book ['refrəns bʊk] *sb* Nachschlagewerk *n*

refill [riː'fɪl] *v* 1. nachfüllen; ['riːfɪl] *sb* 2. *(for a fountain pen, for a lighter)* Nachfüllpatrone *f*; *(for a ballpoint pen)* Ersatzmine *f*; 3. *(fam: of a drink) Would you like a ~?* Darf ich nachschenken? *"free ~s"* Es wird umsonst nachgeschenkt.

refine [rɪ'faɪn] *v* 1. *(sugar, oil)* raffinieren; 2. *(manners)* verfeinern, kultivieren; 3. *(techniques)* verfeinern, verbessern

refined [rɪ'faɪnd] *adj* *(person)* kultiviert

reflect [rɪ'flekt] *v* 1. *(contemplate)* nachdenken; ~ *on* nachdenken über; 2. *(cast back)* reflektieren, zurückwerfen; 3. *(mirror)* spiegeln; 4. *(fig)* widerspiegeln; 5. ~ *on (show sth about)* etw aussagen über, sich auswirken auf, *(unfavourably)* ein schlechtes Licht werfen auf

reflection [rɪ'flekʃən] *sb* 1. *(reflecting)* Reflexion *f*; 2. *(image)* Spiegelbild *n*; 3. *(contemplation)* Betrachtung *f*, *(consideration)* Überlegung *f*; 4. ~*s pl (comments, thoughts)* Gedanken *pl*, Betrachtungen *pl*

reflex ['riːfleks] *sb* Reflex *m*

reform [rɪ'fɔːm] *v* 1. *(sth)* reformieren; 2. *(o.s.)* sich bessern; *sb* 3. Reform *f*

refrain [rɪ'freɪn] *sb* 1. MUS Refrain *m*; *v* 2. ~ *from* Abstand nehmen von, absehen von, sich ... enthalten

refresh [rɪ'freʃ] *v* erfrischen

refreshing [rɪ'freʃɪŋ] *adj* 1. erfrischend; 2. *(sleep)* erquickend

refreshment [rɪ'freʃmənt] *sb* 1. Erfrischung *f*, *(through food)* Stärkung *f*; 2. ~*s pl* Erfrischungen *pl*

refrigerator [rɪ'frɪdʒəreɪtə] *sb* 1. Kühlschrank *m*, Eisschrank *m*; 2. *(room)* Kühlraum *m*

refuel [riː'fjʊəl] *v* auftanken

refugee [refjʊ'dʒiː] *sb* POL Flüchtling *m*

refugee camp [refjʊ'dʒiːkæmp] *sb* Flüchtlingslager *n*

refusal [rɪ'fjuːzəl] *sb* 1. Ablehnung *f*; 2. *have first ~ of sth* etw als Erster angeboten bekommen; 3. *(of an order)* Verweigerung *f*

refuse [rɪ'fjuːz] *v* 1. ablehnen, zurückweisen; *I ~ to believe it.* Ich glaube das einfach nicht. *He ~d to be bullied.* Er ließ sich nicht tyrannisieren. 2. *(an order)* verweigern; ~ *to do sth* sich weigern, etw zu tun; *it ~d to work* es wollte nicht funktionieren; ['refjuːs] *sb* 3. Müll *m*

regard [rɪ'gɑːd] *v* 1. *(consider)* betrachten; 2. *(concern)* betreffen; *as ~s ... was ... betrifft*; *with ~ to ... was ... betrifft*, in Bezug auf; 3. *(s.o.'s wishes)* berücksichtigen; *sb* 4. *(respect)* Achtung *f*; *hold in high* ~ in Ehren halten, hoch achten; 5. Rücksicht *f*; *have no ~ for s.o.'s feelings* auf jds Gefühle keine Rücksicht nehmen; 6. ~*s pl* Gruß *m*; *Give her my ~s.* Grüße sie von mir.

regarding [rɪ'gɑːdɪŋ] *prep* bezüglich, hinsichtlich, in Bezug auf
regime [reɪ'ʒiːm] *sb* POL Regime *n*
regimen ['redʒɪmen] *sb 1. (exercise)* Trainingsverfahren *n;* 2. *(diet)* Diät *f*
regiment ['redʒɪmənt] *sb* MIL Regiment *n*
Regina [rɪ'dʒaɪnə] *sb* offizieller Titel der Königin
region ['riːdʒən] *sb 1. (of a country)* Gebiet *n,* Region *f;* 2. *(administrative ~)* Bezirk *m;* 3. *(fig)* Bereich *m*
regional ['riːdʒənəl] *adj* regional
register ['redʒɪstə] *v 1. (at a hotel)* sich anmelden; 2. *(for classes)* sich einschreiben; 3. *(to vote)* sich eintragen; 4. *(sth)* registrieren; 5. *(a birth, a marriage, a trademark)* anmelden, eintragen lassen; 6. *(a letter)* als Einschreiben aufgeben; 7. *(emotion on one's face)* zeigen, ausdrücken; 8. *(fig: a success)* buchen, verzeichnen; 9. *(in files)* eintragen, *(a statistic)* erfassen; 10. *(meter)* anzeigen; *sb 11. (book)* Register *n;* 12. *(in a hotel)* Gästebuch *n;* 13. MUS Register *n*
registered ['redʒɪstəd] *adj* ECO eingetragen
registered nurse ['redʒɪstəd nɜːs] *sb* staatlich geprüfte Krankenschwester *f*
registered post ['redʒɪstəd pəʊst] *sb* eingeschriebene Sendung *f;* by ~ per Einschreiben
registration [redʒɪs'treɪʃən] *sb 1.* Anmeldung *f;* 2. *(by authorities)* Registrierung *f;* 3. *(of a trademark)* Einschreibung *f;* 4. *vehicle ~* Kraftfahrzeugbrief *m*
regret [rɪ'gret] *v 1.* bedauern; *I ~ to say* ich muss leider sagen; *sb 2.* Bedauern *n*
regular ['regjʊlə] *adj 1. (usual, habitual)* normal; 2. *(symmetrical)* regelmäßig, *(polygon)* gleichseitig; 3. *(taking place at even intervals)* regelmäßig; 4. *(accepted)* richtig; 5. *(US: gasoline)* bleihaltig; 6. *(fam: true)* echt; *You're a ~ comedian.* Du bist aber witzig. 7. MIL regulär, Berufs...; *sb 8. (~ customer)* Stammkunde/Stammkundin *m/f,* *(in a pub)* Stammgast *m*
regularly ['regjʊləlɪ] *adv* regelmäßig
regulation [regjʊ'leɪʃən] *sb 1. (rule)* Vorschrift *f;* 2. *(regulating a machine)* Regulierung *f; adj* 3. *~...* vorschriftsmäßig, vorgeschrieben
rehabilitate [riːə'bɪlɪteɪt] *v* rehabilitieren
rehearsal [rɪ'hɜːsəl] *sb* Probe *f*
reheat [riː'hiːt] *v* aufwärmen, wieder aufwärmen

rein [reɪn] *sb 1.* Zügel *m; take the ~s* die Zügel in die Hand nehmen; *give s.o. free ~* jdm freie Hand lassen; *keep a tight ~ on s.o.* jdn an die Kandare nehmen; *v 2. ~ in* zügeln
reinforced [riːɪn'fɔːst] *adj* verstärkt
reject [rɪ'dʒekt] *v 1.* ablehnen; 2. *(a suitor)* abweisen; 3. *(a possibility, a judgment)* verwerfen
rejection [rɪ'dʒekʃən] *sb* Ablehnung *f,* Verwerfung *f,* Zurückweisung *f*
rejoice [rɪ'dʒɔɪs] *v 1.* sich freuen, jubeln; 2. REL jauchzen
rejuvenate [rɪ'dʒuːvɪneɪt] *v 1.* verjüngen; 2. *(fig)* erfrischen
relate [rɪ'leɪt] *v 1.* zusammenhängen; 2. *I can ~ to that. (fam)* Davon kann ich ein Lied singen. 3. *(recount)* erzählen; 4. *(associate)* in Zusammenhang bringen, in Beziehung bringen, verbinden
related [rɪ'leɪtɪd] *adj 1. (people)* verwandt; *~ by marriage* verschwägert; 2. *(things)* verbunden
relation [rɪ'leɪʃən] *sb 1. (relationship)* Beziehung *f,* Verhältnis *n; in ~ to* im Verhältnis zu; 2. *(relative)* Verwandte(r) *m/f*
relationship [rɪ'leɪʃənʃɪp] *sb 1.* Verhältnis *n;* 2. *(to a relative)* Verwandtschaft *f*
relative ['relətɪv] *adj 1.* verhältnismäßig, relativ; *~ to* im Verhältnis zu; 2. *(respective)* respektiv; 3. *~ to (relevant to)* bezüglich; *sb 4.* Verwandte(r) *m/f*
relax [rɪ'læks] *v 1.* sich lockern, sich entspannen, *(rest)* sich ausruhen; 2. *(calm down)* sich beruhigen; 3. *(a rule, one's grip)* lockern; 4. *(muscles)* entspannen; 5. *(one's effort)* nachlassen in
relaxation [rɪlæk'seɪʃən] *sb* Entspannung *f,* Erholung *f*
relaxed [rɪ'lækst] *adj 1. (person)* entspannt; 2. *(atmosphere)* zwanglos; 3. *(muscles)* locker
relaxing [rɪ'læksɪŋ] *adj* entspannend
release [rɪ'liːs] *v 1. (s.o.)* befreien; 2. *(from an obligation)* entbinden; 3. *(a prisoner)* freilassen, entlassen; 4. *(a new product)* herausbringen; 5. *(news)* veröffentlichen; 6. *(let go of)* loslassen, *(one's grip)* lösen; 7. *(a handbrake)* lösmachen; 8. *(pressure, steam)* ablassen; *sb 9.* Freilassung *f,* Entbindung *f,* Entlassung *f;* 10. *(mechanism)* Auslöser *m;* 11. *(of a new product)* Neuerscheinung *f;* 12. *(press ~)* Verlautbarung *f*
relentless [rɪ'lentlɪs] *adj 1. (pitiless)* erbarmungslos; 2. *(unremitting)* unermüdlich, *(efforts)* unaufhörlich

relevant ['reləvənt] *adj* einschlägig, sachdienlich, zur Sache gehörig

relief [rɪ'liːf] *sb 1.* Erleichterung *f; provide comic ~* eine lustige Abwechslung schaffen; *2. (substitute)* Ablösung *f; 3. (aid)* Hilfe *f; 4. ART* Relief *n*

relieve [rɪ'liːv] *v 1. (s.o.)* erleichtern; *2. (pain)* lindern, *(completely)* stillen; *3. (tension)* abbauen; *4. (take over from)* ablösen; *5. ~ s.o. of sth (coat)* jdm etw abnehmen, *(burden)* jdn von etw befreien, *(command)* jdn einer Sache entheben, *(fig: steal sth from s.o.)* jdn um etw erleichtern; *6. (monotony)* unterbrechen; *7. ~ boredom* Langeweile vertreiben; *8. ~ o.s. (fam: urinate)* sich erleichtern, seine Notdurft verrichten

relish ['relɪʃ] *v 1.* genießen; *sb 2. with great ~* mit großem Vergnügen; *3. GAST* Relish *n*

relive [riː'lɪv] *v* noch einmal erleben

reluctant [rɪ'lʌktənt] *adj 1. (person)* abgeneigt; *2. (consent)* widerwillig; *3. (hesitant)* zögernd

rely [rɪ'laɪ] *v ~ on* sich verlassen auf

remain [rɪ'meɪn] *v 1.* bleiben; *That ~s to be seen.* Das wird sich zeigen. *2. (to be left over)* übrig bleiben

remaining [rɪ'meɪnɪŋ] *adj* übrig, restlich

remains [rɪ'meɪnz] *pl 1. (of a building)* Überreste *pl; 2. (archaeological ~)* Ruinen *pl; the ~ of an ancient civilization* Spuren einer alten Zivilisation; *3. (of a meal)* Reste *pl,* Überbleibsel *n*

remake ['riːmeɪk] *sb 1. CINE* Neuverfilmung *f;* [riː'meɪk] *v irr 2. (a film)* neu verfilmen

remark [rɪ'mɑːk] *v 1.* bemerken; *2. ~ upon sth* über etw eine Bemerkung machen; *sb 3.* Bemerkung *f*

remarkable [rɪ'mɑːkəbl] *adj 1.* bemerkenswert; *2.(strange)* merkwürdig; *3. (extraordinary)* außergewöhnlich

remedial [rɪ'miːdɪəl] *adj* Hilfs...; *~ English* Förderkurs in Englisch *m*

remedy ['remədɪ] *v 1. MED* heilen; *2. (fig: a fault)* beheben, *(a situation)* bessern; *sb 3.* Mittel *n,* Heilmittel *n*

remember [rɪ'membə] *v 1.* sich erinnern an; *2. (commemorate)* bedenken; *3. (bear in mind)* denken an

remind [rɪ'maɪnd] *v ~ s.o. of sth* jdn an etw erinnern; *That ~s me ...* Dabei fällt mir ein ...

reminder [rɪ'maɪndə] *sb 1.* Gedächtnisstütze *f; 2. (letter of ~) ECO* Mahnung *f*

remiss [rɪ'mɪs] *adj* nachlässig

remission [rɪ'mɪʃən] *sb 1. (of a sin) REL* Vergebung *f; 2. MED* Remission *f; 3. (of a sentence) JUR* Straferlass *m*

remit [rɪ'mɪt] *v 1. (send)* überweisen; *2. (pardon)* erlassen, *(a sin)* vergeben

remote [rɪ'məʊt] *adj 1. (isolated)* abgelegen; *2. (distant)* fern, entfernt; *3. (connection, resemblance)* entfernt; *4. (past)* fern; *5. (chance)* winzig, gering; *a ~ possibility* eine vage Möglichkeit; *6. (aloof)* unnahbar

remote control [rɪ'məʊt kən'trəʊl] *sb 1.* Fernsteuerung *f; 2. (of a television)* Fernbedienung *f*

removal [rɪ'muːvəl] *sb 1.* Entfernung *f,* Abnahme *f, (of an obstacle)* Ausräumung *f; 2. (UK: move from a house)* Umzug *m*

remove [rɪ'muːv] *v 1.* entfernen; *2. (a lid, a hat, a bandage)* abnehmen; *3. ~ one's make-up* sich abschminken; *4. (a piece of clothing)* ablegen; *5. to be far ~d from* weit entfernt sein von; *He's my cousin twice ~d.* Er ist mein Cousin zweiten Grades. *6. (a name from a list)* streichen; *7. (from a container)* herausbringen; *8. (an obstacle)* beseitigen, aus dem Weg räumen

removed [rɪ'muːvd] *adj* entfernt

render ['rendə] *v 1. (make)* machen; *~ sth useless* etw unbrauchbar machen; *2. (interpret: a song, a role)* interpretieren, vortragen; *3. (give: assistance)* leisten, *(homage)* erweisen; *for services ~ed* für geleistete Dienste

rendering ['rendərɪŋ] *sb 1.* Darstellung *f; 2. (in a performance)* Darbietung *f; 3. (translation, written version)* Wiedergabe *f,* Version *f*

renew [rɪ'njuː] *v 1.* erneuern; *2. (an acquaintance, discussions, an attack)* wieder aufnehmen; *3. (a library book, a passport)* verlängern

renounce [rɪ'naʊns] *v 1.* verzichten auf; *2. (religion, the devil)* abschwören; *3. (a friend)* verleugnen

renovate ['renəveɪt] *v* renovieren, restaurieren

rent [rent] *v 1.* mieten, *(a farm)* pachten, *(a TV, a car)* leihen; *2. (~ out)* vermieten, *(a farm)* verpachten, *(a TV, a car)* verleihen; *sb 3.* Miete *f, (for a farm)* Pacht *f; for ~ (US)* zu vermieten

rental ['rentəl] *sb 1.* Miete *f; 2. (for a TV, for a car)* Leihgebühr *f; 3. (for land)* Pacht *f; 4. (rented item)* Leihgerät *n; 5. (rented car)* Mietwagen *m*

rental car ['rentəlkɑː] *sb* Mietwagen *m*

rent-free ['rentfriː] *adj* mietfrei

reorganize [riːˈɔːɡənaɪz] v neu organisieren, umorganisieren, *(furniture)* umordnen

repair [rɪˈpɛə] v 1. reparieren; 2. *(clothes, a road)* ausbessern; 3. *(a tyre)* flicken; 4. *(fig: a wrong)* wieder gutmachen; sb 5. Reparatur f, Ausbesserung f; *damaged beyond ~* nicht mehr zu reparieren; 6. *to be in good ~* in gutem Zustand sein

repairman [ˈrɪpɛəmæn] sb Handwerker m

repay [riːˈpeɪ] v irr 1. *(a debt)* abzahlen; 2. zurückzahlen; 3. *(expenses)* erstatten; 4. *(fig: kindness)* vergelten; 5. *(fig: a visit)* erwidern

repayment [riːˈpeɪmənt] sb 1. Rückzahlung f; 2. *(fig)* Erwiderung f

repeat [rɪˈpiːt] v 1. wiederholen; 2. *(tell to s.o. else)* weitersagen

repeated [rɪˈpiːtɪd] adj wiederholt, mehrmalig

repel [rɪˈpel] v 1. *(s.o.'s advance, insects)* abwehren; 2. *MIL (an attacker)* zurückschlagen, *(an attack)* abschlagen; 3. *(disgust)* abstoßen

repellent [rɪˈpelənt] adj 1. abstoßend; sb 2. *insect ~* Mittel zur Abwehr von Insekten n, *(for the body)* Mückensalbe f

repent [rɪˈpent] v 1. Reue empfinden; 2. *(sth)* REL bereuen

repercussions [riːpəˈkʌʃənz] pl Rückwirkungen pl, Auswirkungen pl

repetition [repəˈtɪʃən] sb Wiederholung f

repetitive [rɪˈpetɪtɪv] adj sich ständig wiederholend, monoton

replace [rɪˈpleɪs] v 1. *(substitute for, be substituted for)* ersetzen; 2. *(put back)* zurücksetzen, zurückstellen, *(on its side)* zurücklegen; *~ the receiver* den Hörer auflegen; 3. *(parts)* austauschen, ersetzen

replant [riːˈplɑːnt] v umpflanzen, neu pflanzen

replay [ˈriːpleɪ] sb Wiederholung f

replica [ˈreplɪkə] sb Kopie f

replicate [ˈreplɪkeɪt] v 1. *(reproduce)* nachahmen, nachbilden; 2. *(fold back)* falten, zusammenlegen

reply [rɪˈplaɪ] v 1. antworten; *~ to a question* eine Frage beantworten; sb 2. Antwort f

report [rɪˈpɔːt] v 1. *(announce o.s.)* sich melden; *~ for duty* sich zum Dienst melden; 2. *(give a ~)* berichten; 3. *(sth)* berichten über; 4. *(inform authorities about)* melden; sb 5. Bericht m; 6. *(in the media)* Bericht m, Reportage f; 7. *(sound of a gun)* Knall m; 8. *(UK: from school)* Schulzeugnis n

reportedly [rɪˈpɔːtɪdlɪ] adv wie verlautet

reporter [rɪˈpɔːtə] sb 1. Berichterstatter m; 2. *(journalist)* Reporter m, Berichterstatter m

repossess [riːpəˈzes] v wieder in Besitz nehmen

represent [reprɪˈzent] v 1. *(portray)* darstellen; 2. *(act for, speak for)* vertreten

representation [reprɪzenˈteɪʃən] sb 1. *(portrayal)* Darstellung f; 2. *(representatives)* Vertretung f

representative [reprɪˈzentətɪv] adj 1. *(acting for)* vertretend; 2. *(typical)* repräsentativ; 3. *(symbolic)* symbolisch; sb 4. Vertreter m; 5. *(deputy)* Stellvertreter m; 6. POL Abgeordnete(r) m/f; 7. JUR Bevollmächtigte(r) m/f

repress [rɪˈpres] v 1. unterdrücken; 2. *(a laugh, a sneeze)* zurückhalten; 3. PSYCH verdrängen

repression [rɪˈpreʃən] sb 1. Unterdrückung f; 2. PSYCH Verdrängung f

reprieve [rɪˈpriːv] sb 1. JUR Begnadigung f; 2. *(temporary)* Aufschub m; 3. *(fig)* Gnadenfrist f

reprimand [ˈreprɪmɑːnd] v 1. tadeln, einen Verweis erteilen, maßregeln; sb 2. Tadel m; 3. *(official)* Verweis m

reproach [rɪˈprəʊtʃ] v 1. Vorwürfe machen; sb 2. Vorwurf m; *beyond ~* ohne Tadel; *above ~* über jeden Vorwurf erhaben

reproduce [riːprəˈdjuːs] v 1. BIO sich fortpflanzen, sich vermehren; 2. wiedergeben; 3. *(mechanically)* reproduzieren, *(documents)* vervielfältigen

reproduction [riːprəˈdʌkʃən] sb 1. BIO Fortpflanzung f; 2. *(copy)* Reproduktion f, *(photo)* Kopie f; 3. *(of sounds)* Wiedergabe f

reptile [ˈreptaɪl] sb ZOOL Reptil n, Kriechtier n

republic [rɪˈpʌblɪk] sb Republik f

repugnant [rɪˈpʌɡnənt] adj widerlich

repulse [rɪˈpʌls] v *(an attacker)* zurückschlagen, *(an attack)* abwehren

repulsion [rɪˈpʌlʃən] sb Abscheu f

repulsive [rɪˈpʌlsɪv] adj abscheulich, widerlich, abstoßend

reputable [ˈrepjʊtəbl] adj angesehen, ehrbar, anständig

reputation [repjʊˈteɪʃən] sb Ruf m

request [rɪˈkwest] v 1. bitten um, ersuchen um; *~ s.o. to do sth* jdn bitten, etwas zu tun; 2. *(a song)* sich wünschen; sb 3. Bitte f, Wunsch m; 4. *(official ~)* Ersuchen n

require [rɪˈkwaɪə] v 1. *(need)* brauchen, benötigen; *I'll do whatever is ~d.* Ich werde alles Nötige tun. 2. *(order)* verlangen, fordern

requirement [rɪ'kwaɪəmənt] *sb 1. (condition)* Erfordernis *n*, Anforderung *f*, Voraussetzung *f*; 2. *(need)* Bedürfnis *n*, Bedarf *m*; 3. *(desire)* Wunsch *m*, Anspruch *m*

reschedule [ri:'ʃedju:l] *v 1.* verlegen; 2. *(to an earlier time)* vorverlegen

rescue ['reskju:] *v 1.* retten, *(free)* befreien; *sb 2.* Rettung *f*, *(freeing)* Befreiung *f*; To the ~! Zu Hilfe!

rescuer ['reskjuə] *sb* Retter *m*, Befreier *m*

research [rɪ'sɜːtʃ] *v 1.* forschen, Forschung betreiben; 2. *(sth)* erforschen, untersuchen; *sb 3.* Forschung *f*

resemblance [rɪ'zembləns] *sb* Ähnlichkeit *f*; bear a faint ~ to s.o. leichte Ähnlichkeit mit jdm haben

resent [rɪ'zent] *v 1. (sth)* übel nehmen, sich ärgern über; 2. *(s.o.)* ein Ressentiment haben gegen

resentful [rɪ'zentfʊl] *adj 1. (by nature)* übelnehmerisch, reizbar; 2. ~ of ärgerlich auf, voller Groll auf; to be ~ of s.o.'s success jdm seinen Erfolg nicht gönnen

resentment [rɪ'zentmənt] *sb* Ressentiment *n*, Groll *m*

reserve [rɪ'zɜːv] *v 1. (book)* reservieren lassen; 2. *(keep)* aufsparen, aufheben; ~ the right to do sth sich das Recht vorbehalten, etw zu tun; all rights ~d alle Rechte vorbehalten; *sb 3. (store)* Reserve *f*, Vorrat *m*; in ~ in Reserve; 4. SPORT Ersatzspieler *m*; 5. the ~s MIL die Reserveeinheiten *pl*; 6. *(coolness)* Zurückhaltung *f*, Reserve *f*

reserved [rɪ'zɜːvd] *adj 1. (seat, room)* reserviert, belegt; 2. *(reticent)* zurückhaltend, reserviert

reservoir ['rezəvwɑː] *sb 1.* Reservoir *n*; 2. *(fig)* Fundgrube *f*

residence ['rezɪdəns] *sb 1.* Wohnung *f*; 2. *(stay)* Aufenthalt *m*; 3. *(place of ~)* Wohnsitz *m*, Wohnort *m*; take up ~ in sich niederlassen in

resident ['rezɪdənt] *sb 1.* Bewohner *m*, *(of a town)* Einwohner *m*; 2. *(in a hotel)* Gast *m*; 3. MED im Krankenhaus wohnender Arzt *m*; *adj 4.* ansässig, wohnhaft

resign [rɪ'zaɪn] *v 1.* kündigen; 2. *(from public office, from a committee)* zurücktreten, *(civil servant)* sein Amt niederlegen; 3. *(sth)(a post)* zurücktreten von, aufgeben; 4. ~ o.s. to sth sich mit etw abfinden

resignation [rezɪg'neɪʃən] *sb 1.* Rücktritt *m*, Kündigung *f*; 2. *(state of mind)* Resignation *f*

resist [rɪ'zɪst] *v 1.* Widerstand leisten gegen, sich widersetzen; 2. *(a change)* sich sträuben gegen; 3. *(temptation)* widerstehen

resistance [rɪ'zɪstəns] *sb* Widerstand *m*

resit [riː'sɪt] *v* (eine Prüfung) wiederholen

resolution [rezə'luːʃən] *sb 1. (decision)* Beschluss *m*, Entschluss *m*; 2. *(resoluteness)* Entschlossenheit *f*, Bestimmtheit *f*; 3. *(of an image)* TECH Rasterung *f*; 4. CHEM, MATH Auflösung *f*

resolve [rɪ'zɒlv] *v 1.* ~ to do sth *(officially)* beschließen, etw zu tun, *(person)* sich entschließen, etw zu tun; 2. *(divide up)* auflösen; 3. *(a problem)* lösen; *sb 4. (resoluteness)* Entschlossenheit *f*; 5. *(decision)* Entschluss *m*

resort [rɪ'zɔːt] *v 1.* ~ to zurückgreifen auf, greifen zu; ~ to violence Gewalt anwenden; ~ to stealing sich aufs Stehlen verlegen; *sb 2.* Zuflucht *f*; as a last ~ als letzter Ausweg; 3. *(place)* Ferienort *m*, Urlaubsort *m*

resource [rɪ'sɔːs] *sb* ~ s *pl* Mittel *pl*; natural ~s *pl* Naturschätze *pl*, Reserven *pl*

respect [rɪs'pekt] *v 1.* respektieren, achten; *sb 2.* Respekt *m*, Achtung *f*; 3. *(consideration)* Rücksicht *f*; 4. pay one's ~s to s.o. jdm seine Aufwartung machen; pay one's last ~s to s.o. jdm die letzte Ehre erweisen; 5. *(aspect)* Hinsicht *f*; 6. with ~ to in Bezug auf

respectable [rɪs'pektəbl] *adj 1. (club, neighbourhood, firm)* anständig; 2. *(person)* ehrbar; 3. *(considerable)* beachtlich; 4. *(fairly good)* beträchtlich

respective [rɪs'pektɪv] *adj* jeweilig

respectively [rɪs'pektɪvlɪ] *adv* beziehungsweise; A and B, ~ A beziehungsweise B

respire [rɪs'paɪə] *v* atmen

respite ['respaɪt] *sb (rest)* Ruhepause *f*

respond [rɪs'pɒnd] *v 1. (answer)* antworten; 2. *(react)* reagieren; 3. *(machine)* ansprechen

response [rɪs'pɒns] *sb 1. (answer)* Antwort *f*; 2. *(reaction)* Reaktion *f*

responsibility [rɪspɒnsə'bɪlɪtɪ] *sb 1.* Verantwortung *f*; take ~ for die Verantwortung übernehmen für; 2. *(duty)* Verpflichtung *f*; 3. *(sense of ~)* Verantwortungsgefühl *n*

rest¹ [rest] *v 1.* ruhen, sich ausruhen; ~ up sich ausruhen; 2. ~ against sth sich gegen etw stützen, sich gegen etw lehnen; 3. *(pause, take a break)* Pause machen; 4. *(remain: blame, decision)* liegen; ~ with liegen bei; let the matter ~ die Sache auf sich beruhen lassen; 5. ~ on sth auf etw ruhen, *(argument)* sich stützen auf; 6. *(sth)(one's eyes, one's voice)* schonen; 7. ~ sth against sth etw gegen etw lehnen; *8. ~ sth on sth* etw auf etw stützen; *sb 9. Ruhe f; set s.o.'s fears at ~* jdn beschwichtigen; *10. (on holiday)* Erholung f; *11. (pause)* Pause f; *12. (support)* Stütze f, Auflage f;

rest² [rest] *(remainder)* Rest m; *the ~ of the money* das übrige Geld; *the ~ of us* wir anderen

restaurant ['restərənt] *sb* Restaurant n, Gaststätte f

resting place ['restɪŋ pleɪs] *sb (final ~)* (letzte) Ruhestätte f

restless ['restlɪs] *adj* unruhig

restrain [rɪsˈtreɪn] *v 1.* zurückhalten; *~ s.o. from doing sth* jdn davon abhalten, etw zu tun; *2. (an animal)* bändigen; *3. (emotions)* unterdrücken; *4. (a prisoner)* mit Gewalt festhalten; *5. ~ o.s.* sich beherrschen

restrict [rɪsˈtrɪkt] *v 1.* beschränken; *2. ~ o.s. to* sich beschränken auf

restroom ['restruːm] *sb (US)* Toilette f

result [rɪˈzʌlt] *v 1.* sich ergeben, resultieren; *~ from* sich ergeben aus; *~ in* führen zu; *sb 2. (consequence)* Folge f; *as a ~* folglich; *3. (outcome)* Ergebnis n, Resultat n

resume [rɪˈzjuːm] *v 1.* wieder anfangen; *2. (sth)* wieder aufnehmen, fortsetzen; *(command)* wieder übernehmen

resurface [riːˈsɜːfəs] *v 1. (reappear)* wieder auftauchen; *2. (put a new surface on)* neu belegen

resurrect [rezəˈrekt] *v* wieder beleben

resuscitate [rɪˈsʌsɪteɪt] *v MED* wieder beleben

retail ['riːteɪl] *v 1.* im Einzelhandel verkaufen; *It ~s at $3.99.* Es wird im Einzelhandel für $3.99 verkauft. *sb 2. (~ trade)* Einzelhandel m

retailer ['riːteɪlə] *sb ECO* Einzelhändler m

retail price ['riːteɪl praɪs] *sb* Einzelhandelspreis m

retaliate [rɪˈtælɪeɪt] *v* sich rächen, Vergeltung üben, *(in battle)* zurückschlagen

retch [retʃ] *v* würgen

rethink [riːˈθɪŋk] *v irr* überdenken

retire [rɪˈtaɪə] *v 1.* sich zurückziehen, in Pension gehen, aufhören zu arbeiten; *2. (go to bed)* sich zurückziehen; *3. (s.o.)* pensionieren; *4. (sth)* aus dem Verkehr ziehen

retort [rɪˈtɔːt] *v 1.* scharf erwidern, entgegnen; *sb 2.* scharfe Erwiderung f, Entgegnung f; *3. CHEM* Retorte f

retrace [rɪˈtreɪs] *v* zurückverfolgen; *~ one's steps* denselben Weg zurückgehen

retract [rɪˈtrækt] *v* zurückziehen, einziehen

retreat [rɪˈtriːt] *v 1. MIL* sich zurückziehen; *sb 2. MIL* Rückzug m; *beat a hasty ~ (fig)* eiligst das Feld räumen

retrial ['riːtraɪəl] *sb* Wiederaufnahmeverfahren n

retribution [retrɪˈbjuːʃən] *sb* Vergeltung f

retrieve [rɪˈtriːv] *v 1. (get back)* wiederbekommen; *2. (from wreckage)* bergen; *3. (take out)* herausholen

retrospect ['retrəuspekt] *sb in ~* im Rückblick

return [rɪˈtɜːn] *v 1. (come back)* zurückkommen, zurückkehren, wiederkommen; *2. (go back)* zurückgehen; *3. (feelings)* wiederkommen, wieder auftreten; *4. (give back)* zurückgeben; *5. (a compliment)* erwidern; *6. ~ a verdict of guilty JUR* schuldig sprechen; *7. (refuse)* zurückweisen; *8. (a letter)* zurücksenden, zurückschicken; *9. (put back)* zurückstellen, zurücksetzen; *10. (bring back)* zurückbringen; *11. (profit, interest) FIN* abwerfen; *sb 12. (coming back)* Rückkehr f, Wiederkehr f; *by ~ of post (UK)* postwendend; *13. the point of no ~* der Punkt, an dem es kein Zurück mehr gibt; *14. (UK: ~ ticket)* Rückfahrkarte f

return ticket [rɪˈtɜːntɪkɪt] *sb (UK)* Rückfahrkarte f

reunification [riːjuːnɪfɪˈkeɪʃən] *sb POL* Wiedervereinigung f

reunion [riːˈjuːnjən] *sb 1.* Wiedervereinigung f; *2. (class ~, family ~)* Treffen n

re-use [riːˈjuːz] *v* wieder verwenden, wieder benutzen

reveal [rɪˈviːl] *v 1. (make known)* enthüllen; *2. (betray)* verraten; *3. (make visible)* zum Vorschein bringen, zeigen

revealing [rɪˈviːlɪŋ] *adj 1. (informative)* aufschlussreich; *2. (neckline)* offenherzig (fam); *3. (skirt)* viel zeigend

revelation [revəˈleɪʃən] *sb 1.* Enthüllung f; *That was a ~ to me.* Das hat mir die Augen geöffnet. *2. REL* Offenbarung f

revenge [rɪˈvendʒ] *sb 1.* Rache f; *take ~ on s.o. for sth* sich an jdm für etw rächen; *2. (in games)* Revanche f

revere [rɪˈvɪə] *v* verehren

reverent ['revərənt] *adj* ehrfürchtig

reverse [rɪˈvɜːs] *v 1. (change to the opposite)* umkehren; *~ the charges (UK)* ein R-Gespräch führen; *2. (a decision)* umstoßen; *3. (turn sth around)* umdrehen; *adj 4.* umgekehrt, *(direction)* entgegengesetzt; *sb 5. (back)* Rückseite *f;* 6. *(opposite)* Gegenteil *n;* 7. *(of a coin)* Kehrseite *f;* 8. *(defeat)* Niederlage *f*

reverse gear [rɪ'vɜːs gɪə] *sb* Rückwärtsgang *m*

revert [rɪ'vɜːt] *v 1.* ~ *to (a state)* zurückkehren zu, *(a bad state)* zurückfallen in; 2. ~ *to (a topic)* zurückkommen auf

review [rɪ'vjuː] *v 1. (a situation)* überprüfen; 2. *(re-examine)* erneut prüfen, nochmals prüfen; 3. *(look back on)* zurückblicken auf; 4. *(a book, a film)* besprechen, rezensieren; 5. *(troops)* inspizieren, mustern; *sb 6. (look back)* Rückblick *m;* 7. *(re-examination)* Prüfung *f,* Nachprüfung *f;* 8. *(summary)* Überblick *m;* 9. *(of troops)* Inspektion *f;* 10. *(magazine)* Zeitschrift *f;* 11. *(of a book or a film)* Kritik *f,* Rezension *f,* Besprechung *f*

reviewer [rɪ'vjuːə] *sb* Kritiker *m,* Rezensent(in) *m/f*

revise [rɪ'vaɪz] *v 1. (alter)* ändern; 2. *(correct)* revidieren, überarbeiten, verbessern

revival [rɪ'vaɪvəl] *sb 1. (coming back)* Wiederaufleben *n,* Wiederaufblühen *n;* 2. *(bringing back)* Wiederbelebung *f, (of a play)* Wiederaufnahme *f;* 3. REL Erweckung *f*

revive [rɪ'vaɪv] *v 1. (regain consciousness)* wieder zu sich kommen; 2. *(recover)* sich erholen; 3. *(a business)* wieder aufleben; 4. *(s.o.)* wieder beleben; 5. *(feelings, hopes)* wieder erwecken; 6. *(a custom)* wieder einführen

revoke [rɪ'vəʊk] *v 1. (licence)* entziehen; 2. *(a decision)* widerrufen; 3. *(a law)* aufheben

revolt [rɪ'vəʊlt] *v 1. (rebel)* revoltieren, rebellieren; ~ *against* rebellieren gegen; 2. *(be disgusted)* sich empören; 3. *(s.o.)* abstoßen, anwidern; 4. *(make indignant)* empören; *sb 5.* Empörung *f,* Aufstand *m,* Aufruhr *m*

revolting [rɪ'vəʊltɪŋ] *adj* widerlich, abstoßend

revolution [revə'luːʃən] *sb 1.* Revolution *f;* 2. *(rotation)* Umdrehung *f;* ~*s per minute* Drehzahl pro Minute *f;* 3. *(orbit)* Umlauf *m*

revolve [rɪ'vɒlv] *v 1.* sich drehen; 2. *(sth)* drehen

revolving [rɪ'vɒlvɪŋ] *adj* sich drehend, drehbar, Dreh...

reward [rɪ'wɔːd] *v 1.* belohnen; *sb 2.* Belohnung *f*

rewind [riː'waɪnd] *v irr 1. (tape)* zurückspulen; 2. *(watch)* wieder aufziehen

rewrite [riː'raɪt] *v 1.* umschreiben, *(without changes)* neu schreiben; ['riːraɪt] *sb 2.* Neufassung *f*

rhetoric ['retərɪk] *sb 1.* Rhetorik *f;* 2. *(in a negative sense)* Schwulst *m,* leere Phrasen *pl,* Phrasendrescherei *f*

rheumatic [ruː'mætɪk] *adj MED* rheumatisch

rhyme [raɪm] *v 1. LIT* sich reimen; 2. *(sth)* reimen; *sb 3.* Reim *m; without ~ or reason* ohne Sinn und Verstand

rhythm ['rɪðəm] *sb* Rhythmus *m*

ribbon ['rɪbən] *sb 1.* Band *n;* 2. *(for a typewriter)* Farbband *n;* 3. *tear to ~s* in Fetzen reißen

rich [rɪtʃ] *adj 1.* reich; ~ *in ... ...*reich, reich an ...; 2. *(food)* schwer; 3. *(sound)* voll; 4. *(soil)* fett; 5. *(colour)* satt

rid [rɪd] *v irr 1. to be ~ of sth* etw los sein; 2. ~ *o.s. of sth, get ~ of sth* etw loswerden

riddle ['rɪdl] *sb* Rätsel *n; speak in ~s* in Rätseln sprechen

ride [raɪd] *v irr 1. (in a vehicle, on a bicycle)* fahren; 2. *(on a horse)* reiten; 3. *(sth) (a horse)* reiten, *(a bicycle)* fahren; *sb 4. (in a vehicle, on a bicycle)* Fahrt *f; take s.o. for a ~* mit jdm eine Fahrt machen, *(fam: cheat s.o.)* jdn reinlegen; *(fam: kill s.o.)* jdn umbringen; 5. *(on a horse)* Ritt *m*

rider ['raɪdə] *sb 1. (of a horse)* Reiter *m;* 2. *(of a bicycle)* Fahrer *m;* 3. *(to a contract)* Zusatzklausel *f*

ridicule ['rɪdɪkjuːl] *v 1.* lächerlich machen, verspotten; *sb 2.* Spott *m; hold s.o. up to ~* jdn lächerlich machen

ridiculous [rɪ'dɪkjʊləs] *adj* lächerlich

riffle ['rɪfl] *v ~ through* durchblättern

right [raɪt] *v 1. (put upright)* aufrichten; 2. *(a wrong)* wieder gutmachen; *adj 3. (correct, proper)* richtig; *in one's ~ mind* bei klarem Verstand; *You're quite ~.* Sie haben ganz recht. 4. *(opposite of left)* rechte(r,s); *adv 5. (correctly)* richtig; *if I remember ~* wenn ich mich recht erinnere; 6. *(opposite of left)* rechts; 7. *(directly)* direkt, *(exactly)* genau; ~ *in front of you* direkt vor Ihnen; *I'll be ~ with you.* Ich bin gleich da. 8. ~ *away* sofort; 9. ~ *now (at this very moment)* in diesem Augenblick, *(immediately)* sofort; 10. *(all the way)* ganz; ~ *in the middle* genau in der Mitte; *sb 11.* Recht *n;* ~ *and wrong* Recht und Unrecht; 12. *set sth to ~s* etw in Ordnung bringen; 13. *(to sth)* Anrecht *n,* Anspruch *m,* Recht *n; have a ~ to sth* einen Anspruch auf etw haben; 14. *equal ~s pl* Gleichberechtigung *f;* 15. *in one's own ~* von selber; 16. *(not left side)* rechte Seite *f*

right angle [raɪt 'æŋgl] *sb MATH* rechter Winkel *m; at ~s* rechtwinklig

right-wing ['raɪt'wɪŋ] *adj POL* rechtsorientiert, Rechts..., rechts

rigid ['rɪdʒɪd] *adj* starr, steif, *(principles)* streng

rigor *sb (US) (see "rigour")*

ring [rɪŋ] *v irr* 1. *(small bell)* klingeln; 2. *(bells)* läuten; 3. *(voice)* klingen; ~ *true* wahr klingen; 4. ~ *s.o. (call on the telephone) (UK)* jdn anrufen; *sb* 5. *(sound)* Klang *m*; 6. *(sound of a bell)* Läuten *n*, Klingeln *n*; 7. *(fam: telephone call)* Anruf *m; give s.o. a ~* jdn anrufen; 8. *(for one's finger)* Ring *m*; 9. *(circle)* Ring *m*; 10. *(at a circus)* Manege *f*; 11. *(for a boxing match)* Ring *m*; 12. *(of thieves)* Ring *m*
• **ring up** *v irr ring s.o. up* jdn anrufen

rink [rɪŋk] *sb* Eisbahn *f*, Eislaufbahn *f*

rinse [rɪns] *v* spülen; ~ *down* abspülen

riot ['raɪət] *v* 1. randalieren; *sb* 2. Aufruhr *m*

riot squad ['raɪət skwɒd] *sb* Überfallkommando *n*

rip [rɪp] *v* 1. reißen; 2. *(sth)* einen Riss machen in, reißen; *sb* 3. Riss *m*
• **rip off** *v* 1. *(tear off)* abreißen, *(clothes)* herunterreißen; 2. *(fam: steal)* klauen, *(a shop)* ausrauben; *rip s.o. off* jdn ausnehmen

ripe [raɪp] *adj* reif

rip-off ['rɪpɒf] *sb (fam: outrageous price)* Nepp *m*

rise [raɪz] *v irr* 1. *(go up)* steigen; 2. *(stand up)* aufstehen, sich erheben; 3. *(sun, curtain, dough)* aufgehen; 4. *(landscape: ascend)* sich erheben; *sb* 5. *(to power)* Aufstieg *m*; 6. *(of the sun)* Aufgehen *n*; 7. *(in ground)* Erhebung *f*; 8. *(increase)* Anstieg *m*, Steigen *n*; 9. *(in prices, in pay)* Erhöhung *f*; 10. *give ~ to* verursachen, Anlass geben zu, hervorrufen; 11. *get a ~ out of s.o.* jdn auf die Palme bringen *(fam)*
• **rise above** *v irr (insults)* erhaben sein über

risk [rɪsk] *v irr* 1. riskieren; *sb* 2. Risiko *n; calculated ~* kalkuliertes Risiko; *at one's own ~* auf eigene Gefahr; *put at ~* gefährden; *run a ~* ein Risiko eingehen

rival ['raɪvəl] *v* 1. *(fig: to be a match for)* es aufnehmen mit, gleichkommen; *sb* 2. Rivale/Rivalin *m/f*; 3. *(competitor) ECO* Konkurrent(in) *m/f*

river ['rɪvə] *sb* Fluss *m; sell s.o. down the ~ (fam)* jdn verraten

riverfront ['rɪvəfrʌnt] *sb* Lage am Fluss *n*

road [rəʊd] *sb* 1. Straße *f*; 2. *(fig)* Weg *m*

roadhouse ['rəʊdhaʊs] *sb* Rasthaus *n*

road works ['rəʊdwɜːkz] *pl* Straßenbauarbeiten *pl*

roam [rəʊm] *v* wandern; ~ *about* herumwandern

roar [rɔː] *v* 1. *(person, animal)* brüllen; 2. *(engine)* donnern; ~ *past* vorbeibrausen; *the car ~ed up the street* der Wagen donnerte die Straße hinauf; 3. *(sea, storm)* toben, *(thunder)* krachen; *sb* 4. *(person's, animal's)* Brüllen *n*, Gebrüll *n*; 5. *(of the sea, of a storm)* Toben *n*; 6. *(of a gun, of an engine)* Donnern *n*

roast [rəʊst] *v* 1. braten; 2. *(sth)* braten, *(coffee beans, chestnuts)* rösten; 3. *(fam)* ~ *s.o.* jdn durch den Kakao ziehen (fam); *adj* 4. gebraten; *sb* 5. Braten *m*

rob [rɒb] *v* 1. *(s.o.)* bestehlen; 2. *(a bank, a shop)* ausrauben

robber ['rɒbə] *sb* Räuber *m*

robbery ['rɒbərɪ] *sb* 1. Raub *m*; 2. *(burglary)* Einbruch *m*

rock¹ [rɒk] *v* 1. *(violently)* schwanken; 2. *(gently)* schaukeln, *(a baby)* wiegen; 3. *(shake)* erschüttern; *sb* 4. *MUS* Rock *m*

rock² [rɒk] *sb* 1. *(material)* Stein *m*, Gestein *n*; 2. *(one ~)* Fels *m*, Felsen *m*, *(US: stone)* Stein *m*; 3. *on the ~s (fam: drink)* mit Eis; *(marriage)* kaputt; *(broke)* pleite

rock-bottom ['rɒkbɒtəm] *adj (price)* allerniedrigst

rocket ['rɒkɪt] *sb* Rakete *f*

rocky ['rɒkɪ] *adj* felsig

rod [rɒd] *sb* 1. Stab *m*, Stange *f*; 2. *(for punishment, for fishing)* Rute *f*

rodent ['rəʊdənt] *sb ZOOL* Nagetier *n*

rogue [rəʊg] *sb* 1. *(scoundrel)* Gauner *m*, Schurke *m*; 2. *(meant humorously)* Schelm *m*, Schlingel *m*, Spitzbube *m*; 3. *ZOOL* Einzelgänger *m*

role [rəʊl] *sb* Rolle *f*

roll [rəʊl] *v* 1. rollen, *(from side to side)* schlingern; 2. *(sth)* rollen, *(a cigarette)* drehen; 3. *(drum)* wirbeln; *sb* 4. Rolle *f*; 5. *(bread)* Brötchen *n*; 6. *(list)* Liste *f*, Register *n*; 7. *(of thunder)* Rollen *n*

roller-coaster ['rəʊləkəʊstə] *sb* Achterbahn *f*

roller skate ['rəʊləskeɪt] *sb* Rollschuh *m*

rolling ['rəʊlɪŋ] *adj* 1. *(hills)* hügelig; 2. *(waves)* wogend

romance [rəʊ'mæns] *sb* 1. Liebe *f*, Romanze *f*; 2. *(love story)* Liebesgeschichte *f*

romantic [rəʊ'mæntɪk] *adj* romantisch

romp [rɒmp] *v* 1. herumtollen, herumtoben; *sb* 2. Tollen *f*; 3. *SPORT* leichter Sieg *m*

roof [ruːf] *sb 1.* Dach *n; go through the ~ (fig)* an die Decke gehen; *2. (of a car)* Verdeck *n; 3. ~ of the mouth* Gaumen *m*

roofing ['ruːfɪŋ] *sb 1. (covering of roof)* Dachdecken *n; 2. (roof)* Dach *n*

roof rack [ruːf ræk] *sb* Dachgepäckträger *m*

rook¹ [rʊk] *sb (in chess)* Turm *m*

rook² [rʊk] *v (fam)* betrügen

rookie ['rʊki] *sb (fam)* Neuling *m,* Anfänger *m*

room [ruːm] *sb 1.* Zimmer *n,* Raum *m; 2. (ball~)* Saal *m; 3. (space)* Platz *m; make ~ for s.o.* jdm Platz machen; *4. (fig)* Spielraum *m; There is ~ for improvement.* Es ließe sich noch manches besser machen. *v 5. ~ with s.o.* mit jdm eine Wohung teilen

room-service ['ruːmsɜːvɪs] *sb* Zimmerservice *m,* Etagendienst *m*

root [ruːt] *sb 1.* BOT Wurzel *f; take ~* Wurzel fassen; *2. (hair)* Wurzel *f; 3.* MATH Wurzel *f; 4.* LING Stamm *m*

rootless ['ruːtlɪs] *adj* wurzellos, ohne Wurzeln

rope [rəʊp] *sb 1.* Seil *n; know the ~s* sich auskennen, die Spielregeln kennen; *2. (hangman's)* Strick *m; 3.* NAUT Tau *n*

rose [rəʊz] *sb 1.* Rose *f; 2. (colour)* Rosarot *n*

rose-coloured ['rəʊzkʌləd] *adj* rosa-rot; *through ~ spectacles (fig)* durch die rosa-rote Brille

rosy ['rəʊzi] *adj 1.* rosa-rot, *(cheeks)* rosig; *2. (fig)* rosig

rot [rɒt] *v 1.* faulen; *2. (corpse)* verwesen; *3. (teeth)* verfaulen; *sb 4. (fam: nonsense)* Quatsch *m,* Blödsinn *m*

rotate ['rəʊteɪt] *v 1.* sich drehen; *2. (sth)* drehen

rotten ['rɒtn] *adj 1.* faul; *2. (wood)* morsch; *3. I feel ~.* Mir ist mies. *4. (fig: corrupt)* verdorben

rouge [ruːʒ] *sb* Rouge *n*

rough [rʌf] *adj 1. (skin, cloth, voice)* rau; *2. (ground)* uneben, *(road)* holprig; *3. (treatment)* grob, hart; *I had a ~ time.* Es ist mir ziemlich mies gegangen. *4. (sport, match)* hart; *v 5. ~ it (fam)* auf Bequemlichkeit verzichten, primitiv leben, spartanisch hausen

•**rough up** *v (fam: a person)* zusammenschlagen

roughhouse ['rʌfhaʊz] *v* Radau machen, toben

roughly ['rʌflɪ] *adv (about)* ungefähr, etwa

round [raʊnd] *adj 1.* rund; *2. (rotund)* pummelig; *adv 3. look ~* um sich blicken; *turn ~* umdrehen; *order one's car ~* den Wagen vorfahren lassen; *~ and ~* immer rundherum; *all ~* überall; *4. go ~ (spin)* sich drehen; *(make a detour)* außen herumgehen; *(to be sufficient)* reichen; *enough to go ~* genug für alle; *prep 5.* um, um ... herum; *6. ~ about* rundum, ringsum; *sb 7. (of a competition, of talks)* Runde *f; 8. ~s (of a watchman, of a doctor, of a delivery man)* Runde *f; 9. a ~ of applause* Applaus *m,* Beifallssalve *f; 10. (of ammunition)* Ladung *f; 11. (UK: slice)* Scheibe *f; 12.* theatre in the ~ Arenatheater *n; 13.* MUS Kanon *m; v 14. (a corner)* gehen um

roundabout ['raʊndəbaʊt] *adj in a ~ way* auf Umwegen; *(speaking)* umständlich

round-trip ticket [raʊnd trɪp 'tɪkɪt] *sb (US)* Rückfahrkarte *f, (plane ticket)* Rückflugticket *n*

rouse [raʊz] *v 1. (from sleep)* wecken; *2. (stimulate)* bewegen; *3. (hatred, suspicions)* erregen

route [ruːt] *sb 1.* Route *f,* Strecke *f; 2. (itinerary)* Reiseroute *f; 3. (bus service)* Linie *f*

routine [ruːˈtiːn] *adj 1. (everyday)* alltäglich, immer gleich bleibend, üblich; *2. (happening on a regular basis)* laufend, regelmäßig, routinemäßig; *sb 3.* Routine *f*

row¹ [rəʊ] *sb (line, rank)* Reihe *f*

row² [rəʊ] *v (a boat)* rudern

row³ [raʊ] *sb 1. (UK: quarrel)* Streit *m; 2. (UK: noise)* Lärm *m,* Krach *m; kick up a ~* Krach schlagen; *v 3. (quarrel)* sich streiten

rowdy ['raʊdɪ] *sb 1.* Rowdy *m,* Raufbold *m; adj 2.* rauflustig, *(noisy)* laut

royal ['rɔɪəl] *adj* königlich

royalty ['rɔɪəltɪ] *sb 1. (people)* königliche Personen *pl; 2. (status)* Königtum *n; 3. royalties pl* Tantiemen *pl; 4. royalties pl (from a patent)* Patentgebühren *pl*

rub [rʌb] *v 1. ~ against* reiben an; *2. (sth)* reiben; *~ shoulders with (fig)* verkehren mit; *~ s.o. the wrong way* jdn irritieren

rubber ['rʌbə] *sb 1.* Gummi *m/n; 2. (UK: eraser)* Radiergummi *m; 3. (in a card game)* Robber *m; 4. (fam: condom)* Pariser *m*

rubbish ['rʌbɪʃ] *sb 1.* Abfall *m,* Abfälle *pl; 2. (household ~)* Müll *m; 3. (fig: item of poor quality)* Mist *m; 4. (fam: nonsense)(UK)* Quatsch *m,* Blödsinn *m*

rubbish bin ['rʌbɪʃbɪn] *sb (UK)* Abfalleimer *m,* Mülleimer *m*

ruby ['ruːbɪ] *sb* Rubin *m*

ruddy ['rʌdɪ] *sb (complexion)* gesund, rot
rude [ru:d] *adj 1. (impolite)* unhöflich, grob;
2. (indecent) unanständig; *3. (abrupt)* unsanft,
roh
rudeness ['ru:dnɪs] *sb (impoliteness)* Unhöflichkeit *f*
rue [ru:] *v* bereuen
rueful ['ru:fʊl] *adj* reuevoll
ruffle ['rʌfl] *v 1. (feathers, hair)* zerzausen; *2.
(fig: disconcert)* aus der Fassung bringen; *3.
(fig: annoy)* irritieren
rug [rʌg] *sb 1.* kleiner Teppich *m; 2. (by
one's bed)* Bettvorleger *m; 3. (valuable ~)*
Brücke *f*
rugby ['rʌgbɪ] *sb* SPORT Rugby *n*
rugged ['rʌgɪd] *adj 1.* rau; *2. (terrain)* wild;
3. (features) markig
ruin ['ru:ɪn] *v 1.* zerstören; *2. (s.o.'s plans)*
zunichte machen; *3. (s.o.'s reputation)* ruinieren; *4. (a party)* verderben; *sb 5. (of a person)*
Ruin *m; 6. (destroyed building)* Ruine *f; 7. ~s
pl* Ruinen *pl*, Trümmer *pl*
rule [ru:l] *v 1.* herrschen; *2.* JUR entscheiden; *3. (s.o., sth)* beherrschen, *(a land)* regieren; *4. (draw lines on paper)* linieren; *sb 5.*
Regel *f; as a ~* in der Regel; *unwritten ~ (fig)*
ungeschriebenes Gesetz *n; 6. (authority, reign)*
Herrschaft *f; 7. (for measuring)* Metermaß *n*,
Maßstab *m*
• **rule out** *v (fig: exclude)* ausschließen
ruler ['ru:lə] *sb 1. (measuring stick)* Lineal
n; 2. (one who rules) Herrscher *m*
rum [rʌm] *sb* Rum *m*
rumble ['rʌmbl] *v 1. (thunder)* grollen; *2.
(train)* rumpeln; *3. (stomach)* knurren
rumour ['ru:mə] *sb* Gerücht *n; Rumour has
it that ...* Es geht das Gerücht um, dass ...;
start a ~ ein Gerücht im Umlauf setzen
run [rʌn] *v irr 1.* laufen, rennen; *2. (flee)* davonlaufen, weglaufen, wegrennen; *3. (ex-
tend: road)* gehen, führen, *(mountains, wall)*
sich ziehen; *the road ~s north and south* die
Straße geht nach Norden und Süden; *4. (flow)*
laufen, *(river, electricity)* fließen; *5. (colours in
the wash)* färben; *6. (roll, slide)* laufen, gleiten;
7. (machine) laufen; *8. (last for a period of
time)* laufen; *9. ~ low, ~ short* knapp werden;
10. ~ dry versiegen, *(pen)* leer werden; *(fig: resources)* ausgehen; *11. ~ a risk* ein Risiko eingehen; *12. (US: for office)* kandidieren; *~
against s.o.* jds Gegenkandidat sein; *13. (a
distance)* laufen, rennen; *14. (make ~)* jagen
• **run away** *v irr 1.* weglaufen, wegrennen;
2. ~ with (win easily) spielend gewinnen

• **run down** *v irr 1. (battery)* leer werden; *2.
(catch up with)* einholen
• **run into** *v irr 1. (meet)* zufällig treffen; *2.
(collide with)* rennen gegen, fahren gegen; *~
difficulties* Schwierigkeiten bekommen; *3.
(river)* in ... münden
• **run off** *v irr (run away)* weglaufen, wegrennen
• **run out** *v irr 1. (period of time)* ablaufen;
We're running out of time. Wir haben nicht
mehr viel Zeit. *2. (supplies, money)* ausgehen; *He ran out of money.* Ihm ging das Geld
aus. *3. (liquid)* herauslaufen
• **run over** *v irr 1. (overflow)* überlaufen; *2.
(s.o., sth)* überfahren
• **run through** *v irr (rehearse)* durchgehen,
(a play) durchspielen, *(look over notes)* durchsehen
runaway ['rʌnəweɪ] *sb (child)* Ausreißer *m*
runner ['rʌnə] *sb 1.* SPORT Läufer *m; 2.
(for a drawer)* Laufschiene *f*
running ['rʌnɪŋ] *adj 1.* laufend; *2. ~ jump*
Sprung mit Anlauf *m; sb 3. to be out of the ~*
aus dem Rennen sein
rupture ['rʌptʃə] *v 1.* reißen, zerspringen;
2. (sth) brechen, zerreißen; *sb 3.* Bruch *m*
rural ['rʊərəl] *adj* ländlich
ruse [ru:z] *sb* List *f*
rush [rʌʃ] *v 1. (hurry)* eilen; *2. (run)* stürzen;
3. (water) schießen, stürzen; *blood ~ed to her
face* das Blut schoss ihr ins Gesicht; *4. (force
s.o. to hurry)* hetzen; *5. (charge at)* stürmen; *6.
(do hurriedly)* hastig machen, schnell machen;
7. (move sth rapidly) schnell wohin bringen,
schnell wohin schaffen; *They were ~ed to
hospital.* Sie wurden schnellstens ins Krankenhaus gebracht. *sb 8. (hurry)* Eile *f; to be in
a ~* es sehr eilig haben; *There's no ~.* Es eilt
nicht. *9. (of a crowd)* Andrang *m; 10. (of air)*
Stoß *m*
rush hour ['rʌʃaʊə] *sb* Hauptverkehrszeit
f, Stoßzeit *f*
rush-hour traffic ['rʌʃaʊə 'træfɪk] *sb*
Stoßverkehr *m*
rust [rʌst] *v 1. (get rusty)* rosten, verrosten;
sb 2. Rost *m*
rustle ['rʌsl] *v 1.* rascheln, *(skirts)* rauschen;
2. (sth) rascheln mit
rustproof ['rʌstpru:f] *adj* nicht rostend
rusty ['rʌstɪ] *adj 1.* rostig; *2. (fig)* eingerostet; *My German is a bit ~.* Meine Deutsch-
kenntnisse sind etwas eingerostet.
ruthless ['ru:θlɪs] *adj 1.* mitleidlos; *2. (sarcasm, analysis)* schonungslos

S

sabotage ['sæbətɑːʒ] v 1. sabotieren; sb 2. Sabotage f

saboteur [sæbə'tɜː] sb Saboteur m

sack [sæk] sb 1. Sack m; hit the ~ (fam) sich in die Falle hauen; 2. get the ~ gefeuert werden; v 3. (put in ~s) einsacken; 4. (fam: dismiss) entlassen; 5. (pillage) plündern

sacrament ['sækrəmənt] sb REL Sakrament n

sacred ['seɪkrɪd] adj heilig; Nothing was ~ to him. Nichts war ihm heilig .

sacrifice ['sækrɪfaɪs] sb 1. Opfer n; v 2. opfern

sad [sæd] adj 1. traurig; 2. (fam: pathetically bad) miserabel

saddle ['sædl] v 1. (a horse) satteln; 2. to be ~d with sth (fig) etw am Hals haben; sb 3. Sattel m; 4. GAST Rücken m

sadist ['seɪdɪst] sb Sadist m

sadly ['sædlɪ] adv (before a statement) traurigerweise

sadness ['sædnɪs] sb Traurigkeit f

safari [sə'fɑːrɪ] sb Safari f

safe [seɪf] adj 1. sicher; to be on the ~ side um ganz sicher zu sein; it is ~ to say man kann ruhig sagen; play it ~ auf Nummer Sicher gehen; 2. (not dangerous) ungefährlich; 3. (unhurt) unverletzt; ~ and sound heil und ganz; 4. (protected) geschützt; sb 5. Safe m, Tresor m

safe deposit box [seɪf dɪ'pɒzɪt bɒks] sb Bankschließfach n

safe house ['seɪfhaʊs] sb Zufluchtsort m

safekeeping [seɪf'kiːpɪŋ] sb sichere Verwahrung f, Gewahrsam m; for ~ zur sicheren Aufbewahrung

safe sex [seɪf 'seks] sb Safersex m

safety ['seɪftɪ] sb Sicherheit f

safety belt ['seɪftɪ belt] sb Sicherheitsgurt m

safety catch ['seɪftɪ kætʃ] sb 1. Sicherung f; 2. (of a gun) Sicherheitsflügel m

saga ['sɑːgə] sb Saga f, Heldenepos n

said [sed] adj (aforementioned) genannt, erwähnt

sail [seɪl] v 1. fahren, (in a yacht) segeln; 2. (fig: through the air) fliegen, (glide) gleiten; 3. (a ship) steuern, (sailboat) segeln; ~ the seas die Meere befahren; sb 4. Segel n; set ~ auslaufen

sailboat ['seɪlbəʊt] sb NAUT (US) Segelboot n

sailor ['seɪlə] sb 1. Seemann m; 2. (in the navy) Matrose m; 3. (person who sails for recreation) Segler m

saint [seɪnt] sb Heilige(r) m/f; ~ Peter der Heilige Petrus, Sankt Petrus

sake [seɪk] sb 1. for your ~ deinetwegen/Ihretwegen, (to please you) dir zuliebe/Ihnen zuliebe; 2. For Heaven's ~! Um Gottes willen! 3. for old times' ~ in Erinnerung an alte Zeiten

salad ['sæləd] sb Salat m

salary ['sælərɪ] sb Gehalt n

salary increase ['sælərɪ 'ɪnkriːs] sb Gehaltserhöhung f

sale [seɪl] sb 1. Verkauf m; for ~ zu verkaufen; not for ~ unverkäuflich; 2. (at reduced prices) Ausverkauf m; on ~ reduziert; 3. (a transaction) Geschäft n, Abschluss m; 4. ~s pl (turnover) ECO Absatz m; 5. ~s (department) Verkaufsabteilung f; I'm in ~s. (fam) Ich bin im Verkauf.

salesclerk ['seɪlzklɜːk] sb (US) Verkäufer m

sales tax ['seɪlztæks] sb (US) Verkaufssteuer f

saliva [sə'laɪvə] sb Speichel m

salmon ['sæmən] sb ZOOL Lachs m, Salm m

salmonella [sælmə'nelə] sb MED Salmonelle f

saloon [sə'luːn] sb 1. (UK: car) Limousine f; 2. (US: bar) Saloon m; 3. NAUT Gesellschaftsraum m

salsa ['sɑːlsə] sb 1. (sauce) GAST scharfe Soße f; 2. MUS Salsa m (karibischer Tanz)

salt [sɔːlt] sb Salz n; take sth with a grain of ~ (fig) etw nicht wörtlich nehmen

salt shaker ['sɔːltʃeɪkə] sb Salzstreuer m

saltwater ['sɔːltwɔːtə] adj Salzwasser...

salty ['sɔːltɪ] adj salzig

samba ['sɑːmbə] sb MUS Samba m

same [seɪm] adj 1. the ~ der/die/das Gleiche; exactly the ~ thing genau dasselbe; the ~ as der/die/das Gleiche wie; pron 2. the ~ der/die/das Gleiche; treat everyone the ~ alle gleich behandeln; Same to you! Gleichfalls! 3. it's all the ~ to me es ist mir gleich, es ist mir egal; if it's all the ~ to you wenn es Ihnen nichts ausmacht

sample ['sɑːmpl] v 1. probieren, (food, drink) kosten; sb 2. (of blood, of a mineral) Probe f; 3. (for tasting) Kostprobe f; 4. (example) Beispiel n; 5. ECO Muster n; 6. (statistical) Sample n, Stichprobe f

sampler ['sɑːmplə] *sb (box of sweets)* Sortiment *n*

sanatorium [sænə'tɔːrɪəm] *sb MED* Sanatorium *n*

sanctify ['sæŋktɪfaɪ] *v* heiligen

sanction ['sæŋkʃən] *v 1.* sanktionieren; *sb 2. (punishment)* Sanktion *f; 3. (permission)* Zustimmung *f*

sanctuary ['sæŋktjʊərɪ] *sb 1. (refuge)* Zuflucht *f; 2. (holy place)* Heiligtum *n*

sanctum ['sæŋktəm] *sb REL* Heiligtum *n*

sand [sænd] *sb* Sand *m*

sandal ['sændl] *sb* Sandale *f*

sandalwood ['sændlwʊd] *sb* Sandelholz *n*

sandbank ['sændbæŋk] *sb* Sandbank *f*

sandbar ['sændbɑː] *sb* Sandbank *f*

sand-dune ['sænddjuːn] *sb* Sanddüne *f*

sandglass ['sændglɑːs] *sb* Sanduhr *f*

sandpaper ['sændpeɪpə] *sb* Sandpapier *n*

sandpit ['sændpɪt] *sb* Sandkiste *f*, Sandkasten *m*

sandwich ['sændwɪtʃ] *sb GAST* Sandwich *n*

sandy ['sændɪ] *adj 1.* sandig; *2. (hair)* rotblond

sanitarium [sænɪ'tɛərɪəm] *sb* Sanatorium *n*

sanitary ['sænɪtərɪ] *adj* sanitär

sanitary towel ['sænɪtərɪ 'taʊəl] *sb* Damenbinde *f*

sanitation [sænɪ'teɪʃən] *sb 1. (sanitary measures)* Hygiene *f*, Sanitärwesen *n; 2. (sewage disposal)* Abfallbeseitigung *f*

sanity ['sænɪtɪ] *sb 1.* geistige Gesundheit *f; 2. (sensibleness)* Vernunft *f*

Santa Claus ['sæntə klɔːz] *sb* Weihnachtsmann *m*

sap [sæp] *sb 1. (from a plant)* Saft *m; v 2. (fig)* untergraben; *3. (strength)* schwächen

sapling ['sæplɪŋ] *sb* junger Baum *m*

sapphire ['sæfaɪə] *sb MIN* Saphir *m*

sarcasm ['sɑːkæzəm] *sb* Sarkasmus *m*

sarcastic [sɑː'kæstɪk] *adj* sarkastisch

sardine [sɑː'diːn] *sb* Sardine *f; packed together like ~s* wie die Sardinen zusammengepfercht

sardonic [sɑː'dɒnɪk] *adj* sardonisch

sari ['sɑːrɪ] *sb* Sari *m*

sarky ['sɑːkɪ] *adj (fam) (UK)* sarkastisch

sash [sæʃ] *sb 1.* Schärpe *f; 2. (window ~)* schiebbarer Teil eines Schiebefensters *m*

sassy ['sæsɪ] *adj (US)* frech

satanic [sə'tænɪk] *adj* satanisch

satchel ['sætʃəl] *sb* Schultasche *f*, Schulranzen *m*

satellite ['sætəlaɪt] *sb* Satellit *m*, Trabant *m*

satiable ['seɪʃɪəbl] *adj* zu sättigen, zu befriedigen

satin ['sætɪn] *sb* Satin *m*

satire ['sætaɪə] *sb* Satire *f*

satisfaction [sætɪs'fækʃən] *sb 1. (act)* Befriedigung *f; 2. (of conditions)* Erfüllung *f; 3. (state)* Zufriedenheit *f*

satisfactory [sætɪs'fæktərɪ] *adj* ausreichend, akzeptabel, zufrieden stellend

satisfied ['sætɪsfaɪd] *adj* zufrieden, *(convince)* überzeugt

satisfy ['sætɪsfaɪ] *v 1.* befriedigen, *(customers)* zufrieden stellen; *2. (convince)* überzeugen; *3. (conditions, a contract)* erfüllen; *4. (s.o.'s hunger)* sättigen

Saturday ['sætədeɪ] *sb* Samstag *m*, Sonnabend *m*

sauce [sɔːs] *sb GAST* Soße *f*

saucepan ['sɔːspæn] *sb* Kochtopf *m*

saucy ['sɔːsɪ] *adj 1. (pert)* kess; *2. (impudent)* frech

sauna ['sɔːnə] *sb* Sauna *f*

sausage ['sɒsɪdʒ] *sb* Wurst *f*

sausage dog ['sɒsɪdʒ dɒg] *sb (fam)* Dackel *m*

savage ['sævɪdʒ] *adj 1.* wild; *2. (person, attack)* brutal; *3. (animal)* gefährlich; *sb 4.* Wilde(r) *m/f*

save [seɪv] *v 1. (rescue)* retten; *God ~ the Queen* Gott schütze die Königin; *2. (prevent)* ersparen; *3. (avoid using up)* sparen, *(ration)* schonen; *4. (keep)* aufheben, aufbewahren, *(money)* sparen; *5. INFORM* speichern; *sb 6. SPORT (by a goalkeeper)* Ballabwehr *f; prep 7.* außer

saving ['seɪvɪŋ] *adj 1. (preserving)* rettend; *2. (economical)* sparend, einsparend

savings ['seɪvɪŋz] *pl* Ersparnisse *pl*

savings account ['seɪvɪŋzəkaʊnt] *sb* Sparkonto *n*

savings deposit ['seɪvɪŋz dɪ'pɒsɪt] *sb* Spareinlage *f*

saviour ['seɪvjə] *sb 1.* Retter *m; 2. REL Our Saviour* Heiland *m*, Erlöser *m*

savour ['seɪvə] *v 1. (sth)* kosten; *2. (enjoy)* genießen

savoury ['seɪvərɪ] *adj 1.* schmackhaft, lecker; *2. (fam: pleasant)* angenehm

saw [sɔː] *v 1.* sägen; *sb 2. (tool)* Säge *f*

sawdust ['sɔːdʌst] *sb* Sägemehl *n*

sawmill ['sɔːmɪl] *sb* Sägewerk *n*

sax [sæks] *sb MUS (fam: saxophone)* Saxofon *n*

Saxony ['sæksənɪ] *sb GEO* Sachsen *n*

saxophone ['sæksəfəʊn] *sb* Saxofon *n*

say [seɪ] *v irr* 1. sagen; *No sooner said than done.* Gesagt, getan. *when all is said and done* letzten Endes; *You don't ~!* Was du nicht sagst! *It's easier said than done.* Das ist leichter gesagt als getan. *He's said to be wealthy.* Er soll reich sein. *It goes without ~ing.* Es ist selbstverständlich. 2. *(fig: dictionary, clock, horoscope)* sagen; *it ~s in the papers that ...* in den Zeitungen steht, dass ...; 3. ~ *a prayer* ein Gebet sprechen; *the rules ~ that* in den Regeln heißt es, dass ...; 4. *(suppose)* angenommen ...; *sb* 5. Mitspracherecht *n; have a* ~ *in sth* etw bei einer Sache zu sagen haben

saying ['seɪɪŋ] *sb* Sprichwort *n*

scaffold ['skæfəld] *sb* 1. Gerüst *n;* 2. *the* ~ *(execution)* Schafott *n*

scaffolding ['skæfəldɪŋ] *sb* Baugerüst *n*

scald [skɔːld] *v* 1. ~ *o.s.* sich verbrühen; 2. *(skin)* verbrühen; 3. *(vegetables)* abbrühen; 4. *(milk)* abkochen

scale[1] [skeɪl] *sb* 1. *(indicating a reading)* Skala *f;* 2. *(measuring instrument)* Messgerät *n;* 3. *(table, list)* Tabelle *f; He rates films on a* ~ *of one to ten.* Zur Beurteilung der Filme benutzt er eine Skala von eins bis zehn. 4. *MUS* Tonleiter *f;* 5. *(of a map)* Maßstab *m;* 6. *(fig)* Umfang *m,* Ausmaß *n; adj* 7. *(drawing, model)* maßstabsgerecht; *v* 8. *(climb up)* erklettern

scale[2] [skeɪl] *(for weighing)* Waage *f*

scale[3] [skeɪl] *sb ZOOL* Schuppe *f*

scandal ['skændl] *sb* Skandal *m*

scandalmonger ['skændlmʌŋgə] *sb* Lästermaul *n*

scandalous ['skændələs] *adj* skandalös

scanner ['skænə] *sb INFORM* Scanner *m,* Abtaster *m*

scant [skænt] *adj* 1. wenig; *pay* ~ *attention to sth* etw kaum beachten; 2. *(supply)* spärlich

scanty ['skæntɪ] *adj* 1. dürftig; 2. *(piece of clothing, majority)* knapp; 3. *(vegetation)* kärglich

scar [skɑː] *sb* 1. Narbe *f; v* 2. *MED* eine Narbe hinterlassen auf; 3. *(fig)* zeichnen

scarce ['skɛəs] *adj* 1. *(not plentiful)* knapp; 2. *(rare)* selten

scare ['skɛə] *v* 1. erschrecken; 2. *(worry)* Angst machen; *sb* 3. *(fright)* Schrecken *m,* Schreck *m;* 4. *(about a bomb, about an epidemic)* Alarm *m;* 5. *(hoax)* blinder Alarm *m*
• **scare away** *v* 1. verscheuchen; 2. *(people)* verjagen

scared ['skɛəd] *adj to be* ~ *of sth* Angst vor etw haben

scarf [skɑːf] *sb* 1. Schal *m;* 2. *(neck ~)* Halstuch *n;* 3. *(head ~)* Kopftuch *n*

scarlet ['skɑːlɪt] *adj* scharlachrot

scarlet fever ['skɑːlɪt 'fiːvə] *sb MED* Scharlach *m*

scarred ['skɑːd] *adj* narbig

scary ['skɛərɪ] *adj* gruselig, gruslig, schaurig, unheimlich

scatter ['skætə] *v* 1. sich zerstreuen; 2. *(distribute)* verstreuen, *(seeds)* streuen; 3. *(disperse)* auseinander treiben, zerstreuen

scattered ['skætəd] *adj* 1. verstreut, zerstreut; 2. *(showers)* vereinzelt

scatty ['skætɪ] *adj (fam)* schusselig, konfus, wirr

scenario [sɪ'nɑːrɪəʊ] *sb* 1. *THEAT* Szenar *n;* 2. *(fig)* Szenario *n*

scene [siːn] *sb* 1. *(place)* Schauplatz *m, (of a fictional story)* Ort der Handlung *m; set the* ~ *of the crime* Tatort *m;* 2. *(incident)* Szene *f;* 3. *THEAT* Szene *f;* 4. *(scenery) THEAT* Bühnenbild *n,* Kulisse *f; behind the* ~*s* hinter den Kulissen; 5. *(fig: emotional outburst)* Szene *f; make a* ~ eine Szene machen

scenery ['siːnərɪ] *sb* 1. *(landscape)* Landschaft *f,* Gegend *f;* 2. *THEAT* Bühnendekoration *f,* Kulissen *pl;* 3. *change of* ~ *(fig)* Tapetenwechsel *m*

scenic ['siːnɪk] *adj* landschaftlich schön

schedule ['ʃedjuːl] *v* 1. planen, *(add to a timetable)* ansetzen; *sb* 2. *(list)* Verzeichnis *n;* 3. *(timetable)* Plan *m; ahead of* ~ vor dem planmäßigen Zeitpunkt; *to be behind* ~ Verspätung haben; *on* ~ planmäßig, pünktlich

scheme ['skiːm] *sb* 1. *(plan)* Plan *m,* Programm *n; (dishonest plan)* Intrige *f;* 2. *(system)* System *n;* 3. *(combination)* Schema *n; v* 4. Pläne schmieden, intrigieren

scheming ['skiːmɪŋ] *sb* 1. Machenschaften *pl,* Intrigen *pl; adj* 2. intrigant

schizophrenia [skɪtsəʊ'friːnɪə] *sb MED* Schizophrenie *f*

schizophrenic [skɪtsəʊ'frenɪk] *adj* schizophren

schnapps [ʃnæps] *sb* Schnaps *m*

scholar ['skɒlə] *sb* 1. Gelehrte(r) *m/f;* 2. *(student)* Student *m;* 3. *(pupil)* Schüler *m*

scholarship ['skɒləʃɪp] *sb* 1. *(grant)* Stipendium *n;* 2. *(learning)* Gelehrsamkeit *f*

school[1] [skuːl] *v* 1. lehren; *sb* 2. Schule *f, (US: university)* Universität *f;* 3. ~ *of thought* geistige Richtung *f*

school[2] [skuːl] *sb ZOOL* Schwarm *m*

schoolboy ['sku:lbɔɪ] *sb* Schüler *m*, Schuljunge *m*

schoolgirl ['sku:lgɜ:l] *sb* Schülerin *f*, Schulmädchen *n*

school-leaver ['sku:lli:və] *sb* Schulabgänger *m*

schoolmaster ['sku:lmɑ:stə] *sb* Lehrer *m*, Schulmeister *m*

schoolmistress ['sku:lmɪstrɪs] *sb* Lehrerin *f*, Schulmeisterin *f*

school-report ['sku:lrɪpɔ:t] *sb (UK)* Schulzeugnis *n*

schoolteacher ['sku:lti:tʃə] *sb* Lehrer *m*

school year [sku:l jɪə] *sb* Schuljahr *n*

science ['saɪəns] *sb* Wissenschaft *f*

science fiction ['saɪəns 'fɪkʃən] *sb* Sciencefiction *f*

science park ['saɪəns pɑ:k] *sb* Forschungspark *m*

scientific [saɪən'tɪfɪk] *adj* wissenschaftlich

scientist ['saɪəntɪst] *sb* Wissenschaftler *m*

scission ['sɪʃən] *sb* Schnitt *m*, Einschnitt *m*

scissors ['sɪzəz] *pl* Schere *f*

scissors kick ['sɪsəz kɪk] *sb (in swimming)* Scherenschlag *m*

scoff [skɒf] *v* spotten

scoffing ['skɒfɪŋ] *sb* Spott *m*, Verächtlichmachung *f*

scold [skəʊld] *v* schelten, ausschimpfen

scolding ['skəʊldɪŋ] *adj* schimpfend

scone [skɒn] *sb (UK)* GAST weiches Teegebäck *n*

scoop [sku:p] *sb 1. (instrument)* Schaufel *f*, *(for ice-cream)* Portionierer *m*; *2. (portion of ice-cream)* Kugel *f*; *3. (in the press)* Exklusivbericht *m*; *v 4.* schaufeln

• **scoop out** *v 1. (take out)* herausschaufeln; *2. (hollow out)* aushöhlen

scope [skəʊp] *sb 1. (range)* Bereich *m*; *2. (extent)* Umfang *m*

scorch [skɔ:tʃ] *v (sth)* versengen

scorcher ['skɔ:tʃə] *sb 1. (thing)* heiße Zeit *f*, heiße Sache *f*; *2. (day)* heißer Tag *m*

score [skɔ:] *v 1.* punkten, *(make a goal)* einen Treffer erzielen, *(make one point)* einen Punkt erzielen; *2. (keep ~)* zählen; *3. (sth)* erzielen; *4. (groove)* einkerben, eine Rille machen in; *5. MUS* schreiben; *sb 6. (point total)* Stand *m*,

scoreboard ['skɔ:bɔ:d] *sb* SPORT Anzeigetafel *f*

scoring ['skɔ:rɪŋ] *sb* Erzielen eines Punktes *n*

scorn [skɔ:n] *v 1.* verachten, *(turn down)* verschmähen; *sb 2.* Verachtung *f*, Hohn *m*

Scotch [skɒtʃ] *sb (drink)* Scotch *m*

Scotch tape [skɒtʃ teɪp] *sb* durchsichtiger Klebestreifen, Tesafilm *m*

scoundrel ['skaʊndrəl] *sb* Schurke *m*, Schuft *m*, *(jokingly)* Schlawiner *m*

scour ['skaʊə] *v 1. (a pot)* scheuern; *2. (search)* absuchen, abkämmen (fam); *~ for* absuchen nach

scout [skaʊt] *v 1.* erkunden, auskundschaften; *sb 2.* MIL *(person)* Kundschafter *m*, *(plane, ship)* Aufklärer *m*; *3. (boy ~)* Pfadfinder *m*; *4. (of opposing teams)* SPORT Kundschafter *m*, Spion *m*; *5. (talent ~)* Talentsucher *m*

scowl [skaʊl] *v 1.* ein finsteres Gesicht machen, ein böses Gesicht machen; *sb 2.* ein finsteres Gesicht *n*, ein böses Gesicht *n*

scrabble ['skræbl] *v* herumtasten, herumwühlen

scram [skræm] *v (fam)* verschwinden, abhauen

scramble ['skræmbl] *v 1. (climb)* klettern; *~ up a ladder* eine Leiter rasch hinaufklettern; *~ to one's feet* sich aufrappeln; *2. ~ for sth* sich um etw raufen; *3. (sth)* vermischen; *4. (eggs)* verrühren; *5. (encode: a message, a TV broadcast)* verschlüsseln

scrap [skræp] *v 1. (a vehicle)* verschrotten; *2. (plans)* fallen lassen; *sb 3. (small piece)* Stückchen *n*; *4. (of news, of cloth)* Fetzen *m*; *5. (of paper)* Schnitzel *m*; *6. ~s pl (of a meal)* Reste *pl*; *7. (fam: fight)* Balgerei *f*, *(verbal)* Streiterei *f*

scrape [skreɪp] *v 1. (grate)* kratzen; *2. (rub)* streifen; *~ against sth* etw streifen; *3. bow and ~* katzbuckeln; *sb 4.* Schramme *f*; *5. (sound)* Kratzen *n*; *6. (fig) get s.o. out of a ~* jdm aus der Patsche helfen; *get into a ~* in Schwierigkeiten kommen

• **scrape off** *v (sth)* abkratzen

scratch [skrætʃ] *v 1.* kratzen; *2. (leave a ~ on)* zerkratzen; *sb 3. (mark)* Kratzer *m*, Schramme *f*; *4. start from ~* ganz von vorne anfangen

scream [skri:m] *v 1.* schreien; *sb 2.* Schrei *m*; *3. (of tyres)* Kreischen *n*

screamer ['skri:mə] *sb 1. (person who screams)* Heuler *m*; *2. (thrilling thing)* tolle Sache *f*

screen [skri:n] *v 1. (protect, hide)* abschirmen; *2. (sift)* sieben; *3. (applicants)* überprüfen; *4. (a film)* vorführen; *sb 5. (shield)* Schirm *m*; *6. (on a window)* Fliegengitter *n*; *7. (sieve)* Sieb *n*; *8. (of a television)* Bildschirm *m*; *9. CINE* Leinwand *f*; *stars of the ~* Filmstars *pl*; *10. (in printing)* Raster *m*

screen test [skri:n test] *sb CINE* Probeaufnahme *f*

screenwriter ['skri:nraitə] *sb* Drehbuchautor *m*

scribble ['skribl] *v* 1. kritzeln; *sb* 2. Gekritzel *n*

script [skript] *sb* 1. *(handwriting)* Handschrift *f*; 2. *THEAT* Text *m*; 3. *CINE* Drehbuch *n*

scriptwriter ['skriptraitə] *sb* Drehbuchautor(in) *m/f*

scrounge [skraundʒ] *v* ~ *around for sth* nach etw herumsuchen

scrub [skrʌb] *v* 1. schrubben; *sb* 2. *(scrubbing)* Schrubben *n*; 3. *(underwood)* Gestrüpp *n*; 4. ~ *s pl (backups) SPORT* Ersatzspieler *pl*

scruffy ['skrʌfɪ] *adj (fam)* vergammelt

scrumptious ['skrʌmpʃəs] *adj (food)* lecker

scrutinize ['skru:tɪnaɪz] *v* prüfend ansehen

scrutiny ['skru:tɪnɪ] *sb* Untersuchung *f*

scuba diving ['sku:bədaɪvɪŋ] *sb* Sporttauchen *n*

scud [skʌd] *v* flitzen, jagen

scud missile [skʌd 'mɪsaɪl] *sb MIL* Skudrakete *f*

scull [skʌl] *sb* 1. *(oar)* Skull *n*; 2. *(boat)* Skullboot *n*

scullery ['skʌlərɪ] *sb (UK)* Spülküche *f*

sculpt [skʌlpt] *v* Bildhauerei betreiben

sculptor ['skʌlptə] *sb* Bildhauer *m*

sculpture ['skʌlptʃə] *sb* 1. *(art)* Bildhauerkunst *f*, Skulptur *f*; 2. *(object) ART* Skulptur *f*, Plastik *f*

scum [skʌm] *sb* 1. Schaum *m*; 2. *(fam: people)* Abschaum *m*; 3. *(fam: one person)* Dreckskerl *m*

scurry ['skʌrɪ] *v* huschen

scurvy ['skɜ:vɪ] *sb MED* Skorbut *f*

sea [si:] *sb* Meer *n*, See *f*; *the high* ~s die hohe See; *at* ~ *(fig)* durcheinander, konfus

seaboard ['si:bɔ:d] *sb (US)* Küste *f*

sea breeze ['si:bri:z] *sb* Seewind *m*

seagull ['si:gʌl] *sb ZOOL* Möwe *f*

seal[1] [si:l] *v* 1. versiegeln; 2. *(gum down)* zukleben; 3. *(make airtight)* abdichten; 4. *(fig: finalize)* besiegeln; *sb* 5. Siegel *n*; 6. *(packing, gasket) TECH* Dichtung *f*; 7. *(on a tank, on a crate)* Plombe *f*; 8. *(closure)* Verschluss *m*

seal[2] [si:l] *sb ZOOL* Seehund *m*, Robbe *f*
• **seal off** *v* absperren, abriegeln
• **seal up** *v* 1. versiegeln; 2. *(tape shut, gum down)* zukleben

seam [si:m] *sb* Naht *f*; *bursting at the* ~s zum Bersten voll; *(fig) come apart at the* ~s ausrasten *(fam)*

seaman ['si:mən] *sb* Seemann *m*

seamstress ['si:mstrɪs] *sb* Näherin *f*

sea otter ['si:ɒtə] *sb ZOOL* Seeotter *f*

sear [sɪə] *v* 1. *(burn)* verbrennen, verschmoren; 2. *(burn out)* ausbrennen

search [sɜ:tʃ] *v* 1. suchen; 2. *(sth)* durchsuchen; *(files, one's memory)* durchforschen; 3. *Search me! (fam)* Keine Ahnung! Was weiß ich! Frag mich was Leichteres! *sb* 4. Suche *f*; *in* ~ *of* auf der Suche nach; 5. *(by authorities)* Durchsuchung *f*; 6. *(manhunt)* Fahndung *f*

search party ['sɜ:tʃpa:tɪ] *sb* Suchtrupp *m*

seashell ['si:ʃel] *sb* Muschel *f*, Muschelschale *f*

seaside ['si:saɪd] *sb* Küste *f*

seasoning ['si:znɪŋ] *sb GAST* Würze *f*, Gewürz *n*

seat [si:t] *sb* 1. Sitzplatz *m*, Sitz *m*; *take a* ~ Platz nehmen; *Have a* ~! Nehmen Sie Platz! 2. *(part of a chair)* Sitz *m*, Sitzfläche *f*; 3. *(of pants)* Hosenboden *m*; 4. ~ *of government POL* Regierungssitz *m*; *v* 5. *(s.o.)* setzen; *the table* ~s *six* am Tisch ist Platz für sechs Personen; *to be* ~ed sich setzen

seat belt ['si:tbelt] *sb* Sicherheitsgurt *m*; *fasten one's* ~ sich anschnallen

seaweed ['si:wi:d] *sb BOT* Seetang *m*, Tang *m*, Alge *f*

seaworthy ['si:wɜ:ðɪ] *adj* seetüchtig

seclude [sɪ'klu:d] *v* absondern

second ['sekənd] *sb* 1. Sekunde *f*; 2. *(fam: moment)* Augenblick *m*; 3. ~s *(second serving)* Nachschlag *m*; *adj* 4. zweite(r,s); *on* ~ *thought* nach reiflicher Überlegung; *adv* 5. zweit..., an zweiter Stelle; *v* 6. *(a motion)* unterstützen

secondary ['sekəndərɪ] *adj* 1. sekundär, Neben..., *of* ~ *importance* nebensächlich; 2. *(education)* höher

secondary school ['sekəndərɪ sku:l] *sb* höhere Schule *f*

second-class ['sekənd'kla:s] *adj* 1. zweitklassig, zweitrangig; 2. *(compartment, mail)* zweiter Klasse

second-degree ['sekənddɪ'gri:] *adj* zweiten Grades *f*

second floor ['sekənd flɔ:] *sb* 1. *(UK)* zweiter Stock *m*; 2. *(US)* erster Stock *m*

second-hand ['sekənd'hænd] *adj* 1. gebraucht; 2. *(fig: information)* aus zweiter Hand

second name ['sekənd neɪm] *sb* Familienname *m*

secrecy ['si:krəsɪ] *sb* Heimlichkeit *f*; *sworn to* ~ zur Verschwiegenheit verpflichtet

secret ['si:krət] *adj 1.* geheim, Geheim...; *sb 2.* Geheimnis *n*
secretary ['sekrətrɪ] *sb 1.* Sekretär(in) *m/f; 2. (of a club)* Schriftführer *m; 3. (US: minister)* POL Minister *m*
secrete [sɪ'kri:t] *v 1. (hide)* verbergen; *2. BIO* absondern
secretly ['si:krətlɪ] *adv 1.* heimlich; *2. (in one's thoughts)* insgeheim
secret police ['si:krɪt pə'li:s] *sb* Geheimpolizei *f*
secret service ['si:krət 'sɜ:vɪs] *sb 1. (intelligence service)* Geheimdienst *m; 2. Secret Service (of the US)* Abteilung des Finanzministeriums, auch für den Schutz des Präsidenten zuständig
section ['sekʃən] *sb 1.* Teil *m; 2. (of a book)* Abschnitt *m; 3. (of a law)* JUR Paragraf *m; 4. (of an orange)* Stück *n; 5. (operation)* MED Sektion *f; 6. (diagram)* Schnitt *m*
sector ['sektə] *sb* Sektor *m*
secure [sɪ'kjʊə] *v 1. (make safe)* sichern; *~ sth from sth* etw gegen etw schützen; *2. (fix)* festmachen; *(a window)* schließen; *3. (obtain)* sich beschaffen; *adj 4.* sicher; *5. (emotionally)* geborgen; *6. (grip, knot)* fest
security [sɪ'kjʊrɪtɪ] *sb 1.* Sicherheit *f; 2. (guarantee)* Bürgschaft *f; 3. (deposit)* Kaution *f; 4. securities pl* FIN Effekten *pl,* Wertpapiere *pl*
sedative ['sedətɪv] *sb* Beruhigungsmittel *n*
sedimentary [sedɪ'mentərɪ] *adj* sedimentär
see [si:] *v irr 1.* sehen; *We'll ~.* Wir werden mal sehen. *Let me ~ ... (let me think)* Augenblick mal ...; *2. (understand)* verstehen; *3. (check)* nachsehen; *~ that sth is done* dafür sorgen, dass etw geschieht; *4. (sth)* sehen; *See you!* Tschüss! *See you tomorrow!* Bis morgen! *5. if you ~ fit* wenn Sie es für richtig halten; *6. (accompany)* begleiten, bringen; *~ s.o. across the street* jdn über die Straße bringen; *~ s.o. home* jdn nach Hause bringen; *7. (go and look at)* sich ansehen; *8. (receive a visitor)* empfangen; *Mr. Andrews will ~ you now.* Herr Andrews ist jetzt zu sprechen. *9. (imagine)* vorstellen; *10. (experience)* erleben; *~ action* im Einsatz sein; *11. (visit)* besuchen, *(in business)* aufsuchen; *go ~ the doctor* zum Arzt gehen; *12. Long time no ~! (fam)* Lange nicht gesehen!
• **see off** *v irr* verabschieden, wegbringen
• **see through** *v irr 1.* durchsehen; *2. (fam: see the true nature of)* durchschauen; *3. see sth through* etw zu Ende führen; *4. see s.o. through sth* jdm über etw hinweghelfen, jdm in einer schwierigen Situation beistehen

seed [si:d] *sb 1.* Samen *m; (poppy ~, sesame ~)* Korn *n; (in fruit)* Kern *m; 2. go to ~ (plant)* in Samen schießen; *go to ~ (fam: person)* herunterkommen
seek [si:k] *v irr* suchen
seem [si:m] *v* scheinen
seep [si:p] *v* sickern; *~ through* durchsickern
seer ['sɪə] *sb* Seher *m*
seesaw ['si:sɔ:] *sb* Wippe *f*
segment ['segmənt] *sb 1.* Teil *m; 2. (of a circle)* Segment *n; 3. (of an orange)* Stück *n*
segregation [segrɪ'geɪʃən] *sb 1.* Segregation *f; 2. (racial ~)* Rassentrennung *f*
seize [si:z] *v 1.* packen, ergreifen; *2. (capture)* einnehmen, *(a building)* besetzen; *(a criminal)* fassen; *(a hostage)* nehmen; *3. (an opportunity)* ergreifen; *4. (power)* an sich reißen; *5. (confiscate)* beschlagnahmen; *6. (fig: by an emotion)* packen, ergreifen; *to be ~d with sth* von etw ergriffen sein
seldom ['seldəm] *adv* selten
select [sɪ'lekt] *v 1.* auswählen; *adj 2.* auserwählt, auserlesen, *(exclusive)* exklusiv
selection [sɪ'lekʃən] *sb 1.* Auswahl *f; 2. (thing selected)* Wahl *f*
self [self] *sb 1.* Selbst *n,* Ich *n; 2. (side of one's personality)* Seite *f*
self-appointed [selfə'pɔɪntɪd] *adj* selbst ernannt
self-assured [selfə'ʃʊəd] *adj* selbstsicher
self-catering [self'keɪtərɪŋ] *adj* selbstversorgend
self-centred [self'sentəd] *adj* egozentrisch, ichbezogen
self-confidence [self'kɒnfɪdəns] *sb* Selbstbewusstsein *n*
self-confident [self'kɒnfɪdənt] *adj* selbstbewusst
self-conscious [self'kɒnʃəs] *adj* befangen, gehemmt
self-consciousness [self'kɒnʃəsnɪs] *sb* Befangenheit *f*
self-control [selfkən'trəʊl] *sb* Selbstbeherrschung *f*
self-defence [selfdɪ'fens] *sb 1.* Selbstverteidigung *f; 2. JUR* Notwehr *f*
self-destruct [selfdɪ'strʌkt] *v* sich selbst zerstören
self-discipline [self'dɪsɪplɪn] *sb* Selbstdisziplin *f*
self-employed [selfɪm'plɔɪd] *adj* selbstständig erwerbstätig, freiberuflich
self-esteem [selfɪ'sti:m] *sb* Selbstachtung *f*

self-importance [selfɪm'pɔːtəns] *sb* Aufgeblasenheit *f*
self-important [selfɪm'pɔːtənt] *adj* überheblich
self-indulgent [selfɪn'dʌlgənt] *adj* maßlos, hemmungslos
selfish ['selfɪʃ] *adj* selbstsüchtig, egoistisch
selfless ['selflɪs] *adj* selbstlos
self-made ['self'meɪd] *adj* ~ man Selfmademan *m*
self-pity [self'pɪtɪ] *sb* Selbstmitleid *n*
self-respect [selfrɪ'spekt] *sb* Selbstachtung *f*
self-righteous [self'raɪtʃəs] *adj* selbstgerecht
self-satisfied [self'sætɪsfaɪd] *adj* selbstzufrieden
self-service [self'sɜːvɪs] *sb* Selbstbedienung *f*
self-serving [self'sɜːvɪŋ] *adj* selbstsüchtig
self-styled ['self'staɪld] *adj* selbst ernannt
self-sufficient [selfsə'fɪʃənt] *adj* unabhängig, *(country)* autark
self-worth [self'wɜːθ] *sb* Selbstwert *m*
sell [sel] *v irr* 1. *(have sales appeal)* sich verkaufen lassen; 2. *(sth)* verkaufen; 3. ~ s.o. on sth *(an idea)* jdn von etw überzeugen
• **sell off** *v irr* 1. verkaufen; 2. *(quickly, cheaply)* abstoßen
• **sell out** *v irr* 1. alles verkaufen; 2. *(fam: artist)* sich verkaufen; 3. *(sth)* ausverkaufen, *(one's share)* verkaufen; sold out ausverkauft; 4. *(fam: betray)* verraten
• **sell up** *v irr* zu Geld machen, ausverkaufen
sell-by date ['selbaɪ deɪt] *sb* Haltbarkeitsdatum *n; pass one's* ~ *(fig)* seine besten Tage hinter sich haben
semblance ['sembləns] *sb* Anschein *m*
semester [sɪ'mestə] *sb* Semester *n*
semiautomatic [semɪɔːtə'mætɪk] *adj* halbautomatisch
semicircle ['semɪsɜːkl] *sb* Halbkreis *m*
semiconscious [semɪ'kɒnʃəs] *adj* halb bewusstlos
semifinal ['semɪfaɪnəl] *sb SPORT* Halbfinale *n,* Semifinale *n*
seminar ['semɪnɑː] *sb* Seminar *n*
semi-nude ['semɪnjuːd] *adj* halb nackt
senate ['senɪt] *sb POL* Senat *m*
senator ['senətə] *sb POL* Senator *m*
send [send] *v irr* 1. schicken; ~ s.o. to Coventry jdn sozial ächten; 2. *(propel)* ~ sth crashing to the ground etw zusammenstürzen lassen; ~ s.o. into a rage jdn wütend machen

• **send back** *v irr* zurückschicken, *(food in a restaurant)* zurückgehen lassen
• **send for** *v irr* kommen lassen, sich bestellen
• **send in** *v irr* 1. einschicken, einsenden; 2. *(s.o.)* hineinsenden/hereinsenden, *(troops)* einsetzen
• **send off** *v irr (a letter)* abschicken
• **send up** *v irr* 1. *(a flare)* in die Luft schießen; 2. *(a rocket)* hochschießen; 3. *(a balloon)* steigen lassen; 4. *(fam: parody)* parodieren
send-off ['sendɒf] *sb* Abschied *m,* Verabschiedung *f*
senile ['siːnaɪl] *adj* senil
senior ['siːnɪə] *adj* 1. älterer; 2. *(in time of service)* dienstälter; 3. *(in rank)* vorgesetzt; *sb* 4. *(in school)* Oberstufenschüler *m; (US: in college)* Student im vierten Studienjahr *m; (US: in high school)* Schüler im letzten Schuljahr *m;* 5. He is two years my ~. Er ist zwei Jahre älter als ich.
senior citizen ['siːnɪə 'sɪtɪzn] *sb* Senior *m,* *(pensioner)* Rentner *m*
sensation [sen'seɪʃən] *sb* 1. *(feeling)* Gefühl *n;* 2. *(excitement, cause of excitement)* Sensation *f*
sensational [sen'seɪʃənəl] *adj* sensationell
sensationalism [sen'seɪʃənlɪzəm] *sb* Sensationalismus *m*
sense [sens] *v* 1. spüren, fühlen; *sb* 2. Sinn *m;* ~ of smell/taste/touch Geruchssinn/Geschmackssinn/Tastsinn; ~ of humour Sinn für Humor *m;* 3. good ~ Vernunft *f;* 4. ~s *pl (right mind)* Verstand *m;* come to one's ~s zur Besinnung kommen; bring s.o. to his ~s jdn zur Besinnung bringen; 5. *(feeling)* Gefühl *n;* 6. *(meaning)* Sinn *m,* Bedeutung *f;* It doesn't make ~. Es ergibt keinen Sinn. talk ~ vernünftig reden; in a ~ gewissermaßen; make ~ of sth etw begreifen, etw verstehen
sensible ['sensɪbl] *adj* vernünftig
sensitive ['sensɪtɪv] *adj* 1. empfindlich, *(topic)* heikel; 2. *(understanding)* einfühlsam, *(remark, film)* einfühlend
sensor ['sensə] *sb TECH* Sensor *m*
sensual ['sensjʊəl] *adj* sinnlich
sensuous ['sensjʊəs] *adj* sinnlich
sentence ['sentəns] *sb* 1. *GRAMM* Satz *m;* 2. *(statement)* JUR Urteil *n;* pass ~ das Urteil sprechen; 3. *(punishment)* JUR Strafe *f;* serve a prison ~ eine Freiheitsstrafe verbüßen; *v* 4. JUR verurteilen
sentimental [sentɪ'mentl] *adj* sentimental
sentimentalism [sentɪ'mentlɪzəm] *sb* Sentimentalität *f*

sentimentality [sentɪmen'tælɪtɪ] *sb* Sentimentalität *f*

sentimental value [sentɪ'mentl 'vælju:] *sb* Erinnerungswert *m*

separate ['sepəreɪt] *v 1. (sich trennen, auseinander gehen; 2. (sth) trennen, (divide up) aufteilen; ['seprət] adj 3. (not connected) getrennt; 4. (different) verschieden; 5. (individual) einzeln*

separation [sepə'reɪʃən] *sb 1. Trennung f; 2. (distance) Abstand m, Entfernung f; 3. legal ~ (divorce) JUR Aufhebung der ehelichen Gemeinschaft f*

septic ['septɪk] *adj* vereitert, septisch

septic tank ['septɪk tæŋk] *sb* Faulbehälter *m*

sequel ['si:kwəl] *sb* Folge *f*

sequence ['si:kwəns] *sb 1. Folge f; 2. (order) Reihenfolge f; 3. CINE Sequenz f*

sequencer ['si:kwənsə] *sb* MUS Sequencer *m*

sequin ['si:kwɪn] *sb* Paillette *f*

sequoia [sɪ'kwɔɪə] *sb* BOT Mammutbaum *m*, Sequoie *f*

serenade [serə'neɪd] *sb 1. Serenade f; v 2. ein Ständchen bringen*

serene [sə'ri:n] *adj 1. (person) gelassen; 2. (sky) heiter; 3. (sea) ruhig*

serenity [sɪ'renɪtɪ] *sb* Gelassenheit *f*

sergeant ['sɑ:dʒənt] *sb 1.* MIL Feldwebel *m; 2. (police) Polizeimeister m*

sergeant-major ['sɑ:dʒənt 'meɪdʒə] *sb* MIL Oberfeldwebel *m*

serial ['sɪərɪəl] *adj 1. Serien...; 2. (radio programme) Sendereihe f*

serial killer ['sɪərɪəl 'kɪlə] *sb* Serienmörder *m*

serial number ['sɪərɪəlnʌmbə] *sb 1. laufende Nummer f; 2. (on goods) Fabrikationsnummer f*

series ['sɪəri:z] *sb 1. Serie f, Reihe f; 2. (on TV) Sendereihe f*

serious ['sɪərɪəs] *adj 1. ernst; 2. (person) ernsthaft, (subdued) ernst; 3. (injury, accident, deficiencies) schwer; 4. (offer) ernst gemeint; Are you ~? Meinst du das im Ernst?*

seriousness ['sɪərɪəsnɪs] *sb 1. Ernst m, Ernsthaftigkeit f; 2. (of an injury) Schwere f*

sermonic [sɜ:'mɒnɪk] *adj* predigtartig

serpent ['sɜ:pənt] *sb* Schlange *f*

serrated [se'reɪtɪd] *adj* gezackt

serration [se'reɪʃən] *sb* gezackter Rand *m*, Sägerand *m*

servant ['sɜ:vənt] *sb* Diener *m*

serve ['sɜ:v] *v 1. dienen; ~ as dienen als; 2. (tennis) aufschlagen; 3. (sth, s.o.) dienen; Dinner is ~d. Das Essen ist aufgetragen. It ~s no purpose. Es hat keinen Zweck. 4. (in a restaurant, in a shop) bedienen, (food, drinks) servieren; 5. (a drink) einschenken; 6. (communion) REL ministrieren bei; 7. (a summons) JUR zustellen; 8. ~ s.o. right jdm recht geschehen; It ~s you right! Das geschieht dir recht! 9. (a prison sentence) verbüßen; sb 10. (tennis) SPORT Aufschlag m*

• **serve up** *v* servieren

server ['sɜ:və] *sb 1.* INFORM Server *m; 2. (tray) Servierbrett n; 3. (fork) Serviergabel f; 4. (spoon) Servierlöffel m; 5. (for cake) Tortenheber m; 6. (in tennis) Aufschläger m*

service ['sɜ:vɪs] *sb 1. Dienst m; I'm at your ~. Ich stehe Ihnen zur Verfügung. to be of ~ nützlich sein; Can I be of ~? Kann ich Ihnen behilflich sein? 2. (to customers) Service m; 3. (in a restaurant, in a shop) Bedienung f; 4. REL Gottesdienst m; 5. (regular transport, air ~) Verkehr m; 6. (operation) Betrieb m; 7. (upkeep of machines) Wartung f; 8. JUR Zustellung f; 9. (tea set) Service n; 10. (in tennis) SPORT Aufschlag m*

service area ['sɜ:vɪs 'ɛərɪə] *sb (rest area) Raststätte mit Tankstelle f*

service industry ['sɜ:vɪs 'ɪndʌstrɪ] *sb* Dienstleistungsgewerbe *n*

service station ['sɜ:vɪssteɪʃən] *sb* Tankstelle mit Reparaturwerkstatt *f*

servile ['sɜ:vaɪl] *adj* unterwürfig, kriecherisch

session ['seʃən] *sb 1. Sitzung f; 2. (discussion) Besprechung f; 3. POL Legislaturperiode f; to be in ~ tagen*

set [set] *v irr 1. (sun) untergehen; 2. (solidify: cement) hart werden, fest werden; (broken bone) zusammenwachsen; 3. (dye) farbbeständig werden; 4. (place) stellen, setzen; ~ the table (US) den Tisch decken; 5. (a trap) aufstellen; 6. (a bone) einrichten; 7. (a germ) fassen; 8. (type) setzen; 9. (adjust) einstellen, (a clock) stellen; 10. to be ~ in ... (story) spielen in ...; 11. (dictate, impose) festsetzen, festlegen; 12. (arrange a date) festsetzen, ausmachen; 13. (establish)(a record) aufstellen; 14. ~ sth in motion etw in Gang bringen; ~ fire to sth etw anzünden; ~ to work sich an die Arbeit machen; sb 15. Satz m; (of cutlery, of underwear) Garnitur f; 16. ~ of teeth Gebiss n; 17. MATH Reihe f, (in ~ theory) Menge f; 18. (group of people) Kreis m, (in a negative sense) Klüngel m; 19. (series) Reihe f*

• **set about** v irr ~ sth sich an etw machen, etw in Angriff nehmen

• **set up** v irr 1. (sth) aufstellen; 2. (assemble) aufbauen; 3. (arrange) arrangieren, vereinbaren; 4. (establish) gründen, (fit out) einrichten; 5. set s.o. up (fam: trap s.o.) jdm eine Falle stellen, (frame s.o.) jdm etw anhängen

setback ['setbæk] sb Rückschlag m

setting ['setɪŋ] sb 1. (on a dial) Einstellung f; 2. (of a gem) Fassung f; 3. (background) Rahmen m; 4. (of a story) Schauplatz m; 5. (surroundings) Umgebung f; 6. (at a table) Gedeck n; 7. (of the sun) Untergang m

settle ['setl] v 1. (in a town) sich niederlassen, (as a settler) sich ansiedeln; 2. (come to rest) sich niederlassen, (snow) liegen bleiben; (sediment) sich absetzen, sich setzen; (dust) sich legen; 3. ~ out of court sich vergleichen; 4. (sth) (decide) entscheiden; ~ for sth sich mit etw zufrieden geben; 5. (sort out) erledigen, regeln, klären; 6. (arrange) vereinbaren, ausmachen (fam); 7. (land) besiedeln; 8. (nerves) beruhigen; 9. (an account) ausgleichen; 10. (a bill) begleichen, bezahlen; 11. (a dispute) beilegen, schlichten

several ['sevrəl] pron 1. einige; adj 2. einige

severe [sɪ'vɪə] adj 1. (punishment, criticism) hart; 2. (strict) streng; 3. (intense)(weather) rau; 4. (pain) heftig, stark; 5. (drought, illness, injury) schwer

sew [səʊ] v irr nähen; ~ on annähen

sewage ['sjuːɪdʒ] sb Abwasser n

sewing ['səʊɪŋ] sb Nähen n

sex [seks] sb 1. (gender) Geschlecht n; 2. (intercourse) Sex m, Geschlechtsverkehr m; have ~ Verkehr haben

sex appeal ['seksəpiːl] sb Sexappeal m

sex drive ['seksdraɪv] sb Sexualtrieb m

sexism ['seksɪzəm] sb Sexismus m

sexist ['seksɪst] adj sexistisch

sexpot ['sekspɒt] sb (fam) Sexbombe f

sexton ['sekstən] sb Küster m

sexual ['seksjʊəl] adj sexuell, geschlechtlich, Geschlechts...

sexual harassment ['seksjʊəl 'hærəsmənt] sb sexuelle Belästigung f

sexuality [seksjʊ'ælɪtɪ] sb Sexualität f

sexy ['seksɪ] adj (fam) sexy

shack [ʃæk] sb 1. Hütte f; v 2. ~ up with s.o. (fam) mit jdm zusammenziehen

shackle ['ʃækl] v fesseln

shade [ʃeɪd] sb 1. Schatten m; 2. (US: blind) Jalousie f; 3. (of colour) Ton m, Farbton m; 4. (fig: of meaning) Nuance f; 5. Shades of 1977! Das erinnert doch sehr an 1977!

shadow ['ʃædəʊ] sb 1. Schatten m; beyond a ~ of a doubt ohne den geringsten Zweifel; v 2. (fam: follow) beschatten

shadowy ['ʃædəʊɪ] adj schattig, schattenhaft

shady ['ʃeɪdɪ] adj 1. schattig; 2. (fam: dubious) zwielichtig, zweifelhaft

shaft [ʃɑːft] sb 1. Schaft m, (of a tool) Stiel m; 2. (of a carriage) Deichsel f; 3. (of light) Strahl m; 4. (of a mine) Schacht m

shaggy ['ʃægɪ] adj 1. (long-haired) zottig; 2. (unkempt) zottelig

shake [ʃeɪk] v irr 1. beben; 2. (building) wackeln; 3. (person, voice) zittern; 4. (sth) schütteln; ~ hands with s.o. jdm die Hand schütteln; 5. (fig: s.o., s.o.'s faith) erschüttern

• **shake up** v irr 1. schütteln; 2. (upset s.o.) erschüttern; 3. (a business: make changes) umkrempeln

shaker ['ʃeɪkə] sb (for drinks) Mixbecher m, Shaker m

shake-up ['ʃeɪkʌp] sb drastische Umbesetzung f, drastische Umgruppierung f

shall [ʃæl] v 1. (future) I ~ ... Ich werde ... We ~ ... Wir werden ...; 2. (command) sollen; Thou shalt not kill. Du sollst nicht töten. 3. (proposal) What ~ we do? Was sollen wir machen?

shallow ['ʃæləʊ] adj 1. seicht, (dish) flach; 2. (fig) oberflächlich

sham [ʃæm] sb 1. Heuchelei f; 2. (person) Scharlatan m

shamble ['ʃæmbl] v trotten, latschen

shame [ʃeɪm] v 1. beschämen; ~ s.o. into doing sth jdn so beschämen, dass er etw tut; sb 2. (feeling of ~) Scham f; 3. (disgrace) Schande f; Shame on you! Du solltest dich schämen! 4. (pity) What a ~! Wie schade!

shamefaced ['ʃeɪmfeɪst] adj beschämt

shampoo [ʃæm'puː] sb Shampoo n

shank [ʃæŋk] sb Unterschenkel m

shanty ['ʃæntɪ] sb 1. (hut) Hütte f; 2. (song) Seemannslied n, Shanty n

shape [ʃeɪp] v 1. (sth) formen; sb 2. Form f; take ~ Gestalt annehmen; 3. (figure) Gestalt f; 4. (state) Zustand m; 5. (physical condition) Kondition f

• **shape up** v (develop) sich entwickeln

shapeless ['ʃeɪplɪs] adj formlos

shapely ['ʃeɪplɪ] adj 1. (legs) wohlgeformt; 2. (woman) wohlproportioniert

share [ʃeə] v 1. teilen; ~ in sth an etw teilnehmen; 2. (sth) teilen; 3. (have in common) gemeinsam haben; sb 4. Anteil m; have a ~ in sth an etw teilhaben; 5. FIN Anteil m, (in a public limited company) Aktie f

shareholder [ˈʃɛəhəʊldə] *sb* FIN Aktionär(in) *m/f*

shark [ʃɑːk] *sb* ZOOL Hai *m*, Haifisch *m*

sharp [ʃɑːp] *adj* 1. scharf; 2. *(point)* spitz; 3. *(drop)* steil; 4. *(mentally)* scharfsinnig, *(in a negative sense)* gerissen; 5. *(sound)* durchdringend, schrill; 6. *(fam: ~ly dressed)* schick; 7. Look ~! Zack, zack! 8. MUS *(raised a semitone)* um einen Halbton erhöht, *(too high)* zu hoch; *adv* 9. *(punctually)* pünktlich, genau; *sb* 10. MUS Kreuz *n*; C ~ Cis *n*; F ~ Fis *n*

sharp-sighted [ʃɑːpˈsaɪtɪd] *adj* scharfsichtig

sharp-tongued [ˈʃɑːptʌŋd] *adj* scharfzüngig

sharp-witted [ˈʃɑːpwɪtɪd] *adj* scharfsinnig, aufgeweckt

shatter [ˈʃætə] *v* 1. zersplittern; 2. *(sth)* zerschmettern; 3. *(fig: hopes)* zertrümmern; 4. *(s.o.)* *(fam: flabbergast)* erschüttern

shattering [ˈʃætərɪŋ] *adj* 1. *(defeat)* vernichtend; 2. *(blow)* wuchtig; 3. *(psychologically)* niederschmetternd

shave [ʃeɪv] *v irr* 1. sich rasieren; 2. *(one's face)* rasieren; 3. ~ sth off etw abrasieren; *sb* 4. Rasur *f*; a close ~ eine glatte Rasur; 5. That was a close ~. *(fig)* Das war knapp.

shaving cream [ˈʃeɪvɪŋkriːm] *sb* Rasierkrem *f*, *(shaving foam)* Rasierschaum *m*

she [ʃiː] *pron* sie; ~ who ... diejenige, die ...

shed [ʃed] *v irr* 1. sich haaren; 2. *(sth)(hair)* verlieren; 3. *(tears, blood)* vergießen; 4. *(clothes)* ausziehen; 5. ~ light on sth *(fig)* Licht auf etw werfen; *sb* 6. Schuppen *m*

sheep [ʃiːp] *sb* Schaf *n*; count ~ Schäfchen zählen; a wolf in ~'s clothing ein Wolf im Schafspelz

sheer [ʃɪə] *adj* 1. *(rock)* senkrecht, steil; 2. *(absolute)* rein; 3. *(cloth)* hauchdünn

sheerness [ˈʃɪənɪs] *sb (of a cliff)* Steilheit *f*

sheet [ʃiːt] *sb* 1. *(of paper)* Blatt *n*, *(large)* Bogen *m*; 2. *(for a bed)* Betttuch *n*, Bettlaken *n*; white as a ~ *(fig)* kreidebleich; 3. *(of ice)* Fläche *f*; 4. *(of metal)* Blech *n*; 5. *(of glass)* Scheibe *f*

sheet lightning [ˈʃiːtlaɪtnɪŋ] *sb* Wetterleuchten *n*

sheet metal [ˈʃiːtmetəl] *sb* Walzblech *n*

shelf [ʃelf] *sb* 1. Brett *n*, Bord *n*, *(in a cupboard)* Fach *n*; put sth on the ~ *(fig)* etw an den Nagel hängen; off the ~ von der Stange; 2. *(ledge of rock)* Felsvorsprung *f*

shell [ʃel] *v* 1. *(remove the ~ from)* schälen, *(peas)* enthülsen; 2. MIL beschießen; *sb* 3. Schale *f*, *(of a pea)* Hülse *f*; 4. *(turtle's, insect's)*

Panzer *m*; 5. MIL Granate *f*, *(US: cartridge)* Patrone *f*; 6. *(snail's)* ZOOL Haus *n*; 7. *(of a house)* Rohbau *m*; 8. *(pastry)* GAST Form *f*

shellfish [ˈʃelfɪʃ] *sb* Muscheln *pl*, Meeresfrüchte *pl*

shelly [ˈʃelɪ] *adj* schalenähnlich

shelter [ˈʃeltə] *v* 1. *(s.o.)* schützen; *sb* 2. *(protection)* Schutz *m*; 3. *(air raid ~)* Bunker *m*; 4. *(for the homeless)* Obdachlosenasyl *n*; 5. *(for overnight)* Obdach *n*; 6. *(place)* Unterstand *m*

sheltered [ˈʃeltəd] *adj* geschützt

shelve [ʃelv] *v* 1. *(put on a shelf)* in ein Regal stellen; 2. *(fig: a plan)* beiseite legen, zu den Akten legen

shepherd [ˈʃepəd] *sb* Schäfer *m*, Hirt *m*

sheriff [ˈʃerɪf] *sb* Sheriff *m*

sherry [ˈʃerɪ] *sb* Sherry *m*

shield [ʃiːld] *v* 1. abschirmen; 2. *(protect)* schützen; *sb* 3. TECH Schutz *m*; 4. *(knight's)* HIST Schild *n*

shielded [ˈʃiːldɪd] *adj* geschützt, abgeschirmt

shielder [ˈʃiːldə] *sb* Beschützende(r) *m/f*

shift [ʃɪft] *v* 1. sich bewegen; 2. *(wind)* umspringen; 3. ~ into third gear den dritten Gang einlegen; 4. *(to another position)* bewegen; 5. *(to another place)* verschieben, verlagern; 6. ~ gears schalten; *sb* 7. *(work period)* Schicht *f*; 8. gear ~ Gangschaltung *f*; 9. *(typewriter key)* Umschalttaste *f*; ~ lock Umschaltfeststeller *m*; 10. *(movement)* *(change of position)* Bewegung *f*, *(change of place)* Verschiebung *f*, Verlegung *f*

shift work [ˈʃɪftwɜːk] *sb* Schichtarbeit *f*

shifty [ˈʃɪftɪ] *adj* zwielichtig, fragwürdig

shill [ʃɪl] *sb (US) (fam)* Lockvogel *m*

shilling [ˈʃɪlɪŋ] *sb* FIN Shilling *m*

shimmer [ˈʃɪmə] *v* schimmern

shin [ʃɪn] *sb (or ~bone)* Schienbein *n*; kick s.o. on the ~ jdn vors Schienbein treten

shindy [ˈʃɪndɪ] *sb (fam)* Krach *m*, Radau *m*

shine [ʃaɪn] *v irr* 1. leuchten; 2. *(sun, moon)* scheinen; 3. *(eyes)* strahlen; 4. *(polished surface)* glänzen; 5. *(fig: person)* glänzen; 6. *(shoes)* polieren; 7. ~ a light on sth etw beleuchten; *sb* 8. Glanz *m*; 9. take a ~ to s.o. *(fig)* jdn ins Herz schließen

shining [ˈʃaɪnɪŋ] *adj* leuchtend, glänzend

ship [ʃɪp] *v* 1. *(send)* versenden, befördern, *(grain, coal)* verfrachten; *sb* 2. Schiff *n*; His ~ has come in. *(fig)* Er hat das große Los gezogen.

shipboard [ˈʃɪpbɔːd] *sb* Bord eines Schiffes *n*

shipload [ˈʃɪpləʊd] *sb* Schiffsladung *f*

shipmate [ˈʃɪpmeɪt] *sb* Schiffskamerad *m*

shipping ['ʃɪpɪŋ] *sb* 1. Schifffahrt *f;* 2. *(transportation)* Versand *m, (by sea)* Verschiffung *f*
shipping lane ['ʃɪpɪŋ leɪn] *sb* NAUT Schifffahrtsstraße *f*
shipping line ['ʃɪpɪŋ laɪn] *sb* Reederei *f*
shipwrecked ['ʃɪprekt] *adj* schiffbrüchig
shipyard ['ʃɪpjɑːd] *sb* Schiffswerft *f*
shirt [ʃɜːt] *sb* Hemd *n; lose one's ~ (fam)* alles bis aufs letzte Hemd verlieren; *Keep your ~ on! (fam)* Hab Geduld! Warte einen Moment!
shirting ['ʃɜːtɪŋ] *sb* Hemdenstoff *m*
shirtsleeves ['ʃɜːtsliːvz] *pl* Hemdsärmel *pl*
shirt-tail ['ʃɜːteɪl] *sb* Hemdenzipfel *m*
shit [ʃɪt] *sb (fam)* Scheiße *f*
shiver ['ʃɪvə] *v* 1. zittern; *sb* 2. Schauer *m; It gives me the ~s.* Es läuft mir kalt den Rücken hinunter.
shoal [ʃəʊl] *sb* 1. *(shallow place)* Untiefe *f, (sandbank)* Sandbank *f;* 2. *(of fish)* ZOOL Schwarm *m*
shock [ʃɒk] *v* 1. *(outrage)* schockieren; *sb* 2. *(electric ~)* Schlag *m;* 3. *(of impact)* Wucht *f;* 4. MED Schock *m;* 5. *(emotional blow)* Schlag *m*
shocking ['ʃɒkɪŋ] *adj* 1. *(news)* erschütternd; 2. *(disgraceful)* schändlich; 3. *(fam: very bad)* scheußlich, schrecklich, miserabel
shockproof ['ʃɒkpruːf] *adj* stoßfest
shock wave ['ʃɒkweɪv] *sb* Stoßwelle *f*
shoddy ['ʃɒdɪ] *adj* 1. mangelhaft; 2. *(work)* schludrig
shoe [ʃuː] *sb* Schuh *m; to be in s.o.'s ~s (fig)* in jds Haut stecken
shoelace ['ʃuːleɪs] *sb* Schnürsenkel *m,* Schnürriemen *m*
shoe polish ['ʃuːpɒlɪʃ] *sb* Schuhkrem *f*
shoot [ʃuːt] *v irr* 1. schießen; 2. *(move) ~ ahead of s.o.* jdm voranstürmen; *~ pain through him* der Schmerz durchzuckte ihn; 3. *(sth)* schießen; *~ a gun* eine Kanone abfeuern; *~ a bullet* eine Kugel abfeuern; 4. *~ s.o. dead* jdn erschießen; 5. *(questions)* abfeuern; 6. *~ a glance at sth* einen raschen Blick auf etw werfen; 7. CINE drehen; 8. *~ the rapids* über die Stromschnellen jagen; *sb* 9. *(hunting)* Jagd *f;* 10. BOT Schössling *m, (of a vine)* Trieb *m*
• **shoot up** *v irr* 1. *(hand, temperature)* in die Höhe schnellen; 2. *(grow rapidly)* schnell wachsen
shooting ['ʃuːtɪŋ] *sb (murder)* Erschießung *f*
shooting star ['ʃuːtɪŋ stɑː] *sb* Sternschnuppe *f*
shop [ʃɒp] *sb* 1. Laden *m,* Geschäft *n;* 2. *set up ~* einen Laden eröffnen, ein Geschäft eröffnen; *talk ~* fachsimpeln; 3. *closed ~* ECO Un-

ternehmen mit Gewerkschaftszwang *n; v* 4. einkaufen; *go ~ping* einkaufen gehen
shop assistant [ʃɒpə'sɪstənt] *sb* Verkäufer *m*
shop floor [ʃɒp flɔː] *sb* Arbeiter in der Produktion *pl*
shoplifter ['ʃɒplɪftə] *sb* Ladendieb/Ladendiebin *m/f*
shopping mall ['ʃɒpɪŋ mɔːl] *sb* Einkaufsgalerie *f*
shop steward ['ʃɒpstjuəd] *sb* Vertrauensmann *m*
shore [ʃɔː] *sb* 1. Ufer *n,* Strand *m,* Küste *f; v* 2. stützen
short [ʃɔːt] *adj* 1. kurz; *have a ~ temper* leicht aufbrausen; *nothing ~ of* nichts weniger als; *in ~ supply* rar; *to be ~ (not have enough)* zu wenig haben; *~ of cash* knapp bei Kasse; *fall ~ of* nicht erreichen, *(expectations)* nicht entsprechen; *~ of (except)* außer, abgesehen von; 2. *(person)* klein; *adv* 3. *(abruptly)* plötzlich, abrupt
shortage ['ʃɔːtɪdʒ] *sb* Knappheit *f, (of people, of money)* Mangel *m*
short-change [ʃɔːt'tʃeɪndʒ] *v* 1. *(give too little change)* zu wenig Wechselgeld geben; 2. *(fig: swindle)* übers Ohr hauen
shortcoming ['ʃɔːtkʌmɪŋ] *sb* Unzulänglichkeit *f,* Mangel *m*
short-cut ['ʃɔːtkʌt] *sb* 1. Abkürzung *f;* 2. *(fig: process)* Schnellverfahren *n*
shorten ['ʃɔːtn] *v* 1. *(days)* kürzer werden; 2. *(sth)* verkürzen; 3. *(a dress)* kürzer machen; 4. *(text)* kürzen
shorthand ['ʃɔːthænd] *sb* Kurzschrift *f,* Stenografie *f*
short-handed [ʃɔːt'hændɪd] *adj to be ~* zu wenig Personal haben
shortly ['ʃɔːtlɪ] *adv* bald, in Kürze; *~ afterward* kurz danach
shorts [ʃɔːts] *pl* 1. Shorts *pl,* kurze Hosen *pl;* 2. *(US)* Unterhose *f*
short-sighted [ʃɔːt'saɪtɪd] *adj* kurzsichtig
shot [ʃɒt] *sb* 1. Schuss *m; call the ~s (fig)* am Drücker sein *(fam); take a ~ at* schießen auf; 2. *(projectile)* Geschoss *n;* 3. *(pellets)* Schrot *m,* Schrotkugeln *pl;* 4. *(fam: attempt)* Versuch *m; Give it a ~!* Versuch's mal! 5. *(injection)* Spritze *f; (immunization)* Impfung *f;* 6. *(shotput)* SPORT Kugel *f;* 7. *(photograph)* Aufnahme *f;* 8. CINE Aufnahme *f*
shotgun ['ʃɒtgʌn] *sb* Schrotflinte *f*
shotgun wedding ['ʃɒtgʌn 'wedɪŋ] *sb (fam)* Mussheirat *f*

should [ʃʊd] v 1. (ought to) sollte/solltest/sollte/sollten/sollte; 2. (conditional) würde/würdest/würde/würdet/würden; 3. ~ ... (at the start of a phrase of condition) sollte ... ~ the occasion arise sollte sich die Gelegenheit ergeben; 4. (rhetorical) and whom – I happen to meet but Chad ausgerechnet Chad ist mir über den Weg gelaufen

shoulder ['ʃəʊldə] sb 1. Schulter f; give s.o. the cold ~ jdm die kalte Schulter zeigen; have a good head on one's ~s ein kluger Kopf sein; 2. (of a road) Seitenstreifen m; v 3. schultern; 4. (fig) auf sich nehmen

shout [ʃaʊt] v 1. rufen, (very loudly) schreien; ~ at s.o. jdn anschreien; 2. (sth) rufen, schreien, (an order) brüllen; sb 3. Ruf m; (loud cry) Schrei m

shove [ʃʌv] v 1. schubsen (fam); ~ sth into sth etw in etw stecken; sb 2. Schubs m, Stoß m

show [ʃəʊ] v irr 1. (to be visible) sichtbar sein, (underwear) vorsehen; 2. (place third) platzieren; 3. (sign) zeigen; 4. (a film) vorführen; 5. (a pass) vorzeigen; 6. (prove) beweisen; 7. (set out on display) ausstellen; 8. (indicate) anzeigen; 9. ~ o.s. to be sth sich als etw erweisen; sb 10. (appearance) Schau f; 11. (display of goods) Ausstellung f; 12. (of emotion) Kundgebung f; 13. (on television) Fernsehsendung f; 14. (performance) Aufführung f; run the ~ (fig) den Laden schmeißen (fam); 15. Good ~! (UK) Ausgezeichnet! Bravo! 16. ~ of hands Handzeichen n
• **show off** v irr 1. angeben; 2. (flaunt) angeben mit; 3. (highlight the strengths of) vorteilhaft wirken lassen
• **show up** v irr 1. (make an appearance) auftauchen; 2. show s.o. up (embarrass s.o.) jdn blamieren

show business ['ʃəʊbɪznɪs] sb Showbusiness n, Showgeschäft n

shower ['ʃaʊə] sb 1. (~ bath) Dusche f; take a ~ duschen; 2. (of rain) Schauer m; 3. (fig: of bullets, of blows) Hagel m; v 4. (take a ~) duschen; 5. (rain down) prasseln; 6. ~ s.o. with sth jdn mit etw überschütten, (blows) etw auf jdn niederhageln lassen

showjumping ['ʃəʊdʒʌmpɪŋ] sb Springen n, Springreiten n

show-stopper ['ʃəʊstɒpə] sb Szene, die mit Applaus aufgenommen wird f

shrapnel ['ʃræpnəl] sb Schrapnell n

shred [ʃred] v 1. (sth) zerkleinern, hobeln, (paper) schnitzeln; 2. (tear) zerreißen; sb 3. Fetzen m, Stückchen m, Schnitzel m; not a ~ of proof kein einziger Beweis

shrew [ʃruː] sb 1. ZOOL Spitzmaus f; 2. (fig) Xanthippe f

shriek [ʃriːk] v 1. aufschreien; 2. (sth) schreien; sb 3. Schrei m

shrift [ʃrɪft] sb give s.o. short ~ jdn kurz abfertigen

shrill [ʃrɪl] adj schrill

shrimp [ʃrɪmp] sb 1. Garnele f; 2. (fam: short person) Knirps m (fam)

shrink [ʃrɪŋk] v irr 1. schrumpfen; 2. (clothes) eingehen; 3. (metal) sich zusammenziehen; 4. ~ from doing sth davor zurückschrecken, etw zu tun; 5. (sth) schrumpfen lassen, eingehen lassen; sb 6. (fam: psychiatrist) Seelenklempner m (fam)

shrivel ['ʃrɪvl] v ~ up 1. kleiner werden, schrumpfen; 2. (skin) runzlig werden

shrub [ʃrʌb] sb Busch m, Strauch m

shrug [ʃrʌg] v 1. ~ one's shoulders mit den Achseln zucken; sb 2. Achselzucken n

shudder ['ʃʌdə] v 1. zittern, (in fear, in horror) schaudern; sb 2. Zittern n, (from fear, from horror) Schauder m

shuffle ['ʃʌfl] v 1. (playing cards) mischen; 2. ~ one's feet mit den Füßen scharren

shun [ʃʌn] v meiden, (publicity) scheuen

shush [ʃʌʃ] v 1. zum Schweigen bringen; interj 2. Shush! Sch!

shut [ʃʌt] v irr 1. schließen; 2. (sth) zumachen, schließen; ~ s.o. in sth jdn in etw einschließen; adj 3. geschlossen
• **shut down** v irr zumachen, schließen
• **shut in** v irr 1. einschließen; 2. (lock in) einsperren
• **shut off** v irr 1. abschalten; 2. (sth) abstellen, ausschalten, abschalten
• **shut out** v irr 1. aussperren; 2. (fig: a memory) unterdrücken; 3. (US: defeat without allowing a score) SPORT nicht zum Zuge kommen lassen
• **shut up** v irr 1. (fam) den Mund halten, die Klappe halten; Shut up! Halt den Mund! 2. (silence s.o.) zum Schweigen bringen, den Mund stopfen

shutter ['ʃʌtə] sb 1. Fensterladen m; 2. FOTO Verschluss m

shuttle service ['ʃʌtlsɜːvɪs] sb Pendelverkehr m

shy [ʃaɪ] adj 1. schüchtern, (animal) scheu; Don't be ~ Nur keine Hemmungen! v 2. ~ away from sth vor etw zurückschrecken

Siamese twins [saɪə'miːz twɪnz] pl Siamesische Zwillinge pl

siblings ['sɪblɪŋz] pl Geschwister pl

sick [sɪk] *adj 1. to be ~* sich übergeben; *2. (US: ill)* krank; *3. (joke)* geschmacklos; *4. to be ~ of sth (fam)* von etw die Nase voll haben
sickening ['sɪkənɪŋ] *adj* widerlich, ekelhaft
sick-leave ['sɪkliːv] *sb to be on ~* krankgeschrieben sein
sickly ['sɪklɪ] *adj* kränklich
sick pay ['sɪkpeɪ] *sb* Krankengeld *n*
side [saɪd] *sb 1.* Seite *f; ~ by ~* nebeneinander; *on the ~ (fig)* nebenher; *the bright ~* die positiven Aspekte; *be on the safe ~* sichergehen; *I'll check it again to be on the safe ~*. Ich werde es nochmals prüfen, um ganz sicher zu sein. *a bit on the ... ~* etwas zu ...; *His speech was a bit on the boring ~*. Seine Rede war schon ein bisschen langweilig. *2. change ~s POL* überlaufen; *3. (of a road)* Straßenrand *m; v 4. ~ with s.o.* jds Partei ergreifen; *adj 5.* Neben..., Seiten...
sideburns ['saɪdbɜːnz] *pl* Koteletten *pl*
sidecar ['saɪdkɑː] *sb* Beiwagen *m*
side door [saɪd dɔː] *sb* Seiteneingang *m*
sideroad ['saɪdrəʊd] *sb* Nebenstraße *f*
sidesaddle ['saɪdsædl] *adv* im Damensitz
sideshow ['saɪdʃəʊ] *sb* Nebenvorstellung *f*
side-splitting ['saɪdsplɪtɪŋ] *adj* zwerchfellerschütternd, urkomisch
side street ['saɪdstriːt] *sb* Seitenstraße *f*
sidetrack ['saɪdtræk] *v (fig)(s.o.)* ablenken
sidewalk ['saɪdwɔːk] *sb (US: pavement)* Bürgersteig *m*
sideways ['saɪdweɪz] *adv* seitwärts
siege [siːdʒ] *sb MIL* Belagerung *f*
sift [sɪft] *v 1.* durchsieben; *2. (fig: evidence, job applications)* sichten
sigh [saɪ] *v 1.* seufzen; *sb 2.* Seufzer *m*
sight [saɪt] *sb 1. (seeing, glimpse)* Blick *m*, Sicht *f; at first ~* auf den ersten Blick; *~ unseen* unbesehen; *2. (thing seen)* Anblick *m; a ~ for sore eyes* ein erfreulicher Anblick; *3. (the power to see)* Sehvermögen *n; lose one's ~* das Augenlicht verlieren; *4. (range of vision)* Sicht *f; out of ~* außer Sicht; *out of ~, out of mind* aus den Augen, aus dem Sinn; *lose ~ of sth* etw aus den Augen verlieren; *5. (thing worth seeing)* Sehenswürdigkeit *f; 6. look a ~ (fam)* grässlich aussehen; *7. (on a gun)* Visier *n; have sth in one's ~s* etw im Visier haben; *v 8. (sth)* erblicken, *(land)* sichten
sightsee ['saɪtsiː] *v* auf Besichtigungstour gehen
sightseeing ['saɪtsiːɪŋ] *sb* Besichtigungen *pl*, Sightseeing *n*
sign [saɪn] *sb 1. (gesture)* Zeichen *n; make a ~ to s.o.* jdm ein Zeichen geben; *2. ~ of the*

cross *REL* Kreuzzeichen *n; 3. (road ~, shop ~)* Schild *n; 4. (indication)* Anzeichen *n; 5. ~ of life MED* Lebenszeichen *n; 6. (trace)* Spur *f; 7. (proof)* Beweis *m; v 8.* unterschreiben; *9. (a painting)* signieren; *10. ~ an autograph* ein Autogramm geben
• **sign in** *v* sich eintragen
• **sign off** *v 1. (letter)* Schluss machen; *2. (broadcast)* sich verabschieden
• **sign out** *v* sich austragen
• **sign up** *v 1. (for an event)* sich melden; *(for a class)* sich einschreiben; *(by signing a contract)* sich verpflichten; *2. (s.o.)* verpflichten
signal ['sɪgnl] *v 1.* ein Zeichen geben, ein Signal geben; *(with lights)* blinken; *2. (sth)(a message)* signalisieren; *3. (indicate)* anzeigen; *(fig: a future event)* ankündigen; *sb 4.* Signal *n; 5. (gesture)* Zeichen *n*
signature ['sɪgnətʃə] *sb* Unterschrift *f*
significance [sɪg'nɪfɪkəns] *sb* Bedeutung *f*
significant [sɪg'nɪfɪkənt] *adj 1. (important)* wichtig; *2. (considerable)* bedeutend; *3. (meaningful)* bedeutungsvoll
signification [sɪgnɪfɪ'keɪʃən] *sb* Sinn *m*, Bedeutung *f*
signify ['sɪgnɪfaɪ] *v 1. (mean)* bedeuten; *2. (indicate)* zu verstehen geben
sign language ['saɪnlæŋgwɪdʒ] *sb* Zeichensprache *f*
signpost ['saɪnpəʊst] *sb* Wegweiser *m*, Straßenschild *n*
silence ['saɪləns] *sb 1.* Stille *f*, Ruhe *f; 2. (absence of talk)* Schweigen *n; v 3.* zum Schweigen bringen
silent ['saɪlənt] *adj 1.* still; *2. (person)* schweigsam; *3. to be ~ (person)* schweigen; *4. (mechanism, steps)* geräuschlos, lautlos
silent film ['saɪlənt fɪlm] *sb CINE* Stummfilm *m*
silhouette [sɪlu'et] *sb* Silhouette *f*
silicon ['sɪlɪkən] *sb CHEM* Silizium *n*
silk [sɪlk] *sb* Seide *f*
silk-screen ['sɪlkskriːn] *v* das Siebdruckverfahren anwenden auf
silky ['sɪlkɪ] *adj* seidig, glatt
sill [sɪl] *sb* Fensterbrett *n*, Fenstersims *m*
silly ['sɪlɪ] *adj* albern, dumm, doof *(fam); knock s.o. ~* jdm einen harten Schlag versetzen
silver ['sɪlvə] *adj 1.* silbern, Silber... *sb 2.* Silber *n*
silver medal [sɪlvə 'medəl] *sb* Silbermedaille *f*
silver screen [sɪlvə'skriːn] *sb the ~ CINE* die Leinwand *f*

silverware ['sɪlvəwɛə] *sb* 1. Silber *n*; 2. *(US: cutlery)* Besteck *n*

similar ['sɪmɪlə] *adj* ähnlich

similarity [sɪmɪ'lærɪtɪ] *sb* Ähnlichkeit *f*

simmer ['sɪmə] *v* 1. simmern, sieden; 2. *(fig: with rage)* kochen; 3. *(sth)* simmern lassen, sieden lassen
• **simmer down** *v* sich beruhigen

simper ['sɪmpə] *v* 1. *(smile in a weak manner)* zurückhaltend lächeln; 2. *(in an affected manner)* sich zieren

simple ['sɪmpl] *adj* 1. einfach; 2. *(plain)* schlicht; 3. *(--minded)* einfältig

simplicity [sɪm'plɪsɪtɪ] *sb* Einfachheit *f*; It's ~ itself. Das ist die einfachste Sache der Welt.

simplify ['sɪmplɪfaɪ] *v* vereinfachen

simply ['sɪmplɪ] *adv* 1. einfach; 2. *(merely)* nur, bloß

simultaneous [sɪməl'teɪnɪəs] *adj* gleichzeitig

simultaneous interpreter [sɪməl'teɪnɪəs ɪn'tɜːprɪtə] *sb* Simultandolmetscher *m*

sin [sɪn] *v* 1. sündigen; ~ against sündigen gegen; *sb* 2. Sünde *f*; live in ~ in wilder Ehe leben

since [sɪns] *prep* 1. seit; *konj* 2. *(time)* seit, seitdem; 3. *(because)* da; *adv* 4. *(in the meantime)* inzwischen; 5. *(~ that time)* seitdem

sincere [sɪn'sɪə] *adj* aufrichtig, *(frank)* offen

sinful ['sɪnful] *adj* sündig, sündhaft

sing [sɪŋ] *v irr* singen; ~ along mitsingen

singing ['sɪŋɪŋ] *sb* Singen *n*

single ['sɪŋgl] *adj* 1. *(only one)* einzige(r,s); not a ~ one kein Einziger/keine Einzige/kein Einziges; 2. *(not double or triple)* einzeln, Einzel...; 3. *(unmarried)* ledig, unverheiratet; *sb* 4. *(record)* Single *f*; 5. *(unmarried person)* Single *m*; 6. *(UK: ticket) (train ticket)* einfache Fahrkarte *f, (plane ticket)* einfaches Flugticket *n; v* 7. ~ out auslesen, *(for a purpose)* bestimmen

single file ['sɪŋgl faɪl] *sb* Gänsemarsch *m*

single-handed ['sɪŋgl'hændɪd] *adj* allein, ohne fremde Hilfe

single parent ['sɪŋgl 'pɛərənt] *sb* Alleinerzieher *m*

singles ['sɪŋglz] *sb* SPORT Einzel *n*

singles bar ['sɪŋglz bɑː] *sb* Bar für Singles *f*

single ticket ['sɪŋgl 'tɪkɪt] *sb (UK)* Hinfahrkarte *f,* einfache Fahrkarte *f*

singular ['sɪŋgjulə] *adj* 1. *(odd)* sonderbar, eigenartig; 2. GRAMM im Singular; *sb* 3. GRAMM Singular *m*

singularity [sɪŋgju'lærɪtɪ] *sb* Sonderbarkeit *f,* Eigenartigkeit *f*

sinister ['sɪnɪstə] *adj* finster, unheimlich

sink [sɪŋk] *v irr* 1. sinken; 2. *(ship, sun)* untergehen; 3. *(ground)* sich senken, *(slope)* abfallen; 4. *(sth) (a ship)* versenken; 5. *(fam: ruin)* zunichte machen; We're sunk. Wir sind erledigt. *(fam); 6. (a post)* einsenken; 7. *(a well)* bohren; 8. *(one's head, one's voice)* senken; 9. ~ one's teeth into sth in etw reinbeißen; 10. ~ into sleep in tiefen Schlaf fallen; *sb* 11. Ausguss *m; (kitchen ~)* Spülbecken *n*
• **sink in** *v irr (words)* ihre Wirkung haben

sinkhole ['sɪŋkhəʊl] *sb* 1. *(hole formed in soluble rock)* Sickerloch *n;* 2. *(area in which drainage collects)* Abflussloch *n*

sip [sɪp] *v (sth)* nippen an, schlürfen

sir [sɜː] *sb* 1. mein Herr *m; No, ~.* Nein, mein Herr. Dear Sir or Madam ... Sehr geehrte Damen und Herren! 2. *(knight)* Sir *m*

sire [saɪə] *sb* 1. *(form of address)* Sire *m,* Majestät *f;* 2. ZOOL Vater *m; v* 3. zeugen

siren ['saɪərən] *sb* Sirene *f*

sister ['sɪstə] *sb* 1. Schwester *f;* 2. *(nun)* Ordensschwester *f; Sister Mary* Schwester Mary

sister-in-law ['sɪstərɪnlɔː] *sb* Schwägerin *f*

sit [sɪt] *v irr* 1. sitzen; 2. *(assembly)* tagen; 3. *(take a seat)* sich setzen; 4. *(to be placed, rest)* stehen
• **sit down** *v irr* sich setzen, sich hinsetzen
• **sit out** *v irr sit sth out* etw aussitzen

sitcom ['sɪtkɒm] *sb* Situationskomödie *f*

site [saɪt] *sb* 1. *(of a building)* Lage *f;* 2. *(of an event)* Schauplatz *m*

sitting room ['sɪtɪŋ ruːm] *sb* Wohnzimmer *n*

situation [sɪtjʊ'eɪʃən] *sb* 1. Lage *f;* 2. *(job)* Stelle *f*

sit-up ['sɪtʌp] *sb* Sit-up *m*

six [sɪks] *num* sechs; ~ of one and a half a dozen of the other Jacke wie Hose, gehüpft wie gesprungen; at ~es and sevens durcheinander, konfus

six-pack ['sɪkspæk] *sb* Sechserpack *m*

sixth sense [sɪksθ sens] *sb* sechster Sinn *m*

size [saɪz] *sb* 1. Größe *f; That's about the ~ of it. (fam)* So ist es. *v* 2. ~ up abschätzen

sizeable ['saɪzəbl] *adj* 1. ziemlich groß; 2. *(sum, difference)* beträchtlich

sized [saɪzd] *adj* ...groß

sizzle ['sɪzl] *v* zischen

sizzler ['sɪzlə] *sb (day)* Hitzetag *f*

skate [skeɪt] *v* 1. *(ice-~)* Schlittschuh laufen; *sb* 2. *(ice-~)* Schlittschuh *m*

skateboard ['skeɪtbɔːd] *sb* SPORT Skateboard *n*

skater ['skeɪtə] *sb 1. (ice-~)* Eisläufer *m*, Schlittschuhläufer *m; 2. (roller-~)* Rollschuhläufer *m*

skeleton ['skelɪtn] *sb* Skelett *n*

skeleton key ['skelɪtnkiː] *sb* Dietrich *m*, Nachschlüssel *m*

skeptical *adj (see "sceptical")*

sketch [sketʃ] *v 1. (sth)* skizzieren; *sb 2.* Skizze *f; 3. THEAT* Sketsch *m*

sketchbook ['sketʃbʊk] *sb* Skizzenbuch *n*

ski [skiː] *v 1.* Ski laufen, Ski fahren; *sb 2.* Ski *m*, Schi *m*

skid [skɪd] *v 1.* rutschen; *2. (car)* schleudern

ski jump ['skiːdʒʌmp] *sb 1. (place) SPORT* Sprungschanze *f; 2. (act) SPORT* Skisprung *m*

ski lift ['skiːlɪft] *sb* Skilift *m*

skill [skɪl] *sb 1.* Geschick *n; 2. (acquired technique)* Fertigkeit *f; 3. (ability)* Fähigkeit *f*

skilled [skɪld] *adj 1.* geschickt; *2. (trained)* ausgebildet; *3. (requiring skill)* Fach...

skim [skɪm] *v 1. (fam: scan)* überfliegen; *2. (remove floating matter)* abschöpfen, *(milk)* entrahmen; *3. (fig: profits)* abschöpfen

skimmed milk [skɪmd mɪlk] *sb* Magermilch *f*, entrahmte Milch *f*

skin [skɪn] *sb 1.* Haut *f; have a thick ~ (fig)* dickfellig sein; *by the ~ of one's teeth* mit knapper Not; *That's no ~ off my nose.* Das juckt mich nicht. *save one's ~* seine Haut retten; *2. (of fruit)* Schale *f; v 3.* häuten

skin cancer ['skɪnkænsə] *sb MED* Hautkrebs *m*

skinhead ['skɪnhed] *sb* Skinhead *m*

skinny ['skɪnɪ] *adj* dünn, mager

skip [skɪp] *v 1.* hüpfen; *2. (with a rope)* seilspringen; *3. (sth) (omit)* überspringen, auslassen; *4. ~ school* die Schule schwänzen

skipping ['skɪpɪŋ] *sb* Seilhüpfen *n*, Seilspringen *n*

skirt [skɜːt] *sb 1.* Rock *m; v 2. (avoid)* umgehen

ski slope [skiː sləʊp] *sb* Skihang *m*

skittish ['skɪtɪʃ] *adj 1. (nervous)* ängstlich; *2. (lively)* lebhaft

skive [skaɪv] *v (UK)* schwänzen, blaumachen

skiver ['skaɪvə] *sb (fam)* fauler Strick *m*

skivvy ['skɪvɪ] *sb (UK: servant)* Dienstmagd *f*

skulk [skʌlk] *v 1. (lurk)* lauern, sich versteckt halten; *2. (move)* schleichen

skulker ['skʌlkə] *sb* Drückeberger *m*

skull [skʌl] *sb* Schädel *m; ~ and crossbones* Totenkopf *m*

sky [skaɪ] *sb* Himmel *m; the ~'s the limit* nach oben sind keine Grenzen gesetzt; *go ~* *high* sehr hoch hinaufgehen; *reach for the ~* nach den Sternen greifen

skydiver ['skaɪdaɪvə] *sb SPORT* Fallschirmspringer *m*

skydiving ['skaɪdaɪvɪŋ] *sb* Fallschirmspringen *n*

skylight ['skaɪlaɪt] *sb* Dachfenster *n*

skyline ['skaɪlaɪn] *sb 1. (of a city)* Skyline *f*, Silhouette *f; 2. (horizon)* Horizont *m, (of a city)* Silhouette *f*

skyscraper ['skaɪskreɪpə] *sb* Wolkenkratzer *m*

slack [slæk] *adj 1. (not tight)* locker; *sb 2. (in rope)* Lose *f; take up the ~* die Lose durchholen; *v 3. ~ off (fam: person)* nachlassen, nachlässig werden

slag [slæg] *sb 1.* Schlacke *f; 2. (fig: person)* Schlampe *f*

slammer ['slæmə] *sb the ~ (fam)* der Knast *m*, das Kittchen *n*

slander ['slɑːndə] *v 1.* verleumden; *sb 2.* Verleumdung *f*

slang [slæŋ] *sb 1.* Slang *m; 2. (used by a certain group)* Jargon *m*, Sondersprache *f*

slant [slɑːnt] *v 1.* schräg sein, sich neigen; *2. (a report)* färben; *sb 3.* Neigung *f*, Schräge *f; 4. (bias)* Tendenz *f*, Färbung *f (fam)*

slap [slæp] *v 1.* schlagen; *~ s.o.'s face* jdn ohrfeigen; *~ s.o. on the back* jdm auf den Rücken klopfen; *sb 2.* Schlag *m*, Klaps *m; a ~ in the face* eine Ohrfeige *f, (fig)* ein Schlag ins Gesicht *m*

slapstick ['slæpstɪk] *sb* Slapstick *m*

slap-up ['slæpʌp] *adj (fam) (UK)* super, toll; *a ~ meal* eine erstklassige Mahlzeit

slating ['sleɪtɪŋ] *sb (by reviewers)* Verriss *m*

slaughter ['slɔːtə] *v 1.* schlachten; *2. (people)* abschlachten; *sb 3.* Schlachten *n; 4. (of people)* Gemetzel *n*

slave [sleɪv] *sb 1.* Sklave/Sklavin *m/f; v 2. ~ away at sth* sich mit etw abschinden

slave-driver ['sleɪvdraɪvə] *sb* Sklaventreiber *m*

slay [sleɪ] *v irr* töten, erschlagen

sleazebag ['sliːzbæg] *sb (fam: person)* mieser Sack *m*

sleazeball ['sliːzbɔːl] *sb (fam)* Widerling *m*

sleazy ['sliːzɪ] *adj* anrüchig

sled [sled] *sb (US)* Schlitten *m*

sleep [sliːp] *v irr 1.* schlafen; *~ sth off* etw ausschlafen; *sb 2.* Schlaf *m; go to ~* einschlafen; *I'm not losing any ~ over it. (fig)* Darüber mache ich mir keine großen Sorgen. *3. put an animal to ~* ein Tier einschläfern

• **sleep around** v irr (fam) mit vielen Frauen/Männern ins Bett gehen

• **sleep in** v irr ausschlafen

sleeper ['sli:pə] sb 1. (coach) Schlafwagen m; 2. to be a heavy ~ einen festen Schlaf haben; to be a light ~ einen leichten Schlaf haben; 3. (fam: dark horse) Geheimfavorit m

sleeping bag ['sli:pɪŋbæg] sb Schlafsack m

sleeping pill ['sli:pɪŋpɪl] sb Schlaftablette f

sleepless ['sli:plɪs] adj schlaflos

sleepwalk ['sli:pwɔ:k] v schlafwandeln

sleepy ['sli:pɪ] adj 1. müde, schläfrig; 2. (town) verschlafen

sleeve [sli:v] sb 1. Ärmel m; have sth up one's ~ (fig) noch einen Pfeil im Köcher haben; laugh up one's ~ (fam) sich ins Fäustchen lachen; roll up one's ~s die Ärmel hochkrempeln; 2. (of a record) Plattenhülle f

slender ['slendə] adj 1. (person) schlank; 2. (waist) schmal

slice [slaɪs] sb 1. Scheibe f; v 2. (cut) durchschneiden; 3. (cut into slices) in Scheiben schneiden

slide [slaɪd] v irr 1. rutschen; 2. (by accident) ausrutschen; 3. (to be designed to ~) sich schieben lassen; 4. (sth) schieben; 5. let sth ~ (fam) etw vernachlässigen; sb 6. Rutschbahn f; 7. (land~, rock ~) Rutsch m; 8. (fig: fall) Abfall m; 9. FOTO Diapositiv n, Dia n; 10. (for a microscope) Objektträger m; 11. (UK: for hair) Haarspange f

slide show ['slaɪdʃəʊ] sb Diavortrag m

slight [slaɪt] adj 1. (small) gering, geringfügig, leicht; 2. (person) zierlich; v 3. (s.o.) kränken; sb 4. Kränkung f

slighting ['slaɪtɪŋ] adj abfällig, beleidigend

slightly ['slaɪtlɪ] adv 1. etwas, ein kleines bisschen; 2. ~ built zierlich

slim [slɪm] adj 1. (person) schlank; 2. (fig: chance) gering

sling [slɪŋ] v irr 1. schleudern; sb 2. (for one's arm) Schlinge f

slip [slɪp] v 1. rutschen; 2. (slide) gleiten; ~ through one's fingers durch die Finger schlüpfen; 3. let sth ~ etw fallen lassen; 4. (move quickly) schlüpfen; 5. ~ into a dress in ein Kleid schlüpfen; 6. (sth) schieben; ~ sth into one's pocket etw in die Tasche gleiten lassen; 7. ~ one's mind jdm entfallen; 8. (on ice) Rutsch m; 9. (mistake) Versehen n; make a ~ of the tongue sich versprechen; 10. (in one's conduct) Fehltritt m; 11. give s.o. the ~ jdm entwischen; 12. ~ of paper Zettel m; 13. (woman's undergarment) Unterrock m

• **slip away** v sich wegschleichen, sich wegstehlen, entwischen; let an opportunity ~ sich eine Gelegenheit entgehen lassen

• **slip up** v sich vertun, einen Fehler machen

slipper ['slɪpə] sb 1. (bedroom ~) Hausschuh m, Pantoffel m; 2. (for dancing) Slipper m

slippy ['slɪpɪ] adj (fam) flott, zackig

slip-up ['slɪpʌp] sb Fehler m

slit [slɪt] v irr 1. aufschlitzen; sb 2. Schlitz m

slob [slɒb] sb (fam) Schmutzfink m

slobber ['slɒbə] v geifern

slog [slɒg] v (walk with an effort) stapfen

slogan ['sləʊgən] sb Slogan m, Schlagwort n

slop [slɒp] v 1. überschwappen; 2. (~ sth) verschütten

slope [sləʊp] v 1. sich neigen, geneigt sein; sb 2. (sloping ground) Hang m; 3. (angle) Neigung f

sloppy ['slɒpɪ] adj (untidy) schlampig

slot [slɒt] sb 1. (opening) Schlitz m; (for money) Einwurf m; 3. (groove) Rille f

slot machine ['slɒtməʃi:n] sb Münzautomat m

slouch [slaʊtʃ] v 1. (sitting) mit hängenden Schultern sitzen; 2. (standing) mit hängenden Schultern stehen; Don't ~! Steh nicht so krumm! sb 3. (fam) He's an excellent player, but you're no ~ either. Er ist ein hervorragender Spieler, aber du kannst auch ganz schön mithalten.

sloven ['slʌvn] sb Schlampe f

slow [sləʊ] adj 1. langsam; ~ly but surely langsam aber sicher; 2. to be ~ (clock) nachgehen; 3. (mentally) schwerfällig, begriffsstutzig; 4. sich verlangsamen; (in an activity) etw langsamer machen; (driver) langsamer fahren; 5. (sth) verlangsamen

slowcoach ['sləʊkəʊtʃ] sb (fam) trübe Tasse f

slow-witted ['sləʊwɪtɪd] adj begriffsstutzig, schwer von Begriff

sluggish ['slʌgɪʃ] adj 1. (market, business) flau; 2. (person) träge

slump [slʌmp] v 1. ~ into a chair sich in einen Sessel plumpsen lassen (fam); 2. (prices) stürzen, fallen; 3. (fig: morale) sinken; sb 4. (fall) plötzlicher Rückgang m, (in markets) Sturz m; 5. (state) Tiefstand m

slur [slɜ:] v 1. ~ one's words mit schwerer Zunge reden; sb 2. Makel m; 3. (insult) Beleidigung f

sly [slaɪ] adj 1. schlau, listig; 2. (wink) verschmitzt; sb 3. on the ~ heimlich

slyness ['slaɪnɪs] sb Schlauheit f, Listigkeit f, Verschmitztheit f

smack [smæk] v 1. ~ s.o. jdm einen Klaps geben; sb 2. (slap) Klaps m; 3. (sound) Klatsch m; adv 4. (fam) direkt; v 5. ~ of (fig) riechen nach

small [smɔːl] adj 1. klein; make s.o. feel ~ jdn beschämen; sb 2. the ~ of the back ANAT das Kreuz n

small change [smɔːlˈtʃeɪndʒ] sb Kleingeld n

smallholding [ˈsmɔːlhəʊldɪŋ] sb Kleinlandbesitz m

small-scale [ˈsmɔːlskeɪl] adj in kleinem Maßstab

small talk [ˈsmɔːltɔːk] sb Geplauder n, Smalltalk m

smart [smaːt] adj 1. (intelligent) klug, intelligent; 2. (~-looking) schick, flott; 3. (pace) flott, rasch; v 4. brennen

smarty [ˈsmaːtɪ] sb (fam) Schlaumeier m, Schlauberger m

smash [smæʃ] v 1. zerschlagen, zerbrechen; 2. (crash) prallen; 3. (sth) zerschlagen, (a window) einschlagen; 4. (an enemy) vernichtend schlagen; sb 5. (loud noise) Krach m; 6. (blow) Schlag m, (tennis) Schmetterball m; 7. (crash) Zusammenstoß m; 8. (fam: huge success) Riesenerfolg m

smash hit [smæʃ hɪt] sb Bombenerfolg m

smear [smɪə] v 1. (ink, writing) verwischen; 2. (sth) beschmieren; 3. ~ s.o.'s reputation jds Ruf besudeln; sb 4. Klecks m; 5. (fig) Verleumdung f, Beschmutzung f

smell [smel] v irr 1. riechen; 2. (fam) That ~s! Das stinkt! 3. (fig) ~ trouble Ärger kommen sehen; ~ a rat Lunte riechen, den Braten riechen; sb 4. Geruch m; (stink) Gestank m

smelling-salts [ˈsmelɪŋsɔːlts] sb Riechsalz n

smile [smaɪl] v 1. lächeln; ~ at s.o. jdm zulächeln; ~ about sth über etw lächeln; sb 2. Lächeln n

smite [smaɪt] v irr schlagen

smock [smɒk] sb Kittel m

smog [smɒg] sb Smog m

smoke [sməʊk] v 1. rauchen; 2. (sth)(a cigarette) rauchen; 3. ~ s.o. out jdn ausräuchern; 4. (meat, fish) GAST räuchern; sb 5. Rauch m; 6. (sth to smoke, act of smoking) have a ~ eine rauchen; Do you have a ~? Hast du was zu rauchen? (fam)

smoke alarm [ˈsməʊkəlaːm] sb Rauchalarm m

smoker [ˈsməʊkə] sb Raucher m

smoker's cough [ˈsməʊkəz kɒf] sb Raucherhusten m

smoking [ˈsməʊkɪŋ] sb 1. Rauchen n; "No ~." „Rauchen verboten." 2. "Smoking or non-smoking?" „Raucher oder Nichtraucher?"

smoking room [ˈsməʊkɪŋ ruːm] sb Raucherzimmer n

smooch [smuːtʃ] v (fam) knutschen

smooth [smuːð] adj 1. glatt; (flight) ruhig; 2. (drink) mild; v 3. glätten

• **smooth out** v 1. glätten; 2. (fig: a difficulty) ausbügeln (fam)

smother [ˈsmʌðə] v 1. ersticken; 2. ~ with, ~ in (cover) völlig bedecken mit; ~ s.o. in kisses jdn abküssen

smudge [smʌdʒ] v 1. verwischen, verschmieren; 2. (a reputation) besudeln

smug [smʌg] adj selbstgefällig

smuggle [ˈsmʌgl] v schmuggeln; ~ sb jdn einschleusen

smuggling [ˈsmʌglɪŋ] sb Schmuggel m

snack [snæk] sb Imbiss m; have a ~ eine Kleinigkeit essen

snack bar [ˈsnækbaː] sb Imbissstube f

snake [sneɪk] sb Schlange f

snap [snæp] v 1. (break) entzweibrechen, (rope) reißen; 2. ~ at s.o. (person) jdn anfahren; 3. ~ to attention Haltung annehmen; 4. ~ shut zuschnappen; 5. (sth)(break) zerbrechen, entzweibrechen; 6. ~ one's fingers mit den Fingern schnipsen, mit den Fingern schnalzen; 7. (a whip) knallen mit; 8. (take a photo of) knipsen; 9. ~ sth into place etw einschnappen lassen; sb 10. (fastener) Druckknopf m; 11. (sound of sth closing) Schnappen n; 12. (sound of sth breaking) Knacken n; 13. (sound of ~ping fingers) Schnippen n, Schnalzen n; adj 14. (spur-of-the-moment) spontan; ~ decision rasche Entscheidung; ~ judgement vorschnelles Urteil; sb 15. GAST Plätzchen n

snapshot [ˈsnæpʃɒt] sb FOTO Schnappschuss m

snatch [snætʃ] v 1. greifen; 2. ~ an opportunity eine Gelegenheit ergreifen; 3. (fam: steal) (UK) klauen (fam); sb 4. Griff m; 5. (in weightlifting) SPORT Reißen n; 6. ~es pl (bits) Bruchstücke pl, Brocken pl

• **snatch away** v wegreißen

• **snatch up** v schnappen

sneak [sniːk] v 1. schleichen; ~ in sich einschleichen; ~ off, ~ away wegschleichen; ~ a peek at sth etw heimlich ansehen; 2. (UK: tell tales) petzen

sneakers [ˈsniːkəz] pl (US) leichte Turnschuhe pl

sneaky [ˈsniːkɪ] adj hinterlistig

sneer ['snɪə] v 1. (have a ~ on one's face) spöttisch lächeln; 2. (make a remark) spotten; sb 3. (smirk) spöttisches Lächeln n; 4. (remark) spöttische Bemerkung f

sneeze [sniːz] v 1. niesen; not to be ~d at (fig) nicht zu verachten; sb 2. Niesen n

sniff [snɪf] v 1. schniefen; ~ at sth (smell sth) an etw schnuppern; 2. ~ at sth (disdainfully) die Nase über etw rümpfen; 3. (dog) schnüffeln; 4. (sth) riechen, (smelling salts) einziehen; sb 5. Schniefen n; 6. (disdainful) Naserümpfen n; 7. (by a dog) Schnüffeln n

snigger ['snɪgə] v kichern

snip [snɪp] v schnippeln

snipe [snaɪp] v (shoot from cover) aus dem Hinterhalt schießen

snitch [snɪtʃ] v ~ on s.o. jdn verpfeifen (fam)

snivelling ['snɪvəlɪŋ] adj winselnd

snob [snɒb] sb Snob m

snobbery ['snɒbərɪ] sb Snobismus m

snobbish ['snɒbɪʃ] adj (fam) versnobt, snobistisch

snobby ['snɒbɪ] adj herablassend

snooker ['snuːkə] sb Billiardspiel n

snooty ['snuːtɪ] adj (fam) hochnäsig

snooze [snuːz] v 1. ein Nickerchen machen; sb 2. (fam) a ~ ein Nickerchen n

snoozer ['snuːzə] sb Schläfchen n, Nickerchen n

snort [snɔːt] v schnauben

snot [snɒt] sb (fam) Rotz m

snotty ['snɒtɪ] adj (fig: insolent) patzig

snow [snəʊ] sb 1. Schnee m; as pure as the driven ~ (fig) unschuldig wie ein Lamm; v 2. schneien; ~ed in eingeschneit

snowball ['snəʊbɔːl] sb Schneeball m

snowboard ['snəʊbɔːd] sb Snowboard n

snowbound ['snəʊbaʊnd] adj eingeschneit

snowdrift ['snəʊdrɪft] sb Schneewehe f

snowfall ['snəʊfɔːl] sb Schneefall m

snowflake ['snəʊfleɪk] sb Schneeflocke f

snowman ['snəʊmæn] sb Schneemann m

snowstorm ['snəʊstɔːm] sb Schneesturm m

snow tyre ['snəʊtaɪə] sb Winterreifen m

snow-white ['snəʊwaɪt] adj schneeweiß

snub [snʌb] v 1. brüskieren, schroff abweisen; 2. (not greet) schneiden; sb 3. Brüskierung f, schroffe Abweisung f

snug [snʌg] adj 1. (cosy) gemütlich; 2. (tight) eng

snuggle ['snʌgl] v sich kuscheln

so [səʊ] konj 1. (therefore) also; So what? Na und? It was necessary, ~ we did it. Es war nötig, und so taten wir es. 2. (~ that) damit; ~ as

to damit; 3. (to begin a question or exclamation) also; So you're Filipino? Sie sind also Filipino? adv 4. (in this way) so; ~ to speak sozusagen; and ~ on und so weiter; 5. (to this degree) so, derart, dermaßen; I'm not ~ sure. Ich bin gar nicht so sicher. She was ~ excited that she could hardly speak. Sie konnte kaum sprechen, so aufgeregt war sie. 6. ~ far (until now) bis jetzt; 7. So long! (fam) Tschüß! Mach's gut! 8. (emphatic) so; She loves him ~. Sie liebt ihn sehr.

soak [səʊk] v 1. eingeweicht werden; 2. ~ through durchkommen; 3. (sth) einweichen; 4. (wet) durchnässen

• **soak up** v aufsaugen

soaking ['səʊkɪŋ] adv ~ wet patschnass

so-and-so ['səʊəndsəʊ] sb 1. (unnamed person) Soundso; 2. You old ~! Du bist vielleicht eine(r)!

soap [səʊp] sb Seife f

soap opera ['səʊpɒpərə] sb rührseliges Drama in Fortsetzungen n

soar [sɔː] v 1. in die Höhe steigen; (prices) in die Höhe schnellen; 2. (spire) hochragen; 3. (glide) schweben

sob [sɒb] v 1. schluchzen; sb 2. Schluchzer m

sober ['səʊbə] adj 1. nüchtern; 2. (matter-of-fact) sachlich; v 3. nüchtern werden; 4. (s.o.) nüchtern machen

sobriety [səʊ'braɪətɪ] sb Nüchternheit f, Schlichtheit f

sob story ['sɒbstɔːrɪ] sb (fam) rührselige Geschichte f

so-called ['səʊkɔːld] adj so genannt

soccer ['sɒkə] sb (US) Fußball m

sociable ['səʊʃəbl] adj gesellig, umgänglich

social ['səʊʃəl] adj gesellschaftlich, Gesellschafts..., sozial

social climber ['səʊʃəl'klaɪmə] sb Arrivierte(r) m/f

socialism ['səʊʃəlɪzm] sb POL Sozialismus m

socialist ['səʊʃəlɪst] sb POL Sozialist m

socialize ['səʊʃəlaɪz] v 1. (converse) sich unterhalten; 2. (sth) POL sozialisieren

social security ['səʊʃəl sɪ'kjʊərɪtɪ] sb POL Sozialversicherung f, Sozialhilfe f

social worker ['səʊʃəlwɜːkə] sb Sozialarbeiter m

society [sə'saɪətɪ] sb 1. Gesellschaft f; 2. (club) Verein m

sociology [səʊsɪ'ɒldʒɪ] sb Soziologie f

sock [sɒk] sb 1. Socke f, Socken m; v 2. (fam: hit) hauen

socket ['sɒkɪt] *sb* 1. *(electrical ~)* Steckdose *f*; 2. *eye ~ ANAT* Augenhöhle *f*
sod [sɒd] *sb* 1. Grassode *f*; 2. *(fam)(UK)* Dreckskerl *m*; 3. *the poor ~* der arme Kerl; *v* 4. mit Rosen bedecken; 5. *Sod off! (UK)* Zieh Leine!
soda ['səʊdə] *sb CHEM* Soda *n*
soda water ['səʊdəwɔːtə] *sb GAST* Sodawasser *n*
sofa ['səʊfə] *sb* Sofa *n*
soft [sɒft] *adj* 1. weich; *have a ~ spot for sth* eine Schwäche für etw haben; 2. *(quiet)* leise; 3. *(breeze, light, voice)* sanft; 4. *(skin)* zart; 5. *(person)* verweichlicht; *~ in the head* schwachsinnig
soften ['sɒfn] *v* 1. weich werden; 2. *(sth)* weich machen; 3. *(light, sound)* dämpfen; 4. *(an effect, a reaction)* mildern; *~ the blow (fig)* den Schock mildern
• **soften up** *v* 1. *(become soft)* weich werden; 2. *(sth)* weich machen; 3. *(fig)* nachgiebig stimmen
soft drink ['sɒftdrɪŋk] *sb* alkoholfreies Getränk *n*, Limonade *f*
soft option ['sɒftɒpʃən] *sb* Weg des geringsten Widerstandes *m*
soft rock [sɒft rɒk] *sb MUS* Softrock *m*
soft-spoken ['sɒftspəʊkən] *adj* leise sprechend
software ['sɒftwɛə] *sb INFORM* Software *f*
soggy ['sɒgɪ] *adj* 1. durchnässt; 2. *(bread)* klitschig; 3. *(land)* sumpfig
soil [sɔɪl] *sb* 1. Boden *m*, Erde *f*; *v* 2. *(sth)* beschmutzen
solace ['sɒlɪs] *sb* Trost *m*
solar ['səʊlə] *adj* Sonnen..., Solar...
solar energy ['səʊlər'enədʒɪ] *sb* Sonnenenergie *f*
solar power ['səʊlə 'paʊə] *sb* Sonnenenergie *f*, Solarenergie *f*
solar system ['səʊləsɪstəm] *sb ASTR* Sonnensystem *n*
soldier ['səʊldʒə] *sb* 1. Soldat *m*; *v* 2. *~ on* unbeirrt weitermachen
sole¹ [səʊl] *adj* 1. einzig; 2. *(exclusive)* alleinig
sole² [səʊl] *sb (of the foot, of a shoe)* Sohle *f*
sole³ [səʊl] *sb ZOOL* Seezunge *f*
solemn ['sɒləm] *adj* feierlich, ernst
solicit ['sɒlɪsɪt] *v* 1. *(prostitute)* Kunden anwerben; 2. *(sth)* erbitten, bitten um; 3. *(a prostitute)* ansprechen
solicitor [sə'lɪsɪtə] *sb (UK)* Rechtsanwalt/Rechtsanwältin *m/f*

solicitude [sə'lɪsɪtjuːd] *sb* Besorgtheit *f*, Beflissenheit *f*
solid ['sɒlɪd] *adj* 1. *(not liquid)* fest; 2. *(not hollow)* massiv; 3. *(firm, reliable)* solide; 4. *(uninterrupted)* ununterbrochen; *a ~ hour* eine volle Stunde; 5. *(support)* voll
solitaire ['sɒlɪtɛə] *sb (card game)* Patience *f*
solitary ['sɒlɪtərɪ] *adj* 1. einzig; 2. *(lonely)* einsam
solitary confinement ['sɒlɪtərɪ kən'faɪnmənt] *sb JUR* Einzelhaft *f*
solitude ['sɒlɪtjuːd] *sb* Einsamkeit *f*
solo ['səʊləʊ] *adj* Solo...
solution [sə'luːʃən] *sb* Lösung *f*
solve [sɒlv] *v* 1. *(a problem)* lösen; 2. *(a crime)* aufklären; 3. *(a mystery)* enträtseln
some [sʌm] *adj* 1. *(with singular nouns)* etwas, ein bisschen; *~ money* etwas Geld; 2. *(with plural nouns)* einige, ein paar; 3. *(certain)* manche(r,s); *in ~ cases* in manchen Fällen; 4. *(indeterminate)* irgendein; *Some girl came by today.* Irgenden Mädchen kam heute vorbei. *~ day* eines Tages, *(~ or other)* irgendwann mal; 5. *(quite a bit of)* ziemlich; *quite ~ time* ziemlich lange; 6. *(quite a)* vielleicht ein(e); *pron* 7. *(people)* einige, *(certain people)* manche; *Some say I'm making a mistake.* Einige sagen, ich mache einen Fehler. 8. *(referring to plural nouns)* einige, *(certain ones)* manche, *(in questions)* welche; *Would you like ~?* Möchten Sie welche? 9. *(referring to singular nouns)* etwas, *(certain amount)* manches, *(in questions)* welche(r,s); *adv* 10. *(approximately)* ungefähr, etwa, zirka
somebody ['sʌmbədɪ] *pron (see "someone")*
something ['sʌmθɪŋ] *pron* etwas; *~ special* etwas Besonderes; *or ~ (fam)* oder so was; *~ or other* irgendetwas
sometime ['sʌmtaɪm] *adv* 1. irgendwann; *adj* 2. ehemalig, einstig
sometimes ['sʌmtaɪmz] *adv* manchmal
someway ['sʌmweɪ] *adv* irgendwie
somewhat ['sʌmwɒt] *adv* etwas, ein wenig, ein bisschen
somewhere ['sʌmwɛə] *adv* 1. *(location)* irgendwo, *(motion)* irgendwohin; 2. *~ else (location)* irgendwo anders, anderswo; 3. *~ else (motion)* irgendwo anders hin, anderswohin
son [sʌn] *sb* 1. Sohn *m*; 2. *(as a form of address)* mein Junge
song [sɒŋ] *sb* 1. Lied *n*; *for a ~* für einen Apfel und ein Ei; 2. *(singing)* Gesang *m*; *break into ~* zu singen anfangen; 3. *Song of Songs REL* das Hohelied *n*
son-in-law ['sʌnɪnlɔː] *sb* Schwiegersohn *m*

soon [suːn] *adv* 1. bald; 2. *(early)* früh; *too ~* zu früh; 3. *just as ~ ...* ebenso gern ... tun würden; *I would just as ~ not do it.* Ich würde es lieber nicht tun.

sooty ['suti] *adj* rußig, Ruß...

sop [sɒp] *sb* 1. *(piece of bread, etc.)* Brotstück zum Eintunken *n*; 2. *(bribe)* Bestechung *f*; *v* 3. *~ up* aufnehmen

sophisticated [sə'fistikeitid] *adj* 1. *(person)* weltklug, kultiviert, weltmännisch; 2. *(tastes)* verfeinert, anspruchsvoll; 3. *(machine)* hoch entwickelt; 4. *(plan)* ausgeklügelt, raffiniert

soprano [sə'praːnəʊ] *sb* MUS Sopran *m*

sorbet ['sɔːbeɪ] *sb* Fruchteis *n*

sordid ['sɔːdɪd] *adj* 1. elend; 2. *(crime)* gemein; 3. *(story)* trist

sore [sɔː] *adj* 1. weh; *~ muscles* Muskelkater *m*; 2. *(inflamed)* wund; *a sight for ~ eyes* ein willkommener Anblick; *a ~ point (fig)* ein wunder Punkt; 3. *(fig: upset)* sauer, verärgert; *sb* 4. wunde Stelle *f*; *an open ~* eine offene Wunde

sorely ['sɔːlɪ] *adv* sehr, stark, heftig

sore throat [sɔː'θrəʊt] *sb* MED Halsschmerzen *pl*

sorrow ['sɒrəʊ] *sb* 1. *(suffering)* Leid *n*, Kummer *m*; 2. *(regret)* Bedauern *n*

sorry ['sɒrɪ] *interj* 1. Entschuldigung!, Verzeihung! 2. *to be ~ about sth* etw bedauern; *I'm ~.* Es tut mir Leid. *feel ~ for o.s.* sich selbst bedauern; *I feel ~ for him.* Er tut mir Leid. *I am ~ to say* ich muss leider sagen; *adj* 3. *(pathetic)* jämmerlich, erbärmlich; *(excuse)* faul

sort [sɔːt] *v* 1. sortieren; *sb* 2. Art *f*, Sorte *f*; *all ~s of things* alles Mögliche; *that ~ of thing* diese Sachen; *nothing of the ~* nichts dergleichen; 3. *a ~ of ...* eine Art ..., so ein .../so eine ...; 4. *(person) He is a good ~.* Er ist ein anständiger Kerl. 5. *out of ~s* nicht ganz auf der Höhe, *(in a bad temper)* schlecht gelaunt; *adv* 6. *~ of (fam)* irgendwie

• **sort out** *v (straighten out)* in Ordnung bringen, klären

sought-after ['sɔːtɑːftə] *adj* begehrt

soul [səʊl] *sb* 1. Seele *f*; 2. *There wasn't a ~ to be seen.* Es war keine Menschenseele zu sehen. 3. *He's the ~ of generosity.* Er ist die Großzügigkeit selbst. 4. MUS Soul *m*

soul mate ['səʊlmeɪt] *sb* Seelenverwandte(r) *m/f*

soul-searching ['səʊlsɜːtʃɪŋ] *sb* Gewissensprüfung *f*

sound [saʊnd] *v* 1. *(have a certain kind of ~)* klingen, sich anhören; 2. *(seem)* sich anhören;

3. *(make ~s)* erklingen, ertönen; 4. *(sth) (a trumpet)* schallen lassen; 5. *(an alarm)* läuten; 6. *~ the horn* hupen; 7. *(depths)* NAUT loten; *sb* 8. *(noise)* Geräusch *n*; 9. *(of a voice, of instruments)* Klang *m*; 10. *(uttered by a person or animal)* Laut *m*; 11. *(of a broadcast, of a film)* Ton *m*; 12. PHYS Schall *m*; *the speed of ~* Schallgeschwindigkeit *f*; 13. *(impression) I don't like the ~ of it.* Das klingt gar nicht gut. *adj* 14. *(healthy)* gesund; 15. *(company, investment)* solide; 16. *(thorough)* tüchtig; 17. *(sensible)* vernünftig, *(judgement)* folgerichtig; 18. *(logically ~)* stichhaltig

• **sound out** *v* 1. *(person)* aushorchen; 2. *(intentions)* herausbekommen

soundless ['saʊndlɪs] *adj* lautlos

soundly ['saʊndlɪ] *adv* 1. *(sleep)* tief; 2. *(defeat)* klar

soundproof ['saʊndpruːf] *adj* schalldicht

soundtrack ['saʊndtræk] *sb* 1. CINE Tonspur *f*; 2. *(~ album)* Filmmusik *f*

soup [suːp] *sb* 1. Suppe *f*; *to be in the ~ (fam)* in der Patsche sitzen; *v* 2. *~ up (fam: a car) (US)* frisieren (fam)

sour [saʊə] *adj* sauer

source [sɔːs] *sb* 1. *(of a river, of information)* Quelle *f*; 2. *(origin)* Ursprung *m*

south [saʊθ] *sb* 1. Süden *m*; *adj* 2. südlich, Süd... *adv* 3. im Süden; 4. *(toward the ~)* nach Süden, NAUT südwärts

southbound ['saʊθbaʊnd] *adj* südwärts, Richtung Süden

southerly ['sʌðəlɪ] *adj* südlich

southernmost ['sʌðənməʊst] *adj* südlichste(r,s)

southpaw ['saʊθpɔː] *sb (fam)* Linkshänder *m*

southward ['saʊθwəd] *adj* südwärts gerichtet, Richtung Süden

souvenir [suːvə'nɪə] *sb* Souvenir *n*, Andenken *n*

sovereign ['sɒvrɪn] *adj* 1. POL souverän; *sb* 2. Herrscher *m*

sovereignty ['sɒvrəntɪ] *sb* 1. Oberherrschaft *f*; 2. *(independence)* Souveränität *f*

sow[1] [saʊ] *sb* ZOOL Sau *f*

sow[2] [səʊ] *v irr* säen; *as you ~ so shall you reap (fig)* was der Mensch säet, das wird er ernten

soy bean ['sɔɪbiːn] *sb* Sojabohne *f*

spa [spɑː] *sb* 1. *(spring)* Quelle *f*; 2. *(town)* Kurort *m*

space [speɪs] *sb* 1. Raum *m*; *time and ~* Zeit und Raum; 2. *(room)* Platz *m*, Raum *m*; *take up a lot of ~* viel Platz einnehmen; 3. *(outer ~)*

der Weltraum *m,* das Weltall *n; 4. (of time)* Zeitraum *m; 5. (distance between two things)* Abstand *m; 6. (empty area)* Platz *m; 7. (between lines)* Zwischenraum *m; 8. (on a form)* Spalte *f*

space age ['speɪs eɪdʒ] *sb* the ~ das Weltraumzeitalter *n*

space bar ['speɪsbɑː] *sb* Leertaste *f*

spaceman ['speɪsmæn] *sb* Raumfahrer *m*

spaceship ['speɪsʃɪp] *sb* Raumschiff *n*

spacesuit ['speɪssuːt] *sb* Raumanzug *m*

space travel ['speɪstrævl] *sb* Raumfahrt *f*

spacewalk ['speɪswɔːk] *sb* Weltraumspaziergang *m*

spade [speɪd] *sb 1.* Spaten *m; call a ~ a ~ (fam)* die Dinge beim Namen nennen; *2. (on playing cards)* Pik *n*

spaghetti [spəˈgetɪ] *sb* Spagetti *pl*

span [spæn] *v 1.* sich spannen über; *2. (encircle)* umfassen; *3. (in time)* umspannen; *sb 4.* Spannweite *f; 5. (of time)* Zeitspanne *f*

spank [spæŋk] *v 1. ~ s.o.* jdm den Hintern versohlen; *2. ~ s.o. (playfully)* jdm auf den Po ein Klaps geben

spanner ['spænə] *sb (UK)* Schraubenschlüssel *m; throw a ~ in the works (fig)* quer schießen

spare [speə] *v 1. (do without)* entbehren, verzichten auf; *2. ~ s.o. sth* jdm etw ersparen; *Spare me your flimsy excuses.* Ihre fadenscheinigen Ausreden können Sie sich sparen. *3. (use sparingly)* sparen mit; *4. (show mercy to)* verschonen, *(s.o.'s feelings)* schonen; *adj 5.* übrig, überschüssig; *6. (meagre)* dürftig

spare part [speə pɑːt] *sb* Ersatzteil *n*

spare room [speə ruːm] *sb* Gästezimmer *n*

spare tyre [speə'taɪə] *sb 1.* Ersatzreifen *m; 2. (fam: fat)* Rettungsring *m (fam)*

spark [spɑːk] *v 1.* Funken sprühen; *2. (sth)* entzünden; *3. (fig: an argument)* auslösen; *(fig: interest)* wecken; *sb 4.* Funke *m*

sparkle ['spɑːkl] *v 1.* funkeln; *2. (wine)* perlen; *sb 3.* Funkeln *n*

sparkler ['spɑːklə] *sb* Wunderkerze *f*

spat [spæt] *sb 1. (quarrel)* Krach *m,* Zank *m; 2. BIO* Muschellaich *m*

spatter ['spætə] *v* spritzen

spawn [spɔːn] *v (fig)* hervorbringen

speak [spiːk] *v irr 1.* sprechen; *2. (converse)* reden; *~ to s.o.* mit jdm reden, mit jdm sprechen; *nothing to ~ of* nichts Erwähnenswertes; *I'm not on ~ing terms with him.* Ich spreche nicht mit ihm. *3. (make a speech)* eine Rede halten; *4. generally ~ing* im Allgemeinen; *strictly ~ing* genau genommen; *legally ~ing* rechtlich

gesehen; *~ing of ...* da wir gerade von ... sprechen; *5. ~ for itself* für sich sprechen, alles sagen; *6. so to ~* sozusagen; *7. (sth)* sagen; *8. ~ a language* eine Sprache sprechen

• **speak up** *v irr (speak louder)* lauter sprechen

speaker ['spiːkə] *sb 1. (person making a speech)* Redner *m; 2. (of a language)* Sprecher *m; 3. (commentator)* Sprecher *m; 4. (loud~)* Lautsprecher *m*

spear [spɪə] *sb* Speer *m*

special ['speʃəl] *adj 1.* besondere(r,s), Sonder...; *2. (specific)* bestimmt; *Were you looking for anything ~?* Suchten Sie etwas Bestimmtes? *3. (reduced price)* Sonderangebot *n; 4. (edition)* Sonderausgabe *f; 5. (TV programme)* Sonderprogramm *n; 6. ~ of the day (at a restaurant)* Tagesgericht *n,* Menü *n; 7. (train)* Sonderzug *m*

special effects ['speʃəl ɪ'fekts] *pl CINE* Spezialeffekte *pl*

specialist ['speʃəlɪst] *sb 1.* Spezialist *m; 2. MED* Facharzt *m; 3. TECH* Fachmann *m*

specialize ['speʃəlaɪz] *v ~ in sth* sich auf etw spezialisieren

specialty ['speʃəltɪ] *(US) (see "speciality")*

species ['spiːʃiːz] *sb BIO* Art *f*

specific [spəˈsɪfɪk] *adj 1. (certain)* bestimmt; *2. (precise)* genau; *3. MED, PHYS, CHEM, BIO* spezifisch

specify ['spesɪfaɪ] *v 1.* genau angeben; *(reasons)* nennen; *2. (prescribe)* vorschreiben

specimen ['spesɪmɪn] *sb 1.* Exemplar *n; 2. (sample)* Muster *m; 3. (of a bodily fluid)* Probe *f*

speck [spek] *sb 1.* Fleck *m; 2. (of dust)* Staubkörnchen *n*

speckle ['spekl] *sb* Tupfen *m,* Flecken *m,* Sprenkel *m*

spectacle ['spektəkl] *sb 1.* Schauspiel *n; make a ~ of o.s.* unangenehm auffallen; *2. ~s pl* Brille *f*

spectacular [spek'tækjʊlə] *adj* spektakulär

spectator ['spekteɪtə] *sb* Zuschauer *m*

spectator sport ['spekteɪtə spɔːt] *sb* für Zuschauer attraktiver Sport *m*

spectrum ['spektrəm] *sb* Spektrum *n*

speculate ['spekjʊleɪt] *v 1. (conjecture)* Vermutungen anstellen; *I ~ that ...* Ich vermute, dass ...; *2. FIN* spekulieren

speculum ['spekjʊləm] *sb* Spekulum *n*

speech [spiːtʃ] *sb 1. (ability to speak)* Sprechen *n; 2. (act of speaking)* Sprechen *n; 3. (way of speaking)* Sprechweise *f; 4. (oration)* Rede *f; 5. freedom of ~* Redefreiheit *f; 6. part of ~ GRAMM* Wortart *f*

speed [spiːd] *sb 1.* Geschwindigkeit *f, (going fast)* Schnelligkeit *f; at full ~* mit Höchstgeschwindigkeit; *2. (of film)* Lichtempfindlichkeit *f; 3. (of an engine)* TECH Drehzahl *f; 4. (gear)* Gang *m; three-~* bicycle Fahrrad mit Dreigangschaltung; *v irr 5. ~ off* davonjagen; *(car)* davonbrausen; *6. ~ up* beschleunigen

speedboat ['spiːdbəʊt] *sb* Schnellboot *n*, Rennboot *n*

speeding ['spiːdɪŋ] *sb* Geschwindigkeitsüberschreitung *f*

speeding ticket ['spiːdɪŋtɪkɪt] *sb (US)* Strafzettel *m*

speed skating ['spiːdskeɪtɪŋ] *sb* SPORT Eisschnelllauf *m*

speed trap ['spiːdtræp] *sb* Radarfalle *f*

speedy ['spiːdɪ] *adj 1.* schnell; *2. (answer)* prompt

spell¹ [spel] *v irr 1.* schreiben; *How do you ~ it?* Wie wird es geschrieben? *2. (aloud)* buchstabieren

• **spell out** *v irr 1.* buchstabieren; *2. (explain)* verdeutlichen, klarmachen

spell² [spel] *sb 1. (period)* Weile *f*, Weilchen *n; 2. ~ s.o. (relieve s.o.)* jdn ablösen

spell³ [spel] *sb (magical ~)* Zauber *m*

spelling ['spelɪŋ] *sb 1.* Rechtschreibung *f*, Orthografie *f; 2. (of a word)* Schreibweise *f*

spend [spend] *v irr 1. (money)* ausgeben; *2. (energy)* verbrauchen; *3. (time: pass)* verbringen, *(time: use)* brauchen

spending money ['spendɪŋmʌnɪ] *sb* Taschengeld *n*

spent [spent] *adj 1.* verbraucht; *2. (person)* erschöpft

spheral ['sfɪərəl] *adj* sphärisch

sphere [sfɪə] *sb 1.* Kugel *f; 2. (fig)* Bereich *m*

spherical ['sferɪkl] *adj* sphärisch

sphincter ['sfɪŋktə] *sb* ANAT Schließmuskel *m*

sphinx [sfɪŋks] *sb* Sphinx *f*

spice [spaɪs] *v 1.* würzen; *sb 2.* Gewürz *n; 3. (fig)* Würze *f*

spicery ['spaɪsərɪ] *sb* Würze *f*

spick-and-span [spɪkənd'spæn] *adj* blitzsauber, geschniegelt und gebügelt

spicy ['spaɪsɪ] *adj 1.* würzig, stark gewürzt; *2. (story)* pikant

spider ['spaɪdə] *sb* Spinne *f*

spike [spaɪk] *sb 1.* Spitze *f; 2. (on barbed wire)* Stachel *m; 3.* Spike *m*

spiky ['spaɪkɪ] *adj* spitz, stachlig

spill [spɪl] *v irr 1.* verschüttet werden; *2. (sth)* verschütten; *sb 3. (fall)* Sturz *m*

• **spill over** *v* überlaufen, überfließen

spin [spɪn] *v irr 1.* sich drehen; *2. (person)* sich plötzlich umdrehen; *3. (yarn, a web)* spinnen; *4. (turn)* drehen; *5. (a top)* drehen lassen; *sb 6. take a car for a ~* mit einem Auto eine Spazierfahrt machen

spinach ['spɪnɪtʃ] *sb* Spinat *m*

spindle ['spɪndl] *sb* Spindel *f*

spindling ['spɪndlɪŋ] *adj* spindeldürr

spin doctor ['spɪndɒktə] *sb (fam)* POL Assistent eines Politikers, der für dessen öffentliches Ansehen arbeitet

spine [spaɪn] *sb 1.* ANAT Rückgrat *n; 2. (of a book)* Rücken *m*

spine-chilling ['spaɪntʃɪlɪŋ] *adj* gruselig

spine-tingling ['spaɪntɪŋlɪŋ] *adj* aufregend

spin-off ['spɪnɒf] *sb 1.* Nebenprodukt *n; 2. (TV)* Serie, die auf einer bereits etablierten Serie basiert
förmig

spiral staircase ['spaɪrəl 'steəkeɪs] *sb* Wendeltreppe *f*

spirit ['spɪrɪt] *sb 1.* Geist *m; That's the ~!* Richtig! *2. (enthusiasm)* Schwung *m*, Elan *m; 3. ~s pl (state of mind)* Stimmung *f*, Laune *f; 4. ~s pl (alcohol)* alkoholische Getränke *pl*, Spirituosen *pl; 5.* CHEM Spiritus *m*

spiritual ['spɪrɪtjʊəl] *adj 1.* geistig; *2.* REL geistlich

spit¹ [spɪt] *v irr 1.* spucken; *2. to be the ~ting image of s.o.* jdm wie aus dem Gesicht geschnitten sein; *sb 3. (saliva)* Spucke *f; 4. (act of ~ting)* Spucken *n*

• **spit out** *v irr 1.* ausspucken; *2. (fig: words)* ausstoßen

spit² [spɪt] *sb 1.* GEO Landzunge *f; 2. (for cooking)* Bratspieß *m*

spite [spaɪt] *sb 1.* Boshaftigkeit *f*, Gehässigkeit *f; out of ~* aus reiner Boshaftigkeit; *2. in ~ of* trotz; *3. in ~ of o.s.* obwohl man es gar nicht tun wollte

spiteful ['spaɪtfʊl] *adj* gehässig

spitting image ['spɪtɪŋ] *sb (fam)* Ebenbild *n*

spittle ['spɪtl] *sb* Spucke *f*, Speichel *m*

splash [splæʃ] *v 1. (liquid)* spritzen; *2. (rain)* klatschen; *3. (when playing)* plantschen; *4. (s.o.)* bespritzen; *5. (sth)(water)* spritzen; *sb 6.* Spritzen *n; 7. (noise)* Platschen *n; 8. (sensation)* Aufsehen *n*

• **splash out** *v ~ on sth (fam)* viel Geld für etw ausgeben

splatter ['splætə] *v 1.* spritzen, klecksen; *2. (sth)* spritzen; *3. (with sth)* bespritzen

splay [spleɪ] *adj* nach außen gestellt

splint [splɪnt] *sb* MED Schiene *f*

splinter ['splɪntə] *v* 1. splittern; *sb* 2. Splitter *m*

splinter party ['splɪntəpɑːtɪ] *sb* POL Splitterpartei *f*

split [splɪt] *v irr* 1. entzweibrechen; 2. *(trousers)* platzen; 3. *(group)* sich spalten; 4. *(fam: leave)* abhauen; 5. *(physically)* teilen, spalten; 6. *(divide)* spalten; 7. *(share)* sich teilen; *sb* 8. Riss *m*, Spalt *m*; 9. *(fig)* Bruch *m*; 10. *(in a party)* Spaltung *f*; 11. *banana* ~ Bananensplit *m*; 12. *do the* ~s Spagat machen; *adj* 13. gespalten
• **split up** *v* 1. *(lovers)* auseinander gehen; 2. *(group)* sich spalten; 3. *(sth)* aufteilen, teilen; 4. *(an organization)* spalten

split personality ['splɪt pɜːsə'nælɪtɪ] *sb* PSYCH gespaltene Persönlichkeit *f*

split screen [splɪt skriːn] *sb* TECH geteilter Bildschirm *m*

split second [splɪt 'sekənd] *sb* Bruchteil einer Sekunde *m*

spoil [spɔɪl] *v irr* 1. verderben; 2. *(sth)* verderben; 3. *(s.o.)* verwöhnen

spoiler ['spɔɪlə] *sb (aerodynamic attachment)* Spoiler *m*

spoil-sport ['spɔɪlspɔːt] *sb* Spielverderber *m*

sponge [spʌndʒ] *sb* 1. Schwamm *m*; *v* 2. ~ *down* abwaschen, abreiben

sponge cake ['spʌndʒkeɪk] *sb* Biskuitkuchen *m*

sponsor ['spɒnsə] *v* 1. fördern; 2. *(a future member)* bürgen für; 3. *(a bill)* POL befürworten; *sb* 4. Förderer *m*; 5. *(of a future member)* Bürge/Bürgin *m/f*; 6. *(of a team)* Sponsor *m*

sponsored ['spɒnsəd] *adj* gesponsert

spoof [spuːf] *sb* Parodie *f*

spook [spuːk] *sb* 1. Gespenst *n*; 2. *(fam: spy)* Spion *m*

sporadic [spə'rædɪk] *adj* sporadisch

spore [spɔː] *sb* Spore *f*, Keim *m*

sport [spɔːt] *sb* 1. Sport *m*; 2. *(one kind of* ~*)* Sportart *f*; 3. *(fun)* Spaß *m*; 4. *(fam: person)* anständiger Kerl *m*; *a good* ~ einer, der alles mitmacht, einer, der es nicht übel nimmt, wenn er verliert; *v* 5. stolz tragen, protzen mit; *(a black eye)* herumlaufen mit

sportful ['spɔːtful] *adj (done for mere play)* aus Spaß gemacht

sporting ['spɔːtɪŋ] *adj* 1. sportlich, Sports...; 2. *(decent)* anständig

sporting goods ['spɔːtɪŋɡʊdz] *pl* Sportartikel *m*

sports [spɔːts] *pl* Sport *m*

sportswear ['spɔːtsweə] *sb* Sportkleidung *f*

sporty ['spɔːtɪ] *adj (car)* sportlich

spot [spɒt] *v* 1. *(notice)* erkennen, sehen; *sb* 2. *(on an animal, on s.o.'s skin)* Fleck *m*; 3. *(pimple)* Pickel *m*; 4. *(dot)* Tupfen *m*, Punkt *m*; 5. *(fig: on one's reputation)* Makel *m*; 6. *(place)* Stelle *f*; *on the* ~ zur Stelle, *(immediately)* auf der Stelle, *(there and then)* an Ort und Stelle; 7. *put s.o. on the* ~ jdn in Verlegenheit bringen; 8. *a* ~ *of ...* (UK) ein bisschen ...; *We're in a* ~ *of bother.* Wir haben Schwierigkeiten. 9. *to be in a tight* ~ in der Klemme sitzen; 10. *a soft* ~ *(fig)* eine Schwäche *f*; 11. *(commercial)* Werbespot *m*

spotless ['spɒtlɪs] *adj* makellos

spotlight ['spɒtlaɪt] *sb* 1. Scheinwerfer *m*; 2. *(fig) to be in the* ~ im Mittelpunkt stehen

spouse [spaʊs] *sb* 1. Gatte/Gattin *m/f*, Gemahl/Gemahlin *m/f*; 2. JUR Ehepartner *m*

spout [spaʊt] *sb* 1. *(of a pump)* Auguss *m*; 2. *(of a kettle)* Schnauze *f*; 3. *(of a watering can)* Rohr *n*; 4. *(jet of water)* Wasserstrahl *m*; 5. *(coming from a whale)* Fontäne *f*; *v* 6. *(fam: say)* deklamieren

sprawl [sprɔːl] *v* 1. *(lie)* behaglich ausgestreckt liegen; *send s.o.* ~*ing* jdn zu Boden strecken; 2. *(sit)* behaglich ausgestreckt sitzen; 3. *(town)* sich weit ausdehnen

spray [spreɪ] *v* 1. sprühen; 2. *(water, mud)* spritzen; 3. *(plants)* spritzen; 4. *(hair)* sprayen; 5. *(water, paint)* sprühen; *sb* 6. *(for plants, medical* ~*, hair* ~*)* Spray *n*; 7. *(atomizer)* Sprühdose *f*; 8. *(of the sea)* Gischt *f*

spray paint ['spreɪpeɪnt] *sb* Sprühfarbe *f*

spread [spred] *v irr* 1. *(fire)* sich ausbreiten; 2. ~ *across (extend over)* sich erstrecken über, sich ausdehnen über; 3. *(news, disease)* sich verbreiten; 4. *(sth)* etw ausbreiten; 5. *(legs)* spreizen; 6. *(bread with butter)* bestreichen; 7. *(butter)* streichen, aufstreichen; 8. *(sand, fertilizer)* streuen; 9. *(news, a disease, a rumour)* verbreiten; *sb* 10. *(spreading)* Verbreitung *f*; 11. *(for bread)* GAST Aufstrich *m*; 12. *(fam: huge buffet, lots of food)* fürstliches Mahl *n*; 13. *(fig: range)* Umfang *m*; 14. *(cover)* Decke *f*
• **spread out** *v irr (people)* sich verteilen

spring [sprɪŋ] *v irr* 1. *(leap)* springen; ~ *to one's feet* aufspringen; 2. *(*~ *forth)* quellen, hervorquellen, *(fire)* sprühen; 3. ~ *from (arise)* entstammen; 4. ~ *sth on s.o.* jdn mit etw überraschen; 5. ~ *a leak* ein Leck bekommen; *sb* 6. *(season)* Frühling *m*; 7. *(of water)* Quelle *f*; 8.

(device) Feder *f, (in a mattress, in a seat)* Sprungfeder *f; (bounciness)* Elastizität *f; He walked with a ~ in his step.* Er ging mit federnden Schritten. 10. *(leap)* Sprung *m*
• **spring up** *v* 1. *(person)* aufspringen; 2. *(fig)* aus dem Boden schießen
spring-clean ['sprɪŋkli:n] *v* Frühjahrsputz machen
sprinkle ['sprɪŋkl] *v* 1. *(water)* sprengen; 2. *(sth with water)* besprengen; 3. *(sugar, salt)* streuen
sprint [sprɪnt] *v* 1. rennen; 2. *(in a race)* sprinten
sprout [spraut] *v* 1. *(seed)* treiben; 2. *(plant)* sprießen; 3. *(from a plant)* hochschießen; 4. *(sth)* treiben; 5. *(horns)* entwickeln; 6. *(fig: a moustache)* sich wachsen lassen; *sb* 7. Spross *m*
spruce¹ [spru:s] *sb* BOT Fichte *f*
spruce² [spru:s] *v ~ up* 1. *(a house)* auf Vordermann bringen (fam); 2. *~ o.s. up* sein Äußeres pflegen, *(get dressed up)* sich in Schale werfen
spud [spʌd] *sb (fam: potato)* Kartoffel *f*
spur [spɜ:] *sb* 1. Sporn *m;* 2. *(fig)* Ansporn *m;* 3. *on the ~ of the moment* ganz spontan; *v* 4. ~ *on* vorantreiben; 5. anspornen
spurt [spɜ:t] *v* 1. *(liquid)* herausspritzen; *sb* 2. *(of liquid)* Strahl *m;* 3. *(sudden burst of sth) a ~ of ...* plötzliche(r,s) ...; 4. *(acceleration)* Spurt *m*
spy [spaɪ] *sb* 1. Spion *m;* 2. spionieren; *~ on s.o.* jdm nachspionieren, jdn bespitzeln; 3. *(sth)* sehen
• **spy out** *v* auskundschaften
spyhole ['spaɪhəʊl] *sb* Guckloch *n*, Spion *m*
squad [skwɒd] *sb* 1. MIL Truppe *f;* 2. *(police) (special)* Kommando *n, (police department)* Dezernat *n;* 3. *(team)* Mannschaft *f;* 4. *(of workers)* Trupp *m*
squad car ['skwɒdkɑ:] *sb* Polizeiwagen *m*
squander ['skwɒndə] *v* 1. *(money)* vergeuden; 2. *(opportunities)* vertun
square [skweə] *adj* 1. quadratisch, viereckig; *~ metre* Quadratmeter *m;* 2. *(chin, shoulders)* eckig; 3. *(deal)* gerecht; 4. *(meal)* ordentlich; 5. *(fam: person)* spießig; 6. *to be ~ (debts)* in Ordnung sein; *to be all ~ (not to owe)* quitt sein; *to be all ~* SPORT gleich stehen; *sb* 7. Quadrat *n;* 8. *(in a town)* Platz *m;* 9. *(on a chessboard)* Feld *n; we were back to ~ one* wir müssten wieder von vorne anfangen; *v* 10. *(a number)* MATH quadrieren; 11. *(debts)* begleichen
squarely ['skweəlɪ] *adv* 1. *~ built* stämmig; 2. *It hit him ~ on the nose.* Es traf ihn direkt an der Nase.

squarish ['skweərɪʃ] *adj* ziemlich quadratisch
squash [skwɒʃ] *v* 1. *(sth)* zerdrücken, zerquetschen; *to be ~ed together* eng zusammengepresst sein; *sb* 2. *(US)* BOT Kürbis *m;* 3. SPORT Squash *n*
squat [skwɒt] *v* 1. hocken, kauern; 2. *(live somewhere illegally)* sich illegal ansiedeln, ein Haus besetzen; *adj* 3. gedrungen
squatter ['skwɒtə] *sb* 1. Squatter *m;* 2. *(in a house)* Hausbesetzer *m*
squawk [skwɔːk] *v* 1. kreischen; *sb* 2. Kreischen *n*
squeak [skwiːk] *v* 1. *(hinge, shoes)* quietschen; 2. *(mouse)* piepsen; 3. *(person)* quieksen; *sb* 4. Quiekser *m,* Piepser *m,* Quietschen *n*
squeaky-clean ['skwiːkɪ kliːn] *adj* blitzsauber
squeal [skwiːl] *v* 1. *(person)* schreien; 2. *(brakes)* kreischen; 3. *(pig)* quieksen; 4. *(fam: criminal)* singen, *(schoolboy)* petzen; *sb* 5. Schrei *m,* Kreischen *n,* Quieken *n*
squeeze [skwiːz] *v* 1. *~ into sth* sich in etw hineinzwängen; 2. *~ through* sich durchzwängen; 3. *(sth)* drücken; 4. *(a tube, a sponge)* ausdrücken; 5. *(an orange)* auspressen; *sb* 6. Drücken *n;* 7. *(hug)* Umarmung *f;* 8. *It was a tight ~.* Es war sehr eng.
squelch [skweltʃ] *v* *(sth)* abwürgen, vernichten, unterdrücken
squint [skwɪnt] *v* 1. schielen; 2. *(in bright light)* blinzeln; *sb* 3. MED Schielen *n,* Silberblick *m*
squirm [skwɜːm] *v* sich winden
stab [stæb] *v* 1. *(s.o.)* einen Stich versetzen; *~ s.o to death* jdn erstechen; 2. *(food)* durchstechen; *sb* 3. Stich *m; take a ~ at sth (fig)* etw probieren
stabile ['steɪbaɪl] *sb* ART unbewegliches abstraktes Kunstwerk aus Metall, Draht oder Holz *n*
stable ['steɪbl] *adj* 1. stabil; 2. *(job)* dauerhaft; 3. *(person)* ausgeglichen; *sb* 4. Stall *m;* 5. *(group of racehorses)* Rennstall *m*
stack [stæk] *v* 1. *(sth)* stapeln; *sb* 2. Stapel *m*
staddle ['stædl] *sb (bottom of a stack)* Unterbau eines Heuschobers *m*
staddle stone ['stædlstəʊn] *sb* Abstandsstein unter dem Boden eines Heuschobers oder Kornspeichers *m*
stadium ['steɪdɪəm] *sb* Stadion *n*
staff [stɑːf] *sb* 1. *(stick)* Stab *m;* 2. *(personnel)* Personal *n; to be on the ~ of* Mitarbeiter sein bei; 3. *(teaching ~)* Lehrkörper *m;* 4. *Chief of*

Staff POL Stabschef *m;* 5. *(general ~)* MIL Stab *m; v* 6. mit Personal besetzen

stag [stæg] *sb* ZOOL Hirsch *m*

stage [steɪdʒ] *v* 1. inszenieren; *sb* 2. Bühne *f;* 3. *(of a trip, of a race)* Etappe *f;* 4. *(phase)* Stadium *n,* Phase *f;* 5. *(of a rocket)* Stufe *f*

stage door [steɪdʒ dɔː] *sb* THEAT Bühneneingang *m*

stage fright [ˈsteɪdʒfraɪt] *sb* Lampenfieber *n*

stage name [ˈsteɪdʒneɪm] *sb* Künstlername *m*

stagger [ˈstægə] *v* 1. schwanken, *(nearly fall)* taumeln, *(drunkenly)* torkeln; *~ to one's feet* schwankend aufstehen; 2. *(s.o.)(fig)* erschüttern; 3. *(sth)* versetzt anordnen; 4. *(holidays)* staffeln

staging [ˈsteɪdʒɪn] *sb* Inszenierung *f*

stag night [stæg naɪt] *sb* Junggesellenabschied *m,* Männerabend des Bräutigams vor der Hochzeit *m*

stain [steɪn] *v* 1. *(make dirty)* beflecken; 2. *(colour: glass)* färben; 3. *(wood)* beizen; *sb* 4. Fleck *m;* 5. *(fig)* Makel *m;* 6. *(colouring)* Färbemittel *n;* 7. *(for wood)* Beize *f*

stained-glass window [ˈsteɪndɡlɑːsˈwɪndəʊ] *sb* Buntglasfenster *n*

stainless [ˈsteɪnlɪs] *adj* rostfrei

stain remover [ˈsteɪnrɪmuːvə] *sb* Fleckentferner *m*

stairway [ˈsteəweɪ] *sb* Treppe *f*

stake¹ [steɪk] *v* 1. *~ a claim to sth* sich ein Anrecht auf etw sichern; *sb* 2. *(post)* Pfahl *m*

stake² [steɪk] *sb* 1. *(financial interest)* Anteil *m;* 2. *(in gambling)* Einsatz *m; play for high ~s* um einen hohen Einsatz spielen; *to be at ~ (fig)* auf dem Spiel stehen; *v* 3. *(risk)* setzen

• **stake out** *v (land)* abstecken

stale [steɪl] *adj* 1. alt; 2. *(fam: person)* eingerostet; 3. *(beer)* abgestanden; 4. *(joke)* abgedroschen; 5. *(bread)* altbacken; 6. *(air)* verbraucht

stalemate [ˈsteɪlmeɪt] *sb* Patt *n*

stalk [stɔːk] *v* 1. *(walk stiffly)* stolzieren; 2. *(sth) (game)* sich anpirschen an, *(a person)* verfolgen; *sb* 3. BOT Stiel *m*

stall¹ [stɔːl] *v* 1. *(delay)* Ausflüchte machen; *~ for time* Zeit schinden; 2. *(engine)* absterben; 3. *~ s.o.* jdn hinhalten

stall² [stɔːl] *sb* 1. Stand *m,* Bude *f;* 2. REL Kirchenstuhl *m;* 3. *~s pl (UK: in a theatre)* Parkett *n*

stammer [ˈstæmə] *v* 1. stottern; 2. *(with embarrassment)* stammeln

stamp [stæmp] *v* 1. *(walk)* stampfen, *(horse)* aufstampfen; 2. *(sth)* stempeln, *(with a machine)* prägen; 3. *(one's name)* aufstempeln, aufprägen; 4. *(put postage on)* frankieren; 5. *~ s.o. as* stempeln als, kennzeichnen als; 6. *~ one's foot* mit dem Fuß stampfen; *sb* 7. *(postage ~)* Briefmarke *f;* 8. *(mark, instrument)* Stempel *m;* 9. *a man of that ~* ein Mann dieses Schlages

• **stamp out** *v* 1. *(a fire)* austreten; 2. *(fig: an epidemic)* ausrotten

stampede [stæmˈpiːd] *sb* 1. *(by animals)* panische Flucht *f;* 2. *(by people)* Massenansturm *m*

stance [stæns] *sb* 1. Haltung *f,* Einstellung *f;* 2. *(fig)* Einstellung *f*

stand [stænd] *v irr* 1. stehen; *as it ~s* so wie die Sache aussieht; 2. *(get up)* aufstehen; 3. *(to be a certain height)* hoch sein, *(person)* groß sein; 4. *(still be valid)* gelten, *(record, decision)* stehen; 5. *~ as a candidate (UK)* kandidieren; 6. *~ to gain a lot* viel gewinnen können; 7. *~ for sth* für etw stehen, etw repräsentieren; 8. *~ together* zusammenhalten; 9. *(withstand)* standhalten, *(person)* gewachsen sein; *~ one's ground* sich behaupten; 10. *(place sth)* stellen; 11. *~ a chance* eine gute Chance haben; 12. *(put up with)* aushalten; *sb* 13. *(booth, taxi ~)* Stand *m;* 14. *(piece of furniture, rack)* Ständer *m;* 15. *(witness ~)(US)* Zeugenstand *m;* 16. *(~s)* SPORT Zuschauertribüne *f;* 17. *(fig: on an issue)* Standpunkt *m,* Einstellung *f; take a ~ on sth* zu etw eine Stellung nehmen; 18. *(resistance in battle)* Widerstand *m; make a ~* sich widersetzen

• **stand back** *v irr* zurücktreten

• **stand down** *v irr* 1. zurücktreten; 2. JUR den Zeugenstand verlassen

• **stand in** *v irr ~ for s.o.* für jdn einspringen

• **stand up** *v irr* 1. *(arise)* aufstehen; 2. *(to be standing)* stehen; 3. *~ for sth* für etw eintreten; 4. *~ to s.o.* sich jdm gegenüber behaupten; 5. *stand s.o. up (fam: fail to meet s.o.)* jdn versetzen, jdn sitzen lassen

standard [ˈstændəd] *adj* 1. üblich; 2. ECO handelsüblich, Standard..., Norm... *sb* 3. Norm *f;* 4. *(monetary)* FIN Standard *m;* 5. *(criterion)* Maßstab *m; double ~* doppelte Moral *f;* 6. *(level)* Niveau *n;* 7. *(one's expectation)* Anforderung *f;* 8. *(flag)* Fahne *f*

standing [ˈstændɪn] *sb* 1. *(position)* Rang *m;* 2. *(duration)* Dauer *f;* 3. *of long ~* langjährig, alt; *sb* 4. *(repute)* Ruf *m; adj* 5. *(established)* ständig, bestehend; *become a ~ joke* sprichwörtlich werden

standing ovation ['stændɪŋ əʊ'veɪʃən] *sb* give s.o. a ~ jdm im Stehen Beifall klatschen
standstill ['stændstɪl] *sb* Stillstand *m; come to a ~* zum Stillstand kommen, *(person)* anhalten, *(vehicle)* zum Stehen kommen
stand-up comedy ['stændʌp 'kɒmədɪ] *sb* witzige Einmannvorstellung *f*
staple ['steɪpl] *sb 1. (food)* Hauptnahrungsmittel *n; 2. (fastener) (for paper)* Heftklammer *f, (for cables)* Krampe *f*
star [stɑː] *sb 1.* Stern *m; the ~s and stripes* das Sternenbanner *n; 2. (person)* Star *m; v 3.* die Hauptrolle spielen; *4. (s.o.) CINE* jdn in der Hauptrolle zeigen; *a film ~ring William Hurt* ein Film mit William Hurt
stare [steə] *v 1.* starren; *~ at s.o.* jdn anstarren; *sb 2.* starrer Blick *m*
stargazing ['stɑːgeɪzɪŋ] *sb 1.* Betrachten der Sterne *n; 2. (astrology)* Sterndeutung *f*
stark [stɑːk] *adj 1.* krass; *2. (landscape)* nackt; *adv 3. ~ naked* splitternackt
start [stɑːt] *v 1.* anfangen, beginnen; *to ~ with* zunächst einmal; *2. (engine)* anspringen; *3. (found)* gründen; *4. (career, argument)* anfangen, beginnen; *5. (a fire)* anzünden; *6. (sth)* anfangen mit; *7. (a car)* starten; *sb 8.* Beginn *m,* Anfang *m; from ~ to finish* von Anfang bis Ende; *9. SPORT* Start *m; 10. (fright)* Auffahren *n,* Zusammenfahren *n,* Zusammenschrecken *n; give s.o. a ~* jdn erschrecken
• **start off** *v 1.* anfangen; *2. (moving)* losgehen; *3. (on a journey)* aufbrechen; *4. (sth)* anfangen
• **start up** *v 1. (move)* aufspringen, hochspringen; *2. (begin)* anfangen
starter ['stɑːtə] *sb 1. (of a car) TECH* Anlasser *m; 2. (fam: first course) GAST* Vorspeise *f; 3. (of a race) SPORT* Starter *m; 4. (player in the starting lineup) SPORT* Stammspieler *m*
starting point ['stɑːtɪŋ pɔɪnt] *sb* Ausgangspunkt *m*
starting salary ['stɑːtɪŋ 'sælərɪ] *sb* Anfangsgehalt *n*
starve [stɑːv] *v 1.* hungern; *2. (to death)* verhungern; *3. I'm starving.* (fig: I'm hungry) Ich sterbe vor Hunger. *4. (s.o.)* hungern lassen
state [steɪt] *v 1.* angeben, feststellen, darlegen; *sb 2. POL* Staat *m; 3. (pomp)* Pomp *m; 4. (condition)* Zustand *m; 5. ~ of emergency* Notstand *m; 6. ~ of affairs* Stand *m,* Lage *f*
statement ['steɪtmənt] *sb 1.* Erklärung *f,* Feststellung *f, (claim)* Behauptung *f; 2. (representation)* Darstellung *f; 3. (bank ~)* Auszug *m*
state-of-the-art ['steɪtəvðiːˈɑːt] *adj* hochmodern

state secret [steɪt'siːkrɪt] *sb* Staatsgeheimnis *n*
stateside ['steɪtsaɪd] *adj* in den Staaten; aus den Staaten
state trooper [steɪt 'truːpə] *sb (US)* Soldat der amerikanischen Nationalgarde *m*
statewide [steɪt waɪd] *adj* im gesamten Bundesgebiet
station ['steɪʃən] *sb 1.* Station *f; the Stations of the Cross* die Stationen des Kreuzweges; *2. (bus ~, train ~)* Bahnhof *m; 3. (radio/TV)* Sender *m; 4. (police ~)* Wache *f; 5. (position)* Platz *m; 6. (in society)* Rang *m,* Stand *m; 7. MIL* Posten *m; v 8. (o.s., s.o.)* aufstellen; *9. MIL* stationieren
stationary ['steɪʃənərɪ] *adj 1. to be ~* stillstehen, *(car)* stehen; *2. (not movable)* fest, feststehend
stationery ['steɪʃənərɪ] *sb 1. (paper)* Briefpapier *n; 2. (writing materials)* Schreibwaren *pl*
station wagon ['steɪʃənwægən] *sb (US)* Kombiwagen *m*
statistic [stə'tɪstɪk] *sb* Statistik *f; ~s pl* Statistik *f*
stative ['steɪtɪv] *adj GRAMM* zustandsbeschreibend
statue ['stætjuː] *sb* Statue *f,* Standbild *n*
statuesque [stætju'esk] *adj (woman)* mit klassischen Maßen
stature ['stætʃə] *sb 1.* Wuchs *m,* Statur *f,* Gestalt *f; 2. (fig)* Format *n,* Kaliber *n*
status ['steɪtəs] *sb 1.* Status *m; 2. marital ~* Familienstand *m*
status symbol ['steɪtəssɪmbəl] *sb* Statussymbol *n*
staunch [stɔːntʃ] *adj* treu
stave [steɪv] *sb 1. (stick)* Knüppel *m; 2. (of a cask)* Daube *f; 3. (of a ladder)* Sprosse *f; v irr 4. ~ off* abwehren; *5. ~ off (delay)* aufschieben
stay [steɪ] *v 1.* bleiben; *2. (reside)* wohnen; *sb 3.* Aufenthalt *m; 4. (~ of execution)* Aussetzung *f*
• **stay away** *v 1.* wegbleiben; *2. ~ from s.o.* jdm fernbleiben
staying power ['steɪɪŋ] *sb* Stehvermögen *n,* Ausdauer *f*
steadiness ['stedɪnɪs] *sb 1.* Festigkeit *f,* Ruhe *f; 2. (reliability)* Zuverlässigkeit *f*
steady ['stedɪ] *adj 1.* fest; *2. (constant)* ständig; *3. (hand, eye, voice)* ruhig; *4. (ladder)* standfest; *5. (reliable)* zuverlässig; *v 6. (sth)(a boat)* wieder ins Gleichgewicht bringen; *7. (s.o., s.o.'s nerves)* beruhigen
steak [steɪk] *sb* Steak *n*

steal [stiːl] *v irr 1.* stehlen; *2. ~ a glance at s.o.* jdm einen verstohlenen Blick zuwerfen

steam [stiːm] *sb 1.* Dampf *m; let off ~* Dampf ablassen; *at full ~* mit Volldampf; *2. (from a swamp)* Dunst *m; v 3.* dampfen; *4. (sth)* dämpfen

• **steam up** *v (glass)* beschlagen

steamboat ['stiːmbəʊt] *sb* Dampfer *m,* Dampfschiff *n*

steam engine ['stiːmendʒɪn] *sb* Dampfmaschine *f,* Dampflokomotive *f*

steamer ['stiːmə] *sb 1. NAUT* Dampfer *m; 2. GAST* Dampfkochtopf *m*

steamy ['stiːmɪ] *adj* dampfig, dunstig

steel [stiːl] *sb 1.* Stahl *m; v 2. ~ o.s. (mentally)* sich stählen

steep [stiːp] *adj 1.* steil; *2. (fam: price)* gepfeffert; *v 3.* eintauchen, einweichen; *4. (fig) ~ed in tradition* traditionsreich

steeple ['stiːpl] *sb* Kirchturm *m*

steer [stɪə] *v 1.* lenken; *~ clear of sth (fig)* etw vermeiden; *2. NAUT* steuern; *sb 3. ZOOL* junger Ochse *m*

steering ['stɪərɪŋ] *sb 1.* Lenkung *f; 2. NAUT* Steuerung *f*

steering wheel ['stɪərɪŋ wiːl] *sb* Lenkrad *n,* Steuer *n*

stem¹ [stem] *sb 1. BOT* Stiel *m, (of a woody plant)* Stamm *m; 2. (of a word) LING* Stamm *m; 3. (of a pipe)* Hals *m; 4. (of a glass)* Stiel *m; 5. NAUT* Steven *m; v 6. ~ from* herrühren von

stem² [stem] *v (stop)* aufhalten, *(tide)* eindämmen, *(bleeding)* stillen

stench [stentʃ] *sb* Gestank *m*

stenography [stə'nɒɡrəfɪ] *sb* Kurzschrift *f,* Stenografie *f*

stentor ['stentɔː] *sb* Stentor *m*

step [step] *v 1.* treten, gehen; *2. Step on it! (fam)* Gib Gas! *(fig: hurry up)* Tempo! Beeil dich! *sb 3.* Schritt *m; ~ by ~* schrittweise; *out of ~ with (fig)* nicht in Einklang mit; *watch one's ~* vorsichtig gehen; *4. (sound of a ~)* Tritt *m; 5. (measure)* Schritt *m,* Maßnahme *f; take ~s* Schritte unternehmen; *6. (in a process)* Stufe *f; 7. (stair)* Stufe *f; ~s* Treppe *f*

• **step back** *v* zurücktreten

• **step in** *v 1.* eintreten; *2. (fig)* eingreifen, einschreiten

• **step up** *v (production)* steigern

step dance ['stepdɑːns] *sb* Solotanz mit komplizierter Schrittfolge *m*

stepladder ['steplædə] *sb* Trittleiter *f*

step-parent ['steppeərənt] *sb 1. (woman)* Stiefmutter *f; 2. (man)* Stiefvater *m*

stereo ['sterɪəʊ] *sb 1. (unit)* Stereoanlage *f; 2. in ~* in Stereo

stereotype ['sterɪəʊtaɪp] *sb 1. (fig)* Stereotyp *n,* Klischee *n; v 2. (fig)* klischeehaft darstellen

sterile ['steraɪl] *adj 1. (germ-free)* keimfrei; *2. (fig)* steril; *3. (person)* steril; *4. (animal)* unfruchtbar

sterilization [sterɪlaɪ'zeɪʃən] *sb* Sterilisation *f,* Sterilisierung *f*

sterling ['stɜːlɪŋ] *sb pound ~ (UK)* Pfund Sterling *n*

stern [stɜːn] *adj* streng

steward ['stjuːəd] *sb (attendant)* Steward *m*

stewardess ['stjuːədes] *sb* Stewardess *f*

stick¹ [stɪk] *sb 1.* Stock *m; 2. (twig)* Zweig *m; 3. (hockey ~)* Schläger *m; 4. (drum ~)* Schlegel *m; 5. (of celery, of dynamite)* Stange *f; 6. get hold of the wrong end of the ~* etw völlig falsch verstehen

stick² [stɪk] *v irr 1. (adhere)* kleben; *2. (not come open easily)* festsitzen, *(door)* klemmen; *3. (become caught)* stecken bleiben; *4. (stay)* bleiben; *~ to* bleiben bei; *5. (pointed object)* stecken; *6. (sth)(with glue)* kleben; *7. (pin)* stecken; *8. (jab)* stoßen; *9. (fam: put)* tun; *I stuck it in my pocket.* Ich habe es eingesteckt. *10. (UK: tolerate)* aushalten; *11. to be stuck (fam: perplexed)* nicht klarkommen; *12. to be stuck with sth* etw am Hals haben

• **stick around** *v irr (fam)* dableiben, *(near the speaker)* hier bleiben

• **stick at** *v irr (persist at)* dranbleiben

• **stick down** *v irr* festkleben, zukleben

• **stick out** *v irr 1. (protrude)* vorstehen; *2. (fig: to be noticeable)* auffallen; *3. (one's tongue, one's arm)* herausstrecken; *4. stick sth out (persevere)* etw aushalten, etw durchstehen

sticker ['stɪkə] *sb* Aufkleber *m*

sticky ['stɪkɪ] *adj 1.* klebrig; *2. (weather)* schwül; *3. (fig: situation)* heikel; *4. (unpleasant) a ~ end (fam)* ein schreckliches Ende

stiff [stɪf] *adj 1.* steif; *2. (difficult)* schwierig; *3. (competition, punishment)* hart; *4. (manner)* steif, formell, gezwungen; *keep a ~ upper lip* kühl bleiben; *5. (drink, resistance)* stark

stiffen ['stɪfn] *v 1.* sich versteifen; *2. (person)* starr werden

stiff-necked ['stɪfnekd] *adj* halsstarrig

stiletto [stɪ'letəʊ] *sb* Stilett *n*

stiletto heels [stɪ'letəʊ hiːlz] *pl* Pfennigabsätze *pl*

still¹ [stɪl] *adv 1.* noch, *(for emphasis)* immer noch, *(now as in the past)* nach wie vor; *2. (ne-*

vertheless) trotzdem; 3. *(even)* noch; ~ *better* noch besser; *konj* 4. dennoch, und doch; *adj* 5. *(motionless)* bewegungslos, ruhig; 6. *stand ~* still stehen; *sb* 7. *(photo)* Standfoto *n*; 8. *(~ness)* Stille *f*

still² [stɪl] *sb (distilling apparatus)* Destillierapparat *m*

still birth [stɪl bɜ:θ] *sb* Totgeburt *f*

stillborn ['stɪlbɔ:n] *adj* tot geboren

stimulant ['stɪmjʊlənt] *sb* Anregungsmittel *n*

stimulate ['stɪmjʊleɪt] *v* 1. stimulieren; 2. *(the circulation)* anregen

stimulus ['stɪmjʊləs] *sb* 1. Stimulus *m*; 2. *(incentive)* Anreiz *m*; 3. *(physical)* Reiz *m*

sting [stɪŋ] *v irr* 1. brennen; 2. *(insect)* stechen; 3. *(fig: remarks)* schmerzen; 4. *(s.o.)* stechen, *(by a jellyfish)* verbrennen; *sb* 5. *(act of stinging)* Stich *m*, *(by a jellyfish)* Brennen *n*; 6. *(stinging organ)* Stachel *m*, *(of a jellyfish)* Brennfaden *m*

stingy ['stɪndʒɪ] *adj* geizig, knauserig (fam)

stink [stɪŋk] *v irr* 1. stinken; 2. Gestank *m*; 3. *(fam: fuss)* Stunk *m*; raise a ~ Stunk machen

stinks [stɪŋks] *sb (UK)(fam)* Chemie *f*

stint [stɪnt] *sb* Schicht *f*; Last year he had a ~ as chairman. Im letzten Jahr war er eine Weile Vorsitzender. I did my daily ~ on the weights. Ich machte mein tägliches Gewichtstraining.

stipend ['staɪpənd] *sb* Lohn *m*

stipulate ['stɪpjʊleɪt] *v* 1. *(specify)* festsetzen; 2. *(make a condition)* voraussetzen

stir [stɜ:] *v* 1. *(person)* sich regen; *(animal, object)* sich bewegen; *(feeling)* wach werden; 2. *(liquid)* umrühren; *(mixture)* rühren; 3. *(s.o.)* aufreizen; 4. *(curiosity)* erregen; 5. *(move)* bewegen; *sb* 6. *(excitement)* Aufregung *f*; cause a ~ für Aufregung sorgen

• **stir up** *v* 1. *(liquid)* umrühren; 2. ~ *trouble* Unruhe stiften

stitch [stɪtʃ] *v* 1. *(sth)* nähen; 2. *(mend)* zusammenflicken; 3. MED vernähen; *sb* 4. Stich *m*, *(in knitting)* Masche *f*; a ~ in time saves nine gleich getan ist viel gespart; 5. *(pain)* Seitenstechen *n*; to be in ~es *(fig)* sich totlachen

stitcher ['stɪtʃə] *sb* Näher *m*

stock [stɒk] *v* 1. *(a product)* führen; 2. *(a cupboard)* füllen; 3. *(a pond)* mit Fischen besetzen; *sb* 4. *(supply)* Vorrat *m*; in ~ vorrätig; take ~ of the situation die Lage abschätzen; 5. ECO Bestand *m*; 6. FIN Aktien *pl*; 7. GAST Brühe *f*; 8. *(ethnic)* Stamm *m*; 9. *(of a rifle)* Schaft *m*; 10. Standard...

stockbroker ['stɒkbrəʊkə] *sb* Börsenmakler *m*

stock company ['stɒkkʌmpənɪ] *sb (US)* Repertoiretheater *n*

stockholder ['stɒkhəʊldə] *sb (US)* FIN Aktionär *m*

stocking ['stɒkɪŋ] *sb* 1. Strumpf *m*; 2. *(knee-length)* Kniestrumpf *m*

stock market ['stɒkmɑ:kɪt] *sb* FIN Börse *f*

stock-still [stɒk'stɪl] *adj* stand ~ regungslos stehen

stock-taking ['stɒkteɪkɪŋ] *sb* 1. Inventur *f*; 2. *(fig)* Bestandsaufnahme *f*

stocky ['stɒkɪ] *adj* stämmig

stoke [stəʊk] *v* heizen, schüren

• **stoke up** *v* 1. *(heat)* beheizen; 2. *(eat)* sich satt essen

stole [stəʊl] *sb* Stola *f*

stolen ['stəʊlən] *adj* gestohlen

stomach ['stʌmək] *sb* 1. Magen *m*; 2. *(belly)* Bauch *m*; *v* 3. *(fig)* vertragen

stomach-ache ['stʌməkeɪk] *sb* Magenschmerzen *pl*

stone [stəʊn] *sb* 1. Stein *m*; 2. *(UK: unit of weight)* 6,35 kg; *v* 3. *(pelt with ~s)* mit Steinen bewerfen; 4. *(fruit)* entkernen

stone-blind ['stəʊnblaɪnd] *adj* stockblind

stone-cold ['stəʊnkəʊld] *adj* eiskalt

stone-dead ['stəʊnded] *adj* mausetot

stone-deaf ['stəʊndef] *adj* stocktaub

stoneware ['stəʊnweə] *sb* Steingut *n*

stonewashed ['stəʊnwɒʃt] *adj* stone-washed

stonework ['stəʊnwɜ:k] *sb* Mauerwerk *n*

stony ['stəʊnɪ] *adj* 1. steinig; 2. *(fig: gaze)* starr

stoop [stu:p] *v* 1. sich bücken, sich beugen; *sb* 2. *(US)* Treppe *f*

stop [stɒp] *v* 1. *(come to a halt)* anhalten; Stopp! Halt! 2. *(cease)* aufhören; ~ *at nothing* vor nichts zurückschrecken; 3. *(fighting)* abbrechen; 4. *(machine)* nicht mehr laufen, *(clock)* stehen bleiben; 5. *(an action)* aufhören mit; Stop it! Hör auf damit! 6. *(from continuing)* ein Ende machen; 7. *(prevent from happening)* verhindern; 8. *(prevent from doing)* abhalten; 9. *(interrupt temporarily)* unterbrechen; 10. *(halt)* anhalten, *(briefly)* aufhalten; 11. *(a machine)* abstellen; 12. *(payments, production)* einstellen; 13. *(a cheque)* sperren; 14. *(a ball)* SPORT stoppen; 15. ~ *up (block up)* verstopfen, zustopfen; *sb* 16. Stillstand *m*; come to a ~ zum Stillstand kommen; put a ~ to sth etw ein Ende machen; 17. FOTO Blende *f*; 18. *(break)* Pause *f*; 19. *(bus ~)* Haltestelle *f*; 20. *(for a train)* Station *f*; 21. *(stay)* Aufenthalt *m*; 22. *(UK: punctuation mark)* Punkt *m*

stoplight ['stɒplaɪt] *sb 1. (UK)* Bremslicht *n;* 2. *(US: traffic light)* rotes Licht *n*

stopover ['stɒpəʊvə] *sb* Zwischenstation *f, (for a plane)* Zwischenlandung *f*

stopwatch ['stɒpwɒtʃ] *sb* Stoppuhr *f*

store [stɔː] *v 1.* lagern; *(documents)* aufbewahren; *(furniture)* lagern; *sb 2. (large shop)* Geschäft *n;* 3. *(US: shop)* Laden *m;* 4. *(storage place)* Lager *n;* 5. *(supply)* Vorrat *m;* 6. *to be in ~ for s.o.* jdm bevorstehen; 7. *set great ~ by* großen Wert legen auf, viel halten von

storeroom ['stɔːruːm] *sb 1.* Lagerraum *m;* 2. *(for food)* Vorratskammer *f*

storey ['stɔːrɪ] *sb* Stockwerk *n,* Etage *f; on the third ~* im dritten Stock, *(US)* im zweiten Stock; *a three-~ building* ein dreistöckiges Gebäude

stork [stɔːk] *sb ZOOL* Storch *m*

storm [stɔːm] *sb 1.* Sturm *m,* Unwetter *n;* 2. *take sth by ~* etw im Sturm erobern; *v 3. (move violently)* stürmen; 4. *MIL* stürmen

storm window ['stɔːmwɪndəʊ] *sb* äußeres Doppelfenster *n*

story ['stɔːrɪ] *sb 1.* Geschichte *f; That's another ~. (fig)* Das ist etw ganz anderes. *It's the same old ~. (fig)* Es ist immer das alte Lied. 2. *(article)* Artikel *m;* 3. *(plot)* Handlung *f;* 4. *(lie)* Märchen *n;* 5. *(US: of a building) (see "storey")*

storybook ['stɔːrɪbʊk] *adj* Bilderbuch..., märchenhaft

storyteller ['stɔːrɪtelə] *sb* Geschichtenerzähler *m*

stove [stəʊv] *sb* Herd *m*

stow [stəʊ] *v* verladen, verstauen
• **stow away** *v 1.* als blinder Passagier fahren; 2. *(sth)* verstauen

straight [streɪt] *adj 1.* gerade; *Your tie isn't ~.* Deine Krawatte sitzt schief. *keep a ~ face* das Gesicht nicht verziehen; 2. *(hair)* glatt; 3. *(whisky)* pur; 4. *(frank)* offen, direkt, *(honest)* ehrlich; 5. *(continuous)* in Folge; *The team won three ~ matches.* Die Mannschaft gewann drei Spiele in Folge. 6. *~ A's* glatte Einsen; 7. *(fam: boringly proper) (person)* spießig; 8. *(fam: heterosexual)* heterosexuell; 9. *get sth ~ (fig: make sth clear)* etw klarstellen; *adv 10.* gerade; *I can't think ~.* Ich kann nicht richtig denken. 11. *go ~* geradeaus gehen; 12. *go ~ (fig)* ein ehrliches Leben beginnen; 13. *(directly)* direkt; *~ through sth* glatt durch etw; *~ ahead* geradeaus; *give it to s.o. ~* jdm etw klipp und klar sagen; *~ away* sofort

straightforward [streɪt'fɔːwəd] *adj 1. (not complicated)* einfach; 2. *(frank)* offen

strain [streɪn] *v 1. (exert effort)* sich anstrengen; 2. *(sth) (put strain on)* belasten; 3. *(s.o.'s patience)* überfordern; 4. *MED (a muscle)* zerren, *(eyes, heart, back)* überanstrengen, *(an ankle)* verrenken; 5. *(stretch)* spannen; 6. *(filter)* sieben, *(vegetables)* abgießen; *sb 7.* Belastung *f,* Beanspruchung *f;* 8. *(muscle ~) MED* Zerrung *f;* 9. *(on one's heart, eyes, back) MED* Überanstrengung *f;* 10. *~s pl (of music)* Klänge *pl;* 11. *(breed) (of a virus)* Art *f, (of animals)* Rasse *f, (of plants)* Sorte *f;* 12. *(streak)* Hang *m,* Zug *m*

strained [streɪnd] *adj (not comfortable, not natural)* angespannt, *(conversation, laugh)* gezwungen

strait [streɪt] *sb* Meerenge *f,* Straße *f; in dire ~s (fig)* in einer Notlage

strait-laced ['streɪtleɪst] *adj* prüde, sittenstreng

strand¹ [strænd] *v to be ~ed* gestrandet sein

strand² [strænd] *sb 1.* Strang *m;* 2. *(of hair)* Strähne *f;* 3. *(fig: of a story)* Faden *m*

strange [streɪndʒ] *adj 1. (unfamiliar)* fremd, *(activity)* ungewohnt; 2. *(peculiar)* seltsam, sonderbar

stranger ['streɪndʒə] *sb* Fremde(r) *m/f; to be no ~ to sth (fig)* mit etw vertraut sein

strap [stræp] *v 1. ~ sth onto sth* etw auf etw schnallen; *~ o.s. in* sich anschnallen; *~ sth down* etw festschnallen; *sb 2.* Riemen *m;* 3. *(shoulder ~)* Träger *m;* 4. *(of a watch)* Armband *n*

strapping ['stræpɪŋ] *adj* stramm

strategic [strə'tiːdʒɪk] *adj* strategisch, taktisch

strategy ['strætədʒɪ] *sb 1.* Strategie *f;* 2. *SPORT* Taktik *f*

straw [strɔː] *sb 1.* Stroh *n;* 2. *(one stalk)* Strohhalm *m; draw ~s* Strohhalme ziehen; *draw the ~* den kürzeren ziehen; *short ~* kürzeres Ende; *That's the last ~! (fig)* Das hat gerade noch gefehlt! *grasp at ~s (fig)* sich an einen Strohhalm klammern; 3. *(drinking ~)* Strohhalm *m,* Trinkhalm *m*

strawberry ['strɔːbərɪ] *sb BOT* Erdbeere *f*

stray [streɪ] *v 1.* streunen, sich verirren; 2. *(thoughts)* abschweifen; *adj 3. (dog)* streunend; 4. *(child, bullet)* verirrt; *sb 5.* streunendes Tier *n*

streak [striːk] *v 1.* flitzen; 2. *(sth)* streifen; *sb 3. (strip)* Streifen *m;* 4. *(in hair)* Strähne *f;* 5. *(of light)* Strahl *m;* 6. *(fig: trace)* Spur *f;* 7. *(humorous)* Ader *f;* 8. *(of meanness)* Zug *m*

stream [striːm] *v 1.* strömen, fließen; *sb 2. (small river)* Bach *m;* 3. *(flow)* Strom *m*

street [striːt] *sb* Straße *f; in the ~* auf der Straße; *He lives on Lincoln Street.* Er wohnt in der Lincoln Street. *at ~ level* zu ebener Erde; *the man in the ~ (fig)* der Mann auf der Straße *That's right up your ~. (fig)* Das ist wie geschaffen für dich.

streetcar ['striːtkɑː] *sb* Straßenbahn *f*

street smart ['striːtsmɑːt] *adj* gewieft, mit allen Wassern gewaschen

street value ['striːtvæljuː] *sb* Schwarzmarktpreis *m*

streetwalker ['striːtwɔːlkə] *sb* Straßenmädchen *n*

strength [streŋθ] *sb* 1. Stärke *f;* 2. *(physical ~)* Kraft *f;* 3. *(of a colour)* Intensität *f*

stress [stres] *v* 1. *(emphasize)* betonen; 2. *(a syllable)* betonen; *sb* 3. *(strain)* Belastung *f,* Stress *m;* 4. TECH Belastung *f,* Beanspruchung *f;* 5. *(pressure)* Druck *m;* 6. *(emphasis)* Nachdruck *m;* 7. *(accent)* Betonung *f*

stretch [stretʃ] *v* 1. *(elastic)* sich dehnen; 2. *(landscape)* sich erstrecken; 3. *(person)* sich strecken, sich recken; *~ for sth* nach etw langen; 4. *(sth) (pull tight)* spannen; 5. *(expand)* dehnen; 6. *(a part of one's body)* dehnen; 7. *(make go further) (money)* strecken; *(abilities)* bis zum Äußersten fordern; 8. *~ sth (truth, rule)* es mit etw nicht allzu genau nehmen; *sb* 9. *(of road)* Strecke *f, (of countryside)* Stück *n;* 10. *(of a journey)* Abschnitt *m;* 11. *(of time)* Zeitspanne *f,* Zeitraum *m;* 12. *(stretching)* Strecken *n*

stretcher ['stretʃə] *sb* Tragbahre *f*

stride [straɪd] *sb* 1. langer Schritt *m;* 2. *take sth in (one's) ~* etw gut verkraften; *v* 3. schreiten *f*

strife [straɪf] *sb* Streit *m*

strike [straɪk] *v irr* 1. *(clock)* schlagen; 2. *(blow, bullet, disaster)* treffen; 3. *(disease)* zuschlagen; 4. *(employees)* streiken; 5. *(sth)* schlagen; 6. *(oil, gold)* finden, stoßen auf; 7. *(impress)* beeindrucken; 8. *~ fear into s.o.'s heart* jdn mit Angst erfüllen; 9. *(occur to)* in den Sinn kommen, auffallen; 10. *(camp)* abbrechen; 11. *~ a balance between sth and sth* das richtige Verhältnis von etw zu etw finden; *sb* 12. *(by workers)* Streik *m,* Ausstand *m;* 13. MIL Angriff *m*

striking ['straɪkɪŋ] *adj (fig)* auffallend, bemerkenswert; *(beauty)* eindrucksvoll

string [strɪŋ] *sb* 1. Schnur *f;* 2. *pull ~s* Beziehungen spielen lassen; 3. *(of a puppet)* Draht *m;* 4. *the ~s* MUS die Streichinstrumente *pl;* 5. *(fam: condition)* Bedingung *f; with no ~s at-*

tached ohne Bedingungen; 6. *(series)* Reihe *f,* Kette *f; v irr* 7. *(pearls)* auf eine Schnur aufziehen; 8. *(a musical instrument)* mit Saiten bespannen

• **string along** *v irr string s.o. along (fam)* jdn hinhalten

string instrument ['strɪŋ 'ɪnstrəmənt] *sb* Streichinstrument *n*

string quartet [strɪŋ kwɔː'tet] *sb* Streichquartett *n*

strip [strɪp] *v* 1. sich ausziehen; *(for a medical examination)* sich frei machen; *~ to the waist* den Oberkörper frei machen; 2. *(do a striptease)* strippen; 3. *(a bed)* abziehen; 4. *(paint)* abziehen; *(with liquid)* abbeizen; 5. *~ s.o. of a title* jdm seinen Titel aberkennen; *sb* 6. Streifen *m*

strip club [strɪp klʌb] *sb* Striptease-Klub *m,* Striplokal *n*

stripper ['strɪpə] *sb* 1. *(person)* Stripper *m,* Stripteasetänzer *m;* 2. *(peeling device)* Tapetenlöser *m*

striptease ['strɪptiːz] *sb* Striptease *m*

strive [straɪv] *v irr* 1. *~ to do sth* sich bemühen, etw zu tun; 2. *~ for sth* etw anstreben, nach etw streben

stroke [strəʊk] *v* 1. streicheln; *sb* 2. *(caress)* Streicheln *n;* 3. *(blow, of a clock, in tennis)* Schlag *m;* 4. *(of a pen)* Strich *m;* 5. *~ of luck* Glücksfall *m;* 6. *~ of bad luck* Pechsträhne *f;* 7. *~ of genius* Geniestreich *m;* 8. TECH Hub *m;* 9. MED Schlaganfall *m*

stroll [strəʊl] *v* 1. schlendern, bummeln; *sb* 2. Spaziergang *m; take a ~* spazieren gehen

strong [strɒŋ] *adj* 1. stark; 2. *(physically, expression, voice)* kräftig; 3. *(argument)* überzeugend; 4. *(measures)* drastisch; 5. *(features)* ausgeprägt

structure ['strʌktʃə] *v* 1. strukturieren; 2. *(an argument)* aufbauen, gliedern; *sb* 3. Struktur *f;* 4. *(of society)* Aufbau *m;* 5. *(thing built)* Konstruktion *f;* 6. *(building)* Gebäude *n*

struggle ['strʌgl] *v* 1. kämpfen; 2. *(financially)* in Schwierigkeiten sein; 3. *(with schoolwork)* sich abmühen mit; *sb* 4. Kampf *m;* 5. *(effort)* Anstrengung *f,* Streben *n*

struggler ['strʌglə] *sb* Kämpfer *m*

stub [stʌb] *v* 1. *~ one's toe* sich den Zeh stoßen; 2. *~ out (a cigarette)* ausdrücken; *sb* 3. *(of a candle)* Stummel *m; (of a cigarette)* Kippe *f*

stubborn ['stʌbən] *adj* 1. hartnäckig, eigensinnig, stur; 2. *(thing)* widerspenstig

stuck-up ['stʌk'ʌp] *adj* hochnäsig

student ['stjuːdənt] *sb 1. (at university)* Student/Studentin *m/f; 2. (US: pupil)* Schüler/Schülerin *m/f*

studio ['stjuːdɪəʊ] *sb 1.* Studio *n; 2. (artist's)* Atelier *n*

study ['stʌdɪ] *v 1.* lernen, *(attend university)* studieren; *2. (sth)* studieren, lernen; *3. (scrutinize)* mustern; *sb 4. (piece of work)* Studie *f; The firm was a ~ in mismanagement. (fig)* Die Firma war ein perfektes Beispiel schlechter Verwaltung. *5. (of a situation)* Untersuchung *f; 6. (of nature)* Beobachtung *f; 7. studies pl* Studium *n; 8. (room)* Arbeitszimmer *n*

stuff [stʌf] *v 1. ~ sth into sth* etw in etw stopfen; *~ sth into an envelope* etw in einen Umschlag stecken; *2.* voll stopfen; *GAST* füllen; *sb 3.* Zeug *n*, *(belongings)* Sachen *pl; made of the same ~* aus dem gleichen Holz geschnitzt; *4. know one's ~ (fam)* sich in seinen Fach gut auskennen; *5. Stuff and nonsense!* Unsinn!

stumble ['stʌmbl] *v 1.* stolpern; *2. (in speaking)* stocken; *3. ~ on sth, ~ upon sth (fig)* auf etw stoßen

stump [stʌmp] *sb 1. (of a tree, of a tooth, of a limb)* Stumpf *m; 2. (of a pencil, of a candle, of a cigar)* Stummel *m*

stun [stʌn] *v 1.* betäuben; *2. (fig: surprise)* verblüffen; *3. (fig: shock)* fassungslos machen

stunning ['stʌnɪŋ] *adj 1.* niederschmetternd; *2. (fig)* umwerfend, phänomenal

stunt [stʌnt] *v 1. ~ s.o.'s growth* jdn im Wachstum hemmen; *sb 2.* Kunststück *n; 3. (publicity ~)* Gag *m; 4. CINE* Stunt *m*, gefährliche Szene *f*

stupid ['stjuːpɪd] *adj 1.* dumm; *2. (fam: foolish, boring)* blöd

stupor ['stjuːpə] *sb* Betäubung *f*

sturdy ['stɜːdɪ] *adj 1. (structure)* stabil, kräftig; *2. (person)* robust, kräftig, stämmig

stutter ['stʌtə] *v* stottern

style [staɪl] *v 1. (hair)* schneiden und frisieren; *2. (designate)* nennen; *sb 3.* Stil *m; 4. (type)* Art *f*

stylish ['staɪlɪʃ] *adj 1.* schick; *2. (fashionable)* modisch

styrofoam ['staɪrəfəʊm] *sb* Styropor *n*

suave [swɑːv] *adj 1.* kultiviert, höflich; *2. (smooth)* sanft, mild

subconscious [sʌb'kɒnʃəs] *adj 1.* unterbewusst; *sb 2.* Unterbewusstsein *n*

subcontinent ['sʌbkɒntɪnənt] *sb GEO* Subkontinent *m*

subcontractor ['sʌbkɒntræktə] *sb ECO* Subunternehmer *m*

subdivision ['sʌbdɪvɪʒən] *sb 1. (subdividing)* Unterteilung *f; 2. (group)* Unterabteilung *f*

subeditor ['sʌbedɪtə] *sb (UK)* Redakteur/Redakteurin *m/f*

subject ['sʌbdʒɪkt] *sb 1. (topic, ~ of a painting)* Thema *n*, Gegenstand *m; 2. (of study, of expertise)* Fach *n; 3. GRAMM* Subjekt *n; 4. (of an experiment)* Versuchsobjekt *n*, *(person)* Versuchsperson *f; 5. (patient)* Patient/Patientin *m/f; 6. POL* Staatsbürger *m*, *(of a monarch)* Untertan/Untertanin *m/f; adj 7. to be ~ to sth* von etw abhängig sein, *(to law, to s.o.'s will)* einer Sache unterworfen sein; *~ to change without notice* Änderungen vorbehalten; *~ to a fee* gebührenpflichtig; [səb'dʒekt] *v 8. ~ s.o. to sth* jdn einer Sache unterziehen, *(to sth unpleasant)* jdn einer Sache aussetzen

subjective [səb'dʒektɪv] *adj* subjektiv

subject matter ['sʌbdʒɪktmætə] *sb (content)* Inhalt *m*

sublet [sʌb'let] *v* untervermieten

sublime [səb'laɪm] *adj* erhaben; *~ indifference* totale Gleichgültigkeit *f*

submarine [sʌbmə'riːn] *sb* U-Boot *n*, Unterseeboot *n*

submerge [səb'mɜːdʒ] *v 1.* tauchen; *2. (sth)* untertauchen; *(flood)* überschwemmen; *It was completely ~d.* Es stand völlig unter Wasser.

submission [səb'mɪʃən] *sb 1. (yielding)* Unterwerfung *f; 2. (obedience)* Ergebung *f; 3. (of documents)* Vorlage *f*

submit [səb'mɪt] *v 1.* sich fügen, sich beugen; *2. ~ to sth (s.o.'s orders)* sich einer Sache unterwerfen, *(demands, threats)* einer Sache nachgeben; *3. ~ sth to s.o.* jdm etw vorlegen, bei jdm etw einreichen; *4. ~ sth to sth* etw einer Sache unterziehen; *5. I ~ that ...* ich gebe zu bedenken, dass ...

subscribe [səb'skraɪb] *v ~ to 1. (a publication)* abonnieren; *2. ~ to an opinion* einer Ansicht beistimmen

subscript ['sʌbskrɪpt] *sb (number)* tiefgestellte Zahl *f*

subscription [səb'skrɪpʃən] *sb (to a publication)* Abonnement *n*

subsequent ['sʌbsɪkwənt] *adj 1.* folgend; *2. (later)* später

subside [səb'saɪd] *v 1. (storm, wind)* nachlassen; *2. (river, flood)* sinken; *3. (anger, noise, fever)* abklingen

subsidiary [səb'sɪdɪərɪ] *adj 1.* Neben...; *2. ECO* Tochter...; *sb 3. ECO* Tochtergesellschaft *f*

subsidy ['sʌbsɪdɪ] *sb* Subvention *f*

substance ['sʌbstəns] *sb* 1. Substanz *f*, Stoff *m*, Materie *f*; 2. *(fig: essence)* Kern *m*; 3. *(fig: meaningful ideas)* Gehalt *m*, Substanz *f*; 4. *in ~* im Wesentlichen, im Großen und Ganzen
substandard [sʌb'stændəd] *adj* minderwertig, unter der Norm
substantial [səb'stænʃəl] *adj* 1. *(large)* beträchtlich; 2. *(contribution, improvement)* wesentlich; 3. *(argument)* überzeugend; 4. *(real)* wirklich; 5. *(meal)* sättigend, reichlich; 6. *(solid)* solide; 7. *(important)* bedeutend
substitute ['sʌbstɪtjuːt] *v* 1. *~ for s.o.* jdn vertreten, als Ersatz für jdn dienen; 2. *~ A for B* B durch A ersetzen; *The manager substituted Smith for Jones.* Der Trainer wechselte Jones gegen Smith aus. *sb* 3. Ersatz *m*; 4. *(person)* Vertretung *f*; 5. SPORT Ersatzspieler *m*; *adj* 6. Ersatz...
substitution [sʌbstɪ'tjuːʃən] *sb* Ersetzen *n*, Einsetzen *n*
subtitle ['sʌbtaɪtl] *sb* 1. Untertitel *m*; *v* 2. *The book is ~d "The Later Years."* Das Buch hat den Untertitel "The Later Years."
subtle ['sʌtl] *adj* 1. fein; 2. *(distinction)* subtil
suburb ['sʌbɜːb] *sb* Vorort *m*
suburban [sə'bɜːbən] *adj* Vororts..., Vorstadt...
subway ['sʌbweɪ] *sb* 1. *(US)* U-Bahn *f*, Untergrundbahn *f*; 2. *(UK)* Unterführung *f*, *(for cars)* Tunnel *m*
succeed [sək'siːd] *v* 1. gelingen, Erfolg haben; 2. *~ s.o.* jdm nachfolgen, jdm folgen, jds Nachfolger werden
success [sək'ses] *sb* Erfolg *m*
succession [sək'seʃən] *sb* 1. Folge *f*, Serie *f*; *in ~* hintereinander, nacheinander; *in rapid ~* in rascher Folge; *sb* 2. *(within a family)* Erbfolge *f*; 3. *(to a post)* Nachfolge *f*; 4. *(to a throne)* Thronfolge *f*
success story [sək'sesstɔːrɪ] *sb* Erfolgsgeschichte *f*
succumb [sə'kʌm] *v ~ to sth* einer Sache unterliegen
such [sʌtʃ] *adj* 1. solche(r,s); *there's no ~ thing as ...* so etwas wie ... gibt es nicht; *~ a man* ein solcher Mann; *in ~ a way that* auf solche Weise, dass; 2. *~ as* wie, so wie, wie zum Beispiel; *adv* 3. so, solch; *Such a clever lad!* So ein kluger Junge! *He's ~ a liar.* Er ist solch ein Lügner. 4. *Such is life!* So ist das Leben! *pron* 5. dergleichen; *as ~* an sich; *Such as?* Zum Beispiel? *and ~* und dergleichen; *~ and ~* das und das

suck [sʌk] *v* 1. saugen; 2. *(through a straw)* ziehen; 3. *(on a lollipop, on a bonbon)* lutschen; 4. *(fam)* *(US)* *That ~s.* Das ist Scheiße. 5. *(sth)* saugen; 6. *(a straw, a breast)* saugen an; 7. *(one's thumb, a bonbon)* lutschen
sucker ['sʌkə] *sb* 1. *(fam: person)* Dussel *m*; 2. *(US: lollipop)* Lutscher *m*; 3. ZOOL Saugnapf *m*
suction ['sʌkʃən] *sb* 1. *(action)* Saugen *n*; 2. *(effect)* Saugwirkung *f*; 3. PHYS Sog *m*
suction cup ['sʌkʃənkʌp] *sb* Saugnapf *m*
sudden ['sʌdn] *adj* 1. plötzlich; 2. *(drop)* jäh; 3. *(unexpected)* unvermutet; *sb* 4. *all of a ~* plötzlich, ganz plötzlich
suddenly ['sʌdnlɪ] *adv* plötzlich
sue [suː] *v* 1. JUR klagen, Klage erheben; *~ for divorce* die Scheidung einreichen; 2. *~ s.o.* JUR gegen jdn gerichtlich vorgehen, jdn belangen; *~ s.o. for damages* jdn auf Schadenersatz verklagen
suede [sweɪd] *sb* Wildleder *n*
suffer ['sʌfə] *v* 1. leiden, *(as punishment)* büßen; *~ from sth* unter etw leiden; *~ from an illness* an einer Krankheit leiden; 2. *(sth)* erleiden; *~ a defeat* eine Niederlage einstecken müssen; 3. *(tolerate)* dulden
suffering ['sʌfərɪŋ] *sb* 1. Leiden *n*; *adj* 2. leidend
suffice [sə'faɪs] *v* genügen, reichen
sufficient [sə'fɪʃənt] *adj* genügend, genug, ausreichend
suffix ['sʌfɪks] *sb* GRAMM Suffix *n*, Nachsilbe *f*
suffocation [sʌfə'keɪʃən] *sb* Ersticken *n*
sugar ['ʃʊgə] *sb* Zucker *m*
sugar beet ['ʃʊgə biːt] *sb* Zuckerrübe *f*
sugar cane ['ʃʊgə keɪn] *sb* Zuckerrohr *n*
suggest [sə'dʒest] *v* 1. vorschlagen; 2. *(an explanation)* nahe legen; 3. *(indicate)* hindeuten auf, andeuten; 4. *(insinuate)* andeuten; 5. *(evoke)* denken lassen an; 6. *~ itself* sich anbieten
suggestion [sə'dʒestʃən] *sb* 1. Vorschlag *m*; 2. *(insinuation)* Andeutung *f*; 3. *(theory)* Vermutung *f*; 4. *(trace)* Spur *f*
suicidal [suɪ'saɪdl] *adj* Selbstmord..., selbstmörderisch
suicide ['suɪsaɪd] *sb* 1. Selbstmord *m*; *commit ~* Selbstmord begehen; 2. *(person)* Selbstmörder *m*
suit [suːt] *v* 1. *(adapt)* anpassen; 2. *(to be pleasing to)* passen, gefallen; 3. *(to be right for)* geeignet sein für; 4. *~ s.o. (clothes)* jdm gut stehen; 5. *Suit yourself!* Wie du willst! *sb* 6. Anzug

m; 7. (woman's) Kostüm *n; 8.* JUR Prozess *m,* Verfahren *n; 9. (of playing cards)* Farbe *f; 10. follow ~ (fig)* jds Beispiel folgen, dasselbe tun
suitable ['su:təbl] *adj* 1. geeignet, passend; 2. *(socially appropriate)* angemessen
suitcase ['su:tkeɪs] *sb* Koffer *m*
suite [swi:t] *sb* 1. *(of rooms)* Suite *f;* 2. MUS Suite *f*
sulk [sʌlk] *v* schmollen
sullen ['sʌlən] *adj* mürrisch, grämlich, verdrossen
sultana [sʌl'tɑ:nə] *sb (raisin)* Sultanine *f*
sum [sʌm] *sb* 1. Summe *f;* 2. *(of money)* Betrag *m,* Summe *f,* Geldsumme *f;* 3. MATH Rechnung *f;* 4. *(UK: maths problem) (fam)* Rechenaufgabe *f; v* 5. *(summarize)* zusammenfassen; 6. *(evaluate quickly)* abschätzen; 7. MATH summieren, zusammenzählen
summary ['sʌməri] *sb* 1. Zusammenfassung *f,* Abriss *m;* 2. *(of a plot)* kurze Inhaltsangabe *f; adj* 3. *(immediate)* summarisch; *~ dismissal* fristlose Entlassung
summer ['sʌmə] *sb* Sommer *m*
summerhouse ['sʌməhaʊs] *sb* Gartenhaus *n,* Laube *f*
summertime ['sʌmətaɪm] *sb* Sommerzeit *f*
summing-up ['sʌmɪŋ ʌp] *sb* Zusammenfassung *f,* Resümee *n*
summit ['sʌmɪt] *sb* Gipfel *m*
summon ['sʌmən] *v* 1. rufen, kommen lassen, *(a meeting)* einberufen; 2. *(strength, courage)* aufbieten, zusammenraffen, zusammennehmen
summons ['sʌmənz] *sb* JUR Vorladung *f,* Ladung *f*
sum total [sʌm təʊtəl] *sb* Gesamtbetrag *m*
sumptuous ['sʌmptjʊəs] *adj* prächtig
sun [sʌn] *sb* 1. Sonne *f; have the ~ in one's eyes* die Sonne genau im Gesicht haben; *v* 2. *~ o.s.* sich sonnen
sunbathe ['sʌnbeɪð] *v* ein Sonnenbad nehmen
sunburn ['sʌnbɜ:n] *sb* Sonnenbrand *m*
sun deck [sʌn dek] *sb* Sonnendeck *n*
sundown ['sʌndaʊn] *sb* Sonnenuntergang *m*
sun-drenched ['sʌndrentʃt] *adj* sonnenüberflutet
sundry ['sʌndrɪ] *adj* 1. verschiedene, diverse; 2. *all and ~* alle, Hinz und Kunz
sunglasses ['sʌnglɑ:sɪz] *pl* Sonnenbrille *f*
sunhat ['sʌnhæt] *sb* Sonnenhut *m*
sunken ['sʌŋkən] *adj* versunken, eingesunken
sunlamp ['sʌnlæmp] *sb* Höhensonne *f*

sunlight ['sʌnlaɪt] *sb* Sonnenlicht *n*
sunlit ['sʌnlɪt] *adj* sonnig, sonnenbeschienen
sunny ['sʌnɪ] *adj* sonnig
sunny side ['sʌnɪsaɪd] *sb* 1. Sonnenseite *f;* 2. *(fig) on the ~ of sixty* noch nicht sechzig
sunrise ['sʌnraɪz] *sb* Sonnenaufgang *m*
sunroof ['sʌnruf] *sb (of a car)* Schiebedach *n*
sunscreen ['sʌnskri:n] *sb* Sonnenschutz *m*
sunset ['sʌnset] *sb* Sonnenuntergang *m*
sunshade ['sʌnʃeɪd] *sb* Sonnenschirm *m*
sunshine ['sʌnʃaɪn] *sb* Sonnenschein *m; in the ~* in der Sonne
sunstroke ['sʌnstrəʊk] *sb* MED Sonnenstich *m*
sun-worshipper ['sʌnwɜ:ʃɪpə] *sb* Sonnenanbeter *m*
super ['su:pə] *adj (fam)* super
superb [su:'pɜ:b] *adj* vorzüglich
supercomputer ['su:pəkəmpju:tə] *sb* INFORM Superrechner *m*
supercool ['su:pəku:l] *adj (fam: person) (US)* ultracool
superfluous [su:'pɜ:flʊəs] *adj* überflüssig
superglue ['su:pəglu:] *sb* Sekundenkleber *m*
supergroup ['su:pəgru:p] *sb* MUS erfolgreiche Popgruppe *f*
superhero ['su:pəhɪərəʊ] *sb* Superheld *m*
superhuman [su:pə'hju:mən] *adj* übermenschlich
superintendent [su:pərɪn'tendənt] *sb* 1. Leiter *m,* Vorsteher *m,* Direktor *m;* 2. *(police ~) (UK)* Hauptkommissar *m, (US)* Polizeichef *m*
superior [su:'pɪərɪə] *adj* 1. *(better)* besser, *(abilities)* überlegen; 2. *(excellent)* großartig, hervorragend; 3. *(arrogant)* überheblich; 4. *(in rank)* höher; *sb* 5. *(in rank)* Vorgesetze(r) *m/f;* 6. *to be s.o.'s ~ (in ability)* jdm überlegen sein
supermarket ['su:pəmɑ:kɪt] *sb* Supermarkt *m*
supermodel ['su:pəmɒdl] *sb* Top-Model *n*
supernatural [su:pə'nætʃərəl] *adj* übernatürlich
superstar ['su:pəstɑ:] *sb* Superstar *m*
superstition [su:pə'stɪʃən] *sb* Aberglaube *m*
superstitious [su:pə'stɪʃəs] *adj* abergläubisch
supervise ['su:pəvaɪz] *v* beaufsichtigen
supervision [su:pə'vɪʒən] *sb* Aufsicht *f,* Beaufsichtigung *f*
supper ['sʌpə] *sb* Abendessen *n; have ~* zu Abend essen; *the Last Supper* das letzte Abendmahl

supple ['sʌpl] *adj* geschmeidig

supplement ['sʌplɪmənt] *v 1.* ergänzen; *sb 2.* Ergänzung *f; 3. (in a newspaper)* Beilage *f; 4. (at the end of a book)* Nachtrag *m*

supplementary [sʌplɪ'mentəri] *adj* zusätzlich, Zusatz...

supply [sə'plaɪ] *v 1.* sorgen für; *2. (goods, public utilities)* liefern; *3. (put at s.o.'s disposal)* stellen; *4. (fuel to a motor)* TECH speisen; *5. ~ s.o. with sth* jdn mit etw versorgen; *6. (s.o.)(with goods)* ECO beliefern; *sb 7. (act of supplying)* Versorgung *f; 8. ~ and demand* Angebot *(n)* und Nachfrage *(f); 9. (thing supplied)* Lieferung *f; 10. (delivery)* Lieferung *f; 11. (stock)* Vorrat *m; 12. supplies pl (for a journey)* Proviant *m; 13.* MIL Nachschub *m; 14.* TECH Zufuhr *f*

support [sə'pɔːt] *v 1. (a plan)* befürworten; *2. (give moral support to)* beistehen; *3. (physically)* stützen; *4. (one's family)* erhalten; *5. (fig)* unterstützen; *sb 6. (physical)* Stütze *f; 7. (fig)* Unterstützung *f*

supporter [sə'pɔːtə] *sb 1.* Anhänger *m; 2. (proponent)* Befürworter *m*

support group [sə'pɔːt gruːp] *sb* Selbsthilfegruppe *f*

supporting actor [sə'pɔːtɪŋ 'æktə] *sb* Nebendarsteller *m*

suppose [sə'pəʊz] *v 1. (think)* vermuten, glauben, meinen; *2. (assume)* annehmen; *3. I ~ so* stimmt wohl, ja, schon; *4. (imagine)* sich vorstellen; *5. (to begin a suggestion)* wie wäre es, wenn...; *6. to be ~d to do sth* etw tun sollen; *7. to be ~d to be sth* etw angeblich sein sollen; *8. What's that ~d to mean?* Was soll das heißen?

supposed [sə'pəʊzd] *adj* angeblich

suppress [sə'pres] *v 1.* unterdrücken; *2. (publication)* verbieten; *3. (the truth, a scandal)* vertuschen

supremacist [su'preməsɪst] *sb* jmd, der an die Überlegenheit einer bestimmten Gruppe glaubt

supreme [su'priːm] *adj 1.* höchste(r,s); *2. (in rank)* oberste(r,s); *3. (very great)* äußerste(r,s); *4. the Supreme Court* JUR das oberste Gericht; *adv 5. reign ~* unangefochten herrschen

sure [ʃʊə] *adj 1.* sicher; *make ~ of sth* sich einer Sache vergewissern; *2. to be ~, ...* allerdings ...; *adv 3. for ~* sicher, gewiss; *interj 4.* Klar! *adv 5. She said it would be easy and ~ enough, it was.* Sie sagte, es würde einfach sein, und das war es auch. *6. (US: certainly) Did you do it? I ~ did!* Hast du es gemacht? Na klar! *That ~ was difficult.* Das war ganz schön schwierig.

sure-footed ['ʃʊəfʊtɪd] *adj* trittsicher

surely ['ʃʊəlɪ] *adv 1.* bestimmt, sicher; *slowly but ~* langsam aber sicher; *2. (emphasis)* doch; *Surely you don't believe that!* Das glauben Sie doch nicht im Ernst!

surface ['sɜːfɪs] *v 1.* auftauchen; *2. (a road)* mit einem Belag versehen; *sb 3.* Fläche *f; 4. (exterior)* Oberfläche *f; 5. on the ~* äußerlich, oberflächlich betrachtet

surfboard ['sɜːfbɔːd] *sb* Surfbrett *n*

surfboat ['sɜːfbəʊt] *sb* Brandungsboot *n*

surfing ['sɜːfɪŋ] *sb* Wellenreiten *n;* Surfen *n*

surgeon ['sɜːdʒən] *sb* MED Chirurg/Chirurgin *m/f*

surgery ['sɜːdʒərɪ] *sb 1.* Chirurgie *f; have ~* operiert werden; *2. (room)* MED Operationssaal *m; 3. (UK: consultation room)* MED Sprechzimmer *n*

surly ['sɜːlɪ] *adj* verdrießlich, bärbeißig (fam)

surname ['sɜːneɪm] *sb* Nachname *m,* Familienname *m*

surplus ['sɜːpləs] *sb 1.* Überschuss *m; adj 2.* überschüssig

surprise [sə'praɪz] *v 1.* überraschen; *2. (in an attack)* überrumpeln; *sb 2.* Überraschung *f; take s.o. by ~* jdn überraschen

surprising [sə'praɪzɪŋ] *adj* überraschend, erstaunlich

surreal [sə'rɪəl] *adj* unwirklich

surrender [sə'rendə] *v 1.* sich ergeben, *(to the police)* sich stellen; *2. (sth)* übergeben; *3. (a claim, a post, a hope)* aufgeben; *sb 4.* Kapitulation *f; 5. (handing over)* Übergabe *f*

surreptitious [sʌrəp'tɪʃəs] *adj* heimlich

surround [sə'raʊnd] *v 1.* umgeben; *2.* MIL umzingeln

surroundings [sə'raʊndɪŋz] *pl* Umgebung *f*

surveillance [sɜː'veɪləns] *sb* Überwachung *f*

survey [sɜː'veɪ] *v 1. (from a high place)* überblicken; *2. (fam: poll)* befragen; *3. (measure)* vermessen; *4. (appraise)* abschätzen, begutachten; *5. (study)* untersuchen; ['sɜːveɪ] *sb 6. (overview)* Überblick *m; 7. (poll)* Umfrage *f; 8. (measuring)* Vermessung *f*

survive [sə'vaɪv] *v 1.* überleben; *2. (objects)* erhalten bleiben; *3. (custom)* fortbestehen; *4. (sth)* überleben, überstehen

survivor [sə'vaɪvə] *sb 1.* Überlebende(r) *m/f; 2. (of a deceased person)* Hinterbliebene(r) *m/f*

suspect [səs'pekt] *v 1.* verdächtigen; *2. (think likely)* vermuten; *3. (have doubts about)* anzweifeln; ['sʌspekt] *sb* 4. Verdächtige(r) *m/f; adj* 5. *(person)* verdächtig; 6. *(thing)* suspekt

suspend [sə'spend] *v* 1. *(hang)* aufhängen; 2. *to be ~ed from sth (hang)* von etw hängen; 3. *(stop)* einstellen; 4. *(delay)* aufschieben; 5. *(s.o.)* suspendieren; 6. *(a member)* zeitweilig ausschließen; 7. *(an athlete)* SPORT sperren

suspender [sə'spendə] *sb* 1. *(UK) (for socks)* Sockenhalter *m, (for stockings)* Strumpfhalter *m;* 2. *~s pl (US)* Hosenträger *m*

suspicion [sə'spɪʃən] *sb* 1. Verdacht *m,* Argwohn *m; above ~* über jeden Verdacht erhaben; 2. *(fig: trace)* Spur *f*

suspicious [sə'spɪʃəs] *adj* 1. *(feeling suspicion)* argwöhnisch, misstrauisch; *to be ~ of s.o.* jdn verdächtigen; 2. *(causing suspicion)* verdächtig

sustain [sə'steɪn] *v* 1. *(maintain)* erhalten; 2. *(an effort)* nicht nachlassen in; 3. *(life)* erhalten; 4. *(one's family)* unterhalten; 5. *(suffer)* erleiden; 6. *(an objection)* JUR stattgeben; *objection ~ed* Einspruch stattgegeben

sustained [sə'steɪnd] *adj* ausdauernd, anhaltend

svelte [svelt] *adj* grazil

swab [swɒb] *sb* 1. MED Tupfer *m;* 2. *(specimen)* Abstrich *m*

swaddle ['swɒdl] *v* wickeln

swag [swæg] *sb (fam: booty)* Beute *f*

swallow[1] ['swɒləʊ] *v* 1. schlucken; 2. *(sth)* schlucken, hinunterschlucken; *~ one's pride* seinen Stolz schlucken; *~ sth whole* etw ganz schlucken; *sb* 3. Schluck *m*

swallow[2] ['swɒləʊ] *sb* ZOOL Schwalbe *f*

swamp [swɒmp] *sb* 1. Sumpf *m; v* 2. *to be ~ed with sth (fig)* mit etw überhäuft werden

swank [swæŋk] *v (fam)* angeben, protzen

swanky ['swæŋkɪ] *adj (fam)* protzig

swan song ['swɒnsɒŋ] *sb* Schwanengesang *m*

swap [swɒp] *v* 1. tauschen, *(stories)* austauschen; *~ sth for sth* etw gegen etw austauschen; *sb* 2. Tausch *m*

swarm [swɔːm] *v* 1. schwärmen; *sb* 2. Schwarm *m;* 3. *(of people)* Schar *f*

swastika ['swɒstɪkə] *sb* Hakenkreuz *n*

swatch book ['swɒtʃbʊk] *sb* Musterbuch *n*

sway [sweɪ] *v* 1. schwanken; 2. *(trees)* sich wiegen; 3. *(boat)* schaukeln; 4. *(sth)* schwenken; 5. *(s.o.)* beeinflussen; *sb* 6. *hold ~ over* herrschen über

swear [sweə] *v* 1. schwören; 2. *(curse)* fluchen; 3. *(sth)* schwören; *~ s.o. to secrecy* jdn eidlich zur Verschwiegenheit verpflichten

• **swear in** *v* vereidigen

swear-word ['sweəwɜːd] *sb* Fluch *m,* Kraftausdruck *m*

sweat [swet] *v* 1. schwitzen; *~ blood (fam)* Blut schwitzen; *sb* 2. Schweiß *m; to be in a cold ~ (fam)* Blut und Wasser schwitzen; *No ~! (fam)* Kein Problem!

sweatpants ['swetpænts] *sb (US)* weite Trainingshose *f*

sweaty ['swetɪ] *adj* 1. verschwitzt; 2. *(work)* anstrengend

sweep [swiːp] *v irr* 1. kehren, fegen; 2. *(wind, rain)* fegen; 3. *(army, war)* stürmen; 4. *(water)* fluten; 5. *(sth)* kehren, fegen; *~ s.o. off his feet* jds Herz im Sturm erobern; *~ sth aside* beiseite schieben; 6. *(scan)* absuchen; 7. *(lights)* streichen über; 8. *(a minefield)* durchkämmen; 9. *(fig: fashion, mood)* überrollen; 10. *(fig: a competition)* alles gewinnen bei; *sb* 11. *(movement)* Schwung *m;* 12. *make a clean ~* reinen Tisch machen; 13. *(curve)* geschwungene Kurve *f;* 14. *(fig)* Reichweite *f,* Bereich *m*

• **sweep along** *v irr* *sweep sth along* etw mitreißen

sweeper ['swiːpə] *sb* Straßenkehrer *m*

sweepstakes ['swiːpsteɪks] *sb (lottery)* Lotterie, deren Gewinne aus den Einsätzen gebildet werden

sweet [swiːt] *adj* 1. süß; 2. *(sound)* wohlklingend; *sb* 3. *(UK: candy)* Süßigkeit *f;* 4. *(UK: dessert)* Nachtisch *m*

sweeten ['swiːtn] *v* 1. süßen; 2. *(fig: a task)* versüßen

sweetheart ['swiːthɑːt] *sb* Schatz *m; his college ~* seine Liebe aus der Studienzeit

sweet shop ['swiːtʃɒp] *sb (UK)* Süßwarengeschäft *n*

sweet-talk ['swiːttɔːk] *v* schmeicheln

swell [swel] *v irr* 1. anschwellen; 2. *have a ~ed head (fam)(US)* hochnäsig sein, eingebildet sein; 3. *(in number)* anwachsen; 4. *(sth)* anschwellen lassen; *adj* 5. *(fam)* prima

swelling ['swelɪŋ] *sb* 1. Anschwellen *n,* Blähen *n;* 2. MED Verdickung *f,* Schwellung *f*

swift [swɪft] *adj* 1. schnell, rasch; 2. *(reply)* prompt

swim [swɪm] *v irr* 1. schwimmen; *~ the river* den Fluss durchschwimmen; *my head is ~ming (fig)* mir ist schwindelig; *go ~ming* Schwimmen gehen; *sb* 2. *go for a ~* schwimmen gehen

swimming ['swɪmɪŋ] *sb* Schwimmen *n*

swimming pool ['swɪmɪŋpuːl] *sb* 1. *(outdoor)* Schwimmbad *n,* Freibad *n;* 2. *(indoor)* Schwimmbad *n,* Hallenbad *n*

swimsuit ['swɪmsuːt] *sb* Badeanzug *m*
swimwear ['swɪmwɛə] *sb* Badekleidung *f*
swing [swɪŋ] *v irr* 1. schwingen; ~ *open* aufgehen; ~ *round* sich umdrehen; ~ *at* s.o. nach jdm schlagen; ~ *from tree to tree* sich von Baum zu Baum schwingen; 2. *(hanging object)* baumeln; 3. *(person on a ~)* schaukeln; 4. *(sth)* schwingen; ~ *one's hips* sich in den Hüften wiegen; 5. *(above one's head)* schwenken; 6. *(turn)* herumschwenken; 7. *(fig: influence)* beeinflussen; *sb* 8. Schwung *m; to be in full* ~ in vollem im Gange sein; 9. *(back and forth)* Schwingen *n;* 10. *(on a playground, on a veranda)* Schaukel *f;* 11. *(golf)* SPORT Schwung *m;* 12. *(boxing)* SPORT Schwinger *m;* 13. *(kind of music)* MUS Swing *m*
swipe [swaɪp] *v* 1. *(strike)* schlagen; 2. *(fam: steal)* klauen (fam); *sb* 3. Schlag *m; take a ~ at* s.o. nach jdm schlagen
switch [swɪtʃ] *v* 1. wechseln; 2. *(exchange)* tauschen; 3. *(sth) (alter)* wechseln, *(plans)* ändern; 4. *(exchange)* tauschen, *(transpose)* vertauschen; 5. *(a machine)* schalten, umschalten, *(US: train tracks)* rangieren; *sb* 6. *(on a control panel)* Schalter *m;* 7. *(change)* Wechsel *m,* *(of plan)* Änderung *f,* *(exchange)* Tausch *m;* 8. *(stick)* Gerte *f*
swivel ['swɪvl] *v* 1. sich drehen; 2. *(sth)* drehen
swollen ['swəʊlən] *adj* geschwollen
swoon [swuːn] *v* ~ *over* s.o. *(fig)* wegen jdm beinahe ohnmächtig werden
swoop [swuːp] *v* 1. *(~ down)* *(bird)* herabstoßen, *(plane)* im Tiefflug fliegen; 2. ~ *down on (attack)* herfallen über; *sb* 3. *at one fell* ~ mit einem Schlag
sword [sɔːd] *sb* Schwert *n*
swordfish ['sɔːdfɪʃ] *sb* Schwertfisch *m*
swordsman ['sɔːdzmən] *sb* Schwertkämpfer *m*
sworn [swɔːn] *adj* geschworen
swung dash [swʌŋ dæʃ] *sb* Tilde *f*
sycamore ['sɪkəmɔː] *sb* 1. *(kind of maple)* BOT Bergahorn *m;* 2. *(plane tree)* BOT Platane *f*
syllable ['sɪləbl] *sb* LING Silbe *f*
symbol ['sɪmbəl] *sb* Symbol *n,* Zeichen *n,* Sinnbild *n*
symbolic [sɪm'bɒlɪk] *adj* symbolisch
symmetric [sɪ'metrɪk] *adj* symmetrisch
symmetry ['sɪmɪtrɪ] *sb* Symmetrie *f*
sympathetic [sɪmpə'θetɪk] *adj* 1. mitfühlend; 2. *(understanding)* verständnisvoll; 3. *(fam: to a cause)* wohlwollend

sympathize ['sɪmpəθaɪz] *v* 1. ~ *with (understand, appreciate)* Verständnis haben für; 2. ~ *with (feel too)* mitfühlen mit; 3. ~ *with (a cause)* sympathisieren mit
sympathizer ['sɪmpəθaɪzə] *sb* Anhänger *m,* Sympathisant/Sympathisantin *m/f*
sympathy ['sɪmpəθɪ] *sb* 1. *(understanding)* Verständnis *n;* 2. *(compassion)* Mitgefühl *n,* Mitleid *n;* 3. *(agreement)* Sympathie *f*
symphonist ['sɪmfənɪst] *sb* Komponist/Komponistin von Symphonien *m/f*
symphony ['sɪmfənɪ] *sb* MUS Symphonie *f*
symptom ['sɪmptəm] *sb* Symptom *n,* Anzeichen *n*
symptomatic [sɪmptə'mætɪk] *adj* symptomatisch
synagogue ['sɪnəgɒg] *sb* Synagoge *f*
synchronic [sɪŋ'krɒnɪk] *adj* synchronisch
synchronicity [sɪŋkrə'nɪsɪtɪ] *sb* Synchronizität *f*
synchronization [sɪŋkrənaɪ'zeɪʃən] *sb* Abstimmung *f*
synchronize ['sɪŋkrənaɪz] *v* 1. abstimmen; 2. *(two or more things)* aufeinander abstimmen; 3. *(clocks)* gleichstellen; ~ *your watches* stimmen Sie Ihre Uhren aufeinander ab
synchronized swimming ['sɪŋkrənaɪzd 'swɪmɪŋ] *sb* SPORT Synchronschwimmen *n*
syndicate ['sɪndɪkɪt] *sb* 1. *(newspaper ~)* Pressezentrale *f;* 2. *(crime ~)* Ring *m;* ['sɪndɪkeɪt] *v* 1. *(a column, a cartoon)* an mehrere Zeitungen verkaufen
syndication [sɪndɪ'keɪʃən] *sb* 1. *(forming of a syndicate)* Syndikatsbildung *f;* 2. *(in journalism)* bundesweite Veröffentlichung in den Medien *f*
synopsis [sɪ'nɒpsɪs] *sb* Zusammenfassung *f,* Abriss *m*
syntax ['sɪntaks] *sb* LING Syntax *f,* Satzbau *m*
synthesizer ['sɪnθɪsaɪzə] *sb* Synthesizer *m*
synthetic [sɪn'θetɪk] *adj* synthetisch, Kunst...
syphilis ['sɪfɪlɪs] *sb* Syphilis *f*
Syria ['sɪrɪə] *sb* GEO Syrien *n*
Syrian ['sɪrɪən] *adj* 1. syrisch; *sb* 2. Syrier *m*
syringe [sɪ'rɪndʒ] *sb* MED Spritze *f*
syrup ['sɪrəp] *sb* Sirup *m*
syrupy ['sɪrʌpɪ] *adj* 1. sirupartig; 2. *(voice)* zuckersüß; 3. *(sentimental)* schmalzig
system ['sɪstəm] *sb* System *n*
systematic [sɪstə'mætɪk] *adj* systematisch

table 258 **tan**

T

table ['teɪbl] *sb* 1. Tisch *m; turn the ~s* den Spieß umdrehen; *the ~s are turned* das Blatt hat sich gewendet; *lay one's cards on the ~* seine Karten auf den Tisch legen; 2. *(of figures)* Tabelle *f*

table tennis ['teɪbltenɪs] *sb SPORT* Tischtennis *n*

tabloid ['tæblɔɪd] *sb* 1. kleinformatige Zeitung *f;* 2. *(sensationalized)* Boulevardzeitung *f*

tacit ['tæsɪt] *adj* stillschweigend

tack [tæk] *sb* 1. *(UK: stitch)* Heftstich *m;* 2. *(US: pin)* Heftzwecke *f; get down to brass ~s* zur Sache kommen; 3. *(course) NAUT* Schlag *m;* 4. *(fig)* Weg *m; try a different ~* es anders versuchen; *v* 5. *(with a nail)* annageln; 6. *(with a pin)* feststecken; 7. *(UK: sew)* heften; 8. *NAUT* kreuzen

tackle ['tækl] *v* 1. *SPORT* stoppen; 2. *(a problem)* anpacken; 3. *(a task)* in Angriff nehmen; *sb* 4. *(fishing gear)* Angelausrüstung *f;* 5. *(shaving gear)* Rasierzeug *n;* 6. *SPORT* Tackling *n*

tactful ['tæktful] *adj* taktvoll

tag [tæg] *sb* 1. *(label)* Schild *n;* 2. *(name ~)* Namensschild *n;* 3. *(with manufacturer's name)* Etikett *n;* 4. *(game)* Haschen *n,* Fangen *n*

tail [teɪl] *sb* 1. Schwanz *m; turn ~* Reißaus nehmen; *I can't make head or ~ of it.* Daraus werde ich nicht klug. 2. *(of a shirt)* Zipfel *m;* 3. *(of a coat)* Schoß *m;* 4. *~s pl (jacket)* Frack *m; v* 5. *(fam: follow)* beschatten

tailgate ['teɪlgeɪt] *v* 1. *(fam)* zu dicht auffahren; *sb* 2. *(of a car)* Hecktür *f*

tailor ['teɪlə] *sb* Schneider *m*

tails [teɪlz] *sb (side of a coin)* Zahl *f* (fam)

take [teɪk] *v irr* 1. nehmen; *~ sth the wrong way* etw falsch auffassen; *~ a chance* ein Risiko eingehen; *Take it from me!* Glaube es mir! 2. *(~ along)* mitnehmen; 3. *(~ away)* wegnehmen; 4. *(~ over)* übernehmen; 5. *(measure)* messen; 6. *(subscribe to)* beziehen; 7. *(transport)* bringen; 8. *(seize)* nehmen; 9. *(endure) (person)* vertragen, *(object)* aushalten; *to be able to ~ sth* etw vertragen können; 10. *(capture)* fangen, *(a town)* einnehmen; 11. *(a test, a course)* machen; 12. *(a poll)* durchführen; 13. *(dictation)* aufnehmen; 14. *(assume)* annehmen; *I took him for a German.* Ich hielt ihn

für einen Deutschen. *What do you ~ me for?* Wofür halten Sie mich denn? 15. *(require)* brauchen, erfordern; *have what it ~s* das gewisse Etwas haben; 16. *to be ~n with an idea* von einer Idee angetan sein

•**take after** *v irr* nachschlagen

•**take back** *v irr* 1. *(retract)* zurücknehmen; 2. *(agree to ~)* zurücknehmen; 3. *(get back)* sich zurückgeben lassen; 4. *(return)* zurückbringen

•**take over** *v irr* 1. die Leitung übernehmen; 2. *POL* an die Macht kommen; 3. *(sth)* übernehmen

•**take up** *v irr* 1. *(start doing as a hobby)* zu seinem Hobby machen; 2. *(a cause)* sich einsetzen für; 3. *take s.o. up on an offer* von jds Angebot Gebrauch machen; 4. *(a challenge, a new job)* annehmen; 5. *take sth up with s.o.* etw mit jdm besprechen; 6. *(arms, a pen)* greifen zu; 7. *(a carpet)* hochnehmen; 8. *(space)* einnehmen; 9. *(time)* in Anspruch nehmen

takeover ['teɪkəʊvə] *sb* Übernahme *f,* Machtergreifung *f*

tale [teɪl] *sb* 1. Geschichte *f,* Erzählung *f;* 2. *tell ~s (snitch on s.o.)* petzen (fam); 3. *tell ~s (lie)* flunkern

talk [tɔːk] *v* 1. reden, sprechen; *~ to s.o.* mit jdm sprechen; *~ to o.s.* Selbstgespräche führen; *Look who's ~ing!* Das sagst ausgerechnet du! *Now you're ~ing!* Das hört sich schon besser an! 2. *(discuss)* reden über; *~ politics* über Politik reden; 3. *~ s.o. into doing sth* jdn zu etw überreden; *sb* 4. Gespräch *n; have a ~ with s.o.* mit jdm reden; 5. *(~ ing)* Reden *n, (rumour)* Gerede *n; there is ~ of ...* man sagt ..., es heißt ...; 6. *(lecture)* Vortrag *m,* Rede *f*

•**talk back** *v* widersprechen, freche Antworten geben

talker ['tɔːkə] *sb* Sprechende(r) *f/m*

talk show ['tɔːkʃəʊ] *sb* Talkshow *f*

tame [teɪm] *v* 1. zähmen, *(a lion)* bändigen; 2. *(one's passions)* bezähmen; *adj* 3. zahm

tameness ['teɪmnɪs] *sb* Zahmheit *f*

tamer ['teɪmə] *sb* Bändiger *m*

tammy ['tæmɪ] *sb (Tam o' Shanter)* schottische Kappe *f*

tampon ['tæmpɒn] *sb* Tampon *m*

tan [tæn] *adj* 1. hellbraun; 2. *(suntanned)* braun; *sb* 3. *(suntan)* Bräune *f; v* 4. sich bräunen; 5. *~ s.o.'s hide (fig)* jdn versohlen

tandem ['tændəm] *sb in ~ (fig)* zusammen
tandem bicycle ['tændəm 'baɪsɪkl] *sb*
Tandem *n*
tang [tæŋ] *sb 1. (smell)* scharfer Geruch *m;*
2. (taste) starker Geschmack *m*
tanga ['tæŋgə] *sb* Tanga *m*
tangent ['tændʒənt] *sb 1.* MATH Tangente
f; 2. go off on a ~ (fig) vom Thema abschweifen
tangle ['tæŋgl] *v 1. get ~d up* sich verwirren; *2. get ~d up in (become involved in)* verwickelt werden in; *sb 3. (of string)* Gewirr *n*
tank [tæŋk] *sb 1. (container)* Tank *m; 2.* MIL
Panzer *m,* Tank *m; v 3. ~ up (fam: get drunk)*
(UK) tanken, sich voll laufen lassen
tank top ['tæŋktɒp] *sb* ärmelloses Top *n*
tantrum ['tæntrəm] *sb* Wutanfall *f,* Kol-
ler *m*
tap [tæp] *v 1. (touch lightly)* leicht klopfen; *2.*
(sth) klopfen; *3. (a keg)* anzapfen, anstechen;
4. (a telephone line) anzapfen; *5. (fig: markets,*
resources) erschließen; *sb 6.* Klaps *m, (at a*
door) Klopfen *n; 7. (faucet)* Hahn *m; 8. (for a*
keg) Zapfen *n; 9. on ~ (beer)* vom Fass; *10. on*
~ (fig: at one's disposal) leicht verfügbar
tape [teɪp] *v 1. (with adhesive tape)* verkle-
ben, zukleben; *2. (record)* aufnehmen; *sb 3.*
Band *n; 4. (adhesive ~)* Klebestreifen *n,*
Klebstreifen *n; 5. (at a finish line)* SPORT
Zielband *n; 6. (audio ~)* Tonband *n; 7. (fam:*
cassette) Kassette *f*
tape-recorder ['teɪprɪkɔːdə] *sb* Kassettenrekorder *m,* Tonbandgerät *n*
tap water ['tæpwɑːtə] *sb* Leitungswasser *n*
tar [tɑː] *sb 1.* Teer *m; v 2.* teeren; *~ and*
feather teeren und federn
tardy ['tɑːdɪ] *adj 1.* spät; *2. (person)* säumig
target ['tɑːgɪt] *sb 1.* Ziel *n; 2. (of jokes)*
Zielscheibe *f; 3.* SPORT Zielscheibe *f; v 4.*
zum Ziel setzen, im Visier haben
tarot card ['tærəʊ kɑːd] *sb* Tarockkarte *f*
tart [tɑːt] *adj 1.* sauer, herb, scharf; *sb 2.*
GAST Torte *f, (small pastry)* Törtchen *n; 3.*
(fam: prostitute)(UK) Nutte *f; 4. (fam: loose*
woman)(UK) Flittchen *n*
task [tɑːsk] *sb 1.* Aufgabe *f; 2. take s.o. to*
~ jdn zur Rede stellen
taste [teɪst] *v 1.* schmecken; *~ of sth* nach
etw schmecken; *2. (sth)* schmecken; *3. (fig:*
experience) erleben; *4. (sample)* versuchen,
probieren, kosten; *sb 5.* Geschmack *m; mat-*
ter of ~ Geschmackssache *f; in bad ~* geschmacklos; *in good ~* geschmackvoll; *6.*

(sample) Kostprobe *f; 7. (fig: of sth to come)*
Vorgeschmack *m*
tasty ['teɪstɪ] *adj* schmackhaft
tattoo [tə'tuː] *v 1. (s.o.'s body)* tätowieren;
sb 2. Tätowierung *f*
taunt [tɔːnt] *v 1.* verspotten; *sb 2.* spöttische Bemerkung *f*
taut [tɔːt] *adj 1.* straff, gespannt; *2. (nerves)*
angespannt
tavern ['tævɜːn] *sb 1. (pub, in modern*
times) Gaststätte *f; 2.* HIST Taverne *f,* Schän-
ke *f*
tax [tæks] *sb 1.* Steuer *f; v 2. (s.o., sth)* besteuern; *3. (fig)* strapazieren, *(one's patience,*
one's strength) auf eine harte Probe stellen
tax evasion ['tæksɪveɪʒən] *sb* Steuerhinterziehung *f*
tax exile [tæks 'egzaɪl] *sb* im Steuerexil lebender Mensch *m*
tax-free ['tæks'friː] *adj* FIN steuerfrei
taxi ['tæksɪ] *sb* Taxi *n*
taxicab ['tæksɪkæb] *sb* Taxi *n*
taxi driver ['tæksɪdraɪvə] *sb* Taxifahrer *m*
taxing ['tæksɪŋ] *adj* strapazierend, anstrengend
taxi rank ['tæksɪræŋk] *sb* Taxistand *m*
taxpayer ['tækspeɪə] *sb* Steuerzahler *m*
tea [tiː] *sb* Tee *m*
tea bag ['tiːbæg] *sb* Teebeutel *m*
tea break ['tiːbreɪk] *sb (UK)* Pause *f*
tea cosy ['tiːkəʊzɪ] *sb* Kannenwärmer *m*
teacup ['tiːkʌp] *sb* Teetasse *f; a storm in a*
~ ein Sturm im Wasserglas
teahouse ['tiːhaʊs] *sb* Teehaus *n*
tea leaf ['tiːliːf] *sb* Teeblatt *n*
team [tiːm] *sb 1.* Team *n; 2.* SPORT Mannschaft *f,* Team *n; 3. (of horses)* Gespann *n; v*
4. ~ up sich zusammenschließen
team spirit ['tiːm'spɪrɪt] *sb* Teamgeist *m*
teamwork ['tiːmwɜːk] *sb* Teamarbeit *f,*
Teamwork *n,* Gemeinschaftsarbeit *f*
teapot ['tiːpɒt] *sb* Teekanne *f*
tear¹ [tɛə] *v irr 1.* reißen, zerreißen; *2. (sth)*
zerreißen; *~ a hole in sth* ein Loch in etw
reißen; *~ one's hair* sich die Haare raufen; *~*
sth into pieces etw in Stücke reißen; *3. (pull*
away) reißen; *4. ~ into sth* etw aufs Schärfste
kritisieren; *5. (fam: rush, dash)* rasen, sausen;
sb 6. Riss *m; 7. wear and ~* Abnützung *f*
•tear down *v irr 1. (a building)* abreißen; *2.*
(a poster) herunterreißen
tear² [tɪə] *sb* Träne *f; in ~s* in Tränen aufge-
löst; *shed ~s over sth* Tränen über etw vergießen

tease [tiːz] *v 1. (playfully)* necken; *2. (ridicule)* aufziehen; *sb 3. (fam: person who teases)* Necker *m, (woman)* Frau, die nur so tut, als ob sie etwas Sexuelles vorhätte *f*

teaspoon ['tiːspuːn] *sb* Teelöffel *m*

teat [tiːt] *sb (nipple)* Brustwarze *f*

technical ['teknɪkəl] *adj* technisch, Fach...

technicolour ['teknɪkʌlə] *adj* Technicolor...

technological [teknə'lɒdʒɪkəl] *adj* technologisch

technology [tek'nɒlədʒɪ] *sb* Technologie *f*

teddy bear ['tedɪbeə] *sb* Teddybär *m*

tee [tiː] *sb* SPORT 1. Tee *n; v 2. ~ off* abschlagen

teen [tiːn] *sb* Teenager *m; to be in one's ~s* Teenager sein

teenage ['tiːneɪdʒ] *adj 1. (child)* halbwüchsig; *2. (activity)* Teenager...

teenager ['tiːneɪdʒə] *sb* Teenager *m*

teenybopper ['tiːnɪbɒpə] *sb* Backfisch *m (fam)*

telegram ['telɪgræm] *sb* Telegramm *n; send a ~* telegrafieren

telegraph ['telɪgrɑːf] *sb 1. (device)* Telegraf *m; 2. (message)* Telegramm *n*

telemarketing [telə'mɑːkətɪŋ] *sb* Telefonmarketing *n*

telephone ['telɪfəʊn] *sb 1.* Telefon *n,* Fernsprecher *m; to be on the ~* am Telefon sein; *v 2. (s.o.)* anrufen; *3.* telefonieren

telephone book ['telɪfəʊn bʊk] *sb* Telefonbuch *n*

telephone box ['telɪfəʊn bɒks] *sb* Telefonzelle *f*

telephone call ['telɪfəʊnkɔːl] *sb* Telefonanruf *m*

telephone number ['telɪfəʊnnʌmbə] *sb* Telefonnummer *f,* Rufnummer *f*

telescope ['telɪskəʊp] *sb* Teleskop *n,* Fernrohr *n*

television ['telɪvɪʒən] *sb 1.* Fernsehen *n; 2. (~ set)* Fernseher *m,* Fernsehgerät *n*

tell [tel] *v irr 1. (discern)* wissen; *2. (be sure)* wissen; *you never can ~* man kann nie wissen; *3. (have an effect)* seine Wirkung haben; *4. (sth)(say)* sagen; *~ the truth* die Wahrheit sagen; *~ s.o. about sth* jdm von etw erzählen; *You're ~ing me!* Wem sagst du das! Wem sagen Sie das! *5. (a story)* erzählen; *6. (a secret)* verraten; *~ on s.o.* jdn verpetzen *(fam); 7. (recognize)* erkennen, *(distinguish)* unterscheiden; *8. ~ s.o. to do sth* jdm sagen, er solle was tun

telling ['telɪŋ] *adj (revealing)* aufschlussreich

telly ['telɪ] *sb (fam: television)* Fernseher *m*

temp [temp] *sb (fam)* Aushilfe *f*

temper ['tempə] *sb 1.* Temperament *n,* Naturell *n,* Gemütsart *f; have a quick ~* ein hitziges Temperament haben; *lose one's ~* in Wut geraten, die Beherrschung verlieren; *keep one's ~* sich beherrschen; *2. (mood)* Laune *f,* Stimmung *f; 3. (bad mood)* Wut *f; v 4. (fig)* mildern, mäßigen

temperament ['tempərəmənt] *sb 1. (character)* Veranlagung *f; 2. (excitability)* Temperament *n*

temperature ['temprɪtʃə] *sb* Temperatur *f; take s.o.'s ~* jds Temperatur messen; *He has a ~.* Er hat Fieber.

temple ['templ] *sb 1.* REL Tempel *m; 2.* ANAT Schläfe *f*

temporarily [tempə'rerɪlɪ] *adv* vorübergehend

temporary ['tempərərɪ] *adj 1. (provisional)* vorläufig, provisorisch; *2. (passing)* vorübergehend; *sb 3. (~ employee)* Aushilfe *f,* Aushilfskraft *f*

tempt [tempt] *v 1.* versuchen, in Versuchung führen; *~ fate* das Schicksal herausfordern; *to be ~ed to do sth* versucht sein, etw zu tun; *~ s.o. to do sth* jdn verlocken, etw zu tun; *2. (successfully)* verführen

tenacity [tɪ'næsɪtɪ] *sb* Zähigkeit *f*

tenant ['tenənt] *sb 1.* Mieter *m; 2. (of a farm)* Pächter *m*

tend [tend] *v 1. ~ to do sth (person)* dazu neigen, etw zu tun, dazu tendieren, etw zu tun; *2. ~ to do sth (thing)* die Tendenz haben, etw zu tun; *3. ~ toward (person, views)* tendieren zu, *(line)* führen nach; *4. (a garden)* pflegen; *5. (a machine)* bedienen

tender ['tendə] *adj 1.* zart; *at a ~ age* im zarten Kindesalter; *2. (sore)* empfindlich; *3. (person)* zärtlich; *sb 4.* ECO Angebot *n,* Offerte *f; invite ~s for a job (UK)* Angebote für eine Arbeit einholen; *5. legal ~* FIN gesetzliches Zahlungsmittel *n; v 6.* anbieten; *7. (a resignation)* einreichen

tendon ['tendən] *sb* ANAT Sehne *f*

tenet ['tenɪt] *sb* Grundsatz *m*

tennis ['tenɪs] *sb* Tennis *n*

tense [tens] *adj 1.* gespannt; *2. (scene in a film)* spannungsgeladen; *v 3. (~ up)* sich anspannen, sich spannen; *sb 4.* GRAMM Zeit *f; past ~* Vergangenheit *f*

tension ['tenʃən] *sb 1.* Spannung *f; 2.* PHYS Druck *m*

tent [tent] *sb* Zelt *n*

tentation [ten'teɪʃən] *sb (way of adjusting)* Einstellung durch versuchsweises Herantasten *f*

tenterhook ['tentəhʊk] *sb* 1. to be on ~s wie auf glühenden Kohlen sitzen; 2. keep s.o. on ~s jdn auf die Folter spannen; jdn zappeln lassen

term [tɜːm] *sb* 1. *(period)* Zeit *f*, Dauer *f*; 2. ~ of imprisonment Gefängnisstrafe *f*, Freiheitsstrafe *f*; 3. school ~ *(semester)* Semester *n*, *(trimester)* Trimester *n*, *(quarter)* Vierteljahr *n*; 4. *(limit)* Frist *f*; 5. *(expression)* Ausdruck *m*; a contradiction in ~s ein Widerspruch in sich; ~ of endearment Kosewort *m*; 6. in ~s of ... in Hinsicht auf ..., was ... betrifft; 7. ~s *pl (conditions)* Bedingungen *pl*; come to ~s sich einigen; come to ~s with sth *(fig)* sich mit etw abfinden; 8. ~s *pl (relations)* Beziehungen *pl*; to be on bad ~s with s.o. sich mit jdm schlecht verstehen; They aren't on speaking ~s. Sie sprechen nicht miteinander. 9. MATH Glied *n*; *v* 10. nennen, bezeichnen

terminal ['tɜːmɪnəl] *sb* 1. Terminal *m*; 2. *(railway ~)* Endstation *f*; 3. TECH Anschlussklemme *f*; 4. *(of a battery)* Pol *m*; *adj* 5. MED unheilbar

terrace ['terəs] *sb* 1. Terrasse *f*; 2. *(UK: row of houses)* Häuserreihe *f*; 3. ~s *pl (UK)* SPORT Ränge *pl*

terrain [te'reɪn] *sb* Gelände *n*

terrible ['terɪbl] *adj* schrecklich, furchtbar

terrific [tə'rɪfɪk] *adj* 1. *(enormous)* ungeheuer; 2. *(fam: excellent)* großartig, fantastisch, toll *(fam)*

terror ['terə] *sb* 1. Schrecken *m*, Entsetzen *n*; 2. *(person or thing causing ~)* Schrecken *n*; 3. *(fam: brat)* Ungeheuer *n*

terrorism ['terərɪzəm] *sb* Terrorismus *m*

test [test] *v* 1. testen, prüfen; 2. *(examine)* untersuchen; *sb* 3. Test *m*, Prüfung *f*, Probe *f*; put sth to the ~ etw auf die Probe stellen; stand the ~ of time die Zeit überdauern; 4. *(check)* Kontrolle *f*; 5. *(UK)* SPORT Testmatch *n*, internationaler Vergleichskampf *m*

test case ['testkeɪs] *sb* Musterfall *m*

testify ['testɪfaɪ] *v* 1. JUR Zeugnis ablegen; 2. *(sth)* JUR aussagen; 3. *(fig)* bezeugen

test match ['testmætʃ] *sb (UK)* SPORT Testmatch *n*, internationaler Vergleichskampf *m*

test tube ['testtjuːb] *sb* Reagenzglas *n*

tether ['teðə] *v* 1. anbinden; *sb* 2. to be at the end of one's ~ fix und fertig sein

textbook ['tekstbʊk] *sb* Lehrbuch *n*

than [ðæn] *konj* als

thank [θæŋk] *v* 1. danken, sich bedanken bei; have s.o. to ~ for sth jdm etw zu verdanken haben; *interj* 2. ~ you danke; ~ you very much vielen Dank; ~ God, ~ goodness, ~ heavens Gott sei Dank

thanks [θæŋks] *interj* 1. *(fam)* danke; *pl* 2. Dank *m*; give ~ to God Gott Dank sagen; 3. ~ to dank; It was a failure ~ to her. Ihretwegen war es ein Misserfolg. Yes, it worked, no ~ to you. Ja, es hat geklappt, und das habe ich nicht dir zu verdanken.

that [ðæt] *pron* 1. *(demonstrative pronoun)* das; like ~ so; after ~ danach; How much are those? Wie viel kosten die da? ~ which das, was; ~ is to say das heißt; and ... at ~ und dabei ..., *(in addition)* und außerdem ...; ~'s it das ist es; ~'s it (you're doing it correctly) gut so; ~'s it (~'s all) das wär's; 2. *(relative pronoun)* der/die/das; some articles ~ I wrote einige Berichte, die ich schrieb; *adj* 3. der/die/das, jene(r,s); ~ morning an jenem Morgen; What's the name of ~ new Bruce Willis film? Wie heißt denn dieser neue Film mit Bruce Willis? *adv* 4. *(fam)* so; It's not ~ difficult. So schwierig ist es auch wieder nicht. He's big, but not ~ strong. Er ist zwar groß, aber nicht sehr kräftig.

the [ðə, ðiː] *art* der/die/das; ~ ... ~ ... je ..., desto ...; ~ poor die Armen; so much ~ better umso besser

theatre ['θɪətə] *sb* 1. Theater *n*; 2. operating ~ MED Operationssaal *m*; 3. ~ of operations MIL Schauplatz der Handlungen *m*

theft [θeft] *sb* Diebstahl *m*

them [ðem] *pron* 1. *(direct object)* sie; 2. *(indirect object)* ihnen

then [ðen] *adv* 1. *(at that time)* da; from ~ on von da an; ~ and there auf der Stelle; by ~ inzwischen, bis dahin; 2. *(in those days)* damals; 3. *(after that)* dann; 4. *(in that case)* dann; Then you didn't do it? Sie haben es also nicht getan? 5. *(furthermore)* dann, außerdem; 6. now ~ nun; *adj* 7. damalig; the ~ chairman der damalige Vorsitzende

theory ['θɪərɪ] *sb* Theorie *f*; in ~ theoretisch

therapy ['θerəpɪ] *sb* Therapie *f*

there [ðeə] *adv* 1. dort, da; over ~ dort; He's not all ~. *(fam)* Er hat nicht alle Tassen im Schrank. 2. *(toward that direction)* dorthin, dahin; ~ and back hin und zurück; 3. *(on this matter)* da; 4. ~ is es gibt, es ist; There is no speed limit on German motorways, is ~? Auf deutschen Autobahnen gibt es keine Geschwindigkeitsbegrenzung, oder? *interj* 5. *There, ~!* Schon gut!

thermometer [θəˈmɒmɪtə] *sb* Thermometer *n*

thesaurus [θɪˈsɔːrəs] *sb* Thesaurus *m*

thesis [ˈθiːsɪs] *sb* 1. These *f*; 2. *(student's)* Diplomarbeit *f*; 3. *(doctoral ~)* Dissertation *f*, Doktorarbeit *f* (fam)

they [ðeɪ] *pron* 1. sie; 2. *(people in general)* man; *They're coming out with a film about Joan of Arc.* Es wird demnächst einen Film über Jeanne d'Arc geben.

thick [θɪk] *adj* 1. dick; *a board three centimetres ~* ein drei Zentimeter dickes Brett; 2. *(hair, fog, hedges)* dicht; 3. *(syrup)* dickflüssig; 4. *(crowd)* dicht gedrängt; 5. *(accent)* stark; *adv* 6. lay it on *~ (fam)* dick auftragen; *sb* 7. *in the ~* mittendrin; **thief** [θiːf] *sb* Dieb *m; as thick as thieves (fam)(UK)* unzertrennlich, sehr vertraut, dicke Freunde sein

thigh [θaɪ] *sb* ANAT Oberschenkel *m*

thin [θɪn] *adj* 1. dünn; *vanish into ~ air* sich in Luft auflösen 2. *(hair)* schütter; 3. *(plot)* schwach; *v* 4. *(hair)* schütter werden; 5. *(paint)* verdünnen

thing [θɪŋ] *sb* 1. Ding *n; to be seeing ~s (fam)* sich etw einbilden; 2. *~s pl (belongings)* Sachen *pl*; 3. *(affair, matter)* Sache *f; know a ~ or two about sth* sich mit etw auskennen; *the best ~ to do* das Beste, was man tun kann; *first ~ in the morning* als Erstes morgen früh; *for one ~* einerseits; *It's just one of those ~s.* Da kann man halt nichts machen. *It's a good ~ you came.* Es ist gut, dass Sie gekommen sind. *the very ~* genau das Richtige; 4. *have a ~ about sth (fam)* von etw besessen sein; 5. *I say, old ~... (fam)(UK)* Na, du altes Haus!

think [θɪŋk] *v irr* 1. denken; 2. *(sth)* denken, meinen, glauben

thin-skinned [ˈθɪnskɪnd] *adj* 1. dünnhäutig; 2. *(fig)* sensibel

thirst [θɜːst] *sb* 1. Durst *m; die of ~* verdursten; 2. *~ for knowledge* Wissensdurst *m; v* 3. *~ for* dürsten nach

thirsty [ˈθɜːstɪ] *adj* durstig; *I'm ~.* Ich habe Durst.

this [ðɪs] *pron* 1. dies, das; *like ~* so; *adj* 2. *~ one* dies(e,er,es); 3. diese(r,s); *these days* heutzutage; *~ evening* heute Abend; *~ time* diesmal; *adv* 4. so; *~ big* so groß; *~ far* bis hierher

thorn [θɔːn] *sb* BOT Dorn *m; He's a ~ in my side.* Er ist mir ein Dorn im Auge.

thorough [ˈθʌrə] *adj* 1. gründlich; 2. *(knowledge)* umfassend

thoroughly [ˈθʌrəlɪ] *adv* 1. gründlich; 2. *(through and through)* durch und durch

though [ðəʊ] *konj* 1. obwohl, obgleich; *as ~* als ob; *adv* 2. aber, allerdings, immerhin; *He never did it, ~.* Er hat es aber nie getan. *She'll keep on trying, ~.* Sie wird es aber weiterhin versuchen.

thought [θɔːt] *sb* 1. *(act of thinking)* Denken *n;* 2. *(idea, opinion)* Gedanke *m;* 3. *(sudden inspiration)* Einfall *m;* 4. *(consideration)* Nachdenken *n; have second ~s* Zweifel bekommen; *Give it some ~.* Denk mal darüber nach. *on second ~* bei näherer Überlegung

thought-out [θɔːt aʊt] *adj* wohl überlegt, durchdacht

thrash [θræʃ] *v* 1. verprügeln; 2. *(fig: defeat)* vernichtend schlagen

thread [θred] *v* 1. *(a needle)* einfädeln; 2. *(a necklace)* aufziehen; 3. *~ one's way through sth (fig)* sich durch etw hindurchschlängeln; *sb* 4. Faden *m; hang by a ~* am seidenen Faden hängen; 5. *pick up the ~(s)* den Faden wieder aufnehmen; 6. *(for sewing)* Garn *n;* 7. *(of a screw)* TECH Gewinde *n*

threat [θret] *sb* 1. Drohung *f;* 2. *(danger)* Bedrohung *f,* Gefahr *f*

thresh [θreʃ] *v* dreschen

thresher [ˈθreʃə] *sb* 1. *(person)* Drescher *m;* 2. *(machine)* Dreschmaschine *f*

thrifty [ˈθrɪftɪ] *adj* sparsam

thrill [θrɪl] *v* 1. begeistern, entzücken; *to be ~ed* begeistert sein; 2. *(an audience)* packen; *sb* 3. Erregung *f*

thriving [ˈθraɪvɪŋ] *adj* prächtig, gedeihend, blühend

throat [θrəʊt] *sb* 1. *(outside)* Hals *m;* 2. *(inside)* Kehle *f; jump down s.o.'s ~* jdm über den Mund fahren; 3. *(animal's)* Rachen *m*

throne [θrəʊn] *sb* Thron *m*

throttle [ˈθrɒtl] *v* 1. *(s.o.)* erdrosseln, erwürgen; 2. *(fig: opposition)* ersticken; *sb* 3. *(lever)* Gashebel *m; at full ~* mit Vollgas; 4. *(valve)* Drosselklappe *f*

through [θruː] *prep* 1. durch; 2. *(time)* während, hindurch; 3. *(US: up to and including)* bis einschließlich; *adv* 4. durch; *sb* 5. *to be ~ with sth* mit etw fertig sein; 6. *Darling, you and I are ~.* Schätzchen, es ist aus zwischen uns. 7. *(not stopping)* durchgehend, Durchgangs...

throw [θrəʊ] *v irr 1.* werfen; *2. (a rider)* abwerfen; *3. (judo-style)* zum Boden werfen; *4. (a fit)* bekommen; *5. (pottery)* töpfern; *6. (a party)* geben; *7. (a switch)* betätigen; *8. ~ o.s. at s.o.* sich jdm an den Hals werfen; *sb 9.* Wurf *m*
• **throw away** *v irr 1.* wegwerfen; *2. throw sth away (fig)* etw durch Nachlässigkeit verlieren; *3. (fam: money)* verschwenden
• **throw off** *v irr (a pursuer)* abschütteln
• **throw out** *v irr 1. (trash)* wegwerfen; *2. (a person)* rausschmeißen (fam)
• **throw up** *v irr 1. (vomit)* sich übergeben, brechen; *2. (one's hands)* hochwerfen

thrust [θrʌst] *v irr 1.* stoßen, *(with a knife)* stechen; *~ one's hands into one's pockets* die Hände in die Tasche stecken; *~ out one's hand* die Hand ausstrecken; *~ sth on s.o.* jdm etw aufdrängen; *~ s.o. aside* jdn beiseite schieben; *sb 2.* Stoß *m*, *(in fencing)* Stich *m*; *3. MIL* Vorstoß *m*; *4. (of a turbine) TECH* Schub *m*

thud [θʌd] *sb* dumpfes Geräusch *n*

thumb [θʌm] *sb 1.* Daumen *m*; *rule of ~* Faustregel *f*; *to be all ~s* zwei linke Hände haben; *v 2. ~ through (a book)* durchblättern; *3. ~ a ride* per Anhalter fahren

thumbnail ['θʌmneɪl] *sb* Daumennagel *m*

thumbprint ['θʌmprɪnt] *sb* Daumenabdruck *m*

thunder ['θʌndə] *sb 1.* Donner *m*; *v 2.* donnern

thunderstorm ['θʌndəstɔːm] *sb* Gewitter *n*, Unwetter *n*

tic [tɪk] *sb* Tick *m*, nervöses Zucken *n*

tick [tɪk] *sb 1. (of a clock)* Ticken *n*, *(fam: moment)* Moment *m*; *2. (mark)* Häkchen *n*, Vermerkzeichen *n*; *sb 3. ZOOL* Zecke *f*; *v 4.* ticken
• **tick off** *v (an item on a list)* abhaken
• **tick over** *v* laufen, in Gang sein

ticker ['tɪkə] *sb 1.* Börsentelegraf *m*; *2. (fam: heart)* Pumpe *f*; *3. (fam: watch)* Uhr *f*

ticker tape ['tɪkəteɪp] *sb 1.* Lochstreifen *m*; *2. ~ parade* Konfettiparade *f*

ticket ['tɪkɪt] *sb 1.* Karte *f*; *2. (train ~)* Fahrkarte *f*; *3. (bus ~)* Fahrschein *m*; *4. (for reclaiming an item)* Schein *m*, *(cloakroom ~)* Garderobenmarke *f*; *5. JUR* Strafzettel *m*; *6. lottery ~* Wahlliste *f*; *7. POL* Wahlliste *f*

ticket day ['tɪkɪtdeɪ] *sb FIN* Tag vor dem Abrechnungstag *m*

ticket office ['tɪkɪtɒfɪs] *sb 1.* Fahrkartenschalter *m*; *2. (at a theatre)* Kasse *f*

tickle ['tɪkl] *v 1.* kitzeln; *2. (amuse)* amüsieren; *3. (fig: flatter)* schmeicheln; *4. ~ s.o.'s fancy* jdn neugierig machen, jdn interessieren

tickler ['tɪklə] *sb (problem)* kitzlige Sache *f*

tickly ['tɪklɪ] *adj* kitzlig, heikel

tidal ['taɪdl] *adj* Tiden..., Gezeiten...

tidal power ['taɪdlpaʊə] *sb* Gezeitenkraft *f*

tiddler ['tɪdlə] *sb (fam: person) (UK)* Knirps *m*, Dreikäsehoch *m*

tiddlywinks ['tɪdlɪwɪŋks] *sb* Flohhüpfen *n*

tide [taɪd] *sb 1.* Gezeiten *pl*; *high ~* Hochwasser *n*; *low ~* Niedrigwasser *n*; *v 2. ~ s.o. over (fig)* jdm hinweghelfen über

tidy ['taɪdɪ] *v 1.* in Ordnung bringen; *adj 2.* ordentlich, sauber
• **tidy up** *v (a room)* aufräumen

tie [taɪ] *v 1. (in a competition)* gleich stehen, punktgleich sein, *SPORT* unentschieden spielen; *2. (sth)* binden; *sb 3. (neck~)* Krawatte *f*, Schlips *m*; *4. (result of a match)* Unentschieden *n*; *5. (UK: football match) SPORT* Ausscheidungsspiel *n*; *6. (fig: bond)* Bindung *f*
• **tie up** *v 1.* binden; *2. (a prisoner)* fesseln; *3. to be tied up (to be busy)* beschäftigt sein

tie-dyeing ['taɪdaɪɪŋ] *sb* Bindebatik *f*

tight [taɪt] *adj 1. (clothes, space)* eng; *in a ~ spot (fig)* in der Klemme; *2. (screw, lid, knot)* fest; *3. (taut)* gespannt; *4. (fig: money)* knapp; *5. (schedule)* knapp bemessen; *6. (control)* streng; *7. ...~ (air~, water~)* dicht; *adv 8.* fest, *(taut)* straff; *hold ~* festhalten; *sit ~* sich nicht rühren

tight-fisted [taɪt'fɪstɪd] *adj (fam)* geizig, knickerig, knauserig

tights ['taɪts] *pl* Strumpfhose *f*

tile [taɪl] *sb 1. (on a wall)* Kachel *f*; *2. (cork, linoleum)* Platte *f*; *3. (on a roof)* Dachziegel *m*; *4. (ceramic ~)* Fliese *f*; *v 5. (a bathroom)* Fliesen anbringen in; *6. (a wall)* kacheln; *7. (a roof)* decken

till [tɪl] *sb 1.* Ladenkasse *f*; *konj 2. (see "until");* *v 3. AGR* bestellen

tilt [tɪlt] *v 1.* sich neigen; *2. (fall)* umkippen; *3. (sth)* kippen, schräg stellen; *~ one's chair* mit dem Stuhl wippen; *4. (one's head)* neigen; *sb 5. (slant)* Neigung *f*

timber ['tɪmbə] *sb 1.* Holz *n*, Nutzholz *n*, *(for construction)* Bauholz *n*; *2. Timber!* Achtung!

time [taɪm] *sb 1.* Zeit *f*; *for all ~* für alle Zeiten; *he had a hard ~ (doing sth)* es fiel ihm schwer (etw zu tun); *have a good ~* sich amüsieren; *the first ~* das erste Mal; *every ~* jedes

Mal; *at ~s* manchmal; *of all ~* aller Zeiten; *take one's ~* sich Zeit lassen; *bide one's ~* abwarten; *from ~ to ~* ab und zu; *by that ~* bis dahin; *at any ~* jederzeit; *a few ~s* ein paar Mal; *on ~* pünktlich; *in good ~* rechtzeitig; *in six weeks' ~* in sechs Wochen; *behind the ~s* altmodisch; *a race against ~* ein Wettlauf mit der Zeit; *ahead of ~* der Zeit voraus; *for the ~ being* zunächst, im Moment; *in no ~ (at all)* im Nu; *keep up with the ~s* mit der Zeit gehen, sich auf dem Laufenden halten; *play for ~* Zeit herausschinden; *at that ~* dann, *(in the past)* damals; *at the same ~* gleichzeitig, zur selben Zeit, *(on the other hand)* andererseits; *in no ~* im Handumdrehen, im Nu; *once upon a ~* es war einmal; *at all ~s* stets, jederzeit; *~ and again, ~ after ~* immer wieder; *for the ~ being* vorläufig, *(as it stands now)* unter den gegenwärtigen Umständen; *two at a ~* zu zweit, jeweils zwei; *Time's up!* Die Zeit ist um! *What ~ is it?* Wie viel Uhr ist es? *take ~* dauern; *Take your ~!* Lass dir Zeit! 2. *do ~ (fam: inprison)* sitzen; 3. *~s (in multiplication)* mal; 4. *MUS* Takt *m;*

time-consuming ['taɪmkənsjuːmɪŋ] *adj* zeitraubend

timely ['taɪmlɪ] *adj* rechtzeitig, zur rechten Zeit

timetable ['taɪmteɪbl] *sb* 1. Zeittabelle *f,* Fahrplan *m* (fam); 2. *(of arrivals or departures)* Fahrplan *m,* *(of a plane)* Flugplan *m*; 3. *(UK: student's)* Stundenplan *m*

time zone ['taɪmzəʊn] *sb* Zeitzone *f*

tin [tɪn] *sb* 1. Zinn *n*; 2. *(can)* Dose *f,* Büchse *f*; 3. *(~plate)* Blech *n*; *v* 4. *(can)* in Dosen konservieren

tinker ['tɪŋkə] *v ~ with* herumbasteln an, *(mess with)* herumpfuschen an

tinkle ['tɪŋkl] *v* klingeln, klirren

tinner ['tɪnə] *sb* Blechschmied *m*

tin-opener ['tɪnəʊpənə] *sb* Dosenöffner *m,* Büchsenöffner *m*

tint [tɪnt] *v* 1. *(colour)* tönen; *sb* 2. Ton *m,* Tönung *f*

tiny ['taɪnɪ] *adj* winzig

tip¹ [tɪp] *sb* 1. *(end)* Spitze *f*; 2. *(of a cigarette)* Filter *m*

tip² [tɪp] *sb* 1. *(piece of advice, piece of information)* Tipp *m,* Hinweis *m*; 2. *(gratuity)* Trinkgeld *n*; *v* 3. *(give a gratuity to)* Trinkgeld geben; 4. *~ s.o. off* jdm einen Tipp geben

tip³ [tɪp] *v* 1. *(tilt)* kippen; *sb* 2. *(for rubbish)* Abladeplatz *m*; 3. *(for coal)* Halde *f*

tipple ['tɪpl] *v* saufen, trinken

tipsy ['tɪpsɪ] *adj* beschwipst

tiptoe ['tɪptəʊ] *v* auf den Zehenspitzen gehen, schleichen

tire¹ [taɪə] *v* 1. ermüden, müde werden; *~ of s.o.* jds überdrüssig sein; 2. *(s.o.)* ermüden, müde machen

tire² [taɪə] *sb (US)* Reifen *m*

tired ['taɪəd] *adj* 1. müde; 2. *(hackneyed)* abgegriffen; 3. *to be ~ of sth* etw satt haben

title ['taɪtl] *sb* 1. Titel *m*; 2. *(of a chapter)* Überschrift *f*; 3. *(person's)* Anrede *f,* *(of nobility)* Adelstitel *m*; 4. *JUR* Rechtsanspruch *m*; *(to property)* JUR Eigentumsrecht *n*; 5. *(document)* JUR Eigentumsurkunde *f*

titter ['tɪtə] *v* kichern

tittle ['tɪtl] *sb* Pünktchen *n,* Tüpfelchen *n*

tizzy ['tɪzɪ] *sb (fam)* Aufregung *f,* Konfusion *f; in a ~* aufgeregt, konfus

to [tuː] *prep* 1. zu; *a quarter ~ three* Viertel vor drei; *live ~ be ninety* neunzig Jahre alt werden; *I've never been ~ Manila.* Ich war noch nie in Manila. *I don't want ~.* Ich will nicht. 2. *(until, as far as)* bis; *~ this day* bis zum heutigen Tag; 3. *(attach ~)* an; 4. *next ~* neben; 5. *(when proposing a toast)* auf; 6. *(infinitive)* ~ *jump* springen; *easy ~ understand* leicht zu verstehen

toad [təʊd] *sb* ZOOL Kröte *f*

toast [təʊst] *sb* 1. Toast *m*; 2. *(drink)* Toast *m,* Trinkspruch *m; propose a ~* einen Toast ausbringen; *v* 3. *(sth)* toasten; 4. *~ s.o. (drink in honour of s.o.)* auf jds Wohl trinken

tobacco [tə'bækəʊ] *sb* Tabak *m*

toe [təʊ] *v* 1. mit den Zehen berühren; *~ the line (fig)* spuren; *sb* 2. Zehe *f; on one's ~s (fig)* auf Draht

together [tə'geðə] *adv* zusammen; *go ~ (fit)* zusammenpassen; *go ~ (events)* zusammen auftreten; *go ~ (two people)* miteinander gehen

toil [tɔɪl] *v* 1. sich abplagen; *~ up a hill* sich einen Berg hinaufquälen; *sb* 2. mühselige Arbeit *f,* Mühe *f*

toilet ['tɔɪlɪt] *sb* Toilette *f*

token ['təʊkən] *sb* 1. *(coin, counter)* Marke *f*; 2. *(voucher)* Gutschein *m*; 3. *(sign)* Zeichen *n*; 4. *by the same ~* ebenso, aber auch; *adj* 5. Schein..., nominell, symbolisch

token payment ['təʊkən'peɪmənt] *sb* symbolische Bezahlung *f*

tolerant ['tɒlərənt] *adj* tolerant

tolerate ['tɒləreɪt] *v* 1. dulden, tolerieren; 2. *(bear)* ertragen

toll¹ [təʊl] *v* läuten

toll² [təʊl] *sb* 1. Zoll *m*, Gebühr *f*, *(for a road)* Straßengebühr *f*; 2. *(fig)* take its ~ arg mitnehmen; *take a ~ of twenty lives* zwanzig Todesopfer fordern

toll-gate ['təʊlgeɪt] *sb* Schlagbaum *m*, Mautschranke *f*

tomato [tə'mɑːtəʊ] *sb* Tomate *f*

tomboy ['tɒmbɔɪ] *sb* Wildfang *m*

tombstone ['tuːmstəʊn] *sb* Grabstein *m*

tomorrow [tə'mɒrəʊ] *adv/sb* morgen; *the day after ~* übermorgen; *~ morning* morgen früh

ton [tʌn] *sb* Tonne *f*

tongs [tɒŋz] *pl* Zange *f*; *a pair of ~* eine Zange

tongue [tʌŋ] *sb* Zunge *f*; *~ in cheek* augenzwinkernd, ironisch; *make a slip of the ~* sich versprechen; *hold one's ~* den Mund halten; *get one's ~ around sth* etw aussprechen; *It's on the tip of my ~.* *(fig)* Es liegt mir auf der Zunge.

tongue-tied ['tʌŋtaɪd] *to be ~* kein Wort herausbringen können

tongue twister ['tʌŋtwɪstə] *sb* Zungenbrecher *m*

tonic ['tɒnɪk] *sb* Tonikum *n*

tonic water ['tɒnɪkwɔːtə] *sb* Tonic *n*

tonight [tə'naɪt] *adv* 1. *(this evening)* heute Abend; 2. *(late at night)* heute Nacht

tonsil ['tɒnsl] *sb* ANAT Mandel *f*

too [tuː] *adv* 1. *(excessively)* zu; *all ~ well* nur zu gut; 2. *(very)* zu; 3. *(moreover)* auch noch; 4. *(also)* auch

tooth [tuːθ] *sb* 1. Zahn *m*; *by the skin of one's teeth (fam)* gerade so, haarscharf; *armed to the teeth* bis an die Zähne bewaffnet; *to be long in the ~* nicht mehr der/die Jüngste sein; *fight ~ and nail* erbittert kämpfen; *get one's teeth into sth* sich in etw verbeißen; *have a sweet ~* eine Naschkatze sein; 2. *(of a comb)* Zacke *f*

toothache ['tuːθeɪk] *sb* Zahnschmerzen *pl*

toothbrush ['tuːθbrʌʃ] *sb* Zahnbürste *f*

top [tɒp] *v* 1. *~ a list* ganz oben auf einer Liste stehen; 2. *(surpass)* übertreffen, *(a sum)* übersteigen; 3. *(cut off the ~ of)* kappen; 4. *(cover)* bedecken; 5. *(crown)* krönen; *sb* 6. *(highest part)* oberer Teil *m*, Spitze *f*; 7. *(of a mountain)* Gipfel *m*; 8. *(fig)* Spitze *f*; *at the ~ of one's voice* aus vollem Halse; *blow one's ~ (fam)* in die Luft gehen; *on ~ of that* darüber hinaus; *to be on ~ of the situation* die Situation unter Kontrolle haben; 9. *(lid)* Deckel *m*;

topic ['tɒpɪk] *sb* Thema *n*

topmost ['tɒpməʊst] *adj* oberste(r,s), höchste(r,s)

topple ['tɒpl] *v* 1. wackeln, stürzen; 2. *(sth)* umwerfen; 3. *(fig: a government)* stürzen

torch [tɔːtʃ] *sb* 1. Fackel *f*; *(fig)* carry a ~ for s.o. jdn lieben, ohne geliebt zu werden; 2. *(UK: electric ~)* Taschenlampe *f*

torment ['tɔːment] *v* 1. quälen; *sb* 2. Qual *f*, Marter *f*

tornado [tɔː'neɪdəʊ] *sb* Tornado *m*

torrent ['tɒrənt] *sb* 1. *(violent stream)* reißender Strom *m*; 2. *(fig)* Schwall *m*

torso ['tɔːsəʊ] *sb* Rumpf *m*

torture ['tɔːtʃə] *v* 1. foltern; 2. *(fig)* quälen; *sb* 3. Folter *f*; 4. *(fig)* Qual *f*

toss [tɒs] *v* 1. *~ and turn* sich schlaflos im Bett wälzen; 2. *(sth)* werfen; *to be ~ed by a horse* vom Pferd abgeworfen werden; 3. *~ a coin* eine Münze hochwerfen; 4. *(storm)* schütteln; 5. *(a salad)* anmachen

total ['təʊtl] *v* 1. *(add)* zusammenzählen, zusammenrechnen; 2. *(amount to)* sich belaufen auf; *adj* 3. *(whole)* gesamt; 4. völlig, total, absolut; *sb* 5. Gesamtsumme *f*, Gesamtbetrag *m*, Gesamtmenge *f*

totally ['təʊtəlɪ] *adv* völlig, total

touch [tʌtʃ] *v* 1. *(one another)* sich berühren; 2. *(sth)* berühren, *(in a negative sense)* anrühren; *This is really ~ and go.* Das ist wirklich eine heikle Situation. 3. *(grasp)* anfassen; 4. *(emotionally)* rühren, bewegen; *sb* 5. *(sense of ~)* Gefühl *n*; 6. *(act of ~ing)* Berührung *f*, Berühren *n*; 7. *(feature)* Zug *m*; *a nice ~* eine hübsche Note; 8. *(trace)* Spur *f*; 9. *(skill)* Hand *f*; 10. *(communication)* Kontakt *m*, Verbindung *f*; *keep in ~ with* in Verbindung bleiben mit; *get in ~ with s.o.* sich mit jdm in Verbindung setzen

• **touch down** *v* *(plane)* aufsetzen

• **touch up** *v* 1. *(paint)* ausbessern; 2. *(a photo)* retuschieren

tough [tʌf] *adj* 1. *(person, meat)* zäh; 2. *(opponent, negotiator, part of town)* hart; 3. *(resistant)* widerstandsfähig; 4. *(difficult)* schwierig; *~ luck* Pech; *sb* 5. Schlägertyp *m*

tough-minded ['tʌfmaɪndɪd] *adj* nüchtern, unsensibel

tour [tʊə] *v* 1. eine Reise machen; 2. *(band, theatre company)* eine Tournee machen; 3. *(sth)* besichtigen; *~ the country* das Land bereisen; *sb* 4. Tour *f*, Reise *f*; 5. *(guided ~)* Führung *f*; 6. *(of a building, of a town)* Rundgang *m*; 7. *(by a band, by a theatre company)* Tournee *f*; 8. *(inspection)* Inspektion *f*

tourism ['tʊərɪzm] *sb* Fremdenverkehr *m*, Tourismus *m*

tourist ['tʊərɪst] *sb* Tourist/Touristin *m/f*

tourist class ['tʊərɪst klɑːs] *sb* Touristenklasse *f*

tow [təʊ] *v* 1. *(a car)* abschleppen; 2. *(a boat)* schleppen; 3. *(a trailer)* ziehen

towel ['taʊəl] *sb* Handtuch *n*

towel rack ['taʊəlræk] *sb* Handtuchhalter *m*

tower ['taʊə] *sb* 1. Turm *m; v* 2. ragen; ~ over weit überragen; 3. ~ over *(fig)* übertreffen

town [taʊn] *sb* Stadt *f; to be the talk of the* ~ Stadtgespräch sein

townspeople ['taʊnzpiːpl] *pl* 1. Bürger *pl;* 2. *(as opposed to country folk)* Städter *pl*

toxic ['tɒksɪk] *adj* giftig

toxic waste ['tɒksɪk weɪst] *sb* Giftmüll *m*

toy [tɔɪ] *sb* 1. Spielzeug *n; ~s pl* Spielzeug *n*, Spielsachen *pl; v* 2. *~ with an idea* mit einem Gedanken spielen

trace [treɪs] *v* 1. *~ back to* zurückverfolgen bis zu; 2. *(copy)* nachziehen; *(with tracing paper)* durchpausen; 3. *(follow the trail of)* verfolgen; 4. *(find)* aufspüren, ausfindig machen; *sb* 5. Spur *f*

track [træk] *v* 1. *(follow)* verfolgen; *sb* 2. *(path)* Weg *m*, Pfad *m;* 3. *(trail)* Spur *f*, Fährte *f; throw s.o. off the* ~ jdn von der Spur ablenken; *cover one's* ~s seine Spuren verwischen; *keep* ~ *of* verfolgen; *on the right* ~ auf dem richtigen Wege; *on the wrong* ~, *off the* ~ auf falscher Fährte; 4. *make* ~s *(fam)* sich auf den Weg machen; 5. *(train* ~) Gleis *n;* 6. *(racing* ~) Bahn *f, (for auto racing)* Rennstrecke *f;* 7. *(~ and field)* SPORT Leichtathletik *f*

tracker dog ['trækədɒg] *sb* Spürhund *m*

tracksuit ['træksuːt] *sb* Trainingsanzug *m*

tractor ['træktə] *sb* Traktor *m*

trade [treɪd] *v* 1. ECO handeln, Handel treiben; *~ in sth* mit etw handeln; 2. *~ sth for sth* etw gegen etw tauschen; *~ in one's car* sein Auto in Zahlung geben; *sb* 3. *(exchange)* Tausch *m;* 4. *(line of work)* Branche *f; know all the tricks of the* ~ alle Kniffe kennen; *by* ~ von Beruf; 5. *(commerce)* ECO Handel *m*, Gewerbe *n;* 6. *(craft)* Handwerk *n*

trade-in ['treɪdɪn] *sb* In-Zahlung-Gegebenes *n*

trademark ['treɪdmɑːk] *v* 1. gesetzlich schützen lassen; *sb* 2. Warenzeichen *n;* 3. *(fig)* Kennzeichen *n*

trade secret ['treɪd'siːkrɪt] *sb* Betriebsgeheimnis *n*

trade union ['treɪdjuːnɪən] *sb* Gewerkschaft *f*

tradition [trə'dɪʃən] *sb* Tradition *f*

traffic ['træfɪk] *sb* 1. Verkehr *m;* 2. *(trade)* Handel *m*

traffic jam ['træfɪkdʒæm] *sb* Stau *m*, Verkehrsstauung *f*

tragedy ['trædʒədɪ] *sb* Tragödie *f*

tragic ['trædʒɪk] *adj* tragisch

trail [treɪl] *v* 1. *(drag on the floor)* schleifen; 2. *(to be behind)* weit zurückliegen; 3. *(drag)* schleppen; 4. *(s.o.)* verfolgen, *(secretly)* beschatten; *sb* 5. Spur *f*, Fährte *f;* 6. *(path)* Weg *m*, Pfad *m*

train [treɪn] *v* 1. SPORT trainieren; 2. *(s.o.)* ausbilden; 3. *(a child)* erziehen; 4. *~ s.o. in (a new employee)* jdm etw beibringen; 5. *(an animal)* abrichten, dressieren; 6. *(aim)* richten; *sb* 7. Zug *m; take a* ~ *to* mit dem Zug fahren nach; 8. *(procession)* Kolonne *f;* 9. ~ *of thought* Gedankengang *m; lose one's* ~ *of thought* den Faden verlieren; 10. *(series)* Folge *f*

trainer ['treɪnə] *sb* 1. *(of a race horse)* Trainer *m;* 2. *(animal* ~) Dresseur *m;* 3. *(instructor)* Ausbilder *m*

trait [treɪt] *sb* Eigenschaft *f*

tram [træm] *sb (UK)* Straßenbahn *f*

trample ['træmpl] *v (sth)* trampeln

trance [trɑːns] *sb* Trance *f*

tranquil ['træŋkwɪl] *adj* ruhig

transact [træn'zækt] *v* ECO führen, abschließen

transaction [træn'zækʃən] *sb* Geschäft *n*

transatlantic [trænzət'læntɪk] *adj* transatlantisch

transcript ['trænskrɪpt] *sb* 1. Kopie *f;* 2. *(of a tape)* Niederschrift *f;* 3. *(US: academic record)* Zeugnis *n*

transcription [træn'skrɪpʃən] *sb* Transkription *f*, Niederschrift *f*

transfer [træns'fɜː] *v* 1. *(to another bus or train)* umsteigen; 2. ~ *to* übergehen zu, überwechseln zu, umstellen auf; 3. *(move)* verlegen; 4. *(hand over)* übertragen; 5. *(money between accounts)* überweisen; 6. *(an employee)* versetzen; ['trænsfɜː] *sb* 7. *(handing over)* Übertragung *f;* 8. *(of funds)* Überweisung *f;* 9. *(of an employee)* Versetzung *f;* 10. *(to another bus or train)* Umsteigen *n, (ticket)* Umsteigekarte *f;* 11. *(physical moving)* Verlegung *f*

transform [træns'fɔːm] *v* 1. umgestalten, umwandeln; 2. *(person)* verwandeln

transfusion [træns'fjuːʒən] *sb MED* Transfusion *f*

transit ['trænzɪt] *sb* Durchreise *f*; *ECO* Transit *m*; *in ~* unterwegs

translate [trænz'leɪt] *v* übersetzen; *~ ideas into action* Gedanken in die Tat umsetzen

transmit [trænz'mɪt] *v* 1. übertragen; 2. *(news)* übermitteln; 3. *(broadcast)* senden, übertragen; 4. *(through heredity)* BIO vererben

transparency [træns'pærənsɪ] *sb* 1. *(transparent quality)* Durchsichtigkeit *f*; 2. *(for an overhead projector)* Folie *f*

transplant [træns'plɑːnt] *v* 1. umpflanzen; 2. *MED* transplantieren, verpflanzen; ['trɑːnsplɑːnt] *sb MED* Transplantation *f*, Verpflanzung *f*; *(organ ~ed)* Transplantat *n*

transport [træn'spɔːt] *v* 1. transportieren, befördern; ['trænspɔːt] *sb* 2. Transport *m*, Beförderung *f*; 3. *(of wealth, of power)* MIL Truppentransporter *m*, *(plane)* Transportflugzeug *n*

transvestite [trænz'vestaɪt] *sb* Transvestit *m*

trap [træp] *v* 1. in die Falle locken; 2. *(physically: leave no way out)* einschließen; 3. *(gases)* stauen; 4. *(stop a rolling object)* stoppen; *sb* 5. Falle *f*; 6. *(fam: mouth)* Klappe *f*; *Shut your ~!* Halt die Klappe!

trappings ['træpɪŋz] *pl* 1. Drum und Dran; 2. *(of wealth, of power)* Insignien *pl*

trash [træʃ] *sb* 1. *(US: rubbish)* Abfall *m*; 2. *(thing of low quality)* Schund *m*

trashy ['træʃɪ] *adj* minderwertig

trauma ['trɔːmə] *sb MED* Trauma *n*

travel ['trævl] *v* 1. reisen; 2. *(move)* sich bewegen; 3. *(light, sound)* sich fortpflanzen; 4. *(sth)(a distance)* zurücklegen; 5. *(a route)* fahren; 6. *(the world)* bereisen; *sb* 7. Reisen *n*; 8. *~s pl* Reisen *pl*

traveller's cheque ['trævləz tʃek] *sb* Reisescheck *m*

tray [treɪ] *sb* 1. Tablett *n*; 2. *(for papers)* Ablagekorb *m*

treason ['triːzn] *sb* 1. Verrat *m*; 2. *JUR* Landesverrat *m*

treasure ['treʒə] *sb* 1. Schatz *m*; *v* 2. schätzen, hoch schätzen, würdigen

treasurer ['treʒərə] *sb* Kassierer *m*

treat [triːt] *v* 1. *(behave toward)* behandeln; 2. *(regard)* betrachten; 3. *MED, CHEM, TECH* behandeln; 4. *~ o.s.* sich etw gönnen; 5. *~ s.o. to sth* jdm etw spendieren; *sb* 6. besonderes Vergnügen *n*; 7. *It's my ~.* Das geht auf meine Rechnung.

treatment ['triːtmənt] *sb* Behandlung *f*

treaty ['triːtɪ] *sb POL* Vertrag *m*

tremble ['trembl] *v* 1. zittern; 2. *(ground, building)* beben

tremendous [trə'mendəs] *adj* 1. enorm, riesig, gewaltig; 2. *(fam: very good)* toll

tremor ['tremə] *sb* 1. *(of the earth)* Beben *n*; 2. *(of the body)* Zittern *n*

trend [trend] *sb* 1. Trend *m*, Richtung *f*; 2. *(fashion)* Mode *f*, Trend *m*

trendy ['trendɪ] *adj (fam)* modisch, schick, im Trend liegend

trespass ['trespəs] *v* unbefugt betreten; *"no ~ing"* „Betreten verboten"

triable ['traɪəbl] *adj JUR* verhandelbar, verhandlungsfähig

trial ['traɪəl] *sb* 1. *JUR* Prozess *m*, Verfahren *n*; 2. *(test)* Probe *f*; *on a ~ basis* probeweise; 3. *(hardship)* Last *f*, Plage *f*

triangle ['traɪæŋgl] *sb* Dreieck *n*

triathlon [traɪ'æθlən] *sb* Triathlon *n*

tribe [traɪb] *sb* Stamm *m*

tribesman ['traɪbzmən] *sb* Stammesangehöriger *m*

tribune ['trɪbjuːn] *sb HIST* Tribun *m*

tribute ['trɪbjuːt] *sb* Tribut *m*, Huldigung *f*; *pay ~ to* huldigen

trick [trɪk] *v* 1. täuschen, hereinlegen; *sb* 2. Trick *m*; 3. *(skilful act)* Kunststück *n*; *That did the ~.* Damit war es geschafft. 4. *(prank)* Streich *m*

trickle ['trɪkl] *v* 1. tröpfeln, rieseln; *sb* 2. Rinnsal *n*; 3. *(drip)* Tröpfeln *n*

tricky ['trɪkɪ] *adj* 1. *(difficult)* schwierig; 2. *(situation)* heikel; *v* 3. *(person)* durchtrieben, raffiniert

trifle ['traɪfl] *sb* 1. Kleinigkeit *f*; *v* 2. *~ with s.o.* jdn zu leicht nehmen

trigger ['trɪgə] *v* 1. auslösen; *sb* 2. *(of a gun)* Abzug *m*; *pull the ~* abdrücken

trim [trɪm] *v* 1. *(hair)* nachschneiden; 2. *(a dog's hair)* trimmen; 3. *(a beard, a hedge)* stutzen; 4. *(fig: a budget)* kürzen; 5. *(a Christmas tree)* ausschmücken; 6. *(sails)* NAUT richtig stellen; *sb* 7. *give sth a ~* etw nachschneiden; *adj* 8. *(person)* schlank

trimming ['trɪmɪŋ] *sb* 1. Verzierung *f*; 2. *~s pl (accessories)* Zubehör *n*; *with all the ~s* mit allem Drum und Dran; 3. *~s pl GAST* Garnierung *f*

trip [trɪp] *v* 1. *(stumble)* stolpern; 2. *~ s.o.* jdm ein Bein stellen; *sb* 3. *(excursion)* Ausflug *m*; 4. *(journey)* Reise *f*

trip switch ['trɪpswɪtʃ] *sb* Auslöseschalter *m*

tripwire ['trɪpwaɪə] *sb* Stolperdraht *m*

triumph ['traɪʌmf] *v 1.* triumphieren, siegen; *sb 2.* Triumph *m*

trivia ['trɪvɪə] *pl* Trivialitäten *pl*

trivial ['trɪvɪəl] *adj* geringfügig, unbedeutend

trivialize ['trɪvɪəlaɪz] *v* trivialisieren

troll [trəʊl] *sb* Troll *m*

trolley ['trɒlɪ] *sb 1. (cart)* Handwagen *m, (shopping cart)* Einkaufswagen *m; 2. (for luggage)* Gepäckwagen *m; 3. (US: streetcar)* Straßenbahn *f*

trolleybus ['trɒlɪbʌs] *sb* Trolleybus *m*

troop [truːp] *sb 1. ~s* MIL Truppen *pl; 2. (of scouts)* Gruppe *f; v 3. ~ in* hereinströmen

trooper ['truːpə] *sb 1. (in the cavalry)* Kavallerist *m; 2. (US)* Polizist *m*

trophy ['trəʊfɪ] *sb* Trophäe *f*

trot [trɒt] *v 1.* traben; *sb 2.* Trab *m*

trouble ['trʌbl] *sb 1. (difficulties)* Schwierigkeiten *pl,* Ärger *f; to be in ~* in Schwierigkeiten sein; *give s.o. ~ (fam)* jdm Streit suchen; *He's ~. (fam)* Mit ihm wird es Ärger geben. *2. (pains, discomfort)* Leiden *n; 3. (unrest)* Unruhe *f; make ~* Unruhe stiften; *4. (effort)* Mühe *f; take the ~* sich die Mühe machen; *v 5. ~ to do sth* sich bemühen, etw zu tun; *6. (bother)* bemühen, belästigen; *7. (worry)* beunruhigen; *What's troubling you?* Worüber machst du dir Sorgen?

troublemaker ['trʌblmeɪkə] *sb* Unruhestifter *m*

troublesome ['trʌblsʌm] *adj 1.* lästig; *2. (task)* unangenehm

trousers ['traʊzəz] *pl* Hose *f*

trowel ['traʊəl] *sb* Kelle *f*

truant ['truːənt] *sb* Schulschwänzer *m*

truce [truːs] *sb* Waffenstillstand *m*

truck [trʌk] *sb (US)* Lastwagen *m,* Laster *m (fam)*

true [truː] *adj 1.* wahr; *to be ~ of sth* auf etw zutreffen; *come ~ (wishes)* wahr werden, *(a prediction)* sich verwirklichen, *(fears)* sich bewahren; *hold ~* sich bewahrheiten; *That's ~.* Das stimmt. Das ist wahr. *2. (accurate)* wahrheitsgetreu; *3. (genuine)* echt, wahr, wirklich; *4. (aim)* genau; *5. (faithful)* treu; *He's still ~ to his favourite team.* Er ist seinem Lieblingsteam noch treu.

true-love [truː lʌv] *sb* Geliebte(r) *m/f*

truly ['truːlɪ] *adv 1. (genuinely)* wirklich; *2. Yours ~ ...* Hochachtungsvoll ..., Mit freundlichen Grüßen ...

trunk [trʌŋk] *sb 1. (case)* Koffer *m; 2. (tree ~)* Stamm *m; 3. (US: of a car)* Kofferraum *m; 4. (elephant's)* Rüssel *m; 5. (of one's body)* ANAT Rumpf *m; 6. ~s pl (swimming ~s)* Badehose *f*

trunk road ['trʌŋkrəʊd] *sb* Fernstraße *f*

trust [trʌst] *v 1.* vertrauen; *2. (s.o.)* vertrauen, trauen; *3. (sth)* trauen; *4. (hope)* hoffen; *sb 5.* Vertrauen *n; 6. (charitable ~)* Stiftung *f; 7.* JUR Treuhand *f; 8.* ECO Trust *m*

trustworthy ['trʌstwɜːðɪ] *adj 1. (person)* vertrauenswürdig; *2. (thing)* zuverlässig

truth [truːθ] *sb* Wahrheit *f*

truthful ['truːθfʊl] *adj 1. (person)* ehrlich; *2. (story)* wahr

try [traɪ] *v 1.* versuchen; *2. (~ out)* ausprobieren; *3. (sth)* versuchen; *4. (sample)* probieren; *5. (s.o.'s patience)* richten; *6. (a case)* JUR verhandeln; *7. (a person)* JUR vor Gericht stellen; *sb 8.* Versuch *m; Give it a ~!* Versuch es doch mal!

T-shirt ['tiːʃɜːt] *sb* T-Shirt *n*

tube [tjuːb] *sb 1.* Rohr *n; 2. (in a TV)* Röhre *f; 3. (flexible)* Schlauch *m; 4. (of toothpaste, of paint)* Tube *f; 5. (London underground)* U-Bahn *f; 6.* ANAT Röhre *f*

tubing ['tjuːbɪŋ] *sb 1. (tubes)* Schläuche *pl; 2. (floating in inner tubes)* Befahren von Flüssen auf Reifenschläuchen *n*

tuck [tʌk] *v* stecken

• **tuck in** *v 1. tuck s.o. in* jdn zudecken; *2. ~ one's shirt* das Hemd in die Hose stecken

tug [tʌg] *v 1.* ziehen, zerren; *sb 2.* Zerren *n*

tug-of-war [tʌgəv'wɔː] *sb* SPORT Tauziehen *n*

tuition [tjʊ'ɪʃən] *sb 1.* Unterricht *m; 2. (~ fees)* Unterrichtsgeld *n*

tumble ['tʌmbl] *v 1.* stürzen; *2. (do gymnastics)* Bodenakrobatik machen; *3. (sth)* umwerfen, umstürzen; *v 4. (fall)* Sturz *m*

tumble-dry ['tʌmbldraɪ] *v* im Wäschetrockner trocknen

tummy ['tʌmɪ] *sb 1. (fam)* Magen *m; 2. (fam: belly)* Bauch *m*

tuna ['tjuːnə] *sb* Tunfisch *m*

tune [tjuːn] *v 1. (an instrument)* stimmen; *2. (a radio, an engine)* einstellen; *sb 3.* Melodie *f; change one's ~ (fig)* andere Töne anschlagen; *4. out of ~ (singing)* falsch, *(instrument)* verstimmt

tunic ['tjuːnɪk] *sb 1.* Kasack *m; 2. (soldier's)* Waffenrock *m*

tunnel ['tʌnl] *sb* Tunnel *m*

turban ['tɜːbən] *sb* Turban *m*

turbulence ['tɜːbjʊləns] *sb* Aufgewühltheit *f*, Turbulenz *f*

turf [tɜːf] *sb 1.* Rasen *m; 2. (fig: of a gang)* Revier *n; 3. (sod)* Sode *f; 4. (peat)* Torf *m; v 5. ~ out (UK)(fam)* wegschmeißen, rauswefen, rausschmeißen

turn [tɜːn] *v 1. (revolve)* sich drehen; *2. (person)* wenden, sich umdrehen; *3. (change direction)* abbiegen; *4. (vehicle)* wenden; *(~ off: car)* abbiegen, *(plane, boat)* abdrehen; *5. (become)* werden; *~ into sth* sich in etw verwandeln; *6. ~ to s.o.* sich an jdn wenden; *7. ~ to sth* sich einer Sache zuwenden; *He ~ed to a life of crime.* Er wurde kriminell. *8. (sth)* drehen; *~ the corner* um die Ecke biegen; *9. ~ sth into sth* etw in etw verwandeln; *10. ~ one's attention to sth* seine Aufmerksamkeit einer Sache zuwenden; *11. ~ s.o. loose* jdn loslassen; *12. (~ over)* wenden, *(a record)* umdrehen; *~ the page* umblättern; *sb 13. (movement)* Drehung *f; 14. (in a road)* Kurve *f; take a ~ for the worse (fig)* sich verschlimmern; *at every ~* auf Schritt und Tritt;
•**turn around** *v (person)* sich umdrehen
•**turn back** *v 1.* zurückgehen, umkehren; *2. (a clock)* zurückstellen, *(fig)* zurückdrehen

turning point ['tɜːnɪŋpɔɪnt] *sb (fig)* Wendepunkt *m*

turnout ['tɜːnaʊt] *sb* Beteiligung *f*, Teilnahme *f*

turnpike ['tɜːnpaɪk] *sb 1. (device)* Schlagbaum *m; 2. (toll road)* gebührenpflichtige Autobahn *f*

turn-up ['tɜːnʌp] *sb (UK: cuff on trousers)* Aufschlag *m*

turquoise [tʌk'swɔɪz] *sb 1. (colour)* Türkis *n; 2. MIN* Türkis *m*

turret ['tʌrɪt] *sb 1. MIL* Turm *m; 2. ARCH* Türmchen *n*

turtle ['tɜːtl] *sb ZOOL* Schildkröte *f*

turtledove ['tɜːtldʌv] *sb* Turteltaube *f*

turtleneck ['tɜːtlnek] *sb* Rollkragenpullover *m*

tusk [tʌsk] *sb 1.* Stoßzahn *f; 2. (boar's)* Hauer *m*

tutor ['tjuːtə] *sb* Privatlehrer *m*

tutorial [tjuː'tɔːrɪəl] *sb 1.* Kolloquium *n; 2. INFORM* Benutzerhandbuch *n*

tuxedo [tʌk'siːdəʊ] *sb (US)* Smoking *m*

TV [tiː'viː] *sb 1. (fam: television)* Fernsehen *n; 2. (fam: television set)* Fernseher *m*

twee [twiː] *adj (UK)* niedlich, schnuckelig, putzig

tweezers ['twiːzəz] *pl* Pinzette *f*

twice [twaɪs] *adv* zweimal; *~ a week* zweimal pro Woche; *~ as much* doppelt so viel; *think ~ about sth* sich etw zweimal überlegen; *He doesn't think ~ about stating his opinion.* Er hat keine Bedenken, seine Meinung zu äußern.

twiddle ['twɪdl] *v* herumdrehen; *~ one's thumbs* Däumchen drehen

twilight ['twaɪlaɪt] *sb* Abenddämmerung *f*, Zwielicht *n*

twin [twɪn] *sb* Zwilling *m*

twine [twaɪn] *sb* Schnur *f*, Bindfaden *m*

twinkle ['twɪŋkl] *v 1.* funkeln; *sb 2.* Funkeln *n; She had a ~ in her eye. (fig)* Ihr schaute der Schalk aus den Augen.

twinkling ['twɪŋklɪŋ] *sb (of the eye)* Zwinkern *n*

twin town ['twɪntaʊn] *sb* Partnerstadt *f*

twist [twɪst] *v 1. (road)* sich winden; *2. (sth)* drehen, winden; *~ sth round sth* etw um etw wickeln; *3. (bend out of shape)* verdrehen, verzerren; *4. ~ off (a lid)* abschrauben; *5. ~ s.o.'s arm* jdm den Arm verdrehen, *(fig)* jdn unter Druck setzen; *sb 6.* Drehung *f; 7. (in a road)* Kurve *f; 8. (fig: unusual aspect)* Wendung *f*

tycoon [taɪ'kuːn] *sb* Magnat *m*

type [taɪp] *v 1. (use a typewriter)* Maschine schreiben, tippen *(fam); 2. (sth)* tippen, mit der Maschine schreiben; *sb 3. (kind)* Art *f; 4. (of person, of character)* Typ *m; 5. (print)* Type *f*

typecast ['taɪpkɑːst] *v* auf ein bestimmtes Rollenfach festlegen

typescript ['taɪpskrɪpt] *sb* Typoskript *n*

typesetter ['taɪpsetə] *sb (person)* Schriftsetzer *m*, Setzer *m*

typewriter ['taɪpraɪtə] *sb* Schreibmaschine *f*

typhoid fever ['taɪfɔɪd 'fiːvə] *sb MED* Typhus *m*

typical ['tɪpɪkəl] *adj* typisch; *to be ~ of* charakterisieren

typography [taɪ'pɒɡrəfɪ] *sb* Typografie *f*

tyrannical [tɪ'rænɪkəl] *adj* tyrannisch

tyrannize ['tɪrənaɪz] *v (s.o.)* tyrannisieren

tyranny ['tɪrənɪ] *sb* Tyrannei *f*

tyrant ['taɪrənt] *sb* Tyrann *m*

tyre [taɪə] *sb* Reifen *m*

tyro [taɪəʊ] *sb* Anfänger *m*

U

ugly ['ʌglɪ] *adj* hässlich

ulcer ['ʌlsə] *sb* MED Geschwür *n*

ulterior [ʌl'tɪərɪə] *adj* ~ motive Hintergedanke *m*

ultimate ['ʌltɪmɪt] *adj* 1. *(last)* letzte(r,s), endgültig; 2. *(greatest possible)* vollendet, äußerste(r,s)

ultra ['ʌltrə] *adj* ~... extrem, Erz..., Ultra...

ultrasound ['ʌltrəsaʊnd] *sb* Ultraschall *m*

umbilical cord [ʌm'bɪlɪkl kɔːd] *sb* ANAT Nabelschnur *f*

umbrage ['ʌmbrɪdʒ] *sb* take ~ at Anstoß nehmen an

umbrella [ʌm'brelə] *sb* 1. Schirm *m*, Regenschirm *m*; 2. *(sun ~)* Sonnenschirm *m*

umpteenth ['ʌmptiːnθ] *adj (fam)* x-te

unable [ʌn'eɪbl] *adj* to be ~ to do sth etw nicht tun können

unacceptable [ʌnək'septəbl] *adj* nicht akzeptabel, unannehmbar

unaccountable [ʌnə'kaʊntəbl] *adj* unerklärlich, unerklärbar

unaccustomed [ʌnə'kʌstəmd] *adj* to be ~ to sth etw nicht gewohnt sein

unambiguous [ʌnæm'bɪgjʊəs] *adj* unzweideutig

unanimous [juː'nænɪməs] *adj* einstimmig

unapproachable [ʌnə'prəʊtʃəbl] *adj* unnahbar

unarmed [ʌn'ɑːmd] *adj* unbewaffnet

unassisted [ʌnə'sɪstɪd] *adj* ohne Unterstützung, ohne Hilfe

unattainable [ʌnə'teɪnəbl] *adj* unerreichbar

unattractive [ʌnə'træktɪv] *adj (person)* reizlos

unavoidable [ʌnə'vɔɪdəbl] *adj* unvermeidlich

unbearable [ʌn'beərəbl] *adj* unerträglich

unbecoming [ʌnbɪ'kʌmɪŋ] *adj* 1. *(clothing)* unvorteilhaft; 2. *(conduct)* unschicklich

unbelievable [ʌnbɪ'liːvəbl] *adj* unglaublich

unbreakable [ʌn'breɪkəbl] *adj* unzerbrechlich

uncalled-for [ʌn'kɔːldfɔː] *adj* unangebracht, fehl am Platze

unceremoniously [ʌnserɪ'məʊnɪəslɪ] *adv* kurzerhand, unsanft, ohne viel Federlesens

uncertain [ʌn'sɜːtn] *adj* 1. *(unknown)* ungewiss, unbestimmt; 2. *(unclear)* vage; 3. to be ~ of sth sich einer Sache nicht sicher sein

uncertainty [ʌn'sɜːtəntɪ] *sb* 1. Ungewissheit *f*, Unbestimmtheit *f*; 2. *(doubt)* Zweifel *m*

uncle ['ʌŋkl] *sb* Onkel *m*

uncomfortable [ʌn'kʌmfətəbl] *adj* 1. unbequem, ungemütlich; 2. *(unpleasant)* unangenehm

uncommon [ʌn'kɒmən] *adj* 1. ungewöhnlich; 2. *(outstanding)* außergewöhnlich

unconcerned [ʌnkən'sɜːnd] *adj* gleichgültig, unbeteiligt

unconnected [ʌnkə'nektɪd] *adj* nicht zusammenhängend, nicht in Verbindung stehend

unconscious [ʌn'kɒnʃəs] *adj* 1. bewusstlos; 2. *(unintentional)* unbewusst, unbeabsichtigt; to be ~ of sth sich einer Sache nicht bewusst sein

uncontrollable [ʌnkən'trəʊləbl] *adj* 1. unkontrollierbar; 2. *(child)* unbändig; 3. *(urge)* unwiderstehlich

uncooperative [ʌnkəʊ'ɒpərətɪv] *adj* wenig hilfreich, stur

uncouth [ʌn'kuːθ] *adj* 1. *(person)* ungehobelt; 2. *(remark)* grob

uncover [ʌn'kʌvə] *v* aufdecken

undaunted [ʌn'dɔːntɪd] *adj* unerschrocken, unverzagt

undecided [ʌndɪ'saɪdɪd] *adj* 1. *(person)* unentschlossen; 2. *(issue, matter)* unentschieden

under ['ʌndə] *prep* 1. unter; ~ construction im Bau; 2. *(fam: less than)* weniger als; 3. *(according to)* nach, gemäß; *adv* 4. unten; go ~ untergehen

underachiever [ʌndərə'tʃiːvə] *sb* einer, der weniger leistet, als man von ihm erwartet

underarm ['ʌndərɑːm] *sb* Achselhöhle *f*

underclothes ['ʌndəkləʊðz] *pl* Unterwäsche *f*

underdeveloped [ʌndədɪ'veləpt] *adj* unterentwickelt

underdone [ʌndə'dʌn] *adj* GAST nicht gar

underestimate [ʌndər'estɪmeɪt] *v* unterschätzen

underfloor ['ʌndəflɔː] *adj* Fußboden...

undergarment ['ʌndəgɑːmənt] *sb* Unterwäsche *pl*

underground ['ʌndəgraʊnd] *adj 1.* unter-irdisch; *2. (fig)* Untergrund... *adv 3. ten metres* ~ zehn Meter unter der Erde; *go* ~ *(fig)* untertauchen; *sb 4.* POL Untergrundbewe-gung *f,* Untergrund *m; 5. (UK)* U-Bahn *f,* Un-tergrundbahn *f*

underneath ['ʌndə'niːθ] *prep 1.* unter, un-terhalb; *adv 2.* unten, darunter

underpaid [ʌndə'peɪd] *adj* unterbezahlt

underpants ['ʌndəpænts] *pl* Unterhose *f*

underprice [ʌndə'praɪs] *v* unter Preis an-bieten

under-secretary ['ʌndəsekrətrɪ] *sb 1. (UK)* Staatssekretär *m; 2. (US) Undersecretary of Defense* stellvertretender Verteidigungs-minister *m*

undershirt ['ʌndəʃɜːt] *sb* Unterhemd *n*

understand [ʌndə'stænd] *v irr 1.* verste-hen; *2. (interpret, take to mean)* am I to ~ that ... soll das etwa heißen, dass ...; *I ~ you're planning to buy a car.* Ich höre, du hast vor, ein Auto zu kaufen. *3.* ~ *one another* sich ver-stehen

understanding [ʌndə'stændɪŋ] *adj 1.* verständnisvoll; *sb 2. (sympathy)* Verständnis *n; 3. (knowledge)* Kenntnisse *pl; my* ~ *of the matter is that* ... wie ich es verstehe, ... *4. (agreement)* Vereinbarung *f,* Abmachung *f; come to an* ~ *with s.o.* zu einer Einigung mit jdm kommen; *on the* ~ *that* ... unter der Vor-aussetzung, dass ...

undertaking ['ʌndəteɪkɪŋ] *sb 1. (task)* Aufgabe *f; 2. (risky* ~, *bold* ~) Unterfangen *n*

underwater [ʌndə'wɔːtə] *adv* unter Was-ser

underwrite [ʌndə'raɪt] *v irr (guarantee)* FIN garantieren

underwriter ['ʌndəraɪtə] *sb* Versicherer *m*

undesigning [ʌndɪ'zaɪnɪŋ] *adj* ohne Hin-tergedanken, aufrichtig

undesirable [ʌndɪ'zaɪərəbl] *adj 1.* uner-wünscht; *sb 2.* unerfreuliches Element *n*

undisciplined [ʌn'dɪsɪplɪnd] *adj* undiszi-pliniert

undo [ʌn'duː] *v irr 1.* aufmachen, öffnen; *2. (a knot)* lösen; *3. (fig: reverse)* aufheben, rück-gängig machen

undone [ʌn'dʌn] *adj 1. (unfastened)* gelöst, offen; *come* ~ aufgehen; *2. (not done)* unge-tan, unerledigt

undress [ʌn'dres] *v 1.* sich ausziehen; *2. (s.o.)* ausziehen

undressed [ʌn'drest] *adj* unbekleidet, ausgezogen

uneasy [ʌn'iːzɪ] *adj 1. (awkward)* unbehag-lich; *2. (worried)* besorgt; *3. (truce)* unsicher; *4. (sleep)* unruhig

uneducated [ʌn'edjʊkeɪtɪd] *adj* ungebil-det

unemployed [ʌnɪm'plɔɪd] *adj* arbeitslos

unemployment [ʌnɪm'plɔɪmənt] *sb* Ar-beitslosigkeit *f*

unequal [ʌn'iːkwəl] *adj* ungleich; *to be* ~ *to a task* einer Aufgabe nicht gewachsen sein

unethical [ʌn'eθɪkəl] *adj* unmoralisch

uneven [ʌn'iːvən] *adj 1. (surface)* uneben; *2. (breathing)* unregelmäßig; *3. (quality)* un-gleichmäßig

unexpected [ʌnɪk'spektɪd] *adj* unerwar-tet, unvermutet

unfair [ʌn'feə] *adj* ungerecht, unfair

unfaithful [ʌn'feɪθfʊl] *adj (wife, husband)* untreu

unfamiliar [ʌnfə'mɪljə] *adj* unbekannt, fremd, ungewohnt; *to be* ~ *with sth* etw nicht kennen

unfasten [ʌn'fɑːsn] *v 1.* aufmachen; *2. (detach)* losbinden

unfavourable [ʌn'feɪvərəbl] *adj 1. (condi-tions, result)* ungünstig; *2. (reply, reaction)* ne-gativ

unfinished [ʌn'fɪnɪʃt] *adj 1.* nicht fertig; *2. (business)* unerledigt; *3. (symphony)* unvoll-endet

unflattering [ʌn'flætərɪŋ] *adj (clothing, haircut)* unvorteilhaft

unfold [ʌn'fəʊld] *v 1.* sich entfalten; *2. (plot)* sich entwickeln; *3. (sth)* entfalten; *4. (a newspaper)* ausbreiten; *5. (a plan)* darlegen

unforgettable [ʌnfə'getəbl] *adj* unver-gesslich

unfortunate [ʌn'fɔːtʃənɪt] *adj 1.* bedauer-lich; *2. (person)* unglücklich

unfounded [ʌn'faʊndɪd] *adj* unbegründet, grundlos

unfriendly [ʌn'frendlɪ] *adj* unfreundlich

unfurnished [ʌn'fɜːnɪʃt] *adj* unmöbliert

ungainly [ʌn'geɪnlɪ] *adj* unbeholfen, plump

ungrateful [ʌn'greɪtfʊl] *adj* undankbar

unhappy [ʌn'hæpɪ] *adj 1.* unglücklich; *2. (not satisfied)* unzufrieden

unholy [ʌn'həʊlɪ] *adj 1.* gottlos; *2. (fam: mess)* heillos

unhoped-for [ʌn'həʊptfɔː] *adj* unverhofft

unhurried [ʌn'hʌrɪd] *adj* geruhsam, ge-mächlich

unhurt [ʌn'hɜːt] *adj* unverletzt

unidentified [ˌʌnaɪˈdentɪfaɪd] *adj* unbekannt

uniform [ˈjuːnɪfɔːm] *sb 1.* Uniform *f; adj 2.* einheitlich, gleich

unify [ˈjuːnɪfaɪ] *v 1.* vereinigen; *2. (a theory)* vereinheitlichen

unimaginable [ˈʌnɪˈmædʒɪnəbl] *adj* unvorstellbar

unimportant [ˌʌnɪmˈpɔːtənt] *adj* unwichtig, unbedeutend

unimproved [ˌʌnɪmˈpruːvd] *adj 1.* nicht verbessert; *2. AGR* unbebaut, nicht kultiviert

uninhabited [ˌʌnɪnˈhæbɪtɪd] *adj* unbewohnt

uninspiring [ˌʌnɪnˈspaɪrɪŋ] *adj* nicht gerade begeisternd

unintelligent [ˌʌnɪnˈtelɪdʒənt] *adj* unklug

unintentional [ˌʌnɪnˈtenʃənl] *adj* unabsichtlich, unbeabsichtigt

union [ˈjuːnjən] *sb 1. (joining)* Vereinigung *f; POL* Zusammenschluss *m; 2. (group)* Vereinigung *f*, Verband *m*, Verein *m; 3. (labor ~, trade ~)* Gewerkschaft *f*

unique [juːˈniːk] *adj* einzig, einmalig, einzigartig

unisex [ˈjuːnɪseks] *adj* unisex

unison [ˈjuːnɪzn] *sb* Einklang *m; in ~* einstimmig

unit [ˈjuːnɪt] *sb* Einheit *f*

unite [juːˈnaɪt] *v 1.* sich vereinigen, sich zusammenschließen; *2. (sth)* vereinigen, verbinden, zusammenschließen

united [juːˈnaɪtɪd] *adj* vereint, gemeinsam, vereinigt

universal [ˌjuːnɪˈvɜːsəl] *adj 1.* universal, Universal..., Welt...; *2. (general)* allgemein; *3. (rule)* allgemein gültig

universe [ˈjuːnɪvɜːs] *sb* Weltall *n*, Universum *n*

unkempt [ʌnˈkemt] *adj 1. (appearance)* ungepflegt; *2. (hair)* ungekämmt

unkind [ʌnˈkaɪnd] *adj 1.* unfreundlich; *2. (cruel)* lieblos

unknown [ʌnˈnəʊn] *adj 1.* unbekannt; *sb 2.* Unbekannte(r) *m/f*

unlawful [ʌnˈlɔːfʊl] *adj* rechtswidrig, gesetzwidrig, ungesetzlich

unless [ʌnˈles] *konj* es sei denn, außer wenn

unlimited [ʌnˈlɪmɪtɪd] *adj 1.* unbegrenzt; *2. ECO* unbeschränkt

unlock [ʌnˈlɒk] *v* aufschließen

unlucky [ʌnˈlʌkɪ] *adj* unglücklich; *to be ~* Pech haben

unmarked [ʌnˈmɑːkt] *adj* nicht gekennzeichnet, nicht markiert

unmarried [ʌnˈmærɪd] *adj* unverheiratet, ledig

unmask [ʌnˈmɑːsk] *v (fig)* entlarven

unmeasured [ʌnˈmeʒəd] *adj* unermesslich, grenzenlos, unbegrenzt

unmistakable [ˌʌnmɪsˈteɪkəbl] *adj* unverkennbar

unnatural [ʌnˈnætʃərəl] *adj 1.* unnatürlich; *2. (act)* widernatürlich; *3. (affected)* gekünstelt

unnecessary [ʌnˈnesəsərɪ] *adj 1.* unnötig, nicht notwendig; *2. (superfluous)* überflüssig

unoccupied [ʌnˈɒkjʊpaɪd] *adj 1. (seat)* frei; *2. (house)* unbewohnt, leer stehend; *3. (person)* unbeschäftigt

unorthodox [ʌnˈɔːθədɒks] *adj (fig)* unorthodox, unkonventionell

unpaid [ʌnˈpeɪd] *adj* unbezahlt

unparalleled [ʌnˈpærəleld] *adj* einmalig, beispiellos

unpleasant [ʌnˈpleznt] *adj 1.* unangenehm; *2. (person)* unfreundlich

unpleasantness [ʌnˈplezntnɪs] *sb 1.* Unangenehmheit *f; 2. (of a person)* Unfreundlichkeit *f; 3. (bit of ~)* Unannehmlichkeit *f*

unpopular [ʌnˈpɒpjʊlə] *adj* unbeliebt

unprecedented [ʌnˈpresɪdentɪd] *adj* beispiellos, unerhört

unprepared [ˌʌnprɪˈpeəd] *adj 1.* unvorbereitet; *2. to be ~ for sth (caught by surprise)* auf etw nicht vorbereitet sein

unproductive [ˌʌnprəˈdʌktɪv] *adj* unproduktiv, unergiebig

unprotected [ˌʌnprəˈtektɪd] *adj* schutzlos, ungeschützt

unquestionably [ʌnˈkwestʃənəblɪ] *adv* fraglos, zweifellos

unravel [ʌnˈrævl] *v 1.* sich aufziehen; *2. (fig)* sich entwirren; *3. (sth)* aufziehen; *4. (fig)* entwirren

unread [ʌnˈred] *adj 1. (book)* ungelesen; *2. (person)* nicht belesen

unreadable [ˈʌnriːdəbl] *adj* unleserlich, unlesbar

unrealistic [ˌʌnrɪəˈlɪstɪk] *adj* unrealistisch, wirklichkeitsfremd

unreasonable [ʌnˈriːznəbl] *adj 1. (demand)* unzumutbar; *2. (person)* unvernünftig

unrecognizable [ˌʌnrekəɡˈnaɪzəbl] *adj* nicht wieder zu erkennen

unrehearsed [ˌʌnrɪˈhɜːst] *adj 1.* spontan; *2. THEAT* ungeprobt

unrelated [ˌʌnrɪˈleɪtɪd] *adj* nicht verbunden

unreliable [ʌnrɪˈlaɪəbl] *adj* unzuverlässig
unreported [ʌnrɪˈpɔːtɪd] *adj 1. (crime)* nicht gemeldet; *2. (story)* nicht berichtet
unreserved [ʌnrɪˈzɜːvd] *adj (complete)* uneingeschränkt
unresponsive [ʌnrɪˈspɒnsɪv] *adj* teilnahmslos
unrestricted [ʌnrɪˈstrɪktɪd] *adj* unbeschränkt, uneingeschränkt
unripe [ʌnˈraɪp] *adj* unreif
unruly [ʌnˈruːlɪ] *adj 1. (child)* unbändig; *2. (hair)* widerspenstig
unsaid [ʌnˈsed] *adj* unerwähnt, unausgesprochen; *to be left ~* unerwähnt bleiben
unsatisfactory [ʌnsætɪsˈfæktərɪ] *adj 1.* unbefriedigend; *2. (schoolwork)* mangelhaft; *3. (profits)* nicht ausreichend; *4. (service)* schlecht
unscheduled [ʌnˈʃedjʊld] *adj* außerplanmäßig
unscientific [ʌnsaɪənˈtɪfɪk] *adj* unwissenschaftlich
unscrew [ʌnˈskruː] *v (sth)* abschrauben
unseal [ʌnˈsiːl] *v* öffnen
unseasonably [ʌnˈsiːznəblɪ] *adv* für die Jahreszeit ungewöhnlich
unseat [ʌnˈsiːt] *v 1. (remove from office)* des Postens entheben; *2. (fig) Smith ~ed Jones at the top of the rankings.* Smith hat Jones aus der Spitze der Rangliste verdrängt.
unseen [ʌnˈsiːn] *adj 1.* ungesehen; *sight ~* unbesehen; *2. (unobserved)* unbemerkt; *3. (UK: passage for translation)* unvorbereitet
unselfish [ʌnˈselfɪʃ] *adj* selbstlos
unsightly [ʌnˈsaɪtlɪ] *adj* unansehnlich
unsized [ʌnˈsaɪzd] *adj* nicht nach Größe geordnet, unsortiert
unskilled [ʌnˈskɪld] *adj* ungelernt
unsolved [ʌnˈsɒlvd] *adj* ungelöst; *(crime)* unaufgeklärt
unsophisticated [ʌnsəˈfɪstɪkeɪtɪd] *adj (person)* schlicht, naiv
unspeakable [ʌnˈspiːkəbl] *adj 1.* unbeschreiblich; *2. (fam: horrible)* entsetzlich
unspoken [ʌnˈspəʊkən] *adj* unausgesprochen, stillschweigend
unstable [ʌnˈsteɪbl] *adj 1.* nicht stabil; *2. (mentally)* labil; *3. (rocking)* schwankend; *4.* CHEM instabil
unstoppable [ʌnˈstɒpəbl] *adj* nicht aufzuhalten, unaufhaltsam
unstructured [ʌnˈstrʌktʃəd] *adj* unstrukturiert, nicht strukturiert

unsuccessful [ʌnsəkˈsesfʊl] *adj 1.* erfolglos; *2. (person)* nicht erfolgreich; *3. (applicant)* abgewiesen
unsuitable [ʌnˈsuːtəbl] *adj* unpassend, ungeeignet, unangebracht
unsure [ʌnˈʃʊə] *adj* unsicher; *He's ~ of himself.* Er ist unsicher.
unthinkable [ʌnˈθɪŋkəbl] *adj* undenkbar, unvorstellbar
untidy [ʌnˈtaɪdɪ] *adj* unordentlich
until [ənˈtɪl] *prep 1.* bis; *not ~ Friday* erst am Freitag; *~ now* bis jetzt; *konj 2.* bis; *not ~* erst wenn
untold [ʌnˈtəʊld] *adj 1. (not told)* unerzählt, ungesagt; *2. (uncounted)* ungezählt, unzählig, zahllos
untrue [ʌnˈtruː] *adj 1. (false)* unwahr, falsch; *2. (unfaithful)* untreu
untruth [ʌnˈtruːθ] *sb* Unwahrheit *f*
unusual [ʌnˈjuːʒʊəl] *adj* außergewöhnlich, ungewöhnlich
unwanted [ʌnˈwɒntɪd] *adj* unerwünscht
unwashed [ʌnˈwɒʃt] *adj* ungewaschen; *the great ~* der Pöbel *m*
unwelcome [ʌnˈwelkəm] *adj 1.* unwillkommen; *2. (news)* unangenehm
unwell [ʌnˈwel] *adj* krank
unwilling [ʌnˈwɪlɪŋ] *adj ~ to do sth* nicht bereit, etw zu tun
unwind [ʌnˈwaɪnd] *v 1. (relax)* sich entspannen; *2. (become unwound)* sich abwickeln; *3. (undo)* abwickeln
unworldly [ʌnˈwɜːldlɪ] *adj 1. (unearthly)* übernatürlich; *2. (naive)* weltfremd
unworthy [ʌnˈwɜːðɪ] *adj* unwürdig; *to be ~ of sth* etw nicht wert sein; *That's ~ of you.* Das ist unter deiner Würde.
up [ʌp] *adv 1. (upward)* nach oben, aufwärts, hinauf/herauf; *~ and down* auf und ab; *ages eight and ~* ab acht Jahre; *2. (northward, to a mountain)* oben; *3. (toward the speaker)* heran; *4. (in a high place)* oben; *5. (not in bed)* auf; *to be ~ and about* wieder gesund auf den Beinen sein; *6. ~ to (as far as)* bis; *~ to now* bisher; *7. What's ~? (how are you)* Wie geht's? *(what's wrong)* Was ist los? *8. to be ~ to sth (to be doing sth)* etw machen, *(mischief)* etw im Schilde führen; *9. to be ~ to s.o. (to be s.o.'s decision)* jds Sache sein, *(depend on s.o.)* von jdm abhängen; *10. to be ~ (to be installed: posters)* angeschlagen sein, *(shelves, framed pictures)* hängen; *11. to be ~ on sth (know all about sth)* sich mit etw auskennen, sich in etw auskennen; *12. feel ~ to sth* sich

einer Sache gewachsen fühlen; *13. to be ~ against sth* etw gegenüberstehen; *14. to be hard ~ (fam)* blank sein, ohne Kohle sein; *15. (having been increased)* gestiegen

up-and-coming [ˌʌp ænd 'kʌmɪŋ] *adj* kommend

upbringing ['ʌpbrɪŋɪŋ] *sb* Erziehung *f*

up front [ˌʌp'frʌnt] *adj 1. (person)* offen; *2. (money)* Vorschuss...

uphill ['ʌp'hɪl] *adv 1.* bergauf; *adj 2. to be an ~ climb (fig)* mühsam sein

uphold [ʌp'həʊld] *v 1. (the law)* hüten; *2. (a verdict)* bestätigen

upkeep ['ʌpkiːp] *sb 1.* Instandhaltung *f; 2. (costs)* Instandhaltungskosten *pl*

uplift [ʌp'lɪft] *v* erheben

up-market ['ʌpmɑːkɪt] *adj* anspruchsvoll, Oberklasse...

upright ['ʌpraɪt] *adj 1. (erect)* aufrecht; *2. (vertical)* senkrecht; *3. (fig: honest)* aufrecht

uprate [ʌp'reɪt] *v* aufwerten

uprising ['ʌpraɪzɪŋ] *sb* Aufstand *m*

uproar ['ʌprɔə] *sb* Tumult *m*, Aufruhr *m*

upset [ʌp'set] *v irr 1. (knock over)* umwerfen, umkippen, umstoßen; *2. (fig: offend)* verletzen; *3. (fig: excite, distress)* aufregen; *4. (fig: unsettle)* bestürzen, erschüttern, mitnehmen *(fam); 5. (fig: a plan)* umstoßen; *adj 6.* bestürzt, aus der Fassung; ['ʌpset] *sb 7. (fam)* SPORT unerwarteter Sieg gegen eine hochfavorisierte Mannschaft *f*

upside down ['ʌpsaɪd'daʊn] *adj* verkehrt herum; *turn sth ~* etw herumdrehen, das Unterste zuoberst kehren

upstairs [ʌp'stɛəz] *adv 1.* oben, im oberen Stockwerk; *2. (toward the top of the stairs)* nach oben, die Treppe hinauf; *adj 3.* im oberen Stockwerk

upstream [ʌp'striːm] *adv* flussaufwärts

upsy-daisy ['ʌpsɪ'deɪzɪ] *interj* Hoppla!

up-to-date ['ʌptu:'deɪt] *adj 1. (modern)* modern; *2. (current)* aktuell; *3. (informed)* auf dem Laufenden

upward ['ʌpwəd] *adv 1.* aufwärts, nach oben; *adj 2.* Aufwärts..., nach oben

urge [ɜːdʒ] *v 1. ~ s.o. on* jdn vorwärts treiben; *2. ~ s.o. to do sth (recommend)* darauf dringen, dass jemand etw tut, *(plead)* jdn dringend bitten, etw zu tun; *3. (advocate)* drängen auf; *sb 4.* Drang *m*, Antrieb *m*

urgency ['ɜːdʒənsɪ] *sb* Dringlichkeit *f*

urgent ['ɜːdʒənt] *adj* dringend

urinal ['jʊərɪnəl] *sb* Pissoir *n*, *(for a patient)* Urinflasche *n*

urn [ɜːn] *sb 1.* Urne *f; 2. (tea ~)* Teemaschine *f*

us [ʌs] *pron* uns; *both of ~* wir beide; *~ kids* wir Kinder; *It's ~.* Wir sind's.

usage ['juːsɪdʒ] *sb* LING Gebrauch *m*, Anwendung *f*

use [juːz] *v 1.* benutzen, verwenden, gebrauchen; *~ up* aufbrauchen, verbrauchen; *2. (take advantage of)* ausnutzen, nutzen; [juːs] *sb 3.* Verwendung *f*, Benutzung *f*, Gebrauch *m; to be in ~* gebraucht werden; *have the ~ of sth* etw benutzen dürfen; *4. (taking advantage of)* Nutzung *f; make ~ of sth* etw nutzen; *5. (usefulness)* Nutzen *m; it's no ~ (doing ...)* es ist zwecklos, (... zu tun); *to be of ~* von Nutzen sein, nützlich sein; *6. (particular application)* Verwendung *f; put to ~* verwenden, anwenden

used [juːzt] *v 1. ~ to do sth* etw immer früher gemacht haben; *2. (~ to be sth) He ~ to be the best tennis player in the whole city.* Er war früher der beste Tennisspieler der ganzen Stadt. *adj 3. get ~ to sth* sich an etw gewöhnen; *4. to be ~ to sth* an etw gewohnt sein; [juːzd] *5.* gebraucht

used car [juːzd kɑː] *sb* Gebrauchtwagen *m*

useful ['juːsfʊl] *adj* nützlich, brauchbar; *make o.s. ~* sich nützlich machen

useless ['juːslɪs] *adj 1.* nutzlos; *2. (pointless)* zwecklos, sinnlos; *3. (object)* unbrauchbar; *4. (in vain)* vergeblich

uselessness ['juːslɪsnɪs] *sb* Nutzlosigkeit *f*, Unbrauchbarkeit *f*

user [juːzə] *sb* Benutzer(in) *m/f*

username ['juːzə 'neɪm] *sb* INFORM Benutzername *m*

usual ['juːʒʊəl] *adj* üblich, gewöhnlich; *as ~* wie gewöhnlich

usually ['juːʒʊəlɪ] *adv* normalerweise, gewöhnlich, meistens

uterus ['juːtərəs] *sb* ANAT Gebärmutter *f*

utility [juː'tɪlɪtɪ] *adj 1.* Gebrauchs..., Allzweck...; *sb 2. public ~* öffentlicher Versorgungsbetrieb *m; 3. public utilities (services)* Leistungen der öffentlichen Versorgungsbetriebe *pl, (gas)* Gasversorgung *f, (power)* Stromversorgung *f*

utilize ['juːtɪlaɪz] *v 1.* verwenden; *2. (raw materials, waste materials)* verwerten; *3. (take advantage of)* nutzen

utter ['ʌtə] *v 1. (a sound, a curse)* von sich geben; *2. (express)* äußern, aussprechen

U-turn ['juːtɜːn] *sb* Kehrtwende *f*

uxorious [ʌk'sɔːrɪəs] *adj* treu liebend

V

vacancy ['veɪkənsɪ] *sb* 1. leerer Platz *m*, Lücke *f*; 2. *(job)* freie Stelle *f*; 3. *(emptiness)* Leere *f*

vacant ['veɪkənt] *adj* 1. frei, leer, unbesetzt; 2. *(land)* unbebaut; *(building)* unbewohnt, unvermietet; 3. *(fig: look)* leer

vacate [və'keɪt] *v* 1. räumen; 2. *(a seat)* frei machen; 3. *(a job)* aufgeben

vacation [və'keɪʃən] *sb* 1. *(from university)* Semesterferien *pl*; 2. *(US)* Ferien *pl*, Urlaub *m*; 3. *(vacating)* Räumung *f*

vaccinate ['væksɪneɪt] *v* impfen

vacuous ['vækjuəs] *adj* 1. leer; 2. *(statement)* nichts sagend

vacuum ['vækjum] *v* 1. saugen; *sb* 2. Vakuum *n*

vacuum cleaner ['vækjumkli:nə] *sb* Staubsauger *m*

vagarious [və'gɛərɪəs] *adj* sprunghaft

vagina [və'dʒaɪnə] *sb* ANAT Scheide *f*, Vagina *f*

vague [veɪg] *adj* 1. vage; 2. *(answer)* unklar

vagueness ['veɪgnɪs] *sb* Unbestimmtheit *f*, Vagheit *f*

vain [veɪn] *adj* 1. *(person)* eitel, eingebildet; 2. *(effort)* vergeblich; *in ~* vergeblich; *take God's name in ~* den Namen Gottes missbrauchen

vale [veɪl] *sb* Tal *n*

valedictory [vælɪ'dɪktərɪ] *adj* Abschieds...

valet ['væleɪ] *sb* Diener *m*

valiant ['væljənt] *adj* tapfer, mutig, heldenhaft

valid ['vælɪd] *adj* 1. gültig; 2. *(argument)* stichhaltig

validate ['vælɪdeɪt] *v* 1. gültig machen; 2. *(claim)* bestätigen

validity [və'lɪdɪtɪ] *sb* 1. Gültigkeit *f*; 2. *(of an argument)* Stichhaltigkeit *f*

vallation [və'leɪʃən] *sb* *(rampart)* Schutzwall *m*

valley ['vælɪ] *sb* Tal *n*

valour ['vælə] *sb* Tapferkeit *f*

valuable ['væljuəbl] *adj* 1. wertvoll; *sb* 2. Wertgegenstand *m*

valuation [vælju'eɪʃən] *sb* 1. *(process)* Schätzung *f*, Bewertung *f*; 2. *(estimated value)* Schätzwert *m*

value ['vælju:] *v* 1. *(estimate the value of)* schätzen, abschätzen; 2. *(prize, appreciate)*

schätzen; *if you ~ your life* wenn Ihnen Ihr Leben lieb ist; *sb* 3. Wert *m*

value-added tax [vælju:'ædɪd tæks] *sb* Mehrwertsteuer *f*

valueless ['væljulɪs] *adj* wertlos

valve [vælv] *sb* 1. TECH Ventil *n*; 2. *(in a pipe system)* Hahn *m*; 3. ANAT Klappe *f*

vampire ['væmpaɪə] *sb* Vampir *m*

van [væn] *sb* Lieferwagen *m*

vandalism ['vændəlɪzəm] *sb* 1. Vandalismus *m*; 2. JUR mutwillige Beschädigung *f*

vandalize ['vændəlaɪz] *v* mutwillig beschädigen

vane [veɪn] *sb* weather ~ Wetterfahne *f*, Wetterhahn *m*

vanguard ['vænga:d] *sb* 1. Vorhut *f*; 2. NAUT Vorgeschwader *n*; 3. *(fig)* Spitze *f*

vanish ['vænɪʃ] *v* verschwinden

vanity ['vænɪtɪ] *sb* Eitelkeit *f*

vanity case ['vænɪtɪkeɪs] *sb* Kosmetikkoffer *m*

vanquish ['væŋkwɪʃ] *v* bezwingen, besiegen

vantage ['va:ntɪdʒ] *sb* Vorteil *m*

vantage point ['va:ntɪdʒ pɔɪnt] *sb* Aussichtspunkt *m*

vapid ['væpɪd] *adj* geistlos, fade

vaporize ['veɪpəraɪz] *v* verdampfen

vaporous ['veɪpərəs] *adj* dampfförmig, gasförmig

vapour ['veɪpə] *sb* Dunst *m*, Dampf *m*

variability [veərɪə'bɪlɪtɪ] *sb* Veränderlichkeit *f*, Variabilität *f*, Unbeständigkeit *f*

variable ['veərɪəbl] *adj* 1. veränderlich, wechselnd; 2. *(adjustable)* regelbar, verstellbar; *sb* 3. Variable *f*, veränderliche Größe *f*

variance ['veərɪəns] *sb* *to be at ~ with* im Widerspruch stehen; *(people)* uneinig sein mit

variant ['veərɪənt] *sb* Variante *f*

variation [veərɪ'eɪʃən] *sb* 1. *(varying)* Veränderung *f*, Schwankung *f*; 2. BIO, MATH Variation *f*; 3. *(new twist, different form)* Variation *f*, Variante *f*; 4. MUS Variation *f*; *~s on a theme* Variationen über ein Thema

varied ['veərɪd] *adj* unterschiedlich

variety [və'raɪətɪ] *sb* 1. Abwechslung *f*; 2. *(assortment)* Vielfalt *f*; 3. *(selection)* Auswahl *f*; 4. *(type)* Art *f*; 5. THEAT Varietee *n*

various ['veərɪəs] *adj* verschieden

vary ['vɛərɪ] v 1. (diverge) sich unterscheiden, abweichen; 2. (to be different) unterschiedlich sein; 3. (fluctuate) schwanken; 4. (change sth) verändern; 5. (give variety to) variieren

vase [vɑːz] sb Vase f

vast [vɑːst] adj 1. riesig; 2. (in area) ausgedehnt

vastitude ['vɑːstɪtjuːd] sb Größe f, Weite f

vastness ['vɑːstnɪs] sb Größe f, Weite f

vault[1] [vɔːlt] v 1. ~ over sth über etw springen; sb 2. (leap) Sprung m

vault[2] [vɔːlt] sb 1. (cellar) Gewölbe n; 2. (tomb) Gruft f; 3. (of a bank) Tresorraum m

vectorial [vek'tɔːrɪəl] adj vektoriell

V-E Day [viːˈiːdeɪ] sb HIST Tag des Sieges in Europa im zweiten Weltkrieg m (8. Mai 1945)

veejay ['viːdʒeɪ] sb (fam) Video Jockey m

veer [vɪə] v 1. (car) ausscheren; 2. (ship) abdrehen; 3. (wind) sich drehen

vegetable ['vedʒtəbl] sb Gemüse n

vegetarian [vedʒɪ'tɛərɪən] sb 1. Vegetarier m; adj 2. vegetarisch

vegetate ['vedʒɪteɪt] v vegetieren

vegetation [vedʒɪ'teɪʃən] sb Vegetation f

vehicle ['viːɪkl] sb 1. Fahrzeug n; 2. (means) Medium n

veil [veɪl] sb 1. Schleier m; v 2. verschleiern; 3. (fig) verhüllen

vein [veɪn] sb 1. ANAT Vene f, Ader f; 2. BOT Rippe f; 3. (in wood, in marble) Maser f; 4. MIN Ader f; 5. (fig: style) Art f

velocity [vɪ'lɒsɪtɪ] sb Geschwindigkeit f

velvet ['velvɪt] sb Samt m

velvety ['velvɪtɪ] adj samtig

venal ['viːnl] adj käuflich, korrupt

vend [vend] v verkaufen

vendible ['vendəbl] adj verkäuflich, gängig

vendition [ven'dɪʃən] sb Verkauf m

vendor ['vendə] sb 1. Verkäufer m; 2. (machine) Automat m

venerate ['venəreɪt] v verehren, hoch achten

vengeance ['vendʒəns] sb Rache f

vengeful ['vendʒfʊl] adj rachsüchtig

Venice ['venɪs] sb GEO Venedig n

venison ['venɪsən] sb 1. Wildbret n; 2. (deer meat) Rehfleisch n

venom ['venəm] sb Gift n

vent[1] [vent] sb 1. Öffnung f; v 2. give ~ to (feelings) Luft machen, (anger) auslassen

vent[2] [vent] sb (in a jacket) Schlitz m

ventilate ['ventɪleɪt] v lüften, belüften

ventilation [ventɪ'leɪʃən] sb Belüftung f, Ventilation f

ventilator ['ventɪleɪtə] sb Ventilator m

venture ['ventʃə] v 1. sich wagen; 2. (sth) aufs Spiel setzen, riskieren; 3. (an opinion, a guess) wagen; sb 4. Unternehmen n

venue ['venjuː] sb (for a match, for a concert) Schauplatz m

veracity [və'ræsɪtɪ] sb 1. (truthfulness) Ehrlichkeit f, Aufrichtigkeit f; 2. (correctness) Richtigkeit f

verb [vɜːb] sb LING Zeitwort n, Verb n, Verbum n

verbal ['vɜːbəl] adj 1. (oral) mündlich; 2. GRAMM verbal

verbalism ['vɜːbəlɪzəm] sb (expression) Ausdruck m

verbose [vɜː'bəʊs] adj wortreich

verdant ['vɜːdnt] adj grün

verification [verɪfɪ'keɪʃən] sb 1. (check) Überprüfung f, Kontrolle f; 2. (confirmation) Bestätigung f, Nachweis m

verify ['verɪfaɪ] v 1. (check) prüfen, nachprüfen; 2. (confirm) bestätigen

veritable ['verɪtəbl] adj wahrhaft, wahr, echt

verity ['verɪtɪ] sb Wahrheit f

vermouth [və'muːθ] sb Wermut m

vernacular [və'nækjʊlə] sb 1. the ~ die Alltagssprache f; 2. the ~ (of a certain place) die Mundart f; 3. the ~ (of a certain profession) die Fachsprache f

vernal ['vɜːnl] adj Frühlings...

versatile ['vɜːsətaɪl] adj vielseitig

versatility [vɜːsə'tɪlɪtɪ] sb Vielseitigkeit f

verse [vɜːs] sb 1. (stanza) Strophe f; 2. (of the Bible) Vers m; 3. (poetry) Dichtung f

version ['vɜːʃən] sb 1. Fassung f; 2. (account) Version f; 3. (of a game) Variante f; 4. ECO Modell n

versus ['vɜːsəs] prep 1. gegen; 2. JUR kontra

vertical ['vɜːtɪkəl] adj senkrecht, vertikal

very ['verɪ] adv 1. sehr; at the ~ latest allerspätestens; do one's ~ best sein Äußerstes tun; Very well then! Nun gut! 2. ~ much (to a great degree) sehr, (a large amount) sehr viel; adj 3. (extreme) at the ~ beginning ganz am Anfang; at the ~ edge am äußersten Rand; 4. (exact) at that ~ moment genau in dem Augenblick; 5. (mere) The ~ idea! Nein, so etwas!

vessel ['vesl] *sb* 1. *(ship)* Schiff *n*; 2. *(container)* Gefäß *n*

vested ['vestɪd] *adj* ~ interest persönliches Interesse *n*

veteran ['vetərən] *sb* 1. Veteran *m*; 2. SPORT Routinier *m*

veterinarian [vetərɪ'neərɪən] *sb* Tierarzt/ Tierärztin *m/f*

veto ['viːtəu] *sb* 1. Veto *n*; *v* 2. ~ sth ein Veto gegen etw einlegen

vex [veks] *v* 1. *(annoy)* ärgern, irritieren; 2. *(puzzle)* verwirren

vexation [vek'seɪʃən] *sb* Ärger *m*

vexed [vekst] *adj* verärgert

via ['vaɪə] *prep* über, via

viable ['vaɪəbl] *adj (fig)* durchführbar

vibrant ['vaɪbrənt] *adj* vibrierend

vibrate [vaɪ'breɪt] *v* 1. vibrieren, *(tone)* schwingen; *his voice ~d with ...* seine Stimme bebte vor ...; 2. *(sth)* zum Vibrieren bringen

vibration [vaɪ'breɪʃən] *sb* 1. Vibrieren *n*; 2. *(of sound)* Schwingung *f*; 3. *(of a voice)* Beben *n*

vicar [vɪkə] *sb* REL Pfarrer *m*

vice¹ [vaɪs] *sb* Laster *n*; ~ squad Sittenpolizei *f*

vice² [vaɪs] *sb (UK)* TECH Schraubstock *m*

vice³ [vaɪs] *adj* Vize...

vice-president [vaɪs 'prezɪdənt] *sb* POL Vizepräsident *m*

victim ['vɪktɪm] *sb* Opfer *n*

victimize ['vɪktɪmaɪz] *v* 1. schaden; 2. *(s.o. in particular)* schikanieren

victor ['vɪktə] *sb* Sieger *m*

victorious [vɪk'tɔːrɪəs] *adj* siegreich

victory ['vɪktərɪ] *sb* Sieg *m*

victualler ['vɪtələ] *sb (UK)* Schankwirt(in) *m/f*

victuals ['vɪtəlz] *pl* Lebensmittel *pl*

video ['vɪdɪəu] *sb* 1. Video *m*; *adj* 2. Video...

video conference ['vɪdɪəu 'kɒnfərəns] *sb* Videokonferenz *f*

video game ['vɪdɪəugeɪm] *sb* Videospiel *n*

videophone ['vɪdɪəufəun] *sb* TECH Bildschirmtelefon *n*

videotape ['vɪdɪəuteɪp] *sb* Videoband *n*

view [vjuː] *v* 1. *(examine)* besichtigen; 2. *(see)* ansehen; 3. *(consider)* betrachten; *sb* 4. *(watching, range of vision)* Ansicht *f*; come into ~ in Sicht kommen; *keep sth in ~* etw im Auge behalten; 5. *(sight)* Aussicht *f*; 6. *(intention)* Absicht *f*; have in ~ beabsichtigen; 7. *(perspective of sth)* Ansicht *f*; 8. in ~ of angesichts, im Hinblick auf; 9. *(examination)*

Besichtigung *f*; 10. *(fig: opinion)* Ansicht *f*; in my ~ aus meiner Sicht; *point of* ~ Standpunkt *m*; 11. *(fig: prospect)* Aussicht *f*

viewer ['vjuːə] *sb* 1. *(person)* Zuschauer *m*; 2. *(for slides)* Bildbetrachter *m*

viewfinder ['vjuːfaɪndə] *sb* FOTO Sucher *m*

viewing ['vjuːɪŋ] *sb* Besichtigung *f*

viewless ['vjuːlɪs] *adj (not expressing one's opinion)* meinungslos, urteilslos

viewpoint ['vjuːpɔɪnt] *sb* Gesichtspunkt *m*, Standpunkt *m*

vignette [vɪ'njet] *sb* Vignette *f*

vigorous ['vɪgərəs] *adj* kräftig, energisch

vigour ['vɪgə] *sb* Kraft *f*, Energie *f*

vile [vaɪl] *adj* 1. *(smell)* übel; 2. *(temper, weather)* scheußlich; 3. *(person)* gemein

vilify ['vɪlɪfaɪ] *v* diffamieren, verleumden

villa ['vɪlə] *sb* 1. Villa *f*; 2. *(UK)* Einfamilienhaus *n*, Doppelhaushälfte *f*

village ['vɪlɪdʒ] *sb* Dorf *n*

villain ['vɪlən] *sb* 1. *(scoundrel)* Schurke *m*; 2. *(of a story)* Bösewicht *m*; 3. *(fam: criminal)* Verbrecher *m*

villainy ['vɪlənɪ] *sb* Gemeinheit *f*, Niederträchtigkeit *f*

vindicate ['vɪndɪkeɪt] *v* 1. rechtfertigen; 2. *(a claim)* geltend machen

vindictive [vɪn'dɪktɪv] *adj* nachtragend, rachsüchtig

vine [vaɪn] *sb* BOT Weinstock *m*, Wein *m*, Rebe *f*

vinegar ['vɪnɪgə] *sb* Essig *m*

violate ['vaɪəleɪt] *v* 1. *(a contract, a treaty, an oath)* verletzen; 2. *(a law)* übertreten; 3. ~ s.o.'s privacy in jds Privatsphäre eindringen; 4. *(rape)* vergewaltigen

violation [vaɪə'leɪʃən] *sb* 1. *(of a contract)* Verletzung *f*; 2. *(of a law)* Gesetzübertretung *f*; 3. *(rape)* Vergewaltigung *f*

violator ['vaɪəleɪtə] *sb* Verletzer *m*

violence ['vaɪələns] *sb* 1. Gewalt *f*; 2. *(forcefulness)* Heftigkeit *f*

violent ['vaɪələnt] *adj* 1. gewalttätig; 2. *(forceful)* heftig, stark, gewaltig

violin [vaɪə'lɪn] *sb* MUS Geige *f*, Violine *f*

VIP [viːaɪ'piː] *sb (fam: very important person)* VIP *m*

viral ['vaɪrəl] *adj* Virus...

virgin ['vɜːdʒɪn] *adj* 1. unberührt; *sb* 2. Jungfrau *f*

virginal ['vɜːdʒɪnl] *adj* jungfräulich

virginity [vɜː'dʒɪnɪtɪ] *sb* Unschuld *f*; *lose one's* ~ die Unschuld verlieren

virile ['vɪraɪl] *adj* männlich
virtual ['vɜːtʃʊəl] *adj* to be a ~ ... praktisch ein/eine ... sein, so gut wie ein/eine ... sein
virtually ['vɜːtʃʊəlɪ] *adv* fast, beinahe, praktisch
virtual reality ['vɜːtʃʊəl rɪ'ælɪtɪ] *sb* INFORM virtuelle Realität *f*
virtue ['vɜːtʃuː] *sb* 1. Tugend *f; make a ~ of necessity* aus der Not eine Tugend machen; 2. *(chastity)* Tugendhaftigkeit *f;* 3. *by ~ of* auf Grund, kraft
virtuosity [vɜːtʃʊ'ɒsɪtɪ] *sb* Virtuosität *f*
virtuous ['vɜːtʃʊəs] *adj* tugendhaft
virulent ['vɪrʊlənt] *adj* virulent
virus ['vaɪrəs] *sb* 1. *MED* Virus *n;* 2. *INFORM* Virus *m*
visa ['viːzə] *sb* Visum *n*
viscous ['vɪskəs] *adj* zähflüssig
vise [vaɪs] *sb* Schraubstock *m*
visibility [vɪzɪ'bɪlɪtɪ] *sb* 1. Sichtbarkeit *f;* 2. *(distance one can see)* Sichtweite *f;* 3. *(conditions)* Sichtverhältnisse *pl*
visible ['vɪzəbl] *adj* 1. sichtbar; 2. *(obvious)* sichtlich
vision ['vɪʒən] *sb* 1. *(ability to see)* Sehvermögen *n; line of ~* Gesichtslinie *f,* Gesichtsachse *f;* 2. *(foresight)* visionäre Kraft *f,* Weltblick *m;* 3. *(in a dream, supernatural)* Vision *f;* 4. *(conception)* Vorstellung *f*
visionary ['vɪʒənərɪ] *adj* 1. *(visional)* visionär; 2. *(impractical)* unrealistisch, fantastisch
visit ['vɪzɪt] *v* 1. einen Besuch machen; 2. *(s.o., sth)* besuchen; *sb* 3. Besuch *m; pay s.o. a ~* jdn besuchen
visitor ['vɪzɪtə] *sb* Besucher *m,* Gast *m*
visitorial [vɪzɪ'tɔːrɪəl] *adj* Visitations...
visor ['vaɪzə] *sb* 1. *(cap)* Schildkappe *f;* 2. *(in a car)* Sonnenblende *f*
vista ['vɪstə] *sb* Aussicht *f,* Blick *m*
visualize ['vɪzjʊəlaɪz] *v* sich vorstellen
vital ['vaɪtl] *adj* 1. *(essential for life)* lebenswichtig; 2. *(very important)* unerlässlich; 3. *(pertaining to life)* vital, Lebens...
vitalize ['vaɪtəlaɪz] *v* beleben
vitiate ['vɪʃɪeɪt] *v* beeinträchtigen, verderben
vivacity [vɪ'væsɪtɪ] *sb* Lebhaftigkeit *f*
vivid ['vɪvɪd] *adj* 1. *(clear)* deutlich; 2. *(description, imagination)* lebhaft; 3. *(bright)* hell
vividness ['vɪvɪdnɪs] *sb* Lebhaftigkeit *f,* Lebendigkeit *f*
vivify ['vɪvɪfaɪ] *v* beleben
vivisection [vɪvɪ'sekʃən] *sb* Vivisektion *f*

vocabulary [vəʊ'kæbjʊlərɪ] *sb* Wortschatz *m,* Vokabular *n*
vocal ['vəʊkəl] *adj* 1. Stimm...; 2. *(verbal)* mündlich; 3. *(vociferous)* lautstark
vocalist ['vəʊkəlɪst] *sb* Sänger *m*
voice [vɔɪs] *v* 1. äußern; *sb* 2. Stimme *f; raise one's ~* seine Stimme erheben, *(speak up)* lauter sprechen; *with one ~* einstimmig; *give ~ to sth* etw öffentlich zum Ausdruck bringen; 3. *(fig: say)* Stimmrecht *n;* 4. *GRAMM* Genus *n; passive ~* Passiv *n*
volcanic [vɒl'kænɪk] *adj* Vulkan..., vulkanisch
volcano [vɒl'keɪnəʊ] *sb* Vulkan *m*
volition [və'lɪʃən] *sb* Wille *m; of its own ~* von selbst
volley ['vɒlɪ] *sb* 1. Salve *f,* Hagel *m;* 2. *(fig)* Hagel *m,* Flut *f;* 3. *(in tennis)* SPORT Volley *m*
voltage ['vəʊltɪdʒ] *sb* PHYS Spannung *f*
volume ['vɒljuːm] *sb* 1. *(measure)* Volumen *n;* 2. *(fig: of business, of traffic)* Umfang *m;* 3. *(loudness)* Lautstärke *f;* 4. *(book)* Band *m*
voluntary ['vɒləntərɪ] *adj* freiwillig
volunteer [vɒlən'tɪə] *sb* 1. Freiwillige(r) *m/f; v* 2. sich freiwillig melden; 3. *(sth)* anbieten
vomit ['vɒmɪt] *v* sich erbrechen
voracious [və'reɪʃəs] *adj* 1. gefräßig; 2. *(fig)* unersättlich
vote [vəʊt] *v* 1. wählen; *~ on* abstimmen über; *~ down* niederstimmen; 2. *(a party)* wählen; 3. *(fam: name, judge)* wählen zu; *sb* 4. *(election, act of voting)* Abstimmung *f,* Wahl *f; take a ~ on sth* über eine Sache abstimmen lassen; 5. *(one ~)* Stimme *f;* 6. *(result of voting)* Abstimmungsergebnis *n,* Wahlergebnis *n;* 7. *(right to ~)* Wahlrecht *n*
voter ['vəʊtə] *sb* Wähler *m*
vouch [vaʊtʃ] *v ~ for* bürgen für
voucher ['vaʊtʃə] *sb* 1. *(coupon)* Gutschein *m;* 2. *(receipt)* Beleg *m*
vow [vaʊ] *v* 1. geloben, schwören; *sb* 2. Versprechen *n,* Gelöbnis *n;* 3. *REL* Gelübde *n*
vowel ['vaʊəl] *sb* LING Vokal *m,* Selbstlaut *m*
voyage ['vɔɪɪdʒ] *sb* Reise *f*
voyeur [vwɑː'jɜː] *sb* Voyeur *m*
vulnerability [vʌlnərə'bɪlɪtɪ] *sb* 1. Verletzbarkeit *f,* Verwundbarkeit *f;* 2. *(fig)* Anfälligkeit *f*
vulnerable ['vʌlnərəbl] *adj* 1. verletzbar, verwundbar; 2. *(fig: to criticism, to temptation)* anfällig
vulture ['vʌltʃə] *sb* Geier *m*

W

wacky ['wækɪ] *adj (fam)* ausgefallen, schräg

wafer ['weɪfə] *sb* 1. Waffel *f*; 2. *REL* Hostie *f*

wagon ['wægən] *sb* Wagen *m*

waif [weɪf] *sb* verlassenes Kind *n*

wail [weɪl] *v* 1. heulen; 2. *(mourner)* klagen; 3. *(complain)* jammern

waist [weɪst] *sb* Taille *f*

waist-deep [weɪst diːp] *adj* bis zur Taille

wait [weɪt] *v* 1. warten; ~ for warten auf; *Wait and see!* Abwarten und Tee trinken. *(fam)*; *keep s.o. ~ing* jdn warten lassen; *That can ~.* Das hat Zeit. *I can't ~ (to do sth)* ich kann es kaum noch erwarten (bis ich etw tue); 2. ~ one's turn warten, bis man an der Reihe kommt; *sb* 3. Wartezeit *f*; *It was worth the ~. (fam)* Es hat sich gelohnt, darauf zu warten. 4. *lie in ~ for s.o.* jdm auflauern

waiter ['weɪtə] *sb* Kellner *m*; *Waiter!* Herr Ober!

waiting room ['weɪtɪŋruːm] *sb* 1. *(at a railway station)* Wartesaal *m*; 2. *(at a doctor's office)* Wartezimmer *n*

waitress ['weɪtrɪs] *sb* Kellnerin *f*

wake¹ [weɪk] *sb NAUT* Kielwasser *n*; *in the ~ of (fig)* im Gefolge

wake² [weɪk] *v irr* 1. aufwachen; 2. *(s.o.)* erwecken; *sb* 3. *(for a dead person)* Totenwache *f*

walk [wɔːk] *v* 1. gehen, laufen, *(as opposed to riding)* zu Fuß gehen; ~ *all over s.o. (fig)* jdn wie den letzten Dreck behandeln, 2. *(a distance)* laufen, gehen, zurücklegen; 3. *(a dog)* ausführen; 4. *(lead along)* führen; ~ *s.o. home* jdn nach Hause bringen; 5. *(gait)* Gang *m*; 6. *(stroll)* Spaziergang *m*; *go for a ~, take a ~* spazieren gehen; 7. *(path)* Weg *m*; 8. *(distance to be ~ed)* Strecke *f*; 9. ~ *of life (fig)* Schicht *f*
• **walk away** *v* davongehen

walkie-talkie ['wɔːkɪ'tɔːkɪ] *sb* Walkie-Talkie *n*, tragbares Funkgerät *n*

walk-on ['wɔːkɒn] *sb (part) THEAT* Statistenrolle *f*

wall [wɔːl] *sb* 1. *(outside)* Mauer *f*; 2. *(part of a building)* Wand *f*; *drive s.o. up the ~ (fam)* jdn auf die Palme bringen

wallet ['wɒlɪt] *sb* Brieftasche *f*

wallop ['wɒləp] *v* 1. eine knallen (fam), schlagen; 2. *(fig: defeat decisively) SPORT* ei-

ne Schlappe beibringen; *sb* 3. wuchtiger Schlag *m*

wallow ['wɒləʊ] *v* 1. sich suhlen, sich wälzen; 2. *(fig)* ~ *in* schwelgen in

wall-to-wall ['wɔːltuː'wɔːl] *adj* ~ *carpeting* Teppichboden *m*

waltz [wɔːlts] *sb MUS* Walzer *m*

waltzer ['wɔːltsə] *sb* Walzertänzer *m*

wan [wɒn] *adj* 1. *(pallid)* bleich, fahl; 2. *(smile)* schwach

wand [wɒnd] *sb* 1. Stab *m*; 2. *(magic ~)* Zauberstab *m*

wander ['wɒndə] *v* 1. wandern; ~ *about* umherwandern; 2. *(stray)* irren; 3. *(fig: thoughts, eye)* schweifen

wandering ['wɒndərɪŋ] *adj* wandernd, umherziehend

want [wɒnt] *v* 1. wollen, wünschen, mögen; ~ *to do sth* etw tun wollen; 2. ~ *for (lack)* he ~s *for ...* es fehlt ihm ...; 3. *(sth)* wollen, wünschen, mögen; *(need)* brauchen; 4. *(to be searching for)* suchen; *sb* 5. *(need)* Bedürfnis *n*; 6. *(wish)* Wünsch *m*; 7. *(lack)* Mangel *m*; *for ~ of* mangels; 8. *(poverty)* Not *f*

wanting ['wɒntɪŋ] *adj* fehlend, mangelnd; *to be found ~* sich als mangelhaft erweisen

war [wɔː] *sb* Krieg *m*; *make ~* Krieg führen

war correspondent [wɔː kɒrəs'pɒndənt] *sb* Kriegsberichterstatter *m*

war crime ['wɔːkraɪm] *sb* Kriegsverbrechen *n*

war criminal ['wɔːkrɪmɪnəl] *sb* Kriegsverbrecher *m*

wardrobe ['wɔːdrəʊb] *sb* 1. Garderobe *f*; 2. *(place for clothes)* Kleiderschrank *m*

ware ['weə] *sb* Ware *f*, Erzeugnis *n*

warehouse ['weəhaʊs] *sb* Lagerhaus *n*, Lager *n*

warehousing ['weəhaʊzɪŋ] *sb FIN* Lagerung *f*

warlike ['wɔːlaɪk] *adj* kriegerisch, militant

warm [wɔːm] *adj* 1. warm; *you're getting ~er (fig)* du kommst der Sache näher; 2. *(~-hearted)* herzlich; *v* 3. sich erwärmen; ~ *to s.o.* sich für jdn erwärmen; 4. *(sth)* wärmen

warm-blooded [wɔːm'blʌdɪd] *adj* warmblütig

warmth [wɔːmθ] *sb* Wärme *f*

warm-up ['wɔːmʌp] *sb SPORT* Aufwärmen *n*

warn [wɔːn] v 1. warnen; ~ against warnen vor; 2. (give an official warning to) verwarnen

warning ['wɔːnɪŋ] sb 1. Warnung f; 2. (notice) Ankündigung f, Benachrichtigung f

war paint [wɔː peɪnt] sb Kriegsbemalung f

warrior ['wɒrɪə] sb Krieger m

warship ['wɔːʃɪp] sb Kriegsschiff n

wartime ['wɔːtaɪm] sb Kriegszeit f

wash [wɒʃ] v 1. waschen; ~ one's hands sich die Hände waschen; 2. (dishes) spülen; 3. (tide: carry) spülen; 4. That excuse won't ~. (fam) Diese Ausrede zieht nicht. sb 5. need a ~ gewaschen werden müssen; 6. (laundry) Wäsche f; 7. MED Waschung f

• **wash down** v 1. (wash off) abwaschen; 2. (food, by drinking) hinunterspülen

washable ['wɒʃəbl] adj waschbar

washbasin ['wɒʃbeɪsɪn] sb (washstand) Waschbecken n

washcloth ['wɒʃklɒθ] sb (US) Waschlappen m

washing machine ['wɒʃɪŋməʃiːn] sb Waschmaschine f

waste [weɪst] v 1. ~ away dahinschwinden; 2. (sth) verschwenden, vergeuden, (a chance) vertun; sb 3. Verschwendung f; 4. (rubbish) Abfall m; 5. (~ material) Abfallstoffe pl; 6. ~s pl (wasteland) Einöde f

wasted ['weɪstɪd] adj 1. verschwendet; 2. (fam: drunk) (US) volltrunken

wasting ['weɪstɪŋ] adj zehrend, schwächend

watch [wɒtʃ] sb 1. (wrist~) Armbanduhr f; 2. (pocket~) Taschenuhr f; 3. (duty) Wache f; keep a close ~ on s.o. jdn scharf beobachten; v 4. zusehen, zuschauen; 5. (a TV show) sich ansehen; 6. (guard) aufpassen auf; 7. (sth) beobachten, zusehen bei; 8. (to be careful of) achten auf, aufpassen auf

• **watch out** Ausschau halten

• **watch over** v wachen über, aufpassen auf

watchtower ['wɒtʃtaʊə] sb Wachtturm m

water ['wɔːtə] sb 1. Wasser n; hold ~ (fig) stichhaltig sein; to be in hot ~ (fig) in Schwulitäten sein; throw cold ~ on sth (fam) die Begeisterung für etw dämpfen; keep one's head above ~ den Kopf über Wasser halten; like a fish out of ~ fehl am Platze; 2. ~s pl Gewässer n; v 3. (mouth) wässern; make s.o.'s mouth ~ jdm den Mund wässrig machen; 4. (eyes) tränen; 5. (sth)(a plant) begießen; 6. (livestock) tränken

watercolourist ['wɔːtəkʌlərɪst] sb ART Aquarellmaler m

watered-down [wɔːtəd'daʊn] adj (fig) verwässert

waterfall ['wɔːtəfɔːl] sb Wasserfall m

waterfront ['wɔːtəfrʌnt] sb 1. Ufer n; 2. (part of town) Hafenviertel n

water level ['wɔːtəlevl] sb Wasserstand m

water line ['wɔːtəlaɪn] sb Wasserlinie f

waterproof ['wɔːtəpruːf] adj 1. wasserundurchlässig, wasserdicht; 2. wasserundurchlässig machen, wasserdicht machen

water-resistant ['wɔːtərɪzɪstənt] adj wasserbeständig

water sports ['wɔːtəspɔːts] pl SPORT Wassersport m

watery ['wɔːtərɪ] adj wässrig, wässerig tralische Akazie f

wave [weɪv] v 1. (flag) wehen; 2. (person) winken; 3. (sth) schwenken; ~ one's arms mit den Armen fuchteln; ~ goodbye to s.o. jdm zum Abschied zuwinken; 4. ~ s.o. off/aside/ to a chair/away jdn mit einer Handbewegung auffordern, etw zu tun; She ~d me over. Sie winkte mich zu sich herüber. sb 5. Welle f; 6. (gesture) Winken n

waver ['weɪvə] v 1. (courage) wanken; 2. (in making a decision) schwanken; 3. (quiver) (light) flackern, (voice) zittern

wax [wæks] v 1. (apply wax to) wachsen; sb 2. Wachs n; 3. (ear~) Ohrenschmalz n

wax museum [wæksmjuː'zɪəm] sb Wachsfigurenkabinett n

waxy ['wæksɪ] adj wächsern

way [weɪ] sb 1. (manner) Art f, Weise f; to my ~ of thinking meiner Meinung nach; have a ~ with sth mit etw umgehen können; do sth the hard ~ etw auf die schwierigste Art machen; one ~ or another so oder so; show s.o. the ~ to do sth jdm zeigen, wie etw gemacht wird; have one's ~ seinen Willen bekommen; have it both ~s beides haben; 2. to be in a bad ~ in einer schlimmen Lage sein, in schlechter Verfassung sein; 3. (respect) Hinsicht f; in no ~ in keiner Weise; in a ~ in gewisser Hinsicht; in some ~s in mancher Hinsicht; 4. (custom) Art f; the ~ of the world der Lauf der Welt

we [wiː] pron wir

weak [wiːk] adj schwach

weakly ['wiːklɪ] adj schwächlich, angeschlagen, labil

weakness ['wiːknɪs] sb Schwäche f

wealth [welθ] sb 1. Reichtum m; 2. (fig: abundance) Fülle f

wealthy ['welθɪ] adj reich, wohlhabend

weapon ['wepən] sb Waffe f

wear [weə] *v irr* 1. *(become worn)* sich abnutzen, *(clothes)* durchgewetzt werden; *My patience is ~ing thin.* Mir geht langsam die Geduld aus. *His jokes are ~ing thin.* Nun fangen seine Witze an zu nerven. 2. *~ well* strapazierfähig sein, *(article of clothing)* sich gut tragen, *(fam: person)* sich gut halten; 3. *(sth)(clothes, a moustache)* anhaben; 4. *(make worn)* abnutzen, *(clothes)* durchwetzen; *sb* 5. *(clothing)* Kleidung *f*; 6. *(~ and tear)* Abnutzung *f*, Verschleiß *m*

• **wear off** *v irr (effect)* nachlassen

• **wear out** *v irr* 1. *wear o.s. out* sich erschöpfen; 2. *wear s.o. out* jdn erschöpfen, jdn aufarbeiten; 3. *to be worn out* erschöpft sein

wearing ['weərɪŋ] *adj* anstrengend, ermüdend

weary ['wɪərɪ] *adj* 1. müde; 2. *grow ~ of sth* einer Sache überdrüssig sein; *v* 3. *~ of sth* einer Sache überdrüssig sein; 4. *(s.o.)* ermüden

weather ['weðə] *sb* 1. Wetter *n*; *v* 2. *(endure)* überstehen

weather forecast ['weðə 'fɔːkɑːst] *sb* Wettervorhersage *f*

weather station ['weðəsteɪʃən] *sb* METEO Wetterwarte *f*

weave [wiːv] *v irr* 1. *~ through traffic* sich durch den Verkehr schlängeln; 2. *(sth)(thread, cloth)* weben; 3. *(baskets)* flechten

web [web] *sb* 1. Netz *n*; 2. *~ of lies* Lügengewirr *n*; 3. INFORM the Web (WWW) das Netz *f*

wedding ['wedɪŋ] *sb* Hochzeit *f*

wedding cake ['wedɪŋkeɪk] *sb* Hochzeitstorte *f*

wedding day ['wedɪŋdeɪ] *sb* Hochzeitstag *m*

wedding dress ['wedɪŋdres] *sb* Brautkleid *n*

wedding ring ['wedɪŋrɪŋ] *sb* Trauring *m*

wedge [wedʒ] *sb* 1. Keil *m*; *drive a ~ between* einen Keil treiben zwischen; 2. *(~-shaped piece)* keilförmiges Stück *n*; *(of cake)* Stück *n*, *(of cheese)* Ecke *f*; 3. MIL Keil *m*, Keilformation *f*; *v* 4. verkeilen; 5. *(fig)* to *be ~d between two things* zwischen zwei Dingen eingezwängt sein; *~ sth into sth* etw in etw einzwängen

wee [wiː] *adj* 1. winzig; 2. *(small)* klein; *a ~ bit* ein kleines bisschen

week [wiːk] *sb* Woche *f*

weekend ['wiːkend] *sb* Wochenende *n*

weekly ['wiːklɪ] *adj* wöchentlich, Wochen...

weep [wiːp] *v irr* weinen

weepy ['wiːpɪ] *adj* 1. weinerlich; 2. *(story)* rührselig

weigh [weɪ] *v* 1. wiegen; 2. *~ on (fig)* lasten auf; 3. *(sth)* wiegen; 4. *(fig: pros and cons)* abwägen; *~ one's words* seine Worte abwägen; 5. *~ anchor* NAUT den Anker lichten

weight [weɪt] *sb* 1. Gewicht *n*; *lose ~/gain ~ (person)* abnehmen/zunehmen; 2. *(fig: burden)* Last *f*

weird [wɪəd] *adj* 1. *(uncanny)* unheimlich; 2. *(strange)* seltsam

weirdo ['wɪədəʊ] *sb (fam)* irrer Typ *m*

welcome ['welkəm] *v* 1. *(s.o.)* begrüßen, willkommen heißen; 2. *(fig: sth)* begrüßen; *adj* 3. willkommen; *You're ~ to try.* Sie können es gerne versuchen. 4. *You're ~!* Bitte! Bitte sehr! Nichts zu danken! *sb* 5. Willkommen *n*; *a warm ~* ein herzlicher Empfang; 6. *wear out one's ~* länger bleiben als man erwünscht ist

well¹ [wel] *sb* 1. Brunnen *m*; 2. *(oil ~)* Ölquelle *f*; 3. *(fig: source)* Quelle *f*; *v* 4. *~ up* hervorquellen

well² [wel] *adv* 1. gut; *Well done!* Gut gemacht! *She's ~ over seventy.* Sie ist weit über siebzig. 2. *as ~* auch, ebenfalls; *as ~ as* sowie; 3. *(probably)* wohl; *That may ~ be true.* Das könnte auch stimmen. *adj* 4. gut; *all's ~ that ends ~* Ende gut, alles gut; 5. *(healthy)* gesund; *Get ~ soon!* Gute Besserung! *interj* 6. nun, also; 7. *(when pondering sth)* tja; 8. *Well, ~, ~!* *(surprise to see s.o.)* Sieh mal einer an!

well-behaved [welbɪ'heɪvd] *adj* wohlerzogen, artig

well-born [wel bɔːn] *adj* aus guter Familie

well-built [wel bɪlt] *adj (person)* gut gebaut

well-connected [wel kə'nektɪd] *adj* mit guten Beziehungen; *to be ~* gute Beziehungen haben

well-developed [weldɪ'veləpt] *adj* gut entwickelt

well-done ['wel'dʌn] *adj* 1. gutgemacht; 2. GAST durchgebraten

well-educated [wel'edjʊkeɪtɪd] *adj* wohlerzogen

well-fed ['welfed] *adj* wohlgenährt

well-informed [welɪn'fɔːmd] *adj (person)* gutinformiert

wellington ['welɪŋtən] *sb (UK)* Gummistiefel *m*

well-intentioned [welɪn'tenʃənd] *adj* 1. wohl gemeint; 2. *(person)* wohlmeinend

well-kept ['welkept] *adj (secret)* streng gehütet

well-known ['welnəʊn] *adj* bekannt

well-meaning ['welmi:nɪŋ] *adj* wohlmeinend

well-off ['wel'ɒf] *adj (financially)* wohlhabend

well-read ['wel'red] *adj* belesen

well-spoken ['welspəʊkən] *adj* sprachgewandt

well-thought-of ['welθɔ:tɒv] *adj* angesehen

well-timed ['weltaɪmd] *adj* zeitlich günstig

well-to-do ['weltə'du:] *adj* wohlhabend

well-wisher ['welwɪʃə] *sb* jmd, der jdm alles Gute wünscht

well-worn ['welwɔ:n] *adj* abgetragen, abgenützt

west [west] *adj 1.* West..., westlich; *adv 2.* nach Westen, westwärts; *sb 3.* Westen *m*

western ['westən] *adj 1.* westlich; *sb 2.* CINE Western *m*

westward ['westwəd] *adj* westwärts

wet [wet] *v 1.* nass machen, befeuchten; *adj 2.* nass; *You're all ~!* (fig) Du irrst dich gewaltig! *3. (climate)* feucht

wet blanket [wet 'blæŋkɪt] *sb* Miesmacher *m,* Spielverderber *m*

wetness ['wetnɪs] *sb* Nässe *f*

whack [wæk] *v (strike)* schlagen, hauen

whacking ['wækɪŋ] *adj (fam)* Mords...

wharf [wɔ:f] *sb* Kai *m*

what [wɒt] *pron 1.* was; *What's for dinner?* Was gibt's zum Abendessen? *He knows ~'s ~.* Er weiß Bescheid. *What do you take me for?* Wofür hältst du mich eigentlich? *adj 2. (which)* welche(r,s), was für; *3. (all that)* alle, die, alles, was; *~ little I had* das Wenige, das ich hatte; *interj 4. (isn't that right)* Nice weather today, *~?* Schönes Wetter heute, nicht wahr?

whatever [wɒt'evə] *pron 1.* was, was auch immer; *2. (no matter what)* egal was; *3. (in a question)* was ... wohl; *adj 4.* egal welche(r,s); *nothing ~* überhaupt nichts

whatsoever [wɒtsəʊ'evə] *adj 1.* überhaupt; *pron 2.* was auch immer

wheel [wi:l] *sb 1.* Rad *n;* meals on *~s* Essen auf Rädern *n 2. (steering ~)* Lenkrad *n; at the ~* am Steuer; *take the ~* das Steuer übernehmen; *3. (roulette ~)* Drehscheibe *f; 4. (potter's ~)* Töpferscheibe *f*

wheelchair ['wi:ltʃeə] *sb* Rollstuhl *m*

when [wen] *adv 1.* wann; *Say ~!* Sag, wenn du genug hast! *2. (relative)* on the day *~* an dem Tag, als; *konj 3.* wenn, *(in the past)* als; *4. (as soon as)* sobald; *5. (~ doing sth)* beim; *6. (although)* wo ... doch

whenever [wen'evə] *adv 1. (any time that)* wann immer; *~ you're ready* sobald du fertig bist; *2. (every time that)* immer wenn

where [weə] *adv 1.* wo; *2. (to ~)* wohin; *3. (from ~)* woher

whereby [weə'baɪ] *adv 1.* wodurch, womit; *2. (relative)* durch welchen

wherever [weər'evə] *adv 1.* wo auch immer, egal wo; *2. (every place where)* überall, wo; *3. Wherever did you find it?* Wo hast du das bloß gefunden?

whether ['weðə] *konj 1.* ob; *2. (no matter ~)* egal, ob

which [wɪtʃ] *adj 1.* welche(r,s); *pron 2. (relative) (referring to a noun)* der/die/das, welche(r,s); *3. (referring to a clause)* was; *4. (interrogative)* welche(r,s); *Which is ~?* Welche(r,s) ist welche(r,s)?

whichever [wɪtʃ'evə] *adv* welche(r,s) auch immer, ganz gleich welche(r,s)

while [waɪl] *konj 1.* während; *2. (although)* obwohl; *sb 3.* Weile *f;* for quite a *~* ziemlich lange; *to be worth one's ~ to ...* sich für jdn lohnen, zu ... *4.* once in a *~* gelegentlich, ab und zu; *v 5. ~ away the time* sich die Zeit vertreiben

whilst [waɪlst] *konj* während

whimper ['wɪmpə] *v 1.* wimmern; *2. (dog)* winseln; *sb 3.* Wimmern *n; 4. (dog's)* Winseln *n*

whine [waɪn] *v 1. (complain)* jammern; *2. (child)* quengeln; *3. (dog)* jaulen; *4. (siren)* heulen

whip [wɪp] *v 1. (a horse)* peitschen, *(a person)* auspeitschen; *2.* GAST schlagen; *3. (defeat)* vernichtend schlagen; *4. (make a quick movement) ~ out* one's wallet seine Brieftasche rasch aus der Tasche ziehen; *sb 5.* Peitsche *f*

•**whip up** *v 1. (incite)* antreiben, anheizen, aufpeitschen; *2. (prepare hurriedly)* schnell machen, *(meal)* schnell zubereiten

whipped cream ['wɪpt'kri:m] *sb* GAST Schlagsahne *f*

whisk [wɪsk] *v 1. ~* sth away etw schnell entfernen; *He was ~ed away in a limousine.* Eine Limousine sauste schnell mit ihm davon. *sb 2.* GAST Schneebesen *m*

whisky ['wɪskɪ] *sb* Whisky *m*

whisper ['wɪspə] v 1. flüstern; 2. (wind) wispern; sb 3. Geflüster n, Flüstern n

whistle ['wɪsl] v 1. pfeifen; 2. (fig) An arrow ~d through the air. Ein Pfeil schwirrte durch die Luft. sb 3. (instrument) Pfeife f; wet one's ~ (fig) einen heben; 4. (sound) Pfiff m

white [waɪt] adj 1. weiß; 2. a ~ lie eine Höflichkeitslüge f; sb 3. (colour) Weiß n; 4. (of an eye) das Weiße im Auge n; 5. (egg) Eiweiß n; 6. (person) Weiße(r) m/f; 7. ~s pl (~ clothes) weiße Kleidung f

White House ['waɪthaʊs] sb the ~ das Weiße Haus n

white wine ['waɪt'waɪn] sb GAST Weißwein m

who [huː] pron 1. wer; (direct object) wen; (indirect object) wem; 2. (relative pronoun) der/die/das, welche(r,s)

whoever [huːˈevə] pron 1. wer auch immer; 2. (all who) jeder der; 3. (no matter who) egal wer

whole [həʊl] adj 1. ganz; a ~ lot of ... eine ganze Menge ...; sb 2. Ganze n; 3. on the ~ alles in allem, im Großen und Ganzen

wholesale ['həʊlseɪl] sb 1. ECO Großhandel m; adv 2. ECO im Großhandel; adj 3. (fig) Massen..., unterschiedslos

whom [huːm] pron 1. (interrogative: accusative case) wen, (dative case) wem; 2. (relative: accusative case) den/die/das/die, (dative case) dem/der/dem/denen; to ~ dem/der/dem/denen; all of ~ von denen alle

whopper ['wɒpə] sb Mordsding n

whore [hɔː] sb Hure f

whorehouse ['hɔːhaʊs] sb Bordell n, Freudenhaus n

whose [huːz] pron 1. wessen; Whose is it? Wem gehört's? 2. (relative) dessen/deren/dessen/deren

why [waɪ] adv 1. warum, weshalb; interj 2. nun, aber

wicked ['wɪkɪd] adj 1. böse; 2. (grin, parody) boshaft

wide [waɪd] adj 1. breit; 2. (eyes, selection) groß; 3. (plain) weit; adv 4. weit; Open ~! Weit aufmachen! 5. (not on target) daneben

widen ['waɪdn] v 1. breiter werden; 2. (sth) erweitern; 3. (a street) verbreitern; 4. (a hole) ausweiten

wide-screen ['waɪdskriːn] adj Breitwand...

widespread ['waɪdspred] adj weit verbreitet

widow ['wɪdəʊ] sb Witwe f

widower ['wɪdəʊə] sb Witwer m

widow's peak ['wɪdəʊzpiːk] sb dreieckiger Haaransatz m

wife [waɪf] sb Frau f, Ehefrau f, Gattin f

wiggle ['wɪgl] v 1. wackeln; 2. (sth) wackeln mit

wild [waɪld] adj 1. wild; 2. (flower) wild wachsend; 3. (crazy) verrückt; to be ~ about sth (fig) auf etw scharf sein; a ~ guess eine wilde Vermutung; drive s.o. ~ jdn wahnsinnig machen; sb 4. Wildnis f

wildcat ['waɪldkæt] sb Wildkatze f

wilderness ['wɪldənɪs] sb Wildnis f

wildfire ['waɪldfaɪə] sb spread like ~ sich wie ein Lauffeuer verbreiten

wildlife ['waɪldlaɪf] sb Wildtiere pl

wildlife preserve ['waɪldlaɪf prɪˈzɜːv] sb Tierschutzgebiet n

wilful ['wɪlfʊl] adj 1. (deliberate) vorsätzlich, mutwillig

will¹ [wɪl] v 1. (future) werden; 2. Accidents ~ happen. Unfälle wird es immer geben. 3. would (see "would")

will² [wɪl] v 1. (cause to happen by force of ~) erzwingen; 2. (bequeath) vermachen; sb 3. Wille m; at ~ nach Belieben; 4. (last ~ and testament) letzter Wille n, Testament n

willing ['wɪlɪŋ] adj 1. bereitwillig; 2. to be ~ to do sth bereit sein, etw zu tun

willow ['wɪləʊ] sb BOT Weide f

willpower ['wɪlpaʊə] sb Willenskraft f

wilt [wɪlt] v 1. verwelken; 2. (fig: person) schlapp werden; 3. (enthusiasm, courage) nachlassen

wimp [wɪmp] sb (fam) Schlappschwanz m, Waschlappen m

win [wɪn] v irr 1. gewinnen, siegen; 2. (sth) gewinnen; 3. (a scholarship) bekommen; 4. (praise) ernten; sb 5. Sieg m

wind¹ [wɪnd] sb 1. Wind m; get ~ of sth (fig) von etw Wind bekommen, etw spitzkriegen; 2. (breath) Atem m; 3. (flatulation) Blähung f

wind² [waɪnd] v irr 1. (road, river) sich winden, sich schlängeln; 2. (sth) winden, wickeln, (onto a reel) spulen; 3. (a toy, a watch) aufziehen; 4. ~ sth around sth etw um etw wickeln

windbreaker ['wɪndbreɪkə] sb (US) Windjacke f

window ['wɪndəʊ] sb 1. Fenster n; 2. (at a bank) Schalter m

window-dressing ['wɪndəʊdresɪŋ] sb 1. Schaufenstergestaltung f; 2. (fig: front, facade) Fassade f, äußere Erscheinung f

window-shopping ['wɪndəʊʃɒpɪŋ] *sb* Schaufensterbummel *m*

windscreen ['wɪndskriːn] *sb (UK)* Windschutzscheibe *f*

windscreen wiper ['wɪndskriːnwaɪpə] *sb (UK)* Scheibenwischer *m*

windshield ['wɪndʃiːld] *sb (US)* Windschutzscheibe *f*

windsurf ['wɪndsɜːf] *v* surfen

windsurfing ['wɪndsɜːfɪŋ] *sb* Windsurfen *n*

windy ['wɪndɪ] *adj* windig

wine [waɪn] *sb* Wein *m*

wine bar ['waɪnbɑː] *sb* Weinlokal *n*

wing [wɪŋ] *sb* 1. Flügel *m*; 2. ~*s pl* THEAT Kulisse *f*; *wait in the* ~*s (fig)* in den Kulissen warten

wink [wɪŋk] *v* 1. zwinkern, blinzeln; *sb* 2. Zwinkern *n*, Blinzeln *n*; *I didn't sleep a* ~. Ich habe kein Auge zugetan. *as quick as a* ~ blitzschnell; *catch forty* ~*s* ein Nickerchen machen

winner ['wɪnə] *sb* 1. Gewinner *m*; 2. *(of a match)* Sieger *m*; 3. *(successful thing)* Erfolg *m*

winnings ['wɪnɪŋz] *pl* Gewinn *m*

wintry ['wɪntrɪ] *adj* winterlich, eisig, frostig

wipe [waɪp] *v* wischen, *(a surface)* abwischen; ~ *one's nose* sich die Nase putzen; ~ *sth clean* etw sauberwischen

wire [waɪə] *v* 1. *(send a telegram to)* telegrafieren; 2. *(fix with* ~*)* mit Draht verbinden; 3. *(install or connect electrical wiring)* Leitungen legen in; *sb* 4. Draht *m*; 5. *(for electricity)* Leitung *f*; 6. *go down to the* ~ *(US)* erst ganz am Ende entschieden werden

wiry ['waɪərɪ] *adj (fig)* drahtig

wisdom ['wɪzdəm] *sb* Weisheit *f*

wise [waɪz] *adj* 1. weise, klug; *to be* ~ *to sth (fam)* über etw Bescheid wissen; *adv* 2. *(suffix)* ...mäßig

wise guy ['waɪzgaɪ] *sb* Klugscheißer *m (fam)*

wish [wɪʃ] *v* 1. wünschen; ~ *s.o. well* jdm alles Gute wünschen; ~ *for* sich etw wünschen; ~ *to do sth* etw tun wollen; *sb* 2. Wunsch *m*; *best* ~*es* herzliche Grüße; *make a* ~ sich etw wünschen

wisp [wɪsp] *sb* 1. ~ *of smoke* Rauchkringel *m*; 2. *(of hair)* Strähne *f*; 3. *a* ~ *of a lad* ein kleiner, schmächtiger Junge

wit¹ [wɪt] *sb* 1. *(sense of humor)* Geist *m*, Witz *m*; 2. *(witty person)* witziger Kopf *m*; 3.

~*s pl* Verstand *m; scared out of one's* ~*s* zu Tode erschreckt; *have one's* ~*s about one* einen klaren Kopf haben; *to be at one's* ~*s' end* mit seiner Weisheit am Ende sein; *keep one's* ~*s about one* seine fünf Sinne beieinander haben

wit² [wɪt] *v "to* ~*"* und zwar, nämlich

with [wɪð, wɪθ] *prep* 1. mit; 2. *(because of)* vor; 3. *(on one's person)* bei; 4. *(in the company of)* bei

withdraw [wɪð'drɔː] *v* 1. sich zurückziehen; 2. *(sth)* zurückziehen; 3. *(extract)* entfernen, wegnehmen; 4. *(a statement)* zurücknehmen; 5. *(money from a bank)* abheben; 6. *(troops)* MIL abziehen

wither ['wɪðə] *v* 1. verdorren; 2. *(beauty)* vergehen; 3. *(hopes)* schwinden; 4. *(sth)* verdorren lassen

withhold [wɪθ'həʊld] *v irr* 1. vorenthalten; 2. *(refuse)* verweigern

withstand [wɪθ'stænd] *v irr* 1. aushalten; 2. *(an attack)* widerstehen

witness ['wɪtnɪs] *v* 1. Zeuge sein bei, erleben; 2. *(consider)* zum Beispiel nehmen; 3. *(by signing)* bestätigen; *sb* 4. Zeuge/Zeugin *m/f*; 5. *bear* ~ *to* Zeugnis ablegen über

witty ['wɪtɪ] *adj* witzig, geistreich

woe [wəʊ] *sb (trouble)* Kummer *m; Woe is me!* Weh mir!

woman ['wʊmən] *sb* Frau *f*

womanizer ['wʊmənaɪzə] *sb* Schürzenjäger *m*

womb [wuːm] *sb* Gebärmutter *f*, Mutterleib *m*

wonder ['wʌndə] *v* 1. gern wissen mögen, sich fragen; *I* ~ *why* ... ich möchte gern wissen, warum ... 2. ~ *at sth* sich über etw wundern; *sb* 3. *(feeling)* Verwunderung *f*, Staunen *n*, Erstaunen *n*; 4. *(miracle)* Wunder *n; the seven* ~*s of the world* die sieben Weltwunder

wonky ['wɒŋkɪ] *adj (fam: shaky)* wacklig

wood [wʊd] *sb* 1. Holz *n*; 2. ~*s pl (forest)* Wald *m*

woodcraft ['wʊdkrɑːft] *sb* Holzschnitzerei *f*

wooden ['wʊdn] *adj* hölzern

woodpile ['wʊdpaɪl] *sb* Holzstoß *m*

woof [wʊf] *sb (by a dog)* Wuff *n*

wool [wʊl] *sb* Wolle *f; pull* ~ *over s.o.'s eyes* jdm Sand in die Augen streuen

word [wɜːd] *sb* 1. Wort *n; take s.o.'s* ~ *for sth* jdm etw glauben; *take s.o. at his* ~ jdn beim Wort nehmen; *to be as good as one's* ~ sein Wort halten; ~ *for* ~ Wort für Wort; *in*

work [wɜːk] v 1. arbeiten; ~ on arbeiten an; 2. (function) funktionieren; 3. (be successful) klappen; 4. (a lever) betätigen; 5. (a machine) bedienen; 6. (bring about) bewirken; 7. (clay) kneten; 8. (wood) bearbeiten; 9. (land) AGR bearbeiten; 10. (s.o.) arbeiten lassen, antreiben; sb 11. Arbeit f; to be at ~ on sth an etw arbeiten; out of ~ arbeitslos; make short ~ of sth mit einem kurzen Prozess machen; He's at ~. Er ist in der Arbeit. 12. (~ of art) Werk n; pl 13. ~s (machinery) Getriebe n; 14. ~s (factory) Betrieb m, Fabrik f; 15. the ~s (fam: everything) Drum und Dran n

•**work in** v 1. (to a schedule) einschieben; 2. (lotion) einarbeiten

•**work off** v (fat) abarbeiten

workaholic [wɜːkəˈhɒlɪk] sb Arbeitssüchtige(r) m/f

worker [ˈwɜːkə] sb Arbeiter m

working [ˈwɜːkɪŋ] adj arbeitend, (hypothesis, model) Arbeits...

working class [ˈwɜːkɪŋ klɑːs] sb Arbeiterklasse f

world [wɜːld] sb Welt f; a ~ of difference ein himmelweiter Unterschied; out of this ~ (fam) fantastisch

world champion [wɜːld ˈtʃæmpɪən] sb SPORT Weltmeister m

world-famous [wɜːld ˈfeɪməs] adj weltberühmt

worldly [ˈwɜːldlɪ] adj weltlich

world premiere [wɜːld prɪˈmɪə] sb THEAT Uraufführung f

worm [wɜːm] sb ZOOL Wurm m

worn [wɔːn] adj 1. (clothing) abgetragen; 2. (tyre) abgefahren; 3. ~ out erschöpft; 4. ~ out (hackneyed) abgedroschen

worry [ˈwʌrɪ] v 1. sich Sorgen machen; 2. (s.o.) beunruhigen; 3. (bother) belästigen; sb 4. Sorge f

worse [wɜːs] adj schlechter, schlimmer; to make matters ~ um die Sache zu verschlimmern

worship [ˈwɜːʃɪp] v 1. beten; 2. (s.o.) anbeten

worst [wɜːst] adj 1. schlechteste(r,s), schlimmste(r,s); sb 2. at ~ schlimmstenfalls; 3. the ~ of it is ... das Schlimmste daran ist ...

worth [wɜːθ] adj 1. wert; it's not ~ it es lohnt sich nicht; ~ mentioning erwähnenswert; sb 2. Wert m

would [wʊd] v 1. (conditional) würden; Would you mind (doing sth)? Würden Sie bitte (etw tun)? 2. (conjecture) It ~ seem so. Es sieht wohl so aus. 3. (habit) You ~! Das sieht dir ähnlich! 4. (insistence) He ~n't do it. Er wollte es einfach nicht tun.

would-be [ˈwʊdbiː] adj Möchtegern-...

wow [waʊ] interj 1. Mann! v 2. (fam) in Erstaunen versetzen

wrap [ræp] sb 1. Umhangtuch n; 2. (cape) Cape n; 3. (scarf) Schal m; 4. under ~s (fig) geheim; v 5. einwickeln; ~ sth round sth etw um etw wickeln; ~ one's arms round s.o. jdn in die Arme schließen

•**wrap up** v 1. einwickeln; to be wrapped up in one's work in seine Arbeit vertieft sein; 2. (fam: bring to a close) abschließen, beenden; have sth wrapped up (fig) etw unter Dach und Fach haben

wrapping paper [ˈræpɪŋpeɪpə] sb 1. Packpapier n; 2. (for gifts) Geschenkpapier n

wrath [rɑːθ] sb Zorn m

wreak [riːk] v anrichten; ~ havoc on sth etw verwüsten

wreck [rek] v 1. zerstören; 2. zu Schrott fahren, (a ship) zum Wrack machen; 3. (fig) ruinieren, vernichten, zerstören; sb 4. Wrack n; 5. a nervous ~ ein Nervenbündel n

wren [ren] sb ZOOL Zaunkönig m

wrestle [ˈresl] v 1. SPORT ringen; 2. ~ with (fig: a problem) kämpfen mit

wrinkle [ˈrɪŋkl] v 1. Falten werfen; 2. (face) runzelig werden; 3. ~ sth in etw Falten machen, (crumple) etw zerknittern; sb 4. Falte f; 5. (in clothes, in paper) Knitter m; 6. (in one's face) Runzel f, Falte f

wrist [rɪst] sb Handgelenk n

wristwatch [ˈrɪstwɒtʃ] sb Armbanduhr f

write [raɪt] v irr schreiben

wrong [rɒŋ] adj 1. falsch; prove s.o. ~ beweisen, dass jemand im Irrtum ist; 2. to be ~ (statement) nicht stimmen; (person) Unrecht haben; 3. (morally) unrecht; 4. (unfair) ungerecht, unfair; adv 5. go ~ (plan) schief gehen, misslingen; 6. get sth ~ (misunderstand) etw missverstehen; v 7. ~ s.o. jdm Unrecht tun; He has been ~ed. Ihm ist Unrecht geschehen. sb 8. Unrecht n

wrongful [ˈrɒŋfʊl] adj ungerechtfertigt

wrongly [ˈrɒŋlɪ] adv 1. (accused) zu Unrecht; 2. (believe) fälschlicherweise

---

other ~s mit anderen Worten; **have a ~ with s.o.** mit jdm sprechen; **put into ~s** in Worte fassen; **waste ~s** Worte vergeuden; 2. (news) Nachricht f; **get ~ of sth** etw erfahren; **leave ~ with s.o.** bei jdm eine Nachricht hinterlassen; v 3. formulieren, ausdrücken

X/Y/Z

xenophobia [zenəˈfəʊbɪə] sb Ausländer-feindlichkeit f, Xenophobie f

Xmas sb (see "Christmas")

X-ray [ˈeksreɪ] sb 1. (picture) MED Röntgen-bild n; 2. (ray) MED Röntgenstrahl m; v 3. MED röntgen

xylophone [ˈzaɪləfəʊn] sb Xylofon n

yacht [jɒt] sb Jacht f

yachtsman [ˈjɒtsmən] sb Segler m

Yankee [ˈjæŋkɪ] sb 1. (American) Ami m (fam); 2. (person from the northeastern US) Neuengländer m

yard¹ [jɑːd] sb 1. (court~, school~) Hof m; 2. (US: garden) Garten m

yard² [jɑːd] sb (0.914 metres) Yard n

yarmulke [ˈjɑːmʊlkə] sb Jarmurka f

yarn [jɑːn] sb 1. Garn n; 2. (fam: story) See-mannsgarn n

yawn [jɔːn] v 1. gähnen; sb 2. Gähnen n

year [jɪə] sb Jahr n; ~ in, ~ out Jahr für Jahr

yearbook [ˈjɪəbʊk] sb Jahrbuch n

yearlong [ˈjɪəlɒŋ] adj einjährig

yeast [jiːst] sb Hefe f

yell [jel] v 1. schreien, brüllen; 2. ~ out hin-ausschreien; sb 3. Schrei m

yellow [ˈjeləʊ] adj gelb

yen [jen] sb 1. FIN Yen m; 2. (yearning) Ver-langen n, Sehnsucht f

yes [jes] interj ja

yesterday [ˈjestədeɪ] adv gestern; the day before ~ vorgestern; I wasn't born ~. Ich bin nicht von gestern.

yet [jet] adv 1. (thus far) bis jetzt, bisher; not ~ noch nicht; 2. (still) noch; ~ again noch ein-mal; ~ another noch ein(e); 3. (already) schon; Are we there ~? Sind wir schon da? konj 4. doch, dennoch, trotzdem

yield [jiːld] v 1. (give way) nachgeben; "Yield" (on a road sign) Vorfahrt gewähren; 2. (a crop, a result) hervorbringen, ergeben; 3. FIN abwerfen; 4. (hand over) hergeben; sb 5. Ertrag m

yoga [ˈjəʊgə] sb Joga n

yogurt [ˈjəʊgɜːt] sb Jogurt n/m

yolk [jəʊk] sb Eidotter m, Eigelb n

yonks [jɒŋks] sb (fam) (UK) Ewigkeit f

you [juː] pron 1. Sie; (indirect object) Ihnen; 2. (addressing a friend or relative) du; (direct object) dich; (indirect object) dir; 3. (two or more friends or relatives) ihr; (direct or indirect

object) euch; 4. (fam: one) man, (direct object) einen, (indirect object) einem

young [jʌŋ] adj 1. jung; pl 2. the ~ junge Leute pl, die Jugend f; 3. ZOOL Junge pl

your [jʊə] adj 1. Ihr/Ihre/Ihr; 2. (addressing friend or relative) dein/deine/dein; (familiar plural) euer/eure/euer; 3. (one's) sein/seine/sein

yourself [jəˈself] pron 1. sich; 2. (address-ing a relative or friend) (direct object) dich; (in-direct object) dir; (familiar plural) euch; 3. (for emphasis) You said so ~. Sie haben es selbst gesagt. by ~ selbst, allein

youth [juːθ] sb 1. Jugend f; 2. (boy) Jugend-liche(r) m

youth club [ˈjuːθklʌb] sb Jugendklub m

yo-yo [ˈjəʊjəʊ] sb Jo-Jo n, Yo-Yo n

yucky [ˈjʌkɪ] adj (fam) eklig, ekelhaft, wi-derlich

yummy [ˈjʌmɪ] adj (fam) lecker

yuppie [ˈjʌpɪ] sb Yuppie m

zeal [ziːl] sb Eifer m

zealous [ˈzeləs] adj eifrig

zebra [ˈzebrə] sb ZOOL Zebra n

zebra crossing [ˈzebrəkrɒsɪŋ] sb (UK) Zebrastreifen m

zero [ˈzɪərəʊ] sb 1. Null f; 2. (on a scale) Nullpunkt m

zero hour [ˈzɪərəʊaʊə] sb the ~ die Stunde X f

zero-rated [ˈzɪərəʊreɪtɪd] adj FIN mehr-wertsteuerfrei

zest [zest] sb 1. (verve) Schwung m; 2. (enthusiasm) Begeisterung f

zinc [zɪŋk] sb CHEM Zink m

zip [zɪp] v 1. (close a zipper) den Reißver-schluß zumachen; 2. (fam: move quickly) flit-zen (fam)

ZIP code [ˈzɪpkəʊd] sb (US) Postleitzahl f

zipper [ˈzɪpə] sb Reißverschluß m

zodiac [ˈzəʊdɪæk] sb Tierkreis m; sign of the ~ Tierkreiszeichen n

zombie [ˈzɒmbɪ] sb 1. Zombie m; 2. (fig) Roboter m

zone [zəʊn] sb Zone f

zoo [zuː] sb Zoo m, Tiergarten m

zoom [zuːm] v (fam: move quickly) sausen

zucchini [zuːˈkiːnɪ] sb 1. Zucchini pl; 2. (one ~) Zucchino m

Zulu [ˈzuːluː] sb Zulu m/f

Deutsch – Englisch

A

Aal [aːl] *m ZOOL* eel

aalen ['aːlən] *v sich* ~ laze about

aalglatt ['aːlɡlat] *adj (fig)* slick, slippery

Aas [aːs] *n ZOOL* rotting carcass, carrion

ab [ap] *prep* 1. *(zeitlich)* from; ~ *heute* from today *(UK)*, starting today *(US)*; *von jetzt* ~ from now on, henceforth; *vom ersten April* ~ from April first onwards; ~ *und zu* now and then; 2. *(örtlich)* off, from; *von hier* ~ from here; *weit* ~ *von* far from

abändern ['apɛndərn] *v* 1. alter, modify, revise; 2. *(Gesetz)* amend

Abänderung ['apɛndəruŋ] *f* 1. alteration, modification; 2. *(Gesetz)* amendment

abarbeiten ['aparbaitən] *v* 1. work off; 2. *sich* ~ work o.s. to exhaustion, slave away

abartig ['apaːrtɪç] *adj* abnormal, deviant

Abbau ['apbau] *m* 1. *(Verringerung)* reduction, cutback; 2. *(Zerlegung)* dismantling; 3. *CHEM* decomposition; 4. *MIN* mining

abbaubar ['apbaubaːr] *adj* degradable, decomposable

abbauen ['apbauən] *v* 1. *(verringern)* reduce; 2. *(zerlegen)* dismantle, pull down, take to pieces; 3. *MIN* mine, work

abbekommen ['apbəkɔmən] *v irr* 1. *Er hat seinen Teil* ~. He got his share. 2. *(beschädigt werden)* to be damaged

abbestellen ['apbəʃtɛlən] *v* cancel

abbezahlen ['apbɛtsaːlən] *v* pay off, repay

abbiegen ['apbiːɡən] *v* 1. turn off; 2. *(Straße)* branch off

abbilden ['apbɪldən] *v* represent, portray, picture; *unten abgebildet* pictured below

Abbildung ['apbɪlduŋ] *f* representation, illustration, picture

Abbitte ['apbɪtə] *f bei jdm* ~ *leisten* apologize to s.o.

abblasen ['apblaːzən] *v* 1. *(wegblasen)* blow off; 2. *(entweichen lassen)* release; 3. *(fig)* call off

abblättern ['apblɛtərn] *v* flake off

abblenden ['apblɛndən] *v* 1. dim; 2. *FOTO* darken, stop down

Abblendlicht ['apblɛndlɪçt] *n TECH* dimmer, passing beam *(UK)*, low beam *(US)*

abblitzen ['apblɪtsən] *v* 1. *(fam)* meet with a rebuff; 2. *jdn* ~ *lassen* give s.o. the cold shoulder, give s.o. the brush-off, send s.o. packing

abblocken ['apblɔkən] *v* 1. block; 2. *(fig)* ward off

abbrechen ['apbrɛçən] *v irr* 1. *(Tätigkeit)* cease, stop, break off; 2. *(Gebäude)* demolish; *alle Brücken hinter sich* ~ burn one's bridges

abbrennen ['apbrɛnən] *v irr* burn down

abbringen ['apbrɪŋən] *v irr* ~ *von* dissuade from, argue out of; *vom rechten Weg* ~ lead astray

Abbruch ['apbrux] *m* 1. *(eines Gebäudes)* demolition; 2. *(fig)* breaking off

abbuchen ['apbuːxən] *v* 1. *ECO* deduct, debit; 2. *(abschreiben)* write off

Abbuchung ['apbuːxuŋ] *f ECO* debiting

abdämpfen ['apdɛmpfən] *v* 1. *(Stoß)* cushion, dampen; 2. *(Geräusch)* silence, muffle

abdanken ['apdaŋkən] *v* 1. *(Minister) POL* resign, retire; 2. *(König) POL* abdicate

Abdankung ['apdaŋkuŋ] *f* 1. *(König) POL* abdication; 2. *(Minister) POL* retirement

abdecken ['apdɛkən] *v* 1. *(Tisch)* clear; 2. *(zudecken)* cover; 3. *(Dach)* tear off

Abdeckung ['apdɛkuŋ] *f* 1. *(Bedeckung)* cover, covering; 2. *(von Schulden)* settlement

abdichten ['apdɪçtən] *v* 1. *(verschließen) TECH* seal; 2. *(isolieren)* insulate

Abdichtung ['apdɪçtuŋ] *f* 1. *TECH* sealing; 2. *(Isolierung)* insulation

abdrängen ['apdrɛŋən] *v* push aside

abdrehen ['apdreːən] *v* 1. *(Schiff)* change course, veer off; 2. *(zudrehen)* turn off

abdriften ['apdrɪftən] *v* drift off

Abdruck ['apdruk] *m* 1. *(Nachbildung)* impression, copy, reproduction; 2. *(Spur)* imprint, print

abdrucken ['apdrukən] *v* print

abdrücken ['apdrykən] *v* 1. *(zudrücken)* choke; 2. *(abfeuern)* pull the trigger, fire; 3. *(umarmen)* hug, squeeze

Abend ['aːbənt] *m* 1. evening; *Es ist noch nicht aller Tage* ~. It's early days yet. *Heiliger* ~ Christmas Eve; *adv* 2. *heute* ~ this evening, tonight; *gestern* ~ last night

Abendbrot ['aːbəntbroːt] *n* supper, dinner

Abenddämmerung ['aːbəntdɛməruŋ] *f* dusk, evening twilight

Abendessen ['aːbəntɛsən] *n* dinner, supper

Abendkasse ['aːbəntkasə] *f THEAT* box office (open on the night of the performance)

Abendkleid ['a:bəntklaıt] n evening dress

Abendland ['a:bəntlant] n the West, the Occident

Abendmahl ['a:bəntma:l] n REL Communion; das ~ empfangen take Communion

Abendrot ['a:bəntro:t] n afterglow

abends ['a:bəns] adv in the evening, at night, (heute abend) tonight

Abendschule ['a:bəntʃu:lə] f evening classes, evening school, night school

Abendstern ['a:bəntʃtɛrn] m evening star

Abenteuer ['a:bəntɔyər] n adventure

abenteuerlich ['a:bəntɔyərlıç] adj 1. adventurous; 2. (fig: ungewöhnlich) strange

Abenteurer ['a:bəntɔyrər] m adventurer, crook (fam)

aber ['a:bər] konj 1. but; 2. (zur Verstärkung) Das ist ~ nett von dir! That's really nice of you! Aber sicher! But of course! Aber gern! With pleasure!

Aberglaube ['a:bərglaubə] m superstition

abergläubisch ['a:bərglɔybıʃ] adj superstitious

aberkennen ['apɛrkɛnən] v irr JUR deprive, disallow, dispossess

Aberkennung ['apɛrkɛnuŋ] f JUR deprivation, abjudication, disallowance

abermalig ['a:bərma:lıç] adj repeated

abermals ['a:bərma:ls] adv again, once more

abfahren ['apfa:rən] v irr depart, set out

Abfahrt ['apfa:rt] f 1. (Abreise) departure; 2. NAUT sailing; 3. (Skiabfahrt) SPORT descent

Abfall ['apfal] m 1. (Müll) waste, rubbish, garbage, refuse; 2. (Rückgang) decline, decrease, drop

Abfalleimer ['apfalaımər] m dustbin (UK), rubbish bin (UK), trash can (US)

abfallen ['apfalən] v irr 1. (Obst) fall, drop; 2. (übrig bleiben) to be left over, go to waste

abfällig ['apfɛlıç] adj (fig) disparaging, derogatory

abfangen ['apfaŋən] v irr intercept

abfärben ['apfɛrbən] v 1. run, lose colour; 2. (fig) rub off on sth

abfassen ['apfasən] v 1. (Text) word, draw up; 2. (fam: jdn erwischen) catch

abfedern ['apfe:dərn] v 1. spring, absorb; 2. (fig: Folgewirkungen) cushion

abfertigen ['apfɛrtıgən] v 1. (fam: Gegner) deal with; 2. (Zoll) clear; 3. (Kunde) attend to

Abfertigung ['apfɛrtıguŋ] f 1. (Kunde) service; 2. (Zoll) clearance

abfeuern ['apfɔyərn] v fire (off), discharge

abfinden ['apfındən] v irr 1. sich ~ mit come to terms with, settle for, put up with; 2. JUR settle with, indemnify, pay off; 3. (jdn ~) ECO pay off, (Teilhaber) buy out

Abfindung ['apfınduŋ] f 1. JUR settlement, indemnification; 2. ECO settlement

abflachen ['apflaxən] v flatten, level

abflauen ['apflauən] v 1. abate, drop, subside; 2. ECO flag, slacken, slow down

abfliegen ['apfli:gən] v irr (Flugzeug) take off, depart

abfließen ['apfli:sən] v irr drain off

Abflug ['apflu:k] m take-off, departure

Abfluss ['apflus] m 1. (Abfließen) draining away; 2. (Öffnung) drain

Abfolge ['apfɔlgə] f 1. sequence, order; 2. (Nachfolge) succession

abfordern ['apfɔrdərn] v (Dinge) demand

Abfrage ['apfra:gə] f inquiry

abfragen ['apfra:gən] v (in der Schule) question, quiz (US)

abfrieren ['apfri:rən] v irr freeze, to be frostbitten

abführen ['apfy:rən] v 1. (Verbrecher) take away, take into custody; 2. (Gelder) ECO pay

Abführmittel ['apfy:rmıtəl] n MED laxative

abfüllen ['apfylən] v (in Flaschen) bottle

Abgabe ['apga:bə] f 1. (Ablieferung) delivery, handing over, handing in; 2. (Steuer) ECO duty, levy, tax

abgabenpflichtig ['apga:bənpflıçtıç] adj ECO taxable, liable to tax

Abgang ['apgaŋ] m 1. (von der Schule) school leaving, graduation (US); 2. (Ausscheidung) MED passing, (von Eiter) discharge; 3. (Fehlgeburt) MED miscarriage; 4. (Waren) ECO outlet, sale, market; 5. THEAT exit; 6. einen ~ machen make one's exit

Abgas ['apga:s] n TECH waste gas

abgearbeitet ['apgəarbaıtət] adj 1. (abgenutzt) worn out; 2. (überarbeitet) tired out, exhausted

abgeben ['apge:bən] v irr give up, deliver, hand over; seine Stimme ~ cast one's vote

abgedroschen ['apgədrɔʃən] adj (fig) trite, clichéd, stale

Abgedroschenheit ['apgədrɔʃənhaıt] f banality, triteness

abgeflacht ['apgəflaxt] adj flattened

abgegriffen ['apgəgrıfən] adj 1. (fig) stale, overused; 2. (Buch) well-thumbed

abgehackt ['apgəhakt] adj 1. (Ast) chopped off; 2. (Sprechweise) jerky, abrupt

abgehen ['apgeːən] *v irr 1. (Knopf)* come off, fall off; *2. (fam: ablaufen) gut ~* go well; *3. (weggehen)* leave; *4. THEAT* exit; *5. (Ausscheidung) MED* to be passed; *(Eiter) MED* to be discharged; *(Fötus) MED* to be aborted; *6. Er geht mir ab.* I miss him. *7. Da geht der Bär ab.* Things are really happening there.

abgeklärt ['apgəkleːrt] *adj 1. (souverän)* serene, mellow; *2. (abgesprochen)* agreed

Abgeklärtheit ['apgəkleːrthait] *f* serenity

abgelegen ['apgəleːgən] *adj* remote, distant, out-of-the-way

abgeneigt ['apgənaikt] *adj* disinclined, averse, reluctant

abgenutzt ['apgənutst] *adj* worn, worn-out

Abgeordnete(r) ['apgəɔrdnətə(r)] *m/f* POL delegate, representative *(US)*, Member of Parliament *(UK)*

abgepackt ['apgəpakt] *adj* packaged, pre-packed

abgeschieden ['apgəʃiːdən] *adj* isolated, remote

Abgeschiedenheit ['apgəʃiːdənhait] *f* loneliness, isolation

abgeschlossen ['apgəʃlɔsən] *adj 1. (abgesperrt)* locked; *2. (beendet)* completed

abgesehen ['apgəzeːən] *adv ~ von* apart from, irrespective of, except for

abgespannt ['apgəʃpant] *adj* exhausted

abgestanden ['apgəʃtandən] *adj* stale

abgestimmt ['apgəʃtimt] *adj 1. (im Einklang)* coordinated; *2. (nach Stimmabgabe)* voted on

abgestumpft ['apgəʃtumpft] *adj 1. (Gegenstand)* dull; *2. (Person)* indifferent

Abgestumpftheit ['apgəʃtumpfthait] *f* indifference, apathy

abgewinnen ['apgəvinən] *v irr (Gefallen finden)* find pleasure in, make the best of

abgewöhnen ['apgəvøːnən] *v sich etw ~* give sth up, get out of the habit of doing sth

abgleiten ['apglaitən] *v irr* slip, slide

abgöttisch ['apgœtiʃ] *adj REL* idolatrous

abgrenzen ['apgrɛntsən] *v* delineate, demarcate, mark off

Abgrenzung ['apgrɛntsuŋ] *f* demarcation

Abgrund ['apgrunt] *m 1.* precipice; *2. (fig)* abyss, gulf

abgründig ['apgryndiç] *adj* profound

Abguss ['apgus] *m 1. (Spüle)* sink; *2. (Kopie)* copy, cast

abhaben ['aphaːbən] *v (einen Teil bekommen)* have a share of

abhaken ['aphaːkən] *v 1.* check off, tick off; *2. (fig)* cross off

abhalten ['aphaltən] *v irr 1. (Versammlung)* hold; *2. (hindern)* prevent; *jdn von der Arbeit ~* keep s.o. from working; *jdn davon ~, etw zu tun* prevent s.o. from doing sth

abhandeln ['aphandəln] *v (Thema)* treat, deal with, discuss

Abhandlung ['aphandluŋ] *f* treatise

Abhang ['aphaŋ] *m* slope

abhängen ['aphɛŋən] *v irr 1. von etw ~* depend on sth; *2. jdn ~* shake s.o. off; *3. (Anhänger)* unhitch; *4. (Bild)* take down; *5. (Eisenbahnwagen)* uncouple

abhängig ['aphɛŋiç] *adj* dependent; *~ sein von* to be dependent on

Abhängigkeit ['aphɛŋiçkait] *f* dependence

abhärten ['aphɛrtən] *v* harden, inure

abhauen ['aphauən] *v (fam: verschwinden)* push off, beat it *(US)*, scram *(US)*; *Hau ab!* Push off! Beat it! Scram!

abheben ['apheːbən] *v irr 1. (Flugzeug)* take off; *2. (Rakete)* lift off; *3. (Telefonhörer)* pick up; *4. (Geld) FIN* withdraw, take out, draw; *5. sich ~ von* contrast with

abhelfen ['aphɛlfən] *v irr einer Sache ~* remedy sth

Abhilfe ['aphilfə] *f* remedy, cure

abholen ['aphoːlən] *v* collect, pick up, fetch; *Ich hole dich ab.* I'll pick you up.

abholzen ['aphɔltsən] *v* deforest

abhören ['aphøːrən] *v 1. (Telefongespräch)* listen in on; *(mit einem Abhörgerät)* tap; *2. (fragen)* question, test

Abitur [abi'tuːr] *n* school-leaving exam, A-levels *pl (UK)*

abkaufen ['apkaufən] *v 1.* buy, purchase; *2. (glauben)* buy *(fam)*; *Die Geschichte kaufe ich dir nicht ab.* I won't buy that story.

Abkehr ['apkeːr] *f* estrangement, withdrawal

abkehren ['apkeːrən] *v 1. sich ~* turn away, take no further interest; *2. (Tisch)* sweep

abkleben ['apkleːbən] *v (mit Klebeband)* mask (with tape)

abklemmen ['apklɛmən] *v TECH* disconnect

abklingen ['apkliŋən] *v irr 1. (Lärm)* die away, fade; *2. (Fieber) MED* subside

abklopfen ['apklɔpfən] *v 1. (Schmutz)* knock off; *2. (fig: prüfen)* scrutinize

abknicken ['apknikən] *v 1.* break off, snap off; *2. (Straße)* bend

abkochen ['apkɔxən] *v* boil, sterilize (by boiling)

abkommandieren ['apkɔmandiːrən] *v* MIL post, assign

abkommen ['apkɔmən] *v 1. (vom Weg)* lose one's way; 2. *(vom Thema)* stray from the point

Abkommen ['apkɔmən] *n* agreement, deal

abkömmlich ['apkœmlıç] *adj* available

Abkömmling ['apkœmlıŋ] *m* descendant, offspring

abkoppeln ['apkɔpəln] *v 1. (Waggon)* uncouple, detach; 2. *(fam) sich ~* break away

abkühlen ['apkyːlən] *v 1. (Speisen)* cool off; 2. *(Beziehungen)* cool

Abkühlung ['apkyːluŋ] *f* cooling

Abkunft ['apkunft] *f* descent, origin

abkürzen ['apkyrtsən] *v 1. (Wort)* abbreviate; 2. *den Weg ~* take a short-cut; 3. *(Buch)* abridge

Abkürzung ['apkyrtsuŋ] *f 1. (Wort)* abbreviation; 2. *(Weg)* short-cut

abladen ['aplaːdən] *v irr 1. (Wagen)* unload; 2. *(Schutt)* dump

Ablage ['aplaːgə] *f 1. (das Ablegen)* filing; 2. *(Gestell)* place to put sth

Ablagerung ['aplaːgəruŋ] *f* GEOL deposit

ablaufen ['aplaufən] *v irr 1. (Flüssigkeit)* run off, drain; 2. *(Zeit)* go by, pass; 3. *(Gültigkeit verlieren)* expire; 4. *(Frist)* ECO run out

Ablaut ['aplaut] *m* LING stem change

ablegen ['apleːgən] *v 1. (Kleidung)* take off; 2. *eine Gewohnheit ~* break a habit; 3. *(Karten)* put down, lay down; 4. *(Akten)* file; 5. *über etw Rechenschaft ~* account for sth; 6. *(Examen)* take; 7. *ein Geständnis ~* JUR confess; *Zeugnis ~* bear witness

Ableger ['apleːgər] *m* BOT layer

ablehnen ['apleːnən] *v* refuse, reject, decline

Ablehnung ['apleːnuŋ] *f 1. (Zurückweisung)* refusal, rejection; 2. *(Missbilligung)* disapproval; *auf ~ stoßen* meet with disapproval

ableisten ['aplaıstən] *v* perform, fulfil

ableiten ['aplaıtən] *v 1. (Wasser)* divert, drain off; 2. *(fig: folgern)* derive, deduce

Ableitung ['aplaıtuŋ] *f 1. (von Wasser)* diversion, drainage; 2. *(Folgern)* derivation

ablenken ['aplɛŋkən] *v* divert, distract

Ablenkung ['aplɛŋkuŋ] *f* diversion, distraction

Ablenkungsmanöver ['aplɛŋkuŋsmanøːvər] *n* diversion, diversionary tactic

ablesen ['apleːzən] *v irr* read off

ableugnen ['aplɔygnən] *v* deny

abliefern ['apliːfərn] *v* deliver, hand over

Ablieferung ['apliːfəruŋ] *f* delivery, submission

ablösen ['apløːzən] *v 1. (einander abwechseln)* alternate, take turns; 2. *(Dienst)* replace; 3. *(entfernen)* remove, detach, take off; 4. *(tilgen)* ECO redeem, pay off

abmachen ['apmaxən] *v (übereinkommen)* agree on, settle

Abmachung ['apmaxuŋ] *f* agreement, deal, settlement

abmagern ['apmaːgərn] *v* get thinner, lose weight

abmahnen ['apmaːnən] *v* give a warning

Abmahnung ['apmaːnuŋ] *f* warning, reminder

abmelden ['apmɛldən] *v 1. (Zeitung)* cancel; 2. *das Telefon ~* have the phone disconnected; 3. *sein Auto ~* take one's car off the road; 4. *sich ~ (behördlich)* notify the police that one is moving

Abmeldung ['apmɛlduŋ] *f (Zeitung, Mitgliedschaft)* cancellation

Abmessung ['apmɛsuŋ] *f 1. (Vorgang)* measurement, measuring; 2. *(Maß)* dimension, proportion

abmildern ['apmıldərn] *v 1. (Aufprall)* soften; 2. *(Schock)* lessen

abmontieren ['apmɔntiːrən] *v* dismantle, disassemble, take to pieces

abmühen ['apmyːən] *v sich ~* labour, struggle, slave

abnabeln ['apnaːbəln] *v 1.* MED cut the umbilical cord; 2. *(fig) sich ~* free o.s.

Abnäher ['apnɛːər] *m* tuck, dart

Abnahme ['apnaːmə] *f 1. (Herunternahme)* taking down; 2. *(Verminderung)* decrease, decline, diminution; 3. *(Kauf)* ECO purchase; 4. *(Gewicht)* loss (of weight); 5. *(amtliche)* TECH official acceptance, inspection

abnehmen ['apneːmən] *v irr 1. (Gewicht)* lose weight; 2. *(Telefon)* answer; 3. *(entgegennehmen)* take, *(abkaufen)* buy; *jdm etw ~* relieve s.o. of sth; 4. *(entfernen)* remove, detach, take away; 5. TECH inspect

Abnehmer ['apneːmər] *m* ECO buyer, purchaser

Abneigung ['apnaıguŋ] *f* aversion, dislike

abnorm [ap'nɔrm] *adj* abnormal

Abnormität [apnɔrmi'tɛːt] *f 1.* abnormality, monstrosity; 2. MED anomaly, abnormity, abnormality

abnutzen ['apnutsən] *v* wear out

Abnutzung ['apnutsuŋ] *f* wear, wearing out

Abonnement [abɔnə'mã:] *n* subscription

Abonnent [abɔ'nɛnt] *m* subscriber

abonnieren [abɔ'ni:rən] *v* subscribe to

abordnen ['apɔrdnən] *v* delegate

Abordnung ['apɔrdnuŋ] *f* delegation

abpacken ['apakən] *v* pack

abprallen ['apralən] *v* 1. *(Ball)* bounce off, rebound; 2. *(fig: Beleidigung)* bounce off

abpumpen ['apumpən] *v* 1. pump dry; 2. *(Wasser, Öl)* pump off

abputzen ['aputsən] *v* clean off, wipe off; *sich die Schuhe ~* wipe one's feet (fam)

abquälen ['apkvɛ:lən] *v* *sich ~* struggle, toil; *sich ein Lächeln ~* force a smile

abraten ['apra:tən] *v* *irr* advise against

abräumen ['aprɔymən] *v* clear (away)

abreagieren ['apreagi:rən] *v* 1. work off; 2. *sich ~* let off steam

abrechnen ['apreçnən] *v* 1. settle; 2. *(fig) mit jdm ~* get even with s.o. 3. *(etw abziehen)* deduct

Abrechnung ['apreçnuŋ] *f* 1. *(Abzug)* deduction; 2. *(Aufstellung)* statement; 3. *(Rechnung)* ECO bill; 4. *(Schlussrechnung)* settlement (of accounts); 5. *(fig: Vergeltung)* revenge; *Tag der ~* day of reckoning

Abrede ['apre:də] *f* *etw in ~ stellen* deny sth

abreiben ['apraibən] *v* *irr* 1. *(Schmutz)* rub off; 2. *(Fenster)* wipe

Abreise ['apraizə] *f* departure

abreisen ['apraizən] *v* depart, leave

abreißen ['apraisən] *v* *irr* 1. *(Gebäude)* pull down, tear down, demolish; 2. *(Papier)* tear off, rip off

abrichten ['apriçtən] *v* *(Tier)* train; *(Pferd)* break in

abriegeln ['apri:gəln] *v* *(Gebiet)* cordon off, block off

Abriss ['apris] *m* 1. *(eines Gebäudes)* demolition; 2. *(Zusammenfassung)* summary, outline

abrollen ['aprɔlən] *v* unroll, unreel

abrücken ['aprykən] *v* 1. *von jdm ~* move away from s.o. 2. *(Truppeneinheit)* MIL withdraw

Abruf ['apru:f] *m* 1. *auf ~* on call; 2. INFORM retrieval

abrufen ['apru:fən] *v* *irr* 1. ECO request delivery of; 2. INFORM retrieve

abrunden ['aprundən] *v* round off; *eine Zahl ~ (nach oben/unten)* round a number up/down

abrupt [ap'rupt] *adj* abrupt, sudden

abrüsten ['aprystən] *v* POL disarm

Abrüstung ['aprystuŋ] *f* MIL disarmament

abrutschen ['aprutʃən] *v* 1. slip; 2. *(Wagen)* skid

Absage ['apza:gə] *f* 1. refusal; 2. *(auf eine Einladung)* negative reply

absagen ['apza:gən] *v* 1. withdraw; *jdm ~* cancel s.o.'s appointment; 2. *etw ~* call sth off, cancel sth

absägen ['apzɛ:gən] *v* 1. *(Ast)* saw off; *den Ast ~, auf dem man sitzt* cut one's own throat; 2. *(fam: jdn absetzen)* dismiss, sack

Absatz ['apzats] *m* 1. *(Abschnitt)* paragraph, section; 2. *(Treppenabsatz)* landing; 3. *(Schuhabsatz)* heel; 4. ECO sales

Absatzflaute ['apzatsflautə] *f* ECO slump in sales

Absatzmarkt ['apzatsmarkt] *m* ECO market

absatzweise ['apzatsvaizə] *adv* in paragraphs, paragraph by paragraph

absaugen ['apzaugən] *v* *irr* suck off

absaven ['apseIvən] INFORM back up

abschaffen ['apʃafən] *v* abolish, do away with, get rid of

Abschaffung ['apʃafuŋ] *f* abolition

abschalten ['apʃaltən] *v* *(etw ~)* switch off, turn off

abschätzen ['apʃɛtsən] *v* estimate, assess

abschätzig ['apʃɛtsɪç] *adj* disparaging

Abschaum ['apʃaum] *m* *(fig)* scum; *der ~ der Menschheit* the scum of the earth

Abscheu ['apʃɔy] *f* abhorrence, repulsion, repugnance; *vor einer Sache ~ empfinden* abhor sth, detest sth

abscheulich [ap'ʃɔyliç] *adj* 1. abominable, atrocious; *Wie ~!* How awful! 2. *(Verbrechen)* heinous

abschieben ['apʃi:bən] *v* *irr* 1. *(fam: weggehen)* shove off; 2. *Verantwortung ~* pass the buck; 3. *(ausweisen)* POL deport

Abschiebung ['apʃi:buŋ] *f* POL deportation

Abschied ['apʃi:t] *m* parting, farewell; *~ nehmen von* say good-bye to

Abschiedsgesuch ['apʃi:tsgəzu:x] *n* *das ~ einreichen* tender one's resignation

abschießen ['apʃi:sən] *v* *irr* 1. *(schießen)* fire, fire off, *(Pfeil)* shoot, shoot off, *(Rakete)* launch; 2. *(Flugzeug)* MIL shoot down

abschirmen ['apʃirmən] *v* 1. screen, shield; 2. *(fig)* protect

Abschirmung ['apʃirmuŋ] *f* 1. screening, shielding; 2. *(fig)* protection

Abschlag ['apʃlaːk] m 1. (Rate) ECO part payment; 2. (Preissenkung) ECO markdown, discount; 3. (Kursabschlag) FIN marking down; 4. (vom Tor) SPORT goal kick; 5. (Golf) tee-off

abschlagen ['apʃlaːgən] v irr 1. (abschneiden) cut off, chop down; 2. SPORT (Golf) tee off, (Fußball) punt; 3. (fig: ablehnen) decline, refuse, turn down

abschleifen ['apʃlaɪfən] v irr TECH grind off, grind down, polish

abschleppen ['apʃlɛpən] v (Fahrzeug) tow away

Abschleppseil ['apʃlɛpzaɪl] n tow rope

abschließen ['apʃliːsən] v irr 1. (zuschließen) lock, lock up; 2. (beenden: Sitzung) conclude, bring to a close, end; 3. (Geschäft) ECO transact, conclude; 4. (Vertrag) JUR conclude

abschließend ['apʃliːsənt] adj 1. concluding; adv 2. in conclusion

Abschluss ['apʃlus] m 1. (Beendigung) end; zum ~ bringen bring to a conclusion; zum ~ kommen come to an end; das Wort zum ~ the final word; 2. (Vertragsschluss) signing of an agreement, conclusion of a contract; 3. (Geschäftsabschluss) (business) transaction, (business) deal; 4. (Bilanz) financial statement, annual accounts

Abschlussprüfer ['apʃluspryːfər] m ECO auditor

Abschlussprüfung ['apʃluspryːfuŋ] f 1. (Schule) final examination; 2. ECO audit

Abschlusstest ['apʃlustɛst] m final test

abschmecken ['apʃmɛkən] v 1. (würzen) season; 2. (kosten) taste

abschmieren ['apʃmiːrən] v grease, lubricate

abschminken ['apʃmɪŋkən] v 1. remove one's make-up; 2. Das kannst du dir ~! (fig) Get it out of your head!

abschnallen ['apʃnalən] v 1. unfasten one's belt; 2. (fig) to be flabbergasted; Da schnallst du ab! It's mind-boggling!

abschneiden ['apʃnaɪdən] v irr 1. cut, cut off; jdm das Wort ~ cut s.o. short; 2. gut/schlecht ~ (fig) come off well/badly, do well/badly

Abschnitt ['apʃnɪt] m 1. (Kapitel) section; 2. (Gebiet) sector; 3. (Zeit) period

abschnittweise ['apʃnɪtvaɪzə] adv in sections, in portions

abschöpfen ['apʃœpfən] v skim off

Abschöpfung ['apʃœpfuŋ] f ECO skimming off (of profits), siphoning off

abschotten ['apʃɔtən] v (fig) sich gegen etw ~ cut o.s. off from sth

Abschottung ['apʃɔtuŋ] f cutting off

abschrauben ['apʃraubən] v unscrew

abschrecken ['apʃrɛkən] v irr 1. (abhalten) deter; 2. GAST rinse; 3. (Stahl) TECH quench

abschreckend ['apʃrɛkənt] adj deterrent; ein ~es Beispiel a warning

Abschreckung ['apʃrɛkuŋ] f deterrence

abschreiben ['apʃraɪbən] v irr 1. copy; 2. ECO write off

Abschreibung ['apʃraɪbuŋ] f (Wertverminderung) ECO depreciation

Abschrift ['apʃrɪft] f copy

Abschuss ['apʃus] m 1. shooting; 2. (einer Rakete) launching

abschüssig ['apʃysɪç] adj sloping

abschwächen ['apʃvɛçən] v weaken, lessen, soften

Abschwächung ['apʃvɛçuŋ] f weakening, reduction

abschweifen ['apʃvaɪfən] v (fig) digress; vom Thema ~ deviate from the subject

abschwören ['apʃvøːrən] v irr 1. (sich lossagen) renounce; 2. (negieren) deny by oath

absehbar ['apzeːbaːr] adj foreseeable; Es ist ~, dass ... It's clear that ... Es ist nicht ~, ob ... There's no telling whether ...

absehen ['apzeːən] v irr 1. (voraussehen) foresee; 2. (nicht berücksichtigen) disregard, not consider

abseits ['apzaɪts] adv 1. (abgelegen) remote; 2. SPORT offside

Absender ['apzɛndər] m sender, sender's address

absetzen ['apzɛtsən] v 1. (hinstellen) set down, put down; 2. jdn ~ (aussteigen lassen) drop s.o. off; 3. (jdm kündigen) dismiss; 4. sich gegen etw ~ stand out against sth, contrast with sth; 5. sich ~ (fam: weggehen) clear out; 6. (verkaufen) ECO sell; 7. (abschreiben) ECO deduct; 8. CHEM deposit

Absetzung ['apzɛtsuŋ] f 1. (Kündigung) dismissal, removal; 2. (Abschreibung) ECO deduction, depreciation, allowance

absichern ['apzɪçərn] v 1. secure; 2. sich ~ protect o.s. sich ~ gegen guard against

Absicht ['apzɪçt] f intention, intent; mit ~ on purpose

absichtlich ['apzɪçtlɪç] adj 1. intentional, deliberate, wilful; adv 2. on purpose, deliberately, intentionally

absinken ['apzɪŋkən] v decline, drop

absolut [apzo'luːt] *adj* absolute

Absolution [apzɔlu'tsjoːn] *f REL* absolution

Absolutismus [apzɔlu'tɪsmʊs] *m HIST* absolutism

absolutistisch [apzɔlu'tɪstɪʃ] *adj POL* absolutist, absolutistic

Absolvent [apzɔl'vɛnt] *m* graduate

absolvieren [apzɔl'viːrən] *v* 1. *(abschlieβen)* pass, graduate, complete; 2. *(erledigen)* settle

absondern ['apzɔndərn] *v* 1. *(trennen)* separate, divide, segregate; 2. *sich ~* seclude o.s., isolate o.s. 3. *MED* secrete, excrete

Absonderung ['apzɔndərʊŋ] *f* 1. *(Trennung)* separation, segregation, seclusion; 2. *MED* secretion, excretion, discharge

absorbieren [apzɔr'biːrən] *v* absorb

abspalten ['apʃpaltən] *v* 1. *(Partei) POL* split off; 2. *(Molekül) CHEM* separate

Abspaltung ['apʃpaltʊŋ] *f POL* secession, separation

abspecken ['apʃpɛkən] *v (fam)* slim down

abspeichern ['apʃpaiçərn] *v INFORM* save, store

absperren ['apʃpɛrən] *v* 1. *(zuschließen)* lock, lock up; 2. *(Gebiet)* block off, barricade

Absperrung ['apʃpɛrʊŋ] *f* barricade

abspielen ['apʃpiːlən] *v* 1. *(Schallplatte)* play; 2. *sich ~* happen, take place, occur

absplittern ['apʃplɪtərn] *v* 1. chip off, peel off; 2. *(Gruppierung)* split off

Absplitterung ['apʃplɪtərʊŋ] *f* 1. chipping; 2. *POL* splitting off

Absprache ['apʃpraːxə] *f* agreement

absprechen ['apʃprɛçən] *v irr* 1. *(vereinbaren)* agree, arrange, settle; 2. *(aberkennen) JUR* disallow, deny

abspringen ['apʃprɪŋən] *v irr* 1. *(herunter)* jump down, jump off, *(mit Fallschirm)* bail out; 2. *(abplatzen)* come loose

abspulen ['apʃpuːlən] *v* 1. *(Band) TECH* unreel; 2. *(fam: Rede)* rattle off

abspülen ['apʃpyːlən] *v* wash off, rinse off

abstammen ['apʃtamən] *v* 1. *(Herkunft) ~ von* descend from, to be descended from; 2. *(Ursprung) ~ von* originate from, to be derived from

Abstammung ['apʃtamʊŋ] *f* 1. *(Ursprung)* origin, derivation; 2. *(Herkunft)* descent, extraction, birth

Abstand ['apʃtant] *m* distance; *~ halten* keep one's distance; *mit ~ (fig)* by far; *von etw ~ nehmen* refrain from doing sth

abstatten ['apʃtatən] *v* 1. *einen Besuch ~* pay a visit; 2. *Dank ~* give thanks

abstauben ['apʃtaubən] *v* 1. dust; 2. *(fig: klauen)* swipe

Abstecher ['apʃtɛçər] *m* excursion, trip, detour

abstecken ['apʃtɛkən] *v* 1. *(markieren)* mark off, stake out, lay out; 2. *(Programm)* work out; 3. *(Saum)* pin

abstehen ['apʃteːən] *v irr* 1. *(Ohren)* stick out; 2. *(in einem gewissen Abstand stehen)* to be ... from; 3. *(heißes Wasser)* sit; 4. *(Bier)* become flat

Absteige ['apʃtaigə] *f (fam)* dosshouse, lodgings, quarters

absteigen ['apʃtaigən] *v irr* 1. descend, get down; 2. *(einkehren)* stay; 3. *SPORT* drop

abstellen ['apʃtɛlən] *v* 1. *(ausschalten)* turn off, shut off; 2. *(hinstellen)* put down, set down; 3. *(Auto)* park

Abstellgleis ['apʃtɛlglais] *n* sidetrack, siding; *jdn auf das ~ schieben* put s.o. on the scrap heap

Abstellkammer ['apʃtɛlkamər] *f* larder, pantry, storage room

Abstieg ['apʃtiːk] *m* 1. *(hinuntersteigen)* descent; 2. *SPORT* drop, relegation; *beim ~ on* the way down; 3. *(fig: Niedergang)* decline

abstimmen ['apʃtɪmən] *v* 1. *(aufeinander)* adjust, reconcile, harmonize; 2. *(wählen)* vote

Abstimmung ['apʃtɪmʊŋ] *f* 1. *(Wahl)* taking a vote, vote, polling; 2. *(Anpassung)* adjustment, coordination; 3. *(eines Radios)* tuning

abstinent [apsti'nɛnt] *adj* 1. abstinent; 2. *(bezüglich Alkohol)* teetotal

Abstinenz [apsti'nɛnts] *f* abstinence

Abstinenzler [apsti'nɛntslər] *m* teetotaller

abstoßend ['apʃtoːsənt] *adj* repulsive, disgusting, revolting

abstrahieren [apstra'hiːrən] *v* abstract

abstrakt [ap'strakt] *adj* abstract

Abstraktion [apstrak'tsjoːn] *f* abstraction

abstreifen ['apʃtraifən] *v* take off, cast off

abstreiten ['apʃtraitən] *v irr* dispute, deny

Abstrich ['apʃtrɪç] *m* 1. *(Abzug) ECO* cut, curtailment; 2. *MED* smear, swab

abstufen ['apʃtuːfən] *v* 1. *farblich ~* graduate, tone, shade; 2. *(staffeln)* form into steps, mark out in portions or degrees

Abstufung ['apʃtuːfʊŋ] *f* 1. *(Staffelung)* graduation, arranging in steps or degrees, gradation; 2. *farbliche ~* gradation, shade

abstumpfen ['apʃtʊmpfən] *v* 1. blunt, become blunt; 2. *(fig)* blunt, deaden, dull

Abstumpfung ['apʃtumpfuŋ] f stupefaction

Absturz ['apʃturts] m 1. fall, crash, drop; 2. (steiler Abhang) precipice

abstürzen ['apʃtyrtsən] v 1. fall, plunge; 2. (Flugzeug) crash; 3. (steil abfallen) descend steeply

abstützen ['apʃtytsən] v support, prop up

absurd [ap'zurt] adj absurd, preposterous

Absurdität [apzurdi'tɛːt] f absurdity, foolishness

Abt [apt] m REL abbot

abtasten ['aptastən] v 1. feel; 2. MED palpate, feel, scan; 3. INFORM read, scan

abtauen ['aptauən] v 1. thaw out; 2. (Kühlschrank) defrost

Abtei [ap'taɪ] f REL abbey

Abteil [ap'taɪl] n compartment

abteilen ['aptaɪlən] v divide, partition off, separate

Abteilung [ap'taɪluŋ] f 1. department, section; 2. MIL unit

Abteilungsleiter [ap'taɪluŋslaɪtər] m head of department, department manager

Äbtissin [ɛp'tɪsɪn] f abbess

abtragen ['aptraːgən] v irr 1. carry away, carry off; (Geschirr) clear away; 2. (abbauen) take down; 3. (Schulden) pay off; 4. (abnutzen) wear out

abträglich ['aptrɛːklɪç] adj harmful, detrimental, adverse

Abträglichkeit ['aptrɛːklɪçkaɪt] f harm

Abtragung ['aptraːguŋ] f 1. (von Schulden) ECO paying off, payment; 2. (von Erde) excavation

Abtransport ['aptransport] m 1. conveyance, transport; 2. MIL dispatch

abtransportieren ['aptranspɔrtiːrən] v 1. transport away, carry off; 2. MIL evacuate

abtreiben ['aptraɪbən] v irr MED abort; ein Kind ~ have an abortion

Abtreibung ['aptraɪbuŋ] f MED abortion

Abtreibungspille ['aptraɪbuŋspɪlə] f MED abortifacient

abtrennen ['aptrɛnən] v detach, sever

Abtrennung ['aptrɛnuŋ] f separation, detachment, severance

abtreten ['aptreːtən] v irr 1. (überlassen) relinquish, transfer, cede; 2. THEAT exit

Abtreter ['aptreːtər] m doormat

Abtretung ['aptreːtuŋ] f JUR assignment, cession, transfer

abtrocknen ['aptrɔknən] v dry, dry off

abtropfen ['aptrɔpfən] v drip

abtrünnig ['aptrynɪç] adj disloyal, unfaithful

Abtrünnigkeit ['aptrynɪçkaɪt] f disloyalty

aburteilen ['apurtaɪlən] v sentence

abwägen ['apvɛːgən] v irr weigh; seine Worte ~ choose one's words carefully

abwählen ['apvɛːlən] v POL vote out, not re-elect

abwarten ['apvartən] v wait for, await; warte es ab wait and see; es bleibt abzuwarten it remains to be seen; seine Zeit (Gelegenheit) ~ bide one's time

abwärts ['apvɛrts] adv downward, down

Abwärtstrend ['apvɛrtstrɛnt] m ECO downward trend

Abwasch ['apvaʃ] m washing-up; alles in einem ~ machen (fig) to do sth in one go

abwaschbar ['apvaʃbaːr] adj wipe-clean, washable

abwaschen ['apvaʃən] v irr wash up (UK), do the dishes (US)

Abwasser ['apvasər] n sewage

Abwasserkanal ['apvasərkanaːl] m sewer

abwechseln ['apvɛksəln] v sich ~ take turns, alternate

abwechselnd ['apvɛksəlnt] adj alternating

Abwechslung ['apvɛksluŋ] f 1. (Wechsel) change, alternation; 2. (Zerstreuung) variety, diversion, change; zur ~ for a change

abwechslungsreich ['apvɛksluŋsraɪç] adj varied, diversified

Abweg ['apveːk] m (fig) wrong way; auf ~e geraten take the wrong path, go astray

abwegig ['apveːgɪç] adj bizarre, eccentric

Abwehr ['apveːr] f 1. SPORT defence; 2. (Abwendung) defence, protection; 3. (Geheimdienst) MIL counter-intelligence; 4. (Zurückweisung) warding off

abwehren ['apveːrən] v 1. (abwenden) ward off, avert, prevent; 2. (zurückweisen) repel, drive away, repulse

Abwehrspieler ['apveːrʃpiːlər] m SPORT defender

Abwehrstoffe ['apveːrʃtɔfə] pl MED antibodies

abweichen ['apvaɪçən] v irr deviate, digress, diverge

Abweichung ['apvaɪçuŋ] f 1. deviation, digression, divergence; 2. (Unterschied) difference, discrepancy, variation

abweisen ['apvaɪzən] v irr refuse, reject, turn down

abweisend ['apvaɪzənt] *adj* unfriendly, cold, *(Geste)* dismissive

Abweisung ['apvaɪzuŋ] *f 1.* refusal, rejection, denial; *2. JUR* dismissal

abwenden ['apvɛndən] *v 1. (verhüten)* parry, ward off, stave off; *eine Gefahr ~* avert danger; *2. sich ~* turn away; *3.* turn away; *seinen Blick ~* avert one's eyes

abwerben ['apvɛrbən] *v irr* entice away, woo away

abwerfen ['apvɛrfən] *v irr 1. (hinunterwerfen)* drop, discard, throw off; *2. (einbringen)* ECO yield, return

abwerten ['apveːrtən] *v 1.* devalue; *2. FIN* devaluate, depreciate, devalue

abwertend ['apveːrtənt] *adj* derogatory, derisive, disdainful

Abwertung ['apveːrtuŋ] *f* devaluation

abwesend ['apveːzənt] *adj 1.* absent; *2. (fig: geistes-)* distracted, absent-minded

Abwesenheit ['apveːzənhaɪt] *f* absence; *durch ~ glänzen* to be conspicuous by one's absence

abwickeln ['apvɪkəln] *v (durchführen)* deal with, handle

Abwicklung ['apvɪkluŋ] *f* completion, settlement, handling

abwimmeln ['apvɪməln] *v (fam)* rid o.s. of, get rid of, brush off

abwinken ['apvɪŋkən] *v irr* wave off, motion away

abwischen ['apvɪʃən] *v 1. (trocknen)* wipe dry; *2. (sauber machen)* wipe off

Abwurf ['apvurf] *m 1. (herunterwerfen)* dropping, throwing off; *2. ECO* yield, profit, return; *3. (von Flugzeug)* jettisoning

abwürgen ['abvyrgən] *v 1.* choke; *2. (Motor)* stall

abzahlen ['aptsaːlən] *v 1. (Raten)* ECO pay off, repay, pay by instalments; *2. (Schulden)* pay off, repay, settle

abzählen ['aptsɛːlən] *v* count off

Abzahlung ['aptsaːluŋ] *f 1. (Schulden)* paying off, repayment, clearing off; *2. (Raten)* ECO payment by instalments

Abzeichen ['aptsaɪçən] *n* badge, mark, decoration

abzeichnen ['aptsaɪçnən] *v 1. (abmalen)* sketch, draw, copy; *2. (unterschreiben)* initial, sign, tick off; *3. sich ~* stand out against; *4. sich ~ (drohend bevorstehen)* impend, loom

Abziehbild ['aptsiːbɪlt] *n* transfer

abziehen ['aptsiːən] *v irr 1. (entfernen)* pull off, draw off; *ein Bett ~* strip a bed; *2. MATH*

subtract; *3. (Rabatt)* ECO deduct; *etwas vom Preis ~* take sth off the price; *4. MIL* march off, withdraw, retreat

Abzug ['aptsuːk] *m 1. (Kopie)* copy, duplicate, print; *2. (einer Waffe)* trigger; *3. MATH* subtraction; *4. (Rabatt)* ECO discount, deduction, rebate; *5. MIL* withdrawal

abzüglich ['aptsyːklɪç] *prep* ECO less, minus, deducting

abzweigen ['aptsvaɪgən] *v 1. (abbiegen)* branch off, fork off; *2. (fam)* put aside secretly for oneself, set aside, earmark

Abzweigung ['aptsvaɪguŋ] *f* junction, fork

abzwicken ['aptsvɪkən] *v TECH* pinch off

Accessoires [aksɛ'swaːrs] *pl* accessories

Ach [ax] *n mit ~ und Krach* by the skin of one's teeth

Achse ['aksə] *f 1. TECH* axle, axis; *2. MATH* axis; *3. auf ~ (fam)* out and about

Achselzucken ['aksəltsukən] *n* shrug of the shoulders

acht [axt] *num* eight

Acht [axt] *f 1. außer ~ lassen* ignore, disregard; *~ geben* take care, pay attention; *2. in ~ nehmen* to be careful about

achtbar ['axtbaːr] *adj* respectable, reputable, honourable

Achtbarkeit ['axtbaːrkaɪt] *f* respectability

achte(r,s) ['axtə(r,s)] *adj* eighth

achten ['axtən] *v 1. (beachten)* observe, respect, consider; *2. (schätzen)* respect, esteem, hold in high esteem

ächten ['ɛçtən] *v* ostracize

Achterbahn ['axtərbaːn] *f* big dipper, roller-coaster

achtfach ['axtfax] *adj* eightfold

achtlos ['axtloːs] *adj* careless, heedless

Achtlosigkeit ['axtloːzɪçkaɪt] *f* carelessness

achtsam ['axtzaːm] *adj* careful, heedful, mindful

Achtsamkeit ['axtzaːmkaɪt] *f 1.* attentiveness; *2. (Sorgfalt)* care

Achtung ['axtuŋ] *f 1. (Hochachtung)* respect, esteem, regard; *2. (Beachtung)* attention, heed; *3. (Ausruf)* Careful!/Look out!/Watch out! *4. (Recht)* JUR observance (of laws)

Ächtung ['ɛçtuŋ] *f* ostracism

ächzen ['ɛçtsən] *v 1. (Gegenstand)* creak; *2. (Person)* groan, sigh, moan

Acker ['akər] *m* field, soil, land

Ackerbau ['akərbau] *m* agriculture, cultivation of land

ad absurdum [at ap'zurdum] *adv ~ führen* take to an absurd level

ad acta [at 'akta] *adv 1. ~ legen* file away; *2. ~ legen (fig)* shelve

Adamsapfel ['a:damsapfəl] *m ANAT* Adam's apple

Adamskostüm ['a:damskɔsty:m] *n im ~* in one's birthday suit *(fam)*

Adapter [a'daptər] *m TECH* adapter, adaptor

adaptieren [adap'ti:rən] *n* adapt

Adaption [adap'tsjo:n] *f THEAT* adaptation

adäquat [adɛ'kva:t] *adj* adequate, sufficient

addieren [a'di:rən] *v MATH* add, sum up

Addition [adi'tsjo:n] *f MATH* addition

ade [a'de:] *interj* bye, see you

Adel ['a:dəl] *m* aristocracy, nobility, peerage

adeln ['a:dəln] *v* ennoble, bestow a title on, make s. o. a peer

Adept [a'dɛpt] *m 1. (Eingeweihter)* adept; *2. (Jünger)* disciple

Ader ['a:dər] *f 1. MIN* lode, ledge; *2. (fig: Wesenszug)* streak; *eine ~ für etw haben* have a flair for sth; *3. ANAT* blood vessel, vein

Adjektiv ['at jɛkti:f] *n GRAMM* adjective

Adjutant [at ju:'tant] *m MIL* adjutant, aide-de-camp

Adler ['a:dlər] *m ZOOL* eagle

Adlerauge ['a:dləraugə] *n* eagle eye

adlig ['a:dlıç] *adj* titled, of noble birth, aristocratic

Adlige(r) ['a:dlıgə(r)] *m/f* aristocrat, nobleman/noblewoman

Administration [atmɪnɪstra'tsjo:n] *f POL* administration

administrativ [atmɪnɪstra'ti:f] *adj* administrative

Admiral [atmi'ra:l] *m MIL* admiral

adoptieren [adɔp'ti:rən] *v* adopt

Adoption [adɔp'tsjo:n] *f* adoption

Adoptivkind [adɔp'ti:fkɪnt] *n* adopted child

Adrenalin [adrɛna'li:n] *n BIO* adrenaline

Adressat [adrɛ'sa:t] *m* addressee, consignee

Adressbuch ['a:drɛsbu:x] *n* address book

Adresse [a'drɛsə] *f* address

adressieren [adrɛ'si:rən] *v* address

adrett [a'drɛt] *adj* neat, proper, pretty

Advent [at'vɛnt] *m* Advent

Adventskranz [at'vɛntskrants] *m* Advent wreath

Adventszeit [at'vɛntstsait] *f* Advent

Adverb [at'vɛrp] *n GRAMM* adverb

Advocatus Diaboli [atvo'ka:tus di'aboli] *m* devil's advocate

Advokat [atvo'ka:t] *m* lawyer

Aerodynamik [ɛ:rody'na:mık] *f PHYS* aerodynamics

aerodynamisch [ɛ:rody'na:mıʃ] *adj* aerodynamic

Affäre [a'fɛ:rə] *f* affair, matter, business

Affe ['afə] *m ZOOL* monkey, ape; *Mich laust der ~.* That takes the biscuit! (UK), That takes the; cake! (US); *seinem ~n Zucker geben* to be on one's hobby-horse

Affekt [a'fɛkt] *m* emotion, emotional disturbance

affektiert [afɛk'ti:rt] *adj* affected, unnatural

affektiv [afɛk'ti:f] *adj* affective, emotional

Affektivität [afɛktivi'tɛ:t] *f* emotional traits

Affenbrotbaum ['afənbro:tbaum] *m BOT* monkey-bread tree

Affentheater ['afəntea:tər] *n 1.* fuss; *2. (Farce)* complete farce

affig ['afıç] *adj (fam)* stuck-up, conceited, affected

Affinität [afini'tɛ:t] *f* affinity

affirmativ [afırma'ti:f] *adj* affirmative

Affront [a'frõ:]*m* affront, insult

Afrika ['afrika] *n GEO* Africa

Afrikaner(in) [afri'ka:nər(ın)] *m/f* African

afrikanisch [afri'ka:nıʃ] *adj* African

After ['a:ftər] *m ANAT* anus

Aftershave ['a:ftərʃeɪv] *n* aftershave

Ägäis [ɛ'gɛis] *f GEO* Aegean

Agave [a'ga:və] *f BOT* agave, century plant

Agenda [a'gɛnda] *f* agenda

Agent [a'gɛnt] *m* agent

Agentur [agɛn'tu:r] *f ECO* agency

Agglomeration [aglomera'tsjo:n] *f 1.* agglomeration; *2. (städtisch) GEO* conurbation

Aggregat [agrɛ'ga:t] *n* aggregate

Aggression [agrɛ'sjo:n] *f* aggression

aggressiv [agrɛ'si:f] *adj 1.* aggressive; *2. (Chemikalien) CHEM* corrosive

Aggressivität [agrɛsifi'tɛ:t] *f* aggressiveness

Aggressor [a'grɛsɔr] *m POL* aggressor

agieren [a'gi:rən] *v ~ als* act as, play the part of *(fig)*

agil [a'gi:l] *adj* agile

Agilität [agi:li'tɛ:t] *f* agility

Agonie [ago'ni:] *f MED* death struggle, throes of death

Agrarerzeugnis [a'graːrɛrtsɔygnɪs] *n* agricultural produce

Agrarindustrie [a'graːrɪndustriː] *f* agricultural industry

Agrarpolitik [a'graːrpɔlitiːk] *f* agricultural policy

Ägypten [ɛ'gyptən] *n GEO* Egypt

Ägypter [ɛ'gyptər] *m* Egyptian

ägyptisch [ɛ'gyptɪʃ] *adj* Egyptian

Aha-Erlebnis [a'haːɛrleːpnɪs] *n* sudden insight

ahnden ['aːndən] *v* punish

Ahne ['aːnə] *m/f* ancestor

ähneln ['ɛːnəln] *v* resemble, to be similar to

ahnen ['aːnən] *v 1. (voraussehen)* sense, anticipate, foresee; *2. (befürchten)* suspect, have a foreboding of, have a premonition of; *nichts ~d* unsuspecting

ähnlich ['ɛːnlɪç] *adj* similar, like; *Das sieht dir ~! (fig)* That's just like you!

Ähnlichkeit ['ɛːnlɪçkaɪt] *f* similarity, resemblance, likeness; *~ haben mit* bear a resemblance to

Ahnung ['aːnuŋ] *f 1. (Vorgefühl)* inkling, idea; *keine blasse ~ haben* not have the foggiest idea; *Keine ~!* I have no idea. *2. (Befürchtung)* premonition, foreboding, suspicion

ahnungslos ['aːnuŋsloːs] *adj 1. (nichts vermutend)* unsuspecting; *2. (nichts wissend)* clueless

Ahnungslosigkeit ['aːnuŋsloːzɪçkaɪt] *f* ignorance

ahnungsvoll ['aːnuŋsfɔl] *adj* full of foreboding, full of presentiments

Ahorn ['aːhɔrn] *m BOT* maple

Ähre ['ɛːrə] *f BOT* ear

Aids [eɪdz] *n MED* AIDS (Acquired Immune Deficiency Syndrome)

Aidstest ['eɪdztɛst] *m* AIDS test

Airbag ['ɛːrbɛk] *m TECH* air bag

Airbus ['ɛːrbus] *m TECH* airbus

Air-conditioning ['ɛːrkəndɪʃənɪŋ] *n* air conditioning

Akademie [akade'miː] *f* academy

Akademiker(in) [aka'deːmɪkər(ɪn)] *m/f* university graduate

akademisch [aka'deːmɪʃ] *adj* academic

akklimatisieren [aklimati'ziːrən] *v sich ~* acclimatize

Akklimatisierung [aklimati'ziːruŋ] *f* acclimatization

Akkord [a'kɔrt] *m 1. (Abkommen)* settlement, agreement; *2. (Stücklohn) ECO* piecework; *3. MUS* chord

Akkordarbeit [a'kɔrtarbaɪt] *f ECO* piecework

Akkordeon [a'kɔrdeon] *n MUS* accordion

akkreditieren [akredi'tiːrən] *v 1. POL* accredit; *2. jdn für etw ~ FIN* credit sth to s.o.'s account

Akkreditierung [akredi'tiːruŋ] *f 1. POL* accreditation; *2. ECO* opening a credit

Akkreditiv [akredi'tiːf] *n ECO* letter of credit

Akku ['aku] *m TECH* battery, accumulator

akkumulieren [akumu'liːrən] *v 1.* pile up; *ECO* accumulate

akkurat [aku'raːt] *adj* accurate, exact, precise

Akkusativ ['akuzatiːf] *m GRAMM* accusative

Akne ['aknə] *f MED* acne

akribisch [ak'riːbɪʃ] *adj* meticulous

Akrobat [akro'baːt] *m* acrobat

Akrobatik [akro'baːtɪk] *f* acrobatics

akrobatisch [akro'baːtɪʃ] *adj* acrobatic

Akryl [a'kryːl] *n CHEM* acryl

Akt [akt] *m 1. (Tat)* act, deed; *2. (Zeremonie)* ceremonial act; *3. JUR* act, deed; *4. (Geschlechtsakt)* coitus; *5. THEAT* act; *6. ART* nude

Akte ['aktə] *f* file, record, document

Aktenmappe ['aktənmapə] *f* portfolio, briefcase, folder

Aktennotiz ['aktənnotiːts] *f* memorandum

Aktenschrank ['aktənʃraŋk] *m* filing cabinet

Aktentasche ['aktəntaʃə] *f* briefcase, portfolio

Aktenzeichen ['aktəntsaɪçən] *n* reference number, file number, case number

Aktie ['aktsjə] *f FIN* share, stock *(US)*

Aktiengesellschaft ['aktsjəngəzɛlʃaft] *f FIN* joint stock company

Aktienkurs ['aktsjənkurs] *m FIN* share price

Aktion [ak'tsjoːn] *f 1. (Unternehmung)* campaign, drive; *2. in ~ treten* take action

Aktionär [aktsjo'nɛːr] *m FIN* shareholder, stockholder *(US)*

aktiv [ak'tiːf] *adj 1.* active; *2. (Bilanz) ECO* favourable

aktivieren [akti'viːrən] *v 1.* activate; *f 2. ECO* enter on the assets side

Aktivierung [akti'viːruŋ] *f 1.* activation; *2. ECO* entering on the assets side

Aktivist [akti'vɪst] *m POL* activist

Aktivität [aktivi'tɛːt] *f* activity

Aktivposten [ak'ti:fpɔstən] *m 1. ECO* assets; *2. (fig)* resources

Aktivsaldo [ak'ti:fzaldo] *n ECO* credit balance

aktualisieren [aktuali'zi:rən] *v* update, bring up to date

Aktualisierung [aktuali'zi:ruŋ] *f* updating, update

Aktualität [aktuali'tɛ:t] *f* topicality, relevance (to the present)

aktuell [aktu'ɛl] *adj* current, up to date, topical

Akupunktur [akupuŋk'tu:r] *f MED* acupuncture

Akustik [a'kustɪk] *f* acoustics

akustisch [a'kustɪʃ] *adj* acoustic, audible

akut [a'ku:t] *adj 1.* acute, serious; *2. (vordringlich)* urgent

Akzent [ak'tsɛnt] *m 1.* accent; *2. (Betonung)* stress, emphasis

akzentfrei [ak'tsɛntfraɪ] *adj* without any accent

akzentuieren [aktsɛntui'rən] *v 1.* accentuate; *2. (fig)* stress, emphasize

akzeptabel [aktsɛp'ta:bəl] *adj* acceptable

Akzeptanz [aktsɛp'tants] *f* acceptance

akzeptieren [aktsɛp'ti:rən] *v 1.* accept; *2. (Rechnung) ECO* honour

Alarm [a'larm] *m* alarm; ~ *schlagen* sound the alarm

Alarmanlage [a'larmanla:gə] *f* alarm, alarm system

alarmbereit [a'larmbəraɪt] *adj* on the alert, standing by

alarmieren [alar'mi:rən] *v* alarm, alert

Alarmsignal [a'larmzıgna:l] *n* alarm signal, distress signal, emergency signal

Albaner [al'ba:nər] *m* Albanian

Albanien [al'ba:njən] *n GEO* Albania

albanisch [al'ba:nıʃ] *adj* Albanian

Albatros ['albatrɔs] *m ZOOL* albatross

albern ['albərn] *adj* silly, foolish

Albernheit ['albərnhaıt] *f* silliness, foolishness

Albino [al'bi:no] *m* albino

Album ['album] *n* album

Alchimist [alçi'mıst] *m HIST* alchemist

Alemanne [alə'manə] *m HIST* Alemannic

alemannisch [alə'manıʃ] *adj HIST* Alemannic

Algebra ['algebra:] *f MATH* algebra

Algen ['algən] *pl BOT* algae, seaweed

Algerien [al'ge:rjən] *n GEO* Algeria

Algerier [al'ge:rjər] *m* Algerian

alias ['aljas] *adv* alias

Alibi ['a:libi:] *n* alibi

Alimente [ali'mɛntə] *pl JUR* maintenance, support

Alkali [al'ka:li] *n CHEM* alkali

alkalisch [al'ka:lıʃ] *adj CHEM* alkaline

Alkohol ['alkoho:l] *m* alcohol

alkoholabhängig [alko'ho:laphɛŋɪç] *adj* alcoholic

Alkoholabhängigkeit [alko'ho:laphɛŋ-ıçkaıt] *f* alcoholism

alkoholfrei ['alkoho:lfraı] *adj* non-alcoholic

Alkoholiker [alko'ho:lıkər] *m* alcoholic

alkoholisch [alko'ho:lıʃ] *adj* alcoholic

Alkoholmissbrauch [alko'ho:lmısbraux] *m* alcohol abuse

All [al] *n* universe, space

alle ['alə] *pron 1.* everybody, everyone; *adj 2.* all the, every; ~ *Leute* all the people; ~ *Tage* every day; ~ *drei Tage* every three days; *vor ~m* above all

alledem [alə'de:m] *pron* all that, all of that; *trotz ~* in spite of all that

Allee [a'le:] *f* avenue

Allegorie [alego'ri:] *f* allegory

allein [a'laın] *adj 1.* alone; *ganz ~* all alone; ~ *erziehend* single, being alone, being on one's own ~ *stehend* single; *adv 2.* alone, on one's own; *3.* ~ *der Gedanke ...* the mere thought ...

Alleinerzieher [a'laınɛrtsi:ər] *m* single parent

Alleingang [a'laıŋaŋ] *m* sth done on one's own, solo attempt; *im* ~ single-handed; *einen* ~ *machen* go it alone

Alleinherrschaft [a'laınhɛrʃaft] *f POL* autocracy, autocratic rule, absolute dictatorship

alleinig [a'laınıç] *adj* only, exclusive, sole

Alleinsein [a'laınzaın] *n* loneliness

Alleinstehende(r) [a'laınʃte:əndə(r)] *m/f* single

Alleinunterhalter [a'laınuntərhaltər] *m* solo entertainer

allemal [alə'ma:l] *adv* every time; *Allemal!* Any time!

allenfalls ['alən'fals] *adv 1. (wenn es nötig ist)* if need be, if necessary; *2. (höchstens)* at the most

allenthalben ['alənt'halbən] *adv* everywhere

allerdings [alər'dıŋs] *adv* indeed, certainly, to be sure; *Ich mag ~ Unrecht haben.* I may of course be wrong. *Allerdings hat er das getan.* He certainly did do that.

allerfrühestens ['alər'fry:əstəns] *adv* at the very earliest

Allergie [alər'giː] *f MED* allergy

Allergietest [alər'giːtɛst] *m MED* allergy test

Allergiker [a'lɛrgɪkər] *m MED* person suffering allergies

allergisch [a'lɛrgɪʃ] *adj MED* allergic

allerhand ['alər'hant] *adj 1. (viel)* a lot of, a good deal of; *2. (vielerlei)* all sorts of, all kinds of; *3. Das ist ~!* Not bad at all!/That's really something! *4. Das ist ~! (empört)* That's the limit!

Allerheiligen [alər'haɪlɪgən] *n REL* All Saints' Day

allerhöchste(r,s) [alər'høːçstə(r,s)] *adj* very highest; *Es wird ~ Zeit, dass ...* It's high time that ...

allerhöchstens ['alər'høːçstəns] *adv* at the very most

allerlei ['alər'laɪ] *adj* all kinds of, all sorts of

Allerlei ['alər'laɪ] *n* potpourri, mixture; medley, jumble

allerliebst ['alər'liːpst] *adj 1. (Lieblings...)* favourite (of all); *2. (reizend)* delightful

allermeiste(r,s) [alər'maɪstə(r,s)] *adj* most; *am allermeisten* the most; *das ~ davon* almost all of it

Allernötigste [alər'nøːtɪçstə] *n das ~* the bare necessities

allerseits ['alər'zaɪts] *adv* on all sides; *Guten Tag ~!* Hello everyone! *Gute Nacht ~!* Good night everybody!

alles ['aləs] *pron* everything; *~ in allem* all in all; *Alles aussteigen!* Everybody out! *Alles oder nichts!* All or nothing. *Alles zu seiner Zeit!* All in good time.

allesamt ['alə'zamt] *adv* all together, all of them

Allgegenwart [al'geːgənvart] *f* omnipresence, ubiquity

allgegenwärtig [al'geːgənvɛrtɪç] *adj* omnipresent, ubiquitous

allgemein [algə'maɪn] *adj 1.* general, universal, common; *im Allgemeinen* in general; *adv 2.* generally, universally, commonly; *~ bildend* educational, general-knowledge; *~ gültig* universal, generally valid

Allgemeinbildung [algə'maɪnbɪlduŋ] *f* general education

Allgemeinheit [algə'maɪnhaɪt] *f (die Öffentlichkeit)* general public, everyone

Allgemeinplatz [alge'maɪnplats] *m* empty words

Allgemeinwohl [algə'maɪnvoːl] *n* common welfare

Allheilmittel [al'haɪlmɪtəl] *n* panacea, cure-all

Allianz [al'jants] *f* alliance

Alligator [ali'gaːtor] *m ZOOL* alligator

alliiert [ali'iːrt] *adj POL* allied

Alliierte(r) [ali'iːrtə(r)] *m/f die ~n pl (im zweiten Weltkrieg) POL* the Allies

alljährlich [al'jɛːrlɪç] *adj* annual, yearly

allmächtig [al'mɛçtɪç] *adj 1.* omnipotent; *2. (Gott) REL* almighty

Allmächtige [al'mɛçtɪgə] *m REL* almighty; *~r!* Oh my God!

allmählich [al'mɛːlɪç] *adj* gradual

Allradantrieb ['alratantriːp] *m TECH* all-wheel drive

Allrounder ['ɔːl'raʊndə] *m* jack of all trades

allseits ['alzaɪts] *adv* everywhere, on all sides; *~ bekannt* known to all

Alltag ['altaːk] *m 1. der ~* everyday life, daily life; *2. (Werktag)* working day

alltäglich [al'tɛːklɪç] *adj* daily; *eine ~ Sache* an everyday affair

Alltagstrott ['altaːkstrɔt] *m* workaday routine, treadmill of everyday life

allumfassend [alum'fasənt] *adj* all-encompassing, universal

Allüre [a'lyːrə] *f* air, manner, bearing, airs and graces

allwissend ['al'vɪsənt] *adj* omniscient

Allwissenheit [al'vɪsənhaɪt] *f* omniscience

allzu ['altsu] *adv* too, far too

Alm [alm] *f* alpine meadow, alpine pasture

Almanach ['almanax] *m* almanac

Almosen ['almoːzən] *pl* alms, charity

Almosenempfänger ['almoːzənɛmpfɛnər] *m* beneficiary of charity

Aloe ['aːloe] *f BOT* aloe

Alpen ['alpən] *pl GEO* Alps

Alpenveilchen ['alpənfaɪlçən] *n BOT* cyclamen

Alpenvorland [alpən'voːrlant] *n GEO* foothills of the Alps *pl*

Alphabet [alfa'beːt] *n* alphabet

alphabetisch [alfa'beːtɪʃ] *adj* alphabetical

alpin [al'piːn] *adj* alpine

Alpinist(in) [alpi'nɪst(ɪn)] *m/f* alpinist

Alptraum ['alptraum] *m* nightmare

als [als] *konj 1. (gleichzeitig)* when, as; *2. (in der Eigenschaft)* as; *~ ob* as if; *sowohl ... ~ auch ...* both ... and ... *Es gefällt mir zu gut hier, ~ dass ich gehen würde.* I like it too much here to want to leave. *3. (Komparativ)* than

also ['alzo] *konj* so, therefore
alt [alt] *adj* old; *~es Haus (fig)* old chap; *~er Hut (fig)* old hat; *jdn ~ aussehen lassen* make a fool of s.o. *Er ist ganz der ~e.* He hasn't changed a bit.
Alt [alt] *m MUS* alto
Altar [al'taːr] *m REL* altar
altbacken ['altbakən] *adj 1.* GAST stale; *2. (fig)* stale, old-fashioned, out of date;
Altbau ['altbau] *m* old building
Altenpfleger(in) ['altənpfleːgər(ɪn)] *m/f* nurse for the elderly
Alter ['altər] *n* age; *im ~* in one's old age; *im besten ~* in the prime of one's life
älter ['ɛltər] *adj* older; *(bei Familienangehörigen) die ~e Schwester* the elder sister
altern ['altərn] *v* age, grow old, get old
alternativ [altɛrna'tiːf] *adj* alternative, alternate
Alternative [altərna'tiːfə] *f* alternative
altersgerecht ['altərsgərɛçt] *adj* suitable for the age group
Altersgrenze ['altərsgrɛntsə] *f* age limit
Altersgruppe ['altərsgrupə] *f* age group
Altersheim ['altərshaim] *n* old people's home, home for the aged
altersschwach ['altərsʃvax] *adj 1.* decrepit, infirm; *2. (senil)* MED senile
Altersschwäche ['altərsʃvɛçə] *f* senility
Altersunterschied ['altərsuntərʃiːt] *m* age difference, disparity in age
Altertum ['altərtuːm] *n* antiquity, ancient times
Altertümer ['altərtyːmər] *pl* antiquities, ancient relics
altertümlich ['altərtyːmlɪç] *adj* ancient, antiquated
Altertumsforscher ['altərtuːmsfɔrʃər] *m* archaeologist
Altertumskunde ['altərtuːmskundə] *f* archaeology
Alterungsprozess ['altəruŋsprotsɛs] *m* ageing process
Älteste(r) ['ɛltəstə(r)] *m/f* eldest, senior
Ältestenrat ['ɛltəstənraːt] *m* Council of Elders
Altglas ['altglaːs] *n* waste glass, used glass, empty bottles
Altglascontainer ['altglaːskɔnteɪnə] *m* glass recycling container
altgriechisch ['altgriːçɪʃ] *adj HIST* ancient Greek, classical Greek
althergebracht [alt'heːrgəbraxt] *adj* traditional, time-honoured

altklug ['altkluːk] *adj* precocious
Altlast ['altlast] *f* old hazardous waste
ältlich ['ɛltlɪç] *adj* oldish
Altmetall ['altmetal] *n* scrap metal
altmodisch ['altmoːdɪʃ] *adj* old-fashioned, out of date
Altpapier ['altpapiːr] *n* waste paper
altruistisch [altru'ɪstɪʃ] *adj* altruistic
Altstimme ['altʃtɪmə] *f MUS* alto
alttestamentarisch ['alttestamɛnta:rɪʃ] *adj REL* of the Old Testament
Altweiberfastnacht [alt'vaibərfastnaxt] *f* Thursday before Shrove Tuesday
Altweibersommer [alt'vaibərzɔmər] *m* Indian summer
Alufolie ['alufoːljə] *f* aluminium foil
Aluminium [alu'miːnjum] *n CHEM* aluminium, aluminum *(US)*
am *prep (siehe „an")*
Amalgam [amal'gaːm] *n MET* amalgam
Amateur [ama'tøːr] *m* amateur
Amazonas [ama'tsoːnas] *m GEO* Amazon
Amazone [ama'tsoːnə] *f* Amazon
Ambiente [ambi'ɛntə] *n* ambience, atmosphere
Ambition [ambi'tsjoːn] *f* ambition; *~en haben auf* have ambitions of
ambitioniert [ambitsjo'niːrt] *adj* ambitious
ambivalent [ambiva'lɛnt] *adj* ambivalent
Ambivalenz [ambiva'lɛnts] *f* ambivalence
Amboss ['ambɔs] *m TECH* anvil
ambulant [ambu'lant] *adj 1.* ambulant; *2.* MED outpatient, ambulatory, ambulant
Ambulanz [ambu'lants] *f 1. (Abteilung)* MED out-patient department; *2. (Wagen)* MED ambulance
Ameise ['aːmaizə] *f ZOOL* ant
Ameisenbär ['aːmaizənbɛːr] *m ZOOL* anteater
Amen ['aːmən] *n* amen; *zu allem Ja und ~ sagen* say yes to everything
Amerika [a'meːrika] *n GEO* America
Amerikaner(in) [ameri'kaːnər(ɪn)] *m/f* American
amerikanisch [ameri'kaːnɪʃ] *adj* American
amerikanisieren [amerikani'ziːrən] *v* Americanize
Amerikanistik [amerika'nɪstɪk] *f* American studies
Aminosäure [a'miːnozɔyrə] *f BIO* amino acid
Amme ['amə] *f* nurse, nanny

Ammenmärchen ['amenmɛ:rçən] *n (fig)* old wives' tale

Ammoniak ['amonjak] *n CHEM* ammonia

Amnesie [amne'zi:] *f MED* amnesia

Amnestie [amnɛs'ti:] *f JUR* amnesty, general pardon

Amöbe [a'mø:bə] *f BIO* amoeba

Amokläufer ['amoklɔyfər] *m* one who runs amok/amuck

amoralisch ['amora:lɪʃ] *adj* amoral

Amortisation [amɔrtiza'tsjo:n] *f ECO* amortisation

amortisieren [amɔrti'zi:rən] *v ECO* write off, amortise

amourös [amu'rø:s] *adj* amorous

Ampel ['ampəl] *f 1.* traffic light; *2. (Blumentopf) BOT* hanging flower-pot

Ampelkoalition ['ampəlkoalitsjo:n] *f POL* coalition made up of parties with different political colours

Amphibie [am'fi:bjə] *f BIO* amphibian

Amphibienfahrzeug [am'fi:bjənfa:rtsɔyk] *n TECH* amphibious vehicle

Amphitheater [am'fi:tea:tər] *n THEAT* amphitheatre

Amplitude [ampli'tu:də] *f PHYS* amplitude

Ampulle [am'pulə] *f (Behälter) MED* ampoule

Amputation [amputats'jo:n] *f MED* amputation

amputieren [ampu'ti:rən] *v MED* amputate

Amsel ['amzəl] *f ZOOL* blackbird

Amt [amt] *n 1. (Behörde)* office, agency, bureau; *2. (Stellung)* office, position, post

amtieren [am'ti:rən] *v* hold office, to be in office

amtlich ['amtlɪç] *adj* official

Amtsantritt ['amtsantrɪt] *m POL* entering into office, assumption of office

Amtsbezirk ['amtsbətsɪrk] *m* (local administration) district

Amtsblatt ['amtsblat] *n* official gazette

Amtsdeutsch ['amtsdɔytʃ] *n* officialese *(fam)*

Amtsenthebung ['amtsɛnthe:buŋ] *f POL* dismissal from a post

Amtsgeheimnis ['amtsgəhaɪmnɪs] *n 1.* official secret; *2. (Schweigepflicht)* official secrecy

Amtshandlung ['amtshandluŋ] *f* official act

Amtsinhaber(in) ['amtsɪnha:bər(ɪn)] *m/f* officeholder

Amtsmissbrauch ['amtsmisbraux] *m* abuse of authority

Amtszeit ['amtstsaɪt] *f* time in office, tenure

Amulett [amu'lɛt] *n* amulet, talisman, charm

amüsant [amy'zant] *adj* amusing, entertaining

Amüsement [amys'mɑ̃:] *n* amusement

amüsieren [amy'zi:rən] *v sich ~* have fun, enjoy oneself, have a good time

an [an] *prep 1. (örtlich)* on, at, by; *ein Bild ~ der Wand* a picture on the wall; *jmd ist ~ der Tür* s.o. is at the door; *~ der Tür sitzen* sit by the door; *2. (zeitlich)* in, on; *am Abend* in the evening; *~ einem schönen Morgen* on a fine morning; *am zweiundzwanzigsten Juni* on June twenty-second; *am Anfang* at the beginning; *3. (gerichtet ~)* to; *~ den Direktor* to the director; *4. von diesem Zeitpunkt ~* from this moment on; *5. (Vorhandensein) ein großes Angebot ~ Waren* a large selection of goods; *arm ~ Fett* low in fat; *6. (ungefähr) ~ die ...* about ..., around ... *7. ~ etw denken* think about sth

Anabolikum [ana'bo:likum] *n MED* anabolic

Anachronismus [anakro'nɪsmus] *m* anachronism

anachronistisch [anakro'nɪstɪʃ] *adj* anachronistic

anal [a'na:l] *adj MED* anal

analog [ana'lo:k] *adj 1.* analogous; *2. INFORM* analog

Analogie [analo'gi:] *f* analogy

Analphabet ['analfabe:t] *m* illiterate

Analphabetismus ['analfabe:tɪsmus] *m* illiteracy

Analyse [ana'ly:zə] *f* analysis

analysieren [analy'zi:rən] *v* analyse

Analytiker [ana'ly:tɪkər] *m* analyst

analytisch [ana'ly:tɪʃ] *adj* analytical

Ananas ['ananas] *f BOT* pineapple

Anarchie [anar'çi:] *f POL* anarchy

Anarchist [anar'çɪst] *m POL* anarchist

anarchistisch [anar'çɪstɪʃ] *adj POL* anarchist

Anästhesie [anɛ:ste'zi:] *f MED* anaesthesia

Anästhesist [anɛ:ste'zɪst] *m MED* anaesthetist

Anatomie [anato'mi:] *f MED* anatomy

anatomisch [ana'to:mɪʃ] *adj* anatomical

Anbau ['anbau] *m 1. (Gebäude)* extension, annex; *2. AGR* cultivation

anbauen ['anbauən] v 1. (Gebäude) build an extension; 2. AGR cultivate, grow, raise

anbehalten ['anbəhaltən] v irr keep on

anbei [an'baɪ] adv enclosed, herewith, attached

anbelangen ['anbəlaŋən] v concern, regard; was mich anbelangt as far as I am concerned, as for me

anberaumen ['anbəraumən] v einen Termin ~ set a time

anbeten ['anbe:tən] v adore, worship

Anbetracht ['anbətraxt] m in ~ in view of, in consideration of, on account of

Anbetung ['anbe:tuŋ] f REL worship, adoration

anbieten ['anbi:tən] v irr offer

Anbieter ['anbi:tər] m 1. (einer Ware) ECO supplier; 2. (einer Dienstleistung) service provider

anbinden ['anbɪndən] v irr tie up, tether

Anbindung ['anbɪnduŋ] f connection; (Verkehr) link

Anblick ['anblɪk] m 1. sight; 2. (Landschaft) view

anblicken ['anblɪkən] v look at, glance at, view

anbrechen ['anbrɛçən] v irr 1. (Packung) open, start on; 2. Die Nacht bricht an. It is getting dark. Der Tag bricht an. Day is dawning.

anbrennen ['anbrɛnən] v irr burn, catch fire, set on fire

anbringen ['anbrɪŋən] v irr 1. (befestigen) fasten, mount, put up; 2. (Vorschlag, Korrektur) make; 3. (fam: herbringen) bring

Anbruch ['anbrux] m opening; ~ der Nacht nightfall

Andacht ['andaxt] f REL devotion

andächtig ['andɛçtɪk] adj 1. serious, attentive, solemn; ['andɛxtɪç] 2. REL devout

andauern ['andauərn] v go on, continue

andauernd ['andauərnt] adj continuous, lasting, perpetual

Andenken ['andɛŋkən] n 1. (Erinnerung) remembrance; 2. (Souvenir) keepsake, token, souvenir

andere(r,s) ['andərə(r,s)] pron 1. (Exemplar gleicher Art) another; zum einen ... und zum anderen ... for one thing ... and for another; 2. (anderer Art) different, other; etwas anderes something different; 3. andere (Leute) others, other people

andererseits ['andərərzaɪts] adv on the other hand

ändern ['ɛndərn] v 1. change, modify, amend; 2. sich ~ change

andernfalls ['andərnfals] adv otherwise

anders ['andərs] adv 1. differently; es sich ~ überlegen change one's mind; ~ denkend dissenting, dissident; ~ lautend different, differently phrased; Er ist ganz ~ als ich. He and I are very different. 2. (sonst) else; niemand ~ nobody else

andersartig ['andərsa:rtɪç] adj different

Andersdenkende(r) ['andərsdɛŋkəndə(r)] m/f dissident

andersherum ['andərshɛrum] adv the other way around

anderswo ['andərsvo:] adv somewhere else, elsewhere

Änderung ['ɛndəruŋ] f change, alteration; eine ~ mit sich bringen bring about a change

anderweitig ['andərvaɪtɪç] adv 1. otherwise; ~ besetzt werden to be filled by s.o. else; adj 2. other, further

andeuten ['andɔytən] v insinuate, imply, hint

Andeutung ['andɔytuŋ] f insinuation, suggestion, implication

andeutungsweise ['andɔytuŋsvaɪzə] adv indirectly, allusively, in passing

Andrang ['andraŋ] m rush, crush, crowd

androhen ['andro:ən] v threaten, menace

Androhung ['andro:uŋ] f threat, menace

anecken ['anɛkən] v (fam) annoy, cause annoyance, irritate; bei jdm ~ rub s.o. the wrong way

aneignen ['anaɪgnən] v sich ~ acquire, learn; sich eine Meinung ~ adopt an opinion

Aneignung ['anaɪgnuŋ] f appropriation, assumption

aneinander [anaɪ'nandər] adv together, to one another; ~ fügen join together, link; ~ geraten quarrel, clash; ~ grenzen border; ~ grenzend adjoining, adjacent; ~ reihen arrange in a row; ~ reihen (Perlen) string

Anekdote [anɛk'do:tə] f anecdote

Anerbieten ['anɛrbi:tən] n offer, proposal

anerkannt ['anɛrkant] adj acknowledged, recognized, accepted

anerkennen ['anɛrkɛnən] v irr recognize, acknowledge, admit

anerkennend ['anɛrkɛnənt] adj appreciative, approving

Anerkennung ['anɛrkɛnuŋ] f recognition, acknowledgement, acceptance

anfachen ['anfaxən] v 1. (Feuer) fan; 2. (fig: anspornen) incite, rouse, spur on

anfahren ['anfa:rən] *v irr 1. (zu fahren beginnen)* start; *2. (sich nähern)* approach; *3. (fahren gegen)* hit, run into; *4. (fig: schimpfen)* snap at, fly at, jump on

Anfahrt ['anfa:rt] *f 1. (Fahrt)* journey, drive; *2. (Zufahrt)* drive, approach

Anfall ['anfal] *m* MED attack, bout, fit

anfallen ['anfalən] *v irr 1. (überfallen)* attack, assail, assault; *2. (Arbeit)* come up

anfällig ['anfɛlɪç] *adj* für etw ~ sein to be susceptible to sth, to be prone to sth

Anfälligkeit ['anfɛlɪçkaɪt] *f* susceptibility, proneness

Anfang ['anfaŋ] *m* beginning, start; ~ der Woche at the beginning of the week

anfangen ['anfaŋən] *v irr* begin, start

Anfänger ['anfɛŋər] *m* beginner, novice

anfänglich ['anfɛŋlɪç] *adj 1.* early, initial, original; *adv 2.* at first, initially, in the beginning

anfangs ['anfaŋs] *adv* at first, initially, at the beginning

anfassen ['anfasən] *v 1. (berühren)* touch; *2. (greifen)* grasp, seize, hold; *3.* mit ~ *(fam: helfen)* give a hand

anfechten ['anfɛçtən] *v irr 1.* challenge, contest, dispute; *2.* JUR challenge, appeal

anfeinden ['anfaɪndən] *v* jdn ~ to be hostile to s.o.

Anfeindung ['anfaɪnduŋ] *f* malice, ill-will

anfertigen ['anfɛrtɪgən] *v 1.* make; *2. (Schriftstück)* draw up, draft

Anfertigung ['anfɛrtɪguŋ] *f 1.* making; *2. (eines Schriftstücks)* drawing up, drafting

anfeuchten ['anfɔʏçtən] *v* dampen, moisten, wet

anfeuern ['anfɔʏərn] *v (fig)* encourage, animate, incite

anflehen ['anfle:ən] *v* plead, implore

Anflug ['anflu:k] *m 1. (eines Flugzeuges)* approach; *2. (fig: Hauch)* trace, suggestion

anfordern ['anfɔrdərn] *v* demand, ask for

Anforderung ['anfɔrdəruŋ] *f 1. (Anspruch)* demand, requirement, standard; *2. (Bestellung)* request; *3.* MIL requisition; *4.* ECO demand

Anfrage ['anfra:gə] *f 1.* inquiry, enquiry; *2.* POL question

anfragen ['anfra:gən] *v* inquire, enquire, ask

anfreunden ['anfrɔʏndən] *v* sich ~ become friends; sich mit jdm ~ make friends with s.o.

anfügen ['anfy:gən] *v 1. (hinzufügen)* add; *2. (beilegen)* join, attach, enclose

anfühlen ['anfy:lən] *v* sich ~ feel

anführen ['anfy:rən] *v 1. (führen)* lead, conduct; *2. (zitieren)* quote, cite, state

Anführer ['anfy:rər] *m* leader

Anführungszeichen ['anfy:ruŋstsaɪçən] *n* quotation marks, inverted commas

Angabe ['anga:bə] *f 1.* statement, declaration; *2. (fam: Prahlerei)* showing off, bragging, boasting; *pl 3.* ~n *(Daten)* TECH data *pl*

angeben ['ange:bən] *v irr 1.* state, declare, indicate; *2. (fam: prahlen)* show off, brag, boast

Angeber ['ange:bər] *m (fam)* show-off, boaster

Angeberei [angebə'raɪ] *f (fam)* showing off

angeberisch ['ange:bərɪʃ] *adj* pretentious

Angebetete(r) ['angəbe:tətə] *m/f* beloved

angeblich ['ange:plɪç] *adj* alleged, supposed, ostensible

angeboren ['angəbo:rən] *adj 1.* innate, inborn; *2.* MED congenital

Angebot ['angəbo:t] *n* offer, tender, bid; ~ und Nachfrage supply and demand

angebracht ['angəbraxt] *adj* appropriate, fitting

angebunden ['angəbundən] *adj* kurz ~ *(fig)* brusque, curt

angeheiratet ['angəhaɪra:tət] *adj* related by marriage

angeheitert ['angəhaɪtərt] *adj* tipsy

angehen ['ange:ən] *v irr 1. (beginnen)* begin, commence, start; *2. (fam: Licht)* go on; *3. (betreffen)* concern, regard; Das geht dich nichts an. That is none of your business. *4.* jdm um etw ~ ask s.o. for sth

angehend ['ange:ənt] *adj 1.* incipient, prospective; *2. (Künstler)* budding; *3. (Vater)* expectant

angehören ['angəhø:rən] *v* belong to

Angehörige(r) ['angəhø:rɪgə(r)] *m/f 1.* member; *2. (Verwandter)* relative

Angeklagte(r) ['angəkla:ktə(r)] *m/f* JUR accused, defendant

Angel ['aŋəl] *f 1. (Türangel)* hinge; zwischen Tür und ~ in passing; die Welt aus den ~n heben turn the world upside down; aus den ~n gehen come off the hinges; *2.* SPORT fishing rod, fishing tackle

Angelegenheit ['angələgənhaɪt] *f* matter, affair, concern; Das ist nicht deine ~. That's none of your concern.

angeln ['aŋəln] *v* fish, go fishing

Angeln ['aŋəln] *n* fishing

Angelpunkt ['aŋəlpuŋkt] *m 1.* pivot; *2.* central issue

Angelsachse ['aŋəlzaksə] *m* Anglo-Saxon

angelsächsisch ['aŋəlzɛksɪʃ] *adj HIST* Anglo-Saxon

angemessen ['aŋəmɛsən] *adj* appropriate, suitable, reasonable

Angemessenheit ['aŋəmɛsənhaɪt] *f* appropriateness, aptness, suitability

angenehm ['aŋəneːm] *adj* pleasant, agreeable, pleasing

angenommen ['aŋənɔmən] *adj 1. (geschätzt)* estimated, assumed; *2. (adoptiert)* adopted; *konj 3.* assuming; *~ ich mache es ...* assuming I do it ...

Angepasstheit ['aŋəpasthaɪt] *f* adjustment

angeschlagen ['aŋəʃlaːgən] *adj 1. (Geschirr)* chipped; *2. (erschöpft)* exhausted, beat *(fam)*

angesehen ['aŋəzeːən] *adj ~ sein* respectable, prestigious, distinguished

Angesicht ['aŋəzɪçt] *n* face, countenance; *von ~ zu ~* face to face

angesichts ['aŋəzɪçts] *prep 1.* in the presence of; *2. (fig: im Hinblick auf)* in view of, considering

angespannt ['aŋəʃpant] *adj 1.* tense, strained; *2. (Aufmerksamkeit)* close

angestellt ['aŋəʃtɛlt] *adj* employed

Angestellte(r) ['aŋəʃtɛltə(r)] *m/f (salaried)* employee, white collar worker

Angestelltenverhältnis ['aŋəʃtɛltənfərhɛːltnɪs] *n* non-tenured employment

angetan ['aŋətaːn] *adj 1. ~ sein von* to be taken with; *2. dazu ~ sein* to be suitable for

angetrunken ['aŋətruŋkən] *adj* slightly drunk, tipsy

angewöhnen ['aŋəvøːnən] *v 1. jdm etw ~* get s.o. used to sth, accustom s.o. to sth; *2. sich etw ~* get accustomed to sth, get used to sth

Angewohnheit ['aŋəvoːnhaɪt] *f* habit

Angina [aŋ'giːna] *f MED* angina

angleichen ['aŋlaɪçən] *v irr* adapt, bring into line

Angleichung ['aŋlaɪçuŋ] *f* assimilation

Angler ['aŋlər] *m* fisherman, angler

angliedern ['aŋliːdərn] *v 1.* join, link up; *2. (Betrieb)* ECO affiliate

Angliederung ['aŋliːdəruŋ] *f* affiliation, incorporation

anglikanisch [aŋgli'kaːnɪʃ] *adj REL* Anglican

angreifen ['aŋgraɪfən] *v irr 1.* attack; *2. (berühren)* touch, handle; *3. (anpacken) CHEM* seize

angrenzen ['aŋgrɛntsən] *v* adjoin, border on

Angriff ['aŋgrɪf] *m* attack, assault; *etw in ~ nehmen* take on sth

angriffslustig ['aŋgrɪfslustɪç] *adj* aggressive

Angriffspunkt ['aŋgrɪfspuŋkt] *m 1. (fig)* opening; *2. MIL* point of attack

Angst [aŋst] *f* fear, fright, terror; *aus ~ vor* for fear of; *~ haben* to be afraid

ängstigen ['ɛŋstɪgən] *v 1. jdn ~* alarm s.o., frighten s.o. *2. sich ~* to be frightened, to be scared, to be afraid

ängstlich ['ɛŋstlɪç] *adj* nervous, anxious, timid

angurten ['aŋgurtən] *v sich ~* fasten one's safety belt

anhaben ['anhaːbən] *v irr 1.* have on, wear; *2. Der Wind kann mir nichts ~.* The wind doesn't bother me. *Er kann mir nichts ~.* He can't harm me.

anhalten ['anhaltən] *v irr 1. (stehen bleiben)* stop, pull up, halt; *2. (stoppen)* stop; *3. (fortdauern)* continue, last, go on

anhaltend ['anhaltənt] *adj* constant, continuous, sustained

Anhalter ['anhaltər] *m* hitch-hiker

Anhaltspunkt ['anhaltspuŋkt] *m* clue, indication, guide

anhand [an'hant] *prep* by means of, with the help of, on the basis of

Anhang ['anhaŋ] *m 1. (in einem Buch)* appendix, supplement; *2. (Anhängerschaft)* following

anhängen ['anhɛŋən] *v 1.* hang up, attach, join; *2. jdm etw ~* blame sth on s.o.

Anhänger ['anhɛŋər] *m 1. (Wagen)* trailer; *2. (Schild)* name-tag; *3. (Schmuck)* pendant; *4. (Befürworter)* adherent, supporter, follower

anhänglich ['anhɛŋlɪç] *adj* devoted, faithful

Anhänglichkeit ['anhɛŋlɪçkaɪt] *f* devotion, attachment

Anhängsel ['anhɛŋsəl] *n 1. (Schildchen)* tag; *2. (am Weihnachtsbaum)* ornament; *3. (fig: Mensch)* hanger-on

anhäufen ['anhɔyfən] *v* accumulate, pile up

Anhäufung ['anhɔyfuŋ] *f* accumulation

anheben ['anheːbən] *v irr 1. (hochheben)* lift up, heave; *2. (erhöhen)* raise, increase

Anhebung ['anhe:buŋ] *f* increase
anheimelnd ['anhaɪməlnt] *adj* cosy, pleasant
anherrschen ['anhɛrʃən] *v jdn* ~ bark at s.o.
anheuern ['anhɔyərn] *v* engage, hire
Anhieb ['anhi:p] *m auf* ~ right from the start, from the word go
anhimmeln ['anhɪməln] *v* worship, idolize
Anhöhe ['anhø:ə] *f* elevation, hill
anhören ['anhø:rən] *v 1.* listen to; *2. (anmerken)* tell; *Ich höre ihr an, dass sie Amerikanerin ist.* I can tell that she's American; *3. (fig) sich* ~ sound; *Das hört sich gut an.* That sounds good.
Anhörung ['anhø:ruŋ] *f* JUR hearing
animalisch [ani'ma:lɪʃ] *adj* animalistic, animal
Animateur [anima'tø:r] *m* animator
Animation [anima'tsjo:n] *f* animation
animieren [ani'mi:rən] *v* animate, incite, instigate
Animosität [animozi'tɛ:t] *f* animosity
Anis [a'ni:s] *n* BOT anise
Ankauf ['ankauf] *m* purchase, acquisition
ankaufen ['ankaufən] *v* purchase, acquire
Anker ['aŋkər] *m* anchor
ankern ['aŋkərn] *v* drop anchor, anchor
Ankerplatz ['aŋkərplats] *m* NAUT anchorage, berth
anketten ['ankɛtən] *v* chain
Anklage ['ankla:gə] *f 1. (Beschuldigung)* accusation, imputation; *2.* JUR charge, accusation, indictment
Anklagebank ['ankla:gəbaŋk] *f 1.* JUR dock; *2. (fig) auf der* ~ *sitzen* to be accused of sth
anklagen ['ankla:gən] *v 1. (beschuldigen)* accuse; *2.* JUR charge with, indict with, accuse of; *3. (zu Unrecht beschuldigen)* denounce
Ankläger ['anklɛ:gər] *m* JUR prosecutor, plaintiff, accuser
Anklageschrift ['anklagəʃrɪft] *f* JUR indictment
Anklang ['anklaŋ] *m* sound, suggestion, approval
Ankleidekabine ['anklaɪdəkabi:nə] *f* changing room
ankleiden ['anklaɪdən] *v sich* ~ get dressed, dress
anklicken ['anklɪkən] *v etw* ~ INFORM click on sth
anklingen ['anklɪŋən] *v irr etw* ~ *lassen* evoke sth

anklopfen ['anklɔpfən] *v* knock
anknüpfen ['anknypfən] *v an etw* ~ carry on (where one left off)
Anknüpfungspunkt ['anknypfuŋspuŋkt] *m* common interest
ankommen ['ankɔmən] *v 1.* arrive; *2. (Zustimmung finden)* to be received; *Damit kommst du nicht an.* You won't have any luck with that. *Das ist gut angekommen.* That was well received. *3. auf etw* ~ depend on sth
Ankömmling ['ankœmlɪŋ] *m* newcomer, new arrival
ankoppeln ['ankɔpəln] *v* couple, link up
ankratzen ['ankratsən] *v* scratch
ankreiden ['ankraɪdən] *v 1.* chalk up; *2. jdm etw* ~ *(fig)* hold sth against s.o.
ankreuzen ['ankrɔytsən] *v* mark with a cross, tick, check off (US)
ankündigen ['ankyndɪgən] *v 1.* announce, advertise; *2. (auf etw hinweisen)* to be a sign of
Ankündigung ['ankyndɪguŋ] *f* announcement, notification
Ankunft ['ankunft] *f* arrival
ankurbeln ['ankurbəln] *v (fig: beleben)* stimulate, pep up, boost
anlächeln ['anlɛçəln] *v* smile at, give s.o. a smile
anlachen ['anlaxən] *v 1. (fig: anziehen)* tempt; *2.* smile at, beam at, laugh at
Anlage ['anla:gə] *f 1. (Fabrik)* plant, works, factory; *2. (Parkanlage)* park; *3. (Veranlagung)* predisposition, tendency, inclination; *4. (Geldanlage)* FIN investment; *5. (Briefanlage)* ECO enclosure
anlagern ['anla:gərn] *v* CHEM take up
Anlagerung ['anla:gəruŋ] *f* CHEM addition
Anlass ['anlas] *m 1. (Gelegenheit)* occasion; ~ *geben zu* give cause for; *2. (Grund)* cause, reason
anlassen ['anlasən] *v irr 1. (Motor)* start; *2. (anbehalten)* keep on, leave on; *3. (eingeschaltet lassen)* leave on
Anlasser ['anlasər] *m* TECH starter
anlässlich ['anlɛslɪç] *prep* on the occasion of
anlasten ['anlastən] *v jdm etw* ~ accuse s.o. of sth, blame s.o. for sth
anlaufen ['anlaufən] *v irr 1.* start; *2. (beschlagen: Metall)* tarnish, oxide; *(Fensterscheibe, Brille)* steam up
Anlaufstelle ['anlaufʃtɛlə] *f* point of contact
anlegen ['anle:gən] *v 1. (Schiff)* dock, moor, berth; *2. eine Akte* ~ start a file; *3. (Leiter)* lay

against, put against; *4. (Garten)* lay out; *5. (Geld) FIN* invest; *6. (anziehen)* put on

Anleger ['anleːɡər] *m FIN* investor

Anlegestelle ['anleːɡəʃtɛlə] *f NAUT* docking site

anlehnen ['anleːnən] *v 1. (Gegenstand)* lean against; *2. (Tür)* leave ajar; *3. sich ~* lean against

Anlehnung ['anleːnuŋ] *f in ~ an ...* following

Anleihe ['anlaɪə] *f ECO* loan, loan stock, *(Wertpapier)* bond

anleinen ['anlaɪnən] *v (Hund)* put a leash on

anleiten ['anlaɪtən] *v* instruct, guide

Anleitung ['anlaɪtuŋ] *f* instruction(s)

anlernen ['anlɛrnən] *v* train

anliefern ['anliːfərn] *v* supply, deliver

Anlieferung ['anliːfəruŋ] *f* supply, delivery

anliegen ['anliːɡən] *v irr 1. (bevorstehen)* to be on the agenda; *2. (angrenzen)* border, to be adjacent to

Anliegen ['anliːɡən] *n 1.* request; *2. (Sorge)* matter of concern

Anlieger ['anliːɡər] *m* neighbour, resident, adjoining owner; *„~ frei"* "residents only"

anlocken ['anlɔkən] *v 1.* attract; *2. (Tiere)* lure

anlügen ['anlyːɡən] *v irr* lie to

anmachen ['anmaxən] *v 1. (würzen)* dress (a salad), spice, season; *2. (fam: ansprechen)* make a pass at, come on to; *3. (befestigen)* fix, fasten; *4. (einschalten)* turn on, switch on

anmahnen ['anmaːnən] *v etw ~* send a reminder about sth

anmalen ['anmaːlən] *v* paint

Anmarsch ['anmarʃ] *m 1. (Näherkommen) MIL* approach; *2. (Wegstrecke) MIL* walk; *3. (fig)* advance; *im ~ on* the way

anmaßen ['anmaːsən] *v sich etw ~* claim a right to sth, arrogate sth to o.s.

anmaßend ['anmaːsənt] *adj* presumptuous, arrogant

Anmaßung ['anmaːsuŋ] *f* presumptuousness, arrogance

anmeckern ['anmɛkərn] *v (fam)* grumble at

anmelden ['anmɛldən] *v 1.* register; *2. (ankündigen)* announce; *3. sich ~* register o.s. *4. sich ~ (amtlich)* give formal notice of address, report change of address, give formal notice of arrival; *5. sich ~ (beim Arzt)* make an appointment

anmeldepflichtig ['anmɛldəpflɪçtɪç] *adj* subject to registration

Anmeldung ['anmɛlduŋ] *f 1.* announcement, application; *2. (Einschreibung)* registration, enrolment; *3. (amtliche ~)* official notification of arrival

anmerken ['anmɛrkən] *v 1.* observe, notice; *2. (Kommentar geben)* remark

Anmerkung ['anmɛrkuŋ] *f* remark, comment, observation

Anmut ['anmuːt] *f* grace, attractiveness, charm

anmuten ['anmuːtən] *v* seem, appear

anmutig ['anmuːtɪç] *adj* graceful, charming

annähen ['annɛːən] *v* sew on

annähern ['annɛːərn] *v sich ~* approach

annähernd ['annɛːərnt] *adv 1.* approximately; *nicht ~* not nearly; *adj 2.* approximate

Annäherung ['annɛːəruŋ] *f* approach, approximation

annäherungsweise ['annɛːəruŋsvaɪzə] *adv* approximately

Annahme ['annaːmə] *f 1. (Entgegennahme)* acceptance; *2. (Zustimmung)* acceptance, approval; *3. (fig: Vermutung)* assumption, supposition, hypothesis; *4. POL* adoption, passing; *5. ECO* receipt

Annalen [a'naːlən] *pl HIST* annals

annehmbar ['annɛːmbaːr] *adj* acceptable

annehmen ['annɛːmən] *v irr 1. (entgegennehmen)* accept, take receipt of; *2. (zustimmen)* accept, subscribe to; *3. (fig: vermuten)* assume, suppose, presume

annehmlich ['annɛːmlɪç] *adj* convenient

Annehmlichkeit ['annɛːmlɪçkaɪt] *f 1.* convenience; *2. (Wohnkomfort)* amenities, comforts

annektieren [anɛk'tiːrən] *v POL* annex

Annexion [anɛks'joːn] *f POL* annexation

Annonce [a'nɔ̃ːsə] *f* advertisement

annoncieren [anɔ̃'siːrən] *v* advertise

annullieren [anu'liːrən] *v* annul, cancel

anomal [ano'maːl] *adj 1.* anomalous, irregular; *2. MED* abnormal

anonym [ano'nyːm] *adj* anonymous

Anonymität [anony'miːtɛt] *f* anonymity

Anorak ['anorak] *m* anorak

anordnen ['anɔrdnən] *v 1. (befehlen)* command, decree, order; *2. (ordnen)* arrange

Anordnung ['anɔrdnuŋ] *f 1. (Befehl)* order, instruction, direction; *2. (Ordnung)* arrangement, grouping, structure

anormal ['anɔrmaːl] *adj* abnormal

anpassen ['anpasən] *v 1. sich ~* adapt o.s. to, conform to; *2. (fig)* adapt to, adjust to, suit

Anpassung ['anpasʊŋ] f adaptation, adjustment, *(an die Gesellschaft)* conformity

anpassungsfähig ['anpasʊŋsfɛːɪç] *adj* adaptable, accommodating, flexible

anpeilen ['anpaɪlən] v 1. head for; 2. *(fig)* eye

anprangern ['anpraŋərn] v pillory, criticize maliciously, denounce

anpreisen ['anpraɪzən] v *irr* promote, boost, push

anprobieren ['anprobiːrən] v try on

Anrede ['anreːdə] f form of address, speech

anreden ['anreːdən] v speak to, address

anregen ['anreːgən] v 1. *(vorschlagen)* suggest, propose; 2. *(beleben)* stimulate

anregend ['anreːgənt] *adj* stimulating, exciting, inspiring

Anregung ['anreːgʊŋ] f 1. *(Vorschlag)* suggestion; 2. *(Veranlassung)* stimulation

anreichern ['anraɪçərn] v enrich

Anreicherung ['anraɪçərʊŋ] f upgrading

Anreise ['anraɪzə] f journey (to one's destination), arrival

anreisen ['anraɪzən] v journey (to one's destination), arrive

anreißen ['anraɪsən] v *irr* 1. *(Packung)* start, open; 2. *(erwähnen)* mention; 3. *(vorzeichnen)* TECH mark

Anreiz ['anraɪts] m stimulus, incentive, impulse

anrempeln ['anrɛmpəln] v 1. *(anstoßen)* bump into; 2. *(fig)* provoke

anrennen ['anrɛnən] v *irr* 1. *angerannt kommen* come running; 2. *gegen etw ~* MIL storm sth; 3. *gegen etw ~ (Vorurteile)* smash, bust; 4. *(versehentlich stoßen gegen)* run into sth; 5. *gegen etw ~* run into sth

Anrichte ['anrɪçtə] f sideboard, dresser

anrichten ['anrɪçtən] v 1. *(Essen)* prepare, serve up, dish up; 2. *(verursachen)* cause

anrüchig ['anryːçɪç] *adj (Person)* notorious; *(Sache)* disreputable, shady

Anrüchigkeit ['anryːçɪçkaɪt] f bad reputation, ill repute

Anruf ['anruːf] m call

Anrufbeantworter ['anruːfbəantvɔrtər] m answering machine

anrufen ['anruːfən] v *irr* 1. *(rufen)* call; 2. *(telefonieren)* telephone, call (US)

Anrufer(in) ['anruːfər(ɪn)] m/f caller

anrühren ['anryːrən] v 1. *(vermischen)* mix, stir; 2. *(fig: rühren)* move (emotionally); 3. *(berühren)* touch

ans *(an das)* *(siehe „an")*

Ansage ['anzaːgə] f announcement

ansagen ['anzaːgən] v announce, declare, proclaim

Ansager(in) ['anzaːgər(ɪn)] m/f announcer

ansammeln ['anzaməln] v *sich ~* gather, accumulate

Ansammlung ['anzamlʊŋ] f accumulation

ansässig ['anzɛsɪç] *adj* resident

Ansatz ['anzats] m 1. *(Anfang)* outset, starting point, beginning; *Das ist im ~ richtig.* That is basically correct. 2. *(Ablagerung)* deposit, sediment; 3. *(Haaransatz)* roots (of hair); 4. *(Anzeichen)* sign, indication

Ansatzpunkt ['anzatspʊŋkt] m *(fig)* starting point

ansatzweise ['anzatsvaɪzə] *adv* for the start

anschaffen ['anʃafən] v procure, acquire, purchase

Anschaffung ['anʃafʊŋ] f acquisition

anschalten ['anʃaltən] v switch on, turn on

anschauen ['anʃauən] v view, look at

anschaulich ['anʃaulɪç] *adj* concrete, vivid, descriptive

Anschauung ['anʃauʊŋ] f view, outlook, perception

Anschein ['anʃaɪn] m appearance, look, semblance; *allem ~ nach* to all appearances

anscheinend ['anʃaɪnənt] *adv* apparently

anschieben ['anʃiːbən] v *irr* *etw ~* give sth a push

Anschiss ['anʃɪs] m bollocking (UK), chewing-out (US)

Anschlag ['anʃlaːk] m 1. *(Plakat)* poster, placard; 2. *(Schreibmaschinenanschlag)* stroke; 3. *(Attentat)* POL attempt on a person's life, assassination attempt

Anschlagbrett ['anʃlaːkbrɛt] n notice board, bulletin board (US)

anschlagen ['anʃlaːgən] v *irr* 1. *(anstoßen)* knock, strike; 2. *(aushängen)* put (a sign) up; 3. *(befestigen)* affix, fasten, post

anschleichen ['anʃlaɪçən] v *irr sich an etw ~* creep up on sth, come creeping up on sth

anschließen ['anʃliːsən] v *irr* 1. *(verbinden)* attach, connect, link; 2. *sich jdm ~* join s.o. *Darf ich mich Ihnen ~?* May I join you? 3. *sich jdm ~ (zustimmen)* side with s.o. 4. *(fig: anfügen)* add, annex

anschließend ['anʃliːsənt] *adj* 1. *(räumlich)* adjoining, adjacent; 2. *(zeitlich)* subsequent, following, ensuing; *adv* 3. *(räumlich)* next to, adjacent to; 4. *(zeitlich)* subsequently

Anschluss ['anʃlus] *m 1.* connection; *2. (fig: Bekanntschaft)* social contact, making friends; *Er findet leicht ~.* He makes friends easily.

anschmiegen ['anʃmiːgən] *v* cuddle up to, cling to

anschnallen ['anʃnalən] *v 1.* buckle; *sich ~* fasten one's seatbelt; *2. (Skier)* put on

anschneiden ['anʃnaɪdən] *v irr 1. (schneiden)* cut; *2. (fig: Thema)* bring up, raise, broach

Anschrift ['anʃrɪft] *f* address

anschwellen ['anʃvelən] *v irr 1. (anwachsen)* swell up, rise, increase; *2. MED* swell, bulge

anschwemmen ['anʃvemən] *v* wash up

Anschwemmung ['anʃvemuŋ] *f* deposits

Ansehen ['anzeːən] *n 1. (Äußeres)* appearance; *2. (Ruf)* reputation, *(Achtung)* prestige

ansehen ['anzeːən] *v irr 1.* look at; *sich etw ~* look at sth; *2. Man sieht ihm an, dass ...* You can see that he ...

ansehnlich ['anzeːnlɪç] *adj 1. (fig)* considerable, respectable; *2.* presentable, good-looking

ansetzen ['anzɛtsən] *v 1. Fett ~* grow fat; *2. jdn auf eine Person ~* put s.o. on a person; *3. (festlegen)* set

Ansicht ['anzɪçt] *f 1. (Meinung)* opinion, view; *der ~ sein, dass ...* to be of the opinion that ... *2. (Aussicht)* view, sight

Ansichtskarte ['anzɪçtskartə] *f* postcard

Ansichtssache ['anzɪçtszaxə] *f* matter of opinion

ansiedeln ['anziːdəln] *v* settle

Ansiedlung ['anziːdluŋ] *f* settlement

Ansinnen ['anzɪnən] *n 1. (Bitte)* request; *2. (Idee)* idea

ansonsten [an'zɔnstən] *adv* otherwise

anspannen ['anʃpanən] *v 1. (Kräfte)* strain; *2. (Pferd)* harness

Anspannung ['anʃpanuŋ] *f* strain, tension, stress

anspielen ['anʃpiːlən] *v 1. auf etw ~* allude to sth; *2. jdn ~ SPORT* pass to s.o.

Anspielung ['anʃpiːluŋ] *f* insinuation, hint, allusion

anspornen ['anʃpɔrnən] *v* encourage, incite, stimulate

Ansprache ['anʃpraːxə] *f* speech, address

ansprechbar ['anʃprɛçbaːr] *adj 1. (gut gelaunt)* in a good mood; *2. (Patient)* responsive

ansprechen ['anʃprɛçən] *v irr 1. (reagieren)* react to, respond to; *2.* speak to, address;

3. (bedrängen) accost; *4. (fig: gefallen)* appeal to

ansprechend ['anʃprɛçənt] *adj* appealing

Ansprechpartner(in) ['anʃprɛçpartnər(ɪn)] *m/f* contact person

Anspruch ['anʃprux] *m* claim, demand, expectation; *etw in ~ nehmen* claim sth

anspruchslos ['anʃpruxsloːs] *adj* unassuming

anspruchsvoll ['anʃpruxsfɔl] *adj* demanding, exacting, fastidious

anstacheln ['anʃtaxəln] *v 1. (antreiben)* stimulate; *2. (provozieren)* provoke

Anstalt ['anʃtalt] *f* institution

Anstand ['anʃtant] *m 1. (Bedenken)* objection; *2.* manners, decency, good behaviour

anständig ['anʃtɛndɪç] *adj* proper, decent

anstandshalber ['anʃtantshalbər] *adv* for decency's sake, out of politeness

anstandslos ['anʃtantsloːs] *adv* unhesitatingly, readily

anstarren ['anʃtarən] *v* stare at, glare at

anstatt [an'ʃtat] *prep 1.* instead of; *konj 2.* instead of

anstecken ['anʃtɛkən] *v 1. (Brosche)* fasten, pin on; *2. (anzünden)* set on fire, *(Zigarette)* light; *3. MED* infect; *sich mit etw ~* to catch sth

ansteckend ['anʃtɛkənt] *adj MED* infectious, contagious

Anstecknadel ['anʃtɛknaːdəl] *f* pin

Ansteckung ['anʃtɛkuŋ] *f MED* infection

anstehen ['anʃteːən] *v irr 1. (bevorstehen)* to be impending; *2. (Schlange stehen)* queue *(UK)*, stand in line, line up

ansteigen ['anʃtaɪgən] *v irr 1.* go up, increase, rise; *2. (Weg)* ascend

anstelle [an'ʃtɛlə] *prep* instead of

anstellen ['anʃtɛlən] *v 1. (einschalten)* turn on, switch on; *2. (beschäftigen)* hire, employ, take on; *3. sich ~* queue *(UK)*, line up, stand in line; *4. (unternehmen)* do

Anstellung ['anʃtɛluŋ] *f 1. (Einstellung)* employment, engagement, hiring; *2. (Stellung)* job, position, post

Anstieg ['anʃtiːk] *m 1. (Steigung)* ascent; *2. (Erhöhung)* increase, rise

anstiften ['anʃtɪftən] *v* cause, bring about, instigate

Anstiftung ['anʃtɪftuŋ] *f 1.* encouragement; *2. JUR* inducement

Anstoß ['anʃtoːs] *m 1. (Anregung)* impulse, inducement, initiative; *2. (Skandal)* offence, scandal; *3. SPORT* kick-off

anstoßen ['anʃtoːsən] v irr 1. (stoßen) push, bump, nudge; sich das Knie ~ an bump one's knee against; 2. (zuprosten) toast, drink a toast; 3. (in Bewegung setzen) push

anstößig ['anʃtøːsɪç] adj indecent, improper

anstreichen ['anʃtraiçən] v irr 1. (bemalen) paint, mark; 2. (kennzeichnen) mark

Anstreicher ['anʃtraiçər] m painter

anstrengen ['anʃtrɛŋən] v sich ~ make an effort, exert o.s.

anstrengend ['anʃtrɛŋənt] adj tiring, exhausting, arduous

Anstrengung ['anʃtrɛŋuŋ] f exertion, effort, strain

Ansturm ['anʃturm] m onslaught, onset, attack

anstürmen ['anʃtyrmən] v attack, assault

Antarktis [ant'arktɪs] f GEO Antarctic

Anteil ['antail] m 1. share, portion, proportion; 2. ECO interest

anteilig ['antailɪç] adj proportionate

Anteilnahme ['antailnaːmə] f sympathy, concern

Antenne [an'tɛnə] f TECH antenna, aerial

Antialkoholiker [antialko'hoːlɪkər] m teetotaller

antiautoritär [antiautori'tɛːr] adj antiauthoritarian

Antibabypille [anti'beːbipɪlə] f MED birth control pill

antibakteriell [antibakte'rjɛl] adj MED antibacterial

Antibiotikum [anti'bjoːtikum] n MED antibiotic

antik [an'tiːk] adj 1. antique; 2. HIST ancient

Antike [an'tiːkə] f HIST antiquity

Antikörper ['antikœrpər] m BIO antibodies

Antipathie [antipa'tiː] f antipathy

Antiquariat [antikva'rjaːt] n 1. secondhand bookshop; 2. modernes ~ cut-outs pl (new books sold at a marked-down price)

antiquiert [anti'kviːrt] adj antiquated, obsolete

Antiquitäten [antikvi'tɛːtən] pl antiques

Antisemitismus [antizemi'tɪsmus] m POL anti-Semitism

Antisepsis [anti'zɛpsɪs] f MED antisepsis

antizipieren [antitsi'piːrən] v anticipate

Antlitz ['antlɪts] n face

Antrag ['antraːk] m 1. (Gesuch) application, request; 2. (Vorschlag) proposal, motion

antreffen ['antrɛfən] v irr find, meet, catch, come across

antreiben ['antraibən] v irr 1. urge on, stimulate; 2. TECH power, propel

antreten ['antreːtən] v irr 1. (Stelle) take up, assume; 2. (Reise) set out on, embark on

Antrieb ['antriːp] m 1. TECH traction, drive, driving; 2. (fig) motivation, impetus, incentive; aus eigenem ~ of one's own accord

Antritt ['antrɪt] m 1. (eines Amtes) assumption of office; 2. (Spurt) SPORT burst of speed

Antrittsbesuch ['antrɪtsbəzuːx] m POL first visit, formal call

Antrittsrede ['antrɪtsreːdə] f inaugural speech

Antwort ['antvɔrt] f answer, reply

antworten ['antvɔrtən] v answer, reply

anvertrauen ['anfɛrtrauən] v 1. jdm etw ~ (Sache) entrust s.b. with sth; 2. jdm etw ~ (Geheimnis) confide sth to s.o.

anvisieren ['anviːziːrən] v aim at, sight

anwachsen ['anvaksən] v irr 1. (zunehmen) grow, increase; 2. (Wurzeln schlagen) take root

anwählen ['anvɛːlən] v dial

Anwalt ['anvalt] m lawyer, solicitor, attorney (US)

Anwältin ['anvɛltɪn] f female lawyer, attorney

Anwandlung ['anvandluŋ] f MED fit, slight attack

Anwärter ['anvɛrtər] m 1. (Amtsanwärter) POL candidate; 2. JUR claimant

anweisen ['anvaizən] v irr 1. (anordnen) instruct, direct, order; 2. FIN remit, assign, transfer

Anweisung ['anvaizuŋ] f 1. (Anordnung) instruction, direction, order; 2. FIN transfer, remittance

anwendbar ['anvɛntbaːr] adj applicable, suitable

anwenden ['anvɛndən] v irr apply, use

Anwender(in) ['anvɛndər] m/f 1. client; 2. INFORM user

anwenderfreundlich ['anvɛndərfrɔyntlɪç] adj user-friendly

Anwenderprogramm ['anvɛndərprɔgram] n INFORM user programme

Anwendung ['anvɛnduŋ] f use, application

anwerben ['anvɛrbən] v irr 1. attract; 2. MIL recruit

Anwesen ['anveːzən] n property, estate

anwesend ['anveːzənt] adj present

Anwesende(r) ['anveːzəndə(r)] m/f person in attendance

Anwesenheit ['anveːzənhait] f presence

anwidern ['anvi:dərn] v repel, disgust
Anwohner ['anvo:nər] m resident
Anzahl ['antsa:l] f number, quantity
anzahlen ['antsa:lən] v make a down payment on
Anzahlung ['antsa:luŋ] f down payment
anzapfen ['antsapfən] v tap
Anzeichen ['antsaɪçən] n sign, indication, symptom
Anzeige ['antsaɪgə] f 1. (Annonce) advertisement; 2. JUR report, legal proceedings pl; gegen jdn ~ erstatten report s.o. to the authorities
anzeigen ['antsaɪgən] v 1. show, announce, advertise; 2. jdn ~ JUR press charges against s.o.
Anzeigetafel ['antsaɪgəta:fəl] f 1. indicator board; 2. SPORT scoreboard
anziehen ['antsi:ən] v irr 1. (Kleidung) put on; 2. (Schraube) TECH tighten, screw in; 3. (fig) attract, interest
anziehend ['antsi:ənt] adj attractive, appealing
Anziehung ['antsi:uŋ] f attraction, appeal
Anzug ['antsu:k] m 1. suit; 2. (Anrücken) approach, advance
anzüglich ['antsy:klıç] adj personal, pointed
Anzüglichkeit ['antsy:klıçkaıt] f overly personal remark
anzünden ['antsyndən] v light, ignite, set alight; etw ~ set fire to sth
anzweifeln ['antsvaɪfəln] v doubt, question, call in question
apart [a'part] adj distinctive, unusual, striking
apathisch [a'pa:tıʃ] adj apathetic, listless, indifferent
Aperitif [aperi'ti:f] m aperitif
Apfel ['apfəl] m apple; in den sauren ~ beißen müssen swallow the pill
Apfelsaft ['apfəlzaft] m apple juice
Apfelsine [apfəl'zi:nə] f orange
Aphorismus [afo'rısmus] m LIT aphorism
Apokalypse [apoka'lypsə] f REL apocalypse
apokalyptisch [apoka'lyptıʃ] adj REL apocalyptic
Apostel [a'pɔstəl] m apostle
Apostroph [apɔ'stro:f] m apostrophe
Apotheke [apo'te:kə] f chemist's shop (UK), pharmacy (US)
Apotheker(in) [apo'te:kər(ın)] m/f chemist, pharmacist

Appalachen [apa'laxən] pl GEO Appalachian Mountains
Apparat [apa'ra:t] m 1. machine, device, instrument; 2. (Telefon) phone; Am ~! Speaking! This is he! This is she!
Apparatur [apara'tu:r] f TECH apparatus
Appartement [apart'mã:] n flat, apartment (US)
Appell [a'pɛl] m MIL roll-call, inspection
appellieren [apɛ'li:rən] v ~ an an appeal to
Appetit [ape'ti:t] m appetite
appetitanregend [ape'ti:tanre:gənt] adj appetizing, mouth-watering
appetitlich [ape'ti:tlıç] adj appetizing
Appetitlosigkeit [ape'ti:tlo:zıçkaıt] f lack of appetite
applaudieren [aplau'di:rən] v applaud
Applaus [a'plaus] m applause
Aprikose [apri'ko:zə] f apricot
April [a'prıl] m April
apropos [apro'po:] adv by the way
Aquaplaning [akva'pla:nıŋ] n hydroplaning, aquaplaning
Aquarell [akva'rɛl] n ART watercolour
Aquarium [a'kva:rjum] n aquarium
Äquator [ɛ'kva:tɔr] m GEO equator
äquivalent [ɛkviva'lɛnt] adj equivalent
Äquivalent [ɛkviva'lɛnt] n equivalent
Ära ['ɛ:ra] f era
Araber ['arabər] m Arab
Arabien [a'ra:bjən] n GEO Arabia
arabisch [a'ra:bıʃ] adj Arabian
Arbeit ['arbaıt] f 1. work, labour; 2. (Berufstätigkeit) employment
arbeiten ['arbaıtən] v work, labour
Arbeiter(in) ['arbaıtər(ın)] m/f worker, employee, labourer
Arbeitgeber(in) [arbaıt'ge:bər(ın)] m/f employer
Arbeitnehmer(in) [arbaıt'ne:mər(ın)] m/f employee, worker
Arbeitsamt ['arbaıtsamt] n employment office, labour exchange
Arbeitsbeschaffungsmaßnahme [arbaıtsbə'ʃafuŋsma:sna:mə] f POL job-creating measure
Arbeitsgericht ['arbaıtsgərıçt] n JUR industrial tribunal
Arbeitskraft ['arbaıtskraft] f 1. (Person) worker; 2. (Fähigkeit) working capacity
arbeitslos ['arbaıtslo:s] adj unemployed, jobless, out of work
Arbeitslose(r) ['arbaıtslo:zə(r)] m/f ECO unemployed person

Arbeitslosenrate ['arbaɪtsloːzənraːtə] *f* unemployment rate
Arbeitslosigkeit ['arbaɪtsloːzɪçkaɪt] *f* unemployment
Arbeitsmarkt ['arbaɪtsmarkt] *m* job market
Arbeitsplatz ['arbaɪtsplats] *m* 1. job, position; 2. *(Arbeitsstätte)* place of work
Arbeitsspeicher ['arbaɪtsʃpaɪçər] *m INFORM* main memory
Arbeitssuche ['arbaɪtszuːxə] *f ECO* looking for work, job search
Arbeitstag ['arbaɪtstaːk] *m* workday, working day
arbeitsunfähig ['arbaɪtsunfeːɪç] *adj* unable to work, disabled, unfit for work
Arbeitszeit ['arbaɪtstsaɪt] *f* working hours
Arbeitszimmer ['arbaɪtstsɪmər] *n* study, workroom
archaisch [ar'çaːɪʃ] *adj* archaic
Archäologe [arçɛoˈloːgə] *m* archaeologist
Arche ['arçə] *f* ark
Archipel [arçiˈpeːl] *m GEO* archipelago
Architekt(in) [arçiˈtɛkt(ɪn)] *m/f* architect
Architektur [arçitɛkˈtuːr] *f* architecture
Archiv [arˈçiːf] *n* archive
Areal [areˈaːl] *n* area
Arena [aˈreːna] *f HIST* arena
arg [arg] *adj* 1. bad, terrible; *adv* 2. *(fam: sehr)* terribly, awfully
Ärger ['ɛrgər] *m* aggravation, annoyance, anger
ärgerlich ['ɛrgərlɪç] *adj* angry, irritated, aggravated
ärgern ['ɛrgərn] *v* 1. annoy, irritate, make angry; 2. *sich ~* to be annoyed, to be angry
Ärgernis ['ɛrgərnɪs] *n* nuisance, worry
Arglist ['arglɪst] *f* malice
arglistig ['arglɪstɪç] *adj* crafty, cunning
arglos ['argloːs] *adj* guileless, harmless
Argument [arguˈmɛnt] *n* argument, contention
argumentieren [argumɛnˈtiːrən] *v* argue, reason
Argwohn ['arkvoːn] *m* suspicion, mistrust
argwöhnen ['arkvøːnən] *v* suspect, to be suspicious of
argwöhnisch ['arkvøːnɪʃ] *adj* suspicious
Arie ['aːrjə] *f MUS* aria
Aristokrat [arɪstoˈkraːt] *m* aristocrat
Aristokratie [arɪstokraˈtiː] *f* aristocracy
arithmetisch [arɪtˈmeːtɪʃ] *adj MATH* arithmetical
Arkade [arˈkaːdə] *f ARCH* arcade

Arktis ['arktɪs] *f GEO* Arctic
arm [arm] *adj* poor
Arm [arm] *m* arm; *jdn auf den ~ nehmen* pull s.o.'s leg; *jdm in die ~e laufen* bump into s.o. *einen langen ~ haben (fig)* have a lot of pull; *jdm unter die ~e greifen (fig)* help s.o. out
Armband ['armbant] *n* 1. bracelet; 2. *(für die Uhr)* strap
Armbanduhr ['armbantuːr] *f* wristwatch
Armbrust ['armbrust] *f* crossbow
Armee [arˈmeː] *f MIL* army
Ärmel ['ɛrməl] *m* sleeve; *etw aus dem ~ schütteln (fig)* pull sth out of thin air
Ärmelkanal ['ɛrməlkanaːl] *m GEO* English Channel
ärmellos ['ɛrməloːs] *adj* sleeveless
Armenviertel ['armənfɪrtəl] *n* poor neighbourhood
Armlehne ['armleːnə] *f* armrest
Armleuchter ['armlɔyçtər] *m* 1. candelabrum; 2. *(als Schimpfwort)* ass
ärmlich ['ɛrmlɪç] *adj* poor, meagre, humble, *(Kleidung, Wohnung)* shabby
armselig ['armzeːlɪç] *adj* poor, miserable
Armseligkeit ['armzeːlɪçkaɪt] *f* wretchedness
Armut ['armuːt] *f* poverty, destitution
Arnika ['arnika] *f BOT* arnica
Aroma [aˈroːma] *n* 1. aroma; 2. *(Geschmack)* flavour; 3. *(Geruch)* fragrance
aromatisch [aroˈmaːtɪʃ] *adj* aromatic
Arrangement [arãʒˈmãː] *n* arrangement
arrangieren [arãˈʒiːrən] *v* arrange
Arrest [aˈrɛst] *m* detention
arrogant [aroˈgant] *adj* arrogant
Arroganz [aroˈgants] *f* arrogance
Arsch [arʃ] *m (fam)* arse (UK), ass (US)
Arsen [arˈzeːn] *n CHEM* arsenic
Arsenal [arzeˈnaːl] *n MIL* arsenal
Art [aːrt] *f* 1. kind, way, manner; 2. *ZOOL* species; *aus der ~ schlagen (fig)* take after nobody in the family
Arterie [arˈteːrjə] *f ANAT* artery
artgerecht ['aːrtgəreçt] *adj ZOOL* characteristic of the species
Arthrose [arˈtroːzə] *f MED* arthritis
artig ['artɪç] *adj* good, well-behaved
Artikel [arˈtɪkəl] *m* 1. *(Bericht)* article; 2. *GRAMM* article; 3. *ECO* product, good
Artikulation [artɪkulaˈtsjoːn] *f LING* articulation
artikulieren [artɪkuˈliːrən] *v* articulate
Artillerie [artɪləˈriː] *f MIL* artillery
Artischocke [artiˈʃɔkə] *f BOT* artichoke

Artist(in) [ar'tɪst(ɪn)] *m/f* acrobat, circus performer
artistisch [ar'tɪstɪʃ] *adj* artistic, acrobatic
Arznei [aːrts'naɪ] *f* medicine
Arzt [artst] *m* doctor, physician
Ärztin ['ɛːrtstɪn] *f* (female) doctor
As [as] *n* ace
Asbest [as'bɛst] *m* MIN asbestos
aschblond ['aʃblɔnt] *adj* ash-blond
Asche ['aʃə] *f* 1. ash, cinders; 2. *(sterbliche Überreste)* ashes
Äsche ['ɛʃə] *f* ZOOL ash
Aschenbecher ['aʃənbɛçər] *m* ashtray
Aschermittwoch [aʃər'mɪtvɔx] *m* Ash Wednesday
aschfahl ['aʃ'faːl] *adj* ashen
Asiat(in) [azi'aːt(ɪn)] *m/f* Asian
asiatisch [azi'aːtɪʃ] *adj* Asian
Asien ['aːzjən] *n* GEO Asia
Askese [as'keːzə] *f* REL asceticism
Asket [as'keːt] *m* REL ascetic
asketisch [as'keːtɪʃ] *adj* ascetic
asozial ['aːzotsjaːl] *adj* antisocial
Aspekt [a'spɛkt] *m* aspect, point of view
Asphalt [as'falt] *m* asphalt, tarmac
Aspirant(in) [aspi'rant(ɪn)] *m/f* candidate
Assimilation [asimila'tsjoːn] *f* assimilation
assimilieren [asimi'liːrən] *v* assimilate
Assistent(in) [asɪs'tɛnt(ɪn)] *m/f* assistant
Assistenzarzt/Assistenzärztin [asɪs-'tɛntsartst/asɪs'tɛntsɛːrtstɪn] *m/f* MED assistant physician
assistieren [asɪs'tiːrən] *v* assist, aid
Assoziation [asotsja'tsjoːn] *f* association
assoziieren [asotsi'iːrən] *v* associate
Ast [ast] *m* limb, branch; *den ~ absägen, auf dem man sitzt* bite the hand that feeds you; *sich einen ~ lachen* to be in stiches; *auf dem absteigenden ~ sein* to be going downhill
Aster ['astər] *f* BOT aster
Astgabel ['astgaːbəl] *f* fork of a branch
Ästhet(in) [ɛs'teːt(ɪn)] *m/f* aesthete
ästhetisch [ɛs'teːtɪʃ] *adj* aesthetic, aesthetical
Asthma ['astma] *n* MED asthma
Astrologie [astrolo'giː] *f* astrology
Astronaut(in) [astro'naut(ɪn)] *m/f* astronaut
Astronom [astro'noːm] *m* astronomer
Astronomie [astrono'miː] *f* astronomy
astronomisch [astro'noːmɪʃ] *adj* 1. astronomical; 2. *(fig: Zahl)* astronomical, enormous
Asyl [a'zyːl] *n* asylum, refuge

Asylant [azy'lant] *m* person having political asylum
Asylbewerber(in) [a'zyːlbəvɛrbər(ɪn)] *m/f* person seeking political asylum
asymmetrisch ['azyme:trɪʃ] *adj* 1. asymmetrical; 2. dissymmetrical
Aszendent [astsɛn'dɛnt] *m* ascendant
Atelier [atəl'jeː] *n* studio, atelier
Atem ['aːtəm] *m* 1. breath; 2. *(Atmen)* breathing; *den ~ anhalten* hold one's breath; *jdm den ~ verschlagen* take s.o.'s breath away
atemberaubend ['aːtəmbəraubənt] *adj* breathtaking
atemlos ['aːtəmloːs] *adj* breathless
Atempause ['aːtəmpauzə] *f* pause to catch one's breath, breather
Atemwege ['aːtəmveːgə] *pl* ANAT respiratory tract
Äthanol [ɛta'noːl] *n* CHEM ethanol, ethyl alcohol
Atheismus [ate'ɪsmus] *m* atheism
Äther ['ɛːtər] *m* MED ether
ätherisch [ɛ'teːrɪʃ] *adj* 1. CHEM etheric; 2. *~e Öle* essential oils
Äthiopien [ɛ'tioːpjən] *n* GEO Ethiopia
Äthiopier(in) [ɛ'tjoːpjər(ɪn)] *m/f* Ethiopian
Athlet [at'leːt] *m* athlete
athletisch [at'leːtɪʃ] *adj* athletic
Atlantik [at'lantɪk] *m* GEO Atlantic
Atlas ['atlas] *m* atlas
atmen ['aːtmən] *v* breathe
Atmosphäre [atmɔs'fɛːrə] *f* atmosphere
Atmung ['aːtmuŋ] *f* breathing, respiration
Atom [a'toːm] *n* PHYS atom
atomar [ato'maːr] *adj* atomic, nuclear
Atombombe [a'toːmbɔmbə] *f* atom bomb, A-bomb
Atomkraft [a'toːmkraft] *f* nuclear power
Atomkraftwerk [a'toːmkraftvɛrk] *n* TECH nuclear power plant
Attachment [a'tætʃmənt] *n* INFORM attachment
Attacke [a'takə] *f* attack
Attentat [atən'taːt] *n* assassination
Attentäter [atən'tɛːtər] *m* 1. assassin; 2. *(bei gescheitertem Versuch)* would-be assassin
Attest [a'tɛst] *n* attestation, certificate
attestieren [atɛs'tiːrən] *v* attest, certify
Attraktion [atrak'tsjoːn] *f* attraction
attraktiv [atrak'tiːf] *adj* attractive
Attraktivität [atraktivi'tɛːt] *f* attractiveness
Attrappe [a'trapə] *f* dummy

Attribut [atri'buːt] *n 1.* characteristic; *2. GRAMM* attribute

atypisch ['atyːpɪʃ] *adj* atypical

ätzen ['ɛtsən] *v CHEM* corrode

ätzend ['ɛtsənt] *adj 1.* caustic, corrosive; *2. (fam: furchtbar)* awful

Aubergine [obɛr'ʒiːnə] *f BOT* aubergine

auch [aux] *konj 1.* also, as well, too; *2. (sogar)* even; *adv 3. (tatsächlich)* So war das ~! That's how it was! *4. (verstärkend)* was ~ immer geschieht ... no matter what happens ...; wie dem ~ sei be that as it may; Wenn ~! So what?

Audienz [au'djɛnts] *f POL* audience, hearing

audiovisuell [audjovizu'ɛl] *adj* audiovisual

auf [auf] *prep 1.* on, upon, onto; ~ Englisch in English; ~ die Universität gehen go to university; ~ diese Weise in this way; ~ einer Hochzeit at a wedding; ~ der Welt in the world; ~ meinem Zimmer in my room; ~ der Gitarre spielen play guitar; ~ jdn böse sein to be angry with s.o., to be angry at s.o. sich ~ etwas vorbereiten prepare for sth; adv 2. (offen) open; ~ sein to be open; *3. (nach oben)* up; ~ und ab up and down; *prep 4.* ~ eine Woche for a week; *5.* von klein ~ from childhood, since childhood (US); *adj 6. (wach)* up, awake

aufarbeiten ['aufarbaɪtən] *v 1. (Material)* refurbish; *2. (erledigen)* catch up on

Aufarbeitung ['aufarbaɪtuŋ] *f 1.* catching up; *2. (von Material)* refurbishing

aufatmen ['aufaːtmən] *v* draw a deep breath; erleichtert ~ heave a sigh of relief

aufbahren ['aufbaːrən] *v* lay out in state

Aufbau ['aufbau] *m 1. (Anordnung)* structure; *2. (Struktur)* formation, construction

aufbauen ['aufbauən] *v 1. (montieren)* construct, build, erect; *2. (fig)* organize, structure; etw auf etw ~ base sth on sth

aufbauschen ['aufbauʃən] *v (fig)* exaggerate, overstate

aufbegehren ['aufbəgeːrən] *v* rebel, revolt

aufbekommen ['aufbəkɔmən] *v irr 1.* etw ~ (etw öffnen können) to be able to open sth, to get sth open; *2.* Hausaufgaben ~ to be assigned homework, get homework

aufbereiten ['aufbəraɪtən] *v* process, prepare, treat; wieder ~ reprocess

aufbewahren ['aufbəvaːrən] *v* keep, preserve, set aside

aufbinden ['aufbɪndən] *v irr 1. (Knoten öffnen)* unknot; *2.* jdm einen Bären ~ *(fig)* dupe s.o.

aufblähen ['aufblɛːən] *v 1. (Bauch)* swell; *2. (Frosch)* puff up; *3. (fig: prahlen)* boast

aufblasen ['aufblaːzən] *v irr* blow up, inflate

aufbleiben ['aufblaɪbən] *v irr* stay up

aufblicken ['aufblɪkən] *v* look up, raise one's eyes, glance up

aufblühen ['aufblyːən] *v* blossom, bloom

aufbrauchen ['aufbrauxən] *v* use up

aufbrechen ['aufbrɛçən] *v irr 1. (öffnen)* break open, force open; *2. (fig)* set off

Aufbruch ['aufbrux] *m* departure, start, setting out; politischer ~ fundamental change (in politics)

aufbürden ['aufbyrdən] *v* jdm etw ~ burden s.o. with sth

aufdecken ['aufdɛkən] *v 1. (bloßlegen)* expose, lay bare; *2. (fig: Geheimnis)* disclose, reveal, unveil

aufdrängen ['aufdrɛŋən] *v* jdm etw ~ force sth on s.o.

aufdrehen ['aufdreːən] *v 1. (öffnen)* turn on; *2. (Lautstärke)* turn up; *3. (aufziehen)* wind up; *4. (lockern)* loosen; *5. (aufdröseln)* unravel; *6. (aufrollen: Haar)* put in curlers; *(Schnurrbart)* turn up; *7. (lebhaft werden)* get going

aufdringlich ['aufdrɪŋlɪç] *adj* obtrusive, pushy, importunate

Aufdringlichkeit ['aufdrɪŋlɪçkaɪt] *f* intrusion

Aufdruck ['aufdruk] *m* imprint, print

aufeinander [aufaɪn'andər] *adv 1. (örtlich)* one on top of the other; ~ legen pile up; ~ treffen meet; *2. (zeitlich)* one after the other; ~ folgen follow one another, follow in succesion

Aufenthalt ['aufɛnthalt] *m 1.* stay; *2. (Ort)* residence; *3. (des Zuges)* stop

Aufenthaltsgenehmigung ['aufɛnthaltsgəneːmɪguŋ] *f* residence permit

Aufenthaltsraum ['aufɛnthaltsraum] *m* lounge

auferlegen ['aufɛrleːgən] *v* jdm etw ~ impose sth on s.o.

Auferstehung ['aufɛrʃteːuŋ] *f REL* resurrection

auffahren ['auffaːrən] *v irr 1. (vorfahren)* drive up; *2.* auf etw ~ drive onto sth; *3.* auf etw ~ (gegen etw stoßen) run into sth; *4.* dicht ~ tailgate (fam); *5. (aufbrausen)* flare up; *6.* aus dem Schlaf ~ awake with a start

Auffahrt ['auffaːrt] *f 1. (zu einem Haus)* drive, driveway (US); *2. (zur Autobahn)* approach, access road, freeway entrance (US)

auffallen ['auffalən] *v irr* to be noticeable

auffällig ['auffɛlıç] *adj* 1. noticeable, conspicuous; 2. *(Kleider)* flashy

Auffälligkeit ['auffɛlıçkaıt] *f* conspicuousness

auffangen ['auffaŋən] *v irr* 1. catch; 2. *(fig)* einen Blick ~ catch s.o.'s eye

Auffassung ['auffasuŋ] *f* opinion, view

Auffassungsgabe ['auffasuŋsgaːbə] *f* ability to grasp concepts, intelligence

auffordern ['auffɔrdərn] *v* invite, ask, request

Aufforderung ['auffɔrdəruŋ] *f* invitation, request

aufforsten ['auffɔrstən] *v* reforest

auffressen ['auffrɛsən] *v irr* eat up

auffrischen ['auffrıʃən] *v* 1. freshen up; 2. *(Kenntnisse)* brush up on

aufführen ['auffyːrən] *v* THEAT perform

Aufführung ['auffyːruŋ] *f* THEAT performance, production

auffüllen ['auffylən] *v* refill, replenish

Aufgabe ['aufgaːbə] *f* 1. *(Arbeit)* task, assignment, responsibility; mit einer ~ betraut sein to be charged with a task; 2. *(Arbeit)* MIL mission; 3. *(Verzicht)* giving up, abandonment; 4. *(Verzicht)* MIL surrender; 5. *(Versand)* dispatch, posting, mailing *(US)*

Aufgabenbereich ['aufgaːbənbəraıç] *m* area of responsibility

Aufgang ['aufgaŋ] *m* 1. rising, ascent; 2. *(Treppe)* stairs

aufgeben ['aufgeːbən] *v irr* 1. *(versenden)* post, mail *(US)*, dispatch; 2. *(verzichten)* give up, abandon; 3. *(beauftragen)* assign

Aufgeblasenheit ['aufgəblaːzənhaıt] *f* *(fig: Überheblichkeit)* arrogance, conceit

Aufgebot ['aufgəboːt] *n* 1. *(Anzahl)* array, mass; 2. *(von Menschen)* contingent; 3. *(Eheaufgebot)* banns of marriage

aufgebracht ['aufgəbraxt] *adj* angry

aufgedreht ['aufgədreːt] *adj* 1. *(Lautstärke)* at full volume; 2. *(fig: Mensch)* in high spirits

aufgedunsen ['aufgədunzən] *adj* bloated

aufgehen ['aufgeːən] *v irr* 1. open, burst open; 2. *(Teig)* rise; 3. *(Sonne)* rise; 4. ~ wie eine Dampfnudel pile on weight

aufgeklärt ['aufgəklɛːrt] *adj* 1. *(informiert)* well-informed; 2. *(sexuell)* knowing the facts of life

Aufgeklärtheit ['aufgəklɛrthaıt] *f* enlightenment

aufgeregt ['aufgəreːkt] *adj* excited, nervous

Aufgeregtheit ['aufgəreːkthaıt] *f* excitedness, nervousness

aufgeschlossen ['aufgəʃlɔsən] *adj* *(fig: Person)* open-minded, broad-minded

Aufgeschlossenheit ['aufgəʃlɔsənhaıt] *f* open-mindedness

aufgeweckt ['aufgəvɛkt] *adj* bright

aufgreifen ['aufgraıfən] *v irr* pick up

aufgrund [auf'grunt] *prep* because of, on the basis of, by virtue of

aufhalten ['aufhaltən] *v irr* 1. *(Tür)* hold open, keep open; seine Hand ~ *(fig)* hold out one's hand *(fig)*; 2. *(jdn ~)* detain, delay, keep; 3. sich ~ (an einem Ort) live in, reside in, *(vorübergehend)* to be in

aufhängen ['aufhɛŋən] *v* 1. sich ~ hang o.s. 2. hang up, suspend

Aufhänger ['aufhɛŋər] *m* 1. hook, hanger; 2. *(fig)* hook

aufheben ['aufheːbən] *v irr* 1. *(beenden)* cancel, stop, do away with; 2. *(aufbewahren)* save, keep, reserve; 3. *(vom Boden)* pick up, lift up

Aufhebung ['aufheːbuŋ] *f* 1. abolition, repeal; 2. *(Versammlung)* dissolution; 3. ECO cancellation

aufheitern ['aufhaıtərn] *v* cheer up, brighten up, encourage

Aufheiterung ['aufhaıtəruŋ] *f* 1. *(eines Menschen)* cheering up; 2. *(des Wetters)* clearing up

aufhellen ['aufhɛlən] *v* 1. brighten, light up; 2. *(fig: klären)* shed light on

aufhetzen ['aufhɛtsən] *v* incite, instigate

aufheulen ['aufhɔylən] *v* 1. *(vor Schmerz)* cry; 2. *(Motor)* TECH roar

aufholen ['aufhoːlən] *v* 1. catch up; 2. *(Zeit)* make up (time)

aufhören ['aufhøːrən] *v* stop, end; Hör auf damit! Stop it!

aufklären ['aufklɛːrən] *v* clear up, enlighten, inform

Aufklärung ['aufklɛːruŋ] *f* 1. explanation; sexuelle ~ sex education; 2. HIST Enlightenment; 3. MIL reconnaissance

aufkleben ['aufkleːbən] *v* stick on

Aufkleber ['aufkleːbər] *m* sticker

aufkommen ['aufkɔmən] *v irr* 1. *(heraufziehen)* rise, get up; 2. *(entstehen)* arise, come into use

aufladen ['auflaːdən] *v irr* 1. *(beladen)* load; 2. *(fig: aufbürden)* burden; 3. *(Batterie)* TECH charge

Auflage ['auflaːgə] *f* 1. *(Buch)* edition; 2. *(Bedingung)* condition

auflauern ['auflauərn] v jdm ~ lie in wait for s.o., (angreifen) waylay s.o.

Auflauf ['auflauf] m 1. (Menschen) crowd, commotion; 2. GAST soufflé

auflehnen ['aufle:nən] v 1. die Arme ~ lean one's arms (on sth); 2. sich ~ (fig) rebel

Auflehnung ['aufle:nuŋ] f rebellion

auflesen ['aufle:zən] v irr pick up (fig), gather, collect

auflisten ['auflɪstən] v list

auflockern ['auflɔkərn] v 1. loosen up; 2. (entspannen) make more relaxed

Auflockerung ['auflɔkəruŋ] f ease, relaxation

auflösen ['auflø:zən] v 1. (Pulver) dissolve; 2. (Geschäft) ECO liquidate, dissolve

Auflösung ['auflø:zuŋ] f 1. (Rätsel) solution; 2. (Geschäft) ECO dissolution

aufmachen ['aufmaxən] v open, undo

Aufmachung ['aufmaxuŋ] f 1. (Kleidung) get-up; 2. (einer Zeitschrift) layout

aufmerksam ['aufmɛrkza:m] adj attentive, observant

Aufmerksamkeit ['aufmɛrkza:mkaɪt] f 1. (Vorsicht) attentiveness, attention; die ~ auf sich ziehen attract attention; die ~ lenken auf call attention to; 2. (Geschenk) little present

aufmuntern ['aufmuntərn] v cheer up

Aufmunterung ['aufmuntəruŋ] f encouragement

aufmüpfig ['aufmypfɪç] adj rebellious

Aufnahme ['aufna:mə] f 1. (Empfang) reception, welcome; 2. (in eine Organisation) admission, admittance; 3. (Nahrung) intake; 4. FOTO exposure, photograph, shot; 5. CINE shot

aufnehmen ['aufne:mən] v irr 1. (empfangen) receive; 2. (beginnen) enter into, take up, embark on; 3. (fotografieren) take a picture of, photograph; 4. (fassen) take in, assimilate, absorb; 5. es mit jdm ~ challenge s.o.

aufopfern ['aufɔpfərn] v sich ~ sacrifice o.s.

aufopferungsvoll ['aufɔpfəruŋsfɔl] adj self-sacrificing, dedicated

aufpassen ['aufpasən] v pay attention, look out, take care; Pass auf dich auf! Take care of yourself!

Aufpasser(in) ['aufpasər(ɪn)] m/f 1. (Beaufsichtigende(r)) watchdog; 2. (Beobachter(in)) spy

Aufprall ['aufpral] m impact

aufprallen ['aufpralən] v ~ auf 1. (Ball) bounce against; 2. (Auto) collide with; 3. (zerschmettern) smash against charge

aufpumpen ['aufpumpən] v pump up, inflate

aufräumen ['aufrɔymən] v clean up, tidy up, clear up

aufrecht ['aufrɛçt] adj upright, erect

aufrechterhalten ['aufrɛçtərhaltən] v irr maintain, uphold, keep up

aufregen ['aufre:gən] v 1. jdn ~ excite s.o., get on s.o.'s nerves; 2. sich ~ get upset, get worked up, become agitated

aufregend ['aufre:gənt] adj exciting

Aufregung ['aufre:guŋ] f excitement

aufreibend ['aufraɪbənt] adj exhausting

aufreißen ['aufraɪsən] v irr 1. tear open, rip open; 2. (Tür) throw open; 3. (Mund, Augen) open wide; 4. (fam: Mädchen) pick up

aufreizend ['aufraɪtsənt] adj provocative

aufrichten ['aufrɪçtən] v 1. (hochstellen) set upright, raise, erect; 2. (fig) comfort, console, cheer up

aufrichtig ['aufrɪçtɪç] adj honest, sincere

Aufrichtigkeit ['aufrɪçtɪçkaɪt] f honesty, sincerity

aufrücken ['aufrykən] v move up, advance

Aufruf ['aufru:f] m summons, challenge

aufrufen ['aufru:fən] v irr 1. (Zeugen) summon; 2. (Namen) call; 3. INFORM call up

Aufruhr ['aufru:r] m 1. POL riot, revolt; 2. (Tumult) commotion

aufrührerisch ['aufry:rərɪʃ] adj seditious, rebellious

aufrüsten ['aufrystən] v POL rearm, arm

Aufrüstung ['aufrystuŋ] f POL rearmament, armament

aufsässig ['aufzɛsɪç] adj rebellious, (Kind) obstreperous

Aufsatz ['aufzats] m 1. (Abhandlung) essay, composition; 2. (oberer Teil) top

aufschauen ['aufʃauən] v 1. glance up, look up; 2. zu jdm ~ look up to s.o., admire s.o.

aufscheuchen ['aufʃɔyçən] v rouse, startle

aufschichten ['aufʃɪçtən] v pile up, stack up, build up

aufschieben ['aufʃi:bən] v irr 1. (verschieben) postpone, put off; 2. (Tür) push open

Aufschlag ['aufʃla:k] m 1. (Kleidung) cuff, (Mantelaufschlag) lapel, (an der Hose) turn-up; 2. (beim Tennis) SPORT serve; 3. (Preisaufschlag) ECO surcharge, extra charge

aufschließen ['aufʃli:sən] v irr 1. unlock; 2. (fig) reveal, disclose

aufschlussreich ['aufʃlusraɪç] adj instructive, revealing, illuminating

aufschneiden ['aufʃnaɪdən] *v irr 1. (schneiden)* cut open; *2. (fig: angeben)* brag, exaggerate

Aufschneider ['aufʃnaɪdər] *m* braggart, boaster

Aufschrei ['aufʃraɪ] *m* outcry, scream, yell

aufschreiben ['aufʃraɪbən] *v irr 1.* write down, note; *2. (Polizei)* book

Aufschrift ['aufʃrɪft] *f* inscription

Aufschub ['aufʃuːp] *m* postponement, delay

Aufschwung ['aufʃvʊŋ] *m ECO* recovery, boom, upswing

Aufsehen ['aufzeːən] *n* sensation, stir; ~ erregend sensational

Aufseher(in) ['aufzeːər(ɪn)] *m/f 1.* supervisor, inspector; *2. (eines Parkplatzes, eines Museums)* attendant

Aufsicht ['aufzɪçt] *f* supervision

Aufsichtsbehörde ['aufzɪçtsbəhœrdə] *f* supervisory authority

Aufsichtspflicht ['aufzɪçtspflɪçt] *f JUR* responsibility

aufspalten ['aufʃpaltən] *v* split, break up

aufsperren ['aufʃpɛrən] *v 1.* open, unlock, throw open; *2. (Mund)* open wide

aufspielen ['aufʃpiːlən] *v sich* ~ put on an act

aufspüren ['aufʃpyːrən] *v* track down

aufstacheln ['aufʃtaxəln] *v* egg on, incite

Aufstand ['aufʃtant] *m* rebellion, revolt, uprising

aufständisch ['aufʃtɛndɪʃ] *adj* rebellious

aufstehen ['aufʃteːən] *v irr 1.* get up, stand up; *spät* ~ get up late; *2. (sich empören)* revolt

aufsteigen ['aufʃtaɪgən] *v irr 1.* climb; *2. (im Beruf)* advance, to be promoted; *3. (Ballon)* go up; *4. (aufs Pferd)* mount

Aufsteiger ['aufʃtaɪgər] *m 1. SPORT* team promoted to a higher division; *2. (fig: Mensch)* person who is moving up in the world

aufstellen ['aufʃtɛlən] *v 1. (montieren)* set up, mount, erect; *2. (Kandidaten)* put forward, nominate; *3. (Mannschaft)* set up

Aufstellung ['aufʃtɛluŋ] *f 1.* list; *2. (das Aufstellen)* arrangement, drawing up

Aufstieg ['aufʃtiːk] *m 1. (Entwicklung)* rise, improvement; *2. (bei einem Berg)* climb, ascent; *3. (Karriere)* advancement, promotion

aufstoßen ['aufʃtoːsən] *v irr 1. (öffnen)* push open, fling open; *2. (rülpsen)* burp, belch

aufstrebend ['aufʃtreːbənt] *adj* rising

aufstützen ['aufʃtytsən] *v sich* ~ support o.s., prop o.s. up

aufsuchen ['aufzuːxən] *v jdn* ~ look s.o. up, go to see s.o.

Auftakt ['auftakt] *m* beginning, prelude, initial phase

auftauchen ['auftauxən] *v 1.* surface; *2. (fig)* appear, turn up

aufteilen ['auftaɪlən] *v* divide up

Aufteilung ['auftaɪluŋ] *f* division

Auftrag ['auftraːk] *m 1. (Aufgabe)* assignment, instruction, orders *pl;* *2. ECO* order

auftragen ['auftraːgən] *v irr 1. (Speisen)* serve; *2. (beauftragen)* instruct, direct, order; *3. (bestreichen)* apply; *4. dick* ~ lay it on thick

auftreiben ['auftraɪbən] *v irr 1. (beschaffen)* get hold of, hunt down, chase down; *2. (Staub)* raise; *3. (aufblähen)* bloat

auftreten ['auftreːtən] *v irr 1. (erscheinen)* appear; *2. THEAT* appear, perform, enter

Auftrieb ['auftriːp] *m jdm* ~ geben give s.o. a lift

Auftritt ['auftrɪt] *m 1. (Erscheinen)* appearance; *2. THEAT* entrance, performance

aufwachen ['aufvaxən] *v* wake up, awaken

aufwachsen ['aufvaksən] *v irr* grow up

Aufwand ['aufvant] *m 1. (Einsatz)* effort; *2. (Prunk)* ostentatious splendour, extravagance; *3. (Kosten) ECO* expense(s), cost, expenditure

aufwärmen ['aufvɛrmən] *v 1.* warm up, reheat; *2. (fig)* revive, renew

aufwärts ['aufvɛrts] *adv* upward, up

Aufwärtsentwicklung ['aufvɛrtsɛntvɪkluŋ] *f* upward trend

aufwecken ['aufvɛkən] *v* awake, waken

aufweichen ['aufvaɪçən] *v 1.* soften; *2. (in Wasser)* soak

aufweisen ['aufvaɪzən] *v irr* show, exhibit

aufwendig ['aufvɛndɪç] *adj* expensive

aufwerten ['aufvɛrtən] *v FIN* revalue

Aufwertung ['aufvɛrtuŋ] *f 1.* upgrading; *2. (Währung) FIN* revaluation

aufwiegeln ['aufviːgəln] *v* stir up, incite

Aufwind ['aufvɪnt] *m 1. METEO* upwind; *2. (fig)* upswing

aufwirbeln ['aufvɪrbəln] *v 1.* whirl up; *2. (Staub)* stir up

aufwühlen ['aufvyːlən] *v* dig up, agitate

aufzählen ['auftsɛːlən] *v* enumerate

Aufzählung ['auftsɛːluŋ] *f* list

aufzeigen ['auftsaɪgən] *v* show, indicate

aufziehen ['auftsiːən] *v irr 1. (großziehen)* bring up, raise, rear; *2. (Uhr)* wind; *3. (öffnen)* pull open, *(Vorhang)* draw, *(Schleife)* undo; *4. jdn* ~ pull s.o.'s leg

Aufzucht ['auftsuxt] *f ZOOL* breeding

Aufzug ['auftsuːk] *m* 1. *(Aufmachung)* get-up, attire; 2. *(Fahrstuhl)* lift *(UK)*, elevator *(US)*

aufzwingen ['auftsvɪŋən] *v irr jdm etw ~* force sth on s.o.

Augapfel ['aukapfəl] *m ANAT* eyeball

Auge ['augə] *n* eye; *unter vier ~n* in private; *aus den ~n, aus dem Sinn* out of sight, out of mind; *ein ~ zudrücken* turn a blind eye on sth; *ins ~ gehen* go wrong; *~n machen* gape; *ein Dorn im ~ sein* to be a thorn in one's side; *sich die ~n ausweinen* cry one's eyes out; *ein ~ auf jdn werfen* make eyes at s.o. *etw ins ~ fassen* have an eye on sth; *ins ~ stechen* catch s.o.'s eye; *die ~n vor etw verschließen* shut one's eyes to sth; *seinen ~n nicht trauen können* not to be able to believe one's eyes; *mit offenen ~n ins Unglück rennen* rush headlong into disaster; *jdm etw aufs ~ drücken* load sth onto s.o. *Das passt wie die Faust aufs ~.* Isn't that just perfect!

Augenarzt ['augənartst] *m* ophthalmologist, eye doctor

Augenblick ['augənblɪk] *m* moment, instant; *im ~* at the moment; *~ mal!* Just a minute!

augenblicklich ['augənblɪklɪç] *adj* immediate, instantaneous

Augenbraue ['augənbrauə] *f* eyebrow

augenfällig ['augənfɛlɪç] *adj* eye-catching, obvious

Augenlid ['augənliːt] *n* eyelid

Augenmaß ['augənmaːs] *n ein gutes ~* a good eye (for distances); *nach ~* approximately

Augenoptiker ['augənɔptɪkər] *m* optician

augenscheinlich ['augənʃaɪnlɪç] *adv* apparently

Augenwimper ['augənvɪmpər] *f ANAT* eyelash

Augenwinkel ['augənvɪŋkəl] *m* corner of one's eye; *Ich beobachtete ihn aus den ~n.* I watched him out of the corner of my eye.

Augenwischerei ['augənvɪʃəraɪ] *f (fig)* minimization, playing down

Augenzeuge ['augəntsɔygə] *m JUR* eyewitness

Augenzwinkern ['augəntsvɪŋkərn] *n* wink

August [au'gust] *m* 1. *(Monat)* August; 2. *dummer ~* clown

Auktion [auk'tsjoːn] *f* auction, open sale

Aula ['aula] *f* assembly hall

aus [aus] *prep* 1. out of, from; *~ welchem Grund?* For what reason? – *Spaß* for fun; *~*

Rache in revenge; *Er hat es ~ Mitleid getan.* He did it out of pity. 2. *(Stoff, Material)* made of; *adv* 3. out; *von mir ~* as far as I'm concerned; 4. *von dort ~* from there; *vom Fenster ~* from the window; 5. *(vorbei)* over; *v* 6. *~ sein (zu Ende sein)* to be over; 7. *auf etw ~* to be keen on sth

ausarbeiten ['ausarbaɪtən] *v* 1. work out, develop; 2. *(schriftlich niederlegen)* draw up

ausatmen ['ausaːtmən] *v* breathe out

Ausbau ['ausbau] *m* 1. *(eines Gebäudes)* completion, extension; 2. *(von Beziehungen)* development, expansion, consolidation

ausbauen ['ausbauən] *v* 1. *(Gebäude)* extend, enlarge; 2. *(Beziehungen)* cultivate, improve; 3. *(herausnehmen)* remove

ausbessern ['ausbɛsərn] *v* 1. repair, mend; 2. *(Fehler)* correct; 3. *(Gemälde)* restore

Ausbeute ['ausbɔytə] *f ECO* yield, profit

ausbeuten ['ausbɔytən] *v* 1. exploit, take advantage of; 2. *(Bodenschätze)* work

Ausbeutung ['ausbɔytuŋ] *f* exploitation

ausbilden ['ausbɪldən] *v* train, teach

Ausbildung ['ausbɪlduŋ] *f* education

ausblasen ['ausblaːzən] *v irr* blow out

ausbleiben ['ausblaɪbən] *v irr* 1. *(nicht eintreffen)* not happen; 2. *(nicht nach Hause kommen)* stay out

ausbleichen ['ausblaɪçən] *v* bleach out

Ausblick ['ausblɪk] *m* outlook

ausbrechen ['ausbrɛçən] *v irr* 1. *(herausbrechen)* break out, burst out; 2. *(entfliehen)* break out, break loose; *aus dem Gefängnis ~* break out of prison; 3. *(plötzlich aufkommen)* break out, erupt; *in Tränen ~* burst into tears

Ausbrecher ['ausbrɛçər] *m* escapee

ausbreiten ['ausbraɪtən] *v* 1. *(etw ~)* spread out; 2. *sich ~* spread; 3. *sich ~ (erstrecken)* extend; 4. *sich ~ (sich breit machen)* spread out

Ausbreitung ['ausbraɪtuŋ] *f* expansion

Ausbruch ['ausbrux] *m* 1. *(Flucht)* breakout, escape; 2. *(plötzlicher Beginn)* outbreak, eruption; 3. *(Vulkan)* eruption

Ausbuchtung ['ausbuxtuŋ] *f* bulge

Ausdauer ['ausdauər] *f* endurance

ausdauernd ['ausdauərnt] *adj* persevering, tenacious, enduring

ausdehnen ['ausdeːnən] *v* 1. *(zeitlich)* extend, prolong; 2. *(örtlich)* extend

Ausdehnung ['ausdeːnuŋ] *f* 1. *(örtlich)* extension, stretching; 2. *(Umfang)* expanse; 3. *(zeitlich)* extension, prolonging

ausdenken ['ausdɛŋkən] *v irr* 1. *sich etw ~ (erfinden)* invent; 2. *sich ~* make up, contrive

Ausdruck ['ausdruk] *m 1. (Wort)* expression, term, phrase; 2. *(Gesichtsausdruck)* facial expression; 3. *(Druck)* print

ausdrücken ['ausdrykən] *v 1.* squeeze out, *(Früchte)* press; 2. *(äußerlich zeigen)* convey; 3. *(äußern)* express, put into words, articulate

ausdrücklich ['ausdryklıç] *adj* express, explicit, categorical

ausdruckslos ['ausdrukslo:s] *adj* expressionless, blank, vacant

ausdrucksvoll ['ausdruksfɔl] *adj* expressive

Ausdrucksweise ['ausdruksvaızə] *f* way of expressing o.s., mode of expression

Ausdünstung ['ausdynstuŋ] *f* perspiration, evaporation

auseinander [ausaın'andər] *adv* apart; ~ *brechen* break in two, break apart; ~ *bringen* separate; *sich ~ entwickeln* develop in different directions; ~ *fallen* fall apart; ~ *gehen* go apart, separate, part; ~ *halten* keep apart, distinguish; *zwei Dinge ~ halten können* tell two things apart; ~ *nehmen* take apart, dismantle; ~ *reißen* tear apart; *(Streitende)* ~ *reißen* separate; *sich mit jdm ~ setzen* argue with s.o.; *sich mit etw ~ setzen* examine sth

Auseinandersetzung [ausaın'andərzetsuŋ] *f 1. (Streit)* argument, conflict; 2. *(sich befassen mit)* examination

auserlesen ['auserle:zən] *adj* select

auserwählt ['auservɛ:lt] *adj* selected

ausfahren ['ausfa:rən] *v irr 1. (einen Ausflug machen)* go for a ride; 2. *(Zeitung)* deliver; 3. *(nach außen gleiten lassen)* TECH extend

Ausfahrt ['ausfa:rt] *f 1. (Ausgang, Autobahnausfahrt)* exit; 2. *(Abfahrt)* departure; 3. *(Spazierfahrt)* excursion

Ausfall ['ausfal] *m 1. (Störung)* breakdown, failure, stoppage; 2. *(Haare)* hair loss

ausfallen ['ausfalən] *v irr 1. (von Haaren)* come out, fall out; *Ihm fallen die Haare aus.* He is losing his hair. 2. *(nicht stattfinden)* to be cancelled, fail to take place; 3. *(Maschine)* fail, break down

ausfallend ['ausfalənt] *adj* rude, abusive

ausfällig ['ausfɛlıç] *adj* insulting

Ausfertigung ['ausfɛrtıguŋ] *f 1. (das Ausfertigen)* drawing-up; 2. *(Kopie)* copy

Ausflüchte ['ausflyçtə] *pl* subterfuge, excuses

Ausflug ['ausflu:k] *m* excursion, trip

Ausfluss ['ausflus] *m* MED discharge, outflow, effluence

ausfragen ['ausfra:gən] *v* interrogate, question

ausfressen ['ausfre:sən] *v irr (fam) etw ~* do sth wrong

Ausfuhr ['ausfu:r] *f ECO* export

ausführen ['ausfy:rən] *v 1. (durchführen)* carry out, execute, implement; 2. *(spazieren führen)* take out, take for a walk; 3. *ECO* export

Ausfuhrgenehmigung ['ausfu:rgəne:mıguŋ] *f ECO* export permit

ausführlich ['ausfy:rlıç] *adj 1.* detailed, extensive, comprehensive; *adv 2.* in detail

Ausführlichkeit [aus'fy:rlıçkaıt] *f* detail, comprehensiveness

Ausführung ['ausfy:ruŋ] *f 1. (Darlegung)* explanation; 2. *(einer Aufgabe)* execution

Ausfuhrverbot ['ausfu:rferbo:t] *n* export ban

ausfüllen ['ausfylən] *v* fill out, fill in, complete

Ausgabe ['ausga:bə] *f 1. (Geldausgabe)* expenditure, expense, spending; 2. *(Gepäckausgabe)* baggage claim; 3. *(Buchausgabe)* edition; *die neue ~ einer Zeitschrift* the latest issue of a magazine

Ausgang ['ausgaŋ] *m 1.* exit, way out; 2. *(Ende)* ending, outcome

Ausgangspunkt ['ausgaŋspuŋkt] *m* starting point

ausgeben ['ausge:bən] *v irr 1. (Geld)* spend; 2. *(verteilen)* distribute; 3. *(Aktien)* issue; 4. *etw als etw ~* pass sth off as sth

ausgefallen ['ausgəfalən] *adj* unusual, odd, weird

ausgefeilt ['ausgəfaılt] *adj* polished

ausgefranst ['ausgəfranst] *adj* frayed

ausgeglichen ['ausgəglıçən] *adj 1.* balanced, even; 2. *(seelisch ~)* level-headed

Ausgeglichenheit ['ausgəglıçənhaıt] *f 1.* balance, stability; 2. *(eines Menschen)* level-headedness

ausgehen ['ausge:ən] *v irr 1. (weggehen)* have an evening out, go out; 2. *(enden)* end, turn out; 3. *(erlöschen)* go out; 4. *von etw ~ (fig)* proceed on an assumption; *Wir gehen davon aus, dass ...* We will proceed on the assumption that ... 5. *(Vorräte)* run out, run short

ausgeklügelt ['ausgəkly:gəlt] *adj* clever

ausgelassen ['ausgəlasən] *adj* merry, boisterous, jolly

ausgelastet ['ausgəlastət] *adj* fully occupied, working to capacity

ausgelaugt ['ausgəlaukt] *adj* worn-out

ausgeleiert ['ausgəlaıərt] *adj (fam)* worn-out

ausgenommen ['ausgənɔmən] *prep* with the exception of, except, except for

ausgeprägt ['ausgəprɛːkt] *adj* distinct, marked, distinctive

ausgeschlossen ['ausgəflɔsən] *adj* excluded; *Das ist ~.* That's out of the question.

ausgewachsen ['ausgəvaksən] *adj 1.* full-grown, fully grown; *2. (fig)* full-blown

ausgewogen ['ausgəvoːgən] *adj* well-balanced

ausgezeichnet ['ausgətsaiçnət] *adj* excellent, superb

ausgiebig ['ausgiːbiç] *adj* abundant

Ausgleich ['ausglaiç] *m* compensation, balancing, evening out

ausgleichen ['ausglaiçən] *v irr 1.* SPORT even the score, tie the game; *2. (fig)* even out, settle; *3.* ECO equalize, compensate, settle

ausgraben ['ausgraːbən] *v irr 1.* dig up; *2. (Altertümer)* excavate

Ausgrabung ['ausgraːbuŋ] *f* excavation

ausgrenzen ['ausgrɛntsən] *v 1. (begrenzen)* limit; *2. (isolieren)* exclusion, leave aside

Ausgrenzung ['ausgrɛntsuŋ] *f 1. (Begrenzung)* limitation; *2. (Isolation)* exclusion

Ausguss ['ausgus] *m 1.* spout, drain; *2. (Becken)* sink

aushalten ['aushaltən] *v irr* bear, endure, tolerate

aushandeln ['aushandəln] *v* negotiate

aushändigen ['aushɛndɪgən] *v* hand over

Aushang ['aushaŋ] *m* notice, poster

aushängen ['aushɛŋən] *v irr 1. (Anzeige)* to be posted; *2. (sth: Anzeige)* post; *3. (aus den Angeln heben)* unhinge

Aushängeschild ['aushɛŋəʃilt] *n 1.* sign; *2. (Reklame)* advertisement

ausharren ['ausharən] *v* persevere, hold out

ausheben ['aushɛːbən] *v irr 1. (Erde ~)* dig, uproot; *2.* MIL levy, raise; *3. (Tür)* unhinge

aushecken ['aushɛkən] *v* hatch, brew

aushelfen ['aushɛlfən] *v irr* help out

Aushilfe ['aushilfə] *f* help, aid, temporary assistance

Aushilfskraft ['aushilfskraft] *f* temporary worker

aushilfsweise ['aushilfsvaizə] *adv* to help out, temporarily

aushöhlen ['aushøːlən] *v 1. (hohl machen)* hollow out; *2. (untergraben)* undermine

aushorchen ['aushɔrçən] *v* sound out

auskennen ['auskɛnən] *v irr sich ~* know one's way around, *(fam)* know the ropes; *sich mit etw ~* have a thorough knowledge of sth

ausklammern ['ausklamərn] *v* exclude

Ausklang ['ausklaŋ] *m* end, finish, finale

ausklappen ['ausklapən] *v* fold out

ausklingen ['ausklɪŋən] *v irr* fade away

ausklügeln ['ausklyːgəln] *v* work out

auskommen ['auskɔmən] *v irr 1.* make do, manage; *Ich könnte ohne ihn ~.* I could do without him. *2. (vertragen)* get along; *mit jmd auskommen* get along with s.o.

Auskommen ['auskɔmən] *n* subsistence, livelihood, sufficient means

auskundschaften ['auskuntʃaftən] *v 1.* explore, scout; *2.* MIL spy out, reconnoitre

Auskunft ['auskunft] *f 1. (Information)* information, details, particulars; *2. (in einem Büro)* information desk; *3. (am Telefon)* Directory Enquiries (UK), directory assistance (US)

auslachen ['auslaxən] *v* laugh at

ausladen ['auslaːdən] *v irr 1. (Gepäck)* unload; *2. (fam) jdn ~* uninvite s.o.

ausladend ['auslaːdənt] *adj (breit)* wide

Auslage ['auslaːgə] *f 1. (Schaufenster)* display, shop window; *2. (Geld)* expenditure

auslagern ['auslaːgərn] *v* ECO dislocate

Ausland ['auslant] *n im ~* abroad

Ausländer(in) ['auslɛndər(ɪn)] *m* foreigner, alien

Ausländerfeindlichkeit ['auslɛndərfaintlɪçkait] *f* xenophobia

ausländisch ['auslɛndɪʃ] *adj* foreign

auslassen ['auslasən] *v irr 1. (unterlassen)* leave out, omit; *2. (Zorn ~)* work off, let out; *3. sich über etw ~* speak one's mind about sth

auslasten ['auslastən] *v 1.* utilize fully, make full use of; *2. (Maschine)* use to capacity

Auslastung ['auslastuŋ] *f* ECO utilization to capacity

auslaufen ['auslaufən] *v irr 1. (Flüssigkeit)* leak, run out, flow out; *2. (Schiff)* put out to sea, set sail, leave port

auslaugen ['auslaugən] *v 1.* wash out; *2. wie ausgelaugt sein (fam)* to be worn out

ausleben ['ausleːbən] *v sich ~* live it up

ausleeren ['ausleːrən] *v* empty, drain, pour out

auslegen ['ausleːgən] *v 1. (Waren)* display; *2. (Geld)* lend; *3. (deuten)* interpret, explain

Auslegung ['ausleːguŋ] *f* definition

ausleihen ['auslaiən] *v irr 1. jdm etw ~* lend sth to s.o. *2. (deuten) sich etw ~* borrow sth

Auslese ['ausleːzə] *f* selection

auslesen ['ausleːzən] *v irr 1.* select, pick out, choose; *2. (Buch)* finish

Ausleseverfahren ['ausleːzəfɛrfaːrən] *n* process of elimination, process of selection

ausliefern ['ausliːfərn] v deliver, hand over
Auslieferung ['ausliːfəruŋ] f delivery, handing over
auslöffeln ['auslœfəln] v 1. spoon out; 2. *etw ~, was man sich eingebrockt hat* face the music
auslösen ['ausløːzən] v 1. *(loskaufen)* redeem; 2. *(in Gang setzen)* release, trigger, set off; 3. *(fig: verursachen)* cause, produce
Auslöser ['ausløːzər] m FOTO shutter release
ausloten ['ausloːtən] v 1. NAUT sound; 2. *(fig)* sound out
ausmachen ['ausmaxən] v 1. *(Feuer, Zigarette)* put out; 2. *(Licht)* switch off, turn off; 3. *(übereinkommen)* agree, arrange; 4. *(sich belaufen auf)* amount to, come to; 5. *(bedeuten)* matter, make a difference; *Macht es Ihnen etwas aus?* Would you mind?
ausmalen ['ausmaːlən] v 1. *(bunt anmalen)* paint; 2. *(fig: sich vorstellen)* imagine, picture
Ausmaß ['ausmaːs] n extent, dimension
ausmerzen ['ausmertsən] v 1. *(aussondern)* cull; 2. *(vernichten)* kill; 3. *(streichen)* expunge
ausmisten ['ausmɪstən] v 1. clean out; 2. *(fig)* clear
Ausnahme ['ausnaːmə] f exception
Ausnahmezustand ['ausnaːmətsuʃtant] m state of emergency
ausnahmslos ['ausnaːmsloːs] adj without exception
ausnahmsweise ['ausnaːmsvaɪzə] adv for once, by way of exception, exceptionally
ausnützen ['ausnytsən] v 1. *(ausbeuten)* exploit; 2. *(gebrauchen)* use
Ausnützung ['ausnytsuŋ] f exploitation
auspacken ['auspakən] v 1. unpack; 2. *(alles sagen)* talk, speak one's mind
auspeitschen ['auspaɪtʃən] v whip, flog
ausplaudern ['ausplaudərn] v give away
ausplündern ['ausplyndərn] v plunder
auspolstern ['auspɔlstərn] v pad, upholster
Ausprägung ['ausprɛːguŋ] f 1. *(Deutlichkeit)* markedness; 2. *(einer Münze)* mintage
auspressen ['auspresən] v squeeze out
ausprobieren ['ausprobiːrən] v try, try out, test
Auspuff ['auspuf] m TECH exhaust
ausquartieren ['auskvartiːrən] v accommodate elsewhere, lodge elsewhere
ausradieren ['ausradiːrən] v erase, delete
ausrangieren ['ausraŋʒiːrən] v discard, dispose of, *(Fahrzeug)* scrap

ausrauben ['ausraubən] v rob
ausräumen ['ausrɔymən] v 1. *(Gegenstände)* clear out, remove; *Ich räumte die Kiste aus.* I emptied the box. 2. *(fig: Zweifel)* remove
ausrechnen ['ausreçnən] v calculate
Ausrede ['ausreːdə] f excuse, pretext
ausreden ['ausreːdən] v 1. *(zu Ende reden)* *Lass mich bitte ~!* Please let me finish! 2. *jdm etw ~* talk s.o. out of sth; 3. *sich ~* have one's say, speak one's mind
ausreichen ['ausraɪçən] v suffice, do, to be sufficient; *Das reicht aus.* That will do.
ausreichend ['ausraɪçənt] adj 1. sufficient, enough, adequate; adv 2. sufficiently
Ausreise ['ausraɪzə] f departure, exit
ausreisen ['ausraɪzən] v leave the country
ausreißen ['ausraɪsən] v irr 1. rip out, tear out, pull out; *(Zahn, Unkraut)* pull; 2. *(sich lösen)* come off; 3. *(davonlaufen)* run away
Ausreißer ['ausraɪsər] m runaway
ausrenken ['ausreŋkən] v *sich etw ~* dislocate sth, put sth out of joint
ausrichten ['ausrɪçtən] v 1. *(aufstellen)* align; 2. *(veranstalten)* organize, arrange; 3. *(benachrichtigen)* deliver a message, give a message; *Richte ihm viele Grüße aus.* Give him my regards. 4. *(erreichen)* achieve
Ausrichtung ['ausrɪçtuŋ] f 1. *(Stellung)* alignment; 2. *(Veranstaltung)* organisation
ausrotten ['ausrɔtən] v 1. *(Pflanzen, Tiere)* exterminate, wipe out, root out; 2. *(fig)* eradicate, destroy, exterminate
Ausrottung ['ausrɔtuŋ] f extermination
Ausruf ['ausruːf] m cry, exclamation
ausrufen ['ausruːfən] v irr call out, cry out, exclaim
Ausrufezeichen ['ausruːfətsaɪçən] n exclamation mark, exclamation point
ausruhen ['ausruːən] v rest, take a rest
ausrüsten ['ausrystən] v 1. equip, fit out; 2. MIL arm
Ausrüstung ['ausrystuŋ] f 1. equipment, gear, outfit; 2. MIL armament
ausrutschen ['ausrutʃən] v slip; *Ihm rutscht leicht die Hand aus. (fig)* He has a quick temper.
Aussaat ['auszaːt] f seed
aussäen ['auszɛːən] v sow
Aussage ['auszaːgə] f 1. statement, declaration; 2. JUR testimony, statement, evidence
aussagekräftig ['auszaːgəkreftɪç] adj meaningful
aussagen ['auszaːgən] v 1. declare, state; 2. JUR testify

Aussatz ['aussats] *m* MED leprosy
ausschachten ['ausʃaxtən] *v* excavate, dig
ausschalten ['ausʃaltən] *v* 1. *(abstellen)* turn off, switch off; 2. *(fig)* eliminate
Ausschank ['ausʃaŋk] *m* 1. *(Schankraum)* bar, pub; 2. sale of alcohol
ausschauen ['ausʃauən] *v* 1. ~ *nach* look out for; 2. *(aussehen)* look
ausscheiden ['ausʃaɪdən] *v irr* 1. *(ausschließen)* eliminate, rule out; 2. SPORT to be eliminated; 3. MED eliminate
Ausscheidung ['ausʃaɪduŋ] *f* 1. *(Sekret)* discharge; 2. *(Wettkampf)* SPORT elimination
ausscheren ['ausʃeːrən] *v* swerve
ausschimpfen ['ausʃɪmpfən] *v* scold
ausschlafen ['ausʃlaːfən] *v irr* have enough sleep, sleep in *(fam)*
Ausschlag ['ausʃlaːk] *m* 1. MED rash; 2. *den ~ geben* tip the balance
ausschlagen ['ausʃlaːgən] *v irr* 1. *(Fenster)* knock out; 2. *(Pferd)* kick out; 3. *(Angebot)* turn down
ausschlaggebend ['ausʃlaːkgeːbənt] *adj* decisive, determining
ausschließen ['ausʃliːsən] *v irr* 1. *(jdn ~)* exclude, expel; 2. *(aussperren)* lock out, shut out; 3. *(Möglichkeit)* rule out
ausschließlich ['ausʃliːslɪç] *adv* 1. exclusively; *adj* 2. exclusive; *prep* 3. not including
ausschlüpfen ['ausʃlypfən] *v* hatch out
Ausschluss ['ausʃlus] *m* exclusion, expulsion; *zeitweiliger ~* (temporary) suspension
ausschmücken ['ausʃmykən] *v* decorate
Ausschnitt ['ausʃnɪt] *m* 1. *(eines Kleides)* neck; *ein tiefer ~* a low neckline; 2. *(Zeitungsausschnitt)* clipping, cutting; 3. *(Detail)* excerpt, section, extract
ausschöpfen ['ausʃœpfən] *v* 1. scoop out, empty; 2. *(fig)* exhaust
ausschreiben ['ausʃraɪbən] *v irr* 1. *(Stelle)* advertise a vacancy; 2. *(vollständig schreiben)* write in full; 3. *(Scheck)* FIN issue, write out
Ausschreibung ['ausʃraɪbuŋ] *f (Bekanntmachung)* announcement, advertisement
Ausschreitung ['ausʃraɪtuŋ] *f* 1. *(Aufruhr)* POL riot; 2. *(Ausschweifung)* excess
Ausschuss ['ausʃus] *m* 1. *(Kommission)* committee, commission; 2. *(Abfall)* refuse
ausschütten ['ausʃytən] *v* 1. pour out, empty, empty out; 2. *(fig) jdm sein Herz ~* pour one's heart out to s.o. 3. *(Dividenden)* ECO distribute, pay
Ausschüttung ['ausʃytuŋ] *f* ECO distribution, payout

ausschweifend ['ausʃvaɪfənt] *adj* extravagant, excessive
Ausschweifung ['ausʃvaɪfuŋ] *f* dissipation
aussehen ['auszeːən] *v irr* look, appear; *so alt ~ wie man ist* look one's age; *Es sieht nach Regen aus.* It looks like rain. *Du siehst gut aus!* You look good! *gut ~d* good-looking
Aussehen ['auszeːən] *n* appearance
außen ['ausən] *adv* outside
Außendienst ['ausndiːnst] *m* field work, field service; *im ~* in the field
Außenminister(in) ['ausənmɪnɪstər(ɪn)] *m/f* POL foreign minister, Foreign Secretary *(UK)*, Secretary of State *(US)*
Außenpolitik ['ausənpoliːtiːk] *f* POL foreign policy, foreign affairs
Außenseiter(in) ['ausənzaɪtər(ɪn)] *m/f* outsider
außer ['ausər] *prep* 1. *(räumlich)* out of, outside; ~ *sich sein* to be beside o.s. 2. *(ausgenommen)* except (for), other than, but; 3. ~ *Atem* out of breath
außerdem ['ausərdeːm] *konj* besides, moreover, furthermore
äußere ['ɔysərə] *adj* 1. exterior, outer; 2. MED external
Äußere ['ɔysərə] *n* 1. outside, exterior; 2. *(Aussehen)* appearance
außerehelich ['ausəreːəlɪç] *adj* 1. extramarital; 2. *(Kind)* illegitimate
außergewöhnlich ['ausərgəvøːnlɪç] *adj* unusual, extraordinary, uncommon
außerhalb ['ausərhalp] *prep* 1. outside, outside of; *adv* 2. outside
außerirdisch ['ausərɪrdɪʃ] *adj* extraterrestrial
Äußerlichkeit ['ɔysərlɪçkaɪt] *f* 1. outward appearance; *pl* 2. ~*en* superficialities
äußern ['ɔysərn] *v* express, voice, utter
außerordentlich ['ausərɔrdəntlɪç] *adj* extraordinary, exceptional
äußerst ['ɔysərst] *adv* extremely
außerstande [ausər'ʃtandə] *adv* unable
äußerste(r,s) ['ɔysərstə(r,s)] *adj* 1. *(räumlich)* farthest, outermost, remotest; 2. *(zeitlich)* latest possible; 3. *(fig)* extreme, utmost, utter
Äußerung ['ɔysəruŋ] *f* remark, comment
aussetzen ['auszɛtsən] *v* 1. *(Motor)* stall, cut out; 2. *(Tier)* abandon; 3. *(Arbeit)* stop
Aussicht ['auszɪçt] *f* 1. *(Ausblick)* view, outlook; 2. *(fig)* chance, prospect, outlook
aussichtslos ['auszɪçtsloːs] *adj* hopeless
Aussichtslosigkeit ['auszɪçtsloːzɪçkaɪt] *f* hopelessness

Aussichtspunkt ['auszıçtspuŋkt] *m* viewpoint, vantage point

aussichtsreich ['auszıçtsraıç] *adj* promising

aussiedeln ['auszi:dəln] *v* resettle

Aussiedler ['auszi:dlər] *m* emigrant

aussöhnen ['auszø:nən] *v* reconcile

Aussöhnung ['auszø:nuŋ] *f* reconciliation

aussondern ['auszɔndərn] *v* separate, select, pick out

aussortieren ['auszɔrti:rən] *v* sort out

ausspannen ['ausʃpanən] *v* 1. (sich ausruhen) relax, take it easy; 2. (fam) jdm seine Freundin ~ steal s.o.'s girl; 3. (durch schmeicheln erhalten) jdm etw ~ talk s.o. out of sth; 4. (Pferde) unharness; 5. (etw ~) (ausbreiten) spread out; 6. (aus der Schreibmaschine) take out

aussparen ['ausʃpa:rən] *v* leave empty, (fig) omit

Aussparung ['ausʃpa:ruŋ] *f* gap

aussperren ['ausʃpɛrən] *v* 1. (ausschließen) lock out, shut out; 2. (Streik) ECO lock out

ausspielen ['ausʃpi:lən] *v* 1. ausgespielt haben to be finished (fig); 2. (Karte: ins Spiel bringen) play; 3. (auslosen) give as a prize; 4. jdn gegen einen anderen ~ play s.o. off against s.o. else

ausspionieren ['ausʃpioni:rən] *v* spy out

Aussprache ['ausʃpra:xə] *f* 1. (Gespräch) discussion, talk; 2. (Aussprechen) pronunciation, diction

aussprechen ['ausʃprɛçən] *v irr* 1. sich ~ speak one's mind; sich mit jdm ~ talk things out with s.o.; 2. (äußern) express, utter; 3. LING pronounce, enunciate, articulate

ausspucken ['ausʃpukən] *v* 1. spit out; 2. (fig: Geld) cough up

Ausstand ['ausʃtant] *m* 1. (Streik) ECO strike; 2. (Ausscheiden) departure from a job

ausstatten ['ausʃtatən] *v* (einrichten) fit out, furnish, equip

Ausstattung ['ausʃtatuŋ] *f* 1. (Einrichtung) furnishings, fixtures, fittings; 2. (Ausrüstung) equipment, outfit

ausstehen ['ausʃte:ən] *v irr* 1. (ertragen) bear, stand, endure; 2. (noch fehlen) to be pending, (Zahlung) to be outstanding

aussteigen ['ausʃtaıgən] *v irr* 1. get out; 2. (fig) drop out (of society)

Aussteiger ['ausʃtaıgər] *m* dropout (from society)

ausstellen ['ausʃtɛlən] *v* 1. (Waren) display, lay out, exhibit; 2. (Dokumente) issue

Aussteller ['ausʃtɛlər] *m* ECO exhibitor

Ausstellung ['ausʃtɛluŋ] *f* 1. (Waren) display, exhibition, show; 2. (Dokumente) drawing-up, issue, making-out

aussterben ['ausʃtɛrbən] *v irr* die out

Aussteuer ['ausʃtɔyər] *f* dowry

Ausstieg ['ausʃti:k] *m* 1. exit, escape hatch; 2. (fig) withdrawal

ausstoßen ['ausʃto:sən] *v irr* 1. (etw ~) emit, eject; 2. (jdn ~) expel

ausstrahlen ['ausʃtra:lən] *v* 1. (übertragen) transmit; 2. (Wärme) radiate, emit, give off; 3. (fig: Gelassenheit) radiate, exude

Ausstrahlung ['ausʃtra:luŋ] *f* (fig) charisma, radiation

ausstrecken ['ausʃtrɛkən] *v* extend, stretch out, hold out (hand)

ausströmen ['ausʃtrø:mən] *v* 1. stream out, flow out; 2. (Gas) escape

aussuchen ['auszu:xən] *v* pick out, select, choose

Austausch ['austauʃ] *m* 1. exchange; im ~ gegen in exchange for; 2. (Ersatz) TECH replacement

austauschbar ['austauʃba:r] *adj* exchangeable, interchangeable

austauschen ['austauʃən] *v* 1. exchange, swap; 2. (ersetzen) TECH replace, exchange

austeilen ['austaılən] *v* 1. distribute, hand out; 2. (Medikamente ~) MED dispense

Auster ['austər] *f* ZOOL oyster

austragen ['austra:gən] *v irr* 1. (Wettkampf) hold; 2. (Streit) settle; 3. (Pakete) deliver

Australien [au'stra:ljən] *n* GEO Australia

Australier(in) [au'stra:ljər(ın)] *m/f* Australian

austreiben ['austraıbən] *v irr* 1. (Geister) exorcise; 2. (Flausen) jdm etw ~ cure s.o. of sth

austreten ['austre:tən] *v irr* 1. (ausströmen) escape, overflow; 2. (aus einem Verein) leave, (formell) resign; 3. (zur Toilette gehen) go to the bathroom, go to the loo (UK)

austricksen ['austrıksən] *v* (fam) jdn ~ trick s.o.

Austritt ['austrıt] *m* 1. withdrawal, leaving; 2. POL resignation

austrocknen ['austrɔknən] *v* dry out, dry up, parch, drain

austüfteln ['austyftəln] *v* work out

ausüben ['ausy:bən] *v* 1. (Beruf) practise; 2. (Tätigkeit) perform; ein Amt ~ hold an office

Ausverkauf ['ausfɛrkauf] *m* sale, clearance sale

ausverkauft ['ausfɛrkauft] *adj* sold out

auswachsen ['auSvaksən] v 1. (Pflanze) go to seed; 2. Das ist zum ~! It's enough to drive you round the bend!

Auswahl ['auSvaːl] f choice, selection; etw zur ~ haben have one's choice of sth

auswählen ['auSvɛːlən] v select, choose

Auswanderer ['auSvandərər] m emigrant

auswandern ['auSvandərn] v emigrate, migrate

Auswanderung ['auSvandəruŋ] f emigration

auswärtig ['auSvɛrtɪç] adj 1. out-of-town; ~e Besucher visitors from out of town; 2. (ausländisch) foreign

auswärts ['auSvɛrts] adv 1. (nicht zu Hause) away from home, out of town; 2. (Richtung) outward

auswechseln ['auSvɛksəln] v replace

Ausweg ['auSveːk] m way out, outlet, exit

ausweglos ['auSveːkloːs] adj hopeless

Ausweglosigkeit ['auSveːkloːzɪçkaɪt] f hopelessness

ausweichen ['auSvaɪçən] v irr avoid, evade, dodge

ausweichend ['auSvaɪçənt] adj evasive, non-committal

Ausweichmanöver ['auSvaɪçmanøːvər] n MIL evasive action

Ausweichmöglichkeit ['auSvaɪçmøːklɪçkaɪt] f alternative, loophole (fam)

Ausweis ['auSvaɪs] m identification, pass, identity card

Ausweisung ['auSvaɪzuŋ] f deportation, expulsion

ausweiten ['auSvaɪtən] v extend, widen

auswendig ['auSvɛndɪç] adj 1. ~ lernen memorize; 2. (außen) outside

auswerten ['auSveːrtən] v evaluate, interpret

Auswertung ['auSveːrtuŋ] f evaluation, interpretation

auswirken ['auSvɪrkən] v sich ~ have an effect

Auswirkung ['auSvɪrkuŋ] f effect

auszahlen ['auStsaːlən] v 1. pay; 2. sich ~ pay off, to be worthwhile

Auszahlung ['auStsaːluŋ] f payment, disbursement

auszehren ['auStseːrən] v exhaust; jdn ~ drain s.o.

auszeichnen ['auStsaɪçnən] v 1. (würdigen) honour, decorate, distinguish; 2. (Waren) ECO mark

Auszeichnung ['auStsaɪçnuŋ] f decoration

Auszeit ['auStsaɪt] f SPORT time-out

ausziehen ['auStsiːən] v irr 1. (Kleidung) take off; sich ~ undress; 2. (Wohnung wechseln) move out

Auszubildende(r) ['auStsubɪldəndə(r)] m/f trainee, apprentice

Auszug ['auStsuːk] m 1. (Zusammenfassung) summary; 2. (Kontoauszug) statement (of account); 3. (Umzug) removal

auszugsweise ['auStsuːksvaɪzə] adv in excerpts

autark [au'tark] adj ECO self-supporting, self-sufficient

authentisch [au'tɛntɪʃ] adj authentic

Auto ['auto] n car, automobile

Autobahn ['autobaːn] f motorway, freeway (US)

Autobiografie [autobiogra'fiː] f autobiography

Autofahrer(in) ['autofaːrər(ɪn)] m/f driver, motorist

autogen [auto'geːn] adj autogenous

Autogramm [auto'gram] n autograph

Automat [auto'maːt] m machine

automatisch [auto'maːtɪʃ] adj automatic

Automatisierung [automati'ziːruŋ] f automation

Automechaniker ['automeça:nɪkər] m auto mechanic

autonom [auto'noːm] adj autonomous, self-governing

Autonomie [autono'miː] f POL autonomy

Autopilot ['autopiloːt] m TECH autopilot

Autopsie [autop'siː] f MED autopsy

Autor(in) ['autɔr/au'toːrɪn] m/f author, writer

Autoreifen ['autoraɪfən] m tyre, tire (US)

autorisieren [autori'ziːrən] v authorize

autoritär [autori'tɛːr] adj authoritarian

Autorität [autori'tɛːt] f authority

Autounfall ['autounfal] m motor accident, car accident (US)

Autowerkstatt ['autoverkʃtat] f garage, car repair shop

Avance [a'vãsə] f jdm ~n machen make advances to s.o.

avantgardistisch [avãgar'dɪstɪʃ] adj avant-garde

Avocado [avo'kado] f BOT avocado

Axt [akst] f axe, hatchet

Azalee [atsa'leːə] f BOT azalea

Azteke [ats'tɛːkə] m HIST Aztec

azyklisch ['atsyːklɪʃ] adj acyclic

B

Baby ['be:bi] *n* baby
babysitten ['be:bisitən] *v* babysit
Babysitter ['be:bisitər] *m* baby-sitter
Bach [bax] *m* 1. brook; 2. den ~ hinunter sein *(fam)* go down the drain
Backbord ['bakbɔrt] *n* NAUT port
Backe ['bakə] *f* 1. *(Wange)* cheek; 2. *(Hinterbacke)* buttock, cheek (fam)
backen ['bakən] *v irr* bake
Bäcker ['bɛkər] *m* baker
Bäckerei [bɛkə'raɪ] *f* bakery, baker's shop
Backofen ['bako:fən] *m* oven
Bad [ba:t] *n* 1. bath; das ~ in der Menge nehmen go on a walkabout; das Kind mit dem ~e ausschütten throw out the baby with the bathwater; 2. *(Badezimmer)* bathroom
Badeanstalt ['ba:dəanʃtalt] *f* public swimming baths *pl*, public swimming pool
Badeanzug ['ba:dəantsu:k] *m* bathing suit
Badehose ['ba:dəho:zə] *f* bathing trunks *pl*, swimming trunks *pl*
Bademeister ['ba:dəmaɪstər] *m* pool attendant
baden ['ba:dən] *v* 1. *(in der Wanne)* bathe, have a bath; 2. *(schwimmen)* swim, bathe
Badesaison ['ba:dəzɛzõ] *f* swimming season, bathing season
Badewanne ['ba:dəvanə] *f* bathtub
Badezimmer ['ba:dətsimər] *n* bathroom
baff [baf] *adj* ~ sein *(fam)* to be flabbergasted
Bagatelle [baga'tɛlə] *f* bagatelle
Bagger ['bagər] *m* TECH excavator
baggern ['bagərn] *v* dig, excavate
Bahn [ba:n] *f* 1. path; 2. *(Eisenbahn)* railway, railroad *(US)*; 3. *(Straßenbahn)* tramway, streetcar *(US)*; 4. *(Fahrbahn)* lane; 5. *(Umlaufbahn)* ASTR orbit; 6. *(fig)* freie ~ haben get the go-ahead; auf die schiefe ~ kommen leave the straight and narrow; jdn aus der ~ werfen throw s.o. off the track; etw in die richtige ~ lenken channel sth properly
bahnen ['ba:nən] *v* etw den Weg ~ clear a path for sth, clear the way for sth; sich einen Weg ~ work one's way
Bahnfahrkarte ['ba:nfa:rkartə] *f* railway ticket, train ticket
Bahnhof ['ba:nho:f] *m* 1. railway station, railroad station *(US)*; 2. Ich verstehe immer nur ~. It's all Greek to me.

Bahnlinie ['ba:nli:njə] *f* railway-line
Bahnsteig ['ba:nʃtaɪk] *m* platform
Bahre ['ba:rə] *f* 2. *(für Tote)* bier; 1. *(Krankenbahre)* stretcher
Bakterie [bak'te:rjə] *f* BIO bacteria
Balance [ba'lãs] *f* balance, equilibrium
balancieren [balã'si:rən] *v* balance
bald [balt] *adv* soon, shortly, presently
baldig ['baldiç] *adj* Ich hoffe auf ein ~es Wiedersehen. I hope we see each other again soon. eine ~e Genesung a speedy recovery
balgen ['balgən] *v sich* ~ wrestle, tussle
Balkan ['balka:n] *m* GEO the Balkans *pl*
Balken ['balkən] *m* beam
Balkon [bal'kɔn] *m* balcony
Ball [bal] *m* 1. ball; am ~ sein to be on the ball; am ~ bleiben keep one's eyes on the ball; jdm die Bälle zuwerfen *(fig)* give s.o. cues; 2. *(Tanz)* ball
Ballade [bal'la:də] *f* LIT ballad
Ballast ['balast] *m* ballast
ballen ['balən] *v* 1. pack into a ball; 2. *(Faust)* clench; 3. sich ~ gather
Ballen ['balən] *m* 1. ECO bale; 2. ANAT ball of the foot, torus
Ballett [ba'lɛt] *n* THEAT ballet
Balletttänzer(in) [bal'lɛttɛntsər(in)] *m/f* THEAT ballet dancer
Ballon [ba'lɔŋ] *m* balloon
Balsam ['balza:m] *m* balm, balsam
balzen ['baltsən] *v* ZOOL court, mate
banal [ba'na:l] *adj* banal, commonplace, trivial
Banalität [banali'tɛ:t] *f* banality, triviality
Banane [ba'na:nə] *f* BOT banana
Banause [ba'nauzə] *m* philistine, narrow-minded person, low-brow
Band [bant] *m* 1. *(Buch)* volume; Bände sprechen speak volumes; *n* 2. *(Streifen)* band, ribbon; 3. *(Tonband)* audio tape; 4. *(fig)* bond, link, shackles *pl*; 5. am laufenden ~ *(fig)* constantly
Bandage [ban'da:ʒə] *f* MED bandage, dressing; mit harten ~n kämpfen *pl* fight tooth and nail
Bande ['bandə] *f (Gruppe)* gang, band
bändigen ['bɛndigən] *v* 1. tame; 2. *(fig)* restrain; seine Gefühle ~ curb one's emotions
Bandit [ban'di:t] *m* bandit
bange ['baŋə] *adj* anxious, uneasy, worried

bangen ['baŋən] *v* 1. worry, to be worried, to be anxious; 2. *(Angst haben)* to be afraid
Bank¹ [baŋk] *f* 1. *(Sitzbank)* bench, seat; 2. *etw auf die lange ~ schieben (fig)* put sth off
Bank² [baŋk] *f FIN* bank
Bankautomat ['baŋkautoma:t] *mFIN* automatic cash dispenser
Bankfiliale ['baŋkfilja:lə] *f FIN* branch bank
Bankguthaben ['baŋkgu:tha:bən] *n FIN* bank credit balance
Bankier [baŋk'je:] *m FIN* banker
Bankkonto ['baŋkkɔnto] *n FIN* bank account
Bankleitzahl ['baŋklaɪttsa:l] *f FIN* bank code number, bank identification number *(US)*
Banknote ['baŋkno:tə] *fFIN* banknote, bill *(US)*
Bankraub ['baŋkraup] *m* bank holdup, bank robbery
Bankräuber ['baŋkrɔybər] *m* bank robber
bankrott [baŋk'rɔt] *adj FIN* bankrupt
Bankverbindung ['baŋkfɛrbɪnduŋ] *f* 1. *FIN* banking details *pl*; 2. *(Konto)* bank account
Bann [ban] *m* spell; *jdn in seinen ~ ziehen* cast a spell over s.o.
bannen ['banən] *v* 1. *(fesseln)* captivate, fascinate; 2. *(vertreiben)* banish; *(Gefahr)* ward off; *(böse Geister)* exorcise; 3. *(festhalten)* capture
Baptist(in) [bap'tɪst(ɪn)] *m/f REL* Baptist
bar [ba:r] *adj* cash; *gegen ~* for cash
Bar [ba:r] *f* bar
Bär [bɛ:r] *m* bear; *jdm einen ~en aufbinden (fig)* pull s.o.'s leg; *Da ist der ~ los.* Things are really happening there.
barfuß ['ba:rfu:s] *adv* barefoot
Bargeld ['ba:rgɛlt] *n* cash
bargeldlos ['ba:rgɛltlo:s] *adj FIN* non-cash, cashless
Bariton ['barɪtɔn] *m MUS* baritone
Barkeeper ['ba:rki:pər] *m* barkeeper
barmherzig [barm'hɛrtsɪç] *adj* merciful, compassionate
Barmherzigkeit [barm'hɛrtsɪçkaɪt] *f* mercy, compassion
barock [ba'rɔk] *adj ART* baroque
Barock [ba'rɔk] *m/n ART* baroque
Baron [ba'ro:n] *m* baron
Barren ['barən] *m (Goldbarren)* bar of gold, ingot

Barriere [bar'jɛ:rə] *f* barrier
Barrikade [bari'ka:də] *f* barricade
barsch [barʃ] *adj* brusque, curt, rude
Bart [ba:rt] *m* beard; *um des Kaisers ~ streiten (fig)* split hairs
bärtig ['bɛ:rtɪç] *adj* bearded
bartlos ['ba:rtlo:s] *adj* beardless
Barzahlung ['ba:rtsa:luŋ] *f FIN* cash payment, payment in cash
Basar [ba'za:r] *m* bazaar
Base¹ ['ba:zə] *f CHEM* base
Base² ['ba:zə] *f (Kusine)* cousin
basieren [ba'zi:rən] *v ~ auf* to be based on
Basilikum [ba'zi:likum] *m/n BOT* basil
Basis ['ba:zɪs] *f* 1. basis; 2. *MIL* base
Basketball ['baskətbal] *m SPORT* basketball
Bass [bas] *m MUS* bass
Bassin [ba'sɛ̃] *n* basin, reservoir
Bastard ['bastart] *m* 1. *(fam)* bastard; 2. *ZOOL* cross breed, mongrel
basteln ['bastəln] *v* do handicrafts
Batterie [batə'ri:] *f TECH* battery
Bau [bau] *m* 1. *(Konstruktion)* building, construction; *im ~* under construction; 2. *(Tierbau)* burrow, den
Bauch [baux] *m* stomach, belly (fam), tummy (fam); *eine Wut im ~ haben* to be hopping mad; *sich den ~ voll schlagen* stuff o.s. *sich den ~ vor Lachen halten* split one's sides laughing; *mit etw auf den ~ fallen (fig)* come a cropper
bauchig ['bauxɪç] *adj* bulging, bulbous
Bauchschmerzen ['bauxʃmɛrtsən] *pl* stomach-ache, belly ache, stomach pain
Bauchtanz ['bauxtants] *m* belly dance
Bauchweh ['bauxve:] *n* stomach-ache, tummy-ache *(fam)*
bauen ['bauən] *v* build, construct
Bauer ['bauər] *m* 1. farmer; 2. *(Schachfigur)* pawn
Bäuerin ['bɔyərɪn] *f* 1. farmer's wife; 2. *(Landwirtin)* farmer
bäuerlich ['bɔyərlɪç] *adj* rustic, rural
Bauernfänger ['bauərnfɛŋər] *m* swindler
Bauernhof ['bauərnho:f] *m* farm
baufällig ['baufɛlɪç] *adj* dilapidated
Baugenehmigung ['baugəne:mɪguŋ] *f* building permission, building permit
Baugerüst ['baugəryst] *n* scaffolding
Baugewerbe ['baugəvɛrbə] *n* construction industry, building trade
Bauingenieur ['bauɪnʒenjø:r] *m* civil engineer, structural engineer

Baum [baum] *m* tree; *Ich könnte Bäume aus-reißen.* *(fig)* I feel like a world beater. *Es ist zum auf die Bäume klettern.* It's enough to drive you up the wall.

baumeln ['baumәln] *v* dangle, swing

Baumsterben ['baumʃtɛrbәn] *n* the dying of trees

Baumwolle ['baumvɔlә] *f* cotton

Bausch [bauʃ] *m 1. (Wattebausch)* ball, swab; *2. (Polster)* pad; *3. in ~ und Bogen* lock, stock and barrel

Baustein ['bauʃtain] *m 1.* brick, stone; *2. (Bauklotz)* building block; *3. (fig)* building block

Baustelle ['bauʃtɛlә] *f* construction site, building site

Bauunternehmen ['bauuntәrne:mәn] *n* construction firm

Bauwerk ['bauvɛrk] *n* building

Bayer ['baiәr] *m* Bavarian

Bayern ['baiәrn] *n GEO* Bavaria

beabsichtigen [bә'apzɪçtɪgәn] *v* intend, mean; *Was beabsichtigst du zu tun?* What do you intend to do?

beachten [bә'axtәn] *v* pay attention to, heed, observe

beachtlich [bә'axtlɪç] *adj* considerable, remarkable

Beachtung [bә'axtuŋ] *f* attention, observation, consideration

Beamte(r)/Beamtin [bә'amtә(r)/bә'amtɪn] *m/f* civil servant, public servant, official

beanspruchen [bә'anʃpruxәn] *v* claim, demand, require

beanstanden [bә'anʃtandәn] *v* object, complain, challenge

Beanstandung [bә'anʃtanduŋ] *f* objection, complaint

beantragen [bә'antra:gәn] *v 1.* apply for; *2. (vorschlagen)* propose

beantworten [bә'antvɔrtәn] *v* answer, reply to

bearbeiten [bә'arbaitәn] *v 1. (erledigen)* handle, manage; *2. TECH* work, process; *3. AGR* cultivate, till, work; *4. (Theaterstück) THEAT* adapt; *5. neu bearbeitete Auflage* revised edition

Bearbeitung [bә'arbaituŋ] *f 1.* treatment, processing; *2. in ~* in preparation; *3. AGR* working, cultivation

beatmen [bә'a:tmәn] *v* supply with air, give artificial respiration to

Beatmung [bә'a:tmuŋ] *f MED* artificial respiration

beaufsichtigen [bә'aufzɪçtɪgәn] *v* supervise, control, oversee

beauftragen [bә'auftra:gәn] *v* charge, commission, instruct

Beauftragte(r) [bә'auftra:ktә(r)] *m/f 1.* representative; *2. POL* commissioner

bebauen [bә'bauәn] *v 1. (landwirtschaftlich)* farm; *2. (Gebäude errichten auf)* build on

beben ['be:bәn] *v* quake, shake, tremble

Beben ['be:bәn] *n (Erdbeben)* earthquake

Becher ['bɛçәr] *m* cup, mug, tumbler

Becken ['bɛkәn] *n 1. (Waschbecken)* wash basin, sink; *2. (Schwimmbecken)* swimming pool; *3. ANAT* pelvis

bedächtig [bә'dɛçtɪç] *adj* cautious, wary, circumspect

bedanken [bә'daŋkәn] *v sich ~* say thank you, express one's thanks; *Ich bedanke mich.* Thank you.

Bedarf [bә'darf] *m 1.* need; *2. ECO* demand

bedauerlich [bә'dauәrlɪç] *adj* regrettable, unfortunate

bedauern [bә'dauәrn] *v 1.* regret; *2. (jdn bemitleiden)* feel sorry for, pity

bedauernswert [bә'dauәrnsve:rt] *adj* pitiable, pitiful, deplorable

bedecken [bә'dɛkәn] *v* cover

bedenken [bә'dɛŋkәn] *v irr 1. (erwägen)* consider, take into consideration, think over; *2. (beachten)* reckon with, keep in mind

bedenkenlos [bә'dɛŋkәnlo:s] *adj 1.* unhesitating; *adv 2.* without hesitation

bedenklich [bә'dɛŋklɪç] *adj 1. (verdächtig)* dubious; *3. (ernst)* critical; *2. (heikel)* delicate

bedeuten [bә'dɔytәn] *v* mean, signify

bedeutend [bә'dɔytәnt] *adj* important, significant

Bedeutung [bә'dɔytuŋ] *f* meaning, significance, importance

bedeutungslos [bә'dɔytuŋslo:s] *adj 1. (ohne Sinn)* meaningless; *2. (unwichtig)* insignificant

bedeutungsvoll [bә'dɔytuŋsfɔl] *adj 1.* important; *2. (Person)* famous

bedienen [bә'di:nәn] *v 1. jdn ~* wait on s.o., serve s.o., attend to s.o. *2. sich ~* serve o.s., help o.s. *3. TECH* operate

Bedienung [bә'di:nuŋ] *f 1.* service; *2. (Kellner(in))* waiter/waitress; *3. TECH* operation, control

Bedienungsanleitung [bә'di:nuŋsanlaituŋ] *f TECH* operating instructions *pl*

bedingt [bә'dɪŋkt] *adj 1.* conditional; *~ durch* contingent on; *2. (beschränkt)* limited

Bedingung [bə'dɪŋuŋ] f condition, provision, term; *unter der ~, dass ...* on condition that ...

bedingungslos [bə'dɪŋuŋsloːs] adj unconditional

Bedrängnis [bə'drɛŋnɪs] f need, distress

bedrängt [bə'drɛŋt] adj hard-pressed

bedrohen [bə'droːən] v threaten, menace

bedrohlich [bə'droːlɪç] adj 1. threatening, menacing; 2. *(gefährlich)* dangerous

Bedrohung [bə'droːuŋ] f threat, menace

bedrucken [bə'drukən] v print

bedrücken [bə'drykən] v 1. depress, worry; 2. *(unterdrücken)* oppress

bedürfen [bə'dyrfən] v irr need, require

Bedürfnis [bə'dyrfnɪs] n need, requirement, want

bedürftig [bə'dyrftɪç] adj needy, indigent

beeilen [bə'ailən] v sich ~ hurry, rush; *Beeil dich!* Hurry up!

Beeilung [bə'ailuŋ] interj Step on it! (fig), Get a move on! (fam)

beeindrucken [bə'aindrukən] v impress

beeinflussen [bə'ainflusən] v influence

Beeinflussung [bə'ainflusuŋ] f influencing, influence

beeinträchtigen [bə'aintrɛçtɪgən] v impair, prejudice, detract from

Beeinträchtigung [bə'aintrɛçtɪguŋ] f impairment, damage, detriment

beenden [bə'ɛndən] v end, finish, wind up complete

Beendigung [bə'ɛndɪguŋ] f termination, conclusion

beengt [bə'ɛŋt] adj confined, cramped

beerben [bə'ɛrbən] v jdn ~ to be s.o.'s heir, succeed to s.o.'s estate

beerdigen [bə'eːrdɪgən] v bury

Beerdigung [bə'eːrdɪguŋ] f funeral, burial

Beere ['beːrə] f BOT berry

Beet [beːt] n (flower) bed, (vegetable) patch

befähigen [bə'fɛːɪgən] v enable, qualify

Befähigung [bə'fɛːɪguŋ] f 1. capacity, competence, aptitude; 2. *(Voraussetzung)* qualifications pl

befahren [bə'faːrən] v irr 1. drive on; adj 2. *(Straße)* travelled

Befangenheit [bə'faŋənhait] f 1. self-consciousness, embarrassment; 2. *(Voreingenommenheit)* prejudice, partiality

befassen [bə'fasən] v sich ~ mit deal with, attend to, handle

Befehl [bə'feːl] m order, command

befehlen [bə'feːlən] v irr order, command

Befehlshaber [bə'feːlshaːbər] m MIL commander, commanding officer

befestigen [bə'fɛstɪgən] v fix, secure, fasten

Befestigung [bə'fɛstɪguŋ] f 1. attachment, fastening, strengthening; 2. MIL fortification

befeuchten [bə'fɔyçtən] v dampen, moisten, wet

befinden [bə'fɪndən] v irr sich ~ to be (somewhere)

Befinden [bə'fɪndən] n MED state of health

beflecken [bə'flɛkən] v 1. stain; 2. *(fig)* sully

beflissen [bə'flɪsən] adj eager, keen

befolgen [bə'fɔlgən] v 1. follow, comply with; 2. *(Vorschriften)* observe; 3. *(Befehl)* obey

befördern [bə'fœrdərn] v 1. *(transportieren)* transport, convey, carry; 2. *(dienstlich aufrücken lassen)* promote, advance

Beförderung [bə'fœrdəruŋ] f 1. *(Waren)* ECO transport, conveying, shipping; 2. *(eines Angestellten, eines Offiziers)* promotion

befragen [bə'fraːgən] v 1. question; 2. *(zurate ziehen)* consult

Befragung [bə'fraːguŋ] f 1. personal interview, questioning; 2. *(Zeuge)* JUR interrogation; 3. *(Rat)* consultation

befreien [bə'fraiən] v 1. release, free; 2. JUR acquit, discharge; 3. *(von Steuern)* exempt

Befreiung [bə'fraiuŋ] f 1. liberation, release, deliverance; 2. ECO exemption

befreunden [bə'frɔyndən] v 1. sich mit jdm ~ make friends with s.o. 2. sich mit etw ~ come to like sth, get used to sth

befriedigen [bə'friːdɪgən] v satisfy, please, gratify

befriedigend [bə'friːdɪgənt] adj satisfying

Befriedigung [bə'friːdɪguŋ] f satisfaction, gratification, fulfilment

befristen [bə'frɪstən] v limit

befristet [bə'frɪstət] adj limited

befruchten [bə'fruxtən] v BIO fertilize

Befruchtung [bə'fruxtuŋ] f 1. BIO fertilization, impregnation; 2. *künstliche ~* MED artificial insemination

Befugnis [bə'fuːknɪs] f 1. power, authority; 2. JUR jurisdiction

befugt [bə'fuːkt] adj authorized, entitled, competent

Befund [bə'funt] m MED findings pl, evidence, result

befürchten [bə'fyrçtən] v fear, be afraid of
Befürchtung [bə'fyrçtuŋ] f apprehension, fear, misgiving
befürworten [bə'fy:rvɔrtən] v support, advocate, recommend
Befürworter(in) [bə'fy:rvɔrtər(ın)] m/f supporter, advocate
begabt [bə'ga:pt] adj talented, gifted, able
Begabung [bə'ga:buŋ] f talent, gift, aptitude
begeben [bə'ge:bən] v irr sich ~ go to, proceed to, set out on
Begebenheit [bə'ge:bənhaıt] f event, happening
begegnen [bə'ge:gnən] v 1. jdm ~ meet s.o., run into s.o. 2. sich ~ meet
Begegnung [bə'ge:gnuŋ] f meeting, encounter
begehen [bə'ge:ən] v irr 1. (Verbrechen) commit, perpetrate; 2. (Fest) celebrate
begehren [bə'ge:rən] v desire, covet, crave
begehrenswert [bə'ge:rənsve:rt] adj desirable
begehrt [bə'ge:rt] adj sought-after, in demand
begeistern [bə'gaıstərn] v 1. jdn ~ inspire, fill with enthusiasm; 2. sich ~ become enthusiastic
begeistert [bə'gaıstərt] adj enthusiastic
Begeisterung [bə'gaıstəruŋ] f enthusiasm
Begierde [bə'gi:rdə] f desire, craving, longing
begierig [bə'gi:rıç] adj eager, impatient, anxious; auf etw ~ sein to be eager for sth
Beginn [bə'gın] m beginning, start
beginnen [bə'gınən] v irr start, begin
beglaubigen [bə'glaubıgən] v attest, certify, authenticate
Beglaubigung [bə'glaubıguŋ] f JUR authentication, certification, attestation
begleiten [bə'glaıtən] v accompany, escort, come with
Begleiter(in) [bə'glaıtər(ın)] m/f companion
Begleitung [bə'glaıtuŋ] f company
beglückwünschen [bə'glykvynʃən] v jdn ~ zu etw congratulate s.o. on sth
begnadigen [bə'gna:dıgən] v JUR pardon, grant pardon
Begnadigung [bə'gna:dıguŋ] f JUR pardon, reprieve
begraben [bə'gra:bən] v irr 1. (beerdigen) bury; 2. (fig) bury; etw ~ können give sth up, forget about sth
Begräbnis [bə'grɛpnıs] n funeral, burial

begreifen [bə'graıfən] v irr understand, comprehend, grasp; Er hat es endlich begriffen. He finally got it.
begrenzen [bə'grɛntsən] v 1. limit; 2. (die Grenze bilden für etw) form the boundary of sth
Begrenzung [bə'grɛntsuŋ] f 1. limit; 2. (das Begrenzen) limitation; 3. (Grenze) boundary
Begriff [bə'grıf] m 1. (Vorstellung) concept, idea, notion; Ist dir das ein ~? Do you know what that is? für meine ~e as far as I'm concerned; 2. (Ausdruck) term; 3. im ~ sein, etw zu tun to be about to do sth
begründen [bə'gryndən] v 1. justify, substantiate; 2. (gründen) found, establish
Begründer(in) [bə'gryndər(ın)] m/f founder
Begründung [bə'grynduŋ] f 1. reason, explanation; 2. (Gründung) establishment, founding
begrüßen [bə'gry:sən] v welcome, greet
Begrüßung [bə'gry:suŋ] f welcome, reception, greeting
begünstigen [bə'gynstıgən] v favour, support, encourage
Begünstigung [bə'gynstıguŋ] f encouragement, support, favouring
begutachten [bə'gu:taxtən] v examine, give a professional opinion on
behäbig [bə'hɛ:bıç] adj 1. (Gestalt) portly; 2. (geruhsam) easy-going
Behagen [bə'ha:gən] n 1. comfort; 2. (Vergnügen) pleasure, relish; 3. (Zufriedenheit) contentment
behaglich [bə'ha:klıç] adj comfortable
behalten [bə'haltən] v irr keep, retain
Behälter [bə'hɛltər] m container
behandeln [bə'handəln] v 1. treat, deal with, handle; 2. MED treat
Behandlung [bə'handluŋ] f 1. treatment, handling; 2. MED treatment
beharren [bə'harən] v ~ auf insist on
beharrlich [bə'harlıç] adj persistent, insistent, persevering
behaupten [bə'hauptən] v 1. maintain, claim, contend; 2. (Stellung) maintain; 3. sich ~ hold one's own, assert o.s., hold one's ground
Behauptung [bə'hauptuŋ] f claim, assertion, statement
beheizen [bə'haıtsən] v heat
Beheizung [bə'haıtsuŋ] f heating
behelfen [bə'hɛlfən] v irr sich ~ manage, make do

beherrschen [bə'hɛrʃən] v 1. dominate; 2. sich ~ control o.s. 3. (können) master; Er beherrscht die englische Sprache. He has a strong command of English.

Beherrschung [bə'hɛrʃuŋ] f 1. (Selbstbeherrschung) self-control, self-discipline; die ~ verlieren blow up, fly off the handle; 2. POL dominance, control; 3. (fig: Können) mastery, grasp

beherzigen [bə'hɛrtsɪgən] v take to heart, heed

beherzt [bə'hɛrtst] adj plucky, brave

behilflich [bə'hɪlflɪç] adj jdm ~ sein to be of assistance, to be helpful, to be of service; Kann ich Ihnen ~ sein? May I help you?

behindern [bə'hɪndərn] v hinder, hamper, impede

behindert [bə'hɪndərt] adj handicapped

Behinderte(r) [bə'hɪndərtə(r)] m/f handicapped person, disabled person

Behinderung [bə'hɪndəruŋ] f 1. hindrance, impediment, obstruction; 2. MED disability, handicap

Behörde [bə'hœːrdə] f authority, office, bureau

behüten [bə'hyːtən] v guard, protect, preserve

behutsam [bə'huːtzaːm] adj careful, cautious, wary

bei [baɪ] prep 1. (örtlich) near, at, by; Ich habe es nicht ~ mir. I don't have it with me. ~ uns zu Hause at our house; 2. (zeitlich) at, upon; ~ Nacht by night; 3. (während) while; 4. ~ (einer Tätigkeit) sein to be doing sth; ~m Auswählen der Artikel on selecting the articles; 5. Bei mir war es genauso. It was the same for me. 6. ~ aller Vorsicht taking all precautions

beibehalten ['baɪbəhaltən] v irr keep, maintain

Beibehaltung ['baɪbəhaltuŋ] f maintenance, retention, keeping

beibringen ['baɪbrɪŋən] v irr 1. (beschaffen) bring forward, present, produce; 2. (lehren) teach

Beichte ['baɪçtə] f REL confession

beichten ['baɪçtən] v REL confess, go to confession

Beichtstuhl ['baɪçtʃtuːl] m REL confessional

beide ['baɪdə] pron 1. both, the two; wir ~ the two of us; alle ~ both; adj 2. both, the two

beiderseitig ['baɪdərzaɪtɪç] adj on both sides; in ~em Einvernehmen by mutual agreement; ein ~es Abkommen a bilateral treaty

beiderseits ['baɪdər'zaɪts] adv 1. on both sides; prep 2. on both sides of

beidhändig ['baɪthɛndɪç] adj 1. two-handed; 2. (mit beiden Händen gleich geschickt) ambidextrous

beidseitig ['baɪtzaɪtɪç] adj on both sides

Beifahrer(in) ['baɪfaːrər(ɪn)] m/f passenger, (bei einem Lastwagen) co-driver

Beifall ['baɪfal] m 1. (Applaus) applause, cheers pl; 2. (Billigung) approval, acclaim

beifügen ['baɪfyːgən] v 1. add; 2. (mitschicken) enclose

beige [beːʃ] adj beige, fawn

beigeben ['baɪgeːbən] v irr 1. (hinzufügen) add; 2. klein ~ (fig: nachgeben) give in, back down

Beihilfe ['baɪhɪlfə] f 1. allowance, grant, subsidy; 2. JUR aiding and abetting, acting as an accessory

Beil [baɪl] n hatchet

Beilage ['baɪlaːgə] f 1. GAST side dish; 2. (Zeitungsbeilage) supplement

beiläufig ['baɪloyfɪç] adj 1. casual, passing; adv 2. casually, in passing

beilegen ['baɪleːgən] v 1. (hinzufügen) insert, enclose; 2. (fig: schlichten) settle, resolve

Beileid ['baɪlaɪt] n sympathy; jdm sein ~ aussprechen express one's condolences to s.o.

beiliegend ['baɪliːgənt] adj enclosed

beim [baɪm] prep („bei dem") (siehe „bei")

beimessen ['baɪmɛsən] v irr attribute, put down to

Bein [baɪn] n leg; auf den ~en sein to be on one's feet; jdm auf die ~e helfen (fig) help s.o. out; mit einem ~ im Grabe stehen (fig) have one foot in the grave; mit den ~en fest im Leben stehen have both feet on the ground; auf eigenen ~en stehen stand on one's own feet; sich auf die ~e machen get moving; jdm ~e machen get s.o. moving; sich die ~e vertreten stretch one's legs; die ~e unter den Arm nehmen take to one's heels; sich die ~e in den Leib stehen cool one's heels; sich kein ~ ausreißen not strain o.s.

beinahe [baɪ'naːə] adv almost, nearly

beinhalten [bə'ɪnhaltən] v 1. contain, hold; 2. (Brief) say

beipflichten ['baɪpflɪçtən] v agree

Beirat ['baɪrat] m advisory council

beirren [bə'ɪrən] v mislead

beisammen [baɪ'zamən] adv together

Beischlaf ['baɪʃlaːf] m sexual intercourse, coitus

beiseite [baɪ'zaɪtə] *adv* aside; *Spaß ~* joking aside; *~ schaffen* get rid of

Beisetzung ['baɪzɛtsʊŋ] *f* funeral, burial

Beisitz ['baɪzɪts] *m* membership of a jury, seat on a commission, seat in a court

Beisitzer ['baɪzɪtsər] *m* assessor

Beispiel ['baɪʃpiːl] *n* example, instance; *zum ~* for example; *sich ein ~ an jdm nehmen* take example of s.o. *ohne ~ sein* to be unheard-of; *mit gutem ~ vorangehen* set an example

beispielhaft ['baɪʃpiːlhaft] *adj* exemplary, model

beispiellos ['baɪʃpiːlloːs] *adj* unparalleled, unprecedented, unheard-of

beispielsweise ['baɪʃpiːlzvaɪsə] *adv* for example, for instance, by way of example

beißen ['baɪsən] *v irr* 1. *(jucken)* itch; 2. *(Schmerzen)* sting; 3. bite

beißend ['baɪsənt] *adj* 1. *(Geruch)* biting, pungent, sharp; 2. *(fig: Spott)* caustic, sarcastic

Beistand ['baɪʃtant] *m* assistance, help, aid

beistehen ['baɪʃteːən] *v irr* help, aid, assist

Beitrag ['baɪtraːk] *m* 1. contribution; 2. *(Zeitungsartikel)* article; 3. *(Versicherungsbeitrag)* premium

beitragen ['baɪtraːgən] *v irr* contribute, supply, add to

beitreten ['baɪtreːtən] *v irr* join, become a member of

Beitritt ['baɪtrɪt] *m* joining, entry

bejahen [bə'jaːən] *v* 1. *(Frage)* say yes to, affirm; 2. *(billigen)* approve of, accept

bejubeln [bə'juːbəln] *v* cheer

bekämpfen [bə'kɛmpfən] *v* fight against, combat, wage war against

Bekämpfung [bə'kɛmpfʊŋ] *f* struggle against, combat

bekannt [bə'kant] *adj* familiar, known; *~ geben* make public, announce; *~ machen* make known, report

Bekannte(r) [bə'kantə(r)] *m/f* acquaintance, friend

Bekanntgabe [bə'kantgaːbə] *f* announcement, notification, publication

Bekanntheit [bə'kanthaɪt] *f* fame

bekanntlich [bə'kantlɪç] *adv* 1. as is well-known, as you know; 2. *(negativ)* notoriously

Bekanntmachung [bə'kantmaxʊŋ] *f* announcement

Bekanntschaft [bə'kantʃaft] *f* acquaintance; *jds ~ machen* make s.o.'s acquaintance

bekehren [bə'keːrən] *v* 1. *(fig: überzeugen)* convince, bring round; 2. *REL* convert

Bekehrung [bə'keːrʊŋ] *f REL* conversion

bekennen [bə'kɛnən] *v irr* 1. *(zugeben)* admit, confess; 2. *REL* profess

Bekenntnis [bə'kɛntnɪs] *n* 1. *(Zugeben)* confession, admission, avowal; 2. *(Konfession) REL* denomination

beklagen [bə'klaːgən] *v* 1. *(etw ~)* lament, deplore, bemoan; *jds Tod ~* mourn s.o.'s death; 2. *sich ~* complain

beklatschen [bə'klatʃən] *v* applaud

bekleiden [bə'klaɪdən] *v* 1. clothe, dress; 2. *(Amt)* hold (an office)

Bekleidung [bə'klaɪdʊŋ] *f* 1. clothing, clothes *pl*; 2. *(eines Amtes)* tenure

Beklemmung [bə'klɛmʊŋ] *f* apprehension, trepidation, feeling of oppression

beklommen [be'kləmən] *adj* anxious

bekommen [bə'kɔmən] *v irr* 1. *(erhalten)* receive, get; *Fieber ~* develop a fever; 2. *(finden)* get, find; 3. *(erlangen)* obtain; 4. *(einen Preis ~)* to be awarded

bekömmlich [bə'kœmlɪç] *adj* 1. digestible, healthy; 2. *(wohltuend)* beneficial

bekräftigen [bə'krɛftɪgən] *v* confirm, corroborate

Bekräftigung [bə'krɛftɪgʊŋ] *f* strengthening, confirmation

bekreuzigen [bə'krɔytsɪgən] *v sich ~ REL* make the sign of the cross

bekriegen [bə'kriːgən] *v POL* to be at war with

bekümmern [bə'kymərn] *v* worry, alarm, trouble

bekunden [bə'kundən] *v* demonstrate, manifest, reveal

belächeln [bə'lɛçəln] *v* smile at

beladen [bə'laːdən] *v irr* 1. load; 2. *(fig)* burden, weigh down

Belag [bə'laːk] *m* 1. *(Schicht)* layer, coating, film; 2. *(Brotbelag)* filling

belagern [bə'laːgərn] *v* besiege

Belagerung [bə'laːgərʊŋ] *f MIL* siege, besieging

belanglos [bə'laŋloːs] *adj* irrelevant, insignificant, unimportant

Belanglosigkeit [bə'laŋloːzɪçkaɪt] *f* insignificance, irrelevance

belassen [bə'lasən] *v irr* leave; *es dabei ~* leave it at that

belastbar [bə'lastbaːr] *adj* *(Mensch)* capable of taking stress, able to take pressure

Belastbarkeit [bə'lastbaːrkaɪt] *f* *(eines Menschen)* capacity to take stress, stress tolerance

belasten [bə'lastən] *v 1.* load, burden, encumber; *2. (bedrücken)* worry, weigh on; *3. (beanspruchen)* burden, strain; *4. (Konto) FIN* debit, charge to; *5. JUR* charge, incriminate; *6. (Haus) FIN* mortgage, encumber

belästigen [bə'lɛstɪgən] *v 1.* harass, bother, pester; *2. (körperlich)* molest

Belästigung [bə'lɛstɪguŋ] *f* harassment, annoyance, bothering

Belastung [bə'lastuŋ] *f 1.* burden, load, weight; *2. (Steuer) FIN* burden; *3. (Konto) FIN* debit; *4. JUR* incrimination, charge; *5. (Hypothek)* mortgage

belauern [bə'lauərn] *v* lie in wait for, spy on

belaufen [bə'laufən] *v irr sich ~ auf ECO* amount to, come to, add up to; *sich auf hundert Dollar ~* amount to one hundred dollars

belauschen [bə'laufən] *v* listen in on, eavesdrop on

beleben [bə'le:bən] *v* stimulate

Beleg [bə'le:k] *m 1.* voucher, receipt; *2. (Beweis) JUR* proof, evidence

belegen [bə'le:gən] *v 1. (Platz)* occupy; *2. (Kurs)* enrol for, register for, sign up for; *3. (Brot) mit etw ~* put sth on; *4. (beweisen) FIN* account for; *5. (beweisen) JUR* prove

Belegschaft [bə'le:kʃaft] *f* staff, personnel, work force

belehren [bə'le:rən] *v* instruct, advise, inform

Belehrung [bə'le:ruŋ] *f* instruction, explanation

beleidigen [bə'laɪdɪgən] *v* insult, offend

Beleidigung [bə'laɪdɪguŋ] *f* insult

beleuchten [bə'lɔyçtən] *v 1.* illuminate, light up; *2. (fig)* shed light on, illuminate

Beleuchtung [bə'lɔyçtuŋ] *f* illumination

belichten [bə'lɪçtən] *v FOTO* expose

beliebig [bə'li:bɪç] *adj 1.* any; *jeder ~e* anybody, anyone; *adv 2. ~ viel* as much as you want; *~ oft* as often as you like

beliebt [bə'li:pt] *adj* popular

Beliebtheit [bə'li:pthaɪt] *f* popularity

beliefern [bə'li:fərn] *v* supply, furnish, provide

bellen ['bɛlən] *v* bark

Belletristik [bɛle'trɪstɪk] *f LIT* fiction and poetry

belohnen [bə'lo:nən] *v* reward

Belohnung [bə'lo:nuŋ] *f* reward

belüften [bə'lyftən] *v* aerate

Belüftung [bə'lyftuŋ] *f* ventilation, airing

belügen [bə'ly:gən] *v irr* lie to, deceive

belustigen [bə'lustɪgən] *v* delight, amuse, entertain

Belustigung [bə'lustɪguŋ] *f* amusement, entertainment

bemalen [bə'ma:lən] *v* paint

bemängeln [bə'mɛŋəln] *v* find fault with

bemerkbar [bə'mɛrkba:r] *adj* noticeable; *sich ~ machen* make o.s. noticed

bemerken [bə'mɛrkən] *v 1. (äußern)* remark, observe, note; *2. (wahrnehmen)* notice, note, observe

Bemerkung [bə'mɛrkuŋ] *f 1. (Äußerung)* remark, observation, comment; *2. (Anmerkung)* note, comment

bemessen [bə'mɛsən] *v irr 1.* proportion, allocate; *2. (einteilen)* calculate

bemitleiden [bə'mɪtlaɪdən] *v* pity, commiserate with; *jdn ~* have compassion for s.o., feel sorry for s.o.

bemühen [bə'my:ən] *v sich ~* take pains, try hard

Bemühung [bə'my:uŋ] *f* endeavour, effort

benachrichtigen [bə'na:xrɪçtɪgən] *v* inform, notify, advise

Benachrichtigung [bə'na:xrɪçtɪguŋ] *f* notification, notice

benachteiligen [bə'na:xtaɪlɪgən] *v* handicap, put at a disadvantage, discriminate against

Benachteiligung [bə'na:xtaɪlɪguŋ] *f* disadvantage

benehmen [bə'ne:mən] *v irr sich ~* behave, conduct o.s. *Benimm dich!* Behave yourself!

Benehmen [bə'ne:mən] *n* behaviour, demeanour, manners *pl*

beneiden [bə'naɪdən] *v* envy; *jdn um etw ~* envy s.o. for sth

beneidenswert [bə'naɪdənsve:rt] *adj* enviable

Beneluxstaaten ['beneluksʃta:tən] *pl* GEO Benelux countries *pl*

benennen [bə'nɛnən] *v irr 1. (einen Namen geben)* name; *2. (für ein Amt)* nominate

Benennung [bə'nɛnuŋ] *f 1. (Bezeichnung)* name; *2. (für ein Amt)* nomination

Bengel ['bɛŋəl] *m* rascal

benommen [bə'nɔmən] *adj* dazed, dizzy

benoten [bə'no:tən] *v* mark, grade *(US)*

benötigen [bə'nø:tɪgən] *v* need, require

Benotung [bə'no:tuŋ] *f* marks *pl,* grading

benutzen [bə'nutsən] *v* use, make use of

Benutzer(in) [bə'nutsər(ɪn)] *m/f* user

Benutzung [bə'nutsuŋ] *f* use

Benzin [bɛn'tsiːn] *n* petrol, gasoline *(US)*, gas *(fam) (US)*

Benzol [bɛn'tsoːl] *n* CHEM benzene

beobachten [bə'oːbaxtən] *v* observe, watch, keep an eye on

Beobachter(in) [bə'oːbaxtər(ɪn)] *m/f* observer

Beobachtung [bə'oːbaxtuŋ] *f 1. (Feststellung)* observation; *2.* MED observation

bepflanzen [bə'pflantsən] *v* plant

Bepflanzung [bə'pflantsuŋ] *f 1. (Bepflanzen)* planting; *2. (Grünanlage)* plantation

bequem [bə'kveːm] *adj 1. (behaglich)* comfortable, convenient (time); *2. (träge)* lazy, indolent

Bequemlichkeit [bə'kveːmlɪçkaɪt] *f 1. (Behaglichkeit)* comfort, ease; *2. (Trägheit)* laziness, indolence

beraten [bə'raːtən] *v irr 1. (Rat erteilen)* advise, give advice, counsel; *2. (besprechen)* discuss; *3. sich ~* confer, deliberate

Berater(in) [bə'raːtər(ɪn)] *m/f* adviser, consultant, counsellor

beratschlagen [bə'raːtʃlaːgən] *v irr* confer

Beratung [bə'raːtuŋ] *f 1.* consultation; *2. (Rat)* counsel, advice

berauschen [bə'rauʃən] *v 1.* intoxicate; *2. sich ~* get drunk; *3. sich ~ an (fig)* fall in love with

berechenbar [bə'reçənbaːr] *adj 1. (abschätzbar)* calculable, computable; *2.* MATH calculable

berechnen [bə'reçnən] *v 1.* calculate, work out, compute; *2. jdm etw ~* charge s.o. for sth

Berechnung [bə'reçnuŋ] *f* calculation, computation; *meiner ~ nach* according to my calculations

berechtigen [bə'reçtɪgən] *v* entitle to, give a right to, authorize

berechtigt [bə'reçtɪçt] *adj 1. (befugt)* authorized, entitled; *~ zu* entitled to; *2. (begründet)* justified

Berechtigte(r) [bə'reçtɪçtə(r)] *m/f* party entitled

Berechtigung [bə'reçtɪguŋ] *f 1. (Begründetsein)* justification; *2. (Befugnis)* authorization, entitlement

Bereich [bə'raɪç] *m 1. (Gebiet)* area; *2. (Fachbereich)* field, sphere, area; *im ~ des Möglichen* within the bounds of possibility

Bereicherung [bə'raɪçəruŋ] *f* enrichment

bereinigen [bə'raɪnɪgən] *v* settle, resolve, clear up

bereit [bə'raɪt] *adj 1.* prepared, ready; *2. (gewillt)* willing

bereiten [bə'raɪtən] *v 1. (zubereiten)* prepare, make; *2. (zufügen)* give, cause

bereitliegen [bə'raɪtliːgən] *v irr* to be ready

bereits [bə'raɪts] *adv* already

Bereitschaft [bə'raɪtʃaft] *f 1.* readiness; *2. ~ haben* to be on call; *3. (Einheit)* squad

bereitstellen [bə'raɪtʃtɛlən] *v* make available, provide

bereitwillig [bə'raɪtvɪlɪç] *adj* willing, eager, ready

bereuen [bə'rɔyən] *v 1. (bedauern)* regret, to be sorry for; *2.* REL repent

Berg [bɛrk] *m* mountain, *(kleinerer ~)* hill; *über alle ~e sein* to be miles away; *über den ~ sein (fig)* to be out of the wood; *etw hinter dem ~ halten (fig)* keep quiet about sth

bergab [bɛrk'ap] *adv* downhill

Bergarbeiter ['bɛrkarbaɪtər] *m* miner

bergauf [bɛrk'auf] *adv* uphill

Bergbau ['bɛrkbau] *m* MIN mining

bergen ['bɛrgən] *v irr 1. (retten)* rescue, save; *ein Schiff ~* salvage a ship; *2. (fig: enthalten)* harbour, hold

bergig ['bɛrgɪç] *adj* mountainous, hilly

Bergsteiger(in) ['bɛrkʃtaɪgər(ɪn)] *m/f* mountaineer, climber

Bergung ['bɛrguŋ] *f 1. (von Menschen)* rescue; *2. (von Schiffen)* salvage

Bergwerk ['bɛrkvɛrk] *n* MIN mine

Bericht [bə'rɪçt] *m* report, account

berichten [bə'rɪçtən] *v* report

Berichterstattung [bə'rɪçtɛrʃtatuŋ] *f 1.* reporting, *(Bericht)* report; *2. (in der Presse)* coverage

berichtigen [bə'rɪçtɪgən] *v* correct, rectify, set right

Berichtigung [bə'rɪçtɪguŋ] *f* correction

Bernstein ['bɛrnʃtaɪn] *m* MIN amber

berücksichtigen [bə'rykzɪçtɪgən] *v* consider, bear in mind, take into account

Berücksichtigung [bə'rykzɪçtɪguŋ] *f* consideration

Beruf [bə'ruːf] *m* profession, occupation, trade; *Was ist er von ~?* What does he do for a living?

Berufsausbildung [bə'ruːfsausbɪlduŋ] *f* vocational training, professional training

Berufserfahrung [bə'ruːfsɛrfaːruŋ] *f* ECO professional experience

berufstätig [bə'ruːfstɛːtɪç] *adj* working, (gainfully) employed

Berufstätigkeit [bəˈruːfstɛːtɪçkaɪt] *f* ECO employment
Berufung [bəˈruːfʊŋ] *f 1. (Lebensaufgabe)* vocation; 2. *(Ernennung)* nomination, appointment; 3. *JUR* appeal; 4. *REL* calling
beruhen [bəˈruːən] *v* ~ auf to be based on, to be founded on, to be due to
beruhigen [bəˈruːɪgən] *v 1. (jdn ~)* calm, soothe, quiet; 2. *sich* ~ calm down, set one's mind at ease, compose o.s.
beruhigend [bəˈruːɪgənt] *adj* reassuring, calming, soothing
Beruhigung [bəˈruːɪgʊŋ] *f* reassurance, consolation, relief
berühmt [bəˈryːmt] *adj* famous, renowned, celebrated
Berühmtheit [bəˈryːmthaɪt] *f 1.* fame; 2. *(Person)* celebrity
berühren [bəˈryːrən] *v 1. (anfassen)* touch, handle; 2. *(fig: emotional ~)* move, affect
Berührung [bəˈryːrʊŋ] *f* touch, contact
besagen [bəˈzaːgən] *v* say, mean, signify
besänftigen [bəˈzɛnftɪgən] *v* calm down, soothe, alleviate
Besatzung [bəˈzatsʊŋ] *f 1. (Mannschaft)* crew; 2. *(~struppen) MIL* occupation troops *pl,* occupation forces *pl,* garrison
beschädigen [bəˈʃɛːdɪgən] *v* damage, harm, injure
Beschädigung [bəˈʃɛːdɪgʊŋ] *f* damage, harm
beschaffen [bəˈʃafən] *v* procure, obtain
Beschaffenheit [bəˈʃafənhaɪt] *f* condition, state, nature
beschäftigen [bəˈʃɛftɪgən] *v 1. (jdn ~)* occupy, engage, employ; 2. *sich mit etw* ~ concern o.s. with sth, occupy o.s. with sth, engage in sth; *damit beschäftigt sein, etw zu tun* to be busy doing sth
Beschäftigung [bəˈʃɛftɪgʊŋ] *f 1.* occupation, employment, pursuit; 2. *(geistige ~)* preoccupation; 3. *(Arbeit)* employment
beschämen [bəˈʃɛːmən] *v jdn* ~ humiliate s.o., make s.o. feel ashamed
Bescheid [bəˈʃaɪt] *m 1. (Auskunft)* information; *Ich weiß* ~. I know about it. *Ich sage Ihnen* ~. I'll let you know. 2. *(Nachricht)* message; 3. *JUR* reply, notification
bescheiden [bəˈʃaɪdən] *adj* modest, unassuming
Bescheidenheit [bəˈʃaɪdənhaɪt] *f* modesty, humility, unpretentiousness
bescheinigen [bəˈʃaɪnɪgən] *v* certify, attest, vouch for

Bescheinigung [bəˈʃaɪnɪgʊŋ] *f 1. (Dokument)* certificate; 2. *(das Bescheinigen)* certification; 3. *MED* attestation; 4. *ECO* voucher
Bescherung [bəˈʃeːrʊŋ] *f 1. (an Weihnachten)* distribution of Christmas presents; 2. *eine schöne* ~ *(fam: neg. Ereignis)* A fine mess!
beschießen [bəˈʃiːsən] *v* shoot at, fire at; *(mit Granaten)* bombard
beschimpfen [bəˈʃɪmpfən] *v jdn* ~ swear at s.o., call s.o. names, abuse s.o. (verbally)
Beschimpfung [bəˈʃɪmpfʊŋ] *f (Beleidigung)* insult
beschlagen [bəˈʃlaːgən] *v irr 1. (Tür)* put fittings on; 2. *(Tier)* shoe; 3. *(sich ~) (Glas)* steam up; *adj irr 4. (Kenntnisse habend)* proficient, knowledgeable; *in einer Sache gut ~ sein* know the ropes
Beschlagnahme [bəˈʃlaːknaːmə] *f* confiscation, seizure
beschlagnahmen [bəˈʃlaːknaːmən] *v* confiscate, seize
beschleunigen [bəˈʃlɔʏnɪgən] *v* accelerate, speed up
Beschleunigung [bəˈʃlɔʏnɪgʊŋ] *f* acceleration
beschließen [bəˈʃliːsən] *v irr 1. (entscheiden)* decide, resolve; 2. *(beenden)* terminate, end, conclude
Beschluss [bəˈʃlʊs] *m* decision, determination, resolution
beschmieren [bəˈʃmiːrən] *v 1.* smear; 2. *(Brot)* spread; 3. *(bekritzeln)* scribble
beschmutzen [bəˈʃmʊtsən] *v 1.* dirty, soil, get dirty; 2. *(fig)* defile, sully
beschränken [bəˈʃrɛŋkən] *v 1. (einschränken)* confine, limit, restrict; 2. *sich* ~ *auf* confine o.s. to, restrict o.s. to, limit o.s. to
beschränkt [bəˈʃrɛŋkt] *adj 1. (eng)* narrow; 2. *(engstirnig)* narrow-minded; 3. *(eingeschränkt)* limited, restricted
Beschränktheit [bəˈʃrɛŋkthaɪt] *f 1.* restrictedness; 2. *(Engstirnigkeit)* narrow-mindedness
Beschränkung [bəˈʃrɛŋkʊŋ] *f* limitation, restriction
beschreiben [bəˈʃraɪbən] *v irr 1. (fig)* describe; 2. *(Papier ~)* write on, inscribe
Beschreibung [bəˈʃraɪbʊŋ] *f* description, portrayal, representation; *der ~ von ... entsprechen* answer to the description of ... *Das spottet jeder ~!* That defies description! That beggars description!
beschriften [bəˈʃrɪftən] *v* write on, inscribe, mark

Beschriftung [bə'ʃrɪftuŋ] f 1. inscription; 2. (Bildunterschrift) caption

beschuldigen [bə'ʃuldɪgən] v accuse of, charge with, blame for

Beschuldigung [bə'ʃuldɪguŋ] f accusation, charge

Beschuss [bə'ʃus] m unter ~ geraten come under attack

beschützen [bə'ʃytsən] v protect, screen, shelter

Beschützer [bə'ʃytsər] m protector

Beschwerde [bə'ʃveːrdə] f 1. complaint, grievance; pl 2. (Schmerzen) complaint, trouble, discomfort; f 3. JUR appeal

beschweren [bə'ʃveːrən] v sich ~ complain; sich ~ über complain about

beschwichtigen [bə'ʃvɪçtɪgən] v appease

beschwören [bə'ʃvøːrən] v irr 1. (anflehen) entreat, implore; 2. JUR swear to, take an oath on

beseitigen [bə'zaɪtɪgən] v 1. (Zweifel) remove; 2. (entfernen) remove, get rid of, dispose of; 3. (fam: töten) knock off, do in, do away with

Beseitigung [bə'zaɪtɪguŋ] f removal, elimination, disposal

Besen ['beːzən] m broom; Wenn das wahr ist, fresse ich einen ~! If that's true, I'll eat my hat!

besessen [bə'zesən] adj obsessed; von bösen Geistern ~ possessed by evil spirits

Besessenheit [bə'zesənhaɪt] f obsession

besetzen [bə'zetsən] v 1. occupy, fill; 2. THEAT cast

besetzt [bə'zetst] adj 1. TEL engaged, busy (US); 2. (Toilette) occupied

Besetzung [bə'zetsuŋ] f 1. MIL occupation; 2. THEAT cast

besichtigen [bə'zɪçtɪgən] v view, look at, examine

Besichtigung [bə'zɪçtɪguŋ] f 1. (eines Museums usw.) visit; 2. (eines Hauses) viewing; 3. (amtlich) inspection

besiedeln [bə'ziːdəln] v settle, colonize

Besiedelung [bə'ziːdəluŋ] f settlement, colonization

besiegen [bə'ziːgən] v beat, defeat

besinnlich [bə'zɪnlɪç] adj thoughtful, reflective, contemplative

Besinnung [bə'zɪnuŋ] f 1. (Bewusstsein) consciousness; 2. (Überlegung) consideration, reflection

besinnungslos [bə'zɪnuŋsloːs] adj 1. unconscious; 2. (fig) thoughtless, inconsiderate

Besitz [bə'zɪts] m 1. possession; in jds ~ gelangen come into s.o.'s possession; 2. (Immobilien) property, estate

besitzen [bə'zɪtsən] v irr possess, own

Besitzer(in) [bə'zɪtsər(ɪn)] m/f owner

Besitztum [bə'zɪtstuːm] n property

besoffen [bə'zɔfən] adj (fam) drunk, plastered, smashed, pissed (UK)

besondere(r,s) [bə'zɔndərə(r,s)] adj 1. special; 2. (bestimmt) particular

Besonderheit [bə'zɔndərhaɪt] f unusual characteristic, distinctiveness, peculiarity

besonders [bə'zɔndərs] adv 1. (sehr) particularly, especially; 2. (vor allem) above all, most of all, chiefly; 3. (ausdrücklich) especially, in particular, expressly

besorgen [bə'zɔrgən] v 1. (beschaffen) provide, supply, obtain; 2. (ausführen) attend to, see to, effect; 3. es jdm ~ (fig) sort s.o. out

Besorgnis [bə'zɔrknɪs] f concern, worry, anxiety; ~ erregend worrying, alarming

Besorgung [bə'zɔrguŋ] f 1. (Kauf) errand, shopping; 2. (Erledigung) attending to, arrangement of, handling of

bespitzeln [bə'ʃpɪtsəln] v jdn ~ spy on s.o.

besprechen [bə'ʃpreçən] v irr 1. discuss, talk over; 2. (rezensieren) review

Besprechung [bə'ʃpreçuŋ] f 1. discussion, meeting; 2. (Rezension) review

bespritzen [bə'ʃprɪtsən] v splash

besprühen [bə'ʃpryːən] v 1. spray; 2. ART spray-paint; 3. CHEM spray

bessere(r,s) ['besər(r,s)] adj better; die ~ Hälfte (fig) one's better half

bessern ['besərn] v sich ~ improve

Besserung ['besəruŋ] f improvement, recovery; Gute ~! Get well soon!

Bestand [bə'ʃtant] m 1. (Fortdauer) continued existence; von ~ sein to be lasting; 2. (Kassenbestand) FIN cash assets pl; 3. (Vorrat) ECO stock, stores pl, supply

beständig [bə'ʃtendɪç] adj 1. (dauerhaft) constant, steady, continuous; 2. (widerstandsfähig) resistant

Beständigkeit [bə'ʃtendɪçkaɪt] f 1. (Dauer) constancy, steadiness, permanence; 2. (Widerstandskraft) resistance

bestärken [bə'ʃterkən] v confirm, reinforce, strengthen

bestätigen [bə'ʃteːtɪgən] v confirm, acknowledge, certify

Bestätigung [bə'ʃteːtɪguŋ] f confirmation, acknowledgement, ratification

bestatten [bə'ʃtatən] v bury

Bestattung [bə'ʃtatuŋ] *f 1. (Beerdigung)* funeral; *2. (Einäscherung)* cremation

beste(r,s) ['bestə(r,s)] *adj* best; *jdn zum Besten halten* pull s.o.'s leg; *etw zum Besten geben* entertain with sth; *Mit ihm steht es nicht zum Besten.* Things don't look too promising for him.

bestechen [bə'ʃteçən] *v 1.* bribe, corrupt; *irr 2. (beeindrucken)* captivate, attract

bestechlich [bə'ʃteçlıç] *adj* bribable, corruptible

Bestechlichkeit [bə'ʃteçlıçkaıt] *f* corruptibility

Bestechung [bə'ʃteçuŋ] *f* bribery, corruption

Besteck [bə'ʃtek] *n* cutlery, silverware (US)

bestehen [bə'ʃte:ən] *v irr 1. (vorhanden sein)* exist, to be in existence; *Es ~ noch Fragen.* There are still questions. *2. ~ aus* consist of, to be composed of; *3. ~ auf* insist upon, insist on; *4. (Prüfung)* pass

bestehlen [bə'ʃte:lən] *v irr* rob, steal from

bestellen [bə'ʃtelən] *v 1. (in Auftrag geben)* order, place an order, commission; *nicht viel zu ~ haben (fig)* not have much to say; *wie bestellt und nicht abgeholt (fig)* like orphan Annie; *2. (ernennen)* POL appoint

Bestellung [bə'ʃteluŋ] *f 1. (Auftrag)* order; *2. (Ernennung)* appointment, nomination

besteuern [bə'ʃtɔyərn] *v* tax, impose a tax

bestialisch [bestj'a:lıʃ] *adj* bestial

Bestie ['bestjə] *f 1.* beast; *2. (fig)* brute

bestimmen [bə'ʃtımən] *v 1. (festlegen)* determine, decide; *2. (definieren)* define; *3. (zuweisen)* appoint, assign, appropriate

bestimmt [bə'ʃtımt] *adj 1. (entschieden)* determined, definite, resolute; *2. ~ für* destined for; *3. (gewiss)* certain; *adv 4. (sicherlich)* certainly, definitely

Bestimmtheit [bə'ʃtımthaıt] *f 1. (Entschiedenheit)* determination, resolve; *2. (Gewissheit)* certainty, definiteness

Bestimmung [bə'ʃtımuŋ] *f 1. (Festlegung)* decision, determination, definition; *2. (Vorschrift)* provision, decree, regulations *pl; 3. (Schicksal)* destiny, decree of fate; *4. (Zweck)* purpose

bestrafen [bə'ʃtra:fən] *v* punish, penalize

Bestrafung [bə'ʃtra:fuŋ] *f* punishment, penalty

Bestrebung [bə'ʃtre:buŋ] *f* endeavour

bestreichen [bə'ʃtraıçən] *v irr (Brot)* spread

bestreiken [bə'ʃtraıkən] *v* strike against

bestreiten [bə'ʃtraıtən] *v irr 1. (streitig machen)* contest, dispute, challenge; *2. (finanzieren)* cover, defray, carry

bestreuen [bə'ʃtrɔyən] *v ~ mit* strew with, cover with

bestürmen [bə'ʃtyrmən] *v* storm, besiege, assail

bestürzt [bə'ʃtyrtst] *adj ~ sein* to be dismayed, to be perplexed, to be taken aback

Bestürzung [bə'ʃtyrtsuŋ] *f* consternation, bewilderment, dismay

Besuch [bə'zu:x] *m 1.* visit; *2. (Gäste)* guests *pl*

besuchen [bə'zu:xən] *v 1. jdn ~* visit s.o., pay a visit to s.o. *2. (besichtigen)* visit; *3. (Schule)* attend

Besucher(in) [bə'zu:xər(ın)] *m/f 1.* guest, visitor; *2. (einer Ausstellung)* visitor, viewer

betasten [bə'tastən] *v* touch, feel

betätigen [bə'te:tıgən] *v 1.* TECH operate, activate, work; *2. sich ~* work, busy o.s. *sich ~ als* act as, work as

Betätigung [bə'te:tıguŋ] *f 1.* operation; *2. (Tätigkeit)* activity

betäuben [bə'tɔybən] *v* MED anaesthetize

Betäubung [bə'tɔybuŋ] *f* MED anaesthesia

beteiligen [bə'taılıgən] *v 1. sich ~* participate, take part, join; *2. jdn an etw ~* give a person a share, make a person a partner, let s.o. take part

Beteiligte(r) [bə'taılıçtə(r)] *m/f 1.* participant; *2. (Betroffene(r))* person involved, person concerned

Beteiligung [bə'taılıguŋ] *f* participation, share, interest

beten ['be:tən] *v* REL pray

beteuern [bə'tɔyərn] *v* swear, assert, affirm solemnly

Beteuerung [bə'tɔyəruŋ] *f* protestation, assurance

Beton [be'tɔŋ] *m* concrete, cement

betonen [bə'to:nən] *v* emphasize, stress

betonieren [betɔ'ni:rən] *v* concrete

Betonung [bə'to:nuŋ] *f* emphasis, stress

Betracht [bə'traxt] *m* consideration; *in ~ ziehen* take into consideration; *nicht in ~ kommen* to be out of the question

betrachten [bə'traxtən] *v 1. (anschauen)* look at, view, watch; *2. (fig: beurteilen)* consider, view, regard

Betrachter(in) [bə'traxtər(ın)] *m/f* observer, onlooker

beträchtlich [bə'treçtlıç] *adj* considerable, substantial

Betrachtung [bə'traxtuŋ] *f 1. (Anschauen)* view, inspection; 2. *(fig: überlegung)* reflection, consideration, contemplation

Betrag [bə'traːk] *m* amount, sum

betragen [bə'traːgən] *v irr 1. (sich belaufen auf)* amount to, add up to, come to; 2. *sich ~* behave

betrauern [bə'trauərn] *v* mourn

Betreff [bə'trɛf] *m* subject, subject matter; *in ~ einer Sache* with regard to sth

betreffen [bə'trɛfən] *v irr (angehen)* affect, concern, regard; *Betrifft das mich?* Does that apply to me? *was dich betrifft ...* as for you ..., as far as you are concerned ...

betreffend [bə'trɛfənt] *prep 1.* regarding, concerning; *adj 2. (einschlägig)* relevant; *3. (erwähnt)* in question

betreiben [bə'traibən] *v irr 1. (leiten)* operate, manage, run; 2. *(ausüben)* do, pursue

betreten [bə'treːtən] *v 1. (hineingehen)* enter, go into; 2. *(unbefugt ~)* trespass; *adj 3. ~ sein (fig)* to be embarrassed

betreuen [bə'trɔyən] *v 1.* look after, attend to; 2. *(Sachgebiet)* to be in charge of; 3. *(Kunden)* serve

Betreuer(in) [bə'trɔyər(ɪn)] *m/f 1.* attendant; 2. *SPORT* coach

Betreuung [bə'trɔyuŋ] *f 1.* looking after; 2. *(der Kunden)* service

Betrieb [bə'triːp] *m 1. (Treiben)* bustle, activity; 2. *(Firma)* ECO business, enterprise, firm; 3. *(Werk)* ECO factory, works; 4. *(Tätigkeit)* operation; *außer ~* out of order; *etw in ~ nehmen* start using sth, put sth into operation

betriebsam [bə'triːpzaːm] *adj* busy, diligent, industrious

Betriebsanleitung [bə'triːpsanlaituŋ] *f* TECH operating instructions *pl*

Betriebskosten [bə'triːpskɔstən] *pl* ECO operating costs *pl*, working expenses *pl*

Betriebssystem [bə'triːpszysteːm] *n* INFORM operating system

Betriebswirt [bə'triːpsvɪrt] *m* business economist, management expert

Betriebswirtschaft [bə'triːpsvɪrtʃaft] *f* ECO business economics

betrinken [bə'trɪŋkən] *v irr sich ~* get drunk

betroffen [bə'trɔfən] *adj 1. (berührt)* affected, concerned; 2. *(heimgesucht)* afflicted, stricken; 3. *(bestürzt)* perplexed

Betroffenheit [bə'trɔfənhait] *f* shock

betrübt [bə'tryːpt] *adj* sad, distressed, grieved

Betrug [bə'truːk] *m* fraud, deceit, deception

betrügen [bə'tryːgən] *v irr* cheat, deceive, defraud

Betrüger(in) [bə'tryːgər(ɪn)] *m/f* cheat, swindler, fraud

betrügerisch [bə'tryːgərɪʃ] *adj 1. (Person)* deceitful, cheating; 2. *(Dinge)* fraudulent

betrunken [bə'truŋkən] *adj* drunk, intoxicated

Bett [bɛt] *n 1.* bed; *ins ~ gehen* go to bed; 2. *(Flussbett)* bed

Bettdecke ['bɛtdɛkə] *f* bed-cover, bedspread, blanket

betteln ['bɛtəln] *v* beg

Bettler(in) ['bɛtlər(ɪn)] *m/f* beggar

Bettwäsche ['bɛtvɛʃə] *f* bedclothes *pl*, bed-linen

betucht [bə'tuːxt] *adj* wealthy, well-off

beugen ['bɔygən] *v 1. (biegen)* bend, flex; 2. *(fig: brechen)* bow, bend; *vom Alter gebeugt* bowed by age; 3. *sich ~* bend over, stoop; 4. *(fig: sich fügen)* bow, submit, yield

Beule ['bɔylə] *f 1. (Delle)* dent; 2. *MED* lump, bump, swelling

beunruhigen [bə'unruːɪgən] *v 1. (jdn ~)* disconcert, disturb, trouble; 2. *sich ~ wegen* worry about

beunruhigend [bə'unruːɪgənt] *adj* unsettling, disturbing, alarming

beurkunden [bə'uːrkundən] *v 1. (bezeugen)* JUR prove (by documentary evidence); 2. *JUR* record (in an official document), document

Beurkundung [bə'uːrkunduŋ] *f 1. (Bezeugung)* JUR documentary evidence; 2. *JUR* recording, certification, documentation

beurlauben [bə'uːrlaubən] *v 1.* grant leave, give leave; 2. *(suspendieren)* suspend

Beurlaubung [bə'uːrlaubuŋ] *f* ECO granting of leave

beurteilen [bə'urtailən] *v 1.* judge; 2. *(abschätzen)* estimate

Beurteilung [bə'urtailuŋ] *f* assessment, judgement, judgment *(US)*, opinion

Beute ['bɔytə] *f 1.* booty, loot, spoils *pl*; 2. *(Opfer)* prey

Beutel ['bɔytəl] *m* bag, sack

bevölkern [bə'fœlkərn] *v 1.* populate; 2. *(fig)* crowd; 3. *sich ~* become inhabited; 4. *sich ~ (fig)* fill up

Bevölkerung [bə'fœlkəruŋ] *f* population

bevollmächtigen [bə'fɔlmɛçtɪgən] *v* JUR authorize, empower, give power of attorney

Bevollmächtigte(r) [bə'fɔlmɛçtıçtə(r)] *m/f* JUR person holding power of attorney, proxy (for votes), representative

Bevollmächtigung [bə'fɔlmɛçtıguŋ] *f* JUR power of attorney, authorization

bevor [bə'fo:r] *konj* before

bevormunden [bə'fo:rmundən] *v* jdn ~ make s.o.'s decisions for him/her

Bevormundung [bə'fo:rmunduŋ] *f* making decisions for others

bevorstehen [bə'fo:rʃte:ən] *v irr* to be imminent, impend, await

bevorzugen [bə'fo:rtsu:gən] *v* prefer, favour, give priority to

bewachen [bə'vaxən] *v* guard, watch over

Bewachung [bə'vaxuŋ] *f* guard; *unter ~* under guard

bewaffnen [bə'vafnən] *v* arm; *sich mit etw ~* arm o.s. with sth

bewahren [bə'va:rən] *v* 1. *(aufheben)* keep, preserve; 2. *(fig: beibehalten)* keep

bewähren [bə've:rən] *v sich ~* stand the test, prove worthwhile, prove o.s.

Bewährung [bə've:ruŋ] *f* JUR probation

bewältigen [bə'vɛltıgən] *v* 1. *(Problem)* cope with, overcome; 2. *(Aufgabe)* accomplish, master

Bewältigung [bə'vɛltıguŋ] *f* 1. *(Problem)* solving, overcoming, mastering; 2. *(Aufgabe)* accomplishment

bewässern [bə'vɛsərn] *v* 1. water; 2. *(Landwirtschaft)* irrigate

Bewässerung [bə'vɛsəruŋ] *f* irrigation

bewegen [bə've:gən] *v* 1. move; 2. *sich ~* move; 3. *(fig: rühren)* move, affect; 4. *sich ~* SPORT exercise

beweglich [bə've:klıç] *adj* 1. movable, mobile; 2. *(elastisch)* flexible; 3. *(flink)* agile, nimble; 4. *(fig: flexibel)* versatile, resourceful

Beweglichkeit [bə've:klıçkaıt] *f* mobility, flexibility

Bewegung [bə've:guŋ] *f* 1. movement, motion; *körperliche ~* exercise; *Keine ~!* Don't move! 2. *(Gebärde)* gesture

bewegungslos [bə've:guŋslo:s] *adj* motionless, immobile

Beweis [bə'vaıs] *m* proof, evidence

beweisen [bə'vaızən] *v irr* 1. prove, substantiate; 2. *(fig: zeigen)* demonstrate, show *dabei ~ lassen.* We'll leave it at that.

bewerben [bə'vɛrbən] *v irr sich ~ um* apply for

Bewerber(in) [bə'vɛrbər(ın)] *m/f* applicant, candidate

Bewerbung [bə'vɛrbuŋ] *f* application

bewerkstelligen [bə'vɛrkʃtɛlıgən] *v* 1. *(erreichen)* bring off, manage to do; 2. *(durchführen)* carry out

bewerten [bə'vɛrtən] *v* assess, evaluate, appraise

Bewertung [bə'vɛrtuŋ] *f* 1. evaluation, assessment; 2. *(Feststellung des Werts)* valuation, appraisal

bewilligen [bə'vılıgən] *v* permit, grant, agree to

Bewilligung [bə'vılıguŋ] *f* allowance, granting, permission, grant

bewirken [bə'vırkən] *v* effect, cause, bring about

bewirten [bə'vırtən] *v* entertain to a meal, feed

bewirtschaften [bə'vırtʃaftən] *v* 1. *(verwalten)* manage, run, conduct; 2. *(bestellen)* AGR cultivate, till

Bewirtschaftung [bə'vırtʃaftuŋ] *f* 1. *(Verwaltung)* management, running; 2. *(landwirtschaftliche ~)* AGR cultivation; 3. *(staatliche)* rationing, control

bewohnen [bə'vo:nən] *v* inhabit, live in, reside in

Bewohner(in) [bə'vo:nər(ın)] *m/f* inhabitant, occupant, resident

Bewölkung [bə'vœlkuŋ] *f* cloudy sky, overcast sky, cloudiness

bewundern [bə'vundərn] *v* admire

Bewunderung [bə'vundəruŋ] *f* admiration

bewusst [bə'vust] *adj* 1. conscious, aware; *jdm etw ~ machen* make s.o. aware of sth; 2. *(absichtlich)* intentional, deliberate

bewusstlos [bə'vustlo:s] *adj* unconscious

Bewusstlosigkeit [bə'vustlo:zıçkaıt] *f* unconsciousness; *bis zur ~ (fig)* ad nauseam

Bewusstsein [bə'vustzaın] *n* consciousness, awareness

bezahlen [bə'tsa:lən] *v* pay, pay for

Bezahlung [bə'tsa:luŋ] *f* 1. payment; 2. *(Lohn)* pay

bezaubern [bə'tsaubərn] *v* enchant, charm, fascinate

bezaubernd [bə'tsaubərnt] *adj* enchanting, charming, enthralling

bezeichnen [bə'tsaıçnən] *v* 1. *(benennen)* designate, label, call; 2. *(angeben)* indicate; 3. *(kennzeichnen)* mark

Bezeichnung [bə'tsaıçnuŋ] *f* 1. *(Name)* term, expression; 2. *(Benennung)* designation; 3. *(Zeichen)* marking

bezeugen [bə'tsɔygən] *v JUR* testify to, bear witness to

bezichtigen [bə'tsɪçtɪgən] *v* accuse of

beziehen [bə'tsi:ən] *v irr* 1. (*überziehen*) cover; *mit Saiten ~* string; 2. (*einziehen*) move into, occupy, take up residence in; 3. (*Gehalt*) receive, draw; 4. (*abonnieren*) subscribe to, get, take; 5. *sich ~ auf* refer to, relate to

Beziehung [bə'tsi:uŋ] *f* relationship, connection, relation; *gute ~en haben* to be well-connected

beziehungsweise [bə'tsi:uŋsvaizə] *konj* 1. (*im anderen Fall*) or, respectively; *bekannt als X ~ Z* known as X and Z respectively; 2. (*genauer gesagt*) or rather; *Sie konnte es nicht tun, ~ wollte es nicht tun.* She couldn't do it, or rather didn't want to do it.

Bezirk [bə'tsɪrk] *m* district, region, area

Bezug [bə'tsu:k] *m* 1. (*Kissenbezug*) pillow-case, pillow-slip; 2. (*Überzug*) cover, covering; 3. (*Kauf*) procurement, purchase, supply

bezüglich [bə'tsy:klɪç] *prep* with reference to, regarding, concerning; *Bezüglich Ihres Schreibens ...* Regarding your letter ...

bezuschussen [bə'tsu:ʃusən] *v* subsidize

bezwecken [bə'tsvɛkən] *v* intend, aim at

bezweifeln [bə'tsvaifəln] *v* doubt, question

bezwingen [bə'tsvɪŋən] *v irr* overcome, subdue, master

Bezwinger(in) [bə'tsvɪŋər(ɪn)] *m/f* conqueror, winner

bibbern ['bɪbərn] *v* shiver, shake, tremble

Bibel ['bi:bəl] *f REL* Bible

Biber ['bi:bər] *m ZOOL* beaver

Bibliografie [bibliogra'fi:] *f* bibliography

Bibliothek [biblio'te:k] *f* library

Bibliothekar(in) [bibliote'ka:r(ɪn)] *m/f* librarian

biblisch ['bi:blɪʃ] *adj REL* biblical

biegen ['bi:gən] *v irr* 1. bend; *auf Biegen und Brechen* come hell or high water; *gerade ~* straighten out; 2. (*Mensch, Wagen*) turn; *Er bog um die Ecke.* He turned the corner.

biegsam ['bi:kza:m] *adj* flexible, malleable, pliable

Biegung ['bi:guŋ] *f* bend, curve

Biene ['bi:nə] *f* 1. *ZOOL* bee; 2. (*fam: Mädchen*) bird (*UK*), chick (*US*)

Bier [bi:r] *n* beer; *Das ist nicht mein ~! (fam)* That's not my thing! That's not my pigeon!

Bierbrauer ['bi:rbrauər] *m* brewer

Biest [bi:st] *n* 1. (*Tier*) beast; 2. (*Person*) beast, brute

bieten ['bi:tən] *v irr* 1. offer; *eine Gelegenheit bot sich* an opportunity presented itself; 2. (*dar~*) present

bigott [bi'gɔt] *adj* bigoted

Bilanz [bi'lants] *f* 1. *FIN* balance-sheet, financial statement, balance; 2. (*fig*) result, outcome; *die ~ ziehen aus* take stock of

bilanzieren [bilan'tsi:rən] *v* balance (accounts)

Bild [bɪlt] *n* 1. picture; 2. (*fig: Ansicht*) sight; *ein ~ für die Götter* What a sight! *sich ein ~ von jdm machen* have an impression of s.o. *im ~e über etw sein* to be in the picture

bilden ['bɪldən] *v* 1. form; 2. *sich ~ (lernen)* educate o.s. 3. *sich ~ (entstehen)* form, arise

Bilderbuch ['bɪldərbu:x] *n* picture-book; *wie aus dem ~* perfect

Bildfläche ['bɪltflɛçə] *f* 1. screen; 2. (*fig*) *auf der ~ erscheinen* come on the scene; *von der ~ verschwinden* drop out of sight

Bildhauer ['bɪlthauər] *m* sculptor

bildlich ['bɪltlɪç] *adj* figurative, metaphoric

Bildnis ['bɪldnɪs] *n* portrait

Bildschirm ['bɪltʃɪrm] *m* screen

Bildschirmtext ['bɪltʃɪrmtɛkst] *m INFORM* viewdata

Bildung ['bɪlduŋ] *f* 1. (*Gestaltung*) formation, forming, shaping; 2. (*Schulbildung*) education

Bildungswesen ['bɪlduŋsve:zən] *n* education

Billard ['bɪljart] *n* billiards

Billiarde [bɪl'jardə] *f* a thousand billions (*UK*), quadrillion (*US*)

billig ['bɪlɪç] *adj* 1. (*preiswert*) cheap, inexpensive; 2. (*angemessen*) just, right, fair

billigen ['bɪlɪgən] *v* approve, consent to, agree to

Billigung ['bɪlɪguŋ] *f* approval, consent, approbation

Billion [bɪl'jo:n] *f* billion (*UK*), trillion (*US*)

binär [bi'nɛ:r] *adj INFORM* binary

Binde ['bɪndə] *f* 1. (*Damenbinde*) sanitary towel, sanitary napkin (*US*); 2. *MED* bandage; 3. *sich einen hinter die ~ gießen (fam)* knock one back

binden ['bɪndən] *v irr* bind, tie

Bindestrich ['bɪndəʃtrɪç] *m* hyphen

Bindewort ['bɪndəwɔrt] *n GRAMM* conjunction

Bindung ['bɪnduŋ] *f* 1. (*Verpflichtung*) engagement, obligation, commitment; 2. (*Skibindung*) binding; 3. (*Verbundenheit*) bond

binnen ['bınən] *prep* within; ~ *kurzem* before long

Binnenmarkt ['bınənmarkt] *m ECO* common market

Biochemie [bioçe'mi:] *f* biochemistry

biochemisch [bio'çe:ıʃ] *adj* biochemical

Biografie [biogra'fi:] *f* biography

biografisch [bio'gra:fıʃ] *adj LIT* biographical, biographic

Biologe [bio'lo:gə] *m* biologist

Biologie [biolo'gi:] *f* biology

biologisch [bio'lo:gıʃ] *adj* biological

Biomüll ['bi:omyl] *m* biological waste

Biotechnologie [bi:oteçnolo'gi:] *f* biotechnology

Biotop [bio'to:p] *n* biotope

Birke ['bırkə] *f BOT* birch

Birnbaum ['bırnbaum] *m BOT* pear tree

Birne ['bırnə] *f* 1. *(Obst)* pear; 2. *(Glühbirne)* light bulb

bis [bıs] *prep* 1. *(zeitlich)* until; *Bis später!* See you later! *Montag ~ Freitag geöffnet* open Monday through Friday; 2. *(nicht später als)* by; 3. *(örtlich)* to, up to, as far as; *Bis dorthin sind es zwei Kilometer.* It's two kilometres away. 4. ~ *auf* except; ~ *auf (einschließlich)* down to; *Das Stadion war ~ auf den letzten Platz ausverkauft.* The stadium was sold out down to the last seat. 5. *(ungefähr)* to, or; *drei ~ vier Tage* three or four days; *adv* 6. ~ *zu (nicht mehr als)* up to; *konj* 7. till, until, before

Bischof ['bıʃof] *m REL* bishop

bischöflich ['bıʃøflıç] *adj REL* episcopal

bisher [bıs'he:r] *adv* so far, as yet, up to now

bisherig [bıs'he:rıç] *adj* up to now, previous, hitherto existing

Biskuit [bıs'kvıt] *m GAST* sponge-cake

Bison ['bi:zɔn] *m ZOOL* bison

Biss [bıs] *m* bite

bisschen ['bısçən] *adv* 1. *ein ~* a little, a bit, slightly; *adj* 2. a little; *adv* 3. *Ach du liebes ~!* Oh dear!

Bissen ['bısən] *m* bite; *jdm keinen ~ gönnen* begrudge s.o. the very air he breathes; *keinen ~ anrühren* not touch a thing

bissig ['bısıç] *adj* 1. vicious; *ein ~er Hund* a dog that bites; 2. *(fig)* biting, cutting

Bit [bıt] *n INFORM* bit

bitte ['bıtə] *interj* 1. please; 2. *(Bejahung)* of course, please do, help yourself; 3. *(~ schön)* *(Antwort auf Dank)* you're welcome, not at all; 4. *(von Verkäufer)* Bitte schön? May I help you?

Bitte ['bıtə] *f* request

bitten ['bıtən] *v irr* ask, request; *jdn um etw ~* ask that s.o. do sth

bitter ['bıtər] *adj* bitter

bizarr [bi'tsar] *adj* bizarre

blähen ['blε:ən] *v MED* cause flatulence

Blähungen ['blε:uŋən] *pl MED* flatulence

blamabel [bla'ma:bəl] *adj* shameful, humiliating, disgraceful

Blamage [bla'ma:ʒə] *f* disgrace, shame, humiliation

blamieren [bla'mi:rən] *v* 1. *jdn ~* make a fool of s.o., disgrace s.o., bring shame on s.o. 2. *sich ~* make a fool of o.s., bring shame upon o.s.

blank [blaŋk] *adj* 1. *(nackt)* bare; 2. *(glänzend)* shining; 3. *(abgescheuert)* shiny; 4. *(fig: rein)* sheer, pure

Blase ['bla:zə] *f* 1. bubble; 2. *MED* blister; 3. *ANAT* bladder

blasen ['bla:zən] *v irr* 1. blow; 2. *(spielen)* *MUS* play

Blasinstrument ['bla:sınstrumɛnt] *n MUS* wind instrument

Blasphemie [blasfe'mi:] *f REL* blasphemy

blasphemisch [blas'fe:mıʃ] *adj REL* blasphemous

blass [blas] *adj* 1. pale; 2. *(cheeks)* pallid; ~ *werden* grow pale

Blässe ['blɛsə] *f* paleness, pallor

Blatt [blat] *n* 1. *(Papier)* sheet, piece; 2. *(fig)* *ein unbeschriebenes ~ (fig)* a dark horse *(fig)*; *Das ~ hat sich gewendet. (fig)* The tide has turned. *(fig)*; *kein ~ vor den Mund nehmen* not mince words; 3. *BOT* leaf

blättern ['blɛtərn] *v* leaf through, turn the pages

blau [blau] *adj* 1. blue; *jdm das Blaue vom Himmel versprechen* promise s.o. the moon; 2. *(fig: betrunken)* drunk

Blaubeere ['blaube:rə] *f BOT* bilberry (UK), blueberry (US)

Blauhelm ['blauhɛlm] *m* blue helmet (United Nations soldier)

Blaulicht ['blaulıçt] *n* blue light

Blaumeise ['blaumaızə] *f ZOOL* blue tit

Blech [blɛç] *n* sheet of metal, tin-plate

Blechblasinstrument ['blɛçbla:sınstrumɛnt] *n MUS* brass wind instrument

Blechdose ['blɛçdo:zə] *f* tin (UK), tin can (US)

Blechschaden ['blɛçʃa:dən] *m TECH* slight material damage, body-work damage

Blei [blaı] *n* 1. lead; *jdm wie ~ in den Gliedern liegen* weigh s.o. down; 2. *(Schrot)* shot

bleiben ['blaɪbən] *v irr* 1. *(in einem Zustand)* stay, remain, continue to be; 2. *(verweilen)* stay, remain
bleich ['blaɪç] *adj* pale, faint
bleichen ['blaɪçən] *v* bleach
bleifrei ['blaɪfraɪ] *adj (Benzin)* unleaded
Bleistift ['blaɪʃtɪft] *m* pencil
Blende ['blɛndə] *f* 1. *(Abschirmung)* screen, guard; 2. FOTO aperture, stop, diaphragm
blenden ['blɛndən] *v* 1. *(Licht)* dazzle, glare; 2. *(fig: täuschen)* dazzle, blind
blendend ['blɛndənt] *adj* 1. *(leuchtend)* dazzling, glaring; 2. *(fig: bezaubernd)* wonderful, dazzling, gorgeous
Blick [blɪk] *m* 1. *(Schauen)* look; *einen schnellen ~ auf etw werfen* dart a glance at sth; *auf den ersten ~* at first sight; *den bösen ~ haben* have the evil eye; *jdn keines ~es würdigen* refuse to look at s.o. *einen ~ für etw haben* have an eye for sth; *einen ~ hinter die Kulissen werfen* have a look behind the scenes; 2. *(Aussicht)* view, outlook
blicken ['blɪkən] *v* look, glance
Blickfeld ['blɪkfɛlt] *n* sight
Blickpunkt ['blɪkpʊŋkt] *m* focus, focal point
blind [blɪnt] *adj* blind; *~ fliegen* fly blind; *~ schreiben* touch typing
Blinddarm ['blɪntdarm] *m* ANAT appendix
Blinde(r) ['blɪndə(r)] *m/f* blind person
Blindenschrift ['blɪndənʃrɪft] *f* Braille
Blindheit ['blɪnthaɪt] *f* blindness
blindwütig ['blɪntvyːtɪç] *adj* blind with rage
blinken ['blɪŋkən] *v* flash, gleam
Blinker ['blɪŋkər] *m* TECH turn indicator, blinker
Blinklicht ['blɪŋklɪçt] *n* TECH blinker, direction indicator
blinzeln ['blɪntsəln] *v* 1. blink; 2. *(geblendet ~)* squint; 3. *(zwinkern)* wink
Blitz [blɪts] *m* 1. lightning; *wie der ~* like a bat out of hell; *wie ein ~ aus heiterem Himmel* like a bolt from the blue; 2. *(~strahl)* flash of lightning
blitzen ['blɪtsən] *v* flash, sparkle; *Es blitzt und donnert.* There is thunder and lightning.
Blitzlicht ['blɪtslɪçt] *n* FOTO flashlight *(UK)*, flash *(US)*
blitzschnell ['blɪts'ʃnɛl] *adj* fast as lightning
Block [blɔk] *m* 1. *(Papier)* pad, block; 2. *(Gebäude)* block
Blockade [blɔ'kaːdə] *f* blockade
Blockflöte ['blɔkfløːtə] *f* MUS recorder

blockieren [blɔ'kiːrən] *v* block
Blockschrift ['blɔkʃrɪft] *f* block letters *pl*
blöd [bløːt] *adj* 1. stupid, foolish; 2. *(albern)* silly
Blödsinn ['bløːtsɪn] *m* nonsense, rubbish
blöken ['bløːkən] *v* bleat
blond [blɔnt] *adj* blond, blonde
Blonde(r) ['blɔndə(r)] *m/f* blonde, blond
blondieren [blɔn'diːrən] *v* dye blond, bleach
bloß [bloːs] *adv* 1. just, merely, simply; *adj* 2. *(unbedeckt)* bare, naked; 3. *(fig)* mere
bloßstellen ['bloːsʃtɛlən] *v* show up, expose
Bloßstellung ['bloːsʃtɛlʊŋ] *f* exposure
blühen ['blyːən] *v* 1. flower, bloom, blossom; *Das kann dir auch noch ~.* That may happen to you too. 2. *jdm ~ (fig)* *Dann blüht dir aber was.* Then you'll be in for it. *Das kann dir auch noch ~.* That may happen to you too.
blühend ['blyːənt] *adj (fig: Geschäft)* blooming, flourishing
Blume ['bluːmə] *f* 1. flower; 2. *durch die ~ sprechen* put sth in a roundabout way
Blumenbeet ['bluːmənbeːt] *n* flower bed
Blumenhändler ['bluːmənhɛndlər] *m* florist
Blumenkohl ['bluːmənkoːl] *m* BOT cauliflower
Blumenstrauß ['bluːmənʃtraus] *m* bouquet of flowers, bunch of flowers
blumig ['bluːmɪç] *adj* flowery
Bluse ['bluːzə] *f* blouse
Blut [bluːt] *n* blood; *böses ~ schaffen* make bad blood (between persons); *blaues ~ haben* to be blue-blooded; *~ geleckt haben* have tasted blood; *~ und Wasser schwitzen* sweat blood; *~ sehen wollen* to be bloodthirsty; *Das liegt ihm im ~.* It's in his blood.
Blutdruck ['bluːtdruk] *m* MED blood pressure
Blüte ['blyːtə] *f* 1. blossom, bloom; 2. *(fig)* flower; *in der ~ seiner Jahre* in the flower of his youth
bluten ['bluːtən] *v* bleed
Blütezeit ['blyːtətsaɪt] *f* 1. *die ~ von etw* BOT the time sth is in blossom; 2. *(fig)* heyday
Blutgruppe ['bluːtgrupə] *f* MED blood group, blood type
blutig ['bluːtɪç] *adj* bloody
Blutprobe ['bluːtproːbə] *f* MED blood sample, blood test
Blutung ['bluːtʊŋ] *f* MED bleeding
Bö [bøː] *f* gust, squall

Bock [bɔk] *m* 1. *SPORT* vaulting horse; 2. *ZOOL* buck; 3. *einen ~ schießen (fig)* make a howler

bocken ['bɔkən] *v* 1. *(Tier)* refuse to move; 2. *(schmollen)* sulk

Boden ['boːdən] *m* 1. *(Erde)* soil, ground; *Vor Scham wäre ich am liebsten in den ~ versunken.* I wished the ground would open and swallow me up. 2. *(Fußboden)* floor; 3. *(Grund)* land, ground; 4. *(fig: Halt) festen ~ unter den Füßen haben* to be on terra firma; *den ~ unter den Füßen verlieren* lose one's footing; 5. *am ~ zerstört sein* to be absolutely shattered; 6. *an ~ gewinnen* gain ground

bodenlos ['boːdənloːs] *adj* 1. bottomless; 2. *(fig)* outrageous, indescribable

Bodenschätze ['boːdənʃɛtsə] *pl* minerals *pl*, natural resources *pl*

Bodensee ['boːdənzeː] *m der ~ GEO* Lake Constance

Bogen ['boːgən] *m* 1. *(Kurve)* bend, curve; *einen ~ um etw machen* give sth a wide berth; *jdn in hohem ~ hinauswerfen* give s.o. the boot, send s.o. flying out; 2. *(Waffe)* bow; *den ~ überspannen* overstep the mark; 3. *(Papier)* sheet of paper; 4. *ARCH* arch; 5. *den ~ heraushaben* have the knack

Bohne ['boːnə] *f* 1. *(Hülsenfrucht) BOT* bean; *Du hast wohl ~n in den Ohren?* Are you deaf? 2. *(Kaffeebohne) BOT* coffee bean; 3. *Nicht die ~. (fam)* Not at all., Not a scrap.

bohren ['boːrən] *v* drill, bore

Bohrer ['boːrər] *m TECH* drill

Bohrinsel ['boːrɪnzəl] *f* drilling platform

Bohrmaschine ['boːrmaʃiːnə] *f TECH* drill

Bohrturm ['boːrturm] *m TECH* oil derrick

Boiler ['bɔylər] *m TECH* boiler, hot water tank

Boje ['bɔyjə] *f* buoy

Bolzen ['bɔltsən] *m TECH* pin, bolt

bombardieren [bɔmbar'diːrən] *v* bomb, bombard

Bombardierung [bɔmbar'diːruŋ] *f MIL* bombardment

Bombe ['bɔmbə] *f* bomb; *eine ~ platzen lassen (fig)* drop a bombshell

Bombenanschlag ['bɔmbənanʃlaːk] *m MIL* bomb attack

Bomber ['bɔmbər] *m MIL* bomber

Bon [bɔ̃] *m* 1. credit note, credit voucher; 2. *(Kassenbon)* receipt

Bonbon [bɔ̃'bɔ̃] *n* sweet

Bonität [boni'tɛːt] *f FIN* solvency

Bonus ['boːnus] *m FIN* bonus

Bonze ['bɔntsə] *m (fam)* bigwig, big shot

Boom [buːm] *m ECO* boom

Boot [boːt] *n* boat

Bord[1] [bɔrt] *n* 1. *(Brett)* shelf; *m* 2. *(Rand)* rim, brim

Bord[2] [bɔrt] *m an ~* on board; *etw über ~ werfen (fig)* throw sth to the wind

Bordcomputer ['bɔrtkɔmpjuːtər] *m TECH* aircraft computer

Bordell [bɔr'dɛl] *n* brothel

Bordkarte ['bɔrtkartə] *f* boarding card, boarding pass *(US)*

borgen ['bɔrgən] *v* 1. *(entleihen)* borrow; 2. *(verleihen)* lend

borniert [bɔr'niːrt] *adj* 1. *(engstirnig)* narrow-minded; 2. *(dumm)* dense, obtuse

Börse ['bœrzə] *f* 1. *(Geldbörse)* wallet, purse; 2. *FIN* exchange, market

Börsenhandel ['bœrzənhandəl] *m FIN* stock market trading, stock market dealing

Börsenkrach ['bœrzənkrax] *m FIN* stock market crash

Börsenkurs ['bœrzənkurs] *m FIN* market price, market rate

Börsenmakler ['bœrzənmaːklər] *m FIN* stockbroker, exchange broker

Börsennotierung ['bœrzənnotiːruŋ] *f FIN* market exchange quotation

Borste ['bɔrstə] *f* bristle

Borstentier ['bɔrstəntiːr] *n ZOOL* swine

borstig ['bɔrstɪç] *adj* 1. bristly; 2. *(fig)* gruff

bösartig ['bøːsartɪç] *adj* 1. malicious, mean, nasty; 2. *MED* malignant

Bösartigkeit ['bøːsartɪçkait] *f* 1. maliciousness, evilness, wickedness; 2. *MED* malignancy

Böschung ['bœʃuŋ] *f* slope, embankment

böse ['bøːzə] *adj* 1. *(verärgert)* angry, cross, mad *(US)*; 2. *(schlimm)* bad, nasty

Bösewicht ['bøːzəvɪçt] *m* villain

boshaft ['boːshaft] *adj* nasty, mean, wicked

Bosheit ['boːshait] *f* 1. malice, wickedness; 2. *MED* malignancy

Bosnien und Herzegowina ['bɔznjən unt hɛrtsə'govina] *n GEO* Bosnia and Herzegovina

Bosnier(in) ['bɔznjər(ɪn)] *m/f* Bosnian

bosnisch ['bɔznɪʃ] *adj* Bosnian

böswillig ['bøːsvɪlɪç] *adj* 1. malevolent, malicious; 2. *JUR* wilful, malicious

Böswilligkeit ['bøːsvɪlɪçkait] *f* malice

Botanik [bo'taːnɪk] *f* botany

botanisch [bo'taːnɪʃ] *adj* botanical

Bote ['boːtə] *m* 1. messenger; 2. *(Kurier)* courier; 3. *(Laufbursche)* errand-boy

Botschaft ['bo:tʃaft] f 1. (Nachricht) message, news; 2. POL embassy
Botschafter(in) ['bo:tʃaftər(ɪn)] m/f POL ambassador
Bottich ['bɔtɪç] m tub
Boulevardzeitung [bulə'va:rtsaɪtuŋ] m/f tabloid
Bowle ['bo:lə] f 1. (Getränk) punch; 2. (Gefäß) punch bowl, tureen
Box [bɔks] f 1. (Stallbox) loose-box (UK), box stall; 2. (Motorsport) SPORT pit
boxen ['bɔksən] v box
Boxer ['bɔksər] m 1. SPORT boxer; 2. ZOOL boxer
Boxkampf ['bɔkskampf] m SPORT boxing match, fight, bout
Boykott [bɔy'kɔt] m boycott
boykottieren [bɔykɔ'ti:rən] v boycott
brach [bra:x] adj AGR fallow, untilled
Branche ['brɑ̃ʃə] f ECO branch, line, business
Brand [brant] m fire
brandneu ['brant'nɔy] adj brand new
Brandstifter ['brantʃtɪftər] m arsonist
Brandstiftung ['brantʃtɪftuŋ] f arson
Brandung ['branduŋ] f surf, waves pl, surge
Branntwein ['brantvaɪn] m spirits
Brasilianer(in) [brazil'ja:nər(ɪn)] m/f Brazilian
brasilianisch [brazil'ja:nɪʃ] adj Brazilian
Brasilien [bra'zi:ljən] n GEO Brazil
braten ['bra:tən] v irr 1. (im Ofen) GAST roast; 2. (in Fett) GAST fry
Braten ['bra:tən] m GAST roast; den ~ riechen (fig) smell a rat
Bratenfett ['bra:tənfɛt] n cooking fat
Bratensoße ['bra:tənzo:sə] f gravy
Bratfisch ['bra:tfɪʃ] m fried fish
Brathuhn ['bra:thu:n] n roast chicken
Bratkartoffeln ['bra:tkartɔfəln] pl fried potatoes pl
Bratpfanne ['bra:tpfanə] f frying-pan
Bratsche ['bra:tʃə] f MUS viola
Bratwurst ['bra:tvurst] f 1. (zum Braten) frying sausage, bratwurst; 2. (gebraten) fried sausage, bratwurst
Brauch [braux] m custom, habit, tradition
brauchen ['brauxən] v 1. (nötig haben) need, require, to be in need of; 2. (müssen) need to, have to; 3. (benutzen) use
Brauchtum ['brauxtu:m] n customs pl, traditions pl
Braue ['brauə] f brow

brauen ['brauən] v brew
Brauerei [brauə'raɪ] f brewery
braun [braun] adj 1. brown; 2. (sonnengebräunt) brown, tan, tanned ~ gebrannt tanned, bronzed
Bräune ['brɔynə] f brownness, brown colour
bräunen ['brɔynən] v brown, turn brown; sich in der Sonne ~ lassen get a tan
Brause ['brauzə] f 1. (Getränk) soda-pop; 2. (Dusche) shower
brausen ['brauzən] v 1. (rasen) roar, rage; 2. (duschen) take a shower, shower, have a shower
Braut [braut] f bride
Bräutigam ['brɔytɪgam] m bridegroom
Brautjungfer ['brautjuŋfər] f bridesmaid
Brautkleid ['brautklaɪt] n wedding dress
Brautpaar ['brautpa:r] n bride and bridegroom
brav [bra:f] adj good, well-behaved
bravo ['bra:vo] interj bravo, well-done
Bravur [bra'vu:r] f 1. (Kühnheit) bravery; 2. MUS bravura
bravurös [bravu'rø:s] adj (meisterhaft) brilliant
brechen ['brɛçən] v irr 1. break; (Knochen) break, fracture; 2. (fig: Vertrag) breach; 3. (sich übergeben) vomit, throw up; 4. (abbrechen) break off
Brei [braɪ] m mash, pap, pulp; um den heißen ~ herumreden (fig) beat about the bush, beat around the bush; (US); jdm ~ ums Maul schmieren (fam) butter s.o. up
breit [braɪt] adj 1. broad, wide; sich ~ machen spread o.s. out; sich ~ machen (fig) act as if one owned the place, behave ostentatiously; ~ gefächert diversified; 2. (Stoffe) wide; 3. (ausgedehnt) broad, extensive
Breite ['braɪtə] f 1. width, breadth; in die ~ gehen fill out; 2. GEO latitude
Breitengrad ['braɪtəngra:t] m GEO degree of latitude
Bremse ['brɛmzə] f 1. TECH brake; 2. (Fliege) ZOOL horse-fly
bremsen ['brɛmzən] v 1. brake, apply the brakes; 2. Ich kann mich ~! (fig) Not likely!/No fear!
Bremslicht ['brɛmslɪçt] n brake light
brennbar ['brɛnba:r] adj combustible
brennen ['brɛnən] v irr 1. burn, blaze; vor Verlangen ~ (fig) burn with desire; 2. (Licht) burn; 3. (Schnaps) distil; 4. (Wunde) cauterize
Brennholz ['brɛnhɔlts] n firewood

Brennnessel ['brɛnnɛsəl] f BOT nettle
Brennpunkt ['brɛnpuŋkt] m focus, focal point
Brennstoff ['brɛnʃtɔf] m fuel
brenzlig ['brɛntslɪç] adj (fig) precarious, touch-and-go, risky
Brett [brɛt] n board, plank, shelf; ein ~ vor dem Kopf haben (fig) to be a blockhead
Brettspiel ['brɛtʃpi:l] n board game
Brezel ['bre:tsəl] f pretzel
Brief [bri:f] m letter; blauer ~ letter of dismissal, pink slip (US); jdm ~ und Siegel geben give s.o. one's word of honour
Briefgeheimnis ['bri:fgəhaimnɪs] n secrecy of letters, secrecy of the post, secrecy of mail (US)
Briefing ['bri:fɪŋ] n briefing
Briefkasten ['bri:fkastən] m letter-box, mailbox (US)
Briefmarke ['bri:fmarkə] f postage stamp, stamp
Briefpapier ['bri:fpapi:r] n writing paper, stationery, letter paper
Briefporto ['bri:fpɔrto] n postage
Brieftasche ['bri:ftaʃə] f wallet
Briefträger ['bri:ftrɛ:gər] m postman, mailman (US)
Briefumschlag ['bri:fumʃla:k] m envelope
Briefwahl ['bri:fva:l] f POL postal ballot, absentee ballot (US)
Briefwechsel ['bri:fvɛksəl] m correspondence, exchange of letters
Brikett [bri'kɛt] n briquette
brillant [brɪl'jant] adj brilliant, splendid; ~ aussehen look beautiful
Brillant [brɪl'jant] m diamond, brilliant
Brillanz [brɪl'jants] f brilliance
Brille ['brɪlə] f glasses pl, spectacles pl
bringen ['brɪŋən] v irr 1. bring, take; ins Spiel ~ bring into play; 2. (begleiten) take; 3. (veröffentlichen) publish, print; 4. (einbringen) bring, produce; Das bringt nichts. That doesn't do any good. That's pointless. 5. (Gewinn) yield; 6. Er wird es niemals zu etw ~. He'll never amount to anything.
brisant [bri'zant] adj explosive
Brisanz [bri'zants] f explosiveness
Brise ['bri:zə] f breeze
Brite ['bri:tə] m Briton, Englishman
Britin ['bri:tɪn] f Briton, Englishwoman
britisch ['bri:tɪʃ] adj British
Britische Inseln ['bri:tɪʃə 'ɪnzəln] pl die Britischen Inseln the British Isles pl
bröckeln ['brœkəln] v crumble

Brocken ['brɔkən] m 1. chunk, lump; Das war ein harter ~. That was a hard nut to crack. 2. (fam: Bissen) mouthful; 3. (fig) scrap, bit, snippet
brodeln ['bro:dəln] v bubble, boil, simmer
Brokkoli ['brɔkɔli] m BOT broccoli
Brombeere ['brɔmbe:rə] f blackberry
Bronchie ['brɔnçiə] f ANAT bronchi, bronchial system
Bronze ['brõsə] f MET bronze
Bronzezeit ['brõsətsait] f HIST Bronze Age
Brosche ['brɔʃə] f brooch, pin
Broschüre [brɔ'ʃy:rə] f brochure, pamphlet, booklet
bröseln ['brø:zəln] v crumble
Brot [bro:t] n bread
Brotaufstrich ['bro:taufʃtrɪç] m spread
Brötchen ['brø:tçən] n roll
Bruch [brux] m 1. break, rupture, breakage; zu ~ gehen go to pieces; 2. (Knochenbruch) MED fracture; 3. MATH fraction; 4. (Vertragsbruch) JUR breach of contract
brüchig ['bryçɪç] adj fragile, brittle
Bruchlandung ['bruxlanduŋ] f crash-landing
Bruchrechnung ['bruxrɛçnuŋ] f MATH fractions
Bruchstelle ['bruxʃtɛlə] f point of fracture
Bruchstrich ['bruxʃtrɪç] m MATH fraction bar
Bruchteil ['bruxtail] m fraction; ~ einer Sekunde fraction of a second, split-second
Brücke ['brykə] f 1. bridge; alle ~n hinter sich abbrechen (fig) burn one's bridges; 2. (Teppich) rug; 3. (Zahnersatz) MED bridge
Bruder ['bru:dər] m brother
brüderlich ['bry:dərlɪç] adj brotherly, fraternal
Bruderschaft ['bry:dərʃaft] f mit jdm ~ trinken agree to use the familiar „du" over a drink with s.o.
Brühe ['bry:ə] f 1. broth; 2. (schmutzige Flüssigkeit) slop, slush
brüllen ['brylən] v scream, yell, roar; wie am Spieß ~ scream one's head off; zum Brüllen sein to be a scream
brummen ['brumən] v hum, buzz, grumble
brummig ['brumɪç] adj grumbling, growling, cross
brünett [bry'nɛt] adj brunette
Brunft [brunft] f ZOOL rut, heat
Brunnen ['brunən] m spring, well

brüskieren [brys'ki:rən] *v* treat brusquely, snub, affront

Brüssel ['brysəl] *n* Brussels

Brust [brust] *f 1. ANAT* chest, breast; *2. (weibliche ~)* breast, bosom; *3. (fig)* breast, heart; *einen zur ~ nehmen* knock one back; *mit geschwellter ~* proud as a peacock; *sich in die ~ werfen* put on airs

brüsten ['brystən] *v sich ~* boast, brag

Brüstung ['brystuŋ] *f* parapet, balustrade

Brut [bru:t] *f* brood, spawn

brutal [bru'ta:l] *adj* brutal, cruel

Brutalität [brutalı'tɛ:t] *f* brutality

brüten ['bry:tən] *v 1.* incubate; *2. (fig) ~ über* brood over

brutto ['bruto] *adj* gross

Bruttoinlandsprodukt [bruto'ınlantsprodukt] *n ECO* gross domestic product

Bruttosozialprodukt ['brutozo'tsja:lprodukt] *n ECO* gross national product

Bube [bu:bə] *m* boy

Buch [bu:x] *n 1.* book; *wie es im ~e steht (fig)* a perfect example; *ein ~ mit sieben Siegeln* a closed book; *wie ein ~ reden* talk one's head off *(fam)*; *Für mich ist ein offenes ~. I can read him like a book. 2. (Drehbuch)* screenplay, script

Buchdruck ['bu:xdruk] *m 1.* book printing; *2. (Druckverfahren)* letterpress printing

Buche ['bu:xə] *f BOT* beech

buchen ['bu:xən] *v* book, enter into the books, record

Bücherei [by:çə'raı] *f* library

Bücherregal ['by:çərrega:l] *n* bookcase

Buchführung ['bu:xfy:ruŋ] *f ECO* bookkeeping, accounting

Buchhalter(in) ['bu:xhaltər(ın)] *m/f* accountant, bookkeeper

Buchhaltung ['bu:xhaltuŋ] *f* bookkeeping, accounting

Buchhandel ['bu:xhandəl] *m* book trade

Buchhändler(in) ['bu:xhɛndlər(ın)] *m/f* bookseller

Buchhandlung ['bu:xhandluŋ] *f* bookshop, bookstore *(US)*

Buchmesse ['bu:xmɛsə] *f* book fair

Buchse ['buksə] *f TECH* box, case

Büchse ['byksə] *f 1.* tin, can *(US)*, jar; *2. (Gewehr)* rifle

Büchsenöffner ['byksənœfnər] *m* tin-opener, can opener *(US)*

Buchstabe ['bu:xʃta:bə] *m* letter; *sich auf seine vier ~n setzen* sit o.s. down *(fam)*

buchstabieren [bu:xʃta'bi:rən] *v* spell

Bucht [buxt] *f* bay, cove

Buchung ['bu:xuŋ] *f 1. (Reservierung)* reservation, booking; *2. ECO* entry

Buckel ['bukəl] *m 1.* hump, hunch; *2. (buckliger Rücken)* hunchback, humpback; *3. (Schneebuckel)* mogul; *4. (fam: Rücken)* back; *einen breiten ~ haben* to be thick-skinned; *etw auf dem ~ haben* have notched up sth

bücken ['bykən] *v sich ~* bend down, stoop

bucklig ['buklıç] *adj* hunchbacked

Buddhismus [bu'dısmus] *m REL* Buddhism

Buddhist(in) [bu'dıst(ın)] *m/f REL* Buddhist

buddhistisch [bu'dıstıʃ] *adj REL* Buddhist

Bude ['bu:də] *f 1.* hut, stall, booth; *2. (fam: Wohnung)* pad; *jdm auf die ~ rücken* drop in at s.o.'s place; *jdm die ~ einrennen* to be constantly on s.o.'s doorstep; *die ~ auf den Kopf stellen* turn the place upside down; *Ich habe heute Abend sturmfreie ~.* I've got the place to myself tonight.

Büfett [by'fe:] *n* buffet

Büffel ['byfəl] *m ZOOL* buffalo

büffeln ['byfəln] *v* cram, swot *(UK)*

Bug [bu:k] *m NAUT* bow

Bügel ['by:gəl] *m 1.* bow; *2. (Kleiderbügel)* hanger, coat-hanger; *3. (Steigbügel)* stirrup

Bügeleisen ['by:gəlaızən] *n* iron

bügeln ['by:gəln] *v* iron

Bühne ['by:nə] *f* stage, raised platform; *über die ~ sein* have taken place; *etw glatt über die ~ bringen* see that things go off smoothly

Buhruf ['bu:ru:f] *m* boo

Bulette [bu'lɛtə] *f GAST* meatball

Bulle ['bulə] *m 1. ZOOL* bull; *2. (fam: Polizist)* cop, copper

Bumerang ['bu:məraŋ] *m* boomerang

bummeln ['buməln] *v 1. (faulenzen)* loaf, take it easy, idle; *2. (schlendern)* stroll

Bums [bums] *m* bump, thump, thud

bumsen ['bumzən] *v 1. (stoßen)* bang, bump; *2. (fam)* screw

Bund [bunt] *m 1. (Verbindung)* bond; *2. (Vereinigung)* association; *POL* alliance; *mit jdm im ~e stehen (fig)* join forces with s.o. *3. (fam: Bundeswehr)* army; *4. (Rockbund)* waistband; *5. den ~ fürs Leben schließen* tie the knot, take the plunge

Bündel ['byndəl] *n* bundle, bunch; *sein ~ schnüren* pack one's bags; *jeder hat sein ~ zu tragen* everybody has his cross to bear

Bundesamt ['bundəsamt] *n* POL National Bureau

Bundesbank ['bundəsbaŋk] *f* Bundesbank, German Federal Bank

Bundesbürger ['bundəsbyrgər] *m* citizen of the Federal Republic of Germany

Bundesgebiet ['bundəsgəbi:t] *n* federal territory

Bundeskanzler ['bundəskantslər] *m* POL Federal Chancellor

Bundesland ['bundəslant] *n* POL Land, state

Bundesliga ['bundəsli:ga] *f* SPORT first division, national league

Bundesminister(in) ['bundəsminɪstər(ɪn)] *m/f* POL Federal Minister

Bundespräsident ['bundəsprezidɛnt] *m* POL Federal President

Bundesrat ['bundəsra:t] *m* POL upper house of the German Parliament

Bundesregierung ['bundəsregi:ruŋ] *f* POL Federal Government

Bundesrepublik ['bundəsrepubli:k] *f* POL Federal Republic (of Germany)

Bundesstaat ['bundəsʃta:t] *m* federal state

Bundestag ['bundəsta:k] *m* POL lower house of the German Parliament

Bundeswehr ['bundəsve:r] *f* armed forces (of Germany) *pl,* army

bündig ['byndɪç] *adj 1. (kurz)* succinct, concise, terse; *2. (schlüssig)* conclusive; *3.* TECH flush, level

Bündnis ['byntnɪs] *n* POL alliance, league

Bungalow ['buŋgalo] *m* bungalow

Bunker ['buŋkər] *m* MIL bunker

bunt [bunt] *adj 1.* coloured, colourful; *2. (gemischt)* mixed; *3. Mir wird es jetzt zu ~!* That's going too far! *Es zu ~ treiben* go too far, overstep the mark; *4. (abwechslungsreich)* varied; *eine ~e Menge* an assorted crowd, a motley crowd

Bürde ['byrdə] *f* burden, load

Burg [burk] *f* castle

Bürge ['byrgə] *m* guarantor, sponsor

bürgen ['byrgən] *v* guarantee, vouch for; *jdm für etw ~* to be answerable to s.o. for sth; *für jdn ~* stand surety for s.o.

Bürger(in) ['byrgər(ɪn)] *m/f* citizen

Bürgerkrieg ['byrgərkri:k] *m* civil war

bürgerlich ['byrgərlɪç] *adj 1. (mittelständisch)* middle-class, bourgeois; *2. (gesetzlich)* JUR civil, civic

Bürgermeister ['byrgərmaɪstər] *m* mayor

Bürgerrecht ['byrgərreçt] *n* civil rights *pl*

Bürgersteig ['byrgərʃtaɪk] *m* pavement, sidewalk *(US)*

Bürgertum ['byrgərtu:m] *n 1.* middle classes *pl; 2.* HIST bourgeoisie

Bürgschaft ['byrkʃaft] *f 1. (gegenüber Gläubigern)* security, surety; *2. (Haftungssumme)* penalty; *~ für jdn leisten* stand surety for s.o., act as guarantor for s.o. *(fig)* vouch for s.o.

Büro [by'ro:] *n* office

Büroangestellte(r) [by'ro:angəʃtɛltə(r)] *m/f* office clerk, white collar worker *(US)*, office employee

Büroarbeit [by'ro:arbaɪt] *f* office work, clerical work

Bürokauffrau [by'ro:kauffrau] *f* ECO office administrator (woman)

Bürokaufmann [by'ro:kaufman] *m* ECO office administrator (man)

Büroklammer [by'ro:klamər] *f* paper clip

Bürokrat [byro'kra:t] *m* bureaucrat

Bürokratie [byrokra'ti:] *f* bureaucracy

bürokratisch [byro'kra:tɪʃ] *adj* bureaucratic

Bursche ['burʃə] *m 1.* boy, lad, chap; *2. (Kerl)* fellow, guy

Bürste ['byrstə] *f* brush

bürsten ['byrstən] *v* brush

Bus [bus] *m* bus

Busbahnhof ['busba:nho:f] *m* bus terminal

Busch [buʃ] *m 1. (Urwald)* jungle, bush; *3. Da ist etw im ~. (fig)* Something's up.

Büschel ['byʃəl] *n 1.* bunch, bundle; *2. (Haar, Gras)* tuft

Busen ['bu:zən] *m* ANAT bosom, breast; *am ~ der Natur (fig)* in the open countryside

Bushaltestelle ['bushaltəʃtɛlə] *f* bus stop

Buß- und Bettag ['bu:sunt'be:tta:k] *m* REL Day of Repentance and Prayer

Buße ['bu:sə] *f* penance, penitence

büßen ['by:sən] *v 1.* pay for, atone for; *2.* REL do penance for

Bußgeld ['bu:sgɛlt] *n* fine

Büste ['by:stə] *f* ART bust

Büstenhalter ['by:stənhaltər] *m* brassiere, bra *(fam)*

Butter ['butər] *f* butter; *sich nicht die ~ vom Brot nehmen lassen (fig)* to be able to stick up for o.s. *Alles in ~.* Everything's just fine.

Butterbrot ['butərbro:t] *n* GAST bread and butter, *(belegtes ~)* sandwich

Buttermilch ['butərmɪlç] *f* GAST buttermilk

Byte [baɪt] *n* INFORM byte

C

Cadmium ['katmɪum] *n CHEM* cadmium
Café [ka'feː] *n* cafe, café
Cafeteria [kafetə'riːa] *f* cafeteria
Cafetiere [kafe'tjeːrə] *f (Inhaberin eines Caféhauses) GAST* proprietress of a coffeehouse
Callgirl ['kɔːlgɜːl] *n* call girl
Calvados [kalva'dos] *m GAST* calvados
Calzium ['kaltsjum] *n CHEM* calcium
Calziumbedarf ['kaltsjumbədarf] *m MED* calcium requirements
Calziummangel ['kaltsjummaŋəl] *m MED* calcium deficiency, lack of calcium
Camcorder ['kɛmkɔːdə] *m TECH* camcorder
Camembert [kamã'bɛːr] *m GAST* Camembert
campen ['kɛmpən] *v* camp
Camper ['kɛmpər] *m* camper
Camping ['kɛmpɪŋ] *n* camping
Campinganhänger ['kɛmpɪŋanhɛŋər] *m* camping trailer
Campingartikel ['kɛmpɪŋartɪkəl] *m* piece of camping equipment
Campingausrüstung ['kɛmpɪŋausrystuŋ] *f* camping equipment
Campingbus ['kɛmpɪŋbus] *m* camping bus
Campingführer ['kɛmpɪŋfyːrər] *m* camping guide
Campingplatz ['kɛmpɪŋplats] *m* camping site, campground *(US)*
Cannabis ['kanabɪs] *m 1. BOT* Indian hemp; *2. (Droge)* cannabis
Cappuccino [kapu'tʃiːno] *m GAST* cappuccino
Carbonat [karbo'naːt] *n CHEM* carbonate
Cartoon [kar'tuːn] *m/n ART* cartoon
Cartoonist(in) [kartuː'nɪst(ɪn)] *m/f ART* cartoonist
Cashewnuss ['kɛʃunus] *f GAST* cashew nut
CB-Funk [tseː'beːfuŋk] *m TECH* CB radio, citizen's band radio
CD-ROM [tseːdeː'rɔm] *f INFORM* CD-ROM
CD-Spieler [tseː'deːʃpiːlər] *m* CD player (compact disc player)
Cellist [tʃɛ'lɪst] *m MUS* cellist
Cello ['tʃɛloː] *n MUS* cello

Cellophan [tʃɛlo'faːn] *n MUS* cellophane
Celsius ['tsɛlzjus] *n* centigrade, Celsius
Cembalo ['tʃɛmbalo] *m MUS* harpsichord, cembalo
Chalet [ʃa'leː] *n* chalet
Chamäleon [ka'mɛːljon] *n ZOOL* chameleon
Champagner [ʃam'panjər] *m* champagne
Champignon ['ʃampɪnjɔ̃] *m* mushroom
Chance ['ʃãsə] *f* chance, opportunity; *eine gute ~ haben* stand a fair chance; *nicht den Hauch einer ~ haben* not have a ghost of a chance
Chancengleichheit ['ʃãsənglaiçhait] *f* equal opportunity
Chaos ['kaːɔs] *n* chaos
Chaot [ka'oːt] *m* chaotic person
chaotisch [ka'oːtɪʃ] *adj* chaotic
Charade [ʃa'raːdə] *f* charade
Charakter [ka'raktər] *m* character
Charaktereigenschaft [ka'raktəraigən-ʃaft] *f* character trait
Charakterfehler [ka'raktərfeːlər] *m* character flaw
charakterfest [ka'raktərfest] *adj* of strong character, of firm character, staunch
charakterisieren [karaktəri'ziːrən] *v* characterize
Charakteristik [karaktə'rɪstɪk] *f* characteristic
charakteristisch [karaktər'ɪstɪʃ] *adj* characteristic
charakterlos [ka'raktərloːs] *adj* without character
Charakterlosigkeit [ka'raktərloːzɪçkait] *f* lack of character
Charakterschwäche [ka'raktərʃveçə] *f* weakness of character
Charakterstärke [ka'raktərʃterkə] *f* strength of character
Charakterzug [ka'raktərtsuːk] *m* characteristic, trait, feature
Charisma [ka'rɪsma] *n* charisma
charismatisch [karɪs'maːtɪʃ] *adj* charismatic
charmant [ʃar'mant] *adj* charming
Charme ['ʃarm] *n* charm
Charmeur [ʃar'mør] *n* charmer
Charta ['karta] *f POL* charter
Charterflug ['tʃartərfluːk] *m* charter flight

Charterflugzeug ['tʃartərfluːktsɔyk] *n* charter plane, chartered aircraft
Chartergesellschaft ['tʃartərgəzelʃaft] *f ECO* charter carrier, charter airline
Chartermaschine ['tʃartərmaʃiːnə] *f ECO* chartered aircraft
chartern ['tʃartərn] *v* charter
Chauffeur [ʃɔ'føːr] *m* chauffeur, driver
chauffieren [ʃɔ'fiːrən] *v* drive
Chauvinismus [ʃoviˈnɪsmus] *m* chauvinism, jingoism
Chauvinist [ʃoviˈnɪst] *m* chauvinist *(Macho)*
chauvinistisch [ʃoviˈnɪstɪʃ] *adj* chauvinistic
checken ['tʃɛkən] *v 1. TECH* test, check; 2. *(fam: prüfen)* control; 3. *(fam: verstehen)* get, understand
Checkliste ['tʃɛklɪstə] *f* checklist
Chef [ʃef] *m 1.* boss, chief, head; *Er ist mein ~. He's my boss. 2. (fam) He, ~!* Hey, guy! *(UK)*, Hey, buddy! *(US)*
Chefarzt ['ʃefartst] *m* head physician
Chefredakteur(in) ['ʃefredaktøːr(ɪn)] *m/f* editor-in-chief
Chefsekretär(in) ['ʃefzekretɛːr(ɪn)] *m/f* executive secretary
Cheftrainer ['ʃeftreɪnər] *m SPORT* head coach
Chemie [çeˈmiː] *f* chemistry
Chemiefaser [çeˈmiːfaːzər] *f* chemical fibre, man-made fibre
Chemieindustrie [çeˈmiːɪndustriː] *f ECO* chemical industry
Chemielabor [çeˈmiːlaboːr] *n CHEM* chemical laboratory
Chemikalie [çemiˈkaːljə] *f* chemical
Chemiker(in) ['çeˈmɪkər(ɪn)] *m/f* chemist
chemisch ['çeˈmɪʃ] *adj* chemical
chemische Reinigung ['çeˈmɪʃə 'raɪnɪguŋ] *f* dry-cleaning
chemotherapeutisch ['çeˈmoteːrapɔytɪʃ] *adj MED* chemotherapeutical
Chemotherapie ['çeˈmoteːrapiː] *f MED* chemotherapy
Chicorée [ʃikoˈreː] *m BOT* chicory
Chiffre ['ʃɪfrə] *f 1.* cipher, code; 2. *(in Zeitungsanzeigen)* box number
chiffrieren [ʃɪˈfriːrən] *v* cipher, encode, code
Chile ['tʃiːle] *n GEO* Chile
Chilene/Chilenin [tʃiˈleːnə/tʃiˈleːnɪn] *m/f* Chilean
chilenisch [tʃiˈleːnɪʃ] *adj* Chilean

Chili ['tʃiːli] *m GAST* chili, chilli
Chilipulver ['tʃiːlipulvər] *n GAST* chili powder, chilli powder
Chimäre [çiˈmɛːrə] *f* chimera, chimaera
China ['çiːna] *n GEO* China
Chinakohl ['çiːnakoːl] *m GAST* Chinese cabbage
Chinarinde ['çiːnarɪndə] *f* cinchona, Peruvian bark
Chinese/Chinesin [çɪˈneːzə/çɪˈneːzɪn] *m* Chinese
chinesisch [çɪˈneːzɪʃ] *adj* Chinese
Chinin [çɪˈniːn] *n MED* quinine
Chip [tʃɪp] *m 1. (Kartoffelchip)* crisp *(UK)*, potato chip *(US)*; 2. *(Spielchip)* chip; 3. *INFORM* chip
Chipkarte ['tʃɪpkartə] *f INFORM* chip card
Chiropraktiker [çiroˈpraktɪkər] *m MED* chiropractor
Chirurg(in) [çiˈrurg(ɪn)] *m/f* surgeon
Chirurgie [çirurˈgiː] *f* surgery
chirurgisch [çiˈrurgɪʃ] *adj* surgical
Chlor [kloːr] *n CHEM* chlorine
chloren ['kloːrən] *v* chlorinate
chlorhaltig ['kloːrhaltɪç] *adj CHEM* chloric, chlorous
Chlorkalk ['kloːrkalk] *m CHEM* chlorinated lime
Chloroform [kloroˈfɔrm] *n* chloroform
chloroformieren [klorofɔrˈmiːrən] *v* chloroform
Chlorophyll [kloroˈfyl] *n* chlorophyll
Chlorung ['kloːruŋ] *f CHEM* chlorination
Cholera ['koːləra] *f MED* cholera
Choleraepidemie ['koːləraepiˈdeːmiː] *f MED* cholera epidemic
Choleriker [koˈleːrɪkər] *m* choleric person
cholerisch [koˈleːrɪʃ] *adj* choleric
Cholesterin [koləstəˈriːn] *n CHEM* cholesterol; *n MED* cholesterol
Cholesterinspiegel [koləstəˈriːnʃpiːgəl] *m MED* cholesterol level
Chor [koːr] *m* choir
Choral [koˈraːl] *m MUS* chorale
Choreograf(in) [koːrjɔˈgraːf(ɪn)] *m/f THEAT* choreographer
Choreografie [koːrjɔgraˈfiː] *f* choreography
choreografieren [koːrjɔgraˈfiːrən] *v THEAT* choreograph
Chorgesang ['koːrgəzaŋ] *m MUS* choral singing, choir singing
Chorleiter(in) ['koːrlaɪtər(ɪn)] *m/f* choir leader

Christ(in) [krɪst(ɪn)] *m/f REL* Christian
Christbaum ['krɪstbaum] *m* Christmas tree
Christdemokrat(in) ['krɪstdemokraːt(ɪn)] *m/f POL* Christian Democrat
christdemokratisch ['krɪstdemokraːtɪʃ] *adj POL* Christian Democratic
Christenheit ['krɪstənhaɪt] *f REL* Christendom
Christentum ['krɪstəntuːm] *n* Christianity
Christenverfolgung ['krɪstənferfɔlgʊŋ] *f REL* persecution of Christians
Christi Himmelfahrt ['krɪstɪ 'hɪməlfaːrt] *f REL* Ascension, Feast of the Ascension
Christkind ['krɪstkɪnt] *n das ~* the Christ child, baby Jesus
christlich ['krɪstlɪç] *adj REL* Christian
Christus ['krɪstus] *m REL* Christ
Chrom [kroːm] *n CHEM* chromium
Chromatik [kroˈmaːtɪk] *f* chromatics
Chromosom [kromoˈsoːm] *n BIO* chromosome
Chronik ['kroːnɪk] *f* chronicle
chronisch ['kroːnɪʃ] *adj 1.* chronic; *adv 2.* chronically
Chronist(in) [kroˈnɪst(ɪn)] *m/f HIST* chronicler, recorder of events
chronologisch [kronoˈloːgɪʃ] *adj* chronological
Cidre ['siːdrə] *m GAST* cider
Cineast [siːneˈast] *m 1. (Fan)* film buff; *2. (Filmemacher)* filmmaker
circa ['tsɪrka] *adv 1.* approximately, about; *2. (bei Datumsangaben)* circa
Claqueur [klaˈkøːr] *m* paid applauder
clean [kliːn] *adj (fam: ohne Alkohol oder Drogen)* clean
Cleverness ['klɛvərnɛs] *f* cleverness
Clip [klɪp] *m CINE* clip
Clique ['klɪkə] *f 1.* clique; *2. (im positiven Sinne)* group
Clou [kluː] *m* chief attraction, highlight
Clown [klaun] *m* clown
Coach [kəʊtʃ] *m SPORT* coach
coachen ['kəʊtʃən] *v SPORT* coach
Cockpit ['kɔkpɪt] *n TECH* cockpit
Cocktail ['kɔkteɪl] *m* cocktail
Cocktailparty ['kɔkteɪlpaːrti] *f* cocktail party
Code [koːd] *m INFORM* code
Collage [kɔˈlaːʒə] *f ART* collage
Comic ['kɔmɪk] *m* comic strip
Comicheft ['kɔmɪkhɛft] *n* comic book, comic
Computer [kɔmˈpjuːtər] *m* computer

Computerdiagnostik [kɔmˈpjuːtərdiagnɔstɪk] *f MED* computer diagnostics
computergesteuert [kɔmˈpjuːtərgəʃtɔyərt] *adj* computer-controlled
computergestützt [kɔmˈpjuːtərgəʃtytst] *adj TECH* computer-aided
Computergrafik [kɔmˈpjuːtərgraːfɪk] *f INFORM* computer graphics
Computerindustrie [kɔmˈpjuːtərɪndustriː] *f INFORM* computer industry
Computerspiel [kɔmˈpjuːtərʃpiːl] *n INFORM* computer game
Computertomographie [kɔmˈpjuːtərtɔmografiː] *f MED* computerized tomography, computerized scanning
Container [kɔnˈteɪnər] *m* container
Copyright ['kɔpirait] *n ECO* copyright
Cordonbleu [kɔrdɔˈbløː] *n GAST* cordon bleu
Cornflakes ['kɔrnfleɪks] *pl GAST* cornflakes
Cortison [kɔrtiˈzoːn] *n MED* cortisone
Costa Rica [kɔstaˈriːka] *n GEO* Costa Rica
Costa-Ricaner(in) [kɔstariˈkaːnər(ɪn)] *m/f* Costa Rican
costa-ricanisch [kɔstariˈkaːnɪʃ] *adj* Costa Rican
Couch [kaʊtʃ] *f* couch
Couchtisch ['kaʊtʃtɪʃ] *m* coffee table
Count-down ['kaʊntdaʊn] *m* countdown
Coup [kuː] *m* coup; *einen ~ landen* pull off a coup
Coupé [kuˈpeː] *n (Sportwagen)* coupé, coupe (US)
Coupon [kuːˈpɔː] *m* coupon, voucher
Cousin/Cousine [kuˈzɛ̃/kuˈziːnə] *m/f* cousin
Couturier [kutyˈrjeː] *m* couturier
Cowboyhut ['kaubɔyhuːt] *m* cowboy hat
Crack [kræk] *m 1. (Sportler)* ace, star; *2. (Rauschgift)* crack
Cracker ['krɛkər] *m GAST* cracker
Creme ['kreːmə] *f* cream
cremefarben ['kreːmfarbən] *adj* cream-coloured
Cremetorte ['kreːmtɔrtə] *f GAST* cream cake
cremig ['kreːmiç] *adj* creamy
Curry ['kœri] *m/n GAST* curry
Currywurst ['kœrivurst] *f GAST* sausage covered in curry and ketchup
Cursor ['kœrsər] *m INFORM* cursor
Cutter ['kʌtər] *m CINE* cutter
C-Waffe ['tseːvafə] *f MIL* chemical weapon

D

da [daː] *adv 1. (dort)* there; ~ *draußen* out there; *Da ist er ja!* There he is! *Da siehst du's!* There you have it! *Wer ist ~?* Who's there? *2. (hier)* here, present; *3. (zeitlich)* then, at that time, at that moment; *konj 4.* as, since; *Da wir kein Geld hatten, haben wir nichts gekauft.* We didn't buy anything, as we had no money.

dabei [da'baɪ] *adv 1.* thereby, therewith, by that; *2. (anwesend)* there, present; *Ich war ~, als sie es taten.* I was with them when they did it. I was there; *when they did it. Ich habe kein Geld ~.* I don't have any money on me. *3. (nahe)* nearby, close by; *4. (zur gleichen Zeit)* at the same time, in doing so; *Ich höre ~ immer Musik.* I always listen to music when I'm doing that. *5. ~ sein* be along, be there; ~ *sein, etw zu tun* to be in the process of doing sth; *Ich war gerade ~, es anzuschalten.* I was just about to turn it on. *6. (doch)* yet, nevertheless

Dach [dax] *n 1.* roof; *kein ~ über dem Kopf haben* have no roof over one's head; *mit jdm unter einem ~ leben* live under the same roof as s.o. *unter ~ und Fach* all wrapped up, in the bag; *2. eins aufs ~ bekommen* get a ticking-off, to be called on the carpet; *3. jdm aufs ~ steigen* haul s.o. over the coals

Dachboden ['daxboːdən] *m* attic, loft
Dachs ['daks] *m ZOOL* badger
Dachwohnung ['daxvoːnʊŋ] *f 1.* attic apartment; *2. (Penthouse)* penthouse
Dackel ['dakəl] *m ZOOL* dachshund
dadurch ['daːdʊrç] *adv 1. (örtlich)* through there, through that; *2. (folglich)* thereby, with that, because of that; *3. (auf diese Weise)* thus, in that way, thereby
dafür [da'fyːr] *adv 1.* for it, for that; *Er kann nichts ~.* He can't help it. *etw ~ können (schuldig sein)* to be s.o.'s fault; *2. ~ aber* and yet, but on the other hand; *3. (als Ausgleich)* in return, in exchange, for that
dagegen [da'geːgən] *konj 1.* against it; *adv 2. (im Vergleich)* compared to it, in comparison; *3. (dafür)* however, on the other hand; *4.* whereas, on the other hand, however
daheim [da'haɪm] *adv* at home
daher [da'heːr] *adv 1. (örtlich)* from there; *2. (kausal)* hence, from that, from this; *konj 3.* therefore, for this reason
daherkommen [da'heːrkɔmən] *v irr 1.* come along; *2. (auftreten)* look; *Er kommt*

daher wie ein Landstreicher. He looks like a tramp.
dahin [da'hɪn] *adv* there
dahinter [da'hɪntər] *adv 1.* behind it; *2. (fig)* at the bottom of it; *sich ~ knien* get down to it; *sich ~ klemmen* hold one's nose to the grindstone, set to it; ~ *stecken* to be behind it, to be at the bottom of it; ~ *stehen* back it, support it
daliegen ['daːliːgən] *v irr (fig)* lie there
damalig ['daːmalɪç] *adj* then, at that time, at the time; *der ~e Weltmeister* the world champion at the time
damals ['daːmals] *adv* then, at that time
Dame ['daːmə] *f 1.* lady; *eine ~ von Welt sein* to be a woman of the world; *2. ~ spielen* play draughts, play checkers *(US); 3. (Schachfigur)* queen
Damenbinde ['daːmənbɪndə] *f* sanitary towel, sanitary napkin *(US)*
damit [da'mɪt] *konj 1.* with it; *adv 2. (dadurch)* thereby, by that; *3.* in order to, so that, so as to
dämlich ['dɛːmlɪç] *adj (fam)* stupid, dumb
Damm [dam] *m 1.* dam, dike, embankment; *2. wieder auf dem ~ sein* to be back on one's feet again
dämmern ['dɛmərn] *v 1. (morgens)* dawn; *2. (abends)* fall; *3. (im Halbschlaf sein)* doze
Dämmerung ['dɛmərʊŋ] *f 1. (abends)* dusk, twilight; *2. (morgens)* dawn, daybreak
Dämon ['dɛːmɔn] *m* demon
dämonisch [dɛ'moːnɪʃ] *adj* demonic
Dampf [dampf] *m* steam; ~ *ablassen (fig)* let off steam; ~ *dahinter machen* put on pressure
dampfen ['dampfən] *v* steam
dämpfen ['dɛmpfən] *v 1. (verringern)* soften, subdue; *2. (Ton)* muffle; *3. GAST* steam
Dampfer ['dampfər] *m* steamboat, steamer; *auf dem falschen ~ sein (fig)* to be barking up the wrong tree
Dämpfer ['dɛmpfər] *m* damper; *jdm einen ~ aufsetzen* take s.o. down a peg or two; *einen ~ bekommen* get a ticking-off, to be brought down to earth
Dämpfung ['dɛmpfʊŋ] *f 1. (Verringerung)* softening, muffling; *2. PHYS* attenuation
danach [da'naːx] *adv 1. (zeitlich)* afterwards, after that, thereafter; *2. (dementsprechend)* accordingly

Däne/Dänin ['dɛːnə/'dɛːnɪn] *m/f* Dane
daneben [da'neːbən] *adv 1. (örtlich)* beside it, next to it; *2. (fig: außerdem)* besides, moreover, furthermore
Dänemark ['dɛːnəmark] *n GEO* Denmark
dänisch ['dɛːnɪʃ] *adj* Danish
Dank [daŋk] *m* thanks, gratitude; *Vielen ~!* Thank you very much! *Gott sei ~!* Thank God!
dankbar ['daŋkbaːr] *adj 1.* grateful, thankful; *2. (lukrativ)* rewarding, lucrative
Dankbarkeit ['daŋkbaːrkaɪt] *f* gratitude, thankfulness
danke ['daŋkə] *interj* thank you, thanks
danken ['daŋkən] *v* thank
Danksagung ['daŋkzaːɡuŋ] *f* expression of thanks
dann [dan] *adv 1.* then, after that; *~ und wann* now and then, every so often; *2. (in dem Falle)* then, in that case
daran [da'ran] *adv 1.* on it, to it, at it; *Ich denke ~.* I am thinking about it. I will keep it in mind. *2. ~ hängt es (fam)* it depends on it; *~ glauben müssen* kick the bucket (fam); *gut ~ tun* to be well advised to do sth; *Da ist etwas ~.* There is a kernel of truth to it.
darauf [da'rauf] *adv 1. (örtlich)* on it, upon it; *jdn ~ aufmerksam machen, dass* call s.o.'s attention to the fact that; *gut drauf sein (fam)* to be on the ball; *nichts drauf haben (fam)* to be a dim bulb; *2. (zeitlich)* after that; *~ folgend* ensuing; *3. (folglich)* whereupon
daraus [da'raus] *adv* out of it, of it
darbieten ['daːrbiːtən] *v irr 1. (anbieten)* offer, present; *2. (aufführen)* perform, present
Darbietung ['daːrbiːtuŋ] *f 1. (Angebot)* offer, presentation; *2. (Aufführung)* performance, presentation
darein [da'raɪn] *adv* in there, into it, therein
darin [da'rɪn] *adv 1. (örtlich)* in it, *(Plural)* in them; *mitten ~* in between *2. (diesbezüglich)* in this, in that respect
darlegen ['daːrleːɡən] *v* set forth, explain, demonstrate
Darlegung ['daːrleːɡuŋ] *f* explanation
Darlehen ['daːrleːən] *n ECO* loan
Darm [darm] *m* intestines *pl*, bowels *pl*
darstellen ['daːrʃtɛlən] *v 1. (beschreiben)* depict, portray, represent; *2. (fig: bedeuten)* represent, symbolize; *3. CINE* play, portray
Darsteller(in) ['daːrʃtɛlər(ɪn)] *m/f CINE* actor
Darstellung ['daːrʃtɛluŋ] *f 1. (Beschreibung)* description, representation, depiction; *2. CINE* portrayal, performance

darüber [da'ryːbər] *adv 1. (örtlich)* above it, over it; *2. (quer über)* across it; *3. (zu diesem Thema)* about it; *4. ~ hinaus* beyond it; *5. ~ hinaus (fig)* in addition to that, on top of that, apart from that; *v irr 6. ~ stehen (fig)* to be above such things
darum [da'rum] *konj 1. (örtlich)* (a)round it; *2. (kausal)* that is why, for that reason, on that account; *adv*
darunter [da'runtər] *adv 1. (örtlich)* below, underneath, beneath; *2. (mengenmäßig)* among them; *~ fallen* fall under, to be included in, fall within; *~ liegen* to be below it, to be lower
das [das] *art 1.* the; *2. (demonstrativ)* that, this; *pron 3. (relativ)* which, that, who
Dasein ['daːzaɪn] *n* existence, being
dasjenige ['dasjeːnɪɡə] *pron* the one, the
dass [das] *konj* that
dasselbe [das'zɛlbə] *pron 1.* the same thing; *2. (adjektivisch)* the same
Datei [da'taɪ] *f* record, file
Daten ['daːtən] *pl 1.* data; *2. (Zeitangaben)* dates
Datenautobahn ['daːtənautobaːn] *f INFORM* information highway
Datenbank ['daːtənbaŋk] *f INFORM* data bank
Datennetz ['daːtənnɛts] *n INFORM* data network
Datenschutz ['daːtənʃuts] *m* data protection, safeguarding of data
Datenträger ['daːtəntrɛːɡər] *m INFORM* data medium, data carrier
Datenübertragung ['daːtənyːbərtraːɡuŋ] *f INFORM* data transmission
Datenverarbeitung ['daːtənfɛrarbaɪtuŋ] *f INFORM* data processing
datieren [da'tiːrən] *v* date
Datierung [da'tiːruŋ] *f* dating
Dativ ['daːtiːf] *m* dative, dative case
Dattel ['datəl] *f BOT* date
Datum ['daːtum] *n* date
Dauer ['dauər] *f* duration; *auf ~* permanently; *Auf die ~ wird es langweilig.* It gets boring after a while. *von ~ sein* to be long-lasting; *nicht von ~ sein* to be short-lived
Dauerauftrag ['dauərauftrak] *m ECO* standing order, banker's order
dauerhaft ['dauərhaft] *adj 1. (anhaltend)* durable, lasting, permanent; *2. (widerstandsfähig)* solid, strong, durable
dauern ['dauərn] *v* last, continue, go on for; *Es dauert lange.* It takes a long time.

dauernd ['dauərnt] *adv 1. (ständig)* constantly, continuously, incessantly; *Er stört mich ~.* He keeps bothering me. *adj 2.* lasting, permanent, continuous

Dauerwelle ['dauərvɛlə] *f* perm (fam), permanent wave

Daumen ['daumən] *m* ANAT thumb; *über den ~ gepeilt* as a rule of thumb; *den ~ auf etw halten* have dibs on sth (fam); *per ~ fahren* thumb a ride; *jdm den ~ aufs Auge drücken* get s.o. under one's thumb; *Ich werde (dir) die ~ drücken.* I'll keep my fingers crossed.

Daune ['daunə] *f* down

davon [da'fɔn] *adv 1. (örtlich)* from it, from there; *2. (Teil von etw)* of it; *Sie gab mir ein Stück ~.* She gave me a piece of it.

davonkommen [da'fɔnkɔmən] *v irr (fig)* get off lightly, have a narrow escape

davonlaufen [da'fɔnlaufən] *v irr* run off, run away

davontragen [da'fɔntra:gən] *v irr 1. (wegtragen)* carry off; *2. (fig: Schaden)* incur, sustain, suffer; *3. (fig: Sieg)* win; *4. (Krankheit)* catch

davor [da'fo:r] *adv 1. (örtlich)* in front of it; *2. (zeitlich)* before that, before then, previously; *~ stehen* stand in front of it

dazu [da'tsu:] *adv 1.* to that, to it; *Dazu habe ich keine Lust.* I don't want to do that. *im Vergleich ~* compared to that; *2. (Zweck)* for that, for it; *3. (außerdem)* in addition, besides, moreover

dazukommen [da'tsu:kɔmən] *v irr 1.* come along, arrive on the scene; *2. Kommt noch etw dazu?* Will there be anything else? *3. (Zeit finden)* get around to it

dazwischen [da'tsvɪʃən] *adv 1. (örtlich)* between them, in between; *2. (zeitlich)* in between

dealen ['di:lən] *v (fam: mit Rauschgift handeln)* deal

Debakel [de'ba:kəl] *n* debacle

Debatte [de'batə] *f* debate

debattieren [deba'ti:rən] *v* debate, *über etw ~* discuss

Debüt [de'by:] *n* debut

Deck [dɛk] *n* deck

Decke ['dɛkə] *f 1. (Bettdecke)* bed-cover, bedspread; *mit jdm unter eine ~ stecken* to be hand in glove with s.o., to be in cahoots with s.o. *(US); 2. (Tischdecke)* tablecloth; *3. (Zimmerdecke)* ceiling; *sich nach der ~ strecken* make ends meet; *vor Freude an die ~ springen* to be pleased as punch; *an die ~ gehen* hit the

roof; *Mir fällt langsam die ~ auf den Kopf.* I feel shut in.

Deckel ['dɛkəl] *m 1.* cover, lid, cap; *2. Der wird eins auf den ~ bekommen.* He's going to be put in his place.

decken ['dɛkən] *v 1. (zudecken)* cover; *2. den Tisch ~* lay the table, set the table *(US); 3. (Bedarf)* meet, cover; *4. (schützen)* shield, protect, cover; *5. (Scheck)* cover

Deckung ['dɛkuŋ] *f 1.* cover, covering; *in ~ gehen* take cover; *2. (Schutz)* protection

defekt [de'fɛkt] *adj* defective, faulty

Defekt [de'fɛkt] *m 1.* defect, fault; *2.* PSYCH deficiency

defensiv [defɛn'zi:f] *adj 1.* defensive; *adv 2.* defensively, on the defensive

Defensive [defɛn'zivə] *f* defensive

definieren [defi'ni:rən] *v* define

Definition [defini'tsjo:n] *f* definition

definitiv [defini'ti:f] *adv 1.* definitive, final; *adj 2.* definitely, for certain

Defizit ['de:fitsɪt] *n* deficit

deftig ['dɛftɪç] *adj 1.* heavy, solid; *2. (Essen)* solid, substantial

degradieren [degra'di:rən] *v 1.* degrade; *2.* MIL demote

dehnen ['de:nən] *v 1. (strecken)* stretch, distend; *2. (verlängern)* extend, lengthen; *3. (erweitern)* widen, expand

Dehnung ['de:nuŋ] *f 1. (Strecken)* stretching; *2. (Verlängerung)* lengthening, extension; *3. (Erweiterung)* expansion

Deich [daɪç] *m* dike

dein [daɪn] *adj 1.* your; *pron 2.* yours, for your part

deinesgleichen ['daɪnəs'glaɪçən] *pron* people like you, *(abschätzig)* the likes of you

deinetwegen ['daɪnətve:gən] *adv* because of you, for your sake, on your account

Dekade [de'ka:də] *f* decade

Dekan [de'ka:n] *m* dean

deklamieren [dekla'mi:rən] *v* LIT declaim, recite

Deklaration [deklara'tsjo:n] *f* POL declaration

deklarieren [dekla'ri:rən] *v* declare

deklassieren [dekla'si:rən] *v 1.* downgrade; *2.* SPORT outclass

Deklination [deklina'tsjo:n] *f* declination

deklinieren [dekli'ni:rən] *v* decline

Dekolletee [dekɔl'te:] *n* cleavage, low neckline, decolletage

Dekoration [dekɔra'tsjo:n] *f* decoration

dekorativ [dekɔra'ti:f] *adj* decorative

dekorieren [deko'riːrən] *v* decorate

Dekret [de'kreːt] *n JUR* decree

Delegation [delega'tsjoːn] *f 1. (Personen)* delegation; *2. (Übertragung)* delegation

delegieren [dele'giːrən] *v* delegate

Delegierte(r) [dele'giːrtə(r)] *m/f POL* delegate

Delfin [dɛl'fiːn] *m ZOOL* dolphin

delikat [delɪ'kaːt] *adj 1.* delicate, dainty; *2. (Speise)* delicious; *3. (Problem)* delicate, touchy

Delikatesse [delɪka'tɛsə] *f 1.* delicacy; *2. (Geschäft) GAST* delicatessen

Delikt [de'lɪkt] *n JUR* offence, crime, civil wrong

dem [deːm] *art 1.* the, to the; *pron 2. (Dativ des Demonstrativpronomens)* that, to that; *(Mensch)* to him; *3. (Dativ des Relativpronomens)* which, to which; *(Mensch)* whom, to whom; *4. (fam: ihm)* him

dementieren [demɛn'tiːrən] *v* deny officially

dementsprechend ['deːmɛnt'ʃprɛçənt] *adj 1.* corresponding; *adv 2.* accordingly

demgegenüber ['deːmge:gən'y:bər] *adv 1. (im Vergleich dazu)* compared to that, compared to this; *2. (andererseits)* on the other hand

demnach ['deːmnaːx] *adv* accordingly

demnächst [deː'mnɛːçst] *adv* soon, shortly, before long; *~ im Kino* coming soon

Demographie [demogra'fiː] *f* demography, population analysis

demographisch [demo'grafɪʃ] *adj* demographic

Demokrat [demo'kraːt] *m POL* democrat

Demokratie [demokra'tiː] *f POL* democracy

demokratisch [demo'kraːtɪʃ] *adj POL* democratic

demokratisieren [demokrati'ziːrən] *v POL* democratize

Demokratisierung [demokrati'ziːruŋ] *f POL* democratization

demolieren [demo'liːrən] *v* demolish

Demonstration [demɔnstra'tsjoːn] *f* demonstration

demonstrativ [demɔnstra'tiːf] *adj* demonstrative, pointed

Demonstrativpronomen [demɔnstra-'tiːfprono:mən] *n GRAMM* demonstrative pronoun

demonstrieren [demɔn'striːrən] *v 1. (darlegen)* demonstrate, illustrate, show; *2. (bei einer Demonstration mitmachen)* demonstrate

Demontage [demɔn'taːʒə] *f* disassembly, dismantling

Demoskopie [demɔsko'piː] *f* public opinion research

demoskopisch [demɔs'koːpɪʃ] *adj* demoscopic

demselben [deːm'zɛlbən] *pron* the same

demütigen ['deːmyːtɪgən] *v 1.* humble; *2. (erniedrigen)* humiliate

Demütigung ['deːmyːtɪguŋ] *f* humiliation, degradation

den [deːn] *art 1.* the; *pron 2. (Akkusativ des Demonstrativpronomens)* that; *3. (Akkusativ des Relativpronomens)* which; *4. (Mensch)* whom; *5. (fam: ihn)* him

denken ['dɛŋkən] *v irr* think; *Wo denkst du hin?* What can you be thinking of? *Ich denke nicht daran!* That's out of the question. *Das dachte ich mir.* I thought as much. *Es gab mir zu ~.* It made me think. *anders ~d* dissenting, dissident

Denker ['dɛŋkər] *m PHIL* thinker, philosopher

Denkmal ['dɛŋkmaːl] *n* monument, memorial, statue; *sich ein ~ setzen (fig)* ensure o.s. a place in history

denn [dɛn] *konj 1.* because, for; *2. (vergleichend)* than; *mehr ~ je* more than ever; *adv 3. es sei ~* unless; *4. (verstärkend) Siehst du das ~ nicht?* Don't you see that? *Wieso ~ nicht?* Why not?

dennoch ['dɛnɔx] *konj* nevertheless, however, yet

Denunziation [denuntsja'tsjoːn] *f POL* denunciation

denunzieren [denun'tsiːrən] *v POL* denounce, inform against

Deodorant [deodo'rant] *n* deodorant

deplatziert ['deplatsiːrt] *adj* misplaced

Deponie [depo'niː] *f* dump, disposal site, refuse tip

deponieren [depo'niːrən] *v* deposit, leave

Deportation [depɔrta'tsjoːn] *f POL* deportation

deportieren [depɔr'tiːrən] *v* deport

Depot [de'poː] *n* depot, warehouse, storehouse

Depp [dɛp] *m* idiot, dope (fam)

Depression [deprɛs'joːn] *f* depression; *in ~en verfallen* fall into depression

depressiv [deprə'siːf] *adj* depressive, down in the dumps

deprimieren [deprɪ'miːrən] *v* depress

deprimiert [deprɪ'miːrt] *adj* depressed

der [de:r] *art 1.* the; *pron 2. (Demonstrativpronomen)* that, the one; *(Mensch)* he; *3. (Relativpronomen)* that, which; *(Mensch)* who; *art 4. (gen von "die")* of the

derartig ['de:ra:rtɪç] *adj 1.* such, of that kind; *adv 2.* so, that, such; *Er war ~ verängstigt, dass...* He was so scared that ...

derb [derp] *adj* coarse, rough

deren ['de:rən] *pron 1. (Relativpronomen)* whose; *(einer Sache)* of which; *2. (Possessivpronomen)* her; *seine Stieftochter und ~ Kinder* his stepdaughter and her children; *(einer Sache)* its; *(Plural)* their

derjenige ['de:rje:nɪgə] *pron* the one, he; *~, der meine Jacke gestohlen hat* the one who stole my jacket

derselbe [de:r'zɛlbə] *adj* the same

derzeit ['de:rtsaɪt] *adv* at present

derzeitig ['de:rtsaɪtɪç] *adj* current

des [dɛs] *art (gen von der/das)* of the

Deserteur [dezɛr'tøːr] *m MIL* deserter

desertieren [dezɛr'tiːrən] *v MIL* desert

deshalb ['dɛshalp] *konj* for that reason, therefore; *~ bin ich hierher gekommen.* That's why I came here.

Design [di'zaɪn] *n* design

Designer(in) [dɪ'zaɪnər(ɪn)] *m/f* designer

desinfizieren [dɛsɪnfi'tsiːrən] *v* disinfect

Desinteresse ['dɛsɪntərɛsə] *n* disinterest

desinteressiert ['dɛsɪntərɛsiːrt] *adj* disinterested, indifferent

dessen ['dɛsən] *pron 1. (Relativpronomen)* whose, of which, of whom; *2. (Demonstrativpronomen)* that; *Dessen kannst du gewiss sein.* You can be sure of that. *Er erinnert sich ~ nicht.* He doesn't remember that. *~ ungeachtet* nevertheless, (that) notwithstanding; *3. (Possessivpronomen)* his; *sein Geschäftspartner und ~ Frau* his business partner and the partner's wife, his business partner and the latter's wife; *(einer Sache)* its

Dessert [dɛ'sɛːr] *n* dessert

Dessous [dɛ'suː] *n* lingerie

desto ['dɛsto] *adv* that much, so much; *je ... ~ ...* the more ... the more ...

destruktiv [destruk'tiːf] *adj* destructive

deswegen ['dɛsveːgən] *konj* for that reason, because of that

Detail [de'tai] *n* detail

detailliert [de:tai'jiːrt] *adj 1.* detailed; *adv 2.* in detail

Detektiv [detɛk'tiːf] *m* detective

deuten ['dɔytən] *v 1. (auslegen)* interpret, construe; *2. auf etw ~* point to sth

deutlich ['dɔytlɪç] *adj* clear

Deutlichkeit ['dɔytlɪçkaɪt] *f* clarity

deutsch [dɔytʃ] *adj* German

Deutsch [dɔytʃ] *n* German; *Sprechen Sie ~?* Do you speak German?

Deutsche(r) ['dɔytʃə(r)] *m/f* German

Deutschland ['dɔytʃlant] *n* Germany

deutschsprachig ['dɔytʃʃpra:xɪç] *adj 1. (Gebiet)* German-speaking; *2. (Zeitung)* German language

Deutung ['dɔytuŋ] *f* interpretation, explanation

Devise [de'viːzə] *f* motto

Devisen [de'viːzən] *pl FIN* foreign currency, foreign exchange
foreign-exchange earner

devot [de'voːt] *adj* humble, devout

Dezember [de'tsɛmbər] *m* December

dezent [de'tsɛnt] *adj* discreet, unobtrusive

dezimal [detsi'ma:l] *adj MATH* decimal

Dezimeter [detsi'meːtər] *m* decimetre, decimeter *(US)*

dezimieren [detsi'miːrən] *v* decimate

Dezimierung [detsi'miːruŋ] *f* decimation

Dia ['di:a] *n* slide

Diagnose [dia'gnoːzə] *f* diagnosis

diagnostizieren [diagnɔstɪ'tsiːrən] *v* diagnose

diagonal [diago'na:l] *adj* diagonal

Diagramm [dia'gram] *n* diagram

Diakon [dia'ko:n] *m REL* deacon

Diakonie [diako'ni:] *f REL* social welfare work

Dialekt [dia'lɛkt] *m* dialect

Dialog [dia'lo:k] *m* dialogue

Diamant [dia'mant] *m MIN* diamond

Diät [di'ɛ:t] *f* diet

Diäten [di'ɛ:tən] *pl POL* parliamentary allowance

diätetisch [diɛ'te:tɪʃ] *adj* dietetic

dich [dɪç] *pron 1.* you; *2. (reflexiv)* yourself

dicht [dɪçt] *adj 1. (kompakt)* dense, compact, thick; *~ bevölkert* densely populated; *~ bewachsen* dense; *~ gedrängt* tightly packed, crowded; *2. (undurchlässig)* tight, impermeable; *Du bist wohl nicht ganz ~.* (fam) You must be nuts. *adv 3. (nahe)* closely

Dichte ['dɪçtə] *f 1. (Kompaktheit)* density, compactness, concentration; *2. (Undurchlässigkeit)* tightness

dichten ['dɪçtən] *v 1. LIT* write poetry; *2. TECH* seal, make watertight

Dichter(in) ['dɪçtər(ɪn)] *m/f* poet

dichterisch ['dɪçtərɪʃ] *adj* poetic

Dichtung ['dıçtuŋ] f 1. LIT poetry; 2. (Einzeldichtung) LIT poem; 3. TECH seal, packing
dick [dık] adj 1. (Gegenstand) thick, big; 2. (Person) fat; 3. (Flüssigkeit) thick, syrupy; 4. etw ~e haben (fam) to be sick of sth; 5. mit jdm durch ~ und dünn gehen go through thick and thin with s.o.
Dicke ['dıkə] f (Material) thickness
Dickicht ['dıkıçt] n thicket
didaktisch [di'daktıʃ] adj didactic
die [diː] art 1. the; pron 2. (demonstrativ) that, the one; (Mensch) she; (Plural) those, the ones; 3. (relativ) that, which; (Mensch) who, whom
Dieb(in) [diːp(ın)] m/f thief
Diebstahl ['diːpʃtaːl] m theft
diejenige ['diːjeːnıgə] pron the one, she
Diele ['diːlə] f (Vorraum) entrance hall
dienen ['diːnən] v serve
Diener ['diːnər] m servant, attend-ant
Dienerin ['diːnərın] f maid
Dienst ['diːnst] m 1. service, duty, office; sich in den ~ einer Sache stellen embrace a cause; jdm gute ~e leisten serve s.o. well; im ~ on duty; ~ habend on duty; 2. Öffentlicher ~ civil service
Dienstag ['diːnstaːk] m Tuesday
dienstags ['diːnstaːks] adv every Tuesday, on Tuesdays
Dienstgrad ['diːnstgraːt] m MIL rank
Dienstleistung ['diːnstlaıstuŋ] f service
dienstlich ['diːnstlıç] adj 1. official; adv 2. officially, on official business, on business
Dienststelle ['diːnstʃtɛlə] f office, agency
dies [diːs] adj this
diesbezüglich ['diːsbətsyːklıç] adj relating to this, relevant, regarding this
diese(r,s) ['diːzə(r,s)] adj 1. this; 2. (Plural) these; pron 3. this one; 4. (Plural) these
dieselbe [diːˈzɛlbə] pron the same one
Dieselöl ['diːzəløːl] n TECH diesel oil
diesig ['diːzıç] adj hazy, misty
diesjährig ['diːsjɛːrıç] adj of this year, this year's
diesmal ['diːsmaːl] adv this time
diesseits ['diːszaıts] prep on this side of
diffamieren [dıfaˈmiːrən] v defame, slander
Diffamierung [dıfaˈmiːruŋ] f slandering
Differenz [dıfəˈrɛnts] f 1. (Unterschied) difference; 2. (Streit) dispute, difference of opinion
differenzieren [dıfərɛnˈtsiːrən] v differentiate
differieren [dıfəˈriːrən] v differ
digital [dıgıˈtaːl] adj digital

digitalisieren [dıgıtaliˈziːrən] v TECH digitalize
Diktat [dıkˈtaːt] n 1. dictation; 2. (Zwang) dictate
Diktator [dıkˈtaːtɔr] m POL dictator
diktatorisch [dıktaˈtoːrıʃ] adj POL dictatorial
Diktatur [dıktaˈtuːr] f POL dictatorship
diktieren [dıkˈtiːrən] v dictate
Dilemma [dıˈlɛma] n dilemma
Dilettant [dılɛˈtant] m amateur, dilettante
dilettantisch [dılɛˈtantıʃ] adj amateurish
Dimension [dımɛnˈzjoːn] f dimension
Ding [dıŋ] n 1. thing; guter ~e sein to be in high spirits; unverrichteter ~e without having accomplished anything; über den ~en stehen to be above things; jdm ein ~ verpassen get s.o. (fam), show s.o. (fam); Das geht nicht mit rechten ~en zu. There's something fishy about that. 2. ein ~ drehen (fam) pull a job
Dinosaurier [dinoˈzaurıər] m dinosaur
Diözese [diøˈtseːzə] f REL diocese
Dip [dıp] m GAST dip
Diplom [diˈploːm] n diploma, certificate
Diplomat(in) [diploˈmaːt(ın)] m/f POL diplomat
Diplomatie [diplomaˈtiː] f POL diplomacy
diplomatisch [diploˈmaːtıʃ] adj diplomatic
Diplomingenieur [diˈploːmınʒenjøːr] m academically trained engineer
dir [diːr] pron 1. you, to you; 2. (reflexiv) yourself
direkt [diˈrɛkt] adj 1. direct, immediate; adv 2. directly; ~ neben right next to
Direktion [dırɛkˈtsjoːn] f direction
Direktor(in) [diˈrɛktɔr(ın)] m/f 1. director, manager; 2. (Schulleiter) headmaster/headmistress, principal (US)
Dirigent [dirıˈgɛnt] m conductor
dirigieren [dirıˈgiːrən] v 1. direct, manage; 2. MUS conduct
Dirne ['dırnə] f (Nutte) prostitute, whore
Disharmonie [dısharmoˈniː] f discord
disharmonisch ['dısharmoːnıʃ] adj 1. MUS disharmonious; 2. dissonant
Diskette [dısˈkɛtə] f INFORM diskette
Diskettenlaufwerk [dısˈkɛtənlaufvɛrk] n INFORM disk drive
Diskont [dısˈkɔnt] m ECO discount
diskontieren [dıskɔnˈtiːrən] v ECO discount
Diskothek [dıskɔˈteːk] f discotheque, disco (fam)

diskret [dɪs'kreːt] *adj* 1. discreet, tactful; 2. *MATH* discrete
Diskretion [dɪskre'tsjoːn] *f* 1. discretion; 2. *(vertrauliche Behandlung)* confidentiality
diskriminieren [dɪskrimi'niːrən] *v* discriminate against
Diskriminierung [dɪskrimi'niːruŋ] *f* discrimination
Diskurs [dɪs'kurs] *m* discourse
Diskus ['dɪskus] *m SPORT* discus
Diskussion [dɪskus'joːn] *f* discussion, debate, argument
diskutieren [dɪsku'tiːrən] *v* discuss, debate
Display ['dɪspleː] *n TECH* display
disponieren [dɪspo'niːrən] *v* 1. make arrangements for; 2. *über etw ~* have sth at one's disposal
Disposition [dɪspoziˈtsjoːn] *f* 1. *(Vorbereitung)* preparations, arrangements; 2. *(Verfügung) jdm zur ~ stehen* to be at s.o.'s disposal; *jdn zur ~ stellen* send s.o. into temporary retirement; 3. *(Gliederung)* layout, plan; 4. *(Empfänglichkeit)* susceptibility
Disput [dɪs'puːt] *m* dispute
Disqualifikation [dɪskvalifika'tsjoːn] *f* disqualification
disqualifizieren [dɪskvalifi'tsiːrən] *v* disqualify
Dissertation [dɪserta'tsjoːn] *f* dissertation, thesis, treatise
Dissident [dɪsi'dent] *m POL* dissident
Dissonanz [dɪso'nants] *f* 1. discord; 2. *MUS* dissonance
Distanz [dɪs'tants] *f* distance; *jdn auf ~ halten* keep s.o. at a distance
distanzieren [dɪstan'tsiːrən] *v sich ~* distance o.s.
distanziert [dɪstan'tsiːrt] *adj* distant, detached
Disziplin [dɪstsi'pliːn] *f* discipline
divers [di'vers] *adj* various
dividieren [divi'diːrən] *v MATH* divide
Division [divi'zjoːn] *f MIL* division
D-Mark ['deːmark] *f* German mark; *achtundsiebzig ~* seventy-eight German marks
doch [dɔx] *adv* 1. „*Du möchtest also nicht mitmachen?*“ „*Doch!*“ "So you don't want to join in?" "Yes, I do!"; 2. *Er kommt also ~ mit?* He's coming along after all? 3. *(bekanntlich)* of course; *konj* 4. yet, but, still
Dogma ['dɔgma] *n* dogma
Dogmatiker [dɔg'maːtɪkər] *m* dogmatist
dogmatisch [dɔg'maːtɪʃ] *adj* dogmatic

Doktor ['dɔktɔr] *m* doctor
Dokument [doku'ment] *n* document, *(fig)* record
Dokumentation [dokumenta'tsjoːn] *f* documentary report
dokumentieren [dokumen'tiːrən] *v* 1. document; 2. *(fig)* demonstrate, reveal, show
Dolch [dɔlç] *m* dagger
Dollar ['dɔlar] *m* dollar
Dollarkurs ['dɔlarkurs] *m ECO* dollar rate
dolmetschen ['dɔlmetʃən] *v* interpret
Dolmetscher(in) ['dɔlmetʃər(ɪn)] *m/f* interpreter
Dom [doːm] *m* cathedral
Domain [do'meɪn] *f INFORM* domain
Domäne [do'mɛːnə] *f* domain
dominant [domi'nant] *adj* dominant
Dominanz [domi'nants] *f* dominance
dominieren [domi'niːrən] *v* dominate
Donau ['doːnau] *f GEO* Danube
Donner ['dɔnər] *m* thunder; *wie vom ~ gerührt* thunderstruck
donnern ['dɔnərn] *v* 1. thunder; 2. *(fig)* rage, roar
Donnerstag ['dɔnərstaːk] *m* Thursday
donnerstags ['dɔnərstaːks] *adv* every Thursday, on Thursdays
doof [doːf] *adj* 1. *(fam: dumm)* stupid, dumb *(US)*; 2. *(fam: langweilig)* boring, a drag
dopen ['doːpən] *v SPORT* dope
Doping ['doːpɪŋ] *n SPORT* doping
Doppel ['dɔpəl] *n* 1. *(Duplikat)* duplicate; 2. *SPORT* doubles
doppeldeutig ['dɔpəldɔytɪç] *adj* ambiguous, equivocal, with a double meaning
Doppeldeutigkeit ['dɔpəldɔytɪçkait] *f* ambiguity
Doppelgänger ['dɔpəlgeŋər] *m* double
Doppelpunkt ['dɔpəlpuŋkt] *m GRAMM* colon
doppelt ['dɔpəlt] *adj* 1. double; *adv* 2. *~ sehen* see double
Doppelzimmer ['dɔpəltsɪmər] *n* double room
Dorf [dɔrf] *n* village
Dorn [dɔrn] *m* 2. *TECH* awl; 1. *BOT* thorn; *jdm ein ~ im Auge sein* to be a thorn in s.o.'s side
dornig ['dɔrnɪç] *adj* thorny, prickly
dörren ['dœrən] *v* dry
Dorsch [dɔrʃ] *m ZOOL* codfish, cod
dort [dɔrt] *adv* there; *~ drüben* over there
dorther ['dɔrtheːr] *adv* from there
dorthin ['dɔrthɪn] *adv* there, that way

Dose ['do:zə] *f* 1. tin, can *(US)*, *(mit Deckel)* jar; 2. *TECH* box
dösen ['dø:zən] *v* doze
Dosenöffner ['do:zənœfnər] *m* tin-opener, can opener *(US)*
Dosierung [do'zi:ruŋ] *f MED* dosage, dose
Dosis ['do:zɪs] *f* dose
Dotter ['dɔtər] *m* yolk, egg yolk
Dozent(in) [do'tsɛnt(ɪn)] *m/f* lecturer, assistant professor *(US)*
dozieren [do'tsi:rən] *v* 1. give lectures; 2. *(fig: belehrend vorbringen)* hold forth
Drache ['draxə] *m* dragon
Drachen ['draxən] *m (Spielzeug)* kite
Draht [dra:t] *m* 1. wire; *einen guten ~ zu jdm haben* get on well with s.o. 2. *auf ~ sein (fig)* to be on the ball
Drahtesel ['dra:te:zəl] *m (fam)* boneshaker
drahtlos ['dra:tlo:s] *adj TECH* wireless
Drama ['dra:ma] *n LIT* drama
Dramatiker [dra'ma:tɪkər] *m LIT* dramatist, playwright
dramatisch [dra'ma:tɪʃ] *adj* 1. dramatic; *adv* 2. dramatically
dramatisieren [dramatɪ'zi:rən] *v* 1. dramatize; 2. *(fig)* exaggerate
dran *adv (siehe „daran")*
Drang [draŋ] *m* urge
drängeln ['drɛŋəln] *v* 1. push, jostle; 2. *(bedrängen)* pester
drängen ['drɛŋən] *v* 2. *(fig)* press, urge; 1. press, push, force
drastisch ['drastɪʃ] *adj* drastic
drauf *adv (siehe „darauf")*
Draufgänger ['draufgɛŋər] *m* 1. *(Wagehals)* daredevil; 2. *(bei Frauen)* wolf, Casanova, he-man; 3. *(Erfolgsmensch)* person who goes for it, go-getter *(US)*
draußen ['drausən] *adv* outside
Dreck [drɛk] *m* 1. dirt, muck, mud; *etwas vor ~ to be absolutely* filthy; 2. *(Schund)* rubbish; 3. *(fig) ~ am Stecken haben* have skeletons in one's closet; *jdn aus dem ~ ziehen* pull s.o. out of the gutter
dreckig ['drɛkɪç] *adj* dirty, filthy, grimy
Drehbuch ['dre:bu:x] *n CINE* script
drehen ['dre:ən] *v* 1. turn; 2. *(ver~)* twist; 3. *(sich schnell ~)* spin; 4. *(um seinen Mittelpunkt)* revolve; 5. *CINE* shoot, film; 6. *(Zigarette)* roll
Drehung ['dre:uŋ] *f* 1. turn; 2. *(Umdrehung)* revolution; 3. *(um eine Achse)* rotation
Drehzahl ['dre:tsa:l] *f* 1. *TECH* speed, number of revolutions; 2. *(pro Minute)* revolutions per minute

drei [draɪ] *num* three; *~ viertel* three quarters
dreidimensional ['draɪdimɛnzjona:l] *adj* three-dimensional
Dreieck ['draɪɛk] *n MATH* triangle
dreieckig ['draɪɛkɪç] *adj* triangular
dreifach ['draɪfax] *adj* threefold
Dreiklang ['draɪklaŋ] *m MUS* triad
dreimal ['draɪma:l] *adv* three times; *Dreimal darfst du raten. (fam)* I'll give you three guesses.
dreißig ['draɪsɪç] *num* thirty
dreist [draɪst] *adj* cheeky, bold, forward
Dreistigkeit ['draɪstɪgkaɪt] *f* boldness, cheek (fam)
dreizehn ['draɪtse:n] *num* thirteen; *Jetzt schlägt's ~!* That's enough! Now I'm fed up!
dressieren [drɛ'si:rən] *v* train, condition, *(Pferd)* break in
Dressur [drɛ'su:r] *f* training, breaking in, *(~ reiten)* dressage
Drillinge ['drɪlɪŋə] *pl* triplets
drin *adv (fam) (siehe „darin")*
dringen ['drɪŋən] *v irr* 1. penetrate, pass through; 2. *(Wasser)* seep through; 3. *in jdn ~* press s.o., urge s.o. 4. *auf etw ~* insist on sth
dringend ['drɪŋənt] *adj* 1. urgent, pressing, imperative; 2. *(Gründe)* compelling
drinnen ['drɪnən] *adv* inside
dritte(r,s) ['drɪtə(r,s)] *adj* third; *der lachende Dritte* the real winner
Drittel ['drɪtəl] *n* third
drittens ['drɪtəns] *adv* thirdly
Droge ['dro:gə] *f* drug
drogenabhängig ['dro:gənaphɛŋɪç] *adj* drug-addicted, addicted to drugs
Drogerie [dro:gə'ri:] *f* chemist's, drugstore *(US)*
drohen ['dro:ən] *v* threaten
Drohne ['dro:nə] *f ZOOL* drone
dröhnen ['drø:nən] *v* resound, roar, boom
Drohung ['dro:uŋ] *f* threat
drollig ['drɔlɪç] *adj* funny, droll, cute
Dromedar [dromə'da:r] *n ZOOL* dromedary, Arabian camel
Drossel ['drɔsəl] *f ZOOL* thrush
Druck [druk] *m* 1. pressure; 2. *(Belastung)* burden, load; *unter ~ stehen* to be under pressure; *jdn unter ~ setzen* put pressure on s.o. 3. *(Flächendruck)* compression
Druckbuchstabe ['drukbuxʃta:bə] *m* block letter
drucken ['drukən] *v* print
drücken ['drykən] *v* 1. press; 2. *(Preise)* *ECO* force down; 3. *(umarmen)* squeeze; 4. *(fig: bedrücken)* depress

Drucker ['drukər] m 1. (Person) printer; 2. (Gerät) INFORM printer

Drücker ['drykər] m 1. button; Er kommt immer auf den letzten ~. He always shows up at the last minute. am ~ sitzen (fig) to be at the controls; 2. (Klinke) handle; 3. (Türschloss) latch

Druckerei [drukə'raɪ] f printer

Druckluft ['drukluft] f TECH compressed air

drunter adv 1. (siehe „darunter") 2. ~ und drüber higgledy-piggledy, haywire

Drüse ['dry:zə] f ANAT gland

Dschungel ['dʒuŋəl] m jungle

du [du:] pron you; „Du, Michael ..." "Say, Michael ..."

Dübel ['dy:bəl] m TECH plug

ducken ['dukən] v duck

Dudelsack ['du:dəlzak] m bagpipes pl

Duell [du'ɛl] n duel

Duett [du'ɛt] n MUS duet

Duft [duft] m fragrance, aroma

duften ['duftən] v smell sweet, to be fragrant, to be scented

duftig ['duftɪç] adj scented, fragrant

dulden ['duldən] v 1. (hinnehmen) tolerate, put up with, permit; 2. (ertragen) bear, endure

Duldung ['duldʊŋ] f tolerance

dumm [dum] adj stupid, dumb (fam), foolish; jdn für ~ verkaufen play s.o. for a fool; jdm ~ kommen get funny with s.o. Das ist mir zu ~. (fam) That's just too much for me.

Dumme(r) ['dumə(r)] m/f fool; der Dumme sein come off worst

Dummheit ['dumhaɪt] f stupidity, foolishness, idiocy

Dummkopf ['dumkɔpf] m idiot, fool

dümmlich ['dymlɪç] adj fairly stupid, pretty stupid

dumpf [dumpf] adj 1. (Klang) hollow; 2. (Schmerz) dull

Düne ['dy:nə] f dune

düngen ['dyŋən] v AGR spread fertilizer, spread manure

Dünger ['dyŋər] m AGR dung, manure, fertilizer

dunkel ['duŋkəl] adj 1. dark, obscure; 2. (unklar) vague

Dunkel ['duŋkəl] n darkness; Im ~n ist gut munkeln. Darkness is the friend of lovers.

Dünkel ['dyŋkəl] m arrogance

Dunkelheit ['duŋkəlhaɪt] f darkness

dünn [dyn] adj thin

dünnflüssig ['dynflysɪç] adj liquid, watery

Dunst [dunst] m 1. vapour, steam; 2. (Rauch) smoke; 3. keinen blassen ~ von etw haben not have the foggiest idea of sth

dünsten ['dynstən] v GAST steam, stew

dunstig ['dunstɪç] adj 1. (Wetter) misty; 2. (Raum) stuffy

Dur [du:r] n MUS major

durch [durç] prep 1. (örtlich) through; ~ die Straßen gehen walk the streets; ~ die ganze Welt all over the world; Hier darf man nicht ~! No way through here! ~ und ~ through and through; Das geht mir ~ und ~. It goes right through me. 2. (zeitlich) throughout, for; 3. (mittels) through, by means of; 4. (kausal) by; 5. (geteilt ~) divided by; neun ~ drei nine divided by three

durchaus [durç'aus] adv thoroughly, entirely, absolutely

durchblicken ['durçblɪkən] v 1. (hindurchblicken) look through; 2. (fam: verstehen) understand; 3. etw ~ lassen hint at sth, intimate

Durchblutung [durç'blu:tuŋ] f MED circulation

durchbrechen ['durçbrɛçən] v irr (fig: durchstoßen) break through; [durç'brɛçən] v irr 2. (fig: übertreffen) break through

Durchbruch ['durçbrux] m 1. (Öffnung) opening; 2. (fig) breakthrough

durchdrehen ['durçdre:ən] v 1. (Räder) spin, skid; 2. (fam) crack up, freak out

durcheinander [durçaɪn'andər] adj 1. (unordentlich) mixed up, messed up, muddled; ~ bringen/~ werfen mix up, make a mess of, muddle; ~ reden talk all at once; ~ rufen shout at the same time, shout all at once; 2. (fam: verwirrt) confused, mixed up; zwei Sachen ~ bringen confuse two things

durchfahren [durç'fa:rən] v irr 1. drive through; 2. (ohne Stopp) drive without stopping, drive without a break, drive straight through

Durchfall ['durçfal] m MED diarrhoea, diarrhea (US)

durchfallen ['durçfalən] v irr (bei einer Prüfung) fail

durchfließen ['durçfli:sən] v irr flow through

durchführen ['durçfy:rən] v 1. (leiten) guide through, lead through; 2. (ausführen) carry out, implement, execute

Durchführung ['durçfy:ruŋ] f carrying out, execution, implementation

Durchgang ['durçgaŋ] m 1. (Weg) passage; 2. (Runde) SPORT round

durchgeben ['durçge:bən] *v irr eine Meldung ~* make an announcement; *Der Sprecher gab die Nachrichten durch.* The announcer read the news. *Ich werde es Ihnen telefonisch ~.* I'll read it to you over the phone.

durchgehen ['durçge:ən] *v irr 1. (überprüfen)* examine, go through; *2. (genehmigt werden)* to be carried, to be passed, to be adopted; *3. (fam: weglaufen)* bolt, run away, *(Liebende)* elope

durchgreifen ['durçgraifən] *v irr 1.* reach through; *2. (fig)* take drastic measures

durchhalten ['durçhaltən] *v irr* endure, hold out, last out

durchkommen ['durçkɔmən] *v irr 1.* come through, get through; *2. (finanziell)* get by; *3. (sich zurechtfinden)* manage; *4. (bei jdm)* get somewhere; *5. mit etw ~* get by with sth

durchlassen ['durçlasən] *v irr* let s.o. through, let pass

durchlaufen ['durç'laufən] *v irr 1.* run through; *2. (Flüssigkeit)* leak

durchmachen ['durçmaxən] *v 1. die ganze Nacht ~* keep going all night; *2. (etw ~)* go through; *3. (Wandlung)* undergo

Durchmesser ['durçmesər] *m* diameter

durchqueren [durç'kve:rən] *v* cross

Durchreise ['durçraizə] *f* transit

Durchsage ['durçza:gə] *f* announcement

durchschauen ['durçʃauən] *v 1.* look through; [durç'ʃauən] *2. (erkennen)* see through; *Du bist durchschaut.* I see right through you. I've got your number. (fam)

durchschlagen [durç'ʃla:gən] *v irr 1.* penetrate, pierce, go through; *2. (zerteilen)* cut in two; *3. (durchpassieren)* strain; *4. sich ~* fight one's way through

durchschneiden ['durçʃnaidən] *v irr* cut through, cut in two

Durchschnitt ['durçʃnɪt] *m* average

durchschnittlich ['durçʃnɪtlıç] *adj 1.* average, ordinary; *adv 2.* on average

durchsehen ['durçze:ən] *v irr* look through

durchsetzen ['durçzetsən] *v 1. sich ~* prevail, assert o.s. *2. sich ~ (Erzeugnis)* prove its worth

Durchsicht ['durçzıçt] *f* looking through, examination, inspection

durchsichtig ['durçzıçtıç] *adj 1.* transparent, clear; *2. (fig)* clear, lucid

durchstehen ['durçʃte:ən] *v irr (fig)* see through

durchstellen ['durçʃtɛlən] *v (fig: telefonisch) TEL* put through

durchsuchen [durç'zu:xən] *v* search, go through; *jdn ~* frisk s.o.

Durchsuchung [durç'zu:xuŋ] *f* search

durchtrennen [durç'trɛnən] *v* divide, split, *(schneiden)* cut through

Durchwahl ['durçva:l] *f TEL* extension, direct dialing

durchweichen ['durçvaiçən] *v 1.* become soggy, become soaked; *2.* soak, drench

durchziehen ['durçtsi:ən] *v irr 1.* come through, go through, pass through; *2. (Luft) Es zieht durch.* There's a draught in here., There's a draft in here. (US); *3. (etw ~)* pull through; *(Plan)* push through; [durç'tsi:ən] *4.* pass through, traverse

dürfen ['dyrfən] *v irr 1.* may, can, to be allowed to, to be permitted to; *Darf ich das tun?* May I do it? *Das darf doch nicht wahr sein!* That can't be! *2. (Vermutung) das dürfte ...* that is probably ..., that must be ...

dürr [dyr] *adj 1. (mager)* skinny, gaunt; *2. (Boden)* arid, barren

Dürre ['dyrə] *f 1.* barrenness; *2. (Regenmangel)* drought; *3. (Person)* gauntness

Durst [durst] *m* thirst; *~ haben* to be thirsty

durstig ['durstıç] *adj* thirsty

Dusche ['du:ʃə] *f* shower

duschen ['du:ʃən] *v* shower, take a shower

Duschvorhang ['du:ʃfo:rhaŋ] *m* shower curtain

Düse ['dy:zə] *f TECH* jet, nozzle

Dusel ['du:zəl] *m 1. (Glück)* dumb luck; *2. (Schlaftrunkenheit, Schwindel)* daze

Düsenflugzeug ['dy:zənflu:ktsɔyk] *n* jet plane

düster ['dy:stər] *adj 1.* gloomy, dark; *Unsere Aussichten sind ~.* Our prospects are dismal. *2.* dismally, gloomily; *adj*

Düsterkeit ['dy:stərkait] *f* gloominess dimness

Dutzend ['dutsənt] *n* dozen

dutzendfach ['dutsəntfax] *adv* by the dozen

DVD-ROM [de: fau de: 'rɔm] *f INFORM* DVD-ROM

Dynamik [dy'na:mık] *f* dynamics

dynamisch [dy'na:mıʃ] *adj* dynamic

Dynamit [dyna'mi:t] *n* dynamite

Dynamo [dy'na:mo] *m TECH* dynamo

Dynastie [dynas'ti:] *f HIST* dynasty

dynastisch [dy'nastıʃ] *adj HIST* dynastic

D-Zug ['de:tsu:k] *m* express train

E

Ebbe ['ɛbə] f ebb tide, low tide, ebb

eben ['e:bən] adj 1. even, flat, level; adv 2. (vor kurzer Zeit) just, just now

Ebenbild ['e:bənbɪlt] n image

ebenbürtig ['e:bənbyrtɪç] adj of equal birth, of equal rank; wir sind einander ~ we are equal(s)

Ebene ['e:bənə] f 1. (fig) level, plane; 2. GEO plain

ebenerdig ['e:bəne:rdɪç] adj ground-floor, at ground level, on the first floor (US)

ebenfalls ['e:bənfals] adv also, likewise, as well

ebenmäßig ['e:bənmɛːsɪç] adj regular, harmonious

ebenso ['e:bənzoː] adv equally, just as; ~ gut just as well; ~ lang just as long; ~sehr just as much; ~ wenig just as little, no more

Eber ['e:bər] m ZOOL boar

ebnen ['e:bnən] v 1. level, make level, smooth; 2. (fig) pave the way

Echo ['ɛço] n 1. echo; 2. (fig) response; leb-haftes ~ finden meet with/attract a lively response

Echse ['ɛksə] f ZOOL lizard

echt [ɛçt] adj 1. real, genuine, authentic; adv 2. (fam) really

Echtheit ['ɛçthaɪt] f genuineness, authenticity

Eckbank ['ɛkbaŋk] f corner bench

Ecke ['ɛkə] f corner; um die ~ round the corner; jdn um die ~ bringen bump s.o. off (fam); mit jdm über fünf ~n verwandt sein to be a distant relation of s.o.; Es fehlt an allen ~n und Enden. We're short of everything.

eckig ['ɛkɪç] adj angular, square

Eckstein ['ɛkʃtaɪn] m 1. cornerstone; 2. (Karo) diamonds pl

Eckzahn ['ɛktsaːn] m ANAT canine tooth

Ecuador [ekva'doːr] n GEO Ecuador

edel ['e:dəl] adj 1. (adlig) noble; 2. (Wein) high-class, superior; 3. (hochwertig) precious

Edelmann ['e:dəlman] m nobleman

edelmütig ['e:dəlmyːtɪç] adj noble

Edelstein ['e:dəlʃtaɪn] m precious stone

edieren [e'diːrən] v publish

Edikt [e'dɪkt] n edict

EDV [e:de:'faʊ] f (elektronische Datenver-arbeitung) electronic data processing; ~-... computer ...

Efeu ['e:fɔy] m BOT ivy

Effekt [e'fɛkt] m effect

effektiv [efɛk'tiːf] adj effective

effektvoll [e'fɛktfɔl] adj effective, impressive, striking

effizient [ɛfi'tsjɛnt] adj efficient

egal [e'gaːl] adj 1. (fam: gleichmäßig) alike; 2. Das ist mir ~. I don't care. It doesn't matter to me. It makes no difference to me.

egalitär [egali'tɛːr] adj egalitarian

Ego ['e:go] n ego

Egoismus [ego'ɪsmus] m selfishness, ego-ism, egotism

Egoist [ego'ɪst] m egoist

egoistisch [ego'ɪstɪʃ] adj egotistical

egozentrisch [ego'tsɛntrɪʃ] adj ego-centric

ehe ['e:ə] konj before

Ehe ['e:ə] f marriage

Ehebruch ['e:əbrux] m adultery

Ehefrau ['e:əfrau] f wife, married woman, spouse

ehelich ['e:əlɪç] adj 1. conjugal, matrimo-nial; 2. (Kind) legitimate

ehemalig ['e:əmaːlɪç] adj former, ex-...

ehemals ['e:əmaːls] adv formerly, in the past, in former times

Ehemann ['e:əman] m husband, married man, spouse

Ehepaar ['e:əpaːr] n married couple

eher ['e:ər] adv 1. (früher) sooner, earlier; 2. (lieber) rather, sooner

Ehering ['e:ərɪŋ] m wedding ring

Eheschließung ['e:əʃliːsuŋ] f marriage

Ehevertrag ['e:əfɛrtraːk] m prenuptial agreement, marriage contract

ehrbar ['e:rbaːr] adj honourable, reputable, respectable

Ehrbarkeit ['e:rbaːrkaɪt] f integrity, re-spectability, honesty

Ehre ['e:rə] f honour; etw in ~n halten treasure sth; sich alle ~ machen do o.s. credit; jdm die letzte ~ erweisen lay s.o. to rest; jdn bei seiner ~ packen appeal to s.o.'s sense of honour; zur ~ Gottes to the glory of God; Habe die ~! Pleased to meet you!

ehren ['e:rən] v honour

ehrenamtlich ['e:rənamtlɪç] adj 1. un-paid, honorary; adv 2. without payment, in an honorary capacity

Ehrengast ['e:rəngast] *m* guest of honour
ehrenhaft ['e:rənhaft] *adj* honourable
Ehrenmitglied ['e:rənmɪt gli:t] *n* honorary member
ehrenrührig ['e:rənry:rɪç] *adj* defamatory
Ehrensache ['e:rənzaxə] *f* matter of honour, point of honour
Ehrenwort ['e:rənvɔrt] *n* word of honour
ehrerbietig ['e:rɛrbi:tɪç] *adj* respectful, reverential
Ehrerbietung ['e:rɛrbi:tuŋ] *f* respect
Ehrfurcht ['e:rfurçt] *f* awe, reverence; *~ gebietend* awe-inspiring, awesome; *von ~ ergriffen* overawed
ehrfürchtig ['e:rfyrçtɪç] *adj* awestruck
ehrgeizig ['e:rgaɪtsɪç] *adj* ambitious
ehrlich ['e:rlɪç] *adj 1.* honest; *Ehrlich?* Really? *adv 2.* honestly; *~ gesagt* to be honest
Ehrlichkeit ['e:rlɪçkaɪt] *f* honesty, uprightness, fairness
ehrlos ['e:rlo:s] *adj* dishonourable, disgraceful, infamous
Ehrung ['e:ruŋ] *f* honour, tribute, homage
ehrwürdig ['e:rvyrdɪç] *adj* venerable
Ei [aɪ] *n* egg; *wie aus dem ~ gepellt* as neat as a pin; *wie auf ~ern gehen* walk gingerly; *sich gleichen wie ein ~ dem anderen* to be as like as two peas in a pod; *jdn wie ein rohes ~ behandeln* handle s.o. with kid gloves; *Das ist nicht das Gelbe vom ~.* It's not exactly the bee's knees.
eichen ['aɪçən] *adj* oak, oaken; *v 1.* TECH gauge, calibrate; *2. (prüfen)* verify
Eichhörnchen ['aɪçhœrnçən] *n* ZOOL squirrel
Eichung ['aɪçuŋ] *f* TECH adjusting
Eid [aɪt] *m* JUR oath
Eidechse ['aɪdɛksə] *f* ZOOL lizard
eidesstattlich ['aɪdəsʃtatlɪç] *adj* JUR in lieu of an oath
Eierstock ['aɪərʃtɔk] *m* ANAT ovary
Eifer ['aɪfər] *m* eagerness, keenness, zeal
eifern ['aɪfərn] *v* strive
Eifersucht ['aɪfərzuxt] *f* jealousy
eifersüchtig ['aɪfərzyçtɪç] *adj* jealous
eifrig ['aɪfrɪç] *adj 1.* eager, zealous, avid; *adv 2.* eagerly, zealously, avidly
eigen ['aɪgən] *adj 1.* own, separate, particular; *2. (seltsam)* peculiar
Eigenart ['aɪgəna:rt] *f 1.* individuality; *2. (Wesensmerkmal)* idiosyncrasy, quirk, peculiarity
eigenartig ['aɪgəna:rtɪç] *adj* peculiar, queer, strange

Eigenbrötler ['aɪgənbrø:tlər] *m* loner, nonconformist
eigenhändig ['aɪgənhɛndɪç] *adj* with one's own hands, personal
Eigeninitiative ['aɪgəninitsjati:və] *f* own initiative
eigenmächtig ['aɪgənmɛçtɪç] *adj* arbitrary, high-handed, done on one's own authority
Eigenmächtigkeit ['aɪgənmɛçtɪçkaɪt] *f* arbitrary action
Eigenname ['aɪgənna:mə] *m* proper name
eigennützig ['aɪgənnytsɪç] *adj* selfish
Eigenschaft ['aɪgənʃaft] *f* characteristic, quality, attribute
eigensinnig ['aɪgənzɪnɪç] *adj* headstrong, stubborn, obstinate
eigenständig ['aɪgənʃtɛndɪç] *adj* independent
eigentlich ['aɪgəntlɪç] *adj 1.* actual, real; *adv 2.* actually, really
Eigentum ['aɪgəntu:m] *n* property, possession, ownership
Eigentümer ['aɪgənty:mər] *m* owner
eigentümlich ['aɪgənty:mlɪç] *adj* peculiar, characteristic
eigentümlicherweise ['aɪgənty:mlɪçərvaɪzə] *adv* strangely enough, curiously enough
eigenverantwortlich ['aɪgənfɛrantvɔrtlɪç] *adj* responsible
Eigenverantwortung ['aɪgənfɛrantvɔrtuŋ] *f* responsibility
eigenwillig ['aɪgənvɪlɪç] *adj* with a mind of one's own, highly individual, *(eigensinnig)* self-willed; *(unkonventionell)* unconventional
eignen ['aɪgnən] *v sich - für* to be suited for
Eignung ['aɪgnuŋ] *f 1.* suitability; *2. (Befähigung)* aptitude
Eignungsprüfung ['aɪgnuŋspry:fuŋ] *f* aptitude test
Eilbrief ['aɪlbri:f] *m* express letter, special delivery *(US)*
Eile ['aɪlə] *f* hurry, rush, haste; *in ~ sein* to be in a hurry
Eileiter ['aɪlaɪtər] *m* ANAT fallopian tube
eilen ['aɪlən] *v* hurry, rush, hasten
eilig ['aɪlɪç] *adj* hurried, rushed, hasty; *es ~ haben* to be in a hurry
Eilzustellung ['aɪltsu:ʃtɛluŋ] *f* special delivery, express delivery
Eimer ['aɪmər] *m* bucket, pail; *im ~ sein (fig)* to be ruined, to be up the spout
ein [aɪn] *art* a, an

einarbeiten ['aɪnarbaɪtən] *v 1. etw* ~ work sth in; *2. sich* ~ familiarize o.s. with one's work, make o.s. acquainted with one's work
einäschern ['aɪnɛʃərn] *v 1.* burn to ashes; *2. (Leichnam)* cremate
Einäscherung ['aɪnɛʃərʊŋ] *f* incineration, cremation
einatmen ['aɪna:tmən] *v* breathe in, inhale
Einbahnstraße ['aɪnba:nʃtra:sə] *f* one-way street
Einband ['aɪnbant] *m* binding
einbauen ['aɪnbauən] *v* install, build in, fit
einbehalten ['aɪnbəhaltən] *v irr* keep back, retain
einberufen ['aɪnbəru:fən] *v irr 1. (Versammlung)* convene, call, summon; *2.* MIL call up, summon, draft
einbetten ['aɪnbɛtən] *v 1.* embed, imbed; *2. (Rohr)* lay
einbeziehen ['aɪnbətsi:ən] *v irr* include, incorporate, integrate
einbilden ['aɪnbɪldən] *v sich* ~ imagine, fancy; *Er bildet sich ein, dass ...* He's under the impression that ... He's under the delusion that ...
Einbildung ['aɪnbɪldʊŋ] *f* imagination
einbinden ['aɪnbɪndən] *v irr 1. (Buch)* bind; *2. (fig)* include, integrate, involve
einbläuen ['aɪnblɔyən] *v (fam) jdm etw* ~ beat sth into s.o.
einblenden ['aɪnblɛndən] *v CINE* fade in, intercut, insert
Einblick ['aɪnblɪk] *m* insight
einbrechen ['aɪnbrɛçən] *v irr 1.* break in; *2. (durchbrechen)* break down, smash in; *3. (fig: beginnen)* set in
Einbrecher ['aɪnbrɛçər] *m* burglar
Einbruch ['aɪnbrux] *m 1. (Diebstahl)* burglary; *2. (Einsturz)* collapse; *3. (plötzlicher Beginn)* onset, break
einbürgern ['aɪnbyrgərn] *v POL* naturalize
Einbürgerung ['aɪnbyrgərʊŋ] *f POL* naturalization
einbüßen ['aɪnby:sən] *v 1. (Geld)* lose; *2. (Recht)* for feit
einchecken ['aɪntʃɛkən] *v* check in
eincremen ['aɪnkre:mən] *v* rub in
eindecken ['aɪndɛkən] *v 1. sich mit etw* ~ stock up on sth, lay in a supply of sth; *2. jdn mit etw* ~ provide s.o. with sth
eindeutig ['aɪndɔytɪç] *adj 1.* clear, unmistakable; *adv 2.* clearly, unmistakably
eindringen ['aɪndrɪŋən] *v irr 1.* intrude, penetrate, enter forcibly; *2. MIL* invade

eindringlich ['aɪndrɪŋlɪç] *adj* insistent
Eindringling ['aɪndrɪŋlɪŋ] *m* intruder
Eindruck ['aɪndrʊk] *m* impression
eindrücken ['aɪndrykən] *v 1.* push in; *2. (Fenster)* break in
eindrucksvoll ['aɪndrʊksfɔl] *adj* impressive, imposing, striking
eine(r,s) ['aɪnə] *art 1.* a, an; *pron 2.* one; *3. (jemand)* someone, somebody
einengen ['aɪnɛŋən] *v* constrain
einerseits ['aɪnərzaɪts] *adv* on the one hand
einfach ['aɪnfax] *adj 1.* simple, plain, easy; *2. ~e Fahrkarte* single ticket *(UK)*, one-way ticket *(US)*; *adv 3.* simply, plainly, easily
Einfachheit ['aɪnfaxhaɪt] *f* simplicity
Einfahrt ['aɪnfa:rt] *f 1. (Ankunft)* arrival; *2. (Zufahrt)* drive, entrance, approach
Einfall ['aɪnfal] *m 1. (Idee)* idea, notion, thought; *2. MIL* invasion, raid
einfallen ['aɪnfalən] *v irr 1. jdm* ~ occur to one; *Lass dir etwas* ~. Figure something out. *Was fällt dir ein?* Are you crazy? *Nun fällt mir etwas ein.* Something just occurred to me. *(in Erinnerung kommen)* come to one; *Langsam fiel es ihr wieder ein.* Slowly it came back to her. *2. (überfallen)* invade, raid; *3. (einstürzen)* collapse; *4. (Licht)* shine in
Einfallslosigkeit ['aɪnfalslo:zɪçkaɪt] *f* unimaginativeness
einfallsreich ['aɪnfalsraɪç] *adj* imaginative
einfältig ['aɪnfɛltɪç] *adj* simple, naive
Einfaltspinsel ['aɪnfaltspɪnzəl] *m* simpleton
einfangen ['aɪnfaŋən] *v irr 1.* seize, hook; *2. (fig: Krankheit)* catch
einfärben ['aɪnfɛrbən] *v* dye
einfinden ['aɪnfɪndən] *v irr sich* ~ arrive
einflößen ['aɪnflø:sən] *v 1. jdm etw* ~ give sth to s.o., administer sth; *2. (fig) jdm etw* ~ instil sth in s.o.
Einfluss ['aɪnflʊs] *m 1.* influence; *2. (das Einfließen)* influx
einflussreich ['aɪnflʊsraɪç] *adj* influential
einförmig ['aɪnfœrmɪç] *adj* uniform
einfrieren ['aɪnfri:rən] *v irr* freeze
einfügen ['aɪnfy:gən] *v* insert
einfühlsam ['aɪnfy:lza:m] *adj* sympathetic, understanding, sensitive
Einfühlungsvermögen ['aɪnfy:lʊŋsfɛrmø:gən] *n* empathy, understanding
Einfuhr ['aɪnfu:r] *f ECO* import
Einfuhrbeschränkung ['aɪnfu:rbəʃrɛnkʊŋ] *f ECO* import restriction

einführen ['aɪnfyːrən] v 1. (etw Neues ~) introduce, initiate; 2. (hineinschieben) insert, introduce; 3. (importieren) ECO import

Einführung ['aɪnfyːruŋ] f 1. (von etw Neuem) introduction; 2. (Hineinschieben) insertion, introduction; 3. (Import) ECO import, importation

Einfuhrverbot ['aɪnfuːrfɛrboːt] n ECO import prohibition, ban on imports

einfüllen ['aɪnfylən] v fill, pour into

Eingabe ['aɪngaːbə] f 1. (Antrag) POL petition, application, request; 2. (Daten) INFORM input, entry

Eingang ['aɪngaŋ] m 1. entrance; 2. (Wareneingang) ECO receipt of goods; 3. (Geldeingang) ECO receipt

eingeben ['aɪngeːbən] v irr 1. MED administer; 2. (Daten) INFORM input, enter

eingebildet ['aɪngəbɪldət] adj 1. (überheblich) conceited, vain, big-headed; 2. (unwirklich) imaginary, imagined

Eingebung ['aɪngeːbuŋ] f (fig) inspiration

eingefallen ['aɪngəfalən] adj 1. (Gesicht) haggard; 2. (Augen) sunken; 3. (Wangen) hollow

eingehen ['aɪngeːən] v irr 1. (ankommen) arrive, come in; 2. (Pflanze) die; 3. (kleiner werden) shrink; 4. (auf einen Vorschlag) agree to, consent to; 5. (Verpflichtung) enter into, embark on

eingehend ['aɪngeːənt] adj (ausführlich) detailed, thorough, in-depth

Eingeständnis ['aɪngəʃtɛntnɪs] n admission, confession

eingestehen ['aɪngəʃteːən] v irr admit

Eingeweide ['aɪngəvaɪdə] n ANAT entrails pl, intestines pl

Eingeweihte(r) ['aɪngəvaɪtə(r)] m/f initiate, person in the know (fam), insider (fam)

eingewöhnen ['aɪngəvøːnən] v sich ~ get accustomed to, acclimatize o.s., settle in

eingießen ['aɪngiːsən] v irr pour in, pour

eingraben ['aɪngraːbən] v irr 1. bury; 2. (eingravieren) engrave; 3. sich ~ MIL dig o.s. in; 4. sich ~ (sich einprägen) etch itself

eingravieren ['aɪngraviːrən] v engrave

eingreifen ['aɪngraɪfən] v irr 1. (einschreiten) intervene, step in; 2. TECH engage, catch

Eingriff ['aɪngrɪf] m 1. (Einschreiten) intervention, interference; 2. TECH meshing, gearing; 3. MED surgery, operation

einhaken ['aɪnhaːkən] v 1. (unterbrechen) jump in (fig); 2. (etw ~) hook in; 3. sich bei jdm ~ link arms with s.o.

Einhalt ['aɪnhalt] m ~ gebieten stop, put a stop to, halt

einhalten ['aɪnhaltən] v 1. (befolgen) observe, stick to, adhere to; 2. (Versprechen) keep; 3. (beibehalten) follow, keep to; 4. (anhalten) stop

Einhaltung ['aɪnhaltuŋ] f observance of, compliance to

einheimisch ['aɪnhaɪmɪʃ] adj 1. native, indigenous; 2. (Mannschaft, Industrie) local

Einheimische(r) ['aɪnhaɪmɪʃə(r)] m/f die ~n pl the locals pl

Einheit ['aɪnhaɪt] f 1. unity; 2. (eine ~) unit

einheitlich ['aɪnhaɪtlɪç] adj uniform, homogeneous

einhellig ['aɪnhɛlɪç] adj unanimous

Einhorn ['aɪnhɔrn] n unicorn

einhüllen ['aɪnhylən] v wrap, envelop

einig ['aɪnɪç] adj 1. sich über etw ~ werden come to an agreement on sth; wir sind uns ~, dass ... we agree that ..., we are in agreement that ...; 2. (geeint) united

einige ['aɪnɪgə] pron 1. some, a little; 2. (Plural) some, a few, several

einigen ['aɪnɪgən] v sich ~ come to an agreement, agree, come to terms; sich ~ über agree on

einigermaßen [aɪnɪgɐ'maːsən] adv somewhat, to some extent, to some degree

Einigkeit ['aɪnɪçkaɪt] f unity, harmony

Einigung ['aɪnɪguŋ] f agreement, understanding, settlement

einjährig ['aɪnjɛːrɪg] adj 1. one-year; 2. (Kind) one-year-old; 3. (Planze) annual

Einkauf ['aɪnkauf] m purchase, shopping

einkaufen ['aɪnkaufən] v buy, purchase; sich ~ in buy o.s. into; ~ gehen go shopping

Einkäufer ['aɪnkɔyfər] m ECO buyer

Einkaufsbummel ['aɪnkaufsbuməl] m shopping trip, shopping spree

Einkaufswagen ['aɪnkaufsvaːgən] m trolley, shopping cart (US)

einkehren ['aɪnkeːrən] v 1. (im Gasthaus) stop at an inn; 2. (fig: kommen) come

Einkerbung ['aɪnkɛrbuŋ] f notch

einklagen ['aɪnklaːgən] v sue for

Einklang ['aɪnklaŋ] m harmony, unison

einkleben ['aɪnkleːbən] v stick

Einkommen ['aɪnkɔmən] n income, earnings

Einkommensteuer ['aɪnkɔmənsʃtɔyər] f ECO income tax

einkreisen ['aɪnkraɪzən] v encircle, surround

Einkünfte ['aɪnkynftə] *pl* income, earnings *pl*, *(des Staates)* revenue
einladen ['aɪnla:dən] *v irr 1. (Gäste)* invite; *2. (Gepäck)* load
Einladung ['aɪnla:duŋ] *f* invitation
Einlage ['aɪnla:gə] *f 1. (Programmeinlage)* interlude; *2. (Suppeneinlage)* soup ingredients, garnish; *3. ECO* investment; *4. (Spareinlage)* deposit
Einlagerung ['aɪnla:gəruŋ] *f* storage
Einlass ['aɪnlas] *m 1.* admittance; *„~ elf Uhr"* "doors open at eleven o'clock"; *2. (Tür)* door
einlassen ['aɪnlasən] *v irr 1. (hereinlassen)* admit; *2. (Wasser einlaufen lassen)* run; *3. sich ~ mit* get involved in, get involved with, become mixed up in
einlaufen ['aɪnlaufən] *v irr 1. (in den Hafen) NAUT* enter; *2. (Stoff)* shrink; *3. (eingehen)* come in, arrive; *4. (Schuhe)* break in; *5. jdm das Haus ~* pester s.o.; *6. sich ~* get going
einleben ['aɪnle:bən] *v sich ~* settle in, settle down
einlegen ['aɪnle:gən] *v 1.* put in; *Protest ~* lodge a protest; *eine Pause ~* take a break; *2. (Geld)* deposit; *3. (Haar)* put in rollers, set; *4. (Holz)* inlay; *5. (Heringe)* pickle
einleiten ['aɪnlaɪtən] *v 1. (einführen)* introduce, initiate, usher in; *2. (beginnen)* begin
Einleitung ['aɪnlaɪtuŋ] *f 1. (Einführung)* introduction, preface; *2. (Beginn)* beginning
einliefern ['aɪnli:fərn] *v 1. (ins Krankenhaus)* hospitalize, take to the hospital; *2. (ins Gefängnis)* send to, put in
Einlieferung ['aɪnli:fəruŋ] *f (ins Krankenhaus)* admission
einlösen ['aɪnlø:zən] *v 1. (Scheck)* cash; *2. (Versprechen)* keep, redeem
einmal ['aɪnma:l] *adv 1.* once; *noch ~* again, once more; *Es war ~ ...* There once was ...; *2. (in Zukunft)* one day; *3. auf ~ (gleichzeitig)* at once; *4. auf ~ (plötzlich)* suddenly, all of a sudden; *5. nicht ~* not even
einmalig ['aɪnma:lɪç] *adj 1.* first and final; *2. (Gelegenheit)* unique
Einmarsch ['aɪnmarʃ] *m MIL* marching in
einmischen ['aɪnmɪʃən] *v sich ~* interfere, butt in *(fam)*, intervene
Einmischung ['aɪnmɪʃuŋ] *f* interference
Einmündung ['aɪnmynduŋ] *f 1. (eines Flusses)* estuary; *2. (einer Straße)* junction
einmütig ['aɪnmy:tɪç] *adj* unanimous
Einnahme ['aɪnna:mə] *f 1. (Ertrag)* receipts *pl*, proceeds *pl*, earnings *pl*; *2. MIL* capture

einnehmen ['aɪnne:mən] *v irr 1. (verdienen)* earn; *2. (Arznei)* take; *3. seinen Platz ~* take one's seat; *4. MIL* capture; *(Land)* occupy
Einöde ['aɪnø:də] *f* wilderness, desert
einordnen ['aɪnɔrdnən] *v 1.* arrange, put into proper order; *(in Akten)* file; *2. sich ~* fall into line, drop into place, take one's place
einpacken ['aɪnpakən] *v* pack, wrap
einpflanzen ['aɪnpflantsən] *v 1.* plant; *2. MED* implant; *3. (fig)* implant
einplanen ['aɪnpla:nən] *v* include in the plan, plan on
einräumen ['aɪnrɔymən] *v 1. (wegräumen)* clear away; *2. (füllen) (Regal)* fill; *(Zimmer)* arrange; *3. (zugeben)* admit, grant, concede
einreichen ['aɪnraɪçən] *v* submit, present, hand in
Einreise ['aɪnraɪzə] *f* entry
einrichten ['aɪnrɪçtən] *v* equip, set up
Einrichtung ['aɪnrɪçtuŋ] *f 1.* setting up, establishment, fitting out; *2. (Möbel)* furnishing
einsam ['aɪnza:m] *adj* lonely, solitary
Einsamkeit ['aɪnza:mkaɪt] *f* loneliness, solitude
einsammeln ['aɪnzaməln] *v* gather in, collect
Einsatz ['aɪnzats] *m 1. (beim Glücksspiel)* stake; *(beim Kartenspiel)* ante; *2. (Kapitaleinsatz)* investment; *3. (Anwendung)* employment, use, application; *4. (Topfeinsatz)* inset; *5. (Hingabe)* effort, commitment, dedication; *6. MIL* mission, action
einsatzbereit ['aɪnzatsbəraɪt] *adj* ready for use; *(Mensch)* ready for action
einschalten ['aɪnʃaltən] *v 1. (anschalten)* turn on, switch on; *2. (hinzuziehen)* bring in, call in; *3. sich ~* intervene, interfere
Einschätzung ['aɪnʃɛtsuŋ] *f* assessment
einschenken ['aɪnʃɛŋkən] *v* pour
einschlafen ['aɪnʃla:fən] *v irr* fall asleep
einschlagen ['aɪnʃla:gən] *v irr 1. (Nagel)* drive in; *2. (Fenster)* break, smash; *3. (Richtung)* take; *Moskau schlägt einen härteren Kurs ein.* Moscow is taking a harder line. *4. (Blitz)* strike; *wie ein Blitz ~* to be devastating
einschlägig ['aɪnʃlɛ:gɪç] *adj* pertinent
einschließen ['aɪnʃli:sən] *v irr 1.* lock in, shut in, imprison; *2. (fig)* include, comprise
einschließlich ['aɪnʃli:slɪç] *prep 1.* including, inclusive of; *adv 2.* inclusively
einschneidend ['aɪnʃnaɪdənt] *adj (fig)* drastic, radical
Einschnitt ['aɪnʃnɪt] *m 1. (Schnitt)* incision, cut; *2. (fig)* turning-point, decisive moment

einschränken ['aɪnʃrɛŋkən] v restrict
einschreiben ['aɪnʃraɪbən] v sich ~ register, enrol, enlist
Einschreibung ['aɪnʃraɪbuŋ] f registration, enrolment, entry
einschreiten ['aɪnʃraɪtən] v irr take steps, take action
einschüchtern ['aɪnʃyçtərn] v intimidate
Einschulung ['aɪnʃu:luŋ] f enrolment in school
einsehen ['aɪnze:ən] v irr 1. (Einblick nehmen) look into, examine; 2. (fig: verstehen) understand, see, recognize
einseitig ['aɪnzaɪtɪç] adj one-sided, unilateral
einsenden ['aɪnzɛndən] v irr send in
Einsender ['aɪnzɛndər] m sender
Einsendung ['aɪnzɛnduŋ] f letter, contribution
einsetzen ['aɪnzɛtsən] v 1. (einfügen) insert; 2. (anwenden) employ, use, utilize; 3. (Amt übertragen) appoint, install (in office); 4. (riskieren) risk, put at stake
Einsicht ['aɪnzɪçt] f 1. (fig: Vernunft) reason; 2. (fig: Erkenntnis) insight
einsichtig ['aɪnzɪçtɪç] adj reasonable, sensible, of insight
Einsichtnahme ['aɪnzɪçtna:mə] f inspection
Einsiedler ['aɪnzi:dlər] m hermit, recluse
einsparen ['aɪnʃpa:rən] v economize, save money
einsperren ['aɪnʃpɛrən] v lock in, shut in
einsprachig ['aɪnʃpra:xɪç] adj monolingual
Einspruch ['aɪnʃprux] m objection, protest
einst ['aɪnst] adv 1. (Vergangenheit) once, at one time; 2. (Zukunft) someday, one day
Einstand ['aɪnʃtant] m 1. start; 2. (Tennis) deuce
einstecken ['aɪnʃtɛkən] v irr 1. (in die Tasche) pocket, put in one's pocket; 2. (~ und mitnehmen) take along; 3. (Stecker) plug in; 4. (fig: hinnehmen) take
einsteigen ['aɪnʃtaɪgən] v irr get in
Einsteiger ['aɪnʃtaɪgər] m beginner
einstellen ['aɪnʃtɛlən] v 1. (Arbeitskräfte) employ, engage; 2. (beenden) stop, cease, leave off; 3. (Rekord) tie, equal; 4. (regulieren) adjust, regulate; 5. sich auf etw ~ (sich etw anpassen) adjust to sth
Einstellung ['aɪnʃtɛluŋ] f 1. (Arbeitskräfte) employment; 2. (Beendigung) cessation, suspension; 3. (eines Rekords) equalling; 4. (Re-

gulierung) setting, adjustment; 5. (Denkhaltung) attitude, frame of mind
Einstieg ['aɪnʃti:k] m start, introduction
einstimmig ['aɪnʃtɪmɪç] adj 1. (fig) unanimous; 2. MUS unison
Einstimmigkeit ['aɪnʃtɪmɪçkaɪt] f 1. (fig) unanimity, accord, agreement; 2. MUS unison
einstufen ['aɪnʃtu:fən] v grade, classify
Einstufung ['aɪnʃtu:fuŋ] f classification
einstürzen ['aɪnʃtyrtsən] v 1. collapse; 2. (Boden) cave in
einstweilig ['aɪnstvaɪlɪç] adj temporary; ~e Verfügung temporary injunction
einteilen ['aɪntaɪlən] v 1. divide; 2. (verteilen) distribute
Einteilung ['aɪntaɪluŋ] f 1. division, sectioning; 2. (in Klassen) classification
eintönig ['aɪntø:nɪç] adj monotonous
Eintracht ['aɪntraxt] f harmony
Eintrag ['aɪntra:k] m entry
eintragen ['aɪntra:gən] v irr enter, register, record
einträglich ['aɪntrɛ:klɪç] adj profitable
eintreffen ['aɪntrɛfən] v irr 1. arrive; 2. (geschehen) happen; 3. (sich erfüllen) come true
eintreten ['aɪntre:tən] v irr 1. (beitreten) enter; 2. für jdn ~ intercede for s.o., side with s.o., stand up for s.o.; 3. (eintreffen) come to pass, happen, occur; 4. (hineingehen) enter
Eintritt ['aɪntrɪt] m 1. (Beitritt) entry; 2. (Betreten) entrance, entering
Eintrittskarte ['aɪntrɪtskartə] f admission ticket
Einvernehmen ['aɪnferne:mən] n agreement, understanding
einvernehmlich ['aɪnferne:mlɪç] adj in mutual agreement
einverstanden ['aɪnferʃtandən] v mit etw ~ sein agree with sth, consent to sth, to be agreeable to sth; Einverstanden! Agreed!
Einverständnis ['aɪnferʃtɛntnɪs] n agreement, consent, approval
Einwand ['aɪnvant] m objection
Einwanderer ['aɪnvandərər] m immigrant
einwandern ['aɪnvandərn] v immigrate
Einwanderung ['aɪnvandəruŋ] f immigration
einweihen ['aɪnvaɪən] v inaugurate
Einweihung ['aɪnvaɪuŋ] f inauguration, ceremonial opening
einweisen ['aɪnvaɪzən] v irr 1. (anleiten) introduce, instruct; 2. ~ in (einliefern) commit to, admit to

Einweisung ['aɪnvaɪzuŋ] *f 1. (Instruktionen)* instructions *pl*; 2. MED reference to hospital
einwenden ['aɪnvɛndən] *v irr ~ gegen* object to, protest against
einwerfen ['aɪnvɛrfən] *v irr 1.* throw in; 2. *(Münze)* insert; 3. *(Post)* post, mail *(US)*; 4. *(einschlagen)* smash, break
einwilligen ['aɪnvɪlɪgən] *v* agree, consent
Einwilligung ['aɪnvɪlɪguŋ] *v* approval
einwirken ['aɪnvɪrkən] *v* act, have an effect; *auf jdn ~* influence s.o.
Einwirkung ['aɪnvɪrkuŋ] *f* effect, influence
Einwohner ['aɪnvoːnər] *m* inhabitant, resident
einzahlen ['aɪntsaːlən] *v* pay in, deposit
Einzahlung ['aɪntsaːluŋ] *f* payment, deposit
Einzelgänger ['aɪntsəlgɛŋər] *m* loner
Einzelheit ['aɪntsəlhaɪt] *f* detail, particular; *sich mit ~en befassen* go into detail
Einzelkämpfer ['aɪntsəlkɛmpfər] *m 1. (fig)* pioneer; 2. MIL ranger
Einzelkind ['aɪntsəlkɪnt] *n* only child
einzeln ['aɪntsəln] *adj 1.* individual, single, particular; *im Einzelnen* in detail; *adv 2.* individually, separately, one by one
Einzelne(r) ['aɪntsəlnə(r)] *m/f* individual
Einzelzimmer ['aɪntsəltsɪmər] *n* single room
einziehen ['aɪntsiːən] *v 1. (Wohnung)* move in; 2. *(beschlagnahmen)* confiscate, impound, withdraw; 3. *Auskünfte über etw ~* gather information about sth
einzig ['aɪntsɪç] *adj* only, one, sole; *kein ~es Mal* not once
einzigartig ['aɪntsɪçartɪç] *adj* unique, singular, unparalleled
Einzigartigkeit ['aɪntsɪçartɪçkaɪt] *f* uniqueness
Eis [aɪs] *n 1.* ice; *~ laufen* ice-skate, *zu ~ werden* turn to ice; *etw auf ~ legen (fig)* put sth on the shelf; *das ~ brechen (fig)* break the ice; 2. *(Speiseeis)* ice-cream
Eisbär ['aɪsbɛːr] *m* ZOOL polar bear
Eisberg ['aɪsbɛrk] *m* GEOL iceberg
Eiscreme ['aɪskreːm] *f* ice-cream
Eisen ['aɪzən] *n* iron; *zum alten ~ gehören* to be left on the scrap heap; *mehrere ~ im Feuer haben* have a few irons in the fire
Eisenbahn ['aɪzənbaːn] *f* railway; *Es ist höchste ~!* It's high time!
eisig ['aɪzɪç] *adj 1. (kalt)* icy, freezing; 2. *(fig)* frosty, cold, cutting
Eislauf ['aɪslauf] *m* ice-skating

Eisprung ['aɪʃpruŋ] *m* BIO ovulation
Eisschrank ['aɪsʃraŋk] *m* refrigerator
Eiswürfel ['aɪsvyrfəl] *m* ice cube
Eiszapfen ['aɪstsapfən] *m* icicle
Eiszeit ['aɪstsaɪt] *f* GEOL Ice Age
eitel ['aɪtəl] *adj 1.* vain; 2. *(eingebildet)* conceited
Eiweiß ['aɪvaɪs] *n 1. (vom Ei)* egg-white; 2. BIO protein, albumen
Eizelle ['aɪtsɛlə] *f* BIO egg cell, ovum
Ekel ['eːkəl] *m* disgust, repulsion; *~ erregend* disgusting, repulsive repugnant
ekelhaft ['eːkəlhaft] *adj 1.* disgusting, revolting, nauseating; 2. *(unangenehm)* nasty
ekeln ['eːkəln] *v sich ~ vor* to be sickened by, to be disgusted by
Eklat [e'klaː] *m (Aufsehen)* stir, sensation
Ekstase [ɛk'staːzə] *f* ecstasy; *in ~ geraten* go into ecstasies
elastisch [e'lastɪʃ] *adj* elastic, flexible
Elch [ɛlç] *m* ZOOL elk, moose *(US)*
Elefant [ele'fant] *m* ZOOL elephant; *wie der ~ im Porzellanladen* like a bull in a china shop
elegant [ele'gant] *adj* elegant, graceful, smart
Eleganz [ele'gants] *f* elegance
Elektriker [e'lɛktrikər] *m* electrician
Elektrizität [elɛktritsi'tɛːt] *f* electricity, electric current
Elektron [elɛk'troːn] *n* PHYS electron
Elektronik [elɛk'troːnɪk] *f* electronics
Elektrotechnik [e'lɛktrotɛçnɪk] *f* TECH electrical engineering
Element [ele'mɛnt] *n* element; *in seinem ~ sein* take to sth like a duck to water, to be in one's element
elementar [elemɛn'taːr] *adj* elementary
elend ['eːlɛnt] *adj* miserable
Elend ['eːlɛnt] *n* misery, distress; *wie ein Häufchen ~* with one's tail between one's legs
Elfe ['ɛlfə] *f* elf
Elfenbein ['ɛlfənbaɪn] *n* ivory
elitär [eli'tɛːr] *adj* elitist
Elite [e'liːtə] *f* elite
Ellbogen ['ɛlboːgən] *m* ANAT elbow
eloquent [elo'kvɛnt] *adj* eloquent
Elster ['ɛlstər] *f* ZOOL magpie
Eltern ['ɛltərn] *pl* parents *pl*; *Das ist nicht von schlechten ~. (fam)* That's not bad at all.
Email [e'maːj] *n* enamel
Emanzipation [emantsɪpa'tsjoːn] *f (der Frau)* Women's Liberation, emancipation
emanzipieren [ɛmantsɪ'piːrən] *v sich ~* emancipate o.s.

Embargo [ɛm'bargo] *n POL* embargo
Embryo ['ɛmbryo] *m BIO* embryo
Emigrant [emi'grant] *m* emigrant
Emigration [emigra'tsjoːn] *f* emigration
emigrieren [emi'griːrən] *v POL* emigrate
eminent [emi'nɛnt] *adj* eminent
Emission [emɪs'joːn] *f 1. ECO* issue, issuing; *2. PHYS* emission
Emotion [emo'tsjoːn] *f* emotion
emotional [emotsjo'naːl] *adj* emotional
Empfang [ɛm'pfaŋ] *m 1. (Erhalt)* receipt; *2. (Begrüßung)* reception, welcome; *3. (Veranstaltung)* reception; *4. (Rezeption)* reception area; *5. (TV) TECH* reception
empfangen [ɛm'pfaŋən] *v irr 1.* receive; *2. (begrüßen)* welcome, greet, meet
Empfänger [ɛm'pfɛŋər] *m 1. (Adressat)* addressee, recipient; *2. (Gerät) TECH* receiver
empfänglich [ɛm'pfɛŋlɪç] *adj 1.* susceptible; *2. (aufnahmebereit)* receptive
Empfängnis [ɛm'pfɛŋnɪs] *f BIO* conception
Empfängnisverhütung [ɛm'pfɛŋnɪsfərhyːtuŋ] *f* contraception
empfehlen [ɛm'pfeːlən] *v irr* recommend
Empfehlung [ɛm'pfeːluŋ] *f* recommendation
empfinden [ɛm'pfɪndən] *v irr* feel, sense
empfindlich [ɛm'pfɪntlɪç] *adj 1.* sensitive, delicate; *2. (reizbar)* touchy, sensitive; *3. (stark spürbar)* severe
Empfindlichkeit [ɛm'pfɪntlɪçkaɪt] *f* sensitivity
empfindsam [ɛm'pfɪntzaːm] *adj* sensitive, sentimental
Empfindsamkeit [ɛm'pfɪntzaːmkaɪt] *f* sentimentality
Empfindung [ɛm'pfɪnduŋ] *f* sensation, feeling
empirisch [ɛm'piːrɪʃ] *adj* empirical
empor [ɛm'poːr] *adv* up, upward, upwards
empören [ɛm'pøːrən] *v 1. sich ~ gegen* revolt against; *2. sich ~ (fig)* to be outraged, to be appalled
empörend [ɛm'pøːrənt] *adj* shocking, outrageous
empört [ɛm'pøːrt] *adj* outraged, appalled
Empörung [ɛm'pøːruŋ] *f 1. (Unwille)* indignation, outrage; *2. (Aufstand)* revolt
emsig ['ɛmzɪç] *adj* busy, industrious, active
Ende ['ɛndə] *n* end; *zu ~ gehen* come to an end; *am ~ sein* to be at the end of one's tether; *kein ~ finden* go on and on; *zu einem guten ~ führen* to be all for the best; *ein böses ~ neh-*

men come to a bad end; *einer Sache ein ~ bereiten* put an end to sth; *Das dicke ~ kommt noch.* The worst is yet to come. *Er ist ~ Sechzig.* He is in his late sixties.
enden ['ɛndən] *v* end; *Dieser Zug endet hier.* This train does not go any further.
endgültig ['ɛntgyltɪç] *adj 1.* final, definitive, definite; *adv 2.* once and for all
Endivie [ɛn'diːvjə] *f BOT* endive
endlich ['ɛntlɪç] *adj 1.* finite; *adv 2.* finally, at last
endlos ['ɛntloːs] *adj 1.* endless, never-ending, infinite; *adv 2.* endlessly, infinitely, unceasingly
Endstadium ['ɛntʃtaːdjum] *n* final stage
Endstation ['ɛntʃtatsjoːn] *f* last stop
Endverbraucher ['ɛntfɛrbrauxər] *m ECO* consumer
Endzeit ['ɛnttsaɪt] *f* last days *pl*
Energie [enɛr'giː] *f* energy
energisch [e'nɛrgɪʃ] *adj 1.* energetic, strong, vigorous; *adv 2.* emphatically, resolutely, vigorously
eng [ɛŋ] *adj* tight, narrow; *~ anliegend* tight-fitting; *~ befreundet* close; *Das darfst du nicht so ~ sehen.* Don't take it so seriously.
Engagement [ãgaʒ'mã] *n 1. (Einsatz)* commitment, involvement; *2. (Anstellung)* engagement
engagieren [ãnga'ʒiːrən] *n 1. jdn ~* employ s.o., engage s.o., hire s.o.; *2. sich ~* commit o.s.
Enge ['ɛŋə] *f* narrowness, tightness; *jdn in die ~ treiben* corner s.o.; drive s.o. into a corner
Engel ['ɛŋəl] *m* angel
engherzig ['ɛŋhɛrtsɪç] *adj* parochial, narrow-minded
England ['ɛŋlant] *n GEO* England
englisch ['ɛŋlɪʃ] *adj* English
Engpass ['ɛŋpas] *m* narrow pass; *Ich habe gerade einen finanziellen ~.* (fig) Money is tight for me at the moment.
engstirnig ['ɛŋʃtɪrnɪç] *adj* narrow-minded
Enkel ['ɛŋkəl] *m* grandson; *unsere ~* our grandchildren
Enkelin ['ɛŋkəlɪn] *f* granddaughter
Enkelkind ['ɛŋkəlkɪnt] *n* grandchild
enorm [e'nɔrm] *adj 1.* enormous, huge, immense; *adv 2.* enormously, tremendously
entarten [ɛnt'artən] *v* degenerate
entbehren [ɛnt'beːrən] *v 1.* lack; *2. (verzichten)* do without; *3. (vermissen)* miss

Entbehrung [ɛnt'beːruŋ] f hardship, want, need

entbinden [ɛnt'bɪndən] v irr 1. (befreien) liberate, release, deliver; 2. (Baby) MED deliver

entdecken [ɛnt'dɛkən] v discover, find

Entdeckung [ɛnt'dɛkuŋ] f discovery, detection, finding

Ente ['ɛntə] f 1. ZOOL duck; eine lahme ~ (fig) a slowcoach, a slowpoke; 2. (fig: Zeitungsente) false report, hoax

entehren [ɛnt'eːrən] v dishonour, disgrace

enteignen [ɛnt'aɪɡnən] v JUR expropriate

Enteignung [ɛnt'aɪɡnuŋ] f JUR expropriation, dispossession

enterben [ɛnt'ɛrbən] v disinherit

entfachen [ɛnt'faxən] v 1. (Feuer) kindle; 2. (fig: Streit) arouse, provoke

entfallen [ɛnt'falən] v irr 1. jdm ~ drop, slip from one's hands; 2. (ausfallen) to be cancelled; 3. jdm ~ (fig: vergessen) slip one's mind, escape; Sein Name ist mir ~. His name escapes me s.o..

entfalten [ɛnt'faltən] v develop, display

entfernen [ɛnt'fɛrnən] v 1. (wegnehmen) remove, take away, take out; 2. sich ~ leave, go away

entfernt [ɛnt'fɛrnt] adj distant, remote

Entfernung [ɛnt'fɛrnuŋ] f 1. (Distanz) distance; 2. (Wegnahme) removal; ~ aus dem Amt removal from office

entfremden [ɛnt'frɛmdən] v 1. alienate, estrange; 2. etw von seinem Zweck ~ use sth for the wrong purpose; 3. sich ~ become alienated, become estranged; Sie hat sich mir durch ihre lange Abwesenheit entfremdet. Her long absence has made her a stranger to me.

entführen [ɛnt'fyːrən] v kidnap, abduct

Entführer [ɛnt'fyːrər] m kidnapper

Entführung [ɛnt'fyːruŋ] f kidnapping, abduction

entgegen [ɛnt'geːɡən] prep 1. (örtlich) toward, against, towards; 2. (wider) contrary to

entgegengesetzt [ɛnt'geːɡənɡəzɛtst] adj opposite

Entgegenkommen [ɛnt'geːɡənkɔmən] n obligingness, accommodating manner, helpfulness

entgegennehmen [ɛnt'geːɡənneːmən] v irr accept

entgegensehen [ɛnt'geːɡənzeːən] v irr 1. await; 2. einer Sache ~ müssen have to face sth; 3. Wir sehen Ihrer Antwort gern entgegen. We look forward to your reply.

entgegensetzen [ɛnt'geːɡənzɛtsən] v 1. Widerstand ~ put up resistance; 2. einer Sache etw ~ counter sth with sth, respond to sth with sth

entgegenwirken [ɛnt'geːɡənvɪrkən] v counteract, oppose

entgegnen [ɛnt'geːɡnən] v reply, answer

entgehen [ɛnt'geːən] v irr escape, elude

entgleisen [ɛnt'ɡlaɪzən] v 1. (Zug) derail; 2. (fig) slip up, make a faux pas

enthalten [ɛnt'haltən] v irr 1. (beeinhalten) contain, hold, comprise; 2. sich einer Sache ~ abstain from sth, refrain from sth; sich des Rauchens ~ abstain from smoking

enthaltsam [ɛnt'haltzaːm] adj 1. abstinent, abstemious; adv 2. abstemiously

Enthaltsamkeit [ɛnt'haltzaːmkaɪt] f abstinence, abstemiousness

Enthaltung [ɛnt'haltuŋ] f abstention

entheben [ɛnt'heːbən] v irr 1. (der Verantwortung) dispense, exempt, release; 2. (eines Amtes) remove, dismiss

enthüllen [ɛnt'hylən] v 1. (Denkmal) unveil; 2. (fig) disclose, reveal

Enthüllung [ɛnt'hyluŋ] f 1. (Denkmal) unveiling; 2. (fig) disclosure, revelation

Enthusiasmus [ɛntu'zjasmus] m enthusiasm

enthusiastisch [ɛntu'zjastɪʃ] adj enthusiastic

entkommen [ɛnt'kɔmən] v irr get away, escape

Entkommen [ɛnt'kɔmən] n escape

entkräften [ɛnt'krɛftən] v 1. devitalize, weaken; 2. (widerlegen) refute; 3. (fig) invalidate, make null and void

entladen [ɛnt'laːdən] v irr 1. (abladen) unload; 2. (fig: befreien) pour out one's feelings

entlang [ɛnt'laŋ] prep along, down; die Straße ~ down the street

entlarven [ɛnt'larfən] v expose, unmask

entlassen [ɛnt'lasən] v irr 1. (Arbeitskraft) dismiss, fire (fam), sack (fam); 2. (Gefangene) release; 3. (Patienten) discharge; 4. MIL discharge, dismiss

Entlassung [ɛnt'lasuŋ] f 1. (einer Arbeitskraft) dismissal; 2. (eines Gefangenen) release; 3. (eines Patienten) discharge; 4. MIL discharge, dismissal

entlasten [ɛnt'lastən] v 1. reduce the pressure on, relieve the strain on; 2. (Angeklagten) JUR exonerate

Entlastung [ɛnt'lastuŋ] f 1. relief; Wir schicken Ihnen Ihre Unterlagen zu unserer ~

zurück. We are returning your documents to you for your files. 2. *(eines Angeklagten) JUR* exoneration; *zu seiner ~ führte er an, dass ...* in his defence he stated that ...

entlegen [ɛnt'leːgən] *adj* distant, isolated

entlocken [ɛnt'lɔkən] *v* 1. *jdm etw ~* coax sth out of s.o.; 2. *jdm etw ~ (Geständnis, Geheimnis)* worm sth out of s.o.

entmachten [ɛnt'maxtən] *v jdn ~* deprive s.o. of his power

Entmachtung [ɛnt'maxtuŋ] *f POL* deprivation of power

entmündigen [ɛnt'myndɪgən] *v JUR* declare incapable of managing his own affairs

entmutigen [ɛnt'muːtɪgən] *v* discourage, dishearten; *~, etw zu tun* discourage from doing sth

Entnahme [ɛnt'naːmə] *f* 1. taking, extraction, drawing; 2. *(von Geld)* withdrawal

entnehmen [ɛnt'neːmən] *v irr* 1. *(herausnehmen)* take out, withdraw; 2. *(fig: schließen)* conclude, gather, deduce

enträtseln [ɛnt'rɛːtsəln] *v* unravel, solve

entrichten [ɛnt'rɪçtən] *v* pay

entrinnen [ɛnt'rɪnən] *v irr* escape

entrücken [ɛnt'rykən] *v jdn einer Sache ~* remove s.o. from sth, whisk s.o. away from sth

entrüsten [ɛnt'rystən] *v* 1. fill with indignation, outrage; 2. *sich ~* to be indignant, to be outraged

entschädigen [ɛnt'ʃɛːdɪgən] *v* compensate, repay, reimburse

Entschädigung [ɛnt'ʃɛːdɪguŋ] *f* compensation, indemnification, reimbursement

entschärfen [ɛnt'ʃɛrfən] *v* 1. *(Bombe)* defuse, deactivate; 2. *(fig: Situation)* defuse, ease, take the bite out of

entscheiden [ɛnt'ʃaɪdən] *v irr* decide, determine, settle; *sich gegen etw ~* decide against sth; *Sie entschied sich für das rote Kleid.* She decided on the red dress.

Entscheidung [ɛnt'ʃaɪduŋ] *f* decision; *eine ~ treffen* make a decision

entschließen [ɛnt'ʃliːsən] *v irr sich ~* decide, make up one's mind, determine

Entschluss [ɛnt'ʃlus] *m* resolution, decision

entschuldigen [ɛnt'ʃuldɪgən] *v* 1. *etw ~* excuse; 2. *sich ~* apologize; 3. *sich ~ (sich abmelden)* excuse o.s., ask to be excused

Entschuldigung [ɛnt'ʃuldɪguŋ] *f* 1. *(Abbitte)* apology; *~!* Excuse me! Sorry! 2. *(Ausrede)* excuse

entsetzen [ɛnt'zɛtsən] *v* appal, dismay, shock

Entsetzen [ɛnt'zɛtsən] *n* dismay, fright, horror

entsetzlich [ɛnt'zɛtslɪç] *adj* dreadful, frightful, ghastly

entsorgen [ɛnt'zɔrgən] *v Abfall ~* dispose of waste

entspannen [ɛnt'ʃpanən] *v sich ~* relax

Entspannung [ɛnt'ʃpanuŋ] *f* 1. relaxation; 2. *POL* detente

Entspannungspolitik [ɛnt'ʃpanuŋspoliːtiːk] *f POL* policy of detente

entsprechen [ɛnt'ʃprɛçən] *v irr* correspond to, to be in accordance with, tally with

entsprechend [ɛnt'ʃprɛçənt] *adj* 1. corresponding; 2. *(angemessen)* adequate

Entsprechung [ɛnt'ʃprɛçuŋ] *f* 1. correspondence; 2. *(Äquivalent)* equivalent

entstehen [ɛnt'ʃteːən] *v irr* 1. come into being; 2. *(geschaffen werden)* to be created; 3. *(sich entwickeln)* develop; 4. *(verursacht werden)* result

Entstehung [ɛnt'ʃteːuŋ] *f* 1. coming into being, genesis; *(Ursprung)* origin; 2. *(Bildung)* formation

entstellen [ɛnt'ʃtɛlən] *v* disfigure, distort

enttäuschen [ɛnt'tɔyʃən] *v* disappoint

Enttäuschung [ɛnt'tɔyʃuŋ] *f* disappointment

entvölkern [ɛnt'fœlkərn] *v* depopulate

entwaffnend [ɛnt'vafnənt] *adj* disarming

entwarnen [ɛnt'varnən] *v* sound the all-clear

Entwarnung [ɛnt'varnuŋ] *f* the all-clear

entweder ['ɛntveːdər] *konj* ~ ... *oder* either ... or

entweichen [ɛnt'vaɪçən] *v irr* escape

entweihen [ɛnt'vaɪən] *v REL* desecrate

Entweihung [ɛnt'vaɪuŋ] *f REL* desecration

entwenden [ɛnt'vɛndən] *v irr* steal, pilfer

entwerfen [ɛnt'vɛrfən] *v irr* design, draft

entwerten [ɛnt'vɛrtən] *v* 1. *(Fahrkarte)* cancel; 2. *(Geld)* devalue; 3. *(fig)* devalue, depreciate

Entwertung [ɛnt'vɛrtuŋ] *f ECO* depreciation, devaluation

entwickeln [ɛnt'vɪkəln] *v* develop, evolve

Entwicklung [ɛnt'vɪkluŋ] *f* development, evolution

Entwicklungsland [ɛnt'vɪkluŋslant] *n POL* developing country

entwürdigend [ɛnt'vyrdɪgənt] *adj* degrading

Entwurf [ɛnt'vurf] *m* design, plan, draft
entwurzeln [ɛnt'vurtsəln] *v* uproot
entziehen [ɛnt'tsi:ən] *v irr 1. sich einer Sache* ~ avoid sth, escape sth, evade sth; *Das entzieht sich meiner Kenntnis.* I don't know anything about that. *Es entzieht sich jeder Berechnung.* It's beyond calculation. 2. *(etw ~)* take away; *jdm den Alkohol* ~ deprive s.o. of alcohol; 3. *(Unterstützung, Erlaubnis)* withdraw
entziffern [ɛnt'tsɪfərn] *v* decipher
entzücken [ɛnt'tsykən] *v* delight
Entzücken [ɛnt'tsykən] *n* delight, rapture, joy
Entzug [ɛnt'tsu:k] *m* MED withdrawal
entzünden [ɛnt'tsyndən] *v 1. (Feuer)* kindle, light, set on fire; 2. *sich* ~ MED become inflamed
Entzündung [ɛnt'tsyndʊŋ] *f* MED inflammation, irritation
Enzian ['ɛntsjan] *m* BOT gentian
Enzyklopädie [ɛntsyklopɛ'di:] *f* encyclopedia
Enzym [ɛn'tsy:m] *n* BIO enzyme
Epidemie [epide'mi:] *f* MED epidemic
Epilepsie [epilɛp'zi:] *f* MED epilepsy
Episode [epi'zo:də] *f* episode
Epoche [e'pɔxə] *f* HIST epoch
Erachten [ɛr'axtən] *n* meines ~s in my opinion
Erbanlagen ['ɛrpanla:gən] *pl* BIO hereditary disposition
erbarmen [ɛr'barmən] *v sich* ~ have mercy, have pity
Erbarmen [ɛr'barmən] *n* compassion, mercy, pity
erbärmlich [ɛr'bɛrmlɪç] *adj* miserable, wretched, poor
erbarmungslos [ɛr'barmʊŋslo:s] *adj* pitiless, merciless, ruthless
erbauen [ɛr'bauən] *v 1.* build, erect; 2. *(fig)* edify
erbaulich [ɛr'baulɪç] *adj* edifying, uplifting, elevating
Erbauung [ɛr'bauʊŋ] *f 1. (Gebäude)* construction; 2. REL edification
Erbe ['ɛrbə] *n 1.* inheritance, heritage; *m 2.* heir
erben ['ɛrbən] *v* inherit
erbeuten [ɛr'bɔytən] *v* capture, carry off
Erbin ['ɛrbɪn] *f* heiress
erbitten [ɛr'bɪtən] *v irr 1. sich etw von jdm* ~ ask s.o. for sth, request sth of s.o. 2. *sich* ~ *lassen* yield, relent

erblassen [ɛr'blasən] *v (blass werden)* turn pale
erblich ['ɛrplɪç] *adj* hereditary
erblinden [ɛr'blɪndən] *v* go blind
Erblindung [ɛr'blɪndʊŋ] *f* loss of eyesight
erbrechen [ɛr'brɛçən] *v irr 1. (öffnen)* break open, force open; 2. MED vomit
Erbschaft ['ɛrpʃaft] *f* inheritance, legacy
Erbse ['ɛrpsə] *f* pea
Erdbeben ['e:rtbe:bən] *n* earthquake
Erdbeere ['e:rtbe:rə] *f* BOT strawberry
Erdboden ['e:rtbo:dən] *m* ground, soil; *etw dem* ~ *gleichmachen* raze sth to the ground; *vom* ~ *verschwinden* vanish from the face of the earth
Erde ['e:rdə] *f 1. (Boden)* earth, ground, soil; *jdn unter die* ~ *bringen* to be the death of s.o.; *auf der* ~ *bleiben (fig)* stay down-to-earth; *etw aus der* ~ *stampfen (fig)* set sth up from scratch; 2. *(Erdball)* Earth, the earth
erden ['e:rdən] *v* TECH earth, ground *(US)*
Erdgas ['e:rtga:s] *n* natural gas
Erdgeschoss ['e:rtgəʃɔs] *n* ground floor, first floor *(US)*
erdichten [ɛr'dɪçtən] *v* fabricate, invent, make up
Erdkunde ['e:rtkundə] *f* geography
Erdnuss ['e:rtnus] *f* peanut
Erdöl ['e:rtø:l] *n* crude oil, petroleum; ~ *exportierend* oil exporting
Erdreich ['e:rtraiç] *n* earth, soil
erdrücken [ɛr'drykən] *v 1.* crush (to death); *ein ~des Gefühl* a stifling feeling 2. *(fig)* overwhelm
Erdrutsch ['e:rtrutʃ] *m* landslide, landslip
Erdteil ['e:rttail] *m* continent
erdulden [ɛr'duldən] *v* tolerate, endure
ereignen [ɛr'aignən] *v sich* ~ happen, take place, occur
Ereignis [ɛr'aignis] *n* event, incident, occurrence
Erektion [erek'tsjo:n] *f* erection
Eremit [ere'mi:t] *m* hermit
erfahren [ɛr'fa:rən] *v irr 1. (erleben)* experience; 2. *(mitgeteilt bekommen)* hear, learn; *adj 3.* experienced, skilled, expert
Erfahrung [ɛr'fa:rʊŋ] *f* experience; *in* ~ *bringen* find out
erfassen [ɛr'fasən] *v 1. (greifen)* seize, grasp, hold; 2. *(in Statistik)* register, record; 3. *(fig: verstehen)* grasp
erfinden [ɛr'fɪndən] *v irr 1.* invent, devise; 2. *(erdichten)* concoct, fabricate
Erfinder [ɛr'fɪndər] *m* inventor

Erfindung [ɛr'fɪndʊŋ] *f 1.* invention; *2. (Lüge)* fabrication, fiction

Erfolg [ɛr'fɔlk] *m* success; ~ *versprechend* promising

erfolgen [ɛr'fɔlgən] *v* ensue, happen, arise

erfolglos [ɛr'fɔlkloːs] *adj* unsuccessful, fruitless

erfolgreich [ɛr'fɔlkraɪç] *adj* successful

erforderlich [ɛr'fɔrdərlɪç] *adj* necessary, required

erfordern [ɛr'fɔrdərn] *v* require, demand, need

Erfordernis [ɛr'fɔrdərnɪs] *n* requirement, necessity

erfragen [ɛr'fraːgən] *v* find out (by asking), ask, inquire

erfreuen [ɛr'frɔyən] *v* delight, rejoice

erfreulich [ɛr'frɔylɪç] *adj* pleasant, welcome

erfreulicherweise [ɛr'frɔylɪçərvaɪzə] *adj* fortunately, happily

erfrieren [ɛr'friːrən] *v irr 1. (Person)* freeze to death; *2. (Pflanze)* to be killed by frost

erfrischen [ɛr'frɪʃən] *v sich* ~ refresh o.s.

Erfrischung [ɛr'frɪʃʊŋ] *f* refreshment

erfüllen [ɛr'fylən] *v 1. (Pflicht)* fulfil, carry out; *2. (Wunsch)* fulfil

Erfüllung [ɛr'fylʊŋ] *f 1. (Pflicht)* performance, fulfilment, accomplishment; *2. (Wunsch)* fulfilment, realization

ergänzen [ɛr'gɛntsən] *v 1.* supplement; *2. (vervollständigen)* complete

Ergänzung [ɛr'gɛntsʊŋ] *f 1.* supplementing; *2. (Vervollständigung)* completion

ergeben [ɛr'geːbən] *v irr 1.* result in; *2. (sich erweisen)* reveal; *3. (abwerfen)* yield; *4. (betragen)* amount to; *5. sich* ~ result, ensue; *6. sich* ~ *(aufgeben)* surrender; *7. sich einer Sache* ~ devote o.s. to sth

Ergebenheit [ɛr'geːbənhaɪt] *f* devotion

Ergebnis [ɛr'geːpnɪs] *n 1.* result, outcome; *2. (Folgen)* consequences *pl*

ergebnislos [ɛr'geːpnɪsloːs] *adj* fruitless, ineffective, without success

ergehen [ɛr'geːən] *v irr 1. Wie ist es ihm ergangen?* How did he do? How did he fare? *2. (erteilt werden)* to be issued, go out; *3. etw über sich* ~ *lassen* endure sth, submit to sth; *4. sich* ~ *in (fig)* indulge in; *5. sich an der Luft* ~ go for a stroll in the fresh air

ergiebig [ɛr'giːbɪç] *adj* productive, lucrative, rich

ergreifen [ɛr'graɪfən] *v irr 1. (greifen)* seize, grasp, grip; *2. Maßnahmen* ~ take measures; *3. (festnehmen)* seize, capture, apprehend; *4. (fig: bewegen)* move, affect, thrill

Ergriffenheit [ɛr'grɪfənhaɪt] *f* emotion

ergründen [ɛr'gryndən] *v 1.* get to the bottom of; *2. (erforschen)* probe

erhaben [ɛr'haːbən] *adj 1.* raised; *2. (über anderen stehend)* exalted; *3. über etw* ~ *sein* to be above sth (fig); *4. (Anblick)* sublime

erhalten [ɛr'haltən] *v irr 1. (bekommen)* receive, get; *2. (bewahren)* keep, preserve

erhältlich [ɛr'hɛltlɪç] *adj* obtainable

Erhaltung [ɛr'haltʊŋ] *f* maintenance, preservation, conservation

erhärten [ɛr'hɛrtən] *v 1.* harden; *2. (bestätigen)* substantiate, confirm

erheben [ɛr'heːbən] *v irr 1. (hochheben)* lift up, raise; *2. sich* ~ get up, rise; *3. (Steuern) ECO* levy, impose; *4. (Klage) JUR* file (a complaint), bring an action against

erheitern [ɛr'haɪtərn] *v 1.* amuse, entertain; *2. sich* ~ cheer up

Erheiterung [ɛr'haɪtərʊŋ] *f* amusement

erhellen [ɛr'hɛlən] *v 1.* light up, illuminate; *2. (fig: aufklären)* make evident; *3. sich* ~ light up

erhöhen [ɛr'høːən] *v 1.* increase, raise, elevate; *2. (Preise) ECO* raise, increase

Erhöhung [ɛr'høːʊŋ] *f* increase, raising, heightening

erholen [ɛr'hoːlən] *v sich* ~ recover, recuperate, get well

Erholung [ɛr'hoːlʊŋ] *f* recuperation, recreation, relaxation

erinnern [ɛr'ɪnərn] *v 1. jdn* ~ remind s.o.; *2. sich* ~ remember, recall, recollect

Erinnerung [ɛr'ɪnərʊŋ] *f* remembrance, recollection, memory

erkälten [ɛr'kɛltən] *v sich* ~ catch (a) cold

Erkältung [ɛr'kɛltʊŋ] *f* cold

erkennen [ɛr'kɛnən] *v irr 1.* recognize; *2. (einsehen)* realize; *3. (entdecken)* discover

erkenntlich [ɛr'kɛntlɪç] *adj* grateful

Erkenntnis [ɛr'kɛntnɪs] *f 1. (Einsicht)* realization; *2. (Wissen)* knowledge; *3. (Verständnis)* recognition

Erker ['ɛrkər] *m* bay

erklären [ɛr'klɛːrən] *v 1. (verdeutlichen)* explain, define, account for; *2. (verkünden)* declare, state

erklärtermaßen [ɛr'klɛːrtərmaːsən] *adv* as previously explained, as previously stated

Erklärung [ɛr'klɛːrʊŋ] *f 1. (Verdeutlichung)* explanation, definition, interpretation; *2. (Verkündung)* declaration, statement

erkranken [ɛr'kraŋkən] *v* to be taken ill
erkundigen [ɛr'kundɪgən] *v sich* ~ inquire
Erkundigung [ɛr'kundɪguŋ] *f* inquiry; *~en einholen* make inquiries
erlangen [ɛr'laŋən] *v* obtain, achieve
Erlass [ɛr'las] *m* 1. *(Verordnung)* decree, ordinance, edict; 2. *(Befreiung)* release, dispensation, exemption; 3. *(einer Sünde)* remission
erlassen [ɛr'lasən] *v irr* 1. *(verordnen)* enact, pass, issue; 2. *(Strafe)* JUR remit; *(Gebühren)* waive; *(Verpflichtung)* exempt
erlauben [ɛr'laubən] *v* allow, permit; *Was ~ Sie sich?* What on earth do you think you're doing?
Erlaubnis [ɛr'laupnɪs] *f* 1. permission; 2. *(Schriftstück)* permit
erläutern [ɛr'lɔytərn] *v* explain, clarify
Erläuterung [ɛr'lɔytəruŋ] *f* explanation
Erle ['ɛrlə] *f* BOT alder
erleben [ɛr'le:bən] *v* experience; *Gleich kannst du etwas ~!* Just you wait!
Erlebnis [ɛr'le:pnɪs] *n* 1. experience; 2. *(Ereignis)* event, occurrence
erledigen [ɛr'le:dɪgən] *v* handle, deal with, take care of
erleichtern [ɛr'laɪçtərn] *v* relieve, ease, alleviate
erleichtert [ɛr'laɪçtərt] *adj* relieved
Erleichterung [ɛr'laɪçtəruŋ] *f* alleviation, relief
erleiden [ɛr'laɪdən] *v irr* 1. *(erdulden)* suffer, endure; 2. *(Verlust)* sustain
erlesen [ɛr'le:zən] *adj* select, choice, exquisite
Erlös [ɛr'lø:s] *m* ECO proceeds *pl*, revenue
erlösen [ɛr'lø:zən] *v* deliver, release, redeem
Erlöser [ɛr'lø:zər] *m* REL Redeemer
Erlösung [ɛr'lø:zuŋ] *f* 1. deliverance, release; 2. REL redemption, salvation
ermächtigen [ɛr'mɛçtɪgən] *v* authorize, empower
Ermächtigung [ɛr'mɛçtɪguŋ] *f* 1. authorization, power; 2. *(Urkunde)* warrant, licence
ermahnen [ɛr'ma:nən] *v* admonish
Ermahnung [ɛr'ma:nuŋ] *f* admonition
ermäßigen [ɛr'mɛːsɪgən] *v* reduce, lower
Ermäßigung [ɛr'mɛːsɪguŋ] *f* reduction, discount
Ermessen [ɛr'mesən] *n* 1. *(Einschätzung)* estimation; *nach menschlichem ~* as far as it is possible to tell; 2. *(Gutdünken)* discretion
ermitteln [ɛr'mɪtəln] *v* 1. determine, ascertain, find out; 2. JUR investigate, inquire into

Ermittlung [ɛr'mɪtluŋ] *f* 1. determination, ascertaining; 2. *(Erkundigung)* inquiry, investigation; 3. *(Entdeckung)* discovery
ermöglichen [ɛr'møːklɪçən] *v* enable, make possible
ermorden [ɛr'mɔrdən] *v* murder
ermüden [ɛr'my:dən] *v* tire, weary
ermüdend [ɛr'my:dənt] *adj* tiring
ermutigen [ɛr'mu:tɪgən] *v* encourage, give courage, embolden
Ernährung [ɛr'nɛːruŋ] *f* 1. nourishment, feeding; 2. *(Kost)* diet; 3. MED nutrition
ernennen [ɛr'nɛnən] *v irr* nominate, appoint, designate
Ernennung [ɛr'nɛnuŋ] *f* nomination, appointment, designation
erneuern [ɛr'nɔyərn] *v* 1. renew; 2. *(wieder beleben)* revive; 3. *(renovieren)* renovate
erniedrigen [ɛr'niːdrɪgən] *v* degrade, humiliate, humble
Erniedrigung [ɛr'niːdrɪguŋ] *f* 1. humiliation, degradation; 2. ECO reduction
ernst [ɛrnst] *adj* 1. serious; 2. *(streng)* severe; 3. *(bedenklich)* grave; *adv* 4. seriously; *~ zu nehmend* to be taken seriously; *Er meint es ~.* He's serious.
Ernst [ɛrnst] *m* 1. seriousness; *der ~ des Lebens* the real world; *mit etw ~ machen* get down to business with sth; *Das ist doch nicht dein ~!* You can't be serious! 2. *(Bedenklichkeit)* gravity; 3. *(Strenge)* severity
ernsthaft ['ɛrnsthaft] *adj* serious
Ernte ['ɛrntə] *f* 1. *(Tätigkeit)* harvest; 2. *(Ertrag)* crop
ernten ['ɛrntən] *v* 1. harvest, reap; 2. *(fig)* reap, gain
ernüchtern [ɛr'nyçtərn] *v* 1. sober up; 2. *(fig)* disillusion, bring down to earth
Eroberer [ɛr'o:bərər] *m* conqueror
erobern [ɛr'o:bərn] *v* conquer, capture
Eroberung [ɛr'o:bəruŋ] *f* conquest, capture
eröffnen [ɛr'œfnən] *v* 1. open; 2. *jdm etw ~* reveal sth to s.o., break the news about sth to s.o.
Eröffnung [ɛr'œfnuŋ] *f* 1. opening; 2. *(Einweihung)* inauguration; 3. *(Mitteilung)* revelation, notification, disclosure
erörtern [ɛr'œrtərn] *v* discuss, argue, debate
Erosion [ero'zjo:n] *f* erosion
Erotik [e'ro:tɪk] *f* eroticism
erpressen [ɛr'prɛsən] *v* jdn ~ blackmail s.o.
Erpresser [ɛr'prɛsər] *m* blackmailer

Erpressung [ɛr'prɛsuŋ] f blackmail
erregen [ɛr're:gən] v 1. (Aufsehen) cause, provoke, arouse; 2. (aufregen) excite, agitate, upset; 3. sich ~ get upset, get excited
Erreger [ɛr're:gər] m MED germ
Erregung [ɛr're:guŋ] f excitement
erreichbar [ɛr'raiçba:r] adj 1. attainable, within reach; 2. (verfügbar) available
erreichen [ɛr'raiçən] v 1. reach; 2. (fig) reach, attain, achieve; 3. (fig: erlangen) obtain
errichten [ɛr'riçtən] v 1. build, construct, erect; 2. (gründen) open, set up, establish
erröten [ɛr'rø:tən] v 1. turn red; 2. (vor Verlegenheit) blush
Errungenschaft [ɛr'ruŋənʃaft] f achievement, triumph
Ersatz [ɛr'zats] m 1. (Vergütung) compensation; 2. (Austauschstoff) substitute, ersatz; 3. (Ersetzendes) replacement, alternative; 4. (Entschädigung) indemnification
Erschaffung [ɛr'ʃafuŋ] f creation
erscheinen [ɛr'ʃainən] v irr 1. (sich sehen lassen) appear, make an appearance, turn up; 2. (veröffentlicht werden) to be published, appear, come out; 3. (vor Gericht) appear; 4. (scheinen) seem, appear
Erscheinung [ɛr'ʃainuŋ] f 1. (Phänomen) phenomenon; 2. (Aussehen) appearance, look; 3. in ~ treten appear
erschießen [ɛr'ʃi:sən] v irr shoot dead
erschließen [ɛr'ʃli:sən] v irr 1. (Baugelände) develop; 2. (Märkte) ECO open up; 3. (folgern) infer
Erschließung [ɛr'ʃli:suŋ] f 1. (eines Baugeländes) development; 2. (Märkte) ECO opening up
erschöpfen [ɛr'ʃœpfən] v 1. exhaust; 2. sich ~ exhaust o.s.; 3. sich in etw ~ to be limited to sth
erschöpft [ɛr'ʃœpft] adj exhausted, worn out
Erschöpfung [ɛr'ʃœpfuŋ] f exhaustion
erschrecken [ɛr'ʃrɛkən] v irr 1. scare, frighten; jdn ~, damit er etw tut frighten s.o. into doing sth; 2. (plötzlich) alarm, startle
erschreckend [ɛr'ʃrɛkənt] adj frightening
erschüttern [ɛr'ʃytərn] v 1. shake, make tremble; 2. (fig: psychologisch) upset, shock
Erschütterung [ɛr'ʃytəruŋ] f 1. vibration, shaking; 2. MED concussion; 3. (fig) shock, inner turmoil
erschweren [ɛr'ʃve:rən] v 1. make difficult, complicate; 2. (hemmen) hinder

erschwinglich [ɛr'ʃviŋlıç] adj attainable, affordable, within one's means
ersehnen [ɛr'ze:nən] v long for
ersetzen [ɛr'zɛtsən] v 1. (austauschen) replace; 2. (entschädigen) compensate for; (Unkosten) reimburse for
ersichtlich [ɛr'zıçtlıç] adj obvious, clear
ersinnen [ɛr'zınən] v irr devise, invent
Ersparnis [ɛr'ʃpa:rnıs] f 1. saving; Dieser Weg bedeutet eine ~ von fünf Minuten. One can save five minutes going this way. 2. ~se pl (erspartes Geld) savings pl
erst [e:rst] adv 1. first; 2. (nur) only, just
erstarren [ɛr'ʃtarən] v 1. stiffen; 2. (vor Kälte) go numb; 3. (Zement) set; 4. (Flüssigkeit) solidify; 5. (Fett) congeal; 6. (fig: person) freeze; (vor Schreck) to be paralyzed
erstatten [ɛr'ʃtatən] v 1. (Kosten) reimburse; 2. Anzeige ~ file charges; 3. Bericht ~ report
erstaunen [ɛr'ʃtaunən] v 1. to be amazed; 2. jdn ~ amaze s.o.
erstaunlich [ɛr'ʃtaunlıç] adj amazing, astonishing, remarkable
erste(r,s) ['e:rstə(r,s)] num first
ersteigern [ɛr'ʃtaigərn] v buy at an auction
erstellen [ɛr'ʃtɛlən] v 1. create; 2. (Rechnung, Übersicht) draw up
erstens ['e:rstəns] adv first of all, in the first place, firstly
ersticken [ɛr'ʃtıkən] v 1. suffocate; in Arbeit ~ to be up to one's neck in work; 2. an etw ~ to choke on sth; 3. (Flammen) smother
erstmals ['e:rstma:ls] adv for the first time
erstreben [ɛr'ʃtre:bən] v aspire to, strive for
erstrebenswert [ɛr'ʃtre:bənsvert] adj desirable
erstrecken [ɛr'ʃtrɛkən] v 1. sich ~ stretch, extend; 2. sich ~ auf (betreffen) apply to, concern
Ersuchen [ɛr'zu:xən] n request, petition
ersuchen [ɛr'zu:xən] v request
ertappen [ɛr'tapən] v catch; jdn auf frischer Tat ~ catch s.o. red-handed
erteilen [ɛr'tailən] v 1. (geben) administer, give; 2. (gewähren) grant
ertönen [ɛr'tø:nən] v ring out, sound
Ertrag [ɛr'tra:k] m ECO return, profit, proceeds pl
ertragen [ɛr'tra:gən] v irr bear, endure
erträglich [ɛr'trɛ:klıç] adj bearable, tolerable, endurable

ertragreich [ɛr'traːkraiç] *adj* productive, profitable, lucrative

ertränken [ɛr'trɛŋkən] *v* drown (s.o.)

erträumen [ɛr'trɔymən] *v* sich etw ~ dream about sth, dream of having sth

ertrinken [ɛr'trɪŋkən] *v irr* drown

Erwachen [ɛr'vaxən] *n* awakening, dawn

erwachsen [ɛr'vaksən] *adj* adult

Erwachsene(r) [ɛr'vaksənə(r)] *m/f* adult, grown-up

erwägen [ɛr'vɛːgən] *v irr* consider, think about, ponder

Erwägung [ɛr'vɛːguŋ] *f* consideration; in ~ ziehen take into consideration

erwähnen [ɛr'vɛːnən] *v* mention, name

erwähnenswert [ɛr'vɛːnənsvɛːrt] *adj* worth mentioning

erwarten [ɛr'vaːrtən] *v* expect, anticipate

Erwartung [ɛr'vartuŋ] *f* expectation, anticipation

erwartungsvoll [ɛr'vartuŋsfɔl] *adj* expectant, full of expectation

erwehren [ɛr'veːrən] *v* sich ~ resist, fend off; *Er konnte sich eines Lächelns nicht* ~. He couldn't help smiling.

erweisen [ɛr'vaizən] *v irr* prove, show; *jdm etw* ~ do sth for s.o.; *sich* ~ *als* prove to be

erweitern [ɛr'vaitərn] *v* 1. expand, widen, extend; 2. *(Kleid)* let out

Erweiterung [ɛr'vaitəruŋ] *f* extension, expansion, distension

Erwerb [ɛr'vɛrp] *m* 1. *(Beruf)* livelihood, living; 2. *(Kauf)* ECO purchase, acquisition

erwerben [ɛr'vɛrbən] *v irr* 1. acquire, obtain; 2. *(durch Arbeit)* earn; 3. *(kaufen)* purchase, buy

erwerbstätig [ɛr'vɛrpstɛːtiç] *adj* gainfully employed

erwidern [ɛr'viːdərn] *v* 1. *(antworten)* reply, answer, respond; 2. *(Gleiches zurückgeben)* reciprocate

erwirtschaften [ɛr'vɪrtʃaftən] *v* ECO make a profit

erwischen [ɛr'vɪʃən] *v* catch, get hold of; *jdn bei etw* ~ catch s.o. doing sth; *den Zug* ~ catch the train

erwürgen [ɛr'vyrgən] *v* strangle

Erz [ɛrts] *n* MIN ore

erzählen [ɛr'tsɛːlən] *v* tell, relate

Erzählung [ɛr'tsɛːluŋ] *f* tale, story

Erzbischof ['ɛrtsbɪʃɔf] *m* REL archbishop

erzeugen [ɛr'tsɔygən] *v* 1. *(herstellen)* produce, manufacture, make; 2. *(hervorrufen)* evoke, bring about, give rise to

Erzeugnis [ɛr'tsɔyknɪs] *n* 1. product; 2. *(Boden~)* produce

Erzfeind ['ɛrtsfaint] *m* arch-enemy

Erzgauner ['ɛrtsgaunər] *m* out-and-out blackguard, arch-rogue

erziehen [ɛr'tsiːən] *v irr* educate, train, bring up

Erziehung [ɛr'tsiːuŋ] *f* 1. upbringing, education, bringing up; 2. training; 3. *(Manieren)* breeding

Erziehungsurlaub [ɛr'tsiːuŋsuːrlaup] *m* 1. *(der Mutter)* maternity leave; 2. *(des Vaters)* paternity leave

erzielen [ɛr'tsiːlən] *v* achieve, realize, reach

erzwingen [ɛr'tsvɪŋən] *v irr* force, obtain by force

es [ɛs] *pron* 1. it; 2. *(Kind, Mädchen)* he/she

Esche ['ɛʃə] *f* BOT ash-tree

Esel ['eːzəl] *m* donkey; *der* ~ *nennt sich selbst zuerst* it's rude to put yourself first

Eselsohr ['eːzəlsoːr] *n* dog-ear

Eskalation [ɛskala'tsjoːn] *f* POL escalation

eskalieren [ɛska'liːrən] *v* POL escalate

Eskapade [ɛska'paːdə] *f* escapade

Eskimo ['ɛskimo] *m* Eskimo

Eskorte [ɛs'kɔrtə] *f* escort

Esoterik [ezo'teːrɪk] *f* esoterica

esoterisch [ezo'teːrɪʃ] *adj* esoteric

Espresso [ɛs'prɛso] *m* espresso

Essay ['ɛseː] *n* essay

essbar ['ɛsbaːr] *adj* edible

re *(US)*

Essen ['ɛsən] *n* 1. food; 2. *(Mahlzeit)* meal; 3. *(Gericht)* dish

essen ['ɛsən] *v irr* eat; *auswärts* ~ eat out

essenziell [ɛsɛn'tsjɛl] *adj* essential

Essig ['ɛsɪç] *m* vinegar

Esstisch ['ɛstɪʃ] *m* dining-table

Esszimmer ['ɛstsɪmər] *n* dining-room

Estrich ['ɛstrɪç] *m* 1. plastered stone floor, plastered stone flooring; 2. *(Dachboden)* attic

etablieren [eta'bliːrən] *v* sich ~ establish o.s., settle down; *(geschäftlich)* set up

Etage [e'taːʒə] *f* floor, storey

Etagenwohnung [e'taːʒənvoːnuŋ] *f* flat, apartment *(US)*

Etat [e'taː] *m* budget

Ethik ['eːtɪk] *f* ethics, morality

ethnisch ['eːtnɪʃ] *adj* ethnic

Ethnologie [etnolo'giː] *f* ethnology

ethnologisch [etno'loːgɪʃ] *adj* ethnological

Etikett [eti'kɛt] *n* label, tag

Etikette [eti'kɛtə] *f* etiquette

etikettieren [etikɛ'tiːrən] v label, tag

etliche ['ɛtlɪçə] pron some, a few

Etui [e'tviː] n case

etwa ['ɛtva] adv approximately, about, roughly

etwaig ['ɛtvaiç] adj possible; ~e Schwierigkeiten any problems that might arise

etwas ['ɛtvas] pron 1. something, anything; ~ Besonderes sth special; Ich habe nie so ~ gesehen. I have never seen anything like it. adv 2. somewhat, rather, a little

Etymologie [etymolo'giː] f etymology

euch [ɔyç] pron you

euer ['ɔyər] pron your

Eukalyptus [ɔyka'lyptus] m BOT eucalyptus

Eule ['ɔylə] f ZOOL owl

Eunuch [ɔy'nuːx] m eunuch

euphorisch [ɔy'foːrɪʃ] adj euphoric

eure(r,s) ['ɔyrə(r,s)] pron your

Euro ['ɔyro] m FIN euro

Europa [ɔy'roːpa] n GEO Europe

evakuieren [evaku'iːrən] v evacuate

Evakuierung [evaku'iːruŋ] f evacuation

evangelisch [evan'geːlɪʃ] adj REL evangelical, Protestant

Evangelium [evan'geːljum] n REL gospel

eventuell [ɛvɛntu'ɛl] adj 1. possible, potential; adv 2. possibly, perhaps, maybe

evident [evi'dɛnt] adj evident

Evolution [evolu'tsjoːn] f evolution

evolutionär [evolutsjo'nɛːr] adj evolutionary

ewig ['eːvɪç] adj eternal, endless, everlasting; ~ und drei Tage forever and a day

Ewigkeit [e'vɪçkait] f eternity

exakt [ɛ'ksakt] adj 1. exact, precise, accurate; adv 2. exactly, accurately, precisely

Exaktheit [ɛ'ksakthait] f exactness, accuracy

Exaltiertheit [ɛksal'tiːrthait] f agitation

Examen [ɛ'ksaːmən] n examination, exam (fam)

Exekutive [ɛkseku'tiːvə] f POL executive (power)

Exempel [ɛ'ksɛmpəl] n example, instance; an jdm ein ~ statuieren make an example of s.o.

Exemplar [ɛksɛm'plaːr] n copy, specimen

exemplarisch [ɛksɛm'plaːrɪʃ] adj exemplary

Exhibitionist [ɛkshibitsjo'nɪst] m exhibitionist

Exil [ɛ'ksiːl] n POL exile

existent [ɛksɪs'tɛnt] adj existent

Existenz [ɛksɪs'tɛnts] f 1. existence; 2. (Auskommen) livelihood

Existenzialismus [ɛksɪstɛntsja'lɪsmus] m existentialism

existenziell [ɛksɪstɛn'tsjel] adj existential

Existenzminimum [ɛksɪs'tɛntsminimum] n subsistence level, subsistence minimum

existieren [ɛksɪs'tiːrən] v exist

exklusiv [ɛksklu'ziːf] adj 1. exclusive; adv 2. exclusively

Exkursion [ɛkskur'sjoːn] f excursion

Exotik [ɛ'ksoːtɪk] f exotic

expandieren [ɛkspan'diːrən] v ECO expand

Expansion [ɛkspan'zjoːn] f expansion

Expedition [ɛkspedɪ'tsjoːn] f 1. expedition; 2. (Versendung) dispatch, forwarding

Experiment [ɛkspɛrɪ'mɛnt] n experiment

experimentell [ɛksperimɛn'tɛl] adj experimental

Experte [ɛks'pɛrtə] m expert

explodieren [ɛksplo'diːrən] v explode

Explosion [ɛksplo'zjoːn] f explosion

explosiv [ɛksplo'ziːf] adj explosive

Export [ɛks'pɔrt] m ECO export, exportation

exportieren [ɛkspɔr'tiːrən] v ECO export

Expressionismus [ɛksprɛsjo'nɪsmus] m ART expressionism

expressiv [ɛksprɛ'siːf] adj expressive

Expressivität [ɛksprɛsifi'tɛːt] f expressiveness

extern [ɛks'tɛrn] adj external

extra ['ɛkstra] adj 1. extra, additional; adv 2. additionally, especially; 3. (absichtlich) on purpose; Ich habe es ~ so gemacht. I did it that way on purpose.

extravagant [ɛkstrava'gant] adj extravagant

extrem [ɛks'treːm] adj 1. extreme; adv 2. extremely

Extremismus [ɛkstre'mɪsmus] m POL extremism

Extremist [ɛkstre'mɪst] m extremist

Extremsportarten [ɛks'treːmʃpɔrtartən] pl SPORT dangerous sports

extrovertiert [ɛkstrovɛr'tiːrt] adj extrovert

exzellent [ɛkstsɛ'lɛnt] adj excellent

Exzellenz [ɛkstsɛ'lɛnts] f Eure ~ Your Excellency

Exzentriker [ɛks'tsɛntrɪkər] m eccentric

exzentrisch [ɛks'tsɛntrɪʃ] adj eccentric

Exzess [ɛks'tsɛs] m excess

F

Fabel ['faːbəl] *f* 1. fable; 2. *(erfundene Geschichte)* tall tale
fabelhaft ['faːbəlhaft] *adj* phenomenal, wonderful, fabulous
Fabrik [fa'briːk] *f* factory, works, plant
Fabrikat [fabri'kaːt] *n* manufactured article, product, make
Fabrikation [fabrika'tsjoːn] *f* ECO manufacture
Fach [fax] *n* 1. *(Ablagefach)* compartment, partition; 2. *(Unterrichtsfach)* subject; 3. *(Wissensgebiet)* branch, field
Facharzt ['faxartst] *m* MED specialist
Fachausbildung ['faxausbɪlduŋ] *f* professional education, specialized training
Fachhochschule ['faxhoːxʃuːlə] *f* technical college
fade ['faːdə] *adj* 1. *(geschmacklos)* tasteless, insipid; 2. *(langweilig)* boring, dull
Faden ['faːdən] *m* thread; *den ~ verlieren* lose the thread
Fagott [fa'gɔt] *n* MUS bassoon
fähig ['fɛːɪç] *adj* capable, competent, able; *zu allem ~ sein* to be capable of anything
Fähigkeit ['fɛːɪçkaɪt] *f* 1. ability, capability; 2. *(praktisches Können)* skill
fahl [faːl] *adj* pale, pallid, wan
fahnden ['faːndən] *v* ~ *nach* search for
Fahndung ['faːnduŋ] *f* search
Fahne ['faːnə] *f* flag, banner; *die ~ hochhalten* keep the flag flying; *die ~ nach dem Winde drehen* swim with the tide
Fahrbahn ['faːrbaːn] *f* 1. *(Spur)* lane; 2. roadway, carriageway
Fähre ['fɛːrə] *f* ferry
fahren ['faːrən] *v irr* 1. travel, go; *Ich weiß nicht, was in mich ge~ ist.* I don't know what got into me; 2. *(steuern)* drive, 3. *jdm durchs Haar ~* run one's fingers through s.o.'s hair
Fahrer ['faːrər] *m* driver, chauffeur
Fahrgast ['faːrgast] *m* passenger
Fahrgeld ['faːrgɛlt] *n* fare
Fahrkarte ['faːrkartə] *f* ticket
fahrlässig ['faːrlɛsɪç] *adj* 1. negligent, careless; 2. JUR negligent
Fahrlässigkeit ['faːrlɛsɪçkaɪt] *f* carelessness, negligence; recklessness
Fahrlehrer ['faːrleːrər] *m* driving instructor
Fahrplan ['faːrplaːn] *m* schedule, timetable

Fahrprüfung ['faːrpryːfuŋ] *f* driving test
Fahrrad ['faːraːt] *n* bicycle
Fahrschein ['faːrʃaɪn] *m* ticket
Fahrschule ['faːrʃuːlə] *f* driving school
Fahrschüler ['faːrʃyːlər] *m* student driver
Fahrstuhl ['faːrʃtuːl] *m* lift, elevator *(US)*
Fahrt [faːrt] *f* drive, ride
Fährte ['fɛːrtə] *f* 1. track, trail; *jdn auf die falsche ~ führen* lead s.o. up the garden path; 2. *(gewittert)* scent
Fahrzeug ['faːrtsɔyk] *n* vehicle
fair [fɛːr] *adj* 1. fair; *adv* 2. fairly
Fairness ['fɛːrnɛs] *f* fairness
Fakt [fakt] *m* fact
Faktor ['faktɔr] *m* factor
Fakultät [fakul'tɛːt] *f* faculty
Fall [fal] *m* 1. *(Sturz)* fall, tumble; 2. *(Umstand)* case, event, occasion; *im ~e, dass* in case; *für alle Fälle* just in case; *auf alle Fälle* by all means, certainly; *ein hoffnungsloser ~* a dead loss; *jds ~ sein* to be s.o.'s cup of tea; 3. *(fig: Niedergang)* fall, downfall, decline; *jdn zu ~ bringen (fig)* bring about s.o.'s downfall; 4. JUR case, matter
Falle ['falə] *f* trap; *jdm eine ~ stellen* set a trap for s.o.; *jdn in eine ~ locken* lure s.o. into a trap
fallen ['falən] *v irr* 1. *(stürzen)* fall, tumble, stumble; *etw ~ lassen* drop sth; *(fig) jdn ~ lassen* drop s.o.; 2. *(fig: sinken)* drop, go down, slump; 3. *(im Krieg ~)* be killed; 4. *(Bemerkung)* be made
fällen ['fɛlən] *v* 1. *(Baum)* chop down, cut down; 2. *(eine Entscheidung ~)* make a decision; 3. *(Urteil)* JUR pass judgement
fällig ['fɛlɪç] *adj* ECO due, matured, payable; *~ werden* become due
Fälligkeit ['fɛlɪçkaɪt] *f* ECO maturity
falls [fals] *konj* in case, if, supposing
falsch [falʃ] *adj* 1. wrong; *Da bin ich an den Falschen geraten.* I should have known him better. 2. *(unwahr)* false, untrue; 3. *(unecht)* false, fake, bogus; 4. *(Geld)* counterfeit; 5. *(fig: unaufrichtig)* false, deceitful, insincere
fälschen ['fɛlʃən] *v* falsify, fake, forge, *(Banknoten)* counterfeit
Fälscher ['fɛlʃər] *m* 1. forger; 2. *(von Banknoten)* counterfeiter
Falschgeld ['falʃgɛlt] *n* counterfeit money

fälschlich ['fɛlʃlɪç] *adj* false, wrong, erroneous

Fälschung ['fɛlʃuŋ] *f* fake, falsification, forgery

Faltblatt ['faltblat] *n* leaflet

Falte ['faltə] *f* 1. fold; 2. (Haut) wrinkle; 3. (Stoffe) crease

falten ['faltən] *v* 1. fold; 2. (Hände) fold, clasp

familiär [famil'jɛːr] *adj* familiar

Familie [fa'miːljə] *f* family; *Es bleibt in der ~.* It'll stay in the family.

Familienname [fa'miːljənnaːmə] *m* surname, last name (US)

Familienstand [fa'miːljənʃtant] *m* marital status

Fan [fɛn] *m* fan

Fanatiker [fa'naːtɪkər] *m* fanatic

fanatisch [fa'naːtɪʃ] *adj* fanatical

Fanatismus [fana'tɪsmus] *m* fanaticism

Fang [faŋ] *m* 1. catch; 2. (Todesstoß) coup de grâce; 3. (Kralle) ZOOL talon; *jdm in die Fänge geraten* fall into s.o.'s clutches; 4. (Falle) trap; 5. (Reißzahn) ZOOL fang; 6. *auf ~ gehen* go hunting

fangen ['faŋən] *v irr* catch

Fantasie [fanta'ziː] *f* fantasy, imagination

fantasieren [fanta'ziːrən] *v* fantasize

fantasievoll [fanta'ziːvol] *adj* fanciful

fantastisch [fan'tastɪʃ] *adj* fantastic

Farbe ['farbə] *f* 1. colour; *~ bekennen* show one's true colours; 2. (Gesichtsfarbe) complexion

färben ['fɛrbən] *v* dye

farbenfroh ['farbənfroː] *adj* colourful

farbig ['farbɪç] *adj* coloured

Farbige(r) ['farbɪgə(r)] *m/f* coloured person (UK), person of colour (US)

Farbkasten ['farpkastən] *m* paint box

farblos ['farploːs] *adj* 1. (Sache) colourless, dull; 2. (Person) pale, pallid, colourless

Farbton ['farptoːn] *m* shade

Färbung ['fɛrbuŋ] *f* colouring, tone

Fasan [fa'zaːn] *m* ZOOL pheasant

Fasching ['faʃɪŋ] *m* Shrovetide carnival

Faschismus [fa'ʃɪsmus] *m* POL fascism

faschistisch [fa'ʃɪstɪʃ] *adj* POL fascist

faseln ['faːzəln] *v* babble, blather

Faser ['faːzər] *f* fibre

Fass [fas] *n* barrel, cask, (kleines) keg; *ein ~ ohne Boden sein* to be a constant drain on one's resources; *Das schlägt dem ~ den Boden aus.* That's the last straw!

Fassade [fa'saːdə] *f* facade, front

fassen ['fasən] *v* 1. (greifen) grasp, take hold of, clutch; *zu ~ kriegen* get hold of; 2. (fangen) catch; 3. (beinhalten) contain; 4. (begreifen) comprehend, grasp; *Das ist ja nicht zu ~!* That's unbelievable! 5. (fig) *sich ~* collect o.s., compose o.s., recover

Fassung ['fasuŋ] *f* 1. (Lampe) holder; 2. (Schmuck) setting, mounting; 3. (Selbstbeherrschung) composure, self-control

fassungslos ['fasuŋsloːs] *adj* stunned, staggered, aghast

fast [fast] *adv* almost, nearly

fasten ['fastən] *v* fast

Fastnacht ['fastnaxt] *f* carnival

Faszination [fastsɪna'tsjoːn] *f* fascination

faszinieren [fastsɪ'niːrən] *v* fascinate

faszinierend [fastsɪ'niːrənt] *adj* fascinating, mesmerizing

fatal [fa'taːl] *adj* 1. (peinlich) embarrassing; 2. (verhängnisvoll) fatal, fateful

fauchen ['fauxən] *v* hiss

faul [faul] *adj* 1. (verdorben) rotten, bad; 2. (träge) lazy, indolent, idle; 3. (fam: bedenklich) suspect, shady

faulen ['faulən] *v* decay, rot

faulenzen ['faulɛntsən] *v* to be lazy, loaf, take it easy

Faulheit ['faulhait] *f* laziness, idleness; *vor ~ stinken* to be bone-idle

faulig ['faulɪç] *adj* 1. rotten, going bad; 2. (Wasser) stale; 3. (Geruch) foul

Fäulnis ['fɔylnɪs] *f* decomposition, decay

Faust [faust] *f* fist; *die ~ im Nacken spüren* have s.o. breathing down one's neck; *auf eigene ~* off one's own bat (UK), on one's own; *mit der ~ auf den Tisch hauen* (fig) put one's foot down

Faustregel ['faustreːgəl] *f* rule of thumb

favorisieren [favori'ziːrən] *v* favour

Favorit [favo'riːt] *m* favourite

Fax [faks] *n* fax, facsimile transmission

faxen ['faksən] *v* fax

Fazit ['faːtsɪt] *n* net result; *das ~ aus etw ziehen* sum sth up

Februar ['feːbruar] *m* February

fechten ['fɛçtən] *v irr* 1. SPORT fence; 2. (fam: betteln) beg

Fechter ['fɛçtər] *m* 1. HIST fighter; 2. SPORT fencer

Feder ['feːdər] *f* 1. (Schreibfeder) quill-pen, nib; 2. (Bettfeder) bed spring; *in den ~n bed*; *Er kommt morgens nicht aus den ~n.* He finds it hard to get up in the mornings.

3. TECH spring; *4. ZOOL* feather, quill; *~n lassen müssen (fig)* suffer in the process

Federhalter ['fe:dərhaltər] *m 1.* pen holder; *2. (Füller)* fountain pen

Fee [fe:] *f* fairy

fegen ['fe:gən] *v* sweep

Fehde ['fe:də] *f* feud

fehlbar ['fe:lba:r] *adj* fallible

fehlen ['fe:lən] *v 1.* to be missing, to be lacking; *Es fehlen noch zwanzig Minuten bis ...* There are twenty minutes left until ...; *Das fehlt mir gerade noch.* That's the last straw! *2. Du fehlst mir.* I miss you.

Fehler ['fe:lər] *m 1.* mistake, error; *2. (Defekt)* defect, fault, imperfection

Fehlschlag ['fe:lʃla:k] *m 1.* miss; *2. (fig: Misserfolg)* failure

fehlschlagen ['fe:lʃla:gən] *v irr 1.* miss; *2. (fig)* fail, go wrong

Feier ['faɪər] *f 1.* celebration, party; *2. (öffentliche ~)* ceremony

Feierabend ['faɪəra:bənt] *m* finishing time, quitting time; *~ machen* finish work, stop working

feierlich ['faɪərlɪç] *adj* solemn, ceremonial; *Das ist schon nicht mehr ~!* That's really too much!

Feierlichkeit ['faɪərlɪçkaɪt] *f 1.* solemnity, ceremony; *2. ~en pl* festivities *pl*

feiern ['faɪərn] *v* celebrate

Feiertag ['faɪərta:k] *m* holiday

feig [faɪk] *adj* cowardly

Feige ['faɪgə] *f BOT* fig

Feigheit ['faɪkhaɪt] *f* cowardice

Feigling ['faɪklɪŋ] *m* coward

Feile ['faɪlə] *f* file

feilen ['faɪlən] *v* file

feilschen ['faɪlʃən] *v* bargain, haggle

fein [faɪn] *adj 1.* fine; *2. (zart)* delicate, fragile, frail; *3. (vornehm)* elegant, smart; *4. (präzise)* fine, precision

Feind [faɪnt] *m* enemy, foe

feindlich ['faɪntlɪç] *adj 1.* hostile, antagonistic; *adv 2.* antagonistically

Feindschaft ['faɪntʃaft] *f* animosity, hostility, enmity

feindselig ['faɪntze:lɪç] *adj* hostile, unfriendly

feinfühlig ['faɪnfy:lɪç] *adj* sensitive, tactful

Feingefühl ['faɪngəfy:l] *n* sensitivity

Feinheit ['faɪnhaɪt] *f 1.* fineness; *2. (Zartheit)* delicacy

Feinschmecker ['faɪnʃmɛkər] *m* gourmet

feinsinnig ['faɪnzɪnɪç] *adj* subtle

Feld [fɛlt] *n 1.* field; *das ~ behaupten* dominate the game; *2. (fig: Gebiet)* field, area; *ein weites ~ sein* to be too complex to discuss here; *jdm das ~ überlassen* hand over to s.o.; *das ~ räumen* admit defeat

Feldherr ['fɛldhɛr] *m MIL* general

Fell [fɛl] *n* coat, fur; *ein dickes ~ haben* to be thick-skinned; *jdm das ~ gerben* give s.o. a good hiding, tan s.o.'s hide; *Ihm juckt das ~.* He's asking for a good hiding. He's asking for it. *(fam)*

Fels [fɛls] *m* rock; *ein ~ in der Brandung sein* to be as firm as a rock

felsenfest ['fɛlzənfɛst] *adj (fig)* firm, unshakable

felsig ['fɛlzɪç] *adj* rocky

feminin [femi'ni:n] *adj* feminine

Feminismus [femi'nɪsmus] *m* feminism

feministisch [femi'nɪstɪʃ] *adj* feminist

Fenster ['fɛnstər] *n* window

Ferien ['fe:rjən] *pl* holidays, vacation *(US); die großen ~* the summer holidays, the long vacation

Ferkel ['fɛrkəl] *n 1. (fig)* pig, dirty person; *2. ZOOL* piglet

fern [fɛrn] *adj 1.* far, distant, remote; *2. (zeitlich)* far-off; *prep 3.* far from, far away from; *~ halten* keep away from; *jdn von sich ~ halten* keep s.o. at a distance; *~ liegen* to be distant; *(fig) es liegt mir fern, zu...* far be it from me to...; *~ liegend* distant, remote

Fernbedienung ['fɛrnbədi:nuŋ] *f* remote control

Ferne ['fɛrnə] *f* distance

ferner ['fɛrnər] *konj 1.* furthermore, moreover; *adj 2. unter ~ liefen* among the also-rans; *3. (künftig)* in future

Fernfahrer ['fɛrnfa:rər] *m* long-distance lorry driver, long-haul truck driver

Ferngespräch ['fɛrngəʃpre:ç] *n* long-distance call, trunk call

Fernglas ['fɛrngla:s] *n* binoculars *pl*, field glasses *pl*

Fernkurs ['fɛrnkurs] *m* correspondence course

Fernost ['fɛrn'ɔst] *m GEO* Far East

Fernrohr ['fɛrnro:r] *n* telescope

fernsehen ['fɛrnze:ən] *v irr* watch television

Fernseher ['fɛrnze:ər] *m 1.* television set, TV set; *f 2. (Zuschauer)* television viewer

Ferse ['fɛrzə] *f 1. ANAT* heel; *2. (fig)* heel; *sich an jds ~n heften* dog s.o.'s footsteps; *jdm auf den ~n bleiben* to be close on s.o.'s heels

fertig ['fɛrtɪç] adj 1. (beendet) finished, complete; mit einer Sache ~ werden cope with sth; mit jdm ~ sein to be through with s.o.; ~ bringen finish, get done; (im Stande sein) manage; etw ~ machen prepare sth, get sth ready; 2. (bereit) ready, prepared; 3. (fam: erschöpft) exhausted

Fertiggericht ['fɛrtɪçɡərɪçt] n GAST ready-made dish, instant food

Fertigkeit ['fɛrtɪçkaɪt] f skill; er hat eine große ~ darin he is very skilled at it

Fertigung ['fɛrtɪɡʊŋ] f manufacture, production, manufacturing

Fessel ['fɛsəl] f 1. bond, shackle; 2. (fig) bonds pl; 3. ANAT ankle

fesseln ['fɛsəln] v 1. chain, shackle; 2. (binden) bind; 3. (mit Handschellen) handcuff; 4. (fig: stark interessieren) captivate, rivet, fascinate; jdn ans Bett ~ (fig) to keep sb in bed; jdn an sich ~ (fig) to bind s.o. to oneself

fest [fɛst] adj 1. (hart) solid, hard, firm; 2. (stark) solid, stable, substantial; 3. (dicht) tight, close; 4. (gleich bleibend) stable, constant, permanent

Fest [fɛst] n party, festival, celebration; frohes ~ Merry Christmas

Festakt ['fɛstakt] m ceremonial act

festbinden ['fɛstbɪndən] v irr tie up, fasten

Festessen ['fɛstɛsən] n feast, banquet

festhalten ['fɛsthaltən] v irr 1. hold on, hold tight; 2. (sich merken) retain, register, make a mental note; 3. JUR detain; 4. (aufzeichnen) record; 5. sich ~ hold on

festigen ['fɛstɪɡən] v 1. (stärken) stabilize, fortify, harden; 2. sich ~ become stronger

Festival ['fɛstɪval] n festival

Festland ['fɛstlant] n mainland, continent

festlegen ['fɛstle:ɡən] v 1. set, fix, specify; 2. (verpflichten) commit; 3. sich ~ commit o.s.

festlich ['fɛstlɪç] adj festive

festmachen ['fɛstmaxən] v 1. (befestigen) attach; 2. (Boot) moor; 3. (vereinbaren) arrange; 4. etw an etw ~ link sth to sth

Festnahme ['fɛstna:mə] f arrest, apprehension

festnehmen ['fɛstne:mən] v irr arrest

Festplatte ['fɛstplatə] f INFORM hard disk

festsetzen ['fɛstzɛtsən] v lay down, fix

Festsetzung ['fɛstzɛtsʊŋ] f setting, determination

feststehen ['fɛstʃte:ən] v irr 1. (sicher sein) to be certain; eines steht fest one thing's for sure; 2. (Termin) to be set

feststellen ['fɛstʃtɛlən] v 1. (wahrnehmen, sagen) observe; 2. (erkennen) detect, discover; 3. (ermitteln) establish

Feststellung ['fɛstʃtɛlʊŋ] f 1. (Bemerkung) observation, remark, statement; 2. (Erkenntnis) conclusion; 3. (Ermitteln) establishment, ascertainment

Festtag ['fɛstta:k] m 1. holiday; 2. REL feast; 3. (Tag mit einem besonderen Ereignis) red-letter day

Fete ['fe:tə] f (fam) party

fett [fɛt] adj 1. fat; 2. (Essen) GAST fatty, greasy; 3. (Schrift) bold

Fett [fɛt] n fat, grease; sein ~ abbekommen learn one's lesson; das ~ abschöpfen take the cream of everything; Der hat sein ~ weg. That's taught him a lesson.

fettig ['fɛtɪç] adj greasy

Fetzen ['fɛtsən] m 1. shred; 2. (Lumpen) rag; ..., dass die ~ nur so fliegen (fam)... like mad

feucht [fɔyçt] adj 1. damp, humid, moist; 2. (klebrig, kalt) clammy

Feuchtigkeit ['fɔyçtɪçkaɪt] f humidity, dampness, moisture

Feuer ['fɔyər] n 1. fire; ~ und Flamme sein to be wild with enthusiasm; ~ fangen catch fire; hinter etw ~ machen build a fire under sth; mit dem ~ spielen play with fire; für jdn durchs ~ gehen go through fire and water for s.o.; Haben Sie ~? Have you got a light?

Feuerlöscher ['fɔyərlœʃər] m fire extinguisher

Feuermelder ['fɔyərmɛldər] m fire alarm

Feuerwehr ['fɔyərve:r] f fire brigade, fire department (US)

Feuerwehrmann ['fɔyərve:rman] m fireman, firefighter

Feuerwerk ['fɔyərvɛrk] n fireworks pl

Feuerzeug ['fɔyərtsɔyk] n lighter, cigarette lighter

feurig ['fɔyrɪç] adj 1. fiery; 2. (Wein) strong

Fibel ['fi:bəl] f (Buch) primer

Fichte ['fɪçtə] f BOT spruce, pine

Fieber ['fi:bər] n fever, high temperature

fiebern ['fi:bərn] v 1. have a fever, have a temperature; 2. (fig) ~ nach long for, yearn for

fiebrig ['fi:brɪç] adj feverish

fies [fi:s] adj (fam) nasty

Figur [fi'gu:r] f 1. (Körper) figure; eine gute ~ machen cut a fine figure; 2. (Statue) ART figure, statue; (kleine Statue) figurine, statuette; 3. (in einer Geschichte) character

Fiktion [fɪk'tsjo:n] f fiction

fiktiv [fɪk'tiːf] *adj* fictitious

Filet [fi'leː] *n GAST* filet

Filiale [fil'jaːlə] *f ECO* branch, branch office

Film [fɪlm] *m* 1. *(dünne Schicht)* film, thin coating; 2. *CINE* film

filmen ['fɪlmən] *v* film, shoot

Filter ['fɪltər] *m/n* filter

filtern ['fɪltərn] *v* filter, strain

Filz [fɪlts] *m* felt

Filzstift ['fɪltsʃtɪft] *m* felt-tipped pen

Finale [fi'naːlə] *n* 1. finale; 2. *SPORT* final

Finanzamt [fi'nantsamt] *n* Inland Revenue *(UK)*, tax office

Finanzen [fi'nantsən] *pl* finances

finanziell [finan'tsjɛl] *adj* financial

Finanzier [finan'tsjeː] *m* financier

finanzierbar [finan'tsiːrbaːr] *adj* Es ist ~. It can be financed.

finanzieren [finan'tsiːrən] *v* finance

Finanzierung [finan'tsiːruŋ] *f* financing

Finanzminister [fi'nantsministər] *m POL* Finance Minister, Chancellor of the Exchequer *(UK)*, Secretary of the Treasury *(US)*

finden ['fɪndən] *v irr* 1. find; *Freude an etw ~* to take pleasure in sth; 2. *(dafürhalten)* find, think, consider; *Finden Sie nicht?* Don't you think so? 3. *sich ~ (auftauchen)* turn up

Finder ['fɪndər] *m* finder

Finger ['fɪŋər] *m ANAT* finger; *jdn um den kleinen ~ wickeln* twist s.o. round one's little finger; *keinen ~ krumm machen* not lift a finger; *lange ~ machen* to be light-fingered; *den ~ draufhaben* not let sth out of one's hands; *die ~ im Spiel haben* have one's finger in the pie; *sich nicht die ~ schmutzig machen* not get one's hands dirty; *sich die ~ verbrennen* burn one's fingers; *jdm auf die ~ klopfen* give s.o. a rap on the knuckles; *jdm auf die ~ schauen* keep an eye on s.o.; *sich etw aus den ~n saugen* pull sth out of thin air; *etw mit dem kleinen ~ machen können* know sth backwards; *nur mit dem kleinen ~ zu winken brauchen* have s.o. twisted round one's little finger; *mit dem ~ auf jdn zeigen* point the finger at s.o.; *Lass die ~ von ihr!* Keep your hands off her!

Fingerkuppe ['fɪŋərkupə] *f* fingertip

Fingernagel ['fɪŋərnaːgəl] *m* fingernail

fingieren [fɪŋ'giːrən] *v* fake, feign, simulate

Fink [fɪŋk] *m ZOOL* finch

Finne¹ ['fɪnə] *m* Finn

Finne² ['fɪnə] *f (Rückenflosse beim Wal)* fin

finnisch ['fɪnɪʃ] *adj* Finnish

Finnland ['fɪnlant] *n GEO* Finland

finster ['fɪnstər] *adj* 1. *(dunkel)* dark, obscure; 2. *(grimmig)* gloomy, grim, sinister

Finsternis ['fɪnstərnis] *f* darkness

Firma ['fɪrma] *f ECO* firm, company; *die ~ Coors* the Coors company

firmen ['fɪrmən] *v REL* confirm

Firmung ['fɪrmuŋ] *f REL* Confirmation

Fisch [fɪʃ] *m ZOOL* fish; *ein dicker ~ (fig)* a big fish; *weder ~ noch Fleisch sein* to be neither fish nor fowl; *Das sind kleine ~e.* They are just small fry.

fischen ['fɪʃən] *v* fish

Fischer ['fɪʃər] *m* fisherman

Fischotter ['fɪʃɔtər] *m ZOOL* otter

fit [fɪt] *adj* fit

Fitness ['fɪtnɛs] *f* fitness

fix [fɪks] *adj* 1. *(feststehend)* fixed; *~e Idee* obsession; 2. *(schnell)* quick; 3. *(aufgeweckt)* sharp; 4. *~ und fertig (bereit)* ready; 5. *~ und fertig (erschöpft)* worn out

fixen ['fɪksən] *v (fam: sich Rauschgift spritzen)* shoot

Fixer ['fɪksər] *m* 1. *(fam: Süchtiger)* junkie; 2. *FIN* bear seller

fixieren [fɪk'siːrən] *v* 1. fix; 2. *(anstarren)* fix one's eyes upon, stare at

Fixstern ['fɪksʃtern] *m ASTR* fixed star

flach [flax] *adj* flat, even, level

Fläche ['flɛçə] *f* surface

Flächeninhalt ['flɛçəninhalt] *m* area

Flächenmaß ['flɛçənmaːs] *n MATH* surface measure

Flachland ['flaxlant] *n* flat land, plain, lowland

flackern ['flakərn] *v* flicker

Fladen ['flaːdən] *m* 1. *(Pfannkuchen)* pancake; 2. *(Brot)* round flat loaf; 3. *(Kuhfladen)* cowpat

Flagge ['flagə] *f* flag; *~ zeigen* nail one's colours to the mast; *unter falscher ~ segeln* sail under false colours

Flamme ['flamə] *f* flame; *in ~n stehen* to be in flames

Flasche ['flaʃə] *f* 1. bottle; *zu tief in die ~ geschaut haben* have had a few too many; 2. *(fam: Versager)* dud, flop, washout

Flaschenöffner ['flaʃənœfnər] *m* bottle-opener

Flaum [flaum] *m* 1. soft feathers; 2. *(Bartwuchs)* peach fuzz *(fam)*

Flaute ['flautə] *f* 1. *(Windstille)* calm, lull in the wind; 2. *ECO* slump, recession, slackness

flechten ['flɛçtən] *v irr* 1. weave; 2. *(Haare)* braid

Fleck [flɛk] *m 1. (Schmutzfleck)* spot, stain, mark; *einen ~ auf der weißen Weste haben* have a black mark on one's record; *2. (blauer ~)* bruise; *3. (Stofffleck)* patch; *4. (Ort)* spot; *am falschen ~* in the wrong place; *vom ~ weg* on the spot; *nicht vom ~ kommen* make no headway

fleckig ['flɛkɪç] *adj* spotted, stained

Fledermaus ['fleːdərmaʊs] *f ZOOL* bat

Flegel ['fleːgəl] *m (fig)* lout, uncouth fellow

flehen ['fleːən] *v* beg, beseech, implore

Fleisch [flaɪʃ] *n 1. (zum Essen) GAST* meat; *2. ANAT* flesh; *in ~ und Blut übergehen* become second nature; *vom ~ fallen* lose a lot of weight; *sich ins eigene ~ schneiden* cut off one's nose to spite one's face; *sein eigen ~ und Blut* his own flesh and blood

Fleischer ['flaɪʃər] *m* butcher

fleischlich ['flaɪʃlɪç] *adj 1. (aus Fleisch)* meaty, fleshy; *2. (körperlich) REL* of the flesh

Fleiß [flaɪs] *m* diligence, industry, assiduousness

fleißig ['flaɪsɪç] *adj* diligent, hard-working, industrious

flexibel [flɛk'siːbəl] *adj* flexible

Flexibilität [flɛksibɪliˈtɛːt] *f* flexibility, versatility

flicken ['flɪkən] *v* mend, repair, patch

Fliege ['fliːgə] *f 1.* fly; *zwei ~n mit einer Klappe schlagen (fig)* kill two birds with one stone; *2. (Kleidungsstück)* bow tie; *3. eine ~ machen* beat it

fliegen ['fliːgən] *v irr* fly

Flieger ['fliːgər] *m 1. (Pilot)* pilot; *2. (Soldat der Fliegertruppe)* airman; *3. (Radrennfahrer) SPORT* sprinter; *4. (fam: Flugzeug)* plane

fliehen ['fliːən] *v irr* flee, run away; *zu jdm ~* seek refuge with s.o.

Fliese ['fliːzə] *f* tile

fliesen ['fliːzən] *v irr* tile

Fließband ['fliːsbant] *n 1.* conveyor belt; *2. (als Einrichtung)* assembly line

fließen ['fliːsən] *v irr* flow

flimmern ['flɪmərn] *v* flicker, twinkle

flink [flɪŋk] *adj* quick, nimble, agile

Flirt [flɜrt] *m* flirt

flirten ['flɜrtən] *v* flirt

Flitterwochen ['flɪtərvɔxən] *pl* honeymoon

flitzen ['flɪtsən] *v* zip, dash

Flocke ['flɔkə] *f* flake

Floh [floː] *m ZOOL* flea; *jdm einen ~ ins Ohr setzen* put an idea in s.o.'s head

Flohmarkt ['floːmarkt] *m* flea market

Flop [flɔp] *m 1. (fam: Misserfolg)* flop; *2. (Hochsprungtechnik) SPORT* flop

Florett [floˈrɛt] *n SPORT* foil

Floskel ['flɔskəl] *f* rhetorical embellishment, platitude, mere words *pl*

Floß [floːs] *n* raft

Flosse ['flɔsə] *f 1. (Taucherflosse)* flipper; *2. ZOOL* fin

Flöte ['fløːtə] *f* flute

flöten ['fløːtən] *v ~ gehen* go down the drain

flott [flɔt] *adj 1. (schnell)* brisk, quick, speedy; *2. (schick)* elegant, smart; *3. (Mann)* dashing

Flotte ['flɔtə] *f* fleet

Fluch [fluːx] *m* curse, profanity, swearword

fluchen ['fluːxən] *v* curse, swear

Flucht [fluxt] *f* flight, escape; *die ~ ergreifen* take flight; *jdn in die ~ schlagen* put s.o. to flight

flüchten ['flʏçtən] *v* flee, run away

Flüchtling ['flʏçtlɪŋ] *m 1.* fugitive, runaway; *2. POL* refugee

Flug [fluːk] *m* flight; *Die Zeit verging wie im ~e.* Time just flew by.

Flugbegleiter ['fluːkbəɡlaɪtər] *m* steward

Flugbegleiterin ['fluːkbəɡlaɪtərɪn] *f* stewardess

Flugblatt ['fluːkblat] *n* leaflet, handbill

Flügel ['flyːgəl] *m 1.* wing; *jdm die ~ stutzen* clip s.o.'s wings; *2. (Klavier) MUS* grand piano

Fluggast ['fluːkgast] *m* passenger, airline passenger

Flughafen ['fluːkhaːfən] *m* airport

Fluglinie ['fluːkliːnjə] *f 1. (Strecke)* air route; *2. (Fluggesellschaft)* airline

Flugplan ['fluːkplaːn] *m* flight schedule

Flugreise ['fluːkraɪzə] *f* plane trip

Flugzeug ['fluːktsɔyk] *n* airplane, plane, aircraft

Flunkerei [flʊŋkəˈraɪ] *f 1.* fibbing; *2. (kleine Lüge)* fib

Fluor ['fluːɔr] *n CHEM* fluorine

Flur¹ [fluːr] *m (Gang)* corridor, passage

Flur² [fluːr] *f 1.* open fields; *allein auf weiter ~* all alone; *2. AGR* farmland

Fluss [flus] *m 1. (Fließen)* flow, flowing, running; *2. GEO* river, stream

flussabwärts [flus'apvɛrts] *adj* downstream, down the river

flussaufwärts [flus'aufvɛrts] *adj* upstream, up the river

flüssig ['flʏsɪç] *adj 1. (nicht fest)* fluid, liquid; *2. (fig: fließend)* fluent
Flüssigkeit ['flʏsɪçkaɪt] *f 1. (Zustand)* fluidity, liquidity; *2. (flüssiger Stoff)* liquid
Flusslauf ['fluslauf] *m* course of a river
Flusspferd ['fluspfeːrt] *n ZOOL* hippopotamus
flüstern ['flʏstərn] *v* whisper
Flut [fluːt] *f* flood
föderal [føːdəˈraːl] *adj POL* federal
Föderalismus [føːdəˈralɪsmus] *m POL* federalism
Föderation [føːdəraˈtsjoːn] *f POL* federation
Fohlen ['foːlən] *n 1. ZOOL* foal, colt; *2. (Hengstfohlen)* foal, colt
Föhn [føːn] *m 1.* blow-dryer, hair-dryer; *2. (Fallwind)* foehn
föhnen ['føːnən] *v* blow-dry
Folge ['fɔlgə] *f 1. (Auswirkung)* result, effect, consequence; *2. (Reihenfolge)* sequence, order, succession; *3. (Fortsetzung)* sequel, continuation
folgen ['fɔlgən] *v 1. (hinterhergehen)* follow, pursue; *2. (gehorchen)* obey, follow, comply with; *3. (aufeinander~)* follow, succeed
folgend ['fɔlgənt] *adj* following, subsequent
folgern ['fɔlgərn] *v* conclude, deduce, gather
Folgerung ['fɔlgərʊŋ] *f* deduction, inference, conclusion
folglich ['fɔlklɪç] *konj* consequently, therefore, hence
folgsam ['fɔlkzaːm] *adj* obedient
Folie ['foːljə] *f* foil
Folklore ['fɔlkloːrə] *f* folklore
Folter ['fɔltər] *f 1.* torture; *jdn auf die ~ spannen (fig)* keep s.o. in suspense; *2. (~bank)* rack
foltern ['fɔltərn] *v* torture
Folterung ['fɔltərʊŋ] *f* torture
Fond [fɔ̃] *m 1. (eines Autos)* back of the car, back seat; *2. THEAT* back of the theatre
förderlich ['fœrdərlɪç] *adj* beneficial, conducive, favourable
fordern ['fɔrdərn] *v 1.* demand; *2. (herausfordern)* challenge
fördern ['fœrdərn] *v 1. (unterstützen)* support, promote, further; *2. (abbauen)* mine, extract, haul
Forderung ['fɔrdərʊŋ] *f 1. (Verlangen)* demand, requirement; *2. (Herausforderung)* challenge; *3. (Geldforderung) ECO* claim, debt

Förderung ['fœrdərʊŋ] *f 1. (Unterstützung)* promotion, advancement, support; *2. (Abbau) MIN* extraction; *3. (Menge) MIN* production
Forelle [foˈrɛlə] *f ZOOL* trout
Form [fɔrm] *f 1.* form, shape; *zu großer ~ auflaufen* to be in great shape; *2. (Stil)* form, style; *in aller ~* in due and proper form; *3. (Gussform)* mould, casting mould, mold *(US)*
formal [fɔrˈmaːl] *adj* formal
Formalität [fɔrmaliˈtɛːt] *f* formality
Format [fɔrˈmaːt] *n 1. (Maß)* format, shape, size; *2. (fig)* stature
formatieren [fɔrmaˈtiːrən] *v INFORM* format
Formatierung [fɔrmaˈtiːrʊŋ] *f INFORM* formatting
Formel ['fɔrməl] *f* formula
formell [fɔrˈmɛl] *adj 1.* formal, stiff; *adv 2.* in a formal manner, ceremoniously, formally
formen ['fɔrmən] *v* form, shape, mould
formieren [fɔrˈmiːrən] *v 1.* form; *2. MIL* line up
förmlich ['fœrmlɪç] *adj 1.* formal, stiff; *adv 2. (buchstäblich)* literally
Förmlichkeit ['fœrmlɪçkaɪt] *f* formality, conventionality
formlos ['fɔrmloːs] *adj 1.* shapeless, formless; *2. (fig)* informal, unconventional, unceremonious; *adv 3.* without shape or form; *4. (fig)* informally
Formular [fɔrmuˈlaːr] *n* form
formulieren [fɔrmuˈliːrən] *v* word, phrase, formulate
Formulierung [fɔrmuˈliːrʊŋ] *f* wording, phrasing
forsch [fɔrʃ] *adj 1.* dynamic; *2. (flott)* smart; *3. (wagemutig)* bold
forschen ['fɔrʃən] *v 1.* investigate, inquire after, search for; *2. (wissenschaftlich)* research
Forscher ['fɔrʃər] *m (wissenschaftlicher ~)* researcher, research scientist
Forschung ['fɔrʃʊŋ] *f* research, study, investigation
Forst [fɔrst] *m* forest
Förster ['fœrstər] *m* forester
fort [fɔrt] *adv* away, gone; *Er ist schon ~.* He has already left. *... und so ~* ... and so on and so forth
fortbestehen ['fɔrtbəˌʃteːən] *v irr* endure, continue to exist, continue
Fortbewegung ['fɔrtbəveːgʊŋ] *f* movement
fortbilden ['fɔrtbɪldən] *v sich ~* continue one's studies, obtain further education

Fortbildung ['fɔrtbɪlduŋ] f further education, advanced training

Fortdauer ['fɔrtdauər] f continuation

fortdauern ['fɔrtdauərn] v continue

fortfahren ['fɔrtfaːrən] v irr 1. (wegfahren) drive away, drive off; 2. (fortsetzen) continue; Fahren Sie bitte fort! Please go on! Please continue!

fortführen ['fɔrtfyːrən] v 1. continue, carry on; 2. (wegführen) lead away

Fortgang ['fɔrtgaŋ] m 1. departure; 2. (Weiterentwicklung) further development, continuation

fortgehen ['fɔrtgeːən] v irr go away, leave

fortgeschritten ['fɔrtgəʃrɪtən] adj advanced

Fortgeschrittene(r) ['fɔrtgəʃrɪtənə(r)] m/f advanced student

fortkommen ['fɔrtkɔmən] v irr 1. (wegkommen) get away; Mach, dass du fortkommst! Now disappear! 2. (vorankommen) get ahead

fortpflanzen ['fɔrtpflantsən] v 1. sich ~ reproduce, propagate; 2. sich ~ (Krankheit, Gerücht) spread

Fortpflanzung ['fɔrtpflantsuŋ] f reproduction, propagation

Fortschritt ['fɔrtʃrɪt] m progress, advancement

fortschrittlich ['fɔrtʃrɪtlɪç] adj progressive

fortsetzen ['fɔrtzɛtsən] v carry on, go on, continue

Fortsetzung ['fɔrtzɛtsuŋ] f continuation, resumption; ~ folgt to be continued

Forum ['foːrum] n (fig) forum, tribunal

Fossil [fɔ'siːl] n fossil

Foto ['foːto] n photograph, picture, photo

Fotoapparat ['foːtoaparaːt] m camera

Fotograf [foːto'graːf] m photographer

Fotografie ['foːtogra'fiː] f FOTO photography

fotografieren [foːtogra'fiːrən] v photograph

Fotokopie [foːtoko'piː] f photocopy

fotokopieren [foːtoko'piːrən] v photocopy, make a photocopy

Fotomodell ['foːtomɔdɛl] n model

Foul [faul] n SPORT foul

Foyer [fɔ'jeː] n THEAT lobby, foyer

Fracht [fraxt] f 1. (Ware) ECO cargo, freight; 2. (Preis) ECO freight

Frachter ['fraxtər] m cargo ship, freighter

Frachtgut ['fraxtguːt] n ECO freight

Frack [frak] m tails (fam), swallow-tailed coat

Frage ['fraːgə] f 1. question; etw in ~ stellen question sth; außer ~ stehen to be beyond any doubt; 2. (Angelegenheit) question, matter, issue; eine ~ der Zeit a matter of time; in ~ kommen to be considered; Das kommt nicht in ~. That's out of the question.

fragen ['fraːgən] v ask; nach etw ~ ask for sth; jdn nach seinem Namen ~ ask s.o. his name

Fragesatz ['fraːgəzats] m GRAMM interrogative clause

Fragezeichen ['fraːgətsaiçən] n question mark

fraglos ['fraːkloːs] adj without question, without a doubt

Fragment [frak'mɛnt] n fragment

fragwürdig ['fraːkvyrdɪç] adj dubious, doubtful, questionable

Fraktion [frak'tsjoːn] f POL parliamentary group

Fraktionsvorsitzende(r) [frak'tsjoːnsfoːrzɪtsəndə(r)] m/f POL chairman of the parliamentary group, floor leader (US)

Fraktur [frak'tuːr] f MED fracture

frankieren [fraŋ'kiːrən] v put postage on

Frankreich ['fraŋkraiç] n GEO France

Franzose [fran'tsoːzə] m Frenchman

Französin [fran'tsøːzɪn] f Frenchwoman; Sie ist ~. She's French.

französisch [fran'tsøːzɪʃ] adj French

fräsen ['frɛːzən] v 1. mill; 2. (Holz) shape

Fraß [fras] m 1. feed, food; 2. (fam: schlechtes Essen) slop, swill

Frau [frau] f 1. woman; 2. (Ehe~) wife; 3. (Anrede) Mrs.; (ledige ~) Miss

Frauenarzt ['frauənartst] m gynaecologist

Frauenbewegung ['frauənbəveːguŋ] f women's lib (fam), women's liberation

Fräulein ['frɔylain] n Miss

frech [frɛç] adj impertinent, sassy (US), impudent, cheeky

Frechheit ['frɛçhait] f 1. impudence, insolence; 2. Das ist aber eine ~! What nerve!

Fregatte [fre'gatə] f NAUT frigate

frei [frai] adj 1. (ungebunden) free, independent; 2. (nicht besetzt) vacant, free, unoccupied; Ist hier noch ~? (Sitzplatz) Is this seat available? 3. (kostenlos) free, complimentary

Freibad ['fraibaːt] n outdoor swimming pool, open-air swimming pool

freiberuflich ['fraibəruːflɪç] adj 1. self-employed, freelance; adv 2. freelance

Freigabe ['fraiga:bə] f release
freigeben ['fraige:bən] v irr 1. clear, release, open; 2. (entlassen) release; 3. (beurlauben) jdm ~ give s.o. time off
freihalten ['fraihaltən] v irr 1. (Platz) hold; 2. jdn ~ pay the bill for s.o.; 3. „Ausfahrt ~" "keep driveway clear"
Freihandel ['fraihandəl] m ECO free trade
freihändig ['fraihɛndiç] adv 1. without holding on; 2. (Schießen) without support; 3. (Verkauf) directly, in the open market, over the counter (US); adj 4. (zeichnen) freehand
Freiheit ['fraihait] f freedom, liberty, independence; Ich schenke dir die ~. I am giving you your freedom; dichterische ~ poetic licence; persönliche ~ personal freedom; ~ der Presse freedom of the press
Freiheitsstatue ['fraihaitsʃta:tuə] f die ~ the Statue of Liberty
Freiheitsstrafe ['fraihaitsʃtrafə] f JUR imprisonment, prison sentence
freilassen ['frailasən] v irr release, free, set free
Freilassung ['frailasuŋ] f release
freilegen ['fraile:gən] v expose, uncover
Freilegung ['fraile:guŋ] f exposure
freilich ['frailiç] adv 1. (einräumend) it is true, indeed, of course; 2. (bestätigend) certainly, of course, sure
freimachen ['fraimaxən] v 1. (frankieren) stamp; 2. (entkleiden) sich ~ undress, get undressed; 3. (befreien) sich ~ extricate o.s., shake o.s. free, free o.s.
freimütig ['fraimy:tiç] adj 1. candid, frank, outspoken; adv 2. candidly, frankly
freisprechen ['fraiʃprɛçən] v irr 1. acquit; 2. (von Schuld) exonerate; 3. jdn von einem Verdacht ~ clear s.o. of suspicion
Freispruch ['fraiʃprux] m JUR acquittal, verdict of not guilty
freistehen ['fraiʃte:ən] v irr 1. (Haus) to be vacant; 2. SPORT to be open; 3. es steht jdm frei, etw zu tun s.o. is free to do sth
freistellen ['fraiʃtɛlən] v 1. jdn von etw ~ release; 2. jdm etw ~ leave sth up to s.o.; 3. sich ~ SPORT run clear, get open
Freistellung ['fraiʃtɛluŋ] f release
Freistoß ['fraiʃto:s] m SPORT free kick
Freitag ['fraita:k] m Friday
freitags ['fraita:ks] adv every Friday, on Fridays
freiwillig ['fraiviliç] adj 1. voluntary; adv 2. voluntarily
Freiwillige(r) ['fraiviligə(r)] m/f volunteer

Freizeit ['fraitsait] f free time, spare time
freizügig ['fraitsy:giç] adj 1. free to move; 2. (moralisch ~) permissive; 3. (reichlich) liberal
Freizügigkeit ['fraitsy:giçkait] f 1. freedom of movement; 2. (moralische ~) permissiveness
fremd [frɛmt] adj 1. (unbekannt) strange, unknown; 2. (anderen gehörig) s.o. else's, not one's own; 3. (ausländisch) foreign
Fremde(r) ['frɛmdə(r)] m/f stranger
Fremdenführer ['frɛmdənfy:rər] m 1. (Buch) guide, guidebook; 2. (Person) tour guide
Fremdenverkehr ['frɛmdənfɛrke:r] m tourism
Fremdsprache ['frɛmtʃpra:xə] f foreign language
Fremdwort ['frɛmtvɔrt] n foreign word
frenetisch [fre'ne:tiʃ] adj frenetic
Frequenz [fre'kvɛnts] f TECH frequency
fressen ['frɛsən] 1. eat, devour, gobble up; 2. Das war ein gefundenes Fressen für ihn. That was just what he wanted. jdn zum Fressen gern haben to be mad about s.o., to be crazy about s.o.; 3. (ätzen) corrode
Freude ['frɔydə] f joy, happiness, delight
freudig ['frɔydiç] adj 1. joyous, happy, cheerful; adv 2. gleefully, joyfully, cheerfully
freudlos ['frɔytlo:s] adj joyless, dismal, gloomy
freuen ['frɔyən] v sich ~ to be happy, to be glad, to be pleased; Ich freue mich darauf. I'm looking forward to it; Das freut mich. I'm glad.
Freund [frɔynt] m 1. friend; 2. (Liebhaber) boyfriend
Freundin ['frɔyndin] f 1. friend; 2. (Liebhaberin) girlfriend
freundlich ['frɔyntliç] adj friendly, kind
Freundlichkeit ['frɔyntliçkait] f friendliness, kindness
Freundschaft ['frɔyntʃaft] f friendship
freundschaftlich ['frɔyntʃaftliç] adj 1. friendly; adv 2. in a friendly manner; jdm ~ auf die Schulter klopfen give s.o. a friendly pat on the back
Frevel ['fre:fəl] m 1. sacrilege, sin; 2. (Untat) crime, outrage
frevelhaft ['fre:fəlhaft] adj 1. sacrilegious, sinful; 2. (kriminell) criminal
Frevler ['fre:flər] m sinner, offender
Frieden ['fri:dən] m peace; dem ~ nicht trauen smell a rat; jdn in ~ lassen leave s.o. in peace

Friedensnobelpreis [fri:dənsno'bɛlprais] *m* Nobel Peace Prize

Friedensvertrag ['fri:dənsfɛrtra:k] *m POL* peace treaty

friedfertig ['fri:tfɛrtıç] *adj* peaceful, peace-loving

Friedhof ['fri:tho:f] *m* cemetery, graveyard

friedlich ['fri:tlıç] *adj* 1. peaceful; 2. *(ungestört)* tranquil

frieren ['fri:rən] *v irr* 1. *(Person)* feel cold, to be freezing; 2. *(Wasser)* freeze

Frikadelle [frıka'dɛlə] *f* rissole, hamburger patty

frisch [frıʃ] *adj* fresh

frisieren [frı'zi:rən] *v* 1. have one's hair done; *sich ~* do one's hair; 2. *(fig)* fiddle with, *(fam)* doctor, *(Wagen)* soup up; *die Bilanzen ~* cook the books

Frisör(in) [frı'zø:r(ın)] *m/f* hairdresser, *(für Herren)* barber

Frist [frıst] *f* 1. *(Zeitraum)* period; 2. *(äußerste ~)* deadline

fristen ['frıstən] *v ein kümmerliches Dasein ~* scrape out a living

fristlos ['frıstlo:s] *adv* without notice

Frisur [frı'zu:r] *f* hairstyle, hairdo

frittieren [frı'ti:rən] *v GAST* deep-fry

frivol [frı'vo:l] *adj* 1. *(schlüpfrig)* risqué; 2. *(leichtfertig)* frivolous

froh [fro:] *adj* happy, glad, cheerful

fröhlich ['frø:lıç] *adj* merry, cheerful, jovial, gay

Fröhlichkeit ['frø:lıçkait] *f* gaiety, cheerfulness, merriment

Frohsinn ['fro:zın] *m* good cheer, cheerfulness

fromm [frɔm] *adj REL* pious, devout, religious

Frömmelei [frœmə'lai] *f* false piety

Frömmigkeit ['frœmıçkait] *f REL* piety, devoutness

Fronleichnam [fro:n'laiçna:m] *m REL* Corpus Christi

Front [frɔnt] *f* front

frontal [frɔn'ta:l] *adj* frontal

Frosch [frɔʃ] *m* frog; *einen ~ im Hals haben* have a frog in one's throat; *Sei kein ~!* Be a sport!

Frost [frɔst] *m* frost

frösteln ['frœstəln] *v* shiver

frostig ['frɔstıç] *adj* 1. *(kalt)* frosty, chilly; 2. *(fig)* frosty, cold, icy

Frucht [fruxt] *f* 1. fruit; 2. *(fig)* product, result

fruchtbar ['fruxtba:r] *adj* 1. fertile; 2. *(fig)* fruitful, productive; 3. *(Schriftsteller)* prolific

Fruchtbarkeit ['fruxtba:rkait] *f* fertility, productiveness, fruitfulness

fruchtig ['fruxtıç] *adj* fruity

Fruchtsaft ['fruxtzaft] *m* fruit juice

früh [fry:] *adj* 1. early; *adv* 2. early

Frühe ['fry:ə] *f* 1. *in der ~* early in the morning; *in aller ~* at the crack of dawn; 2. *(Anfang)* dawn

früher ['fry:ər] *adj* 1. earlier; 2. *(ehemalig)* former, past; *in ~en Zeiten* in former times; *adv* 3. earlier, sooner; *~ oder später* sooner or later; 4. *(ehemals)* formerly, before; *Ich habe sie ~ mal gekannt.* I used to know her.

frühestens ['fry:əstəns] *adv* at the earliest

Frühgeschichte ['fry:gəʃıçtə] *f HIST* ancient history

Frühjahr ['fry:ja:r] *n* spring

Frühling ['fry:lıŋ] *m* spring

Frühstück ['fry:ʃtyk] *n* breakfast

frühstücken ['fry:ʃtykən] *v* have breakfast, breakfast

frühzeitig ['fry:tsaitıç] *adj* 1. early; 2. *(vorzeitig)* premature; *adv* 3. early; 4. *(vorzeitig)* prematurely

Frustration [frustra'tsjo:n] *f PSYCH* frustration

frustrieren [frus'tri:rən] *v* frustrate

Fuchs [fuks] *m ZOOL* fox

Fuge ['fu:gə] *f* 1. joint; *aus den ~n geraten* go to pieces; 2. *MUS* fugue

fügen ['fy:gən] *v* 1. *sich ~ (nachgeben)* give in, comply; 2. *sich ~ (sich anpassen)* conform, fit in

Fügung ['fy:guŋ] *f (des Schicksals)* act of providence

fühlbar ['fy:lba:r] *adj* 1. *(tastbar)* palpable; 2. *(spürbar)* perceptible; 3. *(deutlich)* marked

fühlen ['fy:lən] *v* feel, sense

Fühler ['fy:lər] *m* feeler, antenna

führen ['fy:rən] *v* 1. lead, direct, guide; 2. *(leiten)* manage, lead, run; 3. *(Ware)* carry

Führer ['fy:rər] *m* 1. *(Chef)* leader; 2. *(Fahrer)* driver; 3. *(Fremdenführer)* tourist guide

Führerschein ['fy:rərʃain] *m* driving licence, driver's license *(US)*

Führung ['fy:ruŋ] *f* 1. *(Leitung)* control, management, leadership; 2. *(Benehmen)* behaviour, conduct; 3. *(Fremdenführung)* sightseeing tour

Führungsposition ['fy:ruŋspositsjo:n] *f* management position

Fülle ['fʏlə] f 1. abundance, profusion; 2. (volles Maß) fullness; 3. (Leibesumfang) corpulence

füllen ['fʏlən] v fill

Füllfeder ['fʏlfeːdər] f fountain pen

Füllung ['fʏluŋ] f 1. (das Füllen) filling; 2. (Polsterung) stuffing; 3. (Zahn~) MED filling; 4. GAST stuffing

Fund [funt] m 1. finding, discovery; 2. (Gefundenes) find

Fundament [funda'mɛnt] n 1. (eines Hauses) foundation; 2. (fig: Grundlage) basis, foundation, groundwork

Fundbüro ['funtbyroː] n lost property office, lost-and-found department (US)

fünf [fʏnf] num five; alle ~e gerade sein lassen let sth slide; ~ Minuten vor zwölf (fig) the eleventh hour

fünftens ['fʏnftəns] adv fifthly, in fifth place

fünfzehn ['fʏnftseːn] num fifteen

fünfzig ['fʏnftsɪç] num fifty

fungieren [fuŋ'giːrən] v ~ als function as

Funk [funk] m wireless, radio

Funke ['funkə] m spark

funkeln ['funkəln] v sparkle, twinkle

funken ['funkən] v 1. (übermitteln) transmit, radio; 2. Es hat bei ihm gefunkt. He figured it out; 3. (fam: funktionieren) work; 4. (Funken von sich geben) spark, give off sparks

Funkgerät ['funkgəreːt] n radio equipment, wireless equipment

Funktion [funk'tsjoːn] f function

Funktionär [funktsjo'nɛːr] m functionary

funktionell [funktsjo'nel] adj functional

funktionieren [funktsjo'niːrən] v function, work, operate

für [fyːr] prep 1. for; sich ~ etw entscheiden decide in favour of sth; 2. was ~ ... what kind of ..., what sort of ...; 3. an und ~ sich strictly speaking; Das ist eine Sache ~ sich. That's a different story. 4. Tag ~ Tag every day

Furcht [furçt] f fear, dread, terror

furchtbar ['furçtbaːr] adj terrible

fürchten ['fʏrçtən] v fear, to be afraid of, to be frightened of

fürchterlich ['fʏrçtərlɪç] adj dreadful, frightful, ghastly

furchtlos ['furçtloːs] adj fearless, dauntless

furchtsam ['furçtzaːm] adj fearful, apprehensive

füreinander [fyːraɪ'nandər] adv for each other

Furie ['fuːrjə] f fury

Fürsorge ['fyːrzɔrgə] f 1. care; 2. (öffentliche ~) public service

fürsorglich ['fyːrzɔrglɪç] adj caring, considerate

Fürst [fyrst] m prince, sovereign ruler

Fürstentum ['fʏrstəntuːm] n principality

fürstlich ['fʏrstlɪç] adj 1. princely; 2. (fig: üppig) regal, stately, royal

Fürwort ['fyːrvɔrt] n GRAMM pronoun

Fusion [fu'zjoːn] f 1. PHYS fusion; 2. ECO merger

fusionieren [fuzjo'niːrən] v 1. ECO merge, consolidate; 2. TECH combine

Fuß [fuːs] m 1. foot; zu ~ on foot; ~ fassen gain a foothold; auf freiem ~ sein to be at large; auf großem ~ leben live like a lord; mit einem ~ im Grabe stehen have one foot in the grave; mit dem linken ~ zuerst aufstehen get up on the wrong side of the bed; kalte Füße bekommen (fig) get cold feet; jdm auf die Füße treten step on s.o.'s toes; sich auf eigene ~ stellen strike out on one's own, paddle one's own canoe; auf die Füße fallen fall on one's feet; etw mit Füßen treten trample sth; jdm zu Füßen liegen go down on one's knees before s.o.; 2. (Sockel) base, pedestal; 3. (Zoll) foot

Fußball ['fuːsbal] m 1. (Spiel) football, soccer (US); 2. (Ball) football, soccer ball (US)

Fußballmannschaft ['fuːsbalmanʃaft] f SPORT football team, soccer team (US)

Fußballspiel ['fuːsbalʃpiːl] n SPORT football match, soccer game (US)

Fußballspieler ['fuːsbalʃpiːlər] m SPORT football player, footballer, soccer player (US)

Fußballstadion ['fuːsbalʃtaːdjɔn] n football stadium, soccer stadium (US)

Fußboden ['fuːsboːdən] m floor

Fussel ['fusəl] m/f bit of fluff

fusseln ['fusəln] v fluff

Fußgänger ['fuːsgɛŋər] m pedestrian

Fußgängerzone ['fuːsgɛŋərtsoːnə] f pedestrian zone

Fußgelenk ['fuːsgəleŋk] n ankle

Fußspur ['fuːsʃpuːr] f footprint

Fußweg ['fuːsveːk] m footpath

Futter ['futər] n 1. (Vieh~) feed, fodder; 2. (Essen) food, grub (fam), chow (fam) (US); 3. (Material) lining

füttern ['fʏtərn] v 1. feed; 2. (Kleidungsstück ~) line

Fütterung ['fʏtəruŋ] f (Tierfütterung) feeding

Futur [fu'tuːr] n GRAMM future tense

G

Gabe ['gaːbə] f gift
Gabel ['gaːbəl] f fork
Gabelung ['gaːbəluŋ] f fork, parting
gähnen ['gɛːnən] v yawn
galant [ga'lant] adj gallant, chivalrous, courteous
Galaxis [ga'laksis] f ASTR galaxy
Galerie [galə'riː] f gallery
Galgen ['galgən] m gallows pl; jdn an den ~ bringen send s.o. to the gallows
Galle ['galə] f ANAT gall; Da läuft mir die ~ über. (fig) That makes my blood boil.
Gang [gaŋ] m 1. (Gehen) gait, walk; 2. (Verlauf) course, trend; eine Sache in ~ halten keep sth going, keep the ball rolling; in ~ sein to be in full swing; in ~ kommen get underway; etw in ~ setzen get sth going; seinen ~ gehen take its course; Da ist was im ~e. Something's up. (fam); 3. (Flur) passage, corridor; 4. (eines Autos) gear; in einen höheren/niedrigeren ~ schalten gear up/down; einen ~ zulegen shift up a gear; einen ~ zurückschalten shift down a gear; 5. GAST course
gängig ['gɛŋɪç] adj (üblich) common
Gangster ['gɛŋstər] m gangster
Ganove [ga'noːvə] m crook
Gans [gans] f ZOOL goose; eine dumme ~ a silly goose
Gänseblümchen ['gɛnzəbly:mçən] n BOT daisy
Gänsehaut ['gɛnzəhaut] f gooseflesh, goose pimples, goose bumps; eine ~ bekommen get gooseflesh, get goose bumps (US)
ganz [gants] adj 1. entire, whole, complete; adv 2. (völlig) entirely, fully, completely; 3. (sehr) very, quite; 4. ~ und gar nicht not one bit, not in the least
ganzheitlich ['gantshaitlɪç] adj in its entirety
gänzlich ['gɛntslɪç] adj 1. total, complete; adv 2. totally, completely
ganztags ['gantstaːks] adv 1. all day; 2. (arbeiten) full-time
gar [gaːr] adj 1. (gekocht) well-done; adv 2. (überhaupt) at all; ~ nicht not at all; ~ nicht übel not bad at all; ~ nichts nothing (at all)
Garage [ga'raːʒə] f garage
Garantie [garan'tiː] f guarantee; Unter ~. That's certain.
garantieren [garan'tiːrən] v guarantee

Garderobe [gardə'roːbə] f 1. wardrobe; 2. (Kleiderablage im Kino usw) cloak-room, coat-check area (US)
Gardine [gar'diːnə] f curtain; hinter schwedischen ~n behind bars
garen ['gaːrən] v GAST cook until well-done
gären ['gɛːrən] v irr ferment
Garn [garn] n yarn, thread (for sewing)
garnieren [gar'niːrən] v trim, garnish
Garnitur [garni'tuːr] f 1. (Wäsche, Möbel) set; 2. die erste ~ the top people (fam); zur zweiten ~ gehören to be a notch below the best (fam)
garstig ['garstɪç] adj ugly, nasty
Garten ['gartən] m 1. garden; 2. (Ziergarten) garden, yard (US)
Gärtner ['gɛrtnər] m gardener
Gärtnerei [gɛrtnə'rai] f 1. (Betrieb) garden-centre, nursery; 2. (Tätigkeit) gardening, horticulture
Gas [gaːs] n gas
Gasmaske ['gaːsmaskə] f gas mask
Gaspedal ['gaːspedaːl] n accelerator, gas pedal (US)
Gasse ['gasə] f alley, lane
Gast [gast] m guest; bei jdm zu ~ sein to be s.o.'s guest
Gastarbeiter ['gastarbaitər] m immigrant worker
gastfreundlich ['gastfrɔyntlɪç] adj hospitable
Gastgeber ['gastgeːbər] m host
Gasthof ['gastho:f] m GAST restaurant, guest-house
Gastlichkeit ['gastlɪçkait] f hospitality
Gastronomie [gastrono'miː] f gastronomy
Gaststätte ['gastʃtɛtə] f restaurant, public-house (UK), pub
Gastwirt ['gastvɪrt] m restaurant owner
Gatte ['gatə] m spouse, husband; die ~n the husband and wife
Gattin ['gatɪn] f spouse, wife
Gattung ['gatuŋ] f 1. type, kind, sort; 2. BIO species; 3. LIT genre
Gaumen ['gaumən] m ANAT palate; einen feinen ~ haben to be a gourmet
Gauner ['gaunər] m rogue, trickster, scoundrel
Gazelle [ga'tsɛlə] f ZOOL gazelle

Geächtete(r) [gə'ɛçtətə(r)] *m/f* 1. outlaw; 2. *(fig)* outcast

Gebäck [gə'bɛk] *n* pastry, baked goods

Gebärde [gə'bɛːrdə] *f* gesture

gebärden [gə'bɛːrdən] *v sich ~* behave, act, conduct oneself

gebären [gə'bɛːrən] *v irr* bear, give birth to

Gebärmutter [gə'bɛːrmutər] *f ANAT* womb, uterus

Gebäude [gə'bɔydə] *n* building

geben ['geːbən] *v irr* 1. give; *Ich gäbe viel darum, das zu wissen.* I'd give a lot to know that. *Wo gibt's denn so was?* That's unbelievable! 2. *es gibt* there is/there are; 3. *einen Laut von sich ~* make a sound; 4. *Dem werd' ich's aber ~!* I'll show him! 5. *auf etw nichts ~* not think much of sth; 6. *sich ~ (sich benehmen)* act, behave; 7. *sich geschlagen ~* concede defeat

Gebet [gə'beːt] *n REL* prayer; *jdn ins ~ nehmen* take s.o. to task

Gebiet [gə'biːt] *n* 1. area, district, territory; 2. *(fig: Sachgebiet)* field, area, subject

gebieten [gə'biːtən] *v irr* 1. demand; 2. *(befehlen)* command; 3. *über etw ~* command sth; 4. *(Gefühl)* control, restrain

gebieterisch [gə'biːtərɪʃ] *adj* commanding, dictatorial, imperious

Gebilde [gə'bɪldə] *n* formation, form

gebildet [gə'bɪldət] *adj* educated, cultivated

Gebirge [gə'bɪrgə] *n* mountains

Gebiss [gə'bɪs] *n* 1. *ANAT* set of teeth; 2. *(künstliches ~)* dentures, false teeth

geborgen [gə'bɔrgən] *adj* 1. *(sicher)* safe, sheltered; 2. *(Wrack)* salvaged

Geborgenheit [gə'bɔrgənhaɪt] *f* safety

Gebot [gə'boːt] *n* 1. *(Befehl)* command, order; 2. *REL* commandment; *die Zehn ~e* the Ten Commandments

Gebrauch [gə'braux] *m* use; *in ~ kommen* come into use

gebrauchen [gə'brauxən] *v* use, make use of, employ; *Das kann ich gut ~.* I could really use that.

gebräuchlich [gə'brɔyçlɪç] *adj* common, commonly used

Gebrauchsanweisung [gə'brauxsanvaɪzuŋ] *f* instructions for use

Gebrechen [gə'brɛçən] *n MED* ailment, infirmity, affliction

gebrechlich [gə'brɛçlɪç] *adj* frail, fragile

Gebühr [gə'byːr] *f* fee, charge

gebührend [gə'byːrənt] *adj* due, proper

gebührenfrei [gə'byːrənfraɪ] *adj* free of charge, without fee

gebührenpflichtig [gə'byːrənpflɪçtɪç] *adj* subject to a fee, subject to a charge

Geburt [gə'burt] *f* birth; *Das war eine schwere ~! (fig)* That took some doing!

Geburtstag [gə'burtstaːk] *m* birthday

Gebüsch [gə'byʃ] *n* bushes, shrubbery

Gedächtnis [gə'dɛçtnɪs] *n* memory

Gedanke [gə'daŋkə] *m* thought, idea; *~n lesen können* to be able to read s.o.'s thoughts; *mit dem ~n spielen* toy with the idea; *seine ~n beisammen haben* have one's thoughts concentrated; *etw ganz in ~n tun* do sth without thinking

Gedankenlosigkeit [gə'daŋkənloːzɪçkaɪt] *f* thoughtlessness

Gedankenstrich [gə'daŋkənʃtrɪç] *m* dash

gedankenvoll [gə'daŋkənfɔl] *adj* thoughtful, pensive

Gedeck [gə'dɛk] *n* cover

gedeihen [gə'daɪən] *v irr* thrive, grow, flourish

gedenken [gə'dɛŋkən] *v irr* 1. *(erinnern)* remember, think of; 2. *(vorhaben)* intend

Gedenkstätte [gə'dɛŋkʃtɛtə] *f* memorial

Gedicht [gə'dɪçt] *n* poem; *ein ~ sein (gut schmecken)* taste heavenly

gediegen [gə'diːgən] *adj* 1. *(Metall)* sterling; 2. *(geschmackvoll)* tasteful; 3. *(haltbar)* solid

Gedränge [gə'drɛŋə] *n (Menge)* crowd

gedrängt [gə'drɛŋt] *adj* crowded

Geduld [gə'dult] *f* patience

geduldig [gə'duldɪç] *adj* patient

geeignet [gə'aɪgnət] *adj* suitable, appropriate, fitting

Gefahr [gə'faːr] *f* danger; *~ laufen, etw zu tun* run the risk of doing sth; *auf eigene ~* at one's own risk

gefährden [gə'fɛːrdən] *v* endanger, imperil, jeopardize

gefährlich [gə'fɛːrlɪç] *adj* dangerous

gefahrlos [gə'faːrloːs] *adj* without danger, safe

Gefährte [gə'fɛːrtə] *m* companion

Gefälle [gə'fɛlə] *n* gradient, incline

gefallen [gə'falən] *v irr* please, appeal to; *Es gefällt mir.* I like it. *sich etw ~ lassen* put up with sth

Gefallen [gə'falən] *m* 1. *(Freundschaftsdienst)* favour; *Würden Sie mir einen ~ tun?* Would you do me a favour? *n* 2. delight, pleasure; *~ finden an* take a fancy to

gefällig [gə'fɛlɪç] *adj* 1. *(zuvorkommend)* obliging, accommodating; 2. *(angenehm)* agreeable, attractive

Gefälligkeit [gə'fɛlɪçkaɪt] *f 1.* kindness, obligingness; *2. (Gefallen)* favour

Gefangene(r) [gə'faŋənə(r)] *m/f 1.* prisoner; *2. MIL* prisoner of war, captive

Gefangenschaft [gə'faŋənʃaft] *f MIL* captivity, imprisonment; *in ~ geraten* be taken prisoner

Gefängnis [gə'fɛŋnɪs] *n* prison, jail, gaol *(UK)*

Gefäß [gə'fɛːs] *n 1.* container; *2. ANAT* vessel

Geflecht [gə'flɛçt] *n* network

gefleckt [gə'flɛkt] *adj* spotted, speckled

Geflügel [gə'flyːgəl] *n* poultry, fowl

Geflüster [gə'flʏstər] *n* whispering

Gefolge [gə'fɔlgə] *n* followers, entourage

gefräßig [gə'frɛsɪç] *adj* voracious, greedy

gefrieren [gə'friːrən] *v irr* freeze

Gefrierschrank [gə'friːrʃraŋk] *m* upright deep freezer

gefügig [gə'fyːgɪç] *adj 1.* flexible, pliable; *2. (Charakter)* compliant, submissive, docile, obedient

Gefühl [gə'fyːl] *n 1. (körperlich)* feeling, sensation, sense; *mit gemischten ~en* with mixed feelings; *das höchste der ~e* the pinnacle, the utmost you can expect; *2. (seelisch)* perception, feeling, emotion; *3. (Ahnung)* notion, hunch, feeling; *etw im ~ haben* know sth instinctively

gefühllos [gə'fyːlloːs] *adj 1. (körperlich)* numb; *2. (seelisch)* insensitive, hard-hearted, callous

gefühlsmäßig [gə'fyːlsmɛːsɪç] *adv* instinctively

Gefühlsregung [gə'fyːlsreːguŋ] *f* emotion

gefühlvoll [gə'fyːlfɔl] *adj 1. ~ singen* sing with feeling; *2. (empfindsam)* sensitive

gegebenenfalls [gə'geːbənənfals] *adv* should the occasion arise, if applicable

Gegebenheit [gə'geːbənhaɪt] *f* fact, reality, situation

gegen ['geːgən] *prep 1. (zeitlich)* about, around, toward; *2. (örtlich)* against; *3. (zu ... hin) ~ Westen fahren* go west; *4. (wider)* against, contrary to; *ein Mittel ~ Kopfschmerzen* medicine for headaches; *etw ~ jdn haben* have sth against s.o.; *5. (im Austausch)* for, in exchange for, in return for; *~ Quittung* against a receipt; *6. (Vergleich)* compared with, compared to

Gegend ['geːgənt] *f 1.* area, region; *die ~ unsicher machen* knock about the district; *2. (Wohngegend)* neighbourhood

gegeneinander ['geːgənaɪnandər] *adv* against each other, against one another

gegenläufig ['geːgənlɔyfɪç] *adj* contrary, opposite

Gegenleistung ['geːgənlaɪstuŋ] *f* quid pro quo, service in return

Gegenmittel ['geːgənmɪtəl] *n MED* remedy; *(gegen Gift)* antidote

Gegensatz ['geːgənzats] *m 1.* contrast; *(Gegenteil)* opposite; *einen ~ bilden zu* contrast with; *im ~ zu* unlike; *2. (Gegenteil)* opposite

gegensätzlich ['geːgənzɛtslɪç] *adj 1.* opposing, contradictory, contrary; *adv 2.* differently, in different ways, antagonistically

gegenseitig ['geːgənzaɪtɪç] *adj 1.* mutual, reciprocal; *adv 2.* mutually, reciprocally

Gegenseitigkeit ['geːgənzaɪtɪçkaɪt] *f* mutuality, reciprocity

Gegenstand ['geːgənʃtant] *m 1.* object; *2. (Thema)* subject

Gegenstück ['geːgənʃtyk] *n* counterpart, equivalent

Gegenteil ['geːgəntaɪl] *n* opposite, contrary; *(Umkehrung)* reverse

gegenteilig ['geːgəntaɪlɪç] *adj* opposite, contrary

gegenüber [geːgən'yːbər] *prep 1. (örtlich)* opposite, facing; *Er wohnt mir ~.* He lives across from me. *2. (im Hinblick)* in relation to; *Sie war mir ~ sehr freundlich.* She was very nice to me. *3. (im Vergleich)* in comparison with, compared with

gegenüberliegend [geːgən'yːbərliːgənt] *adj* opposite

gegenüberstehen [geːgən'yːbərʃteːən] *v irr 1.* face; *2. (fig)* face, confront

gegenüberstellen [geːgən'yːbərʃtɛlən] *v 1. (vergleichen)* compare; *2. (konfrontieren)* bring face-to-face with

Gegenüberstellung [geːgən'yːbərʃteluŋ] *f 1. (Vergleich)* comparison; *2. (Konfrontation)* confrontation

Gegenverkehr ['geːgənfɛrkeːr] *m* oncoming traffic, *(Verkehrsschild)* two-way traffic

Gegenwart ['geːgənvart] *f 1.* present; *2. GRAMM* present tense; *3. (Anwesenheit)* presence

gegenwärtig ['geːgənvɛrtɪç] *adj 1. (jetzig)* present, current; *2. (anwesend)* present

Gegenwind ['geːgənvɪnt] *m* head-wind

gegenzeichnen ['geːgəntsaɪçnən] *v* countersign

Gegner ['geːgnər] *m 1.* opponent, adversary; *2. MIL* enemy

gegnerisch ['geːgnərɪʃ] *adj* opposing, enemy, hostile

Gehalt [gə'halt] *n 1. (Lohn)* salary, pay; *2. (Inhalt)* content

Gehaltserhöhung [gə'haltsɛrhøːuŋ] *f* salary increase, raise *(US)*

gehässig [gə'hɛsɪç] *adj* spiteful, malicious

Gehässigkeit [gə'hɛsɪçkaɪt] *f* spite, malice

Gehäuse [gə'hɔyzə] *n 1.* case, box; *2. (Schneckenhaus)* shell

Gehege [gə'heːgə] *n 1.* enclosure; *jdm ins ~ kommen (fig)* step on s.o.'s toes; *2. (Wildgehege)* game preserve

geheim [gə'haɪm] *adj 1.* secret; *2. (heimlich)* clandestine; *3. (vertraulich)* confidential, private

Geheimagent [gə'haɪmagɛnt] *m* secret agent, intelligence agent

Geheimdienst [gə'haɪmdiːnst] *m* intelligence service

Geheimfach [gə'haɪmfax] *n* secret compartment

Geheimhaltung [gə'haɪmhaltuŋ] *f* secrecy

Geheimnis [gə'haɪmnɪs] *n 1.* secret; *ein offenes ~* an open secret; *2. (Rätselhaftes)* mystery; *ein ~ verraten* disclose a secret; *ich habe kein ~ vor dir* I have no secrets from you; *kein ~ aus etw machen* make no secret of sth

Geheimniskrämer [gə'haɪmnɪskrɛːmər] *m* secretive person, mystery-monger

geheimnisvoll [gə'haɪmnɪsfɔl] *adj* mysterious

Geheimnummer [gə'haɪmnumər] *f* personal identification number

Geheiß [gə'haɪs] *n* order, command

gehemmt [gə'hɛmt] *adj ~ sein* to be inhibited, to be self-conscious

Gehemmtheit [gə'hɛmthaɪt] *f* inhibition

gehen ['geːən] *v irr 1.* go; *Gehen wir!* Let's go! *Wie geht's?* How's it going? *in sich ~* decide to mend one's ways; *2. (zu Fuß)* walk; *3. (möglich sein)* work; *4. Es geht. (es ist mittelmäßig)* It's all right. *5. es geht um ...* it's about ...; *Worum geht's?* What's this about? *6. vor sich ~* happen

geheuer [gə'hɔyər] *adj nicht ~* uncanny

Gehirn [gə'hɪrn] *n ANAT* brain

Gehirnerschütterung [gə'hɪrnɛrʃyːtəruŋ] *f MED* concussion

Gehirnwäsche [gə'hɪrnvɛʃə] *f* brain-washing

Gehölz [gə'hœlts] *n 1.* wood, copse; *2. (Dickicht)* undergrowth

Gehör [gə'høːr] *n* hearing; *~ finden* get a hearing; *jdm ~ schenken* lend s.o. an ear; *sich ~ verschaffen* make o.s. heard; *um ~ bitten* request a hearing

gehorchen [gə'hɔrçən] *v* obey

gehören [gə'høːrən] *v 1.* belong to; *2. sich ~* to be proper

gehörlos [gə'høːrloːs] *adj MED* deaf

Gehörlosigkeit [gə'høːrloːzɪçkaɪt] *f* deafness

Gehorsam [gə'hoːrzaːm] *m* obedience

Gehsteig ['geːʃtaɪk] *m* pavement, sidewalk *(US)*

Geier ['gaɪər] *m ZOOL* vulture; *Weiß der ~!* God knows!

Geige ['gaɪgə] *f MUS* violin; *die erste ~ spielen (fig)* call the tune; *nach jds ~ tanzen* dance to s.o.'s tune; *Für ihn hängt der Himmel voller ~n.* He's on cloud nine.

geil [gaɪl] *adj 1. (erregt)* randy, horny *(US); 2. (fam: toll)* awesome, cool

Geisel ['gaɪzəl] *f* hostage

geißeln ['gaɪsəln] *v 1.* whip; *2. (fig)* chastise

Geist [gaɪst] *m 1. (Seele)* spirit, soul; *2. (Verstand)* mind; *3. (Gespenst)* ghost, spirit, apparition; *von allen guten ~ern verlassen sein* have taken leave of one's senses; *4. den ~ aufgeben (fig)* conk out *(fam)*

Geisterbahn ['gaɪstərbaːn] *f* ghost train

Geisterfahrer ['gaɪstərfaːrər] *m* motorist driving in the wrong direction (against traffic)

geistesabwesend ['gaɪstəsapveːzənt] *adj* absent-minded

Geistesblitz ['gaɪstəsblɪts] *m* inspiration, brain wave *(UK)*, brainstorm *(US)*

Geistesgegenwart ['gaɪstəsgeːgənvart] *f* presence of mind

geistesgestört ['gaɪstəsgəʃtøːrt] *adj MED* mentally deranged, mentally disturbed

geisteskrank ['gaɪstəskraŋk] *adj* mentally ill

Geisteskranke(r) ['gaɪstəskraŋkə(r)] *m/f MED* mentally ill person

Geisteswissenschaften ['gaɪstəsvɪsənʃaftən] *pl* the arts, the humanities

geistig ['gaɪstɪç] *adj* intellectual, mental, spiritual

geistlich ['gaɪstlɪç] *adj 1.* spiritual, religious; *2. (kirchlich)* ecclesiastical

Geistliche(r) ['gaɪstlɪçə(r)] *m REL* clergyman, priest, man of the church

geistlos ['gaɪstloːs] *adj* dull, insipid, stupid

geistreich ['gaɪstraɪç] *adj* bright, witty, intelligent, clever

Geiz [gaɪts] *m* stinginess, meanness
Geizhals ['gaɪtshals] *m* skinflint, miser
geizig ['gaɪtsɪç] *adj* stingy, tight-fisted
Gejammer [gə'jamər] *n* wailing, moaning and groaning
Gekicher [gə'kɪçər] *n* giggling, sniggering
gekünstelt [gə'kynstəlt] *adj* artificial; *~e Sprache* affected way of speaking
Gel [geːl] *n* gel
Gelächter [gə'lɛçtər] *n* laughter
Gelage [gə'laːgə] *n 1.* feast; *2. (Saufgelage)* drinking bout
gelähmt [gə'lɛːmt] *adj MED* paralyzed
Gelähmte(r) [gə'lɛːmtə(r)] *m/f* paralytic
Gelände [gə'lɛndə] *n 1.* grounds; *2. (Landschaft)* terrain
Geländer [gə'lɛndər] *n* railing, bannisters
gelangen [gə'laŋən] *v zu etw ~* arrive at, reach, come to
gelangweilt [gə'laŋvaɪlt] *adj* bored
gelassen [gə'lasən] *adj* relaxed, composed, calm
Gelassenheit [gə'lasənhaɪt] *f* collectedness, composure, calmness
Gelatine [ʒela'tiːnə] *f GAST* gelatine
geläufig [gə'lɔyfɪç] *adj* common, current, usual, familiar
Geläufigkeit [gə'lɔyfɪçkaɪt] *f* familiarity, common use
gelaunt [gə'launt] *adj schlecht ~* in a bad mood; *gut ~* in a good mood
geläutert [gə'lɔytərt] *adj (fig)* enlightened, purified
gelb [gɛlp] *adj* yellow
gelblich ['gɛlplɪç] *adj* yellowish
Gelbsucht ['gɛlpzuxt] *f MED* jaundice
Geld [gɛlt] *n* money; *~ wie Heu haben* have pots of money; *das ~ unter die Leute bringen* go on a spending spree; *etw zu ~ machen* make money out of sth; *Das geht ganz schön ins ~.* It all adds up. *nicht mit ~ zu bezahlen sein* to be priceless; *in ~ schwimmen* to be rolling in money; *sich für ~ sehen lassen können* to be a true original; *Ihm rinnt das ~ durch die Finger.* A fool and his money are soon parted. *~ stinkt nicht.* Money is money.
Geldanlage ['gɛltanlaːgə] *f* investment
Geldautomat ['gɛltautomaːt] *m* cash dispenser, automatic teller machine *(US)*
Geldbeutel ['gɛltbɔytəl] *m* purse
Geldbuße ['gɛltbuːsə] *f* fine
Geldschein ['gɛltʃaɪn] *m* bank note, bill *(US)*
Geldstück ['gɛltʃtyk] *n* coin

Geldverschwendung ['gɛltfɛrʃvɛnduŋ] *f* waste of money
Geldwäsche ['gɛltvɛʃə] *f* money-laundering
Gelee [ʒe'leː] *n* jelly
gelegen [gə'leːgən] *adj 1. (liegend)* situated, located; *2. (fig) ~ kommen* to be convenient, to be opportune, to be suitable
Gelegenheit [gə'leːgənhaɪt] *f 1. (gute ~)* opportunity, chance; *die ~ beim Schopfe packen* take the bull by the horns; *2. (Anlass)* occasion
gelegentlich [gə'leːgəntlɪç] *adj 1.* occasional; *adv 2.* occasionally, once in a while, now and then
Gelehrsamkeit [gə'leːrzamkaɪt] *f* learning, erudition, scholarship
gelehrt [gə'leːrt] *adj* learned
Gelehrte(r) [gə'leːrtə(r)] *m/f* scholar, man/woman of learning
geleiten [gə'laɪtən] *v* escort, accompany
Geleitschutz [gə'laɪtʃuts] *m 1.* escort; *2. NAUT* convoy
Gelenk [gə'lɛŋk] *n 1. ANAT* joint; *2. TECH* joint, link, articulation
gelenkig [gə'lɛŋkɪç] *adj* supple, flexible, pliable
Geliebte(r) [gə'liːptə(r)] *m/f* lover
gelingen [gə'lɪŋən] *v irr* succeed; *Es gelang mir nicht, zu ...* I wasn't able to ...
geloben [gə'loːbən] *v* promise, vow
Gelöbnis [gə'løːbnɪs] *n* vow; *ein ~ ablegen* take a vow
gelockt [gə'lɔkt] *adj* curly
gelten ['gɛltən] *v irr 1. (gültig sein)* to be valid; *2. ~ als* count as, to be considered; *3. (Gesetz)* to be in force, to be effective, apply
Geltung ['gɛltuŋ] *f 1. (Gültigkeit)* validity; *2. (Ansehen)* standing, worth, status; *jdm ~ verschaffen* help s.o. gain recognition; *etw zur ~ bringen* show off sth to its best advantage; *zur ~ kommen* gain recognition
Gelübde [gə'lypdə] *n REL* vow, pledge
gelungen [gə'luŋən] *adj* successful
Gelüste [gə'lystə] *pl* craving, longing, desire
gemächlich [gə'mɛːçlɪç] *adj* leisurely, slow, unhurried
Gemahl/Gemahlin [gə'maːl/gə'maːlɪn] *m/f* husband/wife, spouse
Gemälde [gə'mɛːldə] *n* painting, picture
gemäß [gə'mɛːs] *prep* according to, in accordance with
gemäßigt [gə'mɛːsɪçt] *adj* moderate
Gemäuer [gə'mɔyər] *n* walls

gemein [gə'maɪn] *adj 1. (böse)* mean, nasty, base; *2. (gewöhnlich)* common, ordinary

Gemeinde [gə'maɪndə] *f 1. (Gemeinschaft)* community; *2. POL* local authority, municipality

Gemeinderat [gə'maɪndəra:t] *m POL* local council

Gemeingut [gə'maɪngu:t] *n* common property

Gemeinheit [gə'maɪnhaɪt] *f 1.* meanness; *2. eine ~ a* mean thing

Gemeinkosten [gə'maɪnkɔstən] *pl ECO* overhead (expenses)

gemeinnützig [gə'maɪnnytsɪç] *adj* charitable

gemeinsam [gə'maɪnza:m] *adj 1.* common, mutual, joint; *adv 2.* together, jointly

Gemeinsamkeit [gə'maɪnza:mkaɪt] *f* mutuality, common ground, things in common

Gemeinschaft [gə'maɪnʃaft] *f 1.* community, association; *2. POL* union; *3. ~ Unabhängiger Staaten* Commonwealth of Independent States

Gemeinwesen [gə'maɪnve:zən] *n* community

Gemeinwohl [gə'maɪnvo:l] *n* common welfare, public interest

Gemetzel [gə'mɛtsəl] *n* butchery, massacre, slaughter

gemischt [gə'mɪʃt] *adj* mixed; *mit ~en Gefühlen* with mixed feelings

Gemurmel [gə'murməl] *n* murmuring

Gemüse [gə'my:zə] *n* vegetable; *junges ~ (fig)* youngsters, small fry

gemustert [gə'mustərt] *adj* patterned

Gemüt [gə'my:t] *n* nature, disposition, temperament; *sich etw zu ~e führen* indulge in sth; *jdm aufs ~ schlagen* get s.o. down; *etw fürs ~* sth for the soul; *jds ~ bewegen* stir s.o.'s emotions/heart

gemütlich [gə'my:tlɪç] *adj 1. (zwanglos)* informal, relaxed; *2. (freundlich)* friendly; *3. (Zimmer)* comfortable, cosy

Gemütlichkeit [gə'my:tlɪçkaɪt] *f 1.* cosiness, snugness; *2. (Person)* sociability, good nature

Gen [ge:n] *n BIO* gene

genau [gə'nau] *adj 1.* exact, precise, accurate; *2. (sorgfältig)* careful; *interj 3.* Exactly!

Genauigkeit [gə'nauɪçkaɪt] *f* accuracy, precision, exactness

genauso [gə'nauzo:] *adv 1.* just the same way; *2. (vor Adjektiv)* just as; *~ ... wie* just as ... as; *3. Mir geht es ~.* It's the same way for me.

genehmigen [gə'ne:mɪgən] *v* approve, authorize, grant; *sich einen ~* have one for the road *(fam)*

Genehmigung [gə'ne:mɪguŋ] *f 1.* approval, authorization, permission; *2. (Schein)* permit

geneigt [gə'naɪgt] *adj* willing; *~er Leser!* Gentle reader! *ein ~es Ohr* a willing ear; *zu etw ~ sein* to be inclined to do sth

General [genə'ra:l] *m MIL* general

generalisieren [genərali'zi:rən] *v* generalize

Generalprobe [genə'ra:lpro:bə] *f* dress rehearsal

Generation [genəra'tsjo:n] *f* generation

Generator [genə'ra:tɔr] *m TECH* generator

generell [genə'rɛl] *adj* general

genesen [gə'ne:zən] *v irr 1.* recover; *2. (gebären) eines Kindes ~* give birth to a child

Genesung [gə'ne:zuŋ] *f* recuperation, recovery, convalescence; *eine baldige ~* a speedy recovery

Genetik [ge'ne:tɪk] *f BIO* genetics

Genforschung ['ge:nfɔrʃuŋ] *f* genetic research

genial [gen'ja:l] *adj* brilliant, ingenious

Genick [gə'nɪk] *n* neck, nape of the neck; *sich das ~ brechen* break one's neck

Genie [ʒe'ni:] *n* genius

genieren [ʒe'ni:rən] *v sich ~* to be embarrassed, to be shy

genießbar [gə'ni:sba:r] *adj 1.* edible; *2. (fig)* enjoyable

Genießbarkeit [gə'ni:sba:rkaɪt] *f* edibility

genießen [gə'ni:sən] *v irr 1.* enjoy; *2. (fig: etw erhalten)* enjoy, have the benefit of; *3. (trinken)* drink; *4. (essen)* eat

Genießer [gə'ni:sər] *m* epicure, gourmet, connoisseur

Genitalien [geni'ta:ljən] *pl ANAT* genitals

Genitiv ['ge:nitif] *m GRAMM* genitive

Genosse [gə'nɔsə] *m* comrade

Genossenschaft [gə'nɔsənʃaft] *f* cooperative

Genre ['ʒɑ̃:rə] *n* genre

Gentechnologie ['gɛntɛçnologi:] *f* genetic engineering

genug [gə'nu:k] *adv* enough, sufficient, sufficiently; *Ich habe ~ davon.* I've had it with that. *gut ~* good enough

genügen [gə'ny:gən] *v* suffice, to be sufficient, to be enough; *Das wird ~.* That will do. *Anruf genügt.* A phone call will suffice.

genügsam [gə'ny:kza:m] *adj* modest, undemanding, frugal

Genugtuung [gə'nu:ktu:ʊŋ] *f* satisfaction, gratification

genuin [genu'i:n] *adj* genuine

Genus ['ge:nus] *n* 1. genus; 2. *GRAMM* gender

Genuss [gə'nus] *m* 1. *(von Nahrung)* consumption; 2. *(Freude)* enjoyment, delight, pleasure; *in den ~ von etw kommen* enjoy sth

Genussmittel [gə'nusmɪtəl] *n* semi-luxury item (alcohol, coffee, tea, tobacco)

Geografie [geogra'fi:] *f* geography

Geologie [geolo'gi:] *f* geology

Geometrie [geome'tri:] *f* geometry

Gepäck [gə'pɛk] *n* luggage, baggage *(US)*

Gepäckträger [gə'pɛktrɛ:gər] *m (Person)* porter

Gepard [ge'part] *m ZOOL* cheetah

gepflegt [gə'pfle:kt] *adj* 1. *(Person)* well-groomed; 2. *(Sache)* well-looked-after, cared-for; 3. *(fig: Sprache)* cultivated

Gepflogenheit [gə'pflo:gənhaɪt] *f* custom, practice, habit

Geplapper [gə'plapər] *n* chattering, babbling

Gepolter [gə'pɔltər] *n* din, racket, thudding

gerade [gə'ra:də] *adj* 1. straight; 2. *(Zahl)* even; 3. *(fig: aufrichtig)* honest; *adv* 4. *(genau)* just, exactly, precisely; *~ gegenüber* directly opposite; *Es war nicht ~ ein Riesenerfolg.* It was not exactly a huge success. 5. *(eben)* just; *Er wollte ~ gehen.* He was just about to leave. 6. *(knapp)* just; *~ noch zur rechten Zeit* just in time

geradeaus [gəra:də'aus] *adv* straight ahead, straight on

geradeheraus [gəra:dəhe'raus] *adv* frankly

geradeso [gə'ra:dəzo:] *adv* just like that

geradewegs [gə'ra:dəve:ks] *adv* directly, straight

geradezu [gə'ra:dətsu:] *adv* perfectly, simply, downright; *das ist ~ Wahnsinn* that's sheer madness

geradlinig [gə'ra:tli:nɪç] *adj (fig)* straightforward, honest, frank

Geranie [gə'ra:njə] *f BOT* geranium

Geraschel [gə'raʃəl] *n* rustling

Gerassel [gə'rasəl] *n* rattling, rattle

Gerät [gə'rɛ:t] *n* 1. piece of equipment, device, appliance; 2. *(Werkzeug)* tool, utensil

geraten¹ [gə'ra:tən] *v irr* 1. *(ausfallen)* turn out; 2. *(sich entwickeln)* thrive; 3. *(zufällig gelangen)* get, come; *an den Richtigen ~ come* to the right person; *in Schulden ~* fall into debt; 4. *(stoßen auf)* come across, happen upon; *in jds Hände ~* fall into s.o.'s hands; *in Angst ~* get scared; *in Gefangenschaft ~* be taken prisoner; *in eine Falle ~* fall into a trap; *in Brand ~* catch fire; take after s.o.

geraten² [gə'ra:tən] *adj* advisable

Geräteturnen [gə'rɛ:təturnən] *n SPORT* gymnastics

geräumig [gə'rɔymɪç] *adj* spacious, roomy, large

Geräusch [gə'rɔyʃ] *n* sound, noise; *mit einem dumpfen ~* with a dull thud

geräuschlos [gə'rɔyʃlo:s] *adj* noiseless, soundless, quiet; *~ öffnete sie die Tür* without a sound she opened the door

geräuschvoll [gə'rɔyʃfɔl] *adj* noisy, loud

gerben ['gɛrbən] *v* tan

gerecht [gə'rɛçt] *adj* 1. fair, just; 2. *(unparteiisch)* impartial, unbiased

gerechtfertigt [gə'rɛçtfɛrtɪçt] *adj* justifiable, justified, warranted

Gerechtigkeit [gə'rɛçtɪçkaɪt] *f* justice; *einer Sache ~ widerfahren lassen* do justice to sth

Gerede [gə're:də] *n* 1. talk; 2. *(Gerücht)* rumour, hearsay; 3. *(Klatsch)* gossip; *jdn ins ~ bringen* spread rumours about s.o.; *ins ~ kommen* get o.s. talked about

Gericht [gə'rɪçt] *n* 1. *JUR* court, court of justice, court of law; *vor ~ bringen* bring to trial; *vor ~ stehen* stand trial; *mit jdm ins ~ gehen (fig)* judge s.o. harshly; 2. *GAST* dish

gerichtlich [gə'rɪçtlɪç] *adj* 1. *JUR* legal, judicial; *adv* 2. *JUR* legally, judicially; *gegen jdn ~ vorgehen* take legal action against s.o.

Gerichtsvollzieher [gə'rɪçtsfɔltsi:ər] *m JUR* bailiff

geriffelt [gə'rɪfəlt] *adj* grooved

gering [gə'rɪŋ] *adj* 1. *(wenig)* little, small, slight; *nicht im ~sten* not in the least; *die ~ste Möglichkeit* the slightest chance; 2. *(niedrig)* low, inferior; *kein Geringerer als* none other than; 3. *(kurz)* brief, short

geringelt [gə'rɪŋəlt] *adj* ringed

geringfügig [gə'rɪŋfy:gɪç] *adj* 1. slight, negligible, petty; *adv* 2. slightly

Geringfügigkeit [gə'rɪŋfy:gɪçkaɪt] *f* smallness, insignificance, slightness; triviality; *ein Verfahren wegen ~ einstellen* dismiss a case because of the trifling nature of the offence

geringhalten [gə'rɪŋhaltən] *v irr* keep down

geringschätzig [gə'rɪŋʃɛtsɪç] *adj* contemptuous

Geringschätzung [gə'rɪŋʃɛtsuŋ] f contempt, disdain, low regard

gerinnen [gə'rɪnən] v irr 1. (Blut) coagulate, clot; 2. (Milch) curdle

Gerippe [gə'rɪpə] n ANAT skeleton

gerissen [gə'rɪsən] adj sly, crafty, cunning

Germanistik [gɛrma'nɪstɪk] f German Studies; Professor der ~ professor of German Studies

gern [gɛrn] adv gladly, with pleasure, happily; jdn sehr ~ haben to hold s.o. dear; etw ~ tun like doing sth; Ich hätte ~ Herrn Andrews gesprochen. I would like to speak to Mr. Andrews.

geröstet [gə'rœstət] adj GAST roasted

Gerste ['gɛrstə] f BOT barley

Gerte ['gɛrtə] f 1. switch; 2. (Reitgerte) riding crop

Geruch [gə'rux] m 1. smell; 2. (angenehmer ~) fragrance, scent; 3. (übler ~) odour, stench; 4. (Mundgeruch) bad breath; 5. (Körpergeruch) body odour

Geruchssinn [gə'ruxszɪn] m sense of smell

Gerücht [gə'rʏçt] n rumour

gerührt [gə'rʏːrt] adj (fig) moved, touched

Gerümpel [gə'rʏmpəl] n junk

Gerüst [gə'rʏst] n 1. (Baugerüst) scaffolding; 2. (fig) frame, framework, skeleton

gesamt [gə'zamt] adj entire, total, whole

Gesamtheit [gə'zamthaɪt] f entirety, totality

Gesandte(r)/Gesandtin [gə'zantə(r)/gə-'zantɪn] m/f POL envoy

Gesandtschaft [gə'zantʃaft] f POL legation, mission

Gesang [gə'zaŋ] m 1. (Singen) singing; 2. (Lied) song; (Vogelgesang) birdsong

Gesäß [gə'zɛːs] n buttocks pl

Geschäft [gə'ʃɛft] n 1. business; ein ~ mit etw machen do very well with sth; 2. (Laden) shop, store; 3. (Transaktion) transaction, deal, operation

Geschäftigkeit [gə'ʃɛftɪçkaɪt] f bustling

geschäftlich [gə'ʃɛftlɪç] adj 1. business, commercial; ~e Angelegenheit business matter; adv 2. on business, commercially

Geschäftsleitung [gə'ʃɛftslaɪtuŋ] f ECO management

Geschäftsreise [gə'ʃɛftsraɪzə] f business trip

Geschäftsschluss [gə'ʃɛftsʃlus] m closing time

Geschäftsstelle [gə'ʃɛftsʃtɛlə] f 1. office; 2. (Filiale) branch office

geschäftstüchtig [gə'ʃɛftstyçtɪç] adj smart, efficient, diligent

geschehen [gə'ʃeːən] v irr happen, occur, take place; Gern ~! My pleasure! Das geschieht dir recht. It serves you right. Um ihn ist es ~. He's had it.

Geschehnis [gə'ʃeːnɪs] n event, occurrence

gescheit [gə'ʃaɪt] adj 1. (klug, intelligent) clever, smart, bright; Du bist wohl nicht recht ~! You must be out of your mind! 2. (ordentlich) decent, proper, good

Geschenk [gə'ʃɛŋk] n gift, present; ein ~ des Himmels a godsend

Geschenkpapier [gə'ʃɛŋkpapiːr] n gift-wrapping paper

Geschichte [gə'ʃɪçtə] f 1. (Vergangenheit) history; ~ machen make history; 2. (Erzählung) story, tale; 3. (Angelegenheit) matter, business

geschichtlich [gə'ʃɪçtlɪç] adj 1. historical; 2. (~ bedeutsam) historic

Geschick [gə'ʃɪk] n (Schicksal) destiny, fate, fortune

Geschicklichkeit [gə'ʃɪklɪçkaɪt] f dexterity, skill, cleverness

geschickt [gə'ʃɪkt] adj clever, skilful, adept, practical

Geschirr [gə'ʃɪr] n 1. (Küchengeschirr) kitchen utensils pl; 2. (Tafelgeschirr) dishes pl; 3. sich ins ~ legen pull out all the stops

Geschirrspülmaschine [gə'ʃɪrʃpyːlma-ʃiːnə] f dishwasher

Geschlecht [gə'ʃlɛçt] n 1. (weiblich/männlich) sex; 2. LING gender; 3. (Adelsgeschlecht) lineage, ancestry, descent; 4. (Gattung) race

geschlechtlich [gə'ʃlɛçtlɪç] adj sexual

Geschlechtskrankheit [gə'ʃlɛçtskraŋk-haɪt] f MED venereal disease

Geschlechtsorgan [gə'ʃlɛçtsɔrgaːn] n ANAT sexual organ, reproductive organ

Geschlechtsumwandlung [gə'ʃlɛçts-umvandluŋ] f sex change

Geschlechtsverkehr [gə'ʃlɛçtsfɛrkeːr] m sexual intercourse

Geschlossenheit [gə'ʃlɔsənhaɪt] f 1. (~Form) compactness; 2. (Einheit) unity

Geschmack [gə'ʃmak] m 1. (Speisen) taste, flavour; 2. (Sinn für Schönes) taste; auf den ~ von etw kommen acquire a taste for sth

geschmacklos [gə'ʃmakloːs] adj 1. (fade) dull, insipid; 2. (fig: hässlich) tasteless, unbecoming; 3. (fig: taktlos) in bad taste, tactless

Geschmacklosigkeit [gə'ʃmakloːzɪçkaɪt] f 1. tastelessness; 2. (fig: Taktlosigkeit) bad taste, crudeness

Geschmackssinn [gə'ʃmakszɪn] *m* sense of taste

geschmackvoll [gə'ʃmakfɔl] *adj (fig)* tasteful, elegant, smart

geschmeidig [gə'ʃmaɪdɪç] *adj* 1. lithe, supple; 2. *(elastisch)* pliant; 3. *(glatt)* smooth; 4. *(gewandt)* adroit

Geschöpf [gə'ʃœpf] *n* creature

Geschoss [gə'ʃɔs] *n* 1. *(Stockwerk)* storey, story *(US)*, floor; 2. *(Projektil)* projectile; *(Kugel)* bullet; *(Rakete)* missile

Geschrei [gə'ʃraɪ] *n* shouting, yelling, screaming

Geschwätz [gə'ʃvɛts] *n* chatter, idle talk, prattle

geschweige [gə'ʃvaɪgə] *konj* ~ denn not to mention, to say nothing of

Geschwindigkeit [gə'ʃvɪndɪçkaɪt] *f* 1. speed, quickness; 2. PHYS velocity

Geschwister [gə'ʃvɪstər] *pl* siblings, brothers and sisters

Geschworene(r) [gə'ʃvoːrənə(r)] *m/f* JUR juror

Geschwulst [gə'ʃvulst] *f* 1. swelling; 2. *(Tumor)* tumour, tumor *(US)*

Geschwür [gə'ʃvyːr] *n* MED ulcer, abscess, boil

Geselle/Gesellin [gə'zɛlə/gə'zɛlɪn] *m/f* journeyman/journeywoman

gesellig [gə'zɛlɪç] *adj* 1. *(Person)* sociable, convivial, social; 2. ~es Beisammensein social gathering

Gesellschaft [gə'zɛlʃaft] *f* 1. society; 2. *(Begleitung)* company, companionship; *jdm* ~ leisten keep s.o. company; sich in guter ~ befinden to be in good company; 3. ECO company; ~ mit beschränkter Haftung private limited liability company, corporation *(US)*

gesellschaftlich [gə'zɛlʃaftlɪç] *adj* social

Gesetz [gə'zɛts] *n* law

Gesetzentwurf [gə'zɛtsɛntvurf] *m* POL bill

Gesetzesänderung [gə'zɛtsəsɛndəruŋ] *f* POL amendment

Gesetzesbrecher [gə'zɛtsəsbrɛçər] *m* lawbreaker

Gesetzgebung [gə'zɛtsgeːbuŋ] *f* POL legislation

gesetzlich [gə'zɛtslɪç] *adj* 1. legal, statutory; *adv* 2. legally

gesetzt [gə'zɛtst] *adj* 1. *(ruhig)* steady, settled; *prep* 2. ~ den Fall ... assuming ...

gesetzwidrig [gə'zɛtsviːdrɪç] *adj* unlawful, illegal, contrary to law

Gesicht [gə'zɪçt] *n* face; *sein* ~ wahren save face; *den Tatsachen ins* ~ sehen face facts; *jdm nicht ins* ~ sehen können not be able to look s.o. in the eye; *das* ~ verlieren lose face; *jdm ins* ~ springen go for sth; *sein wahres* ~ zeigen show one's true colours; *jdm im* ~ geschrieben stehen to be written all over s.o.'s face; *jdm etw ins* ~ sagen say sth to s.o.'s face; *ein langes* ~ machen pull a long face; *jdm wie aus dem* ~ geschnitten sein to be the spitting image of s.o.

Gesichtsfarbe [gə'zɪçtsfaːrbə] *f* complexion

Gesichtspunkt [gə'zɪçtspuŋkt] *m* aspect, point of view

Gesichtszüge [gə'zɪçtsːyːgə] *pl* features

Gesindel [gə'zɪndəl] *n* riff-raff, rabble

Gesinnung [gə'zɪnuŋ] *f* attitude

gesittet [gə'zɪtət] *adj* 1. *(Person)* well-behaved, polite, courteous; 2. *(zivilisiert)* civilized

Gespenst [gə'ʃpɛnst] *n* ghost, phantom; ~ sehen imagine things

Gespött [gə'ʃpœt] *n* jeering, mockery, derision; *jdn zum* ~ machen make s.o. a laughingstock; *zum* ~ werden become a laughing-stock

Gespräch [gə'ʃprɛːç] *n* conversation, talk, discussion; *im* ~ sein to be under discussion; *mit jdm im* ~ bleiben keep in touch with s.o.

gesprächig [gə'ʃprɛːçɪç] *adj* talkative, communicative

Gespür [gə'ʃpyːr] *n* sense, feeling

Gestalt [gə'ʃtalt] *f* 1. *(Figur)* shape, figure; 2. *(Aussehen)* appearance, shape; 3. *(Körperbau)* stature; 4. *(fig)* in ~ in the shape of

gestalten [gə'ʃtaltən] *v* 1. *(formen)* shape, mould, model; 2. *(verwirklichen)* create; 3. *(einrichten)* furnish, design

gestalterisch [gə'ʃtaltərɪʃ] *adj* creative

Gestaltung [gə'ʃtaltuŋ] *f* 1. *(Formgebung)* forming, moulding, shaping; 2. *(Verwirklichung)* creation, dramatization, arrangement; 3. *(Einrichtung)* fashioning, designing

Gestammel [gə'ʃtaməl] *n* stammering

Geständnis [gə'ʃtɛntnɪs] *n* confession

Gestank [gə'ʃtaŋk] *m* stench, stink

gestatten [gə'ʃtatən] *v* allow, permit

Geste ['gɛstə] *f* gesture

gestehen [gə'ʃteːən] *v irr* admit, confess

Gestein [gə'ʃtaɪn] *n* MIN rock

Gestell [gə'ʃtɛl] *n* 1. stand; 2. *(Rahmen)* frame

gestern ['gɛstərn] *adv* yesterday; *Sie ist nicht von* ~. She wasn't born yesterday.

Gestik ['gɛstɪk] *f* gestures

Gestirn [gə'ʃtɪrn] *n ASTR* star, constellation
gestreift [gə'ʃtraɪft] *adj* striped
Gestrüpp [gə'ʃtryp] *n* 1. *BOT* undergrowth;
2. *(fig)* jungle
Gestüt [gə'ʃty:t] *n* stud farm
Gesuch [gə'zu:x] *n* application, petition, request
gesund [gə'zunt] *adj* 1. *(Person)* healthy; 2.
(geistig) sane; 3. *(Nahrungsmittel)* healthy,
wholesome, nutritious
gesunden [gə'zundən] *v* recover, get well
Gesundheit [gə'zunthaɪt] *f* health; ~! Bless
you!
gesundheitsschädlich [gə'zunthaɪts-
ʃɛːdlɪç] *adj* detrimental to one's health
Getöse [gə'tø:zə] *n* din, racket, row
Getränk [gə'trɛŋk] *n* drink, beverage
getrauen [gə'trauən] *v sich* ~ dare, venture
Getreide [gə'traɪdə] *n AGR* grain, cereals *pl*,
corn *(UK)*
Getriebe [gə'tri:bə] *n* 1. *TECH* gear, transmission, gearing; 2. *(fig)* hustle and bustle
Getue [gə'tu:ə] *n* 1. ado, fuss, to-do; 2.
(umständliches Gehaben) affectation
Getümmel [gə'tyməl] *n (fam)* turmoil, tumult; *sich ins* ~ *stürzen* plunge into the tumult
Gewächshaus [gə'vɛkshaus] *n* greenhouse, hothouse
Gewähr [gə've:r] *f* guarantee, security,
warranty; ~ *leisten* guarantee, warrant, ensure;
ohne ~ no liability assumed
gewähren [gə've:rən] *v* grant, allow, concede; *Vorteil* ~ offer an advantage; *jdn* ~ *lassen*
let s.o. do as he/she like
Gewahrsam [gə'va:rza:m] *m* custody, safekeeping, care; *jdn in* ~ *nehmen* take s.o. into
custody
Gewährsmann [gə've:rsman] *m* source
Gewalt [gə'valt] *f* 1. violence, force; *mit aller* ~ with all one's might; 2. *(Macht)* command, control, power; *höhere* ~ force majeure;
sich in der ~ *haben* have o.s. under control
gewaltig [gə'valtɪç] *adj* 1. mighty, powerful;
2. *(riesig)* vast; 3. *(heftig)* vehement, violent;
adv 4. immensely, tremendously
gewaltsam [gə'valtza:m] *adj* 1. forceful,
forcible; *adv* 2. forcefully, with violence, forcibly
gewalttätig [gə'valttɛtɪç] *adj* violent
Gewand [gə'vant] *n* 1. gown; 2. *(fig: äußere*
Erscheinung) look
gewandt [gə'vant] *adj* 1. skilful, skillful
(US); ~ *sein in* to be good at; 2. *(flink)* agile, deft,
nimble; 3. *(wendig)* versatile

Gewandtheit [gə'vanthaɪt] *f* 1. skill; 2. *(des*
Ausdrucks) elegance
Gewässer [gə'vɛsər] *n* waters
Gewebe [gə've:bə] *n* 1. *(Stoff)* fabric, texture;
2. *BIO* tissue
Gewehr [gə've:r] *n* rifle; ~ *bei Fuß stehen (fig)*
to be at the ready
Geweih [gə'vaɪ] *n* antlers, horns
Gewerbe [gə'vɛrbə] *n* 1. *ECO* trade, business, industry; 2. *(Handwerk)* craft
Gewerbegebiet [gə'vɛrbəgəbi:t] *n ECO*
industrial area
Gewerkschaft [gə'vɛrkʃaft] *f* trade union,
union
Gewicht [gə'vɪçt] *n* 1. weight; *an* ~ *zunehmen* gain weight; 2. *(fig: Wichtigkeit)* importance, significance; *ins* ~ *fallen* to be crucial; *auf*
etw ~ *legen* attach importance to sth
gewichten [gə'vɪçtən] *v etw stärker* ~ emphasize sth more, put more emphasis on sth
Gewinde [gə'vɪndə] *n (Schraubengewinde)*
TECH thread
Gewinn [gə'vɪn] *m* 1. *(Spiel)* prize, winnings;
2. *ECO* profit, gain, earnings; 3. *(fig: Nutzen)*
advantage, benefit, gain; *wie gewonnen, so*
zerronnen easy come easy go; ~ *bringend*
profitable, lucrative, gainful
gewinnen [gə'vɪnən] *v irr* 1. *(siegen)* win; 2.
(verdienen) gain, make a profit; 3. *(fig: profitieren)* gain, benefit; *die Oberhand* ~ gain the
upper hand; 4. *(fördern)* MIN mine, extract, derive
Gewinner(in) [gə'vɪnər(ɪn)] *m/f* winner
gewiss [gə'vɪs] *adj* 1. certain; *adv* 2. certainly
Gewissen [gə'vɪsən] *n* conscience; *jdm reden*
~ *reden* appeal to s.o.'s conscience; *ein gutes*
~ *haben* a clear conscience; *etw auf dem* ~ *haben*
have sth on one's conscience; *jdn auf dem* ~ *haben* have s.o. on one's conscience
gewissenhaft [gə'vɪsənhaft] *adj* conscientious, scrupulous
gewissenlos [gə'vɪsənloːs] *adj* 1. unscrupulous; 2. *(verantwortungslos)* reckless, irresponsible
Gewissensbisse [gə'vɪsənsbɪsə] *pl* qualms,
remorse
gewissermaßen [gə'vɪsərma:sən] *adv* 1.
(in gewissem Maße) to a certain extent; 2. *(sozusagen)* so to speak, as it were
Gewissheit [gə'vɪshaɪt] *f* certainty
Gewitter [gə'vɪtər] *n* thunderstorm
gewöhnen [gə'vø:nən] *v sich* ~ *an* get used
to, accustom o.s. to, get into the habit of

Gewohnheit [gə'voːnhaɪt] f habit, custom, practice

gewohnheitsmäßig [gə'voːnhaɪtsmɛsɪç] adj 1. habitual; adv 2. habitually, by force of habit

gewöhnlich [gə'vøːnlɪç] adj 1. (gebräuchlich) customary, habitual; 2. (normal) usual, ordinary; 3. (unfein) common, vulgar; adv 4. (üblicherweise) normally, usually

gewohnt [gə'voːnt] adj 1. usual; 2. etw ~ sein to be used to sth, to be accustomed to sth

Gewölbe [gə'vœlbə] n vault, dome

Gewühl [gə'vyːl] n (Gedränge) crowd, throng

Gewürze [gə'vyrtsə] pl spices, seasoning

Geysir [gaɪ'ziːr] m GEO geyser

Gezappel [gə'tsapəl] n (fam) fidgeting

Gezeiten [gə'tsaɪtən] pl tides

Gezwitscher [gə'tsvɪtʃər] n chirping, twittering

gezwungenermaßen [gə'tsvʊŋənərmaːsən] adv of necessity

Getto ['gɛto] n ghetto

Gibbon ['gɪbɔn] m ZOOL gibbon

Gicht [gɪçt] f MED gout

Giebel ['giːbəl] m gable

Gier [giːr] f greed

gierig ['giːrɪç] adj greedy

gießen ['giːsən] v irr 1. (einschenken) pour; 2. (Blumen) water; 3. in Strömen ~ to be raining cats and dogs (fam); 4. (schmelzen) (Statue oder Glocke) TECH found

Gießkanne ['giːskanə] f watering can

Gift [gɪft] n 1. poison; ~ für jdn sein to be very bad for s.o. – und Galle spucken breathe fire and brimstone; Darauf kannst du ~ nehmen. You can bet your life on that. 2. (Schlangengift) venom

giftig ['gɪftɪç] adj poisonous, toxic

Giftstoffe ['gɪftʃtɔfə] pl toxins

gigantisch [gɪ'gantɪʃ] adj gigantic

Gin [dʒɪn] m GAST gin

Gipfel ['gɪpfəl] m 1. GEOL summit, peak, top; 2. POL summit; 3. (fig: Höhepunkt) peak, climax, apex; Das ist der ~! That's the limit!

gipfeln ['gɪpfəln] v in etw ~ culminate in sth

Gipfeltreffen ['gɪpfəltrɛfən] n summit, summit meeting

Gips ['gɪps] m 1. MED plaster; 2. (~verband) cast; 3. MIN gypsum

Giraffe [gi'rafə] f ZOOL giraffe

Girlande [gɪr'landə] f garland, festoon

Gitarre [gi'tarə] f MUS guitar

Gitter ['gɪtər] n 1. (Zaun) fence; 2. (Eisengitter) bars; hinter ~n sitzen to be behind bars; jdn hin-ter ~ bringen put s.o. behind bars; 3. (Gatterwerk) trellis

Gladiator [gla'djaːtɔr] m HIST gladiator

Glanz [glants] m shine, lustre; mit ~ und Gloria in grand style

glänzen ['glɛntsən] v shine, gleam

glänzend ['glɛntsənt] adj 1. shining, gleaming, shiny; 2. (fig) brilliant, dazzling

Glas [glaːs] n 1. (Material) glass; 2. (Trinkglas) glass; ein ~ Wasser a glass of water; zu tief ins ~ schauen have a few too many, have one over the eight (UK), ein ~ über den Durst trinken have one too many, have one over the eight (UK)

glasieren [gla'ziːrən] v 1. glaze; 2. GAST glaze, ice

glasig ['glaːzɪç] adj glassy, glazed

Glasur [gla'zuːr] f 1. TECH glaze, enamel; 2. GAST icing, frosting

glatt [glat] adj 1. (faltenlos) straight, unruffled, smooth; 2. (rutschig) slippery; 3. (fig: mühelos) smooth, straightforward, easy; 4. (fig: heuchlerisch) slick, slippery, glib; 5. (fig: eindeutig) straightforward, clear, outright; ~ streichen smouth out

Glätte ['glɛtə] f 1. (Schneeglätte) slipperiness; 2. (Ebenheit) smoothness

Glatteis ['glataɪs] n black ice; jdn aufs ~ führen lead s.o. up the garden path

glätten ['glɛtən] v 1. (glattmachen) smooth out; 2. (fig: beruhigen) sort out (quarrel), calm

Glatze ['glatsə] f bald head

glatzköpfig ['glatskœpfɪç] adj bald

Glaube ['glaubə] m REL belief, faith, creed; in gutem ~n in good faith

glauben ['glaubən] v 1. believe; Das glaube ich dir nicht. I don't believe you. jdm etw ~ machen make s.o. believe sth; Das ist doch nicht zu ~! That's unbelievable; 2. (meinen, annehmen) think

glaubhaft ['glauphaft] adj credible, plausible, believable

gläubig ['glɔybɪç] adj REL believing, religious

Gläubige(r) ['glɔybɪgə(r)] m/f REL believer

Gläubiger ['glɔybɪgər] m ECO creditor

glaubwürdig ['glaupvyrdɪç] adj credible, plausible

Glaubwürdigkeit ['glaupvyrdɪçkaɪt] f credibility, plausibility

gleich [glaɪç] adj 1. equal, the same; aufs ~e hinauslaufen boil down to the same thing; Gleiches mit Gleichem vergelten give tit for tat; zur ~en Zeit at the same time; in ~em

Abstand at an equal distance; *ist mir ganz ~!* it's all the same to me! *adv* 2. equally, alike; 3. *(bald)* in a minute, presently; *Wir sind ~ da.* We'll be there in just a moment. 4. *(sofort)* immediately, at once, right away

gleichberechtigt ['glaɪçbəreçtɪçt] *adj* having equal rights

Gleichberechtigung ['glaɪçbəreçtɪguŋ] *f* equal rights, equality of rights

gleichen ['glaɪçən] *v irr* equal, to be like, resemble

gleichförmig ['glaɪçfœrmɪç] *adj* regular, even

gleichgestellt ['glaɪçgəʃtɛlt] *adj* of equal standing, on the same footing, equal to

Gleichgewicht ['glaɪçgəvɪçt] *n* 1. balance; *jdn aus dem ~ bringen* disconcert s.o., throw s.o. off balance; *das ~ verlieren* lose one's balance 2. *MED* equilibrium

gleichgültig ['glaɪçgyltɪç] *adj* 1. indifferent; 2. *(unwesentlich)* immaterial, of no consequence

Gleichheit ['glaɪçhaɪt] *f* 1. equality; 2. *(Übereinstimmung)* uniformity

gleichmäßig ['glaɪçmɛːsɪç] *adj* even, regular, steady

Gleichmut ['glaɪçmuːt] *m* calmness, indifference

gleichmütig ['glaɪçmyːtɪç] *adj* even-tempered, calm, composed

Gleichnis ['glaɪçnɪs] *n* 1. simile; 2. *(Allegorie)* allegory

Gleichstellung ['glaɪçʃtɛluŋ] *f* equality

gleichwertig ['glaɪçvertɪç] *adj* equivalent, of equal value, equally good

gleichzeitig ['glaɪçtsaɪtɪç] *adj* simultaneous, concurrent

Gleis [glaɪs] *n* 1. track, rail, line; 2. *(fig)* rut; *jdn aus dem ~ werfen* put s.o. off his stroke; *etw ins rechte ~ bringen* set sth to rights

gleiten ['glaɪtən] *v irr* glide

Gleitzeit ['glaɪttsaɪt] *f* flextime

Gletscher ['glɛtʃər] *m* glacier

Gletscherspalte ['glɛtʃərʃpaltə] *f* crevasse

Glied [gliːt] *n* 1. *(Bestandteil)* division, part, section; 2. *(Kettenglied)* link; 3. *(Körperteil)* ANAT limb, member; *Der Schreck steckt ihr noch in den ~ern.* She's still shaking from the shock. *jdm in die ~er fahren* go right through s.o. 4. *(~teil)* ANAT joint; 5. *(männliches ~)* ANAT penis

gliedern ['gliːdərn] *v* 1. *(aufteilen)* divide; 2. *(anordnen)* arrange, put together, structure

glimpflich ['glɪmpflɪç] *adj* 1. gentle, mild

glitzern ['glɪtsərn] *v* glitter, sparkle, glisten

global [glo'baːl] *adj* global

Globus ['gloːbus] *m* globe

Glocke ['glɔkə] *f* bell; *etw an die große ~ hängen* tell the whole world about sth, bandy sth out

Glöckner ['glœknər] *m* bell-ringer

glorifizieren [glorifi'tsiːrən] *v* glorify

Glossar [glɔ'saːr] *n* glossary

Glosse ['glɔsə] *f* *(Zeitungsglosse)* commentary

Glück [glyk] *n* 1. luck, fortune; *sein ~ versuchen* try one's luck; *Er hat mehr ~ als Verstand.* He's more lucky than smart. *auf gut ~* at random; *noch nichts von seinem ~ wissen* not know anything about it yet; 2. *(Glücklichsein)* happiness

Glucke ['glukə] *f* sitting hen

glücken ['glykən] *v* succeed, work, turn out well

glücklich ['glyklɪç] *adj* 1. fortunate, lucky; 2. *~ sein* to be happy

glücklicherweise [glyklɪçər'vaɪzə] *adv* fortunately, luckily

Glücksbringer ['glyksbrɪŋər] *m* *(Gegenstand)* good-luck charm, talisman

Glückseligkeit [glyk'zeːlɪçkaɪt] *f* happiness, bliss

Glücksfall ['glyksfal] *m* stroke of luck

Glückspilz ['glykspɪlts] *m* lucky devil, lucky dog

Glücksspiel ['glyksʃpiːl] *n* game of chance

Glückwunsch ['glykvunʃ] *m* congratulations *pl*, felicitations *pl*; *Herzlichen ~ zum Geburtstag!* Happy Birthday!

Glühbirne ['glyːbɪrnə] *f* light bulb

glühen ['glyːən] *v* glow, to be aglow

Glühwürmchen ['glyːvyrmçən] *n* ZOOL glow-worm

Glut [gluːt] *f* 1. *(Feuer)* glow, blaze; 2. *(Hitze)* glow, heat; 3. *(fig)* ardour, fervour

Glyzerin [glytsə'riːn] *n* CHEM glycerine

Gnade ['gnaːdə] *f* 1. *(Nachsicht)* mercy; 2. *REL* grace, mercy; 3. *JUR* pardon, clemency; *~ vor Recht ergehen lassen* temper justice with mercy

gnadenlos ['gnaːdənloːs] *adj* merciless

gnädig ['gnɛːdɪç] *adj* 1. merciful, gracious, lenient; 2. *(wohlwollend)* kind; 3. *~e Frau* madam, ma'am

Gold [gɔlt] *n* gold; *~ wert sein* to be as good as gold

golden ['gɔldən] *adj* gold

Goldfisch ['gɔltfɪʃ] *m* ZOOL goldfish

Golf¹ [gɔlf] *n SPORT* golf

Golf² [gɔlf] *m GEO* gulf

Gondel ['gɔndəl] *f* gondola

gönnen ['gœnən] *v* 1. *sich etw* ~ treat o.s. to sth, permit o.s. sth; 2. *jdm etw* ~ grant s.o. sth, not begrudge s.o. sth

Gönner ['gœnər] *m* patron

gönnerhaft ['gœnərhaft] *adj* condescending, patronizing

Gorilla [go'rɪla] *m ZOOL* gorilla

Gosse ['gɔsə] *f* gutter; *in der* ~ *enden* land in the gutter; *jdn aus der* ~ *auflesen* pull s.o. out of the gutter

gotisch ['go:tɪʃ] *adj* Gothic

Gott [gɔt] *m* 1. god, deity; *wie ein junger* ~ like a young god; *von allen Göttern verlassen sein* have taken leave of one's senses; 2. *(als Name)* God; *den lieben* ~ *einen frommen Mann sein lassen* take things as they come; *leider* ~*es* alas; *In* ~*es Namen!* For God's sake! *bei* ~ by God; ~ *bewahre!* Heaven forbid! *Gnade dir* ~*!* God help you! ~ *und die Welt* everybody and his brother, everybody under the sun

gottesfürchtig ['gɔtəsfʏrçtɪç] *adj* god-fearing

gotteslästerlich ['gɔtəslɛstərlɪç] *adj REL* blasphemous

Gotteslästerung ['gɔtəslɛstərʊŋ] *f REL* blasphemy

göttlich ['gœtlɪç] *adj* divine

gottlos ['gɔtlo:s] *adj* 1. godless, impious, ungodly; *adv* 2. impiously

Gourmet [gur'me:] *m GAST* gourmet

Gouverneur [guvɛr'nø:r] *m POL* governor

Grab [gra:p] *n* grave, *(Gruft)* tomb; *sich sein eigenes* ~ *schaufeln* dig one's own grave; *jdn ins* ~ *bringen* to be the death of s.o. *Er hat sein Geheimnis mit ins* ~ *genommen.* He took his secret to his grave. The secret died with him. *sich im* ~ *umdrehen (fig)* roll over in one's grave

graben ['gra:bən] *v irr* dig

Graben ['gra:bən] *m* 1. ditch; 2. *(Burggraben)* moat; 3. *MIL* trench

Grabmal ['gra:pma:l] *n* 1. tomb; 2. *(Grabstein)* gravestone; 3. *(Ehrenmal)* monument

Grabung ['gra:bʊŋ] *f* excavation

Grad [gra:t] *m* 1. degree, extent; *sich um hundertachtzig* ~ *drehen* do a 180-degree turn; 2. *(Abstufung)* grade, standard, rank; 3. *(Maßeinheit)* degree; *siebzehn* ~ *Fahrenheit* seventeen degrees Fahrenheit

Graf [gra:f] *m* count

Graffiti [gra'fɪti] *pl* graffiti

Gräfin ['grɛ:fɪn] *f* countess

Grafschaft ['gra:fʃaft] *f* earldom, county

Gram [gra:m] *m* grief, sorrow, trouble

grämen ['grɛ:mən] *v sich* ~ grieve, worry

Gramm [gram] *n* gramme

Grammatik [gra'matɪk] *f* grammar

grandios [grandɪ'o:s] *adj* 1. grand, magnificent, splendid; *adv* 2. pompously, magnificently

Granit [gra'ni:t] *m MIN* granite; *bei jdm auf* ~ *beißen* to come up against a brick wall with s.o.

Grapefruit ['grɛipfru:t] *f BOT* grapefruit

Grafik ['gra:fik] *f* graphics

Grafiker ['gra:fikər] *m* graphic artist

Grafit [gra'fi:t] *m* graphite

Gras [gra:s] *n* grass; *ins* ~ *beißen* bite the dust *(fam)*; ~ *über etw wachsen lassen* let the dust settle on sth

grasen ['gra:zən] *v* graze

grässlich ['grɛslɪç] *adj* ghastly, frightful, hideous

Grat [gra:t] *m* 1. *(Bergkamm)* ridge; 2. *(überstehende Kante)* edge, *(feiner)* burr

Gräte ['grɛ:tə] *f* fish-bone

Gratifikation [gratɪfika'tsjo:n] *f* bonus

gratis ['gra:tɪs] *adj* gratis, free (of charge)

Gratulation [gratula'tsjo:n] *f* congratulations *pl*

gratulieren [gratu'li:rən] *v* congratulate; *Du kannst dir* ~, *dass ...* You can be thankful that ...

grau [grau] *adj* 1. grey; 2. *(düster)* grey, dismal, gloomy

grauen ['grauən] *v (Furcht haben) Mir graut vor ...* I dread ...

Grauen ['grauən] *n* horror

grauenvoll ['grauənfɔl] *adj* ghastly, atrocious, dreadful

Graupe ['graupə] *f* grain of pearl barley

grausam ['grauza:m] *adj* cruel, brutal

Grausamkeit ['grauza:mkait] *f* cruelty, brutality

gravieren [gra'vi:rən] *v* engrave

gravierend [gra'vi:rənt] *adj* serious, grave

Gravitation [gravita'tsjo:n] *f PHYS* gravitation

Gravur [gra'vu:r] *f* engraving

Grazie ['gra:tsjə] *f* grace, elegance, gracefulness

graziös [gra'tsjø:s] *adj* graceful

greifbar ['graifba:r] *adj* 1. *in* ~*er Nähe* within easy reach; 2. *(zur Verfügung)* available; 3. *(fig: konkret)* tangible

greifen ['graifən] *v irr* seize, grasp, grab; *zum Greifen nah sein* to be within reach

Greis [graɪs] *m* old man

greisenhaft ['graɪzənhaft] *adj* senile

grell [grɛl] *adj* 1. dazzling; 2. *(Stimme)* shrill; 3. *(fig)* loud, glaring

Gremium ['greːmjum] *n* 1. *(Körperschaft)* POL body; 2. *(Ausschuss)* committee

Grenze ['grɛntsə] *f* 1. border, frontier; 2. *(fig)* limit, boundary, bounds; *keine ~n kennen* know no bounds; *sich in ~n halten* to be limited; *jdm ~n setzen* lay down limits for sb

grenzen ['grɛntsən] *v* 1. border, adjoin; 2. *(fig)* border

grenzenlos ['grɛntsənloːs] *adj* 1. boundless, unlimited; *adv* 2. *(fig)* immensely, beyond measure

Grenzfall ['grɛntsfal] *m* borderline case

Grenzwert ['grɛntsveːrt] *m* limit

Griechenland ['griːçənlant] *n* GEO Greece

griesgrämig ['griːsgrɛːmɪç] *adj (fam)* grouchy, grumpy, sullen

Grieß [griːs] *m* 1. grit, gravel; 2. GAST semolina

Griff [grɪf] *m* 1. *(Zugriff)* grab; *einen ~ nach etw machen* reach for sth; 2. *(Handbewegung)* motion; *etw im ~ haben* have sth under control; *etw in den ~ bekommen* master sth; 3. *(Stiel)* shaft, handle; *(Türgriff)* door handle; *das ist ein ~ nach den Sternen* that's just reaching for the stars; *mit festem ~* firmly; *mit etw einen glücklichen ~ tun* make a wise choice with sth

griffig ['grɪfɪç] *adj* 1. *(handlich)* handy; 2. *(nicht rutschig)* easy to get a good grip on; 3. *(Rad, Maschine)* gripping well

Grill [grɪl] *m* grill

grillen ['grɪlən] *v* grill

Grimasse [grɪ'masə] *f* grimace; *eine ~ schneiden* make a face

grimmig ['grɪmɪç] *adj* 1. grim; 2. *(zornig)* furious; 3. *(sehr schlimm)* severe, harsh

grinsen ['grɪnzən] *v (fam)* grin, *(höhnisch)* smirk

Grippe ['grɪpə] *f* MED influenza, the flu

grob [groːp] *adj* 1. *(derb)* crude, coarse; *aus dem Gröbsten heraus sein* to be over the worst; 2. *(rau)* rough, coarse; 3. *(fig: unhöflich)* rude; 4. *(fig: ungefähr)* rough

Groll [grɔl] *m* grudge, bitterness, ill-will

grollen ['grɔlən] *v* grumble, frown, to be sullen

Grönland ['grøːnlant] *n* GEO Greenland

Groschen ['grɔʃən] *m (fig)* penny; *Bei ihm fällt der ~ pfennigweise.* He's a little slow on the uptake.

groß [groːs] *adj* 1. big, large, great; 2. *(~gewachsen)* tall; 3. *(fig: älter)* grown up, older; *unser Größter* our eldest son, our eldest son; 4. *(Hitze)* intense; 5. *(fig: berühmt)* great

großartig ['groːsaːrtɪç] *adj* excellent, superb, magnificent

Großbritannien [groːsbri'tanjən] *n* GEO Great Britain

Großbuchstabe ['groːsbuːxʃtaːbə] *m* capital letter

Größe ['grøːsə] *f* 1. size; 2. ASTR magnitude; 3. *(fig: Wichtigkeit)* greatness, magnitude, eminence; 4. *Er ist eine unbekannte ~.* He's an unknown quantity.

Großeltern ['groːsɛltərn] *pl* grandparents

Größenwahn ['grøːsənvaːn] *m* megalomania, delusions of grandeur

großflächig ['groːsflɛçɪç] *adj* extensive (in area)

Großherzigkeit ['groːshɛrtsɪçkaɪt] *f* generosity

großmütig ['groːsmyːtɪç] *adj* generous

Großmutter ['groːsmutər] *f* grandmother

Großraumbüro ['groːsraumbyroː] *n* ECO open-plan office

größtenteils ['grøːstəntaɪls] *adv* for the most part, mainly, mostly

Großvater ['groːsfaːtər] *m* grandfather

großziehen ['groːstsiːən] *v irr* raise, rear, bring up

großzügig ['groːstsyːgɪç] *adj* 1. generous; 2. *(weiträumig)* spacious

Großzügigkeit ['groːstsyːgɪçkaɪt] *f* generosity

grotesk [gro'tɛsk] *adj* grotesque

Grotte ['grɔtə] *f* grotto

Grübchen ['gryːbçən] *n* dimple

Grube ['gruːbə] *f* 1. hole, pit; 2. MIN pit, mine, quarry

grübeln ['gryːbəln] *v* 1. ponder; 2. *(brüten)* brood

Gruft [gruft] *f* tomb, vault, grave

grün [gryːn] *adj* green; *jdn ~ und blau schlagen* beat s.o. black and blue; *Das ist dasselbe in Grün.* That's six of one and half a dozen of the other. *die Grünen* POL the Green Party

Grund [grunt] *m* 1. *(Erdboden)* ground, land, soil; *festen ~ unter den Füßen haben* to be on terra firma; 2. *(Meeresboden)* bottom of the sea; 3. *(Motiv)* reason, grounds *pl*, cause; *einer Sache auf den ~ gehen* get to the bottom of sth; 4. *im ~e genommen* actually

Grundbesitz ['gruntbəzɪts] *m* real estate, land

gründen ['gryndən] *v* found, establish
Gründer ['gryndər] *m* founder
Grundfläche ['gruntflɛçə] *f* base
Grundgesetz ['gruntgəzɛts] *n* POL constitution; *(das deutsche ~)* POL Basic Law
grundieren [grun'di:rən] *v* prime
Grundierung [grun'di:ruŋ] *f* priming
Grundlage ['gruntla:gə] *f* basis, groundwork, foundation
grundlegend ['gruntle:gənt] *adj* fundamental, basic
gründlich ['gryntlıç] *adj 1.* thorough; *2. (sorgfältig)* careful
grundlos ['gruntlo:s] *adj 1.* unfounded, without reason; *adv 2.* without reason, for no reason
Grundnahrungsmittel ['gruntna:ruŋsmıtəl] *n* basic foodstuffs
Grundrecht ['gruntrɛçt] *n* POL constitutional right
Grundsatz ['gruntzats] *m* principle, rule
grundsätzlich ['gruntzɛtslıç] *adj 1.* fundamental, basic; *adv 2.* fundamentally, *(im Prinzip)* in principle
Grundschule ['gruntʃu:lə] *f* primary school
Grundstein ['gruntʃtain] *m 1.* foundationstone; *den ~ zu etw legen* lay the groundwork for sth; *2. (fig)* foundation
Grundstück ['gruntʃtyk] *n* property, piece of land, plot of land
Gründung ['grynduŋ] *f* foundation, establishment, formation
Gruppe ['grupə] *f* group
gruppieren [gru'pi:rən] *v* group, arrange in a group
gruselig ['gru:zəlıç] *adj* spooky, scary
Gruß [gru:s] *m* greeting, salutation
grüßen ['gry:sən] *v* greet
gültig ['gyltıç] *adj* valid, in force
Gültigkeit ['gyltıçkait] *f* validity, legality, *(Gesetze)* legal force
Gummi ['gumi] *m* rubber
Gummistiefel ['gumiʃti:fəl] *pl* rubber boots, gumboots, wellingtons *(UK)*
Gunst [gunst] *f* favour, partiality; *zu jds ~en* in s.o.'s favour, to s.o.'s advantage
günstig ['gynstıç] *adj* favourable, convenient, advantageous
Günstling ['gynstlıŋ] *m* favourite
Gurgel ['gurgəl] *f* throat; *jdm die ~ zudrücken* strangle s.o.; *sein Geld durch die ~ jagen (fam)* drink away one's money
Gurke ['gurkə] *f 1.* cucumber; *2. (Essiggurke)* gherkin, pickle

Gurt [gurt] *m 1.* belt; *2. (Sicherheitsgurt)* safety belt, seat belt
Gürtel ['gyrtəl] *m* belt, girdle; *den ~ enger schnallen* tighten one's belt
Guss [gus] *m 1. (Gießen)* casting; *2. (Regenguss)* downpour, heavy shower; *3. (Zuckerguss)* GAST icing
gut [gu:t] *adj 1.* good; *es mit etw ~ sein lassen* leave sth at that; *Du hast ja ~ lachen.* It's all very well for you to laugh. *~ daran tun, etw zu tun* to be well-advised to do sth; *für etw ~ sein* to be good for sth; *Alles hat sein Gutes.* Every cloud has a silver lining. *zu viel des Guten sein* to be too much of a good thing; *Du bist ~!* You're really something! *adv 2.* well; *~ aussehend* good-looking; *~ bezahlt* well-paid; *~ gehen* go well, turn out well; *Mir geht's gut.* I'm fine. *Lass es dir ~ gehen!* Take care of yourself! *~ gelaunt* in a good mood, good-humoured; *Gut gemacht!* Well done! *~ und gern* easily; *3. (in Ordnung)* OK, all right
Gut [gu:t] *n 1. (Gutshof)* estate, farm; *2. (Besitz)* belongings, property, assets; *3. (Ware)* ECO goods
Gutachten ['gu:taxtən] *n* expert opinion
Gutachter ['gu:taxtər] *m 1.* expert; *2. (Versicherung)* valuator
gutartig ['gu:ta:rtıç] *adj 1.* good-natured, harmless; *2.* MED benign
Güte ['gy:tə] *f 1.* goodness, kindness, *(Gottes ~)* loving-kindness; *Würden Sie die ~ haben, zu ...* Would you have the goodness/kindness to ...; *2.(Qualität)* quality, excellence; *Meine ~!* My goodness!
gutgläubig ['gu:tglɔybıç] *adv 1.* in good faith; *adj 2. (Mensch)* trusting, *(leichtgläubig)* credulous
Guthaben ['gu:tha:bən] *n* ECO assets, credit, credit balance
gutheißen ['gu:thaisən] *v irr* approve
gutherzig ['gu:thɛrtsıç] *adj* good, kind-hearted
gütig ['gy:tıç] *adj* kind
gutmütig ['gu:tmy:tıç] *adj* good-natured
Gutschein ['gu:tʃain] *m* coupon, voucher, *(für Umtausch)* credit note
gutschreiben ['gu:tʃraibən] *v irr* credit
Gymnasium [gym'na:zjum] *n* nine-year secondary school
Gymnastik [gym'nastık] *f* SPORT gymnastics
Gynäkologe/Gynäkologin [gynɛkɔ'lo:gə/gynɛkɔ'lo:gın] *m/f* gynaecologist

H

Haar [haːr] *n* hair; *~e auf den Zähnen haben* have a sharp tongue; *ein ~ in der Suppe finden* find a fly in the ointment; *sich die ~e raufen* tear one's hair; *jdm kein ~ krümmen* not touch a hair on s.o.'s head; *sich wegen etw keine grauen ~e wachsen lassen* not trouble one's head about sth; *an einem ~ hängen* to be hanging by a thread, to be touch and go; *jdm die ~e vom Kopf fressen* eat s.o. out of house and home; *an den ~en herbeigezogen* farfetched; *sich wegen etw in die ~e geraten* clash over sth; *sich in den ~en liegen* to be quarrelling; *um ein ~* by a hair's breadth; *Mir stehen die ~e zu Berge.* That sets my teeth on edge.

Haarbürste ['haːrbyrstə] *f* hairbrush

Haarspalterei [haːrʃpaltəˈraɪ] *f* splitting hairs

Haarspange ['haːrʃpaŋə] *f* hair slide *(UK)*, barrette *(US)*

Habe ['haːbə] *f* belongings, possessions

haben ['haːbən] *v irr 1.* have; *Das hat etw für sich.* There's much to be said for that. *Recht ~ to* be right; *noch zu ~ sein* have no strings attached, to be available; *für etw zu ~ sein* to be game for sth; *etw gegen jdn ~* have sth against s.o.; *etw hinter sich ~* have got sth over and done with; *etw mit jdm ~* to be carrying on with s.o.; *etw von etw ~* get sth out of sth; *wie gehabt* as usual; *2. geschlossen ~ to* be closed

Haben ['haːbən] *n ECO* credit

habgierig ['haːpgiːrɪç] *adj* greedy

habhaft ['haːphaft] *adj jds ~ werden* get hold of s.o.

Habicht ['haːbɪçt] *m* hawk

Hacke ['hakə] *f 1. (Absatz)* high heel; *2. (Werkzeug)* hoe, pick, pickaxe; *3. ANAT* heel

hacken ['hakən] *v 1. (Holz)* chop; *2. (Erde)* hoe

Hacker ['hakər] *m INFORM* hacker

hadern ['haːdərn] *v* quarrel

Hafen ['haːfən] *m* harbour, port, docks *pl*; *im ~ der Ehe einlaufen* tie the knot, stand at the altar

Haft [haft] *f JUR* imprisonment, detention, confinement

haftbar ['haftbaːr] *adj 1.* liable, legally responsible; *2. jdn ~ machen* hold s.o. responsible, make s.o. responsible

haften ['haftən] *v 1. (kleben)* stick to, adhere to, cling to; *2. (bürgen)* to be liable, to be answerable, to be responsible

Häftling ['hɛftlɪŋ] *m* prisoner

Haftpflichtversicherung ['haftpflɪçtfɛrzɪçəruŋ] *f JUR* third party insurance

Haftung ['haftuŋ] *f JUR* liability, responsibility

Hagel ['haːgəl] *m* hail

hageln ['haːgəln] *v* hail

hager ['haːgər] *adj* gaunt, haggard, skinny

Hahn [haːn] *m 1. (Wasserhahn)* water-tap, faucet *(US); 2. ZOOL* cock; *Kein ~ kräht danach.* Nobody gives two hoots about it.

Hai [haɪ] *m ZOOL* shark

Hain [haɪn] *m* grove

häkeln ['hɛːkəln] *v* crochet

Haken ['haːkən] *m 1.* hook, peg; *2. (fig)* snag, hitch; *einen ~ schlagen* dart sideways

halb [halp] *adj* half; *~ voll* half full; *eine ~ Stunde* half an hour; *~ so viel* half as much; *Er ist nur eine ~e Portion. (fam)* He's a half-pint.

halbieren [halˈbiːrən] *v 1.* halve, cut in two; *2. MATH* bisect

Halbinsel ['halpɪnzəl] *f* peninsula

halbjährlich ['halpjɛːrlɪç] *adj 1.* half-yearly; *adv 2.* twice a year, every six months

Halbkugel ['halpkuːgəl] *f* hemisphere

Halbmond ['halpmoːnt] *m 1. ASTR* half-moon; *2. (Symbol)* crescent

Halbpension ['halppɛnsjoːn] *f* half board, room with breakfast and one other meal

halbtags ['halptaːks] *adv* part-time, half-days

Halbzeit ['halptsaɪt] *f 1. (Pause) SPORT* half-time; *2. (Spielhälfte) SPORT* half

Hälfte ['hɛlftə] *f* half

Halfter ['halftər] *m/n 1. (Pferdehalfter)* halter; *2. (für Pistole)* holster

Halle ['halə] *f 1.* hall; *2. (Empfangshalle eines Hotels)* lobby, vestibule; *3. SPORT* indoor court

hallen ['halən] *v* echo, resound, reverberate

hallo ['haloː] *interj 1.* hello, hullo, hi; *2. (um jdn auf etw aufmerksam zu machen)* hey, hello; *3. (am Telefon)* hello

Halluzination [halutsinaˈtsjoːn] *f* hallucination

Halm [halm] *m* stalk, stem; *(Grashalm)* blade of grass

Hals [hals] *m 1. ANAT* neck; *jdm den ~ kosten* cost s.o. his neck; *den ~ aus der Schlinge ziehen* get out of a tight spot; *Sie kriegt den ~ nicht voll.* She's never satisfied. *sich jdm an den ~ werfen* throw o.s. at s.o.; *bis über den ~ in Schulden stecken* to be up to one's ears in debt; *jdm jdn auf den ~ schicken* set s.o. on s.o.; *etw in den falschen ~ bekommen* get the wrong end of the stick; *Bleib mir nur vom ~!* Get off my back! *sich etw vom ~ halten* get rid of sth; *~ über Kopf* head over heels; *Er hängt mir zum ~ heraus.* I'm sick and tired of him. *Du stehst mir bis zum ~.* I'm sick and tired of you. *2. (Kehle) ANAT* throat; *3. (Flaschenhals)* neck

Halstuch ['halstuːx] *n* scarf

halt¹ [halt] *interj* stop

halt² [halt] *adv* just

Halt [halt] *m 1.* hold; *2. (Stütze)* support; *ohne inneren ~* insecure; *3. (Aufenthalt)* stop, halt; *~ machen* stop, halt

haltbar ['haltbaːr] *adj 1. (widerstandsfähig)* durable, stable, strong; *2. (fig: Theorie)* tenable; *3. (unverderblich)* not perishable; *mindestens ~ bis 21. Juli* use by July 21st

halten ['haltən] *v irr 1. (festhalten)* hold, clutch; *2. (Rede)* make, hold; *3. (dauern)* keep, last; *sich vor Lachen nicht ~ können* split one's sides laughing; *4. wenig von etw ~* think little of sth; *etw für etw ~* believe sth to be sth; *5. den Kurs ~* hold one's course; *6. sein Wort ~* keep one's word; *7. den Mund ~* keep quiet; *8. (Zug)* stop; *9. sich ... ~ (so bleiben, wie man ist)* keep; *10. sich an etw ~* adhere to sth

Halter ['haltər] *m 1. (Griff)* handle; *2. (Eigentümer)* owner

Haltestelle ['haltəʃtɛlə] *f* stop

haltlos ['haltloːs] *adj 1. (unbeständig)* unstable, unsteady; *2. (unbegründet)* groundless, unfounded, baseless

Haltung ['haltuŋ] *f 1. (Körperhaltung)* posture, carriage; *~ annehmen* stand at attention; *2. (Verhalten)* attitude, approach; *3. (Selbstbeherrschung)* composure

hämisch ['hɛːmɪʃ] *adj 1.* malicious, spiteful, sneering; *adv 2. sich ~ freuen* gloat

Hammel ['haməl] *m ZOOL* wether

Hammer ['hamər] *m* hammer; *unter den ~ kommen* come under the hammer; *einen ~ haben* to be round the bend

hämmern ['hɛmərn] *v* hammer, rap, beat

Hampelmann ['hampəlman] *m 1.* jumping jack; *2. (Kasper)* clown

Hamster ['hamstər] *m ZOOL* hamster

Hand [hant] *f* hand; *jds ~ ergreifen* clasp s.o.'s hand; *Er ist gleich bei der ~.* He's close at hand. *seine ~ im Spiel haben* have a hand in sth; *Er hat zwei linke Hände.* He's all thumbs. *jdm freie ~ lassen* allow s.o. a free hand; *zur rechten ~* on the right-hand side; *etw in die ~ nehmen* take charge of sth; *etw zur ~ nehmen* pick sth up; *jds rechte ~ sein* to be s.o.'s right-hand man; *~ in ~* hand in hand; *eine ~ voll* handful; *sich für etw die ~ abhacken lassen* stake one's life on sth; *bei etw mit ~ anlegen* lend a hand with sth; *seine ~ aufhalten* hold out one's hand (fig); *~ und Fuß haben* make sense; *die ~ gegen jdn erheben* lay hand on s.o.; *die ~ auf etw halten* keep a tight rein on sth; *die ~ für etw ins Feuer legen* vouch for sth; *freie ~ bei etw haben* get a free hand with sth; *eine glückliche ~ haben* have the magic touch; *auf der ~ liegen* to be obvious; *Informationen aus erster ~* first-hand information; *mit der linken ~ (fig)* with one's eyes shut; *sich in der ~ haben* have o.s. under control; *Das lässt sich nicht von der ~ weisen.* There's no getting away from it. *jdm zur ~ gehen* give s.o. a hand; *etw zur ~ haben* have sth handy; *etw gegen jdn in der ~ haben* have the goods on s.o. (fam); *hinter vorgehaltener ~* on the quiet; *von der ~ in den Mund* hand to mouth; *Ihm rutscht leicht die ~ aus.* He has a quick temper. *in guten Händen sein* to be in good hands; *Es ist mir in die Hände gefallen. (fig)* It fell into my hands. *in die Hände spucken (fig)* roll up one's sleeves; *mit Händen und Füßen reden* gesture wildly; *seine Hände in den Schoß legen* sit and twiddle one's thumbs; *sich mit Händen und Füßen wehren* fight tooth and nail; *die Hände über dem Kopf zusammenschlagen* throw up one's hands in horror; *sich die Hände reiben* rub one's hands in glee; *Ich wasche meine Hände in Unschuld.* I wash my hands of it. *Das kannst du dir an beiden Händen abzählen.* You can see that coming a mile away. *Mir sind die Hände gebunden. (fig)* My hands are tied.

Handarbeit ['hantarbaɪt] *f 1.* work done by hand; *2. (Nähen, Sticken)* needlework; *3. (körperliche Arbeit)* manual work

Handball ['hantbal] *m SPORT* handball, team handball *(US)*

Handbremse ['hantbrɛmzə] *f* hand-brake

Händedruck ['hɛndədruk] *m* handshake

Handel ['handəl] *m 1. ECO* trade, dealing, commerce; *2. (Laden) ECO* shop

handeln ['handəln] *v 1. (tätig sein)* act; *für jdn ~* act for s.o.; *nach jds Rat ~* act on s.o.'s advice; *2. (Handel treiben)* trade, deal, do business; *3. (feilschen)* bargain; *4. sich ~ um* to be a matter of, concern, to be a question of
Händeschütteln ['hɛndəʃytəln] *n* handshake, shaking hands
handfest ['hantfɛst] *adj 1. (robust)* robust, strong, sturdy; *2. (fig)* substantial, concrete
Handfläche ['hantflɛçə] *f* palm
Handgelenk ['hantgəlɛŋk] *n* wrist; *aus dem ~ heraus* off the cuff
Handgemenge ['hantgəmɛŋə] *n* scuffle
Handgepäck ['hantgəpɛk] *n* small luggage, hand baggage *(US)*
handgreiflich ['hantgraɪflɪç] *adj ~ werden* apply physical force, become violent
Handgriff ['hantgrɪf] *m 1. (Griff)* handle; *2. (kleine Mühe)* lifting a finger, flick of the wrist
handhaben ['hantha:bən] *v* handle
Handikap ['hɛndɪkɛp] *n* handicap
Handlanger ['hantlaŋər] *m (verächtlich)* underling, henchman, stooge
Händler ['hɛndlər] *m* dealer, merchant
handlich ['hantlɪç] *adj* handy, easy to handle
Handlung ['handluŋ] *f 1. (Tat)* act, action, deed; *2. (Laden)* trade, business, shop; *3. (Geschehen) LIT* story, plot
Handrücken ['hantrykən] *m ANAT* back of the hand
Handschellen ['hantʃɛlən] *pl* handcuffs
Handschlag ['hantʃla:g] *m* handshake
Handschrift ['hantʃrɪft] *f* handwriting
Handschuh ['hantʃu:] *m* glove
Handtasche ['hanttaʃə] *f* handbag
Handtuch ['hanttu:x] *n* towel; *das ~ werfen* throw in the towel
Handwerk ['hantvɛrk] *n* trade, craft; *jdm ins ~ pfuschen* interfere with s.o.'s work
Handwerker ['hantvɛrkər] *m* craftsman, tradesman
Handzettel ['hanttsɛtəl] *m* leaflet
Hanf [hanf] *m BOT* hemp
Hang [haŋ] *m 1. (Abhang)* slope, slant, inclination; *2. (fig: Neigung)* inclination, leaning, tendency
Hängematte ['hɛŋəmatə] *f* hammock
hängen ['hɛŋən] *v irr 1. (befestigt sein)* hang; *2. (herabhängen)* hang, to be suspended, hang down; *3. (aufhängen)* hang up, suspend; *4. an jdm ~ (fig: gern haben)* to be attached to s.o., to be fond of s.o.; *mit Hängen und Würgen* by the skin of one's teeth; *5. ~*

bleiben get stuck, get caught; *An mir bleibt alles hängen.* I get stuck with everything. *im Gedächtnis ~ bleiben* stick in one's memory; *in der Schule ~ bleiben* to be held back; *an einem Ort ~ bleiben* to be held up; *(Blick)* rest; *6. ~ lassen (fig) jdn ~* let s.o. down
hänseln ['hɛnzəln] *v jdn ~* tease s.o., pull s.o.'s leg
Hantel ['hantəl] *f* dumbbell
hantieren [han'ti:rən] *v (herum~)* tinker, fiddle about
Happy End ['hæpɪ'ɛnd] *n* happy ending
Harfe ['harfə] *f MUS* harp
harmlos ['harmlo:s] *adj (ungefährlich)* harmless, innocent, inoffensive
Harmonie [harmo'ni:] *f* harmony
harmonieren [harmo'ni:rən] *v* harmonize
harmonisch [har'mo:nɪʃ] *adj 1.* harmonic; *2. (fig)* harmonious
Harmonium [har'monjum] *n MUS* harmonium
Harn [harn] *m* urine
Harpune [har'pu:nə] *f* harpoon
harren ['harən] *v* await, wait for, look forward to
harsch [harʃ] *adj* harsh
hart [hart] *adj 1.* hard, firm, solid; *2. (streng)* strict, harsh, severe
Härte ['hɛrtə] *f 1.* hardness; *2. (Strenge)* strictness, hard-heartedness, toughness
hartnäckig ['hartnɛkɪç] *adj* obstinate, persistent, stubborn
Harz [harts] *m* resin
haschen ['haʃən] *v* catch, snatch; *nach Komplimenten ~* fish for compliments; *sich ~* play tag
Haschisch ['haʃɪʃ] *n* hashish
Hase ['ha:zə] *m ZOOL* hare, rabbit *(US)*; *ein alter ~ sein* to be an old hand
Haselnuss ['ha:zəlnus] *f BOT* hazelnut
Hass [has] *m* hatred, hate
hassen ['hasən] *v* hate, detest, loathe
hässlich ['hɛslɪç] *adj* ugly
Hast [hast] *f* haste, hurry
hasten ['hastən] *v* hurry, rush, race
hastig ['hastɪç] *adj 1.* hasty, hurried; *adv 2.* hastily, hurriedly
Haube ['haubə] *f 1.* bonnet; *2. (Mütze)* cap; *3. (eines Autos)* bonnet *(UK)*, hood *(US)*; *4. jdn unter die ~ bringen* marry s.o. off
Hauch [haux] *m 1. (Atem)* breath; *2. (Luft)* breath of air, breeze; *3. (Duft)* whiff; *4. (geringe Menge)* touch, tinge
hauchen ['hauxən] *v* breathe

hauen ['hauən] *v irr* hit, strike
Haufen ['haufən] *m* 1. heap, pile, mass; 2. *(Schar)* crowd; 3. *(fam)* ein ~ Arbeit a ton of work; jdn über den ~ fahren knock s.o. down; etw über den ~ werfen put the kibosh on sth
häufen ['hɔyfən] *v* heap, pile up
haufenweise ['haufənvaizə] *adv* 1. in heaps; 2. *(Menschen)* in droves
häufig ['hɔyfɪç] *adj* 1. frequent; *adv* 2. often, frequently
Häufigkeit ['hɔyfɪçkaɪt] *f* frequency
Haupt [haupt] *n* head
hauptberuflich ['hauptbəru:flɪç] *adj* full-time
Häuptling ['hɔyptlɪŋ] *m* chief
Hauptmann ['hauptman] *m* captain
Hauptquartier ['hauptkvarti:r] *n* headquarters
Hauptrolle ['hauptrɔlə] *f* CINE leading role, lead
hauptsächlich ['hauptzɛçlɪç] *adj* 1. principal, primary, main; *adv* 2. mainly, above all, principally
Hauptstadt ['hauptʃtat] *f* capital
Hauptstraße ['hauptʃtra:sə] *f* main street, main road
Hauptverkehrszeit ['hauptfɛrke:rstsaɪt] *f* rush hour, peak hours
Hauptwort ['hauptvɔrt] *m* GRAMM noun
Haus [haus] *n* 1. house; zu ~e at home; jdn das ~ einrennen pester s.o.; jdm das ~ verbieten ban s.o. from the premises; mit der Tür ins ~ fallen blurt out the news; ins ~ stehen to be just around the corner (fig); jdm ins ~ schneien drop in on s.o.; Sie ist außer ~. She's not in. nach ~e home; nach ~e kommen get home; 2. *(Gebäude)* building; Sie ist außer ~. She's not in.
Hausarbeit ['hausarbaɪt] *f* 1. housework; 2. *(Hausaufgaben)* homework
Hausaufgaben ['hausaufga:bən] *pl* homework
hausbacken ['hausbakən] *adj (fig)* frumpish, plain, homespun
hausen ['hauzən] *v* 1. *(wohnen)* live; 2. *(Zerstörungen anrichten)* ravage
Häuserblock ['hɔyzərblɔk] *m* block
Haushalt ['haushalt] *m* 1. household; 2. *(Staatshaushalt)* POL budget
haushalten ['haushaltən] *v irr* 1. keep house; 2. *(sparsam sein)* budget, economize
Hausherr/Hausherrin ['hausɛr/'hausɛrɪn] *m/f* 1. *(Familienoberhaupt)* man of the house/lady of the house; 2. *(Gastgeber)* host/

hostess; 3. *(Vermieter)* landlord/landlady; 4. die Hausherren SPORT the home team
hausieren [hau'zi:rən] *v* peddle, hawk
Hausierer [hau'zi:rər] *m* pedlar, hawker, peddler *(US)*
häuslich ['hɔyslɪç] *adj* 1. domestic; 2. *(an ~en Dingen interessiert)* domesticated
Hausmannskost ['hausmanskɔst] *f* plain cooking
Hausmeister ['hausmaɪstər] *m* caretaker, janitor
Hausordnung ['hausɔrdnuŋ] *f* house rules
Hausschuh ['hausʃu:] *m* slipper
Haustier ['hausti:r] *n* domestic animal
Hausverbot ['hausfɛrbo:t] *n* order to stay away, off-limits order
Hausverwaltung ['hausfɛrvaltuŋ] *f* property management
Haut [haut] *f* ANAT skin; nur noch ~ und Knochen sein to be all skin and bones; seine eigene ~ retten save one's own skin; sich seiner ~ wehren put up stubborn resistance; sich auf die faule ~ legen take it easy; aus der ~ fahren fly off the handle; Er kann nicht aus seiner ~ heraus. A leopard can't change his spots. Ich möchte nicht in deiner ~ stecken. I wouldn't like to be in your shoes. mit heiler ~ davonkommen get out by the skin of one's teeth; mit ~ und Haaren completely; jdm unter die ~ gehen get under s.o.'s skin
häuten ['hɔytən] *v* skin
Hautfarbe ['hautfarbə] *f* skin colour
Hebamme ['he:bamə] *f* midwife
Hebebühne ['he:bəby:nə] *f* TECH lift, platform lift, lifting stage
Hebel ['he:bəl] *m* TECH lever; alle ~ in Bewegung setzen pull out all the stops; am längeren ~ sitzen to be in the stronger position
heben ['he:bən] *v irr* 1. *(hochheben)* lift, raise; einen ~ knock one back (fam); 2. *(steigern)* raise, enhance, improve
Hecht [hɛçt] *m* ZOOL pike
Heck [hɛk] *n* 1. *(Auto)* tail, rear; 2. *(Schiff)* stern
Hecke ['hɛkə] *f* BOT hedge
Heer [he:r] *n* MIL army
Hefe ['he:fə] *f* yeast
Heft [hɛft] *n* 1. *(Zeitschrift)* magazine; 2. *(Broschüre)* booklet; 3. *(Übungsheft)* exercise-book, workbook
heften ['hɛftən] *v* 1. *(befestigen)* attach, fix, pin; 2. *(nähen)* tack, stitch
Hefter ['hɛftər] *m* file, *(Heftmaschine)* stapler

heftig ['hɛftɪç] *adj 1.* severe, vehement, fierce; *adv 2.* severely, vehemently, intensely

Hegemonie [hegemo'niː] *f POL* hegemony

hegen ['heːgən] *v 1. (pflegen)* care for; *2. (empfinden)* harbour, harbor *(US)*

Hehl [heːl] *m keinen ~ aus etw machen* make no secret of sth, make no bones about sth

Hehler ['heːlər] *m* fence (fam), receiver of stolen goods

Heide¹ ['haɪdə] *m* heathen, pagan

Heide² ['haɪdə] *f* heath, moor, moorland

Heidelbeere ['haɪdəlbeːrə] *f BOT* bilberry, blueberry *(US)*, huckleberry *(US)*

heidnisch ['haɪdnɪʃ] *adj REL* heathen, pagan

heikel ['haɪkəl] *adj 1. (Angelegenheit)* delicate, tricky, awkward; *2. (Person: wählerisch)* fussy, fastidious, particular

Heil [haɪl] *n 1. REL* salvation; *2.* well-being, welfare, good; *interj 3. HIST* hail

Heiland ['haɪlant] *m REL* Saviour

heilbar ['haɪlbaːr] *adj* curable

heilen ['haɪlən] *v 1.* heal, to be cured; *2. (jdn ~)* cure, heal

heilig ['haɪlɪç] *adj REL* holy; *~ sprechen* canonize

Heiligabend [haɪlɪç'aːbənt] *m REL* Christmas Eve

Heilige(r) ['haɪlɪgə(r)] *m/f REL* saint

Heilung ['haɪluŋ] *f MED* curing, healing, cure

Heim [haɪm] *n* home

Heimat ['haɪmat] *f* native country, home, home country

heimatlos ['haɪmatloːs] *adj* homeless

Heimfahrt ['haɪmfaːrt] *f 1.* the way home, journey home; *2. NAUT* return voyage

heimisch ['haɪmɪʃ] *adj 1. (heimatlich)* home; *2. (vertraut)* familiar

Heimkehr ['haɪmkeːr] *f* return home

heimkehren ['haɪmkeːrən] *v* return home

heimlich ['haɪmlɪç] *adj 1. (verstohlen)* surreptitious, clandestine, furtive; *2. (geheim)* secret; *adv 3.* secretly, surreptitiously

Heimlichtuer ['haɪmlɪçtuːər] *m* secretive person

Heimweg ['haɪmveːk] *m* the way home

Heimweh ['haɪmveː] *n 1.* homesickness; *2. (nach Vergangenem)* nostalgia

Heimwerker ['haɪmvɛrkər] *m* hobbyist, do-it-yourselfer

heimzahlen ['haɪmtsaːlən] *v* pay back, get back at, get even with

Heinzelmännchen ['haɪntsəlmɛnçən] *n* friendly elf

Heirat ['haɪraːt] *f* marriage

heiraten ['haɪraːtən] *v* marry

heiser ['haɪzər] *adj* hoarse, husky

heiß [haɪs] *adj 1.* hot; *ein ~es Eisen (fig)* a hot potato; *~e Luft* hot air; *Da läuft es einem ~ und kalt über den Rücken.* It sends shivers running down your spine. *2. (heftig)* heated, vehement, passionate; *~ ersehnt* fervently longed for; *~ geliebt* dearly beloved; *~ umstritten* very controversial, hotly debated, hotly disputed; *~ umkämpft* embattled

heißen ['haɪsən] *v irr 1. (nennen)* call, name; *2. (bezeichnet werden)* to be named, to be called; *3. (bedeuten)* mean, signify; *4. jdn willkommen ~* welcome s.o.; *5. es heißt (man sagt)* they say

heiter ['haɪtər] *adj 1. (fröhlich)* cheerful, jolly, bright; *2. (sonnig)* bright, cheerful, fair; *Das kann ja ~ werden!* Now we're in for it!

Heiterkeit ['haɪtərkaɪt] *f* cheerfulness, brightness, gaiety

heizen ['haɪtsən] *v* heat

Heizung ['haɪtsuŋ] *f* heating

Hektar ['hɛktar] *n* hectare

Hektik ['hɛktɪk] *f* hectic pace

hektisch ['hɛktɪʃ] *adj* hectic

Held [hɛlt] *m* hero

heldenhaft ['hɛldənhaft] *adj 1.* heroic, valiant; *adv 2.* heroically, valiantly

Heldentat ['hɛldəntaːt] *f* heroic deed, feat

Heldentum ['hɛldəntuːm] *n* heroism

helfen ['hɛlfən] *v irr* help, assist

Helfer ['hɛlfər] *m* helper, assistant

Helfershelfer ['hɛlfərshɛlfər] *m* accessory

Helikopter [heli'kɔptər] *m* helicopter

Helium ['heːlium] *n CHEM* helium

hell [hɛl] *adj 1. (Licht)* bright, light; *2. (Klang)* clear, ringing, resonant; *3. (fig: aufgeweckt)* bright, intelligent, shrewd

Hellhörigkeit ['hɛlhøːrɪçkaɪt] *f 1. (scharfes Gehör)* good ears; *2. (Schalldurchlässigkeit)* poor soundproofing; *3. (fig: Aufmerksamkeit)* alertness, attentiveness

Helligkeit ['hɛlɪçkaɪt] *f* brightness, brilliance, lightness

Hellseher ['hɛlzeːər] *m* clairvoyant, visionary

Helm [hɛlm] *m* helmet

Hemd [hɛmt] *n* shirt; *sein letztes ~ hergeben* give the shirt off one's back; *kein ~ mehr auf dem Leib haben* have lost one's shirt

Hemisphäre [hemi'sfɛːrə] f ASTR hemisphere

hemmen ['hɛmən] v impede, hinder, obstruct

Hemmschwelle ['hɛmʃvɛlə] f PSYCH inhibition threshold

hemmungslos ['hɛmuŋsloːs] adj 1. uninhibited, unrestrained; adv 2. without restraint; ~ weinen cry uncontrollably

Henkel ['hɛŋkəl] m handle

Henne ['hɛnə] f ZOOL hen

Hepatitis [hepa'tiːtis] f MED hepatitis

her [heːr] adv 1. (örtlich) from; Wo hat sie das ~? Where did she get that from? Wo sind Sie ~? Where do you come from? hinter jdm ~ sein to be after s.o.; 2. (zeitlich) since, ago; 3. (in Aufforderung) here; Her damit! Give me that! Komm ~! Come here! 4. Mit ihm ist es nicht weit ~. He's nothing to write home about. 5. (Standpunkt) von der Idee ~ as far as the idea is concerned

herab [hɛ'rap] adv down, downward

herablassen [hɛ'raplasən] v irr let down, lower

herablassend [hɛ'raplasənt] adj condescending, patronising, supercilious

herabsetzen [hɛ'rapzɛtsən] v 1. (vermindern) lower, reduce, cut; 2. (herabwürdigen) belittle, disparage

herabwürdigen [hɛ'rapvyːrdɪgən] v 1. belittle, disparage; 2. sich ~ demean o.s., lower o.s.

heran [hɛ'ran] adv 1. (örtlich) here; 2. (zeitlich) near

herankommen [hɛ'rankɔmən] v irr 1. approach, draw near; 2. (ergreifen) an etw ~ get hold of sth

heranschleichen [hɛ'ranʃlaiçən] v irr ~ an creep up on, steal up on, sidle up to

herantasten [hɛ'rantastən] v sich an etw ~ approach sth cautiously

herantragen [hɛ'rantraːgən] v irr 1. bring over; 2. etw an jdn ~ (fig) put sth to s.o., bring sth up to s.o.

heranwachsen [hɛ'ranvaksən] v irr grow up

Heranwachsende [hɛ'ranvaksəndə] pl adolescents pl

herauf [hɛ'rauf] adv up

heraufbeschwören [hɛ'raufbəʃvøːrən] v irr conjure up, bring on

heraus [hɛ'raus] adv out

herausarbeiten [hɛ'rausarbaitən] v etw ~ work sth out

herausbekommen [hɛ'rausbəkɔmən] v irr 1. (Wechselgeld) receive change, get change; 2. (fig: herausfinden) find out, get to the bottom of

herausfinden [hɛ'rausfɪndən] v irr find out

herausfordern [hɛ'rausfɔrdərn] v 1. challenge; 2. (Trotz bieten) defy; 3. (provozieren) provoke

Herausforderung [hɛ'rausfɔrdəruŋ] f challenge, defiance, provocation

herausgeben [hɛ'rausgeːbən] v irr 1. hand out; 2. (Buch) publish, (als Bearbeiter) edit

Herausgeber(in) [hɛ'rausgeːbər(ɪn)] m/f 1. publisher; 2. (Redakteur(in)) editor

herausragend [hɛ'rausraːgənt] adj 1. projecting; 2. (fig) outstanding

herausreden [hɛ'rausreːdən] v sich ~ make excuses

herausstellen [hɛ'rausʃtɛlən] v 1. put outside; 2. (hervorheben) emphasize; 3. sich ~ als prove to be; es stellte sich heraus, dass … it turned out that …

herausstrecken [hɛ'rausʃtrɛkən] v stick out, put out

heraussuchen [hɛ'rauszuːxən] v choose, select, pick out

herb [hɛrp] adj 1. (Geschmack) harsh, sharp; 2. (fig: Kritik) harsh; 3. (fig: Schönheit) plain, austere

herbei [hɛr'bai] adv along, over

herbeieilen [hɛr'baiailən] v hurry over

herbeiführen [hɛr'baifyːrən] v 1. lead up; 2. (fig) cause, induce, give rise to

herbeisehnen [hɛr'baizeːnən] v yearn for, long for

Herberge ['hɛrbɛrgə] f 1. lodging; 2. (Jugendherberge) youth hostel

herbringen ['heːrbrɪŋən] v irr bring over, bring round, bring here

Herbst [hɛrpst] m autumn, fall (US)

Herd [heːrt] m hearth, cooking-stove

Herde ['heːrdə] f herd, drove; mit der ~ laufen follow the crowd

Herdplatte ['heːrtplatə] f hot plate

herein [hɛ'rain] adv 1. in; 2. Herein! Come in!

hereinbitten [hɛ'rainbɪtən] v irr ask in, invite in

hereinbrechen [hɛ'rainbrɛçən] v irr (fig) close in, set in, befall

hereinkommen [hɛ'rainkɔmən] v irr come in, walk in; Komm nur herein! Come on in!

hereinlassen [hɛ'raɪnlasən] *v irr* let in

hereinlegen [hɛ'raɪnleːgən] *v (jdn ~)* trick, dupe

herfallen ['heːrfalən] *v irr* 1. *über jdn ~* attack s.o.; 2. *über etw ~* pounce upon sth

Hergang ['heːrgaŋ] *m* course of events

Hering ['heːrɪŋ] *m ZOOL* herring

herkommen ['heːrkɔmən] *v irr* 1. *(näher kommen)* come near, approach; 2. *(herstammen)* originate, derive from, to be due to

herkömmlich ['heːrkœmlɪç] *adj* customary, conventional, traditional

Herkunft ['heːrkunft] *f* origin, descent, source

herleiten ['heːrlaɪtən] *v* 1. bring here; 2. *(folgern)* derive; 3. *sich von etw ~* come from sth, to be derived from sth

Hermelin [hɛrmə'liːn] *n ZOOL* ermine

hermeneutisch [hɛrme'nɔytɪʃ] *adj PHIL* hermeneutic

Heroin [hero'iːn] *n CHEM* heroin

heroisch [he'roːɪʃ] *adj* heroic

Herold ['heːrɔlt] *m* 1. herald; 2. *(fig)* harbinger

Herr [hɛr] *m* 1. *(Mann)* gentleman; 2. *(vor Eigennamen)* Mr., Mister; *~ Doktor Huber* Doctor Huber; 3. *(Gebieter)* lord, master, ruler, sovereign; *der ~ im eigenen Haus sein* wear the trousers (fam); *über jdn ~ werden* to master s.o.

Herrenhaus ['hɛrənhaus] *n* manor house

herrenlos ['hɛrənloːs] *adj* 1. abandoned, ownerless; 2. *(Hund)* stray

Herrin ['hɛrɪn] *f* mistress

herrisch ['hɛrɪʃ] *adj* arrogant, domineering, haughty

herrlich ['hɛrlɪç] *adj* 1. wonderful, delightful, glorious; 2. *(reizend)* lovely, gorgeous

Herrlichkeit ['hɛrlɪçkaɪt] *f* excellence, magnificence, splendour

Herrschaft ['hɛrʃaft] *f* power, supremacy, rule

herrschaftlich ['hɛrʃaftlɪç] *adj (vornehm)* grand, elegant

herrschen ['hɛrʃən] *v* 1. *(regieren)* dominate, rule, reign over; 2. *(bestehen)* prevail

Herrscher ['hɛrʃər] *m* ruler, sovereign

Herrschsucht ['hɛrʃzuxt] *f* 1. thirst for power, imperiousness; 2. *(fig)* domineering nature, imperiousness

herrühren [hɛ'ryːrən] *v* emanate from, spring from, derive from; *Das rührt von seinem Unfall her.* That dates back to his accident.

herstellen ['heːrʃtɛlən] *v* 1. *(erzeugen)* produce, make, manufacture; 2. *(fig: realisieren)* create, establish

Herstellung ['heːrʃtɛluŋ] *f* 1. *(Erzeugung)* production, manufacture; 2. *(Realisierung)* establishment, bringing about

herüber [hɛ'ryːbər] *adv* across, over here

herum [hɛ'rum] *adv* round, around, about

herumkommen [hɛ'rumkɔmən] *v irr* 1. *(reisen)* get around; 2. *(fig) um etw ~* avoid sth, get around sth

herumsprechen [hɛ'rumʃprɛçən] *v irr sich ~* get around, go around

herumtreiben [hɛ'rumtraɪbən] *v irr sich ~* knock around, hang around

Herumtreiber [hɛ'rumtraɪbər] *m* 1. loafer; 2. *(Mensch ohne festen Wohnsitz)* vagabond, drifter

herunter [hɛ'runtər] *adv* down

herunterfallen [hɛ'runtərfalən] *v irr* fall down, drop

heruntergekommen [hɛ'runtərgəkɔmən] *adj* neglected, run-down

herunterkommen [hɛ'runtərkɔmən] *v irr* 1. come down; 2. *(fig)* deteriorate, go downhill

herunterschlucken [hɛ'runtərʃlukən] *v* swallow

herunterspielen [hɛ'runtərʃpiːlən] *v (fam) etw ~* play sth down

herunterwirtschaften [hɛ'runtərvɪrtʃaftən] *v* ruin by mismanagement

hervor [hɛr'foːr] *adv* out, forward

hervorbringen [hɛr'foːrbrɪŋən] *v irr* 1. *(erzeugen)* produce, generate; 2. *(sagen)* utter

hervorgehen [hɛr'foːrgeːən] *v irr* 1. *aus etw ~ Aus der Ehe gingen drei Kinder hervor.* The marriage produced three children. *Er ging aus dem Wettkampf als Sieger hervor.* He emerged as the winner of the competition. 2. *(zu folgern sein)* follow

hervorheben [hɛr'foːrheːbən] *v irr* emphasize, stress, underline

hervorragen [hɛr'foːrraːgən] *v* 1. stand out, stick out; 2. *(fig)* stand out

hervorragend [hɛr'foːrraːgənt] *adj* 1. *(ausgezeichnet)* outstanding, excellent, first-rate; 2. *(fig)* eminent, distinguished

hervorrufen [hɛr'foːrruːfən] *v irr (fig)* provoke, produce, bring about

Herz [hɛrts] *n* heart; *ein ~ und eine Seele sein* to be inseparable; *jdm sein ~ ausschütten* pour out one's heart to s.o.; *jdm das ~ brechen* break s.o.'s heart; *sich ein ~ nehmen* pluck up one's courage; *das ~ auf der Zunge*

tragen wear one's heart on one's sleeve; *jdm sein ~ schenken* lose one's heart to s.o.; *jdm das ~ schwermachen* sadden s.o.; *seinem ~en Luft machen* get sth off one's chest; *Das liegt mir sehr am ~en.* That's very important to me. *jdm ans ~ wachsen* grow on s.o.; *etw auf dem ~en haben* have sth on one's mind; *Du sprichst mir aus dem ~en.* You've taken the words right out of my mouth. *aus tiefstem ~en* from the bottom of one's heart; *jdn in sein ~ schließen* become fond of s.o.; *jdn ins ~ treffen* cut s.o. to the quick; *etw nicht übers ~ bringen* not have the heart to do sth; *sich etw zu ~en nehmen* take sth to heart; *Mir wurde leicht ums ~.* I was relieved. *Das ~ ist ihm in die Hose gerutscht.* His heart was in his boots. *Das ~ wurde ihr schwer.* She had a heavy heart.

herzhaft ['hɛrtshaft] *adj 1. (Geschmack)* full, strong; *2. (Lachen)* hearty, warm, vigorous

Herzinfarkt ['hɛrtsɪnfarkt] *m* heart attack, cardiac infarction

Herzklopfen ['hɛrtsklɔpfən] *n* palpitations

heart disease

herzlich ['hɛrtslɪç] *adj* cordial, warm, sincere

Herzlichkeit ['hɛrtslɪçkaɪt] *f* warmth, cordiality

herzlos ['hɛrtsloːs] *adj* heartless, cold, callous

Herzog ['hɛrtsoːk] *m* duke

Herzogin ['hɛrtsoːgɪn] *f* duchess

Herzschlag ['hɛrtsʃlaːk] *m 1. (einzelner)* heartbeat; *2. MED* pulse, heartbeat

heterogen [hetero'geːn] *adj* heterogeneous

heterosexuell [heterozɛksu'ɛl] *adj* heterosexual

hetzen ['hɛtsən] *v 1. (eilen)* hurry, race, rush; *2. (fig)* agitate, excite feelings

Heu [hɔy] *n BOT* hay

Heuchelei [hɔyçə'laɪ] *f* hypocrisy, insincerity, deceit

heucheln ['hɔyçəln] *v 1.* to be hypocritical; *2. (sich verstellen)* feign, simulate, fake

heulen ['hɔylən] *v 1. (fam: weinen)* bawl, wail, howl; *zum ~ sein* to be enough to make you cry; *2. (Sirene)* wail

Heuschnupfen ['hɔyʃnupfən] *m MED* hay fever

Heuschrecke ['hɔyʃrɛkə] *f 1.* grasshopper; *2. (Wanderheuschrecke)* locust

heute ['hɔytə] *adv* today; *~ vor einer Woche* a week ago today; *~ Abend* this evening; *von ~ auf morgen* overnight

heutzutage ['hɔytsutaːgə] *adv* nowadays, these days

Hexe ['hɛksə] *f* witch

Hieb [hiːp] *m* blow, knock, hit

hier [hiːr] *adv* here

Hierarchie [hiːerar'çiː] *f* hierarchy

hierauf ['hiːrauf] *adv 1. (örtlich)* on; *2. (Erwiderung)* to this; *3. (zeitlich)* upon, then

hierdurch ['hiːrdurç] *adv (kausal)* by this means, by this, hereby

hierher ['hiːrheːr] *adv* here, this way, over here

hiermit ['hiːrmɪt] *adv* herewith

Hilfe ['hɪlfə] *f 1.* help, aid, assistance; *jdm zu ~ kommen* come to s.o.'s aid; *2. Erste ~* first aid; *3. (sozial)* social security, social welfare; *4. (Katastrophenhilfe)* aid, relief; *interj 5.* help

hilflos ['hɪlfloːs] *adj* helpless

hilfreich ['hɪlfraɪç] *adj* helpful

hilfsbedürftig ['hɪlfsbədyrftɪç] *adj* in need of help

hilfsbereit ['hɪlfsbəraɪt] *adj* helpful

Hilfskraft ['hɪlfskraft] *f* assistant

Hilfsmittel ['hɪlfsmɪtəl] *n* aid

Hilfsverb ['hɪlfsvɛrp] *v GRAMM* auxiliary verb

Himbeere ['hɪmbeːrə] *f BOT* raspberry

Himmel ['hɪməl] *m 1. (Firmament)* sky, firmament; *2. REL* heaven; *aus heiterem ~ kommen* come out of the blue; *der ~ auf Erden* heaven on earth; *jdm den ~ auf Erden versprechen* promise s.o. heaven on earth; *aus allen ~n fallen* come down to earth with a bump; *im siebten ~ sein* to be in seventh heaven; *Das schreit zum ~.* That's an absolute scandal. *Ach du lieber Himmel!* Good heavens! *Weiß der ~!* God knows! *Um ~s willen!* For goodness' sake!

Himmelfahrt ['hɪməlfaːrt] *f 1. Christi ~ REL* Ascension Day; *2. Mariä ~ REL* Feast of Assumption

Himmelsrichtung ['hɪməlsrɪçtuŋ] *f ASTR* point of the compass

himmlisch ['hɪmlɪʃ] *adj* heavenly

hin [hɪn] *adv* there; *~ und wieder* every now and then; *~ und her* back and forth; *~ und zurück* there and back; *Wo geht er ~?* Where is he going? *~ und her* back and forth; *nach langem Hin und Her* after quite some dithering

hinab [hɪn'ap] *adv* down

hinauf [hɪn'auf] *adv* up

hinaus [hɪn'aus] *adv* out

hinausbegleiten [hɪ'nausbəglaɪtən] *v jdn ~* see s.o. out

hinauslaufen [hɪn'auslaufən] *v irr 1.* run out; *2. (fig) auf etw ~* amount to sth, boil down to sth

hinausschieben [hɪn'ausʃiːbən] *v irr* postpone, defer, delay

hinauswollen [hɪn'ausvɔlən] *v irr (fig) Worauf willst du hinaus?* What are you getting at?

hinauszögern [hɪ'naustsøːgərn] *v 1. etw ~* delay, put off; *2. sich ~* to be delayed

Hinblick ['hɪnblɪk] *m im ~ auf* in view of, considering

hindern ['hɪndərn] *v* impede, hinder, obstruct

Hindernis ['hɪndərnɪs] *n* obstruction, impediment, hindrance

Hinduismus [hɪndu'ɪsmus] *m REL* Hinduism

hindurch [hɪn'durç] *adv 1. (örtlich)* through; *2. (zeitlich)* throughout

hinein [hɪn'aɪn] *adv* in, into

hineingeraten [hɪn'aɪngəraːtən] *v irr in etw ~* get into sth, become involved in sth

hineinplatzen [hɪn'aɪnplatsən] *v* burst in, barge in

hineinversetzen [hɪn'aɪnfɛrzɛtsən] *v sich ~* put o.s. in s.o.'s place

hineinziehen [hɪn'aɪntsiːən] *v irr 1.* pull in, drag in; *2. (fig) jdn in etw ~* drag s.o. into sth, involve s.o. in sth

Hinfahrt ['hɪnfaːrt] *f* outward journey, the way there

hinfallen ['hɪnfalən] *v irr* fall, drop

hinfällig ['hɪnfɛlɪç] *adj (ungültig)* invalid

Hinflug ['hɪnfluːk] *m* outward flight

Hingabe ['hɪngaːbə] *f* devotion, abandon, self-abandon

hingegen [hɪn'geːgən] *konj* however, on the other hand, whereas

hingerissen ['hɪngərɪsən] *v von etw ~ sein* to be fascinated by sth

hinhalten ['hɪnhaltən] *v irr 1.* hold out; *2. jdn ~* put s.o. off, keep s.o. dangling, stall s.o.

hinken ['hɪŋkən] *v* limp

hinlegen ['hɪnleːgən] *v 1. etw ~* put sth down; *2. sich ~* lie down, rest

hinnehmen ['hɪnneːmən] *v irr* accept, tolerate, endure

hinreichend ['hɪnraɪçənt] *adj* sufficient

hinreißen ['hɪnraɪsən] *v hin- und hergerissen sein* to be torn between two possibilities

hinrichten ['hɪnrɪçtən] *v* execute

hinsetzen ['hɪnzɛtsən] *v sich ~* sit down, take a seat

Hinsicht ['hɪnzɪçt] *f in gewisser ~* in some respects

hinsichtlich ['hɪnzɪçtlɪç] *prep* regarding, concerning, with regard to

hinten ['hɪntən] *adv* behind, at the back, at the rear; *Ich weiß nicht mehr wo ~ und vorne ist!* I don't know whether I'm coming or going!

hinter ['hɪntər] *prep 1.* behind; *etw ~ sich lassen* get sth over and done with; *~ den anderen zurückbleiben* lag behind the others; *zwei Kilometer ~ München* two kilometres beyond Munich; *~ jdm zurückstehen* take second place to s.o.; *2. ~ etw her sein* to be after sth

Hinterausgang ['hɪntərausgaŋ] *m* back door, rear exit

Hinterbliebene ['hɪntərbliːbənə] *pl* survivors, surviving dependents

hintere(r,s) ['hɪntərə(r,s)] *adj* back, rear, hind

hintereinander [hɪntəraɪ'nandər] *adv* one after another, in succession

hinterfragen [hɪntər'fraːgən] *v* analyze, question

Hintergedanke ['hɪntərgədaŋkə] *m* ulterior motive

hintergehen ['hɪntərgeːən] *v irr jdn ~* deceive s.o., cheat on s.o.

Hintergrund ['hɪntərgrunt] *m 1.* background; *in den ~ treten* to be pushed into the background, take a back seat (fam); *2. (fig)* background, setting

Hinterhalt ['hɪntərhalt] *m* ambush; *noch etw im ~ haben* have sth up one's sleeve; *ohne ~* unreservedly

hinterhältig ['hɪntərhɛltɪç] *adj* deceitful, underhanded, insidious

hinterher [hɪntər'heːr] *adv 1. (örtlich)* behind, after; *2. (zeitlich)* after, afterward(s)

Hinterhof ['hɪntərhoːf] *m* backyard

hinterlassen [hɪntər'lasən] *v irr* leave (behind); *eine Nachricht ~* leave a message

hinterlegen [hɪntər'leːgən] *v* deposit, place on deposit

Hinterlist ['hɪntərlɪst] *f* craftiness, trick

hinterlistig ['hɪntərlɪstɪç] *adj* deceitful, back-stabbing, underhanded

Hintermann ['hɪntərman] *m 1.* person behind one; *2. (der aus dem Hintergrund handelt)* person behind sth; *3. FIN* subsequent endorser

Hintern ['hɪntərn] *m (fam)* behind, backside, bottom; *sich auf den ~ setzen (arbeiten)* buckle down to work

hinüber [hɪ'ny:bər] *adv* over, across

hinunter [hɪ'nʊntər] *adv* down, downward; *die Straße ~* down the street

hinweghelfen [hɪn'vɛkhɛlfən] *v irr jdm über etw ~* help s.o. get over sth

hinwegkommen [hɪn'vɛkkɔmən] *v irr über etw ~* get over sth

hinwegsehen [hɪn'vɛkze:ən] *v irr 1. über etw ~* see over sth; *2. (fig) über etw ~* overlook sth

hinwegsetzen [hɪn'vɛkzɛtsən] *v sich ~* dismiss, disregard, override

hinwegtrösten [hɪn'vɛktrøːstən] *v jdn über etw ~* help s.o. get over sth

Hinweis ['hɪnvaɪs] *m 1. (Rat)* tip, piece of advice; *2. (Anzeichen)* indication, clue; *3. (Anspielung)* allusion; *4. (Benachrichtigung)* notice

hinweisen ['hɪnvaɪzən] *v irr auf etw ~* refer to sth, point sth out, indicate sth

hinzu [hɪn'tsu:] *adv* in addition, moreover, besides

hinzufügen [hɪn'tsu:fy:gən] *v* add

hinzuziehen [hɪn'tsu:tsi:ən] *v irr* consult, call in

Hiobsbotschaft ['hiɔpsbo:tʃaft] *f* bad news

Hirn [hɪrn] *n ANAT* brain; *sich das ~ zermartern* rack one's brains

Hirngespinst ['hɪrngəʃpɪnst] *n* fantasy

Hirsch [hɪrʃ] *m ZOOL* stag, deer

Hirte [hɪrt] *m* shepherd, herdsman

hissen ['hɪsən] *v* hoist

Historiker(in) [hɪ'sto:rɪkər(ɪn)] *m/f* historian

Hitze ['hɪtsə] *f* heat; *in der ~ des Gefechts* in the heat of the moment

hitzig ['hɪtsɪç] *adj* choleric, hot-tempered

Hitzschlag ['hɪtsʃla:k] *m MED* heatstroke

Hobby ['hɔbi] *n* hobby

hoch [ho:x] *adj* high, tall; *jdm etw ~ und heilig versprechen* promise sth solemnly to s.o.; *Das ist mir zu ~!* That's just beyond me! That's over my head!

hochachtungsvoll ['ho:xaxtuŋsfɔl] *adv (Brief)* Yours faithfully, Yours sincerely, Yours truly

Hochdruck ['ho:xdruk] *m* high pressure

Hochebene ['ho:xe:bənə] *f* plateau

hochfahren ['ho:xfa:rən] *v irr 1.* ride up; *2. aus dem Schlaf ~* awake with a start; *3. (plötzlich aufbrausen)* flare up; *4. (jdn ~)* drive up

Hochform ['ho:xfɔrm] *f* top form

Hochhaus ['ho:xhaus] *n* high-rise, *(Wolkenkratzer)* skyscraper

hochkant ['ho:xkant] *adj jdn ~ hinauswerfen* kick s.o. out on his ear

hochkarätig ['ho:xkarɛ:tɪç] *adj 1.* high-carat; *2. (fig)* first-class

Hochland ['ho:xlant] *n* highlands

hochleben ['ho:xle:bən] *v jdn ~ lassen* s.o. three cheers

Hochmut ['ho:xmu:t] *m* arrogance

hochmütig ['ho:xmy:tɪç] *adj* arrogant

hochnäsig ['ho:xnɛ:zɪç] *adj* snooty

Hochschule ['ho:xʃu:lə] *f* university, college, institution of higher education

Hochschulreife ['ho:xʃu:lraɪfə] *f* Advanced levels *(UK)*, high school diploma *(US)*

höchst [høçst] *adv* highly, greatly, extremely

Hochstapler ['ho:xʃtaplər] *m* confidence man, swindler, fraud

höchste(r,s) ['høçstə(r,s)] *adj* highest, maximum, peak

höchstens ['høçstəns] *adv* at the most, at best, at the utmost

Hochtouren ['ho:xturən] *f auf ~ laufen* in full swing

hochtrabend ['ho:xtra:bənt] *adj* high-flown, flowery, grandiloquent

Hochverrat ['ho:xfɛra:t] *m POL* high treason

Hochwasser ['ho:xvasər] *n 1.* high water; *(der See)* high tide; *2. (Überschwemmung)* flood

hochwertig ['ho:xvertɪç] *adj* high-grade, high-quality

Hochwürden ['ho:xvyrdən] *m REL* Reverend, *(römisch-katholisch)* Father

Hochzeit ['hɔxtsaɪt] *f* wedding; *auf allen ~en tanzen* run with the hare and hunt with the hounds

Hochzeitsreise ['hɔxtsaɪtsraɪzə] *f* honeymoon

Hocker ['hɔkər] *m* stool

Hoden ['ho:dən] *pl ANAT* testicles *pl*

Hof [ho:f] *m 1. (Hinterhof)* yard; *2. (Königshof)* court; *3. (Bauernhof)* farm, farmyard; *4. jdm den ~ machen* court s.o.

hoffen ['hɔfən] *v* hope

hoffentlich ['hɔfəntlɪç] *adv* hopefully; *Hoffentlich regnet es morgen nicht.* I hope it doesn't rain tomorrow.

Hoffnung ['hɔfnuŋ] *f* hope; *seine ~en auf etw setzen* pin one's hopes on sth; *jds ~en zerschlagen* dash s.o.'s hopes; *guter ~ sein* to be expecting

hoffnungslos ['hɔfnuŋsloːs] *adj* hopeless

hoffnungsvoll ['hɔfnuŋsfɔl] *adj* hopeful, promising

höflich ['høːflɪç] *adj* polite, courteous, civil

Höflichkeit ['høːflɪçkaɪt] *f* politeness, courtesy

Höhe ['høːə] *f* height, altitude; *auf der ~ sein* to be in good form; *in die ~ gehen (fig)* hit the ceiling; *Das ist doch die ~!* That's the last straw!

Hoheit ['hoːhaɪt] *f* 1. *(Anrede)* Highness; *Seine Königliche ~* His Royal Highness; 2. *POL* sovereignty, jurisdiction

Höhepunkt ['høːəpuŋkt] *m* 1. climax; 2. *(einer Veranstaltung)* high point, highlight

hohl [hoːl] *adj* 1. hollow; 2. *(fig: gehaltlos)* hollow, empty, unsubstantial

Höhle ['høːlə] *f* 1. cave, cavern; 2. *(von Raubtieren)* den; *sich in die ~ des Löwen wagen* beard the lion in his den; 3. *(von Kaninchen)* burrow

Hohn [hoːn] *m* 1. scorn, disdain; 2. *(Spott)* mockery, derision; *der reinste ~ sein* utterly ludicrous

höhnen ['høːnən] *v* jeer, scoff

höhnisch ['høːnɪʃ] *adj* derisive, mocking, sardonic

holen ['hoːlən] *v* fetch, get; *Bei ihm ist nichts zu ~.* You won't get anything out of him.

Holland ['hɔlant] *n GEO* Holland

Hölle ['hœlə] *f* hell; *Hier ist die ~ los. (fig)* All hell has broken loose here. *jdm die ~ heiß machen* give s.o. hell; *jdm das Leben zur ~ machen* make s.o.'s life hell; *Zur ~ mit ihm!* He can go to hell!

höllisch ['hœlɪʃ] *adj* 1. *(fam)* terrible; *adv* 2. like hell

Holm [hɔlm] *m* bar

holperig ['hɔlpərɪç] *adj* 1. bumpy, jolty, rough; 2. *(fig: stockend)* jolting, *(Rede)* halting

Holunder [ho'lundər] *m BOT* elder

Holz [hɔlts] *n* wood, *(Bauholz)* timber; *~ in den Wald tragen (fig)* carry coals to Newcastle

Holzfäller ['hɔltsfɛlər] *m* lumberjack

Hommage [ɔ'maːʒ] *f* homage

homogen [homo'geːn] *adj* homogeneous

Homonym [homo'nyːm] *n LING* homonym

homosexuell [homozɛksu'ɛl] *adj* homosexual, gay

Honig ['hoːnɪç] *m* honey; *jdm ~ ums Maul schmieren (fig)* butter s.o. up

Honorar [hono'raːr] *n* fee

honorieren [hono'riːrən] *v* 1. *(bezahlen)* pay for, remunerate for; 2. *(anerkennen)* honour, recognize

Hopfen ['hɔpfən] *m* 1. *BOT* hop; *Bei ihr ist ~ und Malz verloren.* She's hopeless. 2. *(beim Brauen)* hops *pl*

horchen ['hɔrçən] *v* listen

hören ['høːrən] *v* 1. hear; *Das lässt sich ~!* Now you're talking! *etw von sich ~ lassen* get in touch; *von jdm ~* hear from s.o.; *etw von jdm zu ~ bekommen* get told off by s.o. *Da vergeht einem Hören und Sehen!* You don't know if you're coming or going! 2. *(zuhören)* listen to

Hörensagen ['høːrənzaːgən] *n etw vom ~ kennen* know sth by hearsay

Hörer ['høːrər] *m* 1. *(Person)* listener; 2. *(Telefonhörer)* receiver

hörig ['høːrɪç] *adj* enslaved, in bondage

Horizont [hori'tsɔnt] *m* horizon, skyline

horizontal [horitsɔn'taːl] *adj* horizontal

Hormon [hɔr'moːn] *n* hormone

Horn [hɔrn] *n* horn; *ins gleiche ~ blasen* chime in; *sich die Hörner abstoßen* sow one's wild oats; *jdm Hörner aufsetzen* cuckold s.o.

Hornhaut ['hɔrnhaut] *f* 1. *(Schwiele)* callus; 2. *(des Auges) ANAT* cornea

Hornisse [hɔr'nɪsə] *f ZOOL* hornet

Horoskop [horos'koːp] *n* horoscope

Horrorfilm ['hɔrɔrfɪlm] *m CINE* horror film, horror movie *(US)*

Hörsaal ['høːrsaːl] *m* auditorium

Hörspiel ['høːrʃpiːl] *n* radio play

Hort [hɔrt] *m* 1. *(Zuflucht)* refuge, shelter; 2. *(Kinderhort)* day-nursery

horten ['hɔrtən] *v* hoard, stockpile

Hose ['hoːzə] *f* trousers, pants *(US)*; *die ~n anhaben (fig)* wear the trousers; *jdm die ~n strammziehen* give s.o. a good hiding; *in die ~ gehen* to be a complete wash-out; *sich in die ~ machen* wet one's pants

Hosenträger ['hoːzəntrɛːgər] *m* braces *pl (UK)*, suspenders *pl (US)*

Hospital [hɔspi'taːl] *n* hospital

Hostess [hɔs'tɛs] *f* hostess

Hotel [ho'tɛl] *n* hotel

hübsch [hypʃ] *adj* 1. pretty, nice, fine; 2. *(Person)* good-looking

Hubschrauber ['hu:pʃraubər] *m* helicopter

Hufeisen ['hu:faɪzən] *n* horseshoe

Hüfte ['hyftə] *f ANAT* hip

Hügel ['hy:gəl] *m* hill, mound, hillock

hügelig ['hy:gəlɪç] *adj* hilly, undulating

Huhn [hu:n] *n ZOOL* chicken, *(Gattung)* fowl; *mit den Hühnern ins Bett gehen* go to bed early; *mit den Hühnern aufstehen* get up at the crack of dawn

Hühnerauge ['hy:nəraugə] *n MED* corn

huldigen ['huldɪgən] *v 1.* pay homage to, render homage to; *2. (einer Ansicht)* embrace an opinion, subscribe to a point of view

Huldigung ['huldɪguŋ] *f 1.* homage; *2. (Beifall)* ovation, enthusiastic reception

Hülle ['hylə] *f 1.* wrapper, covering; *2. (Gehäuse)* case; *3. (fig) in ~ und Fülle* in abundance

hüllen ['hylən] *v* wrap, cover, envelop

Hülse ['hylzə] *f 1. (Behälter)* case, sleeve; *2. (Waffen~)* case; *3. BOT* hull, husk, shell

human [hu'ma:n] *adj* humane

Humanismus [huma'nɪsmus] *m HIST* Humanism

humanitär [humani'tɛ:r] *adj* humanitarian

Humanität [humani'tɛ:t] *f* humanity

Hummel ['huməl] *f ZOOL* bumble-bee; *~n im Hintern haben* have a bee in one's bonnet

Hummer ['humər] *m ZOOL* lobster

Humor [hu'mo:r] *m* humour

humoristisch [humo'rɪstɪʃ] *adj 1.* humorous; *adv. 2.* with humour

humorlos [hu'mo:rlo:s] *adj* humourless

humorvoll [hu'mo:rfɔl] *adj* humorous

humpeln ['humpəln] *v* hobble, limp

Humus ['hu:mus] *m* humus

Hund [hunt] *m* dog; *vor die ~e gehen (verkommen)* go to the dogs; *auf den ~ kommen* go to the dogs

hundert ['hundərt] *num* one hundred

Hunger ['huŋər] *m* hunger

hungern ['huŋərn] *v 1.* hunger, go hungry; *2. (fig) ~ nach* crave for, long for, yearn for

Hungersnot ['huŋərsno:t] *f* famine

Hungertuch ['huŋərtu:x] *n am ~ nagen* to be on the breadline

hungrig ['huŋrɪç] *adj* hungry; *~ wie ein Wolf* hungry as a bear

Hupe ['hu:pə] *f* horn

hupen ['hu:pən] *v* honk the horn, sound the horn, hoot

hüpfen ['hypfən] *v 1.* hop, skip; *2. (springen)* jump, leap

Hürde ['hyrdə] *f* hurdle, obstacle; *eine ~ nehmen* take a hurdle

Hure ['hu:rə] *f* whore, prostitute

hurra [hu'ra:] *interj* Hurrah! Hooray!

Hurrikan ['hœrɪkən] *m* hurricane

husch [huʃ] *interj 1. (Weg da!)* Shoo! *2. (Schnell!)* Quick!

husten ['hu:stən] *v* cough; *Dem werde ich was ~!* He can get lost!

Husten ['hu:stən] *m MED* cough

Hut [hu:t] *m* hat; *ein alter ~ sein (fam)* to be old hat; *vor jdm den ~ ziehen* take off one's hat to s.o.; *Das kannst du dir an den ~ stecken!* You can keep it! *mit jdm nichts am ~ haben* not want to have anything to do with s.o.; *etw unter einen ~ bringen* reconcile sth; *jdm eins auf den ~ geben* give s.o. a dressing-down, give s.o. a rocket *(UK)*

hüten ['hy:tən] *v 1.* watch over, guard; *2. (aufpassen auf)* look after

Hüter ['hy:tər] *m* guardian, protector

Hutkrempe ['hu:tkrɛmpə] *f* brim of a hat

Hütte ['hytə] *f 1. (Häuschen)* hut, shed, shack; *2. (Eisenhütte/Stahlhütte)* forge, foundry, smelting-house

Hyäne [hy'ɛ:nə] *f ZOOL* hyena

Hyazinthe [hyat'sɪntə] *f BOT* hyacinth

Hydrant [hy'drant] *m* hydrant, fire-plug

Hydraulik [hy'draulɪk] *f PHYS* hydraulics

Hygiene [hyg'je:nə] *f* hygiene

hygienisch [hyg'je:nɪʃ] *adj* hygienic

Hymne ['hymnə] *f* hymn

hyperkorrekt [hypə'rkɔrɛkt] *adj* ultra-correct

hypermodern [hypərmo'dɛrn] *adj* ultra-modern, hypermodern

hypersensibel ['hypərzɛnzi:bəl] *adj* hypersensitive

Hypnose [hyp'no:zə] *f* hypnosis

hypnotisch [hyp'no:tɪʃ] *adj* hypnotic

Hypnotiseur [hypno:ti'zø:r] *m* hypnotist

hypnotisieren [hypno:ti'zi:rən] *v* hypnotize

Hypochonder [hypo'xɔndər] *m* hypochondriac

hypochondrisch [hypo'xɔndrɪʃ] *adj* hypochondriac

Hypothek [hypo'te:k] *f* mortgage

Hypothese [hypo'te:zə] *f* hypothesis

hypothetisch [hypo'te:tɪʃ] *adj 1.* hypothetical, hypothetic; *adv 2.* hypothetically

Hysterie [hyste'ri:] *f* hysteria, hysterics

Hysteriker [hys'te:rɪkər] *m* hysteric

hysterisch [hys'te:rɪʃ] *adj* hysterical

I

ich [ıç] *pron* I; *mein zweites ~* my alter-ego; *Ich nicht!* Not me!

Ich [ıç] *n* self; *sein zweites ~* one's alter-ego

ideal [ide'a:l] *adj* ideal

Ideal [ide'a:l] *n* ideal, model, standard

idealisieren [ideali'zi:rən] *v* idealize

Idealismus [idea'lısmus] *m* idealism

Idealist [idea'lıst] *m* idealist

idealistisch [idea'lıstıʃ] *adj* idealistic

Idee [i'de:] *f* idea, concept, notion; *wie kommen Sie denn auf die ~* whatever gave you that idea; *nicht die leiseste ~ von etw haben* not have the faintest idea of sth

ideell [ide'ɛl] *adj* theoretical

ideenlos [i'de:ənlo:s] *adj* lacking ideas, without imagination

Ideenlosigkeit [i'de:ənlo:zıçkaıt] *f* lack of ideas, lack of imagination

Identifikation [identifika'tsjo:n] *f* identification

identifizieren [identifi'tsi:rən] *v* identify

identisch [i'dɛntıʃ] *adj* identical

Identität [identi'tɛ:t] *f* identity

Ideologe [ideo'lo:gə] *m* POL ideologist

Ideologie [ideolo'gi:] *f* ideology

ideologisch [ideo'lo:gıʃ] *adj* ideological

ideologisieren [ideologi'zi:rən] *v* ideologize

idiomatisch [idjo'ma:tıʃ] *adj* idiomatic

Idiot [id'jo:t] *m* idiot, fool, imbecile

idiotisch [id'jo:tıʃ] *adj* idiotic, foolish

Idol [i'do:l] *n* idol

Idyll [i'dyl] *n* idyll, *(Gegend)* idyllic place

idyllisch [i'dylıʃ] *adj* idyllic, pastoral, picturesque

Igel ['i:gəl] *m* ZOOL hedgehog

Iglu ['i:glu] *m* igloo

ignorant [igno'rant] *adj* ignorant

Ignoranz [igno'rants] *f* ignorance

ignorieren [igno'ri:rən] *v* ignore, take no notice of

ihm [i:m] *pron* 1. him, to him; 2. *(bei Dingen und Tieren)* it, to it

ihn [i:n] *pron* 1. him; 2. *(bei Dingen und Tieren)* it

ihnen ['i:nən] *pron* them, to them

Ihnen ['i:nən] *pron* you, to you

ihr [i:r] *pron* 1. her, to her; 2. *(bei Dingen und Tieren)* it, to it; 3. *(Nominativ Plural von "du")* you

Ihr [i:r] *pron* your

ihre(r,s) ['i:rə(r,s)] *pron* 1. *(von mehreren)* their, theirs; 2. *(einer Person)* her(s); 3. *(eines Tiers)* its

Ihre(r,s) ['i:rə(r,s)] *pron* your(s)

Ikone [i'ko:nə] *f* ART icon

illegal [ıle'ga:l] *adj* illegal

Illegalität [ılegali'tɛ:t] *f* JUR illegality

illegitim [ılegi'ti:m] *adj* illegitimate

Illegitimität [ılegitimi'tɛ:t] *f* illegitimacy

illoyal ['ıləy'ja:l] *adj* disloyal

Illoyalität [ıləyjali'tɛ:t] *f* disloyalty

Illusion [ıluz'jo:n] *f* illusion, delusion

illusorisch [ılu'zo:rıʃ] *adj* illusory

illuster [ı'lustər] *adj* illustrious

Illustration [ılustra'tsjo:n] *f* illustration

illustrativ [ılustra'ti:f] *adj* illustrative

illustrieren [ılu'stri:rən] *v* illustrate, make clear

Illustrierte [ılu'stri:rtə] *f* illustrated magazine, glossy magazine

Iltis ['ıltıs] *m* ZOOL polecat

im [im] *prep* in the; *~ Kino* at the cinema; *~ Alter von zweiundachtzig Jahren* at the age of eighty-two

Image ['ımıdʒ] *n* image

imaginär [imagi'nε:r] *adj* imaginary

Imagination [imagina'tsjo:n] *f* imagination

Imbiss ['ımbıs] *m* snack

Imbissstand ['ımbıʃtant] *m* snack bar

Imitat [ımi'ta:t] *n* imitation

Imitation [ımita'tsjo:n] *f* imitation, fake

Imitator [ımi'ta:tər] *m* imitator

imitieren [ımi'ti:rən] *v* imitate

Imker ['ımkər] *m* bee-keeper

immanent [ima'nɛnt] *adj* immanent

Immatrikulation [ımatrikula'tsjo:n] *f* matriculation, enrolment

immatrikulieren [ımatriku'li:rən] *v* enrol

immens [ı'mɛns] *adj* immense

Immensität [ımɛnzi'tɛ:t] *f* immensity

immer ['ımər] *adv* 1. always; *auf ~ und ewig* for ever and ever; 2. *~ schneller* faster and faster; *~ öfter* more and more often; *~ wieder* again and again; 3. *~ noch* still; 4. *wo ~* wherever, no matter where; *was ~* whatever, no matter what; *wie auch ~* however; *Wie auch ~ ...* Whatever the case ...; 5. *Immer mit der Ruhe!* Calm down!

immerfort ['ɪmərfɔrt] *adv* constantly
immerhin ['ɪmərhɪn] *adv 1. (schließlich)* after all; 2. *(trotz allem)* nevertheless, still
immerzu [ɪmər'tsuː] *adv* continually
Immigrant(in) [ɪmi'grant(ɪn)] *m/f* immigrant
Immigration [ɪmigra'tsjoːn] *f* immigration
immigrieren [ɪmi'griːrən] *v* immigrate
Immission [ɪmɪs'joːn] *f 1. (in ein Amt)* appointment; 2. *JUR* effect of noise, smells, or chemicals on adjoining property
immobil ['ɪmobiːl] *adj* immobile
Immobilien [ɪmo'biːljən] *pl* real estate, property
Immobilienmakler [ɪmo'biːljənmaːklər] *m* real estate agent
immun [ɪ'muːn] *adj* immune
immunisieren [ɪmuni'ziːrən] *v MED* immunize
Immunisierung [ɪmuni'ziːruŋ] *f MED* immunization
Immunität [ɪmuni'tɛːt] *f* immunity
Immunschwäche [ɪ'muːnʃvɛçə] *f MED* immune deficiency
Immunsystem [ɪ'muːnsʏstɛm] *n* immune system
Imperativ ['ɪmperatiːf] *m 1. GRAMM* imperative; 2. *kategorischer ~ PHIL* categorical imperative
Imperfekt ['ɪmpɛrfɛkt] *n GRAMM* imperfect tense
Imperialismus [ɪmperja'lɪsmus] *m POL* imperialism
Imperialist [ɪmperja'lɪst] *m POL* imperialist
imperialistisch [ɪmperja'lɪstɪʃ] *adj POL* imperialistic
Imperium [ɪm'pɛrjum] *n* empire
impertinent [ɪmpɛrti'nɛnt] *adj* impertinent
Impertinenz [ɪmpɛrti'nɛnts] *f* impertinence
impfen ['ɪmpfən] *v MED* vaccinate, inoculate
Impfpass ['ɪmpfpas] *m MED* vaccination record
Impfschein ['ɪmpfʃaɪn] *m* certificate of vaccination
Impfstoff ['ɪmpfʃtɔf] *m* vaccine
Impfung ['ɪmpfuŋ] *f* vaccination, inoculation
Implantat [ɪmplan'taːt] *n MED* implant
implizieren [ɪmpli'tsiːrən] *v* imply

implodieren [ɪmplo'diːrən] *v* implode
Implosion [ɪmplo'zjoːn] *f TECH* implosion
imponieren [ɪmpo'niːrən] *v 1.* to be impressive, command respect; 2. *(jdm ~)* impress
imponierend [ɪmpo'niːrənt] *adj* imposing, impressive
Import [ɪm'pɔrt] *m* import, importation
Importartikel [ɪm'pɔrtartɪkəl] *m* imported articles, imports
Importbeschränkung [ɪm'pɔrtbəʃrɛŋkuŋ] *f ECO* import restriction
Importeur [ɪmpɔr'tøːr] *m* importer
importieren [ɪmpɔr'tiːrən] *v* import
imposant [ɪmpo'zant] *adj* imposing, striking, impressive
impotent ['ɪmpotɛnt] *adj* impotent
Impotenz ['ɪmpotɛnts] *f MED* impotence
imprägnieren [ɪmprɛg'niːrən] *v* impregnate, *(wasserdicht machen)* waterproof
Imprägnierung [ɪmprɛ'gniːruŋ] *f* impregnation
Impression [ɪmprɛ'sjoːn] *f* impression
Impressionismus [ɪmprɛsjo'nɪsmus] *m ART* impressionism
Impressionist [ɪmprɛsjo'nɪst] *m ART* impressionist
impressionistisch [ɪmprɛsjo'nɪstɪʃ] *adj ART* impressionistic
Impressum [ɪm'prɛsum] *n* imprint
Improvisation [ɪmproviza'tsjoːn] *f* improvisation
improvisieren [ɪmprovi'ziːrən] *v* improvise
Impuls [ɪm'puls] *m* impulse, thrust, stimulus
impulsiv [ɪmpul'siːf] *adj* impulsive; *~e Entschlüsse* spur of the moment/impulsive decisions
in [ɪn] *prep 1. (örtlich)* in; *~ die Stadt gehen* go to town; 2. *(zeitlich)* in; *adj 3. ~ sein (fam: modern sein)* to be in (fam)
inadäquat ['ɪnadɛkvaːt] *adj* inadequate
inaktiv ['ɪnaktiːf] *adj* inactive
Inaktivität [ɪnaktivi'tɛːt] *f* inactivity
inakzeptabel ['ɪnaktsɛptaːbəl] *adj* unacceptable
Inanspruchnahme [ɪn'anʃpruxnaːmə] *f 1.* claims *pl,* demands *pl;* 2. *(Benutzung)* use; 3. *(geistige)* preoccupation
Inbegriff ['ɪnbəgrɪf] *m* essence, embodiment, epitome
inbegriffen ['ɪnbəgrɪfən] *adj* included, inclusive, implicit

Inbetriebnahme [ɪnbə'triːpnaːmə] *f* implementation, initiation, starting
Inbrunst ['ɪnbrunst] *f* ardour, passion, fervour
inbrünstig ['ɪnbrynstɪç] *adj* ardent, fervent, passionate
indem [ɪn'deːm] *konj 1. (Gleichzeitigkeit)* as, while; *2. (Mittel)* by
Inder [ɪn'dər] *m* Indian
indessen [ɪn'dɛsən] *adv 1.* meanwhile, in the meantime, at that moment; *konj 2.* whereas
Index ['ɪndɛks] *m* index
Indianer [ɪn'djaːnər] *m* (American) Indian
indianisch [ɪn'djaːnɪʃ] *adj* (American) Indian
Indien ['ɪndjən] *n* GEO India
indifferent ['ɪndɪfərent] *adj* indifferent
Indifferenz ['ɪndɪfərents] *f* indifference
Indikation [ɪndika'tsjoːn] *f* MED indication
Indikativ ['ɪndikatiːf] *m* GRAMM indicative
Indikator [ɪndi'kaːtɔr] *m* indicator
Indio ['ɪndjo] *m* Indian
indirekt ['ɪndirɛkt] *adj* indirect
indisch ['ɪndɪʃ] *adj* Indian
indiskret ['ɪndɪskreːt] *adj* indiscreet, tactless
Indiskretion [ɪndɪskre'tsjoːn] *f* indiscretion
indiskutabel ['ɪndɪskutaːbəl] *adj 1. (nicht der Erörterung wert)* out of the question; *2. (sehr schlecht)* unspeakably bad
indisponiert ['ɪndɪsponiːrt] *adj* indisposed
Individualismus [ɪndividua'lɪsmus] *m* individualism
Individualist [ɪndividua'lɪst] *m* individualist
individualistisch [ɪndividua'lɪstɪʃ] *adj* individualistic
Individualität [ɪndividuali'tɛːt] *f* individuality
individuell [ɪndividu'ɛl] *adj* individual, particular
Individuum [ɪndi'viːduum] *n* individual
Indiz [ɪn'diːts] *n* indication, evidence
Indizienprozess [ɪn'diːtsjənprotsɛs] *m* JUR case based on circumstantial evidence
Indonesien [ɪndo'neːzjən] *n* GEO Indonesia
Indonesier [ɪndo'neːzjər] *m* Indonesian
indonesisch [ɪndo'neːzɪʃ] *adj* Indonesian
Induktion [ɪnduk'tsjoːn] *f* TECH induction

industrialisieren [ɪndustriali'ziːrən] *v* ECO industrialize
Industrialisierung [ɪndustrialɪ'ziːruŋ] *f* industrialization
Industrie [ɪndus'triː] *f* industry
Industrieanlagen [ɪndus'triːanlaːgən] *pl* ECO industrial plants
Industriebetrieb [ɪndus'triːbətriːp] *m* ECO industrial concern
Industrieerzeugnis [ɪndus'triːɛrtsɔykn͟ɪs] *n* industrial product
Industriegebiet [ɪndus'triːgəbiːt] *n* industrial area
Industriekauffrau [ɪndus'triːkauffrau] *f* industrial manager
Industriekaufmann [ɪndus'triːkaufman] *m* ECO industrial manager
Industrieland [ɪndus'triːlant] *n* industrialized country
industriell [ɪndustri'ɛl] *adj* industrial
Industrielle(r) [ɪndustri'ɛlə(r)] *m/f* industrialist
Industrienation [ɪndus'triːnatsjoːn] *f* industrial nation
Industrie- und Handelskammer [ɪndus'triːunt'handəlskamər] *f* Chamber of Industry and Commerce
ineffektiv ['ɪnɛfɛktiːf] *adj* ineffective, ineffectual, inefficient
Ineffektivität [ɪnɛfɛktivi'tɛːt] *f* ineffectiveness
ineinander [ɪnaɪ'nandər] *adj* into each other, into one another; ~ *fließen* flow into one another; ~ *greifen* interlock, gear into each other, mesh; ~ *stecken* interlock; ~ *passen* fit into each other/fit together; ~ *schieben* telescope
infam [ɪn'faːm] *adj* infamous
Infanterie [ɪnfan'triː] *f* MIL infantry
infantil [ɪnfan'tiːl] *adj* infantile
Infantilität [ɪnfantili'tɛːt] *f* infantility
Infarkt [ɪn'farkt] *m* MED infarction
Infektion [ɪnfek'tsjoːn] *m* MED infection
Infektionskrankheit [ɪnfek'tsjoːnskraŋkhaɪt] *f* MED infectious disease
Inferno [ɪn'fɛrno] *n* inferno
Infiltration [ɪnfɪltra'tsjoːn] *f* POL infiltration
infiltrieren [ɪnfɪl'triːrən] *v* POL infiltrate
Infinitiv ['ɪnfinitiːf] *m* GRAMM infinitive
infizieren [ɪnfi'tsiːrən] *v* infect, get infected
Inflation [ɪnflats'joːn] *f* inflation
inflationär [ɪnflatsjo'nɛːr] *adj* inflationary

Inflationsrate [ɪnfla'tsjoːnsraːtə] f rate of inflation

infolge [ɪn'fɔlgə] prep as a result of, because of, due to

infolgedessen [ɪnfɔlgə'dɛsən] konj consequently, as a result

Informatik [ɪnfɔr'maːtɪk] f information science, informatics

Informatiker [ɪnfɔr'maːtɪkər] m information specialist, information technologist

Information [ɪnfɔrma'tsjoːn] f information

Informationsbüro [ɪnfɔrma'tsjoːnsbyroː] n information office

Informationsfluss [ɪnfɔrma'tsjoːnsflus] m flow of information

Informationsmaterial [ɪnfɔrma'tsjoːnsmaterjaːl] n information

Informationsquelle [ɪnfɔrma'tsjoːnskvɛlə] n source of information

informativ [ɪnfɔrma'tiːf] adj informative

informell [ɪnfɔr'mɛl] adj informal

informieren [ɪnfɔr'miːrən] v inform, instruct

Infrarot [ˈɪnfraroːt] n PHYS infrared

Infrarotlicht [ˈɪnfraˈroːtlɪçt] n TECH infrared light

Infrarotstrahler [ˈɪnfraroːtʃtraːlər] m TECH infrared lamp

Infrarotstrahlung [ˈɪnfraroːtʃtraːluŋ] f TECH infrared radiation

Infrastruktur [ˈɪnfraʃtruktuːr] f infrastructure

infrastrukturell [ˈɪnfraʃtrukturel] adj infrastructural

Infusion [ɪnfus'joːn] f MED infusion, drip

Ingenieur [ɪnʒɛn'jøːr] m engineer

Ingredienz [ɪngre'djɛnts] f ingredient

Ingwer [ˈɪŋvər] m GAST ginger

Inhaber [ˈɪnhaːbər] m 1. (Besitzer) owner, possessor, holder; 2. (Eigentümer) owner, proprietor; 3. (Amtsinhaber) holder

inhaftieren [ɪnhaf'tiːrən] v imprison, put in prison, place under arrest

inhaftiert [ɪnhaf'tiːrt] adj in custody, in prison

Inhaftierung [ɪnhaf'tiːruŋ] f arrest

Inhalation [ɪnhala'tsjoːn] f MED inhalation

inhalieren [ɪnha'liːrən] v MED inhale

Inhalt [ˈɪnhalt] m 1. contents; 2. (fig) content, essence, substance

inhaltlich [ˈɪnhaltlɪç] adv with regard to content, in substance

Inhaltsangabe [ˈɪnhaltsangaːbə] f 1. statement of contents; 2. (eines Werkes) summary

inhaltslos [ˈɪnhaltsloːs] adj empty, unsubstantial, meaningless

inhaltsreich [ˈɪnhaltsraɪç] adj 1. rich in content; 2. (Leben) full

Inhaltsverzeichnis [ˈɪnhaltsfɛrtsaɪçnɪs] n table of contents

inhuman [ˈɪnhumaːn] adj inhuman, inhumane

Initialen [ɪnɪ'tsjaːlən] pl initials

Initiative [ɪnɪtsja'tiːvə] f initiative

Initiator [ɪnɪts'jaːtoːr] m initiator

initiieren [ɪnɪ'tsiːrən] v initiate

Injektion [ɪnjɛk'tsjoːn] f MED injection

injizieren [ɪnji'tsiːrən] v MED inject

Inkarnation [ɪnkarna'tsjoːn] f REL incarnation

Inkasso [ɪn'kaso] n FIN collection

inklusive [ɪnklu'ziːvə] prep including, inclusive of

inkognito [ɪn'kɔgnitoː] adv incognito

inkompatibel [ɪnkɔmpa'tiːbəl] adj INFORM incompatible

inkompetent [ɪnkɔmpə'tɛnt] adj incompetent

Inkompetenz [ɪnkɔmpə'tɛnts] f incompetence

Inkonsequenz [ɪnkɔnzə'kvɛnts] f inconsistency

In-Kraft-Treten [ɪn'krafttreːtən] n coming into effect, entering into force; Tag des ~s effective date

Inkubationszeit [ɪnkuba'tsjoːnstsaɪt] f MED incubation period

Inland [ˈɪnlant] n 1. home country; 2. (das Innere des Landes) inland

inländisch [ˈɪnlɛndɪʃ] adj domestic, native, home

inmitten [ɪn'mɪtən] prep in the midst of, amid, in the middle of

innehaben [ˈɪnəhaːbən] v irr own, hold, occupy

innehalten [ˈɪnəhaltən] v irr 1. halt, pause, stop; 2. (einhalten) observe

innen [ˈɪnən] adv inside, within; nach ~ inward; von ~ from within

Innenarchitekt [ˈɪnənarçɪtɛkt] m interior decorator, interior designer

Innenaufnahme [ˈɪnənaufnaːmə] f 1. CINE indoor shot; 2. FOTO indoor photograph

Innenausschuss [ˈɪnənausʃus] m central committee

Innenausstattung ['ɪnənausˌʃtatuŋ] *f 1.* interior decoration; *2. (eines Autos)* interior design

Innendienst ['ɪnəndiːnst] *m* work done in the office, office duty

Inneneinrichtung ['ɪnənaɪnrɪçtuŋ] *f* interior decorating, interior design

Innenhof ['ɪnənhoːf] *m* inner courtyard

Innenleben ['ɪnənleːbən] *n (fig) jds* ~ one's feelings, one's emotions, one's thoughts

Innenminister ['ɪnənminɪstər] *m* POL Minister of the Interior, Home Secretary *(UK)*, Secretary of the Interior *(US)*

Innenministerium ['ɪnənminɪsteːrjum] *n* POL Ministry of the Interior, Home Office *(UK)*, Department of the Interior *(US)*

Innenpolitik ['ɪnənpolitiːk] *f* POL domestic policy, internal politics, home policy

innenpolitisch ['ɪnənpolitiʃ] *adj* POL internal, domestic, relating to domestic affairs

Innenraum ['ɪnənraum] *m* interior

Innenseite ['ɪnənzaɪtə] *f* inner side, inside

Innenspiegel ['ɪnənʃpiːgəl] *m (im Auto)* inside rear view mirror

Innenstadt ['ɪnənʃtat] *f* city centre, centre of town, downtown

Innentasche ['ɪnəntaʃə] *f* inside pocket

inner(e,er,es) ['ɪnər(ə,ər,əs)] *adj 1.* inner, internal, interior; *2. (fig)* intrinsic, inner

Innereien [ɪnər'aɪən] *pl* GAST innards, giblets

innerhalb ['ɪnərhalp] *prep 1. (örtlich)* within, inside (of); *2. (zeitlich)* within

innerlich ['ɪnərlɪç] *adj 1.* inner; *2.* MED internal

innerparteilich ['ɪnərpartaɪlɪç] *adj* POL within a party, internal

innerstaatlich ['ɪnərʃtaːtlɪç] *adj* POL domestic

innewohnen ['ɪnəvoːnən] *v* to be inherent in

innig ['ɪnɪç] *adj* intimate, close, intense

Innovation [ɪnnova'tsjoːn] *f* innovation

innovativ [ɪnnova'tiːf] *adj* innovative

Innung ['ɪnuŋ] *f* guild

inoffiziell [ɪnɔfi'tsjel] *adj* unofficial, informal

inoperabel [ɪnɔpə'raːbəl] *adj* inoperable

Inquisition [ɪnkvizi'tsjoːn] *f* HIST inquisition

ins [ɪns] *prep* in the, into the; ~ *Kino gehen* to the cinema

Insasse ['ɪnzasə] *m 1. (einer Anstalt)* inmate; *2. (Fahrgast)* passenger, occupant

insbesondere [ɪnsbə'zɔndərə] *adv* especially, particularly, in particular

Inschrift ['ɪnʃrɪft] *f* inscription

Insekt [ɪn'zɛkt] *n* insect

Insektenstich [ɪn'zɛktənʃtɪç] *m 1.* insect sting; *2. (von Mücken, Ameisen, Flöhen)* insect bite

Insektizid [ɪnzɛkti'tsiːt] *n* CHEM insecticide

Insel ['ɪnzəl] *f* island; *Ich bin reif für die* ~*!* I need a holiday! I need a vacation! *(US)*

Inselgruppe ['ɪnzəlgrupə] *f* GEO group of islands, archipelago

Inserat [ɪnzə'raːt] *n* advertisement

Inserent [ɪnzə'rɛnt] *m* advertiser

inserieren [ɪnzə'riːrən] *v* advertise

insgeheim [ɪnsgə'haɪm] *adv* secretly

insgesamt [ɪnsgə'zamt] *adv* altogether, in all, all in all, collectively

Insider ['ɪnsaɪdər] *m* insider

insistieren [ɪnzɪs'tiːrən] *v* insist

insofern [ɪnzo'fɛrn] *konj 1.* so long, as; *adv 2.* so far, to that extent, in that respect

insolvent ['ɪnzɔlvɛnt] *adj* ECO insolvent

Insolvenz ['ɪnzɔlvɛnts] *f* ECO insolvency

Inspektion [ɪnspɛk'tsjoːn] *f* inspection

Inspektor [ɪn'spɛktoːr] *m 1.* inspector; *2. (Aufseher)* superintendent

Inspiration [ɪnspira'tsjoːn] *f* inspiration

inspirieren [ɪnspi'riːrən] *v* inspire

inspizieren [ɪnspi'tsiːrən] *v* inspect

instabil ['ɪnʃtabiːl] *adj* instable

Instabilität ['ɪnʃtabiliˈtɛːt] *f* instability

Installateur [ɪnstala'tøːr] *m 1.* plumber, fitter; *2. (Elektroinstallateur)* electrician

Installation [ɪnstala'tsjoːn] *f* installation

installieren [ɪnsta'liːrən] *v* install, fit

Instandhaltung [ɪn'ʃtanthaltuŋ] *f* maintenance, upkeep

inständig ['ɪnʃtɛndɪç] *adj 1.* urgent; *adv 2.* beseechingly, urgently; ~ *hoffen* hope fervently; ~ *bitten* implore, beseech

Instandsetzung [ɪn'ʃtantzɛtsuŋ] *f* repair, restoration, reconditioning

Instantkaffee ['ɪnstantkafeː] *m* instant coffee

Instanz [ɪn'stants] *f 1.* authority; *2.* JUR court

Instinkt [ɪn'stɪŋkt] *m* instinct

instinktiv [ɪnstɪŋk'tiːf] *adj* instinctive

Institut [ɪnsti'tuːt] *n* institute, establishment, institution

Institution [ɪnstitu'tsjoːn] *f* institution, established custom

institutionell [ɪnstitutsjo'nɛl] *adj POL* institutional

instruieren [ɪnstru'iːrən] *v* 1. *(Anweisungen geben)* instruct; 2. *(informieren)* inform

Instruktion [ɪnstruk'tsjoːn] *f* instruction

instruktiv [ɪnstruk'tiːf] *adj* instructive

Instrument [ɪnstru'mɛnt] *n* instrument, tool, implement

instrumental [ɪnstrumɛn'taːl] *adj MUS* instrumental

Instrumentalmusik [ɪnstrumɛn'taːlmuziːk] *f MUS* instrumental music

Insulin [ɪnzu'liːn] *n MED* insulin

inszenieren [ɪnstse'niːrən] *v THEAT* produce, stage, put on

Inszenierung [ɪnstse'niːruŋ] *f* production, staging

intakt [ɪn'takt] *adj* intact

Intarsie [ɪn'tarzjə] *f ART* intarsia

integer [ɪn'teːgər] *adj ein integrer Mann* a man of integrity

Integration [ɪntegra'tsjoːn] *f* integration

integrieren [ɪnte'griːrən] *v* integrate

Integrität [ɪntegri'tɛːt] *f* integrity

Intellekt [ɪnte'lɛkt] *m* intellect

intellektuell [ɪntɛlɛktu'ɛl] *adj* intellectual

Intellektuelle(r) [ɪntɛlɛktu'ɛlə(r)] *m/f* intellectual

intelligent [ɪntɛli'gɛnt] *adj* intelligent

Intelligenz [ɪntɛli'gɛnts] *f* intelligence; *Es wird seiner ~ zugeschrieben.* It is attributed to his intelligence.

Intelligenzquotient [ɪntɛli'gɛntskvotsjənt] *m* intelligence quotient (I.Q.)

Intelligenztest [ɪntɛli'gɛntstɛst] *m* mental test

Intendant [ɪntɛn'dant] *m THEAT* director

Intensität [ɪntɛnzi'tɛːt] *f* intensity

intensiv [ɪntɛn'ziːf] *adj* intensive, intense

intensivieren [ɪntɛnzi'viːrən] *v* intensify

Intensivierung [ɪntɛnzi'viːruŋ] *f* intensifying, intensification

Intensivstation [ɪntɛnzi'ʃtatsjoːn] *f MED* intensive care unit

Interaktion [ɪntərak'tsjoːn] *f* interaction

interaktiv [ɪntərak'tiːf] *adj* interactive

interessant [ɪntərɛ'sant] *adj* interesting

Interesse [ɪntə'rɛsə] *n* interest; *im ~ von* on behalf of

interesselos [ɪntə'rɛsəloːs] *adj* uninterested, indifferent, listless

Interessenausgleich [ɪntə'rɛsənausglaɪç] *m* balancing of interests, conciliation of interests

Interessenkonflikt [ɪntə'rɛsənkɔnflɪkt] *m* conflict of interest

Interessent [ɪntərɛ'sɛnt] *m* person interested, interested party

interessieren [ɪntərɛ'siːrən] *v* interest

interkontinental [ɪntərkɔntinɛn'taːl] *adj* intercontinental

intern [ɪn'tɛrn] *adj* internal

Internat [ɪntɛr'naːt] *n* boarding-school

international [ɪntɛrnatsjo'naːl] *adj* international

Internationaler Währungsfonds ['ɪntɛrnatsjonaːlər 'vɛːruŋsfɔ̃] *m FIN* International Monetary Fund

Internet ['ɪntɛrnɛt] *n INFORM* Internet

Internist [ɪntɛr'nɪst] *m MED* internal specialist, internist *(US)*

Interpret [ɪntɛr'preːt] *m* interpreter (of music)

Interpretation [ɪntɛrpreta'tsjoːn] *f* interpretation

interpretieren [ɪntɛrpre'tiːrən] *v* interpret

Interpunktion [ɪntɛrpuŋk'tsjoːn] *f* punctuation

Intervall [ɪntɛr'val] *m* interval

intervenieren [ɪntɛrve'niːrən] *v* intervene

Intervention [ɪntɛrven'tsjoːn] *f* intervention

Interview [ɪntɛr'vjuː] *n* interview

interviewen [ɪntɛr'vjuːən] *v* interview

intim [ɪn'tiːm] *adj* intimate

Intimität [ɪntimi'tɛːt] *f* intimacy

Intimsphäre [ɪn'tiːmsfɛːrə] *f* privacy, private life

intolerant [ɪntolə'rant] *adj* intolerant

Intoleranz [ɪntolə'rants] *f* intolerance

intransitiv ['ɪntranziti:f] *adj* intransitive

intravenös ['ɪntrave'nøːs] *adj MED* intravenous

intrigant [ɪntri'gant] *adj* scheming

Intrigant(in) [ɪntri'gant(ɪn)] *m/f* intriguer

Intrige [ɪn'triːgə] *f* intrigue, scheme

intrigieren [ɪntri'giːrən] *v* intrigue, plot, scheme

Intubation [ɪntuba'tsjoːn] *f MED* intubation

Invalide [ɪnva'liːdə] *m* invalid, disabled person

Invasion [ɪnvas'joːn] *f POL* invasion

Inventar [ɪnvɛn'taːr] *n* inventory

Inventur [ɪnvɛn'tuːr] *f* stock-taking, inventory

investieren [ɪnvɛ'stiːrən] *v* invest

Investition [ɪnvɛsti'tsjoːn] *f* investment

Investitionshilfe [ɪnvɛsti'tsjoːnshɪlfə] *f*
ECO investment aid
Investmentfonds [ɪn'vɛstmɛntfɔ̃] *m*
ECO investment fund, unit trust *(UK)*, mutual
trust *(US)*
Investor [ɪn'vɛstɔr] *m* ECO investor
inwiefern [ɪnviˈfɛrn] *adv* in what way
inwieweit [ɪnviˈvaɪt] *adv* to what extent, in
what way
Inzest [ˈɪntsɛst] *m* incest
Inzucht [ˈɪntsuxt] *f* inbreeding
inzwischen [ɪn'tsvɪʃən] *adv* in the meantime, meanwhile, by the
Irak [i'raːk] *m der* ~ Iraq
Iraker [i'raːkər] *m* Iraqi
irakisch [i'raːkɪʃ] *adj* Iraqi
Iran [i'raːn] *m der* ~ Iran
Iraner [i'raːnər] *m* Iranian
iranisch [i'raːnɪʃ] *adj* Iranian
irden [ˈɪrdən] *adj* 1. earthen; 2. *(Geschirr)*
earthenware
irdisch [ˈɪrdɪʃ] *adj* 1. terrestrial, earthly; 2.
(weltlich) worldly
Ire/Irin [ˈiːrə/'iːrɪn] *m/f* Irishman/Irish-
woman; *Sie ist Irin.* She's Irish. *die Iren* the
Irish
irgend [ˈɪrgənt] *adv* if possible, whatever,
whenever; ~ *etwas* something, anything; ~ *je-*
mand somebody, someone, anyone
irgendein [ˈɪrgəndaɪn] *adj* some, any
irgendwann [ˈɪrgəntvan] *adv* sometime
irgendwelche(r,s) [ˈɪrgəndvɛlçə(r,s)] *pron*
some; *Ich glaube nicht, dass es* ~ *Probleme*
geben wird. I don't think there will be any
prob-lems.
irgendwie [ˈɪrgəntviː] *adv* somehow, in
some way, one way or another
irgendwo [ˈɪrgəntvoː] *adv* somewhere,
anywhere
Iris [ˈiːrɪs] *f* ANAT iris
irisch [ˈiːrɪʃ] *adj* Irish
Irland [ˈɪrlant] *n* GEO Ireland, *(Republik* ~)
Eire
Irokese [iroˈkeːzə] *m* Iroquois
Ironie [iroˈniː] *f* irony
ironisch [i'roːnɪʃ] *adj* ironic
irrational [ˈɪratsjonaːl] *adj* irrational
Irrationalität [ɪratsjonaliˈtɛːt] *f* irrationality
irre [ˈɪrə] *adj* 1. mad, deranged, confused; 2.
(fam: merkwürdig) crazy, far-out; *adv* 3. *(fam:*
außerordentlich) incredibly
Irre(r) [ˈɪrə(r)] *m/f* lunatic, madman/mad-
woman, insane person

irreführen [ˈɪrəfyːrən] *v* mislead
irregehen [ˈɪrəgeːən] *v irr* 1. *(sich verlau-*
fen) lose one's way; 2. *(sich irren)* get on the
wrong track
irregulär [ˈɪregulɛːr] *adj* irregular
irrelevant [ˈɪrelevant] *adj* irrelevant
irren [ˈɪrən] *v* 1. *(sich* ~) to be wrong, to be
mistaken; 2. *(ratlos hin und her gehen)* wander
Irrenanstalt [ˈɪrənanʃtalt] *f* lunatic asylum
Irrenarzt [ˈɪrənartst] *m (fam)* shrink, head-
shrinker
Irrenhaus [ˈɪrənhaus] *n (fam)* madhouse,
lunatic asylum
Irrfahrt [ˈɪrfaːrt] *f* odyssey
Irrgarten [ˈɪrgartən] *m* 1. maze; 2. *(fig)*
labyrinth
irrgläubig [ˈɪrglɔybɪç] *adj* heretical
Irritation [ɪritaˈtsjoːn] *f* irritation
irritieren [ɪriˈtiːrən] *v* 1. irritate; 2. *(verwir-*
ren) confuse, muddle
Irrlehre [ˈɪrleːrə] *f* REL false doctrine
Irrlicht [ˈɪrlɪçt] *n* will-o'-the-wisp
Irrsinn [ˈɪrzɪn] *m* madness
irrsinnig [ˈɪrzɪnɪç] *adj* 1. MED insane; 2.
(fig) insane, crazy, mad
Irrtum [ˈɪrtum] *m* error, mistake, misconception; *sich im* ~ *befinden* to be mistaken, to
be on the wrong track
irrtümlich [ˈɪrtyːmlɪç] *adj* erroneous
Irrweg [ˈɪrveːk] *m (fig)* wrong way; *auf* ~*e*
geraten go astray
Islam [ɪsˈlaːm] *m* REL Islam
islamisch [ɪsˈlaːmɪʃ] *adj* REL Islamic
islamistisch [ɪsˈlaːmɪstɪʃ] *adj* Islamic
Islamit [ɪslaˈmiːt] *m* Muslim
Island [ˈiːslant] *n* GEO Iceland
Isländer [ˈiːslɛndər] *m* Icelander
Isolation [izolaˈtsjoːn] *f* 1. TECH insulation; 2. *(Absondern)* isolation
isolieren [izoˈliːrən] *v* 1. TECH insulate; 2.
(absondern) isolate
Isolierung [izoˈliːruŋ] *f* 1. TECH insulation;
2. *(fig)* isolation
Isotop [izoˈtoːp] *n* CHEM isotope
Israel [ˈisraeːl] *n* Israel
Israeli [israˈeːli] *m* Israeli
israelisch [israˈeːliʃ] *adj* Israeli
israelitisch [israeˈliːtɪʃ] *adj* Israelite
Italien [iˈtaːljən] *n* GEO Italy
Italiener(in) [italˈjeːnər(ɪn)] *m/f* Italian
italienisch [italˈjeːnɪʃ] *adj* Italian
Italienisch [italˈjeːnɪʃ] *n* Italian
I-Tüpfelchen [ˈiːtupfəlçən] *n* dot on the i;
bis aufs ~ down to the last detail

J

ja [ja:] *adv* 1. yes; 2. *(einräumend) Es ist ~ nicht so schlimm.* It really isn't so bad.

Jacht [jaxt] *f* yacht

Jacke ['jakə] *f* 1. *(Stoffjacke)* jacket; *~ wie Hose sein* to be six of one and half a dozen of the other; *die ~ vollkriegen* get a thrashing; 2. *(Strickjacke)* cardigan

Jackett [ʒa'kɛt] *n* jacket

Jackpot ['dʒækpɔt] *m* jackpot

Jagd [ja:kt] *f* 1. hunt; 2. *(Verfolgung)* chase, pursuit

Jagdgründe ['ja:ktgryndə] *pl in die ewigen ~ eingehen* go to the happy hunting grounds

jagen ['ja:gən] *v* hunt, stalk, shoot; *Damit kannst du mich ~.* I wouldn't take it if you paid me.

Jäger ['jɛːgər] *m* hunter

Jaguar ['ja:guaːr] *m* jaguar

jäh [jɛː] *adj* 1. *(plötzlich)* sudden, abrupt; 2. *(steil)* steep, precipitous

Jahr [ja:r] *n* year; *in die ~e kommen* to be getting on in years; *in den besten ~en* in the prime of life

jahrelang ['ja:rəlaŋ] *adj* 1. lasting for years; *~e Erfahrung* years of experience; *adv* 2. for years

jähren ['jɛːrən] *v heute jährt sich der Tag an dem ...* it's a year ago today that ...; *heute jährt es sich zum vierten Mal, dass ...* today makes it four years since ...

Jahrestag ['ja:rəsta:k] *m* anniversary

Jahresurlaub ['ja:rəsuːrlaup] *m* holidays per year, vacation per year *(US)*

Jahreswagen ['ja:rəsva:gən] *m* one-year-old car

Jahreswechsel ['ja:rəsvɛksəl] *m* turn of the year

Jahreszahl ['ja:rəstsa:l] *f* year; *~en lernen* learn dates; *Ich kann mir ~en schlecht merken.* I'm not good at memorizing dates.

Jahreszeit ['ja:rəstsait] *f* season, time of year

jahreszeitlich ['ja:rəstsaitliç] *adj* seasonal

Jahrgang ['ja:rgaŋ] *m* 1. year; 2. *(Menschen)* all persons born in a certain year; *Birgit Schmidt, ~ 1967* Birgit Schmidt, born 1967; *Du und ich sind der gleiche ~.* You and I were born the same year.

Jahrhundert [ja:r'hundərt] *n* century

Jahrhundertereignis [ja:r'hundərtəraiknis] *n (fig)* monumental event

Jahrhundertwende [ja:r'hundərtvɛndə] *f* turn of the century

jährlich ['jɛːrliç] *adj* 1. annual, yearly; *adv* 2. annually, every year

Jahrmarkt ['ja:rmarkt] *m* fair, annual fair

Jahrtausend [ja:r'tauzənt] *n* millenium

Jahrzehnt [ja:r'tseːnt] *n* decade

Jähzorn ['jɛːtsɔrn] *m* quick temper, hot-headedness, *(plötzlicher Ausbruch)* sudden anger

jähzornig ['jɛːtsɔrniç] *adj* hot-tempered, quick-tempered, choleric

Jalousie [ʒalu'ziː] *f* (Venetian) blind

Jamaika [ja'maika] *n* GEO Jamaica

Jammer ['jamər] *m* 1. *(Klagen)* lamentation, distress, woe; 2. *(Elend)* misery, distress, calamity; *ein ~ sein* to be a crying shame

jämmerlich ['jɛmərliç] *adj* 1. miserable, lamentable, sorry; *adv* 2. miserably, wretchedly, woefully

jammern ['jamərn] *v* lament, complain, wail

jammervoll ['jamərfɔl] *adj* wretched, miserable

Januar ['janua:r] *m* January

Japan ['ja:pan] *n* GEO Japan

Japaner [ja'pa:nər] *m* Japanese

japanisch [ja'pa:niʃ] *adj* Japanese

japsen ['japsən] *v (fam)* gasp for breath, pant

Jargon [ʒar'gõ] *m* jargon

Jasager ['ja:za:gər] *m* yes-man, stooge

Jasmin [jas'miːn] *m* BOT jasmine

Jaspis ['jaspis] *m* MIN jasper

Jastimme ['ja:ʃtimə] *f* vote in favour

jäten ['jɛːtən] *v* weed

Jauche ['jauxə] *f* liquid manure

Jauchegrube ['jauxəgru:bə] *f* cesspool, cesspit

jauchzen ['jauxtsən] *v* shout with joy, cheer, rejoice

Jauchzer ['jauxtsər] *m* shout of joy

jaulen ['jaulən] *v* whine

Jawort ['ja:vɔrt] *n* 1. *jdm das ~ geben* say yes to s.o. (who has proposed marriage); 2. *jdm das ~ geben (bei der Trauung)* say "I do"

je [jeː] *adv* 1. ever; *denn ~* than ever; *prep* 2. per, each; *Sie zahlten ~ zehn Mark.* Each one paid ten marks. ~ *Person drei Stück* three per person; *konj* 3. ~ ... *desto* ... the ... the ...; ~ *mehr, desto besser* the more the better; 4. ~ *nachdem,* ... depending on ... *"Je nachdem."* "That depends."

jede(r,s) ['je:də(r,s)] *adj 1.* each, every; *pron 2.* everyone, everybody

jedenfalls ['je:dənfals] *adv* in any case, at any rate, anyway

jedermann ['je:dərman] *pron 1.* everyone, everybody; *Es ist nicht ~s Sache.* It's not for everyone. 2. *(jeder Beliebige)* anyone, anybody

jederzeit ['je:dərtsaɪt] *adv* at all times, always, at any time

jedes Mal ['je:dəsma:l] *adv* every time, each time, *(immer)* always; ~ *wenn* whenever

jedoch [je'dɔx] *konj* yet, still, however

jedweder *pron (siehe "jeder")*

jeglicher ['je:klɪçər] *pron* every, any

jeher ['je:'her] *adv seit* ~ always, all along

jemals ['je:mals] *adv* ever

jemand ['je:mant] *pron* somebody, someone, anybody

jene(r,s) ['je:nə(r,s)] *pron* that one; *in ~n Tagen* in those days

jenseitig ['je:nzaɪtɪç] *adj 1.* on the other side of, opposite; 2. *REL* otherworldly

jenseits ['je:nzaɪts] *prep* beyond

Jenseits ['je:nzaɪts] *n* the hereafter, the beyond, the life to come; *jdn ins ~ befördern* send s.o. to meet his maker

Jesuit [jezu'i:t] *m REL* Jesuit

jetten ['dʒɛtən] *v* jet

jetzig ['jɛtsɪç] *adj* current, present

jetzt [jɛtst] *adv* now, at present, at the moment; *bis* ~ as yet; ~ *gleich* right away; *Was ist* ~ *los?* What's going on now?

jeweilig ['je:vaɪlɪç] *adj 1.* respective; 2. *(vorherrschend)* prevailing

jeweils ['je:vaɪls] *adv* respectively, at a time, in each case; ~ *zwei zusammen* two at a time

jobben ['dʒɔbən] *v* do temporary jobs

Joch [jɔx] *n* yoke

Jod [jo:t] *n CHEM* iodine

jodeln ['jo:dəln] *v* yodel

Joga ['jo:ga] *m/n* Yoga

joggen ['dʒɔgən] *v SPORT* jog

Jogurt ['jo:gurt] *n GAST* yogurt

Johannisbeere [jo'hanɪsbe:rə] *f (rote ~) BOT* redcurrant

Johannistag [jo'hanɪsta:k] *m* Midsummer Day (June 24th)

johlen ['jo:lən] *v* howl, yell

Jolle ['jɔlə] *f NAUT* dinghy

Jongleur [ʒɔŋ'glø:r] *m* juggler

jonglieren [ʒɔŋ'gli:rən] *v* juggle

Jordanien [jor'da:njən] *n* Jordan

Jordanier [jor'da:njər] *m* Jordanian

jordanisch [jor'da:nɪʃ] *adj* Jordanian

Journal [ʒur'na:l] *n* journal

Journalismus [ʒurna'lɪsmus] *m* journalism

Journalist [ʒurna'lɪst] *m* journalist

jovial [jo'vja:l] *adj* jovial, merry, cheerful

Jovialität [jovjali'tɛ:t] *f* joviality

Jubel ['ju:bəl] *m* jubilation, exultation, merry-making

jubeln ['ju:bəln] *v* rejoice, shout with joy

Jubilar [ju:bi'la:r] *m* person celebrating an anniversary

Jubiläum [ju:bi'lɛ:um] *n* anniversary, jubilee

jucken ['jukən] *v 1.* itch; 2. *(sich kratzen)* scratch o.s.

Juckreiz ['jukraɪts] *m MED* itching

Jude ['ju:də] *m* Jew

Judenstern ['ju:dənʃtɛrn] *m REL* Star of David

Judentum ['ju:dəntu:m] *n REL* Judaism

Judenverfolgung ['ju:dənferfɔlguŋ] *f* pogrom, persecution of the Jews

Judikative [judika'ti:və] *f POL* judicative

Jüdin ['jy:dɪn] *f* Jewish woman; *Sie ist ~.* She's Jewish.

jüdisch ['jy:dɪʃ] *adj* Jewish

Judo ['ju:do] *n SPORT* judo

Jugend ['ju:gənt] *f* youth

Jugendamt ['ju:gəntamt] *n* youth welfare department

jugendfrei ['ju:gəntfraɪ] *adj* suitable for young people, carrying a U certificate *(UK)*, rated PG *(US)*

Jugendgruppe ['ju:gəntgrupə] *f* youth group

Jugendherberge ['ju:gəntherbergə] *f* youth hostel

Jugendkriminalität ['ju:gəntkrɪminali-tɛ:t] *f* juvenile delinquency

jugendlich ['ju:gəntlɪç] *adj* juvenile, adolescent, youthful

Jugendliche(r) ['ju:gəntlɪçə(r)] *m/f* adolescent, young person, youth

Jugendlichkeit ['ju:gəntlɪçkaɪt] *f* youthfulness

Jugendorganisation ['ju:gəntorganiza-tsjo:n] *f* youth organization

Jugendrichter ['juːgəntrɪçtər] *m JUR* judge of the juvenile court

Jugendschutzgesetz ['juːgəntʃutsgə-zɛts] *n JUR* Protection of Young Persons Act

Jugendstil ['juːgəntʃtiːl] *m ART* Art Nouveau

Jugendstrafanstalt ['juːgəntʃtraːfan-ʃtalt] *f JUR* juvenile prison, reform school

Jugendstreich ['juːgəntʃtraɪç] *m* youthful escapade

Jugendsünde ['juːgəntzyndə] *f* sin of one's youth

Jugendwerk ['juːgəntveːrk] *n 1.* early work; *2. LIT* juvenilia

Jugendzeit ['juːgənttsaɪt] *f* youth, early life

Jugendzentrum ['juːgənttsɛntrum] *n* youth centre

Jugoslawe [juːgoˈslaːvə] *m* Yugoslav

Jugoslawien [juːgoˈslaːvjən] *n* Yugoslavia

jugoslawisch [juːgoˈslaːvɪʃ] *adj* Yugoslav

Juli ['juːli] *m* July

jung [juŋ] *adj* young; *der Jüngste Tag* Doomsday

Junge ['juŋə] *m 1.* boy; *n 2. ZOOL* young animal, young

jungenhaft ['juŋənhaft] *adj* boyish

Jünger ['jyŋər] *m REL* disciple

Jungfer ['juŋfər] *f alte ~* old maid, old spinster

Jungfernfahrt ['juŋfərnfaːrt] *f* maiden journey

Jungfernhäutchen ['juŋfərnhɔytçən] *n ANAT* hymen

Jungfrau ['juŋfrau] *f* virgin

jungfräulich ['juŋfrɔylɪç] *adj 1.* virginal; *2. (fig)* virgin

Junggeselle ['juŋgəzɛlə] *m* bachelor

Junggesellendasein ['juŋgəzɛləndaː-zaɪn] *n* bachelor's life, life as a bachelor

Jüngling ['jyŋlɪŋ] *m* lad, youngster, young fellow

jüngst [jyŋst] *adv (neulich)* recently, lately, of late

jüngste(r,s) ['jyŋstə(r,s)] *adj 1.* youngest; *2. (Sachen)* latest, most recent; *3. der Jüngste Tag* Doomsday

Jungsteinzeit ['juŋʃtaɪntsaɪt] *f HIST* New Stone Age, Neolithic period

jungsteinzeitlich ['juŋʃtaɪntsaɪtlɪç] *adj HIST* of the New Stone Age, Neolithic

Jungtier ['juŋtiːr] *n ZOOL* young animal

Jungunternehmer ['juŋuntərneːmər] *m ECO* young entrepreneur

Jungwähler ['juŋvɛːlər] *m* young voter

Juni ['juːni] *m* June

Junior ['juːnjɔr] *m* junior

Juniorchef ['juːnjɔrʃɛf] *m* junior director, junior partner

Juniorpartner ['juːnjɔrpartnər] *m ECO* junior partner

Junker ['juŋkər] *m HIST* Junker

Junta ['xunta] *f POL* junta

Jura ['juːra] *n* law

Jurisdiktion [jurɪsdɪkˈtsjoːn] *f JUR* jurisdiction

Jurist/Juristin [juˈrɪst/juˈrɪstɪn] *m/f* lawyer, legal expert

juristisch [juˈrɪstɪʃ] *adj* legal

Juror/Jurorin ['juːrɔr/juˈroːrɪn] *m/f JUR* juror

Jury [ʒyˈriː] *f* jury, panel of judges

just [just] *adj* just

justieren [jusˈtiːrən] *v 1.* adjust; *2. (Typografie)* justify

Justiz [jusˈtiːts] *f* administration of justice, judiciary, judicature

Justizbeamte(r)/Justizbeamtin [jus-ˈtiːtsbəamtə(r)/jusˈtiːtsbəamtɪn] *m/f* judicial officer, officer of the court, court clerk

Justizbehörde [jusˈtiːtsbəhøːrdə] *f* judicial authority

Justizirrtum [jusˈtiːtsɪrtum] *m* miscarriage of justice

Justizminister [jusˈtiːtsmɪnɪstər] *m POL* Minister of Justice, Lord Chancellor *(UK)*, Attorney General *(US)*

Justizministerium [jusˈtiːtsmɪnɪsterj-um] *n* Ministry of Justice

Justizmord [jusˈtiːtsmɔrt] *m JUR* judicial murder

Jute ['juːtə] *f BOT* jute

Jutesack ['juːtəzak] *m* jute sack

Jutetasche ['juːtətaʃə] *f* jute bag

Juwel [juˈveːl] *n* jewel, gem; *mit ~en behängt* laden with jewels

Juwelendiebstahl [juˈveːləndiːpʃtaːl] *m* jewel theft

Juwelier [juvəˈliːr] *m* jeweller, *(Geschäft)* jeweller's

Juweliergeschäft [juvəˈliːrgəʃɛft] *n* jeweller, jewelry store *(US)*

Jux [juks] *m* joke, lark, fun; *aus lauter ~ und Tollerei* just for kicks; *sich einen ~ mit jdm erlauben* play a joke on s.o.

juxen ['juksən] *v* make fun

K

Kabarett [kaba'rɛt] *n THEAT* cabaret
Kabel ['ka:bəl] *n* cable
Kabeljau ['ka:bəljau] *m ZOOL* codfish, cod
Kabine [ka'bi:nə] *f* 1. *(kleiner Raum)* cubicle; 2. *NAUT* cabin
Kabinett [kabi'nɛt] *n POL* cabinet
Kachel ['kaxəl] *f* tile
Kachelofen ['kaxəlo:fən] *m* tile stove
Kadaver [ka'da:vər] *m* carcass
Kadenz [ka'dɛnts] *f MUS* cadence
Kader ['ka:dər] *m* 1. cadre; 2. *SPORT* squad
Kadett [ka'dɛt] *m MIL* cadet
Käfer ['kɛ:fər] *m ZOOL* bug, beetle
Kaffee ['kafe:] *m* coffee; *Das ist alles kalter ~! (fig)* That's old news! That's all old hat!
Kaffeelöffel ['kafelœfəl] *m* teaspoon
Kaffeemaschine ['kafemaʃi:nə] *f* coffee machine
Kaffeesatz ['kafezats] *m* coffee grounds
Käfig ['kɛ:fɪç] *m* cage; *im goldenen ~ sitzen (fig)* to be a bird in a gilded cage
kahl [ka:l] *adj* 1. *(unbewachsen)* bare; 2. *(glatzköpfig)* bald; 3. *(ohne Blätter)* bare, leafless; 4. *(leer)* bleak, barren; 5. *(Wand)* bare; *~ fressen* strip
kahlköpfig ['ka:lkœpfɪç] *adj* bald, bald-headed
Kahlschlag ['ka:lʃla:k] *m* 1. clearing; 2. *(fig: radikale Verringerung)* clean sweep
Kahn [ka:n] *m* boat, skiff, barge; *einen im ~ haben* to be tipsy
Kai [kaɪ] *m* quay, wharf
Kaiser ['kaɪzər] *m* emperor
Kaiserreich ['kaɪzərraɪç] *n* empire
Kaiserschnitt ['kaɪzərʃnɪt] *m MED* Caesarian section
Kajak ['ka:jak] *n SPORT* kayak
Kajüte [ka'jy:tə] *f* cabin
Kakadu ['kakadu] *m ZOOL* cockatoo
Kakao [ka'kau] *m* 1. *BOT* cocoa; *jdn durch den ~ ziehen (fig: jdn schlecht machen)* run s.o. down, bad-mouth s.o. *(US)*; *(veralbern)* make fun of s.o.; 2. *GAST* hot chocolate
Kaktus ['kaktus] *m BOT* cactus
Kalb ['kalp] *n ZOOL* calf
Kalbfleisch ['kalpflaɪʃ] *n GAST* veal
Kalender [ka'lɛndər] *m* calendar; *etw rot im ~ anstreichen* make sth a red-letter day
Kalium ['ka:ljum] *n CHEM* potassium

Kalk [kalk] *m CHEM* lime
Kalkstein ['kalkʃtaɪn] *m* limestone
Kalkulation [kalkula'tsjo:n] *f* calculation
kalkulieren [kalku'li:rən] *v* calculate
Kalorie [kalo'ri:] *f PHYS* calorie
kalorienarm [kalo'ri:ənarm] *adj* low-calorie
kalt [kalt] *adj* cold; *Kalter Krieg* cold war; *~ stellen (fig)* neutralize; *~ bleiben (besonnen bleiben)* keep cool; *~e Füße kriegen (fig)* get cold feet; *jdm die ~e Schulter zeigen (fig)* give s.o. the cold shoulder
kaltblütig ['kaltbly:tɪç] *adj* cold-blooded
Kälte ['kɛltə] *f* 1. cold; 2. *(fig)* coolness, coldness, callousness
Kalzium ['kaltsjum] *n CHEM* calcium
Kamel [ka'me:l] *n ZOOL* camel
Kamera ['kaməra] *f* camera
Kamerad [kamə'ra:t] *m* comrade, companion, mate *(fam)*
kameradschaftlich [kamə'ra:tʃaftlɪç] *adj* comradely, companionable
Kamille [ka'mɪlə] *f BOT* camomile
Kamin [ka'mi:n] *m* 1. *(Feuerstelle)* fireplace; 2. *(Schornstein)* chimney
Kaminkehrer [ka'mi:nke:rər] *m* chimney-sweep
Kamm [kam] *m* 1. *(Haarkamm)* comb; *alles über einen ~ scheren* treat everything alike; 2. *(Bergkamm)* crest, ridge; 3. *BIO* comb; *Ihm schwillt der ~!* He's getting cocky!
kämmen ['kɛmən] *v* comb
Kammer ['kamər] *f* 1. chamber, small room; 2. *POL* chamber (of parliament); 3. *(Herzkammer) ANAT* ventricle, chamber of the heart
Kammerdiener ['kamərdi:nər] *m* valet
Kammerjäger ['kamərjɛ:gər] *m* exterminator
Kampagne [kam'panjə] *f* campaign
Kampf [kampf] *m* 1. fight, struggle; 2. *(Wettkampf)* competition, contest; 3. *(Schlacht)* battle
kämpfen ['kɛmpfən] *v* fight, battle, struggle; *um etw ~* fight for sth
Kampfgeist ['kampfgaɪst] *m* fighting spirit
Kanada ['kanada] *n GEO* Canada
Kanal [ka'na:l] *m* channel, waterway, canal; *den ~ voll haben* to be fed up to one's teeth; *sich den ~ voll laufen lassen* to get drunk as a lord

Kanalisation [kanaliza'tsjoːn] *f* canalization, drainage, sewerage

Kanarienvogel [ka'naːrjənfoːgəl] *m* ZOOL canary

Kanarische Inseln [ka'naːrɪʃə 'ɪnzəln] *pl* GEO Canary Islands *pl*

Kandidat [kandi'daːt] *m* candidate

Kandidatur [kandida'tuːr] *f* candidacy, candidature

kandidieren [kandi'diːrən] *v* stand as a candidate, run *(US)*

kandiert [kan'diːrt] *adj* candied

Kandiszucker ['kandɪstsukər] *m* sugar candy

Känguru ['kɛŋguruː] *n* ZOOL kangaroo

Kaninchen [ka'niːnçən] *n* ZOOL rabbit

Kanister [ka'nɪstər] *m* canister

Kanne ['kanə] *f* jug, pot

Kannibale [kani'baːlə] *m* cannibal

Kanon ['kaːnɔn] *m* MUS canon, round

Kanone [ka'noːnə] *f* 1. gun; 2. *(Geschütz)* HIST cannon

Kante ['kantə] *f* 1. edge; *etw auf die hohe ~ legen* save sth for a rainy day; *etw auf der hohen ~ haben* have sth saved up for a rainy day; 2. *(Rand)* border

kantig ['kantɪç] *adj* angular, edged

Kantine [kan'tiːnə] *f* canteen

Kanu ['kaːnu] *n* canoe

Kanüle [ka'nyːlə] *f* MED cannula

Kanzel ['kantsəl] *f* REL pulpit

Kanzlei [kants'laɪ] *f* 1. office, chambers; 2. POL chancellery

Kanzler ['kantslər] *m* POL chancellor

Kapazität [kapatsi'tɛːt] *f* 1. capacity; 2. *(Person)* authority, eminent specialist

Kapelle [ka'pɛlə] *f* 1. REL chapel; 2. MUS band, orchestra

kapern [ka'pərn] *v (fam)* capture, seize, catch

Kapital [kapi'taːl] *n* capital; *~ aus etw schlagen* capitalize on sth

Kapitalismus [kapita'lɪsmus] *m* capitalism

Kapitalist [kapita'lɪst] *m* capitalist

Kapitän [kapi'tɛːn] *m* captain

Kapitel [ka'pɪtəl] *n* chapter

kapitulieren [kapitu'liːrən] *v* capitulate, surrender

Kaplan [kap'laːn] *m* REL chaplain

Kappe ['kapə] *f* cap; *etw auf seine ~ nehmen* take the rap for sth *(fam)*

Kapsel ['kapsəl] *f* capsule

kaputt [ka'put] *adj* 1. broken; 2. *(fam: müde)* tired, exhausted, whacked

kaputtmachen [ka'putmaxən] *v* 1. *etw ~* break; 2. *sich ~* wear o.s. out

Kapuze [ka'puːtsə] *f* hood, cowl, cap

Karaffe [ka'rafə] *f* decanter, carafe

Karambolage [karambo'laːʒə] *f* 1. collision, crash; 2. *(Massenkarambolage)* pile-up

Karamell [kara'mɛl] *m* caramel

Karat [ka'raːt] *n* carat

Karate [ka'ratə] *n* SPORT karate

Karawane [kara'vaːnə] *f* caravan

Kardinal [kardi'naːl] *m* REL cardinal

Karenz [ka'rɛnts] *f* 1. waiting period; 2. MED period of rest

Karfreitag [kaːr'fraɪtaːk] *m* REL Good Friday

karg [kark] *adj* scanty, paltry, meagre

Karibik [ka'riːbɪk] *f die ~* GEO the Caribbean

kariert [ka'riːrt] *adj* checked, chequered

Karies ['kaːriːs] *f* MED caries

Karikatur [karika'tuːr] *f* caricature, cartoon

Karikaturist [karikatu'rɪst] *m* caricaturist, cartoonist

karitativ [karita'tiːf] *adj* charitable

Karneval ['karnəval] *m* carnival

Karo ['kaːro] *n* 1. diamond; 2. *(Muster)* check; 3. *(Kartenspiel)* diamonds *pl*

Karosserie [karɔsə'riː] *f* TECH bodywork, body (of a car)

Karotte [ka'rɔtə] *f* BOT carrot

Karpfen ['karpfən] *m* ZOOL carp

Karree [ka'reː] *n im ~ springen* get really mad

Karren ['karən] *m* cart; *den ~ aus dem Dreck ziehen* get things sorted out; *jdm an den ~ fahren* take s.o. to task

Karriere [ka'rjɛːrə] *f* career; *~ machen* get ahead

Karte ['kartə] *f* 1. *(Eintrittskarte)* ticket; 2. *(Ansichtskarte)* postcard; 3. *(Speisekarte)* menu; 4. *(Spielkarte)* card, playing card; *alle ~n in der Hand haben* hold all the cards; *schlechte ~n haben* have a bad hand, *(fig)* not be in good shape; *seine ~n offen auf den Tisch legen* put one's cards on the table; *alles auf eine ~ setzen* put all one's eggs in one basket; *jdm in die ~n schauen (fig)* see what s.o. has up his sleeve; *mit offenen ~n spielen* put one's cards on the table; *mit gezinkten ~n spielen* not play fair; 5. *(Landkarte)* map

Kartei [kar'taɪ] *f* catalogue, card-register, card-index

Karteikarte [kar'taɪkartə] *f* index card, file card

Karteikasten [kar'taɪkastən] *m* card-index box, box of index cards

Kartell [kar'tɛl] *n ECO* cartel

Kartellamt [kar'tɛlamt] *n ECO* monopolies commission, antitrust commission

Kartenhaus ['kartənhaus] *n 1.* house of cards; *2. NAUT* chart room

Kartenleger ['kartənle:gər] *m* fortune-teller (who uses cards)

Kartenspiel ['kartənʃpi:l] *n* card game

Kartentelefon ['kartəntelefo:n] *n* card-phone

Kartenvorverkauf [kartən'fo:rfɛrkauf] *m* advance ticket sales

Kartoffel [kar'tɔfəl] *f BOT* potato; *jdn fallen lassen wie eine heiße ~* drop s.o. like a hot potato

Kartografie [kartɔgra'fi:] *f* cartography

Karton [kar'tɔŋ] *m 1. (Material)* cardboard; *2. (Schachtel)* cardboard box

Kartonage [karto'na:ʒə] *f* cardboard container

Karussell [karu'sɛl] *n* merry-go-round

kaschieren [ka'ʃi:rən] *v (Papier)* laminate

Kaschmir ['kaʃmi:r] *m* cashmere

Käse ['kɛ:zə] *m 1. GAST* cheese; *2. (fam: Unsinn)* nonsense, rubbish, rot

Kaserne [ka'zɛrnə] *f MIL* barracks

Kasino [ka'zi:no:] *n (Spielkasino)* casino

Kasper ['kaspər] *m* clown

Kasperletheater ['kaspərltea:tər] *n THEAT* Punch and Judy show

Kasse ['kasə] *f 1. (Registrierkasse)* cash register; *2. (~nschalter)* cashier's desk; *3. (Geldkasse)* cash-box; *bei ~ sein* to be flush; *nicht bei ~ sein* to be out of cash; *jdn zur ~ bitten* ask s.o. to pay up; *4. (Ladenkasse)* till; *tief in die ~ greifen müssen* have to dip into the till; *5. (Krankenkasse)* health insurance (fund); *6. (Sparkasse)* savings bank

Kassenbon ['kasənbɔ̃] *m* receipt

Kassenzettel ['kasəntsetəl] *m* receipt

Kassette [ka'setə] *f* cassette

Kassettenrekorder [ka'setənrekɔrdər] *m* cassette recorder

kassieren [ka'si:rən] *v* collect, take the money

Kassierer [ka'si:rər] *m* cashier

Kastanie [kas'ta:njə] *f BOT* chestnut; *für jdn die ~n aus dem Feuer holen* do s.o.'s dirty work

Kästchen ['kɛstçən] *n 1. (kleine Kiste)* little box; *2. (auf Schreibpapier)* box, square

Kaste ['kastə] *f* caste

Kastell [kas'tɛl] *n HIST* castellum, fort

Kasten ['kastən] *m* box, case; *etw auf dem ~ haben* have one's head screwed on the right way; *etw im ~ haben CINE* have sth in the can

kastrieren [kas'tri:rən] *v MED* castrate

Kasus ['ka:zus] *m GRAMM* case

Katakombe [kata'kɔmbə] *f* catacomb

Katalog [kata'lo:k] *m* catalogue

Katalysator [kataly'za:tor] *m 1. TECH* catalytic converter; *2. CHEM* catalyst

katastrophal [katastro'fa:l] *adj* disastrous, catastrophic

Katastrophe [kata'stro:fə] *f* disaster, catastrophe

Katechismus [kate'çısmus] *m REL* catechism

Kategorie [katego'ri:] *f* category

kategorisch [kate'go:rıʃ] *adj* categorical

Kater ['ka:tər] *m 1. (fam)* hangover; *2. ZOOL* tom-cat

Kathedrale [kate'dra:lə] *f REL* cathedral

Katode [ka'to:də] *f PHYS* cathode

Katholik [kato'li:k] *m REL* Catholic

katholisch [ka'to:lıʃ] *adj REL* Catholic

Katze ['katsə] *f* cat; *die ~ im Sack kaufen* buy a pig in a poke; *die ~ aus dem Sack lassen* let the cat out of the bag; *mit jdm Katz und Maus spielen* play cat and mouse with s.o.; *für die Katz sein* to be for the birds

Kauderwelsch ['kaudərvɛlʃ] *n 1.* jargon, lingo; *2. (unverständliche Sprache)* gibberish

kauen ['kauən] *v* chew

kauern ['kauərn] *v* cower, squat, huddle

Kauf [kauf] *m* purchase, buy (fam); *etw in ~ nehmen* put up with sth

kaufen ['kaufən] *v 1.* purchase, buy; *2. sich jdn ~* call s.o. on the carpet (fig)

Käufer ['kɔyfər] *m* buyer, purchaser

Kaufhaus ['kaufhaus] *n* department store

käuflich ['kɔyflıç] *adj 1.* for sale, purchasable; *2. (fig: bestechlich)* bribable, venal, corrupt

Kaugummi ['kaugumi] *m* chewing-gum

Kaulquappe ['kaulkvapə] *f ZOOL* tadpole

kaum [kaum] *adv 1.* hardly, scarcely, barely; *konj 2.* hardly, scarcely

kausal [kau'za:l] *adj* causal

Kaution [kau'tsjo:n] *f* deposit, guarantee, security

Kautschuk ['kautʃuk] *m* caoutchouc, India rubber

Kauz [kauts] *m 1. (fig)* strange fellow, oddball, misfit; *2. ZOOL* screech-owl

Kavalier [kava'li:r] *m* gentleman

Kavallerie [kavalə'ri:] *f MIL* cavalry

Kaviar ['ka:viaːr] *m GAST* caviar

keck [kɛk] *adj* cheeky, daring, forward

Kegel ['ke:gəl] *m 1.* cone; *2. (zum Spiel)* skittle, *(beim Bowling)* pin

kegeln ['ke:gəln] *v 1.* play at skittles; *2. (beim Bowling)* bowl *(US)*

Kehle ['ke:lə] *f ANAT* throat; *Das schnürte mir die ~ zu.* I was speechless. *sich die ~ aus dem Hals schreien* shout at the top of one's lungs; *eine trockene ~ haben* need a drink; *etw in die falsche ~ bekommen* take sth the wrong way; *Jetzt geht es ihm an die ~.* He's had it.

Kehlkopf ['ke:lkɔpf] *m ANAT* larynx

kehren ['ke:rən] *v 1. (drehen)* turn; *in sich gekehrt (versunken)* lost in thought, *(verschlossen)* introverted; *2. (fegen)* sweep, brush

Kehrseite ['ke:rzaɪtə] *f 1. (Rückseite)* reverse, back; *2. (fig)* reverse side, other side; *die ~ der Medaille* the other side of the coin

Keil [kaɪl] *m* wedge

Keilerei [kaɪlə'raɪ] *f (fam)* fight, scuffle, brawl

Keim [kaɪm] *m* germ, seed; *etw im ~ ersticken* nip sth in the bud

keimen ['kaɪmən] *v* germinate, sprout, bud

keimfrei ['kaɪmfraɪ] *adj* sterile, germ-proof

Keimzelle ['kaɪmtsɛlə] *f 1. BIO* germ-cell, bud-cell; *2. (fig)* basic unit

kein(e) [kaɪn(ə)] *adj* no, not any, not one; *Ich habe kein Geld.* I have no money. I do not have any money.

keiner ['kaɪnər] *pron 1.* none, not any; *2. (niemand)* nobody, no one; *Es war ~ da.* There was nobody there.

keinesfalls ['kaɪnəsfals] *adv* under no circumstances, on no account, by no means

Keks [ke:ks] *m* biscuit *(UK)*, cookie *(US)*; *jdm auf den ~ gehen* get on s.o.'s wick, get on s.o.'s nerves

Kelch [kɛlç] *m* cup, goblet

Kelle ['kɛlə] *f 1. (Schöpfkelle)* ladle, scoop; *2. (Maurerkelle)* trowel

Keller ['kɛlər] *m* basement, cellar

Kellerei [kɛlə'raɪ] *f (Lagerraum)* wine-cellars

Kellergeschoss ['kɛlərgəʃɔs] *n* basement

Kellner ['kɛlnər] *m* waiter, barman

keltisch ['kɛltɪʃ] *adj HIST* Celtic

Kenia ['ke:nja] *n GEO* Kenya

kennen ['kɛnən] *v irr 1.* know; *2. (vertraut sein mit)* to be familiar with, know, to be acquainted with; *Da kennt er gar nichts!* Nothing will stop him!; *~ lernen* get to know, become acquainted with; meet (for the first time); *nur oberflächlich ~* know but slightly

Kenner ['kɛnər] *m 1.* expert, authority; *2. (bei Geschmackssachen)* connoisseur

Kennkarte ['kɛnkartə] *f* identity card

kenntlich ['kɛntlɪç] *adj* recognizable, distinguishable, discernible; *etw ~ machen* mark sth

Kenntnis ['kɛntnɪs] *f* knowledge, acquaintance with sth; *etw zur ~ nehmen* take note of sth; *Das entzieht sich meiner ~.* I don't know anything about it. *jdn von etw in ~ setzen* inform s.o. of sth

Kennwort ['kɛnvɔrt] *n* password

Kennzeichen ['kɛntsaɪçən] *n 1. (Merkmal)* distinguishing attribute, characteristic mark, sign; *2. (Auto)* registration plate, licence number, registration number

kennzeichnen ['kɛntsaɪçnən] *v 1.* mark; *2. (charakterisieren)* characterize, distinguish

Kennziffer ['kɛntsɪfər] *f* code number, identification number

kentern ['kɛntərn] *v NAUT* capsize, overturn

Keramik [ke'ra:mɪk] *f* ceramics

Kerbe ['kɛrbə] *f* jag, notch, nick; *in die gleiche ~ hauen* take the same line

Kerker ['kɛrkər] *m 1.* prison, jail; *2. (Verlies)* dungeon

Kerl [kɛrl] *m (fam)* chap, guy, fellow

Kern [kɛrn] *m 1. (Obstkern)* seed, kernel, pit; *2. (fig: Mittelpunkt)* core, heart, central point; *der harte ~* the hard core; *3. (fig: Wesentliche)* essence, heart, main substance

Kernkraftwerk ['kɛrnkraftvɛrk] *n* nuclear power station

Kerosin [kero'zi:n] *n TECH* kerosene

Kerze ['kɛrtsə] *f 1.* candle; *2. (Zündkerze)* spark plug

Kerzenständer ['kɛrtsənʃtɛndər] *m* candlestick

kess ['kɛs] *adj* jaunty, saucy

Kessel ['kɛsəl] *m 1. (Kochgefäß)* kettle; *2. (Heizkessel)* boiler, heater

Kette ['kɛtə] *f 1.* chain; *jdn an die ~ legen* tie s.o. down; *an der ~ liegen* to be in chains; *2. (Halskette)* necklace; *3. (Serie)* series, string

Ketzer ['kɛtsər] *m REL* heretic

ketzerisch ['kɛtsərɪʃ] *adj REL* heretical

keuchen ['kɔyçən] *v* pant, puff, gasp

Keule ['kɔylə] *f 1.* club, bludgeon; *2. GAST* leg, joint, shoulder

Keuschheit ['kɔyʃhaɪt] *f* chastity

kichern ['kɪçərn] v giggle, snigger

kidnappen ['kɪtnɛpən] v kidnap

Kiebitz ['ki:bɪts] m 1. (Vogel) lapwing, peewit; 2. (Zuschauer beim Kartenspiel) kibitzer (fam)

Kiefer¹ ['ki:fər] m ANAT jaw

Kiefer² ['ki:fər] f BOT pine-tree

Kiel [ki:l] m NAUT keel

Kieme ['ki:mə] f ZOOL gill; etw zwischen die ~n bekommen get a bite to eat

Kies [ki:s] m 1. gravel; 2. (fam: Geld) dough

Kieselstein ['ki:zəlʃtaɪn] m pebble

Kiesweg ['ki:sve:k] m gravel path

Kind [kɪnt] n child; ~er und Narren sagen die Wahrheit children and fools speak the truth; kein ~ von Traurigkeit sein to enjoy life; bei jdm lieb ~ spielen ingratiate o.s. with s.o., bow and scrape to s.o.; das ~ beim Namen nennen call a spade a spade; mit ~ und Kegel with bag and baggage; Wir werden das ~ schon schaukeln! We'll manage somehow!

Kindergarten ['kɪndərgartən] m kindergarten, nursery-school

Kindergeld ['kɪndərgɛlt] n family allowance, child benefit

Kinderheim ['kɪndərhaɪm] n children's home

Kinderhort ['kɪndərhɔrt] m day-nursery

Kindermädchen ['kɪndərmɛːtçən] n nanny

Kinderwagen ['kɪndərvaːgən] m pram (UK), baby carriage (US)

Kindesmisshandlung ['kɪndəsmɪshandluŋ] f child abuse

Kindheit ['kɪnthaɪt] f childhood, infancy

kindisch ['kɪndɪʃ] adj childish

kindlich ['kɪndlɪç] adj 1. childlike, simple, innocent; adv 2. like a child

kinetisch [ki'ne:tɪʃ] adj PHYS kinetic

Kinn [kɪn] n chin

Kino ['ki:no] n cinema

Kiosk ['kiɔsk] m kiosk

Kippe ['kɪpə] f 1.(fig) auf der ~ stehen to be up in the air; 2. (fam: Zigarettenrest) dog-end (UK), stub, butt (US)

Kirche ['kɪrçə] f church; die ~ im Dorf lassen not get carried away; die ~ ums Dorf tragen take the long way

kirchlich ['kɪrçlɪç] adj (of the) church, ecclesiastical

Kirchturm ['kɪrçturm] m steeple

Kirsche ['kɪrʃə] f BOT cherry; Mit ihm ist nicht gut ~n essen! It's best not to tangle with him!

Kissen ['kɪsən] n 1. cushion; 2. (Kopfkissen) pillow

Kissenbezug ['kɪsənbətsu:k] m pillowcase, pillow-slip

Kiste ['kɪstə] f box, chest, case

kitschig ['kɪtʃɪç] adj gaudy, bad-taste, tawdry

Kittel ['kɪtəl] m 1. smock, tunic; 2. (Überwurf) overall

kitzelig ['kɪtsəlɪç] adj ticklish

kitzeln ['kɪtsəln] v tickle

Kiwi ['kivi:] f BOT kiwi

Klage ['kla:gə] f 1. complaint, lament; 2. JUR grievance, charge, suit

klagen ['kla:gən] v 1. complain, lament, moan; über Schmerzen ~ complain of pains; 2. JUR take legal action, sue

kläglich ['klɛːklɪç] adj miserable, woeful, lamentable

Klammer ['klamər] f 1. (Büroklammer) paper clip; 2. (Wäscheklammer) clothes-peg, clothespin (US); 3. (Zeichen) bracket, parenthesis

Klammeraffe ['klamərafə] m INFORM "at" symbol

klammern ['klamərn] v 1. clip, peg, clamp; 2. sich ~ an cling to

Klang [klaŋ] m 1. sound, ring; 2. (Klangfarbe) tone, timbre

klanglos ['klaŋlo:s] adj sang- und ~ without any ado

Klappe ['klapə] f 1. flap; 2. (fam) mouth; Halt die ~! Shut up! eine große ~ haben have a big mouth

klapperig ['klapərɪç] adj 1. (Sache) shaky, rickety, wobbly; 2. (Person) decrepit, shaky, frail

klappern ['klapərn] v 1. rattle; 2. (Zähne) chatter

Klapperschlange ['klapərʃlaŋə] f ZOOL rattlesnake

klar [kla:r] adj clear; sich über etw im Klaren sein fully understand sth; „Klar." "Right."

klären ['klɛːrən] v 1. (reinigen) purify; 2. (Situation) clear up, clarify

Klarheit ['kla:rhaɪt] f 1. clarity; sich über etw ~ verschaffen to find out about sth, to get clear about sth, (Sachlage) to clarify sth; jdm etw in aller ~ sagen tell s.o. sth in plain language 2. (des Wassers, der Luft) clearness

Klarinette [klari'nɛtə] f MUS clarinet

Klarsichtfolie ['kla:rzɪçtfo:ljə] f transparent foil

klarstellen ['kla:rʃtɛlən] v make clear, clarify

Klasse ['klasə] f class

Klassenkamerad ['klasənkaməra:t] m classmate

Klassenzimmer ['klasəntsɪmər] n classroom

Klassifizierung [klasifi'tsi:rʊŋ] f classification

Klassik ['klasɪk] f 1. (Zeitabschnitt) HIST classicism, classical period; 2. (Stil) classicism; 3. MUS classical music

Klassiker ['klasɪkər] m 1. (Person) classic, classicist; 2. (Werk) classic work

klassisch ['klasɪʃ] adj classical, classic; das hast du mal wieder ~ gesagt! another classic comment

Klassizismus [klasi'tsɪsmus] m classicism

Klatsch [klatʃ] m (fam) gossip

klatschen ['klatʃən] v 1. (Geräusch) smack, flap; jdm eine ~ hit s.o.; 2. (Regen) splash; 3. (Beifall ~) clap, applaud; 4. (negativ reden) gossip

Klausel ['klauzəl] f JUR clause, proviso, stipulation

Klausur [klau'zu:r] f 1. (Prüfung) examination paper; 2. (Abgeschiedenheit) seclusion

Klavier [kla'vi:r] n MUS piano

Klebeband ['kle:bəbant] n adhesive tape

kleben ['kle:bən] v 1. (haften) stick to, adhere to, cling to; Bilder in ein Album ~ paste pictures into an album 2. (ankleben) stick; jdm eine ~ paste s.o. (fam)

klebrig ['kle:brɪç] adj sticky, adhesive

Klebstoff ['kle:pʃtɔf] m adhesive, glue

Klecks [klɛks] m splash, spot, blotch

Klee [kle:] m BOT clover; etw über den grünen ~ loben praise sth to the skies, sing hosannas about sth (fig)

Kleeblatt ['kle:blat] n BOT clover

Kleid [klait] n dress, gown

kleiden ['klaidən] v 1. sich ~ dress; 2. (gut aussehen) suit, to be becoming

Kleiderschrank ['klaidərʃraŋk] m wardrobe

Kleiderständer ['klaidərʃtɛndər] m rack, hat stand, clothes-tree

Kleidung ['klaidʊŋ] f clothing, clothes pl

Kleie ['klaiə] f BOT bran

klein [klain] adj small, little; von ~ an since childhood; ~ kariert petty, narrow-minded; bis ins Kleinste right down to the smallest detail, in minute detail

Kleinasien [klain'a:zjən] n GEO Asia Minor

Kleinbuchstabe ['klainbu:xʃta:bə] m lower-case letter, small letter

kleinbürgerlich ['klainbyrgərlıç] adj petit-bourgeois, lower middle-class

Kleinfamilie ['klainfami:ljə] f nuclear family

Kleingedruckte ['klaingədruktə] n (fig) das ~ the small print

Kleingeld ['klaingelt] n change (coins)

Kleinigkeit ['klainıçkait] f little thing, trifle

Kleinkind ['klainkint] n infant

kleinlaut ['klainlaut] adj abashed, sheepish, subdued

kleinlich ['klainlıç] adj 1. (engstirnig) narrow-minded, petty, pedantic; 2. (geizig) mean, petty

Klempner ['klɛmpnər] m plumber

klerikal [kleri'ka:l] adj REL clerical

Klerus ['kle:rus] m REL clergy

Klette ['klɛtə] f 1. BOT bur; 2. (fam) leech

klettern ['klɛtərn] v climb

Klient [kli'ɛnt] m client

Klima ['kli:ma] n climate; sich dem ~ anpassen adapt o.s. to the climate

Klimaanlage ['kli:maanla:gə] f air-conditioning

Klinge ['klɪŋə] f blade; eine scharfe ~ führen to be a dangerous opponent; jdn über die ~ springen lassen bump s.o. off (fam)

Klingel ['klɪŋəl] f bell

klingeln ['klɪŋəln] v 1. ring; 2. Jetzt klingelt's bei mir! Now I've got it!

klingen ['klɪŋən] v irr sound, ring

Klinik ['kli:nɪk] f clinic

Klinikum ['kli:nɪkum] n clinic

klinisch ['kli:nɪʃ] adj clinical

Klinke ['klɪŋkə] f door-handle, door-latch; sich bei jdm die ~ in die Hand geben queue up to see s.o.; ~n putzen go from door to door

Klippe ['klɪpə] f 1. cliff, rock; 2. (fig) obstacle, dangerous situation

Klischee [klɪ'ʃe:] n 1. printing block, cut (for printing), plate; 2. (fig) cliché

Klitoris ['kli:torɪs] f ANAT clitoris

Klo [klo:] n (fam) loo (UK), john (US)

Kloake [klo'a:kə] f 1. sewer; 2. BIO cloaca

klobig ['klo:bɪç] adj chunky, massive, bulky

Klobrille ['klo:brɪlə] f (fam) toilet seat

klonen ['klo:nən] v BIO clone

klopfen ['klɔpfən] v 1. (Herz) beat, throb; 2. (Motor) knock; 3. (etw ~) knock; 4. (Teppich) beat

Kloß [kloːs] *m GAST* dumpling; *einen ~ im Hals haben (fig)* have a lump in one's throat

Kloster ['kloːstər] *n 1. (Nonnenkloster) REL* convent; *2. (Mönchskloster) REL* monastery

Klotz [klɔts] *m 1.* block, chunk; *sich einen ~ ans Bein binden* tie a millstone round one's neck; *einen ~ am Bein haben* have a millstone round one's neck; *2. (Spielklotz)* block; *3. (Mensch)* clod, hulk, lout

Klub [klup] *m* club

Kluft [kluft] *f 1. (Abgrund)* gap, rift, chasm; *2. (fig: Gegensatz) Zwischen ihnen besteht eine große ~.* There is a deep rift between them. *3. (fam: Kleidung)* outfit, gear, garb

klug [kluːk] *adj* clever, shrewd; *aus jdm nicht ~ werden* to be unable to make head or tail of s.o.

Knabe ['knaːbə] *m* boy, lad

Knäckebrot ['knɛkəbroːt] *n* crispbread

knacken ['knakən] *v 1. (knarren)* creak; *2. (Nüsse)* crack; *3. (fam: aufbrechen)* break into

Knall [knal] *m* bang, crack, slam; *Der hat einen ~.* He must be nuts. He must be crazy. *~ auf Fall* all of a sudden

knallen ['knalən] *v 1.* bang, pop, slam; *jdm eine ~* clout s.o.; *2. (Peitsche)* crack

knapp [knap] *adv 1.* barely, just; *adj 2. (gering)* scarce, insufficient, scanty; *3. (eng)* tight, a close fit; *4. (fig: kurz gefasst)* succinct, concise, brief; *jdn ~ halten* keep s.o. short; *mit ~er Not* only just, by the skin of one's teeth

Knäuel ['knɔyəl] *n 1. (Wollknäuel)* ball of wool; *2. (fig: Menschenknäuel)* crowd, throng

knauserig ['knauzərɪç] *adj (fam)* stingy, tight-fisted, mean

knausern ['knauzərn] *v (fam) mit etw ~* to be sparing with sth, to be tight-fisted with sth

Knebel ['kneːbəl] *m 1. (Stab)* short stick; *2. (Mundknebel)* gag

knebeln ['kneːbəln] *v* gag

Knecht [knɛçt] *m* servant, farm-hand

Knechtschaft ['knɛçtʃaft] *f 1.* servitude; *2. HIST* serfdom

kneifen ['knaɪfən] *v irr 1. (zwicken)* pinch; *2. (fam: sich drücken)* back out, shirk, chicken out

Kneifzange ['knaɪftsaŋə] *f* cutting pliers

Kneipe ['knaɪpə] *f* pub, bar

kneten ['kneːtən] *v* knead, mould

Knetmasse ['kneːtmasə] *f* modelling clay

Knick [knɪk] *m 1. (Straßenknick)* sharp bend; *2. (Papierknick)* fold, crease; *Du hast wohl einen ~ in der Optik!* Can't you see straight?

knicken ['knɪkən] *v 1. (falten)* fold; *2. (abknicken)* break off, snap off

Knie [kniː] *n ANAT* knee; *auf die ~ fallen* fall to one's knees; *weiche ~ bekommen* go weak at the knees

knien ['kniːən] *v* kneel

Kniestrumpf ['kniːʃtrumpf] *m 1.* knee-length sock; *2. (für Damen)* stocking

kniffelig ['knɪfəlɪç] *adj (fam)* tricky, difficult

knirschen ['knɪrʃən] *v 1. (Schnee)* crunch; *2. (mit den Zähnen)* grind

knistern ['knɪstərn] *v 1.* crackle; *2. (fig) Es knistert vor Spannung.* The atmosphere is electric.

knittern ['knɪtərn] *v 1.* crease, wrinkle; *2. (Papier)* crumple

knobeln ['knoːbəln] *v 1. (nachdenken)* puzzle over sth; *2. (würfeln)* throw dice; *3. (Stein, Schere, Papier)* play rock-paper-scissors

Knoblauch ['knoːblaux] *m* garlic

Knöchel ['knœçəl] *m 1. (Fußknöchel) ANAT* ankle; *2. (Fingerknöchel) ANAT* knuckle

Knochen ['knɔxən] *m* bone

knochig ['knɔxɪç] *adj* bony

Knödel ['knøːdəl] *m GAST* dumpling

Knolle ['knɔlə] *f BOT* bulb

Knopf [knɔpf] *m* button

Knospe ['knɔspə] *f BOT* bud

Knoten ['knoːtən] *m 1.* knot; *2. MED* lump; *3. PHYS* node

knüpfen ['knypfən] *v 1. (binden)* tie, knot; *2. (Teppich)* weave; *3. (fig: Beziehung)* form

Knüppel ['knypəl] *m 1. (Stock)* stick, club; *2. (Schalthebel)* control stick, gear stick, gearshift

knurren ['knurən] *v 1. (Hund)* growl, snarl; *2. (fig: meckern)* grumble, growl; *3. (fig: Magen)* rumble, growl

knusprig ['knusprɪç] *adj* crispy

Koalabär [ko'aːlabɛːr] *m ZOOL* koala, koala bear

Koalition [koali'tsjoːn] *f POL* coalition

Kobalt ['koːbalt] *n CHEM* cobalt

Kobold ['koːbɔlt] *m* goblin, imp, hobgoblin

Kobra ['koːbra] *f ZOOL* cobra

Koch [kɔx] *m* cook

Kochbuch ['kɔxbuːx] *n* cookery-book, cookbook *(US)*

kochen ['kɔxən] *v 1. (zubereiten)* cook; *2. (sieden)* boil, simmer; *vor Wut ~ (fig)* to be boiling with rage, to be seething

Kocher ['kɔxər] *m* cooker

Köchin ['kœçɪn] *f* cook

Kochrezept ['kɔxretsɛpt] n recipe
Kochtopf ['kɔxtɔpf] m 1. pot; 2. (mit Stiel) saucepan
Köder ['kø:dər] m bait
ködern ['kø:dərn] v bait
Kodex ['ko:dɛks] m 1. code; 2. (Handschrift) manuscript
kodieren [ko'di:rən] v INFORM code
Kodierung [ko'di:ruŋ] f coding
Koffein [kɔfe'i:n] n caffeine
koffeinfrei [kɔfe'i:nfraɪ] adj 1. (Kaffee) decaffeinated; 2. (Limonade) caffeine-free
koffeinhaltig [kɔfe'i:nhaltɪç] adj caffeinated
Koffer ['kɔfər] m suitcase, trunk
Kofferraum ['kɔfərraum] m boot (UK), trunk (US)
Kognak ['kɔnjak] m 1. GAST brandy; 2. (in ~ hergestellt) cognac
Kohl [ko:l] m BOT cabbage
Kohle ['ko:lə] f 1. coal; 2. (fam: Geld) dough
Kohlehydrat ['ko:ləhydra:t] n CHEM carbohydrate
Kohlekraftwerk ['ko:ləkraftvɛrk] n TECH coal-burning power plant
Kohlendioxid [ko:lən'djɔksy:t] n CHEM carbon dioxide
Kohlensäure ['ko:lənsɔyrə] f 1. (in Getränken) carbonation; 2. CHEM carbonic acid
Kohlenstoff ['ko:lənʃtɔf] m CHEM carbon
Koje ['ko:jə] f bunk
Kojote [ko'jo:tə] m ZOOL coyote
Kokain [koka'i:n] n cocaine
kokett [ko'kɛt] adj coquettish, flirtatious
Kokon [ko'kõ:] m ZOOL cocoon
Kokosnuss ['ko:kɔsnus] f BOT coconut
Kolben ['kɔlbən] m 1. (Motor) piston; 2. (Gewehr) butt; 3. (Mais) cob
kollabieren [kɔla'bi:rən] v MED collapse
Kollaps ['kɔlaps] m MED collapse
Kollege [kɔ'le:gə] m colleague
kollegial [kɔle'gjal] adj cooperative
Kollegium [kɔ'le:gjum] n 1. staff; 2. (Ausschuss) committee
kollektiv [kɔlɛk'ti:f] adj collective
Kollektor [kɔ'lɛkto:r] m TECH collector
kollidieren [kɔli'di:rən] v collide
Kollision [kɔlizj'o:n] f 1. collision; 2. (fig) conflict, clash
Kolonialismus [kolonja'lɪsmus] m POL colonialism
Kolonie [kolo'ni:] f POL colony
Kolonne [ko'lɔnə] f 1. column; 2. (Arbeitstruppkolonne) gang; 3. MIL convoy

kolossal [kolo'sa:l] adj colossal, immense, huge
Kolumbien [ko'lumbjən] n GEO Colombia
Kolumne [ko'lumnə] f (in einer Zeitung) column
Koma ['ko:ma] n MED coma
Kombination [kɔmbina'tsjo:n] f 1. (Verknüpfung) combination; 2. (Vermutung) conjecture; 3. (Kleidung) outfit
kombinieren [kɔmbi'ni:rən] v 1. combine; 2. (vermuten) infer, deduce, conclude
Komet [ko'me:t] m ASTR comet
Komfort [kɔm'fo:r] m comfort, ease
komfortabel [kɔmfɔr'ta:bəl] adj 1. comfortable; adv 2. comfortably
Komik ['ko:mɪk] f humour, comedy
Komiker ['ko:mɪkər] m comedian
komisch ['ko:mɪʃ] adj 1. (spaßig) funny, humorous, amusing; 2. (eigenartig) strange, odd, peculiar
Komitee [komi'te:] n committee
Komma ['kɔma] n comma
Kommandant [kɔman'dant] m MIL commander, commanding officer
kommandieren [kɔman'di:rən] v command, order
Kommando [kɔ'mando] n 1. (Befehl) command, order; 2. über etw das ~ führen command sth, to be in command of sth
kommen ['kɔmən] v irr come; aus der Kälte ~ come in from the cold; ums Leben ~ lose one's life; zu nichts ~ come to nothing; zu sich ~ regain consciousness; Wie kommst du darauf? What made you think of that? etw ~ lassen send for sth
Kommentar [kɔmen'ta:r] m commentary, comment, remark
kommentarlos [kɔmen'ta:rlo:s] adv without comment
Kommentator [kɔmen'ta:tɔr] m commentator
kommentieren [kɔmen'ti:rən] v comment on, commentate
Kommerz [kɔ'mɛrts] m commerce
kommerziell [kɔmerts'jel] adj commercial
Kommilitone [kɔmili'to:nə] m fellow student
Kommissar [kɔmɪ'sa:r] m 1. (in der Regierung) commissioner; 2. (Polizeikommissar) inspector, (leitender ~) superintendent
Kommission [kɔmɪs'jo:n] f commission
Kommode [kɔ'mo:də] f chest of drawers
kommunal [kɔmu'na:l] adj municipal, local

Kommune [kɔ'muːnə] *f 1. (Wohngemein-schaft)* commune; *2. (Gemeinde)* POL community, municipality
Kommunikation [kɔmunika'tsjoːn] *f* communication
kommunikativ [kɔmunika'tiːf] *adj* communicative
Kommunion [kɔmun'joːn] *f* REL Communion
Kommunismus [kɔmu'nɪsmus] *m* POL communism
kommunizieren [kɔmuni'tsiːrən] *v 1.* communicate; *2.* REL receive the sacrament
Komödiant [kɔmød'jant] *m* player, actor
Komödie [kɔ'møːdjə] *f* comedy
kompakt [kɔm'pakt] *adj* compact, firm, solid
Kompanie [kɔmpa'niː] *f* MIL company
Kompass ['kɔmpas] *m* compass
kompatibel [kɔmpa'tiːbəl] *adj* INFORM compatible
kompensieren [kɔmpɛn'ziːrən] *v* compensate, offset
kompetent [kɔmpə'tɛnt] *adj* competent, qualified
Kompetenz [kɔmpə'tɛnts] *f* competence
komplett [kɔm'plɛt] *adj* complete, entire
komplex [kɔm'plɛks] *adj* complex
Komplikation [kɔmplika'tsjoːn] *f* complication
Kompliment [kɔmpli'mɛnt] *n* compliment
Komplize [kɔm'pliːtsə] *m* accomplice
komplizieren [kɔmpli'tsiːrən] *v* complicate
Komplott [kɔm'plɔt] *n* POL plot, conspiracy, intrigue
Komponente [kɔmpo'nɛntə] *f* component
komponieren [kɔmpo'niːrən] *v* MUS compose, write
Komponist [kɔmpo'nɪst] *m* MUS composer
Komposition [kɔmpozɪ'tsjoːn] *f* composition
Kompost [kɔm'pɔst] *m* AGR compost
Kompott [kɔm'pɔt] *n* GAST stewed fruit, compote, sauce
komprimieren [kɔmpri'miːrən] *v 1.* compress; *2. (fig)* condense
Kompromiss [kɔmpro'mɪs] *m* compromise; *in einer Sache einen ~ schließen* compromise over sth
kompromittieren [kɔmprɔmɪ'tiːrən] *v* compromise
Kondensation [kɔndɛnza'tsjoːn] *f* condensation

Kondensator [kɔndɛn'zaːtor] *m* TECH capacitor, condenser
Kondition [kɔndi'tsjoːn] *f* condition
Konditor [kɔn'diːtor] *m* confectioner
Konditorei [kɔndito'raɪ] *f* pastry shop
Kondom [kɔn'doːm] *n* condom
Konfekt [kɔn'fɛkt] *n* GAST confectionery
Konfektion [kɔnfɛk'tsjoːn] *f 1.* manufacture of ready-made clothes, ready-to-wear production; *2. (Industrie)* clothing industry; *3. (Bekleidung)* ready-to-wear clothes *pl*
Konferenz [kɔnfe'rɛnts] *f* conference, meeting
Konferenzschaltung [kɔnfe'rɛntsʃaltuŋ] *f* conference call
Konferenzzimmer [kɔnfe'rɛntstsɪmər] *n* conference room
Konfession [kɔnfɛs'joːn] *f* REL creed, confession of faith, denomination
konfessionslos [kɔnfɛs'joːnsloːs] *adj* non-denominational
Konfetti [kɔn'fɛti] *n* confetti
Konfiguration [kɔnfigura'tsjoːn] *f* INFORM configuration
Konfirmation [kɔnfɪrma'tsjoːn] *f* REL confirmation
konfiszieren [kɔnfɪs'tsiːrən] *v* confiscate
Konfitüre [kɔnfi'tyːrə] *f* GAST jam
Konflikt [kɔn'flɪkt] *m* conflict
Konföderation [kɔnfødəra'tsjoːn] *f* POL confederation
konform [kɔn'fɔrm] *adj* concurring
Konfrontation [kɔnfrɔnta'tsjoːn] *f* confrontation
konfrontieren [kɔnfrɔn'tiːrən] *v* confront
konfus [kɔn'fuːs] *adj* confused, muddled
Konfusion [kɔnfu'zjoːn] *f* confusion
Kongress [kɔn'grɛs] *m* congress
König ['køːnɪç] *m* king
Königin ['køːnɪgɪn] *f* queen
königlich ['køːnɪklɪç] *adj* royal
Königreich ['køːnɪkraɪç] *n* kingdom
Königtum ['køːnɪktuːm] *n* POL monarchy
Konjugation [kɔnjuga'tsjoːn] *f* GRAMM conjugation
Konjunktur [kɔnjuŋk'tuːr] *f* economy, economic situation
konkret [kɔn'kreːt] *adj* concrete
Konkurrenz [kɔnku'rɛnts] *f* competition; *jdm ~ machen* compete with s.o.
konkurrenzfähig [kɔnku'rɛntsfɛːɪç] *adj* competitive, able to compete
konkurrieren [kɔnku'riːrən] *v* compete
Konkurs [kɔn'kurs] *m* JUR bankruptcy

können ['kœnən] v irr 1. (in der Lage sein) to be able to, can; 2. (beherrschen, wissen) know, master, understand; 3. (dürfen) to be allowed to, to be permitted to, may

Konsens [kɔn'zɛns] m 1. (Einwilligung) consent; 2. (Übereinstimmung) consensus

konsequent [kɔnze'kvɛnt] adj 1. (grundsatzgetreu) consistent; 2. (folgerichtig) logical

konservativ [kɔnzɛrva'tiːf] adj conservative

Konservendose [kɔn'zɛrvəndoːzə] f tin, can (US)

konservieren [kɔnzɛr'viːrən] v 1. preserve, conserve; 2. (in Büchsen) tin, can (US)

Konsistenz [kɔnzis'tɛnts] f consistency

Konsole [kɔn'zoːlə] f console, bracket

konsolidieren [kɔnzoli'diːrən] v consolidate

Konsonant [kɔnzo'nant] m LING consonant

Konspiration [kɔnspira'tsjoːn] f POL conspiracy

konstant [kɔns'tant] adj constant, steady, permanent

Konstante [kɔn'stantə] f MATH constant

Konstellation [kɔnstɛla'tsjoːn] f constellation

konstituieren [kɔnstitu'iːrən] v constitute

konstitutionell [kɔnstitutsjo'nɛl] adj POL constitutional

konstruieren [kɔnstru'iːrən] v 1. construct, design, build; 2. (fig) construe

Konstruktion [kɔnstruk'tsjoːn] f construction, design

konstruktiv [kɔnstruk'tiːf] adj constructive

Konsul ['kɔnzuːl] m POL consul

Konsulat [kɔnzu'laːt] n POL consulate

konsultieren [kɔnzul'tiːrən] v consult

Konsum [kɔn'zuːm] m consumption

Konsument [kɔnzu'mɛnt] m consumer

Konsumgesellschaft [kɔn'zuːmgəzɛlʃaft] f consumer society

konsumieren [kɔnzu'miːrən] v consume

Kontakt [kɔn'takt] m contact

kontaktfreudig [kɔn'taktfrɔydɪç] adj sociable, outgoing

kontaktieren [kɔntak'tiːrən] v contact

Kontaktlinsen [kɔn'taktlɪnzən] pl contact lenses

Kontaktperson [kɔn'taktpɛrzoːn] f contact

Kontamination [kɔntamina'tsjoːn] f contamination, pollution

Kontext ['kɔntɛkst] m context

Kontinent [kɔnti'nɛnt] m continent

kontinental [kɔntinɛn'taːl] adj continental

Kontingent [kɔntɪŋ'gɛnt] n 1. MIL contingent; 2. (Zuteilung) quota, share

kontinuierlich [kɔntinu'iːrlɪç] adj continuous

Kontinuität [kɔntinui'tɛːt] f continuity

Konto ['kɔnto] n account

Kontra ['kɔntra] n (sharp) retort

Kontrahent [kɔntra'hɛnt] m 1. (Gegner) opponent; 2. (Vertragspartner) JUR contracting party

konträr [kɔn'trɛːr] adj contrary, opposite

Kontrast [kɔn'trast] m contrast

Kontrolle [kɔn'trɔlə] f control, inspection, check

Kontrolleur [kɔntrɔ'løːr] m controller

kontrollieren [kɔntrɔ'liːrən] v 1. check; 2. (beherrschen) control

kontrovers [kɔntro'vɛrs] adj controversial

Kontroverse [kɔntro'vɛrzə] f controversy, dispute

Konvention [kɔnvɛn'tsjoːn] f 1. (Brauch) convention, custom; 2. POL convention, agreement

konventionell [kɔnvɛntsjo'nɛl] adj conventional

Konversation [kɔnvɛrza'tsjoːn] f conversation

konvertieren [kɔnvɛr'tiːrən] v convert

Konvoi ['kɔnvɔy] m MIL convoy

Konzentrat [kɔntsɛn'traːt] n concentrate

konzentrieren [kɔntsɛn'triːrən] v 1. concentrate; 2. sich ~ concentrate, focus; sich auf etw ~ concentrate on sth

Konzept [kɔn'tsɛpt] n 1. (Vorstellung) idea, concept; 2. (Entwurf) rough copy, draft, notes

Konzeption [kɔntsɛp'tsjoːn] f conception

Konzern [kɔn'tsɛrn] m ECO group, conglomerate (US)

Konzert [kɔn'tsɛrt] n MUS concert

Konzession [kɔntsɛ'sjoːn] f 1. (Erlaubnis) licence, concession; 2. (Zugeständnis) concession

Konzil [kɔn'tsiːl] n REL council

konzipieren [kɔntsi'piːrən] v draw up, draft, conceive

Kooperation [koopəra'tsjoːn] f cooperation

kooperativ [koopəra'tiːf] adj cooperative

kooperieren [koopə'riːrən] v cooperate

Koordinaten [koordi'naːtən] pl MATH coordinates

Koordination [koɔrdina'tsjoːn] f coordination

koordinieren [koɔrdi'niːrən] v coordinate

Kopf [kɔpf] m head; *sich den ~ zerbrechen über ...* rack one's brains over ...; *Er ist nicht auf den ~ gefallen.* He's no fool.

Kopfhörer ['kɔpfhøːrər] m headphones pl, earphones pl, headset

Kopfkissen ['kɔpfkɪsən] n pillow

Kopfsalat ['kɔpfzalaːt] m BOT lettuce

Kopfschmerzen ['kɔpfʃmɛrtsən] pl MED headache

Kopfstütze ['kɔpfʃtytsə] f headrest

Kopftuch ['kɔpftuːx] n scarf

kopfüber [kɔpf'yːbər] adv headlong, head first

Kopie [ko'piː] f copy, duplicate

kopieren [ko'piːrən] v copy

Kopierer [ko'piːrər] m copier, copying machine

Koppel ['kɔpəl] f 1. *(Weide)* field, meadow, paddock; 2. *(Gürtel)* belt

koppeln ['kɔpəln] v 1. couple, join, link; 2. *(Ziele)* combine; 3. *(Hunde)* leash together; 4. *(Pferde)* string together; 5. *(Wörter)* hyphenate

Koralle [ko'ralə] f BOT coral

Korb [kɔrp] m basket

Korea [ko'reːa] n GEO Korea

Korken ['kɔrkən] m cork

Korkenzieher ['kɔrkəntsiːər] m corkscrew

Korn [kɔrn] n 1. *(Getreide)* corn; 2. *(Sandkorn)* grain

körnig ['kœrnɪç] adj grainy, gritty, granular

Körper ['kœrpər] m body

körperbehindert ['kœrpərbəhɪndərt] adj handicapped, physically disabled

korpulent [kɔrpu'lɛnt] adj corpulent

korrekt [kɔ'rɛkt] adj correct

Korrektur [kɔrɛk'tuːr] f 1. correction; 2. *(~lesen)* proofreading

Korrelation [kɔrela'tsjoːn] f correlation

Korrespondent [kɔrɛspɔn'dɛnt] m correspondent

Korrespondenz [kɔrɛspɔn'dɛnts] f correspondence

korrespondieren [kɔrɛspɔn'diːrən] v correspond

Korridor ['kɔridoːr] m corridor, passage

korrigieren [kɔri'giːrən] v correct

Korrosion [kɔro'zjoːn] f CHEM corrosion

korrupt [kɔ'rupt] adj corrupt

Korsett [kɔr'zet] n corset

Korsika ['kɔrzika] n GEO Corsica

Kortison [kɔrti'zoːn] n MED cortisone

Kosmetik [kɔs'meːtɪk] f cosmetics

kosmisch ['kɔzmɪʃ] adj cosmic

Kosmos ['kɔsmɔs] m cosmos, universe

Kost [kɔst] f food

kostbar ['kɔstbaːr] adj precious, valuable, expensive

Kostbarkeit ['kɔstbaːrkaɪt] f 1. value, preciousness; 2. *(Gegenstand)* valuable item

kosten ['kɔstən] v 1. *(Preis)* cost; 2. *(versuchen)* taste

Kosten ['kɔstən] pl costs, expenses, charges; *mit großen ~ verbunden* at great expense

kostenlos ['kɔstənloːs] adj free of charge, at no cost

köstlich ['kœstlɪç] adj 1. *(hervorragend)* delicious, savoury, exquisite; 2. *(amüsant)* delightful, charming

Kostüm [kɔ'styːm] n 1. *(Kleidungsstück)* suit; 2. *(Maskenkostüm)* costume

Kot [koːt] m excrement

Krabbe ['krabə] f 1. crab; 2. *(Garnele)* shrimp

krabbeln ['krabəln] v crawl

Krach [krax] m 1. *(Lärm)* noise, row *(UK)*, racket; 2. *(Streit)* fight, quarrel, row *(UK)*; 3. *mit Ach und ~* by the skin of one's teeth, barely

krächzen ['krɛçtsən] v 1. croak; 2. *(Vogel)* caw

kraft [kraft] prep by virtue of; *~ meines Amtes* by virtue of my office

Kraft [kraft] f power, strength, force

Kraftausdruck ['kraftausdruk] m swearword, four-letter word

Kraftfahrer ['kraftfaːrər] m driver, motorist

Kraftfahrzeug ['kraftfaːrtsɔyk] n motor vehicle

kräftig ['krɛftɪç] adj 1. strong, powerful; adv 2. *(zur Verstärkung)* really

kräftigen ['krɛftɪgən] v strengthen

Kräftigung ['krɛftɪguŋ] f strengthening

kraftlos ['kraftloːs] adj 1. without strength, feeble, weak; 2. JUR invalid

Kraftstoff ['kraftʃtɔf] m fuel

Kragen ['kraːgən] m collar

Krähe ['krɛːə] f ZOOL crow

krähen ['krɛːən] v ZOOL crow

Krake ['kraːkə] f ZOOL octopus

Kralle ['kralə] f ZOOL claw, talon

Krampf [krampf] m MED cramp, spasm, convulsion

krampfhaft ['krampfhaft] *adj* 1. spasmodic; 2. *(fig)* feverish, desperate; 3. *(Lachen)* forced

Kran [kra:n] *m* 1. crane; 2. *(Zapfhahn)* tap

Kranich ['kra:nɪç] *m ZOOL* crane

krank [kraŋk] *adj* ill, sick *(US)*, unwell; ~ *werden* fall ill

Kranke(r) ['kraŋkə(r)] *m/f* sick person

kränkeln ['krɛŋkəln] *v* to be ailing, to be in poor health

kränken ['krɛŋkən] *v* hurt (s.o.'s feelings), wound, offend; *Es kränkt mich, dass ...* It grieves me that ...

Krankenhaus ['kraŋkənhaus] *n* hospital

Krankenkasse ['kraŋkənkasə] *f* health insurance; *(Gesellschaft)* health insurance company

Krankenwagen ['kraŋkənva:gən] *m* ambulance

krankhaft ['kraŋkhaft] *adj* 1. *MED* diseased, sick; 2. *(fig)* pathological

Krankheit ['kraŋkhaɪt] *f* sickness, illness, disease

Krankheitserreger ['kraŋkhaɪtsɛrre:gər] *m MED* germ

kränklich ['krɛŋklɪç] *adj* sickly

krankschreiben ['kraŋkʃraɪbən] *v irr* certify as ill

Kränkung ['krɛŋkuŋ] *f* slight, insult; *etw als ~ empfinden* take offence at sth

Kranz [krants] *m* wreath, garland

Krater ['kra:tər] *m GEOL* crater

kratzen ['kratsən] *v* scratch

kraulen ['kraulən] *v* 1. *(schwimmen)* crawl; 2. *(streicheln)* stroke, pet, tickle; *jdn am Kinn ~* to chuck s.o. under the chin

kräuseln ['krɔyzəln] *v* 1. *(Haar)* curl, frizz; 2. *(Wasser)* ripple

Kraut [kraut] *n* 1. herb; 2. *(Kohl)* cabbage

Krawall [kra'val] *m* racket, row, noise

Krawatte [kra'vatə] *f* tie

Kreation [krea'tsjo:n] *f* creation

kreativ [krea'ti:f] *adj* creative

Kreativität [kreativi'tɛ:t] *f* creativity

Kreatur [krea'tu:r] *f* creature

Krebs [kre:ps] *m* 1. *ZOOL* crab; 2. *(Flusskrebs)* *ZOOL* crayfish; 3. *MED* cancer; ~ *erregend* carcinogenic

Kredit [kre'di:t] *m ECO* loan, credit

Kreide ['kraɪdə] *f* chalk

kreieren [kre'i:rən] *v* create

Kreis [kraɪs] *m* 1. circle; 2. *(Verwaltung)* county, administrative district; 3. *(Freundeskreis)* circle of friends

Kreisel ['kraɪzəl] *m* top

kreisförmig ['kraɪsfœrmɪç] *adj* circular

Kreislauf ['kraɪslauf] *m* 1. circulation; 2. *(fig)* cycle

Kreisverkehr ['kraɪsfɛrke:r] *m* roundabout (traffic), rotary traffic *(US)*

Krematorium [krema'to:rjum] *n* crematorium

Krempe ['krɛmpə] *f (Hutkrempe)* brim

krempeln ['krɛmpəln] *v (hoch~)* roll up

Kresse ['krɛsə] *f BOT* cress

Kreuz [krɔyts] *n* 1. cross; 2. *ANAT* small of the back

kreuzen ['krɔytsən] *v* 1. cross; 2. *NAUT* cruise; 3. *(zickzack fahren)* *NAUT* tack

Kreuzer ['krɔytsər] *m* cruiser

Kreuzfahrt ['krɔytsfa:rt] *f* cruise

Kreuzgang ['krɔytsgaŋ] *m* cloister

Kreuzigung ['krɔytsiguŋ] *f REL* crucifixion

Kreuzritter ['krɔytsrɪtər] *m* 1. crusader; 2. *(Mitglied des Deutschen Ordens)* Teutonic Knight

Kreuzspinne ['krɔytsʃpɪnə] *f* garden spider, cross spider

Kreuzung ['krɔytsuŋ] *f* 1. *(Straßenkreuzung)* crossing, cross-roads, junction; 2. *BIO* crossing, interbreeding

Kreuzverhör ['krɔytsfɛrhø:r] *n JUR* cross-examination

Kreuzworträtsel ['krɔytsvortrɛ:tsəl] *n* crossword puzzle

Kreuzzug ['krɔytstsu:k] *m* crusade

kriechen ['kri:çən] *v irr* crawl, creep

Krieg [kri:k] *m* war; *einem Land den ~ erklären* declare war on a country; ~ *führend* belligerent; *in den ~ ziehen* to go to war; *in ~ und Frieden* in war and peace

kriegerisch ['kri:gərɪʃ] *adj* militant, belligerent

Kriegsausbruch ['kri:ksausbrux] *m* outbreak of war

Kriegserklärung ['kri:kserklɛ:ruŋ] *f* declaration of war

Kriegsgefangenschaft ['kri:ksgəfaŋənʃaft] *f* (war) captivity

Kriegsschauplatz ['kri:ksʃauplats] *m* theatre of war

Krimi ['krɪmi] *m* 1. crime thriller; 2. *(rätselhaft)* murder mystery, whodunit (fam)

Kriminalität [krɪminali'tɛ:t] *f* crime

kriminell [krɪmi'nɛl] *adj* criminal

Kriminelle(r) [krɪmi'nɛlə(r)] *m/f* criminal

Krippe ['krɪpə] *f* 1. *(Kinderkrippe)* crib, cot *(UK)*; 2. *(Futterkrippe)* crib; 3. *REL* manger

Krise ['kri:zə] *f* crisis
kriseln ['kri:zəln] *v* come to a crisis
Kristall [krıs'tal] *m/n* crystal
Kriterium [kri'te:rjum] *n* criterion
Kritik [kri'ti:k] *f* 1. *(Tadel)* criticism; 2. *(Beurteilung)* review
Kritiker ['kri:tikər] *m* critic
kritisch ['kri:tıʃ] *adj* critical
kritisieren [kriti'zi:rən] *v* criticize, review
kritzeln ['krıtsəln] *v* scribble, scrawl
Kroatien [kro'a:tsjən] *n* GEO Croatia
Krokodil [kroko'di:l] *n* ZOOL crocodile
Krokus ['kro:kus] *m* BOT crocus
Krone ['kro:nə] *f* crown
krönen ['krø:nən] *v* crown
Kronleuchter ['kro:nlɔyçtər] *m* chandelier
Krönung ['krø:nuŋ] *f* 1. crowning, coronation; 2. *(fig)* consummation, icing on the cake *(fam)*
Kronzeuge ['kro:ntsɔygə] *m* JUR chief witness, person who turns Queen's evidence *(UK)*, person who turns State's evidence *(US)*
Kropf [krɔpf] *m* 1. *(eines Vogels)* crop, maw; 2. MED goitre, goiter *(US)*
Kröte ['krø:tə] *f* ZOOL toad
Krücke ['krykə] *f* crutch
Krug [kru:k] *m* 1. jug; 2. *(Bierkrug)* mug, stein *(US)*
Krume ['kru:mə] *f* 1. crumb; 2. *(Schicht des Erdbodens)* topsoil
Krümel ['kry:məl] *m* crumb
krumm [krum] *adj* 1. crooked, bent; 2. *(verdreht)* twisted; *etw ~ nehmen* take offence at sth; *keinen Finger ~ machen* not to lift a finger; *~ gehen* walk with a stoop
krümmen ['krymən] *v* bend, twist, curve
Krümmung ['krymuŋ] *f* 1. *(Wölbung)* curvature, curve; 2. *(Biegung)* bend, twist, winding
Krüppel ['krypəl] *m* cripple
Kruste ['krustə] *f* GAST crust
Kruzifix [krutsi'fıks] *n* crucifix
Kuba ['ku:ba] *n* GEO Cuba
Kübel ['ky:bəl] *m* bucket, pail; *wie aus ~n regnen* (fig) to be raining cats and dogs
Küche ['kyçə] *f* 1. *(Raum)* kitchen; 2. *(Kochkunst)* cuisine, cooking
Kuchen ['ku:xən] *m* GAST cake
Kuchenblech ['ku:xənblɛç] *n* baking sheet
Kuchengabel ['ku:xəngabəl] *f* cake-fork, dessert-fork
Kuchenteig ['ku:xəntaık] *m* GAST cake dough
Kuckuck ['kukuk] *m* ZOOL cuckoo

Kuckucksuhr ['kukuksu:r] *f* cuckoo clock
Kufe ['ku:fə] *f* 1. *(Gleitschiene)* runner; 2. *(eines Flugzeuges)* skid
Kugel ['ku:gəl] *f* 1. MIL bullet, shell; 2. *(Ball)* ball; *die ~ ins Rollen bringen* start the ball rolling; 3. MATH sphere; 4. *(Kanonenkugel)* cannonball
Kugelschreiber ['ku:gəlʃraibər] *m* ballpoint pen, biro *(UK)*
kugelsicher ['ku:gəlzıçər] *adj* bulletproof
Kugelstoßen ['ku:gəlsto:sən] *n* SPORT shot-put
Kuh [ku:] *f* cow
kühl [ky:l] *adj* 1. cool; 2. *(fig: abweisend)* cold
kühlen ['ky:lən] *v* 1. cool; 2. *(Lebensmittel)* refrigerate
Kühler ['ky:lər] *m (eines Autos)* radiator
Kühlschrank ['ky:lʃraŋk] *m* refrigerator
Kühltasche ['ky:ltaʃə] *f* cooler
kühn [ky:n] *adj* 1. bold, daring; 2. *(keck)* audacious
Küken ['ky:kən] *n* ZOOL chick
Kulanz [ku'lants] *f* fair dealing, fairness in trade, accommodating behaviour
kulinarisch [kuli'na:rıʃ] *adj* culinary
Kulisse [ku'lısə] *f* 1. *(fig)* background, setting; *hinter den ~n* behind the scenes; 2. THEAT wings, side-scene
kulminieren [kulmi'ni:rən] *v* culminate
Kult [kult] *m* cult
kultivieren [kulti'vi:rən] *v* cultivate
Kultur [kul'tu:r] *f* 1. *(Kunst und Wissenschaft)* culture; 2. *(Lebensform)* civilization; 3. BIO culture
kulturell [kultu'rɛl] *adj* cultural
Kümmel ['kyməl] *m* BOT caraway (seed)
Kummer ['kumər] *m* 1. *(Betrübtheit)* sorrow, grief; 2. *(Unruhe)* worry, trouble
kümmerlich ['kymərlıç] *adj* miserable, wretched, meagre
kümmern ['kymərn] *v* 1. worry, trouble, bother; 2. *sich ~ um* care for, look after, attend to; *Kümmere dich um deine Sachen!* Mind your own business!
kummervoll ['kumərfɔl] *adj* griefstricken, troubled, sorrowful
Kumpel ['kumpəl] *m* 1. *(Bergmann)* miner; 2. *(fam)* pal, chum, mate *(UK)*
Kunde ['kundə] *m* client, customer
Kundendienst ['kundəndi:nst] *m* customer service, after-sales service
Kundgebung ['kuntge:buŋ] *f* declaration, statement, notice

kündigen ['kyndıgən] v 1. (Arbeitnehmer) quit, give notice; 2. (Arbeitgeber) dismiss, fire, sack; 3. (Vertrag) terminate, cancel

Kündigung ['kyndıguŋ] f 1. (Vertrag) termination, cancellation; 2. (Stellung) notice, resignation

Kündigungsfrist ['kyndıguŋsfrɪst] f term of notice

Kundschaft ['kuntʃaft] f customers, clientele

künftig ['kynftıç] adj 1. future, coming, prospective; adv 2. in future, from now on, henceforth

Kunst [kunst] f art

Künstler ['kynstlər] m artist

künstlerisch ['kynstlərıʃ] adj 1. artistic; adv 2. artistically

künstlich ['kynstlıç] adj artificial, synthetic, man-made

künstliche Intelligenz ['kynstlıçə ınteli'gɛnts] f INFORM artificial intelligence

Künstlichkeit ['kynstlıçkaıt] f artificiality

Kunststoff ['kunstʃtɔf] m plastic, synthetic material, artificial material

Kunststück ['kunstʃtyk] n achievement, clever feat, trick

kunstvoll ['kunstfɔl] adj artistic, elaborate

Kunstwerk ['kunstverk] n work of art

kunterbunt ['kuntərbunt] adj 1. (vielfarbig) many-coloured; 2. (Gruppe) motley; 3. ein ~es Durcheinander wild confusion

Kupfer ['kupfər] n CHEM copper

kupfern ['kupfərn] adj copper

Kupon [ku'põ] m coupon

Kuppe ['kupə] f 1. (Bergkuppe) rounded hilltop; 2. (Fingerkuppe) fingertip

Kuppel ['kupəl] f dome

Kupplung ['kupluŋ] f (eines Autos) clutch

Kur [ku:r] f MED cure, treatment

Kuratorium [kura'to:rjum] n board of trustees

Kurbel ['kurbəl] f crank, winch

Kürbis ['kyrbıs] m BOT pumpkin

küren ['ky:rən] v irr choose; Sie wurde zur Miss Germany gekürt. She was crowned Miss Germany.

Kurier [ku'ri:r] m courier

kurieren [ku'ri:rən] v cure

kurios [kur'jo:s] adj curious, odd, queer

Kurort ['ku:rɔrt] m spa, health resort

Kurs [kurs] m 1. (Kursus) course; bei jdm hoch im ~ stehen to be popular with s.o.; 2. (Richtung) course; 3. (Aktienkurs) FIN price

kursiv [kur'zi:f] adj italic, in italics

Kursivschrift [kur'zi:fʃrıft] f italics pl

Kurswert ['kursve:rt] m market value

Kurtaxe ['ku:rtaksə] f visitor's tax (at a spa)

Kurve ['kurfə] f curve, bend, turn

kurvenreich ['kurfənraıç] adj 1. winding, twisting; 2. (Figur) curvaceous

kurz [kurts] adj 1. short; adv 2. briefly; 3. (bald) shortly

Kurzarbeit ['kurtsarbaıt] f short time, short-time work

kurzärmelig ['kurtsɛrməlıç] adj short-sleeved

kurzatmig ['kurtsa:tmıç] adj MED short-winded

Kürze ['kyrtsə] f (zeitlich) shortness, brevity; in ~ shortly

Kürzel ['kyrtsəl] n abbreviation

kürzen ['kyrtsən] v 1. shorten; 2. (herabsetzen) cut down, reduce, curtail

kurzerhand ['kurtsərhant] adv without hesitation, on the spot, at once; etw ~ ablehnen reject sth out of hand

Kurzfassung ['kurtsfasuŋ] f abridged version

kurzfristig ['kurtsfrıstıç] adj 1. shortterm; adv 2. at short notice; etw ~ erledigen do sth without delay; ~ seine Pläne ändern change one's plans at short notice; ~ gesehen looked at it in the short term

kurzlebig ['kurtsle:bıç] adj short-lived

kürzlich ['kyrtslıç] adv recently, a short time ago

Kurzschluss ['kurtsʃlus] m 1. TECH short circuit; 2. (fig) moment of madness

kurzsichtig ['kurtszıçtıç] adj 1. MED myopic, short-sighted, nearsighted (US); 2. (fig) short-sighted

kurzum [kurts'um] adv in short

Kürzung ['kyrtsuŋ] f 1. cut, reduction; 2. (eines Buches) abridgement

kurzzeitig ['kurtstsaıtıç] adj 1. short, short-term, brief; adv 2. briefly

Kuscheltier ['kuʃəlti:r] n stuffed animal

Kusine [ku'zi:nə] f (female) cousin

Kuss [kus] m kiss

küssen ['kysən] v kiss

Küste ['kystə] f coast, shore

Kutsche ['kutʃə] f coach, carriage

Kutscher ['kutʃər] m coachman

Kutte ['kutə] f REL habit, frock

Kuvert [ku've:r] n envelope, cover

kyrillisch [ky'rılıʃ] adj Cyrillic

L

labil [laˈbiːl] *adj* weak, unstable

Labor [laˈboːr] *n* laboratory, lab *(fam)*

Labyrinth [labyˈrɪnt] *n* labyrinth

lächeln [ˈlɛçəln] *v* smile

lachen [ˈlaxən] *v* laugh; *nichts zu ~ haben* have a hard time of it; *zum Lachen sein* to be ridiculous, to be absurd; *sich vor Lachen biegen* split one's sides laughing

lächerlich [ˈlɛçərlɪç] *adj* ridiculous

Lachs [laks] *m ZOOL* salmon

Lack [lak] *m* varnish, lacquer

lackieren [laˈkiːrən] *v* paint, varnish

laden [ˈlaːdən] *v irr 1.* load; *einen ge~ haben* to be pretty tanked up *(fam)*; *2. (Batterie)* charge; *3. JUR* summon, cite

Laden [ˈlaːdən] *m 1.* shop; *2. (Fensterladen)* shutter

Ladendieb [ˈlaːdəndiːp] *m* shoplifter

Ladenschluss [ˈlaːdənʃlus] *m* closing time

Ladung [ˈlaːduŋ] *f 1.* load, cargo, freight; *2. (elektrische ~)* charge, amount of electricity; *3. JUR* summons

Lage [ˈlaːgə] *f 1. (Position)* position, state, condition; *Dazu bin ich nicht in der ~.* I am not in a position to do that. *2. (Situation)* situation, location; *an der ~ verzweifeln* despair of the situation; *Herr der ~ sein* have the situation under control; *die ~ peilen* survey the situation, find out how the land lies; *nach ~ der Dinge* as it stands; *3. (Schicht)* layer, coat

Lager [ˈlaːgər] *n 1.* camp; *2. (Bett)* bed, couch; *3. (Warenlager) ECO* store, stock, inventory; *auf ~ haben (fig)* have in store; *4. TECH* bearing

Lagerfeuer [ˈlaːgərfɔyər] *n* campfire

Lagerhalle [ˈlaːgərhalə] *f* warehouse

lagern [ˈlaːgərn] *v ECO* store, stock

Lagerung [ˈlaːgəruŋ] *f ECO* storage, storing

Lagune [laˈguːnə] *f* lagoon

lahm [laːm] *adj 1. (fam: langweilig)* dull, boring, dreary; *2. (gelähmt) MED* paralyzed; *3. (hinkend) MED* lame

lähmen [ˈlɛːmən] *v* paralyze, cripple

Lähmung [ˈlɛːmuŋ] *f MED* paralysis

Laib [laɪp] *m 1. (Brotlaib)* loaf; *2. (Käselaib)* whole

Laie [ˈlaɪə] *m 1.* amateur, layman, novice; *2. REL* lay priest

Laken [ˈlaːkən] *n (Bettlaken)* sheet

Lama [ˈlaːma] *n ZOOL* llama

Lamm [lam] *n ZOOL* lamb

Lampe [ˈlampə] *f* lamp

Land [lant] *n 1.* land; *wieder ~ sehen* see a way out; *jdn an ~ ziehen* win s.o. over; *~ gewinnen* gain ground; *2. (Staat)* country, state; *3. (Grundstück)* property, land; *4. (ländliche Gegend)* country, countryside

Landebahn [ˈlandəbaːn] *f* landing strip, runway

landen [ˈlandən] *v 1. (Flugzeug)* land; *2. (Schiff)* dock; *3. (fam)* land

Landeplatz [ˈlandəplats] *m 1. NAUT* landing place; *2. (eines Flugzeuges)* place to land

Landkarte [ˈlantkartə] *f* map

Landkreis [ˈlantkraɪs] *m POL* rural district, county

Landleben [ˈlantleːbən] *n* rural life

ländlich [ˈlɛntlɪç] *adj* rural, rustic

Landschaft [ˈlantʃaft] *f* countryside, landscape, scenery

landschaftlich [ˈlantʃaftlɪç] *adj* of the countryside

Landstreicher [ˈlantʃtraɪçər] *m (fam)* vagabond, tramp

Landtag [ˈlanttaːk] *m POL* parliament of a state

Landung [ˈlanduŋ] *f 1.* landing; *2. (in den Hafen) NAUT* docking

Landwirt [ˈlantvɪrt] *m* farmer

Landwirtschaft [ˈlantvɪrtʃaft] *f* agriculture, farming

lang [laŋ] *adj 1. (örtlich)* long; *2. (zeitlich)* long, protracted, prolonged

lange [ˈlaŋə] *adv 1.* long; *es nicht mehr ~ machen* not be able to go on for long; *2. (fig: bei weitem) schon ~ nicht* not by a long shot

Länge [ˈlɛŋə] *f 1.* length; *in voller ~* at full length; *der ~ nach* lengthwise; *sich in die ~ ziehen* drag on; *auf die ~* in the long run; *etw in die ~ ziehen* make sth go on and on, drag sth out; *2. (langweilige Stelle)* slow spot; *3. (Größe)* height; *4. (Abstand vom Meridian)* longitude

langen [ˈlaŋən] *v 1. (genügen)* suffice; *Jetzt langt es!* I've had enough! *2. (greifen)* reach for, grasp, seize; *jdm eine ~ wallop* s.o.

Längengrad [ˈlɛŋəngraːt] *m GEO* degree of longitude

Längenmaß [ˈlɛŋənmaːs] *n* linear measure

Langeweile [ˈlaŋəvaɪlə] *f* boredom

langfristig [ˈlaŋfrɪstɪç] *adj* long-term

langjährig [ˈlaŋjɛːrɪç] *adj* of many years

Langlauf ['laŋlauf] *m SPORT* cross-country skiing

langlebig ['laŋleːbɪç] *adj* long-lived

längs [lɛŋs] *prep 1.* along, alongside of; *adv 2.* lengthwise

langsam ['laŋzaːm] *adj* slow

Langsamkeit ['laŋzaːmkaɪt] *f* slowness

längstens ['lɛŋstəns] *adv 1. (höchstens)* at the most; *2. (spätestens)* at the latest

langweilen ['laŋvaɪlən] *v sich* ~ to be bored; *jdn tödlich* ~ to bore s.o. to death

langweilig ['laŋvaɪlɪç] *adj* boring, dull

Lanze ['lantsə] *f* spear, lance

Lappen ['lapən] *m* rag, cloth; *jdm durch die* ~ *gehen* give s.o. the slip

Lärche ['lɛrçə] *f BOT* larch

Lärm [lɛrm] *m* noise, racket, din; *viel* ~ *um nichts* much ado about nothing

lärmen ['lɛrmən] *v* make noise, to be noisy, make a racket (fam)

Larve ['larvə] *f 1. ZOOL* larva; *2. (Maske)* mask

Laserstrahl ['leɪzərʃtraːl] *m* laser beam

lassen ['lasən] *v irr 1. (zulassen)* allow, let, permit; *2. (veranlassen)* make, cause, order to be done; *etw tun* ~ have sth done; *3. (aufhören)* stop, give up; *Lass das!* Drop it! *es nicht* ~ *können* not be able to stop doing sth; *4. (zurück~)* leave; *5. Das lässt sich machen.* That can be done. *6. Das muss man ihr* ~. You've got to hand it to her.

lässig ['lɛsɪç] *adj 1. (nachlässig)* careless, negligent; *2. (ungezwungen)* casual; *3. (fam: gekonnt)* cool

Lässigkeit ['lɛsɪçkaɪt] *f 1.* casualness, nonchalance; *2. (Vernachlässigung)* carelessness

Last [last] *f 1.* burden, load; *jdm zur* ~ *fallen* to be a burden to s.o.; *jdm etw zur* ~ *legen* accuse s.o. of sth; *mit jdm seine liebe* ~ *haben* have no end of trouble with s.o.; *2. ~en pl* expense, costs

Laster ['lastər] *n 1.* vice; *m 2. (fam: Lastkraftwagen)* lorry *(UK)*, truck *(US)*

lasterhaft ['lastərhaft] *adj* depraved, lascivious, dissolute

lästern ['lɛstərn] *v 1.* malign, defame, slander; *2. REL* blaspheme

lästig ['lɛstɪç] *adj* annoying, troublesome

Lastkraftwagen ['lastkraftvaːgən] *m* lorry *(UK)*, truck *(US)*

Lastschrift ['lastʃrɪft] *f ECO* debit entry

Latein [la'taɪn] *n* Latin; *mit seinem* ~ *am Ende sein* to be at one's wits' end

Lateinamerika [la'taɪnameːrɪka] *n GEO* Latin America

lateinamerikanisch [la'taɪnamerikaːnɪʃ] *adj* Latin American

Laterne [la'tɛrnə] *f 1.* lantern; *2. (Straßenlaterne)* streetlight

latschen ['laːtʃən] *v* shuffle along

Latte ['latə] *f 1.* slat; *2. SPORT* bar

lau [lau] *adj 1. (lauwarm)* lukewarm, tepid; *2. (mild)* mild

Laub [laup] *n* leaves, foliage, leafage

Laubbaum ['laupbaum] *m BOT* deciduous tree

Laubfrosch ['laupfrɔʃ] *m ZOOL* tree frog

Lauch [laux] *m BOT* leek

lauern ['lauərn] *v* lurk, lie in wait

Lauf [lauf] *m 1. (Laufen)* run; *2. (Gewehrlauf)* barrel; *3. (fig: Verlauf)* course; *seinen* ~ *nehmen* take its course

Laufbahn ['laufbaːn] *f 1. (fig)* career; *2. SPORT* track

laufen ['laufən] *v irr 1. (rennen)* run; *2. (gehen)* walk; *3. (fließen)* run, flow, leak

laufend ['laufənt] *adj 1.* running, current; *jdn auf dem Laufenden halten* keep s.o. informed; *mit etw auf dem Laufenden sein* to be up-to-date on sth; *2. (Nummern)* consecutive

Läufer ['lɔyfər] *m 1. SPORT* runner; *2. (Teppich)* carpet-runner, strip of carpeting

Laufwerk ['laufvɛrk] *n INFORM* drive

Laufzeit ['lauftsaɪt] *f ECO* term, duration

Laune ['launə] *f* mood, temper; *~ machen* to be good fun; *jdn bei* ~ *halten* keep s.o. happy

launisch ['launɪʃ] *adj 1.* moody; *2. (veränderlich)* fickle

Laus [laus] *f ZOOL* louse; *Dem ist wohl eine* ~ *über die Leber gelaufen!* (fig) What's bitten him?

lauschen ['laufən] *v 1. (zuhören)* listen; *2. (horchen)* eavesdrop

lausig ['lauzɪç] *adj 1. (armselig)* lousy, rotten, mean; *2. (Kälte)* beastly

laut [laut] *adj 1.* loud; *2. (geräuschvoll)* noisy, clamorous; *prep 3.* according to, as per

Laut [laut] *m 1. (Ton)* sound, tone; *2. (Geräusch)* noise

läuten ['lɔytən] *v* ring; *von etw* ~ *hören* hear a rumour about sth

Lautschrift ['lautʃrɪft] *f* phonetic transcription

Lautsprecher ['lautʃprɛçər] *m* loudspeaker

Lautstärke ['lautʃtɛrkə] *f* volume, loudness

lauwarm ['lauvarm] *adj* lukewarm, tepid

Lawine [la'viːnə] *f* avalanche

Lazarett [latsa'rɛt] *n MIL* military hospital

leasen ['li:zən] *v* lease
leben ['le:bən] *v* live
Leben ['le:bən] *n* life; *etw für sein ~ gern tun* love doing sth; *etw ins ~ rufen* bring sth into being; *mit dem ~ davonkommen* escape with one's life; *jdm nach dem ~ trachten* to be out to kill s.o.; *nie im ~* not on your life; *sich das ~ nehmen* commit suicide; *mit seinem ~ spielen* dice with death; *jdm das ~ schenken (gebären)* give birth to s.o.; *sein ~ lassen* lose one's life
lebendig [le'bɛndɪç] *adj* 1. *(lebend)* alive, living; 2. *(lebhaft)* lively, active
Lebensalter ['le:bənsaltər] *n* age
Lebensende ['le:bənsɛndə] *n* end of one's life, end of one's days
Lebensgefahr ['le:bənsgəfa:r] *f* mortal danger
lebensgefährlich ['le:bənsgəfɛ:rlɪç] *adj* life-threatening, perilous
Lebensgefährte ['le:bənsgəfɛ:rtə] *m* partner (for life)
lebenslänglich ['le:bənslɛŋlɪç] *adj* lifelong, lifetime
Lebenslauf ['le:bənslauf] *m* curriculum vitae, résumé *(US)*
lebenslustig ['le:bənslustɪç] *adj* cheerful, enjoying life
Lebensmittel ['le:bənsmɪtəl] *n* 1. food; 2. *(als Kaufware)* groceries
Lebensretter ['le:bənsrɛtər] *m* life-saver
Leber ['le:bər] *f* ANAT liver; *frei von der ~ weg* quite frankly
Lebewesen ['le:bəve:zən] *n* living thing
Lebewohl [le:bə'vo:l] *n* farewell; *jdm ~ sagen* say goodbye to s.o.
lebhaft ['le:phaft] *adj* 1. *(munter)* lively, vivacious, cheerful; 2. *(rege)* active, brisk, keen; 3. *(begeistert)* eager, lively, keen; 4. *(Farben)* bright
Lebhaftigkeit ['le:phaftɪçkaɪt] *f* 1. *(Munterkeit)* liveliness, vivaciousness; 2. *(Aktivität)* activity, briskness; 3. *(Begeisterung)* eagerness, liveliness; 4. *(von Farben)* brightness
Lebkuchen ['le:pku:xən] *m* gingerbread
leblos ['le:plo:s] *adj* lifeless, inanimate, inert
Leck [lɛk] *n* leak
lecken ['lɛkən] *v* 1. *(schlecken)* lick, lap up; 2. *(auslaufen)* leak, spring a leak, ooze out
lecker ['lɛkər] *adj* tasty, delicious, savoury
Leder ['le:dər] *n* leather
ledig ['le:dɪç] *adj* 1. single, unmarried; 2. *einer Sache ~ sein* to be rid of sth, to be free of sth
Ledige(r) ['le:dɪgə(r)] *m/f* single, single person, unmarried person

leer [le:r] *adj* 1. *(nichts enthaltend)* empty, hollow; 2. *(frei)* vacant, unoccupied, free; 3. *(unbeschrieben)* blank, empty
Leere ['le:rə] *f* emptiness, vacuum, void
leeren ['le:rən] *v* empty
Leergewicht ['le:rgəvɪçt] *n* unloaded weight, tare weight
Leerlauf ['le:rlauf] *m (eines Autos)* neutral
Leerstelle ['le:rʃtɛlə] *f* INFORM space
legal [le'ga:l] *adj* legal, legitimate
legalisieren [legali'zi:rən] *v* legalize
Legalisierung [legali'zi:ruŋ] *f* legalization
Legalität [legali'tɛ:t] *f* legality
legen ['le:gən] *v* 1. lay, put, place; 2. *sich ~ (Mensch)* lie down
legendär [legɛn'dɛ:r] *adj* legendary, fabled
Legende [le'gɛndə] *f* legend
legislativ [legisla'ti:f] *adj* POL legislative
Legislative [legisla'ti:və] *f* POL legislative power, legislature
legitim [le:gi'ti:m] *adj* legitimate, lawful
legitimieren [legiti'mi:rən] *v sich ~* prove one's identity; *(Beziehung)* legitimize; *(berechtigen)* entitle; *(Erlaubnis geben)* authorize
Legitimität [legitimi'tɛ:t] *f* legitimacy
Lehm [le:m] *m* clay
lehmig ['le:mɪç] *adj* 1. *(lehmhaltig)* clayey, loamy; 2. *(mit Lehm beschmiert)* muddy
Lehne ['le:nə] *f* 1. *(Armlehne)* armrest; 2. *(Rückenlehne)* back, back-rest
lehnen ['le:nən] *v* 1. *~ an* lean against, rest against; *etw gegen etw ~* prop sth up against sth; 2. *sich ~ an* lean against, rest on
Lehrberuf ['le:rbəru:f] *m* 1. *(Beruf des Lehrers)* teaching profession; 2. *(lehrzeitabhängiger Beruf)* occupation requiring vocational training
Lehrbuch ['le:rbu:x] *n* textbook
Lehre ['le:rə] *f* 1. *(Lehrsatz)* doctrine, theory; *(Richtschnur)* rule; 2. *(Ausbildung)* apprenticeship; *Bei dem kannst du noch in die ~ gehen.* He could teach you a thing or two. 3. *(Maßlehre)* TECH gauge; 4. *(fig: Ermahnung)* lesson; *Lass dir das eine ~ sein!* Let that be a lesson to you!
lehren ['le:rən] *v* teach, instruct
Lehrer(in) ['le:rər(ɪn)] *m/f* 1. *(Grundschule)* teacher, instructor; 2. *(höhere Schule)* lecturer, professor
Lehrjahr ['le:rja:r] *n* year as an apprentice
Lehrling ['le:rlɪŋ] *m* apprentice
lehrreich ['le:rraɪç] *adj* instructive
Lehrstelle ['le:rʃtɛlə] *f* apprenticeship
Lehrstoff ['le:rʃtɔf] *m* 1. subject matter; 2. *(eines Jahres)* syllabus
Lehrstuhl ['le:rʃtu:l] *m* professorship, chair

Leib [laɪp] *m* body; *sich jdn vom ~e halten* keep s.o. at a distance; *etw zu ~e rücken* tackle sth (fig); *jdm wie auf den ~ zugeschnitten sein* to be tailor-made for s.o.; *etw am eigenen ~ erfahren* get first-hand experience of sth; *mit ~ und Seele* with one's whole heart

Leibwache ['laɪpvaxə] *f* bodyguards

Leiche ['laɪçə] *f* corpse, dead body; *~n im Keller haben* have a skeleton in one's cupboard, have a skeleton in one's closet *(US)*; *über ~n gehen* stop at nothing; *Nur über meine ~!* Over my dead body!

Leichenbestatter ['laɪçənbəʃtatər] *m* undertaker

Leichenhalle ['laɪçənhalə] *f* mortuary

Leichnam ['laɪçnam] *m* corpse, dead body

leicht [laɪçt] *adj 1. (nicht schwer)* light; *2. (nicht schwierig)* easy; *Du hast ~ reden!* It's all very well for you to talk! *Das ist ~ gesagt.* It's easy enough to say that. *ein ~es sein* to be a simple matter; *3. (geringfügig)* slight

Leichtathlet(in) ['laɪçtatleːt(ɪn)] *m/f* SPORT athlete *(UK)*, track-and-field athlete *(US)*

Leichtathletik ['laɪçtatleːtɪk] *f* SPORT athletics *(UK)*, track and field *(US)*

leichtfertig ['laɪçtfɛrtɪç] *adj 1.* thoughtless, rash; *2. (frivol)* frivolous

leichtgläubig ['laɪçtɡlɔybɪç] *adj* gullible, credulous

Leichtgläubigkeit ['laɪçtɡlɔybɪçkaɪt] *f* gullibility, credulity

Leichtigkeit ['laɪçtɪçkaɪt] *f (Ungezwungenheit)* ease, easiness; *mit ~* easily

Leichtsinn ['laɪçtzɪn] *m* carelessness, recklessness, foolishness;

leichtsinnig ['laɪçtzɪnɪç] *adj* careless, feckless, frivolous

leid [laɪt] *adv Es tut mir ~.* I'm sorry. *Das wird dir noch ~ tun.* You'll regret this. *Er tut mir ~.* I feel sorry for him.

Leid [laɪt] *n 1. (Schaden)* harm, injury; *2. (Betrübnis)* sorrow, grief; *jdm sein ~ klagen* tell s.o. one's troubles

leiden ['laɪdən] *v irr 1. (ertragen müssen)* suffer; *2. (ertragen)* endure, bear; *Ich kann ihn nicht ~.* I can't stand him. *3. (dulden)* tolerate, suffer; *4. Sie kann dich ~.* She likes you.

Leiden ['laɪdən] *n 1. (Kummer)* suffering; *2.* MED affection, complaint, condition

Leidenschaft ['laɪdənʃaft] *f* passion; *etw mit ~ tun* do sth with passionate enthusiasm; *frei von jeder ~* dispassionate

leidenschaftlich ['laɪdənʃaftlɪç] *adj* passionate, ardent, vehement

Leidensweg ['laɪdənsveːk] *m 1. (Zeit des Leidens)* trials and tribulations, period of suffering, life of suffering; *2. (~ Christi)* REL passion, way of the cross

leider ['laɪdər] *adv* unfortunately

Leierkasten ['laɪərkastən] *m* barrel-organ

leihen ['laɪən] *v irr 1. (verleihen)* lend; *2. sich etw ~* borrow sth

Leim [laɪm] *m* glue; *jdm auf den ~ gehen* fall for s.o.'s tricks; *aus dem ~ gehen* fall apart

Leine ['laɪnə] *f 1.* line, cord; *Zieh ~!* Beat it! Push off! *(UK)*; *2. (Hundeleine)* lead, leash; *an der langen ~ sein* have free rein

Leinen ['laɪnən] *n* linen

Leinwand ['laɪnvant] *f 1.* ART canvas; *2.* CINE screen

leise ['laɪzə] *adj 1. (nicht laut)* quiet, soft, faint; *2. (Stimme)* low; *3. (ruhig)* soft, gentle

Leiste ['laɪstə] *f 1.* ledge, border, rail; *2.* ANAT groin

leisten ['laɪstən] *v 1.* perform, accomplish, achieve; *2. sich etw ~* allow o.s. sth; *sich etw ~ können* to be able to afford sth

Leistung ['laɪstʊŋ] *f 1.* performance, achievement; *eine große ~ vollbringen* achieve a great success; *2.* TECH power, capacity, output

leistungsfähig ['laɪstʊŋsfeːɪç] *adj* efficient, capable, productive

Leistungsfähigkeit ['laɪstʊŋsfeːɪçkaɪt] *f* efficiency, capacity, capability

Leistungssport ['laɪstʊŋsʃpɔrt] *m* competitive sports

Leitartikel ['laɪtartɪkəl] *m* leading article *(UK)*, editorial *(US)*

leiten ['laɪtən] *v 1. (führen)* lead; *2. (lenken)* guide, direct, conduct; *3.* TECH conduct, transmit

Leiter ['laɪtər] *f 1.* ladder; *m 2. (Vorgesetzter)* leader, director, manager; *3.* TECH conductor

Leitung ['laɪtʊŋ] *f 1. (Geschäftsleitung)* management; *2. (Rohrleitung)* pipeline; *3. (Kabel)* wire, line

Leitungswasser ['laɪtʊŋsvasər] *n* tap water

Leitzins ['laɪttsɪns] *m* FIN base rate

Lektion [lɛk'tsjoːn] *f* lesson; *jdm eine ~ erteilen (fig)* teach s.o. a lesson

Lektor ['lɛktɔr] *m 1.* lecturer; *2. (Verlagslektor)* reader

Lektorat [lɛkto'raːt] *n 1. (Verlagsabteilung)* editorial department; *2. (Gutachten)* evaluation (of a manuscript)

Lektüre [lɛk'tyːrə] *f* reading

Lende ['lɛndə] *f* loin

lenken ['lɛŋkən] v 1. (steuern) steer; 2. (Aufmerksamkeit, Blick) turn, catch, attract; 3. (leiten) direct, guide, channel

Lenker ['lɛŋkər] m 1.(am Auto) steering wheel; 2. (am Fahrrad, am Motorrad) handlebars; 3. (Maschinenteil zur Führung eines Punktes) TECH steering gear, guide; 4. (Fahrer) driver; 5. (fig: koordinierende Person) leader, head

Lenkrad ['lɛŋkraːt] n steering wheel

Leopard [leo'part] m ZOOL leopard

Lerche ['lɛrçə] f ZOOL lark

lernen ['lɛrnən] v learn, study

Lesbierin ['lɛsbiərɪn] f lesbian

lesbisch ['lɛsbɪʃ] adj lesbian

Lesebuch ['leːzəbuːx] n reader

lesen ['leːzən] v irr 1. read; 2. (sammeln) gather, pick

Leser ['leːzər] m 1. reader; 2. (Sammler) gatherer, picker

leserlich ['leːzərlɪç] adj legible

Lesung ['leːzuŋ] f reading

letzte(r,s) ['lɛtstə(r,s)] adj 1. last, ultimate, final; zu guter Letzt at long last; das Letzte sein to be the worst there is; bis aufs letzte utterly; 2. (vorig) last, most recent, latest

letztlich ['lɛtslɪç] adv ultimately

Leuchte ['lɔyçtə] f 1. light, lamp; 2. (fig) star, shining light

leuchten ['lɔyçtən] v shine

Leuchter ['lɔyçtər] m 1. candlestick; 2. (mehrarmiger) chandelier

Leuchtturm ['lɔyçtturm] m lighthouse

leugnen ['lɔygnən] v deny

Leute ['lɔytə] pl people; unter die ~ kommen get out and meet people

Leutnant ['lɔytnant] m MIL lieutenant

Lexikon ['lɛksikɔn] n 1. (Enzyklopädie) encyclopedia; 2. (Wörterbuch) dictionary

liberal [libə'raːl] adj liberal

liberalisieren [liberaːli'ziːrən] v 1. (freier gestalten) POL liberalize; 2. (beseitigen) ECO abolish

Liberalismus [libəra'lɪsmus] m POL liberalism

Licht [lɪçt] n light; ans ~ kommen come to light; kein großes ~ sein to be a dim bulb; sich ins rechte ~ setzen blow one's own horn; jdn hinters ~ führen hoodwink s.o.; kein gutes ~ auf jdn werfen show s.o. in an unfavourable light; Da ging mir ein ~ auf. Suddenly it dawned on me.

lichten ['lɪçtən] v 1. (Wald) clear; 2. sich ~ thin out, dwindle; 3. sich ~ (Nebel) lift; 4. den Anker ~ NAUT weigh anchor

Lichtgeschwindigkeit ['lɪçtgəʃvɪndɪçkaɪt] f PHYS speed of light

Lichtjahr ['lɪçtjaːr] n ASTR light year

Lichtschalter ['lɪçtʃaltər] m light switch

Lichtung ['lɪçtuŋ] f (Waldlichtung) clearing

Lid [liːt] n ANAT eyelid

lieb [liːp] adj 1. kind, good, dear; jdm ~ und teuer sein to be dear to s.o.; 2. ... mein Lieber! ... my friend! 3. am ~sten würde ich ... I would prefer to ...; ~ haben love like, to be fond of, come to like

Liebe ['liːbə] f love; bei aller ~ with all due respect; ~ auf den ersten Blick love at first sight

lieben ['liːbən] v love

liebenswürdig ['liːbənsvyrdɪç] adj amiable, kind

Liebenswürdigkeit ['liːbənsvyrdɪçkaɪt] f kindness, amiability

lieber ['liːbər] adv rather, more willingly

Liebesbrief ['liːbəsbriːf] m love letter

Liebeskummer ['liːbəskumər] m lovesickness; ~ haben to be lovesick

Liebespaar ['liːbəspaːr] n lovers pl, couple

liebevoll ['liːbəfɔl] adj loving, fond

Liebhaber ['liːphaːbər] m 1. (Geliebter) lover; 2. (Kenner) lover, connoisseur, fan; 3. (Sammler) collector

liebkosen ['liːpkoːzən] v caress

lieblich ['liːplɪç] adj 1. (anmutig) lovely; 2. (Wein) mellow; 3. (wohlklingend) MUS sweet; 4. (Duft) sweet, pleasing

Liebling ['liːplɪŋ] m 1. darling, sweetheart; 2. (Günstling) favourite

lieblos ['liːploːs] adj unkind, unloving

Lieblosigkeit ['liːploːzɪçkaɪt] f unkindness

liebreizend ['liːpraɪtsənt] adj 1. (Person) charming, enchanting, attractive, winsome; 2. (Bewegung) graceful; 3. (Aussehen) delightful

Liebste(r) ['liːpstə(r)] m/f sweetheart, love, darling

Lied [liːt] n song; immer wieder das alte ~ anstimmen to tell the same old story over and over again; das Ende vom ~ (fig) the upshot of it

liederlich ['liːdərlɪç] adj 1. (unordentlich) slovenly, scruffy; 2. (nachlässig) negligent, careless; 3. (unmoralisch) immoral

Lieferant [liːfə'rant] m supplier

lieferbar ['liːfərbaːr] adj deliverable

liefern ['liːfərn] v supply, deliver, provide

Lieferschein ['liːfərʃaɪn] m ECO delivery note

Lieferung ['liːfəruŋ] f delivery, supply; bei ~ zu bezahlen payable on delivery

Lieferwagen ['li:fərva:gən] *m* van

Liege ['li:gə] *f* couch; *(Camping~)* camp bed, *(für Garten)* lounger

liegen ['li:gən] *v irr 1.* lie; *2. (sich befinden)* to be, to be situated, to be located; *3. an etw ~ (seine Ursache haben)* to be because of sth; *4. Es liegt mir viel daran.* It matters a lot to me. *5. richtig ~* to be absolutely right, *~ bleiben (Mensch)* keep lying down, *(im Bett bleiben)* stay in bed, *(Schnee)* stay on the ground, *(vergessen werden)* to be left, *(Auto)* conk out *(fam); alles stehen und ~ lassen* leave everything behind

Liegestuhl ['li:gəʃtu:l] *m* deck-chair

Lift [lɪft] *m* lift *(UK)*, elevator *(US)*

Liga ['li:ga] *f* league

Likör [li'kø:r] *m* liqueur

lila ['li:la] *adj* lilac

Lilie ['li:ljə] *f BOT* lily

Limonade [limo'na:də] *f 1.* fruit juice; *2. (Brause)* soft drink; *3. (Zitronenlimonade)* lemonade

Limousine [limu'zi:nə] *f (Auto)* limousine

Linde ['lɪndə] *f BOT* lime-tree

Lineal [line'a:l] *n* ruler

Linguistik [lɪŋ'gwɪstɪk] *f* linguistics *pl*

Linienflug ['li:njənflu:k] *m* scheduled flight

Linke(r) ['lɪŋkə(r)] *m/f POL* leftist

linkisch ['lɪŋkɪʃ] *adj* clumsy, awkward

links ['lɪŋks] *adv* on the left, left; *jdn ~ liegen lassen* give s.o. the cold shoulder; *Das mache ich mit ~.* I could do that with my eyes shut.

linkshändig ['lɪŋkshɛndɪç] *adj* left-handed

Linse ['lɪnzə] *f 1. BOT* lentil; *2. (in der Optik)* lens

Lippe ['lɪpə] *f* lip; *eine dicke ~ riskieren* talk big; *Ich konnte es nicht über die ~n bringen.* I couldn't bring myself to say that.

Lippenstift ['lɪpənʃtɪft] *m* lipstick

liquid [lɪ'kvi:t] *adj 1. (Mittel)* liquid; *2. (Person)* solvent

Liquidation [lɪkvɪda'tsjo:n] *f ECO* liquidation, winding-up *(UK)*

liquidieren [lɪkvi'di:rən] *v ECO* liquidate, wind up *(UK)*

Liquidität [lɪkvɪdi'tɛ:t] *f 1. (Zahlungsfähigkeit) ECO* liquidity, solvency; *2. (Zahlungsmittel) ECO* liquid assets

lispeln ['lɪspəln] *v* lisp

List [lɪst] *f* cunning, craftiness, trickery

Liste ['lɪstə] *f* list

listig ['lɪstɪç] *adj* cunning, sly, crafty

Liter ['li:tər] *m* litre, liter *(US)*

literarisch [litə'ra:rɪʃ] *adj* literary

Literatur [litəra'tu:r] *f* literature

Liturgie [litur'gi:] *f REL* liturgy

liturgisch [li'turgɪʃ] *adj REL* liturgic, liturgical

Lizenz [li'tsɛnts] *f* licence, license *(US)*

Lob [lo:p] *n* praise, commendation; *ein ~ verdienen* deserve praise

Lobby ['lɔbi] *f POL* lobby, pressure group

loben ['lo:bən] *v* praise, commend

lobenswert ['lo:bənsvɛrt] *adj* praiseworthy

Loch [lɔx] *n* hole; *aus dem letzten ~ pfeifen* to be on one's last legs; *jdm ein ~ in den Bauch reden* bend s.o.'s ear

Locke ['lɔkə] *f* curl, lock of hair

locken ['lɔkən] *v 1. (Haare)* curl; *2. (fig)* tempt, bait, allure

locker ['lɔkər] *adj 1. (lose)* loose, slack; *2. (entspannt)* at ease, relaxed; *3. (fig: ungezwungen)* informal, easy-going

Lockerheit ['lɔkərhaɪt] *f 1. (eines Gewebes)* looseness; *2. (der Erde)* looseness, fluffiness; *3. (eines Seiles)* slackness; *4. (eines Kuchens)* lightness, fluffiness; *5. (eines Wesens)* looseness, laxity

Lockerung ['lɔkəruŋ] *f 1. (Seil)* loosening, slackening; *2. (Vorschrift)* relaxation

lockig ['lɔkɪç] *adj* curly, curled

Löffel ['lœfəl] *m* spoon

löffeln ['lœfəln] *v* eat with a spoon

Logik ['lo:gɪk] *f* logic

logisch ['lo:gɪʃ] *adj 1.* logical; *adv 2. Logisch!* Naturally! Of course!

Logistik [lo'gɪstɪk] *f* logistics *pl*

Lohn [lo:n] *m 1. (Bezahlung)* wage(s), pay, earnings; *2. (Belohnung)* reward, recompense

lohnen ['lo:nən] *v sich ~* to be worth it, pay, to be worthwhile

Lohnsteuer ['lo:nʃtɔyər] *f* wage tax

lokal [lo'ka:l] *adj* local

Lokal [lo'ka:l] *n (Gaststätte)* restaurant, bar, pub

Lokalität [lokali'tɛ:t] *f 1. (örtliche Beschaffenheit)* locality; *2. (Raum)* premises; *3. (Toilette)* toilet, bathroom *(US)*

Lokomotive [lokomo'ti:və] *f* locomotive engine

Lorbeer ['lɔrbe:r] *m BOT* laurel; *~en ernten* cover o.s. in glory; *sich auf seinen ~en ausruhen* rest on one's laurels

los [lo:s] *adj 1.* loose; *2. etw ~ sein* to be rid of sth; *3. es ist etw ~* something is going on; *Dort ist nichts ~.* There's nothing happening there. *Was ist denn hier ~?* What's going on here? *Was ist mit ihr ~?* What's with her? *(fam) Was ist ~?* What's up? *Mit ihm ist nicht viel ~.*

He's nothing to write home about. *interj 4.*
Go! *adv 5. Wir müssen ~!* We've got to go!

Los [loːs] *n 1. (Lotterielos)* lottery-ticket; *mit jdm das große ~ gezogen haben* have hit the jackpot with s.o.; *2. (Schicksal)* lot, fate, destiny

losbinden ['loːsbɪndən] *v irr* untie, unbind

löschen ['lœʃən] *v 1. (Feuer)* extinguish, put out; *2. (Licht)* turn off, switch off; *3. (Fracht)* unload; *4. (Durst)* quench; *5. INFORM* delete, erase

Löschtaste ['lœʃtastə] *f INFORM* delete key

lose ['loːzə] *adj* loose

Lösegeld ['løːzəgɛlt] *n* ransom

losen ['loːzən] *v 1.* draw lots, raffle; *2. (mit der Münze ~)* toss a coin

lösen ['løːzən] *v 1. (losbinden)* untie, undo; *2. (klären)* solve, clear up, deal with; *3. (beenden)* break, sever; *4. (zergehen lassen)* dissolve, melt; *5. (kaufen)* buy, get

losfahren ['loːsfaːrən] *v irr* drive off

losgehen ['loːsgeːən] *v irr 1. (weggehen)* set off; *2. (Schuss)* go off; *3. auf jdn ~* go at s.o.; *4. (anfangen)* start; *Gleich geht's los.* It's about to start.

loskaufen ['loːskaufən] *v 1. sich ~* buy one's freedom; *2. (eine entführte Person)* ransom

loskommen ['loːskɔmən] *v irr* get free, get away

loslassen ['loːslasən] *v irr* let go

löslich ['løːslɪç] *adj 1.* soluble, dissolvable; *2. (Kaffee)* instant

loslösen ['loːsløːzən] *v* remove; *sich ~* come off; *sich von der Familie ~* split away from one's family

losreißen ['loːsraɪsən] *v irr 1.* break loose, pull off; *2. (fig)* tear away

lossprechen ['loːsʃprɛçən] *v irr 1.* acquit, free; *2. REL* absolve

Lösung ['løːzuŋ] *f 1. (Losmachen)* loosening; *2. (Klärung)* solution, answer; *3. (Beendigung)* separation, severing; *4. CHEM* solution

Lot [loːt] *n MATH* perpendicular (line); *etw wieder ins rechte ~ bringen* put sth right

löten ['løːtən] *v* solder

lotsen ['loːtsən] *v 1.* pilot; *2. (fig)* drag along

Lotterie [lɔtəˈriː] *f* lottery

Löwe ['løːvə] *m ZOOL* lion

Löwin ['løːvɪn] *f* lioness

loyal [loˈjaːl] *adj* loyal, staunch

Loyalität [lojaliˈtɛːt] *f* loyalty

Luchs [luks] *m ZOOL* lynx

Lücke ['lykə] *f* gap

Luft [luft] *f* air; *Die ~ ist rein (fig).* The coast is clear. *etw in die ~ sprengen* blow sth up; *dicke ~* tense atmosphere; *jdn wie ~ behandeln* give

s.o. the cold shoulder; *jdm die ~ abdrehen* ruin s.o.; *die ~ anhalten* hold one's breath; *jdn an die frische ~ befördern* throw s.o. out; *aus der ~ gegriffen sein* to be pure invention; *in der ~ hängen* to be in limbo; *in die ~ gehen (fig)* blow up; *seinem Ärger ~ machen* give vent to one's anger

Luftballon ['luftbalõ] *m* balloon

Luftblase ['luftblaːzə] *f* air bubble

Luftdruck ['luftdruk] *m* air pressure

lüften ['lyftən] *v 1. (Raum, Kleider)* air out; *2. (fig: enthüllen)* disclose, reveal, unveil

Luftfahrt ['luftfaːrt] *f* aeronautics *pl*

Luftfeuchtigkeit ['luftfɔyçtɪçkaɪt] *f* humidity

luftig ['luftɪç] *adj 1.* airy; *2. in ~er Höhe* at a great height

Luftmatratze ['luftmatratsə] *f* air mattress

Lüftung ['lyftuŋ] *f* ventilation

Luftverschmutzung ['luftfɛrʃmutsuŋ] *f* air pollution

Lüge ['lyːgə] *f* lie

lügen ['lyːgən] *v irr* lie, tell lies; *wie gedruckt ~* to be a bold-faced liar

Lügner ['lyːgnər] *m* liar

Luke ['luːkə] *f 1.* hatch; *2. (Dachluke)* dormer-window

Lump [lump] *m 1. (gewissenloser Mensch)* rat (fam); *2. (Schlingel)* rascal

Lumpen ['lumpən] *m* rag

Lunge ['luŋə] *f ANAT* lung

Lupe ['luːpə] *f* magnifying-glass; *Solche Leute kannst du mit der ~ suchen.* Such people are few and far between. *jdn unter die ~ nehmen* take a close look at s.o.

Lust [lust] *f 1. (Freude)* joy, pleasure, delight; *nach ~ und Laune* as the mood takes you; *2. (Verlangen)* desire

lustig ['lustɪç] *adj 1. (komisch)* funny, amusing, comical; *2. (fröhlich)* jolly, merry

lustlos ['lustloːs] *adj* listless, dull, lifeless

Lustlosigkeit ['lustloːzɪçkaɪt] *f 1.* listlessness, apathy, lack of interest, lack of enthusiasm; *2. FIN* dullness, slackness, flatness

Lustspiel ['lustʃpiːl] *n THEAT* comedy

lutschen ['lutʃən] *v* suck

Lutscher ['lutʃər] *m* lollipop

luxuriös [luksurˈjøːs] *adv 1.* luxuriously; *adj 2.* luxurious

Luxus ['luksus] *m* luxury

Lymphdrüse ['lympfdryːzə] *f ANAT* lymphatic node, lymph node

Lynchjustiz ['lynçjustiːts] *f* lynch law, frontier justice *(US)*

Lyrik ['lyːrɪk] *f LIT* lyric poetry

M

machbar ['maxbar] *adj* feasible, possible

Machbarkeit ['maxbarkaıt] *f* feasibility

machen ['maxən] *v 1.* make; *Mach's gut!* Good luck! Take care of yourself! *(US); sich etw ~ lassen* have sth made; *Mit dem kann man's ja ~.* He'll put up with it. *2. (verursachen)* cause; *jdm Kopfschmerzen ~* give s.o. a headache; *3. (tun)* do; *Was ~ Sie da?* What are you doing? *Mach schon!* Hurry up! *4. (ausmachen)* matter; *Macht nichts!* It doesn't matter! *sich wenig aus etw ~* not be very keen on sth; *Mach dir nichts daraus!* Don't let it bother you!

Machenschaften ['maxənʃaftən] *pl* intrigues, machinations

Macht [maxt] *f 1. (Stärke)* power, strength, force; *~ ausüben auf* exercise power over; *2. (Herrschaft)* command, control, dominion; *3. (Einfluss)* power, influence

mächtig ['mɛçtıç] *adj 1. (stark)* powerful, strong, mighty; *2. (gewaltig)* mighty, formidable, considerable; *3. (einflussreich)* powerful, strong; *seiner selbst nicht mehr ~ sein* lose one's self-control; *4. (fig: sehr groß)* huge, immense, massive; *adv 5. (fig)* very, considerably, mighty

machtlos ['maxtloːs] *adj* powerless

Machtwort ['maxtvɔrt] *n* command; *ein ~ sprechen* put one's foot down *(fam)*

Mädchen ['mɛːtçən] *n* girl; *~ für alles* dogsbody *(UK)*, gofer *(US)*

Mädchenname ['mɛːtçənnaːmə] *m* maiden name

Magazin [maga'tsiːn] *n 1. (Lager)* warehouse, storehouse; *2. (Waffe)* magazine; *3. (Zeitschrift)* magazine

Magen ['maːgən] *m* ANAT stomach; *jdm auf den ~ schlagen* turn s.o.'s stomach; *da dreht sich mir der ~ um* That turns my stomach!

mager ['maːgər] *adj 1. (dünn)* thin, skinny; *2. (abgemagert)* emaciated; *3. (dürftig)* meagre, paltry, poor

Magie [ma'giː] *f* magic

magisch ['maːgıʃ] *adj* magic, magical

Magnet [mag'neːt] *m* magnet

mähen ['mɛːən] *v 1.* cut; *2. (Rasen)* mow; *3. (Getreide)* reap

Mahl [maːl] *n* meal

mahlen ['maːlən] *v irr* grind, mill

Mähne ['mɛːnə] *f* mane

mahnen ['maːnən] *v 1. (warnen)* admonish, warn; *2. (auffordern)* urge

Mahnmal ['maːnmaːl] *n* monument, memorial

Mahnung ['maːnuŋ] *f 1. (Warnung)* warning, admonition; *2. (Aufforderung)* reminder, request for payment, demand for payment

Mai [maı] *m* May

Maikäfer ['maıkɛːfər] *m* ZOOL May-bug

Mais [maıs] *m* BOT sweet corn, maize, corn *(US)*

Majestät [majɛs'tɛːt] *f 1.* majesty; *2. (Titel)* Majesty

majestätisch [majɛs'tɛːtıʃ] *adj 1.* majestic; *adv 2.* majestically

makaber [ma'kaːbər] *adj* macabre

Makel ['maːkəl] *m 1.* spot, stain, blemish; *2. (Fehler)* flaw

makellos ['maːkəlloːs] *adj* flawless, spotless, stainless

Makler ['maːklər] *m* agent

mal [maːl] *adv 1. (fam: einmal) Komm ~ her!* Come here! *Guck ~! Look! Das ist nun ~ so.* That's just the way it is. *Schauen wir ~.* Let's see. *nicht ~* not even; *2. (früher)* once; *Warst du schon ~ in Paris?* Have you ever been to Paris? *3. (in Zukunft)* some day; *4. (multipliziert mit)* times

Mal [maːl] *n 1. (Zeichen)* mark, *(Kennzeichen)* sign; *2. (Muttermal)* mole; *3. (fig)* stigma; *4. (Zeitpunkt)* time; *mit einem ~* all at once; *von ~ zu ~* all the time; *ein für alle ~* once and for all

Malaria [ma'laːria] *f* MED malaria

malen ['maːlən] *v 1.* paint; *2. (zeichnen)* draw

Maler ['maːlər] *m* painter

malerisch ['maːlərıʃ] *adj* picturesque, scenic

Malz [malts] *n* malt

Mammon ['mamɔn] *m* Mammon; *der schnöde ~* filthy lucre

man [man] *pron* one, people, you *(fam); ~ kann nie wissen* you never can tell, one never knows; *~ hat mir gesagt* I was told, s.o. told me; *~ sagt* they say, it is said, people say

manch [manç] *pron 1.* some, several; *2. ~ ein* many a

manchmal ['mançmaːl] *adv* sometimes

Mandant [man'dant] *m* JUR client

Mandat [man'da:t] *n 1. JUR* authorization, brief, retainer; *2. POL* mandate

Mandel ['mandəl] *f 1. (BOT* almond; *2. ANAT* tonsil

Manege [ma'ne:ʒə] *f* circus ring

Mangel¹ ['maŋəl] *m 1. (Fehlen)* lack, deficiency, want; *2. (Fehler)* defect, shortcoming, fault

Mangel² ['maŋəl] *f (Heißmangel)* mangle; *jdn in die ~ nehmen* give s.o. a grilling

mangelhaft ['maŋəlhaft] *adj 1. (unvollständig)* lacking, deficient, imperfect; *2. (fehlerhaft)* defective, faulty; *3. (Schulnote)* unsatisfactory

mangeln ['maŋəln] *v 1. (fehlen)* to be lacking, to be wanting; *2. (Wäsche)* mangle

mangels ['maŋəls] *prep* for want of

Mango ['maŋgo] *f BOT* mango

Manie [ma'ni:] *f* mania, madness

Manieren [ma'ni:rən] *pl* manners

Manifest [manı'fɛst] *n POL* manifesto

Manifestation [manıfɛsta'tsjo:n] *f* manifestation

manifestieren [manıfɛs'ti:rən] *v 1.* demonstrate; *2. sich ~* manifest itself

Manipulation [manipula'tsjo:n] *f* manipulation

manipulieren [manipu'li:rən] *v* manipulate

manisch ['ma:nıʃ] *adj* manic

Manko ['maŋko] *n 1. (Mangel)* flaw; *2. (Fehlbetrag)* ECO deficit

Mann [man] *m 1.* man; *der kleine ~* the common people, the common man; *der ~ auf der Straße* the man in the street; *ein ~ von Welt* a man of the world; *ein toter ~ sein* to be done for, to be a goner; *den starken ~ markieren* come the strong man; *seinen ~ stehen* hold one's own; *mit ~ und Maus untergehen* go down with all hands; *etw an den ~ bringen* get rid of sth; *etw an den ~ bringen (verkaufen)* find a buyer for sth; *2. (Ehemann)* husband

Mannequin [manə'kɛ̃] *n* (fashion) model

mannigfaltig ['manıçfaltıç] *adj* diverse, multifarious, manifold

männlich ['mɛnlıç] *adj* masculine, male

Mannschaft ['manʃaft] *f 1. SPORT* team; *2. (Besatzung)* crew

Manöver [ma'nø:vər] *n* manoeuvre, maneuver *(US)*

Mantel ['mantəl] *m 1. (Kleidungsstück)* coat; *2. TECH* case, casing, shell

manuell [manu'ɛ:l] *adj 1.* manual; *adv 2.* manually

Manuskript [manus'krıpt] *n* manuscript

Mappe ['mapə] *f 1. (Tasche)* case, briefcase; *2. (Sammelmappe)* folder, portfolio

Marathon ['ma:ratɔn] *m SPORT* marathon

Märchen ['mɛ:rçən] *n 1.* fairy-tale; *2. (fig)* tall tale

märchenhaft ['mɛ:rçənhaft] *adj* fabulous, legendary, fantastic

Margarine [marga'ri:nə] *f GAST* margarine

Margerite [margə'ri:tə] *f BOT* marguerite

marginal [margi'na:l] *adj* marginal

Marienkäfer [ma'ri:ənkɛ:fər] *m ZOOL* lady-bird *(UK)*, ladybug *(US)*

Marine [ma'ri:nə] *f* navy

Marionette [mario'nɛtə] *f* puppet, marionette

maritim [mari'ti:m] *adj* maritime

Mark¹ [mark] *f 1. (Deutsche ~)* Deutsche Mark, German mark; *keine müde ~* not a single penny; *mit jeder ~ rechnen müssen* have to count every penny; *jede ~ dreimal umdrehen müssen* think twice before spending anything

Mark² [mark] *n 1. (von Früchten)* pulp; *2. ANAT* marrow; *jdm durch ~ und Bein dringen* set one's teeth on edge; *bis ins ~* to the quick

Mark³ [mark] *f (Grenzland)* borderland

markant [mar'kant] *adj* marked, striking, prominent

Marke ['markə] *f ECO* brand

Markenartikel ['markənartıkəl] *m ECO* name brand

Marketing ['markətıŋ] *n ECO* marketing

markieren [mar'ki:rən] *v 1.* mark; *2. (fam)* vortäuschen) pretend

Markise [mar'ki:zə] *f* blind, awning

Markt [markt] *m* market

Marmelade [marmə'la:də] *f* jam, preserves *pl; (von Zitrusfrüchten)* marmalade

Marmor ['marmor] *m* marble

Marokko [ma'rɔko] *n GEO* Morocco

Mars [mars] *m der ~ ASTR* Mars

Marsch¹ [marʃ] *m* march; *jdm den ~ blasen* give s.o. a piece of one's mind

Marsch² [marʃ] *f* marsh

marschieren [mar'ʃi:rən] *v* march

Marsmensch ['marsmɛnʃ] *m* Martian

Marter ['martər] *f* torture, torment

martern ['martərn] *v* torture, torment

Märtyrer ['mɛrtyrər] *m REL* martyr

Marxismus [mark'sısmus] *m POL* Marxism

März [mɛrts] *m* March

Marzipan ['martsipa:n] *n GAST* marzipan

Masche ['maʃə] f 1. (Handarbeit) stitch; 2. (fig: Trick) trick, act, ploy; 3. (Mode) craze

Maschine [ma'ʃiːnə] f 1. machine; 2. (Motor) engine

maschinell [maʃi'nɛl] adj 1. mechanical; adv 2. mechanically

Masern ['maːzərn] pl MED measles

Maske ['maskə] f mask; die ~ fallen lassen show one's true face; jdm die ~ vom Gesicht reißen unmask s.o.

maskieren [mas'kiːrən] v sich ~ disguise o.s., put on a mask, masquerade

Maskottchen [mas'kɔtçən] n mascot

maskulin ['maskuliːn] adj masculine

Masochismus [mazo'xɪsmus] m masochism

Maß [maːs] n 1. measurement; mit zweierlei ~ messen apply a double standard; über alle ~en beyond measure; nach ~ made-to-measure; Das ~ ist voll! That's the last straw! ~ halten be moderate, keep within bounds, observe moderation 2. (Ausmaß) extent; 3. (~krug) one-litre mug

Massage [ma'saːʒə] f massage

Massaker [ma'saːkər] n massacre, slaughter, blood-bath

Masse ['masə] f 1. (Stoff) mass, substance, matter; 2. (große Menge) large quantity, mass, bulk; 3. (Volksmenge) crowd, mass of people

Masseur [ma'søːr] m masseur

maßgebend ['maːsgeːbənt] adj 1. authoritative, decisive; 2. (einflussreich) influential

maßgeblich ['maːsgeːplɪç] adj decisive

massieren [ma'siːrən] v massage

mäßig ['mɛːsɪç] adj moderate, mediocre, temperate

mäßigen ['mɛːsiɡən] v 1. moderate; 2. (Ungeduld usw) restrain, keep within bounds; 3. (mildern) mitigate; 4. sich ~ control o.s., restrain o.s.

massiv [ma'siːf] adj 1. solid, massive; 2. (heftig) heavy, severe

Massiv [ma'siːf] n GEO massif

maßlos ['maːsloːs] adj 1. boundless, extreme; 2. (übermäßig) excessive

Maßnahme ['maːsnaːmə] f measure, step, action

maßregeln ['maːsreːɡəln] v reprimand, discipline

Maßstab ['maːsʃtaːp] m 1. measuring rod, yardstick; 2. (fig) measure

maßvoll ['maːsfɔl] adj moderate

Mast¹ [mast] m 1. (Schiffsmast) mast; 2. (Telefonmast) telephone mast, telegraph-pole, telephone pole (US); 3. (Fahnenmast) flagpole

Mast² [mast] f 1. (Mästen) fattening; 2. (Futter) fattening feed

mästen ['mɛstən] v fatten, feed

Material [mate'rjaːl] n material

Materialismus [materja'lɪsmus] m materialism

Materie [ma'teːrjə] f matter

Mathematik [matema'tiːk] f mathematics

Matratze [ma'tratsə] f mattress

Mätresse [mɛ'trɛsə] f mistress

Matrize [ma'triːtsə] f matrix, stencil

Matrone [ma'troːnə] f matron

Matsch [matʃ] m slush

matschig ['matʃɪç] adj 1. mushy; 2. (Schnee) slushy

matt [mat] adj 1. (schwach) tired, exhausted, worn; jdn ~ setzen checkmate s.o.; 2. (trübe) dim, dull

Matte ['matə] f mat; jdn auf die ~ legen take s.o. for a ride; auf der ~ stehen to be there and ready for action

Mauer ['mauər] f wall; Es ist, als ob man gegen eine ~ redet. It's like talking to a brick wall.

Maulwurf ['maulvurf] m ZOOL mole

Maurer ['maurər] m mason, bricklayer

maurisch ['maurɪʃ] adj HIST Moorish

Maus [maus] f ZOOL mouse; weiße Mäuse sehen (fig) see pink elephants

Mausefalle ['mauzəfalə] f mousetrap

mausern ['mauzərn] v 1. sich ~ moult; 2. sich zu etw ~ (fig) develop into sth

Mautgebühr ['mautɡəbyːr] f toll

maximal [maksi'maːl] adv 1. at most, a maximum of; adj 2. maximum

Maxime [mak'siːmə] f maxim

Maximum ['maksimum] n maximum

Majonäse [majo'nɛːzə] f mayonnaise

Mäzen [mɛ'tseːn] m ART patron

Mechanik [me'çaːnɪk] f 1. mechanics; 2. (Triebwerk) mechanism

Mechaniker [me'çaːnɪkər] m mechanic

mechanisch [me'çaːnɪʃ] adj mechanical

Medaille [me'daljə] f medal

Medien ['meːdjən] pl media pl

Medikament [medika'mɛnt] n MED drug, medicine, remedy

Meditation [medita'tsjoːn] f meditation

mediterran [medite'raːn] adj GEO Mediterranean

meditieren [medi'tiːrən] v meditate

Medium ['meːdjum] n medium

Medizin [medi'tsi:n] *f 1. (Heilkunde)* medicine; *2. (Medikament)* medicine, drug, remedy
Mediziner [medi'tsi:nər] *m 1. MED* physician, doctor; *2. (Medizinstudent) MED* student of medicine
medizinisch [medi'tsi:nɪʃ] *adj 1. (arzneilich)* medicinal; *2. (ärztlich)* medical
Meer [me:r] *n* ocean, sea
Meerrettich ['me:rrɛtɪç] *m* horseradish
Meerschweinchen ['me:rʃvainçən] *n ZOOL* guinea pig
Mehl [me:l] *n* flour
mehr [me:r] *adv* more; *nicht ~* no longer, not anymore; *~ oder weniger* more or less; *immer ~* more and more; *Ich habe keinen Hunger ~.* I'm no longer hungry. *~ und ~* more and more; *~ oder minder* more or less; *nicht ~ und nicht weniger* no more no less
mehrdeutig ['me:rdɔytɪç] *adj* ambiguous
Mehrdeutigkeit ['me:rdɔytɪçkait] *f* ambiguity
mehren ['me:rən] *v* increase
mehrere ['me:rərə] *adj 1.* several; *2. (einige)* a few; *3. (verschiedene)* various
mehrfach ['me:rfax] *adj 1.* multiple, manifold; *2. (wiederholt)* repeated
mehrfarbig ['me:rfarbɪç] *adj* multicoloured
Mehrheit ['me:rhait] *f* majority
mehrmals ['me:rma:ls] *adv* repeatedly, several times, more than once
mehrsprachig ['me:rʃpra:xɪç] *adj* multilingual, polyglot
mehrstellig ['me:rʃtɛlɪç] *adj* multidigit
Mehrwegflasche ['me:rve:kflaʃə] *f* returnable bottle
Mehrwertsteuer ['me:rvɛrtʃtɔyər] *f FIN* value-added tax
Mehrzahl ['me:rtsa:l] *f 1. GRAMM* plural; *2. (Mehrheit)* majority
meiden ['maidən] *v irr* avoid
Meile ['mailə] *f* mile
Meilenstein ['mailənʃtain] *m (fig)* milestone, landmark
mein(e) ['main(ə)] *pron 1.* my; *2. (das Meinige)* mine
Meineid ['mainait] *m JUR* perjury
meinen ['mainən] *v 1. (glauben, denken)* think, believe; *Meinst du?* Do you think so? *Das will ich ~!* I should think so! *2. (vermuten)* suppose; *3. (sagen wollen)* mean; *4. (mit einer bestimmten Absicht tun)* mean, intend
Meinung ['mainuŋ] *f* opinion, view; *Ich bin anderer ~.* I disagree. *Ganz meine ~!* I

couldn't agree more! *jdm gehörig die ~ sagen* give s.o. a piece of one's mind
Meinungsfreiheit ['mainuŋsfraihait] *f* freedom of opinion
Meinungsumfrage ['mainuŋsumfra:gə] *f* opinion poll
Meißel ['maisəl] *m* chisel
meißeln ['maisəln] *v* chisel
meist [maist] *adj 1.* most; *adv 2. (~ens)* usually, generally, most of the time, mostly
meistens ['maistəns] *adv* usually, generally, most of the time, mostly
Meister ['maistər] *m 1.* master; *2. (Handwerker)* master craftsman; *3. SPORT* champion
meisterhaft ['maistərhaft] *adj 1.* masterly; *adv 2.* brilliantly, to perfection
meistern ['maistərn] *v* master
Meisterschaft ['maistərʃaft] *f SPORT* championship
Mekka ['mɛka] *n* Mecca
Melancholie [melaŋkɔ'li:] *f* melancholy
melden ['mɛldən] *v 1. (mitteilen)* report; *2. (ankündigen)* announce; *nichts zu ~ haben (fig)* have no say; *3. (anmelden)* register; *4. sich ~* report, announce one's presence; *5. sich ~ (mit jdm in Verbindung setzen)* get in touch (with s.o.); *6. sich ~ (am Telefon)* answer
Meldung ['mɛlduŋ] *f 1. (Anmeldung)* registration; *2. (Ankündigung)* notification; *3. (Mitteilung)* information; *4. (Presse, Radio, Fernsehen)* news bulletin
melken ['mɛlkən] *v irr* milk
Melodie [melo'di:] *f* melody
Melone [me'lo:nə] *f 1. (Honigmelone)* melon; *2. (Wassermelone)* watermelon
Memoiren [me'mwa:rən] *pl* memoirs
Memorandum [memo'randum] *n POL* memorandum
Menge ['mɛŋə] *f 1. (bestimmte Anzahl)* amount, quantity; *2. (große Anzahl)* mass, lot, load; *eine ganze ~ von* a great deal of; *jede ~* a whole bunch of; *3. (Volksmenge)* crowd of people, throng
Mengenrabatt ['mɛŋənrabat] *m ECO* quantity discount, bulk discount
Mensa ['mɛnza] *f* university canteen
Mensch [mɛnʃ] *m 1.* human being, man; *Ich bin auch nur ein ~.* I'm only human. *wie der erste ~* as though one hasn't a clue; *nur noch ein halber ~ sein* to be run down; *ein neuer ~ werden* turn over a new leaf; *von ~ zu ~* man to man; *2. (Person)* person; *kein ~* nobody, no one; *interj 3.* Man!

Menschenfresser ['mɛnʃənfrɛsər] *m* cannibal

Menschenfreund ['mɛnʃənfrɔynt] *m* philanthropist

Menschenrechte ['mɛnʃənrɛçtə] *pl* human rights

Menschenwürde ['mɛnʃənvyrdə] *f* human dignity

Menschheit ['mɛnʃhaɪt] *f* humanity, mankind

menschlich ['mɛnʃlɪç] *adj* 1. human; *adv* 2. *(human)* humane

Menschlichkeit ['mɛnʃlɪçkaɪt] *f* humanity, human nature, humaneness

Menstruation [mɛnstrua'tsjoːn] *f* menstruation

mental [mɛn'taːl] *adj* mental, psychological

Mentalität [mɛntali'tɛːt] *f* mentality

Menü [me'nyː] *n* 1. *GAST* special of the day, set meal, table d'hôte, set menu; 2. *INFORM* menu

Meridian [meri'djaːn] *m GEO* meridian

merken ['mɛrkən] *v* 1. *(wahrnehmen)* notice, perceive, *(fühlen)* feel; 2. *sich etw ~* retain, note, remember

merklich ['mɛrklɪç] *adj* 1. noticeable, perceptible; *adv* 2. noticeably, perceptibly

Merkmal ['mɛrkmaːl] *n* mark, token, characteristic

merkwürdig ['mɛrkvyrdɪç] *adj* strange, curious, odd

Messe ['mɛsə] *f* 1. *(Ausstellung)* fair, trade show; 2. *REL* mass

messen ['mɛsən] *v irr* 1. measure; 2. *(fig) sich ~ mit* measure o.s. against

Messer ['mɛsər] *n* knife; *auf des ~s Schneide stehen* hang in the balance; *jdm ins offene ~ laufen* walk straight into the trap; *jdm das ~ an die Kehle setzen (fig)* put a gun to s.o.'s head; *bis aufs ~* to the finish

Messing ['mɛsɪŋ] *n MET* brass

Messung ['mɛsʊŋ] *f* measurement

Metall [me'tal] *n* metal

Metapher [me'tafər] *f LIT* metaphor

Meteorit [meteo'riːt] *m* meteorite

Meter ['meːtər] *m* metre, meter *(US)*

Methode [me'toːdə] *f* method

methodisch [me'toːdɪʃ] *adj* 1. methodical; *adv* 2. methodically

Metropole [metro'poːlə] *f* metropolis

Metzger ['mɛtsgər] *m* butcher

Metzgerei [mɛtsgə'raɪ] *f* butcher's shop, butcher shop *(US)*

Meuterei [mɔytə'raɪ] *f MIL* mutiny

meutern ['mɔytərn] *v* 1. *(Gehorsam verweigern)* mutiny, mutineer; 2. *(fig: murren)* grumble, moan

Mexikaner(in) [mɛksi'kaːnər(ɪn)] *m/f* Mexican

mexikanisch [mɛksi'kaːnɪʃ] *adj* Mexican

Mexiko ['mɛksikoː] *n GEO* Mexico

Miene ['miːnə] *f* (facial) expression; *keine ~ verziehen* not bat an eyelid

Miete ['miːtə] *f* 1. *(Mieten)* lease, tenancy; *die halbe ~ sein (fig)* to be half the battle; 2. *(Mietzins)* rent

mieten ['miːtən] *v* rent, hire

Migräne [mi'grɛːnə] *f MED* migraine

Mikrofon [mikro'foːn] *n* microphone

Mikrokosmos [miːkro'kɔsmɔs] *m* microcosm

Mikroskop [mikros'koːp] *n* microscope

Milbe ['mɪlbə] *f* mite

Milchstraße ['mɪlçʃtraːsə] *f ASTR* Milky Way

mild [mɪlt] *adj* 1. *(Wesen)* soft, gentle, kind; 2. *(Wetter)* mild, temperate

Milde ['mɪldə] *f* 1. *(Wetter)* mildness; 2. *(Wesen)* gentleness, tenderness

mildern ['mɪldərn] *v* 1. *(abschwächen)* soften, reduce, mitigate; 2. *(lindern)* soothe

mildtätig ['mɪlttɛːtɪç] *adj* charitable

Milieu [mɪ'ljøː] *n* environment, milieu

militant [mili'tant] *adj* militant

Militär [mili'tɛːr] *n* military, army

Millimeter [mili'meːtər] *m* millimetre

Million [mɪl'joːn] *f* million

Millionär(in) [mɪljo'nɛːr(ɪn)] *m/f* millionaire

Milz [mɪlts] *f ANAT* spleen

Mimik ['miːmɪk] *f* mimicry, mimic art

minderbemittelt ['mɪndərbəmɪtəlt] *adj* 1. *(finanziell ~)* less well-off; 2. *(geistig schwach)* educationally substandard, retarded, slow, mentally less gifted

Minderheit ['mɪndərhaɪt] *f* minority

minderjährig ['mɪndərjɛːrɪç] *adj* underage

Minderjährige(r) ['mɪndərjɛːrɪgə(r)] *m/f* minor

mindern ['mɪndərn] *v* 1. *(verringern)* diminish, lessen, reduce; 2. *(mildern)* alleviate

Minderung ['mɪndərʊŋ] *f* reduction, diminishing

minderwertig ['mɪndərveːrtɪç] *adj* inferior, substandard

mindeste(r,s) ['mɪndəstə(r,s)] *adj* least, smallest, lowest

mindestens ['mɪndəstəns] *adv* at least

Mine ['mi:nə] f 1. (Sprengkörper) mine; 2. (Bergwerk) mine; 3. (Kugelschreiber) cartridge
Mineral [minə'ra:l] n mineral
minimal [mini'ma:l] adj minimal, very small
Minimum ['minimum] n minimum
Minister(in) [mi'nistər(in)] m/f POL minister
Ministerium [mini'ste:rjum] n POL ministry
minus ['mi:nus] adv minus
Minus ['mi:nus] n ECO deficit
Minuspol ['mi:nuspo:l] m negative pole
Minute [mi'nu:tə] f minute; in letzter ~ at the last minute; auf die ~ genau on the dot
minuziös [minu'tsjø:s] adj minute
Mirabelle [mira'belə] f BOT mirabelle
mischen ['miʃən] v mix
Mischung ['miʃuŋ] f 1. (Mischen) mixture, blend; 2. (Gemenge) mingling
miserabel [mizə'ra:bəl] adj miserable
Misere [mi'ze:rə] f misery, wretchedness
missachten [mis'axtən] v (ignorieren) disregard, neglect
Missachtung [mis'axtuŋ] f (Geringschätzung) disrespect, contempt, disdain
Missbildung ['misbilduŋ] f deformity, malformation
missbilligen [mis'biligən] v disapprove of, frown upon, object to
Missbilligung ['misbiliguŋ] f disapproval, disapprobation
Missbrauch ['misbraux] m abuse, misuse
missbrauchen [mis'brauxən] v 1. abuse; 2. (falsch gebrauchen) misuse
missdeuten [mis'dɔytən] v misinterpret
Misserfolg ['misɛrfɔlk] m failure
Missernte ['misɛrntə] f AGR crop failure
Missetat ['misəta:t] f misdeed
Missetäter ['misətɛtər] m wrongdoer
missfallen [mis'falən] v irr displease
Missfallen ['misfalən] n disapproval
Missgeschick ['misgəʃik] n mishap, misfortune, bad luck
missglücken [mis'glykən] v fail
missgönnen [mis'gœnən] v begrudge
Missgriff ['misgrif] m mistake, blunder
Missgunst ['misgunst] f envy, grudge, illwill
misshandeln [mis'handəln] v abuse, maltreat, ill-treat
Misshandlung [mis'handluŋ] f abuse, illtreatment
Mission [mis'jo:n] f mission
missionieren [misjo'ni:rən] v REL missionize, proselytize

Missklang ['misklaŋ] m dissonance, disharmony
misslingen [mis'liŋən] v irr fail, go wrong
Missmut ['mismu:t] m discontent, displeasure
missmutig ['mismu:tiç] adj ill-humoured, grouchy
missraten [mis'ra:tən] v irr go wrong, turn out badly
Missstand ['misʃtant] m disgrace, deplorable state of affairs
Missstimmung ['misʃtimuŋ] f discord, dissension, ill-humour
misstrauen [mis'trauən] v mistrust, distrust, to be suspicious of
Misstrauen ['mistrauən] n distrust, mistrust, suspicion
missvergnügt ['misfɛrgny:gt] adj disgruntled, displeased
Missverhältnis ['misfɛrhɛltnis] n imbalance, disproportion, incongruity
missverständlich ['misfɛrʃtɛntliç] adj ambiguous, unclear
Missverständnis ['misfɛrʃtɛntnis] n misunderstanding
missverstehen ['misfɛrʃte:ən] v irr misunderstand, mistake, misconstrue
Mist [mist] m 1. (Pferdemist) dung, droppings, manure; Das ist nicht auf meinem ~ gewachsen. I didn't think of that myself. 2. (fig: Unsinn) nonsense, rubbish, rot; ~! Crap! (fam); ~ bauen mess up, screw up
mit [mit] prep with; ~ fünf Jahren at age five; Montag ~ Freitag Monday through Friday; eine Dose ~ Keksen a tin of biscuits; ~ der Post by post, by mail; ~ achtzehn Jahren at age eighteen; Ich habe das ~ berücksichtigt. I thought of that as well. I took that into account.
mitarbeiten ['mitarbaitən] v collaborate, cooperate
Mitarbeiter(in) ['mitarbaitər(in)] m/f 1. coworker; freier ~ freelancer; 2. (Angestellter) employee; 3. (an Projekt) collaborator
mitbekommen ['mitbəkɔmən] v irr 1. etw ~ get sth to take with one; 2. (fam: verstehen) get (fam)
Mitbenutzung ['mitbənutsuŋ] f sharing
Mitbestimmung ['mitbəʃtimuŋ] f codetermination, workers' participation
Mitbewerber(in) ['mitbəvɛrbər(in)] m/f other applicant, competitor; Leider entschieden sie sich für einen ~. Unfortunately they chose another applicant.

Mitbewohner(in) ['mɪtbəvoːnər(ɪn)] *m/f* fellow resident

mitbringen ['mɪtbrɪŋən] *v irr* bring along, bring

Mitbringsel ['mɪtbrɪŋzəl] *n* little present

Mitbürger(in) ['mɪtbyrgər(ɪn)] *m/f* fellow citizen

mitdenken ['mɪtdɛŋkən] *v irr* 1. *(gedanklich folgen)* follow; 2. *(überlegen)* figure sth out for o.s.

miteinander [mɪtaɪn'andər] *adv* 1. together, jointly; 2. *(gleichzeitig)* at the same time

Mitesser ['mɪtɛsər] *m* blackhead

Mitfahrgelegenheit ['mɪtfaːrgəleːgənhaɪt] *f eine* ~ a lift, a ride

mitführen ['mɪtfyːrən] *v (dabeihaben)* carry

Mitgefühl ['mɪtgəfyːl] *n* sympathy, compassion

Mitgift ['mɪtgɪft] *f* dowry

Mitglied ['mɪtgliːt] *n* member

Mitgliedschaft ['mɪtgliːtʃaft] *f* membership

Mithilfe ['mɪthɪlfə] *f* assistance, aid

mitkommen ['mɪtkɔmən] *v* 1. come along; 2. *(fam: begreifen)* understand, follow

Mitläufer ['mɪtlɔyfər] *m* 1. follower; 2. *POL* nominal member

Mitleid ['mɪtlaɪt] *n* pity, compassion

mitmachen ['mɪtmaxən] *v* 1. *(sich beteiligen)* participate, take part; 2. *(fig: leiden)* live through, go through

mitmenschlich ['mɪtmɛnʃlɪç] *adj* interpersonal

mitreden ['mɪtreːdən] *v* 1. join in the conversation; 2. *ein Wörtchen* ~ have a say in sth

mitreißen ['mɪtraɪsən] *v irr* enthral, enthrall *(US)*

Mitschuld ['mɪtʃult] *f* share of the blame, partial guilt, complicity

mitschuldig ['mɪtʃuldɪç] *adj* jointly guilty, an accessory to sth

Mitschüler(in) ['mɪtʃyːlər(ɪn)] *m/f* 1. fellow student, schoolmate; 2. *(in derselben Klasse)* classmate

mitspielen ['mɪtʃpiːlən] *v* 1. play, play too; 2. *(in einem Theaterstück)* act; 3. *(wichtig sein)* play a part, to be involved; 4. *jdm übel* ~ treat s.o. badly, *(körperlich)* rough s.o. up

Mitspracherecht ['mɪtʃpraxərɛçt] *n* share in decision-making

Mittag ['mɪtaːk] *m* midday, *(zwölf Uhr mittags)* noon

Mittagessen ['mɪtaːkɛsən] *n* lunch

mittags ['mɪtaːks] *adv* at lunchtime, *(zwölf Uhr ~)* at noon

Mitte ['mɪtə] *f* middle; *die goldene* ~ *wählen* choose the happy medium

mitteilen ['mɪttaɪlən] *v* inform, notify, let know

mitteilsam ['mɪttaɪlzaːm] *adj* communicative, forthcoming, talkative

Mitteilung ['mɪttaɪluŋ] *f* notification, communication, information

Mittel ['mɪtəl] *n* 1. *(Hilfsmittel)* means, resources *pl*; ~ *zum Zweck sein* to be a means to an end; ~ *und Wege suchen* look for ways and means; 2. *(Heilmittel)* remedy, medicine; 3. *im* ~ on average; *pl* 4. *(Geld)* means, funds, money

Mittelalter ['mɪtəlaltər] *n* Middle Ages *pl*

mittelalterlich ['mɪtəlaltərlɪç] *adj* medieval

mittelbar ['mɪtəlbaːr] *adj* 1. indirect; *adv* 2. indirectly

Mittelfinger ['mɪtəlfɪŋər] *m ANAT* middle finger

mittellos ['mɪtəlloːs] *adj* penniless, destitute, without means of support

mittelmäßig ['mɪtəlmɛːsɪç] *adj* 1. *(durchschnittlich)* average; 2. *(pejorativ)* mediocre

Mittelmeer ['mɪtəlmeːr] *n GEO* Mediterranean

Mittelpunkt ['mɪtəlpuŋkt] *m* 1. centre, focus, heart; 2. *(fig)* centre of attention

mittels ['mɪtəls] *prep* by means of, through, with the assistance of

Mittelsmann ['mɪtəlsman] *m* intermediary, go-between, mediator

Mittelstand ['mɪtəlʃtant] *m* middle class

Mittelweg ['mɪtəlveːk] *m (fig)* middle course, compromise

mitten ['mɪtən] *adv* ~ *in/bei/an/auf* in the middle of; ~ *aus* from amid; ~ *darin* right in the middle of it; ~ *ins Gesicht* right in the face; ~ *unter uns* in our midst; ~ *durch* right through the middle

mittendrin [mɪtən'drɪn] *adv* in the middle, right in the middle; *in etw* ~ *sein* to be right in the middle of sth

Mitternacht ['mɪtərnaxt] *f* midnight

mittlere(r,s) ['mɪtlərə(r,s)] *adj* middle, central, *(durchschnittlich)* average

mittlerweile ['mɪtlərvaɪlə] *adv* in the meantime, meanwhile

Mittwoch ['mɪtvɔx] *m* Wednesday

mitwirken ['mɪtvɪrkən] *v* contribute, to be involved, take part

Mitwisser ['mɪtvɪsər] *m JUR* accessory, party to sth

mixen ['mɪksən] *v* mix

Mixer ['mɪksər] *m 1. (Gerät)* mixer, blender; *2. (Barmixer)* bartender; *3. (Tonmeister)* mixer

Mob [mɔp] *m* mob

Möbel ['møːbəl] *n 1. (~stück)* piece of furniture; *pl 2.* furniture

mobil [moˈbiːl] *adj 1.* mobile; ~ *machen* mobilize; *2. (flink)* active; *3. FIN* movable

Mobiliar [mobiliˈaːr] *n* furniture

Mobilität [mobiliˈtɛːt] *f* mobility

Mobiltelefon [moˈbiːltelefoːn] *n TEL* mobile phone

möblieren [møˈbliːrən] *v* furnish

Mode ['moːdə] *f* fashion; *in ~ kommen* come into fashion

Modell [moˈdɛl] *n* model; ~ *stehen* pose

modellieren [modeˈliːrən] *v* model, mould, fashion

Modem ['moːdəm] *m/n INFORM* modem

Modemacher ['moːdəmaxər] *m* fashion designer

Modenschau ['moːdənʃau] *f* fashion show

moderieren [modeˈriːrən] *v* moderate

modern [moˈdɛrn] *adj 1.* modern; *2. (modisch)* fashionable

Moderne [moˈdɛrnə] *f* modern age, modern times

modernisieren [modɛrniˈziːrən] *v* modernize

Modeschmuck ['moːdəʃmuk] *m* costume jewellery

modifizieren [modifiˈtsiːrən] *v* modify

modisch ['moːdɪʃ] *adj 1.* fashionable, stylish; *adv 2.* fashionably, according to the latest fashion

Modul [moˈduːl] *n* module

Modus ['moːdus] *m* mode

Mofa ['moːfa] *n* moped, motorized bicycle

mogeln ['moːgəln] *v* cheat

mögen ['møːgən] *v irr 1. (gern haben)* like; *2. (wollen)* want to, wish to, desire to; *3. (können) Er mag Recht haben.* He may be right.

möglich ['møːklɪç] *adj 1.* possible; *2. (ausführbar)* feasible

Möglichkeit ['møːklɪçkaɪt] *f 1.* possibility; *2. (Gelegenheit)* opportunity; *3. (Ausführbarkeit)* feasibility

Mohn [moːn] *m BOT* poppy

Möhre ['møːrə] *f BOT* carrot

Mohrrübe ['moːrryːbə] *f* carrot

mokieren [moˈkiːrən] *v sich ~ über* mock

Mokka ['mɔka] *m GAST* mocha, mocha coffee

Molch [mɔlç] *m ZOOL* salamander

Mole ['moːlə] *f NAUT* mole, pier, jetty

Molekül [moleˈkyːl] *n CHEM* molecule

molekular [molekuˈlaːr] *adj CHEM* molecular

Molke ['mɔlkə] *f GAST* whey

Molkerei [mɔlkəˈraɪ] *f* dairy, creamery

Moll [mɔl] *n MUS* minor

mollig ['mɔlɪç] *adj 1. (behaglich)* comfortable, snug; *2. (dick)* plump, roly-poly

Moment [moˈmɛnt] *m 1.* moment, instant; *Das ist im ~ alles.* That's all for the time being. *Einen ~, bitte.* One moment, please. *n 2. PHYS* moment, momentum; *3. (fig: Umstand)* fact, factor

momentan [momɛnˈtaːn] *adj 1.* momentary; *adv 2.* momentarily; *3. (im Augenblick)* at the moment

Monarchie [monarˈçiː] *f* monarchy

Monat ['moːnat] *m* month

monatlich [moːˈnatlɪç] *adj/adv* monthly

Mönch [mœnç] *m REL* monk

Mond [moːnt] *m* moon; *jdn auf den ~ schießen* send s.o. to Coventry; *hinter dem ~ leben* live in a fool's paradise

mondän [monˈdɛːn] *adj* elegant, fashionable

Mondfinsternis ['moːntfɪnstɛrnɪs] *f* lunar eclipse, eclipse of the moon

Mondlandschaft ['moːntlantʃaft] *f (fig)* lunar landscape

Mondschein ['moːntʃaɪn] *m* moonlight

mondsüchtig ['moːntzyçtɪç] *adj* moonstruck, somnambulous

Monitor ['moːnitoːr] *m* monitor

Monogamie [monogaˈmiː] *f* monogamy

Monogramm [monoˈgram] *n* monogram

Monokultur ['moːnokultuːr] *f AGR* monoculture

Monolog [monoˈloːk] *m* monologue

Monopol [monoˈpoːl] *n* monopoly

monoton [monoˈtoːn] *adj 1.* monotonous; *adv 2.* monotonously

Monotonie [monotoˈniː] *f* monotony

Monstrum ['mɔnstrum] *n* monster

Monsun [mɔnˈzuːn] *m* monsoon

Montag ['moːntaːk] *m* Monday

Montage [mɔnˈtaːʒə] *f 1. (Einrichten)* installation; *2. CINE* montage

Monteur [mɔnˈtøːr] *m* fitter, assembler

montieren [mɔnˈtiːrən] *v 1.* mount, fit; *2. (zusammenbauen)* assemble

Monument [monu'mɛnt] *n* monument

monumental [monumen'ta:l] *adj* monumental

Moor [mo:r] *n* moor, bog, swamp

Moos [mo:s] *n* moss

Moped ['mo:pɛt] *n* moped

Moral [mo'ra:l] *f* morality, morals, ethics

moralisch [mo'ra:lɪʃ] *adj* 1. moral; *adv* 2. morally

Moralpredigt [mo'ra:lpre:dɪkt] *f* sermon, lecture, homily; *jdm eine ~ halten* give s.o. a sermon

Morast [mo'rast] *m* morass, swamp, marsh

morbid [mor'bi:t] *adj* degenerate, decaying, moribund, doomed

Mord [mort] *m* murder; *Das gibt ~ und Totschlag!* All hell will be let loose!

Mordanschlag ['mortanʃla:k] *m* murder attempt, attempt on a person's life, assassination attempt

Mörder ['mœrdər] *m* murderer

morgen ['morgən] *adv* tomorrow; *~ in einer Woche* a week from tomorrow

Morgen ['morgən] *m* morning; *Guten ~!* Good morning!

Morgendämmerung ['morgəndɛmərʊŋ] *f* dawn, daybreak

Morgengrauen ['morgəngrauən] *n* dawn, break of day

Morgenland ['morgənlant] *n* the Orient, the East

Morgenmantel ['morgənmantəl] *m* dressing gown, robe

Morgenrot ['morgənro:t] *n* dawn, rosy dawn

morgens ['morgəns] *adv* in the morning, every morning; *~ um vier Uhr* at four o'clock in the morning

Morphium ['morfjum] *n* MED morphine

Morsezeichen ['morzətsaiçən] *n* NAUT Morse symbol

Mosaik [moza'i:k] *n* mosaic

Moschee [mo'ʃe:] *f* mosque

Moskito [mos'ki:to] *m* ZOOL mosquito

Moslem ['moslɛm] *m* Moslem, Muslim

Most [most] *m* 1. *(unvergorener Fruchtsaft)* fruit juice; 2. *(vergorener Fruchtsaft)* fruit wine; *(Apfelmost)* cider

Motiv [mo'ti:f] *n* motive

Motivation [motiva'tsjo:n] *f* motivation

motivieren [moti'vi:rən] *v* 1. *(anregen)* motivate; 2. *(begründen)* give reasons for sth

Motor ['mo:tor] *m* engine, motor

Motorboot ['mo:torbo:t] *n* motorboat

Motorrad ['mo:torra:t] *n* motorcycle, motor bike (fam)

Motte ['motə] *f* moth

Mottenpulver ['motənpulvər] *n* moth-repellent

Motto ['moto] *n* motto, device

Möwe ['mø:və] *f* ZOOL seagull

Mücke ['mykə] *f* gnat, mosquito, midge; *eine ~ machen* beat it, buzz off; *aus einer ~ einen Elefanten machen* make a mountain out of a molehill

müde ['my:də] *adj* tired, weary, drowsy

Müdigkeit ['my:dɪçkait] *f* tiredness, fatigue, weariness

Mühe ['my:ə] *f* effort, trouble, pains *pl;* *sich ~ geben* make an effort; *die ~ wert sein* to be worth it; *mit Müh und Not* by the skin of one's teeth

mühelos ['my:əlo:s] *adj* 1. effortless, easy, without trouble; *adv* 2. effortlessly, easily

mühevoll ['my:əfol] *adj* 1. troublesome, hard, difficult; *adv* 2. with great effort, with difficulty

Mühle ['my:lə] *f* 1. mill; 2. *(Kaffeemühle)* coffee grinder

Mühsal ['my:za:l] *f* hardship, toil, trouble

mühsam ['my:za:m] *adj* 1. laborious, arduous; *adv* 2. with difficulty, with great effort, laboriously

mühselig ['my:ze:lɪç] *adj* arduous, exhausting

Mulde ['muldə] *f* tray, trough, hollow

Müll [myl] *m* waste, rubbish, refuse

Mullbinde ['mulbɪndə] *f* gauze bandage

Mülleimer ['mylaimər] *m* dustbin (UK), rubbish bin (UK), garbage can (US)

Müller ['mylər] *m* miller

multikulturell [multikultu'rɛl] *adj* multicultural

multilateral [multilatə'ra:l] *adj* multilateral

Multimedia [multi'me:dja] *pl* INFORM multimedia

Mumie ['mu:mjə] *f* mummy

Mumps [mumps] *m* MED mumps

München ['mynçən] *n* Munich

Mund [munt] *m* mouth; *sich den ~ verbrennen* put one's foot in it; *den ~ nicht aufbekommen* not open one's mouth; *den ~ vollnehmen* shoot off one's mouth; *einen großen ~ haben* (fig) have a big mouth; *den ~ halten* keep one's mouth shut; *sich den ~ fusselig reden* talk until one is blue in the face; *jdm den ~ verbieten* order s.o. to be quiet; *jdm den ~ wässrig machen* make s.o.'s mouth water;

nicht auf den ~ gefallen sein never be at a loss for words; *in aller ~e sein* to be on everyone's lips; *jdm nach dem ~ reden* say what s.o. wants to hear; *jdm über den ~ fahren* cut s.o. short; *von ~ zu ~ gehen* to be passed on from person to person

Mundart ['munta:rt] *f* dialect, vernacular

münden ['myndən] *v* flow into, run into, end in

Mundharmonika ['muntharmo:nika] *f* harmonica, mouth-organ

mündig ['myndıç] *adj* of age

mündlich ['myndlıç] *adj* 1. oral, vocal; *adv* 2. orally, verbally

Mündung ['myndʊŋ] *f* 1. *(Gewehrmündung)* muzzle; 2. *(Flussmündung)* mouth

Munition [muni'tsjo:n] *f* ammunition

munkeln ['muŋkəln] *v* whisper, rumour

Münster ['mynstər] *n* cathedral, minster

munter ['muntər] *adj* 1. *(vergnügt)* merry; 2. *(lebhaft)* lively; *gesund und ~* hale and hearty; 3. *(wach)* awake

Münze ['myntsə] *f* 1. coin; *für bare ~ nehmen* take at face value; *jdm etw mit gleicher ~ heimzahlen* pay s.o. back in his own coin; 2. *(Münzanstalt)* mint

Münzfernsprecher ['myntsfɛrnʃprɛçər] *m* call-box *(UK)*, pay phone

mürbe ['myrbə] *adj* 1. *(brüchig)* crumbly; 2. *(zart)* tender; 3. *(Obst)* soft; 4. *(morsch)* rotten; 5. *(fig)* worn

Murmel ['murməl] *f* marble

murmeln ['murməln] *v* murmur, mutter, speak below one's breath

Murmeltier ['murməlti:r] *n* ZOOL marmot

murren ['murən] *v* growl, grumble, murmur

mürrisch ['myrıʃ] *adj* peevish, grumpy, surly

Mus [mu:s] *n* 1. mash, stewed fruit; 2. *(Apfelmus)* applesauce

Muschel ['muʃəl] *f* 1. ZOOL mussel; 2. *(Venusmuschel)* ZOOL clam

Muse ['mu:zə] *f* Muse

Museum [mu'ze:um] *n* museum

Musik [mu'zi:k] *f* music

musikalisch [muzi'ka:lıʃ] *adj* musical

Musikbox [mu'zi:kbɔks] *f* juke-box

Musiker ['mu:zikər] *m* musician

musisch ['mu:zıʃ] *adj* art-loving, artistic

Muskel ['muskəl] *m* muscle; *seine ~n spielen lassen* flex one's muscles

Muskelkater ['muskəlka:tər] *m* sore muscles, stiff muscles

Muskulatur [muskula'tu:r] *f* musculature

muskulös [musku'lø:s] *adj* muscular

Müsli ['my:sli] *n* muesli

Muße ['mu:sə] *f* leisure, ease

müssen ['mysən] *v irr* have to, must *(nur in der Gegenwart)*; *ich muss* I have to, I must; *Das hat sie nicht tun ~.* She didn't have to do it. *Ich muss zum Arzt.* I need to see a doctor.

müßig ['my:sıç] *adj (untätig)* idle, lazy

Müßiggang ['my:sıçgaŋ] *m* idleness, laziness

Muster ['mustər] *n* 1. *(Vorlage)* pattern; 2. *(Probe)* sample, specimen; 3. *(Design)* pattern, design; 4. *(Vorbild)* model

musterhaft ['mustərhaft] *adj* exemplary

mustern ['mustərn] *v* 1. eye, look over; 2. *(Truppen)* MIL inspect; 3. *jdn ~ (für Wehrdienst)* give s.o. a physical

Musterung ['mustərʊŋ] *f* MIL inspection, examination

Mut [mu:t] *m* 1. courage, bravery; *allen ~ zusammennehmen* summon all one's courage; *frohen ~es sein* to be in good spirits; *mit frohem ~* in good spirits; 2. *(Schneid)* pluck; *Nur ~!* Cheer up!

Mutant [mu'tant] *m* 1. BIO mutant; 2. *(Jugendlicher im Stimmbruch)* boy whose voice is changing

mutig ['mu:tıç] *adj* 1. courageous, brave; *adv* 2. courageously, bravely

mutlos ['mu:tlo:s] *adj* 1. discouraged, despondent, dejected; *adv* 2. despondently, dejectedly

mutmaßen ['mu:tma:sən] *v* surmise, presume, guess

mutmaßlich ['mu:tma:slıç] *adj* 1. probable, presumable; *adv* 2. presumably

Mutmaßung ['mu:tma:suŋ] *f* conjecture, speculation

Mutprobe ['mu:tpro:bə] *f* test of courage

Mutter ['mutər] *f* 1. mother; *Ich fühle mich hier wie bei ~n.* I feel quite at home here. 2. *(Schraubenmutter)* TECH nut

Muttergesellschaft ['mutərgəzɛlʃaft] *f* ECO parent company

mütterlich ['mytərlıç] *adj* 1. motherly, maternal; *adv* 2. maternally

Muttermal ['mutərma:l] *n* birthmark, mole

Mutterschaft ['mutərʃaft] *f* motherhood

Muttertag ['mutərta:k] *m* Mother's Day

mutwillig ['mu:tvılıç] *adj* wanton, wilful, deliberate

Mütze ['mytsə] *f* cap, hat; *eine ~ voll Schlaf bekommen* have forty winks

mysteriös [myster'jø:s] *adj* mysterious

N

Nabel ['na:bəl] *m* navel; *der ~ der Welt* the top of the world

nach [na:x] *prep 1. (zeitlich)* after; *~ wie vor* still; *Mir ~!* Follow me! *2. (gemäß)* according to, in accordance with; *~ etw benannt sein* to be named after sth; *3. (örtlich)* to, toward(s); *~ oben* upward(s); *~ unten* downward(s); *~ hinten* backward(s); *4. ~ und ~* gradually

nachahmen ['na:xa:mən] *v* imitate, copy

Nachbar ['naxba:r] *m* neighbour

Nachbarschaft ['naxba:rʃaft] *f* neighbourhood

nachdem [na:x'de:m] *konj* after

nachdenken ['na:xdɛŋkən] *v irr* think, reflect, ponder; *Ich muss darüber ~.* I will have to think it over. I will have to think about it.

nachdenklich ['na:xdɛŋklıç] *adj* thoughtful, pensive

Nachdruck ['na:xdruk] *m 1. (Betonung)* stress, emphasis; *einer Sache ~ verleihen* lay stress on sth; *2. (Kopie)* reprint, reproduction

nachdrücklich ['na:xdryklıç] *adj* emphatic, firm, expressive

nacheifern ['na:xaifərn] *v* emulate

nacheinander [na:xai'nandər] *adv* one after another, one after the other, in succession

Nacherzählung ['na:xɛrtsɛ:luŋ] *f* retelling

Nachfahre ['na:xfa:rə] *m* descendant

nachfolgen ['na:xfɔlgən] *v* follow, succeed

Nachfolger ['na:xfɔlgər] *m* successor

nachforschen ['na:xfɔrʃən] *v* investigate

Nachforschung ['na:xfɔrʃuŋ] *f* inquiry, investigation

Nachfrage ['na:xfra:gə] *f 1. (Erkundigung)* inquiry, enquiry; *2. (Bedarf) ECO* demand

nachgeben ['na:xge:bən] *v irr 1. (erschlaffen)* give way, sag, sink; *2. (fig)* surrender, give in, yield

nachhaltig ['na:xhaltıç] *adj 1.* lasting, enduring, persistent; *adv 2.* persistently

nachher [na:x'he:r] *adv* afterwards, later, subsequently

Nachhilfe ['na:xhılfə] *f 1.* help, assistance; *2. (~unterricht)* tutoring

nachholen ['na:xho:lən] *v* catch up on

Nachkomme ['na:xkɔmə] *m* descendant

nachkommen ['na:xkɔmən] *v irr 1.* follow on, come after, join; *2. (fig: einem Wunsch)* comply with; *3. (einem Versprechen)* keep; *4.*

(Verbindlichkeiten) meet; *5. (einer Pflicht)* fulfil, fulfill *(US)*

Nachkriegszeit ['na:xkri:kstsait] *f* postwar period

Nachlass ['na:xlas] *m 1. (Erbe)* estate; *2. (Preisnachlass)* reduction, discount

nachlassen ['na:xlasən] *v irr 1. (Preis)* decline, ease off, slacken; *2. (lockern)* loosen, slacken, relax; *3. (aufhören)* discontinue

nachlässig ['na:xlɛsıç] *adj 1.* negligent, careless, remiss; *adv 2.* negligently, carelessly

Nachlässigkeit ['na:xlɛsıçkait] *f* negligence, carelessness, remissness

nachmachen ['na:xmaxən] *v 1.* imitate, copy; *2. (fälschen)* forge, *(Geld)* counterfeit

Nachmittag ['na:xmıta:k] *m* afternoon

Nachname ['na:xna:mə] *m* last name, surname, family name

nachprüfen ['na:xpry:fən] *v* check

Nachricht ['na:xrıçt] *f* message, piece of news

Nachrichten ['na:xrıçtən] *pl* news

Nachrichtensprecher ['na:xrıçtənʃpreçər] *m* newscaster

nachrücken ['na:xrykən] *v 1.* move up; *2. (an jds Stelle)* succeed to; *3. (Truppen)* advance

Nachruf ['na:xru:f] *m* obituary

nachschlagen ['na:xʃla:gən] *v irr (im Wörterbuch)* look up

Nachschlagewerk ['na:xʃla:gəverk] *n* reference book

Nachschub ['na:xʃu:p] *m* supply

nachsehen ['na:xze:ən] *v irr 1. (kontrollieren)* look, check; *2. (nachblicken)* gaze after; *3. (fig: verzeihen)* forgive; *jdm seine Fehler ~* excuse s.o.'s mistakes

Nachsehen ['na:xze:ən] *n 1. (Verzeihung)* forgiveness, leniency; *2. (Nachteil) das ~ haben* to be the loser, lose out

Nachsicht ['na:xzıçt] *f* forbearance, indulgence, leniency

nachsichtig ['na:xzıçtıç] *adj 1.* indulgent, lenient; *adv 2.* indulgently, leniently

Nachspann ['na:xʃpan] *m* CINE closing credits

Nachspiel ['na:xʃpi:l] *n 1.* epilogue; *2. (fig)* aftermath

nachsprechen ['na:xʃpreçən] *v irr* repeat

nächste(r,s) ['nɛ:çstə(r,s)] *adj 1. (Zeit, Reihenfolge)* next; *2. (nächstgelegen)* nearest

Nächstenliebe ['nɛːçstənliːbə] *f* compassion, charity

Nacht [naxt] *f* night; *die ~ zum Tage machen* turn night into day, pull an all-nighter *(US); sich die ~ um die Ohren schlagen* push through until dawn; *jdm schlaflose Nächte bereiten* keep s.o. awake all night; *bei ~ und Nebel* under cover of darkness; *über ~* overnight

Nachteil ['naːxtaɪl] *m* disadvantage

Nachthemd ['naxthɛmt] *n* 1. *(für Männer)* nightshirt; 2. *(für Frauen)* nightgown

Nachtigall ['naxtɪgal] *f* ZOOL nightingale

Nachtisch ['naːxtɪʃ] *m* GAST dessert, sweet *(UK)*

Nachtklub ['naxtklup] *m* night-club

nächtlich ['nɛːçtlɪç] *adj* nightly, nocturnal, night

Nachtrag ['naːxtraːk] *m* supplement

nachtragen ['naːxtraːgən] *v irr* 1. *(hinterhertragen)* carry after; 2. *(ergänzen)* add, supplement; 3. *(fig) jdm etw ~* hold sth against s.o., resent s.o. for sth

nachträglich ['naːxtrɛːklɪç] *adj* 1. additional, supplementary, subsequent; *adv* 2. further, subsequently, later; *Ich möchte dir noch ~ zum Geburtstag gratulieren.* I'd like to wish you a belated happy birthday.

nachts [naxts] *adv* at night

Nachtschicht ['naxtʃɪçt] *f* night-shift

Nachttisch ['naxtɪʃ] *m* night-table, bedside table, nightstand *(US)*

nachvollziehen ['naːxfɔltsiːən] *v irr* understand (s.o.'s thoughts or behaviour)

Nachweis ['naːxvaɪs] *m* proof, evidence

nachweisen ['naːxvaɪzən] *v irr* prove, demonstrate, show

nachweislich ['naːxvaɪslɪç] *adj* 1. proven; *adv* 2. *Es ist ~ ...* It can be proven to be ...

Nachwelt ['naːxvɛlt] *f* posterity

Nachwirkung ['naːxvɪrkʊŋ] *f* after-effect

Nachwort ['naːxvɔrt] *n* epilogue

Nachwuchs ['naːxvuːks] *m* coming generation, young talent, new blood

nachzählen ['naːxtsɛːlən] *v* check, recount

Nachzahlung ['naːxtsaːlʊŋ] *f* supplementary payment

Nachzügler ['naːxtsyːglər] *m* straggler, latecomer, late arrival

Nacken ['nakən] *m* ANAT nape of the neck; *den Kopf in den ~ werfen* throw one's head back; *jdm im ~ sitzen* breathe down s.o.'s neck; *Er hatte die Polizei im ~.* The police were hard on his heels. *jdm den ~ stärken* back s.o. up; *Ihm sitzt der Schalk im ~.* He's in a devilish mood.

nackt [nakt] *adj* naked, nude, bare

Nadel ['naːdəl] *f* needle, pin; *an der ~ hängen* to be on drugs

Nagel ['naːgəl] *m* 1. nail; *den ~ auf den Kopf treffen (fig)* hit the nail on the head; *etw an den ~ hängen* chuck in sth, give up sth; *Nägel mit Köpfen machen* do the job properly; 2. *(Fingernagel)* finger-nail; *jdm unter den Nägeln brennen* to be desperately urgent for s.o.; *sich etw unter den ~ reißen* pinch sth

nageln ['naːgəln] *v* nail

nagen ['naːgən] *v* gnaw

nah(e) [naː(ə)] *adj* 1. near, close, nearby; *jdm zu ~ treten* offend s.o.; *jdm ~ sein* to be close to s.o.; *adv* 2. close, near; *jdm etw ~ bringen* impress sth on s.o., bring sth home to s.o.; *~ gehen* affect; *jdm ~ kommen* get to know s.o.; *~ legen* recommend, urge, advise; *~ liegen* to be obvious; *der Schluss liegt ~* the conclusion suggests itself; *~ liegend (fig)* obvious; 3. *(zeitlich) Weihnachten steht ~ bevor* christmas is just around the corner; *~ bevorstehend* approaching; *prep* 3. near, close to; *der Ohnmacht ~ sein* to be on the verge of passing out

Nähe ['nɛːə] *f* 1. *(Nahesein)* nearness, proximity, closeness; 2. *(Umgebung)* vicinity, neighbourhood; *in der ~* nearby; *in meiner ~* near me; *aus der ~* from close to, at close quarters; 3. *(zeitlich)* closeness

nahen ['naːən] *v* approach, draw near

nähen ['nɛːən] *v* sew

nähern ['nɛːərn] *v sich ~* approach, draw near, come nearer; *der Abend nähert sich seinem Ende* the evening was drawing to a close

Näherungswert ['nɛːərʊŋsveːrt] *m* approximate value

nahezu ['naːəˈtsuː] *adv* almost, nearly, next to

Nährboden ['nɛːrboːdən] *m* 1. fertile soil; 2. *(fig: für Gedanken)* hotbed, breeding ground

nähren ['nɛːrən] *v* 1. nourish, feed; 2. *(Verdacht)* nurture

nahrhaft ['naːrhaft] *adj* nutritious

Nahrung ['naːrʊŋ] *f* nutrition, food

Naht [naːt] *f* seam; *aus allen Nähten platzen* to be bursting at the seams

nahtlos ['naːtloːs] *adj* seamless

naiv [naˈiːf] *adj* naive

Name ['naːmə] *m* name; *die Dinge beim ~n nennen* call a spade a spade; *in seinem ~n* on his behalf; *einen guten ~n haben* have a good reputation

namentlich ['na:məntlıç] *adj 1.* by name; *adv 2.* by name; *3. (besonders)* particularly

namhaft ['na:mhaft] *adj* distinguished, renowned, noted

nämlich ['nɛ:mlıç] *konj* that is to say, because; *Am Freitag kann ich nicht dabei sein, meine Freundin hat ~ Geburtstag.* I can't be there on Friday, it's my girlfriend's birthday you see.

Napf [napf] *m* bowl, dish

Narbe ['narbə] *f* scar

Narkose [nar'ko:zə] *f MED* anaesthesia

Narr [nar] *m* fool, idiot, imbecile; *sich zum ~en machen* make a fool of o.s.; *jdn zum ~en halten* make a fool of s.o.; *an jdm einen ~en gefressen haben* have taken a great fancy to s.o.

närrisch ['nɛrıʃ] *adj 1.* foolish; *2. (verrückt)* mad

narzisstisch [nar'tsıstıʃ] *adj* narcissistic

nasal [na'za:l] *adj* nasal

naschen ['naʃən] *v* nibble

Nase ['na:zə] *f* nose; *auf die ~ fallen* fall flat on one's face; *die ~ voll haben* to be fed up; *jdm etw unter die ~ reiben* rub s.o.'s nose in sth; *jdn an der ~ herumführen (fam)* pull the wool over s.o.'s eyes; *die ~ rümpfen* turn up one's nose; *Du kannst dir mal an die eigene ~ fassen!* You're one to talk! *jdm etw unter die ~ reiben* rub s.o.'s nose in sth; *überall seine ~ hineinstecken* to be a nosey parker; *jdm etw vor der ~ wegschnappen* beat s.o. to sth; *eine feine ~ für etw haben* have a good nose for sth; *die ~ hoch tragen* to be a bit uppity; *die ~ vorn haben* have a head start; *sich eine goldene ~ verdienen* earn loads of cash (fam); *eins auf die ~ bekommen* get a punch on the nose; *direkt vor deiner ~* right under your nose; *sich die ~ putzen (sich schnäuzen)* blow one's nose

näseln ['nɛ:zəln] *v* talk through one's nose

Nashorn ['na:shɔrn] *n ZOOL* rhinoceros

nass [nas] *adj* wet

Nässe ['nɛsə] *f* dampness, wetness, moisture

Nation [na'tsjo:n] *f* nation

national [natsjo'na:l] *adj* national

Nationalfeiertag [natsjo'na:lfaıərta:k] *m* national holiday

Nationalismus [natsjona'lısmus] *m* nationalism

nationalistisch [natsjona'lıstıʃ] *adj POL* nationalistic

Nationalität [natsjonali'tɛ:t] *f* nationality

Natter ['natər] *f 1.* adder, viper; *2. (fig)* snake

Natur [na'tu:r] *f* nature; *Das liegt in der ~ der Sache.* It's in the nature of things.

Naturell [natu'rɛl] *n* disposition, nature

Naturkatastrophe [na'tu:rkatastro:fə] *f* natural disaster

natürlich [na'ty:rlıç] *adj 1.* natural; *adv 2. Natürlich!* Of course!

Natürlichkeit [na'ty:rlıçkaıt] *f* naturalness, unaffectedness, simplicity

Naturschutz [na'tu:rʃuts] *m* preservation of nature, conservation of nature

Naturwissenschaft [na'tu:rvısənʃaft] *f* natural science

Nautik ['nautık] *f* nautical science

Navigation [naviga'tsjo:n] *f* navigation

Neandertaler [ne'andərta:lər] *m* Neanderthal, Neanderthal man

Nebel ['ne:bəl] *m* fog, mist, haze

nebelig ['ne:bəlıç] *adj* foggy, misty, hazy

neben ['ne:bən] *prep* next to, beside, by; *~ anderen Dingen* among other things

nebenan [ne:bən'an] *adv* next door

Nebenanschluss ['ne:bənanʃlus] *m TEL* extension

nebenbei [ne:bən'baı] *adv 1.* on the side; *2. (beiläufig)* incidentally; *3. (außerdem)* in addition

Nebenbuhler ['ne:bənbu:lər] *m* rival

nebeneinander ['ne:bənaınandər] *adv* next to each other, side by side; *~ stellen* juxtapose, place adjacently; *~ sitzen* sit side by side, sit next to each other

Nebeneinkünfte ['ne:bənaınkynftə] *pl* additional income, side income

Nebenfluss ['ne:bənflus] *m* tributary

nebenher [ne:bən'he:r] *adv* in addition, on the side, as well

Nebenkosten ['ne:bənkɔstən] *pl* incidental expenses, ancillary costs

Nebenrolle ['ne:bənrɔlə] *f* supporting role

nebensächlich ['ne:bənzɛçlıç] *adj* secondary, incidental, unimportant

Nebenwirkung ['ne:bənvırkuŋ] *f* side effect, secondary effect

necken ['nɛkən] *v* tease

neckisch ['nɛkıʃ] *adj 1.* teasing, playful, mischievous; *2. (Kleidungsstück)* coquettish, saucy

Neffe ['nɛfə] *m* nephew

Negation [nega'tsjo:n] *f* negation

negativ ['ne:gati:f] *adj* negative

Negativ ['ne:gati:f] *n FOTO* negative

negieren [ne'gi:rən] *v* negate, deny

nehmen ['ne:mən] *v irr* take; *sich etw nicht ~ lassen* insist on sth; *etw auf sich ~* accept sth, take on sth; *einen zur Brust ~* have a drink

Neid [naɪt] *m* envy; *vor ~ platzen* go green with envy

neidisch ['naɪdɪʃ] *adj* envious, jealous

neigen ['naɪgən] *v* 1. incline, bow, bend; 2. *(fig)* to be inclined, tend

Neigung ['naɪgʊŋ] *f* 1. inclination; 2. *(geneigte Fläche)* incline, slope, gradient; 3. *(fig)* inclination, tendency, proneness

nein [naɪn] *adv* no

Nektar ['nɛktar] *m* nectar

Nelke ['nɛlkə] *f BOT* carnation, pink

nennen ['nɛnən] *v irr* 1. name; 2. *(heißen)* name, call; 3. *(erwähnen)* mention; 4. *sich ~* to be called

Nenner ['nɛnər] *m MATH* denominator; *gemeinsamer ~* common denominator; *einen gemeinsamen ~ finden (fig)* find a common denominator

Neonlicht ['neːɔnlɪçt] *n* neon light

Neonreklame ['neːɔnreklaːmə] *f* neon sign

Nerv [nɛrf] *m* 1. *ANAT* nerve; 2. *(fig)* nerve; *den ~ haben* have the nerve; *jdm auf die ~en gehen* get on s.o.'s nerves; *~en wie Drahtseile haben* have nerves of steel; *die ~en verlieren* lose control; *mit den ~en herunter sein* to be cracking up

nerven ['nɛrfən] *v (fam)* make nervous; *jdn ~* get on s.o.'s nerves

Nervenzusammenbruch ['nɛrfəntsuzamənbrʊx] *m MED* nervous breakdown, crack-up

nervös [nɛr'vøːs] *adj* 1. nervous; 2. *(reizbar)* irritable; 3. *(überdreht)* on edge

Nervosität [nɛrvoziˈtɛːt] *f* nervousness

Nerz [nɛrts] *m ZOOL* mink

Nessel ['nɛsəl] *f* nettle; *sich in die ~n setzen* get into hot water

Nest [nɛst] *n* nest; *(fig) sich ins gemachte ~ setzen* marry into money

nett [nɛt] *adj* 1. nice; *adv* 2. nicely

netto ['nɛto] *adv ECO* net

Nettoeinkommen ['nɛtoaɪnkɔmən] *n ECO* net income

Nettogewicht ['nɛtogəvɪçt] *n* net weight

Nettopreis ['nɛtoprais] *m ECO* net price

Netz [nɛts] *n* net, network; *jdm ins ~ gehen* fall into s.o.'s trap

Netzgerät ['nɛtsgərɛːt] *n TECH* power pack

Netzhaut ['nɛtshaut] *f ANAT* retina

neu [nɔy] *adj* new; *aufs Neue* from scratch; *Auf ein Neues!* Here's the next time!

neuartig ['nɔyaːrtɪç] *adj* novel, original

Neubau ['nɔybau] *m* new construction

neuerdings ['nɔyərdɪŋs] *adv* lately, of late

Neueröffnung ['nɔyɛrœfnʊŋ] *f* 1. opening; 2. *(Wiedereröffnung)* reopening

Neuerscheinung ['nɔyɛrʃaɪnʊŋ] *f* 1. new release; 2. *(Neuheit)* new phenomenon

Neuerung ['nɔyərʊŋ] *f* innovation, change

Neugeborene ['nɔygəboːrənə] *n* newborn child

Neugier ['nɔygiːr] *f* curiosity

neugierig ['nɔygiːrɪç] *adj* 1. curious, inquisitive; 2. *(eindrängend)* nosey

Neuheit ['nɔyhaɪt] *f* novelty

Neuigkeit ['nɔyɪçkaɪt] *f* item of news; *~en* news

Neujahr ['nɔyjaːr] *n* new year

Neujahrstag ['nɔyjaːrstaːk] *m* New Year's Day

Neuland ['nɔylant] *n* 1. new territory, new ground, virgin soil; 2. *(fig)* untouched ground, new ground

neulich ['nɔylɪç] *adv* recently, the other day

Neuling ['nɔylɪŋ] *m* beginner, novice, newcomer

Neumond ['nɔymoːnt] *m* new moon

neureich ['nɔyraɪç] *adj* nouveau riche

Neureiche(r) ['nɔyraɪçə(r)] *m/f* nouveaux riche

Neurologie [nɔyroloˈgiː] *f MED* neurology

Neurose [nɔy'roːzə] *f MED* neurosis

Neurotiker [nɔy'roːtɪkər] *m MED* neurotic

neurotisch [nɔy'roːtɪʃ] *adj MED* neurotic

neutral [nɔy'traːl] *adj* 1. neutral; *adv* 2. neutral, neutrally

Neutralität [nɔytraliˈtɛːt] *f* neutrality

Neutron ['nɔytron] *n PHYS* neutron

Neutrum ['nɔytrum] *n GRAMM* neuter

Neuzeit ['nɔytsaɪt] *f* modern times *pl*

nicht [nɪçt] *adv* not; *Ich ~!* Not me! *Bitte ~!* Please don't! *etw ~ tun* not do something; *„Hast du Hunger?" „Nein." „Nicht?"* "Are you hungry?" "No." "You're not?" *Nicht? (Nicht wahr?)* Right?; *~ amtlich* unofficial

Nichtachtung ['nɪçtaxtʊŋ] *f* disrespect, disregard, lack of respect

Nichtbeachtung ['nɪçtbəaxtʊŋ] *f* disregard, non-observance, neglect

Nichte ['nɪçtə] *f* niece

nichtig ['nɪçtɪç] *adj* null and void, void

Nichtraucher ['nɪçtrauxər] *m* non-smoker; *Raucher oder ~?* Smoking or non-smoking?; *ich bin ~* I don't smoke, I'm a non-smoker

nichts [nɪçts] *pron* nothing, not anything; *~ ahnend* unsuspecting; *~ sagend* meaningless, insignificant, futile; *~ von Bedeutung* nothing

of any importance; ~ *Neues* nothing new; ~ *Besseres* nothing better; *Nichts da!* No you don't! *Nichts für ungut.* No hard feelings. *Von ~ kommt ~.* Nothing ventured, nothing gained.
Nichts [nɪçts] *n 1.* nothingness; *aus dem ~* out of nowhere; *vor dem ~ stehen* to be left with nothing; *2. (Mensch)* nonentity
nichtsdestotrotz [nɪçtsdɛsto'trɔts] *adv* nevertheless, nonetheless
nichtsnutzig ['nɪçtsnutsɪç] *adj* good-for-nothing, no-good, no-account
nicken ['nɪkən] *v* nod
Nickerchen ['nɪkərçən] *n (fam)* nap, snooze
nie [niː] *adv* never; ~ *und nimmer* never ever
nieder ['niːdər] *adj 1.* low, minor; *2. (gemein)* common; *adv 3.* down, down
Niedergang ['niːdərgaŋ] *m (fig)* fall, decline
niedergeschlagen ['niːdərgəʃlaːgən] *adj* dejected, despondent
niederknien ['niːdərkniːən] *v* kneel, kneel down
Niederlage ['niːdərlaːgə] *f 1.* defeat; *2. SPORT* loss, defeat
niederlassen ['niːdərlasən] *v irr 1. (herunterlassen)* let down; *2. sich ~ (hinsetzen)* sit down; *3. sich ~ (Wohnsitz nehmen)* settle down; *4. sich ~ (Geschäft eröffnen)* set up shop
Niederlassung ['niːdərlasuŋ] *f ECO* site, location, place of business
Niederlegung ['niːdərleːguŋ] *f 1. (eines Kranzes)* laying; *2. (eines Amtes) POL* resignation; *3. (der Arbeit) ECO* stoppage; *4. (schriftliche Darlegung)* putting down
Niederschlag ['niːdərʃlaːk] *m METEO* precipitation, rain
Niedertracht ['niːdərtraxt] *f* meanness, baseness
niederträchtig ['niːdərtrɛçtɪç] *adj* base, vile, low
niedrig ['niːdrɪç] *adj 1.* low; *2. (fig)* low, base, vile
niemals ['niːmaːls] *adv* never
niemand ['niːmant] *pron* nobody, no one
Niemandsland ['niːmantslant] *n* no man's land
Niere ['niːrə] *f 1. GAST* kidney; *2. ANAT* kidney; *jdm an die ~n gehen* shake s.o. (fig)
Nierenentzündung ['niːrənɛnttsynduŋ] *f MED* kidney infection, nephritis
nieseln ['niːzəln] *v* drizzle
niesen ['niːzən] *v* sneeze
Niete ['niːtə] *f 1. (Niet) TECH* rivet; *2. (Los) eine ~ ziehen* draw a blank; *3. (fig: Mensch)* dud
Nihilismus [nihi'lɪsmus] *m PHIL* nihilism

Nikolaus ['nɪkolaus] *m (der Weihnachtsmann)* Santa Claus
Nikotin [niko'tiːn] *n* nicotine
Nil [niːl] *m GEO* Nile
Nilpferd ['niːlpfeːrt] *n ZOOL* hippopotamus
Nimbus ['nɪmbus] *m 1.* nimbus, halo; *2. (fig)* aura
nippen ['nɪpən] *v* sip
Nippes ['nɪpəs] *pl* trinkets, bits and pieces
nirgends ['nɪrgənts] *adv* nowhere, not anywhere
nirgendwo ['nɪrgəntvoː] *adv* nowhere
Nische ['niːʃə] *f* niche, recess
nisten ['nɪstən] *v* nest
Nitrat [ni'traːt] *n CHEM* nitrate
Niveau [ni'voː] *n* level; ~ *haben (fig)* to be of a high standard
niveaulos [ni'voːloːs] *adj* mediocre, of little merit
nivellieren [nive'liːrən] *v* level, grade
Nixe ['nɪksə] *f* water-nymph, mermaid
Nizza ['nɪtsa] *n GEO* Nice
nobel ['noːbəl] *adj 1.* noble, distinguished; *2. (fein)* posh; *3. (kostspielig)* extravagant
Nobelpreis [no'bɛlprais] *m* Nobel prize
noch [nɔx] *adv 1.* still, yet, even; ~ *nicht* not yet; *2. (außerdem) ~ eine* another; *auch* ~ too, also; ~ *etwas* something else, another thing; ~ *mal*, ~ *einmal* again; *3. gerade* ~ only just; *Das hat gerade* ~ *gefehlt!* That's all we needed. *4. (mit dem Komparativ)* even ...; ~ *langsamer* even slower; *konj 5. weder ... ~ ...* neither ... nor ...
nochmalig ['nɔxmaːlɪç] *adj* renewed, repeated, second
nochmals ['nɔxmaːls] *adv* once more, once again
Nomade [no'maːdə] *m* nomad
Nomen ['noːmən] *n GRAMM* declinable word
nominieren [nomi'niːrən] *v* nominate
Nominierung [nomi'niːruŋ] *f* nomination
Nonne ['nɔnə] *f REL* nun
Norden ['nɔrdən] *m* north
nördlich ['nœrtlɪç] *adj 1.* northern; *adv 2.* ~ *von München* north of Munich
Nordlicht ['nɔrtlɪçt] *n 1.* northern lights *pl; 2. (Norddeutscher)* Northerner
Nordpol ['nɔrtpoːl] *m* North Pole
Nordsee ['nɔrtzeː] *f* North Sea
Nörgelei [nœrgə'lai] *f* nagging, grumbling
nörgeln ['nœrgəln] *v* nag, grumble, carp
Norm [nɔrm] *f 1.* norm, standard; *2. (Regel)* rule
normal [nɔr'maːl] *adj* normal, regular

normalerweise [nɔr'maːlərvaɪzə] *adv* normally, usually

normalisieren [nɔrmali'ziːrən] *v* normalize

Normalität [nɔrmali'tɛːt] *f* normality, normalcy

normieren [nɔr'miːrən] *v* standardize

Nostalgie [nɔstal'giː] *f* nostalgia

nostalgisch [nɔs'talgɪʃ] *adj* nostalgic

Not [noːt] *f 1. (Armut)* indigence, poverty; *seine liebe ~ mit jdm haben* have no end of trouble with s.o.; *2. (Mangel)* need; *wo ~ am Mann ist* in an emergency; *3. (Gefahr)* danger, distress, peril; *mit knapper ~* by the skin of one's teeth

Notar [no'taːr] *m JUR* notary

notariell [notar'jɛl] *adj 1. JUR* notarial; *adv 2. ~ beglaubigt JUR* notarized

Notarzt ['noːtartst] *m* emergency doctor

Notausgang ['noːtausgaŋ] *m* emergency exit

Note ['noːtə] *f 1. (Schule)* mark, grade *(US)*; *2. (Banknote)* bank-note, bill; *3. MUS* note; *mit einer amerikanischen ~ (fig)* with an American touch

Notfall ['noːtfal] *m* emergency; *im ~* in case of emergency

notfalls ['noːtfals] *adv* in an emergency, in case of need, if need be

notgedrungen ['noːtgədruŋən] *adj* compulsory, necessary, forced

notieren [no'tiːrən] *v 1.* note, make a note of; *2. FIN* quote, list

nötig ['nøːtɪç] *adj 1.* required, necessary, urgent; *Du hast es gerade ~!* You're one to talk! *adv 2. (unbedingt)* urgently

nötigen ['nøːtɪgən] *v 1. (dringend bitten)* urge; *2. (durch Drohung zwingen)* coerce; *3. (zwingen)* force, compel

Nötigung ['nøːtɪguŋ] *f* compulsion

Notiz [no'tiːts] *f 1. (Angabe)* note; *2. (Zeitungsnotiz)* announcement; *~ von jdm nehmen* take notice of s.o.

Notizbuch [no'tiːtsbuːx] *n* notebook

Notlage ['noːtlaːgə] *f* crisis, plight, predicament

Notlüge ['noːtlyːgə] *f* white lie

notorisch [no'toːrɪʃ] *adj* notorious

Notruf ['noːtruːf] *m 1.* emergency call; *2. (Nummer)* emergency number; *3. NAUT* distress signal

Notwehr ['noːtveːr] *f* self-defence

notwendig ['noːtvɛndɪç] *adj 1.* necessary; *ein ~es Übel sein* to be a necessary evil; *2. (wesentlich)* essential

Novelle [no'vɛlə] *f* novella, novellette

November [no'vɛmbər] *m* November

Nuance [ny'ãːsə] *f* nuance

nüchtern ['nyçtərn] *adj 1. (ohne Alkohol)* sober; *2. (ohne Essen)* with an empty stomach; *auf ~en Magen* on an empty stomach; *3. (sachlich)* level-headed, sensible, matter-of-fact

Nudeln ['nuːdəln] *pl* noodles

nuklear [nukle'aːr] *adj PHYS* nuclear

Null [nul] *f* zero, nought; *gleich null sein* to be next to nothing; *in ~ Komma nichts* in the twinkling of an eye

nullachtfünfzehn [nulaxt'fynftseːn] *adj (fam)* run-of-the-mill

Nullpunkt ['nulpuŋkt] *m 1.* zero; *den ~ erreichen (fig)* hit rock bottom; *2. (Gefrierpunkt)* freezing-point

Nullrunde ['nulrundə] *f ECO* wage freeze

nummerieren [numə'riːrən] *v* number, ticket, label

Nummerierung [numə'riːruŋ] *f* numbering

Nummer ['numər] *f 1. (Zahl)* number, figure; *auf ~ sicher gehen* play it safe; *2. (Größe)* size; *Das ist wohl eine ~ zu groß für dich. (fam)* You're out of your league there. *3. (Exemplar)* issue; *4. eine ~ abziehen* put on an act

Nummernschild ['numərnʃɪlt] *n* number plate *(UK)*, license plate *(US)*

nun [nuːn] *adv 1.* now, at present; *2. Das ist ~ mal so.* That's just how it is. *3. (zur Fortsetzung der Rede)* well

nur [nuːr] *adv* only, just, merely; *nicht ~ ... sondern auch ...* not only ... but also ...

nuscheln ['nuʃəln] *v* mumble, mutter

Nuss [nus] *f* nut; *eine harte ~ zu knacken haben* to have a tough nut to crack; *jdm eine harte ~ zu knacken geben* to give s.o. a tough nut to crack

nutzen ['nutsən] *v 1.* to be of use, to be useful; *2. (etw ~)* use, utilize

Nutzen ['nutsən] *m 1.* use; *von ~ sein* to be of use; *2. (Vorteil)* advantage, benefit

nützen ['nytsən] *v (siehe „nutzen")*

nützlich ['nytslɪç] *adj* useful, helpful, beneficial; *sich als ~ erweisen* prove one's usefulness

Nützlichkeit ['nytslɪçkaɪt] *f* use, usefulness

nutzlos ['nutsloːs] *adj* useless, futile, pointless

Nutznießer ['nutsniːsər] *m* beneficiary

Nylon ['naɪlɔn] *n* nylon

Nylonstrumpf ['naɪlɔnʃtrumpf] *m* nylon, nylon stocking, nylon hose

Nymphe ['nymfə] *f* nymph

nymphoman [nymfo'maːn] *adj* nymphomaniac, nymphomaniacal

O

Oase [oˈaːzə] *f* oasis

ob [ɔp] *konj* whether, if; *„Hast du schon gefrühstückt?"* - *„Was?"* - *„Ob du schon gefrühstückt hast?"* "Have you had breakfast?"- "What?" - "Have you had breakfast?"

obdachlos [ˈɔpdaxloːs] *adj* homeless

Obdachlose(r) [ˈɔpdaxloːzə(r)] *m/f* homeless person

Obduktion [ɔpdukˈtsjoːn] *f MED* autopsy, post-mortem (examination)

obduzieren [ɔpduˈtsiːrən] *v MED* perform an autopsy

O-Beine [ˈoːbaɪnə] *pl* bow legs

O-beinig [ˈoːbaɪnɪç] *adj* bow-legged

Obelisk [obeˈlɪsk] *m* obelisk

oben [ˈoːbən] *adv 1. (am oberen Ende)* at the top; *von* ~ from above; *von* ~ *bis unten* from top to bottom; *„~-ohne"* topless; *siehe* ~ see above; *2. (in der Höhe)* up; *3. (im Hause)* upstairs; ~ *stehend* above, above-mentioned

obenan [oːbənˈan] *adv* at the top; ~ *stehen* be at the top

obenauf [oːbənˈauf] *adv 1.* on top; *2. (munter)* cheerful

obendrein [oːbənˈdraɪn] *adv* besides, on top of everything else, over and above

obenhin [oːbənˈhɪn] *adv* superficially; *etw* ~ *sagen* say sth casually

Ober [ˈoːbər] *m (Kellner)* waiter; *Herr* ~! Waiter!

Oberarm [ˈoːbərarm] *m* upper arm

Oberbegriff [ˈoːbərbəgrɪf] *m* generic term, collective term

Oberbekleidung [ˈoːbərbəklaɪduŋ] *f* outer clothing, outerwear

Oberbürgermeister [oːbərˈbyrgərmaɪstər] *m* mayor; *(von einer englischen Großstadt)* Lord Mayor

Oberdeck [ˈoːbərdɛk] *n* upper deck

obere(r,s) [ˈoːbərə(r,s)] *adj* higher, upper, superior

Oberfläche [ˈoːbərflɛçə] *f* surface

oberflächlich [ˈoːbərflɛçlɪç] *adj 1.* superficial; *2. (seicht)* shallow; *adv 3.* superficially

Obergeschoss [ˈoːbərgəʃɔs] *n* upper storey, upper level, upper floor; *zweites* ~ second floor *(UK)*, second storey *(UK)*, third floor *(US)*, third story *(US)*

oberhalb [ˈoːbərhalp] *prep 1.* above; *adv 2.* above

Oberhaupt [ˈoːbərhaupt] *n* head, chief, leader

Oberhaus [ˈoːbərhaus] *n POL* upper house

Oberin [ˈoːbərɪn] *f REL* Mother Superior

oberirdisch [ˈoːbərɪrdɪʃ] *adj* above ground

Oberkellner [ˈoːbərkɛlnər] *m* head-waiter

Oberkiefer [ˈoːbərkiːfər] *m ANAT* upper jaw

Oberkommando [ˈoːbərkɔmando] *n MIL* high command, supreme command

Oberkörper [ˈoːbərkœrpər] *m ANAT* upper part of the body; *(Brust)* chest

Oberleitung [ˈoːbərlaituŋ] *f TECH* overhead wires *pl*, overhead cable

Oberleutnant [ˈoːbərlɔytnant] *m 1. (der Armee) MIL* lieutenant, first lieutenant *(US); 2. (der Luftwaffe) MIL* flying officer, first lieutenant *(US); 3. MIL* sublieutenant, lieutenant *(US)*

Oberlippe [ˈoːbərlɪpə] *f ANAT* upper lip

Oberschenkel [ˈoːbərʃɛŋkəl] *m ANAT* thigh

Oberschicht [ˈoːbərʃɪçt] *f (Gesellschaftsschicht)* upper class

Oberschule [ˈoːbərʃuːlə] *f* secondary school

Oberst [ˈoːbərst] *m MIL* colonel

oberste(r,s) [ˈoːbərstə(r,s)] *adj* uppermost, topmost, highest

Oberstübchen [ˈoːbərʃtyːpçən] *n nicht ganz richtig im* ~ *sein* have bats in the belfry

Oberstufe [ˈoːbərʃtuːfə] *f 1. (elfte bis dreizehnte Klasse)* stage II secondary education, upper secondary education, senior high school *(US)*, grades eleven to thirteen; *2. (Schüler der* ~*)* stage II secondary education students *(UK)*, upperclassmen *(US)*

Oberteil [ˈoːbərtaɪl] *n 1.* upper part; *2. (Kleidungsstück)* top

obgleich [ɔpˈglaɪç] *konj* although

Obhut [ˈɔphuːt] *f* keeping, protection, safekeeping

obige(r,s) [ˈoːbɪgə(r,s)] *adv* above, abovementioned

Objekt [ɔpˈjɛkt] *n* object

objektiv [ɔpjɛkˈtiːf] *adj* objective, impartial

Objektiv [ɔpjɛkˈtiːf] *n FOTO* lens, objective

Objektivität [ɔpjɛktiviˈtɛːt] *f* objectivity, impartiality, objectiveness

Oblate [oˈblaːtə] *f 1. GAST* wafer; *2. REL* host

obliegen [ɔpˈliːgən] *v irr* to be incumbent upon; *Es obliegt ihm.* He is responsible for it.

Obligation [ɔbliga'tsjoːn] *f ECO* bond, debenture, debenture bond
obligatorisch [ɔbliga'toːrɪʃ] *adj* obligatory, compulsory, mandatory
Obmann ['ɔbman] *m 1. (Vorsitzender)* chairman; *2. (Vertreter)* representative
Oboe [o'boːə] *f MUS* oboe
Obrigkeit ['oːbrɪçkaɪt] *f* authorities *pl*
obrigkeitlich ['oːbrɪçkaɪtlɪç] *adj* government
Obrigkeitsstaat ['oːbrɪçkaɪtsʃtaːt] *m POL* authoritarian state
obschon [ɔp'ʃoːn] *konj* though, although
Observation [ɔpzɛrva'tsjoːn] *f* observation
Observatorium [ɔpzɛrva'toːrjum] *n ASTRO* observatory
observieren [ɔpzɛr'viːrən] *v* observe
obskur [ɔps'kuːr] *adj* obscure, mysterious
Obskurität [ɔpskuri'tɛːt] *f* obscurity
Obst [oːpst] *n* fruit
Obstbaum ['oːpstbaum] *m BOT* fruit-tree
Obsternte ['oːpstɛrntə] *f AGR* fruit harvest
Obstkuchen ['oːpstkuːxən] *m GAST* fruit tart
Obstsaft ['oːpstzaft] *m GAST* fruit juice
obszön [ɔps'tsøːn] *adj* obscene
obwohl [ɔp'voːl] *konj* although
Ochse ['ɔksə] *m ZOOL* bullock, ox; *dastehen wie der ~ vorm Berg* stand there like a dying duck in a thunderstorm
öde ['øːdə] *adj 1.* deserted, desolate; *2. (fig)* dreary, dull, boring
Ödem [ø'deːm] *n MED* oedema, edema *(US)*
oder ['oːdər] *konj 1.* or; *2. (fragend)* ..., *~?* ..., right?
Ofen ['oːfən] *m 1. (Backofen)* oven; *2. (Heizofen)* furnace; *hinter dem ~ hocken* to be a stay-at-home; *ein Schuss in den ~* a complete waste of time; *Der ~ ist aus.* That does it.
offen ['ɔfən] *adj 1. (geöffnet)* open; *2. (fig: aufrichtig)* frank, open; *3. (fig: unentschieden)* open; *4. (fig: nicht besetzt)* vacant; *5. ~ bleiben* stay open; *(Ende)* remain to be seen, remain open, remain unsolved; *6. ~ halten* leave open; *(unbesetzt lassen)* hold open; *sich etw ~ halten* reserve decision on sth, keep sth open; *7. ~ legen (fig)* disclose; *8. ~ stehen* to be open; *(fig: Rechnung)* to be outstanding, to be owing
offenbar ['ɔfənbaːr] *adj 1.* obvious, apparent, evident; *adv 2.* obviously, evidently, apparently

offenbaren [ɔfən'baːrən] *v* reveal, disclose, make known
Offenbarung [ɔfən'baːruŋ] *f 1. (Enthüllung)* revelation; *2. REL* Revelation
Offenheit ['ɔfənhaɪt] *f* openness, frankness, directness
offenherzig ['ɔfənhertsɪç] *adj 1.* open-hearted, open, frank, candid; *2. (fam: Dekolletee)* revealing
offenkundig ['ɔfənkundɪç] *adj* public, obvious, blatant
offensichtlich ['ɔfənzɪçtlɪç] *adj 1.* obvious, evident; *adv 2.* obviously, evidently
offensiv [ɔfən'ziːf] *adj 1.* offensive; *adv 2.* offensively
Offensive [ɔfən'ziːvə] *f* offensive
öffentlich ['œfəntlɪç] *adj 1.* public; *adv 2.* publicly
Öffentlichkeit ['œfəntlɪçkaɪt] *f* public; *die breite ~* the public at large; *in aller ~* in public; *an die ~ bringen* bring into the open, *an die ~ treten* appear before the public
Öffentlichkeitsarbeit ['œfəntlɪçkaɪtsarbaɪt] *f* public relations work, PR activities
offerieren [ɔfə'riːrən] *v* offer
offiziell [ɔfit'sjɛl] *adj 1.* official; *adv 2.* officially
Offizielle(r) [ɔfɪ'tsjɛlə(r)] *m/f* official
Offizier [ɔfi'tsiːr] *m MIL* officer
öffnen ['œfnən] *v 1.* open; *2. sich ~* open up, to be opened
Öffner ['œfnər] *m* opener
Öffnung ['œfnuŋ] *f* opening, gap
Öffnungszeiten ['œfnuŋstsaɪtən] *pl* opening hours, hours of business
oft [ɔft] *adv* often, frequently
öfter ['œftər] *adv* often, frequently; *immer ~* more and more
öfters ['œftərs] *adv* several times
oftmalig ['ɔftmaːlɪç] *adj* repeated, frequent
oftmals ['ɔftmaːls] *adv* many a time, often, frequently
ohne ['oːnə] *prep* without; *Ohne mich!* Count me out!
ohnedies [oːnə'diːs] *adv* anyway, anyhow
ohnegleichen [oːnə'glaɪçən] *adv* unparalleled, without peer
ohnehin ['oːnəhɪn] *adv* anyway
Ohnmacht [o:nmaxt] *f 1.* unconsciousness, faint; *2. (Machtlosigkeit)* powerlessness
ohnmächtig ['oːnmɛçtɪç] *adj 1. (bewusstlos)* unconscious; *~ werden* faint; *2. (fig: machtlos)* powerless, weak, helpless

Ohr [oːr] *n* ear; *ganz ~ sein* to be all ears; *bis über beide ~en in Arbeit stecken* to be up to one's ears in work; *auf taube ~en stoßen* fall on deaf ears; *jdm in den ~en liegen* keep on at s.o.; *mit halbem ~ zuhören* listen with half an ear; *ein offenes ~ haben* lend a willing ear; *~en wie ein Luchs haben* have good ears; *jdn übers ~ hauen* take s.o. for a ride; *die ~en hängen lassen* to be down in the mouth; *es faustdick hinter den ~en haben* to be a sly old dog; *noch nicht trocken hinter den ~en sein* to be wet behind the ears; *jdm das Fell über die ~en ziehen* pull the wool over s.o.'s eyes; *sich aufs ~ hauen* hit the hay, hit the sack; *viel um die ~en haben* have a lot on one's plate; *es ist mir zu ~en gekommen* it has come to my attention; *Das ist nichts für fremde ~en.* That's just between ourselves. *Auf diesem ~ ist er taub!* He won't hear of it! *Schreib dir das hinter die ~en!* Put that in your pipe and smoke it!

Ohrensessel ['oːrənzesəl] *m* wing chair, winged chair, draft chair, lug chair

Ohrfeige ['oːrfaɪɡə] *f* box on the ear, slap in the face

ohrfeigen ['oːrfaɪɡən] *v jdn ~* slap s.o. in the face

Ohrklipp ['oːrklɪp] *m* earclip

Ohrläppchen ['oːrlɛpçən] *n ANAT* earlobe

Ohrmuschel ['oːrmuʃəl] *f ANAT* auricle, external ear

Ohrring ['oːrrɪŋ] *m* earring

Ohrwurm ['oːrvurm] *m (fam)* catchy tune

okkult [ɔ'kult] *adj* occult

Okkultismus [ɔkul'tɪsmus] *m* occultism

Okkultist [ɔkul'tɪst] *m* occultist

Okkupation [ɔkupa'tsjoːn] *f MIL* occupation

okkupieren [ɔku'piːrən] *v MIL* occupy

Ökoladen ['øːkolaːdən] *m (fam)* wholefood shop, organic food shop

Ökologe/Ökologin [øko'loːɡə/øko'loːɡɪn] *m/f* ecologist

Ökologie [økolo'giː] *f* ecology

ökologisch [øko'loːɡɪʃ] *adj* ecological

Ökonomie [økono'miː] *f* economy

ökonomisch [øko'noːmɪʃ] *adj* economic

Ökosystem ['øːkozyːsteːm] *n BIO* ecological system

Oktave [ɔk'taːvə] *f MUS* octave

Oktober [ɔk'toːbər] *m* October

Ökumene [øku'meːnə] *f REL (Bewegung)* ecumenic movement

ökumenisch [øku'meːnɪʃ] *adj REL* ecumenical

Öl [øːl] *n* oil

Oldtimer ['əuldtaɪmər] *m* oldtimer

ölen ['øːlən] *v* oil, grease, lubricate

Ölfarbe ['øːlfarbə] *f* oil-paint

Ölförderung ['øːlfœrdərʊŋ] *f* oil extraction, oil production

Ölgemälde ['øːlɡəmɛːldə] *n ART* oil painting

ölig ['øːlɪç] *adj* oily

Oligarchie [oliɡar'çiː] *f POL* oligarchy

Olive [o'liːvə] *f BOT* olive

Olivenöl [o'liːvənøːl] *n GAST* olive oil

Ölkrise ['øːlkriːzə] *f ECO* oil crisis

Öllampe ['øːllampə] *f* 1. *(Lampe mit Ölbrennstoff)* oil lamp; 2. *(Ölstandanzeige)* oil level indicator

Ölpest ['øːlpɛst] *f* black tide, oil pollution

Ölpreis ['øːlpraɪs] *m* price of oil

Ölraffinerie ['øːlrafinəriː] *f ECO* oil refinery

Ölsardine ['øːlzardiːnə] *f GAST* sardine (in oil)

Ölteppich ['øːltɛpɪç] *m* oil slick

Ölung ['øːlʊŋ] *f Letzte ~ REL* Extreme Unction

olympisch [o'lympɪʃ] *adj* Olympic

Olympische Spiele [o'lympɪʃə 'ʃpiːlə] *pl* Olympic Games *pl*

Oma ['oːma] *f* grandma, granny

Omelett [ɔm'lɛt] *n GAST* omelet

Omen ['oːmən] *n* omen

ominös [omi'nøːs] *adj* ominous

Omnibus ['ɔmnibus] *m* bus

onanieren [ona'niːrən] *v* masturbate

Onkel ['ɔŋkəl] *m* uncle

Opa ['oːpa] *m* grand-dad, grandpa

Opal [o'paːl] *m MIN* opal

Oper ['oːpər] *f* 1. *(Werk)* opera; 2. *(Gebäude)* opera house

Operation [opera'tsjoːn] *f MED* operation, surgery

Operationssaal [opera'tsjoːnsaːl] *m MED* operating theatre *(UK)*, operating room *(US)*

operativ [opera'tiːf] *adj* 1. *MED* surgical, operative; 2. *MIL* operational, strategic

Operator [opə'raːtər] *m INFORM* operator, computer operator

Operette [ope'rɛtə] *f* operetta

operieren [ope'riːrən] *v* operate

Opernglas ['oːpərnɡlaːs] *n* opera glass

Opernhaus ['oːpərnhaus] *n* opera house

Opernsänger(in) ['oːpərnzɛŋər(ɪn)] *m/f* opera singer

Opfer ['ɔpfər] *n* 1. *(Person)* victim; 2. *(Verzicht)* sacrifice

opferbereit ['ɔpfərbərait] *adj* self-sacrificing

Opferbereitschaft ['ɔpfərbəraitʃaft] *f* spirit of sacrifice, willingness to make sacrifices

Opfergabe ['ɔpfərga:bə] *f* offering

opfern ['ɔpfərn] *v* 1. *(verzichten)* sacrifice; 2. *(spenden)* make an offering; 3. *sich ~ (fig)* sacrifice o.s.

Opium ['o:pjum] *n* opium

Opossum [o'pɔsum] *n ZOOL* opossum, possum

opponieren [ɔpo'ni:rən] *v* oppose

opportun [ɔpɔr'tu:n] *adj* opportune, expedient

Opportunismus [ɔpɔrtu'nismus] *m* opportunism

Opportunist [ɔpɔrtu'nist] *m* opportunist

opportunistisch [ɔpɔrtu'nistiʃ] *adj* opportunistic

Opposition [ɔpozi'tsjo:n] *f* opposition

oppositionell [ɔpozitsjo'nɛl] *adj POL* opposition

Oppositionsführer [ɔpozi'tsjo:nsfy:rər] *m POL* opposition leader

Oppositionspartei [ɔpozi'tsjo:nspartai] *f* opposition party

Optik ['ɔptik] *f* optics

Optiker ['ɔptikər] *m* optician

optimal [ɔpti'ma:l] *adj* 1. ideal, optimal; *adv* 2. to an optimum, optimally

optimieren [ɔpti'mi:rən] *v* optimize, optimalize

Optimierung [ɔpti'mi:ruŋ] *f* optimization

Optimismus [ɔpti'mismus] *m* optimism

Optimist(in) [ɔpti'mist(ɪn)] *m/f* optimist

optimistisch [ɔpti'mistiʃ] *adj* 1. optimistic; *adv* 2. optimistically

Optimum ['ɔptimum] *n* optimum

Option [ɔp'tsjo:n] *f* option, choice

optisch ['ɔptiʃ] *adj* 1. optical; *adv* 2. optically

Orakel [o'ra:kəl] *n HIST* oracle

oral [o'ra:l] *adj* 1. oral; *adv* 2. orally

orange [o'rãːʒ] *adj* orange

Orange [o'rãːʒə] *f BOT* orange

Orangensaft [o'rãːʒənzaft] *m GAST* orange juice

Oratorium [ora'to:rjum] *n MUS* oratorio

Orbit ['ɔrbit] *m ASTR* orbit

Orchester [ɔr'kɛstər] *n* orchestra

Orchidee [ɔrçi'de:] *f BOT* orchid

Orden ['ɔrdən] *m* 1. *(Auszeichnung)* order, distinction; 2. *REL* order

Ordensbruder ['ɔrdənsbru:dər] *m REL* friar, member of an order

Ordensschwester ['ɔrdənsʃvɛstər] *f REL* nun, sister

ordentlich ['ɔrdəntlɪç] *adj* 1. *(ordnungsliebend)* tidy, neat, orderly; 2. *(aufgeräumt)* tidy, neat; 3. *(sorgfältig)* methodical, careful, sound; *adv* 4. *(richtig)* properly, well

ordinär [ɔrdi'nɛ:r] *adj* common, vulgar, ordinary, low

ordnen ['ɔrdnən] *v* order, arrange, organize

Ordner ['ɔrdnər] *m* 1. *(Hefter)* folder, file; 2. *(Person)* steward

Ordnung ['ɔrdnuŋ] *f* 1. order, tidiness; *in ~* all right; *etwas in ~ bringen* put sth in order; 2. *(das Ordnen)* arrangement, arranging

ordnungsgemäß ['ɔrdnuŋsgəmɛːs] *adj* 1. correct, proper; *adv* 2. correctly, according to the regulations, properly

Ordnungshüter ['ɔrdnuŋshy:tər] *m* guardian of the peace

ordnungswidrig ['ɔrdnuŋsvi:driç] *adj* 1. irregular, illegal; *adv* 2. contrary to regulations, illegally

Oregano [o're:gano] *m GAST* oregano, origanum

Organ [ɔr'ga:n] *n ANAT* organ

Organisation [ɔrganiza'tsjo:n] *f* organization

Organisator [ɔrgani'za:tɔr] *m* organizer

organisatorisch [ɔrganiza'to:rɪʃ] *adj* organizational

organisch [ɔr'ga:nɪʃ] *adj* organic, structural

organisieren [ɔrgani'zi:rən] *v* organize

Organisierung [ɔrgani'zi:ruŋ] *f* organization

Organismus [ɔrga'nismus] *m* organism

Organist [ɔrga'nist] *m MUS* organist

Organspender [ɔr'ga:nʃpɛndər] *m MED* organ donor

Orgasmus [ɔr'gasmus] *m* orgasm

Orgel ['ɔrgəl] *f MUS* organ

orgiastisch [ɔr'gjastɪʃ] *adj* orgiastic

Orgie ['ɔrgjə] *f* orgy

Orient ['o:rjɛnt] *m GEO* Orient, East

orientalisch [ɔrjɛn'ta:lɪʃ] *adj* oriental

orientieren [ɔrjɛn'ti:rən] *v* orient, orientate, set right

Orientierung [ɔrjɛn'ti:ruŋ] *f* 1. orientation; 2. *(Unterrichtung)* information

Orientierungssinn [ɔrjɛn'ti:ruŋszɪn] *m* sense of direction, instinct for direction, ability to find one's way

original [origi'na:l] *adj* original

Original [origi'na:l] *n* original
Originalität [originali'tɛ:t] *f 1. (Echtheit)* originality, authenticity; *2. (Besonderheit)* oddity, peculiarity, individuality
Originaltext [origi'na:ltɛkst] *m* original text
originell [origi'nɛl] *adj* original
Orkan [ɔr'ka:n] *m* hurricane
Ornament [ɔrna'mɛnt] *n* ornament
ornamental [ɔrnamɛn'ta:l] *adj ART* ornamental
Ort [ɔrt] *m 1. (Stelle)* place, spot; *an ~ und Stelle* on the spot; *2. (Ortschaft)* place, town
orten ['ɔrtən] *v* locate, fix the position of
orthodox [ɔrto'dɔks] *adj* orthodox
Orthodoxie [ɔrtodɔ'ksi:] *f REL* orthodoxy
Orthografie [ɔrtogra'fi:] *f* spelling, orthography
orthografisch [ɔrto'gra:fɪʃ] *adj* spelling, orthographical
Orthopäde [ɔrto'pɛ:də] *m* orthopaedist, orthopaedic specialist
Orthopädie [ɔrtopɛ'di:] *f MED* orthopaedics
orthopädisch [ɔrto'pɛ:dɪʃ] *adj MED* orthopaedic, orthopedic
örtlich ['œrtlɪç] *adj 1.* local; *adv 2.* locally
Örtlichkeiten ['œrtlɪçkaɪtən] *pl* localities
Ortsangabe ['ɔrtsanga:bə] *f 1.* indication of place; *2. (auf einem Brief)* address
ortsansässig ['ɔrtsanzɛsɪç] *adj* resident, local
Ortschaft ['ɔrtʃaft] *f* town, place, village
ortsfremd ['ɔrtsfrɛmt] *adj* visiting, not from the area
Ortsgespräch ['ɔrtsgəʃprɛ:ç] *n TEL* local call
Ortskern ['ɔrtskɛrn] *m* middle of town, town centre
ortskundig ['ɔrtskundɪç] *adj ~ sein* know the area, know one's way around
Ortsnetz ['ɔrtsnɛts] *n TEL* local telephone exchange network
Ortsteil ['ɔrtstaɪl] *m* part of town, section of town
Ortsumgehung ['ɔrtsumge:uŋ] *f* bypass
Ortsverkehr ['ɔrtsfɛrke:r] *m 1.* local traffic; *2. TEL* local calls *pl*
Ortszeit ['ɔrtstsaɪt] *f* local time
Ortung ['ɔrtuŋ] *f* localization, locating
Öse ['ø:zə] *f* eye, loop, eyelet
Osmose [ɔs'mo:zə] *f BIO* osmosis
Ossi ['ɔsi] *m (fam)* Easterner, East German
Ost [ɔst] *m* East; *der Wind kommt aus ~* the wind is coming from the East

Osten ['ɔstən] *m* east; *Naher ~ GEO* Middle East, Near East; *Mittlerer ~ GEO* area stretching from Iran and Iraq to India; *Ferner ~ GEO* Far East
Osterei ['o:stəraɪ] *n* Easter egg
Osterglocke ['o:stərglɔkə] *f BOT* daffodil
Osterhase ['o:stərha:zə] *m* Easter bunny
Ostermontag [o:stər'mo:nta:k] *m REL* Easter Monday
Ostern ['o:stərn] *n* Easter
Österreich ['ø:stərraɪç] *n GEO* Austria
Österreicher(in) ['ø:stərraɪçər(ɪn)] *m/f* Austrian
österreichisch ['ø:stərraɪçɪʃ] *adj* Austrian
Ostersonntag [o:stər'zɔnta:k] *m REL* Easter Sunday
östlich ['œstlɪç] *adj* eastern, easterly
Östrogen [œstro'ge:n] *n BIO* oestrogen *(UK)*, estrogen *(US)*
Ostsee ['ɔstze:] *f GEO* Baltic Sea
O-Ton ['o:to:n] *m (Originalton)* original soundtrack
Otter ['ɔtər] *m 1. ZOOL* otter; *f 2. (Schlange) ZOOL* adder, viper
out [aut] *adj (fam: nicht mehr aktuell)* out
outen ['autən] *v* disclose the homosexuality of; *sich ~ come out (fam)*
Outfit ['autfɪt] *n* outfit
Output ['autput] *m INFORM* output
Ouvertüre [uver'ty:rə] *f MUS* overture
oval [o'va:l] *adj* oval
Oval [o'va:l] *n* oval
Ovation [ova'tsjo:n] *f* ovation
Overall ['o:vərɔ:l] *m* overall
Overheadprojektor ['o:vərhɛdprojektor] *m* overhead projector
Oxid [ɔk'sy:t] *n CHEM* oxide
Oxidation [ɔksyda'tsjo:n] *f CHEM* oxidation
oxidieren [ɔksy'di:rən] *v CHEM* oxidize
Ozean ['o:tsea:n] *m GEO* ocean
Ozeanien [otse'a:njən] *n GEO* Oceania
ozeanisch [otse'a:nɪʃ] *adj 1. GEO* oceanic; *2. (von Ozeanien)* Oceanian
Ozelot ['o:tselɔt] *m ZOOL* ocelot
Ozon [o'tso:n] *n CHEM* ozone
Ozongehalt [o'tso:ngəhalt] *m CHEM* ozone level
ozonhaltig [o'tso:nhaltɪç] *adj CHEM* ozonic, containing ozone
Ozonloch [o'tso:nlɔx] *n* hole in the ozone layer, ozone hole (fam)
Ozonschicht [o'tso:nʃɪçt] *f* ozone layer

P

paar [pa:r] *adj* ein ~ a few, some
Paar [pa:r] *n* 1. pair; 2. *(Mann und Frau)* couple
Pacht [paxt] *f* 1. *(Überlassung)* lease; 2. *(Entgelt)* rent
pachten ['paxtən] *v* lease, take on lease, rent
Pächter ['peçtər] *m* leaseholder, lessee
Päckchen ['pekçən] *n* small package, small parcel
packen ['pakən] *v* 1. *(einpacken)* pack; 2. *(greifen)* seize, grab, clutch; 3. *(fig: mitreißen)* grip, thrill, enthrall
Pädagogik [peda'go:gɪk] *f* pedagogy
Paddel ['padəl] *n* paddle
paddeln ['padəln] *v* paddle
Page ['pa:ʒə] *m* page
Paket [pa'ke:t] *n* package, packet, parcel
Pakt [pakt] *m* pact, covenant
Palast [pa'last] *m* palace
Palästina [pale'sti:na] *n* GEO Palestine
Palette [pa'letə] *f* 1. *(Auswahl)* selection, choice, range; 2. TECH pallet; 3. ART palette
Palme ['palmə] *f* BOT palm; palm-tree; jdn auf die ~ bringen drive s.o. up the wall (fam)
Panflöte ['pa:nflø:tə] *f* MUS Pan-pipes *pl*
panieren [pa'ni:rən] *v* GAST bread
Panik ['pa:nɪk] *f* panic
Panne ['panə] *f* 1. *(Schaden)* breakdown, failure; 2. *(Missgeschick)* mishap
Panorama [pano'ra:ma] *n* panorama
Panter ['pantər] *m* ZOOL panther
Pantoffel [pan'tɔfəl] *m* slipper
Pantomime [panto'mi:mə] *f* pantomime
Panzer ['pantsər] *m* 1. ZOOL shell; 2. *(Schutzpanzer)* ZOOL (biological) armour; 3. *(Kampfwagen)* MIL tank; 4. *(deutscher Kampfwagen)* HIST panzer
Panzerglas ['pantsərgla:s] *n* bullet-proof glass
Papa ['papa] *m* papa, pa, daddy
Papagei [papa'gaɪ] *m* ZOOL parrot
Papier [pa'pi:r] *n* 1. paper; 2. *(Dokument)* document, paper
Papierkorb [pa'pi:rkɔrp] *m* waste-paper basket, waste-basket
Pappe ['papə] *f* cardboard
Pappel ['papəl] *f* BOT poplar
Paprika ['paprika] *f* 1. *(Gewürz)* GAST paprika; *m* 2. BOT red pepper, paprika

Papst [pa:pst] *m* REL Pope
Papyrus [pa'py:rus] *m* 1. BOT papyrus; 2. *(historische Schrift)* HIST papyrus
Parade [pa'ra:də] *f* 1. parade, display; 2. *(eines Torhüters)* SPORT save
Paradies [para'di:s] *n* paradise; das ~ auf Erden heaven on earth
Paragraf [para'gra:f] *m* paragraph
parallel [para'le:l] *adj* parallel
Parallele [para'le:lə] *f* parallel
paranoid [parano'i:t] *adj* paranoid
Parasit [para'zi:t] *m* parasite
Parfüm [par'fy:m] *n* perfume, scent
Parität [pari'te:t] *f* parity, equality
Park [park] *m* park
parken ['parkən] *v* park
Parkett [par'ket] *n* 1. *(Fußboden)* parquet; 2. THEAT stalls
Parkhaus ['parkhaus] *n* parking garage, car park
Parkplatz ['parkplats] *m* 1. car park, parking lot (US); 2. *(Parklücke)* parking space
Parkuhr ['parku:r] *f* parking meter
Parlament [parla'ment] *n* POL parliament
Parodie [paro'di:] *f* parody
parodieren [paro'di:rən] *v* parody
Parole [pa'ro:lə] *f* 1. *(Schlagwort)* slogan, catch phrase, motto; 2. MIL password, watchword
Partei [par'taɪ] *f* POL party
Parteinahme [par'taɪna:mə] *f* taking of sides, partisanship, siding with s.o.
Partie [par'ti:] *f* 1. *(Spiel)* game, match; *(Fechten)* round; 2. *(Teil)* part; mit von der ~ sein to be in on sth; 3. *(Heirat)* eine gute ~ sein to be a good catch; eine gute ~ machen marry money (fam)
partiell [par'tsjel] *adj* partial
Partikularismus [partikula'rɪsmus] *m* POL particularism
Partisan [parti'za:n] *m* POL partisan
Partizip [parti'tsi:p] *n* GRAMM participle
Partner(in) ['partnər(ɪn)] *m/f* 1. *(Ehepartner)* spouse, partner; 2. *(Geschäftspartner)* business partner, associate; 3. *(Vertragspartner)* party (to a contract)
Partnerschaft ['partnərʃaft] *f* partnership
Partnerstadt ['partnərʃtat] *f* twin town (UK), sister city (US)
Party ['pa:rti] *f* party

Parzelle [par'tsɛlə] f parcel (of land)
Pass [pas] m 1. (Ausweis) passport; 2. (Bergpass) GEO pass
Passage [pa'saːʒə] f 1. (Durchgang) passage, passageway; 2. (Überfahrt) NAUT crossing, passage
Passagier [pasa'ʒiːr] m passenger; blinder ~ stowaway
Passah ['pasa] n REL Passover
Passant [pa'sant] m passer-by, pedestrian
Passbild ['pasbɪlt] n passport photo
passen ['pasən] v 1. (die richtige Größe haben) fit; 2. (Kleidung: geeignet sein) to be becoming; 3. (angemessen sein) to be suitable, to be appropriate; 4. (recht sein) suit s.o., to be convenient; 5. (fig) ~ müssen have to pass on sth
passend ['pasənt] adj 1. fitting, suitable, appropriate; adv 2. suitably, appropriately
passieren [pa'siːrən] v 1. (geschehen) happen, occur, take place; 2. (durchgehen) go through; jdn ~ lassen let s.o. pass
Passion [pasj'oːn] f 1. passion; 2. REL Passion
passiv ['pasiːf] adj 1. passive; adv 2. passively
Paste ['pastə] f paste
Pastellfarbe [pa'stɛlfarbə] f 1. (Farbton) pastel colour; 2. (Pastellstift) pastel
Pastete [pa'steːtə] f 1. (Schüsselpastete) GAST pie; 2. (Leberpastete) GAST pâté; 3. (Pastetchen) patty shell
Pastor ['pastɔr] m REL vicar, minister, pastor
Pate ['paːtə] m godfather; bei etw ~ stehen leave one's mark on sth
Patenkind ['paːtənkɪnt] n godchild
patent [pa'tɛnt] adj ingenious, clever, neat
Patent [pa'tɛnt] n JUR patent
patentieren [patɛn'tiːrən] v JUR patent
Pater ['paːtər] m REL father
pathetisch [pa'teːtɪʃ] adj emotional, histrionic
Pathologie [patolo'giː] f MED pathology
Pathos ['paːtɔs] n pathos
Patient(in) [pa'tsjɛnt(ɪn)] m/f patient
Patin ['paːtɪn] f godmother
Patriarch [patri'arç] m patriarch
patriarchalisch [patriar'çaːlɪʃ] adj patriarchal
Patriot [patri'oːt] m patriot
patriotisch [patri'oːtɪʃ] adj patriotic
Patriotismus [patrio'tɪsmus] m patriotism

Patron(in) [pa'troːn(ɪn)] m/f patron
Patronat [patro'naːt] n patronage
Patrone [pa'troːnə] f 1. (für eine Waffe) cartridge, bullet; 2. (Tintenpatrone) cartridge
Patrouille [pa'truljə] f MIL patrol
Pauke ['paukə] f MUS kettle-drum; auf die ~ hauen (fig) paint the town red
pausbäckig ['pausbɛkɪç] adj chubby-cheeked
pauschal [pau'ʃaːl] adj 1. lump-sum, overall; adv 2. on a flat-rate basis; 3. (fig) lumped together, lock, stock and barrel
Pauschale [pau'ʃaːlə] f lump sum payment, flat charge
Pauschalreise [pau'ʃaːlraizə] f package tour
Pause ['pauzə] f 1. break, interval, interruption; 2. (Ruhe) rest
pausen ['pauzən] v trace
pausenlos ['pauzənloːs] adj 1. non-stop, continuous, incessant; adv 2. non-stop, continuously, incessantly
pausieren [pau'ziːrən] v pause, stop
Pavillon ['pavɪljõ] m pavilion
Pazifismus [patsi'fɪsmus] m pacifism
Pazifist(in) [patsi'fɪst(ɪn)] m/f pacifist
pazifistisch [patsi'fɪstɪʃ] adj pacifist, pacifistic
Pech [pɛç] n 1. (fig: Missgeschick) misfortune, bad luck; ~ haben have tough luck; to be out of luck; 2. (Klebemittel) pitch; wie ~ und Schwefel zusammenhalten to stick together through thick and thin
Pechsträhne ['pɛçtrɛːnə] f stroke of bad luck, run of bad luck
Pedal [pe'daːl] n pedal
Pedant [pe'dant] m pedant
Pedanterie [pedantə'riː] f pedantry
pedantisch [pe'dantɪʃ] adj pedantic
Pein [pain] f agony, suffering
peinigen ['painɪgən] v torment, torture
peinlich ['painlɪç] adj (unangenehm) awkward, embarrassing
Peitsche ['paitʃə] f whip
peitschen ['paitʃən] v 1. (schlagen) whip, flog, lash; 2. (fig) beat, lash, whip
Pelikan ['peːlikaːn] m ZOOL pelican
Pelz [pɛlts] m 1. (Fell) fur; jdm auf den ~ rücken get too close to s.o. for comfort; jdm einen auf den ~ brennen singe s.o.'s hide; 2. (~mantel) fur coat, fur
Pelzmantel ['pɛltsmantəl] m fur coat
Pendant [pã'dãː] n counterpart
Pendel ['pɛndəl] n pendulum

pendeln ['pɛndəln] *v 1. (baumeln)* swing, sway; *2. (fig)* commute, go back and forth
Pendler ['pɛndlər] *m* commuter
penetrant [penə'trant] *adj* penetrating, *(Gestank)* pungent
penibel [pe'niːbəl] *adj 1.* fussy, pernickety (fam); *2. (peinlich)* painful
Penis ['peːnɪs] *m* ANAT penis
Pension [pɛn'zjoːn] *f 1. (Ruhestand)* retirement; *2. (Rente)* retirement pension; *3. (Fremdenheim)* boarding-house, guest-house
pensionieren [penzjo'niːrən] *v* pension off, retire; *sich ~ lassen* retire
Pensum ['pɛnzum] *n 1.* workload; *2. (in der Schule)* curriculum
per [pɛr] *prep* by, per; *~ Adresse* care of; *~ Fax* by fax
perfekt [pɛr'fɛkt] *adj 1.* perfect; *adv 2.* perfectly
Perfektionismus [pɛrfɛktsjo'nɪsmus] *m* perfectionism
Perfektionist(in) [pɛrfɛktsjo'nɪst(ɪn)] *m/f* perfectionist
Pergament [pɛrga'mɛnt] *n* parchment
Pergola ['pɛrgola] *f* pergola (UK), arbor (US)
Periode [per'joːdə] *f 1.* period; *2. (Menstruation)* period
periodisch [per'joːdɪʃ] *adj 1.* periodical; *adv 2.* periodically
peripher [peri'feːr] *adj 1.* peripheral; *adv 2.* peripherally
Peripherie [perife'riː] *f* periphery
Perle ['pɛrlə] *f* pearl
permanent [pɛrma'nɛnt] *adj 1.* permanent; *adv 2.* permanently
perplex [pɛr'plɛks] *adj* dumbfounded, perplexed, bewildered
Perser ['pɛrzər] *m 1. (Person)* Persian; *2. (Teppich)* Persian rug
Persien ['pɛrzjən] *n* GEO Persia
Person [pɛr'zoːn] *f* person; *etw in ~ sein* to be sth personified
Personal [pɛrzo'naːl] *n* staff, personnel, employees
Personalabteilung [pɛrzo'naːlaptailuŋ] *f* personnel department
Personalausweis [pɛrzo'naːlausvais] *m* identity card
Personalien [pɛrzo'naːljən] *pl* personal data
persönlich [pɛr'zøːnlɪç] *adj 1.* personal, private; *adv 2.* personally; *etw ~ nehmen* take sth personally

Persönlichkeit [pɛr'zøːnlɪçkait] *f* personality
Perspektive [pɛrspɛk'tiːvə] *f 1.* perspective; *2. (fig: Zukunftsausblick)* prospects *pl*
perspektivisch [pɛrspɛk'tiːvɪʃ] *adj 1.* perspective; *adv 2.* in perspective
Perücke [pe'rykə] *f* wig
pervers [pɛr'vɛrs] *adj* perverted
Perversion [pɛrvɛr'zjoːn] *f* perversion
pervertieren [pɛrvɛr'tiːrən] *v* pervert
Pessimismus [pɛsi'mɪsmus] *m* pessimism
Pessimist(in) [pɛsi'mɪst(ɪn)] *m/f* pessimist
pessimistisch [pɛsi'mɪstɪʃ] *adj* pessimistic
Pest [pɛst] *f* MED plague; *jdn hassen wie die ~* hate s.o.'s guts
Pestizid [pɛsti'tsiːt] *n* CHEM pesticide
Petersilie [petər'ziːljə] *f* BOT parsley
Petition [peti'tsjoːn] *f* POL petition
Pfad [pfaːt] *m* path, track; *auf dem ~ der Tugend wandeln* follow the path of virtue; *auf krummen ~en wandeln* leave the straight and narrow
Pfahl [pfaːl] *m* post, stake
Pfand [pfant] *n 1.* pledge, pawn, security; *2. (Flaschenpfand)* deposit
pfänden ['pfɛndən] *v* JUR impound, seize
Pfandflasche ['pfantflaʃə] *f* two-way bottle, bottle with deposit on it
Pfändung ['pfɛnduŋ] *f* JUR attachment of property, levy of attachment, seizure
Pfanne ['pfanə] *f* frying-pan, pan; *jdn in die ~ hauen* hammer s.o., clobber s.o.
Pfarramt ['pfaramt] *n* REL rectory, parsonage
Pfarrer ['pfarər] *m 1.* REL vicar; *2. (katholisch)* parish priest
Pfau [pfau] *m* ZOOL peacock
Pfeffer ['pfɛfər] *m* pepper; *Geh doch hin wo der ~ wächst!* (fig) Get lost! *~ im Hintern haben* have lots of get-up-and-go
Pfefferminz ['pfɛfərmɪnts] *f* BOT peppermint
Pfeife ['pfaifə] *f 1. (Trillerpfeife)* whistle; *nach jds ~ tanzen* to be at s.o.'s beck and call; *2. (Tabakpfeife)* pipe; *Den kann ich in der ~ rauchen.* He's no match for me. *3. (fam: unfähiger Mensch)* dud
pfeifen ['pfaifən] *v irr* whistle; *sich eins ~* pretend not to care; *jdm etw ~* give s.o. a piece of one's mind; *auf etw ~* not give a damn about sth
Pfeil [pfail] *m* arrow

Pfeiler ['pfaɪlər] *m* pillar, column, post

Pfennig ['pfɛnɪç] *m 1.* penny; *keinen ~ wert sein* not be worth a penny; *mit jedem ~ rechnen müssen* have to count every penny; *2. (deutsche Währung)* pfennig

Pferd [pfe:rt] *n* horse; *das ~ am Schwanz aufzäumen* put the cart before the horse; *sich aufs hohe ~ setzen* get on one's high horse; *aufs richtige ~ setzen* back the right horse; *Mit dem kann man ~e stehlen.* He's a good sport. *Mach die ~e nicht scheu!* Keep your shirt on! *Keine zehn ~e bringen mich dort hin.* I wouldn't go there for all the tea in China. *Ich denk' mich tritt ein ~.* I don't believe it! *Er ist mein bestes ~ im Stall.* He's our best man.

Pfiff [pfɪf] *m 1. (Pfeifen)* whistle; *2. (fig: Schick)* flair, style

Pfifferling ['pfɪfərlɪŋ] *m BOT* chanterelle; *keinen ~ wert sein* not be worth a bean

Pfingsten ['pfɪŋstən] *n REL* Pentecost, Whitsun

Pfingstmontag [pfɪŋst'mo:nta:k] *m REL* Whitmonday

Pfingstsonntag [pfɪŋst'zɔnta:k] *m REL* Whitsunday, the Day of Pentecost

Pfirsich ['pfɪrzɪʃ] *m BOT* peach

Pflanze ['pflantsə] *f* plant

pflanzen ['pflantsən] *v* plant

Pflanzenfresser ['pflantsənfresər] *m ZOOL* herbivore

Pflaster ['pflastər] *n 1. (Straßenpflaster)* pavement; *ein teures ~ sein* to be pricey; *ein heißes ~ sein* to be a dangerous spot; *2. (Wundpflaster)* (adhesive) plaster

pflastern ['pflastərn] *v* pave

Pflaume ['pflaumə] *f BOT* plum

Pflege ['pfle:gə] *f 1.* care, *(des Kranken)* nursing; *2. (von Maschinen)* maintenance; *3. (von Beziehungen)* cultivation

Pflegeeltern ['pfle:gəɛltərn] *pl* foster-parents

Pflegeheim ['pfle:gəhaɪm] *n* nursing-home

pflegeleicht ['pfle:gəlaɪçt] *adj* wash-and-wear, easy-care

pflegen ['pfle:gən] *v 1.* care for, attend to, look after; *2. (Kranke)* nurse

Pfleger ['pfle:gər] *m 1.* (male) nurse; *2. JUR* curator, trustee

Pflegerin ['pfle:gərɪn] *f* nurse

Pflicht [pflɪçt] *f* duty, obligation

pflichtbewusst ['pflɪçtbəvust] *adj 1.* responsible, conscious of one's duties, dutiful; *adv 2.* responsibly, dutifully, conscientiously

Pflichtbewusstsein ['pflɪçtbəvustzaɪn] *n* sense of duty

Pflichterfüllung ['pflɪçtərfyluŋ] *f* performance of one's duty

Pflichtgefühl ['pflɪçtgəfy:l] *n* sense of duty

Pflichtteil ['pflɪçttaɪl] *m JUR* compulsory portion, obligatory share

Pflichtverletzung ['pflɪçtferlɛtsuŋ] *f* dereliction of duty

pflücken ['pflʏkən] *v 1.* pick, gather; *2. (rupfen)* pluck

Pflug [pflu:k] *m AGR* plough

pflügen ['pfly:gən] *v AGR* plough

Pforte ['pfɔrtə] *f* door, gate

Pförtner ['pfœrtnər] *m* porter, doorman, gate-keeper

Pfosten ['pfɔstən] *m* post

Pfote ['pfo:tə] *f* paw; *sich die ~n verbrennen* burn one's fingers; *jdm eins auf die ~n geben* give s.o. a rap on the knuckles

Pfund [pfunt] *n 1. (Maßeinheit)* pound; *2. (Währungseinheit)* pound sterling

Pfütze ['pfʏtsə] *f* puddle, pool

Phänomen [fɛno'me:n] *n* phenomenon

phänomenal [feno'mena:l] *adj* phenomenal

Phantom [fan'to:m] *n* phantom, vision, figment of the imagination

Phantombild [fan'to:mbɪlt] *n (eines Täters)* composite picture

Pharao ['fa:rao] *m HIST* pharaoh

Pharisäer [fari'zɛ:ər] *m* Pharisee

Pharmazie [farma'tsi:] *f* pharmaceutics

Phase ['fa:zə] *f* phase; stage; *in dieser ~* at this stage, during this phase; *in die entscheidende ~ treten* enter the critical stage

Philantropie [filan'tro:pi:] *f* philanthropy

Philharmonie [filharmo'ni:] *f MUS* philharmonic hall

Philister [fi'lɪstər] *m 1. HIST* Philistine; *2. (fig)* philistine

philisterhaft [fi'lɪstərhat] *adj* philistine

Philologie [filolo'gi:] *f* philology, literature

Philosoph(in) [filo'zo:f(ɪn)] *m/f* philosopher

Philosophie [filozo'fi:] *f* philosophy

philosophieren [filozo'fi:rən] *v* philosophize

philosophisch [filo'zo:fɪʃ] *adj* philosophical

phlegmatisch [flɛg'ma:tɪʃ] *adj* phlegmatic

Phobie [fo'biː] *f PSYCH* phobia
Phonetik [fo'neːtɪk] *f* phonetics
Phönix [fø'nɪks] *m* phoenix; *wie ~ aus der Asche steigen* rise like a phoenix from the ashes
Phosphat [fɔs'faːt] *n CHEM* phosphate
pH-Wert [peː'haveːrt] *m CHEM* pH value
Physik [fy'ziːk] *f* physics
physikalisch [fyːzi'kaːlɪʃ] *adj* physical, physics …
Physiker(in) ['fyːzɪkər(ɪn)] *m/f* physicist
Physiotherapeut(in) ['fyːzjoterapɔyt(ɪn)] *m/f MED* physiotherapist
physisch ['fyːzɪʃ] *adj 1.* physical; *adv 2.* physically
Pi [piː] *n MATH* pi; *~ mal Daumen (fam)* roughly
Pianist(in) [pia'nɪst(ɪn)] *m/f MUS* pianist
Pickel ['pɪkəl] *m 1. (Pustel)* pimple; *2. (Werkzeug)* pick-axe; *3. (Eispickel)* ice-pick
pickelig ['pɪkəlɪç] *adj* pimply
picken ['pɪkən] *v* pick, peck
Picknick ['pɪknɪk] *n* picnic
Pieps [piːps] *m* peep, squeak
piepsen ['piːpsən] *v 1.* peep, squeak; *2. (Funkgerät)* beep; *3. (Vogel)* chirp
Pier [piːr] *m NAUT* pier
Pietät [pie'tɛːt] *f* piety
pietätlos [pie'tɛːtloːs] *adj* irreverent, impious
Pigment [pɪg'mɛnt] *n* pigment
pikant [pi'kant] *adj 1.* piquant; *2. (Witz)* risqué
Pilger ['pɪlgər] *m* pilgrim
pilgern ['pɪlgərn] *v 1.* make a pilgrimage; *2. durch die Stadt ~* wander through the city
Pille ['pɪlə] *f* pill; *eine bittere ~ für jdn sein* to be a bitter pill for s.o.
Pilot(in) [pi'loːt(ɪn)] *m/f* pilot
Pilz [pɪlts] *m 1. BOT* fungus; *2. (Speisepilz)* mushroom; *wie ~e aus dem Boden schießen (fig)* mushroom
pingelig ['pɪŋəlɪç] *adj (fam)* finicky, choosy
Pinguin ['pɪŋguiːn] *m ZOOL* penguin
Pinie ['piːnjə] *f BOT* pine
pink [pɪŋk] *adj* shocking pink
Pinsel ['pɪnzəl] *m* brush
pinseln ['pɪnzəln] *v 1.* paint; *2. (sorgfältig schreiben)* pen (fam), write
Pinzette [pɪn'tsɛtə] *f* tweezers, pincers
Pionier [pio'niːr] *m* pioneer
Pipeline ['paɪplaɪn] *f* pipeline
Pirat [pi'raːt] *m* pirate
Pistazie [pɪs'taːtsjə] *f BOT* pistachio

Piste ['pɪstə] *f 1.* track, course; *2. (Rollfeld)* runway
Pistole [pɪs'toːlə] *f* pistol; *jdm die ~ auf die Brust setzen (fig)* hold a gun to s.o.'s head; *wie aus der ~ geschossen* like a shot
Pizza ['pɪtsa] *f GAST* pizza
Pizzeria [pɪtse'riːa] *f GAST* pizzeria
Placebo [pla'tseːbo] *n MED* placebo
plädieren [plɛ'diːrən] *v* plead (in court)
Plädoyer [plɛdoa'jeː] *n JUR* address to the jury, closing argument, summation *(US)*
Plage ['plaːgə] *f 1.* plague; *2. (fig)* nuisance
plagen ['plaːgən] *v 1. sich ~* torment o.s.; *2. sich ~ (arbeiten)* toil
Plakat [pla'kaːt] *n* poster, placard
plakatieren [plaka'tiːrən] *v 1.* announce with posters; *2. (fig)* broadcast
plakativ [plaka'tiːf] *adj* striking, emblazoned
Plakette [pla'kɛtə] *f 1.* plaque; *2. (Abzeichen)* badge; *3. (Gedenkmünze)* commemorative coin
plan [plaːn] *adj* plain, level
Plan [plaːn] *m 1.* plan; *nach ~ verlaufen* go according to plan; *2. (Stadtplan)* map
Plane ['plaːnə] *f 1.* cover, tarpaulin, canvas; *2. (Schutzdach)* awning
planen ['plaːnən] *v* plan
Planet [pla'neːt] *m* planet
Planetarium [plane'taːrjum] *n* planetarium
Planetensystem [pla'neːtənzysteːm] *n ASTR* solar system
planieren [pla'niːrən] *v* plane, level
Planierraupe [pla'niːrraupə] *f* bulldozer
Plankton ['plaŋkton] *n* plankton
planlos ['plaːnloːs] *adj 1.* aimless, planless, purposeless; *adv 2.* aimlessly, planlessly, unsystematically
planmäßig ['plaːnmɛːsɪç] *adj 1.* according to plan, planned, scheduled; *adv 2.* according to plan, on schedule
Plantage [plan'taːʒə] *f* plantation
Planwirtschaft ['plaːnvɪrtʃaft] *f ECO* planned economy
plappern ['plapərn] *v* chatter, babble, prattle
Plastik ['plastɪk] *n 1. (Kunststoff)* plastics; *f 2. ART* sculpture
plastisch ['plastɪʃ] *adj 1. (knetbar)* plastic, kneadable, malleable; *2. (fig)* three-dimensional, graphic
Platane [pla'taːnə] *f BOT* plane-tree
Plateau [pla'toː] *n* plateau

platschen ['platʃən] *v* splash; *gegen das Ufer ~* lap at the shore

platt [plat] *adj 1.* flat, level; *2. (fig: geistlos)* flat, dull, plain

Platte ['platə] *f 1. (Holzplatte/Metallplatte)* plate; *2. (Schallplatte)* record; *eine andere ~ auflegen (fig)* change the subject; *3. (Steinplatte)* flagstone; *4. (Tortenplatte)* dish, plate; *5. (Fliese)* tile

Plattenspieler ['platənʃpiːlər] *m* record-player, turntable

Plattheit ['plathaɪt] *f 1.* flatness; *2. (Redensart)* platitude

Platz [plats] *m 1. (Stelle)* place; *~ tauschen mit* change places with; *Nehmen Sie ~.* Take a seat. Have a seat *(US)*. *ein ~ an der Sonne* a place in the sun; *fehl am ~ sein* to be out of place; *~ behalten* remain seated; *jdn auf die Plätze verweisen* beat s.o.; *~ sparend* economical space-saving; *2. (freier Raum)* room, space; *3. (Marktplatz)* marketplace; *4. (umbaute Fläche)* square; *5. (Spielfeld) (playing)* field, pitch; *(Tennis, Basketball, Handball)* court; *6. (Golf)* course

Platzangst ['platsaŋst] *f PSYCH 1.* agoraphobia; *2. (Beklemmung)* claustrophobia

Platzanweiser(in) ['platsanvaɪzər(ɪn)] *m/f* usher(ette)

platzen ['platsən] *v* burst, explode, split, crack

Platzpatrone ['platspatroːnə] *f* blank cartridge; *mit ~n schießen* fire blanks

Platzwunde ['platsvundə] *f MED* laceration

Plauderei [plaudə'raɪ] *f* chat

plaudern ['plaudərn] *v* chat, talk

Plaudertasche ['plaudərtaʃə] *f* chatterbox

plausibel [plau'ziːbəl] *adj* plausible

Play-back ['pleːbɛk] *n 1. (Begleitmusik) MUS* double-track; *2. (Stimme) MUS* mime of a recording of a song, lip-synching *(US)*

platzieren [pla'tsiːrən] *v* place, locate, position

Platzierung [pla'tsiːruŋ] *f 1.* location, placing; *2. (bei Wettkämpfen)* placing

pleite ['plaɪtə] *adj* broke, bankrupt; *~ sein* not have a bean; *~ gehen* go bust, go broke

Pleite ['plaɪtə] *f* bankruptcy; *~ machen* go bankrupt

Plenum ['pleːnum] *n* plenary session, full session

Plombe ['plɔmbə] *f 1.* lead seal; *2. (Zahnplombe) MED* filling, inlay

plombieren [plɔm'biːrən] *v 1.* seal; *2. (Zahn)* fill, stop, plug

plötzlich ['plœtslɪç] *adj 1.* sudden, abrupt; *adv 2.* suddenly, abruptly

plump [plump] *adj 1. (unförmig)* plump, lumpy; *2. (ungeschickt)* clumsy, lumbering, ungainly; *3. (fig: Bemerkung)* crude

Plunder ['plundər] *m 1.* junk, rubbish, trash; *2. GAST* Danish pastry

plündern ['plyndərn] *v* plunder, ravage, raid

Plünderung ['plyndəruŋ] *f* pillage, plundering, ransacking

Plural ['pluːraːl] *m GRAMM* plural

Pluralismus [pluːra'lɪsmus] *m POL* pluralism

plus [plus] *adv 1. (Grad)* plus; *bei ~ zehn Grad* at ten degrees above (zero); *2. MATH* plus

Plüsch [plyːʃ] *m* plush

Plüschtier ['plyːʃtiːr] *n* fluffy stuffed animal

Pluspol ['pluspoːl] *m TECH* positive pole

Pluspunkt ['pluspuŋkt] *m 1.* point; *2. (fig)* advantage

Plutonium [plu'toːnjum] *n CHEM* plutonium

Po [poː] *m (fam)* bottom, behind, bum *(UK)*

Pöbel ['pøːbəl] *m* mob, rabble

pöbeln ['pøːbəln] *v (fam)* curse

Pocken ['pɔkən] *pl MED* smallpox, variola

Podest [po'dɛst] *n* podium, platform

Podium ['poːdium] *n* podium

Podiumsdiskussion ['poːdjumdɪskusjoːn] *f* panel discussion

Poesie [poe'ziː] *f* poetry

Poet(in) [po'eːt(ɪn)] *m/f* poet

poetisch [po'eːtɪʃ] *adj* poetic

Pointe [po'ɛ̃ːtə] *f 1. (eines Witzes)* punchline; *2. (einer Geschichte)* point

pointiert [poɛ̃'tiːrt] *adj* highlighted, emphasized

Pokal [po'kaːl] *m* cup

pökeln ['pøːkəln] *v* pickle

pokern ['poːkərn] *v 1.* play poker; *2. (fig)* gamble

Pol [poːl] *m* pole; *der ruhende ~ sein* to be a calming influence

Polarität [polari'tɛːt] *f* polarity

Polarkreis [po'laːrkraɪs] *m GEO* polar circle; *nördlicher ~* Arctic Circle; *südlicher ~* Antarctic Circle

Polarstern [po'laːrʃtɛrn] *m ASTR* North Star, Polaris, Pole Star

Polemik [po'le:mɪk] *f* polemics
polemisch [po'le:mɪʃ] *adj* polemic
polemisieren [polemi'zi:rən] *v* polemicize
Polen ['po:lən] *n GEO* Poland
Police [po'li:sə] *f* policy
polieren [po'li:rən] *v* polish
Politik [poli'ti:k] *f 1.* politics; *2. (eine bestimmte ~)* policy
Politiker(in) [po'li:tikər(ɪn)] *m/f* politician
politisch [po'li:tɪʃ] *adj* political
politisieren [politi'zi:rən] *v* politicize, talk politics
Politologe/Politologin [polito'lo:gə/polito'lo:gɪn] *m/f* political scientist
Politur [poli'tu:r] *f* polish, gloss, burnish
Polizei [poli'tsaɪ] *f* police
Polizeipräsidium [poli'tsaɪprezi:djum] *n* police headquarters
Polizeirevier [poli'tsaɪrevi:r] *n 1. (Bezirk)* police precinct; *2. (Büro)* police station
Polizist/Polizistin [poli'tsɪst/poli'tsɪstɪn] *m/f* policeman, policewoman, police officer
Polka ['pɔlka] *f* polka
Pollen ['pɔlən] *m BOT* pollen
polnisch ['pɔlnɪʃ] *adj* Polish
Polster ['pɔlstər] *n 1.* pad; *2. (Kissen)* cushion
Polterabend ['pɔltəra:bənt] *m* party on the eve of a wedding
Poltergeist ['pɔltərgaɪst] *m* poltergeist
poltern ['pɔltərn] *v 1.* make a racket, crash; *an die Tür ~* bang on the door; *2. (schimpfen)* carry on (fam); *3. (sich fortbewegen)* rumble, clatter; *Kartoffeln polterten vom Wagen.* Potatoes tumbled noisily from the cart.
Polyester [poly'ɛstər] *m 1. CHEM* polyester; *2. (Textilstoff)* polyester, polyester fabric
Polygamie [poliga'mi:] *f* polygamy
polyglott ['polyglɔt] *adj* polyglot
pompös [pɔm'pø:s] *adj* pompous, spectacular, grand
Pony ['pɔni] *m 1. (Frisur)* fringe, bangs *pl (US); n 2. ZOOL* pony
Popmusik ['pɔpmuzi:k] *f MUS* pop music
populär [popu'lɛ:r] *adj* popular
Popularität [populari'tɛ:t] *f* popularity
Pore ['po:rə] *f ANAT* pore
Pornografie [pɔrnogra'fi:] *f* pornography
porös [po'rø:s] *adj* porous, spongy
Porree ['pɔre:] *m BOT* leek
Portal [pɔr'ta:l] *n* portal

Portmonee [pɔrtmɔ'ne:] *n* wallet, purse; *tief ins ~ greifen müssen* have to fork out a lot
Portier [pɔr'tje:] *m* porter, door-keeper, doorman
Portion [pɔr'tsjo:n] *f 1.* portion; *2. (beim Essen)* helping, serving, portion; *eine ~ Kaffee* a pot of coffee
Porto ['pɔrto] *n* postage
portofrei ['pɔrtofraɪ] *adj 1.* post-paid, prepaid, postage-free; *adv 2.* post-paid
portopflichtig ['pɔrtopflɪçtɪç] *adj* subject to postage
Porträt [pɔr'trɛ:] *n* portrait
porträtieren [pɔrtrɛ'ti:rən] *v* paint a portrait of
Portugal ['pɔrtugal] *n GEO* Portugal
Portugiese/Portugiesin [pɔrtu'gi:zə/pɔrtu'gi:zɪn] *m/f* Portuguese
portugiesisch [pɔrtu'gi:zɪʃ] *adj* Portuguese
Portwein ['pɔrtvaɪn] *m* port
Porzellan [pɔrtsə'la:n] *n* porcelain, china
Porzellanladen [pɔrtsə'la:nla:dən] *m* china shop; *wie der Elefant im ~* like a bull in a china shop
Posaune [po'zaunə] *f MUS* trombone
Pose ['po:zə] *f* pose, attitude
posieren [po'zi:rən] *v* pose
Position [pozi'tsjo:n] *f* position
positiv ['pozi:ti:f] *adj 1.* positive; *2. (bejahend)* affirmative
Positiv ['pozi:ti:f] *n FOTO* positive
Posse ['pɔsə] *f* farce
possenhaft ['pɔsənhaft] *adj* farcical, clownish
Post [pɔst] *f 1.* post, mail; *2. (~amt)* post office; *3. (~dienst)* postal service
Postamt ['pɔstamt] *n* post office
Postbote ['pɔstbo:tə] *m* postman, mailman *(US)*
Posten ['pɔstən] *m 1. (Anstellung)* position, post, job; *(fam) auf dem ~ sein* to be on the job; *2. (Warenmenge)* quantity, lot; *3. (Einzelziffer)* item, entry; *4. (Wache)* sentry, guard, sentinel; *5. (fig) auf verlorenem ~ stehen* to be fighting a losing battle
Postfach ['pɔstfax] *n* post office box, P.O. box
posthum [pɔs'tu:m] *adj* posthumous
postieren [pɔs'ti:rən] *v* post, station, position
Postkarte ['pɔstkartə] *f* postcard

Postleitzahl ['pɔstlaɪttsaːl] *f* postal code, postcode, ZIP code *(US)*

Postskriptum [pɔst'skrɪptum] *n* postscript

potent [po'tɛnt] *adj* potent

Potenzial [potɛn'tsjaːl] *n* potential

potenziell [potɛn'tsjɛl] *adj* potential

Potenz [po'tɛnts] *f* 1. *(Macht)* potency, power; 2. *MATH* power

PR-Abteilung [peː'ɛraptaɪluŋ] *f* PR department

Pracht [praxt] *f* splendour, magnificence, grandeur; *eine wahre ~ sein* to be absolutely marvellous

prächtig ['prɛçtɪç] *adj* 1. splendid, grand, magnificent; *adv* 2. splendidly

prachtvoll ['praxtfɔl] *adj* splendid, grand

prädestiniert [predɛsti'niːrt] *adj* predestined

Prädikat [predi'kaːt] *n* 1. *(Bewertung)* rating, grade, mark; 2. *(Grammatik)* predicate

Präferenz [prefe'rɛnts] *f* preference

Prag [praːk] *n* GEO Prague

prägen ['prɛːgən] *v* 1. *(Münzen)* mint, coin, stamp; 2. *(fig)* determine, identify, characterize; 3. *(Wort)* coin

pragmatisch [prak'maːtɪʃ] *adj* 1. pragmatic; *adv* 2. pragmatically

Pragmatismus [pragma'tɪsmus] *m* pragmatism

prägnant [prɛg'nant] *adj* 1. concise, succinct; *adv* 2. concisely, succinctly

Prägung ['prɛːguŋ] *f* 1. *(Münzen)* stamping, minting, coinage; 2. *(fig)* stamp, character

prahlen ['praːlən] *v* boast, brag

Praktikant(in) [praktɪ'kant(ɪn)] *m/f* trainee, intern

Praktikum ['praktɪkum] *n* practical course, internship

praktisch ['praktɪʃ] *adj* 1. practical, useful; *adv* 2. practically, to all practical purposes *(UK)*, for all practical purposes *(US)*

praktizieren [praktɪ'tsiːrən] *v* practise, practice *(US)*

Praline [pra'liːnə] *f* GAST chocolate

Prämie ['prɛːmjə] *f* 1. premium; 2. *(Preis)* prize; 3. *ECO* bonus

prämieren [prɛ'miːrən] *v* award a prize

Prämisse [prɛ'mɪsə] *f* premise

prangen ['praŋən] *v* 1. *(an auffallender Stelle stehen)* to be prominently displayed; 2. *(sich zeigen)* to be resplendent

Pranger ['praŋər] *m* *(fig)* an den ~ stellen pillory; *Er steht am ~.* He is being pilloried.

Pranke ['praŋkə] *f* ZOOL paw

Präparat [prepa'raːt] *n* preparation

präparieren [prepa'riːrən] *v* prepare

Prärie ['preːriː] *f* prairie, savannah

präsent [prɛ'zɛnt] *adj* present

Präsentation [prezəntats'joːn] *f* presentation

präsentieren [prezən'tiːrən] *v* present

Präsentierteller [prezɛnti'rtelə] *m* auf dem ~ sitzen to be on display, to be on show; *jdm etw auf dem ~ servieren* to serve sth to s.o. on a silver platter

Präsenz [prɛ'zɛns] *f* *(Anwesenheit)* presence

Präservativ [prezərva'tiːf] *n* contraceptive

Präsident(in) [prezi'dɛnt(ɪn)] *m/f* president

Präsidentschaft [prezi'dɛntʃaft] *f* POL presidency

Präsidium [prɛ'ziːdjum] *n* 1. *(Vorsitz)* presidency, chairmanship; 2. *(Polizeipräsidium)* police headquarters

Prävention [prevɛn'tsjoːn] *f* prevention

Praxis ['praksɪs] *f* 1. *(tatsächliche Anwendung)* practice; *in der ~* in practice; 2. *(Erfahrung)* experience; 3. *(Arztpraxis)* practice

praxisnah ['praksɪsnaː] *adj* practical, practice-related

Präzedenzfall [prɛtsə'dɛntsfal] *m* precedent, judicial precedent, test case

präzise [prɛ'tsiːzə] *adj* 1. precise, exact; *adv* 2. precisely

präzisieren [prɛtsi'ziːrən] *v* define narrowly, specify

Präzision [prɛtsiz'joːn] *f* precision

predigen ['preːdɪgən] *v* 1. *REL* preach; 2. *(fig)* lecture, preach

Predigt ['preːdɪçt] *f* 1. *REL* sermon; 2. *(fig)* lecture, harangue

Preis [praɪs] *m* 1. *(Wertangabe)* price; *um jeden ~* at all costs; *um keinen ~* not at any price; 2. *(Auszeichnung)* prize, award, reward

Preisausschreiben ['praɪsausʃraɪbən] *n* competition

preisen ['praɪzən] *v irr* praise, extol

Preisgabe ['praɪsgaːbə] *f* 1. surrender, abandonment; 2. *(eines Geheimnisses)* divulgence

preisgeben ['praɪsgeːbən] *v irr* 1. *(aufgeben)* give up, surrender, abandon; 2. *(enthüllen)* reveal, betray; 3. *(aussetzen)* expose

preisgekrönt ['praɪsgəkrøːnt] *adj* prize-winning

Preisgericht ['praɪsgərɪçt] n jury
preisgünstig ['praɪsgynstɪç] adj reasonably priced, worth the money
Preisrichter ['praɪsrɪçtər] m judge
Preisschild ['praɪsʃɪlt] n price tag, price label
Preisträger ['praɪstrɛːgər] m prizewinner
prekär [pre'kɛːr] adj 1. precarious; 2. (peinlich) embarrassing, awkward
Prellung ['prɛluŋ] f MED contusion, bruise
Premiere [prəm'jeːrə] f THEAT premiere
Premierminister(in) [prəm'jeːministər(ɪn)] m/f POL prime minister
Presse ['prɛsə] f 1. (Druckerpresse) press; 2. TECH stamping machine, stamping press
Pressefreiheit ['prɛsəfraɪhaɪt] f POL freedom of the press
Pressemeldung ['prɛsəmɛlduŋ] f news item
pressen ['prɛsən] v press, squeeze
Pressesprecher ['prɛsəʃprɛçər] m spokesman
Prestige [prɛs'tiːʒ] n prestige
prickeln ['prɪkəln] v tingle, tickle
Priester ['priːstər] m REL priest
prima ['priːma] adj 1. great, splendid, first-rate; adv 2. splendidly, very well
primär [pri'mɛːr] adj primary
Primat [pri'maːt] m 1. (Menschenaffe) primate; n 2. (Vorrang) primacy, priority
Primel ['priːməl] f BOT primula, primrose
primitiv [primi'tiːf] adj 1. primitive; adv 2. primitively
Primzahl ['priːmtsaːl] f MATH prime number
Printmedien ['prɪntmeːdjən] pl print media
Prinz [prɪnts] m prince
Prinzessin [prɪn'tsɛsɪn] f princess
Prinzip [prɪn'tsiːp] n principle; im ~ in principle, basically, actually
prinzipiell [prɪntsi'pjel] adj 1. general; adv 2. on principle, generally
Priorität [prioːri'tɛːt] f priority
Prise ['priːzə] f (kleine Menge) pinch
Prisma ['prɪsmaː] n prism
privat [pri'vaːt] adj 1. private; adv 2. privately
Privatadresse [pri'vaːtadrɛsə] f home address
Privatdetektiv [pri'vaːtdetɛktiːf] m private detective
Privatfernsehen [pri'vaːtfɛrnseːhən] n commercial television

privatisieren [privati'ziːrən] v ECO privatize, transfer to private ownership, denationalize (UK)
Privatisierung [privati'ziːruŋ] f ECO privatization
Privatsphäre [pri'vaːtsfɛːrə] f private life, privacy
Privileg [privi'leːk] n privilege
privilegiert [privilə'giːrt] adj privileged
pro [proː] prep per
Pro [proː] n das ~ und Kontra the arguments for and against
Probe ['proːbə] f 1. (Versuch) experiment, test, trial; jdn auf die ~ stellen put s.o. on the test; 2. (Muster) sample, specimen, pattern; 3. THEAT rehearsal
Probeexemplar ['proːbɛksəmplaːr] n sample copy
proben ['proːbən] v rehearse
probeweise ['proːbəvaɪzə] adv on a trial basis, as a test
Probezeit ['proːbətsaɪt] f probationary period, trial period
probieren [pro'biːrən] v 1. (versuchen) try, have a go at, test, sample; 2. (kosten) taste, sample
Problem [pro'bleːm] n problem; ein ~ lösen solve a problem
Problematik [proble'maːtɪk] f problematic nature, problematics pl
problematisch [proble'maːtɪʃ] adj problematic
Produkt [pro'dukt] n 1. product; 2. (landwirtschaftliche ~e) produce
Produktion [produk'tsjoːn] f production
produktiv [produk'tiːf] adj 1. productive; adv 2. productively
Produktivität [produktivi'tɛːt] f ECO productivity, productiveness
Produzent(in) [produ'tsɛnt(ɪn)] m/f producer, manufacturer
produzieren [produ'tsiːrən] v produce, manufacture
profan [pro'faːn] adj 1. profane; secular; 2. ordinary
professionell [profesjo'nɛːl] adj 1. professional; adv 2. professionally
Professor(in) [pro'fɛsɔr(ɪn)] m/f professor
Professur [profɛ'suːr] f professorship
Profi ['proːfi] m pro (fam)
Profil [pro'fiːl] n 1. profile; 2. TECH profile, profile section
profilieren [profi'liːrən] v sich ~ distinguish oneself

profillos [pro'fi:llo:s] *adj (Persönlichkeit)* lacking a defined image, low-key, low-profile

Profit [pro'fi:t] *m* profit

profitieren [profi'ti:rən] *v* profit, benefit, take advantage of

Profitstreben [pro'fi:tʃtre:bən] *n ECO* profit-seeking

Prognose [prog'no:zə] *f* prognosis, prediction, forecast

prognostizieren [prognɔsti'tsi:rən] *v* prognosticate, predict

Programm [pro'gram] *n* programme; *ein ~ in Angriff nehmen* embark on a project

programmatisch [progra'ma:tɪʃ] *adj* policy, programmatic

programmieren [progra'mi:rən] *v* programme

Programmierer [progra'mi:rər] *m INFORM* programmer

progressiv [progrɛ'si:f] *adj* progressive

Projekt [pro'jɛkt] *n* project, plan, scheme

Projektion [projɛk'tsjo:n] *f* projection

Projektleiter(in) [pro'jɛktlaɪtər(ɪn)] *m/f* project manager

Projektor [pro'jɛktor] *m* projector

projizieren [proji'tsi:rən] *v* project

proklamieren [prokla'mi:rən] *v* proclaim

Prokurist [proku'rɪst] *m ECO* holder of special statutory, company secretary

Proletarier [prole'ta:rjər] *m* proletarian

proletarisch [prole'ta:rɪʃ] *adj* proletarian

Prolog [pro'lo:k] *m* prologue

Promenade [promə'na:də] *f* promenade

promenieren [promə'ni:rən] *v* stroll

Promille [pro'mɪlə] *n* thousandth, blood-alcohol concentration, per mille

prominent [promi'nɛnt] *adj* prominent

Prominenz [promi'nɛnts] *f* celebrities *pl*, notables *pl*, VIPs *pl*

Promiskuität [promɪskui'tɛ:t] *f* promiscuity

Promotion [promo'tsjo:n] *f* 1. *(Doktorwürde)* conferral of a doctorate; 2. *(Erhalt)* taking of a doctor's degree; 3. *(Verkaufsförderung)* promotion

promovieren [promo'vi:rən] *v* 1. confer a doctor's degree, graduate; 2. *(erhalten)* take a doctor's degree

Propaganda [propa'ganda] *f* propaganda

Propeller [pro'pɛlər] *m* propeller

Prophet [pro'fe:t] *m REL* prophet

prophezeien [profe'tsaɪən] *v* prophesy, predict

Prophezeiung [profe'tsaɪuŋ] *f* prophecy, prediction

prophylaktisch [profy'laktɪʃ] *adj MED* prophylactic

Proportion [propɔr'tsjo:n] *f* proportion

proportional [propɔrtsjo'na:l] *adj* 1. proportional, proportionate; *adv* 2. proportionally, proportionately

Prosa ['pro:za] *f LIT* prose

prosaisch [pro'za:ɪʃ] *adj (nüchtern)* prosaic, matter-of-fact, down-to-earth

Prospekt [pro'spɛkt] *m (Reklameschrift)* brochure, prospectus

prost [pro:st] *interj* cheers

Prostata ['prɔstata] *f ANAT* prostate, prostate gland

Prostitution [prostitu'tsjo:n] *f* prostitution

Protein [prote'i:n] *n BIO* protein

Protest [pro'tɛst] *m* protest

Protestant(in) [protɛs'tant(ɪn)] *m/f REL* Protestant

protestieren [protɛs'ti:rən] *v* protest

Prothese [pro'te:zə] *f MED* prosthesis, artificial limb, *(Gebiss)* denture

Protokoll [proto'kɔl] *n* 1. protocol, record; 2. JUR record, minutes *pl*

Protokollführer [proto'kɔlfy:rər] *m* 1. secretary; 2. JUR clerk of the court

protokollieren [protokɔ'li:rən] *v* 1. record, keep a record of; 2. *(bei einer Sitzung)* take the minutes, *(bei der Polizei)* take a statement

Prototyp [proto'ty:p] *m TECH* prototype

protzig ['prɔtsɪç] *adj* pretentious, pompous, ostentatious

Proviant [prov'jant] *m* provisions, supplies

Provinz [pro'vɪnts] *f* province

provinziell [provɪn'tsjɛl] *adj* provincial

Provision [provi'zjo:n] *f ECO* commission

provisorisch [provi'zo:rɪʃ] *adj* 1. provisional, temporary; *adv* 2. provisionally

Provisorium [provi'zo:rjum] *n* 1. *(Zwischenlösung)* interim solution, stopgap measure, provisional arrangement; 2. *(vorübergehender Zahnersatz)* MED temporary dentures *pl*, temporary plate

provokant [provo'kant] *adj* provocative

Provokation [provoka'tsjo:n] *f* provocation

provozieren [provo'tsi:rən] *v* provoke

Prozedur [protse'du:r] *f* difficult procedure, lengthy procedure

Prozent [pro'tsɛnt] *n* per cent, percentage

prozentual [protsɛntu'a:l] *adj 1.* on a percentage basis; *adv 2.* expressed as percentage, on a percentage basis

Prozess [pro'tsɛs] *m 1. (Vorgang)* process; *jdm den ~ machen* bring an action against s.o.; *kurzen ~ mit jdm machen* make short work of s.o.; *2. JUR* legal action, proceedings; *3. (Strafverfahren) JUR* trial

prozessieren [protsɛ'si:rən] *v JUR* go to court, carry on a lawsuit, litigate

Prozession [protsɛ'sjo:n] *f* procession

prüde ['pry:də] *adj* prudish, strait-laced, stuffy

prüfen ['pry:fən] *v* examine, check, test

Prüfer ['pry:fər] *m 1.* examiner; *2. ECO* inspector; *3. (Rechnungsprüfer) ECO* auditor

Prüfling ['pry:flɪŋ] *m* candidate, examinee

Prüfung ['pry:fuŋ] *f 1.* examination, test; *2. ECO* inspection

Prunk [pruŋk] *m* splendour, pomp, ostentation

prunkvoll ['pruŋkfɔl] *adj 1.* ostentatious, pretentious, splendid; *adv 2.* pompously, ostentatiously

prusten ['pru:stən] *v 1.* snort; *2. (spritzend blasen)* spew

Psalm [psalm] *m REL* psalm

Pseudonym [psɔydo'ny:m] *n* pseudonym

Psyche ['psy:çə] *f* psyche, mind

Psychiater [psyçi'a:tər] *m* psychiatrist

Psychiatrie [psyçja'tri:] *f MED* psychiatry

psychisch ['psy:çɪʃ] *adj* emotional, psychological, *(Phänomen)* psychic

Psychologe/Psychologin [psyço'lo:gə/psyço'lo:gɪn] *m/f* psychologist

Psychologie [psyçolo'gi:] *f* psychology

Psychose [psy'ço:zə] *f* psychosis

psychosomatisch [psyçozo'ma:tɪʃ] *adj* psychosomatic

Psychoterror ['psy:çotɛrɔr] *m* psychological terror

Psychotherapeut [psyçotera'pɔyt] *m* psychotherapist

Psychothriller ['psy:çoθrɪlər] *m CINE* psychological thriller

Pubertät [pubɛr'tɛ:t] *f* puberty

Publikation [publika'tsjo:n] *f* publication

Publikum ['publɪkum] *n 1. (Zuschauer, Zuhörer)* audience; *2. SPORT* spectators *pl; 3. (Öffentlichkeit)* public; *4. (Menge)* crowd

publizieren [publi'tsi:rən] *v* publish

Puder ['pu:dər] *m* powder

pudern ['pu:dərn] *v* powder

Pufferzone ['pufərtso:nə] *f* buffer zone

Pullover [pu'lo:vər] *m* jumper *(UK)*, sweater, pullover

Puls [puls] *m* pulse; *jdm auf den ~ fühlen (fig)* try to find out what makes s.o. tick

Pulsader ['pulsa:dər] *f ANAT* artery

pulsieren [pul'zi:rən] *v* pulsate, throb

Pult [pult] *n* desk

Pulver ['pulvər] *n* powder; *sein ~ verschossen haben* have shot s.o.'s bolt

pummelig ['puməlɪç] *adj* plump, round, chubby

Pumpe ['pumpə] *f* pump

pumpen ['pumpən] *v 1.* pump; *2. (fig: sich leihen)* borrow; *3. (fig: verleihen)* lend

Punkt [puŋkt] *m 1.* point, spot; *an einem toten ~ angekommen sein* to be at a dead end; *einen wunden ~ berühren* touch a sore point; *etw auf den ~ bringen* get to the heart of the matter; *Das ist der springende ~.* That's just the point. *2. (Tupfen)* dot; *3. (Bewertungseinheit)* mark, score

pünktlich ['pyŋktlɪç] *adv 1.* punctually, on time; *~ wie der Maurer* on the dot; *adj 2.* punctual

Pupille [pu'pɪlə] *f ANAT* pupil

Puppe ['pupə] *f 1. (Spielzeug)* doll; *die ~n tanzen lassen* live it up; *2. ZOOL* pupa, chrysalis; *3. bis in die ~n* until the cows come home

Puppenspieler ['pupənʃpi:lər] *m* puppeteer

Puppentheater ['pupəntea:tər] *n 1. (Puppenspiel)* puppet show; *2. (Theater für Puppenspiele)* puppet theatre *(UK)*

pur [pu:r] *adj 1.* pure; *2. (Whisky)* straight

puristisch [pu'rɪstɪç] *adj* purist

puritanisch [puri'ta:nɪʃ] *adj* Puritan

Purpur ['purpur] *m* purple

pusten ['pu:stən] *v 1.* blow; *2. (atmen)* puff, pant

Pute ['pu:tə] *f ZOOL* turkey (hen)

Putsch [putʃ] *m POL* putsch, coup

Putz [puts] *m 1. (Zier)* finery, attire, ornaments; *2. (Mörtel)* plaster; *auf den ~ hauen (ausgelassen sein)* paint the town red, *(angeben)* show off, brag

putzen ['putsən] *v 1.* clean; *2. (scheuern)* scrub; *3. (polieren)* polish

Pyjama [py'dʒa:ma] *m* pyjamas *pl* (UK), pajamas *pl* (US)

Pyramide [pyra'mi:də] *f* pyramid

Pyrrhussieg ['pyruszi:k] *m* Pyrrhic victory

Q

Quacksalber ['kvakzalbər] *m (fam)* quack
Quader ['kva:dər] *m 1.* MATH cube; *2.
(Quaderstein)* ashlar, square stone block, freestone
Quaderstein ['kva:dərʃtaɪn] *m* ashlar,
square stone block, freestone
Quadrat [kva'dra:t] *n* square; *im ~ springen*
get really hopping mad
quadratisch [kva'dra:tɪʃ] *adj* square
Quadratkilometer [kva'dra:tki:lome:tər]
m square kilometre
Quadratmeter [kva'dra:tme:tər] *m* square
metre
Quadratwurzel [kva'dra:tvurtsəl] *f MATH*
square root
Quadratzahl [kva'dra:ttsa:l] *f MATH*
square (number)
Quadratzentimeter [kva'dra:ttsɛntime:-
tər] *m* square centimetre
quaken ['kva:kən] *v 1.* croak, quack; *2.
(Mensch)* squawk
Quaken ['kva:kən] *n 1.* quacking; *2. (eines
Menschen)* squawking
quäken ['kvɛːkən] *v 1.* whine; *2. (Radio)*
squawk
Quäker ['kvɛːkər] *m* Quaker
Qual [kva:l] *f* torment, pain, agony
quälen ['kvɛːlən] *v* torture, torment
Quälerei [kvɛːləˈraɪ] *f 1.* tormenting, torture; *2. (fig: mühsame Arbeit)* toil, pain
quälerisch ['kvɛːlərɪʃ] *adj* torturous
Quälgeist ['kvɛːlgaɪst] *m* nuisance, pest
Qualifikation [kvalifika'tsjoːn] *f* qualification, capacity, ability
qualifizieren [kvalifi'tsiːrən] *v sich ~ qualify
qualifiziert [kvalifi'tsiːrt] *adj* qualified
Qualität [kvali'tɛːt] *f* quality
qualitativ [kvalita'tiːf] *adj 1.* qualitative;
adv 2. qualitatively
Qualitätsarbeit [kvali'tɛːtsarbaɪt] *f* quality work
Qualitätsbezeichnung [kvali'tɛːtsbə-
tsaɪçnuŋ] *f* designation of quality, grade
Qualitätswein [kvali'tɛːtsvaɪn] *m* wine of
certified quality
Qualle ['kvalə] *f ZOOL* jellyfish
Qualm [kvalm] *m* smoke
qualmen ['kvalmən] *v (fam)* smoke, puff
qualmig ['kvalmɪç] *adj* smoky

qualvoll ['kva:lfɔl] *adj* painful, excruciat-
ing, agonizing
Quantentheorie ['kvantənteori:] *f PHYS*
quantum theory
Quantität [kvanti'tɛːt] *f* quantity, amount
quantitativ [kvantita'tiːf] *adj* quantitative
Quantum ['kvantum] *n* quantum, quantity,
ration
Quarantäne [karan'tɛːnə] *f MED* quarantine
Quark [kvark] *m 1.* GAST curd cheese; *2.
(fig: Quatsch)* nonsense
Quarkspeise ['kvarkʃpaɪzə] *f* GAST pud-
ding made with curd cheese
Quarktasche ['kvarktaʃə] *f* GAST curd
cheese turnover
Quartal [kvar'ta:l] *n* quarter
Quartalsende [kvar'ta:lsɛndə] *n* end of
the quarter
Quartett [kvar'tɛt] *n* quartet
Quartier [kvar'ti:r] *n* district, quarters, lodg-
ing
Quarz [kvarts] *m MIN* quartz
Quarzglas ['kvartsgla:s] *n* quartz glass
Quarzuhr ['kvartsu:r] *f* quartz clock
Quasar [kva'zar] *m ASTR* quasar
quasi ['kva:zi] *adv* sort of, in a way
quasseln ['kvasəln] *v (fam)* prattle, drivel,
talk nonsense
Quasselstrippe ['kvasəlʃtrɪpə] *f (Person)*
chatterbox, blabbermouth
Quaste ['kvastə] *f 1. (Troddel)* tassel; *2.
(Schwanz~)* tuft; *3. (für Cheerleader)* pompon
Quatsch [kvatʃ] *m (fam)* nonsense, rubbish
(UK), drivel
quatschen ['kvatʃən] *v 1. (fam: töricht reden)* talk nonsense, blather, prattle; *2. (fam:
sich unterhalten)* chat
Quatschkopf ['kvatʃkɔpf] *m 1.* windbag
(fam); *2. (Dummkopf)* idiot, twit, fool
Quecksilber ['kvɛkzɪlbər] *n CHEM* mercury
quecksilberhaltig ['kvɛkzɪlbərhaltɪç] *adj*
mercurial
Quecksilbersäule ['kvɛkzɪlbərzɔylə] *f*
mercury column
Quellbewölkung ['kvɛlbəvœlkuŋ] *f ME-
TEO* cumulus clouds
Quelle ['kvɛlə] *f 1.* fountain, well, spring; *2.
(fig)* source, origin; *an der ~ sitzen* to be well-
placed

quellen ['kvɛlən] v irr 1. (anschwellen) swell; 2. (hervor~) gush forth, spurt out; 3. (Tränen) well up; 4. (Augen, Bauch) bulge out

Quellenangabe ['kvɛlənanga:bə] f bibliography, list of references, list of works consulted

Quellenforschung ['kvɛlənfɔrʃuŋ] f study of sources

Quellenmaterial ['kvɛlənmaterja:l] n source materials

Quellensteuer ['kvɛlənʃtɔyər] f FIN tax collected at the source, withholding tax

Quellenstudium ['kvɛlənʃtu:djum] n study of sources

Quellwasser ['kvɛlvasər] n spring water

Quengelei [kvɛŋə'laı] f (fam) whining, moaning

quengelig ['kvɛŋəlıç] adj whining, niggly

quengeln ['kvɛŋəln] v (fam) whine, moan, niggle

Quäntchen ['kvɛntçən] n little bit of

quer [kve:r] adv crosswise; ~ durch across; ~ gestreift horizontally striped; ~ legen lay crosswise; sich ~ legen to be obstructive; ~ schließen (fam) spoil things, make trouble, throw a spanner in the works (UK)

Querdenker ['kve:rdɛŋkər] m original thinker, open-minded thinker, individual (fam)

Quere ['kve:rə] f width, diagonal, cross direction; Er kommt mir in die ~. He gets in my way.

querfeldein ['kve:rfɛltaın] adv cross-country

Querflöte ['kve:rflø:tə] f MUS German flute

Querformat ['kve:rfɔrma:t] n oblong format, landscape

Querkopf ['kve:rkɔpf] m (fam) crank, wrong-headed person, awkward customer

Querlatte ['kve:rlatə] f (des Tores) SPORT crossbar

Querpass ['kve:rpas] m SPORT cross

Querschläger ['kve:rʃlɛ:gər] m ricochet

Querschnitt ['kve:rʃnıt] m cross section, cross-cut

querschnittsgelähmt ['kve:rʃnıtsgəlɛ:mt] adj MED paraplegic

Querschnittslähmung ['kve:rʃnıtslɛ:muŋ] f MED paraplegia

Querstraße ['kve:rʃtra:sə] f cross-street, cross-road; drei ~n von hier entfernt three blocks from here

Querstrich ['kve:rʃtrıç] m 1. horizontal line; 2. (Gedankenstrich) dash; 3. einen ~ durch etw machen cross sth out, (fig) thwart sth

quertreiben ['kve:rtraıbən] v irr (fig) to get in the way, to be obstinate

Quertreiber ['kve:rtraıbər] m obstructionist

Querulant [kveru'lant] m querulous person, grumbler, grouch (US), troublemaker

querulieren [kveru'li:rən] v gripe, grumble, grouse

Querverbindung ['kve:rferbınduŋ] f cross-connection, lateral line, grid connection

Querverweis ['kve:rfervaıs] m cross-reference

quetschen ['kvɛtʃən] v 1. squeeze; 2. (zer~) crush; 3. (kneifen) pinch

Quetschung ['kvɛtʃuŋ] f MED contusion

Quetschwunde ['kvɛtʃvundə] f MED contusion

Queue [kø:] m (Menschenschlange) queue

Quiche [kıʃ] f GAST quiche

quicklebendig ['kvıklebɛndıç] adj (fam) spirited, spry, alive and kicking

quieken ['kvi:kən] v squeak

quieksen ['kvi:ksən] v (siehe „quieken")

quietschen ['kvi:tʃən] v 1. squeak, creak; 2. (Kind) squeal

quietschvergnügt [kvi:tʃvɛr'gny:kt] adj pleased as Punch, happy as a clam

Quinte [kvınt] f MUS fifth

Quintessenz ['kvıntesɛnts] f quintessence

Quintett [kvın'tɛt] n MUS quintet

Quirl [kvırl] m (Gerät) whisk, beater

quirlen ['kvırlən] v whisk

quirlig ['kvırlıç] adj lively, mercurial, fidgety

quitt [kvıt] adj quits (UK), square, even; mit jdm ~ werden get quits with s.o. (UK)

Quitte ['kvıtə] f BOT quince

Quittenmarmelade ['kvıtənmarməla:də] f GAST quince marmalade

quittieren [kvı'ti:rən] v (bestätigen) receipt, give a receipt, acknowledge receipt

Quittung ['kvıtuŋ] f receipt, voucher

Quittungsblock ['kvıtuŋsblɔk] m receipt pad

Quiz [kvıs] n quiz

Quizfrage ['kvısfra:gə] f quiz question

Quote ['kvo:tə] f 1. quota; 2. (Verhältnisziffer) rate; 3. (Anteil) proportional share

Quotenregelung ['kvo:tənre:gəluŋ] f POL quota system

Quotient [kvotsi'ɛnt] m MATH quotient

R

Rabatt [ra'bat] *m ECO* discount, rebate

Rabbiner [ra'biːnər] *m REL* rabbi

Rabe ['raːbə] *m ZOOL* raven

Rache ['raxə] *f* revenge, vengeance; *an jdm ~ nehmen* take revenge on s.o. *~ ist süß.* Revenge is sweet.

Rachen ['raxən] *m ANAT* throat, pharynx; *jdm den ~ stopfen* shut s.o. up; *den ~ nicht vollkriegen* to be absolutely insatiable; *jdm etw in den ~ werfen* shove sth down s.o.'s throat

rächen ['rɛːçən] *v* take revenge for, avenge; *sich ~* take one's revenge

Rad [raːt] *n 1.* wheel; *das fünfte ~ am Wagen sein* to be the odd man out; *2. (Fahrrad)* bike; *~ fahren* cycle, ride a bicycle

Radar [ra'daːr] *m TECH* radar

Radfahrer ['raːtfaːrər] *m* cyclist

radieren [ra'diːrən] *v 1.* erase; *2. ART* etch

Radiergummi [ra'diːrgumi] *m* eraser, rubber *(UK)*

Radierung [ra'diːrun] *f ART* etching

radikal [radi'kaːl] *adj 1.* radical, extreme; *adv 2.* radically

Radio ['raːdjo] *n* radio

radioaktiv [raːdjoak'tiːf] *adj PHYS* radioactive

Radioaktivität [raːdjoaktivi'tɛːt] *f PHYS* radioactivity

Radius ['raːdjus] *m MATH* radius

Radsport ['raːtʃpɔrt] *m SPORT* cycling

Raffinerie [rafinə'riː] *f CHEM* refinery

Raffinesse [rafi'nɛsə] *f (Schlauheit)* finesse, cunning, craftiness

raffiniert [rafi'niːrt] *adj 1. (verfeinert)* refined; *2. (schlau)* shrewd, cunning, crafty

Rage ['raːʒə] *f* rage, fury

Rahm [raːm] *m GAST* cream

Rahmen ['raːmən] *m 1. (Fensterrahmen)* frame; *2. (Bilderrahmen)* frame; *3. (fig)* frame, setting; *aus dem ~ fallen* to be out of the ordinary; *im ~ einer Sache* as part of sth

Rakete [ra'keːtə] *f* missile, rocket

rammen ['ramən] *v* ram

Rampe ['rampə] *f 1. (Laderampe)* platform, ramp; *2. (Bühnenrampe) THEAT* apron

Ramsch [ramʃ] *m* junk, rubbish, jumble

Rand [rant] *m* edge, border, brink; *außer ~ und Band* out of hand; *etw am ~e erwähnen* mention sth in passing

randalieren [randa'liːrən] *v* riot, rampage

Rang [raŋ] *m 1.* rank; *alles, was ~ und Namen hat* everybody who's anybody; *2. (Qualität)* quality, grade, rate; *3. THEAT* tier (of boxes), row of seats, circle; *erster/zweiter ~* dress/upper circle; *4. SPORT* place

rangieren [raŋ'ʒiːrən] *v 1. (Eisenbahn)* shunt, switch *(US)*; *2. (Rang einnehmen)* rank

Ranzen ['rantsən] *m 1. (Schulranzen)* satchel; *2. (fam: Bauch) sich den ~ voll schlagen* stuff one's face

rar [raːr] *adj* rare, scarce

Rarität [rari'tɛːt] *f* rarity, curiosity

rasch [raʃ] *adj 1.* quick, swift, brisk; *2. (übereilt)* rash, hasty

rasen ['raːzən] *v 1. (sich schnell bewegen)* race, rush; *2. (vor Zorn)* rage, storm

Rasen ['raːzən] *m BOT* lawn, turf; *jdn unter den ~ bringen (fig)* to be the death of s.o. *(fig)*

Rasenmäher ['raːzənmɛːər] *m* lawnmower

Rasierapparat [ra'ziːrapaːrɑt] *m 1.* razor; *2. (elektrischer ~)* shaver, electric razor

rasieren [ra'ziːrən] *v* shave

Rasse ['rasə] *f* race

Rassendiskriminierung ['rasəndiskriminiːrun] *f POL* racial discrimination

Rassismus [ra'sismus] *m* racism

Rassist [ra'sist] *m* racist

rassistisch [ra'sistiʃ] *adj* racist

Rast [rast] *f 1.* rest; *2. MIL* halt

rasten ['rastən] *v 1.* take a rest; *2. MIL* halt

Raster ['rastər] *n 1. (Schema)* framework; *2. (im Druckwesen)* screen

rastlos ['rastloːs] *adj 1. (pausenlos)* endless; *2. (ruhelos)* restless, fidgety; *3. (unermüdlich)* indefatigable

Rasur [ra'zuːr] *f 1.* shave; *2. (radierte Stelle)* erasure

Rat [raːt] *m 1. (Ratschlag)* advice, counsel; *mit sich zu ~e gehen* think things over; *jdn zu ~e ziehen* consult s.o. *jdm mit ~ und Tat zur Seite stehen* to support s.o. in word and deed; *~ suchend* seeking advice, seeking counsel; *2. (Kollegium)* council; *3. (Titel)* councillor

Rate ['raːtə] *f 1. FIN* instalment; *2. (Verhältnisziffer)* rate

raten ['raːtən] *v irr 1. (erraten)* guess; *2. (empfehlen)* recommend; *jdm zu etw ~* advise s.o. to do sth; *3. (Rat geben)* advise, counsel

Ratgeber ['raːtgeːbər] *m* 1. advisor, counselor; 2. *(Buch)* how-to book
Rathaus ['raːthaus] *n* town hall, city hall *(US)*
Ration [ra'tsjoːn] *f* ration
rational [ratsjo'naːl] *adj* 1. rational; *adv* 2. rationally
rationalisieren [ratsjonali'ziːrən] *v* ECO rationalize
Rationalisierung [ratsjonali'ziːruŋ] *f* rationalization, efficiency measure
rationell [ratsjo'nɛl] *adj* 1. ECO efficient; 2. *(wirtschaftlich)* ECO economical
rationieren [ratsjo'niːrən] *v* ration
Rationierung [ratsjo'niːruŋ] *f* *(von Lebensmitteln)* rationing
Ratlosigkeit ['raːtloːzɪçkaɪt] *f* helplessness
Ratschlag ['raːtʃlaːk] *m* piece of advice; *Ratschläge geben* give some advise
Rätsel ['rɛːtsəl] *n* 1. puzzle; *jdm ein ~ sein* to be a mystery to s.o. *jdm ein ~ aufgeben (fig)* to ask s.o. a riddle, *(fig)* to be a riddle to s.o. *in ~n sprechen (fig)* talk in riddles *(fig); vor einem ~ stehen* to be completely baffled; 2. *(Worträtsel)* riddle; 3. *(Geheimnis)* enigma, mystery
rätselhaft ['rɛːtsəlhaft] *adj* puzzling, mysterious, enigmatic
rätseln ['rɛːtsəln] *v* puzzle over sth, rack one's brain
Ratte ['ratə] *f* ZOOL rat
rau [rau] *adj* 1. *(nicht glatt)* rough; 2. *(grob)* coarse, rude, rugged; 3. *(Hals)* sore; 4. *(Stimme)* hoarse; 5. *(fig: barsch)* harsh, gruff
Raub [raup] *m* 1. *(Diebstahl)* robbery; 2. *(Entführung)* kidnapping
rauben ['raubən] *v* 1. *(stehlen)* rob; 2. *(entführen)* kidnap
Räuber ['rɔybər] *m* thief, robber
Raubkopie ['raupkopiː] *f* INFORM pirate copy
Raubtier ['rauptiːr] *n* ZOOL beast of prey
Rauch [raux] *m* smoke
rauchen ['rauxən] *v* smoke; *mir raucht der Kopf (fig)* my head's spinning
Raucher(in) ['rauxər(ɪn)] *m/f* smoker
raufen ['raufən] *v* 1. *(sich ~)* scuffle, tussle, fight; 2. *sich die Haare ~* tear one's hair
Rauferei [raufəˈraɪ] *f* scuffle, roughhouse
Raum [raum] *m* 1. *(Zimmer)* room; *eine Frage in den ~ stellen* to pose a question; *im ~ stehen (fig)* to be unsolved; 2. *(Platz)* space, room; 3. *(Gebiet)* area

räumen ['rɔymən] *v* 1. *(verlassen)* leave, move from, vacate; 2. *(evakuieren)* evacuate; 3. *(entfernen)* remove, clear
Raumfähre ['raumfɛːrə] *f* spacecraft
Raumfahrt ['raumfaːrt] *f* 1. space travel; 2. *(Wissenschaft)* astronautics
Rauminhalt ['raumɪnhalt] *m* volume
räumlich ['rɔymlɪç] *adj* 1. spatial; *adv* 2. spatially
Raumschiff ['raumʃɪf] *n* spaceship
Raumstation ['raumʃtatsjoːn] *f* ASTR space station
Räumung ['rɔymuŋ] *f* 1. *(Verlassen)* clearing, removing, removal; 2. *(Evakuierung)* evacuation; 3. *(Entfernung)* removal
Raupe ['raupə] *f* ZOOL caterpillar
raus [raus] *adv* (siehe "heraus", "hinaus")
Rausch [rauʃ] *m* 1. *(Alkoholrausch)* intoxication; 2. *(Begeisterungsrausch)* ecstasy
rauschen ['rauʃən] *v* 1. *(Bach)* murmur, gurgle; 2. *(Blätter)* rustle
Rauschgift ['rauʃɡɪft] *n* narcotic, drug
räuspern ['rɔyspərn] *v sich ~* clear one's throat
Reagenzglas [rea'ɡɛntsɡlaːs] *n* test tube
reagieren [rea'ɡiːrən] *v* react
Reaktion [reak'tsjoːn] *f* reaction
reaktionär [reaktsjo'nɛːr] *adj* POL reactionary
Reaktor [re'aktoːr] *m* reactor
real [re'aːl] *adj* 1. real, substantial, actual; *adv* 2. really, actually
realisieren [reali'ziːrən] *v* 1. *(Pläne)* carry out; 2. FIN realize; 3. THEAT perform
Realisierung [reali'ziːruŋ] *f* realization
Realismus [rea'lɪsmus] *m* realism
Realist [rea'lɪst] *m* realist
realistisch [rea'lɪstɪʃ] *adj* 1. realistic; *adv* 2. realistically
Realität [reali'tɛːt] *f* reality
Realschule [re'aːlʃuːlə] *f* six-year secondary school
Rebe ['reːbə] *f* BOT vine, shoot
Rebell [re'bɛl] *m* rebel, insurgent
rebellieren [rebe'liːrən] *v* rebel, revolt
Rebellion [rebe'ljoːn] *f* rebellion
rebellisch [re'bɛlɪʃ] *adj* rebellious
Rechen ['rɛçən] *m* rake
Rechenschaft ['rɛçənʃaft] *f* account; *jdn zur ~ ziehen* hold s.o. responsible; *über etw ~ ablegen* account for sth
Recherche [re'ʃɛrʃə] *f* investigation, enquiry
recherchieren [reʃɛr'ʃiːrən] *v* investigate

rechnen ['rɛçnən] v calculate, compute; *auf etw ~* count on sth; *mit etw ~* expect sth; *(zählen)* count
Rechner ['rɛçnər] m 1. *(Elektronenrechner)* computer; 2. *(Taschenrechner)* calculator
Rechnung ['rɛçnuŋ] f 1. invoice, bill; *auf eigene ~* on one's own account; *Die ~ stimmt.* The bill comes out right. *jdm etw in ~ stellen* bill s.o. for sth; *mit jdm eine ~ begleichen (fig)* settle a score with s.o.; *einer Sache ~ tragen* take sth into account; *Das kommt auf meine ~.* It's on me. *Diese ~ geht nicht auf.* That won't work out. 2. *MATH* calculation, arithmetic
recht [rɛçt] adj 1. right; *jdm etw ~ machen* please s.o. *Alles, was ~ ist!* There is a limit! *Das geschieht ihm ~!* That serves him right! 2. *(passend) wenn es dir ~ ist* if it's all right with you; *Das kommt mir gerade ~!* That's just what I needed! 3. *(wirklich)* real; adv 4. *(sehr)* quite
Recht [rɛçt] n 1. law; 2. *(Anspruch)* right; *jds gutes ~ sein* to be s.o.'s right; *~ sprechen* administer justice; *sein ~ fordern* demand sth as a right; *zu ~* rightly; *~ haben* to be right; *jdm ~ geben* agree with s.o.
rechte(r,s) ['rɛçtə(r,s)] adj right
Rechteck ['rɛçtɛk] n rectangle
rechteckig ['rɛçtɛkɪç] adj rectangular
rechtfertigen ['rɛçtfɛrtɪgən] v justify
Rechtfertigung ['rɛçtfɛrtɪguŋ] f justification
rechtlich ['rɛçtlɪç] adj 1. *JUR* legal, lawful; adv 2. *JUR* legally, lawfully
rechtlos ['rɛçtlo:s] adj 1. without rights; 2. *(gesetzlos)* lawless
rechtmäßig ['rɛçtmɛ:sɪç] adj 1. lawful; adv 2. in a lawful manner
rechts [rɛçts] adv to the right, on the right, right
Rechtsanwalt ['rɛçtsanvalt] m lawyer, solicitor *(UK)*, attorney *(US)*
Rechtschreibung ['rɛçtʃraibuŋ] f spelling
Rechtsextremismus ['rɛçtsɛkstremɪsmus] m right-wing extremism
rechtsextremistisch ['rɛçtsɛkstremɪstɪʃ] adj POL right-wing
rechtsgültig ['rɛçtsgyltɪç] adj JUR legal
Rechtsprechung ['rɛçtʃprɛçuŋ] f 1. JUR administration of justice, judicial decision, court rulings; 2. *(Gerichtsbarkeit)* jurisdiction
Rechtsradikalismus ['rɛçtsradikalɪsmus] m POL right-wing radicalism
Rechtsspruch ['rɛçtʃprux] m 1. verdict; 2. *(in Zivilsachen)* judgement, judgment *(US)*

Rechtsstaat ['rɛçtsʃta:t] m POL constitutional state, state governed by the rule of law
rechtswidrig ['rɛçtsvi:drɪç] adj 1. JUR unlawful, illegal; adv 2. JUR unlawfully, illegally
rechtwinklig ['rɛçtvɪŋklɪç] adj rectangular
rechtzeitig ['rɛçttsaitɪç] adj 1. punctual, timely, opportune; adv 2. in good time, duly
recyceln [ri'saikəln] v recycle
Recycling [ri'saiklɪŋ] n recycling
Redakteur(in) [redak'tø:r(ɪn)] m/f editor
Redaktion [redak'tsjo:n] f 1. *(Tätigkeit)* editing; 2. *(Büro)* editorial offices pl; 3. *(Nachrichtenredaktion)* newsroom
Rede ['re:də] f speech, talk, conversation; *Es ist nicht der ~ wert.* It's not worth talking about. *jdm ~ und Antwort stehen* explain o.s. to s.o. *jdn zur ~ stellen* demand an explanation from s.o. *Davon kann nicht die ~ sein.* That's out of the question!
reden ['re:dən] v speak, talk
Redewendung ['re:dəvɛnduŋ] f figure of speech, expression, phrase
Redner ['re:dnər] m speaker
reduzieren [redu'tsi:rən] v reduce, cut
Reeder ['re:dər] m shipowner
Reederei [re:də'rai] f shipping company
Referat [refe'ra:t] n report, paper
Referendar [referen'da:r] m *(Studienreferendar)* student teacher
Referendum [refe'rɛndum] n POL referendum
Referent [refe'rɛnt] m 1. *(Redner)* speaker, orator, reader of a paper; 2. *(Sachbearbeiter)* consultant, expert
Referenz [refe'rɛnts] f reference
referieren [refe'ri:rən] v report
reflektieren [reflɛk'ti:rən] v 1. *(zurückstrahlen)* reflect; 2. *(nachdenken)* reflect
Reflektor [re'flɛktər] m TECH reflector
Reflex [re'flɛks] m 1. reflex; 2. PHYS reflection
Reflexion [reflɛ'ksjo:n] f 1. *(von Licht)* reflection; 2. *(fig: Überlegung)* reflection, consideration
reflexiv [reflɛ'ksi:f] adj GRAMM reflexive
Reform [re'fɔrm] f reform
Reformation [reforma'tsjo:n] f REL Reformation
reformieren [refor'mi:rən] v reform
Refrain [rə'frɛ̃:] m MUS refrain
Regal [re'ga:l] n shelf
Regel ['re:gəl] f 1. rule, principle, code; *in der ~* usually; 2. *(Menstruation)* period

regelmäßig ['re:gəlmɛːsɪç] *adj 1.* regular; *adv 2.* regularly

Regelmäßigkeit ['re:gəlmɛːsɪçkaɪt] *f* regularity

regeln ['re:gəln] *v* regulate, control, arrange, *(Probleme)* sort out

Regelung ['re:gəluŋ] *f* regulation, settlement

Regen ['re:gən] *m* rain; *jdn im ~ stehen lassen* leave s.o. out in the cold, leave s.o. in the lurch; *vom ~ in die Traufe kommen* fall out of the frying pan into the fire

Regenbogen ['re:gənbo:gən] *m METEO* rainbow

regenerieren [regene'ri:rən] *v* regenerate

Regenmantel ['re:gənmantəl] *m* raincoat, mackintosh

Regenschirm ['re:gənʃɪrm] *m* umbrella

Regenwald ['re:gənvalt] *m* rain forest

Regenwurm ['re:gənvurm] *m* earthworm

Regie [re'ʒi:] *f CINE* direction

regieren [re'gi:rən] *v 1. (Politiker) POL* govern; *2. (Fürst) POL* reign, rule

Regierung [re'gi:ruŋ] *f POL* government

Regierungssitz [re'gi:ruŋszɪts] *m POL* seat of government

Regime [re'ʒi:m] *n POL* regime

Regiment [regi'mɛnt] *n MIL* regiment

Region [re'gjo:n] *f* region, district

regional [regjo'na:l] *adj* regional

Regisseur(in) [reʒi'søːr(ɪn)] *m/f CINE* director

Register [re'gɪstər] *n* register, index

registrieren [regɪs'tri:rən] *v* register, record

Regler ['re:glər] *m TECH* controller

regnen ['re:gnən] *v* rain

regulär [regu'lɛːr] *adj 1.* regular; *adv 2.* regularly

regulieren [regu'li:rən] *v* regulate, adjust

Regulierung [regu'li:ruŋ] *f* regulation

Regung ['re:guŋ] *f 1. (Bewegung)* movement, motion, stirring; *2. (Gefühlsregung)* emotion, impulse

regungslos ['re:guŋslo:s] *adj* motionless

Reh [re:] *n ZOOL* deer, roe

Rehabilitation [rehabilita'tsjo:n] *f* rehabilitation

rehabilitieren [rehabili'ti:rən] *v* rehabilitate

Rehbock ['re:bɔk] *m ZOOL* roebuck

Reibe ['raɪbə] *f* grater

reiben ['raɪbən] *v irr 1.* rub; *2. (zerkleinern)* grate, grind

Reibung ['raɪbuŋ] *f* friction

reich [raɪç] *adj 1.* rich, wealthy; *2. (reichlich)* abundant

Reich [raɪç] *n* empire

reichen ['raɪçən] *v 1. (geben)* hand, pass, give; *2. (ausreichen)* suffice; *Mir reicht es!* That's just about the limit!; *3. (sich erstrecken)* extend, reach

reichlich ['raɪçlɪç] *adj* ample, abundant

Reichtum ['raɪçtuːm] *m 1.* wealth; *2. (Fülle)* abundance, profusion, richness

reif [raɪf] *adj 1.* ripe; *2. (fig)* mature

Reife ['raɪfə] *f 1. (Obst)* ripeness; *2. (fig)* maturity; *3. mittlere ~* intermediate secondary school certificate

reifen ['raɪfən] *v* ripen, mature

Reifen ['raɪfən] *m 1.* ring; *2. (Radreifen)* tyre, tire *(US)*; *3. (Spielreifen, Fassring)* hoop

Reihe ['raɪə] *f 1. (von Dingen)* row, series; *etw auf die ~ bringen* get sth together; *der ~ nach* in turn; *2. (von Menschen)* row, queue; *an die ~ kommen* to have one's turn; *3. (Serie)* series

Reihenfolge ['raɪənfɔlgə] *f* order, sequence

Reim [raɪm] *m* rhyme; *sich einen ~ auf etw machen (fig)* get an inkling of sth

reimen ['raɪmən] *v* rhyme, make a rhyme

rein¹ [raɪn] *adj 1.* pure; *2. (nichts als)* pure, sheer, utter; *3. (sauber)* clean, clear, pure; *mit jdm ins Reine kommen* clear the air with s.o., sort things out with s.o.

rein² [raɪn] *adv (fam) (siehe „herein", „hinein")*

Reinerlös ['raɪnɛrløːs] *m* net proceeds

Reinfall ['raɪnfal] *m* fiasco, failure, letdown

reinigen ['raɪnɪgən] *v* clean, purge

Reiniger ['raɪnɪgər] *m* cleaner

Reinigung ['raɪnɪguŋ] *f 1. (Reinigen)* cleaning, washing; *2. (Geschäft)* dry-cleaners *pl*

Reis [raɪs] *m* rice

Reise ['raɪzə] *f* trip, journey; *sich auf eine ~ machen* to set out on a trip

Reisebüro ['raɪzəbyro:] *n* travel agency

Reiseführer ['raɪzəfy:rər] *m 1. (Person)* guide; *2. (Buch)* travel guide

reisen ['raɪzən] *v* travel

Reisende(r) ['raɪzəndə(r)] *m/f 1.* traveller; *2. (Urlauber(in))* tourist

Reisepass ['raɪzəpas] *m* passport

Reisescheck ['raɪzəʃɛk] *m* traveller's cheque

reißen ['raɪsən] *v irr 1. (zerreißen)* tear, rip; *2. (ziehen)* drag, pull, tug

Reißnagel ['raɪsnaːgəl] *m* drawing pin *(UK)*, thumbtack *(US)*

Reißverschluss ['raɪsfɛrʃlus] *m* zipper
reiten ['raɪtən] *v irr* ride
Reiter ['raɪtər] *m* rider, horseman
Reiz [raɪts] *m 1. (Reizung)* irritation; *2. (Aufreizung)* provocation; *3. (Anreiz)* stimulation, incitement; *4. (Anmut)* grace, attractiveness
reizbar ['raɪtsbaːr] *adj* irritable, sensitive
reizen ['raɪtsən] *v 1. (irritieren)* irritate, provoke; *2. (anregen)* stimulate
reizend ['raɪtsənt] *adj 1.* charming, delightful; *adv 2.* delightfully, charmingly
reizlos ['raɪtsloːs] *adj* unattractive
Reizung ['raɪtsuŋ] *f 1.* irritation, provocation; *2. (Anregung)* stimulation
reizvoll ['raɪtsfɔl] *adj* attractive, charming
Reklamation [reklama'tsjoːn] *f* complaint
Reklame [re'klaːmə] *f 1.* advertising, publicity; *2. (Einzelwerbung)* advertisement
reklamieren [rekla'miːrən] *v (beanstanden)* complain about, object to
Rekord [re'kɔrt] *m* record
Rekrut [re'kruːt] *m* MIL recruit, conscript
Rektor ['rɛktɔr] *m (einer Schule)* headmaster, principal *(US)*
relativ ['relatiːf] *adj 1.* relative; *adv 2.* relatively
Relativität [relativi'tɛːt] *f* relativity
Relativpronomen [rela'tiːfpronoːmən] *n* GRAMM relative pronoun
relevant [rele'vant] *adj* relevant
Relief [rɛl'jɛf] *n* ART relief
Religion [reli'gjoːn] *f* religion
religiös [reli'gjøːs] *adj* religious
Relikt [re'lɪkt] *n* relic
Remoulade [remu'laːdə] *f* GAST tartar sauce
Renaissance [rənɛ'sãːs] *f* HIST Renaissance
Rennbahn ['rɛnbaːn] *f* race-course, race track *(US)*
rennen ['rɛnən] *v irr 1.* run; *2. (rasen)* rush; *3.* SPORT race
Rennen ['rɛnən] *n* race, running
Rennfahrer ['rɛnfaːrər] *m* racing driver
Rennwagen ['rɛnvaːgən] *m* racing-car *(UK)*, race car *(US)*
renovieren [reno'viːrən] *v* renovate
Renovierung [reno'viːruŋ] *f* renovation
rentabel [rɛn'taːbəl] *adj* profitable
Rente ['rɛntə] *f 1. (Altersrente)* pension; *2. (aus Versicherung)* annuity
Rentier ['reːntiːr] *n* ZOOL reindeer
Rentner ['rɛntnər] *m* pensioner
Reparatur [repara'tuːr] *f* repair

reparieren [repa'riːrən] *v* repair, mend, fix
Reportage [repɔr'taːʒə] *f* report, coverage
Reporter(in) [re'pɔrtər(ɪn)] *m/f* reporter
Repräsentant(in) [reprɛzɛn'tant(ɪn)] *m/f* representative
repräsentativ [reprɛzɛnta'tiːf] *adj* representative
repräsentieren [reprɛzɛn'tiːrən] *v* represent, act as representative for
Reptil [rɛp'tiːl] *n* ZOOL reptile
Republik [repu'bliːk] *f* republic
Republikaner [republi'kaːnər] *m 1. (Anhänger der Republik)* POL republican; *2. (Parteimitglied)* POL Republican; *3. (deutsche Rechtspartei)* POL member of the German Republican Party
Reservat [rezɛr'vaːt] *n* reservation
Reserve [re'zɛrvə] *f* reserve; *stille ~n* secret reserves
reservieren [rezɛr'viːrən] *v* reserve, book
Reservierung [rezɛr'viːruŋ] *f* reservation
Resignation [rezɪgna'tsjoːn] *f* resignation
resignieren [rezɪg'niːrən] *v* resign
Resolution [rezolu'tsjoːn] *f* POL resolution
Respekt [rɛ'spɛkt] *m* respect, regard
respektieren [rɛspɛk'tiːrən] *v* respect
respektlos [rɛs'pɛktloːs] *adj 1.* disrespectful, irreverent; *adv 2.* disrespectfully
respektvoll [rɛs'pɛktfɔl] *adj 1.* respectful; *adv 2.* respectfully
Ressort [rɛ'soːr] *n 1.* department; *2. (Verantwortlichkeit)* responsibility
Rest [rɛst] *m 1.* rest, remains *pl; der ~ der Welt* everyone else; *sich den ~ geben (fig)* make o.s. really ill; *2.* MATH remainder; *3.* CHEM residue
Restaurant [rɛsto'rãː] *n* restaurant
restaurieren [rɛstau'riːrən] *v* restore, renovate
restlich ['rɛstlɪç] *adj* remaining
restlos ['rɛstloːs] *adj 1.* complete, final; *adv 2.* thoroughly, completely, in full
Resultat [rezul'taːt] *n* result
resultieren [rezul'tiːrən] *v* result
Resümee [rezy'meː] *n* summary
resümieren [rezy'miːrən] *v* summarize
Retorte [re'tɔrtə] *f* CHEM retort
retten ['rɛtən] *v 1.* save, rescue; *sich vor etw kaum ~ können* to be swamped with sth; *Bist du noch zu ~?* Have you lost it? *(fam),* Are you out of your; *mind? 2. (Güter)* recover
Rettung ['rɛtuŋ] *f 1.* rescue; *2. (von Gütern)* recovery; *3. (Befreiung)* deliverance

Rettungsboot ['rɛtuŋsbo:t] *n* lifeboat
Rettungswagen ['rɛtuŋsva:gən] *m* ambulance
Reue ['rɔʏə] *f* 1. remorse, repentance; 2. *(Bedauern)* regret
Revanche [re'vɑ̃:ʃ] *f* revenge
revanchieren [revɑ̃:'ʃi:rən] *v* 1. sich ~ *(rächen)* take revenge, get one's own back *(UK)*; 2. sich ~ *(erwidern)* reciprocate, make up for, repay
Revier [re'vi:r] *n* 1. *(Gebiet)* district, quarter, section; 2. *(Polizeirevier)* precinct, district; 3. *(Dienststelle)* station
Revision [revi'zjo:n] *f* 1. revision, review; 2. JUR appeal
Revolte [re'vɔltə] *f* revolt
revoltieren [revɔl'ti:rən] *v* revolt
Revolution [revɔlu'tsjo:n] *f* revolution
revolutionär [revɔlutsjo'nɛ:r] *adj* revolutionary
Revolver [re'vɔlvər] *m* revolver
Revue [re'vy] *f* 1. review; etw ~ passieren lassen pass sth in review; 2. THEAT revue
rezensieren [retsɛn'zi:rən] *v* review
Rezension [retsɛn'zjo:n] *f* review, critique
Rezept [re'tsɛpt] *n* 1. MED prescription; 2. GAST recipe
Rezeption [retsɛp'tsjo:n] *f* 1. *(im Hotel)* reception; 2. *(eines Rechts)* adoption
Rezession [retsɛ'sjo:n] *f* ECO recession
rezitieren [retsi'ti:rən] *v* recite
R-Gespräch ['ɛrgəʃprɛːç] *n* TEL reversed-charge call, collect call *(US)*
Rhein [raɪn] *m* GEO Rhine
rhetorisch [re'to:rɪʃ] *adj* rhetorical
Rheuma ['rɔʏma] *n* MED rheumatism
rheumatisch [rɔʏ'ma:tɪʃ] *adj* rheumatic
rhythmisch ['rʏtmɪʃ] *adj* rhythmic, rhythmical
Rhythmus ['rʏtmʊs] *m* rhythm
richten ['rɪçtən] *v* 1. *(herrichten)* arrange; 2. *(urteilen)* judge, try, sentence; 3. sich nach etw ~ proceed according to sth; 4. *(in Ordnung bringen)* mend, repair, set right
Richter(in) ['rɪçtər(ɪn)] *m/f* JUR judge; jdn vor den ~ bringen to take s.o. to court
richtig ['rɪçtɪç] *adj* 1. right, correct; nicht ganz ~ sein *(fam: Mensch)* to be not quite right in the head; ~ stellen set right, rectify; ~ stellen *(fig)* correct; 2. *(sehr)* really
Richtung ['rɪçtʊŋ] *f* 1. direction; 2. *(Kurs)* course; 3. *(Weg)* route; 4. *(Einstellung)* orientation
riechen ['ri:çən] *v irr* smell

Riegel ['ri:gəl] *m* 1. bolt; etw einen ~ vorschieben put a stop to sth; 2. *(Schokolade)* bar
Riemen ['ri:mən] *m* 1. strap, belt; sich am ~ reißen pull o.s. together; den ~ enger schnallen tighten one's belt; 2. SPORT oar
Riese ['ri:zə] *m* giant
rieseln ['ri:zəln] *v* 1. trickle; 2. *(Regen)* drizzle; 3. *(Schnee)* fall lightly
riesig ['ri:zɪç] *adj* huge, immense
Riff [rɪf] *n* reef
Rille ['rɪlə] *f* 1. groove; 2. TECH flute
Rind ['rɪnt] *n* ZOOL 1. *(Kuh)* cow; 2. *(Stier)* bull, bullock
Rinde ['rɪndə] *f* 1. *(Käserinde)* rind; 2. *(Brotrinde)* crust; 3. BOT bark, cortex
Rinderwahnsinn ['rɪndərva:nzɪn] *m* mad cow disease
Rindfleisch ['rɪntflaɪʃ] *n* GAST beef
Ring [rɪŋ] *m* 1. *(Schmuck)* ring; 2. *(Kreis)* ring, circle; 3. *(Straße)* ring-road
ringeln ['rɪŋəln] *v* 1. curl; 2. *(Pflanze)* entwine; 3. sich ~ *(Schlange)* coil
ringen ['rɪŋən] *v irr* wrestle
Ringen ['rɪŋən] *n* 1. SPORT wrestling; 2. *(fig)* struggle
Ringfinger ['rɪŋfɪŋər] *m* ring-finger
ringsherum ['rɪŋshɛrum] *adv* 1. all round, all the way around; 2. *(überall)* on all sides
rinnen ['rɪnən] *v irr* run, flow, leak
Rinnsal ['rɪnza:l] *n* *(kleiner Bach)* streamlet, rivulet
Rippe ['rɪpə] *f* 1. ANAT rib; sich etw aus den ~ schneiden squeeze blood out of a stone; 2. GAST rib
Risiko ['ri:ziko] *n* risk
riskant [rɪs'kant] *adj* risky
riskieren [rɪs'ki:rən] *v* risk
Riss [rɪs] *m* rip, tear, split
rissig ['rɪsɪç] *adj* cracked, flawed, split
Ritt [rɪt] *m* ride
Ritter ['rɪtər] *m* knight
ritterlich ['rɪtərlɪç] *adj* 1. HIST knightly; 2. *(fig)* chivalrous
Ritual [ritu'a:l] *n* ritual
rituell [ritu'ɛl] *adj* ritual
ritzen ['rɪtsən] *v* 1. etw ~ scratch sth; Die Sache ist geritzt. *(fig)* It's in the bag. 2. sich ~ scratch o.s.
Rivale [ri'va:lə] *m* rival
rivalisieren [rivali'zi:rən] *v* compete, vie
Rivalität [rivali'tɛ:t] *f* rivalry
Robbe ['rɔbə] *f* ZOOL seal
Robe ['ro:bə] *f* 1. *(Abendrobe)* gown, dress, robe; 2. *(Amtsrobe)* robe, gown

Roboter ['rɔbɔtər] *m TECH* robot
robust [ro'bust] *adj* robust, sturdy
Rock [rɔk] *m* skirt
rodeln ['ro:dəln] *v SPORT* luge
roden ['ro:dən] *v 1. (Land)* clear; *2. (Baum)* root out
Roggen ['rɔgən] *m BOT* rye
roh [ro:] *adj 1. (nicht gekocht)* raw; *2. (nicht bearbeitet)* crude, rough, *(Eisen)* unwrought; *3. (fig)* coarse, crude, rude
Rohheit ['ro:hait] *f 1.* rawness; *2. (Gefühllosigkeit)* roughness, brutality; *3. (rohe Handlung)* act of brutality
Rohr [ro:r] *n 1. (Leitung)* pipe, tube; *2. BOT* reed, cane
Röhre ['rø:rə] *f 1. (Rohr)* tube, pipe; *2. (Backrohr)* oven
Rohstoff ['ro:ʃtɔf] *m* raw material
Rolle ['rɔlə] *f 1.* roll, coil; *von der ~ sein (fam)* to be mixed up; *2. THEAT* role, part; *aus der ~ fallen* forget o.s. *Das spielt keine ~.* That's of no consequence.
rollen ['rɔlən] *v* roll
Roller ['rɔlər] *m 1. (Motorroller)* scooter; *2. (Tretroller)* scooter
Rollschuh ['rɔlʃuː] *m SPORT* roller skate
Rollstuhl ['rɔlʃtuːl] *m* wheelchair
Rolltreppe ['rɔltrɛpə] *f* escalator
Roman [ro'ma:n] *m* novel
Romantik [ro'mantɪk] *f* romanticism
romantisch [ro'mantɪʃ] *adj 1.* romantic; *adv 2.* romantically
Romanze [ro'mantsə] *f* romance
Römer(in) ['rø:mər(ɪn)] *m/f* Roman
römisch ['rø:mɪʃ] *adj* Roman
röntgen ['rœntgən] *v* X-ray, take an X-ray of
Röntgenstrahlen ['rœntgənʃtra:lən] *pl PHYS* X-rays
rosa ['ro:za] *adj* pink
Rose ['ro:zə] *f BOT* rose
Rosenkranz ['ro:zənkrants] *m REL* rosary
rosig ['ro:zɪç] *adj* rosy
Rosine [ro'zi:nə] *f GAST* raisin; *~n im Kopf haben* have big ideas
Rosmarin ['ro:smari:n] *m BOT* rosemary
Ross [rɔs] *n* horse, steed; *auf dem hohen ~ sitzen* to be on one's high horse; *von seinem hohen ~ herunterkommen* come down off one's high horse
Rost [rɔst] *m 1. (Bratrost)* grill, grid; *2. (Eisenoxid) CHEM* rust
rosten ['rɔstən] *v* rust
rösten ['rœstən] *v 1.* roast; *2. (Brot)* toast
rostig ['rɔstɪç] *adj* rusty

rot [ro:t] *adj* red
Rotwein ['ro:tvain] *m GAST* red wine
Rotwild ['ro:tvɪlt] *n ZOOL* red deer
Route ['ru:tə] *f* route
Routine [ru'ti:nə] *f* routine, experience
Rübe ['ry:bə] *f BOT* turnip
Rubel ['ru:bəl] *m FIN* rouble, rubel *(US); Der ~ rollt. (fig)* The money's rolling in.
Rubrik [ru'bri:k] *f 1.* rubric; *2. (Titel)* heading; *3. (Kategorie)* category
Rückblick ['rykblɪk] *m* look back
Rücken ['rykən] *m ANAT* back; *etw hinter jds ~ tun (fig)* do sth behind s.o.'s back *(fig); jdm den ~ zukehren* turn one's back on s.o. *sich den ~ frei halten* cover o.s.
Rückfall ['rykfal] *m* relapse
Rückfrage ['rykfra:gə] *f* question, further inquiry
Rückgabe ['rykga:bə] *f* return, restitution
Rückgang ['rykgaŋ] *m* decline, drop, decrease
Rückgrat ['rykgra:t] *n ANAT* spine, vertebral column, spinal column; *kein ~ haben (fig)* have no backbone
Rückhalt ['rykhalt] *m* support, backing
rückhaltlos ['rykhaltlo:s] *adj 1.* unreserved, frank; *adv 2.* unreservedly, totally
Rückkehr ['rykke:r] *f* return
Rücklage ['rykla:gə] *f 1.* reserve; *2. (Ersparnisse)* savings *pl*
rückläufig ['rykləyfɪç] *adj* declining
Rücklicht ['ryklɪçt] *n* back light
Rücknahme ['rykna:mə] *f* taking back
Rückreise ['rykraizə] *f* return trip
Rucksack ['rukzak] *m* backpack, rucksack
Rückschlag ['rykʃla:k] *m 1. (der Schusswaffe)* recoil; *2. SPORT* back-pass; *3. (fig)* setback
Rückschritt ['rykʃrɪt] *m* regression, step back
Rückseite ['rykzaitə] *f* reverse, back
Rücksicht ['rykzɪçt] *f* consideration, regard, respect; *auf jdn ~ nehmen* show consideration for s.o.
rücksichtslos ['rykzɪçtslo:s] *adj 1.* inconsiderate, reckless, thoughtless; *adv 2.* inconsiderately, thoughtlessly, recklessly
Rücksichtslosigkeit ['rykzɪçtslo:zɪçkait] *f 1.* thoughtlessness; *2. (Härte)* ruthlessness
rücksichtsvoll ['rykzɪçtsfɔl] *adj* thoughtful, considerate
Rücksitz ['rykzɪts] *m* back seat
Rückstand ['rykʃtant] *m 1. (Außenstände)* arrears *pl; 2. (Lieferrückstand, Arbeitsrück-*

stand) backlog; *3. (Abfallprodukt)* residue; *4. (Rest)* remains *pl;* *5. SPORT* deficit; *im ~ sein* to be behind, to be trailing

rückständig ['rykʃtɛndɪç] *adj* 1. backward; *2. (Zahlung)* overdue, outstanding; *3. (fig: überholt)* outdated

Rückstrahler ['rykʃtraːlər] *m* reflector

Rücktritt ['ryktrɪt] *m 1. (Amtsniederlegung)* resignation, retirement; *2. (am Fahrrad)* back-pedal brake

rückwärts ['rykvɛrts] *adv* backwards

Rückzahlung ['ryktsaːlʊŋ] *f* repayment, refund, reimbursement

Rüde ['ryːdə] *m* ZOOL dog, male

Rudel ['ruːdəl] *n 1. (von Wölfen/Hunden, von U-Booten)* pack; *2. (von Hirschen, von Wildschweinen)* herd

Ruder ['ruːdər] *n 1. (Steuerruder)* helm, tiller, rudder; *2. (Riemen)* oar

Ruderboot ['ruːdərboːt] *n* rowing-boat, rowboat *(US)*

rudern ['ruːdərn] *v* row, paddle

Ruf [ruːf] *m 1.* call, cry, shout; *2. (Ansehen)* reputation, repute, renown; *3. (Aufforderung)* call, summons

rufen ['ruːfən] *v irr* call, shout, cry out; *ins Gedächtnis ~* call to mind; *zur Ordnung ~* call to order

Rufname ['ruːfnaːmə] *m* Christian name by which a person is known

Rufnummer ['ruːfnʊmər] *f* telephone number

Rüge ['ryːgə] *f* reprimand, reproof, rebuke

rügen ['ryːgən] *v 1.* reprimand, rebuke; *2. (kritisieren)* find fault with

Ruhe ['ruːə] *f 1. (Stille)* silence, stillness, tranquillity; *etw in ~ lassen* let sth alone; *die ~ vor dem Sturm* the calm before the storm; *die ~ selbst sein* to be as cool as a cucumber; *jdn aus der ~ bringen* unnerve s.o. ; *~ geben* to be quiet; *seine ~ haben wollen* want to be left in peace; *in aller ~* calmly, at one's leisure; *2. (Ausruhen)* rest; *zur ~ kommen* get some peace, get a chance to rest; *sich zur ~ setzen* retire; *3. (Bewegungslosigkeit)* stillness; *4. (Frieden)* peace, calmness, tranquillity

ruhen ['ruːən] *v 1. (ausruhen)* rest, take a rest; *~ lassen (fig)* let lie, leave alone; *2. (stillstehen)* come to a standstill, to be interrupted, cease; *3. ~ auf (lasten)* lean on, rest on

Ruhestand ['ruːəʃtant] *m* retirement

ruhig ['ruːɪç] *adj 1. (still)* quiet, tranquil, calm; *2. (bewegungslos)* motionless, still; *3. (friedvoll)* peaceful, calm, tranquil

Ruhm [ruːm] *m* glory, fame, renown

rühmen ['ryːmən] *v* praise, speak highly of

rühren ['ryːrən] *v 1. (bewegen)* stir, move; *sich kaum noch ~ können* to be hardly able to move; *2. (umrühren)* stir; *3. (fig)* move, touch

Rührung ['ryːrʊŋ] *f* emotion, feeling

Ruin [ruˈiːn] *m* ruin

Ruine [ruˈiːnə] *f* ruin

ruinieren [ruiˈniːrən] *v* ruin

rülpsen ['rylpsən] *v* burp, belch

Rummel ['ruməl] *m 1. (Lärm)* racket, din, row *(UK)*; *2. (Jahrmarkt)* fair

rumpeln ['rumpəln] *v* rumble

Rumpf [rumpf] *m 1. (Schiffsrumpf)* hull; *2. (Flugzeugrumpf)* body, fuselage; *3. ANAT* trunk

rümpfen ['rympfən] *v die Nase ~ über etw* turn up one's nose at sth

rund [runt] *adj 1.* round, circular; *adv 2. (zirka)* approximately, roughly

Runde ['rundə] *f 1.* round; *eine ~ schmeißen* stand a round; *etw über die ~n bringen* pull sth off; *über die ~n kommen* make ends meet; *2. (Personenkreis)* company; *3. (Rundgang)* round; *die ~ machen* ciculate; *4. (des Polizisten)* beat; *5. (um die Rennbahn)* lap

Rundfahrt ['runtfaːrt] *f* tour

Rundfunk ['runtfuŋk] *m 1. (Übertragung)* broadcasting, radio; *2. (Anstalt)* broadcasting corporation, broadcasting organisation

Rundgang ['runtgaŋ] *m* tour, round, walk

rundherum ['runtherum] *adv* all round

Rundschreiben ['runtʃraibən] *n* circular

runter ['runtər] *adv (fam) (siehe „herunter", „hinunter")*

runzelig ['runtseliç] *adj* wrinkled

runzeln ['runtsəln] *v* wrinkle, crease; *die Stirn ~* knit one's brows

rupfen ['rupfən] *v 1.* pull; *2. (Geflügel)* pluck; *3. jdn ~ (fig)* fleece s.o.

Ruß [ruːs] *m* soot

Russe/Russin ['rusə/'rusɪn] *m/f* Russian

Rüssel ['rysəl] *m* ZOOL trunk

russisch ['rusɪʃ] *adj* Russian

Russland ['ruslant] *n* GEO Russia

rüsten ['rystən] *v 1.* arm; *2. (etw ~)* prepare

rüstig ['rystɪç] *adj* stout, robust, vigorous

Rüstung ['rystʊŋ] *f 1. (Ritterrüstung)* armour; *2. (Bewaffnung)* MIL armament

Rute ['ruːtə] *f 1. (Zweig)* twig, branch; *2. (Angelrute)* fishing-rod

rutschen ['rutʃən] *v 1.* slide, slither; *2. (herunter~)* slip

rutschig ['rutʃɪç] *adj* slippery, slithery

rütteln ['rytəln] *v* shake

S

Saal [zaːl] *m* hall

Saat [zaːt] *f* 1. seed; 2. *(junges Getreide)* green corn; 3. *(Säen)* sowing

Sabbat ['zabat] *m* Sabbath

Säbel ['zɛːbəl] *m* sabre, sword

Sabotage [zabo'taːʒə] *f* sabotage

Sachbuch ['zaxbuːx] *n* non-fiction book

sachdienlich ['zaxdiːnlɪç] *adj* 1. helpful, relevant; 2. *(nützlich)* useful

Sache ['zaxə] *f* 1. *(Gegenstand)* object, thing; 2. *(Angelegenheit)* matter, affair, business; *gemeinsame ~ machen mit* join forces with; *zur ~ kommen* get down to business, get to the point; *nicht jedermanns ~ sein* not be everyone's cup of tea; *sich seiner ~ sicher sein* know what one is doing; *bei der ~ sein* have one's mind on what one is doing; *nichts zur ~ tun* to be beside the point; 3. JUR case, lawsuit, action

Sachgebiet ['zaxɡəbiːt] *n* field, subject

Sachkenntnis ['zaxkɛntnɪs] *f* expertise

sachkundig ['zaxkundɪç] *adj* informed, knowledgeable

Sachlage ['zaxlaːɡə] *f* situation, state of affairs

sachlich ['zaxlɪç] *adj* 1. factual, material, practical; 2. *(objektiv)* objective; 3. *(nüchtern)* matter-of-fact

Sachlichkeit ['zaxlɪçkaɪt] *f* objectivity, impartiality

Sachschaden ['zaxʃaːdən] *m* damage to property

Sachse ['zaksə] *m* Saxon

Sachsen ['zaksən] *n* GEO Saxony

sächsisch ['zɛksɪʃ] *adj* Saxon

sacht [zaxt] *adj* 1. soft, gentle; 2. *(behutsam)* cautious, careful; 3. *Sachte, ~e!* Easy! Gently! *adv* 4. *sich jdm ~ nähern* cautiously approach s.o.

Sachverhalt ['zaxfɛrhalt] *m* facts *pl*, situation, circumstances *pl*

Sachverständige(r) ['zaxfɛrʃtɛndɪɡə(r)] *m/f* 1. expert, authority, specialist; 2. JUR expert witness

Sack ['zak] *m* sack, bag; *jdn in den ~ stecken* walk all over s.o.; *etw im ~ haben* have sth in the bag; *mit ~ und Pack* with bag and baggage

Sackgasse ['zakɡasə] *f* 1. blind alley, cul-de-sac; 2. *(fig)* dead-end street

Sackkarre ['zakkarə] *f* handcart

Sadismus [za'dɪsmus] *m* sadism

sadistisch [za'dɪstɪʃ] *adj* sadistic

säen ['zɛːən] *v* sow

Safari [za'faːri] *f* safari

Saft [zaft] *m* 1. *(Obstsaft)* juice; 2. *(Bratensaft)* gravy; 3. *ohne ~ und Kraft* lifeless

saftig ['zaftɪç] *adj* 1. juicy; 2. *(fig: Brief)* potent; 3. *(Witz)* spicy; 4. *(Rechnung)* steep, hefty

Sage ['zaːɡə] *f* legend, myth

Säge ['zɛːɡə] *f* saw

sagen ['zaːɡən] *v* 1. say; *jdm etw ~* tell s.o. sth; *wie gesagt* as I said, like I said (fam); *Sag mal ...* Say ....; *die Wahrheit ~* tell the truth; *sage und schreibe* believe it or not, no less than; *sich nichts mehr zu ~ haben* have nothing left to say to each other; *sich etw nicht zweimal ~ lassen* jump at sth; *etw zu ~ haben* have a say; *Von dem lasse ich mir nichts ~.* I won't take it from him. *Das ist nicht gesagt.* That isn't necessarily so. *Das ist zu viel gesagt.* That would be exaggerating things. *Wem sagst du das!* You're telling me! (fam); 2. *(bedeuten)* mean; *Sagt dir das was?* Do you know what that means? Does that ring a bell? (fam)

sägen ['zɛːɡən] *v* saw

sagenhaft ['zaːɡənhaft] *adj* 1. mythical, legendary; 2. *(fig)* fabulous, terrific

Sägespäne ['zɛːɡəʃpɛːnə] *pl* sawdust

Sahne ['zaːnə] *f* GAST cream

sahnig ['zaːnɪç] *adj* creamy

Saison [zɛ'zõ] *f* season

Saite ['zaɪtə] *f* string; *andere ~n aufziehen* (fig) get tough; *in jdm eine ~ zum Klingen bringen* strike a chord with s.o.

Sakko ['zako] *m* sports jacket, sportcoat (US)

sakral [za'kraːl] *adj* REL sacral, sacred

Sakrament [zakra'mɛnt] *n* REL sacrament

säkular [zɛːku'laːr] *adj* *(weltlich)* secular

Salat [za'laːt] *m* salad; *Da haben wir den ~.(fig)* Now we're in a fine mess.

Salbe ['zalbə] *f* ointment, salve

Salbei ['zalbaɪ] *m* BOT sage

salben ['zalbən] *v* 1. rub salve into; 2. *jdn ~ (weihen)* anoint s.o.

Saldo ['zaldo] *m* ECO balance

Salmonellen [zalmo'nɛlən] *pl* BIO salmonella

salomonisch [zalo'moːnɪʃ] *adj* Solomonic

Salon [za'lɔ̃:] *m 1.* drawing room, parlor *(US)*, reception room; *2. (Frisörsalon, Kosmetiksalon)* salon

salonfähig [za'lɔ̃:fɛ:ɪç] *adj* presentable, socially acceptable

salopp [za'lɔp] *adj 1. (ungezwungen)* casual, nonchalant; *2. (nachlässig)* sloppy, slovenly

Salto ['zalto] *m* somersault; ~ *mortale* death-defying leap

Salut [za'lu:t] *m MIL* salute (of guns)

salutieren [zalu'ti:rən] *v MIL* salute

Salve ['zalvə] *f 1.* salvo; *2. (Ehrensalve)* salute; *3. (von Applaus)* burst

Salz [zalts] *n* salt; ~ *auf jds Wunden streuen* rub salt in s.o.'s wounds; *Sie gönnt einem nicht einmal das ~ in der Suppe.* She even begrudges you the air you breathe.

salzen ['zaltsən] *v* salt

salzig ['zaltsɪç] *adj* salty

Salzsäure ['zaltszɔyrə] *f CHEM* hydrochloric acid

Salzwüste ['zaltsvy:stə] *f GEO* salt flat

Samen ['za:mən] *m 1. (Saat) BOT* seed; *2. BIO* sperm, semen

Samenbank ['za:mənbaŋk] *f* sperm bank

sämig ['zɛ:mɪç] *adj* thick, creamy

Sammelband ['zaməlbant] *m* anthology, omnibus volume

Sammelbecken ['zaməlbɛkən] *n 1.* reservoir, catchment area; *2. (fig)* reservoir

sammeln ['zaməln] *v 1.* collect, *(anhäufen)* accumulate; *2. (auf~)* gather, pick; *3. sich ~ (sich an~)* gather, assemble; *4. sich ~ (fig)* collect o.s., gather o.s.

Sammler ['zamlər] *m* collector, hoarder

Sammlung ['zamluŋ] *f 1.* collection; *2. (Blütenlese)* selection; *3. (Zusammenstellung)* compilation; *4. (fig: Konzentration)* concentration, composure, collectedness

Samstag ['zamsta:k] *m* Saturday

samt [zamt] *prep 1.* including, together with; *adv 2. ~ und sonders* all of them, the lot (fam)

Samt [zamt] *m* velvet

Samthandschuh ['zamthandʃu:] *m jdn mit ~en anfassen* handle s.o. with kid gloves

sämtlich ['zɛmtlɪç] *adj* every, all, entire; *~e Werke* the complete works

Sanatorium [zana'to:rjum] *n* sanatorium

Sand [zant] *m* sand; *im ~e verlaufen* come to nothing; *etw in den ~ setzen* blow sth (fam); *etw auf ~ gebaut haben* have built sth upon shaky ground; *jdm ~ in die Augen streuen* pull the wool over s.o.'s eyes; *Das gibt's doch wie ~ am Meer.* There are loads of them.

Sandale [zan'da:lə] *f* sandal

Sandbank ['zantbaŋk] *f* sandbar

sandig ['zandɪç] *adj* sandy

Sandkasten ['zantkastən] *m* sandbox

Sandmännchen ['zantmɛnçən] *n* sandman

Sandpapier ['zantpapi:r] *n* sandpaper

Sanduhr ['zantu:r] *f 1.* sandglass, hourglass; *2. (Eieruhr)* egg-timer

Sandwich ['zɛntvɪtʃ] *n* sandwich

sanft [zanft] *adj* soft, gentle, smooth

Sanftmut ['zanftmu:t] *f* softness, gentleness, sweetness of character

sanftmütig ['zanftmy:tɪç] *adj* soft, gentle, sweet

Sänger ['zɛŋər] *m* singer

sanieren [za'ni:rən] *v 1. (Stadtteil)* redevelop; *2. (räumen)* clear; *3. (heilen)* cure

Sanierung [za'ni:ruŋ] *f 1.* restoration; *2. (Elendsviertel)* clearance

sanitär [zani'tɛ:r] *adj* sanitary

Sanitäter [zani'tɛ:tər] *m 1.* first-aid man; *2. (in Krankenwagen)* ambulance man

Sankt [zaŋkt] *adj* saint

Sanktion [zaŋk'tsjo:n] *f* sanction, penalty

sanktionieren [zaŋktsjo'ni:rən] *v* sanction

Sanskrit ['zanskrɪt] *n LING* Sanskrit

Saphir ['za:fir] *m MIN* sapphire

Sarg [zark] *m* coffin

Sarkasmus [zar'kasmus] *m* sarcasm

sarkastisch [zar'kastɪʃ] *adj* sarcastic

Sarkophag [zarko'fa:k] *m* sarcophagus

Satan ['za:tan] *m* Satan

Satellit [zatə'li:t] *m* satellite

Satin [za'tɛ̃:] *m* satin

Satire [za'ti:rə] *f LIT* satire

satirisch [za'ti:rɪʃ] *adj* satirical, satiric

satt [zat] *adj 1.* satisfied, having had enough to eat; *2. (voll)* full; *3. jdn ~ haben (fig)* to be fed up with s.o.; *4. (Farben)* rich, deep

Sattel ['zatəl] *m* saddle; *jdn aus dem ~ heben* unseat s.o.; *fest im ~ sitzen* to be secure in one's position

satteln ['zatəln] *v* saddle

sättigen ['zɛtɪgən] *v 1.* satisfy one's hunger, satiate; *2. CHEM* saturate

Satz [zats] *m 1. GRAMM* sentence; *2. (im Druckwesen: das Setzen)* typesetting; *3. (Menge)* set, batch; *4. SPORT* set; *5. (fester Betrag)* rate

Satzung ['zatsuŋ] *f* constitution, statutes *pl*, bylaws *pl*

Satzzeichen ['zatstsaɪçən] *n* punctuation mark

Sau [zau] *f 1. ZOOL* sow; *die ~ rauslassen* let it all hang out (fam); *jdn zur ~ machen* take s.o. to pieces; *unter aller ~ sein* to be bloody awful; *2. (fam: Person)* dirty pig, swine

sauber ['zaubər] *adj* clean, tidy, neat; *~ machen* clean

Sauberkeit ['zaubərkaıt] *f* cleanliness, tidiness, neatness

säubern ['zɔybərn] *v 1.* clean; *2. POL* purge

Sauce ['zoːsə] *f GAST* sauce, gravy

sauer ['zauər] *adj 1.* sour; *Gib ihm Saures!* Let him have it! *2. CHEM* acid; *3. (fig: Person)* cross, annoyed

Sauerei [zauəˈraɪ] *f (fam)* filth, mess; *Das ist eine ~.* That is the pits.

säuerlich ['zɔyərlıç] *adj 1. GAST* tart, slightly sour, sourish, acidulous; *2. (fig: verärgert)* peeved, miffed

Sauerstoff ['zauərʃtɔf] *m CHEM* oxygen

Sauerstoffmaske ['zauərʃtɔfmaskə] *f* oxygen mask

saufen ['zaufən] *v irr 1. (Tier)* drink; *2. (fam)* booze, hit the bottle, drink hard; *wie ein Loch ~* drink like a fish

Säufer ['zɔyfər] *m* boozer, drinker, drunkard

saugen ['zaugən] *v irr 1.* suck; *2. (staub~)* vacuum

säugen ['zɔygən] *v* nurse, suckle

Säugetier ['zɔygətiːr] *n ZOOL* mammal

Säugling ['zɔyklıŋ] *m* infant

Säule ['zɔylə] *f* pillar, column

Säulengang ['zɔyləngaŋ] *m ARCH* colonnade

Saum [zaum] *m 1. (beim Nähen)* hem; *2. (Naht)* seam; *3. (Rand)* edge, border

Sauna ['zauna] *f* sauna

Säure ['zɔyrə] *f 1. CHEM* acid; *2. (Geschmack)* sourness, acidity

säurehaltig ['zɔyrəhaltıç] *adj CHEM* acidic

säuseln ['zɔyzəln] *v 1. (Blätter)* rustle; *2. (Wind)* murmur; *3. (fig: sagen)* purr

sausen ['zauzən] *v 1. (Mensch)* dash, zip, rush; *2. (Wind)* whistle; *3. (Ohren)* buzz; *es saust mir in den Ohren* my ears are buzzing

Saxofon [zakso'foːn] *n MUS* saxophone

Schabe ['ʃaːbə] *f (Insekt)* cockroach

schaben ['ʃaːbən] *v 1.* grate, rasp; *2. (zerschneiden)* mince

Schabernack ['ʃaːbərnak] *m* practical joke, trick, prank; *jdm einen ~ spielen* play a joke on s.o.

schäbig ['ʃɛːbıç] *adj 1. (armselig)* shabby, scruffy; *2. (abgetragen)* worn, shabby; *3. (fig: mies)* mean, nasty, low

Schablone [ʃaˈbloːnə] *f 1. (Malschablone)* stencil; *2. (Muster)* template; *3. (fam: herkömmliche Form)* routine

schablonenhaft [ʃaˈbloːnənhaft] *adj* stereotyped, clichéd

Schach [ʃax] *n 1.* chess; *2. jdn in ~ halten* hold s.o. in check

Schachbrett ['ʃaxbrɛt] *n* chessboard

schachern ['ʃaxərn] *v* haggle

Schachfigur ['ʃaxfiguːr] *f 1.* chess piece; *2. (fig)* pawn

schachmatt [ʃax'mat] *adj 1.* checkmated, mated; *jdn ~ setzen* checkmate s.o.; *Schachmatt!* Checkmate! *2. (fam: erschöpft)* beat

Schacht [ʃaxt] *m* shaft, pit, ravine

Schachtel ['ʃaxtəl] *f 1.* box; *2. alte ~ (fam)* old bag

Schachzug ['ʃaxtsuːk] *m* move

schade ['ʃaːdə] *adj* a pity, a shame; *sich für nichts zu ~ sein* consider nothing beneath one

Schädel ['ʃɛːdəl] *m 1.* skull; *sich den ~ einrennen* bang one's head against the wall; *Ihm brummt der ~.* His head is throbbing. *2. (fam: Kopf)* head

schaden ['ʃaːdən] *v* harm, damage, hurt; *zu Schaden kommen* come to harm

Schaden ['ʃaːdən] *m 1.* damage, loss, harm; *2. (Personenschaden)* injury

Schadenersatz ['ʃaːdənɛrzats] *m 1.* compensation, indemnity, indemnification; *2. (festgesetzte Geldsumme)* damages *pl*

Schadenfreude ['ʃaːdənfrɔydə] *f* malicious joy, joy over the misfortunes of others, Schadenfreude

schadenfroh ['ʃaːdənfroː] *adj* gloating

schadhaft ['ʃaːthaft] *adj 1.* damaged; *2. (mangelhaft)* defective, faulty

schädigen ['ʃɛːdıgən] *v 1.* damage; *2. (jdn ~)* harm

Schädigung ['ʃɛːdıguŋ] *f* damage, harm

schädlich ['ʃɛːtlıç] *adj* harmful, damaging, detrimental

Schädling ['ʃɛːtlıŋ] *m* insect, vermin, pest

Schädlingsbekämpfung ['ʃɛːtlıŋsbəkɛmpfuŋ] *f* pest control

Schadstoff ['ʃaːtʃtɔf] *m* harmful substance, harmful chemical

Schaf [ʃaːf] *n ZOOL* sheep; *das schwarze ~ sein* to be the black sheep

Schäfer ['ʃɛːfər] *m* shepherd

schaffen ['ʃafən] *v irr 1. (zu Stande bringen)* manage, accomplish, succeed; *Wir haben's geschafft.* We've done it. We did it. *(US) 2. (herstellen)* make; *sich an etw zu ~ machen* busy o.s.

with sth; *für etw wie geschaffen sein* to be cut out for sth; 3. *(fig: bewirken)* bring about, cause; *Damit hat er nichts zu ~.* That has nothing to do with him.

Schaffner ['ʃafnər] *m* 1. *(im Zug)* guard (UK), conductor (US); 2. *(Verwalter)* steward

Schafherde ['ʃa:fheːrdə] *f* flock of sheep

Schaft [ʃaft] *m* 1. shaft; 2. *(eines Gewehrs)* stock; 3. *(einer Blume)* stalk

Schakal [ʃa'ka:l] *m* ZOOL jackal

schäkern ['ʃɛːkərn] *v* 1. joke; 2. *(flirten)* flirt

schal [ʃa:l] *adj* flat, stale

Schal [ʃa:l] *m* scarf, shawl, wrap

Schale ['ʃa:lə] *f* 1. peel, skin, shell; *sich in ~ werfen (fig)* dress up to the nines; 2. *(Schüssel)* bowl, dish

schälen ['ʃɛːlən] *v* 1. *(Tomate, Mandel)* skin; 2. *(Erbsen, Eier, Nüsse)* shell; 3. *(Obst, Kartoffeln)* peel; 4. *(Getreide)* husk

Schalk [ʃalk] *m* rogue, rascal, joker; *Ihr schaut der ~ aus den Augen.* She has a mischievous twinkle in her eye.

schalkhaft ['ʃalkhaft] *adj* roguish

Schall [ʃal] *m* sound; *~ und Rauch sein* to be hollow words

schalldicht ['ʃaldıçt] *adj* soundproof

schallen ['ʃalən] *v irr* resound, echo, ring

Schallgeschwindigkeit ['ʃalgəʃvındıçkaɪt] *f* speed of sound

Schallmauer ['ʃalmauər] *f* sound barrier

Schallplatte ['ʃalplatə] *f* record

Schallplattenspieler ['ʃalplatənʃpiːlər] *m* record-player, turntable

schalten ['ʃaltən] *v* 1. *(einschalten/ausschalten)* switch on/off, turn on/off; 2. *(Auto)* change gears, shift gears; 3. *(fig: begreifen)* get it, catch on

Schalter ['ʃaltər] *m* 1. *(Vorrichtung)* switch; 2. *(Bankschalter)* window, counter

Schalterhalle ['ʃaltərhalə] *f* hall, booking hall

Schaltjahr ['ʃaltjaːr] *n* leap-year

Scham [ʃaːm] *f* shame

schämen ['ʃɛːmən] *v sich ~* feel ashamed, to be embarrassed

Schamgefühl ['ʃaːmgəfyːl] *n* sense of shame

schamhaft ['ʃaːmhaft] *adj* 1. modest, *(verschämt)* bashful; *adv* 2. modestly, bashfully

schamlos ['ʃaːmloːs] *adj* shameless, indecent

Schande ['ʃandə] *f* disgrace

schänden ['ʃɛndən] *v* 1. dishonour, disgrace; 2. *(entweihen)* desecrate, defile; 3.

(vergewaltigen) rape, violate; 4. *(ein Kind ~)* abuse

Schandfleck ['ʃantflɛk] *m* 1. blemish, taint; 2. *(Schande)* disgrace

schändlich ['ʃɛndlıç] *adj* 1. shameful, disgraceful; *adv* 2. shamefully, disgracefully

Schandtat ['ʃantaːt] *f* scandalous deed; *zu jeder ~ bereit sein* to be game for anything

Schändung ['ʃɛnduŋ] *f* 1. *(Entweihung)* desecration, sacrilege; 2. *(Vergewaltigung)* violation, rape

Schar [ʃaːr] *f* 1. troop, band; 2. *(Menge)* crowd; 3. *(von Gänsen)* flock

scharenweise ['ʃaːrənvaɪzə] *adv* in crowds, in flocks

scharf [ʃarf] *adj* 1. sharp; 2. *(Gewürz)* hot, spicy; 3. *(Munition)* live; 4. *~ auf etw sein* to be keen on sth; 5. *(fam: geil)* randy, horny (US)

Schärfe ['ʃɛrfə] *f* sharpness, acuity

schärfen ['ʃɛrfən] *v* sharpen

scharfsinnig ['ʃarfzınıç] *adj* astute, perceptive, discerning

Scharlach ['ʃarlax] *m* MED scarlet fever

Scharlatan ['ʃarlataːn] *m* charlatan

Scharnier [ʃar'niːr] *n* TECH hinge

Schärpe ['ʃɛrpə] *f* sash

Schatten ['ʃatən] *m* shadow, shade; *nur noch der ~ seiner selbst sein* to be only a shadow of one's former self; *einen ~ auf etw werfen* cast a shadow on sth; *sich vor seinem eigenen ~ fürchten* to be afraid of one's own shadow; *nicht über seinen eigenen ~ springen können* not be able to overcome one's own nature

Schattierung [ʃa'tiːruŋ] *f* shade, nuance

schattig ['ʃatıç] *adj* shady

Schatulle [ʃa'tulə] *f* box, chest

Schatz [ʃats] *m* 1. *(Kostbarkeit)* treasure; 2. *(als Kosewort)* darling, sweetheart, sweetie

Schatzamt ['ʃatsamt] *n* Treasury

schätzen ['ʃɛtsən] *v* 1. *(ungefähr berechnen)* estimate; 2. *(annehmen)* suppose, reckon; 3. *(hochachten)* esteem, appreciate

Schätzung ['ʃɛtsuŋ] *f* 1. *(ungefähre Berechnung)* estimate, valuation; 2. *(Annahme)* estimation; 3. *(Hochachtung)* esteem

schätzungsweise ['ʃɛtsuŋsvaɪzə] *adv* approximately

Schau [ʃau] *f* show, spectacle, view; *jdm die ~ stehlen* steal the show from s.o.; *eine ~ abziehen* put on an act; *etw zur ~ stellen* sport sth

Schaubild ['ʃaubɪlt] *n* figure, chart, diagram

Schauder ['ʃaudər] *m* shudder, shiver

schaudern ['ʃaudərn] *v* shudder; *mich schaudert* I shudder

schauen [ˈʃauən] v look

Schauer [ˈʃauər] m 1. (Regen) shower; 2. (Frösteln) shudder, shiver; 3. (Schreck) horror

Schauergeschichte [ˈʃauərgəʃɪçtə] f horror story

Schaufel [ˈʃaufəl] f shovel

schaufeln [ˈʃaufəln] v shovel

Schaufenster [ˈʃaufɛnstər] n shop window

Schaukel [ˈʃaukəl] f swing

schaukeln [ˈʃaukəln] v swing, rock, (schwanken) sway

Schaukelpferd [ˈʃaukəlpfeːrt] n rocking-horse

Schaukelstuhl [ˈʃaukəlʃtuːl] m rocking chair

Schaulustige(r) [ˈʃaulustɪgə(r)] m/f (auf der Straße) onlooker, curious bystander

Schaum [ʃaum] m foam

schäumen [ˈʃɔymən] v 1. foam, froth; 2. (Sekt) bubble, sparkle

Schaumgummi [ˈʃaumgumi] m foam rubber

schaumig [ˈʃaumɪç] adj foamy

Schaumstoff [ˈʃaumʃtɔf] m foamed plastic

Schauplatz [ˈʃauplats] m scene, setting

schaurig [ˈʃaurɪç] adj scary, awful, horrid

Schauspiel [ˈʃauʃpiːl] n 1. THEAT play, drama; 2. (fig) spectacle

Schauspieler(in) [ˈʃauʃpiːlər(ɪn)] m/f actor/actress

Schausteller [ˈʃauʃtɛlər] m exhibitor

Scheck [ʃɛk] m cheque, check (US); einen ~ einlösen cash a cheque

Scheckkarte [ˈʃɛkkartə] f cheque card

Scheibe [ˈʃaibə] f 1. disc; 2. (Wurstscheibe) slice; sich von jdm eine ~ abschneiden können to be able to take a leaf out of s.o.'s book; 3. (Fensterscheibe) window pane; 4. (Windschutzscheibe) windscreen, windshield (US)

Scheich [ʃaiç] m sheik

Scheide [ˈʃaidə] f 1. (Messerscheide) sheath, scabbard; 2. ANAT vagina

scheiden [ˈʃaidən] v irr 1. divide, separate, part; 2. (Ehe) divorce; sich ~ lassen to be divorced

Scheidung [ˈʃaiduŋ] f divorce

Schein [ʃain] m 1. (Banknote) banknote, bill (US); 2. (Licht) light, glare; 3. (Bescheinigung) certificate; 4. (fig: Anschein) appearance, semblance; den ~ wahren keep up appearances; etw nur zum ~ tun do sth for appearances' sake

Scheinargument [ˈʃainargumɛnt] n spurious argument, specious argument

scheinbar [ˈʃainbaːr] adj 1. seeming, apparent; 2. (vorgegeben) ostensible; adv 3. seemingly, ostensibly

Scheinehe [ˈʃaineːə] f pro forma marriage, marriage in name only

scheinen [ˈʃainən] v irr 1. (leuchten) shine, gleam, glitter; 2. (fig: Anschein haben) seem, appear

Scheinfirma [ˈʃainfirma] f ECO shell company

scheinheilig [ˈʃainhailɪç] adj hypocritical

Scheinheiligkeit [ˈʃainhailɪgkait] f hypocrisy

Scheintod [ˈʃaintoːt] m apparent death, suspended animation

Scheinwerfer [ˈʃainverfər] m 1. (eines Autos) headlight; 2. THEAT spotlight; 3. (Suchscheinwerfer) searchlight

Scheiße [ˈʃaisə] f (fam) shit

Scheitel [ˈʃaitəl] m 1. ANAT crown of the head; vom ~ bis zur Sohle from top to toe; 2. (Haarscheitel) parting (UK), part (US)

Scheitelpunkt [ˈʃaitəlpuŋkt] m 1. summit, zenith, vertex

Scheiterhaufen [ˈʃaitərhaufən] m 1. funeral pyre; 2. (zum Verbrennen von Ketzern) stake

scheitern [ˈʃaitərn] v (fig) fail

Schelm [ʃɛlm] m scoundrel, rascal, knave

schelmisch [ˈʃɛlmɪʃ] adj 1. roguish, sly, teasing; adv 2. impishly, mischievously

schelten [ˈʃɛltən] v irr scold, reprimand, chide

Schema [ˈʃeːma] n 1. scheme, plan; nach ~ F according to a fixed routine; 2. (Darstellung) diagram

schematisch [ʃeˈmaːtɪʃ] adj schematic, diagrammatic

Schemel [ˈʃeːməl] m stool

Schenkel [ˈʃɛŋkəl] m ANAT thigh

schenken [ˈʃɛŋkən] v 1. make a present of, give, donate; halb geschenkt sein to be dead cheap (fam), to be dirt cheap (fam); 2. (eingießen) pour

Schenkung [ˈʃɛŋkuŋ] f JUR gift, donation

Scherbe [ˈʃɛrbə] f fragment, broken piece

Schere [ˈʃeːrə] f 1. scissors pl; 2. (große ~) shears pl; 3. (Krebsschere) claw

Schererei [ʃeːrəˈrai] f trouble, bother, row

Scherz [ʃɛrts] m joke, jest, fun

scherzen [ˈʃɛrtsən] v joke, jest, make fun

scherzhaft [ˈʃɛrtshaft] adj 1. playful, facetious, joking; adv 2. jokingly

scheu [ʃɔy] adj shy, timid, coy

Scheu [ʃɔy] f shyness, timidity

scheuchen [ˈʃɔyçən] v shoo, scare off, frighten off

scheuen [ˈʃɔyən] v 1. (meiden) avoid, shun, to be afraid of; 2. (Pferd) shy

scheuern [ˈʃɔyərn] v 1. scrub, scour; 2. jdm eine ~ slug s.o.

Scheuklappen [ˈʃɔyklapən] pl blinkers (UK), blinders (US)

Scheune [ˈʃɔynə] f barn, shed

Scheusal [ˈʃɔyzaːl] n (fam) monster, beast

scheußlich [ˈʃɔyslıç] adj 1. dreadful; adv 2. dreadfully

Schicht [ʃıçt] f 1. layer; 2. (Klasse) class; 3. (Arbeitsschicht) shift

Schichtarbeit [ˈʃıçtarbait] f shift work

schick [ʃık] adj 1. chic, smart, stylish; adv 2. elegantly, smartly, stylishly

schicken [ˈʃıkən] v 1. send; 2. sich ~ (sich gehören) to be proper

schicklich [ˈʃıklıç] adj proper, becoming, fitting

Schicksal [ˈʃıkzaːl] n fate, destiny, fortune; jdn seinem ~ überlassen abandon s.o. to his fate; ~ spielen play at fate

schicksalhaft [ˈʃıkzaːlhaft] adj fateful

Schicksalsschlag [ˈʃıkzaːlsʃlaːk] m stroke of fate

schieben [ˈʃiːbən] v irr push, shove, slide

Schiedsrichter [ˈʃiːtsrıçtər] m SPORT referee, umpire, judge

schief [ʃiːf] adj 1. slanting, skew, crooked; jdn ~ ansehen look askance at s.o.; 2. (nach einer Seite geneigt) leaning, lopsided; 3. ~ gehen (fig) go wrong; 4. ~ laufen (fig) go awry, go wrong

schielen [ˈʃiːlən] v squint

Schienbein [ˈʃiːnbain] n ANAT shin-bone

Schiene [ˈʃiːnə] f 1. (Bahnschiene) rail; 2. MED splint

schießen [ˈʃiːsən] v irr 1. (Waffe) shoot; 2. (Ball) shoot; Das ist ja zum Schießen! That's a scream!

Schiff [ʃıf] n ship, vessel; klar ~ machen clear things up

Schiffbruch [ˈʃıfbrux] m shipwreck; ~ mit etw erleiden fail at sth, come a cropper with sth

schiffbrüchig [ˈʃıfbryçıç] adj shipwrecked

Schikane [ʃiˈkaːnə] f harassment, bullying; mit allen ~n with all the trimmings

schikanieren [ʃikaˈniːrən] v bully, harass

Schild [ʃılt] m 1. (Schutzschild) shield; etw im ~e führen to be up to sth; n 2. (Türschild) nameplate; 3. (Straßenschild) road sign

schildern [ˈʃıldərn] v depict, describe, delineate

Schilderung [ˈʃıldəruŋ] f description, portrait, representation

Schildkröte [ˈʃıltkrøːtə] f 1. (Landschildkröte) ZOOL tortoise; 2. (Wasserkröte) turtle

Schilf [ʃılf] n reed

schillern [ˈʃılərn] v change colours, shimmer

schillernd [ˈʃılərnt] adj shimmering, iridescent, sparkling

Schimmel [ˈʃıməl] m 1. BOT mould, mildew; 2. (Pferd) ZOOL grey

schimmeln [ˈʃıməln] v go mouldy, mould

Schimmer [ˈʃımər] m glitter, glimmer, faint light; keinen ~ von etw haben not have a clue about sth

schimmern [ˈʃımərn] v gleam, glimmer, glisten

Schimpanse [ʃımˈpanzə] m ZOOL chimpanzee

schimpfen [ˈʃımpfən] v carry on, grumble, swear; mit jdm ~ scold s.o.

Schimpfwort [ˈʃımpfvɔrt] n swear-word

Schinken [ˈʃıŋkən] m GAST ham

schippen [ˈʃıpən] v shovel

Schirm [ʃırm] m 1. (Regenschirm) umbrella; 2. (Sonnenschirm) parasol, sunshade

Schirmherr [ˈʃırmhɛr] m patron

Schirmherrschaft [ˈʃırmhɛrʃaft] f patronage

Schirmmütze [ˈʃırmmytsə] f visored cap

schizophren [ʃitsoˈfreːn] adj 1. MED schizophrenic; 2. (fig: widersinnig) contradictory

Schlacht [ʃlaxt] f battle

schlachten [ˈʃlaxtən] v kill, slaughter, butcher

Schlachtfeld [ˈʃlaxtfɛlt] n battlefield

Schlacke [ˈʃlakə] f 1. (von Metall) slag; 2. (Asche) cinders pl; 3. MED waste products pl

Schlaf [ʃlaːf] m sleep; den ~ schlafen sleep like a log; den ~ des Gerechten schlafen sleep like a log; etw im ~ können to be able to do sth with one's eyes shut; jdn um den ~ bringen keep s.o. awake

Schlafanzug [ˈʃlaːfantsuːk] m pyjamas pl

Schläfchen [ˈʃlɛːfçən] n nap, snooze

Schläfe [ˈʃlɛːfə] f ANAT temple

schlafen [ˈʃlaːfən] v irr sleep

schlaff [ʃlaf] adj weak, loose, slack, limp

Schlaflosigkeit [ˈʃlaːfloːzıçkait] f insomnia, sleeplessness

Schlafmütze [ˈʃlaːfmytsə] f (fig) sleepyhead

schläfrig [ˈʃlɛːfrıç] adj sleepy, drowsy

Schlafrock [ˈʃlaːfrɔk] m dressing-gown

Schlafsack [ˈʃlaːfzak] m sleeping bag

Schlafstörung ['ʃlaːfʃtøːruŋ] f MED insomnia

Schlaftablette ['ʃlaːftabletə] f sleeping pill

schlaftrunken ['ʃlaːftruŋkən] adj 1. drowsy; adv 2. drowsily

Schlafwagen ['ʃlaːfvaːgən] m sleeper, sleeping-car

schlafwandeln ['ʃlaːfvandəln] v sleepwalk, walk in one's sleep

Schlafzimmer ['ʃlaːftsɪmər] n bedroom

Schlag [ʃlaːk] m 1. (Treffer) hit; 2. (Hieb) blow; jdm einen ~ versetzen to deliver a blow to s.o.; wie vom ~ getroffen thunderstruck; 3. (Pochen) knock; 4. (elektrischer ~) shock; 5. (fig: schwerer ~) heavy blow; 6. ~ auf ~ one after the other; auf einen ~ all at once; 7. keinen ~ tun not do a stroke of work

Schlagader ['ʃlaːkaːdər] f ANAT artery

Schlaganfall ['ʃlaːkanfal] m MED stroke

schlagartig ['ʃlaːkartɪç] adj 1. sudden, abrupt; adv 2. suddenly, abruptly, all of a sudden

schlagen ['ʃlaːgən] v irr 1. (hauen) hit, strike, beat; 2. (Uhr) strike; 3. (fig: besiegen) beat

Schlager ['ʃlaːgər] m hit

Schläger ['ʃlɛːgər] m 1. (~typ) thug; SPORT 2. (beim Hockey) stick; (beim Golf) club; (beim Tennis) racquet, racket (US); (beim Kricket, beim Baseball) bat; (beim Tischtennis) paddle, bat

Schlägerei [ʃlɛːgəˈraɪ] f fight, brawl

schlagfertig ['ʃlaːkfɛrtɪç] adj quick-witted, quick at repartee

Schlagfertigkeit ['ʃlaːkfɛrtɪçkaɪt] f wittiness, ready wit

Schlagloch ['ʃlaːklɔx] n pothole

Schlagsahne ['ʃlaːkzaːnə] f whipped cream

Schlagwort ['ʃlaːkvɔrt] n (Parole) slogan, catchphrase

Schlagzeile ['ʃlaːktsaɪlə] f headline; ~n machen make headlines

Schlagzeug ['ʃlaːktsɔyk] n 1. MUS drums pl; 2. (in einem Orchester) MUS percussion

Schlamassel [ʃlaˈmasəl] m (fam) mess; im ~ sitzen to be in a fine mess

Schlamm [ʃlam] m mud, sludge

Schlamperei [ʃlampəˈraɪ] f sloppiness

schlampig ['ʃlampɪç] adj 1. slovenly, sloppy; 2. (liederlich) slatternly

Schlange ['ʃlaŋə] f 1. ZOOL snake; 2. (Menschenschlange) queue, line (US); ~ stehen queue up (UK), line up (US)

schlängeln ['ʃlɛŋəln] v 1. sich ~ wind, twist; 2. sich ~ wriggle

schlank [ʃlaŋk] adj slim, slender

schlapp [ʃlap] adj 1. weak, languid; 2. ~e zehn Mark (fam) ten lousy marks

Schlaraffenland ['ʃlarafənlant] n land of milk and honey

schlau [ʃlau] adj clever, sly, cunning; aus jdm nicht ~ werden not be able to make head or tail of s.o.; sich ~ machen get information

Schlauch [ʃlaux] m hose, tube; auf dem ~ stehen to be clueless (fam)

Schlauchboot ['ʃlauxboːt] n 1. rubber boat; 2. (Rettungsfloß) life raft

Schlaufe ['ʃlaufə] f loop

Schlauheit ['ʃlauhaɪt] f cleverness, shrewdness

Schlawiner [ʃlaˈviːnər] m (fam) rascal

schlecht [ʃlɛçt] adj 1. bad; adv 2. badly; 3. ~ bezahlt low-paying, low-paid, poorly paid; 4. ~ gehen to be unwell; 5. ~ gelaunt ill-humoured; 6. jdn ~ machen backbite

schlechthin ['ʃlɛçthɪn] adv 1. absolutely, pure and simple; 2. (überhaupt) in general; 3. Er ist der ... ~. He is the epitome of the ...

Schlechtigkeit ['ʃlɛçtɪçkaɪt] f wickedness, baseness, depravity

schlecken ['ʃlɛkən] v lick

schleichen ['ʃlaɪçən] v irr sneak, creep, slink

Schleichweg ['ʃlaɪçveːk] m secret path, concealed route

Schleichwerbung ['ʃlaɪçverbuŋ] f free publicity, plug

Schleier ['ʃlaɪər] m veil, film, haze; den ~ lüften lift the veil

schleierhaft ['ʃlaɪərhaft] adj mysterious, obscure, incomprehensible

Schleife ['ʃlaɪfə] f 1. loop; 2. (Bandschleife) bow; 3. (Schlinge) noose

schleifen ['ʃlaɪfən] v irr 1. (schleppen) drag; 2. (schärfen) whet, grind; 3. TECH grind, polish; 4. (Glas, Edelsteine) TECH cut

Schleim [ʃlaɪm] m 1. slime; 2. MED mucus

schleimig ['ʃlaɪmɪç] adj slimy

schlemmen ['ʃlɛmən] v revel, indulge in delicacies, feast

schlendern ['ʃlɛndərn] v meander, saunter

schlenkern ['ʃlɛŋkərn] v swing, dangle

Schleppe ['ʃlɛpə] f 1. (eines Kleides) train; 2. (beim Jagen) drag

schleppen ['ʃlɛpən] v 1. (schwer tragen) lug; 2. (ab~) tow, tug, drag

schleppend ['ʃlɛpənt] adj slow, languid, sluggish

Schlepper ['ʃlɛpər] m 1. (Wasserfahrzeug) tug, tugboat; 2. (in der Landwirtschaft) tractor; 3. (Helfer bei illegaler Einwanderung) smuggler of persons

Schlepplift ['ʃlɛplɪft] m T-bar lift

Schlepptau ['ʃlɛptau] m tow-rope; jdn ins ~ nehmen take s.o. in tow

Schleuder ['ʃlɔydər] f 1. catapult, sling shot; 2. (Wäscheschleuder) spin-drier

schleudern ['ʃlɔydərn] v 1. (Wäsche) spin; 2. (Auto) skid, swerve; 3. (werfen) sling, fling

Schleudersitz ['ʃlɔydərzɪts] m 1. ejector seat; 2. (fig) hot seat

Schleuse ['ʃlɔyzə] f 1. lock; 2. (zur Wasserregulierung) sluice, floodgate

schleusen ['ʃlɔyzən] v 1. NAUT pass through a lock; 2. (Wasser) channel; 3. (fig) steer; 4. (heimlich) smuggle, sneak

schlicht [ʃlɪçt] adj 1. simple, plain, unpretentious; adv 2. simply

schlichten ['ʃlɪçtən] v 1. (Holz) plane; 2. (Streit) arbitrate, adjust, settle

Schlichtheit ['ʃlɪçthait] f simplicity

Schlichtung ['ʃlɪçtuŋ] f 1. (eines Streits) mediation, arbitration; 2. (von Holz) planing

schließen ['ʃliːsən] v irr 1. (zumachen) close, shut; eine Fabrik ~ close down a factory; 2. (Vertrag) conclude, sign; 3. (beenden) finish, end, wind up; 4. (folgern) conclude, infer

Schließfach ['ʃliːsfax] n 1. locker; 2. (Bankschließfach) safe deposit box; 3. (Postschließfach) post-office box

schließlich ['ʃliːslɪç] adv 1. finally, in the end; 2. (fig) after all

schlimm [ʃlɪm] adj bad; halb so ~ sein not be so bad

Schlinge ['ʃlɪŋə] f 1. loop; 2. (am Galgen) noose; jdm die ~ um den Hals legen hold a gun to s.o.'s head (fig); 3. (Falle) snare

Schlingel ['ʃlɪŋəl] m rascal

schlingen ['ʃlɪŋən] v irr 1. sling, wrap; 2. (binden) tie; 3. (flechten) plait; 4. sich um etw ~ coil o.s. around sth

Schlingpflanze ['ʃlɪŋpflantsə] f BOT creeper

Schlips [ʃlɪps] m tie, necktie; jdm auf den ~ treten step on s.o.'s toes; sich auf den ~ getreten fühlen feel put out

Schlitten ['ʃlɪtən] m 1. sledge (UK), sled (US); mit jdm ~ fahren (fig) give s.o. a hard time; 2. (Rodelschlitten) toboggan; 3. (Pferdeschlitten) sleigh

schlittern ['ʃlɪtərn] v 1. (zum Vergnügen) slide; 2. (ausrutschen) slip; 3. (Fahrzeug) skid

Schlitz [ʃlɪts] m 1. slit, slot; 2. (Hosenschlitz) fly

Schlitzohr ['ʃlɪtsoːr] n (fam) sly fox, sly dog

Schloss [ʃlɔs] n 1. (Verschluss) lock; hinter ~ und Riegel behind bars; 2. (Gebäude) castle, palace

Schlosser ['ʃlɔsər] m 1. locksmith; 2. (Maschinenschlosser) mechanic

Schlosserei [ʃlɔsə'rai] f locksmith's workshop

Schlot [ʃloːt] m chimney

schlottern ['ʃlɔtərn] v 1. (zittern) shake, tremble; 2. (zu große Kleidung) hang loosely, to be baggy

Schlucht [ʃluxt] f ravine, gully, gorge

schluchzen ['ʃluxtsən] v weep, sob

Schluchzer ['ʃluxtsər] m sob

Schluck [ʃluk] m swig, swallow, gulp

Schluckauf ['ʃlukauf] m hiccup, hiccough

schlucken ['ʃlukən] v swallow, gulp

schlummern ['ʃlumərn] v slumber, doze, snooze

Schlund [ʃlunt] m 1. ANAT pharynx, gullet; 2. (fig: Abgrund) chasm, gulf

schlüpfen ['ʃlypfən] v 1. slip; 2. ZOOL hatch

schlüpfrig ['ʃlypfrɪç] adj 1. slippery; 2. (fig: obszön) risqué, slippery (UK), off-color (US)

schlurfen ['ʃlurfən] v shuffle

schlürfen ['ʃlyrfən] v 1. slurp; 2. (genießerisch trinken) sip

Schluss [ʃlus] m end; ~ für heute. Let's call it a day. ~ damit! Stop it! ~! Finished! mit jdm ~ machen break up with s.o.

Schlüssel ['ʃlysəl] m key

Schlüsselbund ['ʃlysəlbunt] m bunch of keys

Schlüsselkind ['ʃlysəlkɪnt] n latchkey kid

Schlüsselloch ['ʃlysəlɔx] n keyhole

schlussfolgern ['ʃlusfɔlgərn] v conclude, infer, deduce

Schlussfolgerung ['ʃlusfɔlgəruŋ] f conclusion, inference

schlüssig ['ʃlysɪç] adj conclusive

Schlusslicht ['ʃluslɪçt] n 1. (eines Autos) taillight, tail lamp; 2. (fig) last; das ~ bilden bring up the rear

Schlussstrich ['ʃlusʃtrɪç] m final stroke; einen ~ ziehen put an end to sth

Schlussverkauf ['ʃlusfɛrkauf] m ECO seasonal clearance sale

Schmach [ʃmaːx] f 1. disgrace, shame; 2. (Demütigung) humiliation

schmachten ['ʃmaxtən] v 1. (leiden) languish; 2. ~ nach etw pine for sth, yearn for sth

schmächtig ['ʃmɛçtɪç] *adj* slight, thin
schmähen ['ʃmɛːən] *v* abuse, revile, disdain, disparage
schmal [ʃmaːl] *adj* narrow, slim, thin
schmälern ['ʃmɛːlərn] *v* diminish, lessen, reduce
Schmalz [ʃmalts] *n GAST* grease, lard, fat
schmalzig ['ʃmaltsɪç] *adj* 1. greasy; 2. *(fig)* schmaltzy (fam), maudlin
schmarotzen ['ʃmarɔtsən] *v (fam)* scrounge, sponge
Schmarotzer [ʃmaˈrɔtsər] *m (fam)* sponger, freeloader (US)
schmatzen ['ʃmatsən] *v* eat with one's mouth open, eat noisily
schmecken ['ʃmɛkən] *v* 1. ~ *nach* taste of; 2. *gut* ~ taste good; *Hat's geschmeckt?* Did you like it?
Schmeichelei [ʃmaɪçəˈlaɪ] *f* flattery
schmeichelhaft ['ʃmaɪçəlhaft] *adj* flattering
schmeicheln ['ʃmaɪçəln] *v* flatter
Schmeichler ['ʃmaɪçlər] *m* flatterer
schmeißen ['ʃmaɪsən] *v irr* 1. throw; 2. *(mit etw fertig werden)* handle; 3. *eine Vorstellung ~* muff a performance
schmelzen ['ʃmɛltsən] *v irr* melt
Schmerz [ʃmɛrts] *m* 1. pain, ache; 2. *(Kummer)* grief, sorrow
schmerzen ['ʃmɛrtsən] *v* hurt, ache, pain
Schmerzensgeld ['ʃmɛrtsənsgɛlt] *n* compensation for pain and suffering
schmerzhaft ['ʃmɛrtshaft] *adj* painful
schmerzlindernd ['ʃmɛrtslɪndərnt] *adj* pain-relieving, soothing
Schmerzmittel ['ʃmɛrtsmɪtəl] *n* pain-reliever, pain-killer
Schmerztablette ['ʃmɛrtstablɛtə] *f MED* pain-reliever, pain-killer
Schmetterling ['ʃmɛtərlɪŋ] *m* butterfly
schmettern ['ʃmɛtərn] *v* 1. smash, dash; *die Tür ins Schloss ~* slam the door; 2. *(etw laut spielen)* blast; 3. *(singen)* belt out
Schmied [ʃmiːt] *m* blacksmith
Schmiede ['ʃmiːdə] *f* forge
schmiedeeisern ['ʃmiːdəaɪzərn] *adj* wrought-iron
schmieden ['ʃmiːdən] *v* 1. forge; 2. *(fig: Pläne ~)* hatch, forge, concoct
schmiegsam ['ʃmiːkzaːm] *adj* pliant, supple
schmieren ['ʃmiːrən] *v* 1. *(bestreichen)* smear, spread; 2. *(einfetten)* grease, oil, lubricate; *Es lief wie geschmiert.* It went like clock-

work. 3. *(fam: bestechen)* bribe; 4. *(kritzeln)* scribble, scrawl
Schminke ['ʃmɪŋkə] *f* make-up
schminken ['ʃmɪŋkən] *v* put make-up on; *sich ~* put on make-up
schmirgeln ['ʃmɪrgəln] *v* emery
schmökern ['ʃmøːkərn] *v* browse, read
schmollen ['ʃmɔlən] *v* sulk, pout
schmoren ['ʃmoːrən] *v* roast
Schmuck [ʃmuk] *m* jewellery
schmücken ['ʃmykən] *v* decorate, trim, dress
schmuggeln ['ʃmugəln] *v* smuggle, bootleg
Schmuggler ['ʃmuglər] *m* smuggler
schmunzeln ['ʃmuntsəln] *v* grin, smile
schmusen ['ʃmuːzən] *v* cuddle
Schmutz [ʃmuts] *m* 1. dirt, filth; *jdn mit ~ bewerfen* throw dirt at s.o.; *jdn wie ~ behandeln* treat s.o. like dirt; 2. *(Schlamm)* mud; 3. *(Obszönes)* smut
Schmutzfink ['ʃmutsfɪŋk] *m (fam)* slob, messy person, dirty person
Schmutzfleck ['ʃmutsflɛk] *m* stain
schmutzig ['ʃmutsɪç] *adj* dirty, messy, grubby
Schnabel ['ʃnaːbəl] *m* beak, bill; *den ~ halten* keep quiet; *reden, wie einem der ~ gewachsen ist* say just what one thinks; *sich den ~ verbrennen* say too much
Schnalle ['ʃnalə] *f* buckle
schnallen ['ʃnalən] *v* 1. buckle, fasten; 2. *(mit Riemen)* snap; 3. *(enger ~/weiter ~)* tighten/loosen; 4. *(begreifen)* catch on
schnalzen ['ʃnaltsən] *v* crack, click; *mit der Zunge ~* make a clicking noise with one's tongue; *mit den Fingern ~* snap one's fingers
schnappen ['ʃnapən] *v* 1. *(zu~/auf~)* snap closed/open; 2. *(erwischen)* catch, snatch; 3. *(beißen)* snap; 4. *(packen)* grab; 5. *nach Luft ~* gasp
Schnaps [ʃnaps] *m (klarer ~)* schnapps
Schnapsidee ['ʃnapsideː] *f (fam)* mad idea, crackpot idea, crazy idea
schnarchen ['ʃnarçən] *v* snore
schnattern ['ʃnatərn] *v* 1. *(Ente)* quack; 2. *(Gans)* gobble; 3. *(fig)* chatter
schnauben ['ʃnaubən] *v irr* 1. snort; 2. *(keuchen)* pant; 3. *sich die Nase ~* blow one's nose
schnaufen ['ʃnaufən] *v* pant
Schnauze ['ʃnautsə] *f* snout, muzzle; *die ~ voll haben* to be fed up; *Halt die ~!* Shut up! *eine große ~ haben* to be a loudmouth
schnäuzen ['ʃnɔytsən] *v sich ~* blow one's nose

Schnauzer ['ʃnautsər] *m 1. (Bart)* walrus moustache; *2. ZOOL* schnauzer
Schnecke ['ʃnɛkə] *f ZOOL* snail, slug; *jdn zur ~ machen* make s.o. feel small
Schneckenhaus ['ʃnɛkənhaus] *n ZOOL* snail-shell
Schnee [ʃne:] *m* snow; *~ von gestern sein* to be old hat
Schneeball ['ʃne:bal] *m* snowball
schneeblind ['ʃne:blɪnt] *adj* snow-blind
Schneeflocke ['ʃne:flɔkə] *f* snowflake
Schneegestöber ['ʃne:gəstø:bər] *n* snow flurry
Schneeglöckchen ['ʃne:glœkçən] *n BOT* snow-drop
Schneemann ['ʃne:man] *m* snowman
Schneide ['ʃnaɪdə] *f* blade, cutting edge
schneiden ['ʃnaɪdən] *v irr 1.* cut; *sich die Nägel ~* clip one's nails; *eine Kurve ~* cut a corner; *2. (fig) jdn ~* cut s.o. dead *(UK)*, snub s.o.
Schneider(in) ['ʃnaɪdər(ɪn)] *m/f 1. (Beruf)* tailor; *2. aus dem ~ sein* to be out of the woods; *3. (Gerät)* cutter
Schneiderei [ʃnaɪdə'raɪ] *f 1.* tailoring; *2. (für Damen)* dressmaking; *3. (Werkstatt)* tailor's shop
Schneidezahn ['ʃnaɪdətsa:n] *m ANAT* incisor
schneien ['ʃnaɪən] *v* snow
schnell [ʃnɛl] *adj 1.* quick, fast, rapid; *adv 2.* promptly, quickly, fast
Schnellhefter ['ʃnɛlhɛftər] *m* binder
Schnelligkeit ['ʃnɛlɪçkaɪt] *f* speed, quickness, rapidity
Schnellimbiss ['ʃnɛlɪmbɪs] *m* snack bar
Schnellkochtopf ['ʃnɛlkɔxtɔpf] *m* pressure cooker
Schnellstraße ['ʃnɛlʃtra:sə] *f* motorway, expressway *(US)*
Schnellzug ['ʃnɛltsu:k] *m* express train
schnippen ['ʃnɪpən] *v mit den Fingern ~* snap one's fingers
schnippisch ['ʃnɪpɪʃ] *adj 1.* sharp, pert, snooty; *adv 2.* sharply, snappishly
Schnipsel ['ʃnɪpsəl] *m/n* shred, scrap, bit, piece
Schnitt [ʃnɪt] *m 1.* cut; *2. MED* incision; *3. (Muster)* pattern; *4. (fam: Durchschnitt) im ~* on average; *5. CINE* editing
schnittig ['ʃnɪtɪç] *adj 1.* smart, racy, stylish; *adv 2.* smartly
Schnittlauch ['ʃnɪtlaux] *m* chives *pl*
Schnittstelle ['ʃnɪtʃtɛlə] *f 1. INFORM* interface; *2. (Film)* cut

Schnittwunde ['ʃnɪtvundə] *f MED* cut, gash
schnitzen ['ʃnɪtsən] *v* cut, carve
Schnitzer ['ʃnɪtsər] *m* blunder; *einen ~ machen* drop a brick, goof
Schnorchel ['ʃnɔrçəl] *m* snorkel
Schnörkel ['ʃnœrkəl] *m 1.* scroll; *2. (beim Schreiben)* flourish
schnörkellos ['ʃnœrkəllo:s] *adj* unfrilled, succinct, unembellished
schnüffeln ['ʃnyfəln] *v 1.* sniff, sniffle; *2. (fam: spionieren)* spy
Schnüffler ['ʃnyflər] *m 1.* snoop; *2. (Detektiv)* sleuth
Schnuller ['ʃnulər] *m* comforter, dummy, pacifier *(US)*
Schnupfen ['ʃnupfən] *m* cold
Schnupftabak ['ʃnupftabak] *m* snuff
schnuppern ['ʃnupərn] *v* sniff
Schnur [ʃnu:r] *f 1.* string; *2. (Kordel)* cord; *3. (Litze)* braid
schnüren ['ʃny:rən] *v* tie, lace, fasten
Schnurrbart ['ʃnurbart] *m* moustache
schnurren ['ʃnurən] *v 1.* hum, whir, buzz; *2. (Katze)* purr
Schnürsenkel ['ʃny:rzɛŋkəl] *m* shoelace
Schober ['ʃo:bər] *m 1.* haystack, hayrick; *2. (überdachter Platz)* field barn
Schock [ʃɔk] *m* shock
schockieren [ʃɔk'i:rən] *v* shock, outrage
Schöffe ['ʃœfə] *m JUR* lay judge, juror
Schokolade [ʃoko'la:də] *f 1. (Tafel ~)* chocolate; *2. (Heiße ~)* hot chocolate
Schokoriegel ['ʃokori:gəl] *m* chocolate bar
Scholle ['ʃɔlə] *f 1. (Erdscholle)* lump, clod; *2. (Eisscholle)* floe; *3. ZOOL* plaice
schon [ʃo:n] *adv 1. (bereits)* already; *Hast du ~ gefrühstückt?* Have you had breakfast yet? Have you already had breakfast? *Komm ~!* Come on! *~ immer* always; *2. (zuvor)* before; *3. (bestimmt)* all right; *Das ist ~ möglich.* That's not impossible. *Er wird es ~ schaffen.* He'll manage, all right. *4. (nur) ~ der Gedanke daran ...* the mere thought of it ...
schön [ʃø:n] *adj 1.* beautiful; *2. (hübsch)* pretty; *3. (angenehm)* pleasant; *4. (beträchtlich)* good; *eine ganz ~e Arbeit* quite a bit of work; *adv 5. Sei ~ brav!* Be a good boy!/Be a good girl! *~ warm* nice and warm
schonen ['ʃo:nən] *v 1.* go easy on, be easy on, spare, save; *2. sich ~* take care of o.s., look after o.s.
Schönfärberei ['ʃø:nfɛrbəraɪ] *f (fig)* glossing things over

Schonfrist [ˈʃoːnfrɪst] f period of grace
schöngeistig [ˈʃøːngaɪstɪç] adj aesthetic
Schönheit [ˈʃøːnhaɪt] f beauty
Schönheitsfehler [ˈʃøːnhaɪtsfeːlər] m 1. blemish; 2. (eines Gegenstandes) flaw
Schonkost [ˈʃoːnkɔst] f light diet
schöntun [ˈʃøːntuːn] v irr jdm ~ flatter s.o.
Schonung [ˈʃoːnʊŋ] f sparing, exemption, favouring
schonungslos [ˈʃoːnʊŋsloːs] adj unsparing, relentless, merciless
Schonungslosigkeit [ˈʃoːnʊŋsloːzɪçkaɪt] f 1. ruthlessness, mercilessness; 2. (Offenheit) bluntness
Schopf [ʃɔpf] m 1. (Haarbüschel) tuft of hair, shock of hair; 2. (eines Vogels) tuft, crest
schöpfen [ˈʃœpfən] v 1. scoop; 2. (Brühe) ladle; 3. (für sich entnehmen) derive; Mut aus etw ~ draw courage from sth; Atem ~ take a breath; 4. (schaffen) create
Schöpfer [ˈʃœpfər] m creator
schöpferisch [ˈʃœpfərɪʃ] adj creative
Schöpflöffel [ˈʃœpflœfəl] m ladle
Schöpfung [ˈʃœpfʊŋ] f creation
Schorle [ˈʃɔrlə] f spritzer
Schornstein [ˈʃɔrnʃtaɪn] m chimney
Schornsteinfeger [ˈʃɔrnʃtaɪnfeːgər] m chimney-sweep
Schoß [ʃoːs] m 1. lap; jdm in den ~ fallen to be handed to s.o. on a plate; 2. BOT shoot, sprout
Schössling [ˈʃøːslɪŋ] m BOT shoot
Schote [ˈʃoːtə] f BOT pod, legume
Schotte [ˈʃɔtə] m Scot, Scotsman
schottisch [ˈʃɔtɪʃ] adj Scottish; ~er Whisky Scotch
Schottland [ˈʃɔtlant] n GEO Scotland
schraffieren [ʃraˈfiːrən] v cross-hatch
schräg [ʃrɛːk] adj 1. slanting, oblique; 2. (~ verlaufend) diagonal; 3. (~ abfallend) sloping; adv 4. at an angle; 5. (~ verlaufend) diagonally
Schräge [ˈʃrɛːgə] f slope, obliquity
Schrägstrich [ˈʃrɛːkʃtrɪç] m slash
Schramme [ˈʃramə] f scrape, scratch, abrasion
Schrank [ʃraŋk] m 1. cupboard, closet (US); 2. (Kleiderschrank) wardrobe; 3. (fam: großer Mann) hulk
Schranke [ˈʃraŋkə] f barrier; jdn in seine ~n verweisen put s.o. in his place; Dem sind ~n gesetzt. There are limits.
Schraube [ˈʃraubə] f 1. screw; (mit einem eckigen Kopf) bolt; die ~ überdrehen go too far; eine ~ ohne Ende a vicious circle; Bei dir ist

doch eine ~ locker! You must have a screw loose! 2. (Schiffsschraube) propeller
schrauben [ˈʃraubən] v screw
Schraubenzieher [ˈʃraubəntsiːər] m screwdriver
Schrebergarten [ˈʃreːbərgartən] m garden plot, allotment (UK)
Schreck [ʃrɛk] m fright, scare, shock; Ach du ~! Oh my God!
schreckhaft [ˈʃrɛkhaft] adj nervous, fearful, shy
schrecklich [ˈʃrɛklɪç] adj terrible
Schreckschuss [ˈʃrɛkʃʊs] m warning shot
Schrei [ʃraɪ] m cry, scream, shriek; der letzte ~ all the rage
schreiben [ˈʃraɪbən] v irr write
Schreibkraft [ˈʃraɪpkraft] f 1. clerical staff; 2. (Stenotypist) typist
Schreibmaschine [ˈʃraɪpmaʃiːnə] f typewriter
Schreibtisch [ˈʃraɪptɪʃ] m desk
Schreibunterlage [ˈʃraɪpʊntərlaːgə] f (Schreibtischunterlage) desk pad
Schreibwaren [ˈʃraɪpvaːrən] pl stationery, writing materials
Schreibweise [ˈʃraɪpvaɪzə] f spelling
schreien [ˈʃraɪən] v scream, cry, shriek
Schreiner [ˈʃraɪnər] m 1. carpenter, joiner; 2. (Kunstschreiner) cabinet-maker
Schreinerwerkstatt [ˈʃraɪnərvɛrkʃtat] f joiner's workshop
schreiten [ˈʃraɪtən] v irr 1. stride; 2. zur Tat ~ act; 3. (stolzieren) strut
Schrift [ʃrɪft] f 1. writing; 2. die Heilige ~ Scripture
Schriftführer [ˈʃrɪftfyːrər] m secretary (of a club)
schriftlich [ˈʃrɪftlɪç] adj 1. written; adv 2. in writing
Schriftsteller(in) [ˈʃrɪftʃtelər(ɪn)] m/f author, writer
Schriftstück [ˈʃrɪftʃtyk] n document
Schriftverkehr [ˈʃrɪftfɛrkeːr] m correspondence
schrill [ʃrɪl] adj shrill, strident, acute
Schritt [ʃrɪt] m 1. step, stride, pace; auf ~ und Tritt wherever one goes; mit jdm ~ halten keep up with s.o.; einen ~ zu weit gehen go a bit too far; ~ für ~ step by step; den ersten ~ tun make the first step; 2. (fig) step, measure, move
Schrittgeschwindigkeit [ˈʃrɪtgəʃvɪndɪçkaɪt] f walking pace
schrittweise [ˈʃrɪtvaɪzə] adv step by step, progressively

schroff [ʃrɔf] *adj* 1. *(Felsen)* steep, precipitous; 2. *(fig: kurz angebunden)* curt, brusque, abrupt

Schrot [ʃroːt] *m/n* 1. *(gemahlenes Getreide)* wholemeal *(UK)*, whole wheat flour *(US)*; 2. *(Munition aus Bleistückchen)* shot

Schrotflinte [ˈʃroːtflɪntə] *f* shotgun

Schrott [ʃrɔt] *m* scrap metal

Schrotthändler [ˈʃrɔthɛndlər] *m* scrap dealer, junk dealer

schrubben [ˈʃrubən] *v* scrub

Schrubber [ˈʃrubər] *m* long-handled scrub brush

schrumpfen [ˈʃrumpfən] *v* 1. *(eingehen)* shrink; 2. *(fig: vermindern)* decline, shrink, dwindle

Schub [ʃuːp] *m* 1. shove, push; 2. *(Schubkraft)* PHYS thrust

Schubfach [ˈʃuːpfax] *n* drawer

Schubkarre [ˈʃuːpkarə] *f* wheelbarrow

Schublade [ˈʃuːplaːdə] *f* drawer

Schubs [ʃups] *m* push, shove

schubsen [ˈʃupsən] *v* push, shove

schüchtern [ˈʃʏçtərn] *adj* shy, timid

Schüchternheit [ˈʃʏçtərnhaɪt] *f* shyness, timidity

Schuft [ʃuft] *m* scoundrel, rascal, rogue

Schuh [ʃuː] *m* shoe; *jdm etw in die ~e schieben* blame s.o. for sth; *sich die ~e nach etw ablaufen* look for sth high and low; *Umgekehrt wird ein ~ draus!* It's exactly the other way round! *Da zieht es einem ja die ~e aus!* That's unbearable!

Schuhcreme [ˈʃuːkreːm] *f* shoe polish

Schuhgeschäft [ˈʃuːgəʃɛft] *n* shoe-shop

Schuhlöffel [ˈʃuːlœfəl] *m* shoehorn

Schuhmacher [ˈʃuːmaxər] *m* shoemaker, cobbler

Schuhsohle [ˈʃuːzoːlə] *f* sole

Schulaufgaben [ˈʃuːlaufgaːbən] *pl* homework

Schulbank [ˈʃuːlbaŋk] *f* school desk; *die ~ drücken* to be in school

Schulbildung [ˈʃuːlbɪlduŋ] *f* schooling, education

Schulbus [ˈʃuːlbus] *m* school bus

schuld [ʃult] *adj ~ sein* to be to blame; *Du bist daran ~.* You are to blame for that.

Schuld [ʃult] *f* 1. guilt; *jdm die ~ geben* put the blame on s.o.; *die ~ an etw tragen* be to blame for sth; 2. *(Geldschuld)* debt; 3. *tief in jds ~ stehen* to be greatly indebted to s.o.; *an etw ~ haben* to be to blame for sth

schulden [ˈʃuldən] *v* owe

Schulden [ˈʃuldən] *pl* ECO debts, liabilities

Schuldgefühl [ˈʃultgəfyːl] *n* feeling of guilt

schuldig [ˈʃuldɪç] *adj* 1. *(Geld)* ECO due, owing; 2. JUR guilty

schuldlos [ˈʃultloːs] *adj* 1. innocent, guiltless; *adv* 2. innocently, guiltlessly

Schuldner [ˈʃultnər] *m* ECO debtor, party liable

Schuldspruch [ˈʃultʃprux] *m* JUR conviction

Schule [ˈʃuːlə] *f* school; *die ~ schwänzen* play truant; *aus der ~ plaudern* give away information; *~ machen* become the accepted thing

Schüler(in) [ˈʃyːlər(ɪn)] *m/f* 1. pupil, schoolboy/schoolgirl; 2. *(einer Oberschule)* student; 3. *(Jünger)* disciple

Schulferien [ˈʃuːlfeːrjən] *pl* school holidays *(UK)*, vacation *(from school)* *(US)*

Schulhof [ˈʃuːlhoːf] *m* school playground, schoolyard *(US)*

Schulkamerad [ˈʃuːlkaməraːt] *m* schoolmate

Schulklasse [ˈʃuːlklasə] *f* class, form *(UK)*, grade *(US)*

Schulmedizin [ˈʃuːlmeditsiːn] *f* MED orthodox medicine

schulpflichtig [ˈʃuːlpflɪçtɪç] *adj* of school age

Schulranzen [ˈʃuːlrantsən] *m* satchel

Schulstunde [ˈʃuːlʃtundə] *f* lesson

Schultasche [ˈʃuːltaʃə] *f* schoolbag

Schulter [ˈʃultər] *f* shoulder; *jdm die kalte ~ zeigen* give s.o. the cold shoulder; *etw auf die leichte ~ nehmen* not take sth seriously; *etw auf seine ~n nehmen* take responsibility for sth

Schulung [ˈʃuːluŋ] *f* schooling, training

Schulwesen [ˈʃuːlveːzən] *n* education, educational system

Schulzeit [ˈʃuːltsaɪt] *f* school days

Schulzeugnis [ˈʃuːltsɔyknɪs] *n* school-report *(UK)*, report card *(US)*

schummeln [ˈʃuməln] *v* cheat

Schund [ʃunt] *m* trash, junk, rubbish

Schundroman [ˈʃuntromaːn] *m* trashy novel, pulp novel

schunkeln [ˈʃuŋkəln] *v* link arms and sway

Schuppe [ˈʃupə] *f* 1. *(Haarschuppe)* dandruff; 2. *(Fischschuppe)* ZOOL scale; 3. *Es fiel ihm wie ~n von den Augen. (fig)* Suddenly he saw the light.

Schuppen [ˈʃupən] *m* *(Gebäude)* shed

Schüreisen [ˈʃyːraɪzən] *n* poker

schüren [ˈʃyːrən] *v* 1. *(das Feuer ~)* poke; 2. *(fig: einen Streit ~)* fan, instigate

schürfen ['ʃyrfən] v 1. MIN prospect; 2. (fig) dig; 3. (etw ~) MIN mine; 4. sich ~ graze o.s.; sich am Knie ~ skin one's knee

Schurke ['ʃʊrkə] m scoundrel, rogue

Schürze ['ʃyrtsə] f apron

Schürzenjäger ['ʃyrtsənjɛːgər] m (fam) skirt-chaser, womanizer, philanderer

Schuss [ʃʊs] m shot; weitab vom ~ at the back of beyond, in the middle of nowhere; ein ~ in den Ofen sein to be a complete waste of time; ein ~ ins Schwarze a bullseye; etw in ~ bringen knock sth into shape; einen ~ haben to be crackers

Schüssel ['ʃʏsəl] f bowl, dish

schusselig ['ʃʊsəlɪç] adj (zerstreut) scatter-brained

Schusslinie ['ʃʊsliːnjə] f (fig) line of fire, firing line

Schusswaffe ['ʃʊsvafə] f firearm

Schuster ['ʃuːstər] m shoemaker, cobbler; auf ~s Rappen on foot, on shank's pony

Schutt [ʃʊt] m 1. rubbish, refuse, trash; 2. (Trümmer) rubble, debris; in ~ und Asche liegen to be in ruins

Schüttelfrost ['ʃʏtəlfrɔst] m MED chills pl, shivering attack

schütteln ['ʃʏtəln] v shake

schütten ['ʃʏtən] v pour

Schutz [ʃʊts] m protection, defence; jdn in ~ nehmen stand up for s.o.

Schütze ['ʃʏtsə] m 1. gunman, shooter; 2. (Tierkreiszeichen) Sagittarius

schützen ['ʃʏtsən] v protect, defend

Schutzengel ['ʃʊtsɛŋəl] m guardian angel

Schutzhaft ['ʃʊtshaft] f JUR protective custody

Schutzimpfung ['ʃʊtsɪmpfʊŋ] f MED vaccination, preventive inoculation

Schützling ['ʃʏtslɪŋ] m protégé, charge

schutzlos ['ʃʊtsloːs] adj defenceless, unprotected, helpless

Schutzpatron ['ʃʊtspatroːn] m REL patron saint

Schutzschicht ['ʃʊtsʃɪçt] f protective layer, protective coating

Schwabe ['ʃvaːbə] m Swabian

schwäbisch ['ʃvɛːbɪʃ] adj Swabian

schwach [ʃvax] adj weak, feeble, frail, (Gesundheit, Gedächtnis) poor

Schwäche ['ʃvɛçə] f weakness, feebleness, faintness

schwächlich ['ʃvɛçlɪç] adj frail, feeble, sickly

Schwächling ['ʃvɛçlɪŋ] m weakling

Schwachsinn ['ʃvaxzɪn] m 1. (fig) rubbish (UK), nonsense, idiocy; 2. MED feeble-mindedness

schwachsinnig ['ʃvaxzɪnɪç] adj 1. MED feeble-minded; 2. (fig) idiotic

Schwachstelle ['ʃvaxʃtɛlə] f weak spot, weak point

Schwager/Schwägerin ['ʃvaːgər/ʃvɛːgərɪn] m/f brother-in-law/sister-in-law

Schwalbe ['ʃvalbə] f ZOOL swallow

Schwall [ʃval] m flood, surge

Schwamm [ʃvam] m sponge; ~ drüber! Forget it!

schwammig ['ʃvamɪç] adj 1. (schwammartig) spongy; 2. (vom Schwamm befallen) mildewed; 3. (aufgedunsen) puffy, bloated; 4. (vage) fuzzy, woolly

Schwan [ʃvaːn] m ZOOL swan; Mein lieber ~! My goodness!

schwanger ['ʃvaŋər] adj pregnant

schwängern ['ʃvɛŋərn] v (fam) jdn ~ get s.o. pregnant

Schwangerschaft ['ʃvaŋərʃaft] f pregnancy

Schwangerschaftsabbruch ['ʃvaŋərʃaftsapbrux] m MED abortion, termination of pregnancy

schwanken ['ʃvaŋkən] v 1. (taumeln) sway, waver, stagger; 2. (abweichen) fluctuate; 3. (fig: zaudern) hesitate, waver, falter

Schwankung ['ʃvaŋkʊŋ] f (Abweichung) fluctuation, variation

Schwanz [ʃvants] m 1. tail; kein ~ (fam) not a soul; jdn auf den ~ treten step on s.o.'s toes; den ~ einziehen put one's tail between one's legs; 2. (fam: Penis) penis

schwänzen ['ʃvɛntsən] v (fam) cut school, play truant, (fam) play hooky (US)

Schwarm [ʃvarm] m 1. (Menschenschwarm) crowd; 2. (Vogelschwarm) flock; 3. (Bienenschwarm) swarm; 4. (Fischschwarm) shoal, school; 5. (fig: Angebeteter) idol, hero

schwärmen ['ʃvɛrmən] v (fig) für jdn ~ adore s.o., worship s.o., to be smitten with s.o.

Schwarte ['ʃvartə] f 1. (Haut) skin; 2. (Buch) old tome; 3. (Speckschwarte) rind of bacon

schwarz [ʃvarts] adj black; ~ auf weiß in black and white; sich ~ ärgern to be fuming mad; ~ sehen (fig) to be pessimistic; Du kannst warten, bis du ~ wirst! You can wait until the cows come home!

Schwarz [ʃvarts] n ins ~e treffen hit the mark

Schwarzarbeit ['ʃvartsarbaɪt] f illicit work, (fam) moonlighting

Schwarzbrot ['ʃvartsbroːt] *n GAST* brown bread

Schwarze(r) ['ʃvartsə(r)] *m/f* black person

Schwarzfahrer ['ʃvartsfaːrər] *m* fare dodger, s.o. who rides without paying

Schwarzmarkt ['ʃvartsmarkt] *m* black market

Schwarzweißfilm [ʃvarts'vaɪsfɪlm] *m CINE* black and white film

schwatzen ['ʃvatsən] *v 1. (klatschen)* gossip; *2. (plaudern)* chat; *3. (plappern)* prattle

schweben ['ʃveːbən] *v 1.* to be suspended, hang, hover; *2. (fig)* glide, sail, to be floating

Schwefel ['ʃveːfəl] *m CHEM* sulphur

schwefelhaltig ['ʃveːfəlhaltɪç] *adj CHEM* sulphurous

Schweif [ʃvaɪf] *m* tail

Schweigeminute ['ʃvaɪgəminuːtə] *f* moment of silence; *eine ~ einlegen* observe a moment of silence

schweigen ['ʃvaɪgən] *v irr* to be silent, keep silent; *ganz zu ~ von ...* to say nothing of ...; *~ wie ein Grab* keep really quiet

Schweigen ['ʃvaɪgən] *n* silence; *jdn zum ~ bringen* shut s.o.'s mouth; *sich in ~ hüllen* to be silent

Schweigepflicht ['ʃvaɪgəpflɪçt] *f* confidentiality

schweigsam ['ʃvaɪkzaːm] *adj 1.* silent; *2. (wortkarg)* taciturn

Schwein [ʃvaɪn] *n 1. ZOOL* pig, swine; *kein ~ (fig)* not a soul; *2. (Fleisch) GAST* pork

Schweinerei [ʃvaɪnə'raɪ] *f 1.* mess, filth; *2. (Zote)* obscenity; *3. (Gemeinheit)* vile deed

Schweinestall ['ʃvaɪnəʃtal] *m* pigsty

Schweiß [ʃvaɪs] *m* sweat, perspiration; *im ~e meines Angesichts* by the sweat of my brow

schweißen ['ʃvaɪsən] *v TECH* weld

Schweißer ['ʃvaɪsər] *m TECH* welder

Schweiz [ʃvaɪts] *f die ~ GEO* Switzerland

Schweizer(in) ['ʃvaɪtsər(ɪn)] *m/f* Swiss

schwelgen ['ʃvɛlgən] *v ~ in* revel in, wallow in

Schwelle ['ʃvɛlə] *f 1. (Eisenbahnschwelle)* sleeper; *2. (Übergang)* threshold

schwellen ['ʃvɛlən] *v irr* swell

Schwellung ['ʃvɛluŋ] *f MED* swelling

schwenken ['ʃvɛŋkən] *v 1.* swing, *(Hut)* wave; *2. CINE* pan

Schwenkung ['ʃvɛŋkuŋ] *f 1.* turn, swing; *2. (Meinungsänderung)* change of heart

schwer [ʃveːr] *adj 1.* heavy; *2. (schwierig)* difficult, hard, tough; *~ verständlich* hard to

understand; *3. (ernst)* grave, serious, severe; *~e Verluste* heavy losses; *~ wiegend* serious, grave; *adv 4. (schwierig)* with difficulty; *~ erziehbar* difficult; *es jdm ~ machen* make sth difficult for s.o.; *~ verdaulich* indigestible, difficult to digest, hard to digest; *5. (mühsam)* with great effort; *6. (ernst)* seriously, severely; *~ behindert* severely handicapped, disabled; *~ beschädigt* badly damaged, severely disabled; *~ krank* seriously ill; *~ verletzt* severely wounded, severely injured

Schwerarbeit ['ʃveːrarbaɪt] *f* heavy work

Schwerbehinderte(r) ['ʃveːrbəhindərtə(r)] *m/f* handicapped person

Schwere ['ʃveːrə] *f (fig)* seriousness

schwerelos ['ʃveːrəloːs] *adj* weightless

Schwerelosigkeit ['ʃveːrəloːzɪçkaɪt] *f* weightlessness

schwerfällig ['ʃveːrfɛlɪç] *adj* ponderous, cumbersome

Schwerfälligkeit ['ʃveːrfɛlɪçkaɪt] *f* ponderousness, cumbersomeness, clumsiness, heaviness, dullness

schwerhörig ['ʃveːrhøːrɪç] *adj MED* hard of hearing

Schwerhörigkeit ['ʃveːrhøːrɪçkaɪt] *f* impaired hearing

Schwerindustrie ['ʃveːrɪndustriː] *f* heavy industry

Schwerkraft ['ʃveːrkraft] *f PHYS* gravity, gravitational force

Schwermetall ['ʃveːrmetal] *n MET* heavy metal

Schwermut ['ʃveːrmuːt] *f* melancholy

schwermütig ['ʃveːrmyːtɪç] *adj* melancholy

Schwerpunkt ['ʃveːrpuŋkt] *m 1. (Nachdruck)* emphasis, focus; *2.* centre of gravity; *3. (fig: Zentrum)* focal point

Schwert ['ʃveːrt] *n* sword

Schwertfisch ['ʃveːrtfɪʃ] *m ZOOL* swordfish

Schwerverbrecher ['ʃveːrfɛrbreçər] *m* felon, s.o. who commits a serious crime, dangerous criminal

Schwerverletzte(r) ['ʃveːrfɛrletstə(r)] *m/f* severely wounded person, severely injured person

Schwester ['ʃvestər] *f 1.* sister; *2. (Krankenschwester)* nurse

schwesterlich ['ʃvestərlɪç] *adj* sisterly

Schwiegereltern ['ʃviːgərɛltərn] *pl* in-laws (fam), parents-in-law

Schwiegermutter [ˈʃviːgərmutər] f mother-in-law

Schwiegersohn [ˈʃviːgərzoːn] m son-in-law

Schwiegertochter [ˈʃviːgərtɔxtər] f daughter-in-law

Schwiegervater [ˈʃviːgərfaːtər] m father-in-law

schwierig [ˈʃviːrɪç] adj difficult, hard, tough, complicated

Schwierigkeit [ˈʃviːrɪçkaɪt] f difficulty; in ~en geraten get into trouble

Schwierigkeitsgrad [ˈʃviːrɪçkaɪtsgraːt] m degree of difficulty, level of difficulty

Schwimmbad [ˈʃvɪmbaːt] n swimming pool

schwimmen [ˈʃvɪmən] v irr 1. swim; 2. (Sachen) float, drift

Schwimmen [ˈʃvɪmən] n SPORT swimming; ins ~ kommen get out of one's depth

Schwimmweste [ˈʃvɪmvɛstə] f life jacket, life vest

Schwindel [ˈʃvɪndəl] m 1. (Betrug) swindle, fraud, cheat; 2. MED dizziness, vertigo; 3. ~ erregend causing dizziness

Schwindelanfall [ˈʃvɪndəlanfal] m dizzy spell

schwindelfrei [ˈʃvɪndəlfraɪ] adj not liable to dizziness, not afraid of heights

Schwindelgefühl [ˈʃvɪndəlgəfyːl] n dizziness, giddiness

schwindeln [ˈʃvɪndəln] v 1. (lügen) lie, fib; 2. (betrügen) cheat, swindle

schwinden [ˈʃvɪndən] v irr 1. dwindle; 2. (schrumpfen) shrink; 3. (ganz vergehen) disappear, fade away

Schwindler [ˈʃvɪndlər] m swindler, con man; liar

schwindlig [ˈʃvɪndlɪç] adj dizzy, giddy; Mir wird ~. I feel giddy.

schwingen [ˈʃvɪŋən] v irr 1. swing; 2. (vibrieren) vibrate

Schwingung [ˈʃvɪŋuŋ] f PHYS vibration, oscillation, pulsation

Schwips [ˈʃvɪps] m tipsiness; einen ~ haben feel tipsy

schwirren [ˈʃvɪrən] v 1. whir, hum; 2. (Mücken) buzz

schwitzen [ˈʃvɪtsən] v sweat, perspire

schwören [ˈʃvøːrən] v irr 1. swear; 2. JUR take the bath

schwul [ʃvuːl] adj (fam) gay

schwül [ʃvyːl] adj 1. sultry, close, stifling; 2. (heiß) sweltering

schwülstig [ˈʃvylstɪç] adj bombastic, pompous

Schwund [ʃvunt] m 1. dwindling, fading, decrease; 2. (Schrumpfen) shrinkage

Schwung [ʃvuŋ] m 1. sweep, swing; etw in ~ bringen get sth going; in ~ kommen get going; in ~ sein to be in full swing; 2. (fig: Tatkraft) impetus, verve, élan

schwungvoll [ˈʃvuŋfɔl] adj 1. energetic, spirited, full of enthusiasm; adv 2. energetically, enthusiastically

Schwur [ʃvuːr] m oath

Schwurgericht [ˈʃvuːrgərɪçt] n JUR jury

sechs [zɛks] num six

sechseckig [ˈzɛksɛkɪç] adj hexagonal

See [zeː] m 1. lake; f 2. sea, ocean; in ~ stechen put to sea; zur ~ fahren to be a sailor

Seehund [ˈzeːhunt] m ZOOL seal

Seeigel [ˈzeːiːgəl] m ZOOL sea-urchin

seekrank [ˈzeːkraŋk] adj seasick

Seelachs [ˈzeːlaks] m ZOOL pollack

Seele [ˈzeːlə] f soul; sich etwas von der ~ reden get sth off one's chest; sich die ~ aus dem Leib reden talk one's head off; jdm auf der ~ brennen weigh heavily on one's mind; jdm aus der ~ sprechen take the words out of s.o's mouth; eine ~ von einem Menschen a good soul; aus tiefster ~, mit ganzer ~ wholeheartedly

Seelenruhe [ˈzeːlənruːə] f peace of mind, composure; eine ~ haben to be as calm as can be

seelenruhig [ˈzeːlənruːɪç] adv calmly

seelisch [ˈzeːlɪʃ] adj psychic, spiritual, mental

Seelsorger [ˈzeːlzɔrgər] m REL pastor

Seemann [ˈzeːman] m seaman, sailor

Seemannsgarn [ˈzeːmansgarn] n sailor's yarn

Seemeile [ˈzeːmaɪlə] f NAUT nautical mile

Seenot [ˈzeːnoːt] f distress

Seepferdchen [ˈzeːpfɛrtçən] n ZOOL sea-horse

Seeräuber [ˈzeːrɔybər] m pirate

Seereise [ˈzeːraɪzə] f sea voyage, ocean voyage, sea cruise

Seerose [ˈzeːroːzə] f BOT water lily

Seestern [ˈzeːʃtern] m ZOOL starfish

seetüchtig [ˈzeːtyçtɪç] adj seaworthy

Seezunge [ˈzeːtsuŋə] f GAST sole

Segel [ˈzeːgəl] n sail; mit vollen ~n full speed ahead

Segelboot [ˈzeːgəlboːt] n sailing-boat, sailboat (US)

Segelflug ['ze:gəlflu:k] *m* glider flight, gliding

Segelflugzeug ['ze:gəlflu:ktsɔyk] *n* glider

segeln ['ze:gəln] *v* sail

Segelschiff ['ze:gəlʃɪf] *n* NAUT sailing ship

Segen ['ze:gən] *m* blessing; *jds ~ haben* have s.o.'s blessing; *seinen ~ zu etw geben* give sth one's blessing

Segment [zɛk'mɛnt] *n* segment

segnen ['ze:gnən] *v* bless; *das Zeitliche ~ (fig)* breathe one's last

sehen ['ze:ən] *v irr* 1. see; *Wir ~ uns nächste Woche.* I'll see you next week. *sich ~ lassen können (fig)* to be respectable; *etw nicht mehr ~ können* to be sick of sth; 2. *(hin~)* look

sehenswert ['ze:ənsve:rt] *adj* worth seeing, remarkable

Sehenswürdigkeit ['ze:ənsvyrdɪçkaɪt] *f* thing worth seeing, place of interest, sight

Seher ['ze:ər] *m* seer

Sehhilfe ['ze:hɪlfə] *f* aid to vision

Sehne ['ze:nə] *f* ANAT tendon, sinew

sehnen ['ze:nən] *v sich ~ nach* long for, yearn for, hunger for

Sehnsucht ['ze:nzuçt] *f* yearning, intense longing, desire

sehnsüchtig ['ze:nzyçtɪç] *adj* longing, yearning

sehr [ze:r] *adv* very, very much, a lot; *Es macht ~ viel Spaß.* It's a lot of fun. *zu ~* too much

Sehschwäche ['ze:ʃvɛçə] *f* vision impairment, reduced vision

seicht [zaɪçt] *adj* shallow

Seide ['zaɪdə] *f* silk

seidig ['zaɪdɪç] *adj* silky

Seife ['zaɪfə] *f* soap

Seifenoper ['zaɪfənɔpər] *f* soap opera

Seil [zaɪl] *n* rope, cable; *auf dem ~ tanzen* to be walking a tightrope

Seilbahn ['zaɪlba:n] *f* cable railway

Seiltänzer ['zaɪltɛntsər] *m* tightrope walker, high-wire performer

sein [zaɪn] *v irr* to be, *(bestehen)* exist; *wenn das nicht wäre* were it not for that; *etw ~ lassen* leave sth alone; *Wie dem auch sei ...* Be that as it may ...; *es sei denn, dass ...* unless ...; *Mir ist, als ob ...* I have a feeling that ...; *Mir ist nicht danach.* I don't feel like it. *Sei doch nicht so!* Don't be difficult!

Sein [zaɪn] *n* existence, being

seinesgleichen [zaɪnəs'glaɪçən] *pron* his kind, his like; *Er sucht ~.* He has no equal.

seinetwegen [zaɪnət've:gən] *adv* because of him, for his sake, on his account

seit [zaɪt] *prep* 1. *(Zeitpunkt)* since; *~ 1996* since 1996; 2. *(während)* for; *Ich bin ~ elf Monaten hier.* I have been here for eleven months. *konj* 3. since

seitdem [zaɪt'de:m] *konj* 1. since; *adv* 2. since then, since that time, ever since

Seite ['zaɪtə] *f* 1. side; *etw auf die ~ gelegt haben* have sth saved up for a rainy day; *jdm nicht von der ~ weichen* not move from s.o.'s side; *auf jds ~ stehen* to be on s.o.'s side; *sich von seiner besten ~ zeigen* put one's best foot forward; *jdm zur ~ stehen* stand by s.o.; *etw von der leichten ~ nehmen* not take sth seriously; 2. *(Buchseite)* page; 3. *(fig: Aspekt)* side, aspect, facet

seitens ['zaɪtəns] *prep* on the part of

Seitensprung ['zaɪtənʃpruŋ] *m (fig)* extra-marital affair

seitenverkehrt ['zaɪtənferke:rt] *adj* the wrong way around

seither ['zaɪthe:r] *adv* since, since then

seitlich ['zaɪtlɪç] *adj* 1. side, lateral; *adv* 2. sideways, laterally

seitwärts ['zaɪtvɛ:rts] *adv* side

Sekretär [zekre'tɛ:r] *m* 1. *(Person)* secretary; 2. *(Schreibtisch)* desk, writing table

Sekretärin [zekre'tɛ:rɪn] *f* secretary

Sekretariat [zekreta'rja:t] *n* secretary's office, secretariat (UK)

Sekt [zɛkt] *m* sparkling wine, champagne

Sekte ['zɛktə] *f* REL sect

Sektor ['zɛktɔr] *m* sector, branch

sekundär [zekun'dɛ:r] *adj* secondary

Sekunde [ze'kundə] *f* second; *auf die ~ genau* to the second

Sekundenzeiger [ze'kundəntsaɪgər] *m* second hand

selbst [zɛlpst] *pron* 1. sie *~* she herself; *ich ~* I myself; *Sie ~ (pl)* you yourselves; 2. *(ohne fremde Hilfe)* by o.s.; *Das mache ich lieber ~.* I'd rather do it myself. *von ~* by itself, *(Mensch)* by o.s.; *adv* 3. even; *~ wenn* even if

Selbstachtung ['zɛlpstaxtuŋ] *f* self-respect, self-esteem

selbstständig ['zɛlpʃtɛndɪç] *adj* 1. independent; 2. *sich ~ machen* go into business for o.s.

Selbstständigkeit ['zɛlpʃtɛndɪçkaɪt] *f* independence

Selbstauslöser ['zɛlpstauslø:zər] *m* FOTO delayed action, automatic shutter, self-timer

Selbstbedienung ['zɛlpstbədi:nuŋ] *f* self-service

Selbstbefriedigung ['zɛlpstbəfriːdɪɡuŋ] f masturbation

Selbstbeherrschung ['zɛlpstbəhɛrʃuŋ] f self-control, self-restraint

Selbstbestimmung ['zɛlpstbəʃtɪmuŋ] f self-determination, autonomy

selbstbewusst ['zɛlpstbəvust] adj self-confident, self-assured

Selbstbewusstsein ['zɛlpstbəvustzaɪn] n self-confidence

Selbsterniedrigung ['zɛlpstɛrniːdrɪɡuŋ] f self-abasement

selbstgefällig ['zɛlpstɡəfɛlɪç] adj self-satisfied, complacent, smug

selbstgenügsam ['zɛlpstɡənyːkzaːm] adj self-sufficient

selbstgerecht ['zɛlpstɡərɛçt] adj self-righteous

Selbstgespräch ['zɛlpstɡəʃprɛːç] n monologue; ~ e führen talk to o.s.

selbstherrlich ['zɛlpsthɛrlɪç] adj autocratic

Selbstjustiz ['zɛlpstjustiːts] f vigilantism, taking the law into one's own hands

selbstklebend ['zɛlpstkleːbənt] adj self-adhesive

Selbstkostenpreis ['zɛlpstkɔstənpraɪs] m ECO cost price

Selbstkritik ['zɛlpstkritiːk] f self-criticism

Selbstlaut ['zɛlpstlaut] m LING vowel

selbstlos ['zɛlpstloːs] adj 1. selfless, unselfish, altruistic; adv 2. selflessly, unselfishly, altruistically

Selbstmitleid ['zɛlpstmɪtlaɪt] n self-pity

Selbstmord ['zɛlpstmɔrt] m suicide; ~ begehen commit suicide

Selbstporträt ['zɛlpstpɔrtrɛː] n self-portrait

Selbstschutz ['zɛlpstʃuts] m self-defence

selbstsicher ['zɛlpstzɪçər] adj self-confident, self-assured

Selbstsicherheit ['zɛlpstzɪçərhaɪt] f self-confidence, self-reliance

Selbstsucht ['zɛlpstzuxt] f egoism, selfishness

selbstsüchtig ['zɛlpstzyçtɪç] adj egoistic, selfish

Selbsttäuschung ['zɛlpsttɔyʃuŋ] f self-delusion

Selbstüberschätzung ['zɛlpstyːbərʃɛtsuŋ] f delusions of grandeur, exaggerated opinion of o.s.

selbstverständlich ['zɛlpstfɛrʃtɛntlɪç] adj 1. self-evident, obvious; adv 2. of course, naturally

Selbstverständlichkeit ['zɛlpsfɛrʃtɛntlɪçkaɪt] f eine ~ sein go without saying

Selbstverteidigung ['zɛlpstfɛrtaɪdɪɡuŋ] f self-defence

Selbstvertrauen ['zɛlpstfɛrtrauən] n self-confidence, self-assuredness

Selbstverwirklichung ['zɛlpstfɛrvɪrklɪçuŋ] f self-realization, self-fulfilment

selbstzufrieden ['zɛlpsttsufriːdən] adj self-satisfied

Selbstzweck ['zɛlpsttsvɛk] m end in itself; als ~ for its own sake

Selektion [zelɛktsjoːn] f selection

selektiv [zelɛktiːf] adj selective

selig ['zeːlɪç] adj 1. blissful, happy; 2. REL blessed; ~ sprechen beatify; Gott hab ihn ~ God rest his soul

Seligkeit ['zeːlɪçkaɪt] f 1. bliss, blissfulness, happiness; 2. REL salvation, eternal bliss, beatitude

selten ['zɛltən] adj 1. rare; adv 2. rarely, seldom

Seltenheit ['zɛltənhaɪt] f rarity, rareness; Das ist keine ~. That's not uncommon.

seltsam ['zɛltzaːm] adj strange, odd, peculiar

Semester [zeˈmɛstər] n semester, term

Semesterferien [zeˈmɛstərfeːrjən] pl holidays, vacation

Seminar [zemiˈnaːr] n seminar

Semmel ['zɛməl] f roll

Semmelbrösel ['zɛməlbrøːzəl] pl GAST breadcrumbs

Senat [zeˈnaːt] m POL senate

Senator [zeˈnaːtɔr] m POL senator

Sendebereich ['zɛndəbəraɪç] m (Radio/TV) transmitter range, listening area/viewing area

senden ['zɛndən] v irr 1. (Brief) send; 2. (Radio/TV) transmit, broadcast

Sender ['zɛndər] m 1. (Radio/TV) station, channel, programme; 2. (Gerät zum Senden) transmitter

Sendereihe ['zɛndəraɪə] f (Radio/TV) series

Sendeschluss ['zɛndəʃlus] m sign-off time

Sendezeit ['zɛndətsaɪt] f broadcasting time, programme time, time slot

Sendung ['zɛnduŋ] f 1. (Versand) shipment, consignment; 2. (eines Programms) broadcasting; 3. (Programm) programme

Senf [zɛnf] m mustard; seinen ~ dazugeben stick an oar in, put in one's two cents' worth (US)

senil [zeˈniːl] adj senile

Senior ['zeːnjɔr] *m* senior
Seniorenheim [zen'joːrənhaɪm] *n* senior citizens' home
senken ['zɛŋkən] *v* 1. lower, let down; 2. *(den Kopf)* bow
senkrecht ['zɛŋkrɛçt] *adj* 1. vertical; 2. *MATH* perpendicular
Sensation [zenza'tsjoːn] *f* sensation
sensationell [zenzatsjo'nɛl] *adj* sensational
Sensationsmeldung [zenza'tsjoːnsmɛldʊŋ] *f* sensational account
Sensationspresse [zenza'tsjoːnspresə] *f* yellow press, tabloid press
sensibel [zen'ziːbəl] *adj* sensitive
Sensibilität [zenzibili'tɛːt] *f* sensitivity
Sensor ['zɛnzɔr] *m TECH* sensor, detector
sentimental [zɛntimɛn'taːl] *adj* sentimental
Sentimentalität [zɛntimɛntali'tɛːt] *f* sentimentality
separat [zepa'raːt] *adj* 1. separate; *adv* 2. separately
Separatismus [zepara'tɪsmus] *m POL* separatism
Separee [zepa'reː] *n* 1. *(Nische)* private booth; 2. *(Zimmer)* private room
September [zɛp'tɛmbər] *m* September
Sequenz [ze'kvɛnts] *f* sequence
Serie ['zeːrjə] *f* series
seriell [zeː'rjɛl] *adj INFORM* serial
Serienanfertigung ['zeːrjənanfertɪgʊŋ] *f ECO* serial production
serienmäßig ['zeːrjənmɛːsɪç] *adj* 1. serial; *adv* 2. in series
seriös [zeː'rjøːs] *adj* 1. serious; 2. *(anständig)* respectable; 3. *(Firma)* reliable
Serum ['zeːrum] *n BIO* serum
Service ['zœrvɪs] *m* 1. *(Kundendienst)* service; [zɛr'viːs] *n* 2. *(Geschirr)* service, set
servieren [zɛr'viːrən] *v* 1. serve; 2. *(aufwarten)* wait on
Servierwagen [zɛr'viːrvaːgən] *m* cart
Serviette [zɛr'vjɛtə] *f* napkin
Sesam ['zeːzam] *m BOT* sesame
Sessel ['zɛsəl] *m* armchair
Sessellift ['zɛsəllɪft] *m* chair-lift
sesshaft ['zɛshaft] *adj* settled, established, sedentary
setzen ['zɛtsən] *v* 1. put, place; *sich eine Mütze auf den Kopf ~* put on a hat; *seine Hoffnung auf etw ~* place one's hopes on sth; *Gleich setzt es was!* You'll get a good hiding in a minute! 2. *(festlegen)* set; 3. *(wetten) auf etw ~*

bet on sth; 4. *(Text)* typeset, compose; 5. *sich ~* sit down, take a seat, to be seated; *Setzen Sie sich!* Take a seat!
Setzer ['zɛtsər] *m* typesetter, compositor
Setzling ['zɛtslɪŋ] *m BOT* seedling, sapling
Seuche ['zɔyçə] *f MED* epidemic
seufzen ['zɔyftsən] *v* 1. sigh; 2. *(stöhnen)* groan
Seufzer ['zɔyftsər] *m* sigh, moan, groan
Sex [zɛks] *m* sex
sexistisch [zɛ'ksɪstɪʃ] *adj* sexist
Sexualdelikt [zɛksu'aːldelɪkt] *n JUR* sexual offence (UK), sexual offense (US)
Sexualität [zɛksuali'tɛːt] *f* sexuality
sexuell [zɛksu'ɛl] *adj* 1. sexual; *adv* 2. sexually
sexy ['zɛksi] *adj (fam)* sexy
Seychellen [ze'ʃɛlən] *pl GEO* Seychelles
sezieren [ze'tsiːrən] *v MED* dissect
Shorts [ʃɔːrts] *pl* shorts *pl*
Show [ʃəʊ] *f* show
Sibirien [zi'biːrjən] *n GEO* Siberia
sibirisch [zi'biːrɪʃ] *adj* Siberian
sich [zɪç] *pron* 1. oneself/himself/herself/itself/yourself/yourselves/themselves; *zu ~ kommen* regain consciousness; *Das ist eine Sache für ~.* That's another story. 2. *(einander)* each other; *Sie kennen ~ seit Jahren.* They've known each other for years.
Sichel ['zɪçəl] *f* 1. sickle; 2. *(Mondsichel)* crescent
sicher ['zɪçər] *adj* 1. certain, sure; *Das ist ~.* That's for certain. 2. *(gefahrlos)* safe, secure; *adv* 3. *(zweifellos)* certainly; 4. *(gefahrlos)* safely, securely
sichergehen ['zɪçərgeːən] *v irr* make sure, to be on the safe side
Sicherheit ['zɪçərhaɪt] *f* 1. *(Gewissheit)* certainty; *mit ~* certainly; 2. *(Schutz)* safety, security; *sich in ~ wiegen* have a (false) sense of security; 3. *(Gewähr)* ECO collateral, security
Sicherheitsgurt ['zɪçərhaɪtsgurt] *m* safety belt, seat belt
Sicherheitskopie ['zɪçərhaɪtskopiː] *f INFORM* backup copy
Sicherheitsnadel ['zɪçərhaɪtsnaːdəl] *f* safety pin
Sicherheitsschloss ['zɪçərhaɪtsʃlɔs] *n* safety-lock
sicherlich ['zɪçərlɪç] *adv* surely, certainly
sichern ['zɪçərn] *v* secure, guarantee
sicherstellen ['zɪçərʃtɛlən] *v* 1. *(sichern)* secure, safeguard; 2. *(garantieren)* ensure; 3. *(beschlagnahmen)* confiscate, seize

Sicherung ['zıçərʊŋ] *f 1. (Sichern)* securing, safeguarding; *2. (Schmelzsicherung)* TECH fuse, cut-out; *Bei ihm ist die ~ durchgebrannt.* He blew a fuse. *3. (Vorrichtung)* TECH safety device; *4. (an einer Schusswaffe)* safety catch

Sicherungskasten ['zıçərʊŋskastən] *m* fuse box

Sicht [zıçt] *f* sight, *(Sehweite)* range of vision; *auf lange ~* in the long run

sichtbar ['zıçtbaːr] *adj 1.* visible; *2. (offenbar)* evident

sichten ['zıçtən] *v 1. (erblicken)* see; *2. (prüfen)* inspect, review

Sichtung ['zıçtʊŋ] *f 1. (Erblicken)* sighting; *2. (Überprüfung)* inspection, review

Sichtverhältnisse ['zıçtfɛrhɛltnısə] *pl* visibility

sickern ['zıkərn] *v* seep, ooze, leak

sie [ziː] *pron 1. (feminin)* she; *(Akkusativ)* her; *2. (Sache)* it; *3. (Plural)* they; *(Akkusativ Plural)* them

Sie [ziː] *pron 1. (Singular)* you; *2. (Plural)* you

Sieb [ziːp] *n* sieve, strainer; *ein Gedächtnis wie ein ~* (fig) a memory like a sieve

sieben[1] ['ziːbən] *v* sift, strain, screen

sieben[2] ['ziːbən] *num* seven

siechen ['ziːçən] *v* waste away, languish, vegetate

siedeln ['ziːdəln] *v* settle

sieden ['ziːdən] *v irr* boil, simmer

Siedepunkt ['ziːdəpʊŋkt] *m* boiling point

Siedler ['ziːdlər] *m* settler, colonist

Siedlung ['ziːdlʊŋ] *f* settlement, colony

Sieg [ziːk] *m* victory, win

Siegel ['ziːgəl] *n* seal

siegen ['ziːgən] *v* win

Sieger ['ziːgər] *m* winner

Siegerehrung ['ziːgəreːrʊŋ] *f* victory ceremony

siegreich ['ziːkraıç] *adj* victorious, triumphant

siezen ['ziːtsən] *v jdn* ~ call a person "Sie", use the formal form of address to s.o.

Signal [zıg'naːl] *n* signal

signalisieren [zıgnali'ziːrən] *v* signal

Silbe ['zılbə] *f* syllable

Silbentrennung ['zılbəntrɛnʊŋ] *f* hyphenation

Silber ['zılbər] *n* silver

Silberblick ['zılbərblık] *m (fam)* squint

Silberhochzeit ['zılbərhɔçtsaıt] *f* silver wedding anniversary

Silbermedaille ['zılbərmedaljə] *f* SPORT silver medal

silbern ['zılbərn] *adj* silver

Silhouette [zilu'ɛtə] *f* silhouette

Silikon [zili'koːn] *n* CHEM silicone

Silizium [zi'liːtsjʊm] *n* CHEM silicon

Silo ['ziːlo] *m/n* silo

Silvester [zıl'vɛstər] *n* New Year's Eve

simpel ['zımpəl] *adj* simple, plain

simplifizieren [zımplifi'tsiːrən] *v* simplify

Sims [zıms] *n* ledge, shelf

Simulant [zimu'lant] *m* malingerer

Simulation [zimula'tsjoːn] *f* simulation

simulieren [zimu'liːrən] *v* simulate, feign

simultan [zimul'taːn] *adj* simultaneous

Sinfonie [zınfo'niː] *f* MUS symphony

Singapur ['zıŋapuːr] *n* GEO Singapore

singen ['zıŋən] *v irr* sing

Single ['sıŋgl] *f 1. (Tonträger)* single; *m 2. (alleinlebende Person)* single

Singular ['zıŋgulaːr] *m* GRAMM singular

singulär [zıŋgu'lɛːr] *adj* singular

sinken ['zıŋkən] *v irr 1.* sink, drop; *2. (Preise)* fall, drop, go down; *3. (Schiff)* NAUT sink; *4. (fig)* come down

Sinn [zın] *m 1. (Bedeutung)* sense, meaning, significance; *im übertragenen ~* in the figurative sense; *Das ergibt keinen ~.* That makes no sense. *2. (Zweck)* point, purpose; *3. (Empfinden)* sense; *der sechste ~* the sixth sense; *Er hat seine fünf ~e nicht mehr beisammen.* He's not all there. *Er ist nicht mehr Herr seiner ~e* sein have lost one's self-control; *Das geht mir nicht mehr aus dem ~.* I can't stop thinking about it. *Es kam mir in den ~.* It occurred to me. *Das ist nicht im ~e des Erfinders.* That's not quite what was intended. *Er benahm sich wie von ~en.* He behaved as if he were out of his mind. *Danach steht mir nicht der ~.* That's not what I'm after. *sich etw aus dem ~ schlagen* get sth out of one's mind; *etw im ~ haben* have sth in mind; *4. (Empfänglichkeit)* feeling, sense

Sinnbild ['zınbılt] *n* symbol, emblem

sinnbildlich ['zınbıltlıç] *adj 1.* symbolic; *adv 2.* symbolically

Sinnesänderung ['zınəsɛndərʊŋ] *f* change of mind, change of heart *(fam)*

Sinneseindruck ['zınəsaındruk] *m* sensation

Sinnesorgan ['zınəsɔrgaːn] *n* BIO sensory organ

Sinnestäuschung ['zınəstɔyʃʊŋ] *f* hallucination

sinngemäß ['zıngəmɛːs] *adv etw ~ wiedergeben* give the gist of sth

sinnieren [zi'niːrən] *v* brood, ruminate

sinnig ['zɪnɪç] *adj* smart, clever, brilliant
sinnlich ['zɪnlɪç] *adj 1.* sensuous; *2. (erotisch)* sensual
Sinnlichkeit ['zɪnlɪçkaɪt] *f 1.* sensuousness; *2. (Erotik)* sensuality
sinnlos ['zɪnloːs] *adj* senseless, pointless, futile
Sinnlosigkeit ['zɪnloːzɪçkaɪt] *f* senselessness, pointlessness
sinnvoll ['zɪnfɔl] *adj 1. (vernünftig)* sensible; *2. (Satz)* meaningful; *3. (nützlich)* useful
Sintflut ['zɪntfluːt] *f REL* deluge
Sinus ['ziːnus] *m MATH* sine
Sippe ['zɪpə] *f* clan, tribe
Sippschaft ['zɪpʃaft] *f 1. (Verwandschaft)* relations *pl; 2. (Bande)* gang
Sirene [zi're:nə] *f* siren
Sirup ['ziːrup] *m* syrup
Sitte ['zɪtə] *f 1. (Brauch)* custom, habit; *2. (Sittlichkeit)* morals *pl,* morality
Sittenverfall ['zɪtənferfal] *m* moral decay, degeneracy
sittenwidrig ['zɪtənviːdrɪç] *adj* unethical, immoral
Sittich ['zɪtɪç] *m ZOOL* parakeet
sittlich ['zɪtlɪç] *adj* moral, ethical
Sittlichkeit ['zɪtlɪçkaɪt] *f* morality
sittsam ['zɪtzaːm] *adj 1.* modest, demure, well-behaved; *adv 2.* modestly, demurely
Situation [zɪtua'tsjoːn] *f* situation, position
Situationskomik [zɪtua'tsjoːnskoːmɪk] *f* funniness of a specific situation, comedy of a situation
situiert [zitu'iːrt] *adj* situated, located
Sitz [zɪts] *m 1. (Platz)* seat, chair, place to sit; *2. (Wohnsitz)* residence; *3. (Firmensitz) ECO* headquarters; *mit ~ in Schweinfurt* headquartered in Schweinfurt, based in Schweinfurt
sitzen ['zɪtsən] *v irr 1.* sit, to be seated; *einen ~ haben* have had one drink too many; *2. (fam: im Gefängnis ~)* serve time, do time; *3. (Hieb)* to be on the mark, to be on target; *Das hat gesessen!* That hit home! *4. ~ bleiben (in der Schule)* fail a year at school, have to repeat a year, to be held back a year; *5. jdn ~ lassen* stand s.o. up; *(fig)* leave s.o. in the lurch; *eine Beleidigung nicht auf sich ~ lassen* not stand for an insult
Sitzplatz ['zɪtsplats] *m* seat
Sitzstreik ['zɪtsʃtraɪk] *m* sit-down strike
Sitzung ['zɪtsuŋ] *f* session, meeting, sitting, conference
Sizilianer [zitsi'ljaːnər] *m* Sicilian

sizilianisch [zitsi'ljaːnɪʃ] *adj* Sicilian
Sizilien [zi'tsiːljən] *n GEO* Sicily
Skala ['skaːla] *f* scale
Skalpell [skal'pɛl] *n MED* scalpel
skalpieren [skal'piːrən] *v* scalp
Skandal [skan'daːl] *m* scandal
skandalös [skanda'løːs] *adj* scandalous, shocking
Skandinavien [skandi'naːvjən] *n GEO* Scandinavia
Skat [skaːt] *m* skat
Skelett [ske'lɛt] *n ANAT* skeleton
Skepsis ['skɛpsɪs] *f* scepticism, skepticism (US)
Skeptiker ['skɛptɪkər] *m* sceptic, skeptic (US)
skeptisch ['skɛptɪʃ] *adj* sceptical, skeptical (US)
Ski [ʃiː] *m* ski; *~ fahren* ski
Skilaufen ['ʃiːlaufən] *n SPORT* skiing
Skilift ['ʃiːlɪft] *m* ski lift
Skizze ['skɪtsə] *f 1. (Zeichnung)* sketch; *2. (Entwurf)* outline
skizzieren [skɪ'tsiːrən] *v 1.* sketch; *2. (Plan)* sketch out
Sklave ['sklaːvə] *m* slave
Sklavenhandel ['sklaːvənhandəl] *m* slave trade
Sklavin ['sklaːvɪn] *f* slave
Sklaverei [sklaːvə'raɪ] *f* slavery
Skonto ['skɔnto] *n/m ECO* discount
Skorbut [skɔr'buːt] *m MED* scurvy
Skorpion [skɔr'pjoːn] *m ZOOL* scorpion *n; 2. (Tierkreiszeichen)* Scorpio
Skrupel ['skruːpəl] *m* scruple
skrupellos ['skruːpəlloːs] *adj 1.* unscrupulous; *adv 2.* unscrupulously
Skrupellosigkeit ['skruːpəlloːzɪçkaɪt] *f* unscrupulousness
Skulptur [skulp'tuːr] *f ART* sculpture
skurril [sku'riːl] *adj 1.* farcical, ludicrous, weird; *adv 2.* ludicrously, weirdly
Slalom ['slaːlɔm] *m* slalom
Slip [slɪp] *m 1. (Herrenslip)* briefs *pl; 2. (Damenslip)* panties *pl*
Smaragd [sma'rakt] *m MIN* emerald
Smog [smɔk] *m* smog
Smoking ['smoːkɪŋ] *m 1.* dinner-jacket, tuxedo (US); *2. (auf Einladungen)* black tie
snobistisch [sno'bɪstɪʃ] *adj* snobbish
snowboarden ['snoːbɔːdən] *v SPORT* snowboard
so [zoː] *adv 1. (in dieser Weise)* so, like this, in this way; *und ~ weiter* etcetera; *~ oder ~* one

way or another; ~ *viel* so much, as much; *doppelt ~ viel* twice as much; ~ *wie* as much as; ~ *viel ich weiß* as far as I know; ~ *weit* as far as; *Wir sind ~ weit.* We're ready. *Es ist wahrscheinlich besser ~.* It's probably better that way. *Sei doch nicht ~!* Don't be that way! *Weiter ~!* Keep it up! *Mir ist es ~, als ob ...* I feel as if ...; *Na ~ was!* Well, well! What do you know! Gosh! *nicht ~ ganz* not quite; 2. *(dermaßen)* such, so, to such a degree; *So ein Quatsch!* What nonsense! *So ein Pech!* Rotten luck! *um ~ besser* so much the better; ~ *... wie* as ... as; *Es tut mir ~ leid!* I'm so sorry! *ein ~ großes Haus* such a large house; *Es hat ihm ~ gefallen, dass ...* He liked it so much that ...; 3. *(ohnehin)* as it is; 4. *(schätzungsweise)* about, around; *oder ~* or so; ~ *in zwei Stunden* in about two hours; 5. *(wie er sagt)* ~ *Schmidt* according to Schmidt; *konj* 6. *(folglich)* so, therefore, consequently; ~ *dass* so that, such that; 7. *(wenn)* if, provided that; *interj* 8. *(wirklich)* oh, really, is that so; 9. *(abschließend)* well, right, now then; 10. ~ *genannt* as it is called; so-called

sobald [zo'balt] *konj* as soon as, when; ~ *du irgend kannst* as soon as you possibly can

Socke ['zɔkə] *f* sock; *sich auf die ~n machen* get a move on; *von den ~n sein* to be dumbfounded; *Mir qualmen schon die ~n!* My feet are all blisters!

Sockel ['zɔkəl] *m* base, pedestal, mount

Soda ['zo:da] *n GAST* soda

Sodawasser ['zo:davasər] *n* soda water

Sodbrennen ['zo:tbrɛnən] *n* heartburn

Sofa ['zo:fa] *n* sofa

sofern [zo'fɛrn] *konj* if, provided that, in case

sofort [zo'fɔrt] *adv* immediately, at once, straight away

Sofortbildkamera [zo'fɔrtbɪltkaməra] *f* instant camera

Software ['sɔftvɛːr] *f INFORM* software

Sog [zo:k] *m* suction, undertow, wake

sogar [zo'ga:r] *adv* even

sogleich [zo'glaɪç] *adv* immediately, at once, straight away

Sohle ['zo:lə] *f* 1. *(Schuhsohle)* sole; *auf leisen ~n* stealthily; *eine kesse ~ aufs Parkett legen* tear up the dance floor (fam); *sich an jds ~n heften* dog s.o.'s footsteps; 2. *(Fußsohle)* ANAT sole (of the foot); 3. *MIN* level, bottom

Sohn [zo:n] *m* son

Soja ['zo:ja] *f BOT* soybean, soya bean, soya

Sojasoße ['zo:jazo:sə] *f GAST* soy sauce

solange [zo'laŋə] *konj* as long as, so long as

Solarenergie [zo'la:rɛnɛrgi:] *f TECH* solar energy

Solarium [zo'la:rjum] *n* solarium

Solarzelle [zo'la:rtsɛlə] *f TECH* solar cell

solche(r,s) ['zɔlçə(r,s)] *pron* 1. such; *adj* 2. such; ~ *Menschen* such people, people like that

Sold [zɔlt] *m MIL* pay

Soldat [zɔl'da:t] *m* soldier, ~ *werden* join the army

Söldner ['zœldnər] *m* mercenary

Sole ['zo:lə] *f* brine, salt water

solidarisch [zoli'da:rɪʃ] *adj* solidly united; *sich mit jdm ~ fühlen* feel solidarity with s.o.

solidarisieren [zolidari'zi:rən] *v sich* ~ express solidarity, demonstrate solidarity; *sich ~ mit* endorse, back, support

Solidarität [zolidari'tɛːt] *f* solidarity

solide [zo'li:də] *adj* 1. solid, sturdy; 2. *(Firma)* sound; 3. *(anständig)* respectable; *adv* 4. solidly

Solist [zo'lɪst] *m MUS* soloist

Soll [zɔl] *n FIN* debit

sollen ['zɔlən] *v irr* 1. should, to be to; *Sie sagte ihm, er solle nach Hause gehen.* She told him he was to go home. She told him he should go home. *Er hätte aufpassen ~.* He should have paid attention. 2. *(bei Erwartung)* to be supposed to; *Was soll das?* What's the idea? *Was soll das heißen?* What's that supposed to mean? 3. *(eigentlich ~)* ought to

Solo ['zo:lo] *n* solo

Sommer ['zɔmər] *m* summer

Sommersprossen ['zɔmərʃprɔsən] *pl* freckles

Sommerzeit ['zɔmərtsaɪt] *f* 1. summertime; 2. *(Zeitverschiebung während der Sommermonate)* daylight saving time

Sonate [zo'na:tə] *f MUS* sonata

Sonde ['zɔndə] *f TECH* probe

Sonderangebot ['zɔndərangəbo:t] *n* special offer, special bargain

sonderbar ['zɔndərba:r] *adj* 1. strange, peculiar, odd; *adv* 2. strangely, oddly, peculiarly

Sonderling ['zɔndərlɪŋ] *m* eccentric, freak, outsider

Sondermüll ['zɔndərmyl] *m* special (toxic) waste

sondern ['zɔndərn] *konj* but, but rather; *nicht nur ..., ~ auch ...* not only ... but also ...

Sonderwünsche ['zɔndərvynʃə] *pl* special wishes

Sonderzeichen ['zɔndərtsaiçən] *n* IN-
FORM special character, additional character
sondieren [zɔn'diːrən] *v 1.* study, probe; *2.*
NAUT sound
Sondierung [zɔn'diːruŋ] *f* sounding
Sonnabend ['zɔnaːbənt] *m* Saturday
Sonne ['zɔnə] *f* sun
sonnen ['zɔnən] *v sich ~* sun o.s., sunbathe,
bask in the sun
Sonnenaufgang ['zɔnənaufgaŋ] *m* sunrise
Sonnenblume ['zɔnənbluːmə] *f BOT* sun-
flower
Sonnenbrand ['zɔnənbrant] *m* sunburn
Sonnenbräune ['zɔnənbrɔynə] *f* suntan
Sonnenbrille ['zɔnənbrilə] *f* sunglasses *pl*
Sonnenenergie ['zɔnənenɛrgiː] *f TECH*
solar energy
Sonnenfinsternis ['zɔnənfinstərnis] *f*
ASTR eclipse of the sun, solar eclipse
Sonnenfleck ['zɔnənflɛk] *m ASTR* sunspot
Sonnenkollektor ['zɔnənkɔlɛktor] *m TECH*
solar collector
Sonnenschein ['zɔnənʃain] *m* sunshine
Sonnenschirm ['zɔnənʃirm] *m 1.* sunshade;
2. (für Damen) parasol
Sonnenstich ['zɔnənʃtiç] *m MED* sunstroke
Sonnenstrahl ['zɔnənʃtraːl] *m* ray of sun-
shine, sunbeam
Sonnensystem ['zɔnənzysteːm] *n ASTR*
solar system
Sonnenuhr ['zɔnənuːr] *f* sundial
Sonnenuntergang ['zɔnənuntərgaŋ] *m*
sunset
Sonnenwende ['zɔnənvɛndə] *f* solstice
sonnig ['zɔniç] *adj 1.* sunny; *2. (fig)* bright,
sunny
Sonntag ['zɔntaːk] *m* Sunday
sonntags ['zɔntaːks] *adv* every Sunday, on
Sundays
sonor [zo'noːr] *adj* sonorous
sonst [zɔnst] *adv 1. (andernfalls)* otherwise;
2. (gewöhnlich) generally, usually, normally; *3.*
(außerdem) besides, moreover; *Sonst noch*
was? Anything else? *konj 4.* otherwise, or else
sonstig ['zɔnstiç] *adj* other
sooft [zo'ɔft] *konj* whenever, as often as, no
matter how often
Sopran [zo'praːn] *m MUS* soprano
Sopranistin [zopra'nistin] *f MUS* soprano
Sorge ['zɔrgə] *f 1. (Kummer)* sorrow, anguish, worry; *2. (Pflege)* care
sorgen ['zɔrgən] *v 1. ~ um* worry about; *2. ~*
für jdn look after, care for, take care of; *3. ~ für*
etw attend to sth, see to sth

Sorgenkind ['zɔrgənkint] *n (fig)* problem,
(biggest) headache
sorgenvoll ['zɔrgənfɔl] *adj 1.* anxious, uneasy, troubled; *adv 2.* anxiously, uneasily
Sorgerecht ['zɔrgərɛçt] *n JUR* custody
Sorgfalt ['zɔrkfalt] *f 1.* care; *2. (Aufmerk-*
samkeit) attention; *3. (Genauigkeit)* precision; *4.*
(Gewissenhaftigkeit) conscientiousness
sorgfältig ['zɔrkfɛltiç] *adj 1.* careful, painstaking, precise; *adv 2.* carefully
sorglos ['zɔrkloːs] *adj 1.* carefree; *2.*
(nachlässig) negligent
Sorglosigkeit ['zɔrkloːziçkait] *f* light-
heartedness
Sorte ['zɔrtə] *f 1.* sort, kind, species; *2.*
(Marke) brand
sortieren [zɔr'tiːrən] *v 1.* sort; *2. (nach*
Qualität) grade
Sortiment [zɔrti'mɛnt] *n* assortment, range,
variety
Soße ['zoːsə] *f 1.* sauce; *2. (Bratensoße)*
gravy
Souffleur [su'fløːr] *m THEAT* prompter
soufflieren [su'fliːrən] *v THEAT* prompt
Souvenir [zuvə'niːr] *n* souvenir
souverän [suvə'rɛːn] *adj 1.* sovereign; *2.*
(überlegen) superior
Souveränität [su:vərɛ:ni'tɛ:t] *f POL* sovereignty
sowie [zo'viː] *konj 1. (und auch)* as well as;
2. (sobald) as soon as, the moment
sowieso [zovi'zoː] *adv* anyway, anyhow, in
any case
sowohl [zo'voːl] *konj ~ ... als (auch) ...* both
... and ...
sozial [zo'tsjaːl] *adj 1.* social; *adv 2.* socially
Sozialamt [zo'tsjaːlamt] *n* social welfare office
Sozialarbeiter(in) [zo'tsjaːlarbaitər(in)]
m/f social worker
Sozialfall [zo'tsjaːlfal] *m* welfare case
Sozialhilfe [zo'tsjaːlhilfə] *f* social welfare
assistance
Sozialisation [zotsjaliza'tsjoːn] *f* social-
ization
Sozialismus [zo'tsjalismus] *m POL* socialism
Sozialist [zo'tsjalist] *m POL* socialist
sozialkritisch [zo'tsjaːlkritiʃ] *adj* critical
of society, sociocritical
Sozialleistungen [zo'tsjaːllaistuŋən] *pl*
employers' social security contributions, social
security benefits

Sozialversicherung [zoˈtsjaːlfɛrzɪçərʊŋ] *f* social insurance, Social Security *(US)*

Sozialwohnung [zoˈtsjaːlvoːnʊŋ] *f* subsidized dwelling, public housing unit

Soziologie [zotsjoloˈgiː] *f* sociology

Sozius [ˈzotsjus] *m* ECO partner

sozusagen [ˈzoːtsuzaːgən] *adv* so to speak, as it were

Spachtel [ˈʃpaxtəl] *m* 1. *(Werkzeug)* spatula; 2. *(Füllstoff)* filler

Spagat [ʃpaˈgaːt] *m* splits *pl; einen ~ machen* do the splits

Spagetti [ʃpaˈgɛti] *pl* spaghetti

spähen [ˈʃpɛːən] *v* 1. peer, peek; 2. MIL scout

Späher [ˈʃpɛːər] *m* 1. scout; 2. *(Posten)* MIL lookout

Spalier [ʃpaˈliːr] *n* 1. trellis, espalier; 2. *(fig: Ehrengasse)* lane

Spalt [ʃpalt] *m* split, rift, crack; *die Tür einen ~ öffnen* open the door a crack

Spalte [ˈʃpaltə] *f* 1. crack; 2. *(Zeitungsspalte)* column

spalten [ˈʃpaltən] *v irr* split

Spaltung [ˈʃpaltʊŋ] *f* 1. *(Auseinanderbrechen)* splitting; 2. *(fig: Teilung)* split; 3. PHYS fission

Span [ʃpaːn] *m* chip

Spanferkel [ˈʃpaːnfɛrkəl] *n* GAST sucking pig

Spange [ˈʃpaŋə] *f* 1. *(Haarspange)* hair slide, barrette *(US)*; 2. *(Schließe)* buckle, clasp

Spanien [ˈʃpaːnjən] *n* GEO Spain

Spanier(in) [ˈʃpaːnjər(ɪn)] *m/f* Spaniard

spanisch [ˈʃpaːnɪʃ] *adj* Spanish; *Das kommt mir ~ vor.* That seems fishy to me.

Spanne [ˈʃpanə] *f* 1. *(Zeitraum)* span, space; 2. *(Unterschied)* gap; 3. *(Preisspanne)* ECO range

spannen [ˈʃpanən] *v* 1. stretch; 2. *(Seil)* tighten; 3. *(Gewehr)* cock

spannend [ˈʃpanənt] *adj* exciting, thrilling, gripping, suspenseful

Spannung [ˈʃpanʊŋ] *f* 1. TECH voltage, tension; 2. *(fig)* tension, suspense, excitement

Spannweite [ˈʃpanvaɪtə] *f* 1. range, span; 2. *(von Vogelflügeln, von Flugzeugen)* wingspan

Sparbuch [ˈʃpaːrbuːx] *n* savings book

Sparbüchse [ˈʃpaːrbyksə] *f* money box

sparen [ˈʃpaːrən] *v* save, economize

Spargel [ˈʃpargəl] *m* BOT asparagus

Sparkasse [ˈʃpaːrkasə] *f* savings bank

spärlich [ˈʃpɛːrlɪç] *adj* 1. scant, frugal, sparse; 2. *(Haupthaar)* thin; *adv* 3. sparsely, thinly

Sparmaßnahme [ˈʃpaːrmaːsnaːmə] *f* economy measure

Sparpolitik [ˈʃpaːrpolitiːk] *f* austerity policy, budgetary restraint

sparsam [ˈʃpaːrzaːm] *adv* 1. economically, frugally; *adj* 2. economical, thrifty, frugal

Sparsamkeit [ˈʃpaːrzaːmkaɪt] *f* economy, thrift, frugality

spartanisch [ʃparˈtaːnɪʃ] *adj* 1. Spartan; *adv* 2. like a Spartan

Sparte [ˈʃpartə] *f* 1. sector, section, branch; 2. *(einer Versicherung)* class; 3. *(einer Zeitung)* section

Spaß [ʃpaːs] *m* 1. *(Witz)* joke; *sich einen ~ aus etw machen* take pleasure in sth; *seinen ~ mit jdm treiben* pull s.o.'s leg; 2. *(Vergnügen)* fun, amusement; *~ beiseite* all joking aside; *kein ~ mehr sein* to be beyond a joke; *ein teurer ~ sein* to be an expensive affair, cost a pretty penny; *Da hört der ~ aber auf!* That's enough now!

spaßen [ˈʃpaːsən] *v* make fun, joke, jest; *Mit ihm ist nicht zu ~!* He's not to be trifled with! He doesn't stand for any nonsense.

spaßig [ˈʃpaːsɪç] *adj* funny, amusing

Spaßvogel [ˈʃpaːsfoːgəl] *m* joker, comedian

spastisch [ˈʃpastɪʃ] *adj* MED spastic

spät [ʃpɛːt] *adj* 1. late; *Wie ~ ist es?* What time is it? *adv* 2. late

Spätdienst [ˈʃpɛːtdiːnst] *m* late shift

Spaten [ˈʃpaːtən] *m* spade

später [ˈʃpɛːtər] *adv* 1. later, later on; 2. *(anschließend)* subsequently, afterwards

spätestens [ˈʃpɛːtəstəns] *adv* at the latest, not later than

Spätsommer [ˈʃpɛːtsɔmər] *m* late summer

Spätvorstellung [ˈʃpɛːtfoːrʃtɛlʊŋ] *f* THEAT late show

Spatz [ʃpats] *m* 1. ZOOL sparrow; *essen wie ein ~* peck at one's food; 2. *(fam: Kind)* mite

spazieren [ʃpaˈtsiːrən] *v* stroll; *~ fahren* go for a ride; *~ gehen* go for a walk, take a stroll

Spaziergang [ʃpaˈtsiːrgaŋ] *m* walk, stroll

Specht [ʃpɛçt] *m* ZOOL woodpecker

Speck [ʃpɛk] *m* GAST bacon; *sich wie die Made im ~ fühlen* to be living in luxury, to be in clover

speckig [ˈʃpɛkɪç] *adj* 1. *(Papier)* greasy, soiled; 2. *(dick)* lardy, porky

Spediteur [ʃpediˈtøːr] *m* forwarding agent, shipper

Spedition [ʃpediˈtsjoːn] *f* 1. ECO forwarding, shipping; 2. *(Firma)* forwarding agency, shipping agency

Speer [ʃpeːr] *m* spear, lance
Speiche [ʃpaɪçə] *f (Radspeiche)* spoke
Speichel [ʃpaɪçəl] *m* saliva, spittle
Speicher [ʃpaɪçər] *m* 1. *(Lager)* store, storage space; 2. *(Dachboden)* attic; 3. *INFORM* memory
Speicherkapazität [ʃpaɪçərkapatsiteːt] *f INFORM* memory, storage capacity
speichern [ʃpaɪçərn] *v* 1. *(einlagern)* store; 2. *INFORM* save, store
Speicherplatz [ʃpaɪçərplats] *m INFORM* memory location
speien [ʃpaɪən] *v irr* 1. *(spucken)* spit; 2. *(erbrechen)* vomit
Speise [ʃpaɪzə] *f* 1. food; 2. *(Gericht)* dish
Speiseeis [ʃpaɪzəaɪs] *n GAST* ice-cream
Speisekammer [ʃpaɪzəkamər] *f* larder, pantry
Speisekarte [ʃpaɪzəkartə] *f* menu
speisen [ʃpaɪzən] *v* 1. *(essen)* eat; 2. *(zuführen)* feed, supply with, provide
Speiseröhre [ʃpaɪzərøːrə] *f ANAT* gullet
Speisewagen [ʃpaɪzəvaːgən] *m* dining car, restaurant car
Spektakel [ʃpɛkˈtaːkəl] *n* 1. *(Lärm)* noise, racket; 2. *(Aufregung)* fuss
spektakulär [ʃpɛktakuˈlɛːr] *adj* spectacular
Spektrum [ʃpɛktrum] *n (fig)* spectrum
Spekulant [ʃpekuˈlant] *m FIN* speculator, speculative dealer
Spekulation [ʃpekulaˈtsjoːn] *f* speculation
spekulieren [ʃpekuˈliːrən] *v FIN* speculate
spendabel [ʃpɛnˈdaːbəl] *adj* generous
Spende [ʃpɛndə] *f* donation, contribution, gift
spenden [ʃpɛndən] *v* donate, contribute; *Blut* ~ donate blood
Spender [ʃpɛndər] *m* 1. contributor, giver; 2. *(Blutspender)* donor; 3. *(Maschine)* dispenser
spendieren [ʃpɛnˈdiːrən] *v* 1. give liberally; 2. *jdm etw* ~ treat s.o. to sth
Sperber [ʃpɛrbər] *m ZOOL* sparrow hawk
Sperling [ʃpɛrlɪŋ] *m ZOOL* sparrow
Sperma [ʃpɛrma] *n BIO* sperm
Sperrbezirk [ʃpɛrbətsɪrk] *m* prohibited area, restricted area
Sperre [ʃpɛrə] *f* 1. *(Verbot)* ban; 2. *(Vorrichtung)* locking device; 3. *(Hindernis)* barrier; 4. *(Embargo)* POL embargo
sperren [ʃpɛrən] *v* 1. *(abriegeln)* barricade, block off, lock; 2. *(verbieten)* forbid, prohibit; 3. *(Konto)* FIN block; 4. *(Sportler)* suspend
Sperrgebiet [ʃpɛrgəbiːt] *n* prohibited area

Sperrholz [ʃpɛrhɔlts] *n* plywood
sperrig [ʃpɛrɪç] *adj* bulky
Sperrmüll [ʃpɛrmyl] *m* bulky refuse
Sperrsitz [ʃpɛrzɪts] *m* 1. *(im Kino)* back seats *pl*; 2. *(im Zirkus)* front seats *pl*
Sperrstunde [ʃpɛrʃtundə] *f* closing time
Spesen [ʃpeːzən] *pl* expenses
Spesenrechnung [ʃpeːzənrɛçnuŋ] *f* expense report
spezial [ʃpeˈtsjaːl] *adj* special, particular
Spezialgebiet [ʃpeˈtsjaːlgəbiːt] *n (fig)* speciality, specialty *(US)*
spezialisieren [ʃpetsjaliˈziːrən] *v sich auf etw* ~ specialize in sth
Spezialisierung [ʃpetsjaliˈziːruŋ] *f* specialization
Spezialist [ʃpetsjaˈlɪst] *m* specialist
Spezialität [ʃpetsjaliˈtɛːt] *f* speciality, specialty *(US)*
speziell [ʃpeˈtsjɛl] *adj* 1. special, particular, specific; *adv* 2. especially, particularly, specifically
Spezies [ʃpeˈtsjes] *f BIO* species
spezifisch [ʃpeˈtsiːfɪʃ] *adj* specific
spezifizieren [ʃpetsifiˈtsiːrən] *v* specify
Spezifizierung [ʃpetsifiˈtsiːruŋ] *f* specification
Sphäre [ˈsfɛːrə] *f* 1. *(fig)* sphere, domain; 2. *ASTR* sphere
spicken [ʃpɪkən] *v* 1. *(abschreiben)* copy, crib; 2. *GAST* lard
Spickzettel [ʃpɪktsetəl] *m* crib note
Spiegel [ʃpiːgəl] *m* mirror; *in den* ~ *sehen* look in the mirror; *jdm den* ~ *vorhalten* hold up a mirror to s.o.
Spiegelbild [ʃpiːgəlbɪlt] *n* reflection, *(fig)* mirror image
Spiegelei [ʃpiːgəlaɪ] *n GAST* fried egg
spiegeln [ʃpiːgəln] *v sich* ~ to be reflected
Spiegelung [ʃpiːgəluŋ] *f* reflection
spiegelverkehrt [ʃpiːgəlferkeːrt] *adj* mirrorwise
Spiel [ʃpiːl] *n* 1. game; *ein* ~ *mit dem Feuer* playing with fire; *mit jdm leichtes* ~ *haben* have one's way with s.o.; *das* ~ *zu weit treiben* go too far; *etw aufs* ~ *setzen* risk sth; *auf dem* ~ *stehen* to be at stake; *jdn aus dem* ~ *lassen* leave s.o. out of it; *etw ins* ~ *bringen* bring sth into play; *mit im* ~ *sein* to be in on it, to be involved; 2. *(das Spielen)* playing; 3. *(Stück)* THEAT play; 4. *SPORT* match, game
Spielart [ʃpiːlart] *f* variety
Spielautomat [ʃpiːlautomaːt] *m* gambling machine

Spieldose ['ʃpiːldoːzə] f musical box, music box (US)

spielen ['ʃpiːlən] v 1. play; 2. THEAT act

spielerisch ['ʃpiːlərɪʃ] adv (fig: problemlos) effortlessly, with ease

Spielfeld ['ʃpiːlfɛlt] n 1. SPORT field, ground, pitch (UK); 2. (Basketball, Tennis) court

Spielfilm ['ʃpiːlfɪlm] m CINE feature film, motion picture

Spielkamerad ['ʃpiːlkaməraːt] m playmate

Spielkasino ['ʃpiːlkaziːno] n casino

Spielmarke ['ʃpiːlmarkə] f chip, counter, token

Spielplan ['ʃpiːlplan] m programme

Spielplatz ['ʃpiːlplats] m playground

Spielraum ['ʃpiːlraum] m 1. room; 2. TECH clearance; 3. (fig) leeway, room

Spielregeln ['ʃpiːlreːgəln] pl rules of the game

Spielsucht ['ʃpiːlsuxt] f compulsive gambling

Spielverderber ['ʃpiːlfɛrdɛrbər] m spoilsport

Spielwarengeschäft ['ʃpiːlvaːrəngəʃɛːft] n toy shop, toy store (US)

Spielzeit ['ʃpiːltsait] f 1. season; 2. (eines Theaterstücks) run; 3. (Dauer eines Spiels) SPORT length of the match, length of the game; die normale ~ normal time

Spielzeug ['ʃpiːltsɔyk] n toy, toys pl

Spieß [ʃpiːs] m 1. (Speer) spear, lance, pike; den ~ umdrehen (fig) turn the tables; 2. (Bratspieß) skewer

Spießbürger ['ʃpiːsbyrgər] m (fig) prig, narrow-minded person

Spießer ['ʃpiːsər] m (fam) prig, Philistine

spießig ['ʃpiːsɪç] adj philistine, narrow-minded, square (fam)

Spießrute ['ʃpiːsruːtə] f ~n laufen run the gauntlet

Spikes ['ʃpaiks] pl spikes

Spinat [ʃpi'naːt] m BOT spinach

Spind [ʃpɪnt] m locker

Spinne ['ʃpɪnə] f ZOOL spider

spinnen ['ʃpɪnən] v irr 1. spin; 2. (fig) to be crazy, to be mad, to be nuts; Du spinnst wohl! You must be nuts! Spinnst du? Are you crazy?

Spinnennetz ['ʃpɪnənnɛts] n spider's web, spider web (US)

Spinnrad ['ʃpɪnraːt] n spinning-wheel

Spion [ʃpi'oːn] m spy

Spionage [ʃpio'naːʒə] f spying, espionage

spionieren [ʃpio'niːrən] v spy

Spirale [ʃpi'raːlə] f 1. spiral; 2. MED coil

spirituell [ʃpiritu'ɛl] adj spiritual

Spirituosen [ʃpiritu'oːzən] pl spirits, alcoholic drinks

Spiritus ['ʃpiːritus] m CHEM alcohol, spirit

spitz [ʃpɪts] adj 1. pointed, sharp; 2. (fig) sarcastic, biting

Spitzbube ['ʃpɪtsbuːbə] m rascal, rogue, scoundrel

Spitze ['ʃpɪtsə] f 1. peak, point, top; etw auf die ~ treiben take sth to extremes; 2. (Bergspitze) peak, summit, top; 3. (Stoff) lace; 4. (fig) head, vanguard, spearhead; 5. (fam: prima) ~ sein to be great

Spitzel ['ʃpɪtsəl] m 1. informer, (fam) stool pigeon; 2. (Spion) spy

spitzen ['ʃpɪtsən] v 1. point; 2. (Bleistift) sharpen

Spitzenkandidat ['ʃpɪtsənkandidaːt] m POL top candidate, head of the ticket (US)

Spitzenreiter ['ʃpɪtsənraitər] m front-runner, leader

Spitzer ['ʃpɪtsər] m sharpener

spitzfindig ['ʃpɪtsfɪndɪç] adj hair-splitting, nit-picking, pedantic

Spitzname ['ʃpɪtsnaːmə] m nickname

Splitter ['ʃplɪtər] m splinter

splittern ['ʃplɪtərn] v splinter

sponsern ['ʃpɔnzərn] v sponsor

Sponsor ['ʃpɔnzoːr] m sponsor

spontan [ʃpɔn'taːn] adj spontaneous

Spontaneität [ʃpɔntanei'tɛːt] f spontaneity

sporadisch [ʃpo'raːdɪʃ] adj sporadic

Sporn ['ʃpɔrn] m 1. spur; 2. NAUT ram; 3. (eines Flugzeuges) tail skid

Sport [ʃpɔrt] m sports pl, sport

Sportgerät ['ʃpɔrtgərɛːt] n athletic equipment

Sportgeschäft ['ʃpɔrtgəʃɛft] n sports shop, sporting goods store (US)

Sporthalle ['ʃpɔrthalə] f gymnasium

Sportler ['ʃpɔrtlər] m athlete, sportsman

sportlich ['ʃpɔrtlɪç] adj sporting, athletic

Sportplatz ['ʃpɔrtplats] m playing field, sports ground (UK)

Sportsgeist ['ʃpɔrtsgaist] m sporting spirit

Sportveranstaltung ['ʃpɔrtfɛranʃtaltuŋ] f sporting event

Sportverein ['ʃpɔrtfɛrain] m sports club

Sportverletzung ['ʃpɔrtfɛrlɛtsuŋ] f athletic injury

Sportzeug ['ʃpɔrttsɔyk] n sports gear, sports equipment

Spott [ʃpɔt] *m* mockery, scorn, ridicule

spotten ['ʃpɔtən] *v* mock, jeer, ridicule

spöttisch ['ʃpœtɪʃ] *adj* jeering, mocking

Sprache ['ʃpraːxə] *f* language, speech; *die ~ auf etw bringen* broach sth; *nicht mit der ~ herausrücken* beat about the bush; *zur ~ kommen* to be discussed, to be brought up; *die gleiche ~ sprechen* speak the same language; *eine deutliche ~ sprechen* not mince words; *Raus mit der ~!* Out with it! *Da verschlug es ihm die ~.* It took his breath away.

Sprachfehler ['ʃpraːxfeːlər] *m* speech defect, speech impediment

sprachgewandt ['ʃpraːxɡəvant] *adj* eloquent, clever with words

Sprachkenntnisse ['ʃpraːxkɛntnɪsə] *pl* knowledge of languages, proficiency in a foreign language

sprachkundig ['ʃpraːxkundɪç] *adj* 1. proficient in a foreign language; 2. *(in einer bestimmten Sprache) ~ sein* know the language

Sprachkurs ['ʃpraːxkurs] *m* language course

sprachlos ['ʃpraːxloːs] *adj (fig)* speechless

Sprachlosigkeit ['ʃpraːxloːzɪçkaɪt] *f* speechlessness

Sprachrohr ['ʃpraːxroːr] *n* 1. megaphone; 2. *jds ~ sein (fig)* to be s.o.'s mouthpiece

Sprachwissenschaft ['ʃpraːxvɪsənʃaft] *f* linguistics

Spray ['ʃpreɪ] *n* spray

Sprechanlage ['ʃprɛçanlaːɡə] *f* intercom

Sprechblase ['ʃprɛçblaːzə] *f* balloon

sprechen ['ʃprɛçən] *v irr* 1. speak, talk; *an jds Stelle ~* answer for s.o.; *Das spricht für ihn.* That's a point in his favour. *für sich selbst ~* speak for itself; *auf jdn gut zu ~ sein* to be on good terms with s.o.; *Wir ~ uns noch!* You haven't heard the end of this! *„Sprich ..." (das heißt ...)* in other words, that is to say; 2. *(sagen)* say

Sprechstunde ['ʃprɛçʃtundə] *f* consultation hours *pl*, office hours *pl*

Sprechstundenhilfe ['ʃprɛçʃtundənhɪlfə] *f* receptionist

Sprechzimmer ['ʃprɛçtsɪmər] *n* consulting room

spreizen ['ʃpraɪtsən] *v* 1. spread; 2. *sich ~* put on airs; 3. *sich ~ (sich sträuben)* struggle, balk

sprengen ['ʃprɛŋən] *v* blow up, *(auf~)* burst open, *(bespritzen)* sprinkle

Sprengstoff ['ʃprɛŋʃtɔf] *m* explosive

Sprengung ['ʃprɛŋuŋ] *f* blasting, demolition

Sprenkel ['ʃprɛŋkəl] *m* spot, speck

Spreu [ʃprɔy] *f* chaff; *die ~ vom Weizen trennen* separate the wheat from the chaff

Sprichwort ['ʃprɪçvɔrt] *n* proverb, saying

sprichwörtlich ['ʃprɪçvœrtlɪç] *adj* proverbial

sprießen ['ʃpriːsən] *v irr* sprout, come up, spring up

Springbrunnen ['ʃprɪŋbrunən] *m* fountain

springen ['ʃprɪŋən] *v irr* 1. *(hüpfen)* jump, leap; 2. *(fig: bersten)* burst

sprinten ['ʃprɪntən] *v* sprint

Spritze ['ʃprɪtsə] *f* 1. *(Injektion)* shot, injection; 2. *(Gerät)* syringe

spritzen ['ʃprɪtsən] *v* 1. spray; 2. *(in einem Strahl)* squirt; 3. *(verspritzen)* splash; 4. *(bespritzen)* sprinkle; 5. *MED* inject

Spritzer ['ʃprɪtsər] *m* 1. *(Fixer)* shooter; 2. *(Wasserstrahl)* splash, dab

spritzig ['ʃprɪtsɪç] *adj* 1. *(Wein)* tangy; 2. *(Auto)* peppy; 3. *(Schauspiel)* lively, sprightly; 4. *(ideenreich)* inventive, unconventional, creative

Spritzpistole ['ʃprɪtspɪstoːlə] *f* spray gun

spröde ['ʃprøːdə] *adj* 1. *(Material)* brittle; 2. *(fig: abweisend)* reserved, standoffish

Spross [ʃprɔs] *m* 1. sprout, shoot; 2. *(Nachkomme)* scion, offspring

Sprossenwand ['ʃprɔsənvant] *f* SPORT wall bars *pl*

Sprössling ['ʃprœslɪŋ] *m (fig)* offspring, descendant

Spruch [ʃprux] *m* 1. saying; 2. *Sprüche pl* (empty) talk; *große Sprüche klopfen* talk big (fam); 3. *(Wahlspruch)* slogan; 4. *die Sprüche Salomons pl* REL the Proverbs; 5. *JUR* sentence, judgement, verdict

Spruchband ['ʃpruxbant] *n* banner

Sprudel ['ʃpruːdəl] *m* 1. *(Wasser)* mineral water, club soda *(US)*; 2. *(Limonade)* soda pop

sprudeln ['ʃpruːdəln] *v* bubble, fizz, effervesce

Sprühdose ['ʃpryːdoːzə] *f* spray can

sprühen ['ʃpryːən] *v* 1. spray, shower; 2. *(fig)* flash, sparkle

Sprung [ʃpruŋ] *m* 1. *(Springen)* jump, leap; *den ~ ins kalte Wasser wagen* take the plunge; *auf dem ~ sein, etw zu tun* to be just about to do sth; *nur auf einen ~* just for a little chat; *keine großen Sprünge machen können* not be able to afford much; *jdm auf die Sprünge helfen* get s.o. going; 2. *(fig: Riss)* crack, fissure; *einen ~ in der Schüssel haben* to be soft in the head

Sprungbrett ['ʃpruŋbrɛt] *n 1.* diving board, springboard; *2. (fig)* springboard

Sprungfeder ['ʃpruŋfeːdər] *f* spring

Sprunggelenk ['ʃpruŋgəlɛŋk] *n* ANAT ankle joint

sprunghaft ['ʃpruŋhaft] *adj* jumpy, volatile, jerky

Spucke ['ʃpukə] *f* spit, spittle; *Da bleibt einem ja die ~ weg!* I'm at a loss for words!

spucken ['ʃpukən] *v* spit

Spuk [ʃpuːk] *m 1. (Lärm)* uproar, racket; *2. (Geistererscheinung)* ghost

spuken ['ʃpuːkən] *v* haunt; *Hier spukt es.* This place is haunted.

Spule ['ʃpuːlə] *f 1.* reel, spool; *2.* TECH coil, spool, bobbin

Spüle ['ʃpyːlə] *f* sink

spulen ['ʃpuːlən] *v* wind, reel, spool

spülen ['ʃpyːlən] *v* wash, rinse

Spülmaschine ['ʃpyːlmaʃiːnə] *f* dishwasher

Spülung ['ʃpyːluŋ] *f 1. (Toilettenspülung)* flush; *die ~ betätigen* flush; *2.* MED *(Ohrspülung, ~ einer Wunde)* irrigation, *(Magenspülung)* wash

Spur [ʃpuːr] *f 1. (Abdruck)* trace; *eine heiße ~ a* firm lead; *jdm auf die ~ kommen* get wind of s.o.; *jdm auf der ~ bleiben* stay hot on s.o.'s trail; *2. (Fußspur)* footprint; *in jds ~en treten* follow in s.o.'s footsteps; *3. (Fahrspur)* track; *4. (-fig: kleine Menge)* trace; *nicht die ~* not at all

spürbar ['ʃpyːrbaːr] *adj 1.* noticeable; *adv 2.* noticeably

spüren ['ʃpyːrən] *v* feel, notice, sense

spurlos ['ʃpuːrloːs] *adv* without a trace

Spurrille ['ʃpuːrrɪlə] *f* rut

Spürsinn ['ʃpyːrzɪn] *m (fig)* nose, feel

spurten ['ʃpurtən] *v* SPORT spurt, sprint, dash

sputen ['ʃpuːtən] *v sich ~* hurry

Staat [ʃtaːt] *m 1.* state; *2. (Prunk) Damit kann man keinen ~ machen.* That's nothing to write home about.

staatenlos ['ʃtaːtənloːs] *adj* stateless

staatlich ['ʃtaːtlɪç] *adj 1.* state, public, governmental; *adv 2.* by the state

Staatsangehörige(r) ['ʃtaːtsaŋəhøːrɪɡə(r)] *m/f* citizen, subject, national

Staatsanwalt ['ʃtaːtsanvalt] *m* JUR public prosecutor, Crown Prosecutor *(UK)*, district attorney *(US)*

Staatsbürgerschaft ['ʃtaːtsbyrɡərʃaft] *f* nationality, citizenship *(US)*

Staatsdienst ['ʃtaːtsdiːnst] *m* civil service, public service *(US)*

Staatsoberhaupt ['ʃtaːtsoːbərhaupt] *n* head of state

Stab [ʃtaːp] *m 1. (Stock)* staff, stick, rod; *über jdn den ~ brechen* condemn s.o.; *2. (fig: Führungsstab, Mitarbeiterstab)* staff

stabil [ʃtaˈbiːl] *adj 1. (robust)* stable; *2. (konstant)* steady

stabilisieren [ʃtabiliˈziːrən] *v* stabilize

Stabilisierung [ʃtabiliˈziːruŋ] *f* stabilization

Stabilität [ʃtabiliˈtɛːt] *f* stability

Stachel ['ʃtaxəl] *m 1.* BOT thorn; *2.* ZOOL quill

Stachelbeere ['ʃtaxəlbeːrə] *f* BOT gooseberry

Stacheldraht ['ʃtaxəldraːt] *m* barbed wire

stachelig ['ʃtaxəlɪç] *adj 1. (kratzig)* bristly, scratchy; *2. (dornig)* thorny, prickly

Stadion ['ʃtaːdjɔn] *n* stadium

Stadium ['ʃtaːdjum] *n* stage, phase

Stadt [ʃtat] *f* town, city

städtisch ['ʃtɛtɪʃ] *adj* municipal

Stadtmauer ['ʃtatmauər] *f* city wall

Stadtplan ['ʃtatplaːn] *m* map (of the town)

Stadtrand ['ʃtatrant] *m* outskirts of town

Stadtrat ['ʃtatraːt] *m 1.* POL town council, city council; *2. (Mitglied des ~es)* POL town councilman/town councilwoman, city councilman/city councilwoman

Stadtstreicher ['ʃtatʃtraiçər] *m* tramp, bum

Stadtteil ['ʃtattail] *m* part of town, district

Staffel ['ʃtafəl] *f 1.* MIL squadron; *2. (Mannschaft)* SPORT relay team; *3. (Rennen)* SPORT relay; *4. (Stufe)* step; *5. (einer Leiter)* rung

Staffelei [ʃtafəˈlai] *f* easel

Staffelung ['ʃtafəluŋ] *f* graduation, gradation, grading

Stagnation [ʃtagnaˈtsjoːn] *f* ECO stagnation

stagnieren [ʃtagˈniːrən] *v* ECO stagnate

Stahl [ʃtaːl] *m* steel

stählen ['ʃtɛːlən] *v* steel

stählern ['ʃtɛːlərn] *adj* steel

Stall [ʃtal] *m* stable, barn

Stamm [ʃtam] *m 1. (Baumstamm)* stem, trunk; *2. (Volksstamm)* tribe

Stammbaum ['ʃtambaum] *m* family tree

Stammbuch ['ʃtambuːx] *n* (family) album

stammeln ['ʃtaməln] *v* stammer

stammen ['ʃtamən] *v ~ aus, ~ von* come from, to be descended from, spring from, stem from

Stammgast ['ʃtamgast] *m* regular guest, regular customer, regular (fam)

Stammhalter ['ʃtamhaltər] *m* son and heir

stämmig ['ʃtɛmɪç] *adj* stocky, burly, sturdy

Stammlokal ['ʃtamlokaːl] *n* local (UK), regular hangout (US)

Stammplatz ['ʃtamplats] *m* regular seat

Stammtisch ['ʃtamtɪʃ] *m* 1. table reserved for regulars; 2. *(Gruppe)* group of regulars

Stammvater ['ʃtamfaːtər] *m* progenitor

Stammwähler ['ʃtamvɛːlər] *m* POL staunch supporter, party faithful

stampfen ['ʃtampfən] *v* 1. stamp, stomp; 2. *(Maschinenteil)* pound; 3. *(Schiff: sich auf und nieder bewegen)* pitch

Stand [ʃtant] *m* 1. *(Stehen)* standing, stand; 2. *(Messestand)* booth, stand; 3. *(Situation)* position, situation; *auf dem neuesten ~ sein* to be up to date; *der ~ der Dinge* the situation; *bei jdm einen guten ~ haben* to be in s.o.'s good books, to be in s.o.'s good graces; 4. *(Rang)* rank, class, status; 5. *(Höhe)* level

Standard ['ʃtandart] *m* standard

Standbild ['ʃtantbɪlt] *n* statue

Ständchen ['ʃtɛntçən] *n* serenade

Ständer ['ʃtɛndər] *m* 1. *(Hutständer)* stand; 2. *(Schallplattenständer)* rack

Standesamt ['ʃtandəsamt] *n* registry office

Standesbeamte(r)/Standesbeamtin ['ʃtandəsbəamtə(r)/'ʃtandəsbəamtɪn] *m/f* registrar

Standesdünkel ['ʃtandəsdʏŋkəl] *m* snobbery

Standesperson ['ʃtandəsperzoːn] *f* person of distinction

standhaft ['ʃtanthaft] *adj* 1. firm, steadfast, resolute; *adv* 2. resolutely, firmly

Standhaftigkeit ['ʃtanthaftɪçkaɪt] *f* firmness, constancy, perseverance

standhalten ['ʃtanthaltən] *v irr* 1. stand firm; 2. *etw ~* withstand sth

ständig ['ʃtɛndɪç] *adj* 1. permanent, regular; *adv* 2. always, constantly

Standlicht ['ʃtantlɪçt] *n* parking light

Standort ['ʃtantɔrt] *m* location, station, stand

Standpunkt ['ʃtantpuŋkt] *m* standpoint, point of view, angle; *von seinem ~ aus* from his point of view

Standspur ['ʃtantʃpuːr] *f* hard shoulder (UK), shoulder (US)

Standuhr ['ʃtantuːr] *f* grandfather clock, hall clock

Stange ['ʃtaŋə] *f* pole, bar, rod; *jdn bei der ~ halten* keep s.o. up to scratch; *bei der ~ bleiben* stick it out; *von der ~* off the peg, off the rack; *eine ~ Geld* a pretty penny

Stängel ['ʃtɛŋəl] *m* BOT stalk, stem; *fast vom ~ fallen (fam)* to be flabbergasted

stanzen ['ʃtantsən] *v* stamp, punch

Stapel ['ʃtaːpəl] *m* pile, heap, stack; *vom ~ laufen* to be launched; *etw vom ~ lassen* launch sth

stapeln ['ʃtaːpəln] *v* pile up, stockpile

stapfen ['ʃtapfən] *v* tread, trudge, plod

Star¹ [staːr] *m* star

Star² [ʃtaːr] *m* MED cataract

Star³ [ʃtaːr] *m* ZOOL starling

stark [ʃtark] *adj* 1. strong; 2. *(heftig)* severe; 3. *(beleibt)* large; 4. *(Erkältung)* bad; 5. *(dick)* thick; 6. *(fam: hervorragend)* great

Stärke ['ʃtɛrkə] *f* 1. strength, force, power; 2. *(Wäschestärke)* starch; 3. GAST starch

stärken ['ʃtɛrkən] *v* 1. strengthen, fortify; 2. *(Wäsche)* starch

Stärkung ['ʃtɛrkuŋ] *f* 1. *(Festigung)* strengthening, fortifying, fortification; 2. *(Erfrischung)* refreshment

starr [ʃtar] *adj* 1. stiff, rigid, fixed; 2. *(fig) ~ vor Staunen* dumbfounded

Starre ['ʃtarə] *f* stiffness, rigidity

starren ['ʃtarən] *v* stare

Starrsinn ['ʃtarzɪn] *m* stubbornness, obstinacy

starrsinnig ['ʃtarzɪnɪç] *adj* stubborn, obstinate, rigid, rigorous

Start [ʃtart] *m* 1. *(Flugzeug)* take-off; 2. SPORT start; 3. *(fig)* beginning, start

Startbahn ['ʃtartbaːn] *f* runway

starten ['ʃtartən] *v* 1. *(abreisen)* start; 2. *(Auto)* start; 3. *(aktivieren)* begin, initiate

Station [ʃtaˈtsjoːn] *f* 1. *(Haltestelle)* station, stop; *~ machen* stop off; 2. *(Krankenstation)* ward

stationär [ʃtatsjoˈnɛːr] *adj* MED inpatient, stationary

Stationierung [ʃtatsjoˈniːruŋ] *f* MIL stationing, basing, deployment

statisch ['ʃtaːtɪʃ] *adj* 1. *(unbeweglich)* static; 2. *(im Bauwesen)* structural

Statist [ʃtaˈtɪst] *m* 1. CINE extra; 2. THEAT super

Statistik [ʃtaˈtɪstɪk] *f* statistics

Statistiker [ʃtaˈtɪstɪkər] *m* statistician

Stativ [ʃtaˈtiːf] *n* 1. stand, support; 2. FOTO tripod

statt [ʃtat] *prep* instead of

Stätte ['ʃtɛtə] *f* place

stattfinden ['ʃtatfɪndən] *v irr* take place, happen

statthaft ['ʃtathaft] *adj* permitted, allowed

Statthalter ['ʃtathaltər] m HIST governor
stattlich ['ʃtatlıç] adj 1. (ansehnlich) stately, handsome, splendid; 2. (zahlreich) considerable
Statue ['ʃta:tuə] f statue
Statur [ʃta'tu:r] f stature, figure, build
Status ['ʃta:tus] m status, state
Statussymbol ['ʃta:tuszymbo:l] n status symbol
Stau [ʃtau] m 1. traffic jam; 2. (von Wasser) damming-up
Staub [ʃtaup] m dust; ~ aufwirbeln cause a stir; sich aus dem ~ machen make o.s. scarce
Staubecken ['ʃtaubɛkən] n reservoir
staubig ['ʃtaubɪç] adj dusty
Staubsauger ['ʃtaupzaugər] m vacuum cleaner
stauchen ['ʃtauxən] v 1. compress; 2. (heftig stoßen) ram
Staudamm ['ʃtaudam] m high dam
Staude ['ʃtaudə] f 1. BOT perennial; 2. (Busch) shrub; 3. (Bananenstaude, Tabakstaude) plant
staunen ['ʃtaunən] v to be amazed, to be astonished
Staunen ['ʃtaunən] n amazement, astonishment
Stausee ['ʃtauze:] m reservoir, artificial lake
Stauung ['ʃtauuŋ] f 1. (Verkehrsstau) traffic jam; 2. (Stockung) pile-up, accumulation; 3. (von Wasser) build-up; 4. MED congestion
stechen ['ʃtɛçən] v irr 1. prick; 2. (Insekt) sting; 3. (Mücken, Moskitos) bite; 4. (mit einem Messer) stab
Steckdose ['ʃtɛkdo:zə] f socket
stecken ['ʃtɛkən] v irr 1. (hinein~, schieben) stick in; 2. (mit Nadeln) pin; 3. (fam: sich befinden) to be; 4. jdm etw ~ give s.o. a piece of one's mind; 5. ~ bleiben to be stuck; 6. ~ lassen leave in
Stecker ['ʃtɛkər] m plug
Stecknadel ['ʃtɛkna:dəl] f pin; eine ~ im Heuhaufen suchen look for a needle in a haystack
Stegreif ['ʃte:kraıf] m aus dem ~ improvised, impromptu
stehen ['ʃte:ən] v irr 1. (aufrecht ~) stand; 2. (sich befinden) to be; Wie steht's? How are things? unter der Dusche ~ to be in the shower; unter Druck ~ to be under pressure; 3. (in einer Zeitung) say; 4 ~ bleiben remain standing; stop; (Zeit) stand still; 5. ~ lassen leave, leave be; jdn ~ lassen (fig) leave s.o. standing there
stehlen ['ʃte:lən] v irr steal

Stehvermögen ['ʃte:fɛrmø:gən] n staying power, stamina
steif [ʃtaıf] adj 1. stiff; 2. (fig: förmlich) stiff, formal
Steigbügel ['ʃtaıkby:gəl] m stirrup
steigen ['ʃtaıgən] v irr climb, mount, ascend
steigern ['ʃtaıgərn] v 1. (erhöhen) increase, raise; 2. LING compare, form the comparative and superlative of
Steigerung ['ʃtaıgəruŋ] f (Erhöhung) increase, raising
Steigung ['ʃtaıguŋ] f gradient, slope, ascent
steil [ʃtaıl] adj 1. steep; eine ~e Karriere (fig) a rapid rise; adv 2. steeply
Steilküste ['ʃtaılkystə] f GEO bluff
Stein [ʃtaın] m 1. stone, rock; der ~ des Anstoßes sein to be the cause of sth; den ~ ins Rollen bringen set the ball rolling; bei jdm einen ~ im Brett haben to be in s.o.'s good books; keinen ~ auf dem anderen lassen smash everything to pieces; den ersten ~ werfen cast the first stone at s.o.; jdm ~e in den Weg legen put obstructions in s.o.'s way; Da fällt mir ein ~ vom Herzen! That's a great load off my mind! 2. (Edelstein) gem
Steinbock ['ʃtaınbɔk] m 1. ibex; 2. (Tierkreiszeichen) Capricorn
Steinbruch ['ʃtaınbrux] m quarry
steinigen ['ʃtaınıgən] v stone
Steinzeit ['ʃtaıntsaıt] f HIST Stone Age
Steißbein ['ʃtaısbaın] n ANAT coccyx
Stelldichein ['ʃtɛldıçaın] n appointment, rendezvous
Stelle ['ʃtɛlə] f 1. (Ort) place, spot; auf der ~ on the spot; auf der ~ treten get nowhere; 2. (Anstellung) position, job; 3. (Dienst~) authority, office, agency
stellen ['ʃtɛlən] v 1. put, place; 2. (Wecker) set; 3. eine Frage ~ ask a question; 4. sich ~ (begeben) stand; 5. sich einem Herausforderer ~ take on a challenger; 6. sich gut mit jdm ~ put o.s. on good terms with s.o.; 7. auf sich gestellt sein have to fend for o.s.
Stellenangebot ['ʃtɛlənangəbo:t] n position offered, vacancy
Stellengesuch ['ʃtɛləngəzu:x] n situation wanted
Stellenmarkt ['ʃtɛlənmarkt] m ECO job market
Stellenvermittlung ['ʃtɛlənfɛrmıtluŋ] f ECO job placement
stellenweise ['ʃtɛlənvaızə] adv in places, here and there

Stellenwert ['ʃtɛlənvɛrt] *m (fig)* status, rating, importance

Stellplatz ['ʃtɛlplats] *m (Parkplatz)* parking space

Stellungnahme ['ʃtɛluŋnaːmə] *f* comment, opinion, point of view

Stellvertreter(in) ['ʃtɛlfɛrtreːtər(ɪn)] *m/f* representative, agent, deputy

Stenogramm ['ʃtenogram] *n* shorthand notes *pl*

Stemmeisen ['ʃtɛmaɪzən] *n TECH* crowbar

stemmen ['ʃtɛmən] *v 1. (heben)* lift; *einen ~ (fam)* knock one back; *2. (fest drücken)* press; *3. (stützen)* prop; *4. (anheben)* lever up; *5. (meißeln)* chisel; *6. sich gegen etw ~* brace o.s. against sth, *(fig)* resist sth; *7. (beim Ski laufen) SPORT* stem

Stempel ['ʃtɛmpəl] *m* stamp, postmark; *jdm seinen ~ aufdrücken (fig)* leave one's mark on s.o.; *den ~ von jdm tragen (fig)* bear the stamp of s.o.

Stempelkissen ['ʃtɛmpəlkɪsən] *n* ink-pad

stempeln ['ʃtɛmpəln] *v* stamp, mark; *~ gehen* to be on the dole

Stenografie [ʃtenograˈfiː] *f* shorthand, stenography

stenografieren [ʃtenograˈfiːrən] *v* stenograph, write shorthand, write in shorthand

Steppe ['ʃtɛpə] *f GEO* steppe

Stepptanz ['ʃtɛptants] *m* tap dance

Sterbehilfe ['ʃtɛrbəhɪlfə] *f* euthanasia

sterben ['ʃtɛrbən] *v irr* die; *Der ist für mich gestorben.* I don't want to have anything more to do with him.

sterblich ['ʃtɛrblɪç] *adj* mortal

stereo ['steːreo] *adj TECH* stereo

Stereoanlage ['ʃtereoanlaːgə] *f* stereo, stereo unit

stereotyp [ʃtereoˈtyːp] *adj 1.* stereotype; *adv 2.* in a stereotyped manner

steril [ʃteˈriːl] *adj* sterile, barren, unfruitful

sterilisieren [ʃteriliˈziːrən] *v* sterilize

Sterilität [ʃteriliˈtɛːt] *f* sterility

Stern [ʃtɛrn] *m* star; *~e sehen (fig)* see stars; *für jdn die ~e vom Himmel holen* go to the ends of the earth and back for s.o.; *nach den ~en greifen* reach for the stars; *in den ~en (geschrieben) stehen* to be (written) in the stars; *unter einem denkbar gutem ~* under a lucky star

Sternschnuppe ['ʃtɛrnʃnupə] *f* shooting star, falling star

Sternwarte ['ʃtɛrnvartə] *f* observatory

stetig ['ʃteːtɪç] *adj 1.* constant; *2. (gleichmäßig)* steady

Stetigkeit ['ʃteːtɪçkaɪt] *f* constancy, steadiness, continuity

stets [ʃteːts] *adv* always

Steuer ['ʃtɔyər] *f 1. FIN* tax; *n 2. (eines Autos)* steering wheel; *3. NAUT* rudder

steuerbord ['ʃtɔyərbɔrt] *adv NAUT* starboard

steuerfrei ['ʃtɔyərfraɪ] *adj ECO* tax-free, exempt from taxation

Steuerhinterziehung ['ʃtɔyərhɪntərtsiːuŋ] *f ECO* tax evasion

Steuerklasse ['ʃtɔyərklasə] *f ECO* tax bracket

steuerlich ['ʃtɔyərlɪç] *adj 1.* tax; *adv 2.* for tax purposes, for tax reasons

Steuermann ['ʃtɔyərman] *m 1. NAUT* helmsman; *2. (als Rang)* mate

steuern ['ʃtɔyərn] *v 1. (lenken)* steer; *2. (regulieren)* control; *3. INFORM* control

steuerpflichtig ['ʃtɔyərpflɪçtɪç] *adj ECO* taxable, subject to tax

Steuerung ['ʃtɔyəruŋ] *f 1. (das Steuern)* steering; *2. (fig)* control, regulation, management

Steuerzahler ['ʃtɔyərtsaːlər] *m ECO* taxpayer

Steward/Stewardess ['ʃtjuːərt/'ʃtjuːaːrdɛs] *m/f* steward/stewardess

Stich [ʃtɪç] *m 1. (Wespen~)* sting; *2. (Näh~)* stitch; *3. (Messer~)* stab; *4. ART* engraving, cut; *5. jdn im ~ lassen* leave s.o. in the lurch; *6. Du hast wohl einen ~?* You must be mad!

Stichelei [ʃtɪçəˈlaɪ] *f* taunt, jibe, snide remark

sticheln ['ʃtɪçəln] *v (fig)* taunt, needle, tease

stichhaltig ['ʃtɪçhaltɪç] *adj* valid, solid, sound

Stichprobe ['ʃtɪçproːbə] *f* spot check, random test

stichprobenartig ['ʃtɪçproːbənartɪç] *adj 1.* random; *adv 2.* on a random basis

Stichtag ['ʃtɪçtaːk] *m* effective date, key date

Stichwort ['ʃtɪçvɔrt] *n 1. (in einem Wörterbuch)* headword; *2. THEAT* cue; *3. (fig)* key word

sticken ['ʃtɪkən] *v* embroider

Sticker ['ʃtɪkər] *m* sticker

stickig ['ʃtɪkɪç] *adj* stuffy, close, suffocating

Stickstoff ['ʃtɪkʃtɔf] *m CHEM* nitrogen

Stiefel ['ʃtiːfəl] *m* boot; *jdm die ~ lecken* lick s.o.'s boots; *Das sind zwei Paar ~.* That's something completely different. That's apples and oranges. *(fam)*

Stiefeltern ['ʃtiːfɛltərn] *pl* step-parents

Stiefmutter ['ʃtiːfmutər] *f* stepmother

Stiefmütterchen ['ʃtiːfmytərçən] *n BOT* pansy

Stiefvater ['ʃtiːffaːtər] *m* stepfather

Stiel [ʃtiːl] *m* handle, stem, stalk

Stier [ʃtiːr] *m ZOOL* bull; *den ~ bei den Hörnern packen* take the bull by the horns

Stift¹ [ʃtɪft] *m 1. (Nagel ohne Kopf)* pin; *2. (Bleistift)* pencil; *3. (Filzstift)* pen, felt-tipped pen

Stift² [ʃtɪft] *1.* charitable foundation; *2. (Seminar)* seminary; *3. (Kloster)* convent

stiften ['ʃtɪftən] *v 1. (schenken)* give, make a present of, endow; *2. (gründen)* establish, found; *3. (fig: verursachen)* cause, provoke, create

Stiftung ['ʃtɪftuŋ] *f 1. (Schenkung)* donation, bequest; *2. (Gründung)* establishment, foundation

Stil [ʃtiːl] *m* style

stilisieren [ʃtiliˈziːrən] *v* stylize

stilistisch [ʃtiˈlɪstɪʃ] *adj* stylistic

still [ʃtɪl] *adj 1. (geräuschlos)* silent, quiet, calm; *2. (friedlich)* peaceful, calm; *3. (ruhig)* quiet, tranquil

Stille ['ʃtɪlə] *f 1.* silence; *2. (Frieden)* peace, calm; *3. (Ruhe)* tranquility

Stillleben ['ʃtɪlleːbən] *n ART* still-life

stilllegen ['ʃtɪlleːgən] *v* shut down, close down

Stilllegung ['ʃtɪlleːguŋ] *f* shutdown, closure

stillen ['ʃtɪlən] *v 1. (säugen)* breast-feed; *2. (Bedürfnis)* satisfy, gratify

stillos ['ʃtiːlloːs] *adj* tasteless, inappropriate

Stillschweigen ['ʃtɪlʃvaɪɡən] *n* silence

stillschweigend ['ʃtɪlʃvaɪɡənt] *adj* silent, tacit

Stillstand ['ʃtɪlʃtant] *m* standstill, stop, stagnation

stillstehen ['ʃtɪlʃteːən] *v irr 1. MIL* stand at attention; *2. (Person)* stand still; *3. (Maschine)* to be idle

Stilrichtung ['ʃtiːlrɪçtuŋ] *f ART* style, trend

stilvoll ['ʃtiːlfɔl] *adj 1.* in good style, stylish, in good taste; *adv 2.* stylishly, tastefully

Stimmabgabe ['ʃtɪmapgaːbə] *f POL* voting, vote

Stimmband ['ʃtɪmbant] *n ANAT* vocal cord

Stimmbruch ['ʃtɪmbrux] *m* breaking of the voice

Stimme ['ʃtɪmə] *f 1.* voice; *seine ~ wieder finden* regain one's voice; *2. (Wahlstimme) POL* vote

stimmen ['ʃtɪmən] *v 1. (wahr sein)* to be right, to be true, to be correct; *das stimmt* that's right; *2. (Instrument) MUS* tune

Stimmgabel ['ʃtɪmgaːbəl] *f MUS* tuning fork

stimmhaft ['ʃtɪmhaft] *adj* voiced

Stimmrecht ['ʃtɪmreçt] *n ECO* right to vote, suffrage

Stimmung ['ʃtɪmuŋ] *f 1.* mood, disposition, spirit; *2. (bei der Truppe)* morale; *3. (Atmosphäre)* atmosphere

Stimmzettel ['ʃtɪmtsetəl] *m POL* ballot, voting paper

Stinkbombe ['ʃtɪŋkbɔmbə] *f* stink bomb

stinken ['ʃtɪŋkən] *v irr* stink, smell bad

Stipendium [ʃtiˈpɛndjum] *n* scholarship

Stirn [ʃtɪrn] *f* forehead; *die ~ runzeln* furrow one's brow; *die ~ haben, etw zu tun* have the gall to do sth; *jdm die ~ bieten* stand up to s.o.; *sich an die ~ fassen* shake one's head in disbelief; *jdm auf der ~ geschrieben stehen* to be written on s.o.'s face

stöbern ['ʃtøːbərn] *v 1. (herumsuchen)* rummage about; *2. (sauber machen)* clean; *3. Es stöbert.* There is a flurry of snow.

stochern ['ʃtɔxərn] *v* poke about; *im Essen ~* pick at one's food; *in den Zähnen ~* pick one's teeth

Stock [ʃtɔk] *m 1. (Stab)* stick; *am ~ gehen* to be in a bad way; *über ~ und Stein* uphill and down dale; *2. (Etage)* floor, storey, story (US)

stocken ['ʃtɔkən] *v 1. (zum Stillstand kommen)* come to a standstill, stop; *2. (Blut)* coagulate; *3. (Milch)* curdle; *4. (Herz)* skip a beat; *5. (Geschäfte)* drop off; *6. (Stockflecke bekommen)* turn mouldy

stockend ['ʃtɔkənt] *adj 1.* hesitating; *adv 2.* hesitatingly; *~ sprechen* speak haltingly

Stockwerk ['ʃtɔkverk] *n* storey, floor

Stoff [ʃtɔf] *m 1. (Textil)* material, cloth; *2. (Materie)* matter, substance; *3. (fam: Rauschgift)* dope, stuff

stofflich ['ʃtɔflɪç] *adj* material

Stofftier ['ʃtɔftiːr] *n* stuffed animal

Stoffwechsel ['ʃtɔfveksəl] *m BIO* metabolism

stöhnen ['ʃtøːnən] *v* groan, moan

stoisch ['ʃtoːɪʃ] *adj* stoic, stoical

Stollen ['ʃtɔlən] *m (Gebäck) GAST* loaf-shaped pastry containing pieces of fruit

stolpern ['ʃtɔlpərn] *v* stumble, trip

stolz [ʃtɔlts] *adj 1.* proud; *Ich bin ~ auf dich.* I'm proud of you. *2. (hochmütig)* haughty; *3. (anmaßend)* arrogant

Stolz [ʃtɔlts] *m 1.* pride; *2. (Anmaßung)* arrogance

stolzieren [ʃtɔlˈtsiːrən] *v* strut, swagger

stopfen ['ʃtɔpfən] v 1. (füllen) stuff, cram, fill; 2. (flicken) patch up, mend; 3. (Strümpfe) darn
Stoppel ['ʃtɔpəl] f stubble
stoppelig ['ʃtɔpəlɪç] adj stubbly
stoppen ['ʃtɔpən] v 1. (anhalten) stop; 2. (messen) time, clock
Stöpsel ['ʃtœpzəl] m stopper, cork
stören ['ʃtøːrən] v disturb, trouble, bother
Störfaktor ['ʃtøːrfaktor] m interference factor
Störfall ['ʃtøːrfal] m TECH breakdown, accident, malfunction
stornieren [ʃtɔr'niːrən] v ECO cancel
Storno ['ʃtɔrno] m 1. ECO contra entry, reversal; 2. (Auftragsstorno) ECO cancellation
störrisch ['ʃtœrɪʃ] adj 1. stubborn, obstinate, headstrong; adv 2. obstinately, pigheadedly, wilfully
Störung ['ʃtøːruŋ] f disturbance, inconvenience, annoyance
Stoß [ʃtoːs] m 1. push; 2. (Hieb) knock, blow; 3. (Anprall) impact; 4. (mit einer Waffe) thrust; 5. (Stapel) pile
stoßen ['ʃtoːsən] v irr 1. push, shove, knock; 2. auf etw ~ come across sth
Stoßzahn ['ʃtoːstsaːn] m ZOOL tusk
stottern ['ʃtɔtərn] v stutter, stammer
Strafanstalt ['ʃtraːfanʃtalt] f JUR penal institution
Strafanzeige ['ʃtraːfantsaɪgə] f JUR criminal charge; ~ erstatten gegen bring a criminal charge against
Strafarbeit ['ʃtraːfarbaɪt] f extra work (as punishment)
Strafe ['ʃtraːfə] f 1. penalty, punishment; 2. JUR sentence, penalty
strafen ['ʃtraːfən] v punish
Straferlass ['ʃtraːfɛrlas] m JUR remission of a sentence
straff [ʃtraf] adj 1. (gespannt) tight, tense, taut; 2. (streng) severe, strict; 3. (kurz) concise
straffen ['ʃtrafən] v 1. tighten; 2. (fig: einen Text kürzen) compress, condense
Straffreiheit ['ʃtraːffraɪhaɪt] f JUR impunity
Strafgefangene(r) ['ʃtrafgəfaŋənə(r)] m/f prisoner, convict
Strafgesetzbuch ['ʃtraːfgəzɛtsbuːx] n JUR Penal Code, Criminal Code
Straflager ['ʃtraːflaːgər] n detention camp, penal camp, prison camp
sträflich ['ʃtrɛːflɪç] adj 1. criminal, punishable, 2. (unverzeihlich) unpardonable

Sträfling ['ʃtrɛːflɪŋ] m prisoner, convict
Strafporto ['ʃtraːfpɔrto] n surcharge, postage due
Strafpredigt ['ʃtraːfpreːdɪçt] f reprimand, lecture
Strafprozess ['ʃtraːfprotsɛs] m JUR criminal proceedings
Strafrecht ['ʃtraːfrɛçt] n JUR criminal law
strafrechtlich ['ʃtraːfrɛçtlɪç] adj JUR criminal
Straftat ['ʃtraːftaːt] f JUR criminal offence, punishable act
Straftäter ['ʃtraːftɛːtər] m JUR criminal offender
Strafvollzug ['ʃtraːffɔltsuːk] m 1. (System) JUR penal system, prison system; 2. (Bestrafung) JUR imprisonment, incarceration
Strafzettel ['ʃtraːftsɛtəl] m 1. traffic ticket, speeding ticket; 2. (für Falschparken) parking ticket
Strahl [ʃtraːl] m 1. (Sonnenstrahl) ray; 2. (Wasserstrahl) jet, spout
strahlen ['ʃtraːlən] v radiate, beam, shine
Strahler ['ʃtraːlər] m spotlight
Strahlung ['ʃtraːluŋ] f PHYS radiation
Strähne ['ʃtrɛːnə] f 1. strand; 2. (Kette von Ereignissen) string, streak
strähnig ['ʃtrɛːnɪç] adj straggly
stramm [ʃtram] adj 1. (fest sitzend) tight; 2. (kräftig) strapping, robust; 3. (Haltung) erect, upright; 4. (Beine) sturdy; adv 5. ~ arbeiten (fam) work hard
strampeln ['ʃtrampəln] v 1. kick; 2. (beim Radfahren) pedal
Strand [ʃtrant] m beach, shore
Strang [ʃtraŋ] m rope, cord; am gleichen Strang ziehen to be after the same thing; wenn alle Stränge reißen if worst comes to worst
strangulieren [ʃtraŋu'liːrən] v strangle
Strapaze [ʃtra'patsə] f strain, overexertion, fatigue
strapazieren [ʃtrapa'tsiːrən] v strain, fatigue, tax
strapazierfähig [ʃtrapa'tsiːrfɛːɪç] adj sturdy, resilient, heavy-duty
strapaziös [ʃtrapa'tsjøːs] adj exhausting, trying
Straße ['ʃtraːsə] f 1. road; 2. (einer Stadt) street; über die ~ gehen cross the street; jdn auf die ~ werfen turn s.o. out; jdn auf die ~ werfen (jdn entlassen) sack s.o.; auf der ~ liegen to be on the street; auf die ~ gehen (der Prostitution nachgehen) walk the streets; 3. (Meerenge) GEO strait

Straßenbahn ['ʃtraːsənbaːn] f tram (UK), streetcar (US)

Strategie [ʃtrateˈgiː] f strategy

strategisch [ʃtraˈteːgɪʃ] adj strategic

sträuben ['ʃtrɔybən] v sich ~ resist, oppose, fight against

Strauch [ʃtraux] m BOT bush, shrub

Strauß¹ [ʃtraus] m (Blumenstrauß) bunch, bouquet

Strauß² [ʃtraus] m ZOOL ostrich

Strebe ['ʃtreːbə] f brace, strut

Streber ['ʃtreːbər] m (fam) swotter (UK), curve killer (US)

strebsam ['ʃtreːpzam] adj assiduous, industrious

Strecke ['ʃtrɛkə] f 1. stretch; auf der ~ bleiben fall by the wayside; jdn zur ~ bringen hunt down and capture s.o.; 2. (Entfernung) distance

strecken ['ʃtrɛkən] v stretch

Streich [ʃtraiç] m 1. (Schlag) blow; auf einen ~ at a stroke; 2. (Schabernack) prank; jdm einen ~ spielen play a joke on s.o.

streicheln ['ʃtraiçəln] v caress, pet

streichen ['ʃtraiçən] v irr 1. (berühren) stroke, rub gently; 2. (auf~) spread; 3. (an~) paint; 4. (durch~) cross out, delete, strike out; 5. (Plan) cancel; 6. (annullieren) cancel

Streichholz ['ʃtraiçhɔlts] n match

Streichholzschachtel ['ʃtraiçhɔltsʃaxtəl] f matchbox

Streife ['ʃtraifə] f (Polizei) patrol

Streifen ['ʃtraifən] m 1. (Band) strip; 2. (Linie) stripe, streak; 3. (fam: Film) picture

Streifzug ['ʃtraiftsuːk] m 1. reconnaissance; 2. (Überblick) brief survey; 3. (Bummel) wanderings

Streik [ʃtraik] m strike

streiken ['ʃtraikən] v strike

Streikposten ['ʃtraikpɔstən] m ECO picketer

Streit [ʃtrait] m 1. (Unstimmigkeit) disagreement, difference; 2. (Wort~) argument, dispute, quarrel

streiten ['ʃtraitən] v irr 1. (mit Worten) argue, have a dispute, quarrel; sich ~ über argue about; 2. (kämpfen) fight, struggle

Streitfrage ['ʃtraitfraːgə] f dispute, point of controversy, issue

Streitgespräch ['ʃtraitgəʃprɛːç] n debate, discussion

Streitkräfte ['ʃtraitkrɛftə] pl MIL armed forces, armed services, troops

streitsüchtig ['ʃtraitzʏçtɪç] adj belligerent, quarrelsome

Streitwert ['ʃtraitvert] m JUR amount in dispute

streng [ʃtrɛŋ] adj 1. strict, severe, exacting; adv 2. strictly, severely; ~ vertraulich strictly confidential; ~ genommen strictly speaking

Strenge ['ʃtrɛŋə] f 1. strictness, severity; 2. (der Form) austerity, economy; 3. (des Wetters) harshness; 4. (des Geschmacks) acridity, pungency

strengstens ['ʃtrɛŋstəns] adv absolutely

Stress [ʃtrɛs] m stress

Streu [ʃtrɔy] f straw or sawdust spread on the ground

streuen ['ʃtrɔyən] v 1. strew, scatter; 2. (Mist) spread

Strich [ʃtrɪç] m 1. stroke, line; jdm einen ~ durch die Rechnung machen (fig) thwart s.o.'s plan; gegen den ~ gehen go against the grain; nach ~ und Faden really, with a vengeance; Ziehen wir doch einen ~ darunter. Let's let bygones be bygones. 2. (Pinsel~) stroke; 3. (Prostitution) prostitution; auf den ~ gehen walk the streets

Strichkode ['ʃtrɪçkoːd] m INFORM bar code, UPC code (US)

Strichmännchen ['ʃtrɪçmɛnçən] n matchstick man

Strichpunkt ['ʃtrɪçpuŋkt] m semicolon

Strick [ʃtrɪk] m rope, cord; wenn alle ~e reißen if worst comes to worst; jdm aus etw einen ~ drehen slant sth against s.o.

stricken ['ʃtrɪkən] v knit

Strickjacke ['ʃtrɪkjakə] f cardigan

Strickleiter ['ʃtrɪklaitər] f rope ladder

Stricknadel ['ʃtrɪknaːdəl] f knitting needle

Striemen ['ʃtriːmən] m welt

strikt [ʃtrɪkt] adj 1. strict; adv 2. strictly, literally

strittig ['ʃtrɪtɪç] adj controversial, debatable, contentious

Stroh [ʃtroː] n straw; ~ im Kopf haben to have rocks in one's head, to be as thick as they come

Strohhalm ['ʃtroːhalm] m straw; sich an einen ~ klammern clutch at straws

Strohmann ['ʃtroːman] m (fig) scarecrow

Strohwitwe ['ʃtroːvɪtvə] f grass-widow

Strom [ʃtroːm] m 1. (Fluss) river, stream; 2. (elektrischer ~) TECH current; 3. (Strömung) current, stream; mit dem ~ schwimmen swim with the tide

Stromausfall ['ʃtroːmausfal] m power failure, power outage

strömen ['ʃtrøːmən] v 1. stream, flow; 2. *(heraus~)* pour

stromlinienförmig ['ʃtroːmliːnjənfœrmɪç] *adj* streamlined

Strömung ['ʃtrøːmʊŋ] f current, stream, drift

Strophe ['ʃtroːfə] f verse, stanza

strotzen ['ʃtrɔtsən] v ~ *von* abound with

Strudel ['ʃtruːdəl] m 1. whirlpool; 2. *GAST* strudel

Struktur [ʃtrukˈtuːr] f structure

Strumpf [ʃtrumpf] m 1. sock; 2. *(Damenstrumpf)* stocking

Strumpfhose ['ʃtrumpfhoːzə] f tights pl

struppig ['ʃtrupɪç] *adj* unkempt

Struwwelpeter ['ʃtruvəlpeːtər] m *LIT* shockheaded Peter

Stube ['ʃtuːbə] f room, chamber

Stubenhocker ['ʃtuːbənhɔkər] m stay-at-home

Stück [ʃtyk] n 1. piece, bit; *ein ~ Brot* a piece of bread; *große ~e auf jdn halten* think the world of s.o.; 2. *(Abschnitt)* part, portion, fragment; 3. *THEAT* play

Stuckdecke ['ʃtukdɛkə] f decorative stucco ceiling

stückweise ['ʃtykvaɪzə] *adv* 1. bit by bit, little by little, piecemeal; 2. ~ *verkaufen ECO* sell individually

Student [ʃtuˈdɛnt] m student

Studentenausweis [ʃtuˈdɛntənausvaɪs] m student ID card

Studentenheim [ʃtuˈdɛntənhaɪm] n residence hall, dormitory *(US)*

Studie ['ʃtuːdjə] f study

Studienrat ['ʃtuːdjənraːt] m teacher at a secondary school

studieren [ʃtuˈdiːrən] v study, attend university

Studio ['ʃtuːdjo] n studio

Studium ['ʃtuːdjum] n studies pl

Stufe ['ʃtuːfə] f 1. *(Treppenstufe)* step; 2. *(Phase)* phase, stage

stufenlos ['ʃtuːfənloːs] *adj* continuous

stufenweise ['ʃtuːfənvaɪzə] *adv* by steps, gradually, progressively

stufig ['ʃtuːfɪç] *adj* stepped, terraced

Stuhl [ʃtuːl] m chair, seat; *zwischen zwei Stühlen sitzen (fig)* sit on the fence; *Ich bin fast vom ~ gefallen.* You could have knocked me over with a feather. *Das reißt einen nicht gerade vom ~.* It's nothing to write home about.

Stuhlgang ['ʃtuːlɡaŋ] m *MED* bowel movement

stülpen ['ʃtylpən] v 1. *etw über etw ~* put sth over sth; *den Hut auf den Kopf ~* clap on one's hat; 2. *nach außen ~* turn inside out

stumm [ʃtum] *adj* 1. dumb, mute; 2. *(schweigend)* silent

Stummel ['ʃtuməl] m 1. stump; 2. *(einer Zigarette)* fag (UK), butt (US)

Stummfilm ['ʃtumfɪlm] m silent film

Stümper ['ʃtympər] m *(fam: Versager)* bungler, amateur

stümperhaft ['ʃtympərhaft] *adj* 1. botched, clumsy, bungling; *adv* 2. clumsily, incompetently

stumpf [ʃtumpf] *adj* 1. *(nicht scharf)* blunt; 2. *(fig: glanzlos)* dull, subdued; 3. *(fig: teilnahmslos)* apathetic

Stumpf [ʃtumpf] m 1. *(eines Baumes)* stump; 2. *(einer Extremität)* stump

stumpfsinnig ['ʃtumpfzɪnɪç] *adj* 1. *(Person)* dull, dim-witted; 2. *(Arbeit)* tedious, monotonous, stupefying

Stunde ['ʃtundə] f 1. hour; 2. *(Unterricht)* lesson; 3. *(fig)* hour, moment; *die ~ der Warheit* the moment of truth; *Seine letzte ~ hat geschlagen.* His time is up.

Stundenplan ['ʃtundənplan] m timetable, schedule

Stundenzeiger ['ʃtundəntsaɪɡər] m hour hand

stündlich ['ʃtyntlɪç] *adj* 1. hourly; *adv* 2. hourly, by the hour, on the hour

stupid [ʃtuˈpiːt] *adj* 1. *(Person)* stupid; 2. *(Arbeit)* tedious, monotonous

stur [ʃtuːr] *adj* pig-headed, stubborn, obstinate

Sturheit ['ʃtuːrhaɪt] f stubbornness, obstinacy, pigheadedness

Sturm [ʃturm] m 1. storm; 2. ~ *und Drang LIT* Sturm und Drang (Storm and Stress)

stürmen ['ʃtyrmən] v 1. storm; 2. *(Wind)* rage; 3. *(Stürmer spielen) SPORT* play forward

stürmisch ['ʃtyrmɪʃ] *adj* 1. *(Wetter)* stormy; 2. *(fig)* turbulent, tempestuous, frantic; 3. *(leidenschaftlich)* passionate

Sturz [ʃturts] m fall, tumble

stürzen ['ʃtyrtsən] v 1. fall, tumble; 2. *(rennen)* rush, dash; *Er kam ins Zimmer gestürzt.* He burst into the room. 3. *(durch Coup)* overthrow

Stute ['ʃtuːtə] f *ZOOL* mare

Stütze ['ʃtytsə] f 1. support, prop; *die ~n der Gesellschaft* the pillars of society; 2. *(fig: Unterstützung)* support

stutzen ['ʃtutsən] v 1. *(erstaunt sein)* stop short; 2. *(kürzen)* trim

stützen ['ʃtytsən] v 1. (halten) prop, support; 2. (fig: unter~) back up, support

stutzig ['ʃtutsɪç] adj ~ werden become suspicious

Stützpunkt ['ʃtytspuŋkt] m MIL base

stylen ['staɪlən] v (fam) design, style

Subjekt [zup'jɛkt] n subject

subjektiv [zupjɛk'tiːf] adj 1. subjective; adv 2. subjectively

Substantiv ['zupstantiːf] n GRAMM noun

Substanz [zup'stants] f CHEM substance, material

substanziell [zupstan'tsjɛl] adj substantial

Substrat [zup'straːt] n 1. substratum; 2. TECH substrate

subtil [sup'tiːl] adj subtle

Subtraktion [zuptrak'tsjoːn] f MATH subtraction

Subvention [zupvɛn'tsjoːn] f ECO subsidy

subventionieren [zupvɛntsjo'niːrən] v subsidize

Suche ['zuːxə] f search, quest

suchen ['zuːxən] v 1. etw ~, nach etw ~ look for sth, seek sth, search for sth; 2. Du hast hier nichts zu ~. (fig) You have no business being here. seinesgleichen ~ to be unparalleled

Sucht [zuxt] f MED addiction

süchtig ['zyçtɪç] adj MED addicted

Südafrika [zyːt'afrɪka] n GEO South Africa

Südamerika [zyːta'meːrɪka] n GEO South America

Süden ['zyːdən] m south

südlich ['zyːdlɪç] adj 1. southern, southerly, south; adv 2. south; ~ von south of

Südpol ['zyːtpoːl] m GEO South Pole

Sühne ['zyːnə] f atonement, expiation

Sülze ['zyltsə] f aspic, head cheese (US)

Summe ['zumə] f sum, amount

summen ['zumən] v hum, buzz

Summer ['zumər] m buzzer

summieren [zu'miːrən] v sum up, add up

Sumpf [zumpf] m swamp, marsh, bog

Sünde ['zyndə] f sin

Sündenbock ['zyndənbɔk] m scapegoat

Sünder ['zyndər] m sinner

sündhaft ['zynthaft] adj 1. sinful; adv 2. ~ teuer ridiculously expensive

sündig ['zyndɪç] adj sinful

sündigen ['zyndɪgən] v REL sin, commit a sin

super ['zuːpər] adj great, fantastic

Superlativ [zupərla'tiːf] m GRAMM superlative

Supermarkt ['zuːpərmarkt] m supermarket

Suppe ['zupə] f GAST soup, broth; jdm die ~ versalzen (fig) spoil s.o.'s fun; sich eine schöne ~ einbrocken get o.s. into a pretty pickle; Du musst die ~ auslöffeln, die du dir eingebrockt hast. (fig) You've made your bed, now you've got to lie in it.

surfen ['zøːrfən] v SPORT surf

Surrealismus [zyrea'lɪsmus] m ART surrealism

surren ['zurən] v 1. whir, hum; 2. (Insekt) buzz

suspendieren [zuspɛn'diːrən] v suspend

süß [zyːs] adj 1. (Geschmack) sweet; 2. (niedlich) sweet, cute

Süßigkeiten ['zyːsɪçkaɪtən] pl sweets

Süßstoff ['zyːsʃtɔf] m sweetener

Süßwasser ['syːsvasər] n freshwater

Symbol [zym'boːl] n symbol

symbolisch [zym'boːlɪʃ] adj symbolic

Symmetrie [zyme'triː] f MATH symmetry

symmetrisch [zy'meːtrɪʃ] adj 1. symmetric; adv 2. symmetrically

Sympathie [zympa'tiː] f sympathy

Sympathisant [zympati'zant] m POL sympathizer

sympathisch [zym'paːtɪʃ] adj likable, nice, appealing; Er ist mir ~. I like him.

sympatisieren [zympati'ziːrən] v ~ mit sympathize with

Symptom [zymp'toːm] n symptom

symptomatisch [zympto'maːtɪʃ] adj symptomatic

Synagoge [zyna'goːgə] f REL synagogue

synchron [zyn'kroːn] adj synchronous

Synchronisation [zynkroniza'tsjoːn] f CINE dubbing

synchronisieren [zynkroni'ziːrən] v 1. CINE dub; 2. (Getriebe) TECH synchronise

Syndrom [zyn'droːm] n MED syndrome

Synonym [zyno'nyːm] n LING synonym

synthetisch [zyn'teːtɪʃ] adj synthetic

System [zys'teːm] n system

systematisch [zyste'maːtɪʃ] adj systematic

Szenario [stse'naːrjo] n scenario

Szene ['stseːnə] f 1. scene; 2. CINE scene, sequence, (~naufnahme) shot

Szenenapplaus ['stseːnənaplaus] m applause (during a performance)

Szenenwechsel ['stseːnənvɛksəl] m scene change

Szenerie [stseːnə'riː] f scenery

T

Tabak ['tabak] *m* tobacco

Tabelle [ta'bɛlə] *f 1.* table, chart; *2. SPORT* table *(UK)*, standings *pl*

Tablett [ta'blɛt] *n* tray

Tablette [ta'blɛtə] *f MED* tablet, pill

tabu [ta'buː] *adj* taboo

tabuisieren [tabui'ziːrən] *v* taboo

Tachometer [taxo'meːtər] *m* speedometer

Tadel ['taːdəl] *m* reproach, reproof, criticism

tadellos ['taːdəlloːs] *adj 1.* faultless, blameless, irreproachable; *adv 2.* perfectly, flawlessly, faultlessly

tadeln ['taːdəln] *v 1.* rebuke; *2. (bekritteln)* find fault with

Tafel ['taːfəl] *f 1. (Schultafel)* blackboard, chalkboard; *2. (Schalttafel) TECH* switchboard; *3. (gedeckter Tisch)* dinner table; *4. (Schokoladentafel)* bar

täfeln ['tɛːfəln] *v* panel

Täfelung ['tɛːfəluŋ] *f* panelling

Tag [taːk] *m* day; *Guten ~!* Hello! *jeden zweiten ~* every other day; *einen freien ~ haben* have a day off; *Das ist nicht mein ~.* This isn't my day. *den ganzen ~* all day long; *~ für ~, ~ um ~* day after day; *vor acht ~en* a week ago; *bis auf den heutigen ~* to this day; *etw an den ~ bringen* bring sth to light; *etw an den ~ legen* display sth; *an den ~ kommen* come to light; *unter ~* below ground; *in den ~ hineinleben* live from day to day

Tagebuch ['taːgəbuːx] *n* diary, journal

Tagelöhner ['taːgəløːnər] *m* day labourer

tagen ['taːgən] *v 1. (Tag werden)* dawn; *2. (eine Tagung abhalten)* meet, sit

Tagesanbruch ['taːgəsanbrux] *m* daybreak, dawn

Tagesordnung ['taːgəsɔrdnuŋ] *f* agenda; *an der ~ sein (fig)* to be the order of the day; *zur ~ übergehen* carry on as usual

täglich ['tɛːkliç] *adj* daily, every day

Tagung ['taːguŋ] *f* meeting, conference

Taille ['taljə] *f* waist

Takt [takt] *m 1. (Feingefühl)* tact; *2. MUS* time, bar; *den ~ angeben* call the tune; *aus dem ~ kommen* lose the beat, to be put off one's stroke (fig); *jdn aus dem ~ bringen* put s.o. off his stroke

Taktik ['taktɪk] *f* tactics

taktlos ['taktloːs] *adj 1.* tactless; *adv 2.* tactlessly

Tal [taːl] *n* valley

Talent [ta'lɛnt] *n* talent

talentiert [talɛn'tiːrt] *adj* talented, gifted

Talisman ['taːlɪsman] *m* talisman

talwärts ['taːlvɛrts] *adv* down into the valley

Tampon ['tampõ] *m* tampon

Tandem ['tandɛm] *n* tandem

Tangente [taŋ'gɛntə] *f 1. MATH* tangent; *2. (Umgehungsstraße)* ring road, bypass

tangieren [taŋ'giːrən] *v (fig)* affect, concern

Tank [taŋk] *m* tank

tanken ['taŋkən] *v* refuel, fill up, get petrol *(UK)*, get gas *(US); voll ~* fill up

Tankstelle ['taŋkʃtɛlə] *f* petrol station *(UK)*, gas station *(US)*

Tanne ['tanə] *f BOT* firtree

Tante ['tantə] *f 1.* aunt; *2. (fam: Frau)* female (fam)

Tanz [tants] *m* dance

tanzen ['tantsən] *v* dance; *nach jds Pfeife ~ (fig)* dance to s.o.'s tune (fig)

Tänzer(in) ['tɛntsər(ɪn)] *m/f* dancer

Tapete [ta'peːtə] *f* wallpaper; *die ~n wechseln (fig)* have a change of scenery

tapfer ['tapfər] *adj 1.* brave, courageous, plucky; *2. (heldenhaft)* valiant

Tapferkeit ['tapfərkaɪt] *f* bravery, valour

Tarif [ta'riːf] *m* tariff, rate, scale of charges

Tarifgruppe [ta'riːfgrupə] *f ECO* pay grade

Tarifkonflikt [ta'riːfkɔnflɪkt] *m ECO* conflict over wages

tarnen ['tarnən] *v* mask, camouflage, screen

Tarnung ['tarnuŋ] *f* masking, screening, camouflage

Tasche ['taʃə] *f 1. (Handtasche)* handbag, purse *(US); 2. (Aktentasche)* briefcase; *3. (Hosentasche)* pocket; *jdn in die ~ stecken (fam)* to be more than a match for s.o. *jdm auf der ~ liegen (fig)* live off s.o. *tief in die ~ greifen müssen (fig)* have to fork out a lot of cash (fam); *etw aus eigener ~ bezahlen* pay for sth out of one's own pocket; *jdm Geld aus der ~ ziehen (fig)* get s.o. to part with his money; *etw in die eigene ~ stecken (fig)* line one's pockets

Taschendieb(in) ['taʃəndiːp(ɪn)] *m/f* pickpocket

Taschengeld ['taʃəngɛlt] *n* pocket-money

Taschenlampe ['taʃənlampə] *f* torch *(UK)*, flashlight *(US)*

Taschentuch ['taʃəntuːx] n handkerchief
Tasse ['tasə] f cup, mug; *nicht alle ~n im Schrank haben (fig)* to be not all there (fam), to be round the bend; *eine trübe ~ (fam)* a killjoy
Tastatur [tasta'tuːr] f keyboard
Taste ['tastə] f key, button
tasten ['tastən] v feel, touch; *nach etw ~* grope for sth
Tastenzwang ['tastəntsvaŋ] m INFORM keyboard compulsion
Tat [taːt] f 1. (Handlung) act, deed, action; *jdn auf frischer ~ ertappen* catch s.o. in the act (of doing sth); 2. (Straftat) criminal act, criminal offence; 3. *in der ~* indeed; 4. *in der ~ (wider Erwarten)* actually, in point of fact
Täter ['tɛːtər] m perpetrator, culprit
tätigen ['tɛːtɪɡən] v transact
Tätigkeit ['tɛːtɪçkaɪt] f 1. activity; 2. (Beruf) occupation, job
tatkräftig ['taːtkrɛftɪç] adj 1. active, energetic; adv 2. actively, energetically
Tätowierung [tɛːto'viːruŋ] f tattoo
Tatsache ['taːtzaxə] f fact, matter of fact; *jdn vor vollendete ~n stellen* confront s.o. with a fait accompli; *vollendete ~n schaffen* create a fait accompli; *~!* Really!
tatsächlich ['taːtzɛçlɪç] adj 1. actual, real; adv 2. actually, in fact, as a matter of fact
Tau[1] [tau] m dew
Tau[2] [tau] n (Seil) rope, cable
taub [taup] adj 1. deaf; 2. (ohne Gefühl) numb
Taube ['taubə] f ZOOL pigeon
taubstumm ['taupʃtum] adj deaf and dumb
tauchen ['tauxən] v dive, plunge, dip
Taucher ['tauxər] m diver
tauen ['tauən] v 1. (Schnee, Eis) thaw; 2. NAUT tow
Taufe ['taufə] f REL christening, baptism; *etw aus der ~ heben* launch sth
taufen ['taufən] v REL christen, baptize
Taufpate ['taufpaːtə] m REL godfather
taugen ['tauɡən] v to be suitable, to be fit
Tauglichkeit ['tauklɪçkaɪt] f fitness, suitability
taumeln ['tauməln] v reel, lurch, stagger
Tausch [tauʃ] m trade, exchange, swap
tauschen ['tauʃən] v trade, exchange, swap
täuschen ['tɔyʃən] v 1. (jdn ~) deceive, delude, trick; 2. *sich ~* delude o.s., to be mistaken
Täuschung ['tɔyʃuŋ] f 1. deception; 2. (Selbsttäuschung) delusion
Tausendfüßler ['tauzəntfyːslər] m ZOOL millipede

Taxi ['taksi] n taxi
Team [tiːm] n team
Teamarbeit ['tiːmarbaɪt] f teamwork
Technik ['tɛçnɪk] f 1. technology; 2. (Aufbau) mechanics pl; 3. (Verfahren) technique
Technologie [tɛçnolo'ɡiː] f technology
Tee [teː] m tea
Teer [teːr] m tar
Teich [taɪç] m pond, pool
Teig [taɪk] m dough, batter
Teil [taɪl] m 1. part; *sich seinen ~ denken* have one's own thoughts on the matter; *für meinen ~* I for my part; 2. (Anteil) portion; *seinen ~ kriegen* get one's share; *seinen ~ weghaben* have had one's share; 3. (Abschnitt) section; 4. (Bestandteil) element
Teilchen ['taɪlçən] n particle
teilen ['taɪlən] v 1. (trennen) separate, divide, split; 2. (fig: gemeinsam haben) share
teilhaben ['taɪlhaːbən] v irr ~ an participate in, share in, have a part in
Teilhaber ['taɪlhaːbər] m ECO partner, associate
Teilnahme ['taɪlnaːmə] f participation, attendance
teilnahmslos ['taɪlnaːmsloːs] adj 1. unconcerned, indifferent; adv 2. indifferently
teilnehmen ['taɪlneːmən] v irr participate, take part
Teilnehmer(in) ['taɪlneːmər(ɪn)] m/f 1. participant; 2. TEL subscriber, party
Teilung ['taɪluŋ] f division
teilweise ['taɪlvaɪzə] adv 1. partly, partially, in part; 2. (manchmal) sometimes
Teint [tɛ̃] m complexion
Telefax ['teːlefaks] n fax, facsimile transmission
Telefon [tele'foːn] n telephone, phone
telefonieren [telefo'niːrən] v telephone, phone, make a telephone call
Telefonzelle [tele'foːntsɛlə] f call-box (UK), pay phone (US)
telegrafieren [teleɡra'fiːrən] v telegraph, wire, send a telegram
Telegramm [tele'ɡram] n telegram
Teleskop [teles'koːp] n TECH telescope
Teller ['tɛlər] m 1. (flach) plate, dinner-plate; 2. (tief) soup-plate
Tempel ['tɛmpəl] m temple
Temperament [tempera'mɛnt] n 1. temperament, disposition; 2. (Lebhaftigkeit) vivacity
temperamentvoll [tempera'mɛntfɔl] adj spirited

Temperatur [tempera'tu:r] f temperature
Tempo ['tempo] n speed, pace; ~ machen get a move on
temporär [tempo're:r] adj temporary
Tendenz [tɛn'dɛnts] f tendency
tendieren [tɛn'di:rən] v tend, to be inclined, show a tendency
Tenor [te'no:r] m MUS tenor
Teppich ['tɛpɪç] m carpet; etw unter den ~ kehren (fig) push sth under the rug; auf dem ~ bleiben (fig) keep one's feet on the ground, stay down-to-earth
Termin [tɛr'mi:n] m 1. (Datum) date; 2. (Frist) term, deadline; 3. (Verabredung) appointment; 4. (Verhandlung) JUR hearing
Terminal ['tœrminəl] m 1. (im Flughafen) terminal; 2. INFORM terminal
Terminologie [tɛrminolo'gi:] f terminology
Terrasse [tɛ'rasə] f terrace
Terrine [tɛ'rinə] f tureen
Territorium [tɛri'to:rjum] n territory
Terror ['tɛro:r] m terror
terrorisieren [tɛrori'zi:rən] v terrorize
Terrorismus [tɛro'rɪsmus] m terrorism
Test [tɛst] m test
Testament [tɛsta'mɛnt] n testament, will
testen ['tɛstən] v test
teuer ['tɔyər] adj 1. expensive, costly; 2. (fig) dear, cherished; Das wird dich ~ zu stehen kommen! You'll pay dearly for that!
Teufel ['tɔyfəl] m devil; den ~ an die Wand malen tempt fate; den ~ im Leib haben to be wild and uncontrollable; sich den ~ um etw scheren not give a damn about sth; in ~s Küche kommen get into a hell of a mess; auf ~ komm raus arbeiten work like the devil; jdn zum ~ schicken tell s.o. to go to hell, tell s.o. to get lost; Da war der ~ los. All hell was let loose. Scher dich zum ~! Get lost!
Teufelskreis ['tɔyfəlskrais] m (fig) vicious circle
teuflisch ['tɔyflɪʃ] adj devilish, diabolical
Text [tɛkst] m text
texten ['tɛkstən] v 1. (Werbetext) write copy; 2. (Schlagertext) write lyrics
textil [tɛks'ti:l] adj textile
Theater [te'a:tər] n 1. (Schauspielhaus) theatre; Sie spielt nur ~. She's just putting it on. 2. (fig: Aufregung) fuss, din, scene
Theaterkasse [te'a:tərkasə] f box-office
theatralisch [tea'tra:lɪʃ] adj 1. (fig) melodramatic, theatrical; adv 2. (fig) melodramatically

Theke ['te:kə] f counter, bar
Thema ['te:ma] n 1. subject, topic; 2. MUS theme
Thematik [te'ma:tɪk] f subject matter
Theologie [teolo'gi:] f theology
theoretisch [teo're:tɪʃ] adj 1. theoretic, theoretical; adv 2. theoretically, in theory
Theorie [teo'ri:] f theory
Therapeut [tera'pɔyt] m therapist
Therapie [tera'pi:] f therapy
Thermometer [tɛrmo'me:tər] n thermometer
Thermoskanne ['tɛrmɔskanə] f thermos, vacuum flask
These ['te:zə] f thesis, hypothesis
Thron [tro:n] m throne; von seinem ~ herabsteigen (fig) come down off one's high horse (fig); jdn vom ~ stoßen dethrone s.o.
tief [ti:f] adj 1. deep; ~ gehend deep; ~ gehend (Schmerz) intense; ~ gehend (gründlich) thorough; im ~sten Niederbayern (fam) in the heart of Lower Bavaria; 2. (Temperatur) low; 3. (fig: tief schürfend) profound, deep; adv 4. (stark) heavily, deeply; 5. (schlafen) soundly
Tiefe ['ti:fə] f depth
Tiefgarage ['ti:fgara:ʒə] f underground parking
tiefgreifend ['ti:fgraifənt] adj profound, penetrating, far-reaching
tiefsinnig ['ti:fzɪnɪç] adj deep, profound
tiefstapeln ['ti:fʃta:pəln] v (fig) sell o.s. short
Tier [ti:r] n animal; ein hohes ~ (fam) a big shot
Tierarzt ['ti:rartst] m veterinarian, veterinary surgeon
Tiger ['ti:gər] m ZOOL tiger
tilgen ['tɪlgən] v ECO redeem, repay, pay off
Tilgung ['tɪlgʊŋ] f ECO repayment, redemption, amortization
Tinte ['tɪntə] f ink; in der ~ sitzen (fam) to be in the soup
tippen ['tɪpən] v 1. (berühren) tap, touch gently; 2. (Maschine schreiben) type; 3. (vermuten) make a guess; 4. (wetten) put money on, lay a bet on
Tisch [tɪʃ] m table; reinen ~ machen make a clean sweep; am grünen ~ (fig) at the conference table; eine Konferenz am runden ~ a round-table conference; jdn über den ~ ziehen take s.o. to the cleaners
Titel ['ti:təl] m title
titulieren [titu'li:rən] v 1. call, address; 2. (Buch) title, entitle

Toast [toːst] *m* toast; *einen ~ auf jdn ausbringen* propose a toast to s.o.

toben ['toːbən] *v 1. (tollen)* romp; *2. (stürmen)* rage, roar; *3. (wütend sein)* rage

Tochter ['tɔxtər] *f* daughter

Tod [toːt] *m* death; *den ~ vor Augen* at death's door; *tausend ~e sterben* die a thousand deaths, to be worried stiff; *jdn auf den ~ nicht leiden können* hate s.o. like poison, hate s.o.'s guts

Todesurteil ['toːdəsurtaɪl] *n* death sentence

tödlich ['tøːtlɪç] *adj 1.* fatal, deadly, lethal; *adv 2.* fatally, mortally, lethally

Toilette [toa'lɛtə] *f (WC)* lavatory, toilet, men's room/ladies' room

tolerant [tɔlə'rant] *adj* tolerant

Toleranz [tɔlə'rants] *f* tolerance

tolerieren [tɔlə'riːrən] *v* tolerate

tollkühn ['tɔlkyːn] *adj 1.* foolhardy, rash, reckless; *adv 2.* rashly, recklessly

tollpatschig ['tɔlpatʃɪç] *adj (fam)* clumsy, awkward, ham-handed

Tollwut ['tɔlvuːt] *f MED* rabies

Tölpel ['tœlpəl] *m* blockhead

Tomate [to'maːtə] *f BOT* tomato; *eine treulose ~ sein* to be unreliable; *~n auf den Augen haben* fail to see sth

Tombola ['tɔmbola] *f* tombola *(UK)*, lottery

Ton¹ [toːn] *m 1. (Laut)* sound, tone; *jdn in den höchsten Tönen loben (fam)* praise s.o. to the skies; *große Töne spucken (fam)* talk big; *2. MUS* tone, note; *den ~ angeben* call the tune; *einen anderen ~ anschlagen* change one's tune; *3. (Umgangston)* tone, fashion; *sich im ~ vergreifen* speak out of turn

Ton² [toːn] *m (Lehm)* clay

Tonband ['toːnbant] *n* tape

tönen ['tøːnən] *v 1. (klingen)* sound, ring; *2. (färben)* tint, tone; *3. (fig: prahlen)* boast

Tonlage ['toːnlaːgə] *f MUS* pitch

Tonne ['tɔnə] *f 1. (Gefäß)* barrel, cask, tub; *2. (Maßeinheit)* ton

Tönung ['tøːnʊŋ] *f* tint, tone

Topf [tɔpf] *m* pot, *(Kochtopf)* saucepan; *alles in einen ~ werfen* lump everything together; *wie ~ und Deckel zusammenpassen* suit each other down to the ground

töpfern ['tœpfərn] *v* make pottery

Tor¹ [toːr] *n 1. (Tür)* gate, door, gateway; *2. SPORT* goal; *3. (Treffer)* goal

Tor² [toːr] *m (Dummkopf)* fool

Torheit ['toːrhaɪt] *f* foolishness, silliness

töricht ['tøːrɪçt] *adj 1.* foolish, silly; *adv 2.* foolishly

Torte ['tɔrtə] *f GAST* cake, tart

Tortur [tɔr'tuːr] *f* torture

tot [toːt] *adj 1.* dead; *mehr ~ als lebendig* more dead than alive; *sich ~ stellen* play dead

total [to'taːl] *adj 1.* total, complete; *adv 2.* totally, completely, utterly

totalitär [totali'tɛːr] *adj 1.* totalitarian; *adv 2.* in a totalitarian manner

Tote(r) ['toːtə(r)] *m/f* dead person

töten ['tøːtən] *v* kill

Toupet [tu'peː] *n* toupée, hairpiece

Tour [tuːr] *f 1.* tour; *auf vollen ~en laufen* to be in full swing; *jdn auf ~en bringen* spur s.o. into action; *2. (Umdrehung)* turn; *in einer ~ (fig)* without stopping; *3. (Fahrt)* trip; *4. (fig)* way, manner; *krumme ~en* shady dealings

Tourismus [tu'rɪsmus] *m* tourism

Tourist(in) [tu'rɪst(ɪn)] *m/f* tourist

Tournee [tur'neː] *f* tour

Trab [traːp] *m* trot; *jdn auf ~ bringen* make s.o. get a move on; *auf ~ sein* to be on the go

Trabant [tra'bant] *m* satellite

traben ['traːbən] *v* trot

Tracht [traxt] *f 1. (Traglast)* load; *2. (Kleidung)* folkloric costume

trachten ['traxtən] *v 1. nach etw ~* aim at sth, strive for sth, aspire to sth; *2. (~ etw zu tun)* endeavour, try

Tradition [tradits'joːn] *f* tradition

traditionell [traditsjo'nɛl] *adj* traditional; *adv* traditionally

Trafo ['traːfo] *m (fam) TECH* transformer

Trage ['traːgə] *f* stretcher, litter

träge ['trɛːgə] *adj 1.* lazy, idle; *2. PHYS* inert

tragen ['traːgən] *v irr 1.* carry; *für etw Sorge ~* see to sth; *2. (am Körper ~)* wear

Trägheit ['trɛːkhaɪt] *f 1.* laziness, indolence, lethargy; *2. PHYS* inertia

Tragik ['traːgɪk] *f* tragedy

tragisch ['traːgɪʃ] *adj* tragic

Tragödie [tra'gøːdjə] *f* tragedy

Tragweite ['traːkvaɪtə] *f 1.* range; *2. (fig)* magnitude, scope, implications *pl*

Trainer(in) ['trɛːɪnər(ɪn)] *m/f SPORT* coach

trainieren [trɛː'niːrən] *v* train

Traktor ['traktor] *m AGR* tractor

trällern ['trɛlərn] *v* hum, warble, trill

trampeln ['trampəln] *v* trample

trampen ['trɛmpən] *v* hitch-hike

Tramper(in) ['trɛmpər(ɪn)] *m/f* hitch-hiker

Trance [trɑ̃s] *f* trance

Träne ['trɛːnə] *f* tear; *in ~n ausbrechen* burst into tears

tränen ['trɛːnən] v water

Tränke ['trɛŋkə] f watering hole

Transaktion [tranzaktsˈjoːn] f transaction

transferieren [transfeˈriːrən] v transfer

Transformator [transfɔrˈmaːtɔr] m TECH transformer

transparent [transpaˈrɛnt] adj transparent

Transparent [transpaˈrɛnt] n 1. (transparency); 2. (Spruchband) banner

transpirieren [transpiˈriːrən] v perspire

Transport [transˈpɔrt] m transport

transportieren [transpɔrˈtiːrən] v transport

Trapez [traˈpeːts] n 1. (Turnen) trapeze; 2. MATH trapezium, trapezoid (US)

Trasse ['trasə] f route

Tratsch [traːtʃ] m (fam) gossip

tratschen ['traːtʃən] v (fam) gossip

Traube ['traubə] f BOT grape

trauen ['trauən] v 1. (verheiraten) marry; 2. (vertrauen) trust; 3. sich ~ dare

Trauer ['trauər] f mourning, sadness, grief

trauern ['trauərn] v grieve, mourn

Traum [traum] m dream; Das würde mir nicht im ~ einfallen! I wouldn't dream of it! Aus der ~! It's all over! Back to reality!

Trauma ['trauma] n MED trauma

träumen ['trɔymən] v dream; Das hätte sie sich nicht ~ lassen. She would never have imagined that; possible.

traumhaft ['traumhaft] adj 1. (wie im Traum) dreamlike; 2. (fig) wonderful, fantastic

traurig ['trauriç] adj sad

Trauung ['trauuŋ] f 1. (kirchlich) church wedding; 2. (standesamtlich) marriage ceremony

Trauzeuge ['trautsɔygə] m witness to a marriage

treffen ['trɛfən] v irr 1. hit, strike; 2. (begegnen) meet, encounter, run into

treffend ['trɛfənt] adj pertinent, apt, appropriate

Treffer ['trɛfər] m 1. hit; 2. (fig: Glückstreffer) lucky hit; 3. (Tor) SPORT goal

treiben ['traibən] v irr 1. (antreiben) drive, incite, urge; sich zum Äußersten getrieben sehen to be driven to extremes; 2. (Unsinn, Unfug) to be up to; 3. (fig: betreiben) do, carry on; es zu weit ~ go too far; 4. (Beruf) pursue; 5. (im Wasser ~) float

Treiben ['traibən] n activity, stir, bustle

Trend [trɛnt] m trend

trennen ['trɛnən] v separate, divide, split

Trennung ['trɛnuŋ] f separation, division, partition

Treppe ['trɛpə] f staircase, flight of steps; die ~ hinauffallen to be kicked upstairs (fam)

Treppenhaus ['trɛpənhaus] n staircase

Tresen ['treːzən] m GAST bar, counter

Tresor [treˈzoːr] m 1. strongroom, vault; 2. (Panzerschrank) safe

treten ['treːtən] v irr 1. (gehen) tread, walk, step; in jds Fußstapfen ~ follow in s.o.'s footsteps; kürzer ~ (fig) ease up; 2. (Fußtritt geben) kick

treu [trɔy] adj faithful, true, loyal

Treue ['trɔyə] f faithfulness, fidelity

Treuhänder ['trɔyhɛndər] m JUR fiduciary, trustee

treuherzig ['trɔyhɛrtsiç] adj 1. (offen) candid; 2. (ohne Falsch) guileless; 3. (naiv) naive

treulos ['trɔyloːs] adj faithless, disloyal

Tribüne [triˈbyːnə] f 1. platform; 2. (Zuschauertribüne) stands pl, terraces pl (UK)

Tribut [triˈbuːt] m tribute; jdm ~ zollen (fig) pay tribute to s.o.

Trichter ['triçtər] m funnel; auf den richtigen ~ kommen catch on; jdn auf den richtigen ~ bringen give s.o. a clue

Trick [trik] m trick; ~ siebzehn a special trick

Trieb [triːp] m 1. BOT shoot; 2. (Drang) drive, instinct, inclination

Triebtäter ['triːptɛtər] m sex offender

triefen ['triːfən] v irr 1. drip; 2. (Nase) run

trimmen ['trimən] v 1. sich ~ (Sport treiben) keep fit; 2. (fam: herrichten) do up

trinken ['triŋkən] v irr drink; auf jds Gesundheit ~ drink to s.o.'s health

Trinkgeld ['triŋkgɛlt] n tip

Trinkwasser ['triŋkvasər] n drinking water

Trio ['trio] n trio

Tritt [trit] m 1. step, pace, footstep; 2. (Fußtritt) kick

Triumph [triˈumpf] m triumph

triumphieren [triumˈfiːrən] v triumph, exult, to be jubilant

trivial [triˈvjaːl] adj trivial

trocken ['trɔkən] adj 1. dry; auf dem Trockenen sitzen to be left high and dry; 2. (dürr) arid

Trockenheit ['trɔkənhait] f 1. dryness; 2. (Trockenperiode) drought

trocknen ['trɔknən] v dry

Trödler ['trøːdlər] m 1. dawdler, slow-coach (UK), slowpoke (US); 2. (Händler) second-hand dealer, junk dealer

Trog [troːk] m trough

Trommel ['trɔməl] f MUS drum

Trommelfell ['trɔməlfɛl] n ANAT ear-drum

trommeln ['trɔməln] v drum

Trompete [trɔm'peːtə] *f MUS* trumpet
Tropen ['troːpən] *pl GEO* tropics
tropfen ['trɔpfən] *v* drip
Tropfen ['trɔpfən] *m* drop; *ein ~ auf dem heißen Stein sein* to be a drop in the ocean
Trophäe [tro'fɛːə] *f* trophy
tropisch ['troːpɪʃ] *adj* tropical
Trost [troːst] *m* consolation, comfort; *nicht ganz bei ~ sein (fam)* to be off one's rocker
trösten ['trøːstən] *v* console, comfort
trostlos ['troːstloːs] *adj* 1. *(Mensch)* inconsolable; 2. *(Lage)* hopeless; 3. *(Gegend)* dismal, bleak, dreary
Trostlosigkeit ['troːstloːzɪçkaɪt] *f* desolation, hopelessness, dreariness
Trott [trɔt] *m (fig)* routine
Trottel ['trɔtəl] *m (fam)* fool, idiot
trotz [trɔts] *prep* despite, in spite of, notwithstanding; *~ der Hitze* despite the heat
trotzdem ['trɔtsdeːm] *konj* 1. nevertheless, nonetheless, all the same; *adv* 2. still, nevertheless, all the same
trotzen ['trɔtsən] *v* 1. *(widerstehen)* defy; 2. *(schmollen)* sulk, mope
trotzig ['trɔtsɪç] *adj* 1. *(schmollend)* sulky, sullen; 2. *(eigensinnig)* defiant, obstinate
trüb [tryːp] *adj* 1. *(undurchsichtig)* murky, dull, clouded; 2. *(matt)* dim, dull; 3. *(regnerisch)* murky
Trubel ['truːbəl] *m* racket, turmoil
trüben ['tryːbən] *v* 1. *(Flüssigkeit)* make thick, make muddy, cloud; 2. *(fig: Stimmung)* spoil, darken, cast a cloud on
Trübsinn ['tryːpzɪn] *m* sadness, gloom, melancholy
trübsinnig ['tryːpzɪnɪç] *adj* sad, dismal, gloomy
Trug [truːk] *m* 1. deception; *Lug und ~* lies and deception; 2. *(der Sinne)* delusion
Trugbild ['truːkbɪlt] *n* hallucination
trügerisch ['tryːgərɪʃ] *adj* deceitful, deceptive, delusive
Trugschluss ['truːkʃlus] *m* fallacy
Truhe ['truːə] *f* chest, trunk
Truppe ['trupə] *f* 1. *MIL* troops *pl; von der schnellen ~ sein (fam)* to be a speedy Gonzalez; 2. *THEAT* company
Truthahn ['truːthaːn] *m* turkey
tschüss [tʃyːs] *interj* bye, so long, see you
Tube ['tuːbə] *f* tube; *auf die ~ drücken (fig)* get a move on
Tuch [tuːx] *n* 1. *(Lappen)* cloth; 2. *(Stoff)* woollen fabric; 3. *(Halstuch)* scarf; 4. *ein rotes ~ für jdn sein* make s.o. see red

tüchtig ['tyçtɪç] *adj* 1. capable, efficient; 2. *(fam: ziemlich groß)* pretty big; *adv* 3. *(fam)* thoroughly
Tücke ['tykə] *f* 1. malice, spite; 2. *(Hinterlist)* insidiousness, treachery
tückisch ['tykɪʃ] *adj* 1. malicious, spiteful
Tugend ['tuːgənt] *f* virtue; *aus der Not eine ~ machen* make a virtue of necessity
tugendhaft ['tuːgənthaft] *adj* virtuous
Tulpe ['tulpə] *f BOT* tulip
Tumor ['tuːmor] *m MED* tumour, growth
Tümpel ['tympəl] *m* puddle, pool, pond
Tumult [tu'mult] *m* tumult, commotion, turmoil
tun [tuːn] *v irr* do; *so ~ als ob ...* pretend that *... es tut nichts* it doesn't matter; *viel zu ~ haben* to be very busy; *Ich habe zu ~.* I have things to do. *mit etw nichts zu ~ haben* have nothing to do with sth; *es mit jdm zu ~ bekommen* have to deal with s.o. *mit jdm nichts mehr zu ~ haben wollen* want to have nothing more to do with s.o.; *Tu, was du nicht lassen kannst!* Do what you have to do!
tunken ['tuŋkən] *v* dip, dunk
Tunnel ['tunəl] *m* tunnel
Tüpfelchen ['typfəlçən] *n das ~ auf dem „i" sein* to be the finishing touch
Tür [tyːr] *f* door; *jdm die ~ weisen (fig)* show s.o. the door; *vor der ~ stehen (fig)* to be near at hand; *jdm eine ~ öffnen (fig)* pave the way for s.o. *jdm die ~ vor der Nase zuschlagen* shut the door in s.o.'s face; *jdn vor die ~ setzen* kick s.o. out
Turban ['turbaːn] *m* turban
Turbine [tur'biːnə] *f* turbine
turbulent [turbu'lɛnt] *adj* turbulent
türkis [tyr'kiːs] *adj* turquoise
Turm [turm] *m* 1. tower; 2. *(Kirchturm)* steeple
türmen ['tyrmən] *v* 1. *(schichten)* pile up; 2. *(fig: ausreißen)* clear out, skedaddle
Turnier [tur'niːr] *n* tournament
Türschwelle ['tyːrʃvɛlə] *f* threshold
Türsteher ['tyːrʃteːər] *m* bouncer
Tusche ['tuʃə] *f* India ink
tuscheln ['tuʃəln] *v* whisper
Tüte ['tyːtə] *f* 1. bag; 2. *(Eistüte)* cone, cornet *(UK)*
Typ [tyːp] *m* 1. *(Kerl)* guy, chap, fellow, bloke *(UK)*; 2. type
typisch ['tyːpɪʃ] *adj* typical
Tyrann [ty'ran] *m* tyrant, despot
tyrannisieren [tyrani'ziːrən] *v* tyrannize, domineer, oppress

U

U-Bahn ['u:ba:n] *f* underground *(UK)*, subway *(US)*, *(in London)* tube

übel ['y:bəl] *adj 1.* bad, evil, nasty; ~ *gelaunt* bad-tempered, cross; ~ *gesinnt* ill-disposed; ~ *nehmen* resent, to be offended by, take amiss; ~ *riechend* evil-smelling, bad-smelling; *jdm* ~ *wollen* bear s.o. ill will, wish s.o. ill; *nicht* ~ not bad; *2. (krank)* sick, ill; *Mir ist* ~. I feel sick.

Übel ['y:bəl] *n 1.* evil, trouble; *das kleinere von zwei* ~*n wählen* choose the lesser of two evils; *ein notwendiges* ~ *sein* to be a necessary evil; *zu allem* ~ to make matters worse; *2. (Missstand)* grievance

Übelkeit ['y:bəlkaıt] *f* nausea, sickness

üben ['y:bən] *v 1.* practise; *2. (zum Ausdruck bringen)* exercise

über ['y:bər] *prep 1.* over, above; *2. (zeitlich)* during; *3. (quer* ~*)* across; *4. (mehr als)* over; ~ *und* ~ all over; *5. (fig: von)* about, concerning; *sich* ~ *etw ärgern* to be annoyed about sth, to be angry about sth; *6. etw* ~ *sich bringen* to bring o.s. to do sth; *7.* ~ *jdn etw bekommen* get sth from s.o.; *8. (jdm übergeordnet sein)* ~ *jdm stehen* to be superior to s.o.; *9.* ~ *Hamburg fahren* to go via Hamburg

überall ['y:bəral] *adv* everywhere, all over; ~ *in der Welt* everywhere in the world

überanstrengen [y:bər'anʃtreŋən] *v* overstrain, overexert

Überanstrengung [y:bər'anʃtreŋuŋ] *f* overexertion

überarbeiten [y:bər'arbaıtən] *v 1. (etw* ~*)* revise; *2. sich* ~ overwork o.s.

Überarbeitung [y:bər'arbaıtuŋ] *f 1.* revision; *2. (Überanstrengung)* overwork

überaus ['y:bəraus] *adv* exceedingly

überbewerten ['y:bərbəvɛrtən] *v 1.* overvalue; *2. (fig)* overrate

Überbewertung ['y:bərbəvɛrtuŋ] *f* overvaluation, *(fig)* overrating

überbieten [y:bər'bi:tən] *v irr 1. (Preis)* overbid, outbid; *2. (Leistung)* outdo, beat, surpass

Überblick ['y:bərblık] *m 1. (Aussicht)* general view; *2. (Zusammenfassung)* summary, outline, sketch; *3. (fig)* control

überblicken [y:bər'blıkən] *v 1.* survey, overlook; *2. (fig)* control, to be in control of

überbringen [y:bər'brıŋən] *v irr* bring, deliver

überdenken [y:bər'dɛŋkən] *v irr* think over, reflect on, ponder

Überdosis ['y:bərdo:zıs] *f* overdose

überdrüssig ['y:bərdrysıç] *adj einer Sache* ~ sick of sth, tired of sth, weary of sth

überdurchschnittlich ['y:bərdurçʃnıtlıç] *adj* above average

übereinander ['y:bəraınandər] *adv* one above the other, one on top of the other

übereinkommen [y:bər'aınkɔmən] *v irr* agree, come to an agreement

Übereinkunft [y:bər'aınkunft] *f* agreement, understanding

übereinstimmen [y:bər'aınʃtımən] *v 1. (einig sein)* agree; *2. (gleich sein)* tally, coincide, match

Übereinstimmung [y:bər'aınʃtımuŋ] *f 1. (Einigkeit)* agreement, consensus; *in* ~ *mit* in agreement with; *2. (Gleichheit)* concurrence, conformity

überfahren [y:bər'fa:rən] *v irr (jdn, Tier)* run over

Überfall ['y:bərfal] *m* assault, sudden attack

überfallen [y:bər'falən] *v irr 1.* attack; *2. (fig: unerwartet besuchen)* burst in on; *3. (überkommen)* come over

Überfluss ['y:bərflus] *m 1.* abundance, profusion; *zu allem* ~ to top it all; *2. (Exzess)* excess

überflüssig ['y:bərflysıç] *adj* superfluous, unnecessary

überfordern [y:bər'fɔrdərn] *v* overtax, demand too much of

Überforderung [y:bər'fɔrdəruŋ] *f* excessive demand

überführen [y:bər'fy:rən] *v 1. (transportieren)* transport, transfer; *2. (Schuld nachweisen)* convict, find guilty

Überführung [y:bər'fy:ruŋ] *f 1. (Transport)* transport, transportation; *2. (Schuldnachweis)* conviction; *3. (Brücke)* bridge, overpass

Übergabe ['y:bərga:bə] *f 1.* handing over; *2. MIL* surrender

Übergang ['y:bərgaŋ] *m 1.* crossing, passage; *2. (fig)* transition, change

übergeben [y:bər'ge:bən] *v irr 1. (etw* ~*)* deliver, hand over; *jdm etw* ~ deliver sth over to s.o.; *2. sich* ~ vomit

übergehen ['y:bərge:ən] *v irr 1. (ausbreiten)* spread; *2. (auf Thema, System)* switch; *3. auf jdn* ~ *(vererbt werden)* pass to s.o.; *4. in etw* ~ *(ver-*

wandeln) turn into sth; *5. zu jdm ~* go over to s.o.; [y:bər'geːən] *6. (auslassen)* pass over, skip; *7. (nicht beachten)* ignore

Übergewicht ['yːbərgəvıçt] *n 1.* overweight; *an ~ leiden, ~ haben* to be overweight; *2. (fig)* preponderance, superiority

überhängen ['yːbərheŋən] *v irr 1.* hang over; *2. (über die Schulter hängen)* sling over one's shoulder

überhäufen [y:bər'hɔyfən] *v* swamp, deluge, overwhelm, inundate

überhaupt [y:bər'haupt] *adv 1. (Verneinungen, in Fragen)* at all; *~ nicht* not at all; *2. (im Allgemeinen)* in general, on the whole; *3. (eigentlich)* actually

überheblich [y:bər'heːplıç] *adj* arrogant

Überheblichkeit [y:bər'heːplıçkaıt] *f* arrogance

überholen [y:bər'hoːlən] *v 1. (vorbeifahren)* overtake; *2. (überprüfen)* overhaul

überhören [y:bər'høːrən] *v 1. (nicht hören)* not hear; *2. (hören aber nicht beachten)* ignore

überladen [y:bər'laːdən] *v irr* overload

Überlagerung [y:bər'laːgəruŋ] *f* superimposition, overlapping

überlassen [y:bər'lasən] *v irr jdm etw ~* leave sth to s.o.

Überlassung [y:bər'lasuŋ] *f* leaving

Überlastung [y:bər'lastuŋ] *f* overload, overstrain

überlaufen ['yːbərlaufən] *v irr 1. (Gefäß)* flow over, run over; *2. (fig: zum Gegner)* change sides, desert to the enemy; [y:bər'laufən] *adj 3. (überfüllt)* overflowing

Überläufer ['yːbərlɔyfər] *m 1.* deserter; *2. POL* defector

überleben [y:bər'leːbən] *v 1.* survive; *2. (länger leben als)* outlive

überlegen [y:bər'leːgən] *v 1.* think over, consider, reflect upon; *es sich anders ~* change one's mind; *Das werde ich mir ~.* I'll think about it. *adj 2.* superior

Überlegenheit [y:bər'leːgənhaɪt] *f* superiority

Überlegung [y:bər'leːguŋ] *f* consideration, deliberation, reflection

überliefern [y:bər'liːfərn] *v* deliver, hand down

Überlieferung [y:bər'liːfəruŋ] *f* delivery, transmission, tradition

überlisten [y:bər'lıstən] *v* outwit, outsmart

Überlistung [y:bər'lıstuŋ] *f* outwitting, outsmarting

Übermaß ['yːbərmaːs] *n* excess

übermäßig ['yːbərmɛːsıç] *adj* excessive

übermitteln [y:bər'mıtəln] *v* transmit, convey, deliver

Übermittlung [y:bər'mıtluŋ] *f* conveyance, transmission

übermorgen ['yːbərmɔrgən] *adv* the day after tomorrow

Übermut ['yːbərmuːt] *m* high spirits

übermütig ['yːbərmyːtıç] *adj 1.* in high spirits, playful; *2. (überheblich)* haughty

übernächste(r,s) ['yːbərnɛːçstə(r,s)] *adj ~ ... ...* after next, next ... but one; *die ~ Woche* the week after next

übernachten [y:bər'naxtən] *v* spend the night, stay the night

Übernachtung [y:bər'naxtuŋ] *f* overnight stay

Übernahme ['yːbərnaːmə] *f 1. (Entgegennehmen)* taking-over, taking possession; *2. (Amtsübernahme)* entering

übernehmen [y:bər'neːmən] *v irr 1. (entgegennehmen)* accept; *2. (Amt)* take over; *3. sich ~* overstrain, overextend, undertake too much

überprüfen [y:bər'pryːfən] *v* check, examine, inspect

Überprüfung [y:bər'pryːfuŋ] *f* inspection, overhaul, examination

überqueren [y:bər'kveːrən] *v* cross

überragen [y:bər'raːgən] *v 1.* project, jut out; *2. (fig)* surpass, excel, outstrip

überragend [y:bər'raːgənt] *adj (ausgezeichnet)* outstanding, brilliant, superior

überraschen [y:bər'raʃən] *v* surprise

überraschend [y:bər'raʃənt] *adj* surprising, astonishing

Überraschung [y:bər'raʃuŋ] *f* surprise

überreden [y:bər'reːdən] *v* persuade, talk round

Überredung [y:bər'reːduŋ] *f* persuasion

überreichen [y:bər'raıçən] *v* deliver, present, hand over

überschätzen [y:bər'ʃɛtsən] *v* overestimate, overrate; *sich ~* think too highly of o.s.

überschlagen [y:bər'ʃlaːgən] *v irr 1. sich ~* turn over, roll over; *2. (fig: vor Freude) sich ~* get carried away; *3. (ausrechnen)* estimate, approximate; *4. (Auto)* overturn; *5. (Buchseite)* skip, miss

überschreiben [y:bər'ʃraıbən] *v irr 1. (betiteln)* head, entitle, superscribe; *2. JUR* transfer by deed, convey; *3. INFORM* write over

Überschreibung [y:bər'ʃraıbuŋ] *f JUR* conveyance, transfer in a register

überschreiten [y:bər'ʃraɪtən] *v irr 1. (überqueren)* cross, pass over, go across; *2. (fig: übertreten)* exceed, *(Gesetz)* infringe

Überschreitung [y:bər'ʃraɪtʊŋ] *f 1. (Überquerung)* crossing; *2. (fig: Übertretung)* exceeding, infringement

Überschrift ['y:bərʃrɪft] *f* heading, headline, title

überschwemmen [y:bər'ʃvɛmən] *v* flood, overflow, submerge

Überschwemmung [y:bər'ʃvɛmʊŋ] *f* flooding, inundation

übersehen [y:bər'ze:ən] *v irr 1. (nicht sehen)* overlook, fail to notice; *2. (überschauen)* look over

übersenden [y:bər'zɛndən] *v irr* send, forward, transmit

übersetzen [y:bər'zɛtsən] *v 1. (Sprache)* translate; ['y:bərzɛtsən] *2. (Gewässer)* cross

Übersetzer [y:bər'zɛtsər] *m* translator

Übersetzung [y:bər'zɛtsʊŋ] *f 1. (Sprache)* translation; *2. TECH* transmission, gear

Übersicht ['y:bərzɪçt] *f 1. (Überblick)* general picture, overall view; *2. (Zusammenfassung)* outline, summary, review

übersichtlich ['y:bərzɪçtlɪç] *adj* understandable at a glance, clear

übersinnlich ['y:bərzɪnlɪç] *adj* supernatural, transcendental, metaphysical

überspielen [y:bər'ʃpi:lən] *v 1. (Musik, Dateien)* copy; *2. (fig: verbergen)* hide, conceal

überstehen [y:bər'ʃte:ən] *v irr (fig)* surmount, survive, get over

überstimmen [y:bər'ʃtɪmən] *v* outvote, vote down

Überstunde ['y:bərʃtʊndə] *f* overtime

überstürzen [y:bər'ʃtyrtsən] *v 1.* hurry, rush; *2. sich ~ (Person)* act rashly; *3. sich ~ (Ereignisse)* follow in rapid succession

Übertrag ['y:bərtra:k] *m* sum carried over

übertragen [y:bər'tra:gən] *v 1. (Auftrag)* transfer, transmit; *2. (Rundfunk)* transmit, broadcast; *3. (anstecken) MED* to be transmitted; *4. (Papiere)* assign, transfer

Übertragung [y:bər'tra:gʊŋ] *f 1. MED* transmission, spreading; *2. ECO* transfer, assignment; *3. (Rundfunk)* transmission, broadcast; *4. (Auftrag)* assignment

übertreffen [y:bər'trɛfən] *v irr* surpass, excel, exceed

übertreiben [y:bər'traɪbən] *v irr* exaggerate, overdo, carry too far

Übertreibung [y:bər'traɪbʊŋ] *f* exaggeration

übertrieben [y:bər'tri:bən] *adj 1.* exaggerated, excessive, extreme; *adv 2.* excessively

Übertritt ['y:bərtrɪt] *m 1. (fig)* crossing; *2. POL* defection; *3. REL* conversion

überwachen [y:bər'vaxən] *v* guard, supervise, monitor

Überwachung [y:bər'vaxʊŋ] *f* supervision, surveillance, observation

überwältigen [y:bər'vɛltɪgən] *v* overwhelm, overpower, overcome

überwältigend [y:bər'vɛltɪgənt] *adj* overwhelming, overpowering

überweisen [y:bər'vaɪzən] *v irr 1. (Patient)* refer; *2. FIN* transfer

Überweisung [y:bər'vaɪzʊŋ] *f 1. (eines Patienten)* referral; *2. (von Geld)* transfer

überwerfen ['y:bərvɛrfən] *v irr 1.* put on, slip on; [y:bər'vɛrfən] *2. sich ~* quarrel

überwiegen [y:bər'vi:gən] *v irr* outweigh, predominate

überwiegend [y:bər'vi:gənt] *adj 1.* predominant; *die ~e Mehrheit* the vast majority; ['y:bərvi:gənt] *adv 2.* predominantly

überwinden [y:bər'vɪndən] *v irr 1.* overcome, conquer; *2. sich ~, etw zu tun* bring o.s. to do sth, prevail upon o.s. to do sth

Überwindung [y:bər'vɪndʊŋ] *f 1.* surmounting; *2. (Selbstüberwindung)* willpower

überzeugen [y:bər'tsɔygən] *v 1.* convince; *2. (überreden)* persuade; *3. JUR* satisfy

überzeugend [y:bər'tsɔygənt] *adj 1.* convincing; *2. (zwingend)* compelling

Überzeugung [y:bər'tsɔygʊŋ] *f* conviction

überziehen ['y:bərtsi:ən] *v irr 1. (anziehen)* slip on, put on, pull over; *jdm ein paar ~* clout s.o.; *2. (verkleiden)* cover, line; [y:bər'tsi:ən] *3. (Konto) ECO* overdraw

üblich ['y:plɪç] *adj* usual, normal, customary; *wie ~* as usual

U-Boot ['u:bo:t] *n MIL* submarine

übrig ['y:brɪç] *adj* left over, remaining, other; *keine Zeit ~ haben* have no time to spare; *etwas ~ haben für* have a soft spot for; *für jdn etw ~ haben* to like s.o.; *im Übrigen* otherwise; *~ bleiben* remain, to be left over; *~ lassen* leave

übrigens ['y:brɪgəns] *adv 1. (beiläufig)* by the way, incidentally; *2. (schließlich)* after all

Übung ['y:bʊŋ] *f 1.* practice; *~ macht den Meister* practice makes perfect; *2. (Einzelübung)* exercise; *3. MIL* exercise

Ufer ['u:fər] *n 1. (Seeufer)* shore; *2. (Flussufer)* bank

Ufo ['u:fo] *n* UFO

Uhr [u:r] *f 1.* clock; *Wie viel ~ ist es?* What time is it? *Das Flugzeug kommt um fünf ~ an.* The plane is due at five o'clock. *rund um die ~* round the clock; *2. (Armbanduhr, Taschenuhr)* watch

Uhrzeiger ['u:rtsaɪɡər] *m* hand (of a clock)

Uhrzeit ['u:rtsaɪt] *f* time (of day)

Uhu ['u:hu:] *m ZOOL* eagle-owl

ultimativ [ultima'ti:f] *adj* threatening, or-else

Ultraschall ['ultraʃal] *m* ultrasound

um [um] *prep 1. (örtlich)* around, about; *~ ... herum* round ..., around ...; *~ sich greifen* spread; *~ ... Willen* for the sake of ...; *~ und ~* all around; *Es steht schlecht ~ ihn.* Things look bad for him. *Es geht ~s Geld.* It's a money matter. *Das ist ~ zehn Mark teurer.* That costs ten marks more. *2. (Ziel bezeichnend)* for; *der Kampf ~ den Pokal* the battle for the cup; *3. (genau)* at; *Um drei Uhr fängt's an.* It starts at three o'clock. *4. (zur ungefähren Zeitangabe)* around, near, about; *5. (Maß bezeichnend)* by; *~ die Hälfte* by half; *adv 6. (vorüber)* up, over; *7. (ungefähr)* around; *~ die 100 Kilogramm* around 100 kilogrammes; *konj 8. ~ zu* to, in order to; *9. (desto) ~ so besser* so much the better

umändern ['umɛndərn] *v* change, alter

umarmen [um'armən] *v* embrace, hug

Umarmung [um'armuŋ] *f* embrace, hug

Umbau ['umbau] *m 1. (Änderungen)* alterations *pl; 2. (eines Gebäudes)* remodelling; *3. (zu einem neuen Zweck)* conversion; *4. (verbessernd)* modification

umbauen ['umbauən] *v* remodel

umbinden ['umbɪndən] *v irr 1. sich etw ~* tie sth on, put sth on; [um'bɪndən] *2.* wrap round

umblättern ['umblɛtərn] *v* turn the page

umbringen ['umbrɪŋən] *v irr* kill, murder

Umbruch ['umbrux] *m (fig)* upheaval, revolution

umdenken ['umdɛŋkən] *v irr* change one's views, change one's way of thinking

umdrehen ['umdre:ən] *v 1.* turn round *(UK)*, turn around; *jdm den Hals ~* wring s.o.'s neck; *2. (von innen nach außen)* turn inside out; *3. (fig)* twist

Umdrehung [um'dre:uŋ] *f* revolution, rotation

umeinander [umaɪ'nandər] *adv sich ~ kümmern* take care of each other

umfahren ['umfa:rən] *v irr 1. (einen Umweg fahren)* go out of one's way; *2. jdn ~* run over s.o.; [um'fa:rən] *3. (Stadt)* drive around; *4. NAUT (Kap)* round, *(Welt)* sail round

umfallen ['umfalən] *v irr* fall over, fall down, topple over; *tot ~* drop dead

Umfang ['umfaŋ] *m 1. (Flächeninhalt)* capacity; *2. (fig: Ausmaß)* scope, scale

umfangreich ['umfaŋraɪç] *adj* extensive, wide, voluminous

umfassen [um'fasən] *v (enthalten)* contain, include

umfassend [um'fasənt] *adj* comprehensive, extensive

Umfeld ['umfɛlt] *n* surrounding area

umformen ['umfɔrmən] *v 1.* remodel, reshape; *2. TECH* convert, transform

Umfrage ['umfra:ɡə] *f* survey, poll

Umgang ['umɡaŋ] *m 1.* contact, association, dealings; *2. (Bekanntenkreis)* acquaintances

umgänglich ['umɡɛŋlɪç] *adj* sociable, affable, pleasant

Umgangssprache ['umɡaŋsʃpra:xə] *f* colloquial language

umgeben [um'ɡe:bən] *v irr* surround

Umgebung [um'ɡe:buŋ] *f 1. (einer Stadt)* surroundings, outskirts, environs; *2. (Bekannte)* circle, people close to one; *3. (einer Person)* environment

umgehen ['umɡe:ən] *v irr 1. (im Umlauf sein)* go round, circulate; *2. (behandeln)* deal with, treat, handle; *Kannst du mit diesem Werkzeug ~?* Do you know how to use this tool? [um'ɡe:ən] *3. (vermeiden)* avoid, elude, evade; *4. (Gesetz)* circumvent

umgekehrt ['umɡəke:rt] *adj 1.* reverse, reversed; *adv 2.* vice versa, the other way around, inversely; *3. (dagegen)* conversely; *adj 4. (entgegengesetzt)* opposite, contrary

umgießen ['umɡi:sən] *v irr 1. (vergießen)* spill; *2. (umfüllen)* pour

Umhang ['umhaŋ] *m* shawl, cape, wrap

umhängen ['umhɛŋən] *v irr sich etw ~* put sth on, drape sth around one

umher [um'he:r] *adv* all round, round about

umherblicken [um'he:rblɪkən] *v* look around

umhergehen [um'he:rɡe:ən] *v irr* roam

Umkehr [um'ke:r] *f* turning back, return, *(Änderung)* change

umkehren ['umke:rən] *v 1.* turn round, *(umstoßen)* overturn; *2. (von innen nach außen)* turn inside out

umkippen ['umkɪpən] *v 1.* tip over, upset, knock over; *2. (fig: ohnmächtig werden)* faint; *3. (fig: Meinung ändern)* come round, give in; *4. (Gewässer)* become devoid of life because of overpollution

umklammern [um'klamɛrn] v cling to, embrace, wrap one's arms around

Umklammerung [um'klamərʊŋ] f 1. clutch, clinch; 2. (fig) clutches pl, bear hug

umklappen ['umklapən] v fold down

Umkleidekabine ['umklaɪdəkabiːnə] f changing-room, fitting-room

umknicken ['umknɪkən] v 1. (Papier) fold; 2. mit dem Fuß ~ sprain one's ankle

umkommen ['umkɔmən] v irr die, to be killed, perish

Umkreis ['umkraɪs] m circumference, vicinity, area; im ~ von drei Kilometern within a radius of three kilometres

umkreisen [um'kraɪzən] v 1. circle round, revolve round; 2. (Raumfahrt) orbit

umkrempeln ['umkrɛmpəln] v 1. (Ärmel) turn up; 2. (fig: ändern) change round, shake up

umlagern [um'laːgərn] v surround, besiege, crowd around

Umlauf ['umlauf] m in ~ in circulation; etw in ~ bringen circulate sth

Umlaufbahn ['umlaufbaːn] f ASTR orbit

Umlaut ['umlaut] m GRAMM umlaut

umlegen ['umleːgən] v 1. (verlegen) move; 2. (zur Seite legen) set aside; 3. (verteilen) die Kosten auf alle Beteiligten ~ make everyone who is involved share in the costs; 4. (fam: töten) bump off, kill; 5. sich etw ~ put on sth; 6. (Verband) apply; 7. (niederstrecken) lay out (fam); 8. (Hebel) throw; 9. (Kragen) turn down

umleiten ['umlaɪtən] v divert, reroute, detour

Umleitung ['umlaɪtʊŋ] f diversion, detour, rerouting

umpflanzen ['umpflantsən] v 1. transplant; [um'pflantsən] 2. etw mit Bäumen ~ plant trees around sth

umrechnen ['umrɛçnən] v convert

Umrechnung ['umrɛçnʊŋ] f conversion

umreißen ['umraɪsən] v irr 1. (niederreißen) pull down; [um'raɪsən] 2. (fig: kurz schildern) outline, summarize

umringen [um'rɪŋən] v irr gather around, surround

Umriss ['umrɪs] m outline, contour, shape

umrühren ['umryːrən] v stir

Umsatz ['umzats] m ECO turnover, sales

umschalten ['umʃaltən] v 1. (Fahrzeug) TECH change gears, shift gears; 2. (fig) switch over, change over

umschauen ['umʃauən] v 1. look around; 2. (zurückblicken) look back

Umschlag ['umʃlaːk] m 1. (Kuvert) envelope; 2. (Umladung) transshipment, reloading;

3. MED compress; 4. (fig: Wechsel) change, turn; 5. (Schutzhülle) cover, wrapping

umschlagen ['umʃlaːgən] v irr 1. (umblättern) turn over; 2. (umladen) transfer, transship; 3. (fig: wechseln) change (abruptly)

umschließen [um'ʃliːsən] v irr 1. surround, enclose; 2. (mit den Armen) embrace; 3. (fig) include

umschreiben ['umʃraɪbən] v irr 1. (nochmals schreiben) rewrite; 2. (abschreiben, übertragen) transcribe; 3. JUR transfer; [um-'ʃraɪbən] 4. (anders ausdrücken) paraphrase

umschulen ['umʃuːlən] v 1. retrain; 2. (auf andere Schule) change schools

Umschulung ['umʃuːlʊŋ] f change of schools, (für einen anderen Beruf) retraining

umschütten ['umʃytən] v 1. (in ein anderes Gefäß) pour; 2. (umstoßen) spill

umsehen ['umzeːən] v irr sich ~ look round

umsetzen ['umzetsən] v 1. sich ~ (auf einen anderen Platz) change places; 2. etw in etw ~ (verwandeln) turn sth into sth; 3. (verkaufen) turn over, sell

Umsicht ['umzɪçt] f prudence, circumspection

umsichtig ['umzɪçtɪç] adj prudent, circumspect

umsonst [um'zɔnst] adv 1. (unentgeltlich) free, for nothing, gratis; 2. (vergeblich) in vain, to no avail, uselessly; 3. (erfolglos) without success

umspannen [um'ʃpanən] v 1. encompass; 2. (Zeitraum) span; ['umʃpanən] 3. (Strom) TECH transform

Umstand ['umʃtant] m 1. circumstance, condition; unter Umständen possibly; keine Umstände machen not go to any trouble; unter keinen Umständen on no account; 2. in anderen Umständen (fam) in the family way, expecting

umständlich ['umʃtɛndlɪç] adj involved, complicated, troublesome

Umstandswort ['umʃtantsvɔrt] n adverb

umsteigen ['umʃtaɪgən] v irr change, transfer

umstellen ['umʃtɛlən] v 1. (Möbel) rearrange; 2. (umorganisieren) reorganize; 3. sich ~ (anpassen) accommodate o.s., adapt, adjust

Umstellung ['umʃtɛlʊŋ] f 1. (Umorganisierung) reorganization; 2. (Anpassung) adaptation

umstimmen ['umʃtɪmən] v (fig) jdn ~ change s.o.'s mind, bring s.o. round

umstoßen ['umʃtɔsən] v irr 1. knock down, knock over, overturn; 2. (fig) annul, revoke

umstritten [um'ʃtrɪtən] *adj* disputed, controversial

Umsturz ['umʃturts] *m* overthrow, coup, putsch

Umtausch ['umtauʃ] *m* 1. exchange; 2. *(in eine andere Währung)* conversion

umtauschen ['umtauʃən] *v* exchange, convert

umwälzen ['umvɛltsən] *v* 1. roll over; 2. *(ändern)* revolutionize

umwandeln ['umvandəln] *v* convert, change, transform

Umwandlung ['umvandluŋ] *f* conversion, transformation

umwechseln ['umvɛksəln] *v* change, exchange

Umweg ['umveːk] *m* detour, roundabout way

Umwelt ['umvɛlt] *f* environment

umweltfreundlich ['umvɛltfrɔyndlɪç] *adj* non-polluting, harmless to the environment

Umweltschutz ['umvɛltʃuts] *m* protection of the environment, pollution control, conservation

Umweltverschmutzung ['umvɛltfɛrʃmutsuŋ] *f* pollution (of the environment)

umwerfen ['umvɛrfən] *v irr* 1. knock over; 2. *(zunichte machen)* upset; 3. *sich etw ~* slip sth on

umziehen ['umtsiːən] *v irr* 1. *(umkleiden)* change (clothes); 2. *(Wohnung wechseln)* move

umzingeln [um'tsɪŋəln] *v* surround, encircle

Umzug ['umtsuːk] *m* 1. *(Wohnungswechsel)* move; 2. *(Festzug)* procession

unabänderlich [unap'ɛnderlɪç] *adj* unalterable, unchangeable, irrevocable

unabhängig ['unapheŋɪç] *adj* independent

Unabhängigkeit ['unapheŋɪçkaɪt] *f* independence, self-sufficiency

unabsichtlich ['unapzɪçtlɪç] *adj* unintentional

unachtsam ['unaxtzaːm] *adj* 1. inattentive; 2. *(nachlässig)* careless, thoughtless

unangenehm ['unangəneːm] *adj* unpleasant, disagreeable, distasteful

unannehmbar [unanne:mbaːr] *adj* unacceptable

Unannehmlichkeit ['unanne:mlɪçkaɪt] *f* inconvenience, unpleasantness

unanständig ['unanʃtɛndɪç] *adj* 1. *(ungezogen)* ill-mannered; 2. *(vulgär)* indecent; 3. *(obszön)* dirty

unappetitlich ['unapeti:tlɪç] *adj* unappetizing

Unart ['unaːrt] *f* 1. bad habit; 2. *(Grobheit)* rudeness

unartig ['unaːrtɪç] *adj* naughty, ill-mannered, ill-behaved

unauffällig ['unauffɛlɪç] *adj* inconspicuous, unobtrusive

unaufmerksam ['unaufmɛrkzam] *adj* inattentive

Unaufmerksamkeit ['unaufmɛrkzamkaɪt] *f* inattentiveness

unaufrichtig ['unaufrɪçtɪç] *adj* insincere, dishonest

Unaufrichtigkeit ['unaufrɪçtɪçkaɪt] *f* insincerity, dishonesty

unausgeglichen ['unausgəglɪçən] *adj* 1. unbalanced; 2. *(Mensch)* unstable

unbarmherzig ['unbarmhɛrtsɪç] *adj* merciless, unrelenting, relentless

unbeabsichtigt ['unbəapzɪçtɪçt] *adj* 1. unintentional, inadvertent, unwitting; *adv* 2. unintentionally, inadvertently, unwittingly

unbedeutend ['unbədɔytənt] *adj* insignificant, unimportant, inconsequential

unbedingt ['unbədɪŋt] *adv* 1. absolutely, definitely, certainly; *nicht ~* not necessarily; *adj* 2. unconditional, absolute, unqualified

unbefangen ['unbəfaŋən] *adj* 1. unbiased, impartial, objective; 2. *(ohne Hemmungen)* uninhibited

Unbefangenheit ['unbəfaŋənhaɪt] *f* ease, impartiality, objectivity

unbefugt ['unbəfuːkt] *adj* unauthorized

Unbefugte(r) ['unbəfuːktə(r)] *m/f* unauthorized person, trespasser

unbegreiflich ['unbəgraɪflɪç] *adj* incomprehensible, inconceivable

unbegrenzt ['unbəgrɛntst] *adj* unlimited, boundless

Unbehagen ['unbəhaːgən] *n* uneasiness

unbehaglich ['unbəhaːklɪç] *adj* uncomfortable, uneasy

unbeholfen ['unbəhɔlfən] *adj* 1. clumsy, awkward; *adv* 2. clumsily, awkwardly

unbekannt ['unbəkant] *adj* unknown, unfamiliar

unbeliebt ['unbəliːpt] *adj* unpopular

Unbeliebtheit ['unbəliːpthaɪt] *f* unpopularity

unbemerkt ['unbəmɛrkt] *adj* 1. unnoticed, unseen; *adv* 2. without being noticed

unbequem ['unbəkveːm] *adj* uncomfortable, inconvenient, troublesome

unberechenbar ['unbəreçənbaːr] *adj* incalculable, unpredictable

unbeschränkt ['unbəʃrɛŋkt] *adj 1.* unlimited, unrestricted, absolute; *adv 2.* unrestrictedly, fully

unbeschwert ['unbəʃveːrt] *adj 1.* unburdened, unencumbered; *2. (Melodien)* light

unbesiegbar [unbəˈziːkbaːr] *adj* invincible

unbesorgt ['unbəzɔrgt] *adj 1.* carefree, easy, unconcerned; *adv 2.* without concern

unbeständig ['unbəʃtɛndɪç] *adj 1. (veränderlich)* unsteady, unstable; *2. (wankelmütig)* fickle, inconstant

unbestechlich ['unbəʃtɛçlɪç] *adj* incorruptible, unbribable

unbestimmt ['unbəʃtɪmt] *adj 1.* uncertain, indefinite, undecided; *2. (undeutlich)* vague

unbeteiligt ['unbətaɪlɪçt] *adj 1. (nicht teilnehmend)* not involved; *2. (gleichgültig)* indifferent

unbeweglich ['unbəveːklɪç] *adj* motionless, immovable

unbewusst ['unbəvust] *adj 1.* unaware, unconscious, instinctive; *adv 2.* unconsciously, instinctively

unbezahlbar [unbəˈtsaːlbaːr] *adj 1. (nicht zu bezahlen)* unaffordable, prohibitively expensive; *2. (fig: unentbehrlich)* invaluable

unbrauchbar ['unbrauxbaːr] *adj* useless

und [unt] *konj* and; *Na ~?* So what? *~ so weiter* etcetera

Undank ['undaŋk] *m* ingratitude

undankbar ['undaŋkbaːr] *adj 1.* ungrateful, unappreciative; *2. (Aufgabe)* thankless

undemokratisch ['undemokraːtɪʃ] *adj* POL undemocratic

undeutlich ['undɔytlɪç] *adj* unclear

Unding ['undɪŋ] *n* absurdity

undiszipliniert ['undɪstsipliniːrt] *adj* undisciplined

uneben ['uneːbən] *adj* uneven, bumpy

unehelich ['uneːəlɪç] *adj (Kind)* illegitimate

unehrlich ['uneːrlɪç] *adj* dishonest

Unehrlichkeit ['uneːrlɪçkaɪt] *f* dishonesty

uneigennützig ['unaɪgənnytsɪç] *adj 1.* unselfish; *adv 2.* unselfishly

uneingeschränkt ['unaɪngəʃrɛŋkt] *adj* unrestricted, unlimited

uneinig ['unaɪnɪç] *adj* divided, disunited, disagreeing

Uneinigkeit ['unaɪnɪçkaɪt] *f* discord, disunion, division

unempfindlich ['unɛmpfɪndlɪç] *adj* insensitive, immune

unendlich ['unɛntlɪç] *adj* endless, infinite

Unendlichkeit ['unɛntlɪçkaɪt] *f* infinity

unentbehrlich ['unɛntbeːrlɪç] *adj* indispensable, necessary, essential

unentgeltlich ['unɛntgɛltlɪç] *adj 1.* free of charge; *adv 2.* free of charge, gratis

unentschieden ['unɛntʃiːdən] *adj 1.* undecided; *2. SPORT* tied, drawn

unentschlossen ['unɛntʃlɔsən] *adj* irresolute, wavering, undecided

Unentschlossenheit ['unɛntʃlɔsənhaɪt] *f* indecision

unerfahren ['unɛrfaːrən] *adj* inexperienced

Unerfahrenheit ['unɛrfaːrənhaɪt] *f* inexperience

unerfreulich ['unɛrfrɔylɪç] *adj* unpleasant, disagreeable, shameful

unerheblich ['unɛrheːplɪç] *adj* insignificant, irrelevant, unimportant

unerlässlich ['unɛrlɛslɪç] *adj* indispensable, essential, absolutely necessary

unerschrocken ['unɛrʃrɔkən] *adj 1.* dauntless, intrepid, unflinching; *adv 2.* dauntlessly, unflinchingly

unersetzbar ['unɛrzɛtsbaːr] *adj* irreplaceable

unerträglich ['unɛrtrɛklɪç] *adj 1.* unbearable, intolerable; *adv 2.* intolerably, unbearably

unerwartet ['unɛrvartət] *adj 1.* unexpected, unforeseen; *adv 2.* unexpectedly

unfähig ['unfeːɪç] *adj* incapable, unable

Unfähigkeit ['unfeːɪçkaɪt] *f* incompetence, inability

unfair ['unfeːr] *adj 1.* unfair; *adv 2.* unfairly

Unfall ['unfal] *m* accident

Unfallstation ['unfalʃtatsjoːn] *f* first aid post, casualty ward

Unfallversicherung ['unfalfɛrzɪçəruŋ] *f* accident insurance

unfassbar [un'fasbaːr] *adj* incomprehensible, inconceivable

unfehlbar ['unfeːlbaːr] *adj 1.* infallible; *2. (Instinkt)* unfailing; *adv 3. (ganz sicher)* without fail

unfreiwillig ['unfraɪvilɪç] *adj 1.* involuntary, compulsory; *adv 2.* involuntarily

unfreundlich ['unfrɔyndlɪç] *adj 1.* unfriendly, unkind, ungracious; *adv 2.* unkindly

Unfug ['unfuːk] *m 1.* mischief; *2. (Unsinn)* nonsense

ungeachtet ['ungəaxtət] *prep* notwithstanding, regardless of, despite

ungebildet ['ungəbɪldət] *adj* uneducated

ungebunden ['ungəbundən] *adj 1. (partnerlos)* unattached; *2. (Buch)* unbound; *3. (Wähler) POL* independent

Ungeduld ['ʊngədʊlt] f impatience
ungeduldig ['ʊngədʊldɪç] adj 1. impatient; adv 2. impatiently
ungeeignet ['ʊngəaɪgnət] adj unsuitable, unfit, unsuited
ungefähr ['ʊngəfɛːr] adj 1. approximate, rough; adv 2. approximately, roughly, about
ungefährlich ['ʊngəfɛːrlɪç] adj safe, not dangerous, harmless
ungeheuer ['ʊngəhɔyər] adj 1. enormous; adv 2. (fam) tremendously
Ungeheuer ['ʊngəhɔyər] n monster
ungeheuerlich [ʊngə'hɔyərlɪç] adj 1. monstrous; 2. (empörend) outrageous
ungehorsam ['ʊngəhoːrzaːm] adj disobedient
ungemein ['ʊngəmaɪn] adj 1. uncommon, extraordinary; adv 2. extremely, immensely
ungenau ['ʊngənaʊ] adj inexact, inaccurate
Ungenauigkeit ['ʊngənaʊɪçkaɪt] f inexactness, inaccuracy
ungeniert ['ʊnʒeniːrt] adj 1. free and easy, uninhibited; adv 2. freely, openly
ungenießbar ['ʊngəniːsbaːr] adj 1. (nicht essbar) inedible; 2. (unerträglich) unbearable
ungenügend ['ʊngənyːgənt] adj insufficient, inadequate
ungepflegt ['ʊngəpfleːkt] adj scruffy, slovenly, untidy
ungerade ['ʊrgəraːdə] adj odd, uneven
ungerecht ['ʊngəreçt] adj unjust, unfair
Ungerechtigkeit ['ʊngəreçtɪçkaɪt] f injustice
ungern ['ʊngɛrn] adv reluctantly
ungeschickt ['ʊngəʃɪkt] adj 1. clumsy, awkward; adv 2. awkwardly
ungesund ['ʊngəzʊnt] adj 1. (nicht gesund) unhealthy, unwholesome, harmful to one's health; 2. (schädlich) unhealthy, unwholesome
ungewiss ['ʊngəvɪs] adj uncertain, doubtful
Ungewissheit ['ʊngəvɪshaɪt] f uncertainty
ungewöhnlich ['ʊngəvøːnlɪç] adj 1. unusual, uncommon, extraordinary; adv 2. unusually; 3. (äußerst) exceptionally
ungewohnt ['ʊngəvoːnt] adj 1. unfamiliar, strange; 2. (unüblich) unusual
Ungeziefer ['ʊngətsiːfər] n vermin
ungezwungen ['ʊngətsvʊŋən] adj 1. (fig) natural, casual, unaffected; adv 2. (fig) naturally, casually, unconcernedly
ungiftig ['ʊngɪftɪç] adj non-toxic
unglaublich ['ʊnglaʊplɪç] adj 1. unbelievable, incredible; adv 2. unbelievably, incredibly, beyond belief

unglaubwürdig ['ʊnglaʊpvyrdɪç] adj 1. implausible; 2. (Mensch) unreliable
Unglaubwürdigkeit ['ʊnglaʊpvyrdɪçkaɪt] f unreliability, implausibility
ungleich ['ʊnglaɪç] adj uneven
Ungleichheit ['ʊnglaɪçhaɪt] f inequality, disparity
ungleichmäßig ['ʊnglaɪçmɛːsɪç] adj uneven, unequal, irregular
Unglück ['ʊnglyk] n 1. (Missgeschick) mishap; jdn ins ~ stürzen to be s.o.'s undoing; ins ~ rennen rush headlong into disaster; zu allem ~ to crown it all; 2. (Pech) misfortune, bad luck; 3. (Unfall) accident, disaster
unglücklich ['ʊnglyklɪç] adj 1. unhappy; 2. (vom Pech verfolgt) unlucky
Ungnade ['ʊngnaːdə] f disgrace, disfavour; in ~ fallen fall into disgrace
ungültig ['ʊngyltɪç] adj invalid, void
Ungültigkeit ['ʊngyltɪçkaɪt] f invalidity, nullity
ungünstig ['ʊngynstɪç] adj 1. unfavourable, inopportune; adv 2. unfavourably
Unheil ['ʊnhaɪl] n evil, mischief, harm
unheilbar ['ʊnhaɪlbaːr] adj 1. incurable, irreparable; adv 2. incurably
unheilvoll ['ʊnhaɪlfɔl] adj disastrous
unheimlich ['ʊnhaɪmlɪç] adj 1. eerie, uncanny, haunted; adv 2. (sehr) terribly, awfully, incredibly
unhöflich ['ʊnhøːflɪç] adj 1. impolite, rude, uncivil; adv 2. impolitely, rudely
Unhöflichkeit ['ʊnhøːflɪçkaɪt] f impoliteness, rudeness
Uni ['ʊni] f (fam) university, varsity (UK), college (US)
Uniform ['ʊnifɔrm] f uniform
uninteressant ['ʊnɪntərəsant] adj uninteresting, not of interest
Union [ʊn'joːn] f union
universal [ʊnivɛr'zaːl] adj universal
universitär [ʊnivɛrzi'tɛːr] adj university
Universität [ʊnivɛrzi'tɛːt] f university
Universum [ʊni'vɛrzʊm] n universe
Unkenntnis ['ʊnkɛntnɪs] f ignorance
unklar ['ʊnklaːr] adj 1. unclear; adv 2. unclearly
Unklarheit ['ʊnklaːrhaɪt] f vagueness, uncertainty, obscurity
unkompliziert ['ʊnkɔmplitsiːrt] adj uncomplicated, simple
Unkosten ['ʊnkɔstən] pl expenses, costs; sich in ~ stürzen go to a great deal of expense
Unkraut ['ʊnkraʊt] n weeds

unlängst ['unlɛŋst] *adv* lately, of late
unlogisch ['unloːgɪʃ] *adj* illogical
unmäßig ['unmɛːsɪç] *adj 1.* immoderate, excessive, inordinate; *adv 2.* excessively, immoderately
unmenschlich ['unmɛnʃlɪç] *adj* inhuman
Unmenschlichkeit ['unmɛnʃlɪçkaɪt] *f* inhumanity
unmerklich ['unmɛrklɪç] *adj 1.* imperceptible; *adv 2.* imperceptibly
unmissverständlich ['unmɪsfɛrʃtɛndlɪç] *adj 1.* unmistakeable, clear; *adv 2.* unmistakeably, clearly
unmittelbar ['unmɪtəlbaːr] *adj 1.* immediate, direct; *adv 2.* immediately, directly
unmodern ['unmɔdɛrn] *adj* old-fashioned, unfashionable
unmöglich [un'møːklɪç] *adj 1.* impossible; *2. jdn ~ machen* ruin s.o.'s reputation
unmoralisch ['unmoraːlɪʃ] *adj* immoral
unnahbar [un'naːbaːr] *adj* unapproachable
unnötig ['unnøːtɪç] *adj* unnecessary, needless
unordentlich ['unɔrdəntlɪç] *adj* untidy, disorderly
Unordnung ['unɔrdnuŋ] *f* disorder, untidiness, disarray
unpassend ['unpasənt] *adj* unsuitable, inappropriate, unseemly
unpersönlich ['unpɛrzøːnlɪç] *adj* impersonal
unpopulär ['unpopuleːr] *adj* unpopular
unpünktlich ['unpyŋktlɪç] *adj* not punctual, not on time
Unpünktlichkeit ['unpyŋktlɪçkaɪt] *f* unpunctuality
unrealistisch ['unrealɪstɪʃ] *adj* unrealistic
unrecht ['unrɛçt] *adj* wrong, unjust, unfair; *jdm ~ tun* do s.o. an injustice
Unrecht ['unrɛçt] *n* wrong, injustice
unregelmäßig ['unreːgəlmɛːsɪç] *adj 1.* irregular; *adv 2.* irregularly
Unregelmäßigkeit ['unreːgəlmɛːsɪçkaɪt] *f* irregularity
unreif ['unraɪf] *adj 1.* unripe; *2. (fig)* immature
Unreife ['unraɪfə] *f 1.* unripeness; *2. (fig)* immaturity
Unruhe ['unruːə] *f 1. (Störung)* disturbance; *2. (Besorgnis)* uneasiness, anxiety, trouble
unruhig ['unruːɪç] *adj 1. (ruhelos)* restless; *2. (besorgt)* uneasy, alarmed, unsettled
uns [uns] *pron 1.* us, to us; *bei ~* at our place; *unter ~* between you and me; *2. (einander)* each other; *Wir kennen ~ seit drei Jahren.* We've

known each other for three years. *3. (Reflexivpronomen)* ourselves, each other
unsachlich ['unzaxlɪç] *adj 1. (nicht objektiv)* subjective; *2. (nicht zur Sache gehörend)* irrelevant
unschädlich ['unʃɛːtlɪç] *adj* harmless, innocuous; *jdn ~ machen (fig)* render s.o. harmless, eliminate s.o.
unscheinbar ['unʃaɪnbaːr] *adj* insignificant, inconspicuous, nondescript
Unschuld ['unʃult] *f 1.* innocence; *2. (Keuschheit)* purity, chastity
unschuldig ['unʃuldɪç] *adj 1.* innocent; *2. (keusch)* chaste
unsere(r,s) ['unzərə(r,s)] *pron* our, ours
unsicher ['unzɪçər] *adj 1.* unsure; *2. (gefährlich)* unsafe
Unsicherheit ['unzɪçərhaɪt] *f 1.* insecurity; *2. (Zweifelhaftigkeit)* uncertainty, dubiousness
unsichtbar ['unzɪçtbaːr] *adj* invisible
Unsinn ['unzɪn] *m* nonsense, absurdity
unsinnig ['unzɪnɪç] *adj* foolish, absurd, nonsensical
unsterblich ['unʃtɛrplɪç] *adj 1.* immortal; *adv 2. (sehr)* utterly; *~ verliebt* madly in love
Unsterblichkeit ['unʃtɛrplɪçkaɪt] *f* immortality
Unstimmigkeit ['unʃtɪmɪçkaɪt] *f 1.* inconsistency, discrepancy; *2. (Meinungsverschiedenheit)* difference of opinion
unsympathisch ['unzympaːtɪʃ] *adj* unpleasant, unappealing, disagreeable
untalentiert ['untalɛntiːrt] *adj* untalented
untätig ['untɛːtɪç] *adj* inactive, idle, indolent
Untätigkeit ['untɛːtɪçkaɪt] *f* inactivity
unten ['untən] *adv 1.* below; *nach ~* down, downwards; *da ~* down there; *2. (im Hause)* downstairs; *3. (am unteren Ende)* at the bottom
unter ['untər] *prep 1.* under; *~ der Telefonnummer ...* on phone number ...; *~ einem Thema stehen* deal with a subject; *~ großer Anstrengung* with great effort; *2. (zwischen, inmitten)* among; *~ uns* between you and me; *Das bleibt ~ uns.* That's just between you and me. *~ anderem* among other things, among others; *3. (weniger als)* less than, under; *4. (zeitlich) ~ der Woche* during the week
unterbewusst ['untərbəvust] *adj* subconscious
Unterbewusstsein ['untərbəvustzaɪn] *n* subconscious
unterbrechen [untər'brɛçən] *v irr* interrupt

Unterbrechung [untər'brɛçuŋ] *f* interruption

unterbreiten [untər'braɪtən] *v* submit

unterdessen [untər'dɛsən] *adv* meanwhile

unterdrücken [untər'drykən] *v 1. (etw ~)* suppress, stifle; 2. *(jdn ~)* oppress, suppress

Unterdrücker [untər'drykər] *m POL* oppressor

untere(r,s) ['untərə(r,s)] *adj* lower

untereinander ['untəraɪnandər] *adv* each other, among one another, mutually

unterernährt ['untərɛrnɛːrt] *adj* undernourished

Unterernährung ['untərɛrnɛːruŋ] *f* malnutrition

unterfordern [untər'fɔrdərn] *v* demand too little of, ask too little of, expect too little of

Untergang ['untərgaŋ] *m 1. (Zusammenbruch)* fall, downfall, collapse; 2. *(Sinken)* sinking; 3. *(Niedergang)* fall, decline; 4. *(der Sonne)* sunset

untergehen ['untərgeːən] *v irr 1. (zusammenbrechen)* fall; 2. *(sinken)* sink; 3. *(niedergehen)* decline; 4. *(Sonne, Mond)* set

Untergrund ['untərgrunt] *m 1.* subsoil; 2. *(Farbschicht)* undercoat; 3. *POL* underground

Untergrundbahn ['untərgruntbaːn] *f* underground (railway) *(UK)*, subway *(US)*

unterhalb ['untərhalp] *prep* below, under, underneath

Unterhalt ['untərhalt] *m 1. (Lebensunterhalt)* subsistence, livelihood; *seinen ~ verdienen* earn one's living; 2. *(~sbeitrag)* maintenance, *(für geschiedene Ehefrau)* alimony; 3. *(Instandhaltung)* upkeep

unterhalten [untər'haltən] *v irr 1. (versorgen)* maintain, support; 2. *(vergnügen)* entertain, amuse; 3. *sich ~ (vergnügen)* enjoy o.s., amuse o.s.; 4. *sich ~ (plaudern)* talk, converse, make conversation

unterhaltsam [untər'haltzam] *adj* entertaining

Unterhaltung [untər'haltuŋ] *f 1. (Versorgung)* maintenance, upkeep; 2. *(Vergnügen)* entertainment; 3. *(Plaudern)* conversation, talk

Unterhaus ['untərhaus] *n POL* Lower House, House of Commons *(UK)*

Unterhemd ['untərhɛmt] *n* vest, undershirt *(US)*

Unterhose ['untərhoːzə] *f* underpants

unterirdisch ['untərɪrdɪʃ] *adj* subterranean, underground

Unterkiefer ['untərkiːfər] *m ANAT* lower jaw

Unterkunft ['untərkunft] *f* lodgings, accommodation, shelter

Unterlage ['untərlaːgə] *f 1.* foundation, base; 2. *~n pl (Dokumente)* documents *pl*, materials *pl*, papers *pl*

unterlassen [untər'lasən] *v irr* omit, fail to do, stop

unterlegen ['untərleːgən] *v 1.* put underneath; 2. *(mit einer Unterlage versehen)* line, pad [untər'leːgən] 3. *(fig)* attribute; *einer Sache einen anderen Sinn ~* read another meaning into sth; *adj 4. jdm ~ sein* to be inferior to s.o.

unterliegen [untər'liːgən] *v irr 1. (besiegt werden)* to be defeated by, lose to; 2. *(betroffen sein)* to be subject to

Untermiete ['untərmiːtə] *f* subletting, sublease, subtenancy

Untermieter ['untərmiːtər] *m* tenant

untermischen ['untərmɪʃən] *v* mix in

Unternehmen [untər'neːmən] *n 1. (Firma)* business, enterprise; 2. *(Vorhaben)* undertaking, venture

unternehmen [untər'neːmən] *v irr* undertake, attempt

Unternehmer [untər'neːmər] *m* entrepreneur, industrialist, contractor

Unteroffizier ['untərɔfitsiːr] *m 1. MIL* noncommissioned officer; 2. *(Dienstgrad)(bei der Luftwaffe) MIL* corporal, airman first class *(US)*; *(bei der Armee) MIL* sergeant

unterordnen ['untərɔrdnən] *v 1.* subordinate; 2. *jdn jdm ~* place s.o. under s.o.

Unterordnung ['untərɔrdnuŋ] *f* subordination

Unterredung [untər'reːduŋ] *f* conference, interview, business talk

Unterricht ['untərrɪçt] *m* instruction, lessons *pl*

unterrichten [untər'rɪçtən] *v 1. (lehren)* teach, instruct; 2. *(informieren)* inform, warn

Unterrichtsfach ['untərrɪçtsfax] *n* subject

untersagen [untər'zaːgən] *v* forbid, prohibit

Untersatz ['untərzats] *m 1.* mat; 2. *(für Gläser)* coaster; 3. *(Gestell)* stand; 4. *fahrbarer ~ (fam)* wheels *pl* (fig); 5. *(Logik)* minor premise

unterschätzen [untər'ʃɛtsən] *v* underestimate, undervalue, underrate

unterscheiden [untər'ʃaɪdən] *v irr* distinguish, differentiate

Unterscheidung [untər'ʃaɪduŋ] *f* differentiation, distinction

Unterschenkel ['untərʃɛŋkəl] *m ANAT* shank, lower leg

Unterschied ['untərʃiːt] *m* 1. difference; 2. *(Unterscheidung)* distinction

unterschiedlich ['untərʃiːtlɪç] *adj* different, diverse

unterschreiben [untər'ʃraɪbən] *v irr* sign

Unterschrift ['untərʃrɪft] *f* signature

Unterseite ['untərzaɪtə] *f* bottom

unterste(r,s) ['untərstə(r,s)] *adj* lowest, last; *das ~ zu oberst kehren* turn everything upside down

unterstehen [untər'ʃteːən] *v irr* 1. *jdm ~ (fig)* be subordinated to; 2. *sich ~ etw zu tun* dare to do sth

unterstellen ['untərʃtɛlən] *v* 1. *sich ~* take shelter; [untər'ʃtɛlən] 2. *(voraussetzen)* assume; 3. *jdm etw ~ (unterordnen)* put s.o. in charge of sth; 4. *jdm etw ~ (unterschieben)* insinuate that s.o. has done sth

Unterstellung [untər'ʃtɛluŋ] *f* insinuation

unterstreichen [untər'ʃtraɪçən] *v irr* 1. underline, underscore; 2. *(fig)* emphasize, stress

unterstützen [untər'ʃtytsən] *v* 1. support, prop; 2. *(fig)* support, assist, back up

Unterstützung [untər'ʃtytsuŋ] *f* support, assistance, backing

untersuchen [untər'zuːxən] *v* 1. examine, investigate, check; 2. MED examine, test, check

Untersuchung [untər'zuːxuŋ] *f* 1. examination, investigation, inquiry; 2. MED examination

Untertan ['untərtaːn] *m* subject

Untertasse ['untərtasə] *f* saucer

untertauchen [untər'tauxən] *v* 1. *(eintauchen)* dip, duck; 2. *(fig: verschwinden)* disappear, go underground; 3. TECH immerse

Unterteil ['untərtaɪl] *m* lower part, base

unterteilen [untər'taɪlən] *v* subdivide

Unterteilung [untər'taɪluŋ] *f* subdivision

untertreiben [untər'traɪbən] *v irr* understate

Untertreibung [untər'traɪbuŋ] *f* understatement

Unterwäsche ['untərvɛʃə] *f* underwear, underclothes, *(Damenunterwäsche)* lingerie

unterwegs [untər'veːks] *adv* on the way, en route, in transit; *~ nach* bound for

Unterwelt ['untərvɛlt] *f* underworld

unterwerfen [untər'vɛrfən] *v irr* 1. subdue; 2. *(unterziehen)* subject to; 3. *sich einer Sache ~* submit to sth

Unterwerfung [untər'vɛrfuŋ] *f* 1. *(Untertanmachen)* POL subjection, subjugation; 2. *(Unterordnung)* submission, surrender

unterwürfig ['untərvyrfɪç] *adj* submissive

unterzeichnen [untər'tsaɪçnən] *v* sign

unterziehen [untər'tsiːən] *v irr* 1. *sich einer Sache ~* undergo sth; *sich einer Prüfung ~* take a test; 2. *jdn einer Sache ~* subject s.o. to sth; ['untərtsiːən] 3. *(Kleidungsstück)* put on underneath

untragbar ['untraːkbaːr] *adj* intolerable, unbearable, *(Preise)* prohibitive

untreu ['untrɔy] *adj* unfaithful, disloyal

Untreue ['untrɔyə] *f* unfaithfulness, disloyalty

untröstlich ['untrøːstlɪç] *adj* inconsolable

untrüglich [un'tryːklɪç] *adj* 1. *(Merkmal)* unmistakable; 2. *(Instinkt)* unfailing

unübersichtlich ['unyːbərzɪçtlɪç] *adj* 1. *(Kurve)* blind; 2. *(verworren)* confused, unclear

unüblich ['unyːplɪç] *adj* uncommon

unumgänglich ['unumgɛnlɪç] *adj* unavoidable, essential, indispensable

unumstößlich [unum'ʃtøːslɪç] *adj* uncontestable, irrefutable

unumstritten [unum'ʃtrɪtən] *v* undisputed

ununterbrochen ['ununtərbrɔxən] *adj* 1. continuous, uninterrupted; *adv* 2. continuously, without interruption

unverantwortlich [unfɛr'antvɔrtlɪç] *adj* irresponsible

unverbindlich ['unfɛrbɪntlɪç] *adj* 1. not binding; *~e Preisempfehlung* suggested retail price; *adv* 2. without obligation, without guarantee

unverfälscht ['unfɛrfɛlʃt] *adj* 1. pure; 2. *(Bericht)* unfalsified; 3. *(Lebensmittel)* unadulterated

Unverfrorenheit ['unfɛrfroːrənhaɪt] *f* impudence

unvergesslich [unfɛr'gɛslɪç] *adj* unforgettable

unverheiratet ['unfɛrhaɪraːtət] *adj* unmarried

unvermeidlich ['unfɛrmaɪdlɪç] *adj* inevitable, unavoidable

Unvernunft ['unfɛrnunft] *f* irrationality, unreasonableness

unvernünftig ['unfɛrnynftɪç] *adj* unreasonable, irrational

unverschämt ['unfɛrʃɛːmt] *adj* outrageous, impudent, shameless

Unverschämtheit ['unfɛrʃɛːmthaɪt] *f* outrageousness, impudence, shamelessness

unverständlich ['unfɛrʃtɛntlɪç] *adj* unintelligible, incomprehensible

unverwechselbar [unfɛr'vɛksəlbaːr] *adj* unmistakable

unverzeihlich ['unfɛrtsaɪlɪç] *adj* inexcusable, unpardonable

unverzüglich ['unfɛrtsyːklɪç] *adj* immediate, prompt, instantaneous

unvollkommen ['unfɔlkɔmən] *adj* 1. imperfect; 2. *(unvollständig)* incomplete

Unvollkommenheit ['unfɔlkɔmənhaɪt] *f* imperfection

unvollständig ['unfɔlʃtɛndɪç] *adj* incomplete

unvorteilhaft ['unfoːrtaɪlhaft] *adj* 1. unfavourable, disadvantageous; 2. *(Kleid, Frisur)* unflattering, unbecoming

unwahrscheinlich ['unvaːrʃaɪnlɪç] *adj* improbable, unlikely

Unwesen ['unveːsən] *n sein ~ treiben* to be up to mischief

unwesentlich ['unveːzəntlɪç] *adj* unimportant, insignificant

Unwetter ['unvɛtər] *n* bad weather, stormy weather, thunderstorm

unwichtig ['unvɪçtɪç] *adj* unimportant, irrelevant, inconsequential

unwiderstehlich ['unviːdərʃteːlɪç] *adj* irresistible

unwillig ['unvɪlɪç] *adj* 1. unwilling, reluctant; 2. *(ungehalten)* indignant

unwirksam ['unvɪrkzaːm] *adj* 1. ineffective, inoperative; 2. *JUR* null and void

unwirtschaftlich ['unvɪrtʃaftlɪç] *adj ECO* uneconomical, inefficient

unwissend ['unvɪsənt] *adj* ignorant

Unwissenheit ['unvɪsənhaɪt] *f* ignorance

Unwohlsein ['unvoːlzaɪn] *n* indisposition

unwürdig ['unvyrdɪç] *adj* 1. unworthy; 2. *(ohne Würde)* undignified, unseemly

unzählig ['untsɛːlɪç] *adj* innumerable

unzeitgemäß ['untsaɪtgəmɛːs] *adj* anachronistic, old-fashioned, obsolete

unzertrennlich [untsɛr'trɛnlɪç] *adj* inseparable

unzufrieden ['untsufriːdən] *adj* dissatisfied, discontented

Unzufriedenheit ['untsufriːdənhaɪt] *f* dissatisfaction, discontent

unzulänglich ['untsulɛnlɪç] *adj* insufficient, inadequate

Unzulänglichkeit ['untsulɛnlɪçkaɪt] *f* inadequacy, deficiency, insufficiency

unzulässig ['untsulɛsɪç] *adj* inadmissible

unzumutbar ['untsumuːtbaːr] *adj* unfair, unjust, unreasonable

unzureichend ['untsuraɪçənt] *adj* insufficient, inadequate

unzutreffend ['untsutrɛfənt] *adj* 1. inappropriate; 2. *(unwahr)* incorrect; *~es bitte streichen* please cross out anything not applicable

unzuverlässig ['untsufɛrlɛsɪç] *adj* unreliable, untrustworthy

Unzuverlässigkeit ['untsufɛrlɛsɪçkaɪt] *f* unreliability

üppig ['ypɪç] *adj* 1. sumptuous, abundant; 2. *(Figur)* voluptuous; 3. *(Vegetation)* lush

Urahnen ['uraːnən] *pl* forebears *pl*

Uraufführung ['uːrauffyːruŋ] *f THEAT* world premiere

Ureinwohner ['uːraɪnvoːnər] *m* original inhabitant, native; *(in Australien)* aborigine, *(in Neuseeland)* maori

Urenkel ['uːrɛŋkəl] *m* great-grandson

Urenkelin ['uːrɛŋkəlɪn] *f* great-granddaughter

Urgroßeltern ['uːrgroːsɛltərn] *pl* great-grandparents *pl*

Urheber ['uːrheːbər] *m* author, originator

Urheberrecht ['uːrheːbərɛçt] *n JUR* copyright

Urin [u'riːn] *m* urine

Urknall ['uːrknal] *m ASTR* big bang

Urkunde ['uːrkundə] *f* certificate, document

Urlaub ['uːrlaup] *m* holidays *pl,* vacation *(US)*

Urlauber ['uːrlaubər] *m* holidaymaker *(UK),* vacationer *(US)*

Ursache ['uːrzaxə] *f* cause; *Keine ~!* Don't mention it!

Ursprung ['uːrʃpruŋ] *m* origin, source

ursprünglich ['urʃpryŋlɪç] *adj* 1. original; *adv* 2. originally

Urteil ['urtaɪl] *n* 1. judgement, opinion, view; 2. *JUR* judgement, sentence, verdict

urteilen ['urtaɪlən] *v* 1. judge, give an opinion; 2. *JUR* pass a sentence, judge

Urwald ['uːrvalt] *m BOT* virgin forest; *(in den Tropen)* jungle

Urzeit ['uːrtsaɪt] *f* the dawn of time, prehistoric times *pl; seit ~en (fig)* for ages

Usbeke/Usbekin [us'beːkə/us'beːkɪn] *m/f* Uzbek

usbekisch [us'beːkɪʃ] *adj* Uzbek

Usbekistan [us'beːkɪstaːn] *n GEO* Uzbekistan

Utensilien [utɛn'ziːljən] *pl* utensils *pl*

Utopie [uto'piː] *f* Utopia

utopisch [u'toːpɪʃ] *adj* Utopian

UV-Strahlung [uː'vauʃtraːluŋ] *f PHYS* ultraviolet radiation

V

Vagabund [vaga'bunt] *m* vagabond

vage ['va:gə] *adj* vague

Vagina [va'gi:na] *f ANAT* vagina

vakant [va'kant] *adj* vacant

Vakuum ['va:kuum] *n* vacuum

Vampir [vam'pi:r] *m* vampire

Vandalismus [vanda'lɪsmus] *m* vandalism

Vanille [va'nɪlə] *f BOT* vanilla

variabel [vari'a:bəl] *adj* variable

Variable [vari'a:blə] *f MATH* variable

Variante [vari'antə] *f* variant

Variation [varia'tsjo:n] *f* variation

variieren [vari'i:rən] *v* vary

Vase ['va:zə] *f* vase

Vater ['fa:tər] *m* father; ~ *Staat* the State; *der himmlische* ~ our heavenly Father; *zu seinen Vätern heimgehen* pass away

Vaterland ['fa:tərlant] *n* 1. native country, fatherland; 2. *(Deutschland)* fatherland

väterlich ['fɛ:tərlɪç] *adj* 1. paternal, fatherly; *adv* 2. paternally

Vaterschaft ['fa:tərʃaft] *f* fatherhood, paternity

Vaterunser [fa:tər'unzər] *n das* ~ *REL* the Lord's Prayer

Vatikan [vatɪ'ka:n] *m* Vatican

Vegetarier [vege'ta:ri:ər] *m* vegetarian

vegetarisch [vege'ta:rɪʃ] *adj* vegetarian

Vegetation [vegeta'tsjo:n] *f* vegetation

vehement [veha'mɛnt] *adj* vehement

Veilchen ['faɪlçən] *n BOT* violet

Vene ['ve:nə] *f ANAT* vein

Venedig [ve'ne:dɪç] *n GEO* Venice

Ventil [vɛn'ti:l] *n* 1. *TECH* valve; 2. *(fig)* vent, outlet

Ventilator [vɛntɪ'la:tor] *m* ventilator

verabreden [fɛr'apre:dən] *v* 1. agree upon, arrange; 2. *sich* ~ make an appointment, arrange to meet; *sich* ~ *mit* make a date with

Verabredung [fɛr'apre:duŋ] *f* 1. *(Abmachung)* agreement, arrangement; 2. *(Treffen)* appointment

verabscheuen [fɛr'apʃɔyən] *v* abhor, detest, loathe

verabschieden [fɛr'apʃi:dən] *v* 1. dismiss, discharge, discard; 2. *sich* ~ say goodbye, take one's leave; 3. *(Gesetz)* pass

verachten [fɛr'axtən] *v* despise, disdain, hold in contempt; *Das ist nicht zu* ~. That's not to be sneezed at.

verächtlich [fɛr'ɛçtlɪç] *adj* 1. contemptuous, scornful; 2. *(verachtenswert)* despicable, contemptible, base

Verachtung [fɛr'axtuŋ] *f* contempt, scorn, disdain; *jdn mit* ~ *strafen* treat s.o. with contempt

verallgemeinern [fɛralgə'maɪnərn] *v* generalize

veraltet [fɛr'altət] *adj* obsolete, antiquated, out of date

Veranda [ve'randa] *f* veranda, porch *(US)*

verändern [vɛr'ɛndərn] *v* change, alter, vary

Veranlagung [fɛr'anla:guŋ] *f* disposition, tendency, predisposition

veranlassen [fɛr'anlasən] *v* cause, bring about, arrange for

veranschaulichen [fɛr'anʃauliçən] *v* illustrate

veranstalten [fɛr'anʃtaltən] *v* organize, arrange, stage

Veranstalter [fɛr'anʃtaltər] *m* organizer, host; *(von Konzerten, von Boxkämpfen)* promoter

Veranstaltung [fɛr'anʃtaltuŋ] *f* 1. event; 2. *(das Veranstalten)* organization, arrangement

verantwortlich [fɛr'antvɔrtlɪç] *adj* 1. responsible, answerable; 2. *JUR* liable

Verantwortung [fɛr'antvɔrtuŋ] *f* responsibility; *jdn für etw zur* ~ *ziehen* call s.o. to account for sth

verantwortungsbewusst [fɛr'antvɔrtuŋsbəvust] *adj* responsible

verantwortungslos [fɛr'antvɔrtuŋslo:s] *adj* irresponsible

veräppeln [fɛr'ɛpəln] *v jdn* ~ pull s.o.'s leg

verarbeiten [fɛr'arbaɪtən] *v* 1. *(bearbeiten)* manufacture, process; 2. *(fig)* ponder over, assimilate; 3. *(Daten) INFORM* process

verärgern [fɛr'ɛrgərn] *v* annoy, vex

verarmen [fɛr'armən] *v* become poor, to be reduced to poverty

Verarmung [fɛr'armuŋ] *f* impoverishment

verarzten [fɛr'artstən] *v* attend to, sort out, *(mit Verband)* patch up

verausgaben [fɛr'ausga:bən] *v* 1. *sich* ~ *(finanziell)* overspend; 2. *sich* ~ *(körperlich)* overexert o.s., spend all one's energy, burn o.s. out

veräußern [fɛr'ɔysərn] *v* 1. *(verkaufen)* sell, dispose of; 2. *(übereignen)* transfer

Verb [vɛrp] *n GRAMM* verb
Verband [fɛr'bant] *m 1. (Vereinigung)* association, federation, union; *2. MED* bandage, dressing
verbannen [fɛr'banən] *v* banish, exile
verbarrikadieren [fɛrbarɪka'diːrən] *v* barricade, block
verbergen [fɛr'bɛrgən] *v irr* hide, conceal
verbessern [fɛr'bɛsərn] *v 1.* improve, change for the better; *2. (korrigieren)* correct, revise
verbeugen [fɛr'bɔygən] *v sich ~* bow
verbieten [fɛr'biːtən] *v irr* prohibit, forbid
verbinden [fɛr'bɪndən] *v irr 1. (zusammenfügen)* connect, join, link; *2. TEL* connect; *3. MED* bandage, dress
verbindlich [fɛr'bɪntlɪç] *adj 1. (gefällig)* obliging; *2. (höflich)* polite; *3. (verpflichtend)* binding, obligatory, compulsory
Verbindung [fɛr'bɪnduŋ] *f 1.* connection; *2. (Beziehung)* contact, connection; *in ~ stehen mit* to be in contact with; *sich mit jdm in ~ setzen* get in touch with s.o. *3. CHEM* compound, composition; *4. TEL* connection, line; *5. (Zusammenarbeit)* liaison; *6. (Zugverbindung)* connection
Verbissenheit [fɛr'bɪsənhaɪt] *f* grimness
verbittern [fɛr'bɪtərn] *v* embitter
Verbitterung [fɛr'bɪtəruŋ] *f* bitterness
verblassen [fɛr'blasən] *v 1.* turn pale; *2. (Stoff)* fade
verbleiben [fɛr'blaɪbən] *v irr 1. (bleiben)* remain; *2. (vereinbaren)* tentatively agree
Verblendung [fɛr'blɛnduŋ] *f (fig)* blinding, bedazzlement
verblichen [fɛr'blɪçən] *adj* faded
verblüffen [fɛr'blyfən] *v* astonish, flabbergast
verblüffend [fɛr'blyfənt] *adj* bewildering, baffling
Verblüffung [fɛr'blyfuŋ] *f* bafflement, amazement, perplexity
verblühen [fɛr'blyːən] *v* fade
Verbot [fɛr'boːt] *n* prohibition, ban
Verbrauch [fɛr'braux] *m* consumption
verbrauchen [fɛr'brauxən] *v 1.* consume, use up; *2. (ausgeben)* spend
Verbraucher [fɛr'brauxər] *m* consumer
Verbrechen [fɛr'brɛçən] *n 1.* crime, offence; *2. (schweres ~) JUR* felony
Verbrecher(in) [fɛr'brɛçər(ɪn)] *m/f 1.* criminal; *2. (Schwerverbrecher(in))* felon
verbreiten [fɛr'braɪtən] *v 1.* spread; *2. (Lehre)* propagate; *3. (Licht)* diffuse

verbreitern [fɛr'braɪtərn] *v* broaden, widen
Verbreitung [fɛr'braɪtuŋ] *f* spreading, circulation, distribution; *~ finden* reach a wide public
verbrennen [fɛr'brɛnən] *v irr 1.* burn, incinerate; *2. (Leiche)* cremate
verbringen [fɛr'brɪŋən] *v irr* spend, pass
verbünden [fɛr'byndən] *v sich ~* ally o.s.
Verbundenheit [fɛr'bundənhaɪt] *f* solidarity
Verbündete(r) [fɛr'byndətə(r)] *m/f* ally
verbürgen [fɛr'byrgən] *v sich für etw ~* vouch for sth
Verdacht [fɛr'daxt] *m* suspicion; *über jeden ~ erhaben sein* to be above suspicion; *~ schöpfen* become suspicious; *etw auf ~ tun* try sth and hope it works
verdächtig [fɛr'dɛçtɪç] *adj* suspicious, suspect, questionable
Verdächtige(r) [fɛr'dɛçtɪgə(r)] *m/f* suspect
verdächtigen [fɛr'dɛçtɪgən] *v* suspect, throw suspicion on
verdammen [fɛr'damən] *v* condemn, damn, doom
verdammt [fɛr'damt] *adj 1. REL* damned; *interj 2. (fam) Verdammt!* Damn it!
verdampfen [fɛr'dampfən] *v* evaporate
verdanken [fɛr'daŋkən] *v jdm etw ~* to be indebted to s.o. for sth, *(fig)* have s.o. to thank for sth
verdauen [fɛr'dauən] *v* digest
Verdauung [fɛr'dauuŋ] *f* digestion
verdecken [fɛr'dɛkən] *v 1. (verbergen)* hide, screen; *2. (zudecken)* cover
verderben [fɛr'dɛrbən] *v irr 1. (zerstören)* ruin, destroy, wreck; *es sich mit jdm ~* fall out of favour with s.o. *2. (schlecht werden)* decay, spoil; *3. (fig: negativ beeinflussen)* corrupt, pervert, deprave
verderblich [fɛr'dɛrplɪç] *adj 1.* pernicious, corrupting; *2. (Lebensmittel)* perishable
verdienen [fɛr'diːnən] *v 1. (Geld)* earn; *2. (Lob)* merit, deserve; *Er verdient es nicht anders.* It serves him right.
Verdienst [fɛr'diːnst] *m 1.* earnings, income; *2. (Gehalt)* salary; *n 3. (Anspruch auf Anerkennung)* merit
verdoppeln [fɛr'dɔpəln] *v* double
Verdorbenheit [fɛr'dɔrbənhaɪt] *f (fig)* corruption, corruptness, depravity
verdrängen [fɛr'drɛŋən] *v 1.* push away, drive away; *Gedanken ~* dismiss thoughts from one's mind; *2. PSYCH* repress; *3. PHYS* displace; *4. MIL* dislodge

Verdrossenheit [fɛr'drɔsənhaɪt] f listless-ness, reluctance

verdunkeln [fɛr'dʊŋkəln] v 1. (abdunkeln) darken; 2. (fig: verschleiern) obscure, blur

verdunsten [fɛr'dʊnstən] v evaporate

verdursten [fɛ'dʊrstən] v die of thirst

verebben [fɛr'ɛbən] v (fig) wane, ebb

veredeln [fɛr'e:dəln] v refine, improve

Veredelung [fɛr'e:dəlʊŋ] f ennoblement, exaltation, refinement

verehren [fɛr'e:rən] v honour, admire

Verehrer(in) [fɛr'e:rər(ɪn)] m/f admirer

Verehrung [fɛr'e:rʊŋ] f admiration, respect, reverence

vereidigen [fɛr'aɪdɪgən] v jdn ~ put a person under oath, swear s.o. in

Verein [fɛr'aɪn] m 1. association, society; 2. (geselliger ~) club

vereinbar [fɛr'aɪnba:r] adj compatible

vereinbaren [fɛr'aɪnba:rən] v agree; etw ~ agree upon sth

Vereinbarkeit [fɛr'aɪnba:rkaɪt] f compatibility

Vereinbarung [fɛr'aɪnba:rʊŋ] f agreement, arrangement

vereinen [fɛr'aɪnən] v unite, join, combine

vereinfachen [fɛr'aɪnfaxən] v simplify

vereinheitlichen [fɛr'aɪnhaɪtlɪçən] v standardize

vereinigen [fɛr'aɪnɪgən] v unite, join, fuse

Vereinigte Staaten [fɛr'aɪnɪktə 'ʃtaːtən] pl GEO United States pl

Vereinigung [fɛr'aɪnɪgʊŋ] f 1. union, merger, consolidation; 2. POL coalition, alliance

vereinnahmen [fɛr'aɪnnaːmən] v take in

vereinsamen [fɛr'aɪnzaːmən] v become lonely, become isolated

vereint [fɛr'aɪnt] adj united, joint, combined

vereinzelt [fɛr'aɪntsəlt] adj 1. isolated, sporadic, odd; adv 2. here and there, now and then, sporadically

vereiteln [fɛr'aɪtəln] v thwart, defeat

verelenden [fɛr'e:lɛndən] v to be pauperized, to be reduced to poverty

vererben [fɛr'ɛrbən] v 1. (Güter) leave by will, bequeath; 2. BIO transmit, hand down

Verewigung [fɛr'e:vɪgʊŋ] f perpetuation

Verfahren [fɛr'faːrən] n 1. (Vorgehen) procedure, process; 2. (Methode) method, practice; 3. JUR proceedings, procedure, suit

Verfall [fɛr'fal] m 1. (Gebäude) dilapidation, disrepair, decay; 2. (Fristablauf) FIN maturity, expiry, expiration; 3. (Untergang) decline, downfall

verfallen [fɛr'falən] v irr 1. (Gebäude) decay, become dilapidated; 2. (ungültig werden) expire, lapse; 3. (hörig werden) fall under s.o.'s spell

verfälschen [fɛr'fɛlʃən] v falsify

verfänglich [fɛr'fɛŋlɪç] adj 1. (Frage) tricky; 2. (Situation) awkward

verfassen [fɛr'fasən] v 1. compose, write; 2. (Urkunde) draw up

Verfasser(in) [fɛr'fasər(ɪn)] m/f 1. author, writer; 2. MUS composer

Verfassung [fɛr'fasʊŋ] f 1. (Zustand) state, condition; in schlechter ~ in bad shape; 2. (seelische ~) frame of mind; 3. (Grundgesetz) POL constitution

verfaulen [fɛr'faulən] v rot

verfechten [fɛr'fɛçtən] v irr stand up for, defend, advocate

Verfechter [fɛr'fɛçtər] m proponent, advocate, defender

verfehlen [fɛr'fe:lən] v miss

verfeindet [fɛr'faɪndət] adj hostile

verfeinern [fɛr'faɪnərn] v refine, improve, purify

verfestigen [fɛr'fɛstɪgən] v sich ~ rigidify

verfilmen [fɛr'fɪlmən] v 1. CINE film; 2. (zum Film umgestalten) adapt for the screen

verfolgen [fɛr'fɔlgən] v 1. pursue, follow; 2. (ungerecht) persecute; vom Pech verfolgt sein have a string of bad luck

Verfolgung [fɛr'fɔlgʊŋ] f 1. pursuit; 2. (ungerechte) prosecution

verformen [fɛr'fɔrmən] v deform, disfigure

verfügbar [fɛr'fy:kba:r] adj available; ~ haben have at one's disposal

verfügen [fɛr'fy:gən] v 1. (anordnen) order, decree; 2. ~ über have at one's disposal, have use of

Verfügung [fɛr'fy:gʊŋ] f 1. zur ~ stehen to be available; jdm zur ~ stehen to be at s.o.'s disposal; jdm etw zur ~ stellen place sth at s.o.'s disposal; sich zur ~ halten keep ready; sich zur ~ stellen offer one's services; etw zur ~ haben have sth at one's disposal; 2. (Erlass) decree, order

verführen [fɛr'fy:rən] v seduce, entice, tempt

verführerisch [fɛr'fy:rərɪʃ] adj 1. tempting, enticing, seductive; adv 2. seductively, enticingly

Verführung [fɛr'fy:rʊŋ] f seduction, enticement, temptation

vergangene(r,s) [fɛr'gaŋənə(r,s)] adj past, former

Vergangenheit [fɛr'ɡaɲənhaɪt] *f* past
vergänglich [fɛr'ɡɛŋlɪç] *adj* transitory,
fleeting
vergeben [fɛr'ɡeːbən] *v irr* 1. give away; 2.
(Auftrag, Preis) award; 3. *(verzeihen)* forgive,
pardon
vergeblich [fɛr'ɡeːblɪç] *adj* 1. futile,
unavailing, useless; *adv* 2. in vain, to no avail
Vergebung [fɛr'ɡeːbuŋ] *f (Verzeihung)* forgiveness, pardoning
vergehen [fɛr'ɡeːən] *v irr* 1. *(Zeit)* pass, go
by; 2. *(Schmerz)* subside, pass; 3. *sich ~ an*
assault, violate
vergelten [fɛr'ɡɛltən] *v irr* 1. repay,
reward; 2. *(heimzahlen)* retaliate for
vergessen [fɛr'ɡɛsən] *v irr* forget; *Vergiss
das!* Forget about that! *Das vergesse ich dir
nie!* I shall never forget what you did!
Vergessenheit [fɛr'ɡɛsənhaɪt] *f* oblivion;
in ~ geraten fade into oblivion;
vergesslich [fɛr'ɡɛslɪç] *adj* forgetful
vergeuden [fɛr'ɡɔydən] *v* waste, squander
Vergewaltigung [fɛrɡə'valtɪɡuŋ] *f* rape
vergewissern [fɛrɡə'vɪsərn] *v sich ~*
make sure, reassure o.s.
vergießen [fɛr'ɡiːsən] *v irr* 1. *(Tränen, Blut)*
shed; 2. *(verschütten)* spill
vergiften [fɛr'ɡɪftən] *v* 1. poison; 2. *(verseuchen)* contaminate
vergilben [fɛr'ɡɪlbən] *v* turn yellow
Vergleich [fɛr'ɡlaɪç] *m* 1. comparison; *im ~
zu* in comparison with, compared to; 2. *JUR*
settlement
vergleichen [fɛr'ɡlaɪçən] *v irr* compare,
(sich ~) settle
vergnügen [fɛr'ɡnyːɡən] *v sich ~* enjoy
o.s., amuse o.s.
Vergnügen [fɛr'ɡnyːɡən] *n* pleasure,
enjoyment, fun; *sich aus etw ein ~ machen*
take delight in sth; *Es ist mir ein ~.* It's a pleasure. *Das ist ein teures ~!* That's an expensive
business!
vergolden [fɛr'ɡɔldən] *v* gild
vergönnen [fɛr'ɡœnən] *v* permit; *Es war
ihm nicht vergönnt.* He was not lucky enough.
vergöttern [fɛr'ɡœtərn] *v* worship, idolize
vergraben [fɛr'ɡraːbən] *v irr* bury; *sich in
die Arbeit ~* bury o.s. in work
vergreifen [fɛr'ɡraɪfən] *v irr* 1. *(am Instrument) sich ~ MUS* play the wrong note; 2. *sich
~ (auf der Schreibmaschine)* hit the wrong
key; 3. *(beim Turnen) sich ~* miss one's grip; 4.
(an fremdem Eigentum) sich ~ misappropriate;
5. *(an einem Kind) sich ~* assault

vergriffen [fɛr'ɡrɪfən] *adj* 1. unavailable; 2.
(Buch) out of print
vergrößern [fɛr'ɡrøːsərn] *v* enlarge
Vergrößerung [fɛr'ɡrøːsəruŋ] *f* enlarge-
ment
vergüten [fɛr'ɡyːtən] *v* reimburse, compensate
verhaften [fɛr'haftən] *v* arrest, take into
custody; *Sie sind verhaftet!* You are under
arrest!
Verhaftung [fɛr'haftuŋ] *f* arrest
Verhalten [fɛr'haltən] *n* 1. behaviour, conduct, deportment; 2. *(Haltung)* attitude
Verhältnis [fɛr'hɛltnɪs] *n* 1. *(Proportion)*
proportion, ratio; 2. *(Beziehung)* relationship;
3. *(Umstand)* circumstance, condition; *über
seine ~se leben* live beyond one's means
verhandeln [fɛr'handəln] *v* negotiate
Verhandlung [fɛr'handluŋ] *f* 1. negotiation; 2. *(Beratung)* discussion; 3. *JUR* court
hearing, trial
Verhängnis [fɛr'hɛŋnɪs] *n* 1. fate; 2. *(Katastrophe)* disaster
verhängnisvoll [fɛr'hɛŋnɪsfɔl] *adj* ominous, ill-fated, doomed
verharmlosen [fɛr'harmloːzən] *v* play
down
verhasst [fɛr'hast] *adj* hated, hateful
verhätscheln [fɛr'hɛtʃəln] *v* spoil, pamper, cosset
Verhau [fɛr'hau] *m (fam)* mess
verheerend [fɛr'heːrənt] *adj* devastating,
disastrous
verheimlichen [fɛr'haɪmlɪçən] *v* keep secret,
conceal; *etw vor jdm ~* conceal sth from s.o.
verheiratet [fɛr'haɪraːtət] *adj* married
Verheißung [fɛr'haɪsuŋ] *f* promise
verheißungsvoll [fɛr'haɪsuŋsfɔl] *adj* promising, auspicious
verherrlichen [fɛr'hɛrlɪçən] *v* glorify
Verherrlichung [fɛr'hɛrlɪçuŋ] *f* glorifica-
tion
verhindern [fɛr'hɪndərn] *v* prevent, hinder,
obstruct
verhöhnen [fɛr'høːnən] *v* scoff at, jeer at,
ridicule
Verhöhnung [fɛr'høːnuŋ] *f* mocking, ridicule
Verhör [fɛr'høːr] *n JUR* examination, interrogation, questioning; *jdn ins ~ nehmen* interrogate s.o.
verhören [fɛr'høːrən] *v* 1. *JUR* interrogate,
examine, question; 2. *sich ~* misunderstand
verhüllen [fɛr'hylən] *v* cover

verhungern [fɛr'huŋərn] *v* starve, die of hunger

verhüten [fɛr'hy:tən] *v* prevent, avert

verirren [fɛr'ɪrən] *v sich* ~ get lost, lose one's way, go astray

verjähren [fɛr'jɛ:rən] *v* JUR come under the statute of limitations, become barred by the statute of limitations

Verjährung [fɛr'jɛ:ruŋ] *f* JUR statutory limitation

verkalken [fɛr'kalkən] *v* 1. TECH calcify, convert into lime; 2. MED sclerose, calcify

Verkauf [fɛr'kauf] *m* sale, selling

verkaufen [fɛr'kaufən] *v* sell

Verkäufer(in) [fɛr'kɔyfər(ɪn)] *m/f* 1. seller, vendor; 2.(in einem Geschäft) salesman/saleswoman

verkäuflich [fɛr'kɔyflɪç] *adj* saleable

Verkehr [fɛr'ke:r] *m* 1. traffic, transport; *jdn aus dem ~ ziehen* eliminate s.o. 2. (Kontakt) contact; 3. (Geschlechtsverkehr) intercourse

Verkehrsampel [fɛr'ke:rsampəl] *f* traffic light

verkehrsberuhigt [fɛr'ke:rsbəru:ɪçt] *adj ~e Zone* limited traffic zone

verkehrt [fɛr'ke:rt] *adj* 1. (~herum) reversed, backwards; 2. (falsch) wrong, incorrect; *Das wäre nicht ~. (fig)* That would be good. 3. (auf dem Kopf) upside down; 4. (nach außen gestülpt) inside out

verkennen [fɛr'kɛnən] *v irr* mistake, fail to recognize, misjudge

verklagen [fɛr'kla:gən] *v* JUR sue, bring action against

verklären [fɛr'klɛ:rən] *v* transfigure

verkleiden [fɛr'klaɪdən] *v* 1. (maskieren) dress up, disguise o.s. 2. (täfeln) panel

Verkleidung [fɛr'klaɪduŋ] *f* 1. (Maskierung) disguise, costume; 2. (überzug) TECH covering, lining, panelling

verkleinern [fɛr'klaɪnərn] *v* 1. diminish, reduce, lessen; 2. (fig: schlecht machen) belittle

Verkleinerung [fɛr'klaɪnəruŋ] *f* 1. diminution, reduction; 2. (fig) belittlement

verknittern [fɛr'knɪtərn] *v* wrinkle, crease

verknoten [fɛr'kno:tən] *v* knot, tie, entangle

verknüpfen [fɛr'knypfən] *v* 1. (verknoten) tie, knot; 2. (fig) connect, combine

Verknüpfung [fɛr'knypfuŋ] *f* (fig) connection, combination

verkommen [fɛr'kɔmən] *v irr* decay, rot, go to ruin

verkörpern [fɛr'kœrpərn] *v* embody, personify

Verkörperung [fɛr'kœrpəruŋ] *f* personification, embodiment

verköstigen [fɛr'kœstɪgən] *v* feed, provide with food

verkrampfen [fɛr'krampfən] *v sich* ~ tense up

Verkrüppelung [fɛr'krypəluŋ] *f* 1. MED deformity; 2. (das Verkrüppeln) MED crippling

verkümmern [fɛr'kymərn] *v* wither away, waste away, atrophy

verkünden [fɛr'kyndən] *v* announce, make known, proclaim

Verkündigung [fɛr'kyndɪguŋ] *f* announcement, proclamation

verkürzen [fɛr'kyrtsən] *v* shorten, reduce

Verkürzung [fɛr'kyrtsuŋ] *f* reduction, shortening

verladen [fɛr'la:dən] *v irr* load, ship, freight

Verlag [fɛr'la:k] *m* publishing house, publishers *pl*, publishing firm

verlagern [fɛr'la:gərn] *v* shift, displace

verlangen [fɛr'laŋən] *v* 1. demand; *viel von jdm ~* ask a lot of s.o. 2. (erfordern) require; 3. (wünschen) want; 4. ~ *nach* ask for; 5. ~ *nach (sich sehnen nach)* crave

Verlangen [fɛr'laŋən] *n* 1. desire; 2. (Sehnen) longing; 3. (Forderung) demand, request

verlängern [fɛr'lɛŋərn] *v* 1. lengthen; 2. (zeitlich) extend, prolong; 3. (verdünnen) extend, dilute

Verlass [fɛr'las] *m* reliance; *Auf ihn ist kein ~.* There is no relying on him.

verlassen [fɛr'lasən] *adj* 1. abandoned, forsaken; 2. (Gegend) deserted; *v irr* 3. leave, relinquish, abandon; 4. *sich auf etw ~* rely on sth; *Darauf kannst du dich ~.* You can be sure of that.

verlässlich [fɛr'lɛslɪç] *adj* reliable, dependable, trustworthy

Verlauf [fɛr'lauf] *m* 1. (Ablauf) lapse, expiration; *im ~ von ...* in the course of ... 2. (Entwicklung) course, progress; *einen guten ~ nehmen* go well

verlaufen [fɛr'laufən] *v irr* 1. (ablaufen) expire, elapse, pass; 2. (sich entwickeln) turn out, develop; 3. *sich ~ (sich verirren)* lose one's way, go astray, get lost

verlautbaren [fɛr'lautba:rən] *v* announce

Verlautbarung [fɛr'lautba:ruŋ] *f* statement

verlauten [fɛr'lautən] *v* 1. become known, to be reported; 2. (andeuten) hint, intimate

verlebt [fɛr'le:pt] *adj (fig)* worn out, used up, spent

verlegen [fɛr'le:gən] *v* 1. (Wohnsitz) move, transfer; 2. (Termin) postpone, put off; 3. (ver-

lieren) misplace; *4. (Buch)* publish; *5. (Kabel)*
TECH lay, install; *adj 6.* embarrassed, self-
conscious, awkward; *v 7. um etw nie ~ sein*
never be at a loss for sth
Verlegenheit [fɛr'leːgənhaɪt] *f 1.* embarrassment; *2. (unangenehme Lage)* awkward
situation
Verleger(in) [fɛr'leːgər(ɪn)] *m* publisher
Verleih [fɛr'laɪ] *m 1.* hire business, rental
shop; *2. (Gesellschaft) CINE* distributor; *3.*
(das Verleihen) CINE distribution
verleihen [fɛr'laɪən] *v irr 1. (borgen)* lend;
2. (vermieten) hire out, rent out; *3. (Preis)*
award
Verleihung [fɛr'laɪʊŋ] *f (Preisverleihung)*
award
verlernen [fɛr'lɛrnən] *v* forget
verletzbar [fɛr'lɛtsbaːr] *adj* vulnerable
Verletzbarkeit [fɛr'lɛtsbaːrkaɪt] *f* vulnerability
verletzen [fɛr'lɛtsən] *v 1. (verwunden)* hurt,
injure, wound; *2. (fig: kränken)* hurt, offend; *3.*
(fig: übertreten) infringe upon, breach
verletzend [fɛr'lɛtsənt] *adj (fig)* cutting,
offending
Verletzung [fɛr'lɛtsʊŋ] *f 1. (Wunde)* injury,
wound; *2. (fig: Kränkung)* hurt feelings; *3. (fig:*
übertretung) infringement, violation
verleugnen [fɛr'lɔygnən] *v 1.* deny; *Er ließ*
sich ~. He said to say he wasn't home. *2.*
(Freund, Kind) disown
Verleugnung [fɛr'lɔygnʊŋ] *f* denial, dis-
avowal
verleumden [fɛr'lɔymdən] *v* slander, defame, malign
verleumderisch [fɛr'lɔymdərɪʃ] *adj* slan-
derous, libellous
Verleumdung [fɛr'lɔymdʊŋ] *f* defamation
verlieben [fɛr'liːbən] *v sich ~* fall in love;
sich in jdn ~ fall in love with s.o.
verliebt [fɛr'liːpt] *adj* in love
verlieren [fɛr'liːrən] *v irr* lose; *nichts zu ~*
haben have nothing to lose
Verlierer(in) [fɛr'liːrər(ɪn)] *m/f* loser
Verlies [fɛr'liːs] *n* dungeon
verloben [fɛr'loːbən] *v sich ~* become
engaged, get engaged (fam)
Verlobte(r) [fɛr'loːptə(r)] *m/f* fiancé/
fiancée
Verlobung [fɛr'loːbʊŋ] *f* engagement
verlocken [fɛr'lɔkən] *v* tempt, entice
verlockend [fɛr'lɔkənt] *adj* tempting
verlogen [fɛr'loːgən] *adj 1. (Mensch)* lying,
mendacious; *2. (Versprechung)* false

verlosen [fɛr'loːzən] *v* raffle
Verlosung [fɛr'loːzʊŋ] *f* raffle, lottery
Verlust [fɛr'lʊst] *m 1.* loss, damage; *2.*
(Todesfall) bereavement
vermachen [fɛr'maxən] *v* bequeath, will,
leave
Vermächtnis [fɛr'mɛçtnɪs] *n* bequest,
legacy
vermählen [fɛr'mɛːlən] *v sich ~* marry, to
be wed
Vermählung [fɛr'mɛːlʊŋ] *f* marriage
vermarkten [fɛr'marktən] *v 1.* market,
place on the market; *2. (fig)* commercialize
Vermarktung [fɛr'marktʊŋ] *f* marketing
vermehren [fɛr'meːrən] *v 1.* increase; *2.*
sich ~ (sich fortpflanzen) reproduce, multiply,
propagate
vermeiden [fɛr'maɪdən] *v irr* avoid, evade,
escape from
vermeintlich [fɛr'maɪntlɪç] *adj* supposed,
alleged, reputed
Vermerk [fɛr'mɛrk] *m* note, entry, remark
vermerken [fɛr'mɛrkən] *v* note
vermessen [fɛr'mɛsən] *v irr 1.* measure,
survey; *adj 2.* impudent, presumptuous, bold
Vermessenheit [fɛr'mɛsənhaɪt] *f* impudence, presumption, boldness
vermieten [fɛr'miːtən] *v* let, rent (US)
Vermieter(in) [fɛr'miːtər(ɪn)] *m/f (einer*
Wohnung) landlord/landlady
vermischen [fɛr'mɪʃən] *v* mix (up), blend
vermissen [fɛr'mɪsən] *v* miss
vermitteln [fɛr'mɪtəln] *v 1.* mediate, act as
intermediary, negotiate; *2. (beschaffen)* obtain
Vermittler(in) [fɛr'mɪtlər(ɪn)] *m/f* mediator, intermediary, agent
Vermittlung [fɛr'mɪtlʊŋ] *f 1. (Vermitteln)*
arrangement, negotiation; *2. (Telefonvermitt-*
lung) exchange; *3. (Telefonvermittlung)*
(Mensch) operator; *4. (Telefonvermittlung in*
einer Firma) switchboard; *5. (Stellenvermitt-*
lung) agency
Vermögen [fɛr'møːgən] *n 1. (Können)*
ability, faculty, power; *2. (Besitz)* assets,
wealth, fortune; *ein ~ machen* make a fortune;
vermögend [fɛr'møːgənt] *adj* wealthy, rich
vermuten [fɛr'muːtən] *v* suppose, surmise,
presume
vermutlich [fɛr'muːtlɪç] *adj 1.* presumable,
probable, likely; *adv 2.* probably, presumably
Vermutung [fɛr'muːtʊŋ] *f* presumption,
supposition
vernachlässigbar [fɛr'naːxlɛsɪçbaːr] *adj*
negligible

vernachlässigen [fɛr'naːxlɛsɪgən] *v* neglect

Vernachlässigung [fɛr'naxlɛsɪguŋ] *f* neglect, careless treatment

vernehmen [fɛr'neːmən] *v irr 1. (hören)* hear; *2. (verhören) JUR* examine, interrogate, question

verneigen [fɛr'naɪgən] *v sich ~* bow

Verneigung [fɛr'naɪguŋ] *f* bow

verneinen [fɛr'naɪnən] *v 1. (nein sagen)* answer in the negative, say no; *2. (ablehnen)* decline; *3. (leugnen)* deny

Verneinung [fɛr'naɪnuŋ] *f* negation, denial

vernetzen [fɛr'nɛtsən] *v 1.* integrate; *2. INFORM* network

vernichten [fɛr'nɪçtən] *v 1.* destroy, annihilate, obliterate; *2. (ausrotten)* exterminate

Vernichtung [fɛr'nɪçtuŋ] *f 1.* annihilation, destruction; *2. (Ausrottung)* extermination

Vernunft [fɛr'nunft] *f* reason, good sense; *jdn zur ~ bringen* bring s.o. to his senses; *~ annehmen* see reason; *zur ~ kommen* come to one's senses

vernünftig [fɛr'nynftɪç] *adj* rational, sensible

veröden [fɛr'øːdən] *v 1. (Landschaft)* become desolate; *2. MED* sclerose

veröffentlichen [fɛr'œfəntlɪçən] *v* publish, make public

Veröffentlichung [fɛr'œfəntlɪçuŋ] *f* publication

verordnen [fɛr'ɔrdnən] *v 1. (bestimmen)* decree, order; *2. MED* prescribe

verpachten [fɛr'paxtən] *v* let, lease

verpacken [fɛr'pakən] *v* package, pack

Verpackung [fɛr'pakuŋ] *f* packaging, packing, wrapping

verpfänden [fɛr'pfɛndən] *v 1. (in der Pfandleihe)* pawn; *sein Wort ~* pledge one's word; *2. (hypothekarisch)* mortgage

Verpfändung [fɛr'pfɛnduŋ] *f* pawning

verpfeifen [fɛr'pfaɪfən] *v irr jdn ~ (fam)* squeal on s.o.

Verpflegung [fɛr'pfleːguŋ] *f* food, board, rations *pl*

verpflichten [fɛr'pflɪçtən] *v 1.* oblige, engage; *2. (unterschriftlich)* sign on

Verpflichtung [fɛr'pflɪçtuŋ] *f 1.* commitment, obligation, undertaking; *2. FIN* liabilty

verpönt [fɛr'pøːnt] *adj* taboo, prohibited, looked down upon

verprügeln [fɛr'pryːgəln] *v* beat up, thrash

verputzen [fɛr'putsən] *v 1. (Mauer)* plaster; *2. (fam: essen)* polish off

Verrat [fɛr'raːt] *m 1.* betrayal; *2. POL* treason

verraten [fɛr'raːtən] *v irr* divulge, give away, betray; *~ und verkauft* sold down the river

Verräter(in) [fɛr'rɛːtər(ɪn)] *m/f* traitor

verräterisch [fɛr'rɛːtərɪʃ] *adj* treacherous, disloyal, traitorous

verrechnen [fɛr'rɛçnən] *v 1. sich ~* miscalculate; *2.* set off against, charge against

verreisen [fɛr'raɪzən] *v* go on a trip, go away

verrenken [fɛr'rɛŋkən] *v* dislocate, put out of joint

verriegeln [fɛr'riːgəln] *v* bolt, lock, bar

verringern [fɛr'rɪŋərn] *v* diminish, decrease, lessen

verrotten [fɛr'rɔtən] *v* decay, rot, decompose

verrucht [fɛr'ruːxt] *adj 1.* despicable; *2. (Verbrechen)* heinous

verrückt [fɛr'rykt] *adj 1.* crazy, mad, insane; *wie ~* like mad; *auf etw ~ sein* to be mad about sth; *~ spielen* go crazy; *adv 2.* madly, insanely

Verruf [fɛr'ruːf] *m* discredit; *in ~ kommen* fall into disrepute; *jdn in ~ bringen* ruin s.o.'s reputation

Vers [fɛrs] *m* verse; *sich auf etw keinen ~ machen können* see no rhyme or reason in sth; *~e schmieden* write poems

versagen [fɛr'zaːgən] *v 1. (scheitern)* fail; *2. (verweigern)* deny, refuse; *3. sich etw ~* abstain from sth, refrain from doing sth

Versager [fɛr'zaːgər] *m* failure

versammeln [fɛr'zaməln] *v* assemble, gather, come together

Versammlung [fɛr'zamluŋ] *f* meeting, gathering, assembly

Versand [fɛr'zant] *m* shipment, delivery, dispatch

Versandhaus [fɛr'zanthaus] *n* mail-order house

versäumen [fɛr'zɔymən] *v* fail to (do sth), miss, neglect; *nichts zu ~ haben* have no time to lose

Versäumnis [fɛr'zɔymnɪs] *n 1. (Unterlassung)* default, failure, negligence; *2. (Verspätung)* loss of time

verschärfen [fɛr'ʃɛrfən] *v 1.* intensify, sharpen; *2. (verschlimmern)* exacerbate

verscharren [fɛr'ʃarən] *v (fam)* bury

verschätzen [fɛr'ʃɛtsən] *v sich ~* miscalculate

verschenken [fɛr'ʃɛŋkən] *v* give away

verscheuchen [fɛr'ʃɔyçən] *v* chase away, scare away, frighten away

verschicken [fɛr'ʃɪkən] v send off, consign, dispatch

verschieben [fɛr'ʃiːbən] v irr 1. (verrkcken) shift, displace, move; 2. (aufschieben) postpone

verschieden [fɛr'ʃiːdən] adj different, unlike, distinct; ~e various

Verschiedenartigkeit [fɛr'ʃiːdənartɪçkaɪt] f diversity, variety

verschlafen [fɛr'ʃlaːfən] adj 1. sleepy; v irr 2. oversleep

verschlagen [fɛr'ʃlaːgən] adj 1. (schlau) artful, sly; 2. (lauwarm) tepid, lukewarm

verschlechtern [fɛr'ʃlɛçtərn] v 1. make worse; 2. sich ~ deteriorate, worsen

verschleiern [fɛr'ʃlaɪərn] v veil

Verschleiß [fɛr'ʃlaɪs] m wear (and tear)

verschließen [fɛr'ʃliːsən] v irr shut, close, seal; die Augen vor etw ~ close one's eyes to sth

verschlimmern [fɛr'ʃlɪmərn] v 1. (etw ~) make worse, add to, aggravate; 2. sich ~ get worse, deteriorate

verschlossen [fɛr'ʃlɔsən] adj (fig) reserved, cagey, secretive

Verschlossenheit [fɛr'ʃlɔsənhaɪt] f reserve, reticence

verschlucken [fɛr'ʃlukən] v 1. swallow; 2. sich ~ swallow the wrong way

Verschluss [fɛr'ʃlus] m 1. fastener, catch, seal; 2. (Schloss) lock

verschlüsseln [fɛr'ʃlysəln] v encode

verschmähen [fɛr'ʃmɛːən] v scorn, disdain, despise

verschmelzen [fɛr'ʃmɛltsən] v irr 1. fuse, blend; 2. (Firmen) merge

verschmitzt [fɛr'ʃmɪtst] adj sly, roguish

verschmutzen [fɛr'ʃmutsən] v dirty, soil, get dirty

Verschmutzung [fɛr'ʃmutsuŋ] f 1. dirtying, soiling; 2. (von Wasser, Luft, Umwelt) pollution, contamination

verschnaufen [fɛr'ʃnaufən] v take a breather, take a rest, pause for breath

verschollen [fɛr'ʃɔlən] adj missing, presumed dead

verschonen [fɛr'ʃoːnən] v spare

verschönern [fɛr'ʃøːnərn] v embellish, beautify

verschränken [fɛr'ʃrɛŋkən] v cross, fold; die Arme (vor der Brust) ~ fold one's arms

verschreiben [fɛr'ʃraɪbən] v irr 1. (verordnen) MED prescribe; 2. sich ~ make a mistake in writing; 3. sich einer Sache ~ devote o.s. to sth

verschreibungspflichtig [fɛr'ʃraɪbuŋspflɪçtɪç] adj MED available only on prescription

verschrotten [fɛr'ʃrɔtən] v scrap

verschütten [fɛr'ʃytən] v 1. spill; 2. verschüttet werden to be buried (by an avalanche)

verschwägert [fɛr'ʃvɛːgərt] adj related by marriage

verschweigen [fɛr'ʃvaɪgən] v irr keep secret, conceal

verschwenden [fɛr'ʃvɛndən] v waste

verschwenderisch [fɛr'ʃvɛndərɪʃ] adj 1. wasteful; 2. (üppig) extravagant, lavish

Verschwendung [fɛr'ʃvɛnduŋ] f waste

verschwiegen [fɛr'ʃviːgən] adj secretive, reserved, discreet

Verschwiegenheit [fɛr'ʃviːgənhaɪt] f 1. discretion, secrecy; 2. (eines Ortes) seclusion

verschwinden [fɛr'ʃvɪndən] v irr disappear, vanish, fade

verschwommen [fɛr'ʃvɔmən] adj blurred, indistinct

verschwören [fɛr'ʃvøːrən] v irr sich ~ form a conspiracy, conspire; sich gegen jdn ~ conspire against s.b.

Verschwörer(in) [fɛr'ʃvøːrər(ɪn)] m/f conspirator

Verschwörung [fɛr'ʃvøːruŋ] f conspiracy

Versehen [fɛr'zeːən] n 1. (Irrtum) mistake, error; 2. aus ~ inadvertently, by mistake

versehentlich [fɛr'zeːəntlɪç] adv inadvertently, by mistake

versenken [fɛr'zɛŋkən] v 1. (Schiff) sink, submerge; 2. (fig) sich in etw ~ become immersed in sth, become engrossed in sth

versetzen [fɛr'zɛtsən] v 1. (Beamter) transfer; 2. (Schüler) promote; 3. sich in jds Lage ~ put o.s. in s.o.'s place; 4. (verpfänden) pawn, pledge; 5. jdn ~ (fig: nicht erscheinen) stand s.o. up; 6. jdn in Angst ~ strike fear into s.o.

verseuchen [fɛr'zɔyçən] v contaminate, pollute, infect

Verseuchung [fɛr'zɔyçuŋ] f contamination

versichern [fɛr'zɪçərn] v 1. (bestätigen) assure; 2. (beteuern) affirm; 3. (Versicherung abschließen) assure (UK), insure

Versicherung [fɛr'zɪçəruŋ] f 1. (Bestätigung) assurance; 2. (Eigentumsversicherung) insurance; 3. (Lebensversicherung) assurance, life insurance (US)

versickern [fɛr'zɪkərn] v 1. ooze away, seep away; 2. (Interesse) peter out

versiegeln [fɛr'ziːgəln] v seal

versiert [vɛr'ziːrt] adj versed

versilbern [fɛr'zɪlbərn] v 1. paint silver; 2. *(mit Silber überziehen)* silver-plate; 3. *(fam: verkaufen)* convert to cash

versinken [fɛr'zɪŋkən] v irr sink, become submerged

versinnbildlichen [fɛr'zɪnbɪltlɪçən] v symbolize, illustrate, allegorize, typify

Version [vɛr'zjoːn] f version

versklaven [fɛr'sklaːvən] v enslave

versöhnen [fɛr'zøːnən] v reconcile

versöhnlich [fɛr'zøːnlɪç] adj 1. forgiving, conciliatory, placable; adv 2. forgivingly, in a conciliatory way

Versöhnung [fɛr'zøːnuŋ] f reconciliation

versorgen [fɛr'zɔrgən] v 1. *(unterhalten)* maintain, take care of, provide for; 2. *(beschaffen)* provide, supply; 3. *(pflegen)* care for

Versorgung [fɛr'zɔrguŋ] f 1. *(Unterhalt)* maintenance, support; 2. *(Beschaffung)* provision, supply; 3. *(Pflege)* care

verspäten [fɛr'ʃpɛːtən] v 1. sich ~ to be late; 2. sich ~ *(aufgehalten werden)* to be delayed

verspotten [fɛr'ʃpɔtən] v mock, scoff at, deride

versprechen [fɛr'ʃpreçən] v irr 1. promise; 2. sich ~ *(beim Reden)* stumble over a word; 3. sich ~ *(etwas Nicht-Gemeintes sagen)* make a slip of the tongue

Versprechen [fɛr'ʃpreçən] n promise

Versprecher [fɛr'ʃpreçər] m slip of the tongue

verspüren [fɛr'ʃpyːrən] v feel, experience

Verstand [fɛr'ʃtant] m 1. *(Vernunft)* reason; den ~ verlieren lose one's mind, go mad; jdm den ~ rauben drive s.o. crazy; Da fehlt einem doch der ~. The mind boggles! Das geht über meinen ~. That's beyond me. 2. *(Geist)* mind, intellect; 3. *(Urteilskraft)* judgement, judgment (US)

verständigen [fɛr'ʃtɛndɪgən] v inform, notify, advise; Ich habe ihn verständigt. I let him know.

Verständigung [fɛr'ʃtɛndɪguŋ] f 1. notification; 2. *(Einigung)* agreement

verständlich [fɛr'ʃtɛntlɪç] adj understandable, intelligible, clear; sich ~ machen make o.s. understood

Verständnis [fɛr'ʃtɛntnɪs] n 1. understanding; 2. *(Mitgefühl)* sympathy; 3. *(Würdigung)* appreciation

verständnislos [fɛr'ʃtɛntnɪsloːs] adj 1. uncomprehending; 2. *(nicht würdigend)* unappreciative; 3. *(nicht mitfühlend)* unsympathetic

verständnisvoll [fɛr'ʃtɛntnɪsfɔl] adj understanding, sympathetic, appreciative

verstärken [fɛr'ʃtɛrkən] v 1. strengthen, fortify; 2. *(fig)* augment, amplify, intensify

Verstärker [fɛr'ʃtɛrkər] m TECH amplifier

Verstärkung [fɛr'ʃtɛrkuŋ] f 1. strengthening; pl 2. ~en reinforcements

verstauchen [fɛr'ʃtauxən] v sprain

verstauen [fɛr'ʃtauən] v stow away, tuck away, pack away

Versteck [fɛr'ʃtɛk] n hiding place, hideout; ~ spielen play hide-and-seek

verstecken [fɛr'ʃtɛkən] v irr hide, conceal; sich neben jdm ~ müssen to be no match for s.o. sich vor jdm nicht zu ~ brauchen to be a match for s.o.

verstehen [fɛr'ʃteːən] v irr understand

versteifen [fɛr'ʃtaifən] v 1. sich ~ harden, stiffen; 2. sich ~ auf insist on

Versteigerung [fɛr'ʃtaigəruŋ] f auction, public sale

verstellen [fɛr'ʃtɛlən] v 1. move, shift, adjust; 2. *(regulieren)* regulate, adjust; 3. *(fig)* sich ~ pretend, feign

versteuern [fɛr'ʃtɔyərn] v pay tax on

verstimmt [fɛr'ʃtɪmt] adj 1. *(fig)* annoyed, cross, disgruntled; 2. MUS out of tune

Verstimmung [fɛr'ʃtɪmuŋ] f ill-will, resentment, disgruntlement

Verstorbene(r) [fɛr'ʃtɔrbənə(r)] m/f deceased

verstört [fɛr'ʃtøːrt] adj disturbed, distracted, distraught

Verstoß [fɛr'ʃtoːs] m offence, breach, infringement

verstoßen [fɛr'ʃtoːsən] v irr 1. *(verjagen)* cast off, disown; 2. gegen etw ~ infringe upon sth, violate sth

verstreuen [fɛr'ʃtrɔyən] v 1. scatter, spread; 2. *(fig)* scatter, disperse

Versuch [fɛr'zuːx] m 1. attempt, try, effort; 2. *(Experiment)* experiment

versuchen [fɛr'zuːxən] v 1. try, attempt; 2. *(kosten)* taste

Versuchskaninchen [fɛr'zuːxskaniːnçən] n *(fig)* guinea pig

versüßen [fɛr'zyːsən] v sweeten (fig)

Vertäfelung [fɛr'tɛːfəluŋ] f wainscoting, panelling

vertagen [fɛr'taːgən] v adjourn

vertauschen [fɛr'tauʃən] v 1. exchange, swap; 2. *(verwechseln)* mistake for

verteidigen [fɛr'taidɪgən] v defend

Verteidigung [fɛr'taɪdɪgʊŋ] f defence, defense (US)

Verteidigungsminister(in) [fɛr'taɪdɪ:gʊŋsmɪnɪstər(ɪn)] m/f POL Minister of Defence, Secretary of Defense (US)

verteilen [fɛr'taɪlən] v 1. (austeilen) distribute, hand out, pass out; 2. (aufteilen) allot, allocate

Verteiler [fɛr'taɪlər] m distributor

vertiefen [fɛr'ti:fən] v deepen

vertikal [vɛrtɪ'ka:l] adj 1. vertical; adv 2. vertically

Vertrag [fɛr'tra:k] m 1. ECO contract; 2. POL treaty

Verträglichkeit [fɛr'trɛ:klɪçkaɪt] f 1. (Umgänglichkeit) goodnaturedness, compatibility; 2. (Bekömmlichkeit) digestibility

vertrauen [fɛr'trauən] v trust, rely on, have confidence in

Vertrauen [fɛr'trauən] n trust, confidence; jdn ins ~ ziehen confide in s.o. ~ erweckend inspiring confidence

vertrauenswürdig [fɛr'trauənsvyrdɪç] adj trustworthy

vertraulich [fɛr'traulɪç] adj 1. confidential; adv 2. in confidence, confidentially

Vertraulichkeit [fɛr'traulɪçkaɪt] f 1. confidentiality; 2. ~en (Zudringlichkeit) familiarity

vertraut [fɛr'traut] adj 1. familiar, intimate; sich mit etw ~ machen familiarize o.s. with sth; 2. (Freund) close

Vertrautheit [fɛr'trauthaɪt] f intimacy, familiarity

vertreiben [fɛr'traɪbən] v irr 1. (verjagen) drive away, chase away; 2. (Zeit) pass; 3. (verkaufen) ECO sell, market

Vertreibung [fɛr'traɪbʊŋ] f expulsion

vertreten [fɛr'tre:tən] v irr 1. represent, act on behalf of; 2. (ersetzen) substitute for, replace, act for; 3. sich die Füße ~ stretch one's legs

Vertreter(in) [fɛr'tre:tər(ɪn)] m/f 1. (Repräsentant(in)) representative, delegate; 2. (Stellvertreter(in)) deputy, proxy

Vertretung [fɛr'tre:tʊŋ] f 1. (Repräsentanz) agency, representation; 2. (Stellvertretung) replacement; 3. (Vertreten) representation

Vertrieb [fɛr'tri:p] m ECO marketing, sale, distribution

verunglücken [fɛr'unglykən] v have an accident, meet with an accident

verunreinigen [fɛr'unraɪnɪgən] v 1. soil; 2. (Luft, Wasser) contaminate, pollute

verunsichern [fɛr'unzɪçərn] v jdn ~ make s.o. unsure, rattle s.o. (fam), disconcert s.o.

verunstalten [fɛr'unʃtaltən] v disfigure, deface, deform

veruntreuen [fɛr'untrɔyən] v embezzle, misappropriate

Veruntreuung [fɛr'untrɔyʊŋ] f embezzlement, misappropriation

verursachen [fɛr'urzaxən] v cause

Verursacher [fɛr'urzaxər] m causer

verurteilen [fɛr'urtaɪlən] v condemn, (für schuldig befinden) convict, (zu Strafe) sentence

Verurteilung [fɛr'urtaɪlʊŋ] f condemnation, conviction, sentencing

vervielfältigen [fɛr'fi:lfɛltɪgən] v 1. multiply; 2. (nachbilden) reproduce, duplicate

vervollkommnen [fɛr'fɔlkɔmnən] v perfect, carry to perfection, improve upon

vervollständigen [fɛr'fɔlʃtɛndɪgən] v complete

verwählen [fɛr'vɛ:lən] v sich ~ dial the wrong number

verwahren [fɛr'va:rən] v take care of, preserve

verwahrlost [fɛr'va:rlo:st] adj 1. neglected, uncared-for; 2. (äußeres) unkempt

Verwahrlosung [fɛr'va:rlo:zuŋ] f neglect

Verwahrung [fɛr'va:rʊŋ] f 1. keeping, guard; etw in ~ nehmen accept sth for safekeeping; 2. (Obhut) custody; 3. (Erhaltung) preservation

verwaist [fɛr'vaɪst] adj orphaned

verwalten [fɛr'valtən] v administer, manage

Verwalter(in) [fɛr'valtər(ɪn)] m/f administrator, manager

Verwaltung [fɛr'valtʊŋ] f administration, management

verwandt [fɛr'vant] adj related

Verwandte(r) [fɛr'vantə(r)] m/f relative

Verwandtschaft [fɛr'vantʃaft] f 1. relationship; 2. (die Verwandten) relatives pl, relations pl

verwarnen [fɛr'varnən] v warn, reprimand, caution

Verwarnung [fɛr'varnʊŋ] f warning, admonition, reprimand

verwechseln [fɛr'vɛksəln] v mistake, mix up, confuse; jdn mit jdm ~ confuse s.o. with s.o. jdm zum Verwechseln ähnlich sein to be the spitting image of s.o.

Verwechslung [fɛr'vɛkslʊŋ] f confusion, mistake

verwegen [fɛr've:gən] adj adventurous, risky, daring

verwehren [fɛr've:rən] v jdm etw ~ prevent s.o. from doing sth

verweigern [fɛr'vaɪgərn] v refuse, deny, disobey

verweilen [fɛr'vaɪlən] v stay, linger

Verweis [fɛr'vaɪs] m 2. (Hinweis) reference; 1. (Rüge) reproof, reprimand, rebuke

verwelken [fɛr'vɛlkən] v wither, wilt

verwenden [fɛr'vɛndən] v irr use, utilize, employ; wieder ~ reuse

verwerflich [fɛr'vɛrflɪç] adj reprehensible

verwerten [fɛr'vɛrtən] v 1. (benutzen) make use of, utilize; 2. (wieder ~) reprocess, recycle; 3. (auswerten) exploit

Verwicklung [fɛr'vɪklʊŋ] f (fig) involvement

verwirklichen [fɛr'vɪrklɪçən] v realize, put into effect, make come true

Verwirklichung [fɛr'vɪrklɪçʊŋ] f realization

verwirren [fɛr'vɪrən] v 1. entangle; 2. (fig) confuse, bewilder, perplex

verwirrt [fɛr'vɪrt] adj confused, puzzled, disconcerted

Verwirrung [fɛr'vɪrʊŋ] f 1. (fig) confusion, bewilderment, disarray; 2. entanglement

verwitwet [fɛr'vɪtvət] adj widowed

verwöhnen [fɛr'vøːnən] v spoil, pamper

verwundbar [fɛr'vʊntbaːr] adj vulnerable

verwunden [fɛr'vʊndən] v wound, injure, hurt

verwundern [fɛr'vʊndərn] v amaze, astonish

verwüsten [fɛr'vyːstən] v devastate, wreck, ravage

verzagen [fɛr'tsaːgən] v lose heart, despair

Verzehr [fɛr'tseːr] m consumption

verzehren [fɛr'tseːrən] v 1. (essen) consume, eat; 2. (aufbrauchen) absorb, sap; 3. (fig) sich ~ eat one's heart out, languish; sich ~ nach pine for

verzeichnen [fɛr'tsaɪçnən] v register, record, list

Verzeichnis [fɛr'tsaɪçnɪs] n list, register, catalogue

verzeihen [fɛr'tsaɪən] v irr pardon, forgive

Verzeihung [fɛr'tsaɪʊŋ] f 1. pardon, forgiveness; interj 2. sorry, excuse me

verzerren [fɛr'tsɛrən] v 1. distort; 2. sich etw ~ pull sth, strain sth; 3. sich ~ become distorted

Verzicht [fɛr'tsɪçt] m renunciation, relinquishment

verzichten [fɛr'tsɪçtən] v 1. auf etw ~ (ohne etw auskommen) do without sth, forego sth; 2. auf etw ~ (etw aufgeben) give up sth

verzieren [fɛr'tsiːrən] v 1. decorate, adorn; 2. (durch Besatz) trim

Verzierung [fɛr'tsiːrʊŋ] f decoration, adornment

verzinsen [fɛr'tsɪnzən] v ECO pay interest on

verzögern [fɛr'tsøːgərn] v delay, (verlangsamen) slow down

Verzögerung [fɛr'tsøːgərʊŋ] f 1. delay; 2. PHYS deceleration

verzollen [fɛr'tsɔlən] v pay duty on, declare

verzweifeln [fɛr'tsvaɪfəln] v despair

verzweifelt [fɛr'tsvaɪfəlt] adj 1. desperate, despairing; adv 2. in a desperate way, desperately

Verzweiflung [fɛr'tsvaɪflʊŋ] f despair, desperation; zur ~ bringen drive to despair

Veto ['veːto] n POL veto

Vetter ['fɛtər] m cousin

Vetternwirtschaft ['fɛtərnvɪrtʃaft] f nepotism

Vibration [vibra'tsjoːn] f vibration

vibrieren [vi'briːrən] v vibrate

Vieh [fiː] n cattle, livestock

viel(e) ['fiːl(ə)] adj 1. much, many, plenty of; ~ beschäftigt very busy; adv 2. much, a lot, a great deal; so ~ so much, as much; doppelt so ~ twice as much; so ~ wie as much as; pron 3. many

vieldeutig [fiːldɔytɪç] adj ambiguous

Vieldeutigkeit ['fiːldɔytɪçkaɪt] f ambiguity

Vielfalt ['fiːlfalt] f variety, diversity

vielfältig ['fiːlfɛltɪç] adj manifold, varied, diverse

vielleicht [fi'laɪçt] adv 1. perhaps, maybe, possibly; 2. (verstärkend)

vielmals ['fiːlmaːls] adv many times, often; Ich danke Ihnen ~. Thank you very much.

vielmehr [fiːl'meːr] adv rather

vielseitig ['fiːlzaɪtɪç] adj 1. many-sided, varied; 2. (Mensch, Verwendung) versatile

Vielseitigkeit ['fiːlzaɪtɪçkaɪt] f versatility

Vielzahl ['fiːltsaːl] f multitude

Viereck ['fiːrɛk] n 1. quadrilateral; 2. (Rechteck) rectangle

Viertel ['fɪrtəl] n 2. (Stadtteil) quarter, district, part of town; 1. MATH quarter

Vikar [vi'kaːr] m curate

Villa ['vɪla] f villa

violett [vio'lɛt] adj violet, purple

Violine [vio'liːnə] f MUS violin

virtuelle Realität [vɪrtu'ɛlə reali'tɛːt] f INFORM virtual reality

Virus ['viːrʊs] *m/n 1. MED* virus; *m 2. INFORM* virus

Vision [vi'zjoːn] *f* vision

Visitenkarte [vi'ziːtənkartə] *f* visiting card *(UK)*, business card

visuell [vizu'ɛl] *adj* visual

Visum ['viːzʊm] *n* visa

Vitalität [vitali'tɛːt] *f* vitality, vigour

Vitamin [vita'miːn] *n* vitamin

Vizepräsident ['fiːtsəprɛzɪdent] *m* vice-president

Vogel ['foːgəl] *m ZOOL* bird; *Das schießt den ~ ab.* That takes the biscuit! *einen ~ haben* to be not quite right in the head, to be round the bend; *jdm den ~ zeigen* tap one's forehead

Vogelscheuche ['foːgəlʃɔyçə] *f* scarecrow

Vokabular [voka:bu'laːr] *n* vocabulary

Vokal [vo'kaːl] *m* vowel

Volk [fɔlk] *n 1.* people, nation; *2. (Rasse)* race; *fahrendes ~* gypsies *(fig)*

Völkerkunde ['fœlkərkundə] *f* ethnology

Völkermord ['fœlkərmɔrt] *m* genocide

volkstümlich ['fɔlkstyːmlɪç] *adj 1.* national; *2. (beliebt)* popular

Volkswirtschaft ['fɔlksvɪrtʃaft] *f* national economy, political economy

voll [fɔl] *adj 1.* full; *jdn nicht für ~ nehmen* not take s.o. seriously; *aus dem Vollen schöpfen* draw on plenty of resources; *in die Vollen gehen* go all out; *~ schreiben* fill; *jede ~e Stunde* every hour on the hour; *2. (Erfolg)* complete; *3. jdn nicht für ~ nehmen* not take s.o. seriously; *adv 4.* fully, totally; *~ gestopft* packed, jammed

Vollblut ['fɔlbluːt] *n ZOOL* thoroughbred

vollbringen [fɔl'brɪŋən] *v irr* accomplish, achieve

vollenden [fɔl'ɛndən] *v* finish, complete, *(Leben)* bring to an end

Vollendung [fɔl'ɛndʊŋ] *f 1.* completion; *2. (Vollkommenheit)* perfection

völlig ['fœlɪç] *adj 1.* complete, entire, full; *adv 2.* completely, absolutely, entirely

volljährig ['fɔljɛːrɪç] *adj* of age, major

Volljährigkeit ['fɔljɛːrɪçkaıt] *f* full age, majority *(UK)*

vollkommen [fɔl'kɔmən] *adj 1.* perfect; *2. (vollständig)* complete, absolute; *adv 3.* completely

Vollkommenheit [fɔl'kɔmənhaıt] *f* perfection, completeness

Vollmacht ['fɔlmaxt] *f 1.* authority; *2. JUR* power of attorney; *jdm eine ~ erteilen* give s.o. power of attorney

vollständig ['fɔlʃtɛndɪç] *adj 1.* complete; *2. (ganz)* entire, total; *adv 3.* entirely, quite, wholly

vollstrecken [fɔl'ʃtrɛkən] *v JUR* execute, enforce

Vollstrecker [fɔl'ʃtrɛkər] *m 1. JUR* executor; *2. (fam)* enforcer

Vollstreckung [fɔl'ʃtrɛkʊŋ] *f JUR* execution, enforcement

Volltreffer ['fɔltrɛfər] *m* direct hit, bull's eye

Vollversammlung ['fɔlfɛrzamlʊŋ] *f* plenary meeting, general meeting

Vollwaise ['fɔlvaızə] *f* orphan

vollzählig ['fɔltsɛːlɪç] *adj 1.* complete, full; *adv 2.* in full force, in full strength

vollziehen [fɔl'tsiːən] *v irr* execute, carry out, enforce

Volontär(in) [volɔn'tɛːr(ɪn)] *m/f* intern, trainee

Volontariat [volɔnta'riaːt] *n* internship, post as a trainee

Volt [vɔlt] *n* volt

Volumen [vo'luːmən] *n* volume, bulk

voluminös [volumi'nøːs] *adj* voluminous, copious

von [fɔn] *prep 1. (örtlich)* from; *nördlich ~ Berlin* north of Berlin; *2. (zeitlich)* from; *~ jeher* all along; *3. (Herkunft)* from; *4. (Thema)* about; *5. (Teil)* of; *ein Freund ~ mir* a friend of mine; *~ mir aus* for all I care; *6. (Urheberschaft ausdrückend)* by

vor [foːr] *prep 1. (örtlich)* in front of, before; *~ der Tür* outside the door; *2. (zeitlich)* before, prior to, previous to; *nach wie ~* still; *3. (kausal)* because of, through, on account of; *~ allen Dingen* above all; *~ Freude* with joy; *4. (gegenüber)* opposite; *etw ~ sich haben (fig)* face sth; *5. (Zeitpunkt in der Vergangenheit)* ago; *~ vier Jahren* four years ago

Vorahnung ['foːraːnʊŋ] *f* premonition

vorankommen [foˈrankɔmən] *v* progress

Vorankündigung ['foːrankʏndɪgʊŋ] *f* initial announcement, preliminary announcement

voranmelden ['foːranmɛldən] *v 1.* give advance notice of; *2. sich ~* register in advance

voraus [for'aus] *adv 1. (örtlich)* in front, ahead; ['foraus] *2. im Voraus* in advance, beforehand

Voraussage [fo'rausza:gə] *f* prediction, forecast

voraussagen [for'ausza:gən] *v* predict, forecast, prophesy

voraussehen [for'ausze:ən] *v irr* foresee, anticipate, see coming; *etw ~* see sth coming

voraussetzen [for'auszɛtsən] *v 1.* assume, presume, take for granted; *2. (erfordern)* require

voraussichtlich [for'auszıçtlıç] *adj 1.* probable; *adv 2.* probably, presumably; *Er wird ~ gewinnen.* It looks like he will win.

Vorauszahlung [for'austsa:luŋ] *f* prepayment, payment in advance, advance payment

Vorbehalt ['fo:rbəhalt] *m* reservation; *unter dem ~, dass* provided that

vorbei [for'baı] *adv 1. (örtlich)* past, by; *2. (zeitlich)* past, over, finished

vorbeischauen [for'baıʃauən] *v* drop by, drop in

vorbelastet ['fo:rbəlastət] *adj* handicapped, at a disadvantage

vorbereiten ['fo:rbəraıtən] *v* prepare; *sich auf etw ~* prepare for sth

vorbestimmt ['fo:rbəʃtımt] *adj* predetermined, predestined

vorbestraft ['fo:rbəʃtra:ft] *adj JUR* previously convicted

Vorbestrafte(r) ['fo:rbəʃtra:ftə(r)] *m/f* JUR previously convicted person

vorbeugen ['fo:rbɔygən] *v 1.* prevent, preclude; *2. sich ~* bend forward, lean forward

vorbeugend ['fo:rbɔygənt] *adj* preventive

Vorbeugung ['fo:rbɔyguŋ] *f* prevention

Vorbild ['fo:rbılt] *n* model, example

vorbildlich ['fo:rbıltlıç] *adj 1.* exemplary; *adv 2.* in an exemplary manner

Vorbildlichkeit ['fo:rbıltlıçkaıt] *f* exemplariness

Vorbote ['fo:rbo:tə] *m 1.* herald; *2. (fig)* herald, forerunner

vordere(r,s) ['fordərə(r,s)] *adj* front, fore, forward

Vordergrund ['fordərgrunt] *m 1.* foreground; *etw in den ~ stellen* give sth prominence; *jdn in den ~ spielen* play up s.o. *2. (fig) in den ~ treten* come to the fore; *im ~ stehen* to be in the spotlight

vordergründig ['fordərgryndıç] *adj 1.* obvious; *2. (oberflächlich)* superficial

Vordermann ['fordərman] *m 1.* person in front of one; *2. etw auf ~ bringen* get sth shipshape; *jdn auf ~ bringen* make s.o. toe the line

voreilig ['fo:raılıç] *adj* hasty, rash

voreingenommen ['fo:raıngənɔmən] *adj 1.* prejudiced, biased; *adv 2.* in a biassed way

Voreingenommenheit ['fo:raıngənɔmənhaıt] *f* bias, prejudice

vorenthalten ['fo:rɛnthaltən] *v irr* withhold, hold back

Vorenthaltung ['fo:rɛnthaltuŋ] *f* withholding

Vorfahr ['fo:rfa:r] *m* ancestor

Vorfahrt ['fo:rfa:rt] *f* right-of-way

Vorfall ['fo:rfal] *m* event, occurrence, incident

vorfallen ['fo:rfalən] *v irr 1. (fallen)* fall forward; *2. (geschehen)* happen, occur

Vorfreude ['fo:rfrɔydə] *f* anticipation, anticipated joy

vorführen ['fo:rfy:rən] *v 1. (präsentieren)* perform, produce, present; *2. (Angeklagten)* produce, bring forward; *3. (Film)* show

Vorführung ['fo:rfy:ruŋ] *f 1. (Präsentation)* display, demonstration, presentation; *2. (eines Angeklagten)* production; *3. (Film)* showing

Vorgang ['fo:rgaŋ] *m 1. (Geschehen)* occurrence, event; *2. (technischer ~)* process, procedure; *3. (Akte)* file, record

Vorgänger(in) ['fo:rgɛŋər(ın)] *m/f* predecessor

vorgeben ['fo:rge:bən] *v 1. (anweisen)* instruct; *2. (fig: fälschlich behaupten)* pretend

vorgeblich ['fo:rge:plıç] *adj* alleged, ostensible

vorgehen ['fo:rge:ən] *v irr 1. (handeln)* proceed; *2. (geschehen)* go on, happen; *Was geht hier vor?* What's going on here? *3. (vorausgehen)* precede; *4. (wichtiger sein)* have priority, take precedence; *5. (Uhr)* to be fast

Vorgehensweise ['fo:rge:ənsvaızə] *f 1.* way of acting; *2. (Verhalten)* conduct, behaviour; *3. (Methoden)* methods *pl*

Vorgesetzte(r) ['fo:rgəzɛtstə(r)] *m/f* superior

vorgreifen ['fo:rgraıfən] *v irr einer Sache ~* anticipate sth

vorhaben ['fo:rha:bən] *v irr* intend, have in mind, have planned

Vorhaben ['fo:rha:bən] *n* intention, design

Vorhalle ['fo:rhalə] *f* entrance hall, vestibule, foyer

Vorhang ['fo:rhaŋ] *m* curtain

vorher ['fo:rhe:r] *adv 1.* before, previously; *2. (voraus)* beforehand

vorherig ['fo:rhe:rıç] *adj* previous

Vorherrschaft ['fo:rhɛrʃaft] *f* supremacy; *(Hegemonie)* hegemony

vorherrschen ['fo:rhɛrʃən] *v* prevail

vorherrschend ['fo:rhɛrʃənt] *adj* predominant, prevalent

Vorhersage [fo:r'he:rza:gə] *f* forecast, prediction

vorhersagen [foːrˈheːrzaːgən] v predict, forecast

vorhersehen [foːrˈheːrzeːən] v irr foresee

Vorhut [ˈfoːrhuːt] f MIL advance party, advance force

vorig [ˈfoːrɪç] adj 1. (vergangen) last; 2. (vorhergegangen) former, preceding, previous

Vorkämpfer [ˈfoːrkɛmpfər] m champion, pioneer

Vorkehrung [ˈfoːrkeːruŋ] f preventive measure, precaution, provision

vorkommen [ˈfoːrkɔmən] v irr 1. (erscheinen) seem, appear; 2. (geschehen) happen, take place, occur; 3. (vorhanden sein) to be found, to be common

Vorkommen [ˈfoːrkɔmən] n (Vorhandensein) presence

Vorkommnis [ˈfoːrkɔmnɪs] n event, occurrence, incident

vorladen [ˈfoːrlaːdən] v irr JUR summon, cite, serve a summons on

Vorladung [ˈfoːrlaːduŋ] f JUR summons

vorläufig [ˈfoːrlɔyfɪç] adj 1. temporary, provisional; adv 2. for the time being, temporarily

Vorläufigkeit [ˈfoːrlɔyfɪçkaɪt] f temporariness, tentativeness, provisional nature

vorlesen [ˈfoːrleːzən] v irr read aloud

Vorlesung [ˈfoːrleːzuŋ] f lecture

Vorliebe [ˈfoːrliːbə] f preference, partiality, liking

vorliegen [ˈfoːrliːgən] v irr to be available, to be present; etw liegt jdm vor s.o. has sth

vorliegend [ˈfoːrliːgənt] adj present, in question, in hand

vormachen [ˈfoːrmaxən] v (fig) pretend

Vormachtstellung [ˈfoːrmaxtʃtɛluŋ] f supremacy

vormerken [ˈfoːrmɛrkən] v note, make a note of, mark down

Vormerkung [ˈfoːrmɛrkuŋ] f order, advance order

Vormittag [ˈfoːrmɪtaːk] m morning

Vormund [ˈfoːrmunt] m guardian

Vormundschaft [ˈfoːrmuntʃaft] f guardianship

vorn(e) [fɔrn(ə)] adv in front; von ~ bis hinten from start to finish; von ~ (von neuem) from the beginning

Vorname [ˈfoːrnaːmə] m first name, Christian name

vornehm [ˈfoːrneːm] adj high-class, posh, stylish, elegant; ~ tun put on airs

Vorort [ˈfoːrɔrt] m suburb

Vorrang [ˈfoːrraŋ] m priority, precedence

vorrangig [ˈfoːrraŋɪç] adj 1. having priority; adv 2. etw ~ behandeln give priority to sth

Vorrat [ˈfoːrraːt] m store, stock, supply

vorrätig [ˈfoːrrɛːtɪç] adj in stock, on hand, available

Vorrecht [ˈfoːrrɛçt] n privilege, preferential right, prerogative

vorsagen [ˈfoːrzaːgən] v jdm etw ~ recite sth to s.o. jdm die Antwort ~ tell s.o. the answer

vorsätzlich [ˈfoːrzɛtslɪç] adj 1. deliberate, intentional; adv 2. deliberately, intentionally

Vorsätzlichkeit [ˈfoːrzɛtslɪçkaɪt] f deliberateness, premeditation, aforethought

Vorschau [ˈfoːrʃau] f preview

Vorschein [ˈfoːrʃaɪn] m zum ~ kommen come to light, turn up, appear

Vorschlag [ˈfoːrʃlaːk] m suggestion, proposal

vorschlagen [ˈfoːrʃlaːgən] v irr propose, suggest

vorschreiben [ˈfoːrʃraɪbən] v irr (fig) prescribe, order, direct; jdm etw ~ dictate sth to s.o.

Vorschrift [ˈfoːrʃrɪft] f 1. regulation, rule; 2. (Anweisung) instruction

vorschriftsmäßig [ˈfoːrʃrɪftsmɛːsɪç] adj 1. regulation, correct, proper; adv 2. in due form, according to regulations, as prescribed

Vorschule [ˈfoːrʃuːlə] f 1. preparatory school; 2. (kindergartenähnliche Schule) nursery school

vorsehen [ˈfoːrzeːən] v irr 1. provide for, make provisions for; 2. sich ~ take care, to be careful, watch out

Vorsehung [ˈfoːrzeːuŋ] f REL providence

Vorsicht [ˈfoːrzɪçt] f care, caution; ~! Careful! „~ Stufe!" "Mind the step!"

vorsichtig [ˈfoːrzɪçtɪç] adj 1. careful, cautious; 2. (wachsam) wary; 3. (überlegt) prudent, (Äußerung) guarded, wary

Vorsichtigkeit [ˈfoːrzɪçtɪçkaɪt] f caution

vorsichtshalber [ˈfoːrzɪçtshalbər] adv to be on the safe side, by way of precaution

Vorsilbe [ˈfoːrzɪlbə] f GRAMM prefix

Vorsitz [ˈfoːrzɪts] m chair, chairmanship, presidency

Vorsitzende(r) [ˈfoːrzɪtsəndə(r)] m/f chairman/chairwoman, president

Vorsorge [ˈfoːrzɔrgə] f provision for the future, precaution

vorsorgen [ˈfoːrzɔrgən] v take precautions, provide for

vorsorglich [ˈfoːrzɔrklɪç] adj 1. precautionary; adv 2. as a precaution

Vorspeise ['foːrʃpaizə] *f* GAST appetizer, starter

Vorsprung ['foːrʃpruŋ] *m* 1. *(Felsvorsprung)* ledge; 2. *(Hausvorsprung)* projection, overhang; 3. *(fig)* lead, advantage, start

Vorstand ['foːrʃtant] *m* 1. board, board of directors, management board; 2. *(~smitglied)* member of the board, director; *(erster ~)* managing director

vorstehen ['foːrʃteːən] *v irr* 1. *(vorspringen)* jut out, project, stick out; 2. *(leiten)* to be in charge of, manage

vorstellen ['foːrʃtɛlən] *v* 1. *(fig)* sich ~ introduce o.s., present o.s. 2. *(fig: sich etw ~)* imagine, conceive; *Stell dir mal vor!* Fancy that! Imagine that!

Vorstellung ['foːrʃtɛluŋ] *f* 1. *(Bekanntmachen)* introduction, presentation; 2. *(Gedanke)* idea, fancy; 3. *(Darbietung)* performance

Vorstrafe ['foːrʃtraːfə] *f* JUR previous conviction, criminal record

vortäuschen ['foːrtɔyʃən] *v* pretend, feign, simulate

Vorteil ['foːrtail] *m* 1. advantage; *jdm einen ~ geben* give s.o. an advantage; *sich zu jds ~ erweisen* prove to s.o.'s advantage; *einen ~ ziehen aus* take advantage of

vorteilhaft ['foːrtailhaft] *adj* advantageous, profitable, lucrative

Vortrag ['foːrtraːk] *m* 1. *(Vorlesung)* lecture; 2. *(Bericht)* talk; 3. *(Darbietung)* performance; 4. *(eines Gedichtes)* recitation

vortragen ['foːrtraːgən] *v (fig)* perform, recite, deliver

Vortritt ['foːrtrɪt] *m* precedence, priority; *jdm den ~ lassen* let s.o. go first

vorüber [foːry:bər] *adv* 1. *(örtlich)* by, past; 2. *(zeitlich)* over, gone by, finished

vorübergehen [foːry:bərgeːən] *v irr* pass, blow over

vorübergehend [foːry:bərgeːənt] *adj* 1. momentary, temporary; *adv* 2. momentarily, temporarily

Vorurteil ['foːrurtail] *n* prejudice, bias

Vorwahl ['foːrvaːl] *f* 1. TEL dialling code, area code (US); 2. POL preliminary election, primary election (US)

Vorwand ['foːrvant] *m* pretext, pretence, excuse

vorwarnen ['foːrvarnən] *v* warn

Vorwarnung ['foːrvarnuŋ] *f* advance warning, early warning

vorwärts ['fɔrvɛrts] *adv* forward, onward, on; ~ *bringen* advance; ~ *gehen* go forward,

progress, make progress; ~ *kommen* make headway, make progress; *im Leben/Beruf ~ kommen* get on in life/one's job

Vorwäsche ['foːrvɛʃə] *f* prewash

Vorwegnahme [foːr'vɛknaːmə] *f* anticipation

vorwegnehmen [foːr'vɛkneːmən] *v irr* anticipate

Vorwehen ['foːrveːən] *pl* MED false pains, premonitory pains

vorweihnachtlich ['foːrvainaxtlɪç] *adj* pre-Christmas

vorweisen ['foːrvaizən] *v irr* show, produce, exhibit

vorwerfen ['foːrvɛrfən] *v irr* 1. *jdm etw ~ (beschuldigen)* accuse s.o. of sth; 2. *(tadeln)* reproach s.o. for sth.

vorwiegend ['foːrviːgənt] *adv* for the most part, predominantly

Vorwort ['foːrvɔrt] *n* preface

Vorwurf ['foːrvurf] *m* reproach, accusation, allegation; *jdm einen ~ machen für etw* reproach s.o. for sth

vorwurfsvoll ['foːrvurfsfɔl] *adj* reproachful, upbraiding

Vorzeichen ['foːrtsaiçən] *n* 1. sign; *mit umgekehrten ~* the other way round; 2. MED symptom

vorzeigen ['foːrtsaigən] *v* show, produce, present

vorzeitig ['foːrtsaitiç] *adj* 1. premature, early; 2. *(Sterben)* untimely

vorziehen ['foːrtsiːən] *v* 1. pull forward, pull out; 2. *(fig)* prefer

Vorzimmer ['foːrtsimər] *n* 1. antechamber, anteroom; 2. *(eines Büros)* outer office

Vorzug ['foːrtsuːk] *m* 1. *(Vorteil)* advantage; 2. *(Vorrang)* preference; *jdm den ~ geben* give s.o. preference; 3. *(gute Eigenschaft)* asset, merit

vorzüglich [foːr'tsyːklɪç] *adj* excellent, superb, exquisite

Vorzüglichkeit [foːr'tsyːklɪçkait] *f* exquisiteness

vorzugsweise ['foːrtsuːksvaizə] *adv* as a matter of preference

votieren [voˈtiːrən] *v* vote

Votum ['voːtum] *n* POL vote

Voyeur [voaˈjøːr] *m* voyeur

vulgär [vulˈgɛːr] *adj* vulgar, common

Vulgarität [vulgariˈtɛːt] *f* vulgarity

Vulkan [vulˈkaːn] *m* GEO volcano; *ein Tanz auf dem ~ (fig)* skating on thin ice

vulkanisch [vulˈkaːnɪʃ] *adj* GEO volcanic

W

Waage ['vaːgə] f 1. scales pl, balance; sich gegenseitig die ~ halten offset each other; 2. (Sternzeichen) Libra

waagerecht ['vaːgəreçt] adj horizontal

wach [vax] adj 1. awake; 2. (rege) alert; v 3. ~ halten keep awake; (fig) keep alive

Wache ['vaxə] f guard, watch, sentry; ~ stehen to be on guard

wachen ['vaxən] v 1. to be awake; 2. (Acht geben auf) watch over

Wachs [vaks] n wax

wachsam ['vaxzaːm] adj watchful, vigilant, alert

Wachsamkeit ['vaxzaːmkaɪt] f alertness, vigilance, watchfulness

wachsen ['vaksən] v irr 1. grow; 2. (zunehmen) increase, mount; 3. (polieren) wax

Wachstum ['vakstuːm] n 1. growth; m 2. (Zunahme) increase

Wächter ['veçtər] m watchman, keeper, guard

Wachtturm ['vaxturm] m watchtower

Wade ['vaːdə] f ANAT calf

Waffe ['vafə] f weapon; die ~n strecken surrender; jdn zu den ~n rufen call s.o. to arms

Wagemut ['vaːgəmuːt] m daring, boldness, spirit of adventure

wagemutig ['vaːgəmuːtɪç] adj bold, daring, adventurous

wagen ['vaːgən] v 1. (sich getrauen) dare; 2. (riskieren) risk

Wagen ['vaːgən] m 1. (Auto) car; 2. (Pferdewagen) cart, waggon; sich nicht vor jds ~ spannen lassen (fig) not allow o.s. to be used; 3. (Kinderwagen) pram, baby carriage (US)

Wagon [va'gɔ̃] m goods wagon, freight car (US), carriage

Wagnis ['vaːknɪs] n venture, risky undertaking, hazard

Wahl [vaːl] f 1. (Auswahl) choice; erste ~ top quality; 2. POL election

Wahlbeteiligung ['vaːlbətaɪlɪguŋ] f POL turnout

wählen ['veːlən] v 1. (auswählen) choose, select; 2. (Nummer ~) dial; 3. (stimmen für) vote for; 4. (durch Wahl ermitteln) elect

Wähler ['veːlər] m voter

wählerisch ['veːlərɪʃ] adj choosy, particular

wahllos ['vaːlloːs] adj 1. indiscriminate; adv 2. indiscriminately

wahlweise ['vaːlvaɪzə] adv alternatively, optionally

Wahnsinn ['vaːnzɪn] m insanity, madness, lunacy; heller ~ sheer madness; Das ist doch ~! That's crazy! That's insane!

wahnsinnig ['vaːnzɪnɪç] adj 1. mad, insane, crazy; 2. (fam: furchtbar) extreme, immense, terrible; adv 3. madly; 4. (fam: sehr) terribly, extremely, awfully

Wahnvorstellung ['vaːnfoːrʃtɛluŋ] f delusion, hallucination

wahr [vaːr] adj true; (echt) genuine; Das darf doch nicht ~ sein! I don't believe it!

wahren ['vaːrən] v 1. (schützen) guard, watch over, safeguard; 2. (bewahren) maintain

währen ['veːrən] v last

während ['veːrənt] prep 1. during; konj 2. while, whereas

wahrhaftig [vaːr'haftɪç] adj 1. truthful; adv 2. truly

Wahrheit ['vaːrhaɪt] f truth; mit der ~ herausrücken come out with the truth; in ~ in reality

wahrnehmen ['vaːrneːmən] v irr 1. (bemerken) notice, perceive; 2. (nutzen) make use of

Wahrnehmung ['vaːrneːmuŋ] f perception, observation

wahrscheinlich [vaːr'ʃaɪnlɪç] adv 1. probably; adj 2. probable, likely

Wahrscheinlichkeit [vaːr'ʃaɪnlɪçkaɪt] f probability, likelihood

Währung ['veːruŋ] f FIN currency

Waise ['vaɪzə] f orphan

Waisenhaus ['vaɪzənhaus] n orphanage

Wal [vaːl] m ZOOL whale

Wald [valt] m wood, forest; den ~ vor lauter Bäumen nicht sehen not be able to see the forest for the trees

Wall [val] m 1. embankment; 2. MIL rampart

Walze ['valtsə] f 1. (Dampfwalze) TECH steamroller; 2. (Blechwalze) TECH plate roll

walzen ['valtsən] v 1. (rollen) roll; 2. (fam: Walzer tanzen) waltz

Walzer ['valtsər] m MUS waltz

Wand [vant] f wall; jdn an die ~ drücken push s.o. into the background; Es ist, als ob man gegen die ~ redet. It's like talking to a brick wall. jdn an die ~ spielen upstage s.o.; in den eigenen vier Wänden in one's own four walls; Da *kann man die Wände hochgehen!* It's enough to drive you up the wall!

Wandel ['vandəl] *m 1.* change; *2. (Lebenswandel)* way of life; *3. (Betragenswandel)* behaviour

wandeln ['vandəln] *v 1. (ändern)* change; *2. (gehen)* walk, wander

Wanderer ['vandərər] *m* wanderer, traveller

wandern ['vandərn] *v* wander, stroll, hike

Wanderung ['vandəruŋ] *f 1.* walk, hike; *2. (von Völkern, von Tieren)* migration

Wandlung ['vandluŋ] *f 1.* change, transformation; *2. REL* consecration (mass); *3. JUR* cancellation (of a sale)

Wange ['vaŋə] *f ANAT* cheek

Wankelmut ['vaŋkəlmuːt] *m* vacillation, inconsistency, fickleness, volatility

wankelmütig ['vaŋkəlmyːtɪç] *adj* fickle, irresolute

wann [van] *adv* when; *dann und ~* now and then

Wanne ['vanə] *f* tub

Wanze ['vantsə] *f 1. ZOOL* bug; *2. (Abhörgerät)* bug

wappnen ['vapnən] *v sich ~* arm o.s., prepare o.s.; *sich gegen etw ~* prepare o.s. for sth

Ware ['vaːrə] *f* merchandise, product

Warenhaus ['vaːrənhaus] *n* department store

warm [varm] *adj* warm; *mit jdm ~ werden* break the ice with s.o.; *~ halten* keep warm; *~ laufen* warm up

Wärme ['vɛrmə] *f* warmth, heat

wärmen ['vɛrmən] *v* warm, heat

Warndreieck ['varndraiɛk] *n (eines Autos)* warning triangle

warnen ['varnən] *v* warn, caution

Warnung ['varnuŋ] *f* warning, caution, admonition

warten ['vartən] *v 1.* wait; *~ auf* wait for; *2. (instandhalten) TECH* maintain, service

Wärter ['vɛrtər] *m 1.* keeper, attendant, watchman; *2. (Gefängniswärter)* warder *(UK)*, guard

Wartung ['vartuŋ] *f TECH* service, maintenance, servicing

warum [va'rum] *adv* why; *Warum nicht?* Why not?

was [vas] *pron 1. (interrogativ)* what; *~ für …?* what sort of …? *2. (relativ)* which, what; *das, ~* that which, what; *ich weiß nicht, ~ ich sagen soll* I don't know what to say; *3. (fam: etwas)* something; *Na so ~!* What do you know! I'll be darned!

Waschbecken ['vaʃbɛkən] *n* sink, wash basin, hand-basin

Wäsche ['vɛʃə] *f 1. (Waschen)* wash, washing; *2. (Gewaschenes)* washing, laundry; *dumm aus der ~ schauen (fam)* look stupid; *3. (Unterwäsche)* underclothes, underwear

waschen ['vaʃən] *v irr 1. (etw ~)* wash; *2. sich ~* wash o.s., have a wash; *sich gewaschen haben (fam)* make itself felt

Wasser ['vasər] *n* water; *ein Schlag ins ~* a flop; *jdm das ~ abgraben* take the bread from s.o.'s mouth; *ins ~ fallen* fall through; *nahe am ~ gebaut haben* to be a cry-baby; *Sie kann ihm nicht das ~ reichen.* She can't hold a candle to him. *mit allen ~n gewaschen sein* know every trick in the book; *~ abweisend* water-repellent

Wasserfall ['vasərfal] *m* waterfall

Wasserfarbe ['vasərfarbə] *f ART* watercolour

wasserfest ['vasərfɛst] *adj* waterproof

Wasserhahn ['vasərhaːn] *m* tap, water-tap, faucet *(US)*

Wassermann ['vasərman] *m (Tierkreiszeichen)* Aquarius

Watt [vat] *n 1. (Maßeinheit) PHYS* watt; *2. (Wattenmeer) GEOL* tidal mud-flats

Watte ['vatə] *f* cotton wool

weben ['veːbən] *v irr* weave

Wechsel ['vɛksəl] *m 1. (Änderung)* change; *2. (abwechselnd)* alternation; *3. (Geldwechsel) FIN* exchange; *4. (Zahlungsmittel) FIN* promissory note, bill

Wechselgeld ['vɛksəlgɛlt] *n* change

wechselhaft ['vɛksəlhaft] *adj* variable, fickle

Wechseljahre ['vɛksəljaːrə] *pl MED* menopause

wechseln ['vɛksəln] *v* change, exchange, vary

wechselseitig ['vɛksəlzaitɪç] *adj* reciprocal

wecken ['vɛkən] *v 1. (aufwecken)* wake (up); *2. (hervorrufen)* rouse, inspire, stir

Wecker ['vɛkər] *m* alarm clock; *jdm auf den ~ fallen* get on s.o.'s wick, get on s.o.'s nerves

weder ['veːdər] *konj ~ … noch …* neither … nor …

Weg [veːk] *m 1.* path, way, lane; *den ~ des geringsten Widerstandes gehen* take the path of least resistance; *eigene ~e gehen* have it one's own way; *einer Sache den ~ ebnen* pave the way for sth; *jdn aus dem ~ räumen* get rid of s.o.; *jdn auf den rechten ~ führen* put s.o. back on the right track; *jdm etw mit auf den ~ geben* give s.o. sth for the journey; *etw in die ~e lei-ten* get sth going; 2. *(Strecke)* way; *Geh mir aus dem ~!* Get out of my way! *sich auf den ~ machen* set off; 3. *(fig: Art und Weise)* way, manner, method

Wegbereiter ['veːkbəraɪtər] *m* pioneer, precursor, forerunner

wegen ['veːgən] *prep 1.* because of, on account of, owing to; 2. *(fam) Von ~!* My foot! *Von ~! (um etwas zu verbieten)* No chance!

weglaufen ['vɛklaufən] *v irr* run away, run off

weglegen ['vɛkleːgən] *v* put aside

wegnehmen ['vɛkneːmən] *v irr 1.* take away; 2. *(entfernen)* remove

Wegweiser ['veːkvaɪzər] *m* road sign

wegwerfen ['vɛkvɛrfən] *v irr* throw away, discard

Wehen ['veːən] *pl MED* labour pains *pl*

wehleidig ['veːlaɪdɪç] *adj (voller Selbstmitleid)* sorry for o.s., self-pitying

Wehmut ['veːmuːt] *f* melancholy, wistfulness; *(über Vergangenes)* nostalgia

wehmütig ['veːmyːtɪç] *adj* melancholy, wistful

Wehr[1] [veːr] *f sich zur ~ setzen* defend o.s.

Wehr[2] [veːr] *n (Staudamm)* dam

Wehrdienst ['veːrdiːnst] *m MIL* military service

wehrlos ['veːrloːs] *adj* defenceless

weibisch ['vaɪbɪʃ] *adj* effeminate

weiblich ['vaɪplɪç] *adj* female, feminine

Weiblichkeit ['vaɪplɪçkaɪt] *f* femininity

weich [vaɪç] *adj 1.* soft; 2. *(fig)* soft, tender, gentle

Weiche ['vaɪçə] *f 1. (Weichheit)* softness; 2. *(Körperteil)* flank, side; 3. *(Eisenbahn) TECH* points, switch *(US); die ~n für etw stellen* set the course for sth

weichen ['vaɪçən] *v irr* give way, make way

Weide ['vaɪdə] *f 1. (Baum) BOT* willow; 2. *(Wiese)* meadow, pasture

weiden ['vaɪdən] *v 1. (Tiere)* graze; 2. *sich an etw ~* revel in sth, relish sth

weigern ['vaɪgərn] *v sich ~* refuse

Weigerung ['vaɪgərʊŋ] *f* refusal

weihen ['vaɪən] *v 1.* consecrate; 2. *(widmen)* dedicate; 3. *(zum Priester)* ordain

Weiher ['vaɪər] *m* pond

Weihnachten ['vaɪnaxtən] *n* Christmas

Weihnachtsabend ['vaɪnaxtsaːbənt] *m* Christmas Eve

weil [vaɪl] *konj* because, since

Weile ['vaɪlə] *f* while, period of time

Wein [vaɪn] *m 1.* wine; *jdm reinen ~ ein-schenken (fig)* tell s.o. the unvarnished truth; 2. *BOT* vine

weinen ['vaɪnən] *v* cry, weep, shed tears; *sich in den Schlaf ~* cry o.s. to sleep

Weintraube ['vaɪntraubə] *f* grape

weise ['vaɪzə] *adj 1.* wise, prudent; *adv 2.* wisely, prudently

Weise ['vaɪzə] *f 1. (Art und ~)* manner, way, mode; *in keinster ~ by* no means, in no way; 2. *(Lied)* tune, melody

Weise(r) ['vaɪzə(r)] *m/f* wise man/woman

Weisheit ['vaɪshaɪt] *f 1.* wisdom; *mit seiner ~ am Ende sein* to be at one's wits' end; 2. *(weiser Spruch)* wise saying

weiß [vaɪs] *adj* white

Weisung ['vaɪzʊŋ] *f* order, direction, instruction

weit [vaɪt] *adj 1. (breit)* broad, wide, large; 2. *(lang)* long; 3. *(fern)* distant, remote; *~ und breit* far and wide; *zu ~ gehen* to go too far; *adv 4.* far; 5. *~ entfernt* far off, far away; 6. *(um vieles)* far; *bei ~em nicht* not at all, not by a long shot; 7. *~ blickend* far-sighted; 8. *~ gereist* travelled, widely travelled; 9. *~ reichend* far-reaching; 10. *~ verbreitet* wide-spread, prevalent

Weitblick ['vaɪtblɪk] *m* farsightedness, vision

Weite ['vaɪtə] *f 1. (Breite)* width, breadth, wideness; 2. *(Länge)* length; 3. *(Entfernung)* distance; *das ~ suchen (fig)* take to one's heels

weiten ['vaɪtən] *v 1.* widen, broaden; 2. *sich ~* widen, broaden; 3. *sich ~ (fig: Herz)* swell

weiter ['vaɪtər] *adj 1. (Komparativ von „weit")* wider; 2. *(fig)* further; 3. *(zusätzlich)* more, additional, further; *ohne ~es* just like that, without any problems; *bis auf ~es* until further notice; *adv 4. (~ weg)* further away, further off; 5. *(außerdem)* furthermore, in addition; *Weiter!* Go on!

weitergeben ['vaɪtərgeːbən] *v irr* hand on, pass down, pass on

weiterhin ['vaɪtərhɪn] *adv 1. (immer noch)* still; 2. *(künftig)* in future; 3. *(außerdem)* furthermore

weiterleiten ['vaɪtərlaɪtən] *v* pass on

weitermachen ['vaɪtərmaxən] *v* continue, go on, carry on

weitersagen ['vaɪtərzaːgən] *v* repeat, pass on, pass the word

weitgehend ['vaɪtgeːənt] *adj 1.* far-reaching, vast; *adv 2.* to a large extent, largely

weitläufig ['vaɪtlɔyfɪç] *adj 1.* wide, large; 2. *(fig: ausführlich)* extensive, detailed, elaborate; 3. *(fig: entfernt)* distant

weitschweifig ['vaɪtʃvaɪfɪç] *adj* long-winded, verbose

weitsichtig ['vaɪtzɪçtɪç] *adj* 1. *MED* long-sighted, far-sighted *(US)*, hypermetropic; 2. *(fig)* far-sighted

Weitsichtigkeit ['vaɪtzɪçtɪçkaɪt] *f* long-sightedness, farsightedness

Weizen ['vaɪtsən] *m BOT* wheat

welche(r,s) ['vɛlçə(r,s)] *pron* 1. *(relativ)* which, who, whom; 2. *(interrogativ)* which, what, which one

Welle ['vɛlə] *f* 1. wave; 2. *(Antriebswelle)* *TECH* shaft

Welpe ['vɛlpə] *m* 1. *ZOOL* puppy, whelp; 2. *(von einem Wolf, von einem Fuchs)* *ZOOL* cub

Welt [vɛlt] *f* world; *zur ~ bringen* give birth to; *Das kostet nicht die ~.* It doesn't cost an arm and a leg. *Das ist nicht die ~.* It's not all that important. *etw in die ~ setzen* give birth to sth; *mit sich und der ~ zufrieden sein* to be at one with the world; *Für sie brach die ~ zusammen.* The bottom fell out of her world.

Weltall ['vɛltal] *n* universe, cosmos

Weltanschauung ['vɛltanʃauuŋ] *f* world view, philosophy of life

weltfremd ['vɛltfrɛmt] *adj* unworldly

weltlich ['vɛltlɪç] *adj* 1. worldly, mundane; 2. *(nicht kirchlich)* secular

weltoffen ['vɛltɔfən] *adj* cosmopolitan

Weltoffenheit ['vɛltɔfənhaɪt] *f* cosmopolitanism

Weltraum ['vɛltraum] *m* space

Weltreich ['vɛltraɪç] *n* empire

Weltrekord ['vɛltrekɔrt] *m* world record

weltweit ['vɛltvaɪt] *adj* 1. world-wide; *adv* 2. world-wide

Wende ['vɛndə] *f* 1. turn; 2. *(Veränderung)* change

wenden ['vɛndən] *v irr* 1. turn; *Bitte ~!* *(Seite)* please turn over; 2. *sich ~ an* consult, see, turn to

wenig ['ve:nɪç] *adj* 1. little, few; *adv* 2. a little; *(selten)* not often

wenigstens ['ve:nɪçstəns] *adv* at least

wenn [vɛn] *konj* 1. *(konditional)* if, in case; 2. *(zeitlich)* when

wer [ve:r] *pron* who; *~ von euch* which of you

werben ['vɛrbən] *v irr* 1. advertise, promote; 2. *POL* canvass

Werbespot ['vɛrbəspɔt] *m* commercial, advertising spot

Werbung ['vɛrbuŋ] *f* 1. advertising, publicity, promotion; 2. *(Fernsehwerbung)* commercial; 3. *(eines Verehrers)* courtship

werden ['ve:rdən] *v irr* 1. become, get; *aus jdm ~* become of s.o., happen to s.o.; 2. *(ausfallen)* turn out; 3. *(Passiv)* to be; *geliebt ~* to be loved; *es wurde gesungen* there was singing; 4. *(Futur)* will; *Ich werde es tun.* I will do it.

werfen ['vɛrfən] *v* throw, toss; *eine Münze ~* toss a coin; *von sich ~* cast off, throw away; *mit etw um sich ~* to be lavish with sth

Werft [vɛrft] *f* dockyard, shipyard

Werk [vɛrk] *n* 1. *(Fabrik)* plant, works, factory; 2. *(Kunstwerk)* work

Werkstatt ['vɛrkʃtat] *f* workshop

Werktag ['vɛrktaːk] *m* 1. workday, working day; 2. *(Wochentag)* weekday

werktags ['vɛrktaːks] *adv* on weekdays

Werkzeug ['vɛrktsɔyk] *n* tool

Wermut ['ve:rmuːt] *m* vermouth

wert [ve:rt] *adj* 1. worth; *nicht der Mühe ~ sein* not be worth the trouble; *nicht der Rede ~* not worth talking about; 2. *(würdig)* worthy; 3. *(lieb)* dear, precious

Wert [ve:rt] *m* value, worth

werten ['ve:rtən] *v* value, appraise

wertlos ['ve:rtloːs] *adj* worthless, valueless

Wertschätzung ['ve:rtʃɛtsuŋ] *f* regard, appreciation, esteem

Wertung ['ve:rtuŋ] *f* valuation

wertvoll ['ve:rtfɔl] *adj* valuable, precious

Wertvorstellung ['ve:rtfoːrʃtɛluŋ] *f* moral concept

Wesen ['ve:zən] *n* 1. *(Lebewesen)* creature, being, living thing; 2. *(Charakter)* nature, character, disposition

wesentlich ['ve:zəntlɪç] *adj* 1. essential, fundamental, material; *adv* 2. by far, considerably, fundamentally

weshalb [vɛs'halp] *adv* 1. why, for what reason; *konj* 2. and that's why, which is why

Weste ['vɛstə] *f* waistcoat, vest *(US)*; *eine weiße ~ haben (fig)* have a clean record

Westen ['vɛstən] *m* 1. west; 2. *der ~ POL* the West

westlich ['vɛstlɪç] *adj* 1. westerly, western; *adv* 2. *~ von Wien* west of Vienna

Wettbewerb ['vɛtbəvɛrp] *m* 1. competition, contest; 2. *unlauterer ~ ECO* unfair competition

wettbewerbsfähig ['vɛtbəvɛrpsfɛːɪç] *adj* competitive

Wette ['vɛtə] *f* bet, wager

wetteifern ['vɛtaɪfərn] *v* compete; *mit jdm ~* compete with s.o.; *um etw ~* compete for sth, contend for sth

wetten ['vɛtən] *v* bet, wager

Wetter ['vɛtər] *n* weather
Wettervorhersage ['vɛtərfoːrheːrzaːgə] *f* weather forecast
Wettkampf ['vɛtkampf] *m* 1. SPORT contest, match, competition; 2. *(Einzelkampf)* event
Wettrüsten ['vɛtrystən] *n* POL arms race
Wettstreit ['vɛtʃtraɪt] *m* contest, match
wichtig ['vɪçtɪç] *adj* important; *Wichtigeres zu tun haben* have more important things to do; *sich ~ machen* to be self-important
Wichtigkeit ['vɪçtɪçkaɪt] *f* importance
wickeln ['vɪkəln] *v* 1. roll, wind, coil; 2. *(Baby)* change
Widder ['vɪdər] *m* 1. ZOOL ram; 2. *(Sternzeichen)* Capricorn
wider ['viːdər] *prep* against, contrary to; *das Für und Wider* the pros and cons
widerfahren [viːdər'faːrən] *v irr* happen to, befall
Widerhall ['viːdərhal] *m* echo, reverberation
widerhallen ['viːdərhalən] *v* ring, resound, echo
widerlegen [viːdər'leːgən] *v* refute, disprove
Widerlegung [viːdər'leːguŋ] *f* refutation
widerlich ['viːdərlɪç] *adj* disgusting, revolting, repulsive
widernatürlich ['viːdərnatyrlɪç] *adj* unnatural
Widerrede ['viːdərreːdə] *f* 1. contradiction, objection; 2. *(freche ~)* backtalk; *Keine ~!* No arguments!
widersetzen [viːdər'zɛtsən] *v sich ~* resist, oppose, defy
widerspenstig ['viːdərʃpɛnstɪç] *adj* unruly, unmanageable
widerspiegeln ['viːdərʃpiːgəln] *v* reflect
widersprechen [viːdər'ʃprɛçən] *v irr* contradict, oppose
Widerspruch ['viːdərʃprux] *m* contradiction, discrepancy
widersprüchlich ['viːdərʃpryçlɪç] *adj* contradictory, conflicting, inconsistent
widerspruchslos ['viːdərʃpruxsloːs] *adv* without objection, without opposition
Widerstand ['viːdərʃtant] *m* resistance, opposition; *jdm ~ leisten* resist s.o.
widerstandsfähig ['viːdərʃtantsfɛːɪç] *adj* resistant, heavy-duty, resisting
widerstandslos ['viːdərʃtantsloːs] *adv* without resistance
widerstehen [viːdər'ʃteːən] *v irr* resist, withstand

widerstreben [viːdər'ʃtreːbən] *v* 1. *jdm ~* oppose s.o.; 2. *Das widerstrebt mir.* It's not my nature to do that. I am reluctant to do that.
widerstrebend [viːdər'ʃtreːbənt] *adj* 1. reluctant; *adv* 2. with reluctance
Widerstreit ['viːdərʃtraɪt] *m* conflict
widerwärtig ['viːdərvɛrtɪç] *adj* 1. objectionable, unpleasant, disagreeable; 2. *(scheußlich)* repulsive
Widerwärtigkeit ['viːdərvɛrtɪçkaɪt] *f* 1. unpleasantness; 2. *(Scheußlichkeit)* repulsiveness
Widerwille ['viːdərvɪlə] *m* reluctance, aversion, distaste
widerwillig ['viːdərvɪlɪç] *adj* reluctant, unwilling, grudging
widmen ['vɪtmən] *v* 1. dedicate, devote; 2. *sich einer Sache ~* dedicate o.s. to sth, devote o.s. to sth
Widmung ['vɪtmuŋ] *f* dedication
Widrigkeit ['viːdrɪçkaɪt] *f* adversity
wie [viː] *adv* 1. how; *Wie wär's mit ...?* How about ...? *Wie bitte?* Excuse me? *Wie heißen Sie?* What's your name? *konj* 2. *(vergleichend)* as, like *(fam)*; *~ gesagt* as has been said, as I said; 3. *~ zum Beispiel* such as; 4. *~ viel* how much; *~ viele* how much
wieder ['viːdər] *adv* 1. again, once more; *immer ~* again and again; *hin und ~* now and again; *Das ist ~ was anderes.* That's something else entirely. 2. *~ aufbereiten* TECH reprocess; 3. *~ beleben* revice, reanimate, resuscitate; 4. *~ erkennen* recognize; 5. *~ finden* find again, recover; 6. *~ gutmachen* make good, make amends; 7. *~ sehen* see again; 8. *~ verwenden* reuse; 9. *~ verwerten* reuse, recycle
Wiederbelebung ['viːdərbəleːbuŋ] *f* MED resuscitation
Wiedereröffnung ['viːdərɛrœfnuŋ] *f* reopening
Wiedergabe ['viːdərgaːbə] *f* 1. *(Rückgabe)* return; 2. *(Darstellung)* rendering
Wiedergutmachung [viːdər'guːtmaxuŋ] *f* 1. compensation, amends *pl;* 2. POL reparations *pl*
wiederherstellen [viːdər'heːrʃtɛlən] *v* reestablish, restore
Wiederherstellung [viːdər'heːrʃtɛluŋ] *f* restoration
wiederholen [viːdər'hoːlən] *v* repeat
Wiederholung [viːdər'hoːluŋ] *f* 1. repetition; 2. *(eines Ereignisses)* recurrence
wiederkäuen ['viːdərkɔyən] *v* 1. chew the cud, ruminate; 2. *(fig)* rehash

Wiederkehr ['vi:dərkɛːr] f return
wiederkehren ['vi:dərkeːrən] v 1. (zurückkommen) return; 2. (sich wiederholen) recur
wiederkommen ['vi:dərkɔmən] v irr come back, return
Wiedersehen ['vi:dərzeːən] n reunion; Auf ~! Goodbye!
wiederum ['vi:dərum] adv 1. (nochmals) again; 2. (andererseits) on the other hand; 3. ich ~ ... (meinerseits) for my part
Wiedervereinigung ['vi:dərfɛraɪnɪɡuŋ] f POL reunification
Wiege ['vi:ɡə] f cradle; von der ~ bis zur Bahre from the womb to the tomb; Das ist ihm schon in die ~ gelegt worden. He was born with it.
wiegen ['vi:ɡən] v irr 1. (Gewicht) weigh; 2. (schaukeln) rock; 3. (zerkleinern) GAST chop
wiehern ['vi:ərn] v 1. neigh, whinny; 2. (lachen) guffaw
Wien [viːn] n GEO Vienna
Wiese ['vi:zə] f meadow
wild [vɪlt] adj 1. wild; Das ist halb so ~. It's not that bad. 2. (Tiere) wild, fierce, ferocious; ~ lebend living in the wild; 3. (fig: wütend) angry, furious, rabid
Wild [vɪlt] n ZOOL 1. game 2. (Hochwild) venison
Wilderer ['vɪldərər] m poacher
wildern ['vɪldərn] v poach
Wildheit ['vɪlthaɪt] f savagery, wildness
Wildnis ['vɪltnɪs] f wilderness, wild
Wille ['vɪlə] m will
willensschwach ['vɪlənsʃvax] adj weak-willed
willensstark ['vɪlənsʃtark] adj strong-willed
Willensstärke ['vɪlənsʃtɛrkə] f willpower
willentlich ['vɪləntlɪç] adj willful, wilful, intentional
willig ['vɪlɪç] adj willing
willkommen ['vɪl'kɔmən] adj welcome
Willkür ['vɪlkyːr] f arbitrariness
willkürlich ['vɪlkyːrlɪç] adj 1. arbitrary, high-handed; 2. (Herrscher) POL autocratic
Wimper ['vɪmpər] f eyelash; ohne mit der ~ zu zucken without batting an eyelid
Wind [vɪnt] m wind, breeze; der ~ legt sich the wind is dying away; gegen den ~ against the wind, into the wind; ~ von etw bekommen get wind of sth; in den ~ reden waste one's breath; etw in den ~ schlagen turn a deaf ear to sth; jdm den ~ aus den Segeln nehmen take the wind out of s.o.'s sails; etw in den ~ schreiben kiss sth

goodbye; ~ machen make a fuss; mit dem ~ segeln go with the flow (fam), bend with the wind; Er weiß, woher der ~ weht. He knows which way the wind blows.
Windel ['vɪndəl] f nappy (UK), diaper (US)
winden ['vɪndən] v irr 1. Es windet. The wind is blowing. 2. (mit einer Winde befördern) winch; 3. (wegnehmen) wrench away, wrest away; 4. (wickeln) wind; 5. sich ~ (Sache) wind itself; 6. (Mensch: vor Schmerzen) writhe; 7. (Wurm) wriggle; 8. (Bach) wind
Windmühle ['vɪntmyːlə] f windmill
Wink [vɪŋk] m 1. sign; 2. (mit dem Kopf) nod; 3. (mit der Hand) wave; 4. (fig) hint
Winkel ['vɪŋkəl] m 1. MATH angle; 2. (fig: Plätzchen) nook, corner
winken ['vɪŋkən] v irr 1. wave; jdm ~, etw zu tun signal s.o. to do sth; 2. (fig) beckon
Winter ['vɪntər] m winter
winterlich ['vɪntərlɪç] adj wintery
winzig ['vɪntsɪç] adj tiny, minute, wee
Wirbel ['vɪrbəl] m ANAT vertebra
wirbeln ['vɪrbəln] v whirl
Wirbelsäule ['vɪrbəlsɔylə] f ANAT spine, vertebral column
wirken ['vɪrkən] v 1. (tätig sein) work, to be at work; 2. (wirksam sein) to be effective, have an effect, operate; 3. (Eindruck erwecken) have an effect, have an influence
wirklich ['vɪrklɪç] adj 1. real, actual, true; adv 2. really, actually
Wirklichkeit ['vɪrklɪçkaɪt] f reality, real life, truth; jdn in die ~ zurückholen bring s.o. down to earth
wirksam ['vɪrkzaːm] adj effective
Wirksamkeit ['vɪrkzaːmkaɪt] f effectiveness, efficacy
Wirkung ['vɪrkuŋ] f 1. effect; Ursache und ~ cause and effect; 2. (Folge) consequence; 3. (Eindruck) impression
wirkungslos ['vɪrkuŋsloːs] adj ineffectual, ineffective
wirkungsvoll ['vɪrkuŋsfɔl] adj 1. effective; adv 2. effectively
wirr [vɪr] adj confused
Wirren ['vɪrən] pl POL confusion, turmoil
Wirt [vɪrt] m host, landlord, innkeeper
Wirtschaft ['vɪrtʃaft] f 1. (Gasthaus) inn, public house (UK), pub; 2. ECO (Volkswirtschaft) economy; (Handel) industry
wirtschaften ['vɪrtʃaftən] v 1. (den Haushalt führen) keep house; 2. (sparsam sein) economize; 3. (gut ~) manage well; 4. (sich zu schaffen machen) busy o.s.

wirtschaftlich ['vɪrtʃaftlıç] *adj 1.* economic; *2. (sparsam)* economical
wischen ['vɪʃən] *v 1.* wipe; *2. (auf~)* mop
wispern ['vɪspərn] *v* whisper
wissen ['vɪsən] *v irr* know; *so viel ich weiß* as far as I know; *nicht dass ich wüsste* not as far as I know; *etw genau ~* know sth for a fact; *von jdm nichts ~ wollen* not want to have anything to do with s.o.; *es ~ wollen* fancy one's chances
Wissen ['vɪsən] *n* knowledge
Wissenschaft ['vɪsənʃaft] *f* science
Wissenschaftler(in) ['vɪsənʃaftlər(ın)] *m/f* scientist
wissenschaftlich ['vɪsənʃaftlıç] *adj 1.* scientific; *adv 2.* scientifically
wissentlich ['vɪsəntlıç] *adj* knowing, conscious
wittern ['vɪtərn] *v 1.* scent, smell; *2. (fig)* suspect, get wind of
Witterung ['vɪtəruŋ] *f 1. (Wetter)* weather; *2. (Wittern)* scent
Witwe ['vɪtvə] *f* widow
Witwer ['vɪtvər] *m* widower
Witz [vɪts] *m* joke; *~e reißen* crack jokes; *Mach keine ~e!* Don't be funny!
witzig ['vɪtsıç] *adj* funny, witty, amusing
wo [voː] *adv* where
woanders [vo'andərs] *adv* elsewhere, somewhere else
wobei [vo'baɪ] *adv 1. (interrogativ)* at what; *Wobei bist du gerade?* What are you doing at the moment? *Wobei ist das passiert?* How did that happen? *2. (relativ)* at which, in which; *~ ich noch hinzufügen möchte* to which I would like to add
Woche ['vɔxə] *f* week
Wochenende ['vɔxənɛndə] *n* weekend
Wochentag ['vɔxəntaːk] *m 1.* weekday; *2. (bestimmter)* day of the week
wochentags ['vɔxəntaːks] *adv* on weekdays
wöchentlich ['vœçəntlıç] *adj 1.* weekly; *adv 2.* weekly, every week; *3. (wochenweise)* by the week
Woge ['voːgə] *f 1. (Welle)* wave; *2. (fig)* surge
wohl [voːl] *adv 1. (wahrscheinlich)* presumably, probably, no doubt; *2. (gut)* well; *~ bekannt* well-known, familiar; *3. (etwa)* about; *4. (sicher)* indeed; *Das ist ~ möglich.* That is indeed possible. *5. ~ tun* do good; *6. ~ wollend* benevolent, kind
Wohl [voːl] *n* welfare, well-being, prosperity; *Zum ~!* Cheers!
Wohlbehagen ['voːlbəhaːgən] *n* comfort, pleasure

wohlbehalten ['voːlbəhaltən] *adj* safe and sound, unscathed
Wohlfahrt ['voːlfaːrt] *f* welfare
wohlhabend ['voːlhaːbənt] *adj* wealthy, well-to-do
Wohlhabenheit ['voːlhaːbənhaɪt] *f* prosperity, affluence
Wohlstand ['voːlʃtant] *m* prosperity, wealth, affluence
Wohlstandsgesellschaft ['voːlʃtantsgəzelʃaft] *f* affluent society
Wohltat ['voːltaːt] *f* kindness, good deed, charity; *jdm eine ~ erweisen* do sb a favour, do sb a good turn
Wohltäter ['voːltɛːtər] *m* benefactor
wohltätig ['voːltɛːtıç] *adj* charitable
Wohltätigkeit ['voːltɛːtıçkaɪt] *f* charity, charitableness
Wohlwollen ['voːlvɔlən] *n* goodwill, benevolence
wohnen ['voːnən] *v 1.* live, reside; *2. (vorübergehend)* stay
wohnhaft ['voːnhaft] *adv* resident
wohnlich ['voːnlıç] *adj 1.* comfortable, cosy; *adv 2.* comfortably, cosily
Wohnmobil ['voːnmobiːl] *n* mobile home, camper *(US)*
Wohnort ['voːnɔrt] *m* place of residence
Wohnsitz ['voːnzıts] *m* place of residence
Wohnung ['voːnuŋ] *f* flat, apartment *(US)*
Wohnwagen ['voːnvaːgən] *m* caravan *(UK)*, trailer *(US)*
Wohnzimmer ['voːntsımər] *n* sitting room, drawing room, living room *(US)*
wölben ['vœlbən] *v sich ~* curve, arch
Wölbung ['vœlbuŋ] *f* curvature, arch
Wolf [vɔlf] *m 1.* ZOOL wolf; *unter die Wölfe kommen* to be thrown to the wolves; *ein ~ im Schafspelz* a wolf in sheep's clothing; *2. (Fleischwolf)* mincer, meat grinder *(US)*; *jdn durch den ~ drehen (fig)* put sth through the wringer
Wolke ['vɔlkə] *f* cloud; *aus allen ~n fallen* to be thunderstruck; *über allen ~n schweben* have one's head in the clouds; *auf ~ sieben schweben* to be in seventh heaven
Wolkenkratzer ['vɔlkənkratsər] *m* skyscraper
Wolle ['vɔlə] *f* wool; *sich in die ~ kriegen* have a row
wollen ['vɔlən] *v irr 1. (wünschen)* want, wish, desire; *Was willst du sonst noch?* What more do you want? *wie du willst* suit yourself; *2. (beabsichtigen)* intend, mean

Wollust ['vɔlʊst] *f 1.* lust; *2. (Sinnlichkeit)* sensuality

wollüstig ['vɔlʏstɪç] *adj* sensual, lustful

Wonne ['vɔnə] *f* delight, bliss, pleasure

woraufhin [vorauf'hɪn] *adv* whereupon

Workaholic [wɜːrkə'hɔlɪk] *m* workaholic

Wort [vɔrt] *n 1. (Äußerung)* word; *mit jdm ~e wechseln* exchange words with s.o.; *in ~ und Schrift* written and spoken; *Man versteht kein ~.* One can't understand a word. *schöne ~e* mere words; *das ~ haben* speak; *das letzte ~ haben* have the last word; *im wahrsten Sinne des ~es* in the truest sense of the word; *das ~ ergreifen* start to speak; *jdm das ~ entziehen* cut s.o. off *(fam)*; ask s.o. to finish speaking; *jdm das ~ verbieten* forbid s.o. to speak; *für jdn ein gutes ~ einlegen* put in a good word for s.o.; *jdm das ~ aus dem Munde nehmen* take the words right out of s.o.'s mouth; *jdm das ~ im Munde verdrehen* twist s.o.'s words; *kein ~ über etw verlieren* not say a thing about sth; *jdm ins ~ fallen* interrupt s.o.; *sich zu ~ melden, ums ~ bitten* ask for leave to speak; *2. (Vokabel)* word

wortbrüchig ['vɔrtbrʏçɪç] *adj ~ werden* break one's word

Wörterbuch ['vœrtərbuːx] *n* dictionary

Wortführer ['vɔrtfyːrər] *m* speaker, spokesman

wortgewandt ['vɔrtɡəvant] *adj* eloquent, glib

Wortgewandtheit ['vɔrtɡəvanthaɪt] *f* eloquence, articulateness

wortkarg ['vɔrtkark] *adj* taciturn

wörtlich ['vœrtlɪç] *adj 1.* literal, verbal; *adv 2.* literally, word for word

Wortschatz ['vɔrtʃats] *m* vocabulary

Wortspiel ['vɔrtʃpiːl] *n* play on words, pun

Wrack [vrak] *n* wreck

Wucher ['vuːxər] *m* profiteering, usury

wuchern ['vuːxərn] *v 1.* grow rampant, proliferate; *2. (Kaufmann)* profiteer

Wuchs [vuːks] *m 1. (Wachsen)* growth, development; *2. (Körperbau)* figure, physique, build

Wucht [vuxt] *f* force, brunt, impact

wuchtig ['vuxtɪç] *adj* massive

wühlen ['vyːlən] *v 1. (graben)* burrow; *2. (suchen)* rummage

wund [vunt] *adj 1.* sore; *sich die Füße nach etw ~ laufen* look for sth high and low; *2. (fig: Herz)* wounded

Wunde ['vundə] *f* wound

Wunder ['vundər] *n 1.* miracle; *sein blaues ~ erleben* get the shock of one's life; *2. (fig)* marvel

wunderbar ['vundərbaːr] *adj 1.* wonderful, marvellous, fantastic; *adv 2.* marvellously, wonderfully

wundern ['vundərn] *v sich ~ to* be surprised, to be amazed

wundervoll ['vundərfɔl] *adj* wonderful, marvellous

Wunsch [vunʃ] *m 1.* wish, desire; *2. (Glückwunsch)* felicitation, best wishes *pl*

wünschen ['vynʃən] *v 1.* wish, desire; *2. (wollen)* want

Würde ['vyrdə] *f 1.* dignity, honour; *2. (Titel)* title, degree, honour; *3. (Doktorwürde)* doctorate

würdelos ['vyrdəloːs] *adj* undignified

Würdelosigkeit ['vyrdəloːzɪçkaɪt] *f* lack of dignity

Würdenträger ['vyrdəntrɛːɡər] *m* dignitary

würdevoll ['vyrdəfɔl] *adj* dignified

würdig ['vyrdɪç] *adj 1.* worthy, deserving; *2. (würdevoll)* dignified

würdigen ['vyrdɪɡən] *v 1.* appreciate, value; *2. (loben)* honour, pay tribute to

Würdigung ['vyrdɪɡuŋ] *f 1. (Achtung)* appreciation; *2. (Bewertung)* appraisal, consideration

Wurf [vurf] *m 1.* throw; *2. ZOOL* litter

Würfel ['vyrfəl] *m 1. (Spielwürfel)* die; *~ pl Die ~ sind gefallen.* The die is cast. *2. MATH* cube

würfeln ['vyrfəln] *v* throw dice, toss dice

Wurm [vurm] *m ZOOL* worm; *Da ist der ~ drin. (fam)* There's something wrong with it.

Wurst [vurst] *f* sausage; *Das ist mir ~. (fam)* It's all the same to me. I don't care.

Würze ['vyrtsə] *f* spice, seasoning

Wurzel ['vurtsəl] *f* root

wurzeln ['vurtsəln] *v 1.* take root; *2. (fig)* to be rooted in

würzen ['vyrtsən] *v* spice, season, flavour

würzig ['vyrtsɪç] *adj* spicy

wüst [vyːst] *adj 1. (öde)* waste, desert, desolate; *2. (ausschweifend)* wild, dissolute; *3. (widerwärtig)* vile, ugly

Wüste ['vyːstə] *f* desert

Wüstling ['vyːstlɪŋ] *m* lecher

Wut [vuːt] *f* rage, fury; *seine ~ herunterschlucken* choke back one's rage; *vor ~ in die Luft gehen* explode with fury; *in ~ geraten* fly into a rage

wüten ['vyːtən] *v* rage

wütend ['vyːtənt] *adj* furious, enraged, angry

X/Y/Z

x-Achse ['ɪksaksə] *f MATH* x-axis

X-Beine ['iksbaɪnə] *pl* knock-knees *pl*

x-beliebig ['ɪksbəliːbɪç] *adj* any, any old, any whatever

x-fach ['ɪksfax] *adj 1.* umpteen (fam)*; adv 2.* again and again

x-mal [ɪks'maːl] *adv* over and over again

Xylophon [ksylo'foːn] *n MUS* xylophone

y-Achse ['ypsilɔnaksə] *f MATH* Y-axis

Yoga ['joːga] *m/n* yoga

Ypsilon ['ypzilɔn] *n 1.* (the letter) Y; *2. (griechischer Buchstabe)* upsilon

Yuppie ['jupiː] *m* yuppie

Zacke ['tsakə] *f 1.* point; *2. (von Kamm)* tooth; *3. (von Gabel)* prong

zackig ['tsakɪç] *adj 1. (gezackt)* jagged; *2. (Stern)* pointed; *3. (fig: schneidig)* smart

zaghaft ['tsaːkhaft] *adj* timid

zäh [tsɛː] *adj* tough

Zahl [tsaːl] *f 1.* number; *rote ~en schreiben* to be in the red; *schwarze ~en schreiben* to be in the black; *2. (Ziffer)* figure; *3. (Stelle)* digit

zählbar ['tsɛːlbaːr] *adj* countable

zahlen ['tsaːlən] *v* pay

zählen ['tsɛːlən] *v* count

Zähler ['tsɛːlər] *m 1. MATH* numerator; *2. (Messgerät) TECH* meter, counter

zahlreich ['tsaːlraɪç] *adj 1.* numerous; *adv 2.* in great quantities, in large numbers

Zahlung ['tsaːluŋ] *f* payment

Zahlwort ['tsaːlvɔrt] *n* numeral

zahm [tsaːm] *adj 1.* tame; *adv 2.* tamely

zähmen ['tsɛːmən] *v 1.* tame; *2. (fig)* curb

Zahn [tsaːn] *m* tooth; *jdm auf den ~ fühlen* sound s.o. out; *die Zähne zusammenbeißen* clench one's teeth

Zahnarzt ['tsaːnartst] *m* dentist

Zahnbürste ['tsaːnbyrstə] *f* toothbrush

zahnen ['tsaːnən] *v* teethe

Zahnpasta ['tsaːnpasta] *f* toothpaste

Zange ['tsaŋə] *f* tongs *pl*, pliers *pl*

zanken ['tsaŋkən] *v* quarrel, have a row

Zapfen ['tsapfən] *n 1. BOT* cone; *2. (Eiszapfen)* icicle; *3. (Verbindungsstück)* tenon; *4. ANAT* cone; *5. (Fasszapfen)* spigot, bung

zappelig ['tsapəliç] *adj* fidgety, restless

zappeln ['tsapəln] *v 1.* wriggle; *jdn ~ lassen* keep s.o. on tenterhooks; *2. (vor Unruhe)* fidget

Zar(in) [tsaːr(ɪn)] *m/f HIST* czar/czarina, tsar/tsarina

zart [tsart] *adj 1.* tender; *2. (Ton, Haut)* soft; *3. (Fleisch)* tender; *4. (zerbrechlich)* delicate

Zartheit ['tsaːrthaɪt] *f 1.* tenderness, softness; *2. (Zerbrechlichkeit)* delicateness

zärtlich ['tsɛrtlɪç] *adj 1.* tender; *2. (liebevoll)* affectionate

Zärtlichkeit ['tsɛrtlɪçkaɪt] *f 1.* tenderness, affection; *2. (Liebkosung)* caress; *3. jdm ~ins Ohr flüstern* whisper sweet nothings in s.o.'s ear

Zauber ['tsaubər] *m 1. (Magie)* magic; *(Zauberbann)* spell; *fauler ~* humbug; *2. (fig)* enchantment, charm

Zauberer ['tsaubərər] *m* magician

zauberhaft ['tsaubərhaft] *adj (fig)* enchanting, magical

zaubern ['tsaubərn] *v 1.* practise magic; *2. (etw ~)* conjure up, produce by magic

Zaum [tsaum] *m* bridle; *sich im ~ halten* restrain o.s.

Zaun [tsaun] *m* fence, *(Hecke)* hedge; *einen Streit vom ~ brechen* start a quarrel

Zebra ['tseːbra] *n ZOOL* zebra

Zebrastreifen ['tseːbraʃtraɪfən] *m* zebra crossing, crosswalk *(US)*

Zeche ['tsɛçə] *f 1. (Rechnung)* bill, check (US), tab (US); *die ~ bezahlen müssen* have to foot the bill; *die ~ prellen* leave without paying the bill; *2. (Bergwerk)* mine, pit

Zecke ['tsɛkə] *f ZOOL* tick

Zehe ['tseːə] *f* toe

zehn [tseːn] *num* ten

Zehntel ['tseːntəl] *n MATH* tenth

zehren ['tseːrən] *v 1. von etw ~* live off sth, feed on sth; *2. an etw ~* wear sth out, sap sth

Zeichen ['tsaɪçən] *n 1.* sign, mark, symbol; *ein ~ setzen* make one's mark; *ein ~ der Zeit* a sign of the times; *2. INFORM* character, symbol

Zeichentrickfilm ['tsaɪçəntrɪkfɪlm] *m* animated cartoon

zeichnen ['tsaɪçnən] *v 1.* draw, *(entwerfen)* design; *2. (markieren)* mark; *3. (unterschreiben)* sign; *4. (entwerfen)* design; *5. (fig: Plan entwerfen)* sketch, plot; *6. (fig) FIN* subscribe

Zeichnung ['tsaɪçnuŋ] *f 1.* drawing; *2. ZOOL* markings *pl*; *3. FIN* subscription

Zeigefinger ['tsaɪgəfɪŋər] *m ANAT* index finger, forefinger

zeigen ['tsaɪgən] *v* show, indicate

Zeiger ['tsaɪgər] *m (Uhrzeiger)* hand

Zeile ['tsaɪlə] *f* line

Zeit [tsaɪt] *f* 1. time; *zu seiner* ~ in due course; *aller ~en* of all time; *das hat* ~ there is plenty of time for that; *in letzter* ~ lately; *zurzeit* at present; *zur gleichen* ~ at the same time; *die ganze* ~ *über* the whole time; *es wird langsam* ~, *dass* ... it's about time that ...; *sich mit etw die* ~ *vertreiben* pass the time doing sth; *sich für etw* ~ *nehmen* take time for sth; *Lass dir* ~. Take your time. *Das hat* ~. That can wait. *Es ist allerhöchste* ~. It's high time. 2. *(Epoche)* age, epoch

Zeitalter ['tsaɪtaltər] *n* age, millenium

Zeitgeist ['tsaɪtgaɪst] *m* spirit of the times, Zeitgeist

zeitgemäß ['tsaɪtgəmɛːs] *adj* timely, up to date, modern

zeitig ['tsaɪtɪç] *adj* early

zeitlich ['tsaɪtlɪç] *adj* 1. temporal, chronological; *adv* 2. as to time

zeitlos ['tsaɪtloːs] *adj* 1. *(ewig)* eternal, ageless; 2. *(klassisch)* dateless, classical

Zeitpunkt ['tsaɪtpuŋkt] *m* moment, time

Zeitraum ['tsaɪtraum] *m* space of time, period

Zeitschrift ['tsaɪtʃrɪft] *f* magazine, journal, periodical

Zeitung ['tsaɪtuŋ] *f* newspaper

zeitweilig ['tsaɪtvaɪlɪç] *adj* 1. temporary; *adv* 2. temporarily

Zeitwort ['tsaɪtvɔrt] *n* verb

Zelle ['tsɛlə] *f* cell

Zellkern ['tsɛlkɛrn] *m* BIO cell nucleus

Zelt [tsɛlt] *n* tent; *seine ~e abbrechen* move on

zelten ['tsɛltən] *v* camp

Zeltplatz ['tsɛltplats] *m* camping site, camping ground

Zement [tse'mɛnt] *m* cement

zensieren [tsɛn'ziːrən] *v* 1. *(Schule)* mark, grade *(US)*; 2. POL censor

Zensur [tsɛn'zuːr] *f* 1. *(Schule)* mark, grade; 2. POL censorship

Zentiliter ['tsɛntiliːtər] *m* centilitre

Zentimeter ['tsɛntimeːtər] *m* centimetre

Zentner ['tsɛntnər] *m* metric hundredweight

zentral [tsɛn'traːl] *adj* 1. central; *adv* 2. centrally

Zentrale [tsɛn'traːlə] *f* central office, head office, headquarters

Zentrum ['tsɛntrum] *n* centre, center *(US)*

zerbeißen [tsɛr'baɪsən] *v irr* chew, chew up

zerbrechen [tsɛr'brɛçən] *v irr* 1. break, smash, shatter; 2. *(fig)* go to pieces

zerbrechlich [tsɛr'brɛçlɪç] *adj* fragile

Zeremonie [tseremo'niː] *f* ceremony

Zeremoniell [tseremon'jɛl] *n* ceremonial, protocol

Zerfall [tsɛr'fal] *m* decay, ruin, disintegration

zerfallen [tsɛr'falən] *v irr* decay, disintegrate, go to pieces

zerfließen [tsɛr'fliːsən] *v irr* melt

zerkleinern [tsɛr'klaɪnərn] *v* 1. *(Steine)* crush; 2. *(Gemüse)* mince; 3. *(Holz)* chop up; 4. *(zerbrechen)* break up

zerknittern [tsɛr'knɪtərn] *v* crease

zerlegen [tsɛr'leːgən] *v* 1. dismantle, take apart; 2. BIO dissect

zermürbend [tsɛr'myrbənt] *adj* wearing

zerreißen [tsɛr'raɪsən] *v irr* 1. tear; 2. *(absichtlich)* tear up; 3. *(Herz)* break

zerren ['tsɛrən] *v* pull, tug

Zerrung ['tsɛruŋ] *f* MED strain, pull

zerschlagen [tsɛr'ʃlaːgən] *v irr* 1. smash to pieces, knock to pieces; 2. *(auseinander schlagen)* break up; 3. *sich* ~ *(Pläne)* come to nothing; *adj* 4. *(erschöpft)* worn out, whacked *(UK)*

Zerschlagung [tsɛr'ʃlaːguŋ] *f* suppression

zerschneiden [tsɛr'ʃnaɪdən] *v irr* cut up

zersetzen [tsɛr'zɛtsən] *v* 1. undermine, subvert; 2. CHEM decompose

zersplittern [tsɛr'ʃplɪtərn] *v* shatter

zerspringen [tsɛr'ʃprɪŋən] *v irr* burst

zerstören [tsɛr'ʃtøːrən] *v* destroy, ruin

Zerstörung [tsɛr'ʃtøːruŋ] *f* destruction

zerstreuen [tsɛr'ʃtrɔyən] *v* 1. scatter, disperse; 2. *(fig)* dispel, drive away, dissipate

zerstreut [tsɛr'ʃtrɔyt] *adj* 1. scattered, dispersed; 2. *(fig)* absent-minded, distracted

Zerstreuung [tsɛr'ʃtrɔyuŋ] *f* 1. dispersion; 2. *(fig: Ablenkung)* diversion

Zertifikat [tsɛrtifi'kaːt] *n* certificate

zertrümmern [tsɛr'trymərn] *v* 1. smash, wreck; 2. *(Atom)* PHYS split

Zettel ['tsɛtəl] *m* 1. scrap of paper, slip of paper; 2. *(Notizzettel)* note

Zeug [tsɔyk] *n* stuff, *(Sachen)* things; *Du hast das ~ dazu.* You're cut out for that. *dummes ~* rubbish, stuff and nonsense; *sich ins ~ legen* pull out all the stops

Zeuge ['tsɔygə] *m* witness

Zeugin ['tsɔygɪn] *f* witness

zeugen ['tsɔygən] *v* 1. *(aussagen)* give evidence, testify; 2. *(Kind)* father, beget

Zeugnis ['tsɔyknɪs] *n* 1. *(Schulzeugnis)* report, report card *(US)*; 2. *(Bescheinigung)* certificate, testimonial; 3. ~ *ablegen* give evidence, attest, give proof; ~ *ablegen von* give evidence of

Zeugung ['tsɔyguŋ] *f* procreation
Ziege ['tsiːgə] *f* ZOOL goat
Ziegel ['tsiːgəl] *m 1. (Backstein)* brick; *2. (Dachziegel)* tile
ziehen ['tsiːən] *v irr 1.* pull; *2. (Karte abheben)* draw; *3. nach sich ~* involve, entail; *4. (Waffe)* draw; *5. einen Strich ~* draw a line
Ziel [tsiːl] *n 1. (örtlich)* destination; *über das ~ hinausschießen* overstep the mark; *2.* SPORT finish; *3. (fig: Absicht)* aim, purpose, objective; *4. MIL* target, objective
zielen ['tsiːlən] *v ~ auf* aim at, point at
Zielgruppe ['tsiːlgrupə] *f* target group
ziellos ['tsiːloːs] *adj* aimless, purposeless
Zielscheibe ['tsiːlʃaɪbə] *f* target
Zielsetzung ['tsiːlzɛtsuŋ] *f* objective, target
ziemlich ['tsiːmlɪç] *adv 1.* pretty, fairly, reasonably; *adj 2.* considerable, fair; *3. (geziemend)* becoming
Zierde ['tsiːrdə] *f* ornament, decoration
zieren ['tsiːrən] *v 1. sich ~ (sich gekünstelt benehmen)* give o.s. airs; *2. sich ~ (sich bitten lassen)* need a lot of pressing
zierlich ['tsiːrlɪç] *adj 1. (zart)* dainty; *2. (dünn)* slight; *3. (anmutig)* graceful
Ziffer ['tsɪfər] *f* figure, numeral
Zigarette [tsiga'retə] *f* cigarette
Zigarettenstummel [tsiga'retənʃtuməl] *m* fag-end *(UK)*, cigarette butt *(US)*
Zigarre [tsi'garə] *f* cigar
Zimmer ['tsɪmər] *n* room
Zimmermädchen ['tsɪmərmɛːtçən] *n* maid, chambermaid
Zimmermann ['tsɪmərman] *m* carpenter
zimperlich ['tsɪmpərlɪç] *adj 1. (prüde)* prissy; *2. (heikel)* squeamish; *3. (empfindlich)* hypersensitive
Zimt [tsɪmt] *m* GAST cinnamon
Zinsen ['tsɪnzən] *pl* FIN interest
Zipfel ['tsɪpfəl] *m 1.* tip, end; *2. (einer Mütze)* point; *3. (von einem Tuch)* corner
Zirkel ['tsɪrkəl] *m* circle
Zirkulation [tsɪrkula'tsjoːn] *f* circulation
zirkulieren [tsɪrku'liːrən] *v* circulate
Zirkus ['tsɪrkus] *m* circus
Zitat [tsi'taːt] *n* quotation, quote (fam)
zitieren [tsi'tiːrən] *v 1. (anführend)* quote, cite; *2.* JUR summon
Zitrone [tsi'troːnə] *f* lemon
zittern ['tsɪtərn] *v* tremble, shake, quiver
zivil [tsi'viːl] *adj* civil
Zivilcourage [tsi'viːlkuraːʒə] *f* courage of one's convictions

Zivildienst [tsi'viːldiːnst] *m* civil alternative service
Zivilisation [tsiviliza'tsjoːn] *f* civilization
zivilisiert [tsivili'ziːrt] *adj* civilized
zögern ['tsøːgərn] *v* hesitate, hold back
Zölibat [tsø:li'baːt] *n* REL celibacy
Zoll [tsɔl] *m 1. (Behörde)* customs; *2. (Gebühr)* customs duty, duty; *2. (Maßeinheit)* inch
zollfrei ['tsɔlfraɪ] *adj* duty-free
Zollkontrolle ['tsɔlkontrolə] *f* customs control, customs inspection
zollpflichtig ['tsɔlpflɪçtɪç] *adj* dutiable, subject to customs
Zone ['tsoːnə] *f* zone
Zoo [tsoː] *m* zoo
Zoohandlung ['tsoːhandluŋ] *f* pet shop
Zopf [tsɔpf] *m 1.* plait, tress; *2. (von kleinen Mädchen)* pigtail
Zorn [tsɔrn] *m* anger, wrath
zornig ['tsɔrnɪç] *adj 1.* angry, irate, mad; *adv 2.* irately, angrily
zu [tsuː] *prep 1.* to; *~ dieser Zeit* at this time; *~m Geburtstag* for one's birthday; *~ Fuß* on foot; *~m Beispiel* for example; *der Dom ~ Köln* Cologne Cathedral; *~ beiden Seiten* on both sides; *~m Monatsende kündigen* give notice effective at the end of the month; *~m Glück* luckily; *jdm ~ Hilfe kommen* come to s.o.'s aid; *~r Belohnung as a reward*; *~ etw werden (~ Mensch)* make sth of o.s.; *~ Grunde gehen* to be ruined, perish; *etw einer Sache ~ Grunde legen* base sth on sth; *einer Sache ~ Grunde liegen* to be at the bottom of sth, form the basis of sth; *~ Gunsten* in favour of, for the benefit of; *~ konj 2.* to; *adv 3. (allzu)* too; *4. (fam: geschlossen)* closed
Zubehör ['tsuːbəhøːr] *n* accessories *pl*
zubereiten ['tsuːbəraɪtən] *v* prepare
Zubereitung ['tsuːbəraɪtuŋ] *f* preparation
zubilligen ['tsuːbɪlɪgən] *v* allow, grant
zubinden ['tsuːbɪndən] *v irr* tie up, lace up
Zucht [tsuxt] *f 1. (Tierzucht)* breed; *2. (Fischzucht)* farm; *3. (Pflanzenzucht)* cultivation, growing; *4. (Disziplin)* discipline
züchten ['tsʏçtən] *v 1. (Tiere)* breed, raise; *2. (Pflanzen)* cultivate, grow
Züchter ['tsʏçtər] *m 1. (Tierzüchter)* breeder; *2. (Pflanzenzüchter)* grower, cultivator
Zucker ['tsukər] *m* sugar
zudecken ['tsuːdɛkən] *v* cover, cover up
zudem ['tsuːdeːm] *adv* besides, moreover, furthermore
zudrehen ['tsuːdreːən] *v* turn off
zudrücken ['tsuːdrʏkən] *v* push shut

zueinander [tsuaɪn'andər] *adv* to each other, to one another

zuerst [tsu'erst] *adv 1. (zu Anfang)* at first; ~ *einmal* first of all; *2. (zum ersten Mal)* first, for the first time; *3. (als Erster)* first

Zufahrt ['tsu:faːrt] *f* driveway

Zufall ['tsu:fal] *m 1.* chance, accident; *2. (Zusammentreffen)* coincidence

zufällig ['tsu:fɛlɪç] *adj 1.* coincidental, chance, accidental; *adv 2.* coincidentally, by chance; *3. (in Fragen)* by any chance

Zuflucht ['tsu:fluxt] *f* refuge, shelter

Zufluss ['tsu:flus] *m 1.* influx; *2. (Zufuhr)* supply; *3. (Nebenfluss)* tributary

zufolge [tsu'fɔlgə] *prep 1.* etw ~ *(gemäß)* according to sth; *2.* etw ~ *(auf Grund)* as a result of sth

zufrieden [tsu'fri:dən] *adj* satisfied, content; *sich mit etw ~ geben* to be content with sth, to be satisfied with sth; *jdn ~ lassen* leave s.o. alone; ~ *stellen* satisfy, content

Zufriedenheit [tsu'fri:dənhaɪt] *f* contentedness, contentment, satisfaction *zu meiner ~* to my satisfaction

zufrieren ['tsu:fri:rən] *v irr* freeze up

Zug [tsu:k] *m 1. (Eisenbahn)* train; *mit dem ~ fahren* go by train; *im falschen ~ sitzen* be on the wrong track; *Dieser ~ ist abgefahren.* *(fig)* It's too late now. *2. (Umzug)* move; *3. (Luftzug)* draught (UK), draft (US); *4. (Wesenszug)* trait; *5. (fig) zum ~e kommen* get a chance; *etw in vollen Zügen genießen* enjoy sth to the fullest

Zugabe ['tsu:ga:bə] *f 1.* extra, bonus; *2. (Konzertzugabe)* encore

Zugang ['tsu:gaŋ] *m 1. (Eingang)* entrance, entry; *2. (Zutritt)* admittance access; *3. (Warenzugang)* ECO supply, receipt

zugänglich ['tsu:gɛŋlɪç] *adj 1. (erreichbar)* accessible; *2. (verfügbar)* available

zugeben ['tsu:ge:bən] *v irr (einräumen)* concede, confess, admit

zugehen ['tsu:ge:ən] *v irr 1. (fam: rasch gehen)* get a move on; *2. (weitergehen)* move on; *Geh zu!* Move it! Go! *3. (sich schließen lassen)* close, shut; *4. auf etw ~ head for sth; 5. (sich einem Zeitpunkt nähern)* approach; *Es geht auf den Sommer zu.* Summer is approaching. *Er geht auf die Sechzig zu.* He's approaching sixty. *6. (geschehen, ablaufen)* happen; *Hier geht es ja zu!* This place is really hopping! *7. jdm ~ (Brief)* to be sent to s.o.

Zugehörigkeit ['tsu:gəhøːrɪçkaɪt] *f* affiliation, membership

Zügel ['tsy:gəl] *m* rein; *die ~ fest in der Hand haben* have things firmly under control; *die ~ schleifen lassen* let things take their course

zügellos ['tsy:gəlloːs] *adj (fig)* unbridled

zügeln ['tsy:gəln] *v (fig)* rein in, curb

Zugeständnis ['tsu:gəʃtɛntnɪs] *n* concession

zugestehen ['tsu:gəʃte:ən] *v* admit, confess, grant, acknowledge

Zugführer ['tsu:kfyːrər] *m* conductor

zügig ['tsy:gɪç] *adj* swift, brisk, smart

zugleich [tsu'glaɪç] *adv* at once

Zugluft ['tsu:kluft] *f* draught, draft (US)

zugreifen ['tsu:graɪfən] *v 1.* grab it; *2. (bei Tisch) Greif zu!* Help yourself! *3. (helfen)* lend a hand; *4. (stramm arbeiten)* get down to work

Zugriff ['tsu:grɪf] *m 1.* INFORM access; *2. durch raschen ~* by stepping in quickly, by acting fast

zugute [tsu'gu:tə] *adv 1. jdm etw ~ halten* make allowances for sth, grant s.o. sth; *2. sich etw auf etw ~ halten* pride o.s. on sth; *3. einer Sache ~ kommen* come in useful for sth

zuhalten ['tsu:haltən] *v irr* keep closed, hold closed, hold shut

Zuhälter ['tsu:hɛltər] *m* procurer

zuhause [tsu'hauzə] *adv* home, at home

Zuhause [tsu'hauzə] *n* home

zuhören ['tsu:høːrən] *v* listen

Zuhörer ['tsu:høːrər] *m* listener

zuklappen ['tsu:klapən] *v* clap shut

Zukunft ['tsu:kunft] *f* future

zukünftig ['tsu:kynftɪç] *adj 1.* future; *adv 2.* from now on, in future

Zulage ['tsu:la:gə] *f 1.* additional pay, bonus; *2. (Gehaltserhöhung)* rise (UK), raise (US)

zulassen ['tsu:lasən] *v irr 1. (geschlossen lassen)* leave shut, leave closed; *2. (gestatten)* allow, permit, consent to; *3. (Auto)* register

zulässig ['tsu:lɛsɪç] *adj* permissible, allowed, admissible

Zulassung ['tsu:lasuŋ] *f 1. (eines Autos)* registration; *2. (Erlaubnis)* permission

zulegen ['tsu:le:gən] *v 1. sich etw ~* acquire sth; *2. (fam: an Gewicht zunehmen)* gain weight, put on weight; *3. (fam: Anstrengungen verstärken)* redouble efforts, step it up a notch

zuletzt [tsu'lɛtst] *adv 1.* lastly, finally; *2. (als Letzter, zum letzten Mal)* last

zumal [tsu'ma:l] *adv 1.* especially, particularly, above all; *konj 2.* all the more since

zumeist [tsu'maɪst] *adv* mostly, for the most part

zumindest [tsu'mɪndəst] *adv* at least

zumuten ['tsu:mu:tən] *v jdm etw* ~ expect sth of s.o., demand sth of s.o.; *sich zu viel* ~ bite off more than one can chew

Zumutung ['tsu:mu:tuŋ] *f* unreasonable demand, unreasonable expectation

zunächst [tsu'nɛ:çst] *adv 1.* initially, first of all; *2. (vorläufig)* for the moment

Zunahme ['tsu:na:mə] *f* increase, growth, rise

Zuname ['tsu:na:mə] *m* family name, surname

zünden ['tsyndən] *v* ignite, light, spark

Zündholz ['tsynthɔlts] *n* match

zunehmen ['tsu:ne:mən] *v irr 1.* increase, grow, rise; *2. (an Gewicht)* gain weight

Zuneigung ['tsu:naɪguŋ] *f* affection; ~ *zu jdm fassen* take a liking to s.o., grow fond of s.o.; *eine starke* ~ *zu jdm empfinden* feel strong affection towards s.o.

Zunge ['tsuŋə] *f* tongue; *die* ~ *im Zaum halten* hold one's tongue; *jdm die* ~ *lösen* get s.o. to talk; *sich auf die* ~ *beißen* bite one's tongue; *es brennt jdm auf der* ~ s.o. is itching to say sth

Zungenbrecher ['tsuŋənbrɛçər] *m* tongue twister

zunichte [tsu'nɪçtə] *v* ~ *machen* annihilate, ruin, destroy

zuordnen ['tsu:ɔrdnən] *v* classify, assign to

Zuordnung ['tsu:ɔrdnuŋ] *f* classification, assignment

zupacken ['tsu:pakən] *v* pitch in

zurechtkommen [tsu'rɛçtkɔmən] *v irr 1. mit etw* ~ *(fertig werden)* cope with sth, manage sth; *2. (rechtzeitig kommen)* arrive in time

zurechtweisen [tsu'rɛçtvaɪzən] *v irr* reprimand, rebuke

Zurechtweisung [tsu'rɛçtvaɪzuŋ] *f* reprimand, rebuke

zürnen ['tsyrnən] *v* to be angry

zurück [tsu'ryk] *adv* back, backwards, behind

zurückbehalten [tsu'rykbəhaltən] *v irr* retain, detain, keep back

zurückblicken [tsu'rykblɪkən] *v* look back

zurückbringen [tsu'rykbrɪŋən] *v irr* return, bring back, replace

zurückdrängen ['tsu'rykdrɛŋən] *v* drive back, push back

zurückerstatten [tsu'rykɛrʃtatən] *v* refund, pay back, reimburse

zurückfordern ['tsu'rykfɔrdərn] *v etw* ~ ask for sth back, demand sth back

zurückgeben [tsu'rykge:bən] *v irr* give back, return

zurückgehen [tsu'rykge:ən] *v irr 1.* go back, turn back, return; *2. (sinken)* fall, drop, decline; *3. (fig)* ~ *auf* go back to

zurückhalten [tsu'rykhaltən] *v irr 1. etw* ~ hold sth back, suppress sth; *2. sich* ~ hold back, keep back

zurückhaltend [tsu'rykhaltənt] *adj 1.* reserved, restrained; *adv 2.* with restraint

zurückkehren [tsu'rykke:rən] *v* come back, return, go back

zurücklegen [tsu'rykle:gən] *v 1.* replace, put back; *2. (Strecke)* cover; *3. (sparen)* save, put aside; *4. (reservieren)* put aside

zurücksetzen [tsu'rykzɛtsən] *v 1. (mit dem Auto)* move back, back up; *2. (zurückstellen)* move back; *3. (fig: benachteiligen)* neglect s.o.

zurückstellen [tsu'rykʃtɛlən] *v 1.* set back, put back; *2. (Heizung)* turn down; *3. (Interessen)* put aside; *4. jdn vom Wehrdienst* ~ MIL defer s.o.'s military service; *5. (Waren)* put aside

zurücktreten [tsu'ryktre:tən] *v irr 1.* step back, stand back; *2. (Rücktritt erklären)* resign

zurückweisen [tsu'rykvaɪzən] *v irr* reject, refuse

Zurückweisung [tsu'rykvaɪzuŋ] *f* rejection, refusal

Zuruf ['tsu:ru:f] *m* call, shout

zurufen ['tsu:ru:fən] *v irr 1. jdm etw* ~ call sth out to s.o., shout sth at s.o.; *2. jdm anfeuernd* ~ cheer for s.o.

Zusage ['tsu:za:gə] *f 1. (Verpflichtung)* commitment; *2. (Versprechen)* promise; *3. (Zustimmung)* assent

zusagen ['tsu:za:gən] *v 1.* confirm, *(versprechen)* promise; *2. (fig: gefallen)* appeal to, please, suit

zusammen [tsu'zamən] *adv 1. (gemeinsam)* together, jointly, in common; *2. (insgesamt)* all in all, altogether

Zusammenarbeit [tsu'zamənarbaɪt] *f* cooperation, collaboration

zusammenarbeiten [tsu'zamənarbaɪtən] *v* work together, cooperate, collaborate

zusammenbinden [tsu'zamənbɪndən] *v irr* tie together

zusammenbrechen [tsu'zamənbrɛçən] *v irr* collapse, break down

Zusammenbruch [tsu'zamənbrux] *m* collapse, breakdown

zusammenfassen [tsu'zamənfasən] *v 1. (das Fazit ziehen)* summarize; *2. (vereinigen)* unite

zusammenfassend [tsu'zamənfasənt] *adv* in summary

Zusammenfassung [tsu'zamənfasuŋ] *f* summary, synopsis

zusammenfügen [tsu'zamənfy:gən] *v* join, unite, put together

zusammenhalten [tsu'zamənhaltən] *v irr* hold together, keep together, stick

Zusammenhang [tsu'zamənhaŋ] *m 1.* connection; *2. (im Text)* context

zusammenhängen [tsu'zamənheŋən] *v irr* to be connected

zusammenhängend [tsu'zamənheŋənt] *adj* coherent

zusammenkehren [tsu'zamənke:rən] *v* sweep together

Zusammenkunft [tsu'zamənkunft] *f* meeting, gathering, assembly

zusammenleben [tsu'zamənle:bən] *v* live together

zusammenlegen [tsu'zamənle:gən] *v 1. (vereinigen)* merge, unite, consolidate; *2. (falten)* fold up, put together

zusammenschließen [tsu'zamənʃli:sən] *v irr sich ~* get together, team up

Zusammenschluss [tsu'zamənʃlus] *m* union, alliance, merger, joining together

zusammensetzen [tsu'zamənzetsən] *v 1. sich ~ aus* consist of, to be comprised of; *2. sich ~ (fig: sich besprechen)* get together; *sich gemütlich ~* have a cosy get-together

Zusammensetzung [tsu'zamənzetsuŋ] *f 1.* composition, make-up, construction; *2. (Wort)* compound

zusammenstellen [tsu'zamənʃtɛlən] *v 1. (fig)* make up, put together, combine; *2. (Daten)* compile

Zusammenstellung [tsu'zamənʃtɛluŋ] *f (fig)* combination, compilation, assembly

Zusammenstoß [tsu'zamənʃto:s] *m 1.* collision, crash; *2. (Streit)* clash

zusammenstoßen [tsu'zamənʃto:sən] *v irr 1.* collide, crash; *2. (sich streiten)* clash

zusammentreffen [tsu'zaməntrɛfən] *v irr* meet, coincide

Zusatz ['tsu:zats] *m 1.* addition, supplement; *2. CHEM* additive

zusätzlich ['tsu:zɛtslɪç] *adj 1.* additional, supplementary; *adv 2.* additionally

zuschauen ['tsu:ʃauən] *v* look on, watch

Zuschauer ['tsu:ʃauər] *m 1.* spectator, member of the audience; *2. (Beistehender)* onlooker

zuschicken ['tsu:ʃɪkən] *v* send, *(mit der Post)* mail; *sich etwas ~ lassen* send for sth

Zuschlag ['tsu:ʃla:k] *m 1.* extra charge, surcharge; *2. TECH* addition

zuschlagen ['tsu:ʃla:gən] *v irr 1. (eine Tür)* slam, bang shut; *die Tür hinter sich ~* slam the door behind one *2. (mit der Faust)* punch; *3. (fam: eine Gelegenheit ergreifen)* jump at the opportunity, seize the opportunity

zuschließen ['tsu:ʃli:sən] *v irr* lock up, close

Zuschuss ['tsu:ʃus] *m* allowance, contribution, subsidy

zusehen ['tsu:ze:ən] *v irr* look on, watch

zusetzen ['tsu:zɛtsən] *v 1. (auf den Herd setzen)* put on; *2. Geld ~* lose money; *3. (hinzufügen)* add; *4. jdm ~ (drängen)* pester s.o., badger s.o.; *5. jdm ~ (Feind)* harass s.o.

zusichern ['tsu:zɪçərn] *v jdm etw ~* assure s.o. of sth

Zusicherung ['tsu:zɪçəruŋ] *f* assurance

Zuspruch ['tsu:ʃprux] *m 1. (Trost)* words of comfort; *2. (Aufmunterung)* encouragement; *3. (Beliebtheit)* popularity

Zustand ['tsu:ʃtant] *m 1.* condition, state; *Zustände kriegen* have a fit; *2. (Lage)* situation

zuständig ['tsu:ʃtɛndɪç] *adj 1. (verantwortlich)* responsible; *2. (entsprechend)* appropriate

Zuständigkeit ['tsu:ʃtɛndɪçkaɪt] *f* competence, jurisdiction, responsibility

zustellen ['tsu:ʃtɛlən] *v 1.* block, obstruct; *2. (liefern)* deliver, hand over

Zustellung ['tsu:ʃtɛluŋ] *f* delivery

zustimmen ['tsu:ʃtɪmən] *v* agree, consent, approve

Zustimmung ['tsu:ʃtɪmuŋ] *f* agreement, consent, approval

Zustrom ['tsu:ʃtro:m] *m 1.* flow, flux; *2. (hineinströmend)* influx; *3. (Andrang)* crowd, throng

Zutaten ['tsu:ta:tən] *pl* ingredients *pl*

Zuteilung ['tsu:taɪluŋ] *f* assignment, allotment, allocation

zutragen ['tsu:tra:gən] *v irr 1. sich ~* happen; *2. (weitererzählen)* report, pass on

zutrauen ['tsu:trauən] *v jdm etw ~* think s.o. capable of sth

zutraulich ['tsu:traulɪç] *adj* confiding

zutreffen ['tsu:trɛfən] *v irr 1.* prove right, to be accurate; *2. (gelten)* apply

Zutritt ['tsu:trɪt] *m* access, admission; admittance, entry; *kein ~/~ verboten* no admittance, no entry; *sich ~ verschaffen* gain admission, gain admittance; *jdm ~ gewähren* admit sb; *jdm den ~ verwehren* refuse s.o. admission/admittance

zuverlässig ['tsu:fɛrlɛsɪç] *adj* reliable, dependable, trustworthy

Zuverlässigkeit ['tsu:fɛrlɛsɪçkaɪt] f reliability, dependability, trustworthiness

Zuversicht ['tsu:fɛrzɪçt] f confidence, trust

zuversichtlich ['tsu:fɛrzɪçtlɪç] adj 1. confident, optimistic; adv 2. confidently, optimistically

zuvor [tsu'fo:r] adv before, formerly, previously

Zuwachs ['tsu:vaks] m 1. ECO growth; 2. (fam: Baby) addition to the family

Zuwanderung ['tsu:vandərʊŋ] f immigration

zuweisen ['tsu:vaɪzən] v irr assign, allocate

Zuweisung ['tsu:vaɪzʊŋ] f assignment

zuwenden ['tsu:vɛndən] v irr 1. turn toward; jdm das Gesicht ~ turn to face sb, turn one's face towards s.o.; die der Straße zugewandten Fenster the windows facing the street 2. (völlig widmen) devote

zuwerfen ['tsu:vɛrfən] v irr 1. die Tür ~ slam the door; 2. jdm etw ~ throw sth to s.o.; jdm einen Blick ~ glance at s.o.

zuziehen ['tsu:tsi:ən] v irr 1. (hierher ziehen) move here, move to the area; 2. etw ~ pull sth shut; 3. (Knoten) pull tight; 4. jdn ~ consult s.o.; 5. sich etw ~ incur sth; sich eine Verletzung ~ sustain an injury

zuzüglich ['tsutsy:klɪç] prep plus

Zwang [tsvaŋ] m 1. compulsion; 2. (Verpflichtung) obligation; 3. (Gewalt) force

zwanglos ['tsvaŋlo:s] adj 1. informal, casual, relaxed; adv 2. informally, at ease

zwangsläufig ['tsvaŋslɔyfɪç] adj 1. necessary, obligatory; adv 2. of necessity

zwanzig ['tsvantsɪç] num twenty

zwar [tsva:r] konj 1. und ~ that is to say, namely; Kommen Sie her, und ~ sofort! Come here, and I mean right away! 2. indeed, admittedly, certainly

Zweck [tsvɛk] m 1. purpose, aim, end; Der ~ heiligt die Mittel. The end justifies the means. 2. (Sinn) point

zwecklos ['tsvɛklo:s] adj 1. pointless, useless, futile; adv 2. pointlessly, aimlessly

zweckmäßig ['tsvɛkmɛ:sɪç] adj expedient, practical, proper

Zweckmäßigkeit ['tsvɛkmɛ:sɪçkaɪt] f appropriateness, functionality

zwei [tsvaɪ] num two

zweideutig ['tsvaɪdɔytɪç] adj 1. ambiguous, equivocal; 2. (schlüpfrig) suggestive

Zweideutigkeit ['tsvaɪdɔytɪçkaɪt] f 1. (Mehrdeutigkeit) ambiguity; 2. (Anzüglichkeit) suggestiveness

zweifach ['tsvaɪfax] adj double, twofold

Zweifel ['tsvaɪfəl] m doubt

zweifelhaft ['tsvaɪfəlhaft] adj doubtful, dubious

zweifellos ['tsvaɪfəllo:s] adv no doubt, without a doubt

zweifeln ['tsvaɪfəln] v doubt

Zweig [tsvaɪk] m 1. BOT branch, twig, sprig; auf keinen grünen ~ kommen get nowhere; 2. (fig) branch, department, section

Zweikampf ['tsvaɪkampf] m SPORT duel

zweimal ['tsvaɪma:l] adv twice

zweiseitig ['tsvaɪzaɪtɪç] adj 1. two-sided, bilateral; adv 2. bilaterally

zweisprachig ['tsvaɪʃpra:xɪç] adj bilingual

zweistufig ['tsvaɪʃtu:fɪç] adj two-stage

zweite(r,s) ['tsvaɪtə(r,s)] adj second

zweitens ['tsvaɪtəns] adv secondly

Zwerg [tsvɛrk] m dwarf

zwicken ['tsvɪkən] v 1. pinch; 2. (beißen) nip

Zwickmühle ['tsvɪkmy:lə] f (fig) dilemma

Zwiebel ['tsvi:bəl] f onion

Zwiespalt ['tsvi:ʃpalt] m conflict, discord

zwiespältig ['tsvi:ʃpɛltɪç] adj conflicting

Zwilling ['tsvɪlɪŋ] m twin

zwingen ['tsvɪŋən] v irr force, compel

zwingend ['tsvɪŋənt] adj 1. (Grund) compelling; 2. (Maßnahme) coercive; 3. (Notwendigkeit) urgent, imperative

zwinkern ['tsvɪŋkərn] v blink

zwischen ['tsvɪʃən] prep 1. between; 2. (darunter sein) among

zwischendurch ['tsvɪʃəndʊrç] adv 1. (zeitlich) in between, (gelegentlich) at intervals, (inzwischen) in the meantime; 2. (örtlich) through

Zwischenraum ['tsvɪʃənraum] m space, gap

Zwischenzeit ['tsvɪʃəntsaɪt] f interval

Zwischenzeugnis ['tsvɪʃəntsɔyknɪs] n 1. (in der Schule) mid-year report, card (US); 2. (im Personalwesen) performance appraisal

Zwist [tsvɪst] m disagreement, discord

zwitschern ['tsvɪtʃərn] v twitter, chirp

zwölf [tsvœlf] num twelve

zwölfte(r,s) ['tsvœlftə(r,s)] adj twelfth

Zyklus ['tsy:klus] m cycle

Zylinder [tsy'lɪndər] m 1. (Hut) top hat; 2. TECH cylinder

Zyniker ['tsy:nɪkər] m cynic

zynisch ['tsy:nɪʃ] adj 1. cynical; adv 2. cynically

Zynismus [tsy'nɪsmus] m cynicism

Zyste ['tsystə] f MED cyst

Englische Grammatik

Das Adjektiv

Das Adjektiv (Eigenschaftswort) wird gebraucht, um ein Substantiv näher zu bestimmen; im Englischen verändert das Adjektiv seine Form nicht.

This car is expensive.   Dieses Auto ist teuer.
This is an expensive car.   Dies ist ein teures Auto.

Die Steigerung des Adjektivs

Grundform	1. Steigerungsstufe	2. Steigerungsstufe
tall	*taller*	*tallest*
cheap	*cheaper*	*cheapest*
happy	*happier*	*happiest*

Alle einsilbigen Adjektive und alle zweisilbigen Adjektive, die auf *-y* enden, werden durch das Anhängen von *-er* und *-est* gesteigert. Alle anderen Adjektive, d.h. alle zweisilbigen, die nicht auf *-y* enden und alle drei- und mehrsilbigen Adjektive werden mit *more* und *most* gesteigert:

stupid	*more stupid*	*most stupid*
dangerous	*more dangerous*	*most dangerous*

Bei der Steigerung mit *-er* und *-est* treten folgende Veränderungen der Schreibweise auf: Folgt am Wortende einem Konsonanten ein *y*, so wird dieses in der Steigerung zu *i*. Folgt einem kurzen Vokal ein Konsonant am Wortende, so wird dieser verdoppelt. Endet das Adjektiv auf ein *e*, das nicht gesprochen wird, so entfällt dieses:

easy	*easier*	*easiest*
big	*bigger*	*biggest*
pure	*purer*	*purest*

Folgende Adjektive werden unregelmäßig gesteigert:

good	*better*	*best*
bad	*worse*	*worst*
much	*more*	*most*
many	*more*	*most*
little	*less*	*least*

Das Adverb

Die abgeleiteten Adverbien

Die abgeleiteten Adverbien werden durch das Anhängen von *-ly* an das Adjektiv gebildet:

slow	*slowly*	langsam
nice	*nicely*	nett

Endet das Adjektiv auf -*y*, so wird -*y* zu -*i*:

easy   *easily*   leicht

Endet das Adjektiv auf -*le* und steht davor ein Konsonant, so entfällt das -*e*:

simple   *simply*   einfach

Endet das Adjektiv auf -*ic*, wird -*ally* angehängt:

basic   *basically*   grundsätzlich

Endet das Adjektiv auf -*ll*, wird nur ein -*y* angehängt:

full   *fully*   voll

Die ursprünglichen Adverbien

Neben den abgeleiteten Adverbien gibt es die so genannten ursprünglichen Adverbien, die nicht von einem Adjektiv abgeleitet werden (z. B. *yesterday* – gestern, *here* – hier).
Von den ursprünglichen Adverbien können einige auch als Adjektiv verwendet werden. Eine einzige Form dient hier also als Adjektiv und als Adverb:

It is a daily newspaper.   Es ist eine Tageszeitung.
It appears daily.   Sie erscheint täglich.

Die wichtigsten davon sind:

fast	schnell	*straight*	gerade
long	lang	*daily*	täglich
low	niedrig	*weekly*	wöchentlich
monthly	monatlich		

Unregelmäßig gebildete Adverbien und Sonderformen

Eine wichtige Besonderheit stellen Adverbien dar, die die gleiche Form wie das entsprechende Adjektiv haben, zusätzlich jedoch noch eine mit -*ly* gebildete Form besitzen. Diese Gruppe ist besonders wichtig, weil die mit -*ly* abgeleiteten Adverbien eine andere Bedeutung haben. Zu dieser Gruppe zählen:

Adjektiv und Adverb		Adverb	
hard	schwer/hart	*hardly*	kaum
late	spät	*lately*	kürzlich
fair	fair	*fairly*	ziemlich

Die Steigerung der Adverbien

Alle einsilbigen Adverbien werden mit *-er* und *-est* gesteigert:

Grundform	Komparativ	Superlativ
early	*earlier*	*earliest*
früh	früher	am frühesten

Alle anderen Adverbien werden mit *more* und *most* gesteigert:

carefully	*more carefully*	*most carefully*
vorsichtig	vorsichtiger	am vorsichtigsten

Folgende Adverbien werden unregelmäßig gesteigert:

well	*better*	*best*
gut	besser	am besten
much	*more*	*most*
viel	mehr	am meisten
badly	*worse*	*worst*
schlecht	schlechter	am schlechtesten
a little	*less*	*least*
ein wenig	weniger	am wenigsten

Die amerikanische Rechtschreibung

Bei vielen Wörtern, deren *ae* oder *oe* mit dem Laut [i:] ausgesprochen wird, entfällt im amerikanischen Englisch das *a* bzw. das *o*:

diarrhoea (UK)   *diarrhea (US)*

In nichtbetonten Silben mit einem ursprünglich doppelten *l* steht im amerikanischen Englisch nur ein *l*:

travelled (UK)   *traveled (US)*

Bei betonten Silben, die auf *-l* enden, hat amerikanisches Englisch ein doppeltes *l*:

fulfil (UK)   *fulfill (US)*

Wörter, die im britischen Englisch auf *-our* enden, werden im amerikanischen Englisch mit *-or* geschrieben, wenn dieser Laut [ə] ausgesprochen wird:

colour (UK)   *color (US)*

Die Endung *-re* wird im amerikanischen Englisch zu *-er*, wenn vor dem *-re* ein Konsonant steht:

centre (UK)   *center (US)*

Der Artikel

Der bestimmte Artikel

Für den bestimmten Artikel gibt es im Englischen nur eine einzige Form, die für Feminina und Maskulina, sowie im Singular und im Plural gleich ist.

Singular
the tree der Baum

Plural
the trees die Bäume

Abstrakta (z. B. *life, love, peace*), Stoffnamen (z. B. *ice, milk*) und Gattungsnamen (z. B. *children, women*) stehen ohne den bestimmten Artikel, wenn sie im allgemeinen Sinn gebraucht werden, und mit bestimmtem Artikel, wenn sie näher bestimmt sind:

Life is hard.   Das Leben ist schwer.
The life of a politician   Das Leben eines Politikers
can be very dangerous.   kann sehr gefährlich sein.

Besonderheiten beim Gebrauch des bestimmten Artikels

Wie im Deutschen haben manche geografische Bezeichnungen keinen bestimmten Artikel.

Bei *all, both, half, twice, double* wird der bestimmte Artikel nachgestellt.

Der unbestimmte Artikel

Der unbestimmte Artikel lautet *a* und wird nur bei der Einzahl von zählbaren Begriffen gebraucht (z. B. *a house*).

Vor Vokalen lautet der unbestimmte Artikel *an*. Ausschlaggebend ist dabei nicht der Buchstabe, mit dem das folgende Wort beginnt, sondern dessen Aussprache (z. B. *an old house*).

Besonderheiten beim Gebrauch des unbestimmten Artikels

Abweichend vom Deutschen steht im Englischen der unbestimmte Artikel bei Berufsbezeichnungen und bei Konfessionen:

He is a teacher.   Er ist Lehrer.

Nach *half, quite, rather, such* steht der unbestimmte Artikel:

half a bottle of milk   eine halbe Flasche Milch

Bei Ausrufen steht nach *what* und bei zählbaren Substantiven der unbestimmte Artikel:

What a lovely day!   Was für ein schöner Tag!

Pluralbildung

Gewöhnlich wird der Plural eines Substantivs gebildet, indem man -s an die Singularform anhängt:

ship – ships   table – tables

Dennoch gibt es einige Ausnahmen. Endet das Substantiv auf einen Zischlaut (-s, -x, -ch, -sh, -z), hängt man -es an das Wort an:

bus – buses   tax – taxes

Wenn das Substantiv auf einen Konsonanten und -y endet, so wird -y im Plural zu -ies. Endet das Substantiv auf einen Vokal und -y, so wird im Plural -s angehängt:

hobby – hobbies	Aber: *boy – boys*
lady – ladies	*valley – valleys*

Die Pluralform der Substantive, die auf -f oder -fe enden, wird normalerweise gebildet, indem man das -f oder -fe durch -ves ersetzt:

half – halves	Aber: *belief – beliefs*
wife – wives	*chief – chiefs*

Substantive, die auf -o enden, bilden den Plural entweder mit -os oder mit -oes:

radio – radios	Aber: *potato – potatoes*
piano – pianos	*tomato – tomatoes*

Unregelmäßige Pluralformen

Neben den verschiedenen Formen der Pluralbildung mit -s gibt es im Englischen eine ganze Reihe von unregelmäßigen Pluralformen wie z. B.:

Singular	Plural	Singular	Plural
man	*men*	*mouse*	*mice*
woman	*women*	*goose*	*geese*
foot	*feet*	*ox*	*oxen*
tooth	*teeth*	*child*	*children*
louse	*lice*		

Substantive, die im Plural die gleiche Form besitzen

Es gibt im Englischen Substantive, die im Singular und im Plural die gleiche Form besitzen. Das ist beispielsweise bei einigen Tiernamen der Fall:

sheep	das Schaf/die Schafe
deer	der Hirsch/die Hirsche

Das Verb

Verbarten und Verbformen

Die Verben *to have, to be* und *to do*

Die Hilfsverben *do, be* und *have* haben eine besonders wichtige Funktion, weil mit ihnen die Fragen, die Verneinung, alle zusammengesetzten Zeiten und das Passiv gebildet werden können. Darüber hinaus sind diese drei Verben auch Vollverben.

to have

Infinitiv		Imperfekt		Partizip Perfekt	
have	haben	*had*	hatte	*had*	gehabt

Gegenwart		Kurzform	Verneinung	Kurzform
I have	ich habe	*I've*	*I have not*	*I haven't*
you have	du hast			
he has	er hat	*he's*	*he hasn't*	
she has	sie hat			
it has	es hat			
we have	wir haben			
you have	ihr habt			
they have	sie haben			

Imperfekt		Kurzform	Verneinung	Kurzform
I had	ich hatte	*I'd*	*I had not*	*I hadn't*
you had	du hattest			
he had	er hatte			
she had	sie hatte			
it had	es hatte			
we had	wir hatten			
you had	ihr hattet			
they had	sie hatten			

Die Verwendung von *to have* als Hilfsverb

Die Formen der Gegenwart von *have* werden für die Bildung des Perfekts verwendet: *I have learnt.*
Mit der Imperfektform *had* wird das Plusquamperfekt gebildet: *I had learnt.*

to be

Infinitiv		Imperfekt	Partizip Perfekt
to be	sein	*was/were*	*been*
		war/waren	gewesen

Gegenwart		Kurzform	Verneinung	Kurzform
I am	ich bin	*I'm*	*I am not*	*I'm not*
you are	du bist	*you're*	*you are not*	*you aren't*
he is	er ist	*he's*	*he is not*	*he isn't*
she is	sie ist	*she's*	*she is not*	*she isn't*
it is	es ist	*it's*	*it is not*	*it isn't*
we are	wir sind	*we're*	*we are not*	*we aren't*
you are	ihr seid	*you're*	*you are not*	*you aren't*
they are	sie sind	*they're*	*they are not*	*they aren't*

Imperfekt			Verneinung	Kurzform
I was	ich war		*I was not*	*I wasn't*
you were	du warst		*you were not*	*you weren't*
he was	er war		*he was not*	*he wasn't*
she was	sie war		*she was not*	*she wasn't*
it was	es war		*it was not*	*it wasn't*
we were	wir waren		*we were not*	*we weren't*
you were	ihr wart		*you were not*	*you weren't*
they were	sie waren		*they were not*	*they weren't*

Die Verwendung von *to be* als Hilfsverb

Mit *to be* werden die Verlaufsform *(progressive form)* und das Passiv gebildet: *He is working. It is made of wood.*

to do

Infinitiv		Imperfekt		Partizip Perfekt	
do	tun	*did*	tat	*done*	getan

Imperfekt		Verneinung	Kurzform
I did	ich tat	*I did not*	*I didn't*
you did	du tatst	etc.	etc.

Die Verwendung von *to do* als Hilfsverb

do und die Vergangenheitsform *did* werden für die Bildung der Fragen und der Verneinung bei Vollverben verwendet.

Die Vollverben

Jedes Vollverb besitzt drei Formen, mit denen sich alle Zeiten und Aussageweisen bilden lassen. Diese Formen sind Infinitiv, Imperfekt und Partizip Perfekt. Durch die unterschiedliche Bildung des Imperfekts und des Partizips Perfekt lassen sich die Vollverben in zwei Gruppen einteilen:

Die regelmäßigen Vollverben bilden das Imperfekt und das Partizip Perfekt mit der Endung *-ed*:

Infinitiv	Imperfekt	Partizip Perfekt
wait	*waited*	*waited*

Die unregelmäßigen Vollverben bilden das Imperfekt und das Partizip Perfekt mit eigenen Formen. (siehe Tabelle S. 1108–1111)

Das Präsens

Bejahte Form	Verneinte Form	Frage
I take	*I don't take*	*Do I take?*
you take	*you don't take*	
he/she/it takes	*he/she/it doesn't take*	*Does he take?*
we take	*we don't take*	*Do we take?*
you take	*you don't take*	
they take	*they don't take*	

Das Imperfekt

Das Imperfekt wird bei den regelmäßigen Verben durch Anhängen von *-ed* an das Verb gebildet. Bei den unregelmäßigen Verben werden besondere Formen für das Imperfekt verwendet. Die Formen des Imperfekts bleiben in allen Personen unverändert.

Das Perfekt

Das Perfekt wird gebildet aus dem Präsens des Hilfsverbs *have* und dem Partizip Perfekt des Vollverbs.

Das Plusquamperfekt

Das Plusquamperfekt wird gebildet mit der Past Tense-Form *had* des Hilfsverbs *have* und dem Partizip Perfekt des Vollverbs.

Das Futur I *(Will-Future)*

Das *Will-Future* wird in allen Zeiten mit *will* und dem Infinitiv des Verbs gebildet.

Das Futur II *(Future Perfect)*

Das Futur II wird gebildet mit *will* und dem Infinitiv des Perfekts.

Der Konditional I

Der Konditional I wird gebildet mit *would* und dem Infinitiv des Verbs.

Der Konditional II

Der Konditional II wird gebildet mit *would, have* und dem Partizip Perfekt des Vollverbs.

Die Verlaufsform *(Progressive Form)*

Die Verlaufsform wird mit den jeweiligen Formen von *to be* und dem Partizip Präsens gebildet.

Präsens	Imperfekt	Perfekt
I am writing.	*I was writing.*	*I have been writing.*
Ich schreibe gerade.	Ich schrieb gerade.	Ich habe geschrieben.

Plusquamperfekt	Futur I	Futur II
I had been writing.	*I will be writing.*	*I will have been writing.*
Ich hatte geschrieben.	Ich werde schreiben.	Ich werde geschrieben haben.

Konditional I	Konditional II
I would be writing.	*I would have been writing.*
Ich würde schreiben.	Ich hätte geschrieben.

Die Zahlen

Die Grundzahlen

0	*nought, zero*	13	*thirteen*	50	*fifty*
1	*one*	14	*fourteen*	60	*sixty*
2	*two*	15	*fifteen*	70	*seventy*
3	*three*	16	*sixteen*	80	*eighty*
4	*four*	17	*seventeen*	90	*ninety*
5	*five*	18	*eighteen*	100	*one hundred*
6	*six*	19	*nineteen*	101	*one hundred and one*
7	*seven*	20	*twenty*	200	*two hundred*
8	*eight*	21	*twenty-one*	1,000	*one thousand*
9	*nine*	22	*twenty-two*	1,001	*one thousand and one*
10	*ten*	etc.		1,000,000	*one million*
11	*eleven*	30	*thirty*		
12	*twelve*	40	*forty*		

Unregelmäßige Verben im Englischen

	Präteritum	Partizip
arise	arose	arisen
awake	awoke	awoken
be	was/were	been
bear	bore	borne/born
beat	beat	beaten
become	became	become
beget	begot	begotten
begin	began	begun
bend	bent	bent
beseech	besought	besought
bet	bet/betted	bet/betted
bid	bade	bidden
bind	bound	bound
bite	bit	bitten
bleed	bled	bled
blow	blew	blown
break	broke	broken
breed	bred	bred
bring	brought	brought
build	built	built
burn	burnt/burned	burnt/burned
burst	burst	burst
buy	bought	bought
can	could	-
cast	cast	cast
catch	caught	caught
chide	chid	chidden/chid
choose	chose	chosen
cleave	clove/cleft	cloven/cleft
cleave (adhere)	cleaved/clave	cleaved
cling	clung	clung
come	came	come
cost	cost	cost
creep	crept	crept
cut	cut	cut
deal	dealt	dealt
dig	dug	dug
do	did	done
draw	drew	drawn
dream	dreamt/dreamed	dreamt/dreamed
drink	drank	drunk
drive	drove	driven
dwell	dwelt	dwelt
eat	ate	eaten
fall	fell	fallen
feed	fed	fed
feel	felt	felt
fight	fought	fought

find	found	found
flee	fled	fled
fling	flung	flung
fly	flew	flown
forbid	forbade	forbidden
forget	forgot	forgotten
forsake	forsook	forsaken
freeze	froze	frozen
get	got	got (*US* gotten)
give	gave	given
go	went	gone
grind	ground	ground
grow	grew	grown
hang	hung	hung
have	had	had
hear	heard	heard
heave	heaved/hove	heaved/hove
hide	hid	hid
hit	hit	hit
hold	held	held
hurt	hurt	hurt
keep	kept	kept
knit	knit/knitted	knit/knitted
know	knew	known
lay	laid	laid
lead	led	led
lean	leant/leaned	leant/leaned
leap	leapt	leapt
learn	learnt/learned	learnt/learned
leave	left	left
lend	lent	lent
let	let	let
lie	lay	lain
light	lit	lit
lose	lost	lost
make	made	made
may	might	-
mean	meant	meant
meet	met	met
mow	mowed	mowed/mown
pay	paid	paid
put	put	put
quit	quit	quit
read	read	read
rend	rent	rent
rid	rid	rid
ride	rode	ridden
ring	rang	rung
rise	rose	risen
run	ran	run
say	said	said
see	saw	seen

seek	sought	sought
sell	sold	sold
send	sent	sent
set	set	set
sew	sewed	sewn
shake	shook	shaken
shave	shaved	shaved/shaven
shed	shed	shed
shine	shone	shone
shoe	shod	shod
shoot	shot	shot
show	showed	shown
shrink	shrank	shrunk
shut	shut	shut
sing	sang	sung
sink	sank	sunk
sit	sat	sat
slay	slayed	slain
sleep	slept	slept
slide	slid	slid
sling	slung	slung
slink	slunk	slunk
slit	slit	slit
smell	smelt/smelled	smelt/smelled
smite	smote	smitten
speak	spoke	spoken
speed	sped	sped
spell	spelt/spelled	spelt/spelled
spend	spent	spent
spin	span	spun
spit	spat	spat
split	split	split
spoil	spoilt/spoiled	spoilt/spoiled
spread	spread	spread
spring	sprang	sprung
stand	stood	stood
steal	stole	stolen
stick	stuck	stuck
sting	stang	stung
stink	stank	stunk
strew	strewed	strewed/strewn
stride	strode	stridden
strike	struck	struck
string	strung	strung
strive	strove	striven
swear	swore	sworn
sweep	swept	swept
swell	swelled	swollen/swelled
swim	swam	swum
swing	swang	swung
take	took	taken
teach	taught	taught

tear	tore	torn
tell	told	told
think	thought	thought
throw	threw	thrown
thrust	thrust	thrust
tread	trod	trodden
understand	understood	understood
wake	woke	woken
wear	wore	worn
weave	wove	woven
weep	wept	wept
win	won	won
wind	wound	wound
wring	wrung	wrung
write	wrote	written

German Grammar

Adjectives

If an adjective is used as an attribute, that is, if it immediately precedes the noun it describes, the adjective must agree with the noun in gender, number and case. If an adjective is used as a predicate adjective or as an adverb it is not declined.

The Declension of Adjectives

There are three types of adjective declension: strong, weak and mixed. An adjective takes a strong declension if it stands alone in front of a noun, if it follows a number that is used as an adjective, or if it follows the words *etwas* or *mehr*, or the words *solch, manch, welch, wenig, viel* when these are used without endings.

singular	nominative	genitive	dative	accusative
masculine	*neuer Hut*	*neuen Hutes*	*neuem Hut(e)*	*neuen Hut*
feminine	*neue Frau*	*neuer Frau*	*neuer Frau*	*neue Frau*
neuter	*neues Auto*	*neuen Autos*	*neuem Auto*	*neues Auto*
plural	*neue*	*neuer*	*neuen*	*neue*

An adjective takes a weak declension if it follows a definite article or a declined pronoun. *(der kleine Mann; dieser kleine Mann; welcher große Junge)*

singular	nominative	genitive	dative	accusative
masculine	*neue Hut*	*neuen Hutes*	*neuen Hut(e)*	*neuen Hut*
feminine	*neue Frau*	*neuen Frau*	*neuen Frau*	*neue Frau*
neuter	*neue Auto*	*neuen Autos*	*neuen Auto*	*neue Auto*
plural	*neuen*	*neuen*	*neuen*	*neuen*

An adjective takes a mixed declension if it follows an indefinite article or a pronoun which has no case ending.

singular	nominative	genitive	dative	accusative
masculine	*neuer Hut*	*neuen Hutes*	*neuen Hut*	*neuen Hut*
feminine	*neue Frau*	*neuen Frau*	*neuen Frau*	*neue Frau*
neuter	*neues Auto*	*neuen Auto*	*neuen Auto*	*neues Auto*
plural	*neuen*	*neuen*	*neuen*	*neuen*

The Comparative Adjective

The comparative form of the adjective is formed by adding *-er* (or umlaut and *-er*) to the stem of the adjective. The superlative is formed by adding *-est* or *-st* to the stem of the adjective. If the superlative is not followed by a noun, it is preceded by *am*. *(weit, alt; weiter, länger, älter; weiteste(-r,-s), längste(-r,-s), älteste(-r,-s). Er lief am weitesten.)*

Irregular comparative forms: *gut, besser, am besten; viel, mehr, am meisten; wenig, weniger* or *minder, am wenigsten; hoch, höher, am höchsten; nah, näher, am nächsten.*

Adverbs

Unlike in English, adverbs derived from adjectives are used without added endings. For example, *langsam* in German can mean "slow" or "slowly".

Comparative Form of Adverbs

The comparative form of the adverb corresponds to the comparative form of the the the adjective and is also used without an ending. In addition to the adverbs derived from adjectives, the following adverbs have comparative forms:

oft – öfter – am öftesten
bald – eher – am ehesten/ehestens
gern – lieber – am liebsten
wohl – wohler/besser – am wohlsten/am besten
sehr – mehr – am meisten/meist/meistens

Articles

The Definite Article

number	case	masculine	feminine	neuter
singular	nominative	*der*	*die*	*das*
	genitive	*des*	*der*	*des*
	dative	*dem*	*der*	*dem*
	accusative	*den*	*die*	*das*
plural	nominative	*die*	*die*	*die*
	genitive	*der*	*der*	*der*
	dative	*den*	*den*	*den*
	accusative	*die*	*die*	*die*

The Indefinite Article

number	case	masculine	feminine	neuter
singular	nominative	*ein*	*eine*	*ein*
	genitive	*eines*	*einer*	*eines*
	dative	*einem*	*einer*	*einem*
	accusative	*einen*	*eine*	*ein*

There is no plural form of the indefinite article.

Cases

There are four cases in German.

– The nominative case is used for the subject of a sentence or following the verb *sein* (to be). The nominative case is never used following a preposition.
– The accusative case is used for direct objects.
– The dative case is used for indirect objects.
– The genitive case is the equivalent of the possessive in English.

Prepositions determining cases

Prepositions assign a certain case (accusative, dative or genitive) to the word or the group of words which they precede.

Prepositions with the accusative case

durch	*ohne*
für	*um*
gegen	

Prepositions with the dative case

aus	*nach*
außer	*nebst*
bei	*samt*
entgegen	*seit*
gegenüber	*von*
gemäß	*zu*
mit	

Prepositions with accusative or dative case

Several frequently used prepositions of place are used with the dative case when referring to the location of something, and with the accusative case when motion is referred to:

preposition	accusative case	dative case
an	*Lehne die Leiter an die Wand.* Lean the ladder against the wall.	*Die Leiter lehnt an der Wand.* The ladder is leaning against the wall.
auf	*Du kannst dich auf den Stuhl dort setzen.* You can sit in that chair there.	*Auf diesem Stuhl sitzt Frau Weber.* Mrs. Weber is sitting in this chair.
hinter	*Schau hinter das Bild.* Look behind the picture.	*Der Safe ist hinter dem Bild.* The safe is behind the picture.
in	*Tritt nicht in die Pfütze.* Don't step in the puddle.	*Der Brief ist in diesem Ordner abgelegt.* The letter is filed in this folder.
neben	*Stell den Koffer neben das andere Gepäck.* Put the suitcase next to the other luggage.	*Sein Lieblingsplatz war immer neben dem Ofen.* His favourite place was always next to the oven.
über	*Die Wolken ziehen über die Berge.* The clouds are drifting over the mountains.	*Wir flogen über den Wolken dahin.* We flew along over the clouds.

unter	*Kriech unter den Tisch.* Crawl under the table.	*Such unter dem Tisch.* Look under the table.
vor	*Stell die Schuhe vor die Tür.* Put the shoes in front of the door.	*Der Sommer steht vor der Tür.* Summer is just around the corner.
zwischen	*Stell den Tisch zwischen die Stühle!* Put the table between the chairs!	*Zwischen den Bäumen wuchsen Pilze.* Mushrooms were growing among the trees.

Prepositions with the genitive case

außerhalb	*laut*	*um ... willen*
dank	*mangels*	*ungeachtet*
diesseits	*mittels*	*unterhalb*
...halber	*oberhalb*	*unweit*
innerhalb	*statt*	*während*
jenseits	*trotz*	*wegen*

With most of these prepositions the genetive case is only used, if there is an inflected pronoun, an adjective or an article between the preposition and the noun. Otherwise it is followed by the dative case, or the preposition *von* (from) is added, which is then also followed by the dative case.

trotz starker Schneefälle (genitive)	*trotz Schneefällen* (dative)
infolge des Unwetters (genitive)	*infolge von Unwetter* (dative)

Pronouns

	personal pronoun		possessive pronoun	
singular	nominative case		nominative case	
1st person	*ich*	I	*mein*	my
2nd person	*du*	you	*dein*	your
3rd person	*er, sie, es*	he, she, it	*sein, ihr, sein*	his, her, its
plural				
1st person	*wir*	we	*unser*	our
2nd person	*ihr*	you	*euer*	your
3rd person	*sie*	they	*ihr*	their

	personal pronoun		personal pronoun	
singular	dative case		accusative case	
1st person	*mir*	to me	*mich*	me
2nd person	*dir*	to you	*dich*	you
3rd person	*ihm, ihr, ihm*	to him, to her, to it	*sich*	him, her, it

plural				
1st person	*uns*	to us	*uns*	us
2nd person	*euch*	to you	*euch*	you
3rd person	*ihnen*	to them	*sie*	them

Forms of Address

If speaking to one or more people, one differentiates between the familiar and the formal forms of address.

The familiar form of address – the personal pronouns of the 2nd person *(du, ihr)* – is only used for people with whom one is on a first-name basis.

When addressing strangers or anyone with whom one is not on a first-name basis, the formal forms of address are used:

	personal pron. (sing. + pl.)
nominative	*Sie*
dative	*Ihnen*
accusative	*Sie*

The formal mode of address is used with the verb forms of the 3rd person plural.

Nouns

The Gender of Nouns

German has three genders which are indicated by the article the noun receives: *der Mann* (masculine), *die Frau* (feminine), *das Haus* (neuter).

The Number of Nouns

The plural form of a noun is formed either by adding an ending to the singular form (*-e, -en, -n, -s*) and an umlaut to the stem vowel or by adding the ending *-e* or *-er*: *das Heft, die Hefte; die Küche, die Küchen; das Brett, die Bretter; die Kur, die Kuren; das Auto, die Autos; die Tochter, die Töchter; die Mutter, die Mütter; die Not, die Nöte; das Buch, die Bücher.*

Numbers

cardinal numbers		ordinal numbers	
0	*null*	1.	*erste*
1	*eins*	2.	*zweite*
2	*zwei*	3.	*dritte*
3	*drei*	4.	*vierte*
4	*vier*	5.	*fünfte*
5	*fünf*	6.	*sechste*
6	*sechs*	7.	*sieb(en)te*
7	*sieben*	8.	*achte*
8	*acht*	9.	*neunte*
9	*neun*	10.	*zehnte*
10	*zehn*	11.	*elfte*
11	*elf*	12.	*zwölfte*

12	*zwölf*	13.	*dreizehnte*
13	*dreizehn*	14.	*vierzehnte*
14	*vierzehn*	15.	*fünfzehnte*
15	*fünfzehn*	16.	*sechzehnte*
16	*sechzehn*	17.	*siebzehnte*
17	*siebzehn*	18.	*achtzehnte*
18	*achtzehn*	19.	*neunzehnte*
19	*neunzehn*	20.	*zwanzigste*
20	*zwanzig*	21.	*einundzwanzigste*
21	*einundzwanzig*	22.	*zweiundzwanzigste*
22	*zweiundzwanzig*	23.	*dreiundzwanzigste*
23	*dreiundzwanzig*	24.	*vierundzwanzigste*
30	*dreißig*	25.	*fünfundzwanzigste*
40	*vierzig*	26.	*sechsundzwanzigste*
50	*fünfzig*	27.	*siebenundzwanzigste*
60	*sechzig*	28.	*achtundzwanzigste*
70	*siebzig*	29.	*neunundzwanzigste*
80	*achtzig*	30.	*dreißigste*
90	*neunzig*	40.	*vierzigste*
100	*(ein)hundert*	50.	*fünfzigste*
101	*hundert(und)eins*	60.	*sechzigste*
230	*zweihundert(und)dreißig*	70.	*siebzigste*
538	*fünfhundert(und)achtundreißig*	80.	*achtzigste*
1 000	*(ein)tausend*	90.	*neunzigste*
10 000	*zehntausend*	100.	*(ein)hundertste*
100 000	*(ein)hunderttausend*	230.	*zweihundert(und)dreißigste*
1 000 000	*eine Million*	1 000.	*(ein)tausendste*

0 is always read as *null*.
Numbers less than one million are written as one word.

Verbs

The Conjugation of Regular Verbs

To form the present tense, drop the *-en* or *-n* from the infinitive and add *-e, -st, -t, -en, -t, -en*:

stellen	to put
ich stelle	I put
du stellst	you put
er/sie/es stellt	he/she/it puts
wir stellen	we put
ihr stellt	you put
sie stellen	they put

If the stem (the part of the infinitive before *-en*) ends in *-chn, -d, -dn, -fn, -gn, -t, -tm*, drop the *-en* from the infinitive and add *-e, -est, -et, -en, -et, -en*:

rechnen	to calculate
ich rechne	I calculate
du rechnest	you calculate
er/sie/es rechnet	he/she/it calculates
wir rechnen	we calculate
ihr rechnet	you calculate
sie rechnen	they calculate

Verbs with stems that end in *-s*, *-x* or *-z* simply add a *-t* to the stem in the 2nd person.

Conjugation of Irregular Verbs

The forms of irregular verbs are featured in the table on pages 1120–1123. The forms of the frequently used irregular verbs listed below should be memorized:

sein	be	*haben*	have
ich bin	I am	*ich habe*	I have
du bist	you are	*du hast*	you have
er/sie/es ist	he/she/it is	*er/sie/es hat*	he/she/it has
wir sind	we are	*wir haben*	we have
ihr seid	you are	*ihr habt*	you have
sie sind	they are	*sie haben*	they have
werden	become	*wissen*	know
ich werde	I become	*ich weiß*	I know
du wirst	you become	*du weißt*	you know
er/sie/es wird	he/she/it becomes	*er/sie/es weiß*	he/she/it knows
wir werden	we become	*wir wissen*	we know
ihr werdet	you become	*ihr wisst*	you know
sie werden	they become	*sie wissen*	they know
tun	do		
ich tue	I do		
du tust	you do		
er/sie/es tut	he/she/it does		
wir tun	we do		
ihr tut	you do		
sie tun	they do		

The Future Tense of Regular Verbs

The future tense is formed using the stem of the verbs and the appropriate present tense form of *werden:*

ich werde stellen
du wirst stellen
er/sie/es wird stellen
wir werden stellen
ihr werdet stellen
sie werden stellen

The Imperfect of Regular Verbs

The imperfect is formed by adding the following endings to the stem of the verb:

-te	*ich stellte*
-test	*du stelltest*
-te	*er/sie/es stellte*
-ten	*wir stellten*
-tet	*ihr stelltet*
-ten	*sie stellten*

The Present Perfect

The present perfect is formed with the present tense of *haben* or *sein* and the participle:

ich habe gestellt
du hast gestellt
er/sie/es hat gestellt
wir haben gestellt
ihr habt gestellt
sie haben gestellt

Many verbs involving a change of location or condition form the present perfect with *sein* rather than *haben:*

ich bin gereist
du bist gereist
er/sie/es ist gereist
wir sind gereist
ihr seid gereist
sie sind gereist

The Participle of Regular Verbs

The participle of regular verbs is formed by adding the prefix *ge-* to the 3rd person singular form of the verb. *stellen* becomes *gestellt, suchen* becomes *gesucht.* Verbs that end in *-ieren* form the participle with the 3rd person singular form of the verb (without adding *ge-*): *informieren* becomes *informiert.*

Verbs with Separable Prefixes

In the case of verbs with separable prefixes, the prefix always is placed at the end of the sentence. If the verb itself is not at the end of the sentence, the prefix is separated from the rest of the verb and placed there. The most common of these prefixes are:

ab-, an-, auf-, aus-, ein-, fort-, heim-, her-, heraus-, hinaus-, hin-, mit-, nach-, nieder-, vor-, weg-, zu-, zurück-, zusammen-.

zumachen	close
Ich machte es zu.	I closed it.
Ich habe es zugemacht.	I closed it.

German Irregular Verbs

Infinitive	Past Tense	Past Participle	Prs. Sing. 1st + 2nd pers.
backen	backte	gebacken	ich backe, du bäckst
befehlen	befahl	befohlen	ich befehle, du befiehlst
befleißen	befliss	beflissen	ich befleiße, du befleißt
beginnen	begann	begonnen	ich beginne, du beginnst
beißen	biss	gebissen	ich beiße, du beißt
bergen	barg	geborgen	ich berge, du birgst
bersten	barst	geborsten	ich berste, du birst
bewegen (veranlassen)	bewog	bewogen	ich bewege, du bewegst
biegen	bog	gebogen	ich biege, du biegst
bieten	bot	geboten	ich biete, du bietest
binden	band	gebunden	ich binde, du bindest
bitten	bat	gebeten	ich bitte, du bittest
blasen	blies	geblasen	ich blase, du bläst
bleiben	blieb	geblieben	ich bleibe, du bleibst
bleichen (hell werden)	blich	geblichen	ich bleiche, du bleichst
braten	briet	gebraten	ich brate, du brätst
brechen	brach	gebrochen	ich breche, du brichst
brennen	brannte	gebrannt	ich brenne, du brennst
bringen	brachte	gebracht	ich bringe, du bringst
denken	dachte	gedacht	ich denke, du denkst
dreschen	drosch	gedroschen	ich dresche, du drischst
dringen	drang	gedrungen	ich dringe, du dringst
dünken	dünkte	gedünkt	mich dünkt, dich dünkt
dürfen	durfte	gedurft	ich darf, du darfst
empfangen	empfing	empfangen	ich empfange, du empfängst
empfehlen	empfahl	empfohlen	ich empfehle, du empfiehlst
empfinden	empfand	empfunden	ich empfinde, du empfindest
erbleichen	erblich	erblichen	ich erbleiche, du erbleichst
erlöschen	erlosch	erloschen	ich erlösche, du erlöschst
erschrecken	erschrak	erschrocken	ich erschrecke, du erschrickst
essen	aß	gegessen	ich esse, du isst
fahren	fuhr	gefahren	ich fahre, du fährst
fallen	fiel	gefallen	ich falle, du fällst
fangen	fing	gefangen	ich fange, du fängst
fechten	focht	gefochten	ich fechte, du fich(t)st
finden	fand	gefunden	ich finde, du findest
flechten	flocht	geflochten	ich flechte, du flich(t)st
fliegen	flog	geflogen	ich fliege, du fliegst
fliehen	floh	geflohen	ich fliehe, du fliehst
fließen	floss	geflossen	ich fließe, du fließt
fressen	fraß	gefressen	ich fresse, du frisst
frieren	fror	gefroren	ich friere, du frierst
gären	gor	gegoren	es gärt
gebären	gebar	geboren	ich gebäre, du gebärst/gebierst
geben	gab	gegeben	ich gebe, du gibst
gedeihen	gedieh	gediehen	ich gedeihe, du gedeihst
gehen	ging	gegangen	ich gehe, du gehst
gelingen	gelang	gelungen	es gelingt

gelten	galt	gegolten	ich gelte, du giltst
genesen	genas	genesen	ich genese, du genest
genießen	genoss	genossen	ich genieße, du genießt
geschehen	es geschah	geschehen	es geschieht
gewinnen	gewann	gewonnen	ich gewinne, du gewinnst
gießen	goss	gegossen	ich gieße, du gießt
gleichen	glich	geglichen	ich gleiche, du gleichst
gleiten	glitt	geglitten	ich gleite, du gleitest
glimmen	glomm	geglommen	es glimmt
graben	grub	gegraben	ich grabe, du gräbst
haben	hatte	gehabt	ich habe, du hast
halten	hielt	gehalten	ich halte, du hältst
hängen	hing	gehangen	ich hänge, du hängst
hauen	hieb/haute	gehauen	ich haue, du haust
heben	hob	gehoben	ich hebe, du hebst
heißen	hieß	geheißen	ich heiße, du heißt
helfen	half	geholfen	ich helfe, du hilfst
kennen	kannte	gekannt	ich kenne, du kennst
klimmen	klomm	geklommen	ich klimme, du klimmst
klingen	klang	geklungen	ich klinge, du klingst
kneifen	kniff	gekniffen	ich kneife, du kneifst
kommen	kam	gekommen	ich komme, du kommst
können	konnte	gekonnt	ich kann, du kannst
kriechen	kroch	gekrochen	ich krieche, du kriechst
laden	lud	geladen	ich lade, du lädst
lassen	ließ	gelassen	ich lasse, du lässt
laufen	lief	gelaufen	ich laufe, du läufst
leiden	litt	gelitten	ich leide, du leidest
leihen	lieh	geliehen	ich leihe, du leihst
lesen	las	gelesen	ich lese, du liest
liegen	lag	gelegen	ich liege, du liegst
löschen	losch	geloschen	ich lösche, du lischst
lügen	log	gelogen	ich lüge, du lügst
mahlen	mahlte	gemahlt	ich mahle, du mahlst
meiden	mied	gemieden	ich meide, du meidest
melken	molk	gemolken/ gemelkt	ich melke, du melkst
messen	maß	gemessen	ich messe, du misst
misslingen	es misslang	misslungen	es misslingt
mögen	mochte	gemocht	ich mag, du magst
müssen	musste	gemusst	ich muss, du musst
nehmen	nahm	genommen	ich nehme, du nimmst
nennen	nannte	genannt	ich nenne, du nennst
pfeifen	pfiff	gepfiffen	ich pfeife, du pfeifst
preisen	pries	gepriesen	ich preise, du preist
pflegen	pflegte	gepflegt	ich pflege, du pflegst
quellen	quoll	gequollen	ich quelle, du quillst
raten	riet	geraten	ich rate, du rätst
reiben	rieb	gerieben	ich reibe, du reibst
reißen	riss	gerissen	ich reiße, du reißt
reiten	ritt	geritten	ich reite, du reitest
rennen	rannte	gerannt	ich renne, du rennst

riechen	roch	gerochen	ich rieche, du riechst
ringen	rang	gerungen	ich ringe, du ringst
rinnen	rann	geronnen	es rinnt
rufen	rief	gerufen	ich rufe, du rufst
saufen	soff	gesoffen	ich saufe, du säufst
saugen	sog	gesogen	ich sauge, du saugst
schaffen	schuf	geschaffen	ich schaffe, du schaffst
scheiden	schied	geschieden	ich scheide, du scheidest
scheinen	schien	geschienen	ich scheine, du scheinst
schelten	scholt	gescholten	ich schelte, du schiltst
scheren	schor	geschoren	ich schere, du scherst
schieben	schob	geschoben	ich schiebe, du schiebst
schießen	schoss	geschossen	ich schieße, du schießt
schinden	schund/ schindete	geschunden	ich schinde, du schindest
schlafen	schlief	geschlafen	ich schlafe, du schläfst
schlagen	schlug	geschlagen	ich schlage, du schlägst
schleichen	schlich	geschlichen	ich schleiche, du schleichst
schleifen	schliff	geschliffen	ich schleife, du schleifst
schließen	schloss	geschlossen	ich schließe, du schließt
schlingen	schlang	geschlungen	ich schlinge, du schlingst
schmeißen	schmiss	geschmissen	ich schmeiße, du schmeißt
schmelzen	schmolz	geschmolzen	ich schmelze, du schmilzt
schneiden	schnitt	geschnitten	ich schneide, du schneidest
schrecken	schrak	erschrocken	ich schrecke, du schrickst
schreiben	schrieb	geschrieben	ich schreibe, du schreibst
schreien	schrie	geschrien	ich schreie, du schreist
schreiten	schritt	geschritten	ich schreite, du schreitest
schweigen	schwieg	geschwiegen	ich schweige, du schweigst
schwellen	schwoll	geschwollen	ich schwelle, du schwillst
schwimmen	schwamm	geschwommen	ich schwimme, du schwimmst
schwinden	schwand	geschwunden	ich schwinde, du schwindest
schwingen	schwang	geschwungen	ich schwinge, du schwingst
schwören	schwor	geschworen	ich schwöre, du schwörst
sehen	sah	gesehen	ich sehe, du siehst
sein	war	gewesen	ich bin, du bist
senden	sandte	gesandt	ich sende, du sendest
singen	sang	gesungen	ich singe, du singst
sinken	sank	gesunken	ich sinke, du sinkst
sinnen	sann	gesonnen	ich sinne, du sinnst
sitzen	saß	gesessen	ich sitze, du sitzt
speien	spie	gespien	ich speie, du speist
spinnen	spann	gesponnen	ich spinne, du spinnst
sprechen	sprach	gesprochen	ich spreche, du sprichst
sprießen	spross	gesprossen	ich sprieße, du sprieß(es)t
springen	sprang	gesprungen	ich springe, du springst
stechen	stach	gestochen	ich steche, du stichst
stehen	stand	gestanden	ich stehe, du stehst
stehlen	stahl	gestohlen	ich stehle, du stiehlst
steigen	stieg	gestiegen	ich steige, du steigst
sterben	starb	gestorben	ich sterbe, du stirbst
stieben	stob	gestoben	ich stiebe, du stiebst

stinken	stank	gestunken	ich stinke, du stinkst
stoßen	stieß	gestoßen	ich stoße, du stößt
streichen	strich	gestrichen	ich streiche, du streichst
streiten	stritt	gestritten	ich streite, du streitest
tragen	trug	getragen	ich trage, du trägst
treffen	traf	getroffen	ich treffe, du triffst
treiben	trieb	getrieben	ich treibe, du treibst
treten	trat	getreten	ich trete, du trittst
trinken	trank	getrunken	ich trinke, du trinkst
trügen	trog	getrogen	ich trüge, du trügst
tun	tat	getan	ich tu(e), du tust
verderben	verdarb	verdorben	ich verderbe, du verdirbst
verdrießen	verdross	verdrossen	ich verdrieße, du verdrießt
vergessen	vergaß	vergessen	ich vergesse, du vergißt
verlieren	verlor	verloren	ich verliere, du verlierst
wachsen	wuchs	gewachsen	ich wachse, du wächst
wägen	wog	gewogen	ich wäge, du wägst
waschen	wusch	gewaschen	ich wasche, du wäschst
weichen	wich	gewichen	ich weiche, du weichst
weisen	wies	gewiesen	ich weise, du weist
wenden	wandte/ wendete	gewandt/ gewendet	ich wende, du wendest
werben	warb	geworben	ich werbe, du wirbst
werden	wurde	geworden	ich werde, du wirst
werfen	warf	geworfen	ich werfe, du wirfst
wiegen	wog	gewogen	ich wiege, du wiegst
winden	wand	gewunden	ich winde, du windest
wissen	wusste	gewusst	ich weiß, du weißt
wollen	wollte	gewollt	ich will, du willst
ziehen	zog	gezogen	ich ziehe, du ziehst
zwingen	zwang	gezwungen	ich zwinge, du zwingst

Wichtige Abkürzungen im Englischen

abbrev.	*abbreviation*	Abkürzung
AC	*alternating current*	Wechselstrom
A.D.	*anno Domini*	A.D.
a.m.	*ante meridiem*	vormittags
amt.	*amount*	Menge
approx.	*approximately*	ca.
attn.	*to the attention of*	z.Hd.
Ave.	*Avenue*	Allee
b.	*born*	geboren
B.A.	*Bachelor of Arts*	akademischer Grad vor dem M.A.
BBC	*British Broadcasting Corporation*	BBC
B.C.	*before Christ*	v. Chr.
BR	*British Rail*	Britische Eisenbahngesellschaft
Bros.	*brothers*	Gebrüder
Capt.	*Captain*	Kapitän
cd	*cash discount*	Rabatt für Barzahlung
CD	*compact disc*	CD
CEO	*Chief Executive Officer*	Generaldirektor
CET	*Central European Time*	MEZ
cf.	*confer*	vgl.
CIA	*Central Intelligence Agency*	CIA (der amerikanische Geheimdienst)
c/o	*care of*	bei, c/o
Co.	*company*	Fa.
C.O.D.	*cash on delivery*	per Nachnahme
CV	*Curriculum vitae*	Lebenslauf
D.A.	*district attorney*	Staatsanwalt
dir.	*director*	Direktor
dbl.	*double*	doppel
D.C.	*direct current*	Gleichstrom
Dept.	*department*	Abteilung
E.C.	*European Community*	Europäische Gemeinschaft
EDP	*Electronic Data Processing*	EDV
EEMU	*European Economics and Monetary Union*	EWWU, Europäische Wirtschafts- und Währungsunion
e.g.	*exempli gratia*	z. B.
encl.	*1. enclosed*	anbei
	2. enclosure	Anlage
esp.	*especially*	besonders
etc.	*et cetera*	usw.
EU	*European Union*	Europäische Union
FBI	*Federal Bureau of Investigation*	FBI (Bundespolizei in den USA)
ft.	*foot*	Fuß
GNP	*gross national product*	Bruttosozialprodukt
HP	*Hire Purchase*	Ratenkauf
H.R.H.	*His/Her Royal Highness*	Seine/Ihre Königliche Hoheit

ID	*identification*	Ausweis
i.e.	*id est*	das heißt
inc.	*incorporated*	eingetragen
incl.	*including*	einschließlich, inklusive
IOU	*I owe you*	Schuldschein
IQ	*intelligence quotient*	Intelligenzquotient
Jr.	*junior*	Junior
lb.	*pound*	Pfund
Ld	*Lord*	Herr (Teil eines Titels)
Ltd.	*limited*	GmbH
MD	*Medicinae Doctor*	Dr. med.
m.p.h.	*miles per hour*	Meilen pro Stunde
Mr	*Mister*	Herr
Mrs	*(nur als Abkürzung)*	Frau
Ms	*(nur als Abkürzung)*	Frau (auch für Unverheiratete)
Mt	*mount*	Teil des Namens vor einem Berg
n/a	*not applicable*	nicht zutreffend
NATO	*North Atlantic Treaty Organization*	NATO
NB	*nota bene*	bitte beachten
no.	*number*	Nr.
oz.	*ounce*	Unze
p.	*1. page*	S.
	2. pence	Penny
p.a.	*per annum*	jährlich
PC	*personal computer*	Personalcomputer
pd	*paid*	bezahlt
p.m.	*post meridiem*	nachmittags, abends
p.o.	*post office*	Post
pp.	*pages*	Seiten
PTO	*please turn over*	bitte wenden
Rd.	*road*	Str.
Ref.	*reference*	Bezug
ret.	*retired*	in Ruhestand
ROM	*read-only memory*	ROM
rpm	*revolutions per minute*	Umdrehungen pro Minute
RSVP	*répondez s'il vous plaît*	u.A.w.g.
RV	*recreational vehicle*	Wohnmobil
sq.	*square*	Quadrat
Sr.	*Senior*	Senior (nach einem Namen)
St.	*1. Saint*	St.
	2. Street	Str.
TV	*television*	Fernsehen
U.K.	*United Kingdom*	Vereinigtes Königreich (England, Schottland, Wales, Nordirland)
USA	*United States of America*	USA
VAT	*value-added tax*	Mwst.
VCR	*video cassette recorder*	Videorekorder
vol	*volume*	Band
VP	*vice president*	Vizepräsident
vs.	*versus*	gegen
yd.	*yard*	Yard
ZIP code	*Zone Improvement Plan*	Postleitzahl

Important German Abbreviations

Abb.	*Abbildung*	illustration
Abk.	*Abkürzung*	abbreviation
Abs.	*Absender*	sender
Abschn.	*Abschnitt*	paragraph
Abt.	*Abteilung*	department
Adr.	*Adresse*	address
AG	*Aktiengesellschaft*	joint stock company
allg.	*allgemein*	general
Anl.	*Anlage*	enclosure
Anm.	*Anmerkung*	note
AZUBI	*Auszubildende*	trainee, apprentice
Betr.	*Betreff*	reference
bezgl.	*bezüglich*	with regard to
Bj.	*Baujahr*	year of construction
BLZ	*Bankleitzahl*	sort code, (US) bank identification number
BRD	*Bundesrepublik Deutschland*	Federal Republic of Germany
b. w.	*bitte wenden*	please turn over
bzw.	*beziehungsweise*	or, or rather, respectively
ca.	*circa*	approx.
DB	*Deutsche Bahn*	German Railways
d.h.	*das heißt*	i.e.
DIN	*Deutsche Industrienorm*	German Industrial Standard
Dipl. Ing.	*Diplomingenieur*	academically trained engineer
Dipl. Kfm.	*Diplomkaufmann*	person with a degree in commerce
DM	*Deutsche Mark*	German mark
Dr.	*Doktor*	Dr.
Dr. med.	*Doktor medicinae*	M.D.
dt.	*deutsche(r,s)*	German
Dtzd.	*Dutzend*	dozen
ebf.	*ebenfalls*	as well
EDV	*Elektronische Datenver- arbeitung*	EDP
EWWU	*Europäische Wirtschafts- und Währungsunion*	EEMU European Economic and Monetary Union
einschl.	*einschließlich*	including
engl.	*englisch*	English
EU	*Europäische Union*	European Union
ev.	*evangelisch*	Protestant
e.V.	*eingetragener Verein*	registered society
evtl.	*eventuell*	possibly, perhaps
Fa.	*Firma*	firm
FCKW	*Fluorchlorkohlenwasserstoff*	fluorocarbon
ff.	*folgende Seiten*	in the following
Fr.	*Frau*	Mrs./Ms./Miss
geb.	*geboren*	born
Gebr.	*Gebrüder*	Bros.
ggf.	*gegebenenfalls*	if necessary
Ges.	*Gesellschaft*	Co.

GmbH	*Gesellschaft mit beschränkter Haftung*	Ltd.
Hbf	*Hauptbahnhof*	central railway station
Hbj.	*Halbjahr*	half year
hlg.	*heilig*	holy
HP	*Halbpension*	half board
Hr.	*Herr*	Mr.
i. A.	*im Auftrag*	on behalf of
inkl.	*inklusive*	incl.
i. R.	*im Ruhestand*	retired
i. V.	*in Vertretung*	on behalf of
Jh.	*Jahrhundert*	century
kath.	*katholisch*	Catholic
Kfz	*Kraftfahrzeug*	motor vehicle
KG	*Kommanditgesellschaft*	limited partnership
Kto.	*Konto*	account
Lkw	*Lastkraftwagen*	lorry, truck (US)
MEZ	*Mitteleuropäische Zeit*	CET
mtl.	*monatlich*	monthly
Mrd.	*Milliarde*	thousand million (UK)/billion (US)
Mwst.	*Mehrwertsteuer*	value-added tax
n. Chr.	*nach Christus*	A.D.
Nr.	*Nummer*	no.
n. V.	*nach Vereinbarung*	by arrangement
Pf	*Pfennig*	pfennigs
Pkt.	*Punkt*	point
Pkw	*Personenkraftwagen*	motor car, automobile
PLZ	*Postleitzahl*	postal code, ZIP code (US)
PS	*Pferdestärke*	horsepower
P.S.	*post scriptum*	P.S.
rd.	*rund*	approx.
s.	*siehe*	see
S.	*Seite*	page
s.o.	*siehe oben*	see above
SSV	*Sommerschlussverkauf*	summer sale
Std.	*Stunde*	hour
Str.	*Straße*	St.
s.u.	*siehe unten*	see below
TÜV	*Technischer Über-wachungsverein*	Association for Technical Inspection
u.	*und*	and
u. a.	*unter anderem*	among other things
usw.	*und so weiter*	etc.
u. U.	*unter Umständen*	circumstances permitting
u. v. a.	*und viele(s) andere*	and much/many more
v. Chr.	*vor Christus*	B.C.
vgl.	*vergleiche*	cf.
Wdh.	*Wiederholung*	repetition
WSV	*Winterschlussverkauf*	winter sale
z. B.	*zum Beispiel*	e.g.
z. Hd.	*zu Händen*	attn.
z. T.	*zum Teil*	partly
zzt.	*zurzeit*	at present

Maße und Gewichte

Seit 1996 gilt in Großbritannien parallel das Système International d' Unités (SI) bis zur Neuregelung durch die EU. Danach gilt einheitlich das SI-System.

Längenmaße

1 mm		*0.03937079 inches*
1 cm	10 mm	*0.03937 inches*
1 m	100 cm	*3.281 feet*
1 km	1000 m	*0.62138 miles*
1 inch		2,54 cm
1 foot	*12 inches*	30,48 cm
1 yard	*3 feet*	91,44 cm
1 mile	*5280 feet*	1,609 km
1 acre		4046,8 qm

Handelsgewichte

1 Tonne	1.000 kg	*0,984 ton* (UK)
		1.1023 tons (US)
1 dt. Pfund	0,5 kg	
1 ounce		28,35 g
1 pound	*16 ounces*	453,59 g
1 ton	*2,240 s.* (UK)	1016,05 kg (UK)
	2,000 lbs. (US)	907,185 kg (US)
1 stone	*14 pounds*	6,35 kg

Flüssigkeitsmaße

1 l	*1.7607 pints* (UK)	*2.1134 pints* (US)
	0.8804 quarts (UK)	*1.0567 quarts* (US)
	0.2201 gallons (UK)	*0.2642 gallons* (US)
1 gill		0,142 l (UK)	0,1183 l (US)
1 pint		0,568 l (UK)	0,4732 l (US)
1 quart	*2 pints*	1,136 l (UK)	0,9464 l (US)
1 gallon	*4 quarts*	4,546 l (UK)	3,785 l (US)

Temperaturumrechnung

Grad Celsius in Grad Fahrenheit: Grad Celsius mal 9 geteilt durch 5 plus 32
Grad Fahrenheit in Grad Celsius: Grad Fahrenheit minus 32 mal 5 geteilt durch 9

Celsius °C	Fahrenheit °F	Celsius °C	Fahrenheit °F	Celsius °C	Fahrenheit °F
-20	-4	0	32	25	77
-17,8	0	5	41	30	86
-15	5	10	50	35	95
-10	14	15	59	37,8	100
-5	23	20	68		